# DER NEUE PAULY

Rezeptions- und Wissenschaftsgeschichte    Band 14   Fr–Ky

# DER NEUE PAULY

## (DNP)

# DER NEUE PAULY

## Enzyklopädie der Antike

In Verbindung mit
Hubert Cancik und
Helmuth Schneider
herausgegeben
von Manfred Landfester

Rezeptions- und
Wissenschafts-
geschichte

Band 14   Fr–Ky

Verlag J. B. Metzler
Stuttgart · Weimar

## Inhaltsverzeichnis

*Die Deutsche Bibliothek – CIP-Einheitsaufnahme*

*Der neue Pauly* : Enzyklopädie der Antike/in
Verbindung mit Hubert Cancik und
Helmuth Schneider hrsg. von Manfred Landfester. –
Stuttgart ; Weimar : Metzler, 2000
   Teilw. hrsg. von Hubert Cancik und
   Helmuth Schneider
   ISBN 3-476-01470-3

Bd. 14. Rezeptions- und Wissenschaftsgeschichte. Fr–Ky – 2000
   ISBN 3-476-01484-3

ISBN 3-476-01470-3 (Gesamtwerk)
ISBN 3-476-01484-3 (Band 14 Fr-Ky)

© 2000 J. B. Metzlersche Verlags-
buchhandlung und Carl Ernst Poeschel
Verlag GmbH in Stuttgart

Typographie und Ausstattung:
Brigitte und Hans Peter Willberg
Grafik und Typographie der Karten:
Richard Szydlak
Satz: pagina GmbH, Tübingen
Gesamtfertigung: Franz Spiegel Buch
GmbH, Ulm
Printed in Germany

Oktober 2000
Verlag J. B. Metzler Stuttgart · Weimar

Redaktion

Dr. Christa Frateantonio
Tina Jerke
Gaby Kosa
Kerstin Lepper
Matthias Werner
mit:
Annemarie Haas
Ina Welker
Kyra Wenk

## Hinweise für die Benutzung

### Anordnung der Stichwörter
Die Stichwörter sind in der Reihenfolge des deutschen
Alphabetes angeordnet. I und J werden gleich behandelt; ä ist wie ae, ö wie oe, ü wie ue einsortiert. Wenn es
zu einem Stichwort (Lemma) Varianten gibt, wird von
der alternativen Schreibweise auf den gewählten Eintrag
verwiesen. Bei zweigliedrigen Stichwörtern muß daher
unter beiden Bestandteilen gesucht werden.

Informationen, die nicht als Lemma gefaßt worden
sind, können mit Hilfe des Registerbandes aufgefunden
werden.

Gleichlautende Stichworte sind durch Numerierung
unterschieden.

### Transkriptionen
Zu den im NEUEN PAULY verwendeten Transkriptionen vgl. S. VIf. und AWI Bd. 3, S. VIIIf.

### Anmerkungen
Die Anmerkungen enthalten lediglich bibliographische
Angaben. Im Text der Artikel wird auf sie unter Verwendung eckiger Klammern verwiesen (Beispiel: die
Angabe [1. 5²³] bezieht sich auf den ersten numerierten
Titel der Bibliographie, Seite 5, Anmerkung 23). Zur
Unterscheidung von Quellen und Sekundärliteratur
enthalten Bibliographien entsprechende Überschriften:
QU und LIT.

### Verweise
Die Verbindung der Artikel untereinander wird durch
Querverweise hergestellt. Dies geschieht im Text eines
Artikels durch einen Pfeil (→) vor dem Wort / Lemma,
auf das verwiesen wird; wird auf homonyme Lemmata
verwiesen, ist meist auch die laufende Nummer beigefügt.

Querverweise auf verwandte Lemmata sind am
Schluß eines Artikels, ggf. vor den bibliographischen
Anmerkungen, angegeben.

Verweisen auf Stichworte des ersten, altertumswissenschaftlichen Teiles des NEUEN PAULY ist ein AWI
und Pfeil vorangestellt (AWI → Elegie).

### Karten und Abbildungen
Texte, Abbildungen und Karten stehen in der Regel in
engem Konnex, erläutern sich gegenseitig. In einigen
Fällen ergänzen Karten und Abbildungen die Texte
durch die Behandlung von Fragestellungen, die im Text
nicht angesprochen werden können.

# Transkriptionen

## Transkriptionstabelle Altgriechisch

| | | |
|---|---|---|
| α | a | Alpha |
| αι | ai | |
| αυ | au | |
| β | b | Beta |
| γ | g | Gamma; γ vor γ, κ, ξ, χ: n |
| δ | d | Delta |
| ε | e | Epsilon |
| ει | ei | |
| ευ | eu | |
| ζ | z | Zeta |
| η | ē | Eta |
| ηυ | ēu | |
| θ | th | Theta |
| ι | i | Iota |
| κ | k | Kappa |
| λ | l | Lambda |
| μ | m | My |
| ν | n | Ny |
| ξ | x | Xi |
| ο | o | Omikron |
| οι | oi | |
| ου | ou oder u | |
| π | p | Pi |
| ρ | r | Rho |
| σ, ς | s | Sigma |
| τ | t | Tau |
| υ | y | Ypsilon |
| φ | ph | Phi |
| χ | ch | Chi |
| ψ | ps | Psi |
| ω | ō | Omega |
| ʽ | h | |
| ᾳ | ai | Iota subscriptum (analog ῃ, ῳ) |

Die verschiedenen griechischen Akzente
werden in der Umschrift einheitlich durch
Akut (´) angegeben.

## Transkription und Aussprache Neugriechisch

Verzeichnet werden nur Laute und Lautkom-
binationen, die vom Altgriechischen abweichen.

### Konsonanten

| | | |
|---|---|---|
| β | v | |
| γ | gh | vor dunklen Vokalen, wie norddt. ›Tage‹ |
| | j | vor hellen Vokalen |
| δ | dh | wie engl. ›the‹ |
| ζ | z | wie frz. ›zèle‹ |
| θ | th | wie engl. ›thing‹ |

### Konsonantenverbindungen

| | | |
|---|---|---|
| γκ | ng | |
| | g | am Wortanfang |
| μπ | mb | |
| | b | am Wortanfang |
| ντ | nd | |
| | d | am Wortanfang |

### Vokale

| | |
|---|---|
| η | i |
| υ | i |

### Diphthonge

| | | |
|---|---|---|
| αι | e | |
| αυ | av | |
| | af | vor harten Konsonanten |
| ει | i | |
| ευ | ev | |
| | ef | vor harten Konsonanten |
| οι | i | |
| υι | ii | |

Spiritus Asper wird nicht gesprochen.
Der altgriechische Akzent bleibt im allg.
an der angestammten Stelle stehen. Doch
ist die Distinktion zwischen ´, ` und ˉ
verschwunden.

## Transkriptionstabelle
## Hebräisch Konsonanten

| א | a | Alef |
|---|---|---|
| ב | b | Bet |
| ג | g | Gimel |
| ד | d | Dalet |
| ה | h | He |
| ו | w | Waw |
| ז | z | Zajin |
| ח | ḥ | Chet |
| ט | ṭ | Tet |
| י | y | Jud |
| כ | k | Kaf |
| ל | l | Lamed |
| מ | m | Mem |
| נ | n | Nun |
| ס | s | Samech |
| ע | ʿ | Ajin |
| פ | p/f | Pe |
| צ | ṣ | Zade |
| ק | q | Kuf |
| ר | r | Resch |
| שׂ | ś | Sin |
| שׁ | š | Schin |
| ת | t | Taw |

## Aussprache
## Türkisch

Das Türkische verwendet seit 1928 die lateinische Schrift. Grundsätzlich gelten in ihr Laut-/Schriftentsprechungen wie in den europäischen Sprachen, v.a. wie im Deutschen. Im folgenden sind daher nur Abweichungen vom Deutschen aufgeführt.

| C | c | wie italienisch ›giorno‹ |
|---|---|---|
| Ç | ç | wie italienisch ›cento‹ |
| Ğ | ğ | wie norddeutsch g in ›Tage‹, heute manchmal unhörbar |
| H | h | stets aussprechen, nie dt. Dehnungs-h wie in ›fehlen‹ |
| İ | i | wie deutsch i in ›Stift‹ |
| Ĭ, I | ĭ, ı | für das Türkische typischer, sehr offener i-Laut, nicht wie deutsches i |
| J | j | wie frz. ›jour‹ |
| Ş | ş | wie dt. sch in ›Schule‹ |
| Y | y | wie deutsches j in ›Jahr‹ |
| Z | z | wie frz. ›zèle‹, also stets weich |

## Transkriptionstabelle
## Arabisch, Persisch, Osmanisch

| ا, ء | ʾ, ā | ʾ | ʾ | Hamza, Alif |
|---|---|---|---|---|
| ب | b | b | b | Bāʾ |
| پ | – | p | p | Pe |
| ت | t | t | t | Tāʾ |
| ث | ṯ | s̱ | s̱ | Ṯāʾ |
| ج | ǧ | ǧ | ǧ | Ǧīm |
| چ | – | č | č | Čim |
| ح | ḥ | ḥ | ḥ | Ḥāʾ |
| خ | ḫ | ḫ | ḫ | Ḫāʾ |
| د | d | d | d | Dāl |
| ذ | ḏ | ẕ | ẕ | Ḏāl |
| ر | r | r | r | Rāʾ |
| ز | z | z | z | Zāy |
| ژ | – | ž | ž | Že |
| س | s | s | s | Sīn |
| ش | š | š | š | Šīn |
| ص | ṣ | ṣ | ṣ | Ṣād |
| ض | ḍ | ḍ | ḍ | Ḍād |
| ط | ṭ | ṭ | ṭ | Ṭāʾ |
| ظ | ẓ | ẓ | ẓ | Ẓāʾ |
| ع | ʿ | ʿ | ʿ | ʿAin |
| غ | ġ | ġ | ġ | Ġain |
| ف | f | f | f | Fāʾ |
| ق | q | q | q, k | Qāf |
| ك | k | k | k, g, ñ | Kāf |
| گ | – | g | g, ñ | Gāf |
| ل | l | l | l | Lām |
| م | m | m | m | Mīm |
| ن | n | n | n | Nūn |
| ه | h | h | h | Hāʾ |
| و | w, ū | v | v | Wāw |
| ي | y, ī | y | y | Yāʾ |

### Transkription anderer Sprachen

Akkadisch (Assyrisch-Babylonisch), Hethitisch und Sumerisch werden nach den Regeln des RLA bzw. des TAVO transkribiert. Für Ägyptisch werden die Regeln des Lexikons der Ägyptologie angewandt.

    Die Transkription des Urindogermanischen erfolgt nach RIX, HGG, die der indischen Schriften nach M. MAYRHOFER, Etymologisches Wörterbuch des Altindoarischen, 1992ff. Avestisch wird nach K. HOFFMANN, B. FORSSMAN, Avestische Laut- und Flexionslehre, 1996, Altpersisch nach R.G. KENT, Old Persian, ²1953 (Ergänzungen bei K. HOFFMANN, Aufsätze zur Indoiranistik Bd. 2, 1976, 622ff.) transkribiert, die übrigen iranischen Sprachen nach R. SCHMITT, Compendium linguarum Iranicarum, 1989, bzw. nach D.N. MACKENZIE, A Concise Pahlavi Dictionary, ³1990. Bei Armenisch gelten die Richtlinien bei R. SCHMITT, Grammatik des Klassisch-Armenischen, 1981, bzw. der Revue des études arméniennes. Für die Transkription kleinasiatischer Sprachen vgl. das HbdOr, für Mykenisch, Kyprisch vgl. HEUBECK bzw. MASSON; für italische Schriften und Etruskisch vgl. VETTER bzw. ET.

## Lemmata in Band 14

Frankfurt am Main, Liebieghaus – Museum alter
Kunst
Frankreich
Franz-Joseph-Dölger Institut
Frieden
Fürstenschule
Fürstenspiegel

Galenismus
Gattung/Gattungstheorie
Geburtshilfe
Geflügelte Worte
Geld/Geldwirtschaft/Geldtheorie
Gelegenheitsdichtung
Gender Studies
Genfer Gelöbnis
Geographie
Geologie (und Mineralogie)
Georgien
Gerechtigkeit
Geriatrie
Germanische Sprachen
Geschichtsmodelle
Geschichtswissenschaft/Geschichtsschreibung
Geschmack
Glossatoren
Gnosis
Gotha, Schloßmuseum
Gotik
Greek Revival
Griechen-Römer-Antithese
Griechenland
Griechisch
Griechische Komödie
Griechische Tragödie
Groteske

Halikarnass
Handel/Handelswege
Herculaneum
Herrscher
Hethitologie
Hippokratischer Eid
Hippokratismus
Historienmalerei
Historische Geographie
Historische Methoden
Historische Rechtsschule
Historismus

Homerische Frage
Homer-Vergil-Vergleich
Homiletik/Ars praedicandi
Horoskope
Humanismus
Humanistisches Gymnasium
Hymnos
Hymnus
Hysterie

Imitatio
Imperium
Indien
Inschriftenkunde, griechische
Internationalismen
Interpolationsforschung
Interpretatio Christiana
Iranistik
Irland
Ironie
Island
Istituto (Nazionale) di Studi Romani
Italien

Japan
Jerusalem
Jesuitenschulen
Judentum

Kabbala
Kairo, Ägyptisches Museum
Kalender
Kampanien
Kanon
Kanonisten
Karikatur
Karlsruhe, Badisches Landesmuseum,
Antikensammlung
Karolingische Renaissance
Karthago
Kartographie
Kassel, Staatliche Kunstsammlungen –
Antikensammlung
Keltisch-Germanische Archäologie
Keltische Sprachen
Kinder- und Jugendliteratur
Kitsch
Klassik als Klassizismus
Klassische Archäologie
Klassizismus
Klosterschule

# F

**Frankfurt am Main, Liebieghaus – Museum alter Plastik.** Das Skulpturenmus. wurde, organisatorisch mit dem bereits seit 1817 existierenden Städelschen Kunstinstitut verbunden, 1909 als Teil der *Städtischen Galerie* eröffnet. Die Ausstellungsräume verteilen sich auf eine historistische Villa, die der Fabrikant Heinrich von Liebieg der Stadt vermacht hatte, und zwei um einen mittleren Eingangspavillon gruppierte Galerieflügel. Von diesen gelangte einer allerdings erst nach 1985 zur Ausführung, obwohl er seit der Gründungsphase des Mus. vorgesehen war.

Die Sammlung umfaßt seit Beginn ihres Aufbaus Denkmäler der Skulpturgeschichte aus verschiedenen Kulturen histor. Zeiten. Die sich von einseitiger klassizistischer Norm abwendende Konzeption geht auf den Kunsthistoriker Georg Swarzenski zurück, der nach mehrjähriger Tätigkeit am Berliner Kunstgewerbemus. seit 1906 als Direktor des Städels und der Städtischen Galerie amtierte. Gleichwohl kommt im Liebieghaus (L.) der ant. Kunst ein bes. Gewicht zu. Etwa die Hälfte des heutigen Bestandes an großformatigen, vornehmlich als Torsi und Köpfe erhaltenen ant. Plastiken wurde bereits zw. 1907 und 1909 zusammengetragen. Als herausragendes Werk konnte damals die frühkaiserzeitliche Statuenkopie der myronischen Athena (Abb. 1) für Frankfurt gesichert werden. Da die Ankäufe überwiegend im röm. Kunsthandel erfolgten, handelte es sich um Skulpturen von it. Herkunft, beispielsweise einen Satyrkopf des 1. Jh. n. Chr. nach hell. Vorbild (Abb. 3). Originale griech. Kunst waren dagegen zunächst durch die Vasen vertreten, die aus dem Besitz des Städelschen Kunstinst. stammten und nunmehr die Präsentation ant. skulpturaler Denkmäler im L. ergänzten. Den Bestand an Kleinkunst erweiterte während der frühen Sammlungsgeschichte ferner die Sammlung des Religionswissenschaftlers C. M. Kaufmann mit Objekten aus dem frühchristl. Heiligtum von Abu Mena und anderen in Ägypten erworbenen Stücken. 1915 kam die Sammlung des Archäologen A. Furtwängler hinzu.

Wie für andere dt. Mus. standen zw. den Weltkriegen Ankaufsmittel nur in beschränktem Umfang zur Verfügung. Dennoch gelangten in jenen J. einige wichtige griech. Originalarbeiten in das L. Es fehlte aber weiterhin an gültigen Belegen archa. Kunst; diese Lücke konnte erst 1961 mit einem inselionischen, wohl von einem Kouros herrührenden Kopf und 1982 mit einem bärtigen Kopf aus Zypern exemplarisch geschlossen werden. Einen weiteren Akzent bilden seit etwa 1960 wichtige Zuwächse im Bereich der Kleinbronzen. Der röm. Sarkophagkunst gehören einige Fragmente schon aus dem alten Sammlungsbestand an. Diese Gattung ist im L. aber erst durch neuere Ankäufe, v. a. durch Teile eines Meleager-Sarkophages (Abb. 4) repräsentativ do-kumentiert. Die bedeutendste Erwerbung der letzten J. ist die Statue eines Antretenden Diskobolen (Abb. 2), die nicht nur von einem Meisterwerk der klass. Plastik zeugt, sondern auch durch seine nachant. Geschichte Aufmerksamkeit verdient.

Bedingt durch das relativ späte Gründungsdatum hält der Umfang der Skulpturensammlung im L. nicht mit den aus fürstlichem Besitz hervorgegangenen Mus. in → Berlin, → Dresden oder anderen Orten Schritt. Es wurde aber die Chance genutzt, die wichtigsten Perioden und Gattungen ant. Plastik mit ausgewählten, künstlerisch zumeist hochstehenden Werken zu veranschaulichen, wobei diesen zusätzlich der zeitgemäße Verzicht auf Ergänzungen und Überarbeitungen zugute kommt. Hinsichtlich des qualitativen Anspruchs bei der Auswahl der Exponate, aber auch in der Verbindung von kommunalem Engagement mit mäzenatischer Förderung bestehen Vergleichbarkeiten mit anderen »bürgerlichen« Museumseinrichtungen, etwa dem Antikenmus. in → Basel.

Während der Statue der myronischen Athena ein eigenständiger Anbau vorbehalten ist, sind die übrigen Zeugnisse ant. Skulpturgeschichte gegenwärtig im neu erbauten Galerietrakt vereint. Die Präsentation erfolgte primär nach chronologischen Gesichtspunkten, ohne aber, gemäß auch den vorgegebenen architektonischen Bedingungen, in schematische Abgrenzungen nach Perioden zu verfallen. Ebenso wurde bei der Plazierung der einzelnen Plastiken auf angemessene, von Effekten freie Ausleuchtung innerhalb der von oben belichteten Raumabschnitte geachtet. Bewußt verzichtet worden ist auf ausführlichere, notwendige Informationen übersteigende schriftliche Kommentare, um die ausgestellten Plastiken als Kunstwerke zur Geltung zu bringen.

In den vergangenen Jahrzehnten führte das L. neben der Neugestaltung der Dauerausstellung eine Reihe hochrangiger Sonderausstellungen durch, von denen, um allein im arch. Bereich zu bleiben, eine mit dem Thema »Spätantike und frühes Christentum« (1983–1984) und eine zweite mit dem Thema »Polyklet. Der Bildhauer der griech. Klassik« (1990–1991) hervorgehoben seien.

1 E. BAYER-NIEMEIER, L. – Mus. alter Plastik. Wiss. Kataloge, Bildwerke der Slg. Kaufmann, Bd. 1, 1988 2 P. C. BOL, L. – Mus. alter Plastik. Führer durch die Slgg. Ant. Kunst, 1980 3 Ders., L. – Mus. alter Plastik. Wiss. Kataloge, Ant. Bildwerke, Bd. 1–3, 1983–1986 4 Ders., L. – Mus. alter Plastik Frankfurt am Main. Führer durch die Slgg. Griech. und röm. Plastik, 1997 5 W. SELESNOW, L. – Mus. alter Plastik. Wiss. Kataloge, Bildwerke der Slg Kaufmann, Bd. II, 1988 6 M. SONNABEND, Georg Swarzenski und das L., 1990.                         DETLEV KREIKENBOM

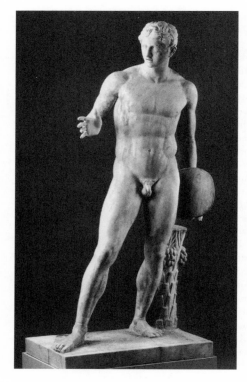

Abb. 1: Frankfurt/Main, Liebieghaus, Inv.-Nr. 195.
Statuenkopie der Athena des Myron

Abb. 2: Frankfurt/Main, Liebieghaus, Inv.-Nr. 2608.
Statuenkopie des Antretenden Diskobolen

Abb. 3: Frankfurt/Main, Liebieghaus, Inv.-Nr. 13.
Kopf eines lachenden Satyrn

Abb. 4: Frankfurt/Main, Liebieghaus, Inv.-Nr. 1528.
Meleagersarkophag (Detail)

# Frankreich I. BIS ZUM 12. JAHRHUNDERT
II. 13.–15. JAHRHUNDERT
III. 16.–18. JAHRHUNDERT
IV. 19.UND 20. JAHRHUNDERT
V. GESCHICHTE DES LATEINUNTERRICHTS

## I. BIS ZUM 12. JAHRHUNDERT
A. DAS FRÄNKISCHE REICH UNTER DEN
MEROWINGERN B. DAS FRÄNKISCHE REICH
UNTER DEN KAROLINGERN
C. FRANKREICH UNTER DEN KAPETINGERN

### A. DAS FRÄNKISCHE REICH UNTER DEN MEROWINGERN
#### 1. GESCHICHTE UND SOZIALE ENTWICKLUNG

Die Franken wurden zunächst als Verbündete (*foederati*) ins Röm. Reich integriert. Chlodwig (466–511) zerschlug durch seinen Sieg über Syagrius (486/7) die Reste der röm. Herrschaft. Er gilt als der Begründer der Dynastie der Merowinger und des fränkischen Großreiches, dessen Gebiet an Seine und Loire er um Aquitanien erweiterte. 498/9 ließ er sich in Reims taufen. Diese entscheidenden Veränderungen in Gallien berechtigen dazu, die vorliegende Darstellung bereits mit der Regierungszeit Chlodwigs beginnen zu lassen. Nach einer Vierteilung des Reiches bei Chlodwigs Tod in die Gebiete, die den röm. *civitates* Reims, Orléans, Paris und Soissons entsprachen, und der Eingliederung von Burgund und der Provence setzte sich ab 567 eine Dreiteilung in Austrien (Ostreich an Rhein und Maas), Neustrien (Westreich um Soissons und Paris) und Burgund (Burgund und Orléans) durch. Wieder vereint, erlebte das Reich unter Dagobert I. (629–638/9) einen Höhepunkt. Danach setzte der Zerfall ein: Zwar herrschten weiterhin Merowinger, doch die Regierung lag bei den Hausmeiern, v. a. aus der Familie der Pippiniden. 751 verdrängte Pippin der Jüngere die Merowinger endgültig aus der Herrschaft.

Die Franken übernahmen zwar die ummauerten spätröm. Städte und Kastellorte, in den ländlichen Gebieten jedoch entstanden statt der *vici* und *villae* Gehöfte an Bächen (Pfahlbauweise). Gewahrt wurde dagegen die Kontinuität in der Verwaltung (hohe Beamte, Kanzlei- und Urkundenwesen) und im Sozialwesen (→ Städtewesen). Das spät-ant. → Schulwesen, das, in den Städten angesiedelt, von staatlich bezahlten Laien getragen wurde, brach mit dem Ende des Röm. Reiches zusammen. Die Ausbildung übernahm die Kirche durch Einrichtung von → Domschulen. Diese standen Laien und Klerikern offen, doch der Adel begnügte sich meist mit Hauslehrern und der Ausbildung im Kriegswesen: Das führte zu zunehmendem Bildungsmangel in den aristokratischen Schichten.

#### 2. LITERATUR

Aufgrund des Bruches mit der röm. Trad. traten nur wenige Persönlichkeiten lit. hervor. In der → Historiographie ist Gregor von Tours zu nennen (538/9–593/4), Verf. der mit vielen Vulgarismen durchsetzten *Historiae Francorum* mit Schwergewicht auf Gallien und der Zeitgeschichte. Eine satirische Parodie auf den Grammatikunterricht schrieb im 7. Jh. ein wohl in Südgallien lebender Autor unter dem Pseudonym Virgilius Maro, der sich als Schüler des Grammatikers Aeneas und Mitschüler eines Donatus ausgibt (Vergil war in den Grammatikerschulen noch immer der bedeutendste Dichter, der gemeinsam mit dem Komm. des Servius und des Donat gelesen wurde). In der Dichtung ragte neben dem Bibelepiker Alcimus Avitus (460–518), der jedoch in seiner Geisteshaltung noch ganz der Spät-Ant. angehört, Venantius Fortunatus (ca. 540–ca. 600, Bischof von Poitiers) hervor: Er hinterließ zahlreiche Gedichte und eine auf Sulpicius Severus fußende hexametrische *Vita S. Martini*, die sprachlich an Vergil orientiert, aber geistig schon ganz dem MA zuzurechnen ist.

#### 3. BILDENDE KUNST UND ARCHITEKTUR

In der Buchmalerei schließen ornamentale Zierelemente an spät-ant. Trad. an, ebenso die Darstellung der Maiestas Domini und die ganzseitigen Evangelistenbilder des 754 geschriebenen Gundohinus-Evangeliars. Bedeutende → Skriptorien befanden sich in Luxueil und Corbie, das einen eigenen Stil entwickelte. In der Kirchenarchitektur herrschten kleine Saalbauten vor (erhalten: Baptisterium St.-Jean in Poitiers, 5. Jh.; Anbau an die Kirche von Jouarre, spätes 7. Jh.).

### B. DAS FRÄNKISCHE REICH UNTER DEN KAROLINGERN
#### 1. GESCHICHTE

Karl Martell, der durch einen Sieg bei Poitiers (732) die Araber von einem weiteren Vordringen in Europa abhielt, regierte ab 737 im Namen des verstorbenen Merowingers allein weiter, ohne sich selbst den Königstitel zuzulegen. Von ihm leitet sich der Geschlechtsname der Karolinger her. Erst sein Sohn Pippin III. (der Jüngere) setzte die Merowinger endgültig ab; er ließ sich 751 vom Papst als König bestätigen und nach alttestamentarischem Vorbild salben (Gottesgnadentum). Das geistige Leben, das schon unter Pippin einen großen Aufschwung erlebte (Aufbau von Hofkapelle und Kanzlei, Liturgiereform), wurde durch seinen Sohn Karl den Gr. (747–814) durch eine umfassende Bildungsrefom zur ersten Hochblüte des MA geführt. Zunächst machte Karl das Fränkische Reich zur führenden Großmacht Europas (Einverleibung des Langobardenreichs, des Sachsenlandes, Bayerns und des Avarenreiches). Am Weihnachtstag des Jahres 800 ließ er sich in Rom – in Konkurrenz zum byz. Kaiser – vom Papst zum *imperator Romanum gubernans imperium* krönen. Waren Karls Reformen v. a. bildungspolit. Natur (s.u.), konzentrierte sich sein Sohn Ludwig der Fromme (778–840) auf kirchliche Reformen. Er legte auch den Grundstein für das spätere Entstehen von Deutschland und F., indem er das Reich unter seine drei Söhne aufteilte: Lothar (795–855) erhielt die Kaiserwürde und das Mittelreich (die Gebiete von der Nordsee bis Süd-It., darunter das spätere Lothringen), Ludwig der Deutsche (ca. 805–876) das Ostreich, Karl der Kahle (823–877) das

Westreich. Nach Aussterben der westfränkischen Linie der Karolinger und der Absetzung Karls des Dicken (839–888), der das Reich noch einmal als Kaiser vereint hatte, zerfiel es 887 in fünf Nachfolgestaaten. In Westfranken kam mit Ludwig IV. Transmarinus von 936–954 noch einmal ein Karolinger an die Königsmacht, bis diese nach dem Tod von Ludwigs Nachfolgern 987 endgültig an die Kapetinger überging.

### 2. Bildung und Wissenschaften

Der Hof Karls des Gr. in Aachen war polit. und geistiges Zentrum des Reiches. Von dort ging die große, auch als → Karolingische Renaissance bezeichnete Bildungsreform aus. In dem Bemühen, christl. mit ant. Bildungsgut zu vereinen, berief Karl aus It., Spanien, England und Irland führende Gelehrte an seinen Hof, an deren Spitze den Angelsachsen Alkuin von York (ab 781 Leiter der Hofschule, ab 796 Abt von St.-Martin in Tours, das er zu einem bedeutenden Bildungszentrum machte). Dessen Interesse galt v. a. der Wiederbelebung der → Artes liberales im Schulunterricht, die für ihn der Weg zur Weisheit waren. Mit diesem Konzept übte er großen Einfluß auf die Domschulen aus, deren Ausbau ebenfalls gefördert wurde (Zentren: Reims, dort Ausbau von Bibl. und Skriptorium durch Erzbischof Hinkmar, Metz, Laon). Bedeutender als die Kathedralschulen waren damals noch die → Klosterschulen, bes. St.-Martin in Tours. Dazu traten St.-Germain in Auxerre unter der Leitung von Heiric (841–875, Schüler des Lupus von Ferrière, der Texte Ciceros und des Boethius redigierte) und Remigius (ca. 841–908, Verf. von Komm. zu ant. Autoren) und Fleury unter der Leitung des Westgoten Theodulf (ca. 760–821, Bischof von Orléans, Abt von Fleury). In der Abtei St.-Denis wirkte um 784 der Ire Dungal, der sich mit naturwiss. Fragen beschäftigte. Dort entstand unter Abt Hilduin um 832 die erste lat. Übers. der aus der ersten H. des 6. Jh. stammenden neuplatonisch-christl. Schriften des Ps.-Dionysios Areopagites, die Ludwig der Fromme vom byz. Kaiser als Geschenk erhalten hatte. Hilduin verfaßte außerdem eine Vita des Hl. Dionysios (St. Denis), der fälschlich mit dem Areopagiten identifiziert wurde. Aufgrund zahlreicher Fehler erhielt in der Mitte des 9. Jh. der irische Gelehrte Johannes Scotus (Eriugena), der Leiter der Hofschule Karls des Kahlen, den Auftrag zu einer Neuübers., der er einen Komm. beifügte. Die Früchte seiner philos. Studien legte er in dem Werk *De divisione naturae* dar, wodurch er zu einem wichtigen Vermittler neuplatonischen Denkens an die Schule von Chartres im 12. Jh. wurde. Eriugenas Komm. zu Martianus Capella begründete die Bed. dieses Autors für das Quadrivium.

### 3. Dichtung

Karl sammelte einen Kreis von Dichtern um sich, die durch Studium röm. Autoren (Vergil, Ovid) die ant. quantitierende Metrik (Hexameter, elegisches Distichon) wieder belebten. Zu nennen ist neben Alkuin v. a. Theodulf, der in einem seiner Gedichte die Lektüre der heidnischen Dichter mit deren allegorischer Deutung

rechtfertigte. Von Ludwig verbannt, sandte er an seinen Freund Modoin († 840, ab 815 Bischof von Autun) eine Klageelegie im Stil von Ovids Verbannungsdichtung. Modoin antwortete mit einer ebensolchen Elegie; auf Karl verfaßte dieser zwei panegyrische Eklogen in Anlehnung an Vergil und Calpurnius (Wiederbelebung der → Bukolik). Schließlich schrieb der gleichfalls unter Ludwig verbannte Ermoldus Nigellus ein panegyrisches Epos auf den Kaiser, allerdings nicht in Hexametern, sondern zum ersten Mal in der Geschichte des Epos in elegischen Distichen, weil er mit seiner Intention (Rückkehr aus der Verbannung) an Ovids Verbannungsdichtung anschloß. Möglich wurden diese Leistungen durch intensives Sammeln und Redigieren ant. Texte in allen bedeutenden Klöstern des Reiches, an die die Texte von der Hofbibl. zum Abschreiben weitergegeben wurden.

### 4. Bildende Kunst und Architektur

Die Entwicklung der karolingischen Minuskel führte zu einer Blüte der Skriptorien, in denen man die Hss. oft prachtvoll illuminierte. In den bildlichen Darstellungen folgte man ant. Mustern (Körperlichkeit, Dreidimensionalität). Ein Zentrum war das Kloster Corbie, in dem unter Abt Maurdramnus um 780 eine Frühform der Minuskel entwickelt wurde. Weiteren Aufschwung nahm Corbie im 9. Jh. unter den Äbten Adalhard (Gründer des Tochterklosters Corvey) und Paschasius Radbert. In der Mitte des Jh. legte dort Hadoard eine Exzerptensammlung aus Ciceros philos. Schriften und *De oratore* an. Als Zentren der Buchmalerei traten neben dem Hofskriptorium (Evangeliar von Soisson, Anf. 9. Jh.) St.-Martin in Tours (Alkuinbibeln), Metz und Reims (Utrecht-Psalter, Mitte 9. Jh.) hervor. In der Kleinkunst stellt die bronzene Reiterstatuette Karls des Gr. (im Louvre) einen Rückgriff auf die röm. → Reiterstandbilder dar; in der Bauplastik finden antikisierende Kapitelle Verwendung. Die Architektur manifestierte sich in Pfalzanlagen und Kirchen: Die 775 geweihte Kirche von St.-Denis griff auf die traditionelle ant. Säulenbasilika zurück, dagegen wurde die 779 geweihte Kirche von St.-Riquier, in Kreuzform mit Vierungsturm, prägend für die Zukunft; byz. Einfluß weist die 806 von Theodulf in Germigny-des-Prés errichtete Kreuzkuppelkirche mit Apsismosaik auf.

## C. Frankreich unter den Kapetingern

### 1. Geschichte

Die Zeit der frühen Kapetinger bis zu Ludwig VI. (1101/1108–1137) war geprägt von der Konsolidierung der Herrschaft. Die Reichsgrenzen änderten sich nicht, Paris wurde zum polit., wirtschaftlichen und kulturellen Zentrum; dazu traten zahlreiche Abteien (St.-Denis, St.-Germain-des-Prés in Paris, Fleury) und Erzbistümer (Reims, Sens, Bourges, Tours), die die Kapetinger unterstützten. F. umfaßte mehrere große Fürstentümer mit eigenen Dynastien, die alle dem König durch Lehenseid verpflichtet waren: das Herzogtum Normandie (hervorgegangen aus dem Gebiet um Rouen, das die Karolinger den Normannen 911 abgetreten hatten; mit dem

Sieg Wilhelms des Eroberers bei Hastings 1066 wurden die Normannen Könige von England, blieben aber als Herzöge der Normandie Vasallen des frz. Königs); die Grafschaft Anjou (Aufstieg im 11. Jh., Einverleibung der Grafschaften Touraine und Maine; Heinrich II. Plantagenêt wird 1154 König von England); die Grafschaft Blois-Champagne (1044 Verlust der Touraine an Anjou); die Grafschaft Flandern (reichte bis an die Grenze der Normandie, Blüte 1035–1127); Herzogtum Aquitanien (seit der Mitte des 10. Jh. unter der Herrschaft des Hauses Poitou). Unter Ludwig VII. (1137–1180) wurden zwei Entwicklungen deutlich, die bis in die Mitte des 13. Jh. prägend sein sollten: die zunehmende Bindung der Kapetinger an das Reformpapsttum (Ludwig als Anführer des zweiten Kreuzzuges 1147–1149) und die wachsende Rivalität zum Haus Anjou-Plantagenêt. Diese Spannungen setzten sich unter Philipp II. August (1180–1223) fort, der dem engl. König die Normandie, Anjou und die Touraine entriß und die Suprematie der Kapetinger begründete, die bis zum Ausbruch des Hundertjährigen Krieges (1337–1453) währte.

### 2. Bildung und Wissenschaft

F. war zu Beginn des 12. Jh. einerseits von einer erstarkenden Spiritualität geprägt (Kongregation St.-Viktor in Paris, Bernhard von Clairvaux), anderseits von einem großen geistigen Aufschwung, der bereits im 11. Jh. einsetzte. Diese Ren. hatte vielfältige Ursachen: Die von den Arabern bewahrten ant. naturwiss. und medizinischen Schriften wurden zunächst durch Übers. aus dem Arabischen, in der zweiten H. des 12. Jh. dann direkt aus dem Griech. dem Abendland zugänglich gemacht. Das führte zu einer starken Zunahme des Studiums bes. von Quadrivium und Dialektik, die als Methode in die übrigen Fächer eindrang (Wandlung der Gramm. zur logischen Wiss. unter Einfluß des aristotelischen Organon). Bedeutendster Vertreter der Dialektik war Petrus Abaelardus (1079–1142), der die Logik als Mittel zur partiellen Gotteserkenntnis ansah. Auf der Wissenschaftstheorie des Aristoteles war schon vorher die Frühscholastik begründet worden: Einer ihrer ersten Vertreter, Anselm von Canterbury (1033/4–1109, Abt und Lehrer in Bec in der Normandie, dann Erzbischof von Canterbury), demonstrierte seine Methode, vom Glauben her durch die Vernunft zur Glaubenseinsicht zu gelangen (*fides quaerens intellectum*), in dem Werk *Proslogion* an dem ontologischen Gottesbeweis, indem er die auf Aristoteles und Boethius fußende Logik mit dem augustinischen Konzept der Liebe verband. Eine weitere Ursache lag im Schulwesen: Die Klosterschulen verloren gegenüber den Domschulen an Bed., an denen wiederum die Entscheidungsgewalt der Bischöfe über die Vergabe der *licentia docendi* ins Wanken geriet. Das bedingte eine Zunahme an freien Magistern, die wohl an den Kathedral- und Klosterschulen lehrten, aber vom Schulgeld ihrer Schüler lebten; außerdem entstanden städtische Privatschulen. Neben den Artes liberales und dem üblichen Lektürekanon (Vergil, Lukan, Statius, Ilias Latina, Horaz, Persius, Juvenal, Terenz, Ovid, Ma-

ximian, Boethius, Martianus Capella, spät-ant. christl. Dichter) wurden nun auch Logik, röm. Recht und Medizin gelehrt. Die neue Unterrichtsmethode von *quaestio* und *disputatio* führte zur Entwicklung der scholastischen Problemanalyse. Die Spannungen zw. der Lehrerschaft und den Bischöfen gipfelten darin, daß sich um 1200 in Paris die Magister und Scholaren zu einer *universitas magistrorum et scholarium* zusammenschlossen: An dieser neben Bologna ältesten Univ. lag das Schwergewicht auf Philos. und Theologie; noch vor 1220 folgte die Univ. von Montpellier als medizinisches Zentrum.

Einer der bedeutendsten Schulorte in der ersten Hälfte des 12. Jh. war Paris: Dort wirkten neben Abaelard (Dialektik) Petrus Helie (Gramm. und Rhet., Komm. zu Priscian), Petrus Lombardus (Verf. des bis Luther gültigen theologischen Schulbuchs *Sententiae*) und Hugo von St.-Viktor (im *Didascalicon de studio legendi* eigenständige Darstellung der Wissenschaftslehre, in der neben den Artes liberales auch die Artes mechanicae Raum fanden). Dazu traten die Kathedralschulen von Laon (Anselm von Laon, gest. 1117, war Mitbegründer der Frühscholastik, Schwerpunkt Theologie) und Reims (Gerbert von Aurillac, ab 999 Papst Silvester II.: Pflege des Quadrivium, bes. Mathematik und Astronomie). Gerberts Schüler Fulbert (ab 1006 Bischof von Chartres) war der erste bedeutende Lehrer der Schule von Chartres, deren Einfluß weit über den Ort selbst hinausreichte: Ausgehend von der christianisierenden Übers. und Kommentierung von Platons *Timaios* durch Chalcidius und den Schriften Eriugenas, versuchte man (mit der Intention einer Theodizee) die Kosmogonie der *Genesis* durch Kombination mit dem *Timaios* naturwiss.-philos. zu erklären. Dabei gerieten manche Chartrenser Gelehrte in gefährliche Nähe zu häretischen Thesen. Die herausragendsten Lehrer waren Bernhard von Chartres (ca. 1114–1126 Lehrer und Kanzler in Chartres, Verf. eines Komm. zum *Timaios*), Thierry (ca. 1100–1155/56, Lehrer in Chartres, Verf. eines Komm. zum *Hexameron* mit naturwiss. Erklärung und eines Lehrbuchs der Artes liberales, des *Heptateuchon*), Wilhelm von Conches (ca. 1080–1154, Lehrer in Paris und Chartres, Komm. zum *Timaios* und zu Boethius, naturphilos. Werk *Philosophia mundi*), Gilbert von Poitiers (ca. 1080–1154, Lehrer in Chartres und Paris, Komm. zu den *opuscula sacra* des Boethius), schließlich Bernardus Silvestris, der originellste Denker dieser Schule († nach 1159, Schüler Thierrys, Lehrer in Tours): Mit dem Prosimetrum *Cosmographia* schuf er eine neuen Schöpfungsmythos, nach dem das transzendente Tugaton (Gott) nicht aktiv an der Schöpfung beteiligt ist, daher für deren Degeneration nicht verantwortlich ist; an dessen Stelle schaffen immer weiter subordinierte weibliche Potenzen die Welt und den Menschen. Zugeschrieben wird Bernardus auch ein auf Fulgentius beruhender allegorisierender Komm. zu Vergils *Aeneis*.

### 3. Dichtung

Die Hochblüte in der Poesie beruhte u. a. auf der starken Rezeption Ovids. Um 1100 verfaßten mehrere

Dichter des sog. Loirekreises stilistisch an Ovid gefeilte Kleindichtungen, meist in elegischen Distichen: Zu dieser Gruppe zählten Hildebert von Lavardin, Marbod von Rennes und Baudri (Baldricus) von Bourgueil (Verf. einer christianisierenden Umdichtung von Ovids Heroidenbriefpaar Paris/Helena). Ungefähr zw. 1180 und 1185 entstanden die großen epischen Dichtungen, die sich alle mit ant. Stoffen auseinandersetzen: Walter von Châtillon schrieb ein histor. Epos über Alexander den Gr. (*Alexandreis*), in dem sich die Kreuzzüge spiegeln. Die äußere Handlung folgt der Alexandergeschichte des Q. Curtius, in der inneren Handlung jedoch kombiniert Walter Lukans *Fatum-Fortuna*-Konzept mit dem des Boethius: Alexanders Sturz am Ende ist eine gerechte Strafe für seine *superbia,* in der er sich immer stärker Christus angleicht. Auf die *Alexandreis* antwortet das allegorische Epos *Anticlaudianus* des Alan von Lille: Natura, die als *vicaria Dei* für den Erhalt der von Gott geschaffenen Welt zu sorgen hat, will die durch ihre eigene Unvollkommenheit verursachte Degeneration der Schöpfung durch einen *homo novus* rückgängig machen, dessen Seele Prudentia in einer Himmelsreise von Gott erbittet. In einem an der *Psychomachie* des Prudentius orientierten Kampf besiegt dieser sämtliche Laster und führt ein neues Goldenes Zeitalter herbei. Das Epos zeigt den Weg der menschlichen Seele über die Artes, die Theologie und den Glauben (repräsentiert durch die drei Führerinnen der Prudentia) zur wahren Gotteserkenntnis. Es ist eine kritische Auseinandersetzung mit dem neuplatonischen Konzept in der *Cosmographia* des Bernardus Silvestris und mit Vergils *Aeneis* in der Bernardus zugeschriebenen Deutung. Auf Alan bezieht sich schließlich Johannes von Hauvilla mit seiner satirisch-didaktischen Großdichtung *Architrenius:* Der »Erzklager« findet den Weg zur Erlösung aus der Degeneration nicht mehr durch eine Himmelsreise, sondern durch eine geistige Wanderung auf Erden (Belehrung durch die ant. Philosophen und Natura) und die Hochzeit mit Moderantia. Das Genus der → Komödie wird nicht in Form der ant. Palliata rezipiert, sondern in Stil und Metrum der elegischen Dichtungen Ovids: Hauptvertreter dieser *Comoediae elegiacae* ist in der ersten H. des 12. Jh. Vitalis von Blois, dessen Komödien *Amphitryon* und *Aulularia* auch nicht direkt auf Plautus zurückgehen, sondern durch spät-ant. Prosakomödien (Querolus) vermittelt sind. Eine Ren. erfährt am Ende des 12. und in der ersten H. des 13. Jh. auch das → Lehrgedicht; es sind v. a. an der *Ars poetica* des Horaz orientierte metrische Poetiken, die im Nachhinein das theoretische Fundament für die Dichtungen liefern (Matthaeus von Vendôme, Geoffroi de Vinsauf, Johannes von Garlandia). Dazu treten aus Donat und Priscian geschöpfte Lehrgedichte über Gramm. (Eberhard von Béthune, Alexander von Villa Dei).

### 4. BILDENDE KUNST UND ARCHITEKTUR

In der Buchmalerei waren bereits in der Mitte des 11. Jh. die Skriptorien von St.-Denis und St.-Germain-des-Prés führend (Missale von St.-Denis); dazu traten im 12. Jh. Cluny (Ildefonsus-Hs. in Parma, Anf. 12. Jh.), Cîteaux (vierbändige Bibel in Dijon) und St.-Amand (Vita des Amandus in Valenciennes, um 1140). Die größten Leistungen vollbrachte man in der Baukunst: Die → Romanik, deren Name sich von der Übernahme röm. Elemente (Gewölbebau, Rundbogen, Säulen, Pfeiler) herleitet, entwickelte sich in F. eigenständig (Frühromanik 1000–1080, Hochromanik 1080–ca. 1150): Charakteristika der Kathedralbauten sind Gewölbe, Steilheit der Räume, Gliederung und allmähliche Auflösung der Mittelschiffwände (z. B. Laufgänge). Bes. deutlich tritt diese Tendenz an den normannischen Kirchenbauten des 11. Jh. zutage (Jumièges, St.-Etienne und Ste.-Trinité in Caen, Mont-St.-Michel). In der Provence entstehen in der ersten H. des 12. Jh. einfache Saalkirchen (St.-Trophime in Arles), im Poitou dreischiffige steile Hallenkirchen mit Querschiff, Chorumgang und Kapellenkranz (St.-Martin in Tours, E. des 11. Jh.). Den Höhepunkt bilden in Burgund gewölbte → Basiliken mit spitzbogigen Arkaden, rundbogigen Blendtriforien, Chorumgang und Kapellenkranz (Neubau der Kirche von Cluny, 1088–1130). Es setzt die Verzierung von Kapitellen und Tympana mit Skulpturen ein (Kapitelle in der Vorhalle von St.-Benoît-sur-Loire, zweites Viertel 11. Jh.; Hauptportal in Vézelay, ca. 1125/30). Um 1140 nimmt in der Ile-de-France die → Gotik ihren Anfang (St.-Denis, Sens), in der normannische und burgundische Architekturelemente verschmelzen. In der Kathedrale von St.-Denis (1040/44), einem von Abt Suger in Auftrag gegebenen Werk, das er auch schriftlich dokumentiert (*Libellus de consecratione ecclesiae sancti Dionysii*), werden Chorumgang und Kapellenkranz, anders als in der Romanik, zur Einheit; die Doppelturmfassaden in St.-Denis, Sens (1164), Chartres (1145–1175) und Laon (1190–1205) stammen von normannischen Bauten, das steile Aufstreben findet sich bereits in Cluny. Typisch gotisch dagegen ist das Konzept des Lichtes, das Suger, beeinflußt von der neuplatonischen Lichtmetaphorik des Dionysios Areopagites, als Mittel zur Erhebung der Seele zu Gott ansah: Diese Ideen führen zur Auflösung der Wände durch große, mit Glasmalereien verzierte Fenster, die die romanischen Fresken ablösen (Chartres, um 1180). Ebenfalls ohne romanische Vorläufer ist die Einheit von Architektur und Illusion (die Kathedrale als Himmlisches Jerusalem). Um 1180/90 geht die Frühgotik in die Hochgotik über (Neubau in Chartres 1194, Reims 1211, Amiens 1220); die reichliche Verzierung von Portalen, Vorhallen, ganzen Fassaden und Türmen mit Skulpturenschmuck dringt vor.

→ AWI Aristoteles; Artes Liberales; Basilika; Boethius; Ovidius

1 H. AMENT, H. H. ANTON, J. FLECKENSTEIN, R. SCHIEFFER, A. VERHULST, A. PATSCHOVSKY, s. v. Franken/F., in: LMA 4, 689–728 2 B. BISCHOFF (Hrsg.), Karl der Gr. – Lebenswerk und Nachleben, Bd. 2: Das geistige Leben, ²1966 3 Ders., Paläographie des röm. Alt. und des abendländischen MA, ²1986 4 PH. CONTAMINE, J. EHLERS, N. BULST,

# 13 14 FRANKREICH

B. Blumenkranz, s. v. F., in: LMA 4, 747–798 **5** F. C.
Colpeston, Gesch. der Philos. im MA, 1976 **6** P. Dronke
(Hrsg.), A History of the 12th-Century Western
Philosophy, 1988 **7** P. Godman, Poets and Emperors.
Frankish Politics and Carolingian Poetry, 1987 **8** J. LeGoff,
Les intellectuels au Moyen Age, 1985 **9** O. Mazal,
Buchkunst der Romanik, 1978 **10** W. Messerer,
Karolingische Kunst, 1973 **11** F. Mütherich, J. E. Gaehde,
Karolingische Buchmalerei, 1976/79 **12** J. J. O'Meara,
Eriugena, 1988 **13** Ch. Ratkowitsch, Platonisch-
kosmogonische Spekulation im 12. Jh., in: Wiener Human.
Blätter, Sonderheft: Zur Philos. der Ant., 1995, 135–158
**14** P. Riché, Les écoles et l'enseignement dans l'Occident
chrétien de la fin du V^e siècle au milieu du XI^e siècle, 1979
**15** B. Rupprecht, Romanische Skulptur in F., 1975
**16** W. Schäfke, F. gotische Kathedralen, 1979
**17** W. Schlink, Die Kathedralen F., 1978
**18** R. Schneider, Das Frankenreich, 1982 **19** J. Verger, Les
universités françaises au moyen age, 1995.

CHRISTINE RATKOWITSCH

## II. 13.–15. Jahrhundert
### A. Zum Verhältnis von volkssprachiger Dichtung und lateinischer Tradition im 12. und beginnenden 13. Jahrhundert  B. Der Höhepunkt der kapetingischen Herrschaft  C. Das Haus Valois und der Hundertjährige Krieg

### A. Zum Verhältnis von volkssprachiger Dichtung und lateinischer Tradition im 12. und beginnenden 13. Jahrhundert

Obwohl einzelne Dokumente in frz. (langue d'oïl) oder okzitanischer Sprache (langue d'oc) wie die bei Nithart zitierten Straßburger Eide von 842, die zusammen mit ihrem lat. Vorbild überlieferte Eulalia-Sequenz (E. 9. Jh.) oder das Fragment einer altprovenzalischen Boethius-Bearbeitung aus dem 11. Jh. schon früher vorlagen, kam es im Grunde erst seit dem 12. Jh. zu einer von liturgischen oder juristischen Anlässen zusehends unabhängigen Kontinuität der lit. Überlieferung in den beiden Volkssprachen. Die ersten, in paarweise gereimten frz. Achtsilbern abgefaßten erzählenden Dichtungen mit weltlichem Thema sind freie Bearbeitungen ant. Epen für ein höfisches Publikum; sie stammen wie viele frühe Werke der frz. Lit. aus dem anglo-normannischen Raum; in England war das Frz. seit der normannischen Eroberung von 1066 die bevorzugte Sprache des Adels. Der Roman de Thèbes (ca. 1150/1155) hat die Thebais des Statius zur Vorlage, läßt allerdings die Götter kaum noch selber in die Handlung eingreifen und fügt neben myth. Exkursen (Ödipus-Mythos als Vorgeschichte des thebanischen Krieges) auch ekphrastische Passagen (Beschreibung des Streitwagens von Amphiares) ein, was stilbildend auf die späteren Antikenromane wirken sollte. Während Theben als schlimmes Beispiel für die Folgen von Inzest und Bruderzwist im Herrscherhaus diente, bearbeitete der Autor des Roman d'Eneas (ca. 1160) mit Vergils Aeneis den Gründungsmythos des röm. Weltreiches, an dessen Glanz auch das Haus Plantagenêt

insofern indirekt teilhatte, als es den Ursprung seiner Genealogie ebenso wie die fränkischen Merowinger auf die Trojaner zurückzuführen bemüht war. Im Vergleich zur Aeneis ist die Auslassung vieler myth. Anspielungen zu beobachten, während die Liebeshandlung zw. Aeneas und Lavinia unter der Benutzung von Ovids Metamorphosen ausgebaut wurde. Die enge Verbindung zw. Antikenromanen und (ps.-)histor. Lit. wird auch deutlich am Roman de Troie (ca. 1165) von Benoît de Sainte-Maure; der Hofhistoriograph von Heinrich II. Plantagenêt bezieht sich nicht etwa auf den »unwahren« und im 12. Jh. ohnehin nur vom Hörensagen bekannten Homer, der die Götter in den Kampf schickte, sondern beruft sich auf Dictys Cretensis (Ephemeris Belli Troiani, 4. Jh.) und Dares Phrygius (Historia de excidio Troiae, 6. Jh.), weil ihnen die Autorität der unmittelbar verläßlichen Augenzeugenschaft zukomme. Die an Liebesabenteuern reiche, ca. 30 000 V. umfassende Amplifikation der beiden dürren Quellentexte beginnt bei Jasons Argonautenzug und soll einem Laienpublikum Kenntnisse der Ant. vermitteln, einer Ant. freilich, die – wie in der volkssprachigen Dichtung des MA allg. üblich – weitgehend anachronistisch der Lebenswelt des ma. Adels angepaßt ist, so daß Hektor und Achill hoch zu Pferde in Ritterrüstung ihre Turniere ausfechten und Achill lange Monologe über seine von Polyxena verursachten Liebesqualen hält. Die ant. Romane verbinden das aus der lat. Trad. gespeiste Wissen der Kleriker (clergie), welches sich in der Berufung auf ant. Quellen oder in rhet. Techniken wie der → Ekphrasis manifestiert, mit den ritterlichen Normen (chevalerie) und der Liebe der dargestellten Personen [4. 50]. Damit prägten sie die weitere Entwicklung des höfischen Romans, der sich mit Chrétien de Troyes von den ant. Vorbildern emanzipierte und der fiktiven Artuswelt des keltischen Sagenkreises zuwandte. Im Prolog zu seinem byz. Roman Cligès (1176) entfaltet Chrétien bezeichnenderweise die Theorie der translatio studii, der Weitergabe des Wissens und des Rittertums von Griechenland über Rom nach F. Diese der translatio imperii analoge Vorstellung von der Kulturwanderung tauchte auch bei Giraldus Cambrensis und Alexander Neckam auf; sie war seit den 60er J. des 12. Jh. Gemeingut der Pariser Schulen und förderte das Selbstbewußtsein der dort tätigen Intellektuellen [31]. Der Roman d'Alexandre (1177–1180) von Lambert le Tort und Alexandre de Bernay geht über die Epitome des Julius Valerius (9. Jh.) auf Ps.-Kallisthenes (2. Jh.) zurück und ist als erste frz. Dichtung in zwölfsilbigen, alexandrins genannten Versen abgefaßt. Einerseits wird der maked. Herrscher zum vorbildlichen Fürsten stilisiert, andererseits auch das Interesse des ma. Publikums am Wunderbaren (z. B. durch Jungbrunnen oder Automaten) befriedigt. Auch in den heilsgeschichtlichen Tier-Allegorien des Physiologus paarte sich das Wissenswerte mit dem Erstaunlichen. Dabei stützen Philippe de Thaon (1130) oder Guillaume le Clerc de Normandie (1210/1211) ihre Bestiarien ausdrücklich auf die Autorität einer emphatisch als »Buch« (livre) bezeichneten lat. Vorlage [14]. In der okzitanischen Liebesdichtung der Troubadours Wilhelm IX. von Aquitanien (1071–1126), Jaufré Rudel (ca. 1130–1170), Bernart de Ventadorn (2. H. 12. Jh.) und Arnaut Daniel (ca. 1150–1200) entstand – vielleicht auch im Kontakt mit der von der iberischen Halbinsel aus über die Pyrenäen gelangenden arab. Dichtung – die Vorstellung einer hohen Minne (*fin'amors*), welche die bedingungslose Verehrung der Dame durch das liebende männliche Ich fordert; die Dichter nützen dabei auch rel. Konnotationen (Marienkult) aus und verwenden feudalrechtliche Begriffe, so daß die Dame an die Stelle des Lehensherren tritt, dem der Liebende seinen Treueeid leistet. Auch wenn die Liebesdichtung Ovids vom 12. bis zum 14. Jh. in F. breit rezipiert und insbes. die *Ars Amatoria* mehrfach übersetzt und bearbeitet wurde [11. 218], so fällt doch eher der Bruch zw. ant. und ma. volkssprachiger Liebesdichtung auf: Ovids ironische Ratschläge wurden in ernste Gebote verkehrt; die unnahbare, vollkommene Herrin ersetzte das lebenslustige Mädchen oder die kapriziöse Hetäre der röm. Liebeselegie. Zu musikalischer Begleitung trug man neuartige strophische Gedichte vor, die sich wie die Kanzone oder die Sestine durch hochkomplexe Vers- und Reimmuster auszeichnen. Auch mit myth. Anspielungen geht die volkssprachige Lyrik naturgemäß viel sparsamer als die lat. um; am ehesten wird die Narziß-Figur als Verkörperung des höfischen Liebhabers zitiert. In Nord-F. führten Dichter wie Conon de Béthune (ca. 1150–1220), Gace Brulé (ca. 1159–1213) und Thibaut de Champagne (1201–1253) die okzitanische Liebesdichtung fort, welche auch die weitere Entwicklung der mhd. und it. Lyrik nachhaltig beeinflußt hat. It. Troubadoure wie Sordello (1200–1269) oder Lanfranco Cigala (gest. 1257/1258) dichteten sogar okzitanisch.

B. DER HÖHEPUNKT DER KAPETINGISCHEN HERRSCHAFT

1. GESCHICHTE

Im 13. Jh. erreichte das kapetingische Königshaus den Zenit seiner Macht, auch wenn der Einfluß des Königs zunächst noch durch die großen Lehensherren begrenzt war, die wenig zum Steueraufkommen des Königreiches beitrugen. Ludwig VIII. (1223–1226) befehligte noch vor seiner Thronbesteigung den Albigenserkreuzzug, durch den die katharischen Ketzer in Südfrankreich vernichtend geschlagen wurden. Nach der turbulenten Regentschaft seiner Frau Blanca von Kastilien – einer »Ausländerin«, deren Autorität von den großen Baronen angefochten wurde – sicherte Ludwig IX. (1226–1270) die Stabilität der Herrschaft, die nicht einmal durch die Teilnahme am sechsten und siebten Kreuzzug gefährdet wurde. Er galt schon bald als Inbegriff aller Herrschertugenden und wurde bereits 1297 heiliggesprochen. Von der Mitte des 13. bis zur Mitte des 14. Jh. war F. die führende europ. Macht, was dem frz. König die völlige Unabhängigkeit vom Kaiser des Hl. Röm. Reiches sicherte. Das sich allmählich herausbildende frz. Nationalbewußtsein manifestierte sich in den Herrschaftszeichen des Königshauses wie dem Lilienemblem, der Oriflamme (dem Banner des hl. Dionysios, dessen Reliquien in der Abtei von St.-Denis verehrt wurden), der angeblich vom Himmel gefallenen hl. Ampulle, mit deren Öl der König gesalbt wurde, und der den frz. Königen zugeschriebenen Fähigkeit, durch Handauflegen Skrofeln zu heilen. Der Höhepunkt der nationalen Einheit wurde unter Philipp IV. »dem Schönen« (1285–1314) erreicht, gegen den sich allerdings in allen Ständen Unmut wegen zu hoher Besteuerung regte, weshalb es unter Ludwig X. »le Hutin« (1314–1316) zu regionalen Unruhen kam. Nach dessen Tod gestaltete sich die Thronfolge zusehends schwierig, da er wie seine Nachfolger ohne männliche Nachkommen starb. Auf Philipp V. »le Long« (1316–1322), den Bruder Ludwigs X., folgten Karl IV. (1322–1328), der jüngste Sohn von Philipp dem Schönen, und Karls Vetter Philipp VI. (1328–1350), womit die Macht auf das Haus Valois überging. Den Kapetingern gelang es gegen den Widerstand der Lehensfürsten, eine straffe Verwaltung aufzubauen, die Besteuerung durchzusetzen und die Militärmacht des Königreiches zu festigen.

2. BILDUNG UND WISSENSCHAFT

Bes. bedeutsam für die kulturelle Entwicklung F. wurde der Wohlstand der Städte, in denen sich zusehends die Arbeitsteilung herausbildete, in denen die Univ. einen neuen Typ des unabhängigen kritischen Intellektuellen hervorbrachten, der nicht mehr nur seiner rel. Gemeinschaft verpflichtet war, in denen Laien wie Kaufleute und Handwerker alphabetisiert wurden und damit allmählich Zugang zum Wissen erhielten und in denen die Bettelorden ihre speziell auf die Stadtbevölkerung abgestellte Predigertätigkeit entfalteten [16]. Die Solidarität zw. säkularen Lehrenden setzte sich gegen den Bischof von Paris durch und erreichte um 1215 die Universitätsgründung, also den Zusammenschluß zu einer in vier »Nationen« (Franzosen, Normannen, Pikarden, Engländer) und ebensoviele Fakultäten (freie Künste, Medizin, Recht, Theologie) zunftartig gegliederten Gemeinschaft, welcher dann am 13.4.1231 durch die Bulle *Parens scientiarum* von Papst Gregor IX. gleichsam ratifiziert wurde [29. 30]. Der folgende Streit zw. den Säkularen und den Vertretern der Dominikaner und Franziskaner, der sich an der Person von Guillaume de Saint-Amour entzündete, endete 1257 mit dem Sieg der Mendikanten, machte damit einerseits die Grenzen universitärer Autonomie deutlich, integrierte aber andererseits die Vertreter der Bettelorden in die Univ. Im selben Jahr gründete Robert de Sorbon das erste Kolleg für arme Theologiestudenten, woher der Name »Sorbonne« für die älteste Pariser Hochschule rührt. Dem Kolleg wuchs durch Legate von Hochschullehrern allmählich eine stattliche Bibliothek zu, in der die Studenten die angeketteten Folianten lesen konnten [30. 112–123]. V. a. durch die Univ. wurde Paris zu Beginn des 13. Jh. zum intellektuellen Zentrum der Christenheit und zum kulturellen Mittelpunkt F., auch wenn bald Universitätsgründungen in anderen Städten folgten. Orléans, das bereits im 12. Jh. ein Zentrum des Autorenstudiums und der Briefrhet. (→ Briefkunst/Ars dictaminis) gewesen war, wurde 1306 von Papst Clemens V. als Univ. anerkannt. Angers erhielt erst im 14. Jh. den Rang einer Univ.; seit 1220 besaß Montpellier Statuten für das Medizinstudium und entwickelte sich dann ab 1300 auch zu einem Zentrum der Jurisprudenz, womit es der 1229 gegr. Toulouser Hochschule Konkurrenz machte. Das Kernstück der universitären Lehre waren die *lectio* und *disputatio* eines kanonischen Textes. Aus dem Vortrag und der Erläuterung eines Textabschnittes heraus wurde eine systematische Frage entwickelt, die kontrovers und öffentlich zu erörtern war. Diese *quaestiones disputatae* prägten die wiss. Kultur des 13. und 14. Jh. entscheidend, verliehen ihr einen agonistischen Charakter und führten von der bloßen Wissensvermittlung zur innovativen Wissensproduktion [24; 18. 368 f.]. Im Grunde stagnierte im 13. Jh. die Lektüre der röm. Klassiker, v. a. der Dichter, selbst wenn sie in der Artistenfakultät weiterhin auf dem Programm standen. Der sog. → Humanismus des 12. Jh. war vorüber [26. 82; 12. 127]. Dafür rückte nun Aristoteles zusammen mit den neuplatonisch beeinflußten arab. Kommentatoren Avicenna (Ibn Sīna) und Averroes (Ibn Rušd) in den Vordergrund der Aufmerksamkeit, woran auch allerlei kirchliche Behinderungen, von dem Verbot der aristotelischen → Naturphilosophie durch das Konzil von Sens (1210) bis zur Verurteilung der 219 averroistischen Thesen durch den Pariser Bischof Étienne Tempier (1277), nichts Wesentliches ändern konnten. Das Werk des Stagiriten war seit E. des 12. Jh. in seiner Gesamtheit im Westen bekannt, häufig auf dem Umweg lat. Übers. aus dem Arab. Aus dem span. Toledo, wo muslimische, jüd. und christl. Gelehrte zusammenarbeiteten, gelangten in der 1. H. des 13. Jh. auch die Werke von Averroes nach F. und wurden bald zum Stein des Anstoßes, da beispielsweise Boethius von Dacien im Anschluß an den Philosophen aus Córdoba gegen 1275 die Geltungsansprüche von Philos. und Glauben gegeneinander abzugrenzen suchte, während der Hl. Bonaventura (ca. 1217–1274) in Averroes v. a. einen Ketzer sah. Unter dem Einfluß des aristotelischen Denkens wurde die Theologie zu einer Wiss. ausgebaut, die Albert der Gr. (ca. 1200–1280) und Thomas v. Aquin (ca. 1225–1274) in ihren großen Summen entfalteten. Albert widmete sich der Naturphilos. und sah in der *vita contemplativa* die höchste Lebensform, während sein Schüler Thomas die paganen wie muslimischen Philosophen mit deren eigenen Waffen zu bekämpfen suchte und die inneren logischen Widersprüche der den Averroisten zugeschriebenen Lehre von der »doppelten Wahrheit« – der Wahrheit der Vernunft und der Wahrheit des Glaubens – herauszustellen bemüht war. Der Rezeption der islamisch-griech. Philos. verdankt man neue Standards rationalen Argumentierens und die Entwicklung der Philos. zu einer eigenständigen Disziplin [17].

Durch den Universitätsbetrieb stieg auch der Bedarf an Büchern; zu seiner Deckung wurde das System der *peciae* eingeführt, wobei Teile aus umfangreichen Werken ausgeliehen und abgeschrieben werden konnten. Ein übersichtliches Layout, das den kommentierten Text in die Mitte und die »Glossen« an den Rand setzte, den Text durch Rubriken und farbige Initialen gliederte, dazu Indices und laufende Seitentitel bereitstellte, erleichterte die Orientierung beim Lesen der dickleibigen Summen. Paris wurde auch zum Zentrum des Buchhandels und der Buchproduktion, die aus den Skriptorien der Klöster in Laienhände überging. Allg. zeichnete sich die Kultur des 13. Jh. durch neue Formen der Wissenssammlung und -organisation aus. So kompilierte der Dominikaner Vinzenz von Beauvais (gest. 1264) aus ant. und christl. Autoren sowie ma. Kompilationen die umfangreichste Enzyklopädie seiner Zeit in drei Teilen als *Speculum naturale* über die Natur, als *Speculum doctrinale* über die Wissenschaften und als *Speculum historiale* über die Geschichte, wozu gegen E. des 13. Jh. noch ein apokryphes *Speculum morale* aus der Feder eines unbekannten Verfassers trat. Brunetto Latini (ca. 1220–1294), gebürtiger Florentiner und Lehrer Dantes, verfaßte mit dem *Livres dou Tresor* eine erfolgreiche Laienenzyklopädie in frz. Sprache (in über 70 Hss. überliefert), deren Gliederung sich am Eustratius-Komm. zur *Nikomachischen Ethik* des Aristoteles orientiert: Auf die Behandlung von Theologie, Geschichte und Naturkunde im ersten Buch folgen eine Ethik sowie schließlich Rhet. (nach Cic. inv.) und Politik. Aus seiner Erfahrung mit der it. Stadtpolitik heraus hob Brunetto erstmals wieder die öffentlich-polit. Funktion der Beredsamkeit ins allg. Bewußtsein. Das Frz. wählte er, weil er damit ein größeres Publikum erreichen konnte.

## 3. DICHTUNG

Die wichtigsten Neuerungen in der frz. Lit. des 13. Jh. wie die umfangreichen Prosaromanzyklen über Tristan oder König Artus und seine Tafelrunde, die Herausbildung einer volkssprachigen Prosa-Chronistik im Zusammenhang mit dem vierten Kreuzzug bei Robert de Clari und Geoffroi de Villehardouin, die Entstehung eines profanen, von liturgischen Anlässen unabhängigen Theaters in Arras (Jean Bodel und Adam de la Halle) oder die Inszenierung lit. Subjektivität bei Rutebeuf ereigneten sich weitgehend unabhängig von der Rezeption ant. Vorbilder. Diese ist v. a. in der allegorischen Dichtung auszumachen: So erscheinen in der Galerie exemplarischer Liebender des »Roman de la Poire« von Thibaut (Mitte 13. Jh.) neben Tristan und Isolde auch Pyramus und Thisbe sowie Paris und Helena, ganz in der Trad. der höfischen Interpretation der klass. Myth. Mit dem *Roman de la Rose* von Guillaume de Lorris und Jean de Meun (erster Teil ca. 1230, Fortsetzung von Jean de Meun gegen 1270) erreicht die allegorische Dichtung in F. ihren Höhepunkt. Bei dem fast 22 000 V. umfassenden Roman handelt es sich um das erfolgreichste Werk des frz. Spät-MA, das in etwa 300 häufig reich illustrierten Hss. überliefert ist, und durch Komm. und Imitationen recht eigentlich an der Entstehung einer selbstbewußten, auf einen eigenen Kanon gründenden frz. Lit. mitgewirkt hat. Im Rahmen einer Traumvision stellt der Ich-Erzähler seine Erlebnisse als Liebender dar; er muß sich gegen abweisende Personifikationen wie Gefahr (Dangier) oder Vernunft (Raison) zur Wehr setzen, um schließlich die Rose pflücken, d. h. sich mit der Geliebten vereinigen zu können. Dabei erfährt er Unterstützung von Amor und Venus. Die vom Liebesgott verkündeten Lehrsätze beruhen auf der höfischen Umdeutung von Ovids *Ars amatoria* zu einem ernstgemeinten Lehrgedicht; beide Teile des Romans verarbeiten darüber hinaus Mythen aus Ovids *Metamorphosen* (Narziß, goldenes Zeitalter und Kastration Saturns, Pygmalion), die zwar nicht allegorisch ausgelegt werden, wohl aber dem Leser Hinweise für die Deutung des Romans geben. Der als Übersetzer von Boethius und Vegetius hervorgetretene gelehrte Kleriker Jean de Meun stellte die Liebesallegorie seines Vorgängers Guillaume in einen größeren kosmologischen Rahmen und benutzte dabei die Vorbilder von Boethius, *De consolatione philosophiae*, und Alanus ab Insulis, *De planctu naturae*, wodurch er genötigt war, eine philos. Begrifflichkeit in der Volkssprache zu entwickeln. An die Stelle des unerfüllten, stets aufgeschobenen höfischen Begehrens tritt das Lob einer in den Dienst der Fortpflanzung genommenen Sexualität. Wie Rutebeuf mischt sich Jean de Meun in den Streit der Bettelorden mit der Pariser Univ. ein; er nimmt vehement gegen die Mendikanten Stellung, um den bereits verurteilten Guillaume de Saint-Amour nachträglich zu verteidigen. Das Echo des Universitätsstreits in der volkssprachigen, für Laien verfaßten Lit. kann als Beleg für die Verknüpfung zw. universitärer und städtischer Identität gelten. Das der Kultur des 13. Jh. eigene Totalitätsstreben zeigt sich auch im *Ovide moralisé*, den ein anon. Autor aus Burgund zw. 1291 und 1328 in 72000 Achtsilbern verfaßte. In dieser riesigen Bearbeitung von Ovids *Metamorphosen* wird jeder Verwandlungsmythos naturkundlich, moralisch oder heilsgeschichtlich ausgelegt, so daß beispielsweise Pygmalion zur *figura* des Schöpfergottes werden kann. Dabei werden auch andere Werke Ovids (*Heroides*, *Fasti*) eingearbeitet und ältere volkssprachige Ovidadaptationen benutzt.

### 4. Bildende Kunst und Architektur

Vom 13. bis zum 15. Jh. nahmen der Einfluß der ant. Kunst sowie das Interesse daran im Vergleich zur vorhergehenden Epoche der → Romanik deutlich ab. Im 13. Jh. wurden etwa die ant. Ruinen mit Karl dem Gr. in Verbindung gebracht oder gar als »sarazenische« Monumente betrachtet [1. 112ff.]. Das romanische Fabeltier und die korinthischen Kapitele verschwanden aus den Kirchen des Zisterzienserordens.

Terenz-Hss. wurden noch bis 1200 kopiert und illustriert, dann bis 1407 nicht mehr; die letzte illustrierte Prudentius-Hs. stammt aus dem J. 1289. Der Zusammenhang zw. den Bildern und den Texten der Ant., zw. Form und Bed. zerbrach [22. 92].

In der → Gotik sind Anleihen bei ant. Vorbildern v. a. in der 1211 begonnenen Kathedrale von Reims zu greifen – einer Stadt also, in der ant. Statuen und Denkmäler den Baumeistern der Kathedrale unmittelbar vor Augen standen. So kann man in den gestaffelten Giebeln der Portalanlage das Vorbild eines → Triumphbogens, des nicht weit von der Kathedrale entfernten Mars-Tores, ausmachen [15. 32]. Der Kopf des Apostels Petrus ähnelt dem des Kaisers Antoninus Pius, die Gestaltung der Auferstandenen wurde von einem Sarkophag-Relief beeinflußt [22. 74]. Im »Bauhüttenbuch« von Villard de Honnecourt (Anf. 13. Jh.), der länger in Reims arbeitete, finden sich antikisch anmutende Studien zum Faltenwurf von Gewändern neben einigen Aktzeichnungen. Aber die meisten Künstler bezogen eine direkte Kenntnis der ant. Kunst höchstens aus Werken der Kleinkunst wie etwa den → Gemmen. So wurde gegen 1200 in der Kathedrale Notre-Dame zu Paris eine ant. Kamee als paganes Götterbild verwendet. Die Hinterlassenschaft der Ant. war ein »Schatzhaus«, aus dem sich die Baumeister ebenso selbstverständlich bedienten wie die Enzyklopädisten, ohne Rücksicht auf die Bed., welche die → Spolien in ihrem urspr. Kontext einmal gehabt hatten. Schließlich sah man im MA die ant. Formen auch als gefährliche Verführung zum Götzendienst an. Die paganen Götter wurden zu Verkörperungen von Lastern umgedeutet: Pans Hörner waren die des Teufels, Diana wurde zur Hexe. Die zweite Methode zur Bändigung der alten Gottheiten bestand in deren Übersiedelung in das zeitgenössische höfische Milieu; so erscheint Venus in den illustrierten Hss. des *Roman de la Rose* als Dame in modischer Tracht, während nur noch die Engelsflügel des Liebesgottes daran erinnern, daß es sich bei dem eleganten jungen Höfling um den ant. Amor handelt. Erst in der it. Ren. brachten die Ästhetisierung und die geschichtliche Distanzierung die Bedrohung durch die ant. Götter zum Verschwinden [5].

### C. Das Haus Valois und der Hundertjährige Krieg

#### 1. Geschichte

Vom 2. Drittel des 14. bis zur H. des 15. Jh. machte F. eine schwierige Krisenzeit durch, in der das Land durch Krieg, soziale Unruhen und die schwarze Pest von 1348 erschüttert wurde. Die Auswirkungen auf die demographische und wirtschaftliche Entwicklung des Königreiches waren katastrophal. Der von 1337 bis 1453 mit gelegentlichen Unterbrechungen andauernde Hundertjährige Krieg zw. F. und England begann mit einer dynastischen Streitigkeit und endete mit der Herausbildung eines frz. Nationalbewußtseins. Eduard III. von England, der noch 1331 dem frz. König den Lehenseid für das Herzogtum Guyenne geleistet hatte, bestritt die Legitimität der Thronbesteigung Philipps VI. aus dem Hause Valois und machte als Enkel von Philipp IV. dem Schönen seine eigenen Ansprüche auf den frz. Thron geltend. Er fiel mit seinem Heer in F. ein, brachte den frz. Truppen eine Reihe schwerer Niederlagen bei (bes. Crécy 1346) und gewann 1347 mit Calais einen wertvollen Brückenkopf auf dem Kontinent, während sein

Sohn, der schwarze Prinz, in Südfrankreich kämpfte. Unter Johann dem Guten (1350–1364) verschlimmerte sich die Lage weiter, da dieser gleichzeitig gegen die Engländer und seinen abtrünnigen Schwiegersohn Karl II. »den Bösen« von Navarra ins Feld ziehen mußte, der von Seiten unzufriedener Städter und Kleriker Unterstützung erfuhr. Nachdem Johann II. 1356 bei Poitiers in engl. Gefangenschaft geraten war, erhoben sich 1358 auch die durch Kriegssteuern bedrückten Bauern. Nach der Niederwerfung dieses Aufstandes durch den Adel gelang es dem Prinzregenten, dem späteren König Karl V. (1364–1380), die Lage zu beruhigen. Im Frieden von Brétigny-Calais (1360) kaufte er zwar seinen Vater frei; dieser mußte aber ein Drittel der frz. Krondomäne an England abgeben. Nach dem Tod von Johann II. baute Karl V. eine schlagkräftige Armee auf, drängte die Engländer zurück und gab der frz. Krone durch seine wohlüberlegte Kulturpolitik neuen Glanz. Nachdem Papst Gregor XI. von Avignon nach Rom zurückgekehrt war und sich somit dem Einfluß des frz. Königs entzogen hatte, erkannte Karl V. 1378 den Gegenpapst Clemens VII. an, so daß das bis 1417 andauernde große abendländische Schisma besiegelt wurde. Damit wurde die Unabhängigkeit der frz. Kirche von Rom betont und der Gallikanismus weitergeführt, der spätestens seit der Auseinandersetzung zw. Philipp IV. und Papst Bonifaz VIII. die Politik der frz. Krone gegenüber der Kurie bestimmte. Karls Bruder Philipp der Kühne wurde 1363 Herzog von Burgund. Damit begann der Aufstieg des Herzogtums zur dritten kontinentaleurop. Großmacht. Unter Karl VI. (1380–1422), der seit 1392 geisteskrank war, verfiel das Erbe Karls V. bald; das Königreich wurde in die Rivalitäten zw. den Armagnacs, den Parteigängern Ludwigs von Orléans, und den burgundischen Anhängern Philipps des Kühnen hineingerissen, die beide den Staatsapparat kontrollieren wollten. Dieser Bürgerkrieg begünstigte eine erneute engl. Invasion (1415 frz. Niederlage bei Azincourt gegen Heinrich V. von Lancaster). Karl VII. (1423–1461) sträubte sich gegen die Versuche Philipps des Guten von Burgund, den Frieden mit England um den Preis der Aufrechterhaltung der engl. Ansprüche auf den frz. Thron zu erreichen, während Jeanne d'Arc zur Symbolfigur des frz. Widerstands gegen die engl. Besatzung wurde und die Krönung des Dauphins in Reims, dem traditionellen Gedächtnisort der frz. Monarchie, durchsetzte. Mit Hilfe eines stehenden Heeres und ständiger Besteuerung konnte Karl VII. das frz. Territorium zurückerobern und die Stellung des Monarchen festigen. Die engl. Niederlage bei Castillon beendete 1453 den Hundertjährigen Krieg und konsolidierte den frz. Nationalstaat. Als Ludwig XI. (1461–1483) die Zentralmacht noch weiter ausbaute, begegnete er dem Unwillen von Adligen wie Bürgern, die sich mit Karl dem Kühnen (1467–1477) von Burgund zu verbinden wußten. Die Auseinandersetzung zw. Frankreich und Burgund ging 1477 mit dem Tode Karls des Kühnen vor Nancy und mit der Annektierung des Herzogtums Burgund sowie

der Sommestädte zu Ende. Ludwigs Nachfolger Karl VIII. (1483–1498) erwarb noch die Bretagne durch Heirat dazu und zog 1494 an der Spitze seines Heeres nach It. Diese Expedition war ein mil. Mißerfolg, aber verstärkte doch den Kontakt mit der reichen it. Renaissancekultur.

## 2. Bildung und Wissenschaft

Im 14. und 15. Jh. setzte sich die Reihe der Universitätsgründungen fort (Cahors 1332, Grenoble 1339, Orange 1365, Aix-en-Provence 1409, Dôle 1422, Poitiers 1431, Caen 1432–36, Bordeaux 1441, Valence 1452–59, Nantes 1460, Bourges 1464), was eine deutliche Regionalisierung der Studentenschaft mit sich brachte [29. 79]. Sieht man einmal von Avignon ab, das von 1309 bis 1377 als Sitz der Kurie bes. Anziehungskraft entwickelte, führte neben den Kriegswirren die Gründung neuer Hochschulen in ganz Europa gegenüber dem 13. Jh. selbst in Paris zu einem deutlichen Rückgang des Ausländeranteils an der Studentenschaft und zu einer geringeren studentischen Mobilität auch im Lande selber. Da die in Avignon residierenden Päpste meist eine frz. Hochschule besucht hatten, war das Verhältnis zw. Univ. und Kirche im Spät-MA weniger konfliktgeladen als noch im 13. Jh., während sich die Einflußnahme der königlichen Macht stärker bemerkbar machte. Ihre intellektuelle Vorherrschaft büßte die Pariser Univ. allerdings im 14. Jh. ein. So ging die eigentlich innovative philos. Richtung des Nominalismus von Oxford aus, wo der Franziskaner William von Ockham (ca. 1285–1349) lehrte. Er verneinte die Realität von Wesenheiten jenseits der sinnlich wahrnehmbaren Einzeldinge, wie sie etwa Johannes Duns Scotus (1265–1308) vertreten hatte, um stattdessen in ontologischer Hinsicht Universalien als Begriffe aufzufassen und mit Blick auf die Erkenntnistheorie den Empirismus zu fördern. Jean Buridan (vor 1300–1358) nahm Ockhams Gedanken in seiner sprachphilos. Theorie der Referenz auf und widmete sich auch der Naturphilos.; er blieb allerdings zeitlebens an der Pariser Artistenfakultät und unterrichtete nicht Theologie. Buridan war nicht zufällig dem 1305 gegr. *Collège de Navarre* verbunden, dem Mittelpunkt des frz. Frühhuman. Die am *Collège de Navarre* ausgebildeten Humanisten traten häufig als Notare oder Sekretäre in den Dienst der Krone, griffen in die Politik ein und hatten über Avignon Kontakte nach It. [28. 37–78]. In Süd-F. war die Kurie seit dem Pontifikat von Johannes XXII. (1316–1334) ein wichtiges kulturelles Zentrum geworden. Der Papstpalast beherbergte eine reiche Bibliothek, die Petrarca (1304–1374) benutzt hatte. Darin dominierten theologische Werke, aber auch die lat. Klassiker wurden von den Päpsten erworben. Am *Collège de Navarre* bewunderte Jean de Montreuil (1354–1418) Petrarca, korrespondierte mit Coluccio Salutati und polemisierte gegen die engl. Besatzung F., während Nicolas de Clamanges (1363–1437) sich um die Verbesserung des lat. Stils bemühte, Reden und eine Ekloge (1394) verfaßte sowie die Reden Ciceros textkritisch durcharbeitete. Auch der

Theologe Jean Gerson (1363–1429), 1396 Kanzler der Pariser Univ. und von 1415 bis 1418 aktiver Teilnehmer am Konstanzer Konzil, wurde nachhaltig vom lat. Werk Petrarcas beeinflußt, verteidigte aber wie Nicolas de Clamanges die Pariser Universitätslehrer gegen den Spott des Italieners, der die mangelhafte Stilsicherheit der Franzosen im Lat. ins Visier genommen hatte [30. 267]. In Gersons umfangreichem Werk finden sich Predigten für Laien neben Traktaten über mystische Theologie; seine petrarkisierende lat. Dichtung wie das *Pastorium carmen* (ca. 1382) schrieb er nur für den engen Kreis der human. Freunde. Diese geringe öffentliche Wirkung ist für den frz. Frühhuman. bezeichnend. Das Studium der röm. Klassiker hatte an der Pariser Univ. v. a. propädeutischen Charakter, einen eigenen Rhetorikunterricht gab es nicht [26. 357 f.]. Das änderte sich erst mit Guillaume Fichet (ca. 1433–1480), der Kardinal Bessarion kennenlernte, 1470 zusammen mit Jean Heylin am *Collège de Sorbonne* die erste Druckerpresse F. einrichtete und 1470/1471 eine *Rhetorica* verfaßte, der seine Pariser Vorlesungen zugrunde lagen. Insgesamt versteinerte der frz. Universitätsunterricht im 15. Jh. zusehends. Zwar lehrte Gregorio da Città di Castello 1458 in Paris erstmals das Griech., aber er konnte noch keine wirkliche Trad. begründen. Ein volkssprachiger Frühhuman. entfaltete sich an den Höfen des Königs und der großen Fürsten wie des Herzogs Jean de Berry oder der Herzöge von Burgund. Es entstand eine Reihe frz. Übers. v. a. ant. Philosophen und Historiker. Bereits Johann der Gute beauftragte den Benediktiner Pierre Bersuire, der sich für die allegorische Auslegung der ant. Myth. in seinem *Repertorium morale* (1320–1350) vom *Ovide moralisé* hatte inspirieren lassen, mit der Übertragung der ersten, dritten und vierten Dekade des Livius. Das war nur möglich, weil Bersuire der Livius-Komm. des engl. Dominikaners Nicolas Trevet (1265–1334) vorlag und ihm Petrarca, den er in Avignon kennengelernt hatte, Zugang zu seinen Handschriftenfunden gewährte [11. 227 f.]. Nach seinem Prolog fügte Bersuire ein eigenes Kapitel mit der Erläuterung von Fachbegriffen, röm. Institutionen und rel. Gebräuchen der Heiden ein [3. 118]. Den Wert des Livius für den Herrscher machten v. a. die Exempelerzählungen aus. Man las *Ab urbe condita* als eine Art → Fürstenspiegel. Karl V. intensivierte das Mäzenatentum seines Vaters und ließ Augustins *De Civitate Dei* von Raoul de Presle übertragen (1371–1375); die Vorrede bietet eine Apologie der frz. Monarchie und des Hauses Valois, womit sie genau die Zielvorgabe der monarchischen Kulturpolitik erfüllte. Als erster frz. König trug Karl V. systematisch eine ganze Bibliothek zusammen und ließ sie im Louvre unterbringen. Sein bes. Interesse galt astrologisch-kosmologischen und histor. Werken wie dem *Quadripartitum* von Ptolemaios und dem *Jüdischen Krieg* von Flavius Josephus. Nicolas Oresme (ca. 1322–1382), Verfasser einer Abhandlung über das Geld (*De moneta*, 1356/1357), im J. 1356 Vorsteher des *Collège de Navarre* und der wohl bedeutendste Übersetzer des 14. Jh.,

machte erstmals die Ethik, die Politik, die Ökonomie und einen Teil der Naturphilos. (*De caelo et mundo*) des Aristoteles einem Laienpublikum zugänglich, wobei er gleichzeitig eine frz. Wissenschaftssprache schuf. Alle Übersetzer hatten größte Schwierigkeiten mit der *brevitas* des Lat. und halfen sich durch Umschreibungen oder Synonymhäufungen, wenn ein gleichwertiger Begriff fehlte. Laurent de Premierfait, der 1405 Ciceros *De senectute* für Louis von Bourbon und 1414 *De amicitia* für den bibliophilen Jean de Berry (1340–1416) übertrug, dazu Terenz und Statius kommentierte, wollte seine Übers. neben dem Originaltext gestellt sehen, damit jeder Leser die ihm besser verständliche Version auswählen könne [11. 235]. Die 1. H. des 15. Jh. ist relativ arm an neuen Übertragungen. Unter Philipp dem Guten diente die Ant. in Burgund v. a. als romaneske Staffage für höfische Feste. Unter Karl dem Kühnen fungierten die ant. Historiker dann wieder als Fürstenerzieher, etwa Xenophon mit seiner *Erziehung des Kyros*, die Vasque de Lucène (1435–1512) 1470 aus Poggios lat. Fassung übertrug. Die Rezeption der ant. Lit. diente in erster Linie der moralischen Erbauung und dem Wissenserwerb; erst ganz gegen E. des 15. Jh. häuften sich unter Karl VIII. die Übers. aus der schönen Lit., wie Ovids *Heroides* oder Vergils *Aeneis*. Eine nunmehr als fern erfahrene Ant. konnte zu einem ästhetischen Sehnsuchtsort werden [22. 116 f.].

### 3. DICHTUNG

Die frz. Dichtung gelangte im 14. und 15. Jh. zum Bewußtsein ihrer selbst. Es entstanden nicht nur volkssprachige Poetiken und Rhetoriken (z. B. Eustache Deschamps, *Art de dictier*, 1393), die zur Abfassung neuer lyrischer Formen wie Rondeau, Ballade oder Chant Royal anleiteten, sondern auch die einzelnen poetischen Werke reflektierten in zunehmendem Maße auf sich selbst und ihre formalen Möglichkeiten, die dann von den burgundischen Grands Rhétoriqueurs des 15. Jh. bis zur Neige ausspekuliert wurden. Die Inszenierung des dichterischen, ja schriftstellerischen Ichs war für die beliebte Erzählform des *dit* konstitutiv, in das man häufig lyrische Gedichte oder Prosabriefe einschob [23. 86–94]. Die Dichtung wurde gegen E. des 14. Jh. nicht mehr gesungen, sie beschränkte sich auf die »natürliche Musik« der Worte. Ähnlich wie der Nominalismus die Aufmerksamkeit der Philosophen für die empirische Welt schärfte und die frühniederländisch-burgundische Malerei der Brüder van Eyck die Fülle der Erscheinungen ins Bild zu bannen suchte, nahm die Dichtung neben der idealisierten höfischen Welt jetzt auch die widersprüchliche Erfahrungsvielfalt des Alltags in sich auf. Alle diese neuen Tendenzen kulminierten im Testament des als Vaganten und Nichtsnutz posierenden François Villon (1431–ca. 1463), das freilich der Ant. höchstens einige ins Ironische gewendete Exempelfiguren und die Rechtsfiktion des poetischen letzten Willens verdankte. Die beiden in der frz. Dichtung des Spät-MA meistrezipierten ant. Texte waren bezeichnenderweise Ovids *Metamorphosen* und *De consolatione phi-*

*losophiae* von Boethius, weil das erste Werk eine Welt in ständiger Verwandlung zeigt und das zweite einem Opfer widriger Umstände durch die Allegorie der Philos. (und auch durch die Dichtung) Trost spendet. Die klass. Myth., ja sogar knappe Anspielungen auf einzelne Mythen wurden bei Guillaume de Machaut (1300–1377), Jean Froissart (ca. 1337–1404), Eustache Deschamps (ca. 1346–1406) und Christine de Pizan (ca. 1364–1430) ebenso zu einem festen Bestandteil der frz. Dichtung wie die Schilderung der Glücksgöttin Fortuna, welche sich als Versuch verstehen läßt, Kontingenz- und Krisenerfahrungen wenigstens metaphorisch mit der Weltordnung zu versöhnen. Im *Confort d'Ami* (1357) tröstete Guillaume de Machaut seinen Adressaten Karl II. »den Bösen« von Navarra mit myth. Beispielen aus dem *Ovide moralisé*, wobei freilich die geistliche → Allegorese wegfiel. Der zunehmend freie und schöpferische Umgang mit der ant. Myth. führte zur Erfindung neuer Mythen: Froissart fügte den ps.-ovidischen, an die Geschichte von Pyramus und Thisbe erinnernden Mythos von Pynoteus und Neptisphele in seine *Prison amoureuse* (1372–1373) ein. Bei Christine de Pizan, der ersten selbstbewußten Schriftstellerin in der frz. Literaturgeschichte, belehrt die Göttin Othea den jungen Hektor mit myth. Exempeln (*Epistre d'Othéa*, 1400–1401), was wohl auf die (leider vergebliche) Unterweisung Karls VI. durch die Protohumanistin zu beziehen ist.

### 4. BILDENDE KUNST

Die Söhne König Johanns des Guten, nämlich Karl V., Jean de Berry und Philipp der Gute von Burgund, sammelten außer Büchern auch leidenschaftlich Kunstwerke, darunter ant. Kleinkunst. So besaß der Herzog von Berry mehr ant. Kameen als Piero de' Medici, weswegen ihn die Italiener beneideten. Schließlich schrieb man den kostbaren geschnittenen Steinen auch magische Qualitäten zu. Karl V. stiftete eine bes. schöne Jupiter-Kamee der Kathedrale von Chartres als Votivgabe für die Geburt eines Sohnes [10. 208]. Auch einige Mz. und Medaillen der Sammlung von Jean de Berry waren ant. [20. 52–60]. Sie blieben aber unkommentiert, und die antiquarische Gelehrsamkeit setzte in Frankreich erst mit Guillaume Budé (1468–1540) ein.

Die frz. Antikenrezeption des Spät-MA fand in der bildenden Kunst v. a. auf dem Gebiet der Buchmalerei statt, die sich in keinem anderen europ. Land so üppig wie in F. und den burgundischen Niederlanden entfaltete. Noch im 12. Jh. wurden u. a. jene ant. Texte illustriert, für die wie im Falle von Vergil, Terentius oder Prudentius bereits eine spät-ant. Ikonographie vorlag. Die Kontinuität dieser über karolingische Vorbilder vermittelten Trad. riß jedoch im 13. Jh. weitgehend ab, so daß die Illuminatoren zum Improvisieren und Erfinden gezwungen waren. Zur Blütezeit der Pariser Univ. im 13. Jh. wurden v. a. wiss. Texte für den Unterricht wie die Werke von Galen oder Ptolemaios illustriert. Allegorien machten Abstraktes anschaulich; so wurden im Bild-Komm. zu Aristoteles' *De sensu et sensato* die fünf Sinne durch Personen bei charakteristischen Tätigkei-

ten verkörpert (z. B. Harfe spielen für das Hören). Nicolas Oresme bestimmte selbst das Bildprogramm für die Illustration seiner Aristotelesübers. mit, um den Lesern die Begriffe nach Art der ma. Gedächtniskunst wirksam einzuprägen [2]; auch Christine de Pizan arbeitete an der Mythenillustration der *Epistre Othea* mit. Die Frontispizillustrationen von zwei Terenz-Hss. aus Jean de Berrys Besitz (Paris, BN lat. 7907 A von 1407 und der *Térence des Ducs*, Arsenal, Ms. 664 von ca. 1412) bieten als erste des Spät-MA und der Ren. die Rekonstruktion eines röm. Theaters, das zwar kreisrund dargestellt wird, aber keine Tribünen enthält und nach Art der ma. Mysterienspiele keine klare Trennlinie zw. Bühne und Zuschauerraum kennt. Auffällig sind die Masken der stark gestikulierenden Schauspieler, da man sonst in der Maske etwas Teuflisches zu sehen geneigt war oder ihre Funktion gar nicht verstand [21. 50–54], auffällig auch die gelegentliche Verwendung byz. Trachten oder Architekturelemente, welche eine Differenz zw. der ma. Gesellschaft und der des ant. Rom andeutet. Schließlich war es während des gesamten MA üblich, die ant. Götter und Heroen als zeitgenössische Hofgesellschaft zu kostümieren.

**1** J. ADHÉMAR, Influences antiques dans l'art du Moyen Âge français. Recherches sur les sources et les thèmes d'inspiration, 1939 **2** F. AVRIL, Gli autori classici illustrati in Francia dal XIII al XV secolo, in: M. BUONOCORE (Hrsg.), Vedere i Classici. L'illustrazione libraria dei testi antichi dall'età romana al tardo medioevo, 1996, 87–98 **3** F. BERRIOT, Langue, nation et pouvoir: les traducteurs du XIV$^e$ siècle précurseurs des humanistes de la Ren., in: M. T. JONES-DAVIES (Hrsg.), Langues et nations au temps de la Ren., 1991, 113–135 **4** R. BLUMENFELD-KOSINSKI, Classical mythology and its interpretations in medieval French literature, 1998 **5** M. CAMILLE, The Gothic Idol. Ideology and Image-making in Medieval Art, 1989 **6** J. CHANCE, The Mythographic Art: Classical Fable and the Rise of the Vernacular in Early France and England, 1990 **7** PH. CONTAMINE, J. EHLERS, N. BULST, B. BLUMENKRANZ, s. v. F., LMA 4, 747–798 **8** CURTIUS **9** E. FARAL, Recherches sur les sources latines des contes et romans courtois du moyen âge, 1913 **10** Les Fastes du Gothique. Le siècle de Charles V, 1981 **11** A. FOURIER (Hrsg.), L'Humanisme médiéval dans les littératures romanes du XII$^e$ au XIV$^e$ siècle, 1964 **12** G. GLAUCHE, Schullektüre im MA. Entstehung und Wandlungen des Lektürekanons bis 1200 nach den Quellen dargestellt, 1970 **13** G. GRENTE (Hrsg.), Dictionnaire des lettres françaises. Le Moyen Âge. Éd. entièrement revue et mise à jour sous la direction de G. HASENOHR et M. ZINK, 1992 **14** M. GROSSE, Das Buch im Roman. Stud. zu Buchverweis und Autoritätszitat in altfrz. Texten, 1994 **15** H.-J. KUNST, W. SCHENKLUHN, Die Kathedrale in Reims. Architektur als Schauplatz polit. Bedeutungen, 1987 **16** J. LE GOFF, Les intellectuels au Moyen Âge, 1985 ($^1$1957) **17** A. DE LIBERA, Penser au Moyen Âge, 1991 **18** Ders., La philosophie médiévale, 1993 **19** R. H. LUCAS, Medieval French Translations of the Latin Classics to 1500, in: Speculum 45, 1970, 225–253 **20** M. MEISS, French Painting in the Time of Jean de Berry. The Late Fourteenth Century and the Patronage of the Duke, 1967 **21** Ders., French Painting in the Time of Jean de Berry. The Limbourgs and

their Contemporaries, 1974 **22** E. PANOFSKY, Die
Renaissancen der europ. Kunst, 1979 **23** D. POIRION
(Hrsg.), La littérature française aux XIV$^e$ et XV$^e$ siècles, 1988
(Grundriß der romanischen Literaturen des MA VIII/1)
**24** TH. RENTSCH, Die Kultur der quaestio. Zur lit.
Formgesch. der Philos. im MA, in: G. GABRIEL,
CH. SCHILDKNECHT (Hrsg.), Lit. Formen der Philos., 1990,
73–91 **25** P. RENUCCI, L'Aventure de l'humanisme
européen au moyen-âge (IV$^e$ – XIV$^e$ siècle), 1953
**26** A. SCAGLIONE, The Classics in Medieval Education, in:
A. S. BERNARDO, S. LEVIN (Hrsg.), The Classics in the
Middle Ages, 1990, 343–362 **27** J. SEZNEC, La survivance des
dieux antiques, 1993 ($^1$1940) **28** F. SIMONE, The French
Ren. Medieval Trad. and Italian Influence in Shaping the
Ren. in France, 1961 **29** J. VERGER (Hrsg.), Histoire des
universités en France, 1986 **30** A. VERNET (Hrsg.), Histoire
des bibliothèques françaises. Les bibliothèques médiévales.
Du VI$^e$ siècle à 1530, 1989 **31** F. J. WORSTBROCK, Translatio
artium. Über die Herkunft und Entwicklung einer
kulturhistor. Theorie, in: Archiv für Kulturgesch. 47, 1965,
1–22 **32** M. ZINK, Littérature française du moyen âge, 1992.

MAX GROSSE

### III. 16.–18. JAHRHUNDERT
### A. 16. JAHRHUNDERT  B. 17. JAHRHUNDERT
### C. 18. JAHRHUNDERT

#### A. 16. JAHRHUNDERT
##### 1. GESCHICHTE, POLITISCHE, SOZIALE UND KULTURELLE BEDINGUNGEN

Die Außenpolitik der frz. Könige wird in der ersten
Jh.-Hälfte vom Konflikt mit Habsburg bestimmt, gegen
dessen geopolit. Übermacht die Monarchie bis zum
Friedensschluß zwischen Heinrich II. und Philipp II.
1559 ankämpft. Anfangs agiert F. nicht ohne strategi-
sches Geschick, indem der König die offene Erbfolge
des Königreichs Neapel als Vorwand nutzt, um den
Kriegsschauplatz auf it. Territorium zu verlagern, was
einem Befreiungsschlag gleichkommt. Die Kampagne,
die unter Karl VIII. 1494 beginnt, wird von Ludwig XII.
zwischen 1497 und 1507 fortgesetzt; die vorgeblichen
Erbansprüche liefern Franz I. zwischen 1515 und 1544
Anlaß zu fünf weiteren Feldzügen, indes gelingt auch
ihm nicht, die Vorherrschaft über Ober-It. dauerhaft zu
gewinnen. Der mil. Zugriff auf it. Gebiet läßt sich als
Akt symbolischer Politik dechiffrieren [30]: Mit den
It.-Kriegen meldet F. einen imperialen Anspruch an,
der auf → Rom, das Zentrum weltlicher und geistlicher
Herrschaft über Westeuropa, zielt. Dieser Anspruch be-
stimmt den ideologischen Horizont, vor dem sich das
Verhältnis F. zu It. polit. und kulturell gestalten wird.
Die Innenpolitik der frz. Herrscher ist seit Beendigung
des 100jährigen Krieges beständig darauf gerichtet, das
Königreich weiter zu konsolidieren. Mit geschickter
Heiratspolitik erringt die Monarchie endgültig durch
die Verbindung von Franz I. und Claude de France die
territorialstaatliche Hegemonie. Unter der Regierung
dieses »Renaissancekönigs« (1515–1547) und seines
Nachfolgers Heinrich II. (1547–1559) etabliert sich der
Königsstaat als feste Regierungsform [61]. Die Religi-

onskriege (1562–1598), die von den Feudalgeschlechtern gegen die Monarchie genutzt werden, halten die
Durchsetzung des zentralistischen Staates nur zeitweilig
auf. Bes. Franz I. gelingt es, die Königsmacht zu stärken.
Er setzt damit die Politik seiner Vorgänger fort, welche
die territorialstaatliche Einigung durch Maßnahmen auf
den Gebieten der Verwaltung, Finanz und Jurisdiktion
voranzutreiben suchen. Unter diesem Herrscher tritt F.
in eine Phase soliden Wohlstands. Strukturverbesserun-
gen wie die Sicherung der Transportwege und die Förderung des Warenverkehrs sorgen für den wirtschaftlichen Aufschwung der Städte. Die Expansion eines
neuen gewinnorientierten Gewerbes, des Buchdrucks,
befördert den kulturellen Wandel. Die rasche Verbreitung der neuen Kommunikationstechnologie führt zur
Ablösung der handwerklich anspruchsvollen Buchkultur des Spät-MA. Neben Paris, dem Druckort human.
Ausgaben ant. Texte, wird Lyon, geogr. in einer Trans-
ferregion zwischen dem nördl. und südl. Europa gelegen, zum Umschlagplatz it. Kulturgüter und wichtigsten Zentrum der Buchproduktion und der Druckle-
gung vieler Übers. griech., lat. und it. Texte. Die hohen
Auflagezahlen und ein breites Schrifttum in der Volkssprache weisen auf eine rasche Ausweitung der Lese-
kultur jenseits der alten Zentren der gelehrten Schrift-
trad. hin [45].

##### 2. BILDUNG UND WISSENSCHAFT

Zu Beginn des Jh. lassen sich in den Städten vermehrt
protohuman. Bildungsaktivitäten beobachten. Ihre In-
itiatoren kommen meist aus den Reihen des juristisch
ausgebildeten Stadtbürgertums und dem Amtsadel, also
den Trägern der tradierten Laienschriftkultur. Die Verankerung dieser kulturellen Elite in der rhet.-lit. Trad.
des 14. und 15. Jh. [32] hat zur Folge, daß sich der Wandel in der Wahrnehmung der Ant. in F. nicht abrupt
vollzieht. Tatsächlich sind es vielfach zunächst die alten
Inhalte, die von der Kommunikationstechnik des Buchdrucks übermittelt werden. Ähnliches läßt sich bei der
Einrichtung von Kollegien beobachten, die ab den 20er
Jahren zunehmend in den Städten entstehen [38]: Die
Laisierung der Bildung verfolgt zunächst keine anti-
kirchlichen Ziele, erst in der zweiten Jh.-Hälfte wird die
human. → Pädagogik zunehmend konfessionalisiert.
Organisatorisch baut der neue Schultyp auf den (septem)
→ Artes liberales auf; allerdings ist das Trivium am Kolleg nicht mehr propädeutisch auf die Theologie ausgerichtet. Eine konsequente Zielgebung der Ausbildung
auf den Erwerb sprachlich-lit. Kompetenz im Sinne des
Humanismus bleibt indes der Initiative Einzelner überlassen: Mathurin Cordier (1479–1564) beispielsweise
legt das Gewicht des Unterrichts am Pariser Collège de
Sainte-Barbe neben den gramm. Regulae und der Erklärung der Autoren auf die rhet. Übung [49. 159]. Die
meisten der landsmannschaftlich frequentierten Kollegien in Paris halten jedoch am artistischen Lehrplan fest.
Auch in den Kollegien in den Provinzstädten bleibt der
Unterricht v. a. in der *classis grammaticae* zunächst im
Einflußbereich der spätscholastischen Grammatik. Von

einer einheitlichen oder gar flächendeckenden Durchsetzung des human. Trivium kann in der ersten Jh.-Hälfte daher nicht die Rede sein [31]. Allerdings weisen die Lektürelisten ab den 40er Jahren darauf, daß sich ein Kanon von Schulklassikern herauszubilden beginnt: Zum festen Bestand gehören Terenz, Vergil, Horaz, Catull und Cicero; unter den griech. Autoren rangieren Homer, Pindar und Demosthenes an der Spitze.

Die human. Bildungsarbeit macht sich ihrerseits bei der Verbreitung ant. Bildungsstoffe die Rezeptionsgewohnheiten des Laienpublikums mit großem Erfolg zunutze. Erasmus' *Adagiorum Chiliades* (1500) antizipieren den Erfolg frz. Apophthegmata-Sammlungen, welche das stadtbürgerliche Publikum mit dem myth. und philos.-moralischen Repertoirewissen der Ant. in Form exemplarischer Unterweisung vertraut machen. Wie das Beispiel des bis weit in die erste Jh.-Hälfte hinein immer wieder gedruckten Handbüchleins *Le Cathon en françois* (1492) zeigt, überwiegt dabei der Versuch, das ant. Wissen in die eigene Kulturtrad. einzubetten. Auch die Lukian-Rezeption schließt hieran an, charakteristisch die Übers. der *Totengespräche* als *Trente dialogues moraulx de Lucien* (1529). Solcherart Florilegien bleiben bis zum Jh.-Ende in Gebrauch, sie sollen wie die *Sentences illustres de M. T. Cicero* (1582) und *Œuvres morales et meslées de Sénèque* (1595) den Zugang zur »philosophie morale« erleichtern. Die Übers. ant. Autoren erfährt zudem nicht selten eine nationale Begründung, wie sie Claude de Seyssel (1450–1520), Professor, Diplomat und Theologe im Dienst Ludwigs XII., im *Exorde à la Translation de l'histoire de Justin* (1510) festhält; ebenso glaubt Lefèvre d'Etaples (um 1455–1536), die Lehre des Florentiner Neuplatonismus an die scholastische Philos. der Sorbonne anpassen zu können, um Ant. und Christentum zu versöhnen.

Auch Guillaume Budé (1468–1540), der einflußreichste Vertreter des frz. Human. in der ersten Jh.-Hälfte, unterstellt die gelehrte Aneignung der ant. Überlieferung der *eruditio moralis*. Diese moralisch-praktische Auffassung der Ant., die ihre Wurzeln in der rhet.-lit. Trad. des Pariser Parlaments hat, schlägt sich nicht zuletzt in den Interessengebieten seiner philol. Gelehrsamkeit nieder: Mit den *Annotationes ad pandectas* (1508), d. h. zu den zivilrechtlichen Bestimmungen des → Römischen Rechts, legt er die Grundlagen für die Überwindung der scholastischen Methode des *mos italicus*. Budé liest das *Corpus Iuris Civilis* im Original und gelangt darüber zu den ältesten frz. Rechtsquellen. In seiner Folge erschließt sich die Jurisprudenz – hervorzuheben ist hier Jacques Cujas (1520–1590) – das klass. röm. Rechtssystem dann auch in einer histor. Perspektive. Mit der Abhandlung *De Asse eiusque partibus* (1514) stellt Budé die Erforsch. der materiellen Zeugnisse des Alt. auf eine völlig neue Grundlage. In den folgenden Jahren wendet er sich dem Griech. zu; Frucht sind die *Commentarii linguae graecae* (1529). Die Schriften *De philologia* und *De studio literarum* (beide 1532) entwickeln ein Konzept für die philol. Tätigkeit: Den Philologos

zeichnet nicht die Beredsamkeit, sondern enzyklopädisches Wissen aus. Mit der programmatischen Aufwertung der Philol. zur Leitdisziplin human. Bildung, wie dies bereits Poliziano getan hatte, reagiert Budé auf eine kulturpolit. Maßnahme des Königs. 1530 waren auf Geheiß Franz I. in Paris gegen den Widerstand der Sorbonne königliche Lehrstühle für Griechisch, Hebräisch und Mathematik eingerichtet worden, auf die herausragende Vertreter der human. Bewegung berufen wurden. Dieser Gründungsakt hat Signalcharakter für die Durchsetzung des Human. in F. [25]. Die Initiative macht sichtbar, daß der Traditionalismus der Pariser Univ. allenthalben auf den Prüfstand gerät. Die Lehre der Lecteurs royaux untersteht nicht der Aufsicht der Sorbonne. Die Wissensorganisation der scholastischen Bildungseinrichtungen erfährt in den 30er Jahren zunehmend Kritik, die ihren lit. Niederschlag u. a. in den berühmten satirischen Passagen des *Pantagruel* (1532) und *Gargantua* (1535) von François Rabelais (ca. 1494–1553) gefunden hat.

Vorbild des nachmaligen Collège Royal (h. Collège de France) ist das alexandrinische Museion, nicht die platonische Akad., die den Florentiner Humanisten als Modell gedient hatte. Die philol.-methodische Ausrichtung der Lehre stellt zusammen mit der Betonung des Griechischen in F. eine Neuheit dar [47. 127–178]. Im Pariser intellektuellen Milieu zeitigt diese Verbindung große Wirkung v. a. für die Erschließung der bislang wenig bekannten griech. Autoren: Jean Dorat (1508–1588), der am Collège de Coqueret lehrt, bevor er 1556 zusammen mit Adrien Turnèbe (1512–1565) zum Lecteur royal für Griechisch ernannt wird, liest über die gesamte griech. Dichtung: außergewöhnlich hierbei seine Lectio über Aischylos wie die Vorlesung über Pindar und die Alexandriner, hier bes. Kallimachos [29]. In Zusammenarbeit mit den Pariser Druckern werden ab den 40er Jahren die Grundlagen für die umfassende Erschließung der griech. und lat. Originaltexte gelegt. Turnèbe, der zugleich der von Franz I. gegr. Presse Royale vorsteht, veranlaßt den Druck kritischer Ausgaben. Unter den von ihm edierten Werken ragt die Homerausgabe hervor; sie bildet den ersten Band der *Poetae Graeci principes heroici carminis* (1566). Übertroffen wird Turnèbe freilich von Henri Estienne (1531–1598). Dieser setzt, als er 1551 die Leitung der Offizin übernimmt, die editorische und philol. Pionierarbeit seines Vaters Robert fort, der 1543 den ersten *Latinae Linguae Thesaurus* vollendet hatte – ungehindert aller konfessionell bedingten Schwierigkeiten, wegen derer die reformatorischen Mitglieder der Druckerdynastie zur Zweigniederlassung in Genf gezwungen wurden. Unter der großen Anzahl lat. und griech. Texteditionen (allein 74 griech., von denen 18 Erstausgaben sind), die Estienne zum Druck verlegt und nicht selten eigens kommentiert, sind insbes. die von ihm entdeckten *Anacreontea* (1554) und die Sammlung aller Fragmente griech. Lyriker zu nennen (zuerst 1560, endgültig 1586). Nach der Paginierung der Platon-Edition von 1578 wird heute noch Platon zitiert. Eine nicht minder bedeutende philol. Leistung ist der monumentale *Thesaurus Graecae Linguae* (1572).

Die für die erste Jh.-Hälfte charakteristische Entwicklung der gelehrten Rezeption hin zur histor.-wiss. Kritik steht in einem Spannungsverhältnis zum prestigebezogenen Umgang des Hofes mit der ant. Überlieferung. Die von Heinrich III. (1574–1589) ins Leben gerufene Académie du Palais (1576) sucht erstmals den Anschluß an den neuen Enzyklopädismus, verfolgt dabei freilich ausdrücklich nationale Ziele: Sie konzentriert sich auf die antiquarische Erschließung der »gallischen« Altertümer. Bedeutsam sind Étienne Pasquiers (1529–1615) *Recherches de la France* [14]. Blaise de Vigenère (1523–1596) übersetzt neben Cäsar das vierte Buch von Tacitus' *Historien*, das sich auf Gallien bezieht. Die Hinwendung der human. Kulturelite zur ant. Lebensphilos. am Ende des Jh. ist ein Reflex auf die Konfessionskriege: Wichtiger Vertreter des neo-stoizistischen Human. ist Guillaume du Vair (1556–1621), der Epiktet überträgt und 1599 *La Philosophie morale des Stoïques* publiziert.

### 3. DICHTUNG UND LITERATUR

Die umfassende gelehrte Erschließung der Originaltexte schafft zugleich die Voraussetzung für deren Übertragung ins Frz. und bewirkt im Gegenzug eine Akkulturation der volkssprachlichen Dichtung und Lit. an den ant. Mustern. Die Aneignung gattungspoetischen Wissens ist bereits in den Rhetoriken der ersten Jh.-Hälfte festzustellen; die Horaz-Rezeption in den 40er Jahren gibt das Modell einer selbständigen Poetik [16]. 1541 übersetzt Jacques Peletier (1517–1582) den *Pisonen-Brief* des Horaz ins Französische; 1555 erscheint sein *Art poétique*. Den Schritt zu einer auf die *inventio* konzentrierten Dichtungstheorie vollzieht vor ihm Thomas Sébillet (1512–1589) mit seinem *Art poétique françois* (1548). Diese Dichtungslehre löst die spät-ma. metrischen Repertorien ab, die auf eine praktische Anleitung zum Reimen zielen. Sébillet nennt den Dichter »*poète*« statt »*rhimeur*«; 1546 war der *Ion*, in dem die platonische Enthusiasmus-Lehre ausformuliert wird, ins Französische übers. worden. Erst aber Joachim Du Bellays (1522–1560) Programmschrift *La Deffence et illustration de la langue françoyse* (1549) stellt die eigenständige rhet. Trad. der Dichtung des 15. Jh. grundsätzlich in Frage. Ziel ist die Umstellung des gesamten Literatursystems durch Neuorientierung an den kanonischen Autoren und Formgewinnung am ant. Sprach- und Literaturideal. Die breite Palette spät-ma. Textarten wird reduziert, die volkssprachliche Dichtung auf die klass. Gattungen umgestellt.

Du Bellay plädiert für eine eigenständige Stilfindung und empfiehlt den frz. Dichtern dazu das Verfahren der → Imitatio, das die Römer ihrerseits angewendet hatten, als es um die Rezeption der griech. Kultur ging: ›Ly donc & rely premierement (ò Poëte futur), feuillete de main nocturne & journelle les exemplaires Grecz & Latins: puis me laisse toutes ces vieilles poësies Francoyses

(...) qui corrumpent le goust de nostre Langue (...). Jéte toy à ces plaisans epigrammes (...) à l'imitation d'un Martial (...). Distile avecques un style coulant & non scabreux ces pitoyables elegies, à l'exemple d'un Ovide, d'un Tibule & d'un Properce (...). Chante moy ces odes incognues encores de la Muse Francoyse, d'un luc, bien accordé au son de la lyre Grecque & Romaine & qu'il n'y ait vers ou n'aparoisse quelque vestige de rare et antique erudition‹ [3. 74–75].

Die von Du Bellay entworfenen Grundprinzipien der Imitatio als einer die pure Übers. überschreitenden Transposition und inneren Assimilation der ant. Bauformen und Stoffe werden von den Dichtern der sog. → Pléiade umgesetzt, die sich zwischen 1550–1555 in Paris im Umfeld des Königshofes formiert [64]. Dabei können sie auf die zeitgenössische nlat. Dichtung zurückgreifen [46]. Pierre de Ronsard (1524–1585) publiziert *Les Quatres premiers livres des odes* (1550), denen die *Epinikien* Pindars neben den *Oden* des Horaz als Muster zugrundeliegen; im ersten Buch finden sich zwölf in der metrischen Form einer triadischen Ode gebaute »*odes pindariques*« [57]. Die Parallele der dichterischen mit der philol. Rezeption griech. Musterautoren, vorab des der Pléiade verbundenen Gräzisten Jean Dorat (s.o.), wird auch in den 1554–1555 entstandenen *Odelettes* nach dem Vorbild der *Carmina anacreontea* deutlich. Während mit der Odendichtung die Entwicklung eines neuen Texttyps frz. Dichtung gelingt, bleibt Ronsards Adaption des → Epos, der urspr. für Heinrich II. bestimmte Reichsgründungsmythos *Franciade* (1576), ohne nachhaltige Wirkung. Die gezielte Aneignung der Prestigegattungen und der hohen Stilmuster – Pindar und Horaz, Homer und Vergil – zeigt, daß die Umgestaltung der frz. Dichtung aus der Sicht der klass. Überlieferung von Ronsard bewußt auf den Hof zugeschnitten wird; die jüngeren Mitglieder folgen ihm darin. Die Pléiade transportiert Sprechtrad. der spät-ma. Lobkultur des Hofes; Ronsards Festlegung der Dichtung auf den hohen Stil wird unter dem Stichwort »*pindariser*« zum Ziel späterer Kritik. Im antikisierenden Prunk der Dichtung korrespondieren freilich auch das von der Monarchie beförderte nationale Projekt der Erhöhung des Französischen zur klass. Literatursprache und human. Gelehrsamkeit. Das berühmteste Beispiel einer geradezu aggressiven Annexion der Ant. als Monument frz. Dichtung [53] ist *Le Premier Livre des Antiquitez de Rome, contenant une generale description de sa grandeur et comme une deploration de sa ruine plus un Songe ou vision* (1558) von Joachim Du Bellay, ein Sonettzyklus, der für die europ. Romdichtung modellbildend geworden ist.

Auch bei der Erneuerung des Theaters gibt die Pléiade Impulse, um neben den fest verwurzelten Spieltrad. des Spät-MA die klass. Theaterformen auf die Bühne zu bringen. Wiederum liefert die human. Editionstätigkeit zusammen mit der nlat. Dichtung entscheidende Voraussetzungen. Dabei orientiert sich die zeitgenössische Dramatik trotz Kenntnis der griech. Tragiker weiterhin an dem seit dem späten 15. Jh. vielgelesenen Seneca, der sich ab der Jh.-Mitte einen festen Platz im human. Schultheater erobert [62]. Ein großer Erfolg ist Étienne Jodelle (1532–1573) mit der Heinrich II. gewidmeten Tragödie in fünf Akten *Cléôpatre captive* (1553) beschieden. Jacques Grévin (1538–1570), der Autor des ersten frz. Römerdramas *La mort de César* (1558), legt zugleich als erster die formalen Kriterien der Trag. fest, die dann in den Theaterpoetiken der 70er Jahre unter Berufung auf Aristoteles zum Regelbestand erklärt werden. V. a. Robert Garnier (1544–1590) nimmt mit Trag. wie *Hippolyte* (1573), *Troade* (1579) und *Antigone* (1580) das klass. Theater des 17. Jh. vorweg.

Im Bereich der Prosa folgt die rhet. Gestaltung öffentlicher Interaktionen zunächst den seit dem 15. Jh. geltenden Gepflogenheiten epideiktischer und deliberativer Rede. In der Redekunst des 16. Jh. herrscht insgesamt eine große Varianz der Stile. Der bes. für die zweite Jh.-Hälfte charakteristische Eklektizismus wird erst mit der gezielten Reaktualisierung des klass. Rom als Leitbild eines frz. Nationalstils im 17. Jh. überwunden. Die polit. und juristische Gebrauchsrhet. der dem Königsstaat eng verbundenen Magistrate referiert auf das ethische Rednerideal Ciceros, vorab in *De Oratore*, sowie auf Seneca den Ä. und bezieht sich als Muster zugleich explizit auf Demosthenes. Im Umfeld des Parlaments entstehen Louis le Roys Übers. der *Olynthischen Reden* (1551), gefolgt von den *Philippika* (1575) als Muster der agitatorisch-polit. Rede. Im Bereich der Kunstprosa werden Textarten wie Dialog und Brief ausgebaut; dabei fällt auf, daß Cicero sich auch hier nicht als Stilmuster durchsetzt – der von Etienne Dolet in *De imitatione Ciceroniana* (1535) verfochtene → Ciceronianismus bleibt eine Ausnahme gegenüber einer weitverbreiteten Tendenz zum Lakonismus. Lukian wird über Vermittlung des Erasmus zu einem wichtigen Referenzautor satirischen Schrifttums, bes. für Bonaventure Des Périers (ca. 1510–1542) und François Rabelais (s. o.); die *Satire Ménippée* (1594) nutzt die lockere Form der *Menippea* als Muster einer gemeinschaftlich verfaßten polit. Flugschrift [41].

Die Übers. Plutarchs, die Jacques Amyot (1513–1593) noch im Auftrag Franz I. beginnt, weist gegenüber der hochrhet. Prosa, die im Zusammenhang der Religionskriege entsteht, auf künftige Entwicklungen hin: *Les Vies des hommes illustres grecs et romains, comparées l'une avec l'autre par Plutarche* (1542–1559) werden noch im 17. Jh. als beispielhaft betrachtet und befördern maßgeblich die Elaborierung eines frz. Prosastils. 1574 folgt die Übers. der *Moralia*. Amyots Übers. stellen zusammen mit der human. Kompilationslit. des Jh.-Beginns einen wichtigen Bezugspunkt für Michel de Montaigne (1533–1592) dar, dessen *Essais* (1580) die frz. Moralistik inaugurieren. Jean Bodin (1530–1596) schließlich nimmt in den auf ein breites Publikum zugeschnittenen *Six Livres de la république* (1576; 1586 vom Autor ins Lat. übers.) eine histor. relativierende Betrachtung der Ant. vorweg.

## 4. Bildende Kunst, Architektur und andere Künste

In der Architektur ist die für F. spezifische Retardierung der Antikerezeption in der Verwendung spätgot. Bauformen bes. sichtbar. Eine Umstellung erfolgt erst unter Heinrich II. Baumeister wie Pierre Lescot (1515–1578) und Philibert de L'Orme (ca. 1510–1570) schaffen einen neuen Stil: Der Traktat *L'Architecture françoise* (1567) von de L'Orme illustriert die Adaption klassizistischer Vorlagen. Ein Signal des Wandels setzt auch die berühmte Pariser Entrée Royale (1549), in der erstmals nach ant. Muster Triumphbauten errichtet werden; den neuen Stil belegt die dazugehörige Fontaine des Innocents, deren Dekoration von Jean Goujon (ca. 1510–ca. 1569) stammt. Dieser Bildhauer entwirft zusammen mit Lescot die antikisierende Fassadengestaltung der Cour Carrée des ab 1549 erweiterten Louvre; die streng symmetrische Fassade wird sofort als exemplarisch angesehen und gilt den Zeitgenossen als Vorbild klass. Stils [20]. Ein berühmtes Detail der Inneneinrichtung dieses Erweiterungsbaus sind die vier Karyatiden, von Goujon wohl nach denen des Erechtheions entworfen. Der Bildhauer illustriert ferner die Vitruvübers. von Jean Martin (1547).

Das Königshaus der Valois setzt den Prestigewert der Ant. für die Ausbildung neuer herrscherlicher Repräsentationsformen ein: Exemplarisch hierfür ist die Gestaltung der Schloßanlage von Fontainebleau [54]. Franz I. schickt Künstler auf Antikenjagd nach It., um dort Skulpturen zu erwerben; einerseits gelangen so Originale nach F. wie die *Venus genetrix*. Zugleich nutzt man das blühende zeitgenössische Kopienwesen: Francesco Primaticcio (1504–1570) kehrt 1540 von einem Romaufenthalt mit einer Reihe von Hohlformen zurück. Die Bronzen (u. a. der → *Apoll von Belvedere*, die → *Knidische Aphrodite*, der *Flußgott Tiber*) werden von Heinrich II. in den Gärten des Schlosses aufgestellt. Die Valois aktualisieren neben Repräsentationsbauten und Triumpharchitektur zugleich weitere Medien polit. Propaganda aus der röm. Kaiserzeit: Benvenuto Cellini entwirft während seines F.-Aufenthaltes eine Münze, die Franz I. als röm. Imperator zeigt [42]. François Clouet (ca. 1505–ca. 1572) inauguriert den für das 16. Jh. dann gültigen Typ des → Reiterstandbildes nach dem Vorbild der Statue Marc Aurels; es existieren außerdem zahllose Entwürfe zu Herrscherporträts und Porträtbüsten, die die Herrscher der Valois als Cäsaren zeigen. Komplementär wandelt sich die Auffassung ant. Myth.: Wie die Bildprogramme in Fontainebleau im Zusammenspiel von Fresko, Stukkaturen, Tapisserien belegen, wird die didaktisch-moralische Auffassung myth. Stoffe zunehmend von einer auf den Herrscher abgestimmten Symbolik überlagert.

## B. 17. Jahrhundert

### 1. Geschichte, politische, soziale und kulturelle Bedingungen

Die Befriedungspolitik von Heinrich IV. (1589–1610), dem es gelungen war, eine Interessenkoalition der zerstrittenen konfessionellen und polit. Gruppen zur Sicherung des inneren Friedens (Edikt von Nantes, 1598) nach Beendigung der Religionskriege im Königreich zu bilden, wird nach Ermordung des Königs wieder in Frage gestellt. Ludwig XIII. (1610–1643) gelingt es erst, nachdem er 1617 die Regentschaft seiner Mutter Maria von Medici abgeschüttelt hat, mit Hilfe der klugen Politik des Kardinal Richelieu (1624–1642) ab 1624 den absolutistischen Zentralismus gegenüber den divergierenden Interessen der alten Eliten, den Feudalgeschlechtern und dem Parlament, d. h. dem Amtsadel, durchzusetzen. Unter der Regentschaft von Anne von Österreich und Kardinal Mazarin kommt es erneut zu Aufständen: Die Niederschlagung der sog. Fronde (1648 und 1650/51) bedeutet eine polit. Zäsur für die weitere Entwicklung des Königsstaates. Ludwig XIV. (1643–1715) setzt neue Maßstäbe absolutistischer Machtentfaltung. Im ersten Jahrzehnt seiner Regierung führen die protektionistischen Maßnahmen des bürgerlichen Schatzministers Jean Baptiste Colbert (1619–1683) zu einer grundlegenden Sanierung der Staatsfinanzen. Colbert fördert das Manufakturwesen, ergreift Maßnahmen zur öffentlichen Wohlfahrt sowie zur Steuer- und Justizreform, koordiniert die Kulturpolitik des Königsstaats und inspiriert die Entwürfe für eine absolutistische Symbolik des Herrschers. 1687 verlegt der Roi-Soleil seinen Hof nach Versailles. Aufwand der Hofhaltung und die mil. zunächst erfolgreiche Expansionspolitik belasten das Land mit einer zunehmenden Finanz- und Wirtschaftskrise und verzehren den unter Colbert erwirtschafteten Wohlstand. Nach Aufhebung des Toleranzedikts 1685 verlassen ganze Bevölkerungsgruppen F., Hungersnöte und hohe Kindersterblichkeit verstärken die demographische Krise zur Jh.-Wende. Ludwig XV. (1715–1774) erbt ein bankrottes Königreich.

## 2. Bildung und Wissenschaft

Die Befriedung des von der Liga gespaltenen Königreichs und dessen Neuordnung durch Heinrich IV. schaffen an der Wende zum 17. Jh. die polit. Rahmenbedingungen, unter denen sich ein neues Sekundarschulwesen etabliert. Ab 1604 erringt die Societas Jesu durch flächendeckende Gründung von Kollegien im Königreich eine pädagogische Monopolstellung, durch die, ganz im Interesse monarchisch-zentralistischer Territorialstaatsbildung, erstmalig die Ausbildung vereinheitlicht wird. Mit dem Regierungsantritt von Ludwig XIII. wird die Allianz mit dem Jesuitenorden zum offiziellen Bestandteil der Kulturpolitik der Monarchie, die sich die Überwindung feudaler und konfessioneller Partikularismen zum obersten Gebot setzt.

Das Schulprogramm der Jesuiten findet in der *Ratio studiorum* von 1599 seine für F. einschlägige Formulierung. Das Gewicht der Ausbildung verlagert sich hiermit endgültig auf ein Trivium in human. Form [28]. Die Rhet. wird zur Leitdisziplin des Unterrichts: Die Unterweisung in den poetischen und rhet. Verfahren zielt nach dem Durchlaufen des Grammatikunterrichts und

der Lektüre der Klassiker in Grund- und Mittelstufe ab der Oberstufe auf eine vollkommene Beherrschung der Redekunst: »ad perfectam eloquentiam informat«. Die verfeinerte Lerntechnologie legt vermehrt das Gewicht auf schriftliche Aufgaben. Neben Übers. und Stilübung stellen die Imitatio von Stellen aus Dichtern und Rednern sowie das Exzerpieren griech. und lat. Muster oder die Anpassung von Figuren an verschiedene Stoffe beliebte Übungen dar [52]. Die Ergebnisse der redepraktischen Ausbildung werden bei Schulfeiern präsentiert, wo die Schüler mit selbstverfaßten Reden nach ant. Vorbild oder der *declamatio* von Dichtern ihre Fertigkeit vorführen. In der *classis rhetoricae* werden sie außerdem gezielt zu eigenständiger Lektüre angehalten. Auch die Ausstattung der Jesuitenkollegien mit Bibliotheken, in denen die Klassiker aufgestellt werden, zielt auf eine gründliche lit. Ausbildung. Hiermit ist ein Modell gegeben, das die rhet. Bildungstrad. des Alt. in eine mod. Schulordnung einzuspannen erlaubt. Die *Ratio* verabschiedet, was Lernstoff und Methode anbelangt, den gelehrten Human. der alten Bildungselite. Die Kanonisierung Ciceros als Schulautor schlechthin, die Reduktion der Themen und Musterautoren und die Festschreibung der Lateinsprachigkeit des Unterrichts auf der Oberstufe indizieren einen grundsätzlichen Wandel der Funktionsbestimmung der Rhetorik.

Das Erziehungswesen der Societas Jesu hat in der Folge entschieden Anteil an der für das 17. Jh. konstitutiven Etablierung der Rhet. als Bezugsmodell der gesamten Kultur. Die große Leistung der Schulrhet. der Jesuiten besteht nicht zuletzt darin, daß sie die Erziehung zur Redekunst mit den Anforderungen höfischmondäner Zivilisiertheit verkoppelt. 1617 wird am Collège de la Flèche erstmals eine Zivilität, *Il Galateo* von Giovanni Della Casa, ins Frz. übersetzt. Ein großer Teil der Kulturträger des Königreichs erfährt seine Ausbildung an den Jesuitenkollegien. In Paris ragt bes. das Collège de Clermont hervor, dem Ludwig XIV. 1685 den Namen Louis-le-Grand verleiht: An dieser traditionellen Ausbildungsstätte des Hofes wird ein stilistisches Ideal der Redekunst ausgearbeitet, das Adel und goldene Mittellage verbindet und damit die Fundamente für die frz. Klassik in der zweiten Jh.-Hälfte legt: Der Rückgriff auf den Bildungsgedanken des späten Cicero erweist sich als Klammer zwischen human. Bildung und höfisch-adligem Verhaltensideal.

Eine zentrale Bed. bei der Habitualisierung der ant. Bildungstrad. und im Gegenzug der Literarisierung der höfischen Verhaltenslehre kommt zudem den hochadligen Salons zu. Bes. einflußreich ist der der Marquise de Rambouillet (1588–1665), in dem Jean-Louis Guez de Balzac (1597–1654) verkehrt, der in *De la conversation des Romains* die röm. *urbanitas*, vorbildlich verkörpert durch Terenz und Horaz, als Kulturindex des frz. *honnête homme* propagiert. In seinem Roman *Aristippe* (1644) bildet die sympotische Kultur der Griechen den idealen Horizont der von ihm propagierten Gesprächskultur der Galanterie, geprägt vom → Epikureismus. Madeleine de

Scudéry (1607–1701), die sich als Sappho titulieren läßt, verfaßt 1642 zusammen mit ihrem Bruder Georges *Les Femmes Illustres ou les Harangues de M. de Scudérie, avec les véritables portraits de ces héroïnes, tirés des Médailles antiques.* In dieser Porträtsammlung werden große Gestalten aus der Geschichte des Altertums behandelt. Scudéry würdigt Frauen als Kulturbringerinnen, die die Männer zur Beredsamkeit anfeuern: Artemisia beispielsweise stachelt Isokrates an, eine der von ihr entworfenen Grabarchitektur angemessene Prunkrede auf Mausolos zu halten! Im kommunikativen Umfeld des Salons durchläuft die *»éloquence d'une dame«* den Prüfstein der Konversation und damit des Gebrauchs. In seinem weitverbreiteten Traktat *L'honneste femme* (1632–1636) empfiehlt Jacques Du Bosc den Frauen die Lektüre der ant. Poeten und Philosophen, um im Licht pragmatisch-moralischer Lebenslehre die weibliche Natur durch *raison* und *usage* zu vervollkommnen [24. 75–78]. Analog hatte Nicolas Faret in *L'honneste homme ou l'art de plaire à la Cour* (1630) dem Hofmann das Vorbild des Alkibiades empfohlen, der seine guten Anlagen ›sur la connaissance des lettres et par les enseignements de Socrate‹ ausgebildet habe [7. 82].

Die zum Teil hedonistische Auffassung der Kommunikation in den Salons steht in einem spannungsreichen Verhältnis zu den Vorstellungen der Monarchie. Unter Ludwig XIII. profiliert sich das Modell einer *éloquence royale*, welche eine auf Klarheit und Ordnung gerichtete Stilistik mit dem Gedanken der Staatsräson assoziiert [32. 648ff.]. Richelieu verleiht ihm institutionellen Stellenwert mit der Gründung der Académie Française 1634: Dies ist ein geschickter Schachzug, durch den es gelingt, einen großen Teil der Schriftsteller für die Kulturpolitik des absolutistischen Königsstaates zu engagieren. Zu den ersten Mitgliedern, die entschieden die konzeptuelle Profilierung der frz. Klassik vorantreiben, gehören neben Balzac und Faret (s.o.) die Dichter François de Boisrobert (1592–1662) und Jean Chapelain (1595–1674), die Kritiker Jean Desmarets de Saint-Sorlin (1595–1676) und Claude de Vaugelas (1585–1650) sowie der v. a. durch seine eleganten Übertragungen griech. Autoren bekannte Nicolas Perrot d'Ablancourt (1606–1664). 1693 vereint die illustre Gemeinschaft u. a. den Kanzelredner Jacques-Bénigne Bossuet (1627–1704), Jean de la Fontaine (1621–1695), den Verfasser der *Fables* nach dem Vorbild des Äsop (1686), den Dramatiker Jean Racine (1639–1699) und dessen Freund, den Dichter und lit. Theoretiker der *Doctrine classique* Nicolas Boileau-Despréaux (1636–1711), fernerhin Charles Perrault (1628–1703), der 1687 die Querelle (s.u.) eröffnet, Bernard de Fontenelle (1657–1757), der den Cartesianismus populär zu machen sucht, und nicht zuletzt Jean de la Bruyère (1645–1696), Verfasser der gesellschaftskritisch frei ausgestalteten *Charactères* des Theophrast (1688), sowie den Prinzenerzieher François de la Mothe-Fénelon (1651–1715). Der allg. zu beobachtende Funktionswandel der Rhet., sichtbar in der Ausweitung ihres Geltungsbereiches, fin-

det auch in den sprachpflegerischen Aktivitäten der Akademie ihren Niederschlag. Das Bezugsmodell der institutionalisierten Sprachpflege der Akademie liefert Quintilian [27]. Auffällig ist zudem die Konzentration auf die *elocutio.* Vaugelas legt die stilistischen Prinzipien in seinen *Remarques sur la Langue Française* (1645) dar; er adaptiert darin die Virtutes-Lehre der *Institutio oratoria* und leitet daraus zentrale Forderungen ab: Einmal die *»clarté«*, also das folgerichtige, klare Konzept der Rede, sowie *»pureté«*, die sprachliche Korrektheit, beides Postulate, die schon François de Malherbe (1555–1628) in seinem *Commentaire de Desportes* (1606) erhoben hatte. Indes ist auch bei Vaugelas der latente Autoritätsverlust zu beobachten, den die ant. Modelle im Prozess der stilistischen Regelfindung erfahren: Neben die Autorität der *»bons auteurs«*, d. h. die schriftsprachlichen klass. Muster, tritt der empirische Sprachgebrauch, der *»bon usage«*, über den bei der ›plus saine partie de la Cour‹ Konsens besteht [63].

Angesicht der ideologischen und polit. Dimension der Normierungsbestrebungen in der Akademie sind die innovativen Impulse im Umgang mit der Ant. häufig übersehen worden: Die Akademie legt den Akzent ihrer Aktivitäten nicht mehr auf die gelehrte Sicherung der Trad. durch Reproduktion des Kanons, sondern auf eine differenzierte Kodifizierung des Französischen als Sprache der Konversation, der Lit. und der Diplomatie. Sie unterstützt damit die Assimilierung der Ant. auf einer breiten, nicht-gelehrten Basis; exemplarisch hierfür sind die an den mondänen Geschmack angepaßten Übers. D'Ablancourts [65]. Durch diese alles andere als originalgetreuen Übertragungen, die explizit das Original verbessern wollen, wie d'Ablancourt im Widmungsbrief seiner weitverbreiteten Lukian-Übers. (1654–1655) hervorhebt, werden ferner Homer, Anakreon, Theokrit und Plutarch einem mondänen Publikum vertraut; unter den lat. Autoren ist Ovid der große Favorit, gefolgt von Horaz, Lukrez, Persius und Juvenal. Dieser Aneignungsprozeß fördert nicht zuletzt die Neigung, auf lange Sicht die Kopie dem Original vorzuziehen. Den Prozeß der Familiarisierung zeigen deutlich auch die zahllosen Travestien wie *Le jugement de Pâris en vers burlesques* (1648) oder *Ovide en belle humeur* (1650), die um die Jh.-Mitte entstehen; *Le Virgile travesti* (1648–1652) von Paul Scarron (1610–1660) ist eine Talentprobe ähnlich wie das Gemeinschaftswerk der Brüder Perrault *Les murs de Troie* (1653), welches eine genaue Kenntnis des *Aeneis* voraussetzt.

Die zeitgemäß mondäne Verkleidung der Überlieferung erlaubt auf der anderen Seite, Kritik im ant. Gewand zu verbergen, eine Möglichkeit, die sich v. a. die hochadlige Opposition gegen Ludwig XIV. wie z. B. La Fontaine, La Bruyère und Fénelon zunutze machen. Mit dem als Fortsetzung der *Odyssee* deklarierten Erziehungsroman *Les Aventures de Télémaque* (1699) ruft Fénelon die Zensur auf den Plan. Die Verhöflichung der Ant. bietet freilich auch Ansätze zur pädagogischen Erhellung im Sinne der Monarchie. Bernard de Fontenelle greift in den *Dialogues des Morts* (1683) nach Vorlage Lukians auf das Schema des Vorzugsstreits (Synkrisis) zurück, um in Gesprächsform einem breiten Publikum beispielsweise im Dialog zwischen dem Arzt Erasistratos und dem Entdecker des Blutkreislaufs Harvey den Unterschied zwischen ant. und mod. Wiss. klar zu machen. Zugleich häufen sich die Indizien einer zunehmend distanzierten Wahrnehmung der Antike. Fontenelle treibt die Relativierung voran, indem er in seiner *Histoire des oracles* (1686) die ant. *divinatio* als Priesterbetrug entlarvt. Eine theoretische Zuspitzung erfährt die Auseinandersetzung mit der Autorität der Überlieferung durch die sog. → *Querelle des Anciens et des Modernes* [35]. Der Streit wird 1687 durch Charles Perrault ausgelöst, als er in einer Sitzung der Académie Française sein Gedicht *Le siècle de Louis le Grand* vortragen läßt, in dem am Gegenbeispiel Homers, dessen Epos schlechten Geschmack zeige, die Vorrangstellung der Ant. dezidiert bestritten wird. In der *Parallèle des Anciens et des Modernes* (1688–1697) verteidigt Perrault dann die Auffassung von der Überlegenheit der Moderne und sucht dies am Beispiel der zeitgenössischen Architektur, Skulptur, Malerei, Rede- und Dichtkunst, Wiss., Philos. und Musik zu belegen. Die Diskussion um den Stellenwert der eigenen Adaptionsleistung findet einen literaturhistor. Vorlauf im sog. Vorzugsstreit zwischen Homer und Vergil – paradigmatisch Julius Caesar Scaliger [11. 32–38] – und einen Nachklang in der Querelle d'Homère (s.u., 18. Jh.). Während die Querelle in aller Öffentlichkeit stattfindet und die bedeutendsten Zeitgenossen zu Stellungnahmen provoziert [43], vollzieht sich, zensurbedingt, die Infragestellung der philos. Autorität des Aristoteles im Verborgenen. Pierre Gassendi (1592–1655) beruft sich auf Epikur als Gewährsmann seiner Kritik: Das *Syntagma Philosophiae Epicuri* (1659) entwickelt eine Methodik, die das offizielle Dogma des → Aristotelismus auf dem Umweg über die ant. Naturphilos. in Frage stellt. Gelehrte Vertreter des Libertinismus wie François de La Mothe Le Vayer (1588–1672), der in *La vertu des païens* (1642) die Gleichrangigkeit der ant. Ethik mit dem Christentum propagiert, bleiben ohne größere Resonanz.

### 3. Dichtung und Literatur

In der Dichtungstheorie liefern Aristoteles und Horaz die poetologischen Parameter [22]. Die sog. *Doctrine classique* entwickelt sich aus der Auseinandersetzung mit der Dichtungslehre des späten 16. Jh., vorab Julius Caesar Scaligers; sie gewinnt theoretisches Relief durch die Lektüre der aristotelischen *Rhetorik*, die Robert Estienne 1624–1630 ins Französische überträgt, sowie im Zusammenspiel mit der poetischen Praxis bes. auf dem zeitgenössischen Theater. Jean Chapelain postuliert 1630 in der *Lettre sur la règle des vingt-quatre heures* die Beachtung der drei Einheiten (Zeit, Ort, Handlung). François Hédelin d'Aubignac (1604–1667) resümiert 1657 die Diskussion mit *La pratique du théâtre*. Die Etablierung von Gattungskonventionen verläuft alles andere als konfliktfrei, wie die polemischen Reaktionen

anläßlich des *Cid* (1637) von Pierre Corneille (1606–1684) zeigen. Die poetologischen Vorschriften durchlaufen bei Dramatikern wie Jean Mairet (1604–1686), der 1634 mit *La Sophonisbe* die erste klass. Trag. auf die Bühne gebracht hatte, eine Phase der Erprobung. Jean Rotrou (1609–1650) dichtet Plautus um und liefert mit *Les Ménechmes* (1630), *Les Sosies* (1637), *Les Captifs* (1630) Modelle einer vorab auf die Komik bedachten Komödie; Molière (1622–1672) knüpft mit den Plautus-Adaptionen *Amphitryon* und *L'Avare* (beide 1668) hieran an. Die wirkungsästhetische Orientierung steht bei Corneille in einer deutlichen Spanne zur Regelkonformität: Trag. wie *Horace* (1640), *Cinna* (1641), *Polyeucte* (1642) und *La mort de Pompée* (1643) demonstrieren nach der sog. Querelle du Cid, in der dem Dramatiker Verstöße gegen die Regeln vorgeworfen worden waren, nunmehr die Beherrschung der Vorschriften. Die *Trois discours sur le poème dramatique* (1660), in denen Corneille seine Überlegungen zum Theater resümiert, zeigen indes, daß der Dramatiker die Orientierung seiner Kunst an der Publikumswirksamkeit nicht aufgegeben hat.

Der komplexe Umgang mit der Ant. zeigt sich bei Corneille auch in der Themenwahl. Einerseits bezieht er seine Sujets aus der röm. Geschichte und benutzt dazu, neben Tacitus und Sueton, Livius, Lucan, Cassius Dio und Appian. In *Médée* (1635) und *Œdipe* (1659) greift er über Seneca vermittelte Themen der griech. Trag. auf. Sein Konkurrent Jean Racine bezieht sich explizit auf griech. Vorlagen. Er liest Aischylos, Sophokles und Euripides im Original und verwendet kritische Ausgaben von A. Turnèbe und H. Estienne [44]. Die Trag. *Andromaque* (1667), *Iphigénie* (1674), *Phèdre et Hippolyte* (1677) und *Alexandre le Grand* (1665) zeigen, wie eigenwillig Racine den Spielraum ausbaut, den die weithin geringe Kenntnis der att. Trag. für eine produktive Transformation des Stoffes läßt – eine souveräne Rezeption, die dem klass. Theater die ihm eigene Physiognomie verleiht, wie sich auch in der Aufführungspraxis zeigt: Die Helden treten in den Trag. in zeitgenössischer Kleidung auf! Die röm. Kaiserzeit liefert den Stoff zu *Britannicus* (1669), *Bérénice* (1670) und *Mithridate* (1673). Schon die Wahl der Themen weist auf die Nähe des klass. frz. Theaters zum Diskurs des Absolutismus: Corneille und Racine verhandeln in ihren Trag. die Ordnungsvorgaben der Monarchie und zeigen Staatsaffären und edle Gefühle. Corneille stellt dabei den Konflikt von Affekt und Vernunft als vom Staat definierten ethischen Norm ins Zentrum; Racine konzentriert sich auf die Beobachtung der psychischen Auswirkungen des absolutistischen Machtdispositivs und stellt die Pervertierung der Herrschaft dar: Berühmt ist seine Charakteristik Neros als Monster im *Britannicus*.

Die 70er Jahre sind ein Höhepunkt der poetologischen Reflexion, nicht zuletzt stimuliert durch die Übertragung der *Poetik* des Aristoteles (1671). 1674 reagiert René Rapin (1621–1687) auf diese Übers. mit seinen *Réflexions sur la Poétique d'Aristote, et sur les origines des Poëtes anciens et modernes.* Sie belegen den Assimilierungsschub, der sich während des 17. Jh. im Lauf der poetologischen Debatte vollzieht: Rapin feiert in der *Préface* die poetologische Autorität des Aristoteles als personifizierte Methode, ›la nature mise en méthode, et le bon sens réduit en principe: on ne va à la perfection que par ces règles, et on s'égare dès qu'on ne les suit pas‹ [10]. Die Transformation in ein eigenes Bezugssystem wird endgültig mit Boileaus *Art Poétique* (1674) vollzogen. Dieses → Lehrgedicht erhebt in der Referenz auf das poetologische Schlüsselwerk der augusteischen Klassik, Horaz' *Ars poetica*, bereits implizit den Anspruch auf eine klass. Epoche der frz. Dichtung. In ihm wird die Adaptionsleistung, die sich seit Beginn des Jh. in Dichtung und Dichtungstheorie vollzogen hat, vielfach sichtbar. Schon Malherbe, den Boileau als Archegeten der neuen Dichtungskonzeption feiert, hatte die Idolatrie der Ant. in der Pléiade angegriffen; ähnlich plädierte Chapelain für eine Lockerung des Autoritätsbezugs (1632): ›Homère et Virgile, qui sont des divinités pour moi, ont bien de la peine à être mes patrons, et vous vous souvenez bien que je vous ai fait remarquer en l'un et en l'autre des choses qu'ils pouvaient mieux ordonner. L'idée de l'art est mon seul exemplaire, sur lequel je me règle uniquement‹ [4. I,18]. Auch Boileau diktiert in seiner Dichtkunst dementsprechend keine Norm, sondern vermittelt dort eine Methodenlehre des Dichtens in pointierten und vielfach noch heute sprichwörtlichen Formulierungen. Er folgt mithin auch darin seinem Vorbild Horaz, daß er alles Schwergewicht auf die Kenntnis und Beherrschung der Regeln, d. h. auf eine lit. Konzeption des Schreibens legt. Dabei bekräftigt er gleich einleitend im ersten Gesang des *Art Poétique* die Korrespondenz von poetologischem Klassizismus und epistemologischem Rationalismus nach dem vom Dichter zu beherzigenden Grundsatz: ›Aimez donc la raison: que toujours vos écrits / Empruntent d'elle seule et leur lustre et leur prix‹ (Vers 11 f.). Zugleich lotet er den Bereich jenseits der vorgegebenen Regeln aus: er fügt dem poetologischen Lehrgedicht seine Übertragung von Ps.-Longinus, *Traité du Sublime, ou du Merveilleux dans le Discours,* bei und weist damit der Genieästhetik des 18. Jh. den Weg.

### 4. Bildende Kunst, Architektur und andere Künste

Heinrich IV. macht den Louvre zur ständigen Residenz der frz. Könige; er greift urbanistische Projekte der Valois auf und läßt die Place Royale (h.: Place des Vosges) anlegen. Die dortigen Stadtpalais sind ein Zeugnis antiklass. Tendenzen, die ebenso an den neuen sakralen Kuppelbauten des ersten Jh.-Drittels sichtbar werden. Diese sind vom it. Kirchenbau der Jesuiten, v. a. von Il Gesù, beeinflußt. Ein spätes Zeugnis ist die Kirche von Val-de-Grâce von François Mansart (1598–1666). Röm. inspiriert, jedoch in deutlicher Abkehr von der manieristischen Interpretation, ist auch der Kuppelbau der von Richelieu 1635 beauftragten Kirche der Sorbonne, deren Hoffassade einen Peristyl nach dem Vorbild des → Pantheon aufweist. Ab der Mitte des 17. Jh. knüpft die Bauweise wieder dezidierter an den Klassizismus der frz. Hochrenaissance an. Nachdem der König Ludwig XIV. Berninis Entwurf zur Gestaltung der Eingangsfassade des Louvre verwirft, werden ab 1667 unter Leitung von Claude Perrault (1613–1688) die Kolonnaden des Louvre errichtet; Perrault folgt einem Entwurf von Louis Le Vau (1612–1670), der als Baumeister einen ausgewogenen *grand style* vertritt, den er beispielhaft erstmals in der Konzeption des Hôtel de Lambert (1641–1642) ausführt. Die regelmäßige Gliederung der mit korinthischen Säulen verkleideten Fassade des Louvre sowie der Verzicht auf heterogenes Baumaterial betonen die Einheitlichkeit des Baus und belegen die für die Regierungszeit Ludwig XIV. sprichwörtliche Rückkehr zu den klass. att. Formen. Diese findet ihren konzeptuellen Niederschlag in architekturtheoretischen Schriften. François Blondel (1618–1686), der die Porte Saint-Denis (1672) entwirft, legt in seinem *Cours d'architecture* (1675) die Prinzipien der Klassik in der Bauweise wie Symmetrie und Regelmäßigkeit der Bauform fest. Sein Ziel ist: ›(...) d'épouiller l'Architecture de ces ornemens vicieux (...) et (...) l'enrichir de ces beautez naturelles et de ces grâces qui l'ont rendüe si recommendable parmi les Anciens‹ [35. 47].

Die Rückbesinnung auf die röm. Ant. im Bau geht Hand in Hand mit einer neuen Rezeption Vitruvs, den Claude Perrault neu übersetzt und kommentiert: *Les dix livres d'architecture de Vitruve, corrigés et traduits nouvellement en français, avec des notes et figures* (1673) bestimmen die weitere Diskussion der Proportionenlehre. Perrault demonstriert die von ihm vertretene, am Gebrauch orientierte Umgewichtung der klass. Bauästhetik am Entwurf des Pariser Observatorium: Die Achse des quadratischen Pavillons an der Nordseite des Gebäudes fällt mit dem Meridian von Paris zusammen; ebenso heben Geometrie des Grundrisses und die klaren Maßverhältnisse der schmucklosen Fassade die Funktion des Gebäudes hervor, dessen Ausrichtung darüber hinaus exakt auf den Sonnenstand bei der Sonnenwende und der Tag- und Nachtgleiche bezogen ist.

Auf Colberts Initiative hin wird gleichzeitig die urbanistische Gestaltung der Hauptstadt vorangetrieben: Paris erhält ab 1670 die ersten Boulevards, denen die Befestigungsmauern Platz machen; die alten Tore werden durch Triumphbögen nach röm. Art als Siegesmale des Roi-Soleil ersetzt; erhaltene Beispiele sind die Porte-St.-Denis (s.o.) und die Porte-St.-Martin (1674). Einrichtungen staatlicher Wohlfahrt wie der Hôpital de la Salpêtrière und der Hôtel des Invalides (1670–1674) mit dem Invalidendom, dessen kuppelgekrönter Zentralbau eines der gelungensten Beispiele frz. Klassik darstellt, zeigen einen weitgehenden Verzicht auf dekorative Elemente der ebenso regelmäßigen wie massiven Architektur. Jules Hardouin de Mansart (1646–1708), der auch die große Anlage der Place Vendôme in Paris entwirft, übernimmt von Louis Le Vau die Bauleitung in Versailles. In Zusammenarbeit mit dem für die Innendekoration zuständigen Charles Lebrun (1619–1690) und dem Gartenarchitekten André Le Nôtre (1613–1700) entsteht eine Schloßanlage, die ein überaus wirkungsmächtiges Modell für die Elaborierung einer Herrschersymbolik auf der Grundlage ant. Gestaltungsprinzipien und Mythenallegorese darstellt [23]. Modell ist die auf den Herrscher bezogene Bildersprache des Augustus. Das dekorative Programm des Schlosses und der → Parkanlagen wird von der Apollonthematik bestimmt: Es schafft im Zusammenspiel von Baukunst und Gartengestaltung, Wasserspielen und Skulpturen eine Semiotik der Verweise, deren Referenz die göttergleiche Existenz des Roi-Soleil ist. In der berühmten Sequenz von Apollonbrunnen, der den Gott mit seinem Triumphwagen zeigt, Sirenenbrunnen und Thetisgrotte wird der absolutistische Anspruch narrativ entfaltet [19]. Das Wechselspiel von Gartenkunst und mythischer Kodierung hat einen Reflex bei La Fontaine gefunden. In *Les amours de Psyché et de Cupidon* (1669) wird die Novelle aus Apuleius in ein zeitgenössisches Ambiente eingefügt: Die Freunde erzählen sich die Geschichte lustwandelnd im Park von Versailles, dessen Szenerie, was bei Hof gefiel, ausführlich beschrieben wird.

Jean-Baptiste Lully (1632–1687) inauguriert den Typus der Tragédie lyrique und prägt ihn in einer Reihe von Opern aus, zu denen der Dichter Philippe Quinault (1635–1688) die Libretti verfaßt; Opern wie *Cadmus et Hermione* (1673), *Alcestis* (1674) oder *Thésée* (1675) variieren das klass. Theater in einer charakteristischen Mischung von Dramatik und höfischer Repräsentation. Eigenheiten wie die rhet.-deklamierenden Rezitative und der häufige Einsatz des Chors unterstreichen die pathetisch-feierliche Auffassung der Gattung. Ebenso prachtvoll gestaltet Lully ein beliebtes Genre höfischer Feste, das allegorische Huldigungsspiel, zum theatralischen Typus des Ballet de cour um [48].

In der Malerei gibt zunächst der päpstliche Hofstil Urbans VIII. den Rahmen vor, an dem sich die klass. Bildauffassung orientiert. Deren wichtigster Anreger ist Nicolas Poussin (1594–1665), der 1624 über Vermittlung Giambattista Marinos nach Rom gelangt war, wo er in Auseinandersetzung mit einer Bildkunst, die die rhet. Elemente im Strukturschema betont, seine eigene Auffassung der Malerei zu entwickeln beginnt. Zentral ist für ihn der Affektausdruck, der Stilstufen folgt, in Analogie zur ant. Musik, die Tonarten mit Gefühlslagen assoziiert [21]. Die Darstellung der Affekte durch Mimik und Gestik der Akteure findet sich unter Referenz auf die durch Giovanni Della Porta vermittelte ant. → Physiognomik analysiert und systematisiert bei Charles Le Brun, *Méthode pour apprendre à dessiner les passions* (postum 1698), zu der das Studium ant. Kunstwerke das Material liefert, wie etwa → *Laokoon* als *exemplum doloris*. Hier wird in der Theatralik der Malerei eine neue Tendenz zur Psychologisierung sichtbar. Diese Ausdruckstheorie wird in den 60er Jahren ein zentrales Sujet der Akademiediskussionen. Den Einfluß der Rhet. auf die zeitgenössische Kunsttheorie belegt auch das nach

dem Vorbild von Horaz' *Ars poetica* verfaßte Lehrgedicht *De arte graphica* (postum 1667) von C. A. Dufresnoy (1611–1665), von Roger de Piles 1668 ins Französische übertragen.

## C. 18. JAHRHUNDERT
### 1. GESCHICHTE, POLITISCHE, SOZIALE UND KULTURELLE BEDINGUNGEN

Der knapp neunzig Jahre währende Zustand des Ancien Régime vor der Revolution, der eine Phase einzigartigen kulturellen Reichtums darstellt, wird von den Spannungen bestimmt, die sich aus dem Autoritätsverlust der Krone und langfristig dem Erstarken der polit. Kräfte des Bürgertums ergeben. War es der Monarchie unter Ludwig XIV. erfolgreich gelungen, eine absolutistische Herrschaftsorganisation zu etablieren, so gerät der Königsstaat seit der Übernahme der Regierung durch den Regenten Philippe d'Orléans (1715–1724) in eine Dauerkrise. Ludwig XV. (1724–1774) sucht vergeblich, die Finanzmisere zu beheben; sie verschärft sich durch den Verlust des ersten frz. Kolonialreichs 1763. Die von Ludwig XVI. (1774–1793) mit Hilfe des Physiokraten Anne Robert Turgot (1721–1781) angestrebten Reformen scheitern unter anderem an der Stabilität der korporativen Strukturen des Verwaltungs- und Steuersystems. Die Schwächung der Krone führt zum Wiederaufleben feudaler Partikularismen bis hin zur Adelsrestauration in der zweiten Jh.-Hälfte. Das Ständesystem behindert die Durchmischung der vielfältigen sozial und kulturell fein abgestuften Milieus. Die mangelnde Integrationskraft der Krone trägt nicht zuletzt zur Abkapselung des Hofes in Versailles bei. Die Hauptstadt Paris, ohnehin Zentrum der Verwaltung und der Gerichtsbarkeit, wird wieder zum Mittelpunkt des lit. Lebens. Die Pariser Salons gewinnen ihre kulturelle Bed. zurück: Sie liefern den Rahmen, in dem sich die Aufklärung als neue Diskursmacht formiert, deren Deutungsangebote in die chaotische Lage eine neue Ordnung und Übersichtlichkeit bringen sollen. Erst 1789 aber kommt es zum polit. Zusammenbruch des Ancien Régime: Die Feudalrechte werden abgeschafft, die damit eingeleitete Revolution der Gesellschaft durch die Verkündigung der Menschenrechte sanktioniert. 1792 erklärt der Konvent F. zur Republik. Für deren neue Ordnung als Klassenstaat gibt der Militärputsch des jüngsten Revolutionsgenerals Napoléon Bonaparte 1799 das Signal.

### 2. BILDUNG UND WISSENSCHAFT

Der im 17. Jh. geschaffene Rahmen der Bildungseinrichtungen bleibt vorerst intakt. Der Unterrichtskanon der Kollegien konzentriert sich weiterhin auf das Studium der ant. Autoren: Cicero bleibt der meistgelesene Autor; seine Geltung als Schlüsselautor für den Unterricht der Sprache, der Redekunst und ant. Lebensphilos. ist unbestritten. Daneben bilden Vergil, Ovid, Isokrates, Lukian, Homer, Horaz, Demosthenes, Aesop, Plutarch, Sallust und Cäsar den festen Bestand der Lektüre [36. 103]. Allerdings verliert die Latinität, vorab die schriftliche Kompetenz im Lat., als Unterrichtsziel zunehmend an Bedeutung. Ab Mitte des Jh. entstehen zuhauf Lehrwerke, die ein Erlernen des Lat. mit Hilfe des Französischen »ohne Tränen« und »in kurzer Zeit« beizubringen versprechen. Während die Jesuitenkollegien eine Hochburg der Latinität bleiben, stellen sich die Kollegien der Pariser Univ. bereits zu Beginn des Jh. auf den Unterricht in der Muttersprache um: Dort werden die Übungen in der zweijährigen Rhetorikklasse zusätzlich den Anforderungen frz. Beredsamkeit angeglichen. Racine, Bossuet, Boileau erringen die Bed. von Musterautoren; der Vorrang der ant. Bildungstrad. wird damit jedoch nicht in Frage gestellt. Exemplarisch belegt das Charles Rollin (1661–1741), dessen *Traité des études* (1726–1728) noch Ende des Jh. maßgeblich den Schulunterricht bestimmt. Er legt neben dem Erwerb sprachlich-lit. Fähigkeiten am Beispiel der Stilmuster bes. Wert auf die Lektüre der ant. Historiker.

Dies Ausbildungsprofil verliert jedoch an Akzeptanz: Der geringe Stellenwert der Muttersprache, das Übergewicht ant. Überlieferung als Wissensquelle, die Anwendungsferne der rhet. *ars* und lat. Schriftlichkeit geraten als Elemente einer durchweg traditionalistischen Bildungskonzeption in der zweiten Jh.-Hälfte ins Blickfeld der Aufklärung, deren zentrale Vorwürfe Jean Le Rond d'Alembert (1717–1783) unter dem Stichwort »Collèges« in der *Encyclopédie* zusammenfaßt: Der Unterricht in den *humanités* beschränke sich darauf, eher schlecht als recht lat. Aufsätze zu verfassen; in der Oberstufe lernten die Schüler die Redekunst nur in ihrer verwerflichsten, nämlich ornamental-elokutionären Ausrichtung kennen. Die von ihnen fabrizierten Reden nenne man *amplificatio* – ›nom très convenable en effet, puisqu'ils consistent pour l'ordinaire à noyer dans deux feuilles de verbiage, ce qu'on pourroit & ce qu'on devrait dire en deux lignes‹ [1. III, 653]. Erst jedoch das bildungspolit. Programm eines Enseignement national, mit dem die Parlamentsräte in den 60er Jahren die Reform der Kollegien durch Institutionalisierung eines nationalen Bildungswesens durchzusetzen suchen, verleiht solchen Beobachtungen eine übergeordnete Zielrichtung. V. a. die mondänen Jesuitenkollegien geraten unter Beschuß als Einrichtungen, deren *Ratio* den Anforderungen polit. Vernunft nicht genügt, u. a. weil in ihr das für die Verwaltung des Königreichs notwendige histor., geogr. und planerische Wissen vernachlässigt wird. In ihren eigenen Programmen werten die Reformer die metaphysischen Teildisziplinen, bes. die Mathematik, als Grundlage des Curriculums auf. Ihre Überlegungen entwerfen ein neues Szenario der Gesellschaftsplanung und -organisation. Darin macht rhet.-lit. Orientierung tendenziell einer nach mathematischen Grundsätzen operierenden Vernunft Platz [51]. 1762 beschließt das Pariser Parlament ein Unterrichtsverbot der Jesuiten; 1764 wird der Orden durch königliches Edikt des Landes verwiesen.

Die methodische Einführung des Rationalitätsprinzips spiegelt sich auch in der Redekunst in einer dezidierten Abkehr von der *grande éloquence* hin zu einem Redeideal, das die natürliche Sachlichkeit betont. Schon Fénelon hatte die Vernachlässigung der klass. Genera der Rhet. durch die zeitgenössische Beredsamkeit moniert. In seinem berühmten Brieftraktat an die frz. Akademie *Lettre à l'Académie* (1716) erinnert er daran, daß sich die Griechen der ethisch-polit. Bed. der öffentlichen Rede immer gewärtig waren, sie dementsprechend die Beredsamkeit nicht auf die epideiktischen Prunkreden und Hofpredigten reduzierten. Die Enzyklopädisten knüpfen an diese im 18. Jh. weitverbreitete Kritik an der Überfunktion des Stils an und machen Deutlichkeit und Verständlichkeit zum obersten Gebot der Mitteilung. Die Redekunst zeigt sich nicht in der *elocutio*, sondern gründet in der Kunst des Diskutierens und dem Frage-Antwortspiel der Dialektik. So hebt Voltaire in seinem Enzyklopädieartikel Aristoteles' Leistung hervor: ›Il fait voir que la dialectique est le fondement de l'art de persuader‹ [12. V, 529]. Leitfigur für die im Gespräch erfolgende Wahrheitserkundung ist Sokrates. Denis Diderot (1713–1784) feiert ihn als Inbegriff der Natürlichkeit und Weisheit [59]. Das Redeideal der Enzyklopädisten steht im Horizont der Idee der Nationalsprache: Voltaire (François Marie Arouet, 1694–1778) identifiziert das Französische als Sprache der reinen Vernunft mit Klarheit und Ordnung: ›Le génie de cette langue est la clarté et l'ordre‹ [13. VII, 286]; Antoine Comte de Rivarol (1753–1801) leitet im *Discours sur l'universalité de la langue française* (1784) den Vorzug des Französischen gegenüber allen anderen Kultursprachen aus seiner vernunftmäßigen Syntax ab und vergleicht seinen Bau mit einer elementaren Geometrie; beim Griech. und Lat. habe wohl eher die Kurvenlehre Pate gestanden.

In der frz. Revolution findet die öffentliche Rede in den revolutionären Einrichtungen (Club, Parlament, Komitee, Tribunal und Fest) geradezu ideale kommunikative Rahmenbedingungen, die zu einer Blüte der Oratorik führen [55]. In der zum Versammlungssaal umgewidmeten Manege in den Tuilerien, Tagungsort der Abgeordneten, werden Büsten der großen Redner des Alt. aufgestellt. Die Gesetzgebende Versammlung und bes. dann der Nationalkonvent entwickeln einen neuen Typus parlamentarischer Rhetorik; deren stilistischer Synkretismus konkurriert mit dem lakonistischen Ideal bzw. der Aktualisierung der Ethos-Pathos-Formel einzelner Revolutionäre [15]. Demosthenes gewinnt aktuelle Bed. als Freiheitskämpfer, die Vehemenz seiner Beredsamkeit trifft jedoch auf geringe Akzeptanz [56].

Die polit. Aktualisierung der human. Bildungstrad. gründet im letzten Jh.-Drittel auf einer breiten Kenntnis der ant. Überlieferung. Das Beispiel des Maximilien de Robespierre (1758–1794), Absolvent des Collège Louis-le-Grand, steht für viele. Der für seine rhet. Brillanz berühmte Anwalt erhält schon als Schüler königliche Belobigungen für seine außergewöhnlichen Leistungen v. a. in der Redekunst. Diese Schülergeneration kennt die Geschichtsschreibung der Ant. und hat eine konkrete Anschauung der Altertümer. Tatsächlich kommt es im Laufe des Jh. zu einer deutlichen Erweiterung der Bildungsträgerschicht. Erstmals öffnen sich traditionell bildungsfeindliche Gruppen der Lektüre und der Pflege sprachlich-lit. Fähigkeiten. Niederer Erbadel, Handelsbürgertum und Handwerkertum werden in der ersten Jh.-Hälfte von der allg. Literarisierungsbewegung erfaßt. Die schriftliche Kommunikation gehört bei den Trägerschichten der Aufklärung dann zum Alltagsleben. Jene Erweiterung des gebildeten Publikums vollzieht sich im Zusammenhang mit der Entwicklung eines lit. Marktes, wobei das Informationsbedürfnis nicht nur auf den Buchhandel, sondern v. a. auf die neuen Publikationsorgane der Zeitschriften zurückgreifen kann. Die Vulgarisierung altertumskundlichen Wissens, die für die zweite Jh.-Hälfte charakteristisch ist, findet ihre Voraussetzung in der enzyklopädischen Bestandsaufnahme des Wissensstands, die sich zunächst an eine priviligierte Kulturelite wendet. Von herausragender Bed. ist die Publikation von *L'antiquité expliqué et représentée en figures* (1719): In dem zehnbändigen Kompendium, dessen konkrete Anschaulichkeit auf einer umfassenden philol.-antiquarischen Erforsch. des Alt. aufruht, stellt Bernard de Montfaucon (1655–1741) sämtliche verfügbaren Abbildungen der Altertümer It. und F. darin zusammen und macht außerdem die Bestände privater Sammlungen der Zeit dem gebildeten Publikum bekannt. Dem vielfach aufgelegten prächtigen Werk mit ca. 40 000 Kupferstichen folgen 1724 fünf Supplementbände. Die Gelehrsamkeit des Benediktiners weist allerdings aus der Sicht von Anne Claude de Tubières Comte de Caylus (1692–1765) entschieden methodische Mängel auf, weil sie sich am Prestigewert ant. Fundstücke orientiert; er plädiert für ein neues Verfahren, nämlich die Ordnung der Altertümer über Vergleich der arch. Funde. Sein *Recueil d'antiquités égyptiennes, étrusques, grecques et romaines* (1752–1767) in sieben Bänden befördert zugleich eine breite Kenntnis der materiellen Kultur des Alt., die mit den Ausgrabungen der Vesuvstädte ab 1738 eine Korrektur in der Wahrnehmung bewirkt. Faßlich wird sie allerdings erst nach 1760 im Rahmen der zentralen Ausgrabungen in → Herculaneum und → Pompeji. Die beiden Provinzstädte der Magna Graecia bieten den ungewohnten Anblick einer Ant. im Kleinformat, welche die von den monumentalen Hinterlassenschaften Roms beeindruckten Reisenden, wie deren Zeugnisse belegen, weidlich überrascht. Bes. Pompeji liefert detaillierte Einblicke in das Alltagsleben im Alt.; respektvoll notiert man Komfort und dekorative Ausstattung der Häuser, v. a. der Bäder und Gärten und glaubt darin die Lebensform und Hygienevorstellungen der eigenen Zeit wiederzuerkennen [36. 204–222].

Das Interesse an den ant. Grundformen der Zivilisation findet zunehmend an Griechenland einen neuen Gegenstand: M. G. F. Comte de Choiseul-Gouffier (1752–1817), dessen Griechenlandreise sich in dem berühmten Bericht *Voyage pittoresque de la Grèce* (1782) publiziert findet, liest mit Homer und Herodot in der Hand die ant. Stätten als legendäre Topographie. Der Antikeroman von Jean Jacques Abbé Barthélemy (1716–1795) ist auf ein weites Lesepublikum zugeschnitten: *Le voyage du jeune Anacharsis en Grèce* (1789) stellt den Höhepunkt eines altertumskundlichen Breitenschrifttums dar, das in lit. Form den gelehrten Kenntnisstand der Zeit möglichst authentisch nahezubringen sucht. Die Neuentdeckung Griechenlands schlägt sich auch in den Veröffentlichungen zahlloser gelehrter Werke nieder: Ab 1760 nehmen die Publikationen zur griech. Geschichte kontinuierlich zu, ebenso die über Übers. griech. Autoren, wobei die freien frz. Versionen des 17. Jh. teilweise überarbeitet werden; von Homer existieren gemeinhin frz., in wenigen Fällen zweisprachige Ausgaben [36. 292ff.].

Die Wahrnehmung des Alt. in einem kulturell distinkten Umfeld, und d. h. auch in seiner histor. Erscheinung, kommt erst allmählich im Zuge einer breiteren Rezeption v. a. der materiellen Kultur zur Geltung. Besonders die spezifische Assimilation der Ant. durch die frz. Klassik erweist sich vielfach als Hemmnis: Die Übers., die Anne Dacier (1647–1720) von der *Ilias* (1711) und der *Odyssee* (1717) veröffentlicht hatte, waren bei den zeitgenössischen Kritikern noch durchweg auf geschmackliche Vorbehalte gestoßen; die sog. Querelle d'Homère endet mit einer Niederlage derer, die für den originalen Homer streiten. Die philol.-gelehrte Rezeption setzt sich auch in der Querelle d'Œdipe nicht durch [36. 558ff.].

Eine protohistor. Sicht des Alt. wird allerdings vom intellektuellen Projekt der Aufklärung entschieden befördert. Die ant. Zivilisation nimmt im Szenario, das die aufklärerische Geschichtsreflexion entwirft, um über die Vorzüge und Nachteile verschiedener Formen der Gesellschaftsorganisation nachzudenken, den zentralen Platz ein. In den *Considérations sur les causes de la grandeur des Romains et de leur décadence* (1734) rückt Charles Louis de Secondat Baron de Montesquieu (1689–1755) von der exemplarischen Betrachtung der röm. Herrschergeschichte nach dem Vorbild Plutarchs ab und erweitert sie zur Institutionen- und Kulturgeschichte der Römer. Gabriel Bonnot de Mably (1709–1785) hingegen legt Plutarchs Modell der exemplarischen Erhellung mit seinen *Entretiens de Phocion* (1763) zugrunde, in denen er holzschnittartig am Beispiel des Platonschülers ein Inbild zivilgesellschaftlicher Tugenden entwirft, nur noch übertroffen durch das des Archegeten spartanischer Gesetze, Lykurg. Hier findet sich die Antithese Sparta-Athen typologisch ausgebaut, die bereits Jean Jacques Rousseau (1712–1778) in seinem berühmten *Discours sur les sciences et les arts* (1750) nutzt [50. 221–267]. → Sparta bildet zusammen mit der röm. Republik die Heimstätte höherer Sittlichkeit, von deren mythischem Urbild alle weitere gesellschaftlich-kulturelle Entwicklung im Sinne einer Verfallslogik abgesetzt wird. In den Entwürfen eines staatsbürgerlichen Ethos wird eine neue Normierung des Denkens sichtbar, der Rousseau eine zunehmend radikale Zielrichtung verleiht. *Émile* (1762) erschließt komplementär auch die Grenzfelder des Sozialen: Der Körper wird hier bevorzugter Gegenstand sozialer Kodierungen, die in einer Lebensführung sichtbar werden, welche Selbstkontrolle, Maß und Natürlichkeit nach dem Seneca entnommenen Motto, die Natur helfe bei der Befreiung von Übeln, da wir zum Gesundsein geboren seien (De ira 2,13), verwirklicht. Julien Offroy de la Mettrie (1709–1751) hatte bereits in seinen *Lettres sur l'art de conserver la santé* (1738) an die ant. → Diätetik erinnert [18. 252]. Der Physiokratismus, den François Quesnay (1694–1774) anregt, beruft sich dann auf das ant. Kulturationsideal des Landbaus. Die neue Körperökonomie wird in den 70er Jahren auch in ästhetischen Stilisierungen sichtbar, die auf das Alt. Bezug nehmen. Die Umstellung der Körpersemiotik schlägt sich u. a. in der zeitgenössischen »Mode à la grecque« nieder, welche die lockere Gewandung der griech. *chlamys* nachahmt [17. 383–391]. Echtheit, edle Schlichtheit und Raffinement der Einfachheit gehen als Leitvorstellungen in eine ästhetische Anthropologie ein, die sich in F. – im Unterschied zu Deutschland – auf Griechenland und Rom gleichermaßen als Modelle der besseren Natur beruft. Ihre Anziehungskraft vorab bei der privilegierten Kulturelite verdankt sich der Assoziation von Natürlichkeit und gesellschaftlicher Rationalität.

### 3. Dichtung und Literatur

Das im 17. Jh. etablierte klass. Literatursystem bildet einen äußerst stabilen Rahmen für die lit. Produktion: Dichtkunst und Poetik folgen der rhet.-poetischen Trad. in der von der Doctrine classique kodifizierten Form; die für das 18. Jh. charakteristischen Abwandlungen und Erweiterungen stellen deren Geltung praktisch nicht in Frage [37]. Exemplarisch läßt sich dies an der Entwicklung des Theaters zeigen, das, als höchste Literaturgattung eingeschätzt, bes. empfindlich auf Regelverletzungen reagiert. So überwiegt noch in der Überbietung die Traditionspflege: Prosper Joliot de Crébillon (1664–1762) treibt in seiner Schauertragödie *Atrée et Thyeste* (1707) die Affekterregung auf die Spitze. Voltaire beachtet seit dem Debut mit *Œdipe* (1719) die dramatische Konvention und wird zum meistgefeierten Theaterdichter des Jh. Nachdem sein Versuch, der Trag. nach dem Vorbild des Sophokles Chöre einzufügen, auf vehemente Ablehnung gestoßen war, verlegt er sich auf die Erweiterung des Repertoires. Doch selbst wenn er Stoffe wählt, die wie *Brutus* (1730) die Despotie denunzieren und eine höhere Sittlichkeit propagieren, setzt er die Praxis der deklamatorischen Hofdramatik fort.

In der Versdichtung behauptet die Imitatio ihre Bed. als zentraler Bestandteil der poetischen Praxis. In der Poetik läßt sich allerdings eine Verschiebung in der Auffassung des Nachahmungsprinzips beobachten. In den *Réflexions critiques sur la poésie et la peinture* (1719) von Jean Baptiste Abbé Dubos (1670–1742) gewinnt die individuelle Naturbegabung gegenüber der rhet. *ars* des Dichters ein größeres Gewicht, wobei das *ingenium* hier

noch nicht als Gegenbegriff zur regelgeleiteten Darstellung begriffen wird [39. 579ff.]. Diderot hebt in seinem Encyclopédie-Artikel »Imitation« ausdrücklich das Originalitätsbewußtsein der Autoren hervor, indem er die *aemulatio* betont: Nicht allein der *primus inventor* einer Mustergattung verdiene ein genialer Mensch genannt zu werden, auch derjenige, dessen Imitatio das Muster verbessere, sei ein Genie: ›En effet, le plus originel génie a besoin de secours pour croître et se soutenir; il ne trouve pas tout dans son propre fonds‹ [5. VIII, 567]. Tatsächlich wird den traditionellen Genera der Dichtung – im Vorgriff auf deren neue Orientierung durch die romantischen Dichter – zunehmend der Bereich des Ausdrucks subjektiver Erfahrung zugewiesen, komplementär zur strikten Ausrichtung der Prosa am Wahrheitskriterium. Charles Batteux (1713–1780) grenzt in den *Principes abrégés de la littérature* (1764 und 1777) die *belles lettres* von den *artes mechanicae* sowie den anwendungsbezogenen Künsten der Architektur und Beredsamkeit ab und sieht in der lit. Imitatio als hochreferentiellem, intertextuellem Verfahren das Spezifikum der Literatur. Die Bed. von »littérature« verengt sich hiermit vom Gesamt schriftlicher Überlieferung auf den dichterischen Text. Dementsprechend muß dieser Nachfolger Boileaus die Sachlit. in Versform, die um die Jh.-Mitte zu blühen beginnt, aus dem Gattungsrepertoire der Dichtung ausschließen, wie dies bereits Aristoteles in seiner *Poetik* getan hatte. Dessen ungeachtet findet Jacques Delille (1738–1813), der 1770 eine metrische Übers. der *Georgica* publiziert, mit seinem versifizierten Repertoire der Gartenkunst *Les Jardins* (1786) weite Resonanz. Die Wertschätzung Diderots gilt allerdings der dem Lehrgedicht zugrundeliegenden heterodoxen Naturphilos. in der Folge des epikureischen Materialismus, nicht der praktischen Dimension des didaktischen *genre* [33]. Jean François La Harpe (1739–1803), der mit seinem *Cours de littérature* (1799–1805) die umfassende Grundlage für eine nationale Klassik im Schulunterricht legt, die dann in der napoleonischen Ära institutionalisiert wird, schreibt die Abspaltung der »Schönen Literatur« vom technischen Verfügungswissen sowie den Wiss. fest: Er nimmt Lukrez als Beispiel dafür, daß die dichterische Sprache sich weder dazu eigne, naturwiss. Sachverhalte noch die Verstandesoperationen der Metapyhsik darzustellen [34. 162].

Die Entwicklung der Prosa findet im Austausch mit einer rhet. Theorie statt, die der subjektiven Disposition des Redners mehr Gewicht gibt und damit der Eigenständigkeit seiner individuellen Ausdrucksweise größeren Spielraum einräumt [58]. César Chesneau Du Marsais (1676–1756) widmet ausschließlich den Ausdrucksweisen eine umfassende Unt. *Des tropes* (1729–30). Der Prosastil der Erzähllit. orientiert sich weithin an Quintilians Vorschriften zum mittleren Stil, dessen Ideal Fénelon in seiner *Lettre à l'Académie* (1716) als »einfache, genaue und ungezwungene Diktion« deutlich von einer metaphern- und figurenreichen Rede abgrenzt. Voltaire betrachtet das Romanwerk von Pierre Carlet de

Chamblain de Marivaux (1688–1736) als das gelungen-
ste Beispiel einer zeitgemäßen frz. Eloquenz. Die Bevorzugung der konversationellen Gattungen Essay,
Dialog, Brief beruft sich bei den Schriftstellern der Aufklärung auf den sokratischen Dialog, der als Muster einer Darstellungsweise gilt, die den Denkvorgang selber
abzubilden vermag und daher – im Unterschied zur
Dichtung – das Wahrheitskriterium erfüllt. Die fiktive
Mündlichkeit der Prosa Diderots entspricht dem Ziel
der Vermittlung. Er entfaltet die dialogische Grund-
struktur in einer facettenreichen Kunstprosa, die Essay
und Roman umspannt. Voltaire, der die Möglichkeiten
ungebundener Rede in überaus geistreichen Erzählungen kritisch ausreizt, erkennt in den *Satyrica* des Petron
das Stilmuster der eleganten Leichtigkeit und Präzision,
die er selber im *Candide* (1759) meisterhaft realisiert
[26. 96ff.].

## 4. Bildende Kunst, Architektur und andere Künste

Die von Roger de Piles im *Cours de peinture* (1708)
verfaßten Grundsätze der Malerei legen diese auf die
Imitatio der *belle nature* am ant. Muster fest: ›Un artiste
qui laissera guider son esprit & sa main par la règle que les
Grecs ont adoptée pour la nature, se trouvera sur le chemin qui le conduira directement à l'imitation de la Nature‹ [9. 111]. Auge und Hand der jungen Maler werden
im Zeichenunterricht an den kanonischen Statuen des
*Farnesischen Herkules*, des → *Apoll von Belvedere* und der
→ *Venus von Milo* trainiert, um beim Zeichnen nach der
Natur die akad. Schulung in schönen Proportionen und
schönen Formen unter Beweis zu stellen. Das ämulative
Verhältnis zu den Mustern ist in der Malerei zu Jh.-
Beginn nicht zu übersehen: Antoine Watteau (1684–
1721) brilliert mit arkadischen Szenerien, in denen Mythos und mod. *fêtes galantes* sich zweideutig überlagern.
François Boucher (1703–1770) wählt aus der ant. Myth.
bevorzugt Sujets, die sich mühelos in den zeitgenössischen Erotismus übersetzen lassen, wie die kaum mehr
als Göttin kenntliche *Badende Diana* oder *Venus beim
Ankleiden* [2]. Diderot befindet dann allerdings im *Salon
de 1761*, daß die Rokoko-Malerei ziemlich fade sei; ihr
fehle es v. a. an ant. Strenge und Schlichtheit [6. 38–40].
Jacques Louis David (1748–1825), der in den 80er Jahren
zum gefeierten Vertreter der neuen Einfachheit wird,
löst sich nur langsam von den malerischen Extravagan-
zen seines Lehrers Boucher. Wichtige Anregungen
empfängt er während seines Romaufenthaltes durch Joseph-Marie Vien (1716–1806), Leiter der dortigen frz.
Kunstakademie. Vien experimentiert mit dem Verfahren der Enkaustik und macht, inspiriert durch die arch.
Publikationen ant. Vasensammlungen, die Reduktion
des Dekors auf ornamentale Grundformen zum Programm. David verstärkt die rhet. Wirkung der stilisie-
renden Gegenstandsauffassung, indem er bevorzugt
Sprechhandlungen als Bildthema wählt; exemplarisch
hierfür sind *Der Schwur der Horatier* (1784), *Der Tod des
Sokrates* (1787) und *Brutus* (1789).

In der Baukunst bedeutet die Reduktion auf Grundelemente, die sich anstelle der dekorativen Variationen
der Klassik in der zweiten Jh.-Hälfte durchzusetzen beginnt, keine Rückkehr zu deren Leitidee vom Bauwerk
als harmonischem Ganzen. 1758 stellt Julien-David Leroy in *Les ruines des plus beaux monuments de la Grèce* nüch-
tern fest: ›Les principes que Vitruve nous donne sur les
Ordres, ne doivent pas nous suffire‹, weil sie nicht auf
Autopsie, Vermessung und einer die Größenverhältnisse
korrekt abbildenden Zeichnung beruhen [8. II, 5]. Damit wird die für die frz. Klassik grundlegende Symbol-
sprache des Vitruvianismus revidiert; umgekehrt kann
die dorische Architektur als histor. Bauform ins Ensemble ant. Baugeschichte integriert werden. Die Tempel-
anlage von Paestum, die dem klassizistischen Geschmack als Inbegriff des Plumpen galt, trifft hinfort auf
Akzeptanz; der Theaterbau des Odéon (1782) in Paris
orientiert sich sogar ausdrücklich an ihr. Der Faszination
einer auf die geom. Grundformen reduzierten Bauweise frönt nicht nur Etienne Boullée (1728–1793) in den
Entwürfen zu dem nie gebauten Tempel der Vernunft
und Kenotaph für Newton [40]; auch die privaten Bauherren verschließen sich ihr nicht länger. Boullée, einer
der einflußreichsten Architekten der Zeit, unterstellt die
Bauform einem rhet. Wirkungsziel, wobei er die Horazische Gleichung → »Ut pictura poesis« auf die Architektur ausweitet. Ein weiterer Vertreter der sog. sprechenden Architektur ist Claude Nicolas Ledoux (1736
–1806), der neue Akzente beim öffentlichen Bau setzt.
1784 wird er mit der Errichtung von Zollhäusern am
Gürtel von Paris betraut; er nutzt diesen Auftrag, um
monumentale Toranlagen zu bauen, die als mod. Propyläen die Macht der Zentralgewalt und die Größe der
frz. Hauptstadt symbolisieren sollen. Diese Gebäude
kombinieren das Formenrepertoire der Ant. mit dem
seiner Renaissance. Ledoux zitiert vorzüglich in. Architekten wie Bramante und Palladio. Dieser Baumeister gibt das Angemessenheitskriterium auf und verwendet an Nutzbauten dorische Säulen ohne Kannelur
und Sockel, Triglyphen und Metopen; Beispiele sind
der wie ein Tempel konzipierte Salzspeicher von Compiègne oder die Salinen in Chaux. Rhet. Wirkungsziel
seiner Bauten ist die Vermittlung von Ordnungsvor-
stellungen im Sinne der Monarchie: Ein Musterbeispiel
liefert das erdrückend wirkende Justizgebäude zu Aix-
en-Provence [60]. Die Aufständischen von 1789 haben
ihren Zorn denn auch konsequent gegen Ledoux' Zoll-
häuser als Ausdruck der Steuertyrannei des Ancien Régime gerichtet.

→ Architekturtheorie/Vitruvianismus; Enzyklopädien;
Toranlagen

QU 1 J. Le Rond d'Alembert, s. v. Collège, in:
Encyclopédie (1751–80) Bd. 3, 1966 2 Ausstellungskatalog
François Boucher 1703–1770. Grand Palais 1986 3 J. Du
Bellay, Deffence et illustration de la langue francoyse, hrsg.
von L. Terreaux, 1972 4 J. Chapelain, Lettres, hrsg. von
Tamizey de Larroque, Paris 1883 5 D. Diderot, s. v.
Imitation, in: Encyclopédie (1751–1780) Bd. 8, 1967

6 Ders., Salon de 1761, hrsg. von J. SEZNEC, 1960
7 N. FARET, L'honneste homme ou l'art de plaire à la cour, hrsg. von M. MAGENDI, 1925 8 J. D. LEROY, Les ruines des plus beaux monuments de la Grèce, Paris 1758 9 R. DE PILES, Cours de peinture, Paris 1708 10 R. RAPIN, Préface zu: Réflexions sur la poétique (1644), hrsg. von D. P. DUBOIS, 1970 11 J. C. SCALIGER, Poetik, Bd. 4, hrsg. von G. VOGT-SPIRA, 1998 12 VOLTAIRE, s. v. Éloquence, Encyclopédie (1751–1780) Bd. 5, 1967 13 Ders., s. v. François, Encyclopédie (1751–1780) Bd. 7

LIT 14 Anon., Étienne Pasquier et ses »Recherches de la France«, (Cahiers V. L. Saulnier 8), 1991 15 F. A. AULARD, L'éloquence parlementaire pendant la Révolution française, Paris 1882 16 M. M.-L. AZIBERT, L'influence d'Horace et de Cicéron sur les arts de rhétorique première et seconde et sur les arts poétiques du seizième siècle en France, 1969 17 M. BANDOLLE, L'abbé J. J. Barthélemy et l'hellénisme en France, 1928 18 K. BERGDOLT, Leib und Seele, 1999 19 R. W. BERGER, In the Garden of the Sun-King. Stud. in the Parc of Versailles, 1985 20 A. BLUNT, Art and Architecture in France 1500–1700, 1957 21 Ders., Nicolas Poussin, 1977 22 R. BRAY, La Formation de la Doctrine Classique en France, 1963 23 P. BURKE, The Fabrication of Louis XIV, 1992 24 E. BURY, Littérature et politesse. L'invention de l'honnête homme 1580–1750, 1996 25 H. CHAMARD, s. v. Collège de France, Dictionnaire des lettres françaises, hrsg. von G. GRENTE, 1951, 186–192 26 A. COLLIGNON, Pétrone en France, 1905 27 J. COUSIN, Rhétorique latine et classicisme français, in: Rev. des cours et conférences 34.2, 1933, 159–243 28 F. DE DAINVILLE, La naissance de l'humanisme moderne, 1969 29 G. DEMERSON, Dorat et son temps, 1983 30 A. DENIS, Charles VIII et les Italiens: histoire et mythe, 1979 31 J. DOLCH, Lehrplan des Abendlands, ³1982 32 M. FUMAROLI, L'âge de l'éloquence, 1980 33 C.-A. FUSIL, La poésie scientifique de 1750 à nos jours, 1917 34 Ders., Lucrèce et la littérature du XVIIIᵉ siècle, in: Rev. d'histoire littéraire de la France 37, 1937, 161–76 35 H. GILLOT, La Querelle des anciens et des modernes en France, 1914 36 C. GRELL, Le dixhuitième siècle et l'antiquité en France 1680–1789, 1995 37 K. W. HEMPFER, A. KABLITZ, Frz. Lyr. im 18. Jh., in: D. JANIK (Hrsg.), Die frz. Lyr., 1987, 267–341 38 G. HUPPERT, Public schools in Ren. France, 1984 39 K. S. JAFFE, The Concept of Genius, in: Journal of the History of Ideas 41, 1980, 579–99 40 K. LANKHEIT, Der Tempel der Vernunft, 1968 41 C. LAUVERGNANT-GAGNIÈRE, Lucien de Samosate et le Lucianisme en France au XVIᵉ siècle, 1988 42 A. M. LECOQ, François Iᵉʳ imaginaire, 1987 43 J. M. LEVINE, The Battle of the Books, 1991 44 R. KNIGHT, Racine et la Grèce, 1950 45 H. J. MARTIN, Histoire de l'édition française, Bd. 1, 1982 46 D. MURARASU, La poésie néo-latine et la Ren. des lettres antiques en France (1500–1549), 1928 47 R. PFEIFFER, Die Klass. Philol. von Petrarca bis Mommsen, 1982 48 H. PRUNIÈRES, Le ballet de cour en France avec Benserade et Lully, 1970 49 J. QUICHERAT, Histoire de Sainte-Barbe, Bd. 1, Paris 1860 50 E. RAWSON, The Spartan Trad. in European Thought, 1969 51 B. ROMMEL, Enseignement national, in: F. KITTLER, M. SCHNEIDER, S. WEBER (Hrsg.), Diskursanalysen 2, 1990, 82–115 52 Dies., s. v. Classe de Rhétorique, in: Histor. Wb. der Rhet. 2, 1994, 248–257 53 Dies., Joachim Du Bellays Revision der Altertümer, in: G. VOGT-SPIRA, Dies. (Hrsg.), Rezeption und Identität, 1999, 350–366 54 C. SAILLIÉREZ, François Iᵉʳ et les artistes, 1992 55 T. SCHEERER, Peuple français écoute, in: H. KRAUSS (Hrsg.), Lit. der frz. Revolution, 1988, 168–191 56 U. SCHINDEL, Demosthenes im 18. Jh., 1963 57 TH. SCHMITZ, Pindar in der frz. Ren., 1993 58 P. SERMAIN, Rhétorique et roman au XVIIIᵉ siècle, 1985 59 R. TROUSSON, Socrate devant Voltaire, Diderot et Rousseau, 1967 60 A. VIDLER, Claude Nicolas Ledoux, 1988 61 J. VOSS, Gesch. F., Bd. 2, 1980 62 CH. WANKE, Die frz. Lit., in: E. LEFÈVRE (Hrsg.), Der Einfluß Senecas auf das europ. Drama, 1978, 173–229 63 H. WEINRICH, Vaugelas und die Lehre vom guten Sprachgebrauch, in: Zschr. für romanische Philol. 76, 1960, 1–33 64 H. W. WITTSCHIER, Die Lyr. der Pléiade, 1971 65 R. ZUBER, Les »Belles Infidèles« et la formation du goût classique, 1968.

BETTINA ROMMEL

## IV. 19. UND 20. JAHRHUNDERT

s. Nachtrag

## V. GESCHICHTE DES LATEINUNTERRICHTS

A. EINLEITUNG   B. MONOPOL   C. KÖNIGTUM
D. VON DER NORM ZUR WAHL
E. PÄDAGOGISCHE PRAKTIKEN   F. LEISTUNGEN
G. PÄDAGOGISCHE ARGUMENTATION

### A. EINLEITUNG

Die Bezeichnung *Quartier latin*, die man verwendet hat, um den am linken Seineufer gelegenen Teil von Paris zu bezeichnen, wo sich seit Jahrhunderten die Lehrgebäude befinden, überliefert beispielhaft die enge und traditionelle Verbindung, die in F. zw. → Bildung und Lat. existiert hat. In der Neuzeit unterscheidet man drei Phasen: das Monopol, das zusammenfällt mit der Zeit des *Ancien Régime*, die Monarchie, die das 19. Jh. charakterisiert, und schließlich eine Zeit des Wandels, in der Lat. nach dem Status der Norm den Status der Wahl erhält. Die Stellung des Lat. im System der Bildung war nicht immer durch Leistung definiert. Tatsächlich war das Erlernen des Lat. zunehmend weniger durch das Erreichen einer linguistischen Kompetenz charakterisiert als durch eine Reihe von Argumenten, die, mehr oder weniger direkt, im Zusammenhang mit dem human. Modell stehend, zu einer liberalen Bildung gehörten.

### B. DAS MONOPOL

Von der Epoche des Humanismus bis in die Mitte des 18. Jh. ist der Unterricht nicht primär durch die Inhalte des Lat. bestimmt, sondern ein Unterricht auf Latein. Das »erste Lernen«, das Lesen, wurde durch lat. Texte vermittelt, in Paris bis ins 18. Jh., in den ländlichen Schulen bis zur Revolution. Das *Collège*, die frz. Mittelschule, war eine zutiefst lat. Welt: Lat. war die gesprochene Sprache, in der der Lehrer unterrichtete, das Kind sich äußerte, aber auch beim Spiel sprach. Es war nicht allein das wichtigste Fach, sondern auch der Schlüssel zu anderem Wissen. Der Schüler des *Collège* wurde darauf vorbereitet – mehr noch im 18. als im 17. Jh.-, durch eine erste Ausbildung, die er in einer Schule oder bei einem Privatlehrer erhalten hatte. Er besaß also schon Ansätze von Lateinkenntnissen und

konnte nun an zahlreiche Übungen herangeführt wer-
den, die sich in mündliche – Texterläuterung, Rezitation,
Diskussion – und schriftliche – Prosa- und Vers-
aufsätze, Übers. – aufteilten. Die Lehrbücher waren auf
Lat. verfaßt. Mit minimalen Veränderungen blieb dieser
Stundenplan bis in die 50er J. des 18. Jh. erhalten, für die
→ Jesuitenschulen bis zur Vertreibung ihrer Träger im
Jahre 1762. Dieselbe Ausbildung wurde in den protestantischen *Collèges* im 17. Jh. erteilt: Der einzige Unterschied war, daß das Erlernen des Lesens auf Frz. aus
Gründen der rel. Erziehung erfolgte. Gleichzeitig kam
es an einigen Schulen ab dem 17. Jh., so in dem vom
Jansenismus geprägten Kloster Port-Royal und in Schu-
len der Weltpriestergemeinschaft der Oratorianer, zur
Entschärfung des Monopols der lat. Sprache. Zudem ist
im 18. Jh. ein Rückgang des gesprochenen Lat. festzustellen.

Einerseits tendierten die Bemühungen der *Collèges*
dahin, allein das Verständnis der geschriebenen Sprache
einzuüben: Daher erklärt sich, daß unter den Schul-
übungen die Übers. vom Lat. ins Frz. den wichtigsten
Platz einnahmen. Andererseits gewann das Frz. als Unterrichtssprache an Boden. Schließlich und v. a. im letzten Drittel des Jh., war Lat. Gegenstand gelegentlich
heftiger Attacken von Reformern (La Chalotais, Abbé
Coyer, D'Alembert): Sie zielten nicht so sehr darauf, das
Lat. zu verdrängen, als vielmehr darauf, »der Muttersprache den ersten Platz einzuräumen«; es wurden jedoch keine langfristigen Änderungen durchgesetzt. Am
Vorabend der Revolution hatte das Lat. seine starke Position bewahrt. Es blieb – und zwar bei weitem – das
wichtigste Unterrichtsfach, und so verbrachte der Schüler des *Collège* weiterhin die meiste Zeit damit, Lat. zu
lernen. Auch die → Universitäten blieben während der
gesamten Zeit des *Ancien Régime* lat. geprägt, sowohl im
Hinblick auf den Unterricht als auch auf die Prüfungen;
nur einige spezielle Kurse, wie etwa die von Buffon
(1707–1788) im Jardin du Roi, wurden zu Ende dieser
Ära auf Frz. gehalten.

## C. KÖNIGTUM

In der Zeit nach der Revolution, d. h. nach Abschaffung der zentralen Schulen (1795–1802), in denen
Lat. nicht mehr als ein Unterrichtsfach unter vielen war,
wurden die Schulen erneut zu dem »lat. Land« von vor
1789. Im Unterschied zur vorrevolutionären Zeit unterrichtete man nun nur noch auf Frz.; lediglich von
1821 bis 1830 wurde Lat. für den Philosophieunterricht
wieder eingeführt. In der weiterführenden Schulbildung hatte Lat. bis in die 1880er Jahre einen höheren
Rang: Zu dieser Zeit hatten die Schüler der sechsten
Klasse (= der siebten Klasse im dt. Schulsystem) zehn
Stunden Lat. von insgesamt 24 Unterrichtsstunden pro
Woche. Dabei stellten die alten Sprachen durch alle
Klassen hindurch über ein Drittel der Unterrichtszeit.
Mit den Reformen von 1884 und 1890 stieg dieser An-
teil auf 40%. Auch im Abitur zeigte sich die Dominanz
des Lat. in der weiterführenden Bildung: Es blieb für alle
Kandidaten bis ins Jahr 1882 verpflichtend; zudem dau-

erte es bis 1902, bevor das mod. Abitur (ohne Lat.) die
juristische Gleichstellung mit dem klass. Abitur erlangte.
Auf der universitären Ebene war bis 1903 Lat. im Ex-
amen Pflicht. An den Fakultäten für katholische Theologie in Paris war es bis zu ihrer Auflösung 1885 verpflichtend, die Dissertation auf Lat. zu verfassen. Bis
1838 waren die Fächer, die als die wichtigsten erachtet
wurden, ausschließlich auf Lat. unterrichtet worden.
Das erklärt die Vielzahl von Übersetzungs- und Aufsatz-
übungen in Lat. bzw. die hohe Produktion (201 Neu-
erscheinungen alle zehn Jahre) an lat. Schulbüchern
(Grammatiken, Wörterbücher, Lexika, Übungsbücher,
ausgewählte Texte etc.).

Die Dominanz des Lat. wurde durch an die 15 Reformen, die die Pädagogik des 19. Jh. erlebte, verstärkt.
Jeder Versuch der Neuerer, den mod. Sprachen und v. a.
den Naturwiss. eine größere Bed. zu geben, löste nicht
nur passionierten Widerstand aus, sondern auch konkrete Reaktionen der Traditionalisten, die mit Rückkehr ihrer polit. Macht versuchten, dem klass. Human.
seine Vormachtstellung wiederzugeben, ja ihn möglichst noch weiter zu stärken (1884 und 1890). Diese
Überhöhung der Bed. des Lat. war eine Reaktion auf
die Einführung einer weiterführenden Schulbildung
ganz ohne Lat. zwischen 1863 und 1865. Als »Basis der
Bildung« hatte Lat. weiterhin einen nachhaltigen Einfluß auf die Pädagogik der Volkssprache und die Lit., so
daß das geschriebene Frz. als eine Form des Lat. dargestellt werden konnte (Michel Bréal).

## D. VON DER NORM ZUR WAHL

In der zweiten Hälfte des 19. Jh. hatte Lat. an Boden
verloren: 1872 endete das Dichten lat. Verse, 1880 wurden lat. Aufsätze aus dem Abitur und Wettbewerben ge-
nommen, 1902 auch aus dem Abitur und Wettbewerben genommen, 1902 auch aus
dem Lehrplan der Gymnasien. Zu dieser Zeit war die
Übers. ins Lat. bereits zurückgegangen; die Schulübun-
gen waren auf die Übers. vom Lat. ins Frz. beschränkt.
Mit der Reform von 1902 wurde die alte Dominanz des
Lat. in der Oberstufe beendet: In den beiden Zyklen,
die eingeführt wurden, schuf man Zweige ohne Lat., B
(von der sechsten bis zur dritten, was im dt. System der
siebten bis zehnten Klasse entspricht) und D (in der
Oberstufe). Diese Unterteilung wurde 1923 durch die
Reform von Bérard in Frage gestellt, die den mod.
Zweig des ersten Zyklus abschaffte: Lat. wurde wieder
für alle ab der sechsten Klasse (= siebte Klasse im dt.
Schulsystem) verpflichtend. Ein Jahr später wurde der
mod. Zweig wiederhergestellt, und 1925 bestätigte eine
neue Reform der weiterführenden Bildung diese Regelung zum Vorteil der Naturwissenschaften. Ein Versuch im Jahr 1941, zu einer ähnlichen Organisation wie
1902 zurückzukehren, scheiterte. Das »Klassische« wurde für gut befunden und erhielt ein noch höheres Prestige durch die Abwertung der mod. und technischen
Bildung. Als die weiterführende Bildung für Mädchen
1924 mit der für Jungen gleichgestellt wurde, wurde sie
aufgrund der klass. Norm geregelt: Erst seit dieser Zeit
erhielten Mädchen dieselbe Ausbildung in Lat. wie Jungen.

Indessen wurden gegensätzliche Zeichen sichtbar. Etwa die Hälfte der Schüler, die 1956–1957 in die (frz.) sechste Klasse kamen, wählten den mod. Zweig. Die tatsächliche Zahl des klass. Zweiges verringerte sich während der ganzen Schulzeit: Im Abitur hatten nur noch etwa 30% der Schüler Lat. seit der sechsten Klasse. Auch wenn die Lehrpläne ehrgeizig blieben, wurden die Stunden gekürzt (750 Stunden für die gesamte Schulzeit im Unterschied zu 1400 Stunden vor der Reform von 1902 und 1260 Stunden danach). Die entscheidende Veränderung geschah 1968, als Lat. aus den Lehrplänen der sechsten Klassen verschwand (Beschluß vom 9. Oktober); im folgenden Jahr setzte ein neuer Beschluß (vom 9. Juli) den Beginn des Lateinunterrichts auf die vierte Klasse (= neunte Klasse im dt. Schulsystem) fest. Die Zahl der Schüler sank stark: ab 1975 gab es drei Mal weniger lat. Kandidaten für die Abiturprüfung als 1968. Auch wenn die Lehrpläne ehrgeizig blieben, die Stunden waren zusammengeschmolzen – um zwei Drittel in der vierten (neunten) und dritten (zehnten) Klasse –, und sie lagen oft zu sehr ungünstigen Zeiten. Die Folgen der gesunkenen Bed. des Lat. zeigen sich bis heute in der weiterführenden Ausbildung, die nur zu 450 Abschlüssen jährlich in den klass. Sprachen führt (1990er Jahre). Zudem ist Lat. für das Studium der Geschichte und der frz. und romanischen Lit. nicht mehr obligatorisch. Seit 1995 darf jedoch ab der fünften Klasse (= achte Klasse im dt. Schulsystem) wieder Lat. unterrichtet werden; 1996 haben sich immerhin ein Drittel der Schüler dafür entschieden. Weil Lat. nicht mehr als ein Wahlfach im Stundenplan bzw. im Abitur ist, lernen die meisten Schüler in der Regel nicht mehr als zwei oder drei Jahre Latein. Um diese Aussage zu präzisieren, kann man noch erwähnen, daß im Schuljahr 1998/99 in den staatlichen Schulen im Durchschnitt kaum mehr als ein Prozent der Schüler in den Abschlußklassen Lat. lernten, und der weitaus größte Teil von ihnen Lat. als (zusätzliches) Wahlfach hatte.

## E. PÄDAGOGISCHE PRAKTIKEN

Im *Ancien Régime* wurde die Vereinheitlichung der Pädagogik im katholischen Unterricht durch die Jesuiten erreicht. Der Unterricht des Lat. in F. im 19. und in der ersten Hälfte des 20. Jh. weist einige Gemeinsamkeiten zu ausländischen Unterrichtsmethoden auf; so etwa den Rückgriff auf dieselben Texte oder sogar Textausschnitte, eine moralisierende Rolle im Schulwesen, das Überhandnehmen des Grammatikunterrichts unter dem Einfluß der dt. Philol., was zur »grammatikalischen Hypertrophie« der 60er Jahre führte.

Diese Gemeinsamkeit der Unterrichtspraxis darf eine gewisse Zahl an Besonderheiten des frz. Unterrichts in seinen Methoden und seinen Übungen nicht verdecken: im 19. Jh. die Dominanz der Lit., weit entfernt von der philol. und grammatikalischen Methode, die auf der anderen Seite des Rheins in Ehren gehalten wurde, der Ehrenplatz, der der lat. Rede zugeteilt wurde, danach die genaueste Unt. relativ kurzer Texte, die Bed., die Vokabel- und Syntaxfragen beigemessen wur-

de, das geringe Interesse für die Aussprache, die Verbannung der frz. Übers. lat. Texte aus dem schulischen Gebrauch und der frühzeitige und konstante Rückgriff auf ein Wörterbuch (den berühmten *Gaffiot*, seit Anf. der 30er Jahre).

Die → Aussprache des Lat. in der Schule blieb lange Zeit frz. Die Versuche im letzten Jahrzehnt des 19. Jh. die klass. oder wiederhergestellte Aussprache einzuführen, stießen sich nicht nur an der Routine, sondern hielten auch die unterschiedlichen Meinungen um die richtige Durchführung unter den Reformern selbst in Gang. Es gab solche, die sie überall durchsetzen wollten, solche, die sie auf die oberen Klassen der Gymnasien beschränken wollten, solche, die den Lehrern im Dienst ihre Gewohnheiten lassen wollten, solche, die aus Überzeugung handeln wollten, solche, die an die Staatsgewalt appellierten. Man stritt sich auch über den Inhalt der Nachahmung selbst und, genauer, über das Problem des Akzents oder vielmehr der Akzente. Während das klass. Lat. zwei Akzente hatte, der Tonhöhe und der Intensität, war die Schwierigkeit für die Sprecher der frz. Sprache groß, die gewohnt waren, den Akzent auf die letzte gesprochene Silbe zu setzen: Daher fehlte es auch nicht an Debatten zw. denen, die vorschlugen, sofort darauf zu verzichten, denen, die nur am Akzent der Intensität festhielten und denen, die beide betonen wollten. Die Umstände wurden noch dadurch kompliziert, daß der frz. Klerus in den Jahren zw. 1910 und 1930 in seiner sehr großen Mehrheit auf die frz. Aussprache verzichtete und die lat. annahm. Da ist es nicht erstaunlich, daß trotz tatsächlicher Fortschritte die Reform nur schleppend verlief, und daß die Aussprache des Lat. im Mund der frz. Schüler oft mißlungen war, weil sie die drei Stile vermischten. Im Jahr 1960 legte ein Rundschreiben des Ministers die Einführung der lat. Aussprache fest.

## F. DIE LEISTUNGEN

Man hat sich nur wenig für die Ergebnisse des Lateinlernens interessiert, das dennoch bis in die 60er Jahre des 20. Jh. einen wichtigen, ja sogar den größten Teil der Schulzeit ausmachte. Es geht aus den erhaltenen Übungen ebenso hervor wie aus den Notizen der Lehrer oder aus den Erinnerungen der Schüler, daß eine Elite gute, geradezu glänzende Leistungen erzielte, daß die breite Masse aber sich nicht bes. um ihre Leistung bemühte und bei den jährlichen Wettbewerben unter kolossalem Aufwand nur ein sehr mäßiges Niveau erzielte. Diese Tatsache war schon im 17. Jh. gegeben, denn Antoine Arnauld schrieb: ›Unter 70 oder 80 Schülern mögen zwei oder drei dabei sein, aus denen man etwas herauspressen kann. Der Rest bläst Trübsal und müht sich ab, um nichts zu tun, das etwas wert wäre.‹ Dieselben pessimistischen Bemerkungen finden sich während der ganzen Zeit, und die Wörter »Mittelmäßigkeit« und »Wertlosigkeit« werden ständige Begriffe in der pädagogischen Literatur.

Die Lehrer, die durch ihre zweifache Erfahrung als Pädagogen und als ehemalige Schüler genau Bescheid wußten, bemerkten die Probleme der Kinder, und sie hielten das Lernen der lat. Sprache für sehr schwierig, wenig fruchtbar und zu oft zum Scheitern bestimmt. Man beklagte v. a. einen pedantischen Unterricht, der dadurch, daß er lange Zeit auf Lat. gehalten wurde, das »Unbekannte mit dem Unbekannten« erklärte und die Dinge für die Kinder mit trockenen Texten, die nichts mit ihrem eigenen Leben zu tun hatten, noch schwieriger machte. Als Antwort auf diese Diagnose schlug man Veränderungen vor. Die Schlüsselwörter hießen Einfachheit und Schnelligkeit: Methode und Lehrbücher sollten das Lernen erleichtern und dadurch zugleich geringere Kosten und größeren Erfolg garantieren. Die Wiederholung dieses Slogans allein könnte von der anhaltenden Schwäche der Ergebnisse zeugen. Sehr bald wurden Werke hervorgebracht, die das Lateinstudium erleichtern sollten, und man kann die Titel nicht zählen, die sich mit den magischen Wörtern »einfach«, »leicht« und »schnell« und ihren Synonymen schmükken, zuvorderst die berühmte Grammatik von Port-Royal (1644) mit dem Titel »Die neue Methode leicht und in kurzer Zeit, Latein zu lernen« (*Nouvelle méthode pour apprendre facilement et en peu de temps le latin*). Die unterschiedlichsten Mittel wurden eingesetzt, um das Lateinlernen zu erleichtern: Daher stammt der Gebrauch der Muttersprache, der Rückgriff auf Merkverse, um die Grammatikregeln zu behalten, und ihre Präsentation in Form von Tabellen. Jedes Mittel schien gut, um dem Schüler ein wenig Lat. beizubringen, wie z. B. in den 50er J. des 20. Jh. der »Deklinograph«, bei dem »ein System von Absätzen, Rahmen, Pfeilen, Umklammerungen und Kreisen Zeichen in verschiedenen Farben erscheinen (ließ)«, um dem Schüler zu helfen, sich in den Dekl. und Konjugationen zurechtzufinden.

Die mittelmäßige Leistung in Lat. trotz der andauernden Anstrengungen wurde von Pädagogen und anderen Erziehungstheoretikern dem einfachen und erfolgreichen Erwerb der Muttersprache oder einer lebendigen Sprache entgegengesetzt, und sie priesen ein Lernen durch Gebrauch an. Dieses wurde von den Lehrern von Port-Royal verurteilt als ein Lernen, das dazu führt, hundert Mal dasselbe zu wiederholen. Im Gegensatz dazu waren andere Pädagogen im 18. Jh. dazu geneigt, aus einem wachsenden Mißtrauen gegenüber den Regeln heraus, ein automatisches Lateinlernen zu propagieren, durch den Gebrauch und nicht durch eine rationale Vorgehensweise: Daher stammten die Methoden der »Routine« von Du Marsais und die »Mechanik« von Pluche. Diese belebten die Debatte über das Lernen durch Regeln oder durch den Gebrauch, eine Debatte, die noch in den 50er J. unseres Jh. lebendig war. Während eine grammatikalische, aus dem 19. Jh. geerbte Methode in den Gymnasien herrschte, bemängelte man die Unergiebigkeit eines solchen Vorgehens: Man verurteilte das »vorherige, methodische Studium der theoretischen Gramm.« auf Kosten »einer Gramm. durch Erfahrung, untersucht in Texten«, und man empfahl als bevorzugte Übung für die Klasse die

freie Kommentierung von Texten. Die Bewegung »für ein lebendiges Latein« setzte den Schwerpunkt auf den Erwerb des Vokabulars durch den mündlichen Gebrauch der Sprache und die Lektüre der Autoren. Einige wiederum waren sehr skeptisch, ja sogar feindselig gesinnt gegenüber Methoden, die den Schüler dazu einluden, den Text nach einer ersten Lektüre zu übersetzen und vor jeder Analyse; sie verurteilten dieses »intuitive« Lat. aufgrund der Armut der Ergebnisse und der Risiken, die man in Kauf nehmen müsse, was die Bildung des Geistes anbelangt; gegen die Exzesse der Intuition priesen sie die Rückkehr zu Erklärung, Analyse und Grammatik. Vielleicht hat die Jahrhundertdebatte zw. Regeln und Gebrauch seine Lösung in den neuesten Unterrichtsmethoden gefunden, die, um Lat. zu retten, die Sprachkenntnisse geopfert haben und der Landeskunde einen größeren Platz zuweisen. Es geht also nicht mehr um die linguistische Leistung.

## G. Die pädagogische Argumentation

Solange Lat. für die Ausübung gewisser Berufe notwendig war, oder, genauer gesagt, solange diese Berufe nicht ohne das Beherrschen der lat. Sprache ausgeübt werden konnten, war die Stellung des Lat. im System der Bildung unproblematisch. Diskutiert wurden nur Art und Weise, wie man es mit dem geringsten Aufwand und dem größten Erfolg lernen konnte. Das änderte sich, als Lat. nicht mehr als unabdingbar im zivilen Leben angesehen wurde, oder als dieses ein Wissen erforderte, das nicht mehr Kenntnisse des Lat. als Voraussetzung hatte. Man kam an den Punkt, an dem man das Lateinlernen überhaupt in Frage stellte, was wiederum Rechtfertigungen nötig machte. Die Argumente, die im letzten Drittel des 18. Jh. vorgebracht wurden, bezogen sich nicht mehr auf Probleme der Vermittlung der Sprache, sondern auf solche der intellektuellen und moralischen Bildung durch Latein. Der Vorrat an Argumenten veränderte sich in den folgenden zwei Jahrhunderten kaum, allerdings erhielten die Argumente durch den Gebrauch, den man im Laufe der Kontroversen von ihnen machte, eine zusätzliche Stärke und in verschiedenen Augenblicken der Geschichte eine originelle Farbe. Deshalb wurden sie immer, manchmal mehr, manchmal weniger offensichtlich, und ohne daß man sich dessen notwendigerweise bewußt war, mit dem human. Modell, wie es im 15. und 16. Jh. theoretisiert worden war, in Verbindung gebracht, als man im Erlernen der alten Sprache das bevorzugte Mittel einer »liberalen« Bildung sah.

Stark gekürzt und vom Zweckorientierten zum Zwecklosen vorgehend werden folgende Argumente vorgebracht: Hilfe beim Erlernen der Muttersprache und bei anderen Sprachen, v. a. den romanischen; Bildung des Geistes im allg., des Erinnerungsvermögens, ebenso wie des logischen Denkens; Erwerb von Charakterstärke; geistiger Zuwachs; Bildung des Geschmacks durch den Umgang mit Meisterwerken der Ant.; Ausbildung des Menschen aufgrund eines für unvergänglich gehaltenen Ideals. Beim Aufzählen dieser

Argumente wird die Opposition der Anhänger der klass. Bildung gegenüber jeder beruflichen, ja sogar spezialisierten Ausbildung deutlich: Lat. sei kein »Fachwissen«, und das Gymnasium habe keine »Fachleute« auszubilden, keine »Latinisten«, sondern *honnêtes hommes*, allseits gebildete Menschen.

Als Hintergrund dieser Argumentation darf man die soziologischen Voraussetzungen nicht vergessen, die Lat. zu einem »bürgerlichen« Fach machten. Wenn man sich allein auf die pädagogische Welt beschränkt und somit eine viel komplexere Realität stark vereinfacht, stellt man fest, daß die Mittelschule im 18. Jh. ebenso wie das Gymnasium im 19. Jh. und mit ihnen das geförderte Lateinlernen ein elitäres Phänomen war. Die mod. weiterführende Ausbildung könnte diesen Charakter noch unterstreichen: Die Einrichtungen ohne Lat., urspr. für die Kinder der mittleren und niederen Bourgeoisie geschaffen, die dort eine Ausbildung gemäß ihrer gesellschaftlichen Stellung erhielten, wurden lange Zeit als zweitrangig angesehen. Bis vor kurzem gaben die sozialen Eliten ihre Kinder automatisch in die klass. Ausbildung und hielten einen Übergang in die mod. für einen Abstieg: Daher kommt auch der soziologisch sehr vielsagende Ausdruck *descendre en moderne*, »in die Moderne absteigen«, um den Wechsel eines Kindes mit nicht ausreichenden Ergebnissen in der »klass.« Ausbildung zur »mod.« zu bezeichnen. Auch wenn die schulische Situation im Jahre 1968 differenzierter war, als der nationale Kultusminister Lat. abschaffte, ist es sein bürgerlicher Charakter, den er zur Begründung vorbrachte: ›Es ist nur den Erben der Kultur zugänglich (...). Es ist unumstritten, daß es die Demokratisierung hemmt.‹ Damit war Lat. für eine bestimmte Zeit das − unschuldige − Opfer seiner eigenen pädagogischen Geschichte.

→ Schulbuch

1 A. SICARD, Les études classiques avant la Révolution. Paris, Librairie académique Didier, Perrin et Cien 1887
2 C. FALUCCI, L'humanisme dans l'enseignement secondaire en France au XIXe siècle, 1939 3 A. CHERVEL, M.-M. COMPÈRE (Hrsg.), Les humanités classiques, numéro spécial de la Rev. Histoire de l'éducation, 1997
4 B. COLOMBAT, La grammaire latine en France de la Ren. à l'Âge classique. Théories et pédagogie, 1999 5 F. WAQUET, Le latin ou l'empire d'un signe, 1999.

FRANÇOISE WAQUET/Ü: JESSICA S. H. OTT

## Franz-Joseph-Dölger-Institut   A. ENTSTEHUNG B. FRANZ JOSEPH DÖLGER UND SEIN FORSCHUNGSPROGRAMM ANTIKE UND CHRISTENTUM   C. DAS REALLEXIKON FÜR »ANTIKE UND CHRISTENTUM« D. ERGEBNISSE, STAND DER ARBEITEN

### A. ENTSTEHUNG

Das F. dient der Herausgabe des *Reallexikons für Ant. und Christentum* (RAC), des *Jb. für Ant. und Christentum* (JbAC) nebst Ergänzungsbänden sowie der Monogra-

phienreihe *Theophaneia*. Es wurde von Theodor Klauser (1894–1984) geplant in der Erkenntnis, daß ohne eine Institutionalisierung der organisatorischen und redaktionellen Arbeit die Vollendung des Lex. nicht gelingen würde. Am 13.4.1955 wurde die Satzung des F., das in Verbindung mit der Univ. Bonn entstehen sollte, vom Kultusministerium des Landes Nordrhein-Westfalen genehmigt; bald darauf entstanden der von der Satzung vorgesehene Trägerverein sowie ein Wiss. Beirat. 1975 wurde die Herausgabe von RAC und JbAC von der vormals Rheinisch-Westfälischen, jetzt Nordrhein-Westfälischen Akad. übernommen und das Institut in die Univ. Bonn eingegliedert. Die wiss. Verantwortung übernahm eine Akademiekommission, die finanzielle und personelle Verwaltung die Univ., so daß der Trägerverein in einen reinen Förderverein umgewandelt und der Wiss. Beirat aufgelöst werden konnten. Das F. wird von einem Direktor geleitet, der auf Vorschlag der Akad. und des Senats der Univ. vom Wissenschaftsminister des Landes ernannt wird. Er soll Lehrstuhlinhaber und auf Grund seiner Forsch. für die Leitung des Instituts geeignet sein. Bisherige Direktoren: Theodor Klauser, der Institutsgründer, von 1955–1973; Ernst Dassmann ab 1973.

Das F. erfüllt keine Lehraufgaben an der Univ., sondern widmet sich der Herausgabe der obengenannten Publikationen. Die von Fachleuten aus aller Welt verfaßten Mss. werden zunächst von den Hrsg. (s.u.) begutachtet, ihre Stellungnahmen sodann von den wiss. Mitarbeitern des Instituts zusammengefaßt und den Autoren übermittelt; anschließend werden die eventuell vervollständigten und korrigierten Mss. im Institut wenn nötig übers. und redigiert. Da die Stichworte ihren Gegenstand möglichst umfassend behandeln sollen, müssen bei der Spezialisierung der Autoren von den Hrsg. gewünschte Ergänzungen (geogr., chronologischer, arch., epigraphischer, linguistischer usw. Art) nicht selten im Institut erarbeitet werden. Das so bearbeitete Ms. geht noch einmal an den Autor zwecks Revision und Zustimmung. Die Zusammenarbeit mit den Autoren ist in der Regel hervorragend, da alle Seiten daran interessiert sind, einen möglichst umfassenden und zuverlässigen Art. über das zu bearbeitende Lemma herauszubringen. Eine auf die Bedürfnisse der Redaktion zugeschnittene umfangreiche Spezialbibl., die eine Überprüfung aller Belege nach den besten kritischen Ausgaben erlaubt, erleichtert die Arbeit der Mitarbeiter im Institut. Die Tendenz geht dahin, Verlag und Druckerei, die sich auf Herstellung und Vertrieb konzentrieren, ausdruckfertige Vorlagen zu liefern.

### B. FRANZ JOSEPH DÖLGER UND SEIN FORSCHUNGSPROGRAMM »ANTIKE UND CHRISTENTUM«

Dölger wurde 1879 in Sulzbach geboren, 1902 zum Priester geweiht und starb 1940 in Schweinfurt. Sein Studium der katholischen Theologie fällt in eine Zeit, in der die Geschichtswiss. ihre genetische Betrachtungsweise auch auf die Theologie ausdehnte, in der die arch.

Entdeckungen im Vorderen Orient den Streit um die Originalität der at. Erzählungen entfachten und die vergleichenden Methoden der Religionsgeschichtlichen Schule die Singularität vieler Überlieferungen des NT in Frage stellten. In beiden christl. Konfessionen bildeten sich starre Fronten, und so war es ein Glücksfall, daß die Katholisch-Theologische Fakultät in Würzburg für ihre Preisaufgabe 1901/2 das Thema »Das Sakrament der Firmung histor.-dogmatisch dargestellt« stellen konnte. Dölger erhielt für seine Ausarbeitung den Preis und wurde mit ihr 1904 promoviert. Die Arbeit an dieser Dissertation öffnete ihm den Blick dafür, wie tief viele Formen christl. Lebensäußerungen in den Überlieferungen der nichtchristl. Umwelt verwurzelt sind, und daß großen zusammenfassenden theoretischen Entwürfen erst durch möglichst umfassende Detailforsch. das Fundament geschaffen werden müsse. Einen Studienaufenthalt in Rom, bei dem er sich die notwendige Denkmälerkenntnis erwarb, nutzte er zur Neuorientierung. Seine Habilitationsschrift von 1906 (gedruckt 1909) trägt den Titel *Der Exorzismus im altchristl. Taufritual. Eine religionsgeschichtliche Studie*; seine Venia legendi lautete auf Dogmengeschichte. Ein weiterer mehrjähriger Studienaufenthalt in Rom, der ihn auch Schwierigkeiten mit seinen kirchlichen Oberen entzog, ermöglichte ihm die rasche Veröffentlichung mehrerer Monographien.

1912 wurde er Professor in Münster, 1927 in Breslau und 1929 in Bonn. Mit seinen Publikationen, darunter *ΙΧΘΥΣ* Bd. 1–5 (Münster 1910–43; Ndr. 1999/2000), *Sol Salutis* (Münster ²1925) und weitere, begründete er die Forschungsrichtung »Ant. und Christentum«, eine Bezeichnung, die er auch seiner nur mit eigenen Beitr. bestrittenen Zeitschrift als Titel gegeben hat und deren sechs Bände er von 1929 bis 1950 herausgab. Anders als die innerkirchlich-dogmengeschichtlich ausgerichteten Forsch. seines Umfeldes erkannte Dölger, daß sich die konkrete Gestalt des frühen Christentums durch die Aufnahme paganer wie jüd. Einflüsse samt ihrer philos. und rel. Inhalte herausgebildet hat. War seine Abhandlung *Der Exorzismus im altchristl. Taufritual* (1909) noch skeptisch aufgenommen worden, konnte er mit der wohlabgewogenen und übersichtlich gestalteten Studie *Sphragis. Eine altchristl. Taufbezeichnung in ihren Beziehungen zur profanen und rel. Kultur des Alt.* (1911) viele Fachkollegen für seine neue Forschungsrichtung und Methode gewinnen.

Wurde der Prozeß der Einwurzelung zunächst noch als eine ›Auseinandersetzung des Christentums mit der ant. Welt‹ – so der Untertitel des RAC – betrachtet, bei der das Christentum Inhalte, Vorstellungen und Praktiken aus der heidnischen und jüd. Umgebung zustimmend, korrigierend und umformend übernahm, aber auch kritisierte und verwarf, so sah man das Verhältnis bei der Entfaltung des Dölgerschen Ansatzes in zunehmendem Maße differenzierter. Nicht zuletzt durch die Übernahme des Epochenbegriffs »Spätant.« wurde das Christentum nicht nur als rivalisierendes Gegenüber ei-

ner heidnischen und in manchen Bereichen auch jüd. Kultur gesehen, sondern als eine Gruppe, die in dieser spätant. Kultur heranwächst und ein Teil von ihr ist. Die Beeinflussung geschah wechselseitig. Darum gilt es nicht nur zu klären, wie Kirche und Gemeinden bei der Entfaltung ihrer Lehre, Organisation, ihren Bräuchen und Verhaltensnormen sich von den Trad. ihrer Umwelt haben bestimmen lassen, sondern auch, wie die christl. Botschaft das Denken, Empfinden und Verhalten der spätant. Menschen insgesamt beeinflußt hat.

## C. DAS REALLEXIKON FÜR ANTIKE UND CHRISTENTUM

Der Aufarbeitung und Darstellung dieses langwierigen, mühsamen, aber auch faszinierenden Prozesses der Inkulturation, Ausscheidung und Verschmelzung dient das RAC. Wann der Plan zu diesem Lex. aufkam und von wem er stammt, läßt sich nicht mehr genau feststellen. Wahrscheinlich geht er nur bedingt auf Dölger selbst zurück, dessen Stärke nicht die systematisierende Zusammenfassung von Forschungsergebnissen war, wie sie ein Lex. verlangt, sondern die akribische Verfolgung histor. Zusammenhänge, bei der er seine immensen philol. und geschichtlichen Kenntnisse ohne Rücksicht auf formale Beschränkungen entfalten konnte. Auch ist schwer vorstellbar, daß sich Dölger unter die Fron eines alphabetisch geordneten Publikationszwangs gebeugt hätte. Selbst wenn er – wie Th. Klauser, *Die Cathedra im Totenkult* (²1971) [S. V] vermerkt – die Anregung zu einem Lex. gegeben hat, die Ausführung des Plans dürften Dölgers Schüler geleistet haben, insbes. Helmut Kruse, der als Volontär bei der Dt. Bücherei Leipzig den Verleger und Antiquar Anton Hiersemann für das Unternehmen gewinnen konnte. Zunächst war an drei Bände gedacht. Mit Dölger und Hans Lietzmann als Hrsg. sollten Kruse, Theodor Klauser und Jan Hendrik Waszink Vorbereitung und redaktionelle Betreuung des Lex. übernehmen. Wie die im F. aufbewahrte Korrespondenz belegt, scheint Kruse in den J. 1937–40 die Hauptlast der Arbeit getragen zu haben. Mitverursacht durch die Ungunst der Zeit, die v. a. die Mitarbeit ausländischer Gelehrter immer schwieriger machte, konnte nach mehreren Verzögerungen erst im Kriegsj. 1941 die erste Lieferung des ersten Bandes gedruckt werden. Bis 1943 erschienen fünf weitere Lieferungen, der fertige Satz der siebten Lieferung verbrannte bei einem Luftangriff auf Leipzig; sie wurde neu gesetzt. 1945 fehlten von Lieferung acht und damit von der Vollendung des ersten Bandes noch zwei Bogen. Doch dann dauerte es schließlich bis 1950, bevor der Eröffnungsband des RAC abgeschlossen war. Er erschien: *In Verbindung mit Franz Joseph Dölger (†) und Hans Lietzmann (†) und unter bes. Mitwirkung von Jan Hendrik Waszink und Leopold Wenger herausgegeben von Theodor Klauser* im Verlag Hiersemann, nunmehr in Stuttgart. Diese Angaben dokumentieren die inzwischen eingetretenen Veränderungen. Dölger und Lietzmann waren inzwischen verstorben, Kruse war wegen seines in andere Richtung verlaufenden beruflichen Werdegangs ausgeschieden, der renommierte österreichische Rechtsgeschichtler Wenger konnte als Mit-Hrsg. gewonnen worden.

Als Haupt-Hrsg. zeichnet Klauser. Leider läßt sich sein Anteil an der Gestaltung des Lex. in der ersten Phase nur schwer ausmachen, weil die darüber Auskunft gebenden Akten Klausers 1944 in Bonn verbrannt sind. Nach der Beendigung eines Studienaufenthaltes in Rom und seiner Rückkehr nach Bonn 1934 scheint er sich verstärkt dieser Aufgabe gewidmet zu haben, nachdem ihm klar geworden war, daß er als Nichtparteimitglied der NSDAP auf absehbare Zeit mit keiner Berufung auf einen Lehrstuhl rechnen konnte. Nach dem Zusammenbruch 1945 begann Klauser unverzüglich die Fortsetzung der Arbeit, über deren Schwierigkeiten er sich zunächst getäuscht zu haben scheint. Es waren nicht nur die äußeren Umstände – fehlende Büchereien, Papierknappheit –, welche die Arbeit erschwerten, sondern auch die geistige und wiss. Isolierung Deutschlands. Auswärtige Gelehrte zögerten, an einem in dt. Sprache und in einem dt. Verlag von einem dt. Hrsg. betreuten Lex. mitzuwirken. Sogar zw. den Dölgerschülern Klauser und Waszink war eine tiefe Entfremdung eingetreten, die nur langsam überwunden werden konnte. Klausers persönlich untadelige Haltung in der Nazi-Vergangenheit half ihm, die anfänglichen Aversionen zu überwinden. Ansinnen, mit dem Lex. in einen ausländischen Verlag zu wechseln und weitere Mit-Hrsg. zu akzeptieren, um größeres internationales Ansehen zu gewinnen, lehnte er ab.

Nachdem mit nahezu zehnjähriger Verzögerung 1950 endlich der erste Band des RAC veröffentlicht worden war, wurde die Arbeit zügig fortgeführt. V. a. nach der Errichtung des F. erschienen die Lieferungen in schneller Folge, so daß alle zwei bis drei J. ein Band fertiggestellt werden konnte. Ab Band 6 (1966) unterstützten Carsten Colpe, Albrecht Dihle, Bernhard Kötting und Jan Hendrik Waszink Klauser in der Verantwortung für die wiss. Qualität des Lex. Aus dem Herausgeberkollegium schieden bis zum gegenwärtigen Zeitpunkt (E. 2000) nur die inzwischen verstorbenen Klauser, Kötting und Waszink aus; neu traten ein mit Band 9 (1976) Ernst Dassmann und Wolfgang Speyer, mit Band 13 (1986) Josef Engemann und Klaus Thraede und ab Band 17 (1996) Heinzgerd Brakmann und Karl Hoheisel. Für die Auswahl der neu gewonnenen Hrsg. waren ihre speziellen Fachkenntnisse ausschlaggebend. Neben Historikern, Philologen und Theologen wurde es zunehmend wichtig, auch Fachleute für → Christliche Archäologie, Judaistik und orientalische Kirchen zu gewinnen, denn da bei der zunehmenden Spezialisierung niemand alle Gebiete der Alt.-Wiss. überblicken kann, kommt den möglichst breit gestreuten Kenntnissen der Hrsg. bei der Prüfung der Lexikon-Beitr. bes. Bed. zu.

D. Ergebnisse, Stand der Arbeiten

Das Forschungsunternehmen RAC hat inzwischen die Lemmata des Buchstabens K und damit die H. des vorgesehenen Programms geschafft. War in der ersten Einladung zur Mitarbeit der Umfang des Lex. mit drei Bänden angegeben, wurde er schon bald auf sechs, noch später auf 20 Bände heraufgesetzt; schließlich wurde auf Bandzahlangaben ganz verzichtet. In den inzwischen erschienenen 19 Bänden und einem Supplementband (Stand E. 2000) werden auf etwa 25 000 Sp. ungefähr 1 300 Stichworte behandelt, an denen über 500 Autoren mitwirkten; nicht ganz dasselbe Maß an Umfang und v. a. Zeit wird bis zum Abschluß des Werkes benötigt werden. Da nicht die christl. Lehre, Liturgie, Geschichte und Arch. an sich, sondern nur ihre Anteile an der Auseinandersetzung mit der ant. Kultur und diese umgekehrt nur in ihren Auswirkungen auf das Christentum untersucht werden sollten, glaubte man anfangs, mit zwei bis drei Sp. pro Art. auszukommen. Nach Aufgabe der Umfangsbeschränkung wuchsen manche Art. ungebührlich an und erreichten zuweilen das Ausmaß von Monographien. Diese Entwicklung, die Mitte der 70er J. ihren Höhepunkt erreichte (vgl. Band 9), konnte glücklicherweise gestoppt werden. Die unterschiedlich langen Art. erklären sich z. T. aber auch aus dem Bemühen, einen gleichmäßigen Forschungsstand herzustellen. Ein dem Forschungsstand entsprechender Umfang wird den Autoren auch weiterhin zugestanden, damit jeder Mitarbeiter, v. a. bei erstmalig erschlossenen Quellen, sein Material angemessen ausbreiten kann. Der Präsentation des Materials, nicht Theorien und Spekulationen, gilt das Hauptaugenmerk des Lex., das insofern der weiterführenden Forsch. dienen will.

Die Fruchtbarkeit des Dölgerschen Forschungsprogramms und seiner Fortsetzung durch das F. und im RAC (M. Fuhrmann, »Die Ant. und ihre Vermittler«, *Konstanzer Univ.-Reden* 9, 1969, 38, nennt das RAC unter ›den wenigen, desto rühmlicheren Ausnahmen‹, die sich der ›orientierungslosen Behandlung unendlich zersplitterter Einzelheiten‹ entgegenstellen) zeigt sich nicht nur in der zunehmenden Zahl von einschlägigen Veröffentlichungen in aller Welt; die Gründung des Institute for Antiquity and Christianity 1969 in Claremont, Kalifornien, sowie die Wahl der von Dölger programmatisch geprägten Junktur Ant. und Christentum in Buch-, Aufsatz- und Reihentiteln beweisen, daß Dölgers Forschungsrichtung einen festen Platz in der Alt.-Wiss. einnimmt.

Ergänzend zum RAC wurde in Anlehnung an Dölgers Zeitschrift *Ant. und Christentum* das *Jahrbuch für Ant. und Christentum* gegründet, das 1958 erstmalig erschien und inzwischen Jahrgang 43 (2000) erreicht hat. Im JbAC können Autoren zur Entlastung von RAC-Art. vertiefende Studien zu einzelnen Aspekten oder begleitende Forsch. zu ihrem Beitr. im Lex. veröffentlichen. Daneben enthält das Jb. bevorzugt Unt., die neue histor. und patristische Quellen erschließen oder mit unbekannten arch. Denkmälern vertraut machen. Um umfangreichere Arbeiten, welche die Thematik des RAC betreffen, veröffentlichen zu können, entstand 1964 die Reihe der Ergänzungsbände zum JbAC, von denen inzwischen über 30 erscheinen konnten. Bemerkenswerterweise greift der letzte Band mit Unt. zum Thema »Kreuz-Kosmos-Jerusalem« die Studien zur Geschichte des Kreuzzeichens auf, mit denen der erste Jahrbuchband eröffnet wurde. Die Reihe *Theophaneia*, die bisher 34 Bände umfasst, steht seit ihrem Beginn *Beitr. zur Religions- und Kirchengeschichte des Alt.* offen. Eine Übersicht über den Inhalt der Bände 1–37 des JbAC sowie die in die Reihe der Ergänzungsbände zum Jb. und in die *Theophaneia* aufgenommenen Titel bietet die Informationsschrift *Das Reallexikon* [2. 65–78]. Sie hat die gleichnamige, 1970 in zweiter Auflage von Klauser herausgegebene Schrift mit *Ber., Erwägungen, Richtlinien* zum RAC und F. abgelöst. Ein Vergleich beider Schriften dokumentiert Kontinuität und Weiterentwicklungen des RAC-Projekts. Der Zwang, in alphabetischer Reihenfolge zu publizieren, hat 1985 zur Herausgabe der ersten Faszikel von Nachtragsbänden geführt, in denen nicht rechtzeitig abgelieferte, früher dann im JbAC erschienene Art. sowie übersehene oder in ihrer Bed. erst nachträglich erkannte Stichworte nachgeliefert werden. Stärker beachtet wurde in den letzten Bänden die Rezeptionsgeschichte des AT sowie der Lit. der frühjüd. Zeit. Inzwischen wurde ein Registerband fertiggestellt, der den Inhalt der ersten 15 Bände des RAC für eine effektivere Benutzung durch die Forsch. erschließen soll. Die Brauchbarkeit des Lex. beweist seine breite Verwendung in der wiss. Lit.; hingewiesen sei auch auf die Rezensionen, von denen eine Auswahl in der Informationsschrift *Das Reallexikon* [2. 51–54] aufgeführt wird.

1 N. M. Borengässer, Briefwechsel Theodor Klauser – Jan Hendrik Waszink 1946–1951. Ein zeitgeschichtlicher Beitr. zur Fortführung des RAC nach dem 2. Weltkrieg, in: JbAC 40, 1997, 18–37 2 E. Dassmann (Hrsg.), Das Reallex. für Ant. und Christentum und das F. in Bonn, 1994 3 Ders., Theodor Klauser. 1894–1984, in: JbAC 27/28, 1985, 5–23 4 Ders., Dölger, LThK³ 3, 304f. 5 Ders., Entstehung und Entwicklung des Reallex. für Ant. und Christentum und des F. in Bonn, in: JbAC 40, 1997, 5–17 6 F. W. Deichmann, Theodor Klauser, in: MDAI(R) 92, 1985, 1–8 7 A. Dihle, Ant. und Christentum, in: Chr. Schneider (Hrsg. i.A. der DFG), Forsch. in der Bundesrepublik Deutschland, 1983, 31–37 8 J. Fontaine, Christentum ist auch Ant., in: JbAC 25, 1982, 5–21 9 E. A. Judge, Ant. und Christentum: Towards a Definition of the Field. A Bibliographical Survey, in: ANRW II 23.1, 3–58 10 Th. Klauser, Franz Joseph Dölger, 1879–1940. Sein Leben und sein Forschungsprogramm »Ant. und Christentum« (= JbAC Ergbd. 7), 1980 11 G. Schöllgen, Franz Joseph Dölger und die Entstehung seines Forschungsprogramms »Ant. und Christentum«, in: JbAC 36, 1993, 7–23 12 K. Thraede, Ant. und Christentum, LThK³ 1, 755–759. ERNST DASSMANN

**Freie Künste** s. Artes liberales

**Frieden** A. Der Friedensbegriff in der Antike
B. Frieden in Mittelalter und Neuzeit
C. Kriegsverbot im 20. Jahrhundert
D. Zur Erforschung der antiken Friedensvorstellungen

## A. Der Friedensbegriff in der Antike

Obwohl die Verherrlichung kriegerischer Tugenden in der ant. Lit. nicht geleugnet werden kann, wurde der F. dennoch als ein für das menschliche Zusammenleben positiver Wert interpretiert. Diese Grundeinstellung zieht sich durch die gesamte Überlieferung und findet schon in den lit. Werken des Euripides (ca. 480–406 v. Chr.) oder Aristophanes (ca. 445–385 v. Chr.) ihren Ausdruck. → Krieg wird schon früh mit Krankheit und Unvernunft, F. dagegen mit Vernunft, Gesundheit, Wohlstand und Sicherheit gleichgesetzt (Isokr. or. 8,12; Cic. Sest. 98; Cic. leg. agr. 1,7,23). Eine prinzipielle Bevorzugung des F. findet sich auch bei Herodot (1,87) und Thukydides (2,61,1) im 5. Jh.

Bereits in der Ant. gab es gravierende Einschränkungen bezüglich des Rechtes, Krieg zu führen. Diese Einschränkungen setzen eine positive F.-Definition voraus und sehen im F. nicht nur die Abwesenheit von Krieg. Ein Krieg war nach diesen Vorstellungen nur erlaubt, wenn das Ziel die Wiederherstellung des F. war (Aristot. pol. 13,1333a 31f. 35; 1334a 15–16). Zudem mußte es sich um einen »gerechten Krieg« handeln, d. h. um einen Krieg, der zur Selbstverteidigung oder zur Ahndung von Unrecht geführt wurde (Cic. rep. 3, 23,35; Liv. 33,38,16). Von einer fatalistischen Grundeinstellung der Ant. gegenüber dem Phänomen Krieg kann nicht die Rede sein. Die Möglichkeit, polit. Ziele auf diplomatischem Wege durchzusetzen, war sowohl Griechen als auch Römern bekannt (Isokr. or. 8,22; Cic. off. 1,11,34). Krieg um des Krieges willen zu führen, war offiziell nicht zulässig (Aristot. pol. 13,1333b 31f.; 35; Thuk. 2,61,1). Daß sich nur wenige an diese ethischen Normen hielten, ist allerdings nicht nur ein Phänomen der Ant.

Eine grundsätzlich pazifistische Einstellung gab es bei Griechen und Römern nicht, wenn sich auch Ansätze bei Einzelnen verfolgen lassen. Die Idee eines Weltfriedens, der sich als letzter Schritt einer Entwicklung vom F. in der Polis über den F. in Hellas erweist, findet sich bereits im 5. Jh. v. Chr. in der Sophistik und später in der Stoa wieder. Die Stoa schließt mit ihrem positiven Ideal eines einheitlichen Menschheitsstaates den Krieg aus, so daß der von ihr stark beeinflußte Seneca Krieg als staatlich sanktionierten Mord bezeichnen konnte (epist. 95,30–32).

Von den Römern wurde der F. als Bestandteil des Vertragsrechts in der *Pax Augusta* institutionalisiert. Es handelte sich dabei um einen F., der zwar eng mit dem Begriff des Rechts verbunden war, aber dennoch auf der mil. Überlegenheit Roms beruhte. Dies verhinderte jedoch nicht, daß der F. bald als ein Geschenk des röm. Kaisers interpretiert wurde. Die schon in der Ant. ver-

breitete Auffassung, daß F. nur durch Rüstung und mil.
Präsenz gewahrt werden könne (Heron, Belopoika 1;
Tac. hist. 4,74,1) zeigt eindeutige Parallelen zum 20. Jh.

### B. Frieden in Mittelalter und Neuzeit

In den ma. F.-Konzeptionen wurden wichtige
Überlegungen des Augustinus (354–430 n.Chr.) übernommen, dem es in seinem Werk *De civitate Dei* gelungen war, christl. und ant. Gedankengut miteinander zu
verbinden. Während das frühe Christentum durch eine
bedingungslos pazifistische Grundeinstellung geprägt
war, die entsprechend der christl. Glaubenslehre Krieg
als Mittel der Konfliktaustragung gänzlich verbot, differenzierte Augustinus zw. dem göttl. F., der v.a. im
Jenseits erlangt werden konnte, und dem weltlichen F.
Da dieser irdische F. sowohl gerecht als auch ungerecht
sein konnte, zählte die Teilnahme an einem Krieg für
einen gerechten F. nach Auffassung des Augustinus zu
den Pflichten eines Christen als Bürger des irdischen
Gemeinwesens.

Diese doppelte Friedensvorstellung bestimmte das
gesamte MA. Thomas von Aquin (ca. 1225–1274) definierte in Anlehnung an Augustinus den irdischen F. als
Zustand der Ordnung und verband ihn mit dem Begriff
der → Gerechtigkeit (*iustitia*). Die weiteren theoretischen Überlegungen im MA bezogen sich jedoch vielfach auf die Frage des gerechten Krieges, des *bellum iustum*.

In der praktischen Politik bemühten sich die beiden
wichtigsten ma. Institutionen, Kaiser und Kirche, den F.
zu garantieren (Gottesfriedenbewegung, Landfriedens-
ordnungen), doch scheiterte dies letztlich an den partikularen Bestrebungen der Landesfürsten sowie dem
mangelnden Durchsetzungsvermögen des Kaisers. Mit
dem Beginn der Neuzeit scheint in der Politik der Glaube zu verschwinden, daß F. die Voraussetzung für das
Gedeihen der Gemeinwesen ist, obwohl in der Lit. die
F.-Rufe nicht verstummen (Thomas Morus, *Utopia*,
1516; William Penn, *Essay towards the present and future
peace of Europe*, 1693; Abbé de Saint-Pierre, *Mémoires
pour rendre la paix perpétuelle*, 1712). Der Nutzen des Staates rechtfertigt nun Kriege. Niccolò Machiavelli
(1469–1527) zählt in seinem Werk *Il Principe* die Kriegsführung sogar zu den Pflichten eines Fürsten. Seit dem
Dreißigjährigen Krieg hatte jeder souveräne Herrscher
das moralisch wie rechtlich nicht diskriminierte *ius ad
bellum* zur Durchsetzung seiner Ziele.

1795 entwickelte Immanuel Kant in seiner Schrift
*Zum ewigen Frieden* wegweisende Grundsätze zur Errichtung einer funktionierenden F.-Ordnung (u.a.
Nichteinmischung, Abschaffung stehender Heere, Verbot des Angriffskrieges), die sich in ähnlicher Form in
der Satzung des Völkerbundes von 1919 wiederfinden.
Doch verhinderte der aufkommende Nationalismus
und die Verherrlichung des Krieges im 19. Jh. die Umsetzung von Kants Idee in der polit. Praxis. Das uneingeschränkte Kriegsführungsrecht der Staaten entwikkelte seine volle Entfaltung. Carl von Clausewitz (*Vom
Krieg*, 1816–1830) sah infolgedessen im Krieg lediglich
eine Fortsetzung der Politik mit anderen Mitteln.

Abb. 1: Kurfürst Karl Ludwig von Pfalz-Simmern
(1617–1680), Medaille auf den am 5. Februar zu Nymwegen
zw. Frankreich, Deutschland und Schweden geschlossenen
Frieden. Vorderseite: PAX GERM GAL SVEC; Pax mit
Olivenzweig und Caduceus (Merkurstab) nach links
stehend. Der Heidelberger Hofmedailleur Johann Linck
orientierte sich bei der Gestaltung der *Pax* an antiken
Friedensdarstellungen

Abb. 2: Titus, Münzstätte Rom, As, geprägt 80/81 n. Chr.
Rückseite: PAX AUGUST S C; Pax mit Zweig
und Caduceus nach links stehend

### C. Kriegsverbot im 20. Jahrhundert

Bereits Mitte des 19. Jh. wurde der Ruf nach einem
universellen F. immer stärker und z. T. Inhalt polit. Programme. Die generelle Ablehnung des Krieges, die sogar das Recht zur Selbstverteidigung absprach und ihren
Niederschlag in der Pazifismusbewegung des 19. und
20. Jh. fand, konnte sich nicht durchsetzen. Ein Umdenken setzte erst mit dem ersten Weltkrieg und dem
damit verbundenen Einsatz von Massenvernichtungs-
waffen ein. In der Völkerbundsatzung von 1919 (Art.
11–12), dem Genfer Protokoll von 1924 und den Lo-
carnoverträgen von 1925 wurde ein Versuch unternommen, dem Kriegsführungsrecht der Staaten Schranken
zu setzen, indem der Angriffskrieg zu einem internationalen Verbrechen erklärt wurde. Ein generelles Kriegsverbot wurde jedoch erst 1928 mit dem Kellogg-Pakt
vereinbart. Da es an Möglichkeiten fehlte, das Kriegsverbot auch tatsächlich durchzusetzen, konnte der
zweite Weltkrieg nicht verhindert werden.

In die Charta der Vereinten Nationen (Art. 1.1 und
2.4) wurde das generelle Kriegsverbot von 1928 aufge-
nommen und der Krieg als Mittel der Politik geächtet.
Trotz der damit verbundenen F.-Pflicht enthält die UN-
Satzung noch zahlreiche Bestimmungen, wie im Falle
einer F.-Störung vorzugehen sei. Auch das Recht auf
Selbstverteidigung (Art. 51) blieb vom generellen
Kriegsverbot ausgespart. Im Grunde genommen blieb

der F. von der Ant. bis zur Gegenwart im Denken der Menschen der letztlich ideale und normale Zustand. Die Störung des F.-Zustandes mußte deshalb stets eine moralische und ethische Rechtfertigung erfahren. In der polit. Realität ließ F. sich freilich selten verwirklichen. Auch den UN ist es trotz aller Bemühungen nicht gelungen, eine ungestörte F.-Ordnung zu schaffen. Und immer wieder – etwa im Wettrüsten während des Kalten Krieges – findet sich die bereits ant. Auffassung: ›ohne Waffen kein F. unter den Völkern‹ (vgl. [8]).

### D. Zur Erforschung der antiken Friedensvorstellungen

Die Erforsch. ant. F.-Vorstellungen hat ihre Wurzeln noch im 19. Jh. [13]. Starke Impulse erhielt sie insbes. durch die Arbeiten von Bruno Keil, Harald Fuchs und Wilhelm Nestle [5; 4; 11]. B. Keil stand unter dem Eindruck des ersten Weltkrieges, als er seine Unt. über *Eirēnē* mit dem Wunsch nach einer neuen *Koinē Eirēnē*, einem allg. F., schloß [5. 88]. Der Wunsch nach eingehenderen Unt. ant. F.-Vorstellungen ist in der zweiten H. des 20. Jh. wiederholt geäußert und ansatzweise auch verwirklicht worden (zur Forsch. mit weiteren Literaturhinweisen: [6; 7; 10]). Dabei sind erstens manche Korrekturen an der verbreiteten Auffassung eines ant. Bellizismus (z.B. in der klass. Stud. von Quincy Wright [14]) vorgebracht worden. Zweitens hat die Forsch. zahlreiche Facetten ant. F.-Vorstellungen im Sinne eines inhaltlich gestalteten F.-Begriffes anschaulich gemacht und seit Wilhelm Nestle wiederholt gezeigt, daß schon nach ant. Verständnis der F. das normale Verhältnis der Völker zueinander gewesen sei, auch wenn er sich in der Realität nur in Ansätzen und für kurze Zeiten verwirklichen ließ.

→ Gerechtigkeit; Krieg
→ AWI Koine Eirene; Pax

1 G. Binder, B. Effe (Hrsg.), Krieg und F. im Alt., 1989 2 S. Clavadetscher-Thürlemann, Πόλεμος δίκαιος und Bellum iustum. Versuch einer Ideengeschichte, 1985 3 M. Jehne, Koine Eirene. Unt. zu den Befriedungs- und Stabilisierungsbemühungen in der griech. Poliswelt des 4. Jh. v. Chr., Hermes ES 63, 1994 4 H. Fuchs, Augustin und der ant. F.-Gedanke, 1926 5 B. Keil, Εἰρήνη. Eine philol.-antiquarische Unt., Ber. über die Verhandlungen der Königlich Sächsischen Ges. der Wiss. Leipzig, Philos.-histor. Kl. 68, 1916, 4 6 M. Kostial, Kriegerisches Rom? Zur Frage von Unvermeidbarkeit und Normalität mil. Konflikte in der röm. Politik, 1995 7 I. Lana, Studi sull'idea della pace nel mondo antico, Mem. dell'Acc. delle Scienze di Torino, Cl. di Scienze Morali, Storiche e Filologiche, 1989 8 F. G. Maier, Neque quies gentium sine armis: Krieg und Ges. im Alt., 1987 9 M. Melko, D. Weigel, Peace in the Ancient World, 1981 10 B. Näf, Vom F. reden – den Krieg meinen? Aspekte der griech. F.-Vorstellungen und der Politik des Atheners Eubulos, in: Klio 79, 1997, 2, 317–340 11 W. Nestle, Der F.-Gedanke in der ant. Welt. Philologus Suppl. 31, H. 1, 1938 12 D. Sternberger, Über die verschiedenen Begriffe des F., 1984 13 E. Wölfflin, Krieg und F. im Sprichworte der Römer. Sitzungsber. München, philos.-philol. Classe vom 3. März 1888, 197–215 14 Q. Wright, A Study of War, 1942.

MICHAELA KOSTIAL

**Friedhofskultur** s. Sepulchralkunst

**Fürstenlob** s. Panegyrik

**Fürstenschule** A. Definition B. Geschichte

### A. Definition

F. nennt man jene im Zuge der Reformation von protestantischen Landesherren eingerichteten gelehrten Bildungsstätten, die begabte Landeskinder für den kirchlichen Dienst, höhere staatliche Ämter, den Lehrerberuf und wiss. Tätigkeiten heranbilden sollten. Die Neugründungen ersetzten ehemalige → Klosterschulen und hatten den Status von Landesschulen; sie fungierten als Bindeglied zw. der städtischen → Lateinschule und der → Universität. Ihre rechtliche Grundlage bildeten Schulordnungen, die das dt. Bildungswesen erstmals über den kommunalen Rahmen hinaus regelten und als Vorstufe unserer staatlichen Schulgesetzgebung angesehen werden können.

### B. Geschichte

Der Begriff F. wird meist auf die von Herzog Moritz, dem späteren Kurfürsten von Sachsen (1541–53), nach dem Plan des Erasmusschülers und fürstlichen Ratgebers Christoph von Carlowitz (1507–78) gegr. Anstalten St. Marien zu Pforta (1543), auch Schulpforta genannt, St. Afra zu Meißen (1543) und St. Augustin zu Grimma (1550) bezogen. Von den neuen Bildungsstätten erwartete der Landesherr, ›daß die Jugend zu Gottes Lobe und Gehorsam erzogen, in denen Sprachen und Künsten und dann vornehmlich in der hl. Schrift gelehret und unterweiset werde, damit es mit der Zeit an Kirchendienern und anderen gelahrten Leuten in unsern Landen nicht Mangel gewinne‹ (Gründungsanordnung vom 21. Mai 1543 *Von dreyen neuen Schulen*, zit. in: [1. 11]). Die Landesschulen waren dank dem Grundbesitz der drei säkularisierten Klöster wirtschaftlich dauerhaft abgesichert. Ihre Schüler wurden zudem durch ein großzügiges Stipendienwesen gefördert. Gemäß Gründungserlaß sollten die Alumnen ›sechs Jahre darinn umsonst unterhalten und gelehret‹ und dann in die ›Univ. gen Leipzig geschickt werden‹ [1. 12]. Die Auswahl der Schüler orientierte sich am Leistungsprinzip. Bei gleicher Leistung sollte der sozial schwächere Bewerber den Vorzug erhalten, kein Stand sollte ausgeschlossen werden. Das Aufnahmealter lag bei 12 Jahren. In den Anfangsjahren besuchten ca. 230 Schüler die sächsischen F., davon allein 100 Schüler Schulpforta.

Diese F. waren Vorbild für Landesschulen in anderen protestantischen dt. Regionen [2. 290–371] – auch für Gründungen im baltischen, Schweizer und Siebenbürger Raum. Zu den bekanntesten gehörten z.B. die 1550 von Michael Neander (1525–95), einem Schüler Melanchthons, in der Grafschaft Stolberg eröffnete Klosterschule Ilfeld, die 1554 in einem Nonnenkloster des Zisterzienserordens in Roßleben an der Unstrut gegr. Anstalt, die seit 1574 bestehende Landesschule zum Grauen Kloster in Berlin oder die 1607 vom Kurfürsten

Joachim Friedrich von Brandenburg (1598–1608) errichtete F. zu Joachimsthal bei Eberswalde, die 1647 nach Berlin und von dort 1912 nach Templin verlegt wurde [3].

Der Lebensstil der F. knüpfte an die asketische Praxis der Klöster an. Der Tagesablauf war streng geregelt, die Schüler trugen eine dem Ordensgewand ähnliche Tracht, es herrschte eine mönchische Disziplin, und für die Lehrer war zunächst der Zölibat vorgeschrieben. Die Mitarbeit verheirateter Lehrer ermöglichte erst Kurfürst August I. (1526–86). Pädagogischer Geist und Organisation der F. waren wesentlich bestimmt vom Prinzip der Selbsttätigkeit. Die Alumnen trieben ihre private Lektüre und das Dichten in klass. Versformen oft schon ab vier Uhr morgens. Von Bildungsdrang und intellektuellen Fähigkeiten zeugen freiwillig verfaßte Valediktionsarbeiten. Diese sowie Disputationen und Theateraufführungen zu Festen und Feiern boten den Alumnen Gelegenheit zur Entfaltung ihrer Begabung und des Gemeinschaftslebens. Ein Studientag, der regelmäßig durchgeführt wurde und den Alumnen freie Wahl der Arbeitsthemen bot, förderte Geist und Methode selbständigen Arbeitens. Ein Helfer- und Aufsichtssystem, in dem älteren Schülern – den sog. Oberen – eine einflußreiche Rolle zukam, unterstützte das Lernen der Alumnen und kontrollierte zugleich ihr soziales Verhalten. Dieses System prägte das Anstaltsleben wesentlich mit. Die direktive Aufsichtspädagogik wurde gegen E. des 18. Jh. unter dem Einfluß des Basedowschen Philanthropismus gelockert und die Mitwirkung der Schülerschaft bei der Gestaltung und Verwaltung des Schulstaates erweitert. Als → Lehrer wurde in der Regel nur eingestellt, wer sich in einer wiss. Disziplin ausgewiesen hatte. Manch namhafter Professor einer benachbarten Univ. hatte die begehrte Stelle des Rektors inne. Die Lehrerschaft hatte zweifelsohne großen Anteil am hohen Bildungsstandard der F.; aber auch die Visitationspraxis trug wesentlich dazu bei. Bis zum Jahre 1700 überprüften fast alljährlich sechs bis sieben externe Visitatoren – Mitglieder der Konsistorien sowie Professoren der Univ. Leipzig und Wittenberg – Leistung und Gesamtzustand der Anstalten. Ihre Gutachten und Prämien regulierten die pädagogischen Bemühungen der Lehrer und stimulierten die Leistungsmotivation der Schüler.

Der → Lehrplan hatte seinen Schwerpunkt in der Klass. Philol.; neben der lat. Sprache wurde in einem geringeren Umfange die griech. unterrichtet, von 1588 an war auch das Hebräische obligatorisches Fach. Die württembergischen Landesschulen – neben Adelberg (später Hirsau, dann Denkendorf), Blaubeuren, Bebenhausen, Maulbronn und v.a. das 1536 gegr. Tübinger Stift – konzentrierten sich stärker auf für das Studium der Theologie wesentliche Bildungsinhalte. Ihre polit. und rechtliche Grundlage war die 1559 von Herzog Christoph (1550–68) erlassene Schulordnung [4. Bd. 1. 68–165]. In allen F. war das Lat. Unterrichtssprache; aber auch im Internatsalltag sollten sich die Alumnen der

lat. Sprache bedienen. Der Lehrplan wurde mit dem Wandel der Zeiten maßvoll modifiziert. Die Mathematik erlangte ein relativ starkes Gewicht. 1773 wurde in der kursächsischen Schulordnung die Aufnahme der neueren Sprachen und ›nützlicher Kenntnisse‹ [4. Bd. 3. 618] gefordert. Im Übergang zum 19. Jh. wurde das Konzept der F. von Humboldts neuhuman. Bildungsidee beeinflußt. Als Schulpforta 1815 an Preußen gefallen war, erfolgten Anpassungen an das preußische Gymnasialschulwesen.

Obwohl die F. vom jeweiligen Geist der Zeit nicht unberührt geblieben sind – im 17. Jh. nicht vom Verfall der Umgangsformen, der sich im Gefolge der Wirren des Dreißigjährigen Krieges beschleunigte und sich in Bildungsstätten in der Gestalt des sog. Pennalismus äußerte, auch nicht von der Neigung des Staates, umprägenden Einfluß geltend zu machen, wie es die preußische Schulpolitik nach 1815 in Schulpforta versuchte –, so stand doch ihre christl.-human. Bildungtradition bis in das 20. Jh. hinein zu keinem Zeitpunkt zur Disposition. Strukturelle Eingriffe erfolgten erstmals im Zuge der polit. und gesellschaftlichen Umbrüche nach dem ersten Weltkrieg. 1924 wurde die Landesschule St. Augustin zu Grimma nach dem Wegfall des Progymnasiums der F. Human. Reformgymnasium. Von 1945 bis 1950/51 hatte sie den Status einer Oberschule, behielt aber den Namen Landesschule bei. Beide Bezeichnungen wurden dann wechselweise bis 1953 verwendet; danach hieß sie Oberschule Grimma, ab 1963 Erweiterte Oberschule Grimma. – St. Afra zu Meißen war 1943 bis 1945 eine unter der Leitung der SS stehende Dt. Heimschule. Nach dem zweiten Weltkrieg bestand für die Anstalt in der sowjetischen Besatzungszone keinerlei Chance eines Neuanfangs im Geiste der alten F. 1946 beherbergte St. Afra eine Lehrerbildungsanstalt, ab 1947 eine Landesparteischule der SED. 1953 wurde sie – in Kooperation mit der Univ. Leipzig – Hochschule für Landwirtschaft, die zugleich als Weiterbildungsstätte für Leiter landwirtschaftlicher Produktionsgenossenschaften diente. – Schulpforta wurde 1934 von den Nationalsozialisten in eine nationalpolit. Erziehungsanstalt umgewandelt und damit wesentlichen Elementen seiner Trad. entfremdet. Nach der Wiedereröffnung im Jahre 1945, bei der die Alumnen in Anknüpfung an die Trad. gelobt hatten, ›gottesfürchtig, fleißig, gehorsam und dankbar‹ zu sein, wurde bald erneut die Umgestaltung der Anstalt betrieben, diesmal konsequent in sozialistischem Sinne. 1950 wurde die Stiftung aufgehoben, 1951 die Landesschule Heimoberschule mit dem Lehrplan der Erweiterten Oberschule. Der Grundsatz der Begabtenförderung wurde Anfang der 80er J. wieder wirksam, als 1981 Spezialzweige für Engl. und Frz. eingerichtet und 1983 um den Schwerpunkt Musik ergänzt wurden.

Da die Trad. der sächsischen F. zur Zeit der → DDR an ihren urspr. Standorten nicht fortgeführt werden konnte, gründete ein Förderkreis ehemaliger Schüler 1968 in Nordrhein-Westfalen eine Nachfolgeeinrichtung in kirchlicher Trägerschaft, die *Evangelische Landesschule zur Pforte in Meinerzhagen* [5. 299–336]. Mit dem Ende des J. 1991 wurde sie wieder aufgelöst. Die auf der Grundlage des Bildungskonzepts der F., jedoch unter gewandelten Rahmenbedingungen, in 24 Jahren gewonnenen Erfahrungen in Schule und Internat mögen nunmehr dem Wiederaufbau der traditionellen Anstalten im sächsischen Raum zugute kommen. Das Archiv des Vereins ehemaliger Fürstenschüler, das nach der dt. Teilung seinen Standort auch in Meinerzhagen gefunden hatte, kehrte 1992 in den Ursprungsraum zurück und ist seitdem in Grimma zugänglich.

Bereits 1991 erhielt das nun zum Bundesland Sachsen-Anhalt gehörende Schulpforta wieder den Status der Landesschule. Hochbegabte Schüler können dort als Schwerpunkt ihres individuellen Bildungsganges Musik oder Fremdsprachen (Engl., Russ., Lat. und Griech.) oder Naturwiss. wählen. Es gilt ein koedukatives Internatskonzept, das sich zugleich an Prinzipien der F. orientiert. Derzeit (Stand 1997) besuchen 210 Mädchen und 110 Jungen die Schule. – Die Neugründung von St. Afra zu Meißen als Landesschule wurde durch das Kabinett des Freistaats Sachsen am 17.06.1997 beschlossen. Konzipiert ist eine gymnasiale Internatsschule für Hochbegabte, die auf einem breiten Fundament mathematische und sprachliche Vertiefung (in mindestens drei Sprachen, davon eine Lat. oder Griech.) verlangt. Der Schulbetrieb soll im Jahre 2002 in den Klassen 7 und 12 aufgenommen werden. – Die Anstalt in Grimma trägt h. den Namen *Gymnasium St. Augustin zu Grimma* und will damit auf ihre Trad. hinweisen. Die Schwerpunkte der Bildungsarbeit liegen im sprachlichen, im mathematisch-naturwiss. und im künstlerischen Bereich. Das Internat wird von der Melanchthon-Stiftung unterstützt. Es besteht die Möglichkeit, daß das Gymnasium in Grimma zu einem späteren Zeitpunkt ebenfalls wieder Landesschule wird.

Zahlreiche Persönlichkeiten, die das dt. Geistesleben maßgeblich geprägt haben, sind aus den sächsischen F. hervorgegangen – z.B. aus Schulpforta Klopstock, Fichte, Ranke, Nietzsche und Wilamowitz-Moellendorff [6. 31–46, 51–57, 96–104, 120–130], aus St. Afra zu Meißen Gellert, Rabener und Lessing, aus St. Augustin zu Grimma Pufendorf und Paul Gerhardt.

An den F. entstanden wertvolle Bibliothek. Die Bibl. Schulpfortas, die alle Zeitläufte und auch das wechselvolle 20. Jh. nahezu unbeschadet überstanden hat, umfaßt ca. 80000 Bände. Die Bestände St. Afras sind anderen Bibl. in Sachsen angegliedert, aber auch dezimiert worden. Die Bibl. von St. Augustin zu Grimma aber, die im Kriege unversehrt geblieben war, wurde aufgelöst. Teilbestände kamen in den Antiquariatshandel; Rarissima sind unauffindbar. Ein beträchtliches Kontingent wurde sogar vernichtet.

→ Bibliothek; Bildung; Humanistisches Gymnasium; Neuhumanismus; Schulwesen

QU **1** Schulpforta, 1543–1993. Ein Lesebuch, 1993 **2** F. PAULSEN, Gesch. des gelehrten Unterrichts auf den dt.

Schulen und Univ. vom Ausgang des MA bis zur Gegenwart. Mit bes. Rücksicht auf den klass. Unterricht, Bd. 1, Leipzig ²1896 **3** S. JOOST, Das Joachimsche Gymnasium, 1982 **4** R. VORMBAUM, Die evangelischen Schulordnungen des 16.–18. Jh., Bd. 1, Gütersloh 1860; Bd. 3, Gütersloh 1864 **5** K. BOHNER, CH. ILGEN, Die Evangelische Landesschule zu Pforte in Meinerzhagen 1968 bis 1991, in: H. HEUMANN (Hrsg.), Schulpforta. Trad. und Wandel einer Eliteschule, 1994 **6** H. GEHRIG (Hrsg.), Schulpforte und das dt. Geistesleben. Lebensbilder alter Pförtner, 1943.

LIT **7** J. A. ERNESTI, Erneuerte Schulordnung... für die Kursächsischen drei Fürsten- und Landesschulen..., Dresden 1773 (auch in: [4] Bd. 3, 613–699) **8** TH. FLATHE, Sanct Afra. Gesch. der königlich sächsischen F. zu Meißen vom J. 1543 bis zu ihrem Neubau in den J. 1877–1879, Leipzig 1879 **9** H. GRÖGER, Fürsten- und Landesschule St. Afra 1543–1943. 400 J. der Bewährung, 1943 **10** J. HEIDEMANN (Hrsg.), Gesch. des Grauen Klosters, Berlin 1874 **11** M. HOFFMANN (Hrsg.), Pförtner Stammbuch 1543–1893. Zur 350jährigen Stiftungsfeier der königlichen Landesschule Pforta, Berlin 1893 **12** H. PETER, Veröffentlichungen zur Gesch. des gelehrten Schulwesens im Albertinischen Sachsen, 4 Bde., 1900–1913 **13** K. J. ROESSLER, Gesch. der F. zu Grimma, Leipzig 1891 **14** E. SCHWABE, Das Gelehrtenschulwesen Kursachsens von seinen Anfängen bis zur Schulordnung von 1580, 1914 **15** K. SCHWABE, Gesamtbestandsverzeichnis des Archivs des Vereins ehemaliger Fürstenschüler e.V., 1995 **16** H.-A. STEMPEL, Melanchthons pädagogisches Wirken, 1979 **17** T. WOODY, F. in Germany after the Reformation, 1920.

LEONHARD FRIEDRICH

**Fürstenspiegel** I. MITTELALTER
II. FRÜHE NEUZEIT

I. MITTELALTER
A. BEGRIFF UND GRUNDLAGEN   B. FRÜHES UND HOHES MITTELALTER   C. SPÄTES MITTELALTER UND BEGINNENDER HUMANISMUS

A. BEGRIFF UND GRUNDLAGEN

F. sind in paränetischer Absicht an einen König oder Regenten gerichtete Texte. Gegenstand sind Ethik und Amtsführung des Empfängers, bisweilen verbunden mit der Erörterung staats- und gesellschaftstheoretischer Zusammenhänge. Die ab dem 12./13. Jh. begegnende Bezeichnung *Speculum* ist auch für die frühen Texte zu rechtfertigen. Mit Blick auf die Adressaten und ihre Stellung im jeweiligen Verfassungssystem ist für die karolingische Zeit zw. Königs- und Laien-/Adelsspiegeln, für das spätere MA zw. Königsspiegeln und F. für partikulare Regenten zu unterscheiden [15].

Die nicht zahlreichen F. der Ant. (als mögliche Vorlagen kommen Seneca *De clementia* und der *Panegyricus* des Plinius in Frage) [21. 594–595; 609–610] wirkten formal nicht nach, mit Ausnahme des byz. Königsspiegels des Agapet (6. Jh.) [18. 35–39]. Die breite Rezeption Senecas ab dem 12. Jh. [24] war genregeschichtlich nicht relevant. Die lat. Übers. der aristotelischen *Politik* sowie die Plutarch zugeschriebene *Institutio Traiani* mit

Staatsorganologie und Offizienlehre förderten ab dem 12. und 13. Jh. säkulare Staatssicht [23; 20. 11–18]. In diese Richtung wirkten auch Martins v. Bracara (6. Jh.) *Formula vitae honestae* (nach Seneca) und die wohl auch iberischen *Institutionum disciplinae* (Prinzenerziehungsprogramm) [25]. Durchgehend und zunächst beherrschend war im MA das theokratische Denken. Grundgelegt im AT, bes. in königsspiegelartigen Partien (Dt 17,14–20; Hiob 29,14–16), im hell.-röm. Herrscherideal und im NT (bes. Röm 13,1–7; 1 Petr 2,13–17), wurde es durch patristische Autoren (Ambrosiaster, Augustinus, Gregor der Gr.) zu einer Art Staatslehre gestaltet [14. 45–48; 362–366; 372–373]. Diese Elemente wirkten direkt und wurden bes. von Isidor v. Sevilla (um 600) weitervermittelt. Nachhaltigen Einfluß hatte ein irischer Traktat (Ps.-Cyprian, *De duodecim abusivis saeculi*, 7. Jh.).

## B. Frühes und hohes Mittelalter

In Vorformen der Spiegel in merowingischer und frühkarolingischer Zeit (Herrscherparänesen gallischer Bischöfe und angelsächsischer Missionare) finden sich (spät)ant.-christl. Motive bes. bei Alkuin († 804) [14. 74–131]. Eine vorwiegend biblisch geprägte Königstugendlehre haben mit diesen Texten auch die ersten ausgestalteten Spiegel, Smaragd v. St. Mihiel, *Via regia* (811/14) [11] und Ermoldus Nigellus (828), gemeinsam. Früchte gestaltender Rezeption waren der neue Amts- und Staatsbegriff (*ministerium*; *vicarius Christi*; *res publica*). Einen Königsspiegel neuen Stils schuf Jonas v. Orléans (*De institutione regia*, 831 [6]), indem er einen konziliaren Gesellschaftsspiegel [15] verselbständigte. Mit Rückgriff auf die spätant.-frühchristl. Staatslehre wurde der amorph verflochtene ekklesial-polit. Sozialverband mit der paulinischen Körpermetapher begrifflich gefaßt und die Scheidung der Sphären darin mit Zitation des Gelasius angegangen, weiter eine charakteristisch westfränkische Gesellschaftslehre entworfen. Mit dieser grundsätzlichen Strukturierung war eine Vorform hoch- und spätma. Spiegel gegeben.

Die intensive Bildungsren. um die Mitte des 9. Jh. fand einen Niederschlag im *Liber de rectoribus christianis* des in Lüttich wirkenden Iren Sedulius Scottus [10]. Das Herrscherbild ist mit breitem ant.-spätant. Quellenrepertoire (Publilius Syrus, Boethius, Sallust, Valerius Maximus, Epit. de Caesaribus) gestaltet, den biblischen und christl. Leitexempla David, Salomo, Konstantin, Theodosius ist Trajan hinzugefügt. Hinkmar v. Reims († 882) faßte in Werken für Karl den Kahlen (*De regis persona et regio ministerio*) und weitere Herrscher die Linien zusammen und führte sie aus [5]. Die konziliare Position ist akzentuiert, ant. und spätant. Quellen, nun auch das röm. Recht, sind (vorrangig formal) stark verwertet, neu ist aus konziliarem Kontext die Rezeption der augustinischen Kriegslehre.

Das *Speculum regum* des Gottfried v. Viterbo (1180–83) für den Staufer Heinrich VI. bietet eine gelehrte Exempla-Häufung, doch auch schon das zukunftsträchtige *rex-litteratus*-Ideal sowie Translationstheorie und

Kaiseridee. Die für die Spiegel entscheidenden Wandlungen erfolgten in England und Frankreich (an der Ant. orientierte kosmologische Sehweise und Hierarchienlehre des Ps.-Dionysius). In der neu einsetzenden Seneca-Rezeption hatte das *sapientia*-Motiv ein neues Umfeld (*scientia*-Herrschaftsmechanismus). Als Vermittler wirkten v. a. Johannes v. Salisbury (*Policraticus*, 1159) und Helinand v. Froidmont (Exegese-Partie *De constituendo rege*, um 1200). Es begegnet nun die ps.-plutarchische Staats-Organologie anstelle der paulinischen. Die Wertung des Staates als eines natürlichen Rechtsorganismus [28. 123–148], die Rezeption der Offizienlehre von Cicero und Seneca her und die bes. Propagierung des Herrschervorbilds Trajan markieren eine Stufe der Säkularisierung. Helinand intensivierte sie mit breiter Einbeziehung des röm. Rechts und mit der durch zahlreiche pagane Autoren abgestützten Korrelation *princeps-res publica*.

Königsspiegel aus dem Frankreich König Ludwigs IX. († 1270), Vinzenz v. Beauvais (*De morali principis institutione* [13]), Ps.-Thomas-Peraldus (*De eruditione principum* [9]), der um 1300 entstandene *Liber de informatione principum* [7], gingen ähnlich den konziliaren Spiegeln des 9. Jh. auf königliche Initiative zurück, hier auf Materialsammlungen für eine gesellschaftlich-polit. Summe (daraus auch die neue Sonderform fürstlicher Erziehungsspiegel). Hierhin gehört auch die demselben König gewidmete *Eruditio regum et principum* des Gilbert von Tournai (1259) [4]. Die Autoren rezipieren das gebotene ant. Material sehr stark, sie reagieren damit auf neue Entwicklungen [15]. Bei der Entscheidung zw. *sapientia* und neuer *scientia* siegt das karolingische Modell [13. c.11–16, 59–84; 9. 5 c.9, 610]. Gilbert stellt ant.-mod. Ableitungen aus der Staatsmetapher der *Institutio Traiani* [4. 1,2 c.9, 33; 2,1 c.6, 49; 3 c.3, 85; c.4, 87] das vom König unter Aufsicht der Bischöfe geleitete *corpus mysticum* [4. 2,1 c.2, 44–45; 2,2 c.7, 75] gegenüber, Vinzenz setzt der Metapher die paulinische Organologie voran [13. c.1, 1–5], der *Liber de informatione principum* [7.2ᵛ] fügt sie in diese ein und gestaltet sie mit patristischem Material aus. Überkommene Formeln erhalten neue Rahmen (*rex-imago-Dei*-Lehre in neuer hierarchischer Theologie) [4. 1,2 c.8, 30–31; 2,1 c.6, 49; 3 c.2, 84; c.6, 88–89; 13. c.10, 54–55].

In einem Königsspiegelentwurf (Zusammenstellung der Kardinaltugenden bes. nach Valerius Maximus) leitet Johannes v. Wales (um 1270) [27. 150–151] zu den scholastischen Spiegeln, der ma. Klimax der Gattung, über. Bei Thomas v. Aquin (*De regno – De regimine principum*, um 1265) und seinem Fortsetzer »Tholomäus v. Lucca« (ca. 1307) [12] und bes. dem am weitesten verbreiteten Aegidius Romanus (*De regimine principum*, 1277–79, für den frz. Thronfolger [1]) sind aus der Aristoteles-Rezeption neue gedankliche Strukturen entwickelt. Die Prämisse für die Politik ist anthropologisch. Der Mensch ist *Animal sociale et politicum* [12. 1 c.13; 3 c.9], der Staat ist Gebilde eigener Finalität [12. 1 c.16]. Corpus-Metapher und Stände-Institutionen-Analogie sind aus der kosmologischen Trad. Platons genommen. »Tholomäus« rezipiert die Staatsmetapher der *Institutio Traiani* [12. 4 c.9; c.24; 28. 165–178], doch er verbindet sie wieder mit der ekklesiologischen Tradition, der Staat hat seinen Platz auch im *corpus mysticum Christi* [12. 4 c.4; c.23]. Klass. Vorstellungen und Metaphern sind, da mit neuen Vordersätzen verknüpft, grundlegend gewandelt. Das Gottesvikariat des Herrschers folgt nun aus der Sorge für die *civilis societas* [12. 3 c.5], die Funktion des *minister Dei* ist nicht mehr mit dem Römerbrief, sondern kräftig mit Aristoteles abgestützt [12. 3 c.1–3]. Aegidius steigert mit der von Aristoteles bezogenen Summe zu Moral, Erziehung und Staat die säkularen Züge in Herrscherbild und Offizienlehre (Tyrannus, Widerstand). In die Anthropologie gefügt ist der Ausgang vom Menschen als Mängelwesen, die Begründung der *vita politica* [1. 3,1 c.1; 1,1 c.4], das Telos in der Vollkommenheit [1. 1,1 c.3] als ›Verständnisschlüssel‹ [17. 214]. Soziomorph gewendet ist sie für den Staatsaufbau: einer eindeutig säkular ausgeführten Staatsorganologie [1. 1, 2 c.11] sind die alten Vorstellungen vom König als *caput regni* [1. 1,1 c.11; 1,2 c.20; 3,2 c.35] und in Analogie zum *caput et princeps universi* als *caput populi* [1. 1,2 c.20; 1,1 c.13] zuzuordnen. Im Unterschied zur theokratischen Trad. ist der König nun *divinum organum sive minister* [1. 1,1 c. 12]. In Korrespondenz mit der stärkeren Staatlichkeit sind die Spiegel nun bes. auf den Zweck der Regierungspraxis ausgerichtet: Sie bieten den Ansatz einer »politique moderne« [26. 203–205].

In seinem Werk *De regimine principum* (1290–92) verbindet Engelbert von Admont [2] → Aristotelismus mit röm. Staatsideologie (Cicero, Seneca). Die organologische Staatsmetapher ist – in Hinsicht auf die Verfaßtheit des Reiches bedeutsam – im Sinn von monarchischer bzw. landesfürstlicher Überordnung über die Fürsten bzw. → Bürger gedeutet [2. 3 c. 16, 68].

## C. SPÄTES MITTELALTER UND BEGINNENDER HUMANISMUS

Für die drei Gruppen spätma. Spiegel lassen sich an Ps.-Plutarch und Aegidius Romanus Tendenzen scheiden: Im Bereich der »nationalen« Königsspiegel gibt der Spanier Alvarus Pelagius (*Speculum regale*, 1341/44) den Metaphern aus Aegidius den herkömmlich-theokratischen Rahmen. In Frankreich fügt Robert v. Gervais (*Speculum regium*, 1384; [20. 226f.]) wesentliche Elemente aus Ps.-Plutarch in seine ant. fundierte Herrschertugendlehre. – In den um 1300 einsetzenden territorialen F. fehlen logischerweise polit. Heilslehre und sakrale Herrschaftsidee [27. 27–28]. Doch sind in »Fürstenlehren« und »Fürstenregeln« aus dem 15. Jh. [27. 51–74; 19] oft über Aegidius ant. Vorlagen wie Aristoteles rezipiert.

Die ersten human. F. entstanden in It.: Francesco Petrarca († 1374), Enea Silvio († 1458), Francesco Patrizi († 1494). Enea Silvio übertrug die Gattung auf das Reich [27. 63–65; 20. 235]. 1490 war (Kaiser) Maximilian Adressat (Antonio da Conti, *De perfecto principe*; [27. 72–74]). Ideal ist die erziehungs- und korrektions-

fähige Persönlichkeit [27. 29, 33]. In den normierteren und einförmigeren Texten zielen Bildungsprogramme mit der Geschichte als *magistra vitae* auf den *princeps litteratus*. Bewußt greift man über das MA auf das moralisch-polit. Schrifttum der Ant. zurück. Der staatstheoretische Diskurs verschwindet, die Herrscherethik steht im Mittelpunkt, die Kernbegriffe der Prinzipatsideologie füllen sie (Ps.-Plutarch nurmehr hier relevant [20. 194–199; 249–275]), Trajan ist *das* Vorbild. In seinem F. [8; 16] gibt Petrarca – die beiden oben zunächst genannten Zweige mit it. Vorformen gelehrter Exempla-Präsentation und kommunaler Applizierung verknüpfend – das frühe Paradigma, freilich in singulärer Ausformung. Cicero ist der bevorzugte Autor [8. Z. 26 ff.; 150 ff.; 200 ff.]. Mit ihm verdeutlicht Petrarca die Korrelation *princeps-patria-res publica*, mit ihm gibt er dem Fürsten als *perfectus atque optimus*, als Träger der *cura*, als *gubernator*, als *rector* der *patria*, den Spiegel, in dem er sich betrachten kann [8. Z. 64; 138 f.; 159 ff.; 176]. Die mannigfachen histor. Exempla bieten Sueton und die Scriptores Historiae Augustae. Mit knapperen christl. Elementen ist vom Autor sein ihm entscheidendes, aus ant. Naturalismus und Individualismus gewonnenes Konzept des vollkommenen Princeps zusammengezwungen. Im Anschluß an Ps.-Plutarch ist als Regel für den Regenten formuliert: *naturam tuam sequere: sic optato provenient universa* (›Folge deiner Natur: so wird dir alles zum Guten ausschlagen‹) [8. Z. 681]. Die organologische Metapher aus dieser Vorlage ist im Sinn absolutistisch-paternalistischer Herrschaftsfürsorge entpolitisiert [8. Z. 295–297].

Die Synthese ma. und human. Elemente ist angestrebt bei Jakob Wimpheling in seiner *Agatharchia* von 1498 [27. 173–249] und bei dem span. Bischof Antonio de Guevara in dem *Libro Aureo de Marco Aurelio Emperador* von 1528 [20. 173–180]. Wimpheling fügt Human. eher akzidentiell an, Guevara formt die ps.-plutarchische Metapher zu *corpus mysticum, quod est imperium* (›Bild vom mystischen Körper des Reiches in Analogie zu dem traditionellen Bild für die Kirche‹) um und führt die charakteristische spätma. Formel *corpus rei publicae mysticum* [22. 207–232] in die Spiegel ein.

Den Übergang in das 16. Jh. markieren auf verschiedene Weise Erasmus v. Rotterdam, der frz. Humanist G. Budé und N. Machiavelli. Erasmus schuf in seiner 1516 Karl V. dedizierten Schrift *Institutio principis christiani* [3] die große Synthese klass. und christl. Elemente. Die Verbindung der verschiedenen Bereiche früh-mod. Herrschaftsführung mit christl.-paternalistischer Herrscherethik, die extensive Rezeption ant. Autoren und Exempla, der Einbezug der organologischen Metapher in Rückgang auf Aristoteles [3. 1, 167; 164; 2, 186], die Distanz zu konstitutiven Inhalten der ma. Spiegel ließen jene Synopse entstehen, die als Krönung der Gattung in ihrer Zeit betrachtet wurde [27. 21]. Das um dieselbe Zeit von Budé seinem König Franz I. gewidmete Werk *De l'institution du Prince* (ed. M. Marin, 1983) verknüpfte die Ideale des *pater patriae* und des *pastor populi*. Herrschertugenden sind auf das Wohl des Volkes bezogen und modern. Modern ist auch die aus der überkommenen Sicht vom Herrscher als Stellvertreter Gottes gezogene Folgerung: er steht über den Gesetzen und schuldet keiner irdischen Instanz Rechenschaft. Die Eigengesetzlichkeit von »Staat«, »état« und »stato« ist im Ansatz gegeben, das Thema, das der 1516 erschienene *Principe* des Florentiners aufnimmt und ausführt.

→ AWI Agapetos [1]; Herrscher; Isidorus [9]

QU 1 Aegidius Romanus, ed. HIERONYMUS SAMARITANIUS, Rom 1607 2 Engelbert, ed. J. G. TH. HUFFNAGL, Regensburg 1725 3 Erasmus, ed. O. HERDING, Desiderii Erasmi Opera omnia 4,1, 1974, 95–219 4 Gilbert, ed. A. DE POORTER, 1914 5 Hinkmar, PL 125, 833–856; 989–994; 1007–1018 6 Jonas, ed. A. DUBREUCQ: SChr 407, 1995 7 Liber de informatione principum, MS Leiden Voss. Lat. Q.82 8 F. Petrarca, Rerum senilium liber XIV, 1. Der F., ed. M. WIEN, 1992 9 Ps.-Thomas-Peraldus, ed. S. E. FRETTÉ, in: Thomae Aquinatis Opera omnia 27, 1875, 551–673 10 Sedulius Scottus, ed. S. HELLMANN, 1906 11 Smaragd, PL 102, 931–970 12 Thomas v. Aquin – Tholomäus, ed. R. M. SPIAZZI, Divi Thomae Aquinatis Opuscula Philosophica, 1954, 253–358 13 Vinzenz, ed. R. J. SCHNEIDER, Corpus Christianorum, Continuatio mediaevalis 137, 1995

LIT 14 H. H. ANTON, F. und Herrscherethos in der Karolingerzeit, 1968 15 Ders., Ges.-Spiegel und Ges.-Theorie in Westfranken/Frankreich, in: A. DE BENEDICTIS (Hrsg.), Specula principum, 1999, 51–120 16 Ders., Petrarca und die Trad. der Herrscher- und Fürstenspiegel, in: A. GIEBMEYER, H. SCHNABEL-SCHÜLE (Hrsgg.), Das Wichtigste ist der Mensch. FS K. Gerteis, 2000, 229–251 17 W. BERGES, Die F. des hohen und späten MA, 1938 18 W. BLUM, Byz. F., 1981 19 G. BRINKHUES, Eine bayerische F.-Kompilation des 15. Jh., 1978 20 TH. ELSMANN, Unt. zur Rezeption der Institutio Traiani, 1994 21 P. HADOT, s. v. F., RAC 8, 555–632 22 E. H. KANTOROWICZ, The King's Two Bodies, 1957 23 H. KLOFT, M. KERNER, Die Institutio Traiani. Ein ps.-plutarchischer Text im MA, 1992 24 K.-D. NOTHDURFT, Stud. zum Einfluss Senecas auf die Philos. und Theologie des 12. Jh., 1963 25 P. RICHÉ, L'éducation à l'époque wisigothique: Les »institutionum disciplinae«, in: Anales Toledanos 3, 1971, 171–180 26 M. SENELLART, Les arts de gouverner, 1995 27 B. SINGER, Die F. in Deutschland im Zeitalter des Human. und der Reformation, 1981 28 T. STRUVE, Die Entwicklung der organologischen Staatsauffassung im MA, 1978.     HANS HUBERT ANTON

## II. FRÜHE NEUZEIT
### A. FORMEN UND INHALT
### B. GESCHICHTE DES FÜRSTENSPIEGELS

### A. FORMEN UND INHALT

Der F. der Frühen Neuzeit gehört zu den lit. Gattungen, in denen sich die Wirkungsgeschichte von Ant. und MA eindrücklich manifestiert. Erasmus' *Institutio* (1516) und Machiavellis *Principe* (1532) greifen beide in der Grundidee, der Vorstellung eines der Orientierung dienenden Idealbildes, auf ant. und ma. Vorlagen des F. zurück. Beide stehen aber in je eigener Weise auch für eine Wende des Denkens über polit. Ordnung. Der neue Fokus des ersteren ist die Annahme von der Erziehungsfähigkeit des Menschen, die eine angemessene → Bildung des jungen Fürsten zur Voraussetzung eines gerechten Regiments werden läßt, während letzterer den Blick auf die – auch böse – Realität des Menschen und die dementsprechende polit. Ordnung zur Voraussetzung von Machtgewinn und Machterhalt macht. Beide Elemente wirken stilbildend für die F. des 16. bis 18. Jh. Bis Mitte des 17. Jh. war neben christl., dieses teilweise überlagernd, human. Wissen zum dominierenden Gedankengut der F. geworden. Der Begriff F. bietet für diese Epoche keine sichere Abgrenzung von anderen Gattungen und oft kaum eine sichere Zuordnung des einzelnen Werkes. Vielmehr verbinden sich mit ihm unterschiedliche Merkmale in Bezug auf Form und Inhalt, die Übergänge zu anderen Gattungen wie Regimentstraktaten, polit. Testamenten oder auch zur → Utopie als fließend erscheinen lassen. Diese Charakterisierung verweist einerseits auf die situative Anpassungsfähigkeit des F., was andererseits eine histor. und sozial kontextuelle Interpretation verlangt. Dadurch eignet er sich als Schlüssel zum Verständnis gesellschaftlicher Prozesse, wie z. B. der Entwicklung eines neuen Rechtsbewußtseins oder einer rationaleren staatlichen Verwaltung (*Policey*), der Konfessionalisierung der Politik oder dem Wandel der Herrschaftslegitimation vom Gottesgnadentum zur naturrechtlich begründeten Volkssouveränität.

Zu den konstanten Elementen des Typus F. gehören die Orientierung seines Aufbaus am Lauf eines entweder realen oder ideal konstruierten menschlichen Lebens, die Vorbildfunktion dieses Lebenslaufs aufgrund seiner Prägung durch klass. Tugenden sowie die Darstellung von deren Übersetzung in konkretes staatliches, innen- wie außenpolit. Handeln. Daraus ergibt sich oft eher indirekt auch das Bild eines ideal legitimierten, konzipierten und funktionierenden Staates. Immer wird mit Exempeln gearbeitet, wobei es sich um ein einzelnes oder um eine zweckdienliche, z. B. konfessionsspezifische Auswahl handeln kann. Die variablen Faktoren des F. ergeben sich aus dessen raum-zeitlichem Kontext und in bes. Weise aus Lebensumständen und Absichten des Autors. Die Kontinuität der frühneuzeitlichen F. zeigt sich im Rekurs auf ant. (Platons *Politeia* mit dem Philosophenkönig oder Xenophons *Kyrupaideia*) oder ma. (Agapetos *Schedia Regia* oder Aegidius Romanus *De regimine principum*) Autoren, die bis ins 18. Jh. als Vorbilder und Vorlagen genutzt wurden. Neuorientierung erhielt der F. v. a. dadurch, daß der Fürst nicht mehr als Sachwalter der göttl. Ordnung, sondern als der durch breite Bildung zum tugendhaften Regieren zu Befähigende verstanden wurde. Die demgegenüber ganz andere Realität der Fürstenherrschaft ließ im ausgehenden 18. Jh. den F. in der Variante der systemkritischen Schrift nochmals eine Blüte erleben. Mit dem Ende des Alten Reiches wird er obsolet.

→ Herrscher; Humanismus; Politische Theorie

**1** E. HINRICHS, Fürstenlehre und polit. Handeln im Frankreich Heinrichs des V., Unt. über die polit. Denk- und Handlungsformen im Späthuman., 1969 **2** H-O. MÜHLEISEN, TH. STAMMEN (Hrsg.), Polit. Tugendlehre und Regierungskunst, Stud. zum F. der Frühen Neuzeit, 1990 **3** Diess. (Hrsg.), F. der Frühen Neuzeit, 1997 **4** R. A. MÜLLER, Die dt. F. des 17. Jh., in: HZ 240, 1985, 571–597 **5** M. PHILIPP, TH. STAMMEN, F., Histor. WB der Rhet., Bd. 3, 1996, Sp. 495–507 **6** B. SINGER, Die F. in Deutschland im Zeitalter des Human. und der Reformation, 1989 **7** P. TÖBBICKE, Höfische Erziehung, Grundsätze und Struktur einer pädagogischen Doktrin des Umgangsverhaltens nach der fürstlichen Erziehungs-instruktion des 16. bis zum 18. Jh., 1983.

HANS-OTTO MÜHLEISEN

## B. GESCHICHTE DES FÜRSTENSPIEGELS

Ohne größere strukturelle Neuerungen fanden F. speziell in Ren. und Barock weite Verbreitung; kompetente Schätzungen gehen in Europa von etwa 500 F. zw. dem 16. und 18. Jh. aus, die sich in ihren Variationen als außerordentlich vielgestaltig ausweisen.

Etwa zeitgleich (1509–1512) mit den bedeutenden F. des Erasmus v. Rotterdam, des G. Budé und N. Machiavellis schrieb z. B. in England Stephen Baron einen mehr als konventionellen F., *De Regimine Principum* [1], den er Heinrich VIII. widmete. Angereichert mit einer Vielzahl von Sentenzen und Zitaten aus klass.-ant. Schriftstellern und insbes. der Bibel und Augustinus, entwirft die Schrift ein Idealbild eines Herrschers als heuristische Vorgabe für den jungen Heinrich; bereits im einleitende Satz der Widmung verdeutlicht die strukturelle Nähe dieses F. zur Herrscherpanegyrik. Durchaus vergleichbar skizziert Thomas Morus in seinen lat. Epigrammen [2] in produktiver Rezeption des *Panegyricus* des Plinius und der klass. Topoi der Differenzierung von Basileus und Tyrann ein Herrscherbild, dem der junge Heinrich weitgehend entsprach; seine *History of King Richard III* [3] läßt sich demgegenüber als invertierter F. lesen.

Verdeutlichen bereits diese wenigen Beispiele die Vielfalt lit. Gestaltungsmöglichkeiten (vgl. [6. 14–15]), so zeigen sie zugleich die ungebrochene Attraktivität zentraler human. Vorstellungen: der Herrscher als *princeps litteratus* garantiert durch seine Tugenden, wodurch er zum *princeps optimus* werden kann, das Wohl der Untertanen und den Fortbestand der Herrschaft. Konsequenterweise enthalten viele F. des 16. und 17. Jh. umfangreiche Lektüreempfehlungen bis hin zu einem vollständigen Bildungsprogramm für den Fürsten, dem primär ein Bücher- und Sprachenstudium abverlangt wird, damit er als *princeps litteratus* mit dem durch *litterae* vermittelten Sachwissen (zumeist moralisch-ethische und histor. *exempla*) zur Vollendung seiner Persönlichkeit in Tugend geführt werde, wie z. B. Sir Thomas Elyots *The Boke Named the Governor* (1531) verdeutlicht.

Neben histor.-moralischen *exempla* aus der Historiographie und Biographik der Ant. (Sueton, Plutarch, SHA) werden die Schriften des Isokrates und insbes. Xenophons *kyrupaideia* zum wichtigen Vorbild, das bis weit ins 18. Jh. hinein nachwirkt (z. B. in Fénelons *Les Aventures de Télémaque*, aus dem J. 1699 und Wielands Fragment *Cyrus*, 1759). Ein kaum bekanntes, jedoch eindrucksvolles Beispiel dafür ist Sir Thomas Elyots zweiter F., *The Image of Governance, or The Life of Severus Alexander* (1541), eine Teilübers. und freie Bearbeitung der *Vita* des Severus Alexander (222–235 n. Chr.), des F. der SHA, in dem die spät-ant. Biographiensammlung ihr – an Julian Apostata orientiertes Herrscherideal – formuliert. In seinem F. stilisiert Elyot den Kaiser Severus Alexander nicht nur zum *princeps optimus* und erhebt ihn zum Vorbild für alle Zeitgenossen, die im Gemeinwesen Verantwortung tragen, sondern er macht sich auch viele der skurrilen lit. Darstellungsmethoden der spät-ant. Biographensammlung zu eigen (Transpositionen, Verweise auf erfundene Gewährsmänner, Fiktionalitätssignale, vgl. [4]). Im intendierten Adressatenkreis dieses F. von Elyot zeigt sich eine entscheidende Ausweitung der Reichweite von F., die zunehmend ihre Ansprüche anmelden, Unterweisung und Belehrung für alle zu bieten, die im Staate Verantwortung tragen, womit literaturgeschichtlich die traditionell engere Gattungsbestimmung überwunden wird. Ähnliches wie die F. bieten ab dem 16. Jh. die Bischofsspiegel und Adelsspiegel, die fürstlichen Erziehungsinstruktionen, worin Fürsten Anweisungen für die Erziehung ihrer Kinder gaben, und die »Polit. Testamente«, in denen der Nachfolger auf eine polit. Richtung festgelegt wurde (z. B. König Jakobs I. *Basilikon Doron*, 1599, für seinen ältesten Sohn, Prinz Henry). König Jakobs Vorwort zu seinem *Basilikon Doron*, in dem er erklärt, keinen allg., möglichst vielseitigen F. vorlegen zu wollen, sondern für seinen Sohn ausschließlich die Aspekte zusammenzustellen, die sich ihm in der Praxis der Herrschaft über Schottland als bes. wichtig aufgedrängt hätten (vgl. [5. 200–215]), verweist auf eine weitere zentrale Tendenz der F. des 16. bis 18. Jh.: den zunehmenden Rekurs auf die histor. und soziale Gegenwart. Nachdrücklich zeigt sich dies in Deutschland, wo die Reformation auch ihre Konsequenzen für die Gattung der F. zeitigt. Erste und reinste Verkörperung des Typus eines reformatorischen F. ist das Handbüchlein eines christl. Fürsten (1535) von Urban Rieger, das G. Spalatin 1538 ins Lat. übertrug (vgl. [9. 38–44, 287–315]). Ein vielen reformatorischen F. gemeinsamer Grundzug ist ein neues Gefühl der allg. Unsicherheit und Gefahr. Lutherisch wird die menschliche Sündhaftigkeit betont, die ›schwache Natur‹ (*infirma natura*), das Leben des Menschen wird zur Mühsal, zum »Kreuz«, von teuflischen Anfechtungen bedroht. Rhet. anknüpfend an die topische Organismusmetapher wird ein Teufel imaginiert, der sein verderbliches Werk auf den Fürsten konzentriert: wenn er die Obrigkeit verdirbt, hat er ein ganzes Land geschädigt. Wo der einfache Mensch nur einen Teufel hat, da hat die Obrigkeit deren zehn; zu regieren heißt, den Kampf mit dem Teufel anzunehmen. Konsequenz dieser Weltsicht ist, daß in den reformatorischen F. das Motiv der *consolatio* an Bed. gewinnt; die F. wollen Trost und Stärkung spenden, den Fürsten zum Durchhalten ermutigen, verfügt doch der christl. Fürst über die Beistandszusage Gottes (Jos 1,5–9). In den reformatorischen F. tritt das ethische Moment, die Tugendlehre, zurück hinter die Glaubenspredigt; über die ausgeschriebenen Gebets- und Psalmentexte (insbes. Ps 82 und 101) wird die Lektüre des F. oft zu einem Gespräch mit Gott. Neben der *consolatio* nimmt das Warnen vor Gottes Zorn und seinem Gericht über die Stolzen und Bösen in reformatorischen F. breiten Raum ein. Die Sorge um die Religion – durch die rechte Besetzung von Kanzel und Katheder, die Einrichtung von Schulen, Examinierung und Visitation – wird zur wichtigsten Aufgabe des Fürsten. Bis in die Mitte des 17. Jh. wirkt in der Gattung F. die reformatorische Trad., deren Vorstellungen auch außerhalb der F. wirkten. Elemente finden sich u. a. in Staatshandbüchern, wie dem *Testament* des M. von Osse (1555/56) und G. Lauterbecks *Regentenbuch* (1556), selbst im katholischen F. des W. Seidel (1547). Einen explizit gegenreformatorischen F. hat Wilhelm V. von Bayern verfaßt (1595). Dies sollte freilich nicht vergessen lassen, daß viele human. Grundüberzeugungen in weiten Teilen Europas ungebrochen weiterwirkten, wie die Schriften von Jeronimo Cagnolo, Giovanni Botero, Marco Antonio Natta, Juan de Mariana, Diego Saavedra, Henri Estienne, Thomas Pelletier, Pierre Nicole, Roger Ascham, Konrad Heresbach und vielen anderen zeigen. Human. Gedankengut findet sich darüber hinaus durchgängig in den reformatorischen F., womit die Differenzierung von reformatorischen, gegenreformatorischen und human. F. recht künstlich wirkt. Was die Reformatoren über Erziehung, Fürstenbildung und staatliche Bildungsförderung sagen, ist weitgehend hu-

man. Gemeingut; eine idealistisch-human. Vision vom Menschen und seiner Gestaltbarkeit gibt 1550 der Protestant Johann Sturm (vgl. [9. 271–286]). Um 1650 hat sich auch in Deutschland der Human. wieder durchgesetzt, der allmählich in die Aufklärung einmündet; die F. bilanzieren weiterhin die polit. Prozesse der Zeit, ›da sie unmittelbar auf Geschehnisse eingehen, diese kritisieren und somit selbst Teil einer Entwicklung sind, die sie – je nachdem – fördern oder verhindern wollten‹ [6. 18]. Nach 1800 erschienen F. nur noch vereinzelt; sie hatten seit der Französischen Revolution mit der Fokussierung auf eine bürgerlich-demokratische Legitimierung polit. Herrschaft mit ihrem Ordnungs- und Herrscherbild den Bezug zur polit. und ideengeschichtlichen Wirklichkeit verloren.

→ Biographie; Herrscher; Humanismus; Panegyrik

QU  1 S. BARON, De Regimine Principum, ed. P. J. MROCZKOWSKI, 1990  2 THOMAS MORE, Latin Poems, ed. C. H. MILLER et al., Complete Works 3/II, 1984  3 Ders., Richard III, Complete Works 2, 1963

LIT  4 U. BAUMANN, Alexander Severus als optimus princeps. Stud. zur HA-Rezeption Sir Thomas Elyots (im Druck)  5 W. KLEINEKE, Engl. F. vom Policraticus Johanns von Salisbury bis zum Basilikon Doron König Jakobs I., 1937  6 H.-O. MÜHLEISEN, T. STAMMEN, M. PHILIPP (HRSG.), Fürstenspiegel der Frühen Neuzeit, 1997  7 H.-O. MÜHLEISEN, T. STAMMEN (HRSG.), Polit. Tugendlehre und Regierungskunst. Stud. zum F. der Frühen Neuzeit, 1990  8 M. PHILIPP, T. STAMMEN, S. V. F., WB der Rhet. 3, 495–507  9 B. SINGER, Die F. in Deutschland im Zeitalter des Human. und der Reformation, 1981.                    UWE BAUMANN

# G

**Galenismus.** Während Galen von etwa 500 n. Chr. bis 1100 n. Chr. in Westeuropa nahezu unbekannt war, fußte die Schulmedizin in der byz. und muslimischen Welt ganz wesentlich auf seinen Vorstellungen, die zunehmend systematisiert und mit bes. Akzentuierung ihres theoretischen Gehalts logisch geordnet wurden. Galens Monotheismus und Teleologie empfahlen seine Schriften auch einem rel. geprägten Umfeld. Vom 12. Jh. an erreichte ein arabisch gekleideter G. Westeuropa, wo er an den Medizinschulen der neuen Univ. tonangebend wurde. Die Wiederentdeckung der von Galen selbst verfaßten Schriften, wenn auch in Übers., gab dem medizinischen Denken im frühen 14. Jh. eine neue Richtung und zog u. a. die Wiederbelebung der Sektion und Anatomie nach sich. Die Arzthumanisten des späten 15. und frühen 16. Jh. forderten eine Rückkehr zu den griech. Originaltexten Galens. Die editio princeps seiner Schriften, die *Aldina* aus dem Jahre 1525, und die hernach einsetzende Flut neuer lat. Übertra-

gungen erlaubten den Zugriff auf längst vergessene Schriften insbes. aus dem Bereich der Anatomie und Philosophie, wie z. B. auf *De placitis Hippocratis et Platonis* und den *Protreptikós*. Auf diese Weise vermochten Ärzte an der Autorität ihrer medizinischen Lehrmeinungen festzuhalten und zugleich ihre ma. Vorläufer zu überbieten. Die Wiederentdeckung des Galen förderte jedoch auch Unstimmigkeiten und Irrtümer innerhalb seines Werkes zutage, die sich nicht ausschließlich als Übersetzer- oder Kopistenfehler erklären ließen. Andreas Vesalius (1514–1564), der einem anatomischen Forschungsprogramm ganz im Sinne Galens folgte, folgerte in seiner *De humani corporis fabrica* (1543), daß Galens Ergebnisse fehlerbehaftet seien, da er lediglich Tiere seziert habe. In der *Physiologie* nutzte William Harvey (1578–1657) galenische und aristotelische Vorstellungen, um die in Widerspruch zu Galen stehende Kreisbewegung des Blutes zu beweisen (1628). Um 1700 wurden galenische Lehrsätze nur noch auf Hygiene und Semiotik beschränkt. Doch auch hier erfuhren seine Kategorien, z. B. die des Temperaments, in unterschiedlichster Weise neue Deutungen. Um 1870 war der G. zum Inbegriff dessen verkommen, was in der klass. Medizin von Übel sein sollte: eine mit der Beobachtung brechende Theorie, eine krude Teleologie und ein stärkerer Hang zu logischen Exzessen als zur Medizin am Krankenbett.

→ Arabische Medizin

→ AWI Galen

1 O. TEMKIN, Galenism. Rise and Decline of a Medical Philosophy, 1973.

VIVIAN NUTTON/Ü: LEONIE V. REPPERT-BISMARCK

**Gandhara-Kunst**  s. Pakistan

**Garten, Gartenanlagen**  s. Park, Parkanlagen

**Gattung/Gattungstheorie**
A. ANTIKE VORAUSSETZUNGEN
B. MITTELALTER  C. RENAISSANCE
D. 17. JAHRHUNDERT  E. 18./19. JAHRHUNDERT

A. ANTIKE VORAUSSETZUNGEN

Die ant. G.-Diskussion wird wesentlich von Aristoteles' *Poetik* und Horaz' *Ars poetica* (*Epistula ad Pisones*) bestimmt. Die sich in diesen Texten niederschlagenden, teils gegenläufigen Tendenzen wirken sich auf die gesamte Rezeption der ant. G.-Diskussion in der Neuzeit aus. Dabei ist die Tendenz zu einer normativen Poetik und damit zur präskriptiven Auffassung der ant. Theoreme allg. vorherrschend und schon bei Horaz vorgeprägt [18. 257]; somit ist in der Neuzeit die G.-Praxis der G.-Theorie oft nachgeordnet. Der spezifische Charakter der aristotelischen »Normativität«, die wegen des aristotelischen Entelechiegedankens mit »Deskriptivität« weitgehend kongruiert, wurde in diesem Zusammenhang meist verkannt [6. 13]. Aristoteles' G.-Theorie ist in Rekurs auf Platons Ansatz einer G.-Differenzierung entwickelt. Für Platon spielt bei der Ausdifferenzierung der »G.« (zum problematischen Begriff [2. 11]) der Darstellungsmodus des jeweiligen Textes (sog. Redekriterium) die zentrale Rolle: so ergibt sich eine Dreiteilung in 1. durch direkte Rede »mimetische«, d. h. (Handlungen von Menschen: Plat. rep. 10,603c) »nachahmende« Kunst wie Trag. und Kom., 2. einfache Erzählung durch den Dichter selbst wie im (älteren) Dithyrambos, 3. eine Mischform aus beidem wie z. B. im Epos (Plat. rep. 3,392d–394c). In diesem Schema geht mit der Konzentration auf das Redekriterium der Wegfall existierender lyr. Dichtungsformen einher; einen Oberbegriff »Lyrik« gibt es bei Platon nicht [2. 10f.]. Der bereits bei Platon wichtige Begriff der Mimesis [4] rückt bei Aristoteles (Aristot. poet. 1–3) zur definitorischen Zentralkategorie von Dichtung auf: alle Dichtungsformen (exemplifiziert: Epos, Trag., Kom., Dithyrambos, Flöten- und Zitherspiel) sind »Nachahmungen«, *Mimeseis*. Sie unterscheiden sich in dreifacher

Hinsicht, nach Medien der Mimesis (Rhythmus, Sprache, Melodie), Objekten der Mimesis (ethisch qualifizierbare Handlungen von Menschen), Modi der Mimesis = Redekriterium (narrative oder dramatische Darstellungsweise). Der Rekurs auf das platonische Redekriterium führt Aristoteles zu einer Differenzierung der narrativen Darstellungsweise: Dort spreche der Dichter entweder wie Homer in »fremden« Rollen oder ohne Veränderung der Sprechinstanz als stets derselbe (Aristot. poet. 3). Unter dem Einfluß Platons entwickelt Aristoteles hier eine nicht in sein allg., auch musikalische Formen einbeziehendes Konzept von *Poiesis* = Mimesis passende, aber sehr einflußreiche Kategorisierung [6. 19]. Die Privilegierung des Mimesiskriteriums führt zu einer Zurückweisung vorgängig angewandter äußerlicher Charakteristika (Versform) für »Dichtung«: das versifizierte Lehrgedicht vollzieht keine Mimesis, ist folglich keine Dichtung (Aristot. poet. 1). Auch Aristoteles bringt keine Behandlung der Lyrik als Gesamtkomplex [2. 14f.]. Hinsichtlich einer histor. Grundlegung bekannter Dichtungsformen sieht Aristoteles unter dem Vorzeichen einer Bewegung vom partikulären zum universalen Sujet zwei parallele Entwicklungslinien: Die ernste Dichtung habe sich vom Hymnos über das Epos zur Trag., die unernste über Rügelied und Spottdichtung zur Kom. entwickelt (Aristot. poet. 4–5). Mit seinem allg. gattungstheoretischen Ansatz verbindet Aristoteles in dem erh. ersten Buch der *Poetik* eine weitgehend strukturpoetisch und wirkungsästhetisch ausgerichtete Unt. der Trag. und des Epos (in Aristot. poet. 26 ordnet er die Trag. hinsichtlich ihrer Wirkungsmacht dem Epos über und wird so zum Archegeten aller Versuche der G.-Hierarchisierung bis ins 18. Jh.). Die anders als die *Poetik* seit ihrer Publikation ununterbrochen rezipierte *Ars poetica* des Horaz stellt dagegen unter dem Einfluß hellen. Dichtungstheorie (wohl v. a. Neoptolemos von Parion) und der Rhetorisierung der Poesie [7. 289f., 296f.] im wesentlichen eine Stilpoetik dar, die den Kategorien der Werk- und Produktionsästhetik breiten Raum gewährt. Neben die aristotelische Mimesis (Hor. ars 317f.) tritt bestimmend die rhet. *imitatio* von lit. Vorbildern (Hor. ars 134) [4. 215]. Die bereits bei Aristoteles (Aristot. eth. Nic. 4,1128a 22–24) mit Bezug auf die Kom. greifbare [6. 63], im wesentlichen aber rhet. Kategorie der »Angemessenheit« (*prepón, harmottón* ; *decorum, aptum*) kommt voll zum Tragen: ein Abschnitt über die richtige Stilhöhe (Hor. ars 73–118) weist darauf hin, daß die Vers- und Stilarten sich jeweils nur für bestimmte Stoffe eigneten (Stildecorum); in diesem Konnex konstituiert sich die lit. G. [18. 251f.]. Dem vom Zuschauer als angemessen Empfundenen (Inhaltsdecorum) ordnet sich auch das bei Aristoteles objektive Kriterium der Wahrscheinlichkeit unter: nur das »Angemessene« wird geglaubt (Hor. ars 188). An Einzel-G. behandelt Horaz detaillierter Trag. (Hor. ars 189f.: 5–Akte-Gesetz) und Satyrspiel (Hor. ars 220–250). Letzteres weist auf das Problem der Misch-G. hin, das im 16.–18. Jh. eine große Rolle spielen sollte. Im allg. besteht bei Horaz aber die weder der lit. Wirklichkeit noch seinem eigenen dichterischen Schaffen entsprechende Fixierung auf die drei platonisch-aristotelischen G. Epos, Trag., Kom. fort, was durch den Einfluß seiner vermutlichen Vorlage, der *Poetik* des Neoptolemos, zu erklären sein dürfte [6. 149–151]. Die durch den Mimesisbezug starre platonisch-aristotelische Dreigliederung haben mit anderer Tendenz der *Tractatus Coislinianus* (1. Jh. v. Chr.) und Diomedes' *Ars grammatica* (4. Jh. n. Chr.) modifiziert: beide berücksichtigen auch die nicht-nachahmende Lehrdichtung [15. 11]; Diomedes' flexibles Dreierschema (*genus dramaticum, narrativum, mixtum*) integriert neue und Subgenera wie Bukolik, Elegie, Epode, Satire [14. 31; 10. 44–46]. Einerseits die Nichtberücksichtigung von Lehrgedicht und Lyrik sowie verschiedener Misch-G. durch die platonisch-aristotelische Trad., andererseits die Aufgabe von deren Redekriterium durch rhet. beeinflußte Stilpoetik (so schon Horaz) sollten noch große Spannungen verursachen [15. 10f., 14f.].

### B. Mittelalter

Die *Poetik* des Aristoteles, die schon in der Spätant. nur wenig interessierte, ist dem ma. Westeuropa trotz der Existenz einiger Adaptationen praktisch unbekannt [7. 290f.; 1. 103–106], dagegen die horazische *Ars poetica* mit den präskriptiv orientierten Kommentierungen durch Porphyrio und die *Scholien* des Ps.-Acro gut vertraut [17. 72–79; 10. 41–43]; die *Scholien* verstärkten rhet. Tendenzen der *Ars*: Leitsätze sind Angemessenheit (*convenientia*) und Publikumsrücksicht. Das stimmt zur Auflösung des Begriffs »Poesie«, die nicht mehr theoretisch von Prosa unterschieden und im MA im Rahmen der Sieben Freien Künste (→ Artes liberales), meist als Anhang von Rhet. oder Gramm., abgehandelt wurde [2. 42]. »Poesie« war nur eine bestimmte Form sprachlichen Ausdrucks und »Dichten« nur Versifikation. Dafür boten die ma. Poetiken, beginnend mit der *Ars versificatoria* des Matthäus v. Vendôme (ca. 1175), stilistische Vorschriften mit einer Auswahl rhet. Tropen und Figuren. Bestimmend wurde die urspr. auf Theophrast zurückgehende Lehre von den drei Stilarten, dem MA aus Ansätzen bei Horaz (Hor. ars 26–31, 86–107), ferner aus Rhet. Her. 4,11 f. und dem Servius-Komm. zu Vergil bekannt, wo die drei Werke Vergils als Paradigmen der drei Stile stehen: *Aeneis – stylus gravis, Georgica – stylus mediocris, Bucolica – stylus humilis*. Das MA entwickelte daraus die Konzeption vom *stylus materiae* (Stil ist ein mit dem Stoff vorgegebener Sprachmodus); die *Rota Vergilii* des Johannes v. Garlandia (13. Jh.) ordnete hierarchisch den drei Stilen passende Stände und darzustellende Objekte zu [5. 191f.]. Die auf die Ant. bezogene gattungstheoretische Sachkenntnis hatte dabei schon im Früh-MA gelitten; beginnend etwa mit Isidor v. Sevilla (ca. 560–636) geraten die poetischen G.-Namen trotz der Bekanntheit von Diomedes' Schema zunehmend durcheinander [2. 33–59]; Lit. wird nach völlig differenten Kategorien wie Inhalt, Metrik, Intention, Stilhöhe, Fiktionalitätsgrad klassifiziert [9]. Zudem besteht

das Problem der Anwendung tradierter G.-Begriffe auf die zeitgenössische lit. Produktion [11. 535f.]; gegen E. des MA wächst der Konflikt zwischen den lat. und den vulgärsprachlichen G., wie sie z. B. im It. von A. da Tempo *Summa artis rithmice* (1329/32) systematisiert wurden [2. 60–65].

### C. Renaissance

Die Früh-Ren. vor der Rezeption der aristotelischen *Poetik* ist durch die ma. Trad. geprägt. Die Verquickung von Poesie und Rhetorik besteht fort; die *Rota Vergilii* wird durch Einbeziehung der poetischen G. und Versmasse perfektioniert (so im *Ars poetica*-Komm. des I. Badius Ascensius, 1500). Der Horaz-Komm. von C. Landino (1482) verbietet unter dem Postulat des *decorum* jede Vermischung von Stilen oder Stoffen [17. 79–85; 5. 192–194]. Bis in die Mitte des 16. Jh. bleibt die *Ars poetica* der bestimmende Text, gelesen unter rhet. Aspekten. Noch gegen 1560 und später ist die Drei-Stile-Lehre in Verbindung mit *decorum* und *convenientia* Hauptmittel der G.-Unterscheidung [17. 151, 197]. Nach ihrer »Wiederentdeckung« (1498 lat. Übers. durch G. Valla, 1508 Erstdruck des griech. Originals in den *Rhetores Graeci* von Aldus Manutius, 1536 griech.-lat. Ed. von A. de' Pazzi wird die aristotelische *Poetik* in der zweiten H. des 16. Jh. zum die G.-Diskussion dominierenden Text; dabei herrscht eine normativ-präskriptive Lesart sowie die Tendenz vor, Aristoteles unter dem Vorzeichen der ma.-rhet.-horazischen Trad. zu verstehen [17. 476f.; 7. 297]. Unter diesen Voraussetzungen ergibt sich aus der Konfrontation der *Poetik* mit den zeitgenössischen Formen des Dichtens, bes. den volkssprachlichen Dichtungsformen und Misch-G., eine Reihe von Problemen: (a) Wie ist das platonisch-aristotelische Schema mit dem tatsächlichen Bestand an Dichtungsformen relationierbar? (b) Wie sind insbes. die von Platon und Aristoteles übergangenen lyr. Formen, auch die volkssprachlichen, zu klassifizieren? (c) Ist Aristoteles' Charakterisierung des Epos auf die zeitgenössische Form des Romanzo anwendbar? (d) Verdient die Trag. den Vorzug vor dem Epos (so Aristot. poet. 26) oder umgekehrt? Die Diskussion verlief stets konträr; abschließende Einigkeit wurde kaum je erzielt; Aristoteles und Horaz dienen gewöhnlich beiden Seiten als Berufungsinstanzen. Im einzelnen: (a) Der Ausschluß der lehrhaften Dichtung durch Aristoteles forderte die Ren.-Theoretiker zu einer Stellungnahme heraus. Dabei waren zwei Fragen bestimmend: ob sich Dichtung durch Metrik definieren lasse (so die ma. Trad. gegen Aristoteles) und ob angesichts von *Ars poetica* 333 (›aut prodesse volunt aut delectare poetae‹: ›Die Dichter wollen entweder nützen oder erfreuen‹) in einem poetischen Werk *prodesse* oder *delectare* bes. wichtig sei. Je nach Beantwortung dieser Fragen konnte die Lehrdichtung entweder völlig aus der Dichtung ausgegrenzt (Castelvetro), im Rahmen des diomedischen Dreierschemas unter das *genus narrativum* subsumiert (Scaliger) oder wegen ihres philos. Gehaltes als wertvollste poetische G. überhaupt geführt werden (Lambin) [2. 117,

207; 3. 122]. Neben der aristotelischen G.-Trias Epos, Trag., Kom. konnten wie in B. Varchis *Lezioni della Poesia* andere Einteilungen bestehen, die volkssprachliche Dichtungsformen berücksichtigten [2. 81 f.]. Fiktionale Prosa (Novellistik) wurde dagegen von der G.-Theorie der Ren. weitgehend ignoriert [3. 158; 12. 69–72]. (b) Der gewichtige Status von Petrarcas *Canzoniere* und der im Schwange befindliche Petrarkismus machten es unmöglich, am Problem der Klassifizierung lyr. Formen vorbeizugehen. Dabei war zu entscheiden, ob Lyrik nach der *Poetik* überhaupt als Dichtung einzuordnen sei. Angesichts des aristotelischen Mimesispostulats mußte man Lyrik als nachahmend erweisen, um sie aus aristotelischer Perspektive als Poesie rubrizieren zu können: so etwa J. Mazzoni in seiner *Difesa della Comedia di Dante* (1587); scharfe Ablehnung solchen Vorgehens findet sich z. B. bei dem rigorosen Antiaristoteliker F. Patrizi [2. 95 f.]. Zog man ein an Diomedes orientiertes Dreierschema heran, konnte man die Dichtung in das *genus mixtum* (*imitando et narrando*) einordnen: so A. S. Minturno, *L'arte poetica* (1564) [2. 87]; doch wie uneinheitlich diesbezügliche Lösungsansätze waren, zeigt das Beispiel von G. G. Trissinos *La poetica*, der die Lyrik zur Alleinvertreterin des *genus narrativum* aufrücken läßt [2. 73]. Teils versuchte man auch, die Lyrik den drei aristotelischen G. als viertes Element annexhaft anzuhängen [12. 90]. Die aristotelische Trad. war insgesamt einer Festschreibung der Lyrik als eigenständiger G., wie sie schon 1536 von B. Daniellos *Poetica* versucht worden war [2. 76 f.], eher hinderlich [3. 156]; sie konnte sogar als Waffe im Kampf gegen die theoretische Etablierung neuer Formen dienen [12. 89]. (c) Der sog. Romanzo-Streit [17. 954–1073] um das volkssprachliche Epos (Musterexempel: Ariostos *Orlando furioso*) drehte sich um v. a. zwei Aspekte: inwiefern der phantastische Stoff des Romanzo mit der aristotelischen Wahrscheinlichkeitsforderung kompatibel sei und inwiefern seine episodenreiche und komplexe Handlungsstruktur mit dem aristotelischen Gebot der Handlungseinheit zu verrechnen sei. Dreierlei Antworten wurden gegeben: 1. Der Romanzo sei eine G. für sich, die Aristoteles aus Gründen der Diachronie nicht habe kennen und berücksichtigen können; daher könnten die aristotelischen Normen auf den Romanzo keine Anwendung finden: so G. B. Giraldi Cinthios *Discorso intorno al comporre dei romanzi* (1554). Diese Position impliziert eine histor. orientierte, nicht-normative Sicht der *Poetik*. 2. Der Romanzo sei aus der Sicht der *Poetik* zu verurteilen; er verstoße gegen die Gebote der Wahrscheinlichkeit und Einheit: so Minturnos *Arte poetica* (1564). 3. Der Romanzo sei keine distinkte G., seine Kriterien könnten nicht essentiell von denen des Epos verschieden sein. Die Handlungseinheit sei zu wahren; gestattet sei aber *varietas* innerhalb der Einheit: so T. Tassos *Discorsi dell'arte poetica* (1570). Sowohl die zweite als auch die dritte Position rechnen mit einer universalen, transhistor. Validität der *Poetik*. Auch die beiden anderen großen lit. Debatten des 16. Jh., der Definiti-

onsstreit um Dantes *Divina Commedia* [17. 819–911] und der Streit um die Zulässigkeit der Misch-G. tragikomisches Pastoraldrama (Guarinis *Pastor fido*) [17. 1074–1105; 1. 360–369], weisen auf das Problem der eingeschränkten Applikabilität aristotelischer Theoreme auf die lit. Realität. (d) In der Debatte um den Vorrang von Epos oder Trag. schlägt sich zwar ein Theoretiker vom Rang eines Castelvetro auf die Seite der Trag. und damit der *Poetik*, doch die Superiorität des Epos, untermauert durch das übermächtige Vorbild *Aeneis*, ist in der Ren. ungefährdet (Strozzi, Tasso, Scaliger u. a.); man hält es für überlegen in Diktion und rhet. *ornatus*, moralischer Vorbildhaftigkeit und Sentenzenreichtum, affektbezogener Wirksamkeit und Nützlichkeit [3. 152 f.; 17. 684 f.]. Dies bedingt eine Distanznahme von der *Poetik*, die der Trag. größere Handlungseinheit zuschreibt als dem Epos (Aristot. poet. 26); die Ren. ordnet die für Aristoteles einzig maßgebliche Einheit der Handlung den erst im 16. Jh. explizit gemachten Einheiten des Ortes und der Zeit häufig unter und begreift sie anders als Aristoteles nicht als logische Kohärenz eines kontinuierlichen Handlungsablaufs, sondern abgeblaßt als ein (theoretisch wenig geklärtes) Zusammenpassen aller Teile einer Dichtung zum zentralen Handlungsstrang [7. 297 f.; 17. 803].

### D. 17. JAHRHUNDERT

Im 17. Jh. verlagert sich der Schwerpunkt der gattungstheoretischen Diskussion nach Frankreich. Die Diversifizierung der G. erfährt kaum Neuerung; das Genus »Lyrik« wird auch jetzt noch nicht fest etabliert [2. 134]. Zwar gibt es hinsichtlich der Einteilung der G. das Bestreben, neue Formen in die tradierten ant. Schemata einzuordnen: so versucht J. Chapelain (*Préface de l'Adone*, 1623), Marinos mythol. Gedicht *Adone* unter den traditionellen G.-Begriff Epos zu subsumieren, während A. Daciers kommentierte *Poetik*-Übers. (1692) den mod. Prosaroman aus Aristoteles rechtfertigen will [2. 136, 145 f.] und Ch. Perrault die Oper unter Aristoteles' dramat. Dichtungsformen stellt [3. 204 f.]; die zeitgenössischen lyr. Kleinformen erfahren verschiedene Rubrizierung [2. 135–149]. Doch das Hauptgewicht liegt auf den fraglos akzeptierten aristotelischen G. Epos und v. a. Tragödie. Die Bedeutung der *Ars poetica* tritt stark zurück, während sich die unter dem Einfluß des Aristotelesinterpreten D. Heinsius [3. 170–175] rezipierte *Poetik* aus der rhet. Trad. löst, in die sie die it. Ren. integriert hatte. In einer Gegenbewegung zum barocken Konzeptismus [3. 186–191] macht der rigorose frz. Aristotelismus die *Poetik* zum Referenzpunkt einer strikt moralisch ausgerichteten Normativitätspoetik. Diese unter dem Diktat der *raison* stehende gattungstheoretische Präskription, angereichert durch G.-Regeln, die man aus der *Ars poetica* ableitete, gewann dabei genug Einfluß, um Misch-G. wie Pastoraldrama, Tragikomödie, komisches Heldenepos stark zurückzudrängen [5. 234 f.]. Die klassizistische Dichtungstheorie (J. Chapelain, J. de la Mesnardière, G. de Scudéry, Abbé d'Aubignac) interessierte sich hinsichtlich der G. Trag.

weniger für stilistisch-rhet. Aspekte als vielmehr (hierin durchaus mit Aristoteles konform) für Strukturfragen und Ordnungsprinzipien des dramatischen Handlungsaufbaus, wobei Klarheit, Formstrenge und Ökonomie gefordert waren. Die zeittypische Fixierung auf Konventionen bestimmte nun die Valenz des urspr. rhet. konnotierten Leitbegriffs der Angemessenheit (*bienséance, convenance*). Aus Aristoteles (Aristot. poet. 9) leitete man das Grundpostulat der – freilich nur vage durch Verweis auf die *opinion commune* definierten – *vraisemblance* ab, die Voraussetzung für das Erreichen des moralischen Wirkungsziels (das *docere* ist für die frz. Aristoteliker dem *delectare* eindeutig vorgeordnet) der Trag. war [5. 225–228]; die Besserung der Zuschauer sollte durch Exempelcharakter der dargestellten Handlungen und strikte Durchführung der poetischen Gerechtigkeit erzielt werden. Die *vraisemblance* war für die Aristoteliker nur durch striktes Einhalten der in der it. Ren. präfigurierten, jetzt zu eisernen Regeln erhobenen »Drei Einheiten« [5. 231–236] zu erreichen. Daß die theoretischen Forderungen von der dichterischen Praxis oft erheblich abwichen, zeigt der Fall Corneilles: nach scharfer Diskussion um seine Tragikomödie *Le Cid* (*Querelle du Cid*) zur Anerkennung aristotelischer Regelhaftigkeit bereit, versuchte er in den *Trois discours sur le poème dramatique* (1660), im Rahmen der Regeln die schöpferische Freiheit der Dichtungspraxis möglichst auszudehnen [16].

Konzentriert sich Frankreich somit auf eine theoretisch avancierte Diskussion einer Einzel-G., so bleibt die G.-Poetik außerhalb des Landes oft auf dem Stand der Ren.-Poetik Scaligers zurück, an dem sich das *Buch von der Deutschen Poeterey* (1624) von M. Opitz orientiert: ähnlich wie in G. P. Harsdörffers *Poetischem Trichter* werden G. hier unspezifisch formalisierend nach Gegenstands- und Verskriterien abgehandelt, wobei die aus der Ren. bekannte Entsprechung von G., Stilhöhe und dargestelltem Personenkreis (sog. Ständeklausel) noch erhalten bleibt [11. 542f.]. Eine Ausnahme ist ein Werk wie A. Buchners *Anleitung zur Deutschen Poeterey* (1665), das die aristotelische G.-Differenzierung nach Medien, Objekten und Modi der Darstellung kennt, das Redekriterium als wichtige Kategorie einstuft und Aristoteles' Skepsis hinsichtlich des Verskriteriums billigt [15. 19–21]. In der Auffüllung des Systems durch konkrete Einzel-G. geht Buchner weniger konsequent vor als Th. Hobbes, der 1650 die G. horizontal nach einem ständisch geprägten Gegenstandskriterium (Hof, Stadt, Land) und vertikal nach dem Redekriterium (*narrative vs. dramatique representation*) einteilt; die Gliederung lautet: Epos/Trag. (Hof), Satire/Kom. (Stadt), epische Idylle/dramatische Idylle (Land)[15. 23].

### E. 18./19. JAHRHUNDERT

Im 18. Jh. ist die *Poetik* gegenüber der *Ars poetica* weiter bestimmend; die ant. G.-Theorie steht im Konflikt zw. traditioneller Regelpoetik und fortschrittlicher Dichtungstheorie auf Seiten der Tradition. Während in England und Frankreich die traditionellen G.-Begriffe zumindest als pragmatische Termini Geltung behalten [15. 273], bröckelt bes. im dt. Sprachraum die Valenz der ant. G.-Tradition unter dem Einfluß divergenter Strömungen wie der Genieästhetik, des Interesses an der histor. G.-Vielfalt und einer klass.-idealistischer Perspektive gesehenen Möglichkeit ihrer Relationierung mit »wahren Grundformen« als inneren Wesenskernen eines organischen Dichtungsganzen [18. 279f.], schließlich des positivistischen Willens zur Detailbeschreibung von Einzelbeobachtungen der dichterischen Vielfalt [11. 549] immer weiter ab. Im Rahmen einer gesamteurop. Abkehr von der traditionellen G.-Poetik [15. 220–222] wird auf das aristotelische Mimesisprinzip und infolgedessen auf konkrete G.-Bestimmungen zunehmend verzichtet: eine Unterscheidung von Dichtungsformen nach dem Redekriterium scheint einer oft stark produktionsästhetisch akzentuierten poetischen Empfindungslehre unzureichend. Sie sieht die Vielfalt möglicher poetischer Formen nicht rückführbar auf Gesetzmäßigkeiten fixer G.-Begriffe [15. 265f.]; die Kritiker der traditionellen Regelpoetik lassen Misch-G. problemlos zu, die in die traditionellen Schemata nur schwer einzuordnen waren [18. 273–275]. Die direkt wirkungsträchtige, mit Mimesispostulat und Normativitätsvorstellungen korrelierte Rezeption der ant. G.-Poetik ist somit, trotz der Persistenz von je verschieden aufgefüllten G.-Begriffen (»Epos«, »Drama«, »Lyrik« bzw. entsprechend adjektivisch gefaßten Termini) und trotz vereinzelter theoretischer Reflexe noch im 20. Jh., etwa bei den neoaristotelischen *Chicago critics* [7. 317; 8. 115–117] oder im gelegentlichen Rekurs auf das Redekriterium [8. 156–160], im wesentlichen schon im 19. Jh. zum Erliegen gekommen. Aus dieser Sicht stellen sich v. a. zwei Ansätze als letzte Aufgipfelungen unmittelbaren Einflusses der ant. G.-Theorie dar: J. Ch. Gottscheds *Versuch einer Critischen Dichtkunst* (1730, 4. Aufl. 1751) und Ch. Batteux' in Deutschland stark rezipiertes Werk *Les beaux arts réduits à un même principe* (1746, später erweitert im *Cours de belles lettres*). Gottsched lehnt die in der dt. Theorie vorherrschenden Reim- und Verspoetiken ab und tritt vehement für das Nachahmungsprinzip als Grundlage der Dichtung ein [15. 29–32]. Er unterscheidet drei G. der Nachahmung [15. 32–39]: (a) bloße Beschreibung oder lebhafte Schilderung, (b) der Dichter spricht in »fremder« Rolle oder läßt Personen auftreten, (c) Fabel, definiert in Analogie zu Aristoteles (Aristot. poet. 6) als Zusammensetzung von Sachen sowie als Erzählung einer möglichen Begebenheit, die eine moralische Wahrheit verbirgt. Allerdings vermischt Gottsched rhet. (*descriptio*) und aristotelisch-poetologische Kategorien (*mythos*) [5. 263], trennt das Handlungsprinzip (Fabel) vom Mimesispostulat [15. 33], wendet das Redekriterium nicht konsequent an und bringt die theor. »G. von Nachahmungen« nicht mit den histor. G. in Einklang [18. 266f.]. Eine kohärente G. »Lyrik« wird auch hier noch nicht formiert. Sie kommt erst bei Batteux zustande, der sie unter explizitem Rekurs auf Aristoteles [2. 167] neben den G.

epische und dramatische Poesie fest etabliert; dies gelingt durch Anwendung des Mimesisprinzips auf Lyrik als Nachahmung von Empfindungen (präfiguriert schon in der Ren. bei P. Torelli [13. 409] und in A. S. Minturnos *L'arte poetica*). Die seit der Ant. problematische didaktische Poesie wird zwar als vierte G. genannt, aber wegen des auf sie nicht anwendbaren Mimesiskriteriums den drei Haupt-G. nur annexhaft angeschlossen [15. 57–82]. Batteux' System stellt einen Fix- und Wendepunkt dar: in der traditionellen Schulpoetik bis ins 19. Jh. anerkannt, leitet es doch zur oben genannten Abwendung von der ant. G.-Theorie über, die wegen des ihr anhaftenden Odiums der Normativität endgültig jede flexible Applikabilität eingebüßt hatte.

→ AWI Artes liberales; Diomedes
→ Artes liberales

1 K.-H. BAREISS, Comoedia, 1982 2 I. BEHRENS, Die Lehre von der Einteilung der Dichtkunst, 1940 3 J. BESSIÈRE ET AL., Histoire des poétiques, 1997 4 H. FLASHAR, Eidola, 1989, 201–219 5 M. FUHRMANN, Einführung in die ant. Dichtungstheorie, 1973 6 Ders., Die Dichtungstheorie der Ant., 1992 7 S. HALLIWELL, Aristotle's Poetics, 1986 8 K. W. HEMPFER, G.-Theorie, 1973 9 U. KINDERMANN, G.-Systeme im MA, in: Kontinuität und Transformation der Ant. im MA, ed. W. ERZGRÄBER, 1989, 303–313 10 P. KLOPSCH, Einführung in die Dichtungslehren des lat. MA, 1980 11 S. KOMFORT-HEIN, G.-Lehre, HWbR 3, 528–557 12 F. LECERCLE, Théoriciens français et italiens, in: La notion de genre à la Ren., ed. G. DEMERSON, 1984, 67–100 13 G. REGN, Mimesis und autoreferentieller Diskurs, in: Die Pluralität der Welten, ed. W.-D. STEMPEL/K. STIERLE, 1987, 387–414 14 W. V. RUTTKOWSKI, Die lit. G., 1968 15 K. R. SCHERPE, G.-Poetik im 18. Jh., 1968 16 P. THIERCY, La réception d' Aristote en France à l' époque de Corneille, in: Ant. Dramentheorien und ihre Rezeption, ed. B. ZIMMERMANN, 1992, 169–190 17 B. WEINBERG, A history of lit. criticism in the Ital. Ren., Ndr. 1974 18 G. WILLEMS, Das Konzept der lit. G., 1981. BERNHARD HUSS

**Geburtshilfe** A. EINLEITUNG B. PROFESSION C. ANATOMISCHE UND PHYSIOLOGISCHE GRUNDLAGEN UND DIE NORMALE GEBURT D. SCHWIERIGE GEBURT E. KAISERSCHNITT

A. EINLEITUNG

Eine Darstellung der Rezeption der ant. G. leidet darunter, daß wesentliche Teile der obstetrischen Praxis nicht oder nur am Rande beschrieben wurden: Die normale Geburt galt bis weit in die Neuzeit hinein im wesentlichen als Angelegenheit von Frauen, die ohne medizinisches Engagement im engeren Sinne vonstatten ging. Daher überliefern die relevanten Schriften der Ant. (*Corpus Hippocraticum*, Herophilos, Celsus, Philumenos, Soranos), deren Rezeption beschrieben werden kann, in erster Linie theoretische Überlegungen (z. B. fehlende Lebensfähigkeit des Achtmonatskindes: *Corpus Hippocraticum, De octimestri partu*) sowie Vorgehensweisen bei pathologischen Verläufen, während die un-

komplizierte, von Frauen ausgeübte G. einschließlich ihrer Rituale über Jahrhunderte hinweg nur sporadisch verschriftlicht wurde. Am Beispiel der *Gynaikeia* des Soranus bzw. ihrer katechetischen Kurzfassung können die verschlungenen Rezeptionswege der ant. Texte zur G. am besten illustriert werden [8. 235–237]: Neben frühen lat. Bearbeitungen des Westens (Hebammenkatechismen des Caelius Aurelianus und des Mustio mit Rückübers. ins Griech. unter dem Pseudonym »Moschion«; fiktiver Dialog *Liber ad Soteris obstetrix*, Ms. Laurentianus 73.1, 9./10. Jh.) wird auch der griech. Originaltext überliefert; am wirkungsmächtigsten waren aber wohl kurze, komprimierte und neu strukturierte Auszüge in den Übersichtswerken der byz. Autoren Aëtios von Amida (6. Jh., Libri medicinales 16,23) und insbes. Paulos von Aigina (7. Jh., Epitomae medicae libri septem 3,66; 72; 76; 4,74); v. a. aus der klaren Darstellung des letzteren schöpfte die islamische Medizin (Abu 'l-Qasim, um 1000, Chirurgia 75–77; Avicenna, Canon 3,21,2,12–24) und von dieser wiederum das lat. Hochund Spätmittelalter. Erste volkssprachliche Kompendien zur Frauenheilkunde [9; 15] enthalten neben Tradiertem jedoch durchaus auch eigenständige, pragmatische Unterweisungen. Das verhältnismäßig hohe Niveau der ant. G. im Blick auf Prognose und Einleitung der Geburt, Ursache und Diagnose der Geburtsanomalien einschließlich differenzierter Gegenmaßnahmen sowie eine sorgfältige Beobachtung des Wochenbetts wurden jedoch über tausend Jahre nicht wieder erreicht. Substantielle Verbesserungen zeichnen sich erst seit dem 17. Jh. ab (klinisch orientierte G., Entwicklung der Geburtszange).

B. PROFESSION

Die eingangs skizzierte, bereits in der Ant. angelegte Aufgabenteilung zw. (halb)professionellen Hebammen, deren Dominanz in der Praxis sich aus soziokulturellen Implikationen noch verstärkte, und an geburtshilflicher Theorie und Didaktik interessierten Ärzten veränderte sich erst am E. des MA: Die im 13. Jh. aufkeimende Kritik an Hebammen (*ignorantia obstetricum*: Thomas von Cantimpré, Liber de natura rerum 1,76) entwickelte sich zu einem Topos (Eucharius Rösslin, Prolog zu *Der Swangeren Frawen und Hebammen Rossgarten*, 1513) und führte zu einer Reglementierung ihrer Tätigkeit durch Kirche, Stadtregiment und gebildeter Medizin, die in ersten Berufsordnungen festgeschrieben wurde. In diesem Kontext wird das von Soranus angeregte Ideal einer Hebamme verstärkt rezipiert (Bernard de Gordon, um 1300, Lilium medicinae 7,16), und trotz der Abwertung schrieben Ärzte bis weit in die Neuzeit hinein nach ant. Vorbild (Soranus, *Gynaikeia*) für praktisch tätige Hebammen, wie die einschlägigen Texte von Guy de Chauliac (um 1350, Chirurgia magna 6,2,7), Rösslin oder Christoph Voelter [4] bezeugen.

C. ANATOMISCHE UND PHYSIOLOGISCHE GRUNDLAGEN UND DIE NORMALE GEBURT

Konkurrierend zur Rezeption der ant. Vorstellung eines zweihörnigen Uterus (Rhazes, Liber Regius 9)

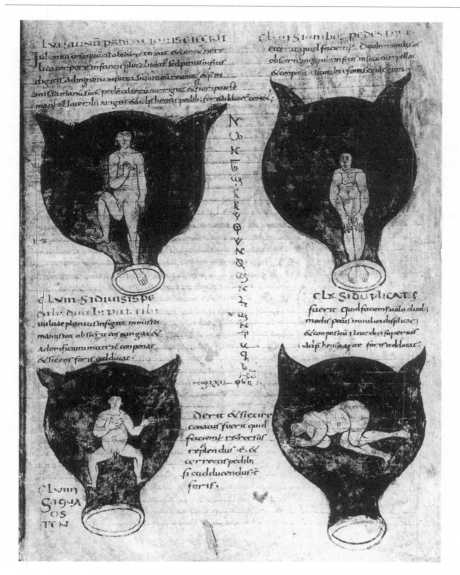

Abb. 1: Kindslage im Uterus nach Soranus. Brüssel, Bibliothèque Royale de Belgique

entwickelte sich aus byz. Quellen (Ps. Galen, *De spermate*) das ma.-abendländische Modell des siebenkammerigen Uterus [12], das ebenso wie die bereits im *Corpus Hippocraticum* (De natura pueri 10) postulierten Gefäßverbindungen zw. Brüsten und Gebärmutter erst von Anatomen des 16. Jh. korrigiert wurde. Das bes. bei Soranus entfaltete Wissen über Geburtslagen (Regelfall Kopflage; Soranus, Gynaikeia 4,3) wird in Bild (Abb. 1) und Text [15. cap. 7] rudimentär weitergegeben. Hinweise auf den Gebärstuhl (Soranus, Gynaikeia 2,2) werden von Rösslin aufgegriffen. Neben der traditionellen G. mittels Einfettungen, Bädern, Räucherungen, Klistieren, Nies- und Wehenmitteln (Abortiva) empfiehlt die empirisch ausgerichtete medizinische Lit. des MA

auch aus anderen Quellen überlieferte magische Riten. Etwa die Anweisung, einer Gebärenden eine mit einem magischen Quadrat und zwei Psalmversen beschriftete Tonscherbe unter den Fuß zu schieben (at-Tabari, 9. Jh., *Firdaus al-hikma* [16. 162]). Trotz der Ablehnung solcher Praktiken rät Antonius Guainerius (*Tractatus de matricibus*, 15. Jh.) unter Hinweis auf ant. Mythen zu rel. Ritualen unter der Geburt [11. 197f.].

### D. SCHWIERIGE GEBURT

Eine schmerzhafte Geburt wurde aufgrund ihrer patristischen Deutung als Sühne (Tertullian, 2. Jh., De cultu feminarum 1,1) und der aristotelischen These, Frauen seien die einzigen Lebewesen, die Schwierigkeiten beim Gebären hätten (gen.an. 775a 28 – b 8), als selbstverständlich hingenommen. Dennoch bilden Methoden zur Bekämpfung und Beendung einer erschwerten Geburt einen Rezeptionsschwerpunkt in von Männern verfaßten medizinischen Texten zur G., da dafür traditionell chirurgische Erfahrung und körperliche Kraft als notwendig angesehen wurden. Zahlreiche Methoden der manuellen Entbindung werden freilich nur noch sporadisch und stichwortartig überliefert (Liber Cleopatrae, in: Th. von Cantimpré, Liber de natura rerum, 1,75–76). Da bereits Aëtios wie auch Paulos die Wendung auf die Füße nicht mehr klar beschrieben hatten, verschwindet diese Operation für viele Jh. (bis zu A. von Villanova, um 1300, Breviarium 3,4) aus der geburtshilflichen Lit. [6. 16, 92]. Fast schon wie Wiederentdeckungen wirken daher Hinweise auf den Dammriß und den Dammschutz in der unter dem Namen Trotula breit überlieferten Schrift *De curis mulierum* (12. Jh.). Während Paulus von Aigina und Avicenna noch ein breites Spektrum an geburtshilflichen Methoden zusammenstellten, konzentrierte sich die spätma. Chirurgie (Francesco di Piedimonte, Supplementum ad Mesuen 4,16; Guy de Chauliac; Alessandro Benedetti, De re medica 25) im Anschluß an das *Corpus Hippocraticum* (De mulieribus 1,70; 3,249; De superfetatione 7; De exsectione foetus) und Abu 'l-Qasim auf Pharmaka sowie manuelle und instrumentelle Mittel zur Extraktion (ἐμβρυουλκία) und Zerstückelung (ἐμβρυοτομία) abgestorbener (urspr. bei Soranus, Gynaikeia 4,9,13 auch lebender) Feten sowie auf Maßnahmen bei Plazentaretention. Noch im 17. Jh. wurden bei dem ethisch akzentuierten Streit der Geburtshelfer Mauriceau [1. 304–306] und Peu [2. 357–376 Anh. 11 f.] um neu entwickelte Extraktions-Instrumente ausgiebig patristische Sentenzen herangezogen.

E. KAISERSCHNITT

Die vielleicht wirkungsmächtigste Rezeption im Bereich der G. war lange Zeit außerhalb der Medizin angesiedelt: Grammatische (Isidor, Etymologiae 9,3,12) und histor. Werke (Joannes Malalas, Chronographia 9,214,2) deuteten seit der Spätant. einen unklaren Hinweis des Plinius (nat. 7,9) bezüglich eines angeblich durch Schnitt (*caeso utero*) entbundenen *primus caesarum* auf Gaius Julius Caesar. Zu dieser histor. nicht nachvollziehbaren Etymologie gesellte sich neben anderen juristischen Hinweisen aus der Kaiserzeit spätestens im 6. Jh. (Digesta Justiniani 11,8,2) eine *Lex Regia*, die die Bestattung von toten Schwangeren untersagte, bevor ihre Frucht herausgeschnitten wäre. Nimbus der »Cäsarischen Geburt« und gesetzliche Verpflichtung wirkten seit dem 14. Jh. auf die medizinische Lit. ein, so daß der erstmals 1581 propagierte Kaiserschnitt an der Lebenden [3] den noch h. üblichen Namen *Opération Césarienne* bzw. *Sectio Caesarea* erhielt und die Schnittentbindung von Toten bis weit in das 19. Jh. hinein juristisch verbindlich blieb.

→ AWI Aëtios; Caelius; Corpus Hippocraticum; Geburt; Gynäkologie; Hebamme; Herophilos; Paulos von Aigina; Philumenos; Plinius; Soranos

QU 1 F. MAURICEAU, Traité des maladies des femmes grosses, Paris ²1682 2 P. PEU, La pratique des accouchemens, Paris 1694 3 F. ROUSSET, Traitté nouveau de l'hysterotomotokie ou enfantement caesarien, Paris 1581 4 CH. VOELTER, Neu eroeffnete Heb-Ammen-Schuhl, Stuttgart 1679

LIT 5 K. BERGDOLT, s. v. Schwangerschaft und Geburt, LMA 7, 1612–1616 6 P. DIEPGEN, Frau und Frauenheilkunde in der Kultur des MA, 1963 7 J. DONNISON, Midwives and medical men. A history of the struggle for the control of childbirth, ²1988 8 M. H. GREEN, The transmission of ancient theories of female physiology and disease through the early Middle Ages, 1985 9 B. KUSCHE, Frauenaufklärung im Spät-MA. Eine philol.-medizinhistor. Unt. und Ed. des gynäkologisch-obstetrischen GKS. 1657 Kopenhagen, 1990 10 S. LAURENT, Naître au moyen âge. De la conception a la naissance: la grossesse et l'accouchement (XIIe – XVe siècle), 1989 11 H. R. LEMAY, Women and the literature of obstetrics and gynecology, in: Medieval women and the sources of medieval history, hrsg. von J. T. ROSENTHAL, 1990, 189–209 12 R. REISERT, Der siebenkammerige Uterus, 1986 13 D. SCHÄFER, Embryulkie zw. Mythos, Recht und Medizin. Zur Überlieferungsgesch. von *Sectio in mortua* und *Embryotomie* in Spätant. und MA. Medizinhistor. Journ. 31 (1996), 275–297 14 Ders., Geburt aus dem Tod. Der Kaiserschnitt an Verstorbenen in der abendländischen Kultur, 1999 15 M. SCHLEISSNER, Ps.-Albertus Magnus: *Secreta mulierum cum commento*, Deutsch. Critical text and commentary, phil. diss. Princeton 1987 (masch.) 16 G. STROHMAIER, Die Rezeption und die Vermittlung: die Medizin in der byz. und in der arab. Welt, in: Die Gesch. des medizinischen Denkens. Ant. und MA, hrsg. von M. D. GRMEK, 1996, 151–181.

DANIEL SCHÄFER

## Geflügelte Worte

A. ZUM GATTUNGSBEGRIFF
B. ZUR CHARAKTERISTIK
C. ZUM BILDUNGSHINTERGRUND
D. EIGENSTÄNDIGE VERBREITUNG
E. ZUM BEDEUTUNGSWANDEL
F. ZUR SPRACHGESTALT
G. VIELFÄLTIGER LEBENSBEZUG
H. ZUR GEGENWÄRTIGEN SITUATION
I. AUFMERKSAMKEITSWERT

A. ZUM GATTUNGSBEGRIFF

Einen Fundus geläufiger, »geflügelter« Zitate aus den Alten Sprachen hat es längst vor Büchmann gegeben. Heerscharen solcher Zitate aus verlorenen Werken speisen unsere Fragmentsammlungen; als ein Beispiel für Hunderte stehe Solons ›γηράσκω δ' αἰεὶ πολλὰ διδασκόμενος‹, ›Alt werde ich, und stets lerne ich vieles hinzu.‹ Macrobius, Saturnalien 5,16,7, nennt eine Reihe von Vergilzitaten, die ›sprichwörtlich in aller Munde sind‹ (›vice proverbiorum in omnium ore funguntur‹). Aber erst in Georg Büchmanns Sammlung, die zuerst 1864 in Berlin erschien und rasch zum Klassiker avancierte, ist dieser Zitatenschatz als eigenständige Gattung hervorgetreten; ihr Titel *Geflügelte Worte* (nach dem Homervers ›...ἔπεα πτερόεντα προσηύδα‹, ›... und sprach die geflügelten Worte‹, Ilias 1, 201 und öfter) ist mit Recht zum Gattungsbegriff geworden. Die *Adagia*, die Erasmus zuerst in einer noch vergleichsweise schmalen Sammlung 1500, schließlich in mehr als vier ›Tausendschaften‹ 1533 vorgelegt hatte, enthalten zwar manche G. W., wie wir sie verstehen, gelten im Ganzen aber doch eher den bildhaften Wendungen, und schon der Verschiedenheit der Epochen wegen empfiehlt es sich, ›Adagia‹ und ›G. W.‹ auseinanderzuhalten.

### B. Zur Charakteristik

Zur Eigenart der G. W. gehört die Geläufigkeit in der jeweils angesprochenen Bildungsschicht und die Loslösung von lit. Quellen und histor. Bezügen. Die G. W. sind in der Regel auch entflogene Worte: Sie werden gewöhnlich ohne Autor und Werk angeführt, und oftmals weiß der Zitierende so wenig wie sein Publikum, welchen Autor und welcherlei Werk er zitiert, aus welcher Zeit das Wort stammt und worauf es sich bezieht. Georg Büchmann wollte als »geflügelt« ausschließlich solche Worte gelten lassen, die ›von nachweisbaren Verfassern ausgegangen‹ sind. Worte, für die sich kein Verfasser nachweisen ließ, selbst so vielzitierte wie ›In dubio pro reo‹ oder ›De gustibus non est disputandum‹, sind bei Büchmann bis in die jüngste Auflage hinein nicht verzeichnet. Der heutige Sprachgebrauch schließt derlei vollends entflogene Worte, zumindest solche aus den Alten Sprachen, selbstverständlich mit ein; er wird der Eigenart dieser Zugvögel ohne ein säuberlich mit Autor und Werk, Paragraph oder Vers beschriftetes Ringlein zweifellos besser gerecht.

### C. Zum Bildungshintergrund

Das Aufkommen eines solchen Zitatenschatzes setzt einen entsprechenden Bildungshintergrund voraus. Wer ein G. W. zitiert, rechnet darauf, daß sein Gegenüber das Wort, auch ein auf griech. oder lat. angeführtes, selbst ein nur locker angespieltes (›Si tacuisses . . .‹), nicht nur ohne weiteres versteht, sondern als vertrautes Zitat begrüßt. Das G. W. verbindet Sprecher und Hörer in einem augenzwinkernden Einverständnis. Der bei Büchmann seit 1864 dokumentierte ›Zitatenschatz‹ aus den Alten Sprachen – die Jubiläumsausgabe von 1964 verzeichnet 66 griech. und 480 lat. G. W. – spiegelt die allg. bürgerliche Bildung des späteren 19. und des früheren 20. Jh. und den Lektürekanon des zeitgenössischen human. Gymnasiums. Dem entspricht der große Anteil der Zitate aus griech. und lat. Schulautoren. Eine Reihe von Komödienzitaten wie ›Sapienti sat‹ und ›Homo sum; humani nil a me alienum puto‹ deuten noch auf die Terenzlektüre der jungen Lateinschüler, die der nachmals obligaten Caesarlektüre voraufging; eine stattliche Zahl von Horazzitaten bezeugt die früher stärker verbreitete Lektüre auch der *Satiren* – danach etwa ›Quot capita, tot sensus‹ – und der *Ars poetica* – daraus etwa ›In medias res‹. Was die Alten Sprachen angeht, sind »Schule« und »Büchmann« in jenen hundert J. zw. 1864 bis 1964 auf dem Nährboden jener verbreiteten human. Bildung eine fruchtbare Symbiose eingegangen: Die Schullektüre lieferte und unterhielt den Schatz der G. W.; der »Büchmann« wiederum lieferte

edles Übungs- und Beispielmaterial. Die Verbreitung solcher G. W. durch Übungs- und Beispielsätze ist nicht zu unterschätzen; jenes ›De gustibus . . .‹ mag in einem Beispielsatz – hier für das verneinte Gerundivum – seinen dunklen Ursprung haben.

### D. Eigenständige Verbreitung

Generell hat sich die Rezeption eines erst einmal flügge gewordenen Wortes von der Rezeption seines Autors und seines Ursprungswerkes so gut wie ganz gelöst. Das geflügelte ›Habent sua fata libelli‹ gilt für die G. W. so gut wie für ihre Ursprungswerke und ist selbst das beste Exempel: Das vielzitierte Wort – seit 1825 auch Wappenspruch des Börsenvereins des Deutschen Buchhandels – stammt aus den längstvergessenen Büchlein des Terentianus Maurus *De litteris, syllabis et metris*. Drei Beispiele für viele G. W., die der Vergessenheit ihrer Ursprungswerke glücklich entflogen sind: ›Homo homini lupus‹ stammt aus einer kaum mehr gelesenen Plautuskomödie, ›Mens sana in corpore sano‹ und ›Panem et circenses‹ sind aus den kaum mehr gelesenen Juvenalischen Satiren aufgeflogen. ›Vita brevis, ars longa‹, im griech. Original am Anfang der Hippokratischen *Aphorismen*, hat erst bei Seneca am Anfang der Schrift *Über die Kürze des Lebens*, dann in Goethes *Faust* in Wagners Stoßseufzer ›Ach Gott, die Kunst ist lang . . .‹ neue, vielzitierte Ursprungsorte gefunden. Neuerdings haben Drogenhandel und Geldwäscherei dem Vespasianischen ›Non olet‹ zu einem beachtlichen »Quotation Index« verholfen, und angesichts der jüngsten Prometheischen Feuerdiebstähle, der Entfesselung der Kernkraft und der Entzifferung des Gencodes, ist das Sophokleische ›Πολλὰ τὰ δεινὰ κ'οὐδὲν ἀνθρώπου δεινότερον πέλει‹, ›Viel Ungeheures ist, doch nichts so Ungeheures wie der Mensch‹, brennend aktuell geworden.

### E. Zum Bedeutungswandel

Aus ihrem lit. oder histor. Kontext herausgelöst, haben bes. die G. W. aus dem Griech. und Lat. im Laufe der Jh. nicht selten abgewandelte, mehr oder weniger mißverstandene Bedeutungen angenommen. Das letzte Wort des Archimedes ›Noli turbare circulos meos‹ galt konkret den auf dem Zeichenbrett in den feinen Sand gezogenen Kreislinien und nicht, wie die geläufige Übers. ›Störe meine Kreise nicht!‹ suggeriert, irgendwelchen Persönlichkeitssphären. Caesars ›Alea iacta est(o)‹, durchweg fehlverstanden als ›Der Würfel ist gefallen‹, heißt korrekt übersetzt: ›Der Würfel ist (sei) geworfen‹: Das Wort, ein damals schon sprichwörtlicher Menandervers, meint nicht die Entscheidung, die mit dem Würfel fällt, sondern die Entscheidung für das Wagnis des Wurfs. Vergils ›Labor omnia vicit/improbus‹ bezieht sich auf die unaufhaltsame Ablösung der Goldenen durch die Eiserne Zeit; auf den Spuren eines offenbar bereits ant. Fehlverständnisses zitiert Büchmann ›Labor omnia vincit‹ und übersetzt ›Unablässige Arbeit besiegt alles‹ – die »Schule« läßt grüßen. Die Schlüsselrolle des human. Gymnasiums für die Rezeption dieser Worte verrät sich auch in der krassen Verkehrung der bitteren Schulschelte ›Non vitae, sed scholae discimus‹

aus Senecas Briefen zu dem goldenen Programmspruch ›Non scholae, sed vitae discimus‹ über dem Schulportal.

### F. Zur Sprachgestalt

Eine Anzahl lat. G. W. verdankt ihr Flüggewerden einer strenggefügten, einprägsamen Sprachgestalt. Paradebeispiel dafür ist Caesars brillantes ›Veni vidi vici‹, ›Ich kam, ich sah, ich siegte‹, mit seinen drei gleichgeordneten, gleichgewichtigen Verbformen und seinen drei gleichen Anlauten und Auslauten – von der Steigerung des Ausdrucks bis zum fulminanten ›vici‹ ganz zu schweigen. Äußerste Verkürzung, Anklänge und Gleichklänge finden sich auch in G. W. wie ›Amantes amentes‹, ›Fortes Fortuna adiuvat‹, ›Multum, non multa‹, ›Nomen est omen‹. Entsprechungen und Gegensätze, jeweils auf genau vier Wörter gestellt, kennzeichnen Worte wie ›Qualis rex, talis grex‹, ›Quot capita, tot sensus‹, ›Hic Rhodus, hic salta!‹, ›Aut Caesar aut nihil‹, ›Vita brevis, ars longa‹. In ›Summum ius, summa iniuria‹ kommt noch ein herausforderndes Paradoxon hinzu. Die charakteristische Prägnanz des Lat. tritt in solchen G. W. mit bes. Deutlichkeit hervor.

### G. Vielfältiger Lebensbezug

Das entscheidende Kriterium für das Flüggewerden eines Zitats liegt jedoch nicht in der augen- und ohrenfälligen Lautgestalt oder der prägnanten Strenge der Wortfügung, sondern in einem vielfältigen Lebensbezug. Je öfter ein G. W. in den verschiedenen alltäglichen Lebenssituationen ein passendes, erhellendes, schlagendes, erlösendes Zitat abgibt, desto öfter wird es zitiert und wieder zitiert. Daher rührt die Geläufigkeit etwa eines ›Errare humanum est‹ oder eines ›Quot capita, tot sensus‹. Im Falle der griech. und lat. G. W. kommt oft noch ein Effekt der Erhöhung und Veredlung hinzu: Ein ›Alea iacta est‹ verlegt jedwede Alltagsentscheidung an den Rubikon, ein ›Veni vidi vici‹ verleiht jedem raschen Verhandlungserfolg einen Abglanz Cäsarischer Fortune. Und manch einer hört allenfalls lieber ein lat. ›Si tacuisses . . .‹ als unverblümten dt. Klartext.

### H. Zur gegenwärtigen Situation

Mit dem steten Rückgang des altsprachlichen Unterrichts an den Gymnasien haben die griech. und lat. G. W. ihr angestammtes Biotop in den letzten Jahrzehnten weitgehend eingebüßt. Es gibt keine durchgehend human. gebildete Gesellschaftsschicht, keine human. orientierten Gesellschaftskreise mehr, in denen diese G. W. im Wortsinn »selbstverständlich« ein und aus fliegen könnten. Im geschlossenen Kreis von alten »Griechen« und »Lateinern« mag Büchmanns vielhundertstimmige Vogelschar auch weiterhin eine wohlumhegte Voliere finden; auf der freien Wildbahn, in der offenen Gesellschaft, ist ein ohne Übersetzung, ohne Erläuterung lat. oder griech. zitiertes G. W. zu einer *rara avis* – nein, sagen wir doch lieber: zu einem »seltenen Vogel« geworden. Was in der Originalsprache bleibt und aller Voraussicht nach auf Dauer bleiben wird, ist das Allergeläufigste: G. W., die auch dem nicht Griechisch- oder Lateinkundigen mit der Zeit vertraut geworden sind, Worte wie im Griech. ›Heureka!‹ und ›Πάντα ῥεῖ‹, im

Lat. ›Carpe diem!‹, ›Ceterum censeo . . .‹, ›In dubio pro reo‹, ›In medias res‹, ›Nomen est omen‹, ›Non olet‹, ›Veni vidi vici‹ und anderes ähnlich Prägnantes. Das Übrige wird, wenn überhaupt, allenfalls noch mit ›sit venia verbo‹, Übers. und Kommentierung vorgeführt, wobei der Reiz des geflügelten Zitats – jenes augenzwinkernde Einverständnis zwischen Sprecher und Hörern, der ironische Verweis auf einen gemeinsamen Bildungshintergrund – dann vollends verloren ist. In den erstaunlicherweise eher seltenen Fällen, in denen die dt. Übers. eines altsprachlichen G. W. gleicherweise zum G. W. geworden ist, hat die dt. Version das griech. oder lat. Original bereits weitgehend verdrängt. Daß eitles, hohles Zitiergehabe – die Ant. im Knopfloch, sapienti sat – die G. W. aus den Alten Sprachen ein Stück weit diskreditiert hat, sei hier nur en passant angemerkt.

### I. Aufmerksamkeitswert

Dieser Entwicklungen ungeachtet scheint der hohe Bekanntheitsgrad mancher griech. und lat. G. W., verbunden mit dem allg. Prestigewert der Ant., diese Worte der Werbesprache zu empfehlen; da geht es ja vornehmlich um den bloßen Aufmerksamkeitswert. Der archimedische Erfinderruf ›Heureka!‹ hat mehrfach als Markenname Verwendung gefunden, u. a. für einen Heuwender, und wirbt für Schweizer »Reka«(»Reisekassen«-) Schecks; ›Veni vidi vici‹ dient als Reizwort für allerlei Werbekampagnen, von der Zigarettenreklame ›Veni vidi fumi‹ bis zur Spaß-Kampagne für Loriot als Präsidenten unter dem Motto ›Veni vidi Vicco‹. In einer ganzseitigen Anzeige des alten *Punch* bot ein röm. gewandeter Julius Caesar seinem ebenso drapierten Gegenüber eine Schachtel Konfekt an: ›Et tu, Brute?‹ De gustibus non est disputandum.

**1** G. Büchmann (Hrsg.), G. W. Der Zitatenschatz des dt. Volkes, gesammelt und erl. von Georg Büchmann, fortgesetzt von Walter Robert-Tornow u. a., 31. Auflage 1964 (mit Vorwort zur Gesch. der Slg.), 41. Auflage, bearbeitet von Winfried Hofmann, 1998 **2** K. Bartels, VENI VIDI VICI. G. W. aus dem Griech. und Lat., ausgewählt und erl. von K. B., 9. Auflage 1992, Taschenbuchausgabe: 5. Auflage 2000.      KLAUS BARTELS

## Geld/Geldwirtschaft/Geldtheorie

A. Einleitung  B. Münzwesen
C. Geldwirtschaft  D. Geldtheorie

### A. Einleitung

Die sich seit dem 7. Jh. v. Chr. entwickelnden Geldformen aus Edelmetallstücken, deren Wert vom Herrscher oder vom Gemeinwesen garantiert war, und ihre zunehmend dominierende Bed. im Wirtschaftsgeschehen der Mittelmeerwelt leiteten die Zurückdrängung des wesentlich älteren Warengeldes in allen seinen Facetten (Stein-, Ring- und Zahn-, Schmuck-, Kleider-, Nutzgeld sowie ungeformtes und geformtes Metallgeld) ein. Im Weltreich Alexanders d. Gr. bestand wie später im Imperium Romanum eine reichseinheitliche (Fernhandels-)Währung, die aus zahlungsverkehrstechnischer Sicht den Güteraustausch auch über weite Strecken hinweg vergleichsweise unproblematisch abzuwickeln gestattete. Spätestens in der Blütezeit des röm. Principats (1./2. Jh.) wurde die Geldwirtschaft für annähernd alle Reichsbewohner zum Allgemeingut. Das Fortwirken der ant. Geldwirtschaft und ihrer Medien war daher vielfältig, aber seit der Spätant. in beiden Reichshälften unterschiedlich ausgeprägt.

### B. Münzen

Die Grundlage des Münzwesens in der gesamten nachant. Mittelmeerwelt bildete das (diocletianisch-) konstantinische Münzsystem, wie es sich im beginnenden 4. Jh. herausgebildet hatte: 1 Libra = 12 Unciae = 72 Solidi (aurei) = 288 Scripulae = 1728 Siliquae. Der Solidus als Goldmz. zu 4,5g und als einziges wertstabiles Geldstück dieser Zeit stellte gleichsam eine »Welthandelsmz.« dar und war im Oström. und Byz. Reich als Nomisma oder Denarios chrysous (Golddenar) zu 24 Keratia (Karat) Grundlage des Finanzwesens bis in das 11. Jh. hinein. Auch der im Aufstieg begriffene Islam übernahm im monetären Bereich neben persischen Elementen (dem sassanidischen Silber-Dirhem) spätant./byz. Elemente: Die Münzreform Kalif 'Abd al-Maliks 693–97 führte in Anlehnung an das Nomisma bzw. den Denarios einen Gold-*Dinar* (im Westen oft als *mancus* bezeichnet) ein, dem 20 Dirhem entsprachen. Der Islam bewirkte durch die *Koppelung von Silber- und Goldmz.* auf der Basis des oström.-griech. Systems die Durchsetzung eines ›mediterranen Bimetallismus‹ und ›eine immer engere Fusion der alten monetären Gebiete des byz. und sassanidischen Reiches‹ [5. 123]. Diese Entwicklung im islamischen Raum wurde im Byz. Reich rezipiert, als Leon III. nach dem Vorbild des Dirhem das byz. Silbergeld reformierte, indem er eine Silbermz., das Miliaresion, als den 12. Teil des Nomisma in das byz. Währungssystem zur Erleichterung des alltäglichen Zahlungs- und Geschäftsverkehrs einführte. Dieses leontische Münzssstem mit seiner festen, wertmäßigen Einbindung einer Silbermz. hatte bis zum ausgehenden 11. Jh. Bestand; es wurde dann, als ein rapider Wertverlust des Nomisma eintrat, durch das System Alexios' I. Komnenos abgelöst, dessen Basismz. das (*Nomisma*) *Hyperpyron* – so die neue Bezeichnung für die vollwichtige Nomisma-Prägung – nunmehr wiederum zu 24 Karat Gewicht und 20 1/2 Karat Feingold bildete.

Während im Ostteil des ehemaligen Röm. Reiches Gold das bestimmende Währungsmetall blieb, übernahm in den Germanenreichen des Westens das hier in weitaus größerem Umfang verfügbare Silber diese Funktion, wobei die german. Herrscher die bislang ausgebrachten röm. Mz. – Solidi, v. a. aber Trienten (Tremisses, Drittel-Solidi) – im wesentlichen weiterschlugen. Im 8./9. Jh. wurde die Goldprägung in der Lat. Christenheit (außer in der Provence und in Südit.) annähernd gänzlich eingestellt, so daß im ausgehenden Merowinger-Reich eine reine Silberwährung von sehr schlechter Qualität bestand. Mit dem Münzedikt von Vernon-sur-Seine (754/55) legte Pippin III./I. der Kurze den Solidus als 1/22 des Gewichtspfundes (bzw. als 1/20 des Zählpfundes) und zugleich als Einheit der Zwölfzahl von »Denarii«, der einzigen zu dieser Zeit ausgeprägten Mz., fest. Pippin griff nach Witthöft in seinem Edikt bewußt auf ant. Trad. zurück, da ›nicht nur die librae von 327g und 341g, sondern auch ihre systematische Verklammerung über eine Relation von 24:25 im fränkischen Münzwesen Bedingungen herstellten oder bewahrten, nach denen byz. Mz. sich handhaben und berechnen ließen‹ [9. 38]. Die Relation‹ von 24:25 wich damit nur um 4,76% von der zw. der attischen und der campanischen Mine (21:22) ab, und diese ›systemimmanente Gewichtsvariante‹ entsprach der Doppelrechnung, die bereits Solon aus Ägypten übernommen haben soll [9. 35 f.].

Die Münzreformen Karls d. Gr. von 780/81 und 794 setzten das konstantinische und pippinische Libra-Solidus-System fort: 1 Libra = 12 Unzen = 20 Solidi = 240 Denarii. Auf der Synode zu Frankfurt/Main 794 wurde ein schwereres Münzpfund (*pondus Caroli*) zu 12 Unzen zur Grundlage der Ausbringung gemacht, so daß der neue Denar (ca. 1,7g) zum Denar von 780/81 (ca. 1,3g) in einer Relation von 3:4 stand. Damit bestand nach Witthöft auf der Basis von Gewichtsrelationen ein Beziehungsgeflecht zw. dem fränkischen, dem byz. und dem ommayadischen Münzsystem, so daß ›zw. dem röm.-byz., dem islamischen und schließlich dem fränkischen Münzwesen keine Bruchstellen lagen‹ [9. 40]. Demgegenüber konstatiert Spufford: ›The break with antiquity was not a revolutionary break at a single instant, as when the Germanic peoples crossed the Rhine frontier in 406, but an evolutionary break, which had taken more than two centuries to work out‹ [7. 27]. Gebiete am Rande oder außerhalb des Fränkischen Reiches orientierten sich ebenfalls am karolingischen Libra-Solidus-System (Patrimonium Petri, Mercia, Spanische Mark, z. T. Nordgermanen). In den folgenden Jh. wurden in der Regel weiterhin nur Denari ausgeprägt (Fernhandelsdenare, regionale Pfennige); Libra und Solidus blieben im wesentlichen Gewichtsangaben. Die Prägungen von Goldmz. aus imperialem, an ant. Trad. anknüpfendem Anspruch heraus (z. B. Ludwigs d. Frommen oder Friedrichs II.) stellten schon aufgrund der geringen Menge des zur Verfügung stehenden Goldes seltene Ausnahmen dar.

Umfangreiche Veränderungen im Münzsystem des Abendlandes traten dann in der Zeit der Kommerziellen Revolution im It. des ausgehenden 12. und 13. Jh. mit ihrer bedeutenden Ausweitung insbes. des Fernhandels ein. Kennzeichnend war die Entwicklung von im Vergleich zu den Denaren großen Silbermz. (Grossi) und später von Goldmz., wodurch das karolingische Libra-Solidus-System durch adäquate Prägungen »aufgefüllt« wurde. Zu unterscheiden sind dabei die Phase der Grosso-Prägungen zu 4 Denari seit dem ausgehenden 12. Jh., die Phase der Grosso-Prägungen zu 12 Denari (= Solidus) im beginnenden 13. Jh. und die Phase der Gold-Prägungen zu 240 Denari oder 20 Grossi (= Libra) seit der Mitte des 13. Jh. Mit der Wiederaufnahme der Goldprägung in It., ermöglicht durch immer engere Handelsbeziehungen nach Nordafrika und den daher resultierenden Goldbezug aus Innerafrika, wurden nunmehr alle Einheiten des Libra-Solidus-Systems in Münzform ausgebracht: 1 Li(b)ra = 20 Grossi oder Solidi = 240 Denari.

Das übrige Europa, das die Kommerzielle Revolution zeitverschoben, d. h. erst später durchlebte, orientierte sich dann sowohl in der Münzprägung als auch in der Gestaltung seiner Währungssysteme am it. »Modell«. Dabei bildete das Libra-Solidus-System die Grundlage der meisten europ. Währungen, zum Teil mehrfach ergänzt und modifiziert. Hier hatte es über Jh. Bestand und wurde erst seit dem ausgehenden 18. Jh. durch das Dezimalsystem verdrängt. In Großbritannien besaß das auf den spätant. Grundlagen basierende karolingische System mit dem Pfund Sterling zu 20 Shillings à 12 Pence sogar bis 1971 Gültigkeit. Im übrigen konnten sich auch die Münzbezeichnungen in späteren Jh. noch ausdrücklich an ant. Vorbildern orientieren: Signifikantes Beispiel hierfür ist das neugriech. Währungssystem, das seit 1833 – in bewußtem Rückgriff auf altgriech., speziell attische Münzbezeichnungen der Klass. Zeit – nach Drachmen zu 100 Lepta (> lepton nomisma: dünne Kleinmz.) rechnet.

## C. GELDWIRTSCHAFT

Die Geldwirtschaft des Röm. Reiches, die seit dem 3. Jh. gegenüber der Naturalwirtschaft wieder an Bed. verlor, wurde auch in den verschiedenen Nachfolgereichen weitergeführt, allerdings in deutlich unterschiedlicher Intensität. Im Byz. Reich ist aus dem Blickwinkel der Geldwirtschaft kein dezidierter Bruch zw. der Spätant. und dem Frühen MA festzustellen. Allerdings begann im 6. Jh. infolge der Goldabflüsse in das Sassanidenreich für den Kauf orientalischer und ostasiatischer Luxusgüter, des mangelnden Goldzustroms aus dem Westen sowie der Thesaurierung v. a. durch die Kirche eine Zeit der Verknappung des Goldes und damit des wichtigsten Währungsmetalls. Fernhandel und Geldwirtschaft beschränkten sich seither mehr und mehr auf das östl. Mittelmeerbecken, da der Austausch mit dem Westen rückläufig war. Somit reichte auch der Umlauf des Nomisma im beginnenden 7. Jh. kaum noch über dieses Gebiet hinaus.

Demgegenüber war die Geldwirtschaft im ehemaligen Westteil des Reiches ungeachtet der verschiedenen oben genannten Ausmünzungen drastisch zurückgegangen. Insbes. an kupfernen Kleinmz. herrschte nördl. der Alpen erheblicher Mangel, da die gallischen Münzstätten seit dem Zusammenbruch der röm. Rheingrenze 406/07 deren Ausbringung eingestellt hatten. ›Dem Geldwesen des Merowingerreiches fehlte auf seinem gesamten Territorium der breite Unterbau der Kleinmünzen für den Marktverkehr‹ [3. 38]. Am Übergang vom 7. zum 8. Jh. war im Frankenreich der Scheitelpunkt der weitgehenden Rückkehr zur Natural- und Tauschwirtschaft seit dem 3. Jh. erreicht: Eine Geld-

wirtschaft im umfassenden Sinne war praktisch nicht mehr existent, da Kleinmz. für den täglichen Verkehr fast vollständig fehlten. Der Geldverkehr war auf den Fernhandel beschränkt, sein Umlauf sehr begrenzt, da die noch vorhandenen Mz. aufgrund ihres relativ hohen Eigenwertes als Edelmetall gehortet und allenfalls für den Handel mit hochwertigen (Luxus-)Gütern verwendet wurden. Zudem waren die Mz. im Frankenreich von so schlechter Qualität, daß sie z. B. in It. bereits um 600 nicht mehr akzeptiert wurden. Räumlich war die verbliebene Geldwirtschaft vorrangig auf aus der Römerzeit überkommene städtische Mittelpunkte (hier auch Münzstätten) konzentriert, wobei im wesentlichen nur die Schichten der Bevölkerung, die Edelmetall besaßen, Anteil an ihr hatten. Daß aber die spätant. Geldwirtschaft trotzdem auch im Bewußtsein der Menschen weiterlebte, zeigt die Festsetzung von Strafen und Bußen in Geld in zeitgenössischen Gesetzeswerken, während die Abgaben im Rahmen der Grundherrschaft in Naturalien geleistet wurden. In der Karolingerzeit werden dann Nachrichten über Geldgeschäfte wieder häufiger, und auch die Verpflichtungen von Hörigen konnten nunmehr in Geld festgelegt sein. Allerdings blieb der Silber-Denar die einzig ausgebrachte Mz., zumal dieser den Bedürfnissen des Handels und Geldverkehrs auf den Vorformen der Messe genügte.

In It. setzte der Rückgang der Geldwirtschaft später ein (v. a. seit der Landnahme der Langobarden in der 2. H. des 6. Jh.; Verschwinden der Kleinmz. erst im 7. Jh.) und hatte nicht so tiefgreifende Folgen wie in den Gebieten nördl. der Alpen (immer noch relativ enge Verbindungen zum Byz. Reich; stärkere Bewahrung urbaner Wirtschaftsformen); mit der Ausdehnung der Handelsbeziehungen einzelner Seestädte im Mittelmeerraum seit dem 9. Jh. und der zunehmenden Prosperität seit dem 10. Jh. gewannen geldwirtschaftliche Elemente wieder an Bedeutung. Die sich im 12./13. Jh., von It. ausgehend, in weiten Teile Europas verstärkt durchsetzende Geldwirtschaft steht aber nicht unmittelbar in ant. Tradition. Vielmehr waren es die allg. wirtschaftlichen Entwicklungen und insbes. die Handelskonjunkturen (Aufbau von Exportgewerben v. a. in Oberit., der Toskana und Nordwesteuropa; Intensivierung des mediterranen Handelsaustauschs im Gefolge der Kreuzzüge; Aufbau des hansischen Handelssystems in Nordeuropa), die der Geldwirtschaft seit dem Hoch-MA zentrale Anstöße gaben. Mittelbar profitierte diese Entwicklung jedoch nicht unerheblich von den aus der Spätant. überkommenen Trad. im Münzwesen.

Darüber hinaus wurden seit der Kommerziellen Revolution auch Instrumente des bargeldlosen Zahlungstransfers und des Kreditwesens gebräuchlich, die in der Ant. bereits unter Großkaufleuten und »Bankiers« Verwendung gefunden hatten, im europ. Früh-MA jedoch in Vergessenheit geraten waren. Zahlungsanweisungen, aus den hell. Reichen wie aus dem Imperium Romanum bekannt, hatten in verschiedenen abgewandelten und verbesserten Formen auch bei jüd., islamischen und christl. Kaufleuten der islamischen Welt Verwendung gefunden. Es liegt nahe, kann aber beim derzeitigen Stand der Forsch. noch nicht hinreichend belegt werden, daß it. Kaufleute des 12. Jh. die einschlägigen Techniken des bargeldlosen Zahlungstransfers aus dem Islam übernahmen. Innerhalb der nächsten beiden Jh. perfektionierten sie diese Techniken in hohem Maße bis hin zum Wechsel(-brief). Eine zumindest unmittelbare begriffliche Kontinuität ist hingegen beim Seedarlehen (*foenus nauticum*) gegeben, das in der ant. Mittelmeerwelt spätestens seit der hell. Zeit gebräuchlich war. Das Seedarlehen lebte seit dem 12. Jh. in It. und Südfrankreich wieder auf, wurde mit Änderungen auch auf dem Land (*foenus quasi nauticum*) und später in der Form der Bodmerei auch im nordischen Seehandel angewandt. Aufgrund des hohen, mit einem derartigen Darlehen verbundenen Risikos (Schiffbruch, Kaperung) konnte der Zins im MA wie schon in der Ant. bis zu 33 1/3% betragen. Da Seedarlehen gleichzeitig die älteste Form der Seeversicherung darstellten, liegt in dieser Entwicklung nicht zuletzt der Beginn eines zentralen Bereichs des europ. Versicherungswesens der Neuzeit begründet.

## D. GELDTHEORIE

Geldtheoretische Überlegungen wurden im nachant. Abendland erst im Zuge des verstärkten Wiederauflebens der Geldwirtschaft in der Kommerziellen Revolution angestellt; sie bezogen sich vorrangig auf das Wesen des Geldes und Fragen der Geldordnung. Die Scholastik übernahm dabei von Aristoteles die Ansicht, daß Geld keine Naturerscheinung, sondern ein von Menschen ›geschaffenes Werkzeug‹ sei, um ›natürliche Reichtümer leichter auszutauschen‹ zu können (Nikolaus Oresmius). Hinsichtlich der Geldordnung herrschte die Auffassung, die beispielsweise Papst Innozenz III. und Thomas von Aquin explizit vertraten, daß allein der Herrscher das Recht zur Wertfestsetzung einer Mz. und damit des Geldes insgesamt wie auch zur Veränderung des Münzfußes besäße. Man leitete dies aus der neutestamentlichen Bezeichnung des röm. Denars als Eigentum ›des Kaisers‹ ab (Mt 22,19–21), zumal der Staat, d. h. der Kaiser, seit den diocletianisch-konstantinischen Reformen im Münzwesen das Münzmonopol beanspruchte. Münzwesen und Währung erscheinen daher bis in das beginnende 14. Jh. hinein als unangefochtene Hoheitsrechte der Krone (Münzregal). Erst um die Mitte des 14. Jh. wurde diese Auffassung von Ständeversammlungen in verschiedenen europ. Ländern verstärkt in Frage gestellt, so in Frankreich anläßlich der umfangreichen Abwertungen Johanns II. zur Finanzierung des Hundertjährigen Krieges. In diesem Zusammenhang entwickelte der nominalistische Philosoph, Theologe und Mathematiker Nikolaus Oresmius in seinem *Traictie des Monnoies* (1355) eine neue Geldtheorie, die in *De Moneta* (1358) weiter ausgeführt wurde. Er postulierte nunmehr im Gegensatz zur früheren Auffassung, daß Mz. und Währung nicht die Angelegenheit des Herrschers, sondern der Allgemeinheit (vertreten durch die Ständeversammlung) sei, die damit auch allein zur Ver-

änderung der Mz. bzw. des Münzfußes – in Notzeiten auch seiner Verschlechterung – berechtigt sei. Der Traktat von Oresmius, der bedeutendste geldtheoretische Traktat des MA, wurde zur herrschenden Geldtheorie bis um die Mitte des 16. Jh. und löste damit die älteren aristotelisch-scholastischen Auffassungen ab [6]. → Handel/Handelswege

1 M. A. DENZEL, La Practica della Cambiatura. Europ. Zahlungsverkehr vom 14. bis zum 17. Jh., 1994 2 K. DÜWEL et al. (Hrsg.), Unters. zu Handel und Verkehr der vor- und frühgeschichtlichen Zeit in Mittel- und Nordeuropa, Teile III, IV, 1985/87 3 E. ENNEN, Die europ. Stadt des MA, ⁴1987 4 C. JOHNSON (Hrsg.), The De Moneta of Nicolas Oresme and English Mint Documents, 1956 5 M. LOMBARD, Blütezeit des Islam. Eine Wirtschafts- und Kulturgesch. (8.–11. Jh.), 1992 (1971) – 6 P. SPUFFORD, Art. »Geldtheorie«, in: Von Aktie bis Zoll. Ein histor. Lex. des Geldes, hrsg. v. M. NORTH, 1995, 126–128 7 Ders., Money and Its Use in Medieval Europe, 1988 8 J. WERNER, Waage und Geld in der Merowingerzeit, SBAW (Philol.-histor. Klasse 1954/1), 1955, 3–30 9 H. WITTHÖFT, Münzfuß, Kleingewichte, pondus Caroli und die Grundlegung des nordwesteurop. Maß- und Gewichtswesens in fränkischer Zeit, 1984. MARKUS A. DENZEL

**Gelegenheitsdichtung.** G. sind lit. Texte, deren Produktion und Rezeption anläßlich von öffentlichen oder privaten Ereignissen geschieht. Das ant. Legitimationsmodell der nlat. und volkssprachlichen G. (auch Kasualpoesie) ist Statius' Gedichtsammlung *Silvae*, deren Rezeption mit den Komm. von Calderinus und Poliziano im 15. Jh. neu einsetzt [2]. Der in Human. und Barock weit verbreiteten G. kommt eine repräsentative gesellschaftliche Funktion als Fürstenlob (→ Panegyrik) zu, v. a. in Form von Hochzeits- und Leichencarmina [5]. Mit der Aufwertung der subjektiven Einbildungskraft (Genie) in der ästhetischen Diskussion des 18. Jh. tritt die Berufung auf die ant. Filiation zurück hinter die Diskreditierung der G. als Trivial-Lit., deren *poeta-doctus*-Ideal einerseits, deren enge Bindung an einen Mäzen andererseits dem Postulat poetischer Autonomie nicht mehr zu entsprechen vermag [7].

Neben Statius wird Quintilians *Institutio oratoria* zum Ausgangspunkt einer Gattungsdefinition der G. bei Scaliger (*Poetices Libri septem*, 1561) und Opitz (*Buch von der Deutschen Poeterey*, 1624). Mit dem Begriff der »Poetischen Wälder« oder »Sylven« definiert Opitz die G. als eine nach klass. Mustern verfaßte Textgruppe, deren verschiedenartige Inhalte sich durch die unterschiedlichen Auftragsvorgaben ergeben [1]. Damit steht die G. im poetologischen Spannungsfeld von Antikennachahmung (→ Imitatio) und programmatischer Unmittelbarkeit, das sich im 18. Jh. mit der Debatte um die Dichotomie von Ant. und Mod. verknüpft [3]. Während Gottsched die Qualität der G. durch den Hinweis auf die klass. Ant. zu legitimieren sucht, wird die G. hingegen bei G. F. Meier als Trivial-Lit. generell abgewertet [4]. Zu einer positiven Valorisierung der G. kommt es erneut bei Goethe mit dem Diktum ›Alle meine Ge-

dichte sind Gelegenheitsgedichte‹ (zu Eckermann, 18.
Sept. 1823). Bei Goethe hat die G. sich vom engeren
Rahmen der Statius-Rezeption gelöst und läßt sich in
der Sturm-und-Drang-Phase als Ausdrucksmedium
subjektiver Erlebnisse, in den *Zahmen Xenien* als der
Kürze der Spruchform entsprechende extemporierte
Schreibweise [6], im Spätwerk aber auch als Darstellungsform einer ästhetischen Wirklichkeitswahrneh-
mung begreifen: Die G. erlaubt, der Augenblickserfah-
rung (*occasio, kairós*) ästhetische Dauer zu verleihen. In
der philos. Ästhetik des 20. Jh. wird im Zuge von Hegels
»Subjektivierung« der Kunst einerseits die G. als Gegenpol zu dem Begriff des individuellen Erlebnisses verstanden (Dilthey, Staiger), andererseits wird Okkasio-
nalität im Sinne einer ontologischen Seinsweise zu einer
fundamentalen Kategorie des Kunstwerkes gemacht
(Gadamer). Im frz. Surrealismus (Éluard, Breton), im
Expressionismus, aber auch bei H. Heissenbüttel erfährt
die G. zwar eine Rehabilitation, doch nicht im Sinne
der Nachahmung ant. Mustertexte, sondern als selbst-
reflexive Exposition der Sprachmaterialität [4].
→ AWI Gelegenheitsdichtung
→ Querelle des Anciens et des Modernes

1 W. ADAM, Poetische und Kritische Wälder, 1988
2 A. BUCK, K. HEITMANN, W. METTMANN,
Dichtungslehren der Romania, 1972  3 R. CAMPE, Affekt
und Ausdruck, 1990  4 R. DRUX, s. v.
Gelegenheitsdichtung., HWdR 3, 653–6672  5 D. FROST, G.
KNOLL, G., 1977  6 W. PREISENDANZ, Die Spruchform in
der Lyrik des alten Goethe und ihre Vorgesch. seit Opitz,
1952  7 W. SEGEBRECHT, Das Gelegenheitsgedicht, 1977.
                                    KATHARINA MÜNCHBERG

**Gemme**  s. Steinschneidekunst

**Gender Studies**  A. DEFINITION, BEGRIFF UND
BEGRIFFSGESCHICHTE  B. GENDER STUDIES IN DEN
ALTERTUMSWISSENSCHAFTEN

A. DEFINITION, BEGRIFF UND
BEGRIFFSGESCHICHTE
Interdisziplinärer Forschungsansatz, der nach der
Bed. des Geschlechts für Kultur, Gesellschaft und Wiss.
fragt. Die aktuell bes. in der anglo-amerikanischen Alt.-
Wiss. florierenden G. S. unterscheiden sich von anderen
Richtungen der histor. oder lit.-wiss. Geschlechter-
Forsch. durch die Verbindung von Methoden der
Frauen-Forsch. mit solchen des Poststrukturalismus.
  Der engl. Begriff *gender* (= *g.*, urspr. »grammat. Geschlecht«) bezeichnet in den Sozial- und Kultur-Wiss.
seit den 1970er Jahren »Geschlecht« im Sinne von sozial
definierter (»konstruierter«) Weiblichkeit und Männlichkeit, (zunächst) im Gegensatz zu *sex*, dem biologischen Geschlecht. Er stammt aus → Kulturanthropologie und Ethnologie, die auf die kulturelle Vielfalt von
männlichen und weiblichen Rollen hinwiesen; für seine Übernahme in die Lit.- und Geschichtswiss. war ein
Aufsatz von Gayle Rubin [78] von bes. Einfluß. Die

Forderung, daß *g.* in die Reihe der Grundbegriffe der
histor. Wiss. aufzunehmen sei (zusammenfassend: [81;
62]), hat für den Bereich der griech.-röm. Ant. zuerst
die amerikan. Frauen-Forsch. aufgegriffen. Als Analysekategorie hebt *g.* hervor, daß Weiblichkeit und Männlichkeit keine biologisch determinierten, transhistor.
Konstanten sind, auch wenn sie in den untersuchten
Gesellschaften oder Texten als angeboren und »natürlich« dargestellt werden. Im Dt. hat sich für *g.* kein entsprechender spezifischer Terminus durchgesetzt; neben
»Geschlecht, -errolle« wird vereinzelt »Genus« bzw.
»Genos« verwendet (franz.: *genre*) [10].
  Die Trennung zw. *sex* und *g.* (in Analogie zu Natur
und Kultur) wurde mit der akad. Etablierung der
Frauen-Forsch. wiss.-fähig; sie wurde jedoch ab den
späten 80er J. zusammen mit der Autonomie von Subjekt und Identität problematisiert, v. a. durch den Einfluß von Poststrukturalismus und postmod. Feminismus. Seither werden vielfach auch Körper und Sexualität als Teil von *g.* in ihrer histor. Variabilität untersucht
(*g.*: ›Konstruktion des Natürlichen als Text der Kultur‹
[40. 121]) und Verbindungen zu anderen gesellschaftlichen Strukturen aufgezeigt.
  B. GENDER STUDIES IN DEN
  ALTERTUMSWISSENSCHAFTEN
    1. FRAUENFORSCHUNG
    1.1 ENTWICKLUNG
  Mit der Problematisierung der Naturgegebenheit
von Geschlechterrollen und damit von männlicher Dominanz wie Definitionsmacht wurden androzentrische
Sichtweisen von Geschichte und Lit. hinterfragt. Durch
die Einführung der Perspektive *g.* wurde bes. die Lit.-
Wiss. revolutioniert, zuerst in den USA, v. a. innerhalb
der seit den 1970er Jahren dort institutionell und als
Forschungsrichtung begründeten *Women's Studies* (=
W. S.). Rasch erreichten deren Fragestellungen auch das
Fach *Classics* [57]; zu den Foren für die neuen Forschungsansätze zählen bis heute die Zeitschriften *Arethusa* und *Helios*. Daß die amerikan. Alt.-Wiss. sich in
weit höherem Maße als die europ. (und speziell die
deutschsprachige) den Methoden und Themen der
W. S. und später G. S. geöffnet hat, liegt auch in dieser
polit.-akad. Verankerung von Feminismus und Ge-
schlechter-Forsch. (s. [98; 99]) begründet sowie in der
Integration von *Classics* als Bestandteil des Bachelor-
Studiums.
  Pioniere der ant. W. S. waren zwei Sonderbände von
*Arethusa* (6. 1, 1973 und 11, 1978; Auswahl in Buchform
[66]) sowie v. a. Sarah Pomeroys Monographie über
Frauen im Alt. (1975, heute ein Klassiker [67]), die das
Thema innerhalb der Grenzen der Disziplin ohne of-
fensive Betonung des feministischen Standpunkts ab-
handelte und so einer rasanten Entwicklung den Weg
bahnte (kritisch: [92. 11 f.]). Davor war »die Frau in der
Ant.« zwar auch Forschungsgegenstand gewesen, als
Komplement z. B. zur Universal- oder Politikgeschich-
te, doch dies ohne Problematisierung eines als universell
vorausgesetzten »Wesens der Frau« und meist ohne

Quellenkritik (Zusammenfassung bei [3], vgl. aber zum langen Weiterwirken zentraler Topoi des 19. Jh. – wie der »orientalischen« Eingeschlossenheit der Athenerin – [92; 93; 44. 35 f.).

Anfangs lag der Schwerpunkt der neuen W. S. darauf, »Weiblichkeitsbilder« der ant. Texte zu dekodieren, um aus dem lit. Diskurs die soziale Wirklichkeit zu ermitteln – ein aus heutiger Sicht manchmal naives Verfahren, das sich jedoch aus dem Mangel an histor. Quellen zur Geschichte von Frauen erklärt. Bei diesem *images of women criticism* trat zweierlei zutage: einerseits die misogyne Tendenz der griech. und röm. Weiblichkeitsentwürfe und ihrer rhet. Konventionen der Alterität, andererseits die Schwierigkeit, lit. Konstrukte (z. B. die Zentralität von Frauenfiguren in der griech. Trag.) mit dem histor. Befund zu vereinbaren – und damit das grundlegende Dilemma des Zusammenhangs von Repräsentation und Wirklichkeit ([11; 24], pointiert: [16]). Bald erhob sich Kritik an der Unt. von lit. *images* als »Männerphantasien«, die nichts über ant. Frauen aussagten [83; 3].

Die Spurensuche nach den Lebensbedingungen ant. Frauen jenseits der von Männern geschaffenen Konstrukte war der zweite Schritt. Zur Aufarbeitung der vielen Wissensdefizite wurden neue Quellen zugänglich gemacht (u. a. Vasenmalerei, Inschr., Grabsteine, Papyri, Artefakte). Sammlungen von Belegmaterialien in engl. Übers. und deren wiss. Aufarbeitung erschlossen u. a. medizinische, juristische und rel. Quellen [46; 29; 51] und Dokumente zum Alltagsleben [54]. Dabei wurden auch Frauen sichtbar, die zuvor unter der Wahrnehmungsgrenze geblieben waren, wie Sklavinnen und Freigelassene. Diese Zeugnisse sind zum Teil weniger rhet. verfremdet bzw. gefiltert als lit. Bilder (vgl. aber [30; 47]), doch das Problem von Repräsentation und Referenzialität blieb bestehen. Ant. Frauen als Subjekte statt Objekte männliche Darstellung rückte die Zusammenstellung der erh. Texte von 21 ant. Autorinnen in den Blick [84].

Ziel des kompensatorischen Programms, vernachlässigtes Wissen über Frauen einzubeziehen, war einerseits das Einschreiben von Frauen in die Geschichte ant. Kulturen, andererseits die Erstellung einer separaten ant. Frauen-Geschichte [22] in Abgrenzung von einer (nur scheinbar) universalen männlichen Geschichte; die neu in den Blick gerückten Befunde und Ansätze schufen aber auch wichtige Grundlagen für die G. S. Histor. Überblicke (denen die Problematisierung von *g.* noch weitgehend fehlt) sind in vielen Sprachen erschienen, z. B. [12; 60; 79a; 80; 13]; daneben *Women in Antiquity*-Bände (häufig Aufsatzsammlungen) mit theoretisch fundierterem *g.*-Ansatz ([1; 38; 4] und [48] mit aktueller Einführung: 14–25). Neuere Sammlungen von Primärquellen zur Frauen-Geschichte mit methodenbewußter wiss. Darlegung sind [72; 23; 87].

Parallel zum Datensammeln wurden seit den 80er J. die Texte des klass. Kanons mittels theoretisch geschärfter Neulektüre (*resisting reader*, »Gegen-den-Strich-Le-

sen«) auf ihre Geschlechtersicht hin befragt. Ist z. B. bei Ovid, Catull oder Euripides eine »feministische« Perspektive auszumachen oder doch eher Gewalt gegen Frauen und Misogynie [73]? Für solche Dilemmata bietet die histor. Kontextualisierung von *g.*-Aspekten einen spezifischen Untersuchungsrahmen.

Die Klass. Arch. stieg später als Philol. und Alte Geschichte in die ant. Frauen- und *g.*-Forsch. ein [8], doch enthalten die meisten (auch schon die frühen) *Women in Antiquity*-Sammelbände Beitr. zur Interpretation arch. Materials. In den 90er J. sind gerade auf dem Gebiet von Arch. und ant. Kunstgeschichte zahlreiche *g.*-Studien erschienen, bes. zur Sexualitäten- und Körpergeschichte (s. u. 4.)

### 1.2 RICHTUNGEN

Im Lichte der Fragen von lit. und histor. Hermeneutik suchte die ant. Frauen- und *g.*-Forsch. verschiedene wiss. Methoden für sich zu nutzen: bes. von Mentalitätengeschichte, Strukturalismus [22], Anthropologie [56] (letztere drei v. a. in Europa) und Poststrukturalismus.

Leitfaden der frühen W. S. war zum einen der Aspekt der Unterdrückung der Frau gewesen, zum anderen die (meist unausgesprochene) Annahme einer gemeinsamen weibl. Identität, eines transhistor. weiblichen Lebenszusammenhanges (Erfahrungen der Repression im Patriarchat oder der Generativität). Neben die Frauengeschichte des Mangels – an polit. und ökonomischen Rechten, Bildung, an einer eigenen Stimme und Subjektivität – trat die Rekonstruktion von weiblichen Lebensbedingungen und Erfahrungen unter bewußtem Verzicht auf Kategorien der Fremdbestimmung oder Fixierung auf Männersphären [92]. Die weiblichen Räume und deren Wertigkeiten in den ant. Gesellschaften (auch in Zusammenhang mit symbolischen Systemen) wurden Gegenstand anthropologisch oder mentalitätengeschichtlicher bzw. strukturalistisch orientierter Unt., die teilweise eher eine Symmetrie als Asymmetrie der ant. Geschechterbeziehungen hervorhoben (z. B. männliche und weibliche soziale Orte in der ant. Stadt oder Aufgaben in der rituellen Praxis [55; 92; 41]; Sozialgeschichte u. a. als Strukturgeschichte, wobei Geschlecht eine der die Gesellschaft strukturierenden Kategorien ist (aber weniger im Sinne von *g.* problematisiert wird). Ausführlicher thematischer Überblick über die ant. Frauen-Forsch. jetzt bei [79].

### 2. PERSPEKTIVENWECHSEL

Um 1990 ist eine Akzentverschiebung der W. S. zu G. S. zu konstatieren; dies ist eher als Erweiterung denn als Paradigmenwechsel zu betrachten.

Die Vorteile der Untersuchungskategorie *g.* werden darin gesehen, daß sie relational ist, d. h. (1.) sie bezieht stärker als frühere feminist. bzw. frauenhistor. Ansätze »Männlichkeit(en)« als soziokulturelle Konstruktion ein und verdeutlicht die Zusammenhänge der immer reziproken Geschlechterverhältnisse; (2.) sie lenkt den Blick auf die Korrelationen von Geschlechtsmustern mit anderen gesellschaftlichen Strukturen wie Klasse, Ethnie,

Alter, Rel. usw. Die in den ant. Quellen vermittelten *g.*-Diskurse werden mit polit., rel., lit., philos., moralischen, juristischen etc. Denkmustern in Verbindung gesetzt und als Repräsentation weiterer kultureller Regelsysteme gesehen. Die Trennung von »männlich« und »weiblich« wird als Ordnungsprinzip von sozialen Praktiken und Diskursen sichtbar. Durch dieses integrative Potential könnten sich die G. S. leichter denjenigen AltertumswissenschaftlerInnen erschließen, welche die Frauen-Forsch. als zu partikulär oder zu parteilich kritisieren. Die Gefahr eines Rückzugs aus der engagierten Frauen-Forsch. wurde bald benannt [73. 286], doch hat diese innerhalb der G. S. (und der im allg. wesentlich theorieärmeren Geschlechtergeschichte) weiterhin ihren wichtigen kritischen Platz.

G. S. umfassen (wie die W. S.) diverse Richtungen innerhalb eines Diskussionsfeldes [70; 43]. Allg. setzen sie ›keinen festen Begriff von Geschlecht voraus, sondern untersuchen, wie sich ein solcher Begriff in verschiedenen Zusammenhängen jeweils herstellt ..., welche Bed. ihm beigemessen wird und welche Auswirkungen er auf die Verteilung der polit. Macht, die sozialen Strukturen und die Produktion von Wissen, Kultur und Kunst hat‹ [6. 1].

Von den diversen Richtungen der G. S. ist hier die anglo-amerikan. bevorzugt vor den anderen darzustellen, da sie in der (englischsprachigen) Alt.-Wiss. geradezu einen Siegeszug angetreten hat; sie vereint theoretische Orientierungen v. a. von feminist. Frauen-Forsch., Poststrukturalismus und *New Historicism.* Beeinflußt vom Werk M. Foucaults interessieren sich diese G. S. für die Konstruktionen von *g.*, Sexualität und Körper und untersuchen *g.* als Produkt und Modell von sozialer Differenzierung, v. a. von Machtstrukturen. Die Arbeiten des letzten Jahrzehnts weisen einen hohen theoretischen Anspruch auf (ihr wiss. Vokabular ist gewöhnungsbedürftig und wird von Kritikern häufig als *jargon* abgelehnt – auch hierin hat Foucault die Ant., indem er sie der Postmoderne öffnete, für die Alt.-Wiss. verfremdet). Von der historisch-empirisch ausgerichteten Geschlechtergeschichte, die v. a. ant. Lebensrealitäten zu rekonstruieren und interpretieren sucht, unterscheiden sie sich wesentlich in Erkenntnisinteresse und dekonstruktivistischer Grundhaltung.

### 3. MICHEL FOUCAULTS ›HISTOIRE DE LA SEXUALITÉ‹

M. Foucaults *Histoire de la sexualité*, von der sich Bd. 2 und 3 (engl. 1985, dt. 1986 [25]) mit der klass. Ant. befassen, hat eine explosionsartige und anhaltende Entwicklung der G. S. auch im Bereich der Alt.-Wiss. ausgelöst und (wie zuvor die W. S. die ant. Frauengeschichte) die ant. – bes. die griech. – Sexualgeschichte breiterem interdisziplinären Interesse geöffnet. In bes. Weise angestoßen hat Foucault die (Homo-)Sexualitäten-Forsch. Seine Kritik der westl. Modelle von Wissen, Macht und Identität führte zu der histor. Relativierung der Konzepte von Sexualität (mod. Vorstellungen davon sind Produkt von diskursiven und wiss. Praktiken des

19. Jh. und nicht auf die Ant. übertragbar). Da jede Epoche geschlechtliche Kategorien neu konstruiert, lassen sich diese wiss. dekonstruieren. Sexualität und Körper treten hervor als Variablen und als Bereich, in dem sich Macht ausdrückt. Die These, daß die Geschlechterordnung der Ant. auf der Opposition von sexueller Aktivität/Dominanz (Männlichkeit) und Passivität/Fremdbestimmung (Weiblichkeit bzw. Effeminierung) gründet, hatten schon [20] und [90] vertreten. Fragen der Selbstdisziplinierung des Mannes stehen bei Foucault im Mittelpunkt. Zu Foucaults Antikeinterpretation s. [35] und die Einl. zu [63; 59; 53]. Seine Arbeiten liefen parallel zu Thesen feminist. Historikerinnen und Philosophinnen (vgl. [75; 53]), z. B. hinsichtlich der Zusammenhänge von Sprache und Macht sowie Sexualität und Macht.

In der kritischen Auseinandersetzung der Alt.-Wiss. mit den Ansätzen Foucaults (Übersicht: Einl. in [53]) wurden drei Hauptpunkte moniert: (1.) der extreme Konstruktivismus bzw. radikale Relativismus seiner Geschichts- und Geschlechtstheorie (u. a. [18; 75]); (2.) mangelnde Kenntnisse der Ant. und unkritischer Umgang mit ant. Texten bzw. einseitige Selektion von Quellen [15; 32]; (3.) die Vernachlässigung von Frauen (und Frauen-Forsch.) und die erneute Verdrängung des weiblichen Subjekts und des weiblichen Begehrens [75]. Zahlreiche Arbeiten der 90er J. suchen das Foucaultsche Gerüst einerseits fachwiss. (philol., arch., philos. usw.) besser zu fundieren, zu differenzieren und weiterzuentwickeln, andererseits seine androzentrische Einseitigkeit auszugleichen sowie es in Ansätze der Frauen-Forsch. zu integrieren [95; 36] (beide mit Methoden der Literaturtheorie und vergleichenden Kulturanthropologie); [49; 59; 33; 21].

### 4. AKTUELLE ANSÄTZE UND THEMEN

Aktuelle Untergattungen dieser G. S. (deren Themen sich überschneiden) sind neben der Frauen-Forsch. die neuen Männer- sowie Sexualitäten- und Homosexualitäten-Studien (Plural, um die Vielfalt zu betonen [58. 13]; v. a. ist zw. dem griech. und röm. Bereich zu trennen).

### 4.1 MÄNNERFORSCHUNG

Ant. Männlichkeitsmuster waren aufgrund der Quellen (in denen sich mit wenigen Ausnahmen Männer als Selbst definieren) notwendigerweise in der Frauen-Forsch. seit den 70er J. berücksichtigt worden. In den neuen Arbeiten zur Männer-Forsch. (Men's Studies = M. S.) wird aber bewußter vorausgesetzt, daß Mann-Sein ebenso kulturell bedingt und polit. aufgeladen ist wie Weiblichkeit [26; 27]. Verstärkt untersucht werden seit den 90er J. der männliche Körper, die männliche Sexualität, bes. auch Homosexualität (s.u. 4.2) in der Ant.; männlich kodiertes Verhalten – darunter Homosozialität und öffentliche Inszenierung [31; 2] – sowie Einzelthemen wie Vaterschaft. Häufig werden die hierarchischen Ansprüche sowie die Instabilität von männlicher Identität herausgearbeitet [33], die sich in sexueller Abwertung von Anderssein (in Klasse, Nation, Geschlecht, polit. Haltung usw.) ausdrücken; die Abgrenzung von männlicher pathischer Sexualität gipfelt im röm. Bereich in Invektiven gegen den als negatives Anti-Subjekt charakterisierten *cinaedus* [94]. Zur Entwicklung der ant. M. S. vgl. Einl. zu [26].

Die feminist. Kritik, daß auch bei den ant. M. S. Frauen(-Forsch.) mit einbezogen werden sollte, da neben den (zunächst seit Foucault im Mittelpunkt stehenden) maskulinen Binnendifferenzierungen und Thematiken der Homosexualität beide Geschlechter nur in der Beziehung zueinander faßbar sind, ist in neuesten Studien berücksichtigt [33; 86].

#### 4.2 (Homo)Sexualitäten-Forschung

Sexualität und Körper sind Hauptthemen der aktuellen alt.-wiss. G. S. Foucaults aufsehenerregende These, daß die mod. Dichotomie zw. den Kategorien »Hetero-« und »Homosexueller« in der griech.-röm. Ant. nicht gegeben (und somit keine universelle bzw. essentielle Konstante) sei – grundlegend stattdessen die Opposition von Penetrieren und Penetriertwerden –, ist breit diskutiert und wiss. umgesetzt worden ([91; 39; 35; 94], vgl. [63. 3 f.] zur Kontroverse zw. »Konstruktivisten« und »Essentialisten«; Überblick über die ant. Sexualitäten-Forsch. seit Foucault: [33. 6–13; 53. 22–33]). Während männliche Homosexualität in ant. Quellen breit belegt ist, müssen Unt. zur weiblichen Homosexualität diese aus spärlichen, in der Regel feindseligen Quellen rekonstruieren (zuletzt [7; 34; 85], vgl. [65]).

Parallel dazu wurde eine Vielzahl von Aspekten ant. Sexualität in Einzelstudien untersucht, häufig in Beitr. zu Sammelbänden, unter Heranziehung von Bild- und Textquellen [95; 36; 49; 38; 33; 42]. Dabei werden auch Methoden der feminist. Pornographie-Forsch. [74] und Filmtheorie eingesetzt [8; 76]. Einige jüngere Studien suchen weibliche Sexualität zu rekonstruieren (anhand von Bildquellen [64], bei der röm. Dichterin Sulpicia [45], bei Sappho [85]). Monopol und Unvermeidlichkeit des Blicks (*gaze*) des männlichen Betrachters (Lesers, Interpreten) werden in Frage gestellt, etwa durch den Ansatz, daß ant. Bilder auch von Frauen betrachtet wurden, so [43. 198 f.] am Beispiel der Aphrodite von Knidos: bei der Interpretation Frauen zu vergessen bedeute, das *g.*-System mißzuverstehen (vgl. [14] u. a. zu sexuellen Bildern in den Bädern von Pompeji, die von Männern und Frauen zu sehen waren). Unter den Monographien, die ant. erot. Kunst im *g.*-Kontext behandeln, ist [88] hervorzuheben.

#### 4.3 Körper

Seit den späten 80er J. befaßt sich eine Fülle von alt.-wiss. Studien mit dem Thema des Körpers als *gendered body* und seiner nach-ant. Rezeption (z. B. [61; 69; 96] – aus ganz verschiedenen Perspektiven wie Philos., Medizin [17], Lit., Politik und v. a. der Arch.: in der Bildkunst (wo sich die symbolische Geschlechterordnung augenfällig ausdrückt) bes. unter dem Aspekt der Nacktheit und Sexualität, wobei der »Sitz im Leben« und Kontext der BetrachterInnen oft miteinbezogen werden (z. B. [42; 89; 14; 88], vgl. Einl. zu [97]).

#### 5. Zusammenfassung und Ausblick

G. bedeutet weder nur »Frau« noch nur »Mann«; die isolierte Betrachtung nach Geschlechtszugehörigkeit allein hat wenig histor.-wiss. Aussagekraft. G. S. gehen aus von (1.) der Doppelperspektive und Interdependenz von Männlichkeit und Weiblichkeit, (2.) deren histor. Binnendifferenzierung, (3.) der Kontextualisierung in breiterem Rahmen zeitgenössischer Quellen. Die einfache Feststellung von Geschlechterideologien im *close reading* eines ant. Texts kann nur Vorarbeiten dafür liefern. Im Idealfall sollte *g.*-Forsch. die historisch-kulturelle Situiertheit des Interpreten mit berücksichtigen. Die hermeneutischen Ansätze der G. S. können durch den Ansatz der Relationalität und Kontextualisierung einige Aporien der Frauen-Forsch. vermeiden: Verschiedene Quellen liefern Teilstücke der über Sprache, Bilder und Zeichen vermittelten kommunikativen Konstruktion von ant. Geschlechts-Wirklichkeiten. Das Verhältnis von Repräsentation und Realität bleibt freilich weithin ungeklärt.

Im Verlauf der letzten Jahre haben sich die G. S. von einer umstrittenen Spezialdisziplin zu einem breiter akzeptierten Wissenschaftsansatz der (anglo-)amerikanischen Alt.-Wiss. entwickelt. Aktuellen bibliogr. Zugang bieten u. a. die Webseiten von Diotima [19] und der Bryn Mawr Classical Review [5] (vgl. auch [98; 99]). In der deutschsprachigen Alt.-Wiss. ist Geschlechter-, v. a. Frauen-Forsch. aktuell eher histor.(-anthropologisch, z. B. [93a]) bzw. textanalytisch (z. B. [76a]) orientiert; doch sind die amerikanischen G. S. (wie die W. S.) eher auf Desinteresse als auf offene Ablehnung gestoßen und (als eine Subkultur der *Classics*) bisher kaum rezipiert worden (vgl. [6. 347–357]). Als Ausnahmen sind zu nennen: [86] (neben Textanalyse auch eingehende theoretische Auseinandersetzung); [59] (Zusammenhänge zw. röm. Geschlechterdiskursen und politisch-sozialer Ordnung); [88] (dionysische Bildsprache als kultureller Text); [63] (detaillierte lit. Studie und Diskursanalyse). Es wird sich erst zeigen, ob die Ansätze der W. S. und G. S. im deutschsprachigen Raum verstärkt Akzeptanz finden werden – wobei in der Verspätung auch Chancen liegen, vom angelsächsischen Theorievorsprung zu profitieren.

Trotz der vielen Einzelstudien gibt es noch manche Desiderate, z. B. im Bereich der nachant. Rezeption von ant. *g.*-Repräsentationen in Text und Bild. Als wichtiges Projekt stehen auch die Überführung und Integration des *g.*-Standpunkts in die ant. Universal-, Lit.-, Kunst-, Politik-, Philos.-Geschichte etc. noch weitgehend aus.

G. S. haben keine einheitliche Methodik oder Ideologie. Typische Publikationsform ist der interdisziplinäre Sammelband mit unterschiedlichen Autoren, Themen und Ansätzen, z. T. unter Einbeziehung eines größeren histor. und geogr. Raums (Mesopotamien, Ägypten, christl. Ant. und Byzanz); z. B. [97; 11; 1; 61; 42]. Dieses pluralistische Prinzip gestattet diverse, auch divergente Perspektiven. Die Metapher *construction site* für die neue

Disziplin [36. 4f.] ist nicht nur ein gelungenes Wortspiel, sondern drückt auch aus, wie sehr diese noch im Fluß (oder, um im Bild zu bleiben: im Aufbau) ist.

→ AWI Frau; Geschlechterrollen; Homosexualität; Päderastie; Sexualität

→ Matriarchat

1 L. ARCHER et al. (Hrsg.), Women in Ancient Societies: 'An Illusion of the Night', 1994 2 K. BASSI, Acting Like Men: Gender, Drama, and Nostalgia in Ancient Greece, 1998 3 J. BLOK, Sexual Asymmetry. A Historiographical Essay, in: Dies., H. MASON (Hrsg.), Sexual Asymmetry. Stud. in Ancient Society, 1987, 1–57 4 S. BLUNDELL, Women in Ancient Greece, 1995 5 BMCR: http://ccat.sas.upenn.edu/bmcr/ 6 C. VON BRAUN, I. STEPHAN (Hrsg.), Gender Studien, 2000 7 J. BROOTEN, Love between Women: Early Christian Responses to Female Homoeroticism, 1996 8 SH. BROWN, Ways of Seeing Women in Antiquity, in: [49. 12–42] 9 P. BROWN, The Body and Society. Men, Women and Sexual Renunciation in Early Christianity, 1988 (dt. 1991) 10 H. BUSSMANN, R. HOF (Hrsg.), Genus – zur Geschlechterdifferenz in den Kulturwiss., 1995 11 A. CAMERON, A. KUHRT (Hrsg.), Images of Women in Antiquity, 1983; ²1993 12 E. CANTARELLA, L'ambiguo malanno, 1981 (engl.: Pandora's Daughters, 1987) 13 G. CLARK, Women in the Ancient World, 1989, ²1993 14 J. CLARKE, Looking at Love-Making. Constructions of Sexuality in Roman Art, 100 B.C. to A.D. 250, 1998 15 D. COHEN, R. SALLER, Foucault on Sexuality in Greco-Roman Antiquity, in: J. GOLDSTEIN (Hrsg.), Foucault and the Writing of History, 1994, 35–49 16 P. CULHAM, Ten Years after Pomeroy: Stud. of the Image and Reality of Women in Antiquity, in: Helios 13, 1986, 9–30 17 L. DEAN-JONES, Women's Bodies in Classical Greek Science, 1994 18 W. DETEL, Macht, Moral, Wissen. Foucault und die klass. Ant., 1998 19 Diotima: http://www.uky.edu/ArtsSciences/Classics/gender.html 20 K. J. DOVER, Greek Homosexuality, 1978 (dt: 1983), ²1989 21 P. DUBOIS, Sowing the Body, 1988 22 G. DUBY, M. PERROT (Hrsg.), Gesch. der Frauen, Bd. 1: P. SCHMITT PANTEL, B. WAGNER-HASEL (Hrsg.), Antike, 1993 (Histoire des femmes en occident, Bd. 1: L'Antiquité, 1991) 23 E. FANTHAM et al., Women in the Classical World. Image and Text, 1994 24 H. FOLEY (Hrsg.), Reflections of Women in Antiquity, 1981 25 M. FOUCAULT, Histoire de la sexualité (dt.: Sexualität und Wahrheit), Bd. 2: L'usage des plaisirs, 1984 (dt.: Der Gebrauch der Lüste), 1986; Bd. 3: Le souci de soi, 1984 (dt.: Die Sorge um sich, 1986) 26 L. FOXHALL, J. SALMON (Hrsg.), Thinking Men: Masculinity and Its Self-Representation in the Classical Trad., 1998 27 Dies. (Hrsg.), When Men Were Men: Masculinity, Power, and Identity in Classical Antiquity, 1998 28 V. FRENCH, What Is Central for the Study of Women in Antiquity?, in: Helios 17.2, 1990, 213–219 29 J. GARDNER, Women in Roman Law and Society, 1986 30 Dies., Gender-Role Assumptions in Roman Law, in: Echos du Monde Classique 39 (N. S. 14), 1995, 377–400 31 M. GLEASON, Making Men: Sophists and Self-Representation in Ancient Rome, 1995 32 S. GOLDHILL, Foucault's Virginity, 1995 33 J. HALLETT, M. SKINNER (Hrsg.), Roman Sexualities, 1997 34 J. HALLETT, Female Homoeroticism, in: [33. 255–273] 35 D. HALPERIN, One Hundred Years of Homosexuality, 1990 36 Ders. et al. (Hrsg.), Before Sexuality. The Construction of Erotic Experience in the Greek World,

1990 37 K. HAUSER, H. WUNDER (Hrsg.), Frauengesch. – Geschlechtergesch., 1992 38 R. HAWLEY, B. LEVICK (Hrsg.), Women in Antiquity. New Assessments, 1995 39 L. HERMANS, Bewust van andere lusten: Homoseksualiteit in het romeinse keizerrijk, 1995 40 R. HOF, Die Gramm. der Geschlechter. Gender als Analysekategorie in der Literaturwiss., 1995 41 S. HUMPHRIES, Family, Women and Death. Comparative Studies, 1984 42 N. B. KAMPEN (Hrsg.), Sexuality in Ancient Art, 1996 43 Dies., G. S., in: A. BORBEIN et al. (Hrsg.), Klass. Arch. Eine Einführung, 2000, 189–204 44 M. A. KATZ, Ideology and the 'Status of Women', in: [38. 21–43] 45 A. KEITH, Tandem Venit Amor, in: [33. 295–310] 46 E. KEULS, The Reign of the Phallus. Sexual Politics in Ancient Athens, 1985, ²1993 47 H. KING, Hippocrates' Woman, 1998 48 D. E. KLEINER, S. B. MATHESON (Hrsg.), I Claudia: Women in Ancient Rome, Bd. 1, 1996; Bd. 2, 2000 49 A. O. KOLOSKI-OSTROW, C. L. LYONS (Hrsg.), Naked Truths: Women, Sexuality and Gender in Classical Art and Archaeology, 1997 49a D. KONSTAN, M. NUSSBAUM (Hrsg.), Sexuality in Greek and Roman Society (Sonderheft: differences 2.1), 1990 50 Ders. (Hrsg.), Documenting Gender: Women and Men in Non-Literary Classical Texts (Sonderheft: Helios 19), 1992 51 R. S. KRAEMER, Maenads, Martyrs, Matrons, Monastics, 1988 52 TH. LAQUEUR, Making Sex: Body and Gender from the Greeks to Freud, 1990 (dt. 1992) 53 D. H. LARMOUR et al. (Hrsg.), Rethinking Sexuality: Foucault and Classical Antiquity, 1998 54 M. R. LEFKOWITZ, M. FANT (Hrsg.), Women's Life in Greece and Rome, 1982 (teilweise im Internet: www.uky.edu/ArtsSciences/Classics/wlgr-index.html) 55 N. LORAUX, Les enfants d'Athéna. Idées athéniennes sur la citoyenneté et la division des sexes, 1981 56 J. MARTIN, R. ZOEPFFEL (Hrsg.), Aufgaben, Rollen und Räume von Mann und Frau, 1989 57 B. MCMANUS, The Gendering of Classics, 1997 58 H. MEDICK, A.-C. TREPP (Hrsg.), Geschlechtergesch. und allg. Gesch., 1998 59 E. MEYER-ZWIFFELHOFER, Im Zeichen des Phallus: Die Ordnung des Geschlechtslebens im ant. Rom, 1995 60 C. MOSSÉ, La femme dans la Grèce antique, 1983 61 D. MONTSERRAT (Hrsg.), Changing Bodies, Changing Meanings: Stud. on the Human Body in Antiquity, 1997 62 H. NAGL-DOCEKAL, Für eine geschlechtergesch. Perspektivierung der Historiographiegesch., in: W. KÜTTLER (Hrsg.), Geschichtsdiskurs, Bd. 1, 1993, 233–256 63 H.-P. OBERMAYER, Martial und der Diskurs über die männliche »Homosexualität« in der Lit. der Frühen Kaiserzeit, 1998 64 R. OSBORNE, Desiring Women on Athenian Pottery, in: [42. 65–80] 65 T. PASSMANN, The Lesbian Perspective and Feminist Classics, in: [71. 181–208] 66 J. PERADOTTO, J. P. SULLIVAN (Hrsg.), Women in the Ancient World: The Arethusa Papers, 1984 67 S. POMEROY, Goddesses, Whores, Wives and Slaves, 1975 (dt.: Frauenleben im klass. Altertum, 1985) 68 Dies., Ancient History and Women's History, 1991 69 J. PORTER (Hrsg.), Constructions of the Classical Body, 1998 70 N. RABINOWITZ, Introduction, in: [71. 1–20] 71 Dies., A. RICHLIN (Hrsg.), Feminist Theory and the Classics, 1993 72 E. D. REEDER (Hrsg.), Pandora: Women in Classical Greece, 1995 73 A. RICHLIN, The Ethnographer's Dilemma and the Dream of a Lost Golden Age, in: [71. 272–303] 74 Dies., (Hrsg.), Pornography and Representation, 1991 75 Dies., Zeus and Metis: Foucault, Feminism, Classics, in: Helios 18.2, 1991, 67–80 76 D. ROBIN, Film Theory and the

Gendered Voice in Seneca, in: [71. 102–124]
**76a** R. ROLLINGER, U. CHRISTOPH (Hrsg.),
Geschlechterrollen und Frauenbild in der Perspektive ant.
Autoren, 2000 **77** A. ROUSSELLE, Porneia, 1983 (dt. 1989)
**78** G. RUBIN , The Traffic in Women: Notes on the Political
Economy of Sex, in: R. REITER (Hrsg.), Toward an
Anthropology of Women, 1975, 157–210 **79** T. SCHEER,
Forsch. über die Frau in der Ant. Ziele, Methoden,
Perspektiven, in: Gymnasium 107, 2000, 143–172
**79a** CH. SCHULLER, Frauen in der griech. Ant., 1985
**80** Ders., Frauen in der röm. Gesch., 1987 **81** J. W. SCOTT,
Gender. A Useful Category of Historical Analysis, in: Dies.,
Gender and the Politics of History, 1988, 28–50 (dt.:
Gender: Eine nützliche Kategorie der histor. Analyse, in:
N. KAISER (Hrsg.), Selbst Bewußt. Frauen in den USA, 1994,
27–75) **82** M. SKINNER, Classical Studies vs. Women's
Studies, in: Helios 12.1, 1985, 3–16 **83** Dies. (Hrsg.),
Rescuing Creusa: New Methodological Approaches to
Women in Antiquity (Sonderheft: Helios 13.2), 1986
**84** J. M. SNYDER, The Woman and the Lyre: Women
Writers in Greece and Rome, 1989 **85** Dies., Lesbian Desire
in the Lyrics of Sappho, 1997 **86** TH. SPÄTH, Männlichkeit
und Weiblichkeit bei Tacitus. Zur Konstruktion der
Geschlechter in der röm. Kaiserzeit, 1994 **87** Ders.,
B. WAGNER-HASEL (Hrsg.), Frauenwelten in der Ant.
Geschlechterordnung und weibliche Lebenspraxis, 2000
(im Druck) **88** A. STÄHLI, Die Verweigerung der Lüste:
Erotische Gruppen in der ant. Plastik, 1999 **89** A. STEWART,
Art, Desire and the Body in Ancient Greece, 1997
**90** P. VEYNE, La famille et l'amour sous le Haut-Empire
romain, 1978 **91** Ders., Homosexuality in Ancient Rome,
in: P. ARIÈS, A. BÉJIN (Hrsg.), Western Sexuality: Practice
and Precept in Past and Present Time, 1985, 26–35 (frz.
1982, dt.: Masken des Begehrens, 1984) **92** B. WAGNER-
HASEL, Das Private wird politisch. Die Perspektive
»Geschlecht« in der Alt-Wiss., in: U. A. BECHER, J. RÜSEN
(Hrsg.), Weiblichkeit in gesch. Perspektive, 1988, 11–50
**93** Dies., Frauenleben in orientalischer Abgeschlossenheit?
Zur Gesch. und Nutzanwendung eines Topos, in: AU
1989.2, 18–29 **93a** K. WALDNER, Geburt und Hochzeit des
Kriegers. Geschlechterdifferenz und Initiation in Mythos
und Ritual der griech. Polis, 2000 (im Druck) **94** C. A.
WILLIAMS, Roman Homosexuality: Ideologies of
Masculinity in Classical Antiquity, 1999 **95** J. WINKLER, The
Constraints of Desire. The Anthropology of Sex and
Gender in Ancient Greece, 1990 (dt.: Der gefesselte Eros,
1994) **96** M. WYKE (Hrsg.), Parchments of Gender:
Reading the Bodies of Antiquity, 1998 **97** Dies. (Hrsg.),
Gender and the Body in Mediterranean Antiquity
(Sonderheft: Gender and History 9.3), 1997 **98** Women's
Classical Caucus: http://wccaucus.homestead.com/
**99** Lesbian and Gay Classical Caucus:
http://www.duke.edu/web/jyounger/LGBCC/.

BRIGITTE EGGER

**Genfer Gelöbnis.** Eine der ersten Amtshandlungen
der 1947 gegr. Weltgesundheitsorganisation bestand in
der Abfassung des G. G., einer zeitgemäßen Neuformulierung des hippokratischen Eides, die 1968 weitere
Verbesserungen erfuhr. Der sog. Abtreibungsparagraph
und das Chirurgieverbot machten zeitgemäßeren, allg.
Vorschriften Platz, das menschliche Leben vom Zeitpunkt der Empfängnis an zu achten und medizinisches

Wissen stets in Einklang mit den Geboten der Mensch-
lichkeit einzusetzen. Zwar blieb es bei der Erwähnung
der ärztlichen Schweigepflicht und des ärztlichen Standes, doch wurden alle rel. Anklänge aus dem hippokratischen Eid getilgt. Das G. G. wurde flankiert durch
einen internationalen Code zur Medizinethik, der sowohl in Friedens- als auch in Kriegszeiten gelten sollte.
→ Hippokratischer Eid

VIVIAN NUTTON/<br>Ü: LEONIE V. REPPERT-BISMARCK

**Geographie**    A. EINLEITUNG
B. MITTELALTERLICHE ERDKUNDE
C. PTOLEMAIOS- REZEPTION
D. GEOGRAPHIE, GESCHICHTE UND »KLIMA«

### A. EINLEITUNG

Die G. gehört zu denjenigen natur-wiss. Disziplinen,
deren ant. Kenntnisstand sich in der Neuzeit in hohem
Maße als korrektur- und ergänzungsbedürftig erwies.
Die Entdeckung der »Neuen Welt« (1492) und des See-
weges nach Indien (1498) stehen exemplarisch für den
Beginn der Neuzeit [13]. Dennoch hat das geogr. Denken der Ant. die Praxis der wiss. G. bis in die Moderne
beeinflußt [1. 57–58]. Inhaltlich und zeitlich lassen sich
drei Hauptphasen der Rezeptions- und Wirkungsgeschichte unterscheiden: Die Phase einer nur geringen
Kenntnis der griech. G. im lat. Christentum bis zum E.
des 14. Jh.; die Phase der Rezeption der *Geographia* des
Ptolemaios im 15. und 16. Jh. sowie eine dritte Phase
(18. und 19. Jh.), in der mit dem → Historismus die eth-
nographisch-histor. orientierte länderkundliche G. der
Ant. (Herodotos, Strabon) neu zu Bewußtsein gelangte
und die wiss. G. wesentlich prägte [17. 32–34, 86–88].

### B. MITTELALTERLICHE ERDKUNDE

Das Erdbild der Ant. war dem lat. MA nur in Ansätzen bekannt. Grundlegend für die Rezeption waren einige wenige Schriften, die jenes selbst nur in Auszügen
wiedergaben (Mela, Plin. nat., Solin., Macr. somn.,
Oros., Mart. Cap.) [20. Sp. 1265; 21; 29. 14–15]. Daraus
schöpften die Autoren, die im frühen MA zur Verbreitung geogr. Kenntnisse beitrugen (Isidorus Hispalensis,
der Geographus Ravenna, Beda Venerabilis, Dicuil, Alkuin, Hrabanus Maurus und noch Adam von Bremen
sowie Gervasius von Tilbury) [27. Bd. 2. 286–295].
Dem christl. MA war v. a. die mathematische G. verloren gegangen, die in der griech. Ant. (mit Eratosthenes
und Ptolemaios) einen hohen Stand erreicht hatte [8].
An deren Stelle trat eine christl. Kosmographie, in der
die Beschreibung der Erde mit biblischen und myth.
Vorstellungen verschmolzen wurde, und die so kaum
noch die wirklichen Grenzen- und Lageverhältnisse der
Erde erkennen ließ [14; 1. 63]. Das 12. und 13. Jh.
brachten dem lat. Christentum eine Korrektur und Erweiterung des Erdbildes mit den geogr. Kenntnissen der
Araber [20. 1266–1267]. Bedeutsam für deren Vermittlung war v. a. Muḥammad Ibn-Muḥammad al-Idrīsī,
der im 12. Jh. am Hof Rogers II. in Palermo wirkte

[1. 74]. Die neuen geogr. Kenntnisse fanden ihren Ausdruck u. a. bei Alexander Neckam, Roger Bacon und in der Schrift *De natura locorum* des Albertus Magnus [20. 1268; 25].

### C. Ptolemaios-Rezeption

Die Rezeption der griech. G. im Abendland vor dem 16. Jh. ist gleichbedeutend mit der Rezeption der *Geographia* des Ptolemaios. Die mathematische G. bzw. die Frage nach der Größe der Erde, ihrer Stellung im Kosmos, der Festlegung eines geogr. Koordinatensystems usw. hatte zunächst allein im islamischen Kulturbereich eine Fortsetzung erfahren. Dort war im 9. Jh. die *Geographia* des Ptolemaios ins Arab. übers. worden [15. 10, 94–100]. In das christl. Abendland gelangte die Schrift um 1400. Eine erste lat. Übers. entstand 1406 in It. nach einer griech. Vorlage aus Konstaninopel [33], die Kartenbezeichnungen sind zuerst um 1415 übersetzt worden [24]. Die *Cosmographia* (wie sie in der lat. Übers. hieß) erfuhr (nicht zuletzt wegen des Kartenwerkes) eine außerordentliche Verbreitung, die durch die Erfindung des Buchdrucks noch befördert wurde [17. 45]. Der bestimmende Einfluß des Ptolemaios setzte sich im 16. Jh. fort [23]. Allerdings hatten die neuen geogr. Entdeckungen am E. des 15. Jh. deutlich die Mängel der ant. G. offenbart. Der *Cosmographia* des Ptolemaios wurden zunehmend aktuelle Karten beigegeben, und 1570 wurde die *Cosmographia* endgültig als bestimmende Darstellung des geogr. Weltbildes der Zeit durch das *Theatrum orbis terrarum* des Abraham Ortelius abgelöst. Zumindest ist das ant. Erdbild aber bis h. insofern wirksam geblieben, als spätestens mit Ptolemaios in der G. eine Stoffanordnung üblich geworden war, in der Europa an erster Stelle behandelt wurde, gefolgt von Afrika und Asien. Die »neue Welt« (Nord- und Südamerika, Australien) wurde dem später nur »angehängt«, und diese Reihenfolge der Darstellung ist bis h. in Atlanten üblich.

### D. Geographie, Geschichte und »Klima«

Obwohl das Erdbild der Ant. spätestens mit dem E. des 16. Jh. überholt war, machte sich die ant. Konzeption der G. als Wiss. im gesamten 18. und 19. Jh. geltend. J. H. Zedler bestimmte die ›G.‹ im ptolemäischen Sinne als ›mathematische G.‹, d. h. als ›Wissenschaft von der Figur und Größe der Erd-Kugel und ihrer daher rührenden Eigenschafften‹; diese sei der ›Grund‹ der anderen Arten der G. (›Politische Erd-Beschreibung‹, ›Historische und Physicalische Erd-Beschreibung‹ [34. Bd. 10. 919]. Die mathematische G. sei Teil der Geom., Astronomie und Kosmologie; jene anderen Arten gehörten dagegen – da sie sich mit den jeweils bes. Dingen beschäftigten, welche in den einzelnen Ländern anzutreffen seien – der *Historia* bzw. den *Historiae naturalis* an [34. Bd. 10. 919–920]. Mit der ant. *historia (naturalis)* teilte die (physikalische) G. die Breite der behandelten Gegenstände und den vorwiegend beschreibenden Charakter: ›Géographie physique est la description raisoné des grands phänomenes de la terre‹, heißt es in der frz. *Encyclopédie* [9. Bd. 7. 613]. Die Frage nach der Entstehung und den Ursachen der beschriebenen Naturdinge

gehörte so nicht in die Physische G. (→ Geologie). Diese methodische Beschränkung der G. auf die Beobachtung und die Beschreibung resultierte aus deren enger Verbindung mit der Geschichte und war wesentlich ein Erbe der ant. Historiker (Herodotos, Thukydides, Polybios), wonach sich die *historia* auf eigene Beobachtungen zu gründen und eine genaue und wahre Beschreibung von allem zu geben habe [27. Bd. 1. 101–103, 171–172, 297–298]. Hier erweist sich die G. der Neuzeit als Nachfolgerin jener ethnographisch-hist. orientierten Länderkunde, wie sie Herodotos (zur Rezeption in der Neuzeit [19]) und Strabon (zur Textgeschichte [6]) konzipiert hatten. Um die Mitte des 18. Jh. wurde unter G. überhaupt (sofern diese eben nicht mathematische oder physische G. war) die histor. und hierbei wiederum speziell die »alte G.« verstanden, d. h. die G. der ant. Welt. In der frz. *Encyclopédie* ist unter dem Stichwort *Géographie* v. a. eine Übersicht der histor. Entwicklung der geogr. Kenntnisse zu finden, wobei nahezu die H. des Artikels allein der ant. Erdkunde gewidmet ist (Thales, Pytheas von Massilia, Sokrates, Aristoteles, Theophrastos und Pomponius Mela sowie insbes. Ptolemaios) [9. Bd. 7. 608–610]. Dem entspricht eine der gängigen Einteilungen der G. in *Géographie ancienne, Géographie du moyen âge* und *Géographie moderne* [9. Bd. 7. 613; 18. 163]. Die Einheit von G. und Geschichte manifestierte sich weiter darin, daß die führenden Historiker des 18. Jh. meist auch als Geographen bekannt sind, so etwa J. C. Gatterer (1727–1799) [1. 159] oder A. L. Schlözer (1735–1809). Letzterer hat (neben seiner berühmten *Universalhistorie* [32]) eine G. von Amerika geschrieben (A. L. Schlözer, *Neue Erdbeschreibung von ganz Amerika*, 2 Bde., Göttingen 1777). Diese Historiker haben die G. als Hilfswiss. der Geschichte bzw. als »Schauplatzkunde« verstanden. In diesem Sinne schrieb J. G. Herder (1744–1803): ›Geographie und Geschichte … sind der Schauplatz und das Buch der Haushaltung Gottes auf unsrer Welt: die Geschichte das Buch, die Geographie der Schauplatz‹ [16. 495] (vgl. auch [18. 163]). Herder betonte v. a. den Bildungswert bzw. die »Annehmlichkeit« und »Nützlichkeit« der Geographie. Sie trage dazu bei, das ›Wahre, Schöne, Nützliche zu suchen‹ und den ›sensus humanitatis‹ zu ›schärfen‹ [16. 492] (vgl. auch [18. 163]). A. F. Büsching (1724–1793) stellte die Bedeutung der G. für den Staatsmann heraus. v. a. der ›Regent‹ müsse ›seine eigene und fremde, sonderlich die benachbarten Länder, nothwendig kennen‹, denn ›keiner kann ein Staatsmann ohne die Erdbeschreibung werden‹ [3. 6–7]. Dieses »Nützlichkeitspostulat« findet sich häufig bei den Geographen des 18. und 19. Jh. und ist wiederum ein Erbe der ant. G. (und Geschichte). Strabon hatte seiner Erdbeschreibung einen Abschnitt über die Nützlichkeit der G. sowohl für den Gelehrten als auch für den Staatsmann vorangestellt (Strab. 1,1,1 und 16), wobei er sich v. a. auf Polybios stützte [27. Bd. 1. 295–296]. Dieser »histor. Tradition« entstammte C. Ritter (1779–1859), einer der Gründerväter der mod. G. und ein hervorragender Kenner der ant. Geschichte [5. 37–40; 30]. In seiner Abh. *Über das historische Element in der geographischen Wissenschaft* (1833) stehen die ant. Historiker und Geographen (Thukydides, Strabon, Hekataios, Dikaiarchos, Herodotos, Ptolemaios u.a.) gleichberechtigt neben den neueren [31. 153, 163 u.ö.] (vgl. auch [31. 22–23]). V.a. Ritters »geogr. Determinismus« verweist auf die Antike. Die Zielsetzung seiner G., nämlich den ›Einfluß‹ aufzuzeigen, den die ›Natur auf die Völker‹ ausgeübt hat [31. 5] bzw. die geogr. Faktoren, welche den Lauf der menschlichen Geschichte (mit)bestimmt haben, führt über die ma. G. (Albertus Magnus) bis in die Ant. (Herodotos, Polybios, Strabon) zurück [2; 27. Bd. 1. 298–300; Bd. 2. 360–362] (vgl. auch [31. 182–184, 205]). Im »geogr. Determinismus« des 19. Jh. kommt auch noch eine weitere ant. Traditionslinie zum Tragen, nämlich die auf Hippokrates zurückgehende Lehre von der Beziehung zw. dem Menschen und seiner physischen Umwelt bzw. dem »Klima« [28] (→ Meteorologie). Im 18. Jh. war die Klimalehre für die Philos. der Geschichte bedeutsam [11], und in den geogr. Kompendien ist sie regelmäßig zu finden [3. 64–70]. Ihre eigentliche Bed. für die G. entwickelte die Klimalehre als ideengeschichtlicher Hintergrund des Begriffs der »Wechselwirkung« (zw. belebter und unbelebter Natur) als einem zentralen Begriff der G. des 19. Jh. [26]. V.a. aber bildete sie den Hintergrund für die zentrale Frage der mod. G. nach der räumlichen Verteilung der Naturdinge auf der Erde (E.A.W. Zimmermann, J.-L. Giraud-Soulavie, A. von Humboldt, 1769–1859) [1. 168, 195, 223–227]. Noch im 20. Jh. knüpften die Geographen an die ant. Klimalehre an [10. 369–370].

→ Meteorologie, Geologie (und Mineralogie)

1 H. BECK, Geographie. Europ. Entwicklung in Texten und Erl., Orbis Academicus II/16, 1973 2 J. BERGEVIN, Déterminisme et géographie. Hérodote, Strabon, Albert le Grand et Sebastian Münster, Travaux du Département de Géographie de l'Universit Laval 8, 1992 3 F.A. BÜSCHING, Erdbeschreibung, 1. Theil, welcher Dänemark, Norwegen, Schweden, und das ganze russ. Reich enthält, Hamburg ⁸1787 4 M. BÜTTNER (Hrsg.), Wandlungen im geogr. Denken von Aristoteles bis Kant, Abh. und Quellen zur Gesch. der G. und Kosmologie 1, 1979 5 Die Carl Ritter Bibl., ed. E. PLEWE, Erdkundliches Wissen 50, 1978 6 A. DILLER, The textual tradition of Strabos Geography, 1975 7 J. DÖRFLINGER, Die G. in der *Encyclopédie*. Eine wissenschaftsgeschichtliche Stud., Veröffentlichungen der *Kommission für Gesch. der Mathematik, Naturwiss. und Medizin* 17, 1976 8 G. DRAGONI, La misurazioni fisico-astronomiche di Eratostene, in: Cosmographica et Geographica, Bd. 1, ed. B. FRITSCHER und G. BREY, Algorismus 13, 1994, 97–124 9 Encyclopédie, ou Dictionnaire raisonné des sciences, des arts et des métiers, par une societé de gens de lettres, Paris 1751 ff. (Ndr. 1966) 10 R. FALTER, Prägung des Menschen durch die Landschaft. Umweltpsychologischer Forschungsansatz oder Rückfall in »Blut- und Boden-Ideologie«?, in: Cosmographica et Geographica, Bd. 2, ed. B. FRITSCHER und G. BREY, Algorismus 13, 1994, 369–402 11 G.-L. FINK, Von Winckelmann bis Herder. Die dt. Klimatheorie in europ. Perspektive, in: Johann Gottfried Herder, 1744–1803, ed. G. SAUDER, (Stud. zum 18. Jh. 9, 1987, 156–176 12 P. GAUTIER DALCH, Géographie et culture. La répresentation de l'espace du VIe au XIIe siècle, Variorum collected studies series 592, 1997 13 A. GRAFTON, New worlds, ancient texts. The power of tradition and the shock of discovery, 1992 14 J. HAMEL, Die Vorstellung von der Kugelgestalt der Erde im europ. MA bis zum E. des 13. Jh., Abh. zur Gesch. der Geowiss. und der Religion/Umwelt-Forsch. 3, 1996 15 J.B. HARLEY und D. WOODWARD, History of cartography, Vol. 2/1, 1992 16 J.G. HERDER, Von der Annehmlichkeit, Nützlichkeit und Notwendigkeit der G. Schulrede Juli 1784, in: Werke, Bd. 9/2, ed. R. WISBERT, 1997, 480–495 17 A. HETTNER, Die G. Ihre Gesch., ihr Wesen, ihre Methoden, 1927 18 I. KANT, Physische G., ed. F.T. RINK, in: Gesammelte Schriften, Bd. 9, ed. *Königlich Preußischen Akad. der Wiss.*, 1923, 151–436 19 S. KIPF, Herodot als Schulautor. Ein Beitr. zur Gesch. des Griechischunterrichts in Deutschland vom 15. bis zum 20. Jh., Stud. und Dokumentationen zur dt. Bildungsgesch. 73, 1999 20 M. KRATOCHWILL und H. HUNGER, s.v. G., LMA 4, 1265–1269 21 G. LOOSE, Das 2. B. der *Naturalis historia* von Plinius dem Älteren. Eine kritische Analyse im Lichte mod. geowiss. Erkenntnisse, 1995 22 W. MCCRADY, Isidore, the Antipodeans, and the shape of the earth, in: Isis 87, 1996, 108–127 23 M. MILANESI, Tolomeo sostituito. Studi di storia delle conoscenze geografiche nel XVI secolo, Studi e ricerche sul territorio 14, 1984 24 Ders., Geography and cosmography in Italy from XV to XVII century, Memorie della Società Astronomica Italiana 65, 1994, 443–468 25 P. MORAW (Hrsg.), Das geogr. Weltbild um 1300. Politik im Spannungsfeld von Wissen, Mythos und Fiktion, in: Zschr. für Histor. Forsch., Beih. 6, 1989 26 G.H. MÜLLER, »Wechselwirkung« in den Erd- und Biowiss. von Kant bis zum E. des 19. Jh., in: Geisteshaltung und Umwelt, ed. W. KREISEL, Abh. zur Gesch. der Geowiss. und Religion/Umweltforsch. 1, 1988, 125–141 27 K.E. MÜLLER, Gesch. der ant. Ethnographie und ethnologischen Theoriebildung, 2 Bde., Stud. zur Kulturgesch. 29 und 52, 1972 und 1980 28 M. PINNA, La teoria dei climi. Una falsa dottrina che non muta da Ippocrate a Hegel, in: Memorie della Società Geografica Italiana 41, 1988 29 POMPONIUS MELA, Kreuzfahrt durch die Alte Welt, ed. K. BRODERSEN, 1994 30 C. RITTER, Die Vorhalle europ. Völkergesch. vor Herodotus, um den Kaukasus und an den Gestaden des Pontus, Berlin 1820 31 Ders., Einleitung zur allg. vergleichenden G. und Abh. zur Begründung einer mehr wiss. Behandlung der Erdkunde, Berlin 1852 32 A.L. SCHLÖZER, Vorstellung seiner Universalhistorie, Göttingen 1772, (Ndr. ed. H.W. BLANKE, 1997) 33 A. STÜCKELBERGER, Planudes und die *Geographia* des Ptolemäus, in: Museum Helveticum 53, 1996, 197–205 34 J.H. ZEDLER, Grosses vollständiges Universal-Lexicon aller Wiss. und Künste, Halle und Leipzig 1732 ff.

BERNHARD FRITSCHER

## Geologie (und Mineralogie)  A. EINLEITUNG B. MITTELALTER UND RENAISSANCE C. 17. UND 18. JAHRHUNDERT D. 19. JAHRHUNDERT

### A. EINLEITUNG

Die Phänomene und Fragestellungen, die h. von der G. und M. behandelt werden, waren in der Ant. Gegenstand zweier methodisch getrennter Disziplinen. Die »Meteorologia« fragte nach den Ursachen der terrestrischen Phänomene; die Beschreibung und Klassifikation der Mineralien und Gesteine (sowie der Fossilien) war Gegenstand der *historia naturalis* (und, hinsichtlich der Heilwirkungen der Mineralien, der Pharmakologie bzw. der Medizin). Als Wiss. von der Geschichte der Erde ist die G. allerdings eine Schöpfung der Neuzeit. Dementsprechend weist die Rezeptions- und Wirkungsgeschichte der ant. G. und M. drei Phasen auf: die Phase der Wiederaufnahme und Weiterführung der ant. Lehren bis zur Herausbildung einer eigenständigen »Wiss. von den Dingen unter der Erde« (MA und Ren.), die Phase der Herausbildung der neuen histor. G. (17. und 18. Jh.) sowie eine Phase der impliziten Nachwirkungen der ant. M. im 19. Jh.

### B. MITTELALTER UND RENAISSANCE

Bis in die Mitte des 16. Jh. deckt sich die Rezeptions- und Wirkungsgeschichte der ant. G. und M. weitgehend mit derjenigen der Meteorologie und der *historia naturalis* (bzw. der Pharmakologie). Die Hauptquelle des ant. Wissens von den Mineralien und Gesteinen im lat. MA war die *Naturalis historia* des Plinius d. Ä., der sich u. a. auf Theophrastos stützte [1. 19–21; 20. Sp. 1965]. Eine gewisse eigenständige Bedeutung hatte die Schrift *De materia medica* des Dioskurides Pedanios [1. 23–24]. Die weitere Verbreitung mineralogischer Kenntnisse bis in die Mitte des 13. Jh. erfolgte – neben den ma. Steinbüchern [30] – v. a. durch Solinus und Isidorus Hispalensis sowie später durch die lat. Enzyklopädisten [12. 15–30]. Speziell für die Kenntnis der Fossilien waren Ovid und Orosius von Bedeutung [6. 62–63, 73–75; 19. 517–520]. Die bei Platon, Aristoteles und Theophrastos vorgezeichneten Überlegungen zur Klassifikation und zur Entstehung der Mineralien (und Metalle) sind in diesen Schriften (die sich weitgehend auf die Aufzählung von Mineralien und deren Eigenschaften beschränken) kaum weitergeführt. Bestimmend waren für jene die Unterscheidung zw. den schmelzbaren (aus dem Element »Wasser« bestehenden) Metallen und den übrigen, im Feuer nicht flüssig werdenden (aus dem Element »Erde« bestehenden) Mineralien sowie die aristotelische Lehre von den zwei »Ausdünstungen«, von denen die feuchte für die Entstehung der Metalle (*metalleuta*), die trockene für die Entstehung der übrigen Mineralien (*orykta*, lat. *fossilia*) verantwortlich war [20. 1964–1965]. Diese Ansätze wurden zunächst nur im islamischen Kulturkreis weitergeführt (Ǧābir Ibn-Ḥaiyān, »Steinbuch des Aristoteles«) [32. 105–110, 140–141]. Bestimmend wurde dabei die Klassifikation des Avicenna, der die beiden Hauptgruppen des Aristoteles bzw. des Theophrastos (die schmelzbaren Erze und Metalle und die unschmelzbaren »Steine«) als *liquefactiva* und *lapides* übernahm und die (bei Theophrastos zumindest implizit vorgezeichneten) Gruppen der brennbaren »Schwefel-Arten« (*sulphura*) und der (in Wasser löslichen) »Salze« (*salia*) hinzufügte [1. 18–19; 32. 142–143]. Albertus Magnus schloß sich dieser Klassifikation

an, unterschied allerdings nicht mehr streng zw. den *salia* und *sulphura*, sondern faßte diese beiden Gruppen (die in der »Mitte« zw. den Steinen und den Metallen stünden) als *media* zusammen [2. Bd. 4. 7; 3.]. Für Avicenna sind Wärme und Kälte die wesentlichen wirkenden Kräfte der Entstehung der Mineralien; nach Albertus entstehen die »Steine« aus dem Element »Erde« in Verbindung mit der Qualität der »Feuchte« [19. 522–523]. Primär arab. Erbe sind die in der frühen Neuzeit einflußreiche Annahme einer versteinernden Kraft (*vis lapidificativa*) sowie die Schwefel-Quecksilber-Theorie der Entstehung der Metalle [25. 28, 30; 32. 127–128]. Mit der weiteren Rezeption der *Meteorologie* des Aristoteles wurde allerdings dessen Lehre der beiden Ausdünstungen zur vorherrschenden Theorie der Entstehung der Metalle und Mineralien. G. Reisch faßte die am Beginn des 16. Jh. übliche Auffassung zusammen, wenn er die Mineralien als *lapides*, *sales* und *metalla* unterschied und diese aus Dämpfen und Aushauchungen (*ex vapores et exhalationibus*) sowie durch die Wirkung der himmlischen Wärme (*calore celesti*) entstehen ließ [29. lib. 9, cap. 24]. Die übliche Theorie der Entstehung der Metalle formulierte um 1500 Ulrich Rülein von Calw: Die Wirkung der himmlischen Strahlen läßt im Erdinneren Dämpfe entstehen, durch welche die (stofflich aus Schwefel und Quecksilber bestehenden) Metalle gebildet bzw. zur »Reife« gebracht würden [1. 299–301]. Zum eigentlichen Mittler zw. den ant.-ma. Auffassungen und der neuzeitlichen Erdwissenschaft wurde Georgius Agricola. In *De ortu et causis subterraneorum libri V* (*Die Entstehung und die Ursachen der Stoffe im Erdinneren*, Basel 1546) behandelte er die Entstehung der Mineralien und Gesteine bzw. der Lagerstätten sowie die Ursachen anderer geologischer Phänomene (Erdbeben, Wasser im Erdinneren, Erosion usw.) im Kontext der ant.-ma. Theorien [1. 93–94]. Seine Mineralklassifikation, die er in *De natura fossilium libri X* (*Die Mineralien*, Basel 1546) entwickelte, entspricht der des Avicenna, nur daß Agricola die Lockergesteine als »Erden« (*terrae*) und die Erze (da sie aus einem Metall und einem weiteren Stoff bestehen) als »Gemische« (*mixta*) ausgrenzte [2. Bd. 4. 39–43]. Agricolas Quellen waren insbes. Albertus Magnus, Alexandros von Aphrodisias, Aristoteles, Avicenna, Plinius d. Ä., Seneca, Strabon, Theophrastos, Dioskurides, Galen und Hippokrates [2. Bd. 4. 15–16]. Allerdings verließ Agricola diesen Kontext dann auch ebenso deutlich, wenn er in seiner neuen Wiss. von den »Dingen unter der Erde« (*de rebus subterraneis*) die Beschreibung der Mineralien und die Frage nach ihren Ursachen (welche in der Ant. als *historia naturalis* bzw. als *meteorologia* getrennt waren) in einer Wiss. zusammenfaßte [11]. So ist bei ihm auch an keiner Stelle von einer »Meteorologia« die Rede; die atmosphärischen Phänomene erschienen lediglich als »Störungen« oder »Umwälzungen der Luftsphäre« (*de perturbationibus aeris*) [2. 17].

## C. 17. UND 18. JAHRHUNDERT

Die von Agricola eingeleitete Verselbständigung der »Wissenschaft von den unterirdischen Dingen« setzte sich im 17. Jh. fort, wenngleich die Ursachen der terrestrischen Phänomene (Erdbeben, Vulkane, Entstehung der Metalle und Mineralien) vielfach auch noch im Rahmen der Meteorologie behandelt wurden. J. Micraelius unterschied 1662 (neben der ›Uranologia‹, der ›Zoologia‹, der ›Meteorologia‹ u. a. Disziplinen) eine eigene ›Nerterologia‹ (griech. *nerteros* = unterirdisch), welche *de subterraneis* handeln sollte [24. Sp. 1004–1005]. Und die neue Wiss., die vereinzelt auch schon als ›Geologia‹ bezeichnet wurde [6. 191; 12. 66, 84], fand ihren Ausdruck in A. Kirchers *Mundus subterraneus* (Amsterdam 1665), J. J. Bechers *Physica subterranea* (Frankfurt 1669), G. W. F. Leibniz' *Protogaea* (geschrieben 1691) [22] oder W. Whistons *New Theory of the Earth* (London 1696). Die Klassifikation und die Theorien der Entstehung der Mineralien und Gesteine selbst blieben gleichwohl an die ant. Auffassungen gebunden. Die (implizite) empirische Grundlage der Mineralklassifikationen war (wie bei Platon, Theophrastos und Aristoteles) nach wie vor das Verhalten der Mineralien im Feuer. Die Mineralklassifikationen entsprachen so bis weit in das 18. Jh. der ant.-ma. Einteilung in Salze, Steine, »Brenzen« und Erze bzw. Metalle [8. 543–544; 28. 508–9; 10. 24–26, 82–84]; diese war noch für J. G. Wallerius [33] und A. G. Werner verbindlich [16. 52–53]. Bei den Theorien der Entstehung der Metalle und Mineralien trat (mit der Herausbildung der neuen Naturwiss. im 17. und 18. Jh.) die ant. Elementenlehre zunehmend zurück; dafür blieb die aristotelische Lehre von den Ausdünstungen um so mehr bestimmend. R. Descartes erklärte 1644 die Entstehung der Erzgänge dahingehend, daß eine Schicht von schweren Metallen, vom feurigen Erdinneren erhitzt, Dämpfe entstehen läßt, welche durch die Risse der Erde aufstiegen und dort erstarrten [6. 223]. Und J. J. Becher führte 1661 die Entstehung der Metalle auf bleihaltiges Wasser zurück, welches in die Erde sickere, dort auf aus dem Erdinneren aufsteigende Salz- und Schwefeldämpfe treffe und dann unter dem Einfluß der himmlischen Strahlen verfestigt werde [1. 288–299] (s. auch 1753 J. G. Lehmann [21. 178–179, 256–257; 1. 286–287]). Eine spezifische Manifestation der aristotelischen Lehre war die ›Witterung‹, eine Art »Ausdünstung« der Erzgänge, welche diese absonderten, wenn sie ihr »Reifestadium« erreicht hätten [1. 301–304]. Diese ›Witterung‹ wurde noch um die Mitte des 18. Jh. kaum angezweifelt [35. Bd. 57. 1876; 8. Bd. 6. 254–255]. Und vielfach war die M. der Ant. noch ganz direkt gegenwärtig. J. H. Zedler definierte die ›M.‹ (mit Bezug auf Hippokrates und Galen) als ›diejenige Lehre in der Materia Medica, die von den Mineralien handelt‹ [35. Bd. 21. 346]. Und in den Beschreibungen der Mineralien und Gesteine sowie in der Diskussion der geologischen Prozesse war es nach wie vor üblich, die Angaben der ant. Schriftsteller mit heranzuziehen [31. Bd. 2. 47, 414

u. ö.]. J. Hutton, Begründer der mod. G., bezog sich bei der Diskussion der Erosion der Küsten durch das Wasser des Meeres auf Polybios und Plinius [18. 299–300], und seine maßgebliche *Theory of the earth* [18] entstand überhaupt in dem nicht zuletzt von der Ant. geprägten geistigen Klima der schottischen Aufklärung [13. 222, 224–225].

## D. 19. JAHRHUNDERT

Im 19. Jh. waren die mineralogisch-geologischen Anschauungen der Ant. ebenfalls noch vielfach gegenwärtig [26. Bd. 13. 24; Bd. 21. 98]. Eine konstitutive Bedeutung entwickelten sie dort allerdings nurmehr in der Naturphilosophie. Die »Form« der Mineralien war bis ins 18. Jh. im Kontext der philos. Frage nach dem Verhältnis von Form und Materie diskutiert worden [7]. Dieses Erbe zeigt sich etwa in G. W. F. Hegels *Individueller Physik* sowie in seiner Behandlung der erdgeschichtlichen Entwicklung der Gesteine [17. 53–108, 114–116]. Und L. Oken machte die ant.-ma. Klassifikation der Mineralien und Gesteine explizit zur Grundlage seiner Behandlung der M. und G. und schuf so ein letztes Zeugnis der ant. M. [14. 64–67].

→ Meteorologie, Geographie

1 F. D. ADAMS, The birth and development of the geological sciences, 1954 2 G. AGRICOLA, Ausgewählte Werke, 10 Bde., ed. H. PRESCHER, 1955 ff. 3 ALBERTUS MAGNUS, Le monde minérale. Les pierres. De Mineralibus (livres I et II), présentation, traduction et commentaire par M. ANGEL (Sagesses chrétiennes), 1995 4 A. BORST, Das Buch der Naturgeschichte. Plinius und seine Leser im Zeitalter des Pergaments, AHAW 2, 1994 5 J. DÖRFLINGER, Die Geogr. in der ›Encyclopédie‹. Eine wissenschaftsgeschichtliche Stud., Veröffentlichungen der Kommission für Geschichte der Mathematik, Naturwiss. und Medizin 17, 1976 6 F. ELLENBERGER, Histoire de la géologie, Bd. 1, 1988 7 N. E. EMERTON, The scientific reinterpretation of form, 1984 8 Encyclopédie, ou Dictionnaire raisonné des sciences, des arts et des métiers, par une societé de gens de lettres, Paris 1751 ff. (Ndr. 1966) 9 H. FORS, Vetenskap i alkemins gränsland. Om J. G. Wallerius Wattu-riket, Svenska Linnésällskapets Årsskrift 1996/1997, 33–60 10 B. FRITSCHER, Vulkanismusstreit und Geochemie. Die Bed. der Chemie und des Experiments in der Vulkanismus-Neptunismus-Kontroverse, Boethius 25, 1991 11 Ders., Wiss. vom Akzidentellen. Methodische Aspekte der M. Georgius Agricolas, in: Georgius Agricola – 500 Jahre, ed. F. NAUMANN, 1994, 82–89 12 Ders., Tabellarische Übersicht der Gesch. der Geowiss. von Plinius bis auf Charles Lyell, 1996 13 Ders., Volcanoes and the »wealth of nations«. Relations between the emerging sciences of political economy and geology in 18th century Scotland, in: Volcanoes and History. Proc. of the 20th INHIGEO Symposium Napoli-Eolie-Catania (Italy), 19–25 September 1995, ed. N. MORELLO, 1998, 209–28 14 Ders., Bemerkungen zu einer histor. Epistemologie der romantisch-idealistischen Erdwissenschaft am Beispiel der »Geosophie« Lorenz Okens, Zschr. für geologische Wiss. 27, 1999, 61–69 15 C. GUILLEMIN und J.-C. ROUX, Mystères et réalités des eaux souterraines, La Vie des Sciences. Comptes Rendus de l'Académie des Sciences 11, 1994, 87–114 16 M. GUNTAU, Abraham Gottlob Werner,

Biographien hervorragender Naturwissenschaftler, Techniker und Mediziner 75, 1984 **17** G. W. F. HEGEL, Naturphilos., Bd. 1, ed. M. GIES, 1982 **18** J. HUTTON, Theory of the Earth; or an Investigation of the Laws observable in the Composition, Dissolution, and Restoration of Land Upon the Globe, Transactions of the Royal Society of Edinburgh 1, 1788, 209–304 **19** U. KINDERMANN, Conchae marinae. Marine Fossilien in der Fachlit. des frühen MA, Geologische Blätter für Nordostbayern 31, 1981, 515–30 **20** F. KRAFFT, s. v. M. (und G.), LAW 2, 1963–1966 **21** J. G. LEHMANN, Abh. von den Metall-Müttern und der Erzeugung der Metalle, Berlin 1753 **22** G. W. LEIBNIZ, Protogaea, sive de prima facie telluris, et antiquissimae historiae vestigiis in ipsis naturae monumentis dissertatio, Göttingen 1749 (dt. Ausgabe in der Übers. von W. von Engelhardt, 1949) **23** H. LÜSCHEN, Die Namen der Steine. Das Mineralreich im Spiegel der Sprache, 1968 **24** J. MICRAELIUS, Lexicon philosophicum terminorum philosophis usitatorum, Stettin ²1662, ed. L. GELDSETZER, 1966 **25** H. M. NOBIS, Über die Bed. der geistigen Strömungen des MA für die Entwicklung der Erdwissenschaften, in: Zur Entwicklung der Geogr. vom MA bis zu Carl Ritter, Abh. und Quellen zur Gesch. der Geogr. und Kosmologie 3, ed. M. BÜTTNER, 1982, 21–41 **26** Nouveau Dictionnaire d'Histoire naturelle, appliqué aux artes, à l'agriculture, à l'Économie rurale et domestique, à la Médecine, etc. Par une société de naturalistes et agriculteurs, 36 Bde., Paris 1816 ff. **27** D. R. OLDROYD, Some Neo-Platonic and Stoic influences on mineralogy in the Sixteenth and Seventeenth centuries, Ambix 21, 1974, 128–156 **28** Ders., A note on the status of A. F. Cronstedt's simple earths and his analytical methods, Isis 65, 1974, 506–512 **29** G. REISCH, Margarita philosophica, Basel ⁴1517, ed. L. GELDSETZER, Instrumenta Philosophica, series Thesauri 1, 1973 **30** J. M. RIDDLE, Marbode of Rennes' (1035–1123) considered as a medical treatise, with text, commentary and C. W. King's translation, Sudhoffs Archiv, Beih. 20, 1977 **31** J. S. SCHRÖTER, Lithologisches Real- und Verballex., in welchem nicht nur die Synonymien der dt., lat., frz. und holländischen Sprachen angeführt und erläutert, sondern auch alle Steine und Versteinerungen ausführlich beschrieben werden, 8 Bde., Frankfurt/Main 1779 ff. **32** M. ULLMANN, Die Natur- und Geheimwissenschaften im Islam, Handbuch der Orientalistik I/6,2, ed. B. Spuler, 1972 **33** J. G. WALLERIUS, Mineralogia eller Mineral-Riket, Stockholm 1747 **34** A. G. Werner, Kurze Klassifikation und Beschreibung der verschiedenen Gebirgsarten, Dresden 1787 **35** J. H. Zedler, Grosses vollständiges Universal-Lexicon aller Wissenschafften und Künste, Halle und Leipzig 1732 ff. **36** M. ZONTA, Mineralogy, botany and zoology in medieval Hebrew encyclopedias. »Descriptive« and »theoretical« approaches to Arabic sources, Arabic Sciences and Philosophy 6, 1996, 263–315.    BERNHARD FRITSCHER

**Geometrie**  s. Mathematik

**Georgien**  A. EINLEITUNG
B. MITTELALTER  C. NIEDERGANGSPERIODE
D. WIEDERHERSTELLUNG
E. 19.–20. JAHRHUNDERT

A. EINLEITUNG

Außer dem traditionellen Interesse an der griech.-röm. Kultur gibt es in G. einige Faktoren, die die Maßstäbe des wiss. Studiums und des Einflusses der Ant. bestimmen: 1. Seit ältesten Zeiten hatte G. (Alte Kolchis und Iberia) enge Beziehungen zur ant. Welt. 2. In der ant. Myth. und Lit. finden sich zahlreiche myth., geogr. und histor. Informationen zum alten Georgien. 3. Griech., zusammen mit der aram. Sprache, erfüllte bis zu den ersten Schriftdenkmälern in georgischer Sprache (4.–5. Jh. v. Chr.) die Funktion der offiziellen Schriftsprache, was auch zahlreiches epigraphisches Material bestätigt. 4. Nach der Erklärung des Christentums zur offiziellen Religion (4. Jh. n. Chr.) entwickelte sich die georgische Kultur in engen Beziehungen mit der byz., was sich auch durch die bes. Aufmerksamkeit in bezug auf Griechenland bekundete. 5. Im ma. G., im 11.–12. Jh., haben infolge der intensiven Beziehungen zur arab. Welt die charakteristischen Tendenzen der Ren. (das Interesse an der ant. Philos. und Wiss.) eine ausgeprägte Form bekommen.

B. MITTELALTER

Das wachsende Interesse an der Ant. beginnt in G. hauptsächlich im 8. Jh. und wird im 10.–11. Jh. stärker. Die wichtigste Rolle in dieser Richtung spielten die georgischen Ausbildungszentren. Nach Themistios existierte schon im 4. Jh. n. Chr. in Phasis (West-G., h. Poti) eine philos.-rhet., hauptsächlich neuplatonische Hochschule der Kolchis. Die georgischen Intellektuellen in berühmten christl. Zentren der Welt wurden immer aktiver. Man muß unter vielen die Lawra von Sabatsminda (bei Jerusalem) hervorheben, wo ab 532 georgischen Mönche ein eigenes Kloster hatten und wo seit dem 8.–9. Jh. lit. und Übersetzungsarbeiten durchgeführt wurden. Um den wachsenden Umfang der Übers. ins Georgische waren die verschiedenen christl. Zentren bes. bemüht: auf dem Berg Sinai, wo ab dem 10. Jh. die georgische Klosterkolonie existierte; im Kloster Iviron auf dem Heiligen Berg (Athos), das 980–983 errichtet wurde; in der Klosterkolonie der Georgier auf dem Schwarzen Berg bei Antiocheia, wo im 11. Jh. 60 Georgier lebten; im Kreuzkloster in Palästina, das im 11. Jh. gebaut wurde; im Kloster Petritsoni in Bulgarien, das am E. des 11. Jh. errichtet wurde, und in anderen. Viele georgische Intellektuelle haben ihre Ausbildung an den besten Lehranstalten von Byzanz erhalten. Noch wichtiger war die Bildung von Univ. bzw. Akad. in G. selbst, unter denen man bes. die Akad. von Iqalto (Gründung im 11. Jh.) und Gelati (gegr. 1106) hervorheben muß. In der letzteren hat König Davit der Erbauer die berühmtesten georgischen Gelehrten zusammengerufen. Das Programm der Akad. umfaßte das Studium der folgenden Disziplinen: Geom., Arithmetik, Musik,

Philos., Rhet., Gramm. und Astronomie. G. war aktiv in den Prozeß des kulturellen Lebens des byz. Reiches und der orientalischen Welt eingebunden. Durch enge Kontakte mit den byz. intellektuellen Zentren und eine intensive lit. Tätigkeit bekamen die Einflüsse sowohl der griech.- christl. als auch der ant. Kultur systematischen Charakter. In der Philos. muß man bes. Arsen Iqaltoeli (11.–12. Jh.) und Ioane Petrizi (11.–12. Jh.) hervorheben, die ihre Ausbildung von Michael Psellos und Johannes Italos erhalten haben. Italos hielt Petrizi für einen seiner engsten Mitarbeiter und Freunde. Die Arbeit von Petrizi ist in der Akad. von Gelati weit gediehen. Seiner Begeisterung für die ant. Philos. drohte wegen der damaligen rel. und weltanschaulichen Toleranz keine Gefahr durch die Kämpfe gegen Häresie. Wie auch seine Lehrer bekundete Petrizi bes. Interesse für Platon, die Neuplatoniker und Aristoteles, dessen *Topik* und *Vom Satz* er ins Georgische übersetzte. Er fügte der Übers. von Proklos Diadochos' *Die theologischen Elemente* ausgedehnte Komm. hinzu, die als unabhängiges philos. Werk anerkannt sind. Hier zeigen sich die tiefen Kenntnisse der altgriech. Philos., Myth. und Wissenschaft. Als größte Autoritäten werden bei ihm Sokrates, Platon, Aristoteles, Porphyrios und Iamblichos betrachtet. Es gibt bis jetzt Diskussionen in der Wiss., wie man seine philos. Gedanken qualifizieren soll. Es scheint, daß er ein Vertreter der entwickelten Scholastik ist, der die Philos. positiv verwendet und die Weisheit der Erscheinung mit rationalen Argumenten fundiert.

Viele georgische historiographische Werke geben die Ant. ausführlich wieder. Von diesem Standpunkt ist *Das Leben des Königs Davit* (11.–12. Jh.) interessant. Bei der Beschreibung der Taten des Königs, der G. vereinigt hat, erwähnt der Geschichtsschreiber in verschiedenen Kontexten Homer und die Personen seiner Epen (Achilleus, Odysseus, Priamos, Hektor), Josephus Flavius, Alexander d. Gr. und dessen Historiker Aristobulos, den *Alexanderroman*, Ptolemaios Philadelphos, Vespasianius, Titus sowie Athen als Symbol der Gelehrsamkeit. Der erste Historiker von Königin Tamar erwähnt in seinem *Istoriani da azmani scharavandedtani* nicht nur mehr oder weniger bekannte ant. Autoritäten – Homer, Sokrates, Platon, Plutarchos, Philodoros, Kritias –, sondern leitet von den ant. Eigennamen die georgischen Adjektive ab, z. B. *achiliani, alexandriani, apoloniani, aphroditiani, augustiani, ulimpiani*. Der Einfluß der Ant. tritt bes. klar in der ma. weltlichen Poesie hervor. Schon in den Lobpoemen, in Tschachruchadzes *Tamariani* und Iohane Schavtelis *Abdulmesiani* ist die Erwähnung von altgriech. Dichtern, Philosophen und Autoren üblich. Besonders wichtig in dieser Hinsicht ist das Meisterwerk der georgischen Poesie, Schota Rustavelis *Recke im Tigerfell* (12. Jh.), in dem der Einfluß der Ant. schon einen systematischen Charakter bekommt und sich in den prinzipiellen weltanschaulichen Aspekten zeigt, die uns die interessante Synthese des christl., orientalischen und altgriech. Denkens anbieten. Er

selbst nennt die Gedanken, die er von Platon »gelernt« hat, zw. den wichtigsten Quellen der Weisheit seiner eigener Philosophie. Für seine handelnde Person Avtandil ist die Philos. eine Handlungsphilos.; die Regel des Lebens ist, philos. zu leben; eines der Hauptprinzipien ist die Steigerung von der Liebe der herrlichen Dinge zu der Liebe der herrlichen Taten. Die andere wichtige Quelle für ihn ist offensichtlich Aristoteles, insbes. dessen Ethik. Die Wissenschaftler wurden aufmerksam auch auf die Nähe von Rustavelis ›wahrer Wahrheit‹ und ›Müßiggang‹ einerseits und ἐπιείκεια und σχολή in der Lehre von Aristoteles andererseits. Besondere Aufmerksamkeit gebührt der Frage nach Rustavelis Beziehung zum homer. Epos. Obwohl wir im *Rekken im Tigerfell* keinen direkten Hinweis auf die homer. Epen finden können, sind bei dem georgischen Dichter einige homer. Motive widergespiegelt, die nach der Meinung mancher Wissenschaftler die Grenze der typologischen Ähnlichkeit weit überschreiten. In beiden Fällen ist die Entführung der Frau die Hauptursache des Konfliktes. In beiden Fällen gibt es eine zentrale Hauptperson, die die stärkste ist und bei der der emotionale Aspekt vorherrschend ist (Achilleus / Tariel), und die zweite, die klug und geschickt ist, bei der der rationale Aspekt dominiert und die nach langem Wandern ihr Ziel erreicht (Odysseus / Avtandil). Sowohl in der *Ilias* wie im *Recken im Tigerfell* nimmt die Hauptperson faktisch an der Handlung für lange Zeit nicht teil, gewinnt aber die Hauptschlacht nach dem Wiedereintritt. Der Krieg wird bei Homer und Rustaveli für die Befreiung der Frau durchgeführt. Bei beiden Autoren wandert der geschickte und kluge Held in der realen und märchenhaften Welt usw. Der Einfluß Homers auf die ma. georgische Lit. ist nicht zufällig. Für das georgische Denken des 11.–12. Jh. galt Homer als die größte Autorität unter den Dichtern aller Zeiten. Seine ziemlich häufige Erwähnung, seine Zitierung, die Versuche, in einigen hexametrischen Zeilen ein georgisches Äquivalent zu finden, die Erscheinung der Elemente des Sujets und Personen des homer. Epos in den Werken aller Gattungen der weltlichen Lit. lassen einige Wissenschaftler annehmen, daß im MA Homer – wenn auch in Kurzübers. (*Ilias*) – existiert haben könnte.

Als wichtige Quelle für die Verbreitung der Information über die Ant. diente die übers. Lit., die ausgedehnte Informationen über die Ant. und v. a. über die griech. Kultur umfaßte. Es wurden spezielle Übersetzerschulen gegründet, die uns verschiedene Theorien der Übers. der griech. Texte anbieten (genaue Übers., freie Übers., erklärende Übers.). Selbstverständlich wurde auch die Frage der Übernahme der ant. Eigennamen behandelt. Es ist interessant, daß, obwohl die griech. Onomastik hauptsächlich entsprechend der Aussprache der byz. Epoche übertragen ist, auch die Fälle nicht selten sind, wo wir die klass. Aussprache treffen. So ist z. B. das griech. χ hauptsächlich mit x ins Georgische übertragen, aber wir haben auch Fälle, wo es durch k ersetzt ist. Griech. υ ist oft mit georgischem wi und nicht i übertragen, η mit e und nicht i, δ mit d, β mit b usw. Ekvtime Atoneli, Eprem Mzire, Arsen Iqaltoeli, Ioane Petrizi und viele andere haben aus dem Griech. alles Wichtige übers., was in Byzanz sowohl für die weltliche als auch für die kirchliche Gesellschaft als notwendige Bedingung der Ausbildung galt. Für die Information über die Ant. waren einige Sammlungen der Aussprüche von Demokrit, Sokrates, Platon, Aristoteles und den Neuplatonikern, die übers. wurden, wichtig. Nach der Übers. der Homilien von Gregorios von Nazianz im 10.–11. Jh. wurden die myth. Erl. von Ps.-Nonnos zweimal übersetzt. Die Übers. von Johannes von Damaskos' *Vom orthodoxen Glauben*, Georgios Hamartolos' *Weltchronik*, der Werke des Proklos Diadochos und vieler anderer Autoren, die umfangreiche Informationen über die Ant. enthalten, förderten die Kenntnis zahlreicher alter Namen und geschichtlicher Ereignisse bei den georgischsprachigen Lesern. Dies wiederum stimulierte die Aufnahme des ant. Erbes durch die ma. georgische Kultur. Dieser umfangreiche Einfluß der Ant. auf das georgische Denken und die Lit. ging einher mit der Verstärkung von Tendenzen der Protorenaissance. In G. fanden dieselben Prozesse statt, die in Europa etwas später zur Entwicklung von Human. und Ren. führten.

### C. NIEDERGANGSPERIODE
### (ZWEITE HÄLFTE DES 13. JAHRHUNDERTS – ERSTE HÄLFTE DES 17. JAHRHUNDERTS)

In G. beginnt die zweite H. des 13. Jh. mit der Invasion der Mongolen und dann der Osmanen. Mit dem Untergang von Byzanz wurde G. für lange Zeit von den Prozessen getrennt, die seit dem 14. Jh. in Europa stattfanden. Die Information zur Ant. wird in der georgischen Lit. immer geringer, obwohl ein anon. histor. Werk, das im 14 Jh. geschrieben wurde und die georgische Geschichte der letzten 100 Jahre beschreibt, ziemlich gute Kenntnisse der griech. Sprache sowie einiger Aspekte der Myth. (Trojanischer Sagenkreis), Geschichte (Astyages und Kyros) und Philos. (Aristoteles) zeigt.

### D. WIEDERHERSTELLUNG
### (ZWEITE HÄLFTE DES 17. JAHRHUNDERTS – ANFANG DES 19. JAHRHUNDERTS.)

Trotz schwieriger polit. Situation, feudaler Zersplitterung und endlosen blutigen Kriegen mit den starken orientalischen Staaten beginnen ab der zweiten H. des 17. Jh. in der Entwicklung der georgischen Kultur die Prozesse, die in der Wiss. oft mit dem Ausdruck »Wiederherstellung« bezeichnet werden. Seit dieser Zeit baut G., hauptsächlich durch die Kontakte mit Rußland, neue Beziehungen zu Europa auf. Das steigende Interesse an der Ant. wird immer deutlicher. In der Dichtung des Königs Arcil (1647–1713) erscheinen die Namen von Homer, Aristoteles und Platon wieder. In dem Märchenepos *Rusudaniani* werden Achilleus und Alexander d. Gr. wieder die Vergleichsobjekte. In dem Werk des Schriftstellers des 18. Jh.; Timote Gabaschvilis *Die Wanderung* wird unter den übers. Autoren auch Proklos

Diadochos erwähnt, obwohl er dem orthodoxen Leser empfiehlt, mit ihm vorsichtig umzugehen. Zu den im MA berühmten vier Sammlungen der *Apophthegmata* wurden diesmal aus dem Russ. übers. andere Sammlungen angeschlossen. Für die Popularität der *Apophthegmata* unter den georgischen Lesern spricht auch die Tatsache, daß es von dem berühmten Schriftsteller, Herausgeber und König Wachtang in der Sammlung *Sibrdsne Malagobeli* neu bearb. und in die dichterische Form gebracht wurde. Hier sind die berühmten weisen Aussprüche und Episoden aus dem Leben von Sokrates, Platon, Aristoteles, Aristophanes, Menandros, Zenon, Antisthenes, Anaxagoras, Agathokles, Epikur, Julian, Augustus, Cicero und Alexander d. Gr. dargestellt. Im Auftrage von Wachtang entstanden auch Übers. von vielen mit der Ant. verbundenen Büchern aus dem Russ. und anderen Sprachen. Das Interesse für Theater und Dramaturgie wird immer stärker. Das Fachwort *Theatron* trifft man in verschiedenen Kontexten schon seit dem 7. Jh.; es bezeichnet die Arena, einen Platz, wo etwas ausgestellt wird. Die Fragen der griech. Trag. und Kom. haben eine wichtige Stellung in der originalen oder ins Georgische übers. Literatur. Im histor. Poem *Der Kampf bei Ruchi* des berühmten georgischen Dichters Besiki (1750–1791) erscheinen wieder Homer, der beste Dichter, und Achilleus, der tapferste Held. Im 18. Jh. schafft Anton, der Katholikos G., zwei Redaktionen der georgischen Gramm. (1753, 1767). Der Verf. kommt zu dem Schluß, daß man als Grundlage die Methode der ant. Grammatiker nehmen muß. In dem wichtigsten Werk der georgischen Lexikographie *Georgisches Lexikon*, das Sulchan-Saba Orbeliani in den Jahren 1685–1716 geschaffen hat, zeigt dieser uns viele Worte und Fachausdrücke, die in der georgischen Sprache vom Griech. erhalten sind, und gibt uns auch ihre Erklärungen. Im 18. Jh. und in der ersten H. des 19. Jh. wird die Übersetzungsarbeit ziemlich intensiv. Beim Übers. benutzte man sowohl die Sprache des Originals als auch hauptsächlich Russ. oder europ. Sprachen. Von zahlreichen Übers. verdienen bes. Interesse I. Garsevanischvilis Übers. der *Ilias* (1826 beendet), und *Odyssee* (bis 1815) sowie von Aisops *Fabeln* (zweite H. des 18. Jh.). Neben den ma. Übersetzungsversuchen des *Alexanderromans* wurde im 18. Jh. die georgische dichterische Version *Alexandriani* geschaffen, die die serbische Redaktion des Lebens von Alexander berücksichtigte. Intensiv werden auch die Werke von russ. und europ. Dramatikern mit ant. Thematik übersetzt (V. Ozerov, P. Corneille, J. Racine). Ziemlich vollständig ist die Ant. in der enzyklopädischen Lit. dargestellt. In I. Bagrationis (1768–1830) *Kalmasoba*, wo uns durch die Form der Dialoge viele Angaben aus allen Sphären der bildenden Kultur und Wiss. angeboten sind, haben ant. Myth. und Kultur eine bes. Bedeutung. Es werden neue myth. Lexika vorbereitet, die nicht nur alte Redaktionen der *Märchen von den Hellenen*, sondern auch die neuen Nachschlagewerke als Grundlage benützen. Besonders hervorzuheben ist *Die Mythologie* von D. Bagrationi, die am Ende des 18. Jh. verfaßt wurde. Das Interesse für die Ant. wird wieder stärker in den Werken der Historiographen. Interessant sind die Versuche, die Sage der Argonauten mit den uralten Perioden der georgischen Geschichte zu verknüpfen, wie in Teimuraz Bagrationis (1782–1846) *Georgische Geschichte*, wo der Autor der Meinung ist, daß Medea ihre Kinder nicht ermordet hat.

### E. 19.–20. JAHRHUNDERT

Seit dem 19. Jh. kann man in der polit. Geschichte G. einige Perioden unterscheiden: 1801–1917 Verlust der Staatlichkeit und Vereinigung mit Rußland; 1918–1921 Wiederherstellung der staatlichen Unabhängigkeit; 1921–1991 nach der Annexion Sowjetisierung; ab 1991 Wiederherstellung der staatlichen Unabhängigkeit. Trotz des Wechsels der polit. Systeme und Gesellschaftsformationen verlief der Prozeß der schöpferischen Aneignung und des wiss. Studiums der Ant. in Richtung des stabilen Aufstiegs.

#### 1. LITERATUR UND KUNST

Die Verwendung der ant. Stoffe in der georgischen Lit. bekommt einen systematischen Charakter. Einen bes. Platz nimmt natürlich das Thema der Argonauten und der legendären Kolchis ein. Der Klassiker der georgischen Lit., Akaki Tsereteli (1840–1915), schuf ein Theaterstück in fünf Akten *Media*, das der erste Teil einer Trilogie sein sollte. Anfangs ein Prosawerk, wurde es später vom Dichter selbst in Versform gebracht. Er fügte seinem Theaterstück Erklärungen hinzu, worin er ziemlich objektiv versuchte, alle in der Sage mit der Kolchis verbundenen Namen mit Hilfe der georgischen Sprache zu deuten. Demgemäß sind die Namen der berühmten Personen georgisiert: Aietes – Iata, Medea – Media, Apsyrtos – Isir, Kirke – Tirta. Die Handlung spielt in Kolchis. Am Anf. kämpft Iason nur um Medea. Die Frage des Goldenen Vlieses kommt erst später. An der Ermordung des Apsyrtos nimmt Medea nicht teil; der Bruder wird von den Griechen dem Meeresgott geopfert. Diesem Thema sind auch das Theaterstück *Medea* und der myth. Roman *Die Geschichte der kolchischen Königstochter* des zeitgenössischen Schriftstellers und Altertumsforschers L. Sanikidze gewidmet. Im Theaterstück spielt die Handlung in Korinth, und im Roman umfaßt die Erzählung die gesamte Argonautensage seit der Episode von Phrixos und Helle bis zu Medeas Heimkehr. In beiden Werken wird Medeas Verantwortung für die Ermordung der Kinder abgelehnt. Der Schriftsteller teilt die Versionen der voreuripideischen griech. Tradition. In diesen Werken ist Medea als eine weise und liebevolle Frau dargestellt, die das Opfer von Ehebruch und der Übersiedlung aus ihrer Heimat ist. Von anderem Standpunkt aus zeigt der zeitgenössische Romanautor Otar Tschiladze die Argonautensage in seiner Dilogie *Da ging ein Mann auf dem Weg* (1. *Aietes*, 2. *Der Schlechte*). Hier ist das Sujet des Mythos mehr oder weniger unverändert, ohne in Zeit und Raum konkretisiert zu sein und insofern ohne Suche nach den histor. Gründen; aber es ist so rezipiert, daß der Schriftsteller uns die Trag. nicht nur einer Person, sondern der ganzen Generation anbietet. Das ist ein Roman voller polit. Intrigen, in dem Dramatik, Ironie und Parodie miteinander verbunden sind.

Die zweite Sage, die die Aufmerksamkeit der georgischen Schriftsteller auf sich zieht, ist die des Prometheus, richtiger gesagt seines kaukasisches Prototyps Amirani. Schon im 19. Jh. hat Akaki Tsereteli sein Poem *Amirani* (1895) geschrieben, worin die georgische Sage mit den Elementen des griech. Mythos ergänzt ist. Der Schriftsteller D. Gatschetschiladze schafft das Drama *Amirani* (1963), in dem ein gegen die Tyrannei und für die Freiheit kämpfender Held gezeigt wird, was unter den damaligen polit. Verhältnissen bes. Aktualität gewann.

Das Interesse an der ant. Trad. erstreckt sich über die gesamte georgische Lit. des 20. Jh. Am Anf. des Jh. behauptete ein Teil der georgischen Symbolisten, daß die ant. Stoffe in der mod. Lit. durch die neue Myth., die neuen Symbole und Masken ersetzt werden sollen. Jedoch ist im Schaffen des berühmten Symbolisten T. Tabidze (inhaftiert und hingerichtet 1937) die Ant. eindrucksvoll dargestellt. In seinem Drama *Die Amazonen* schafft er faktisch einen neuen Mythos der Amazonen und ihrer Königin Tomiranda. In *Die geschaffene Sage* erzählt er von der Liebe Alexanders d. Gr. und der Amazonenkönigin Isovela. Eine eigene Auffassung der Argonautensage gibt er uns in seinen Gedichten *Der Hafen Rioni* und *Medea*. In *Neue Kolchis* macht er einen Versuch, den Zusammenhang zw. der berühmten Sage und den Prozessen, die in der heutigen Kolchis stattfinden, zu zeigen. Ant. Themen sind in den Werken des bekannten deutschsprachigen georgischen Schriftstellers Grigol Robakidze, der gezwungen war, das sowjetische G. zu verlassen, und 1962 in der Emigration starb, reichlich vorgestellt. Ganz bewußt hält der größte georgische Dichter des 20. Jh., Galaktion Tabidze, das ant. Hellas für die Heimat der ewigen Schönheit und dichterischen Begeisterung. In seinem Poem *Das Gespräch betreffs Lyrik* gibt er uns eine dichterische Übersicht von der Entwicklung der altgriech. Lyrik und ihrem Beitrag zur Weltdichtung. Stark inspiriert von der ant. griech. Thematik sind seine Gedichte *Die Rosen*, *Der Marmor*, *Wenn Aktaion Aristaos Sohn*, *Die Muse*, *Die Hetäre* und viele andere. In der Dichtung von Galaktion sind etwa 150 mit der Ant. verbundene Symbole und Gestalten, Namen oder Begriffe benutzt und in dem System seines dichterischen Denkens eingeschlossen.

Es gibt eine reiche Trad. der Aufführung ant. Dramen und ihrer Rezeptionen auf der georgischen Bühne. Von den Opern muß man F. Glontis *Kleopatra* (1976) und B. Kvernadzes *Die Kolchetochter* (1997), von Ballettaufführungen S. Nasidzes *Orpheus* (1972), R. Gabitschvadzes *Medea* und A. Matschavarianis *Medea* hervorheben.

Sehr populär ist die ant. Thematik in der mod. georgischen Malerei und Plastik. An der Ausstellung *Griechenland in der modernen georgischen Kunst* (Tbilissi, 1998), nahmen 150 georgische Künstler des 20. Jh. mit etwa

400 Exponaten teil, die die griech. Myth. und Lit. nahezu vollständig widerspiegelten.

## 2. ALTERTUMSWISSENSCHAFT

Die klass. Altertumswiss. in G. hat nach dem MA bes. Maßstäbe im 20. Jh. bekommen, nachdem man erst an der Univ. Tbilissi (1918) und danach in den anderen Wiss.- und Bildungseinrichtungen die intensive Forsch. und das Studium der ant. Kultur und ihre Beziehung mit G. begonnen hatte. Aus vielen Forschungszentren muß man bes. das Institut für Klass. Philol., Byzantinistik und Neugräzistik an der Staatlichen Univ. Tbilissi hervorheben (60 Mitarbeiter, 250 Studenten, eigene spezialisierte Bibl. und Verlag *Logos*) sowie das Arch. Zentrum bei der Akad. der Wiss., das arch. Ausgrabungen in G. leitet. Für die Entwicklung der klass. Altertumswiss. in G. haben Gr. Tsereteli (1870–1938) und S. Kauchtschischvili (1895–1981) eine große Rolle gespielt, die dem Fach sowohl in G. als auch im Ausland von Anf. an eine große Autorität schufen.

Die Hauptrichtungen der Arbeit sind: a) Die Publikation der Nachrichten der griech. und röm. Autoren über G. (Text in der Originalsprache, Übers., Erl.). In dieser Serie sind schon ungefähr 20 Bücher erschienen. Es wird die Enzyklopädie *Caucasus Antiquus* vorbereitet, in der die in griech. und röm. Quellen im Zusammenhang mit der kaukasischen Region bezeugten Namen und Begriffe in ca. 1000 Stichwörtern ausführlich behandelt werden. b) Erforsch. der griech.-röm. Lit., Myth. und Zivilisation. Schon in den 30er Jahren des 20. Jh. erschien zum ersten Mal in der ehemaligen Sowjetunion die vielbändige akad. Ausgabe *Die Geschichte der griech. Lit.* (Gr. Tsereteli). In den 50er Jahren wurden auch S. Kauchtschischvilis zweibändige *Geschichte der griech. Lit.* und später die einbändige *Ant. Lit.* mehrmals herausgegeben. Zur Zeit ist die Ausgabe der dreibändigen *Ant. Lit.* (R. Gordesiani) und der zehnbändigen *Griech. Mythen* begonnen. Ab 1998 erscheint *Die Kulturen der Antike* in sechs Bänden (zwei Bände sind bereits erschienen). Es sind schon ungefähr 300 Bücher und tausende Artikel über Homerologie, griech. Lyrik, Drama, Roman, hell. Epos, ant. Trad., Geschichte Griechenlands und Roms, klass. Arch., griech.-röm.-georgische Beziehungen, ant. Philos. usw. erschienen. c) Studium und Erforsch. der klass. Sprachen. Altgriech. und Lat. werden in allen geisteswiss. Fakultäten der Hochschulen gelehrt. Ab 1998 wird infolge der Reform des Ausbildungssystems das Studium der klass. Sprachen in den Gymnasien und Lyzeen eingeführt. In georgischer Sprache werden mehrere Lehrbücher der altgriech. und lat. Sprache vorbereitet. Einzelne Werke werden den vorgriech.-griech.-georgischen Sprachbeziehungen, die in G. erhalten griech. Inschriften, der Geschichte der griech. Sprache und den Fragen der Lexik von griech. Herkunft in der georgischen Sprache gewidmet.

→ AWI Alexander der Große; Amazones; Argonautai; Aristoteles; Byzanz; Geschichtsschreibung; Homeros; Iberia; Kolchis; Medeia; Prometheus

→ Renaissance; Humanismus

1 V. ASATIANI, Classical and Byzantine Traditions in Georgian Literature, Tbilissi 1996 2 P. Γκορντεζιάνι, Σ. Σιαμανίδου, Ελληνικες Σπουδές στη Γεωργία, Τιφλίδα 1997 3 Η Ελλάδα στη σύγχρονη γεωργιανή τέχνη, Κατάλογος της Έκθεσης, Τιφλίδα-Αθήνα 1998. RISMAG GORDESIANI

**Georgik** s. Bukolik

**Gerechtigkeit** A. ANTIKE B. MITTELALTER C. NEUZEIT D. MODERNE

### A. ANTIKE

Die griech. Philos., die röm. Jurisprudenz und die jüd.-christl. Religion haben den abendländischen Begriff der G. wirkungsgeschichtlich geprägt [1. 5].

Sieht Thukydides (um 460–400 v. Chr.) G. als Funktion der Macht (Geschichte des Peloponnesischen Kriegs 1, 91), so hinterfragt Sophokles (497–407 v. Chr.) jenes Recht, das sich allein auf Macht beruft, weil Befehlsgewalt keinen ausreichenden Geltungsgrund der G. bilde (Ant. 449–461). Vor diesem Rechtfertigungsproblem bestimmen die Philosophen Platon (427–347 v. Chr.) und Aristoteles (384–322 v. Chr.) G. als Tugend und Prinzip der Gesellschaftsordnung in der Polis. Nach Platon besteht G. darin, ›jedem das Seine zu geben‹ und daß ›jeder das Seine tue‹ (Politeia 434a). Die Gesetzgebung bestimmt ›das Seine‹ durch den Grundsatz der Gleichheit (Nomoi 757b/c). Aristoteles rezipiert den Gedanken und formuliert G. als das von Gesetzes wegen für alle Bürger Gleichgeltende (eth. Nic. 1129). Jedoch nur gleiche Sachverhalte können als gleich beurteilt werden. Die städtische Verkehrsgesellschaft erzeugt verschiedene Sachverhalte, die entsprechend unterschiedlich zu beurteilen sind. Aristoteles entwickelt hierfür zwei bes. Formen der G. und bezeichnet sie mit Bezug auf die Verdienste von Personen als verteilende (distributive) und ohne Rücksicht auf das Ansehen der Personen als ausgleichende (kommutative) G. (eth. Nic. 1131a–32b). Jeder Bürger erhält somit ›das Seine‹ nach Maßgabe des Gesetzes, das die Mitte der Verhältnisse zw. den Bürgern festsetzt (eth. Nic. 1134a). Läßt sich ein Einzelfall jedoch nicht nach geltendem Gesetz entscheiden, weil der Gesetzgeber ihn im voraus nicht regeln konnte, so ist es billig (also gerecht), wenn der Richter anstelle des Gesetzgebers eine Entscheidungsregel aufstellt, die allg. Geltung beanspruchen und wonach der Einzelfall entschieden werden kann (eth. Nic. 1137b). Die Stoa erweitert diesen Gerechtigkeitsbegriff von der Sicht der Verhältnisse in der Polis zur universalen (kosmopolitischen) Kategorie: Von Natur sind alle Lebewesen gleichberechtigt. Das Naturgesetz (*lex naturalis*) gilt daher als ewiges Gesetz (*lex aeterna*).

Die röm. Juristen des 2.–3. Jh. n. Chr. rezipieren diese philos. Trad. und entwickeln daraus Prinzipien der gerechten Einzelfallentscheidung, die der ost-röm. Kaiser Justinian im *Corpus Iuris Civilis* kodifiziert und 533 n. Chr. als Gesetz verkündet. G. wird nun als ›constans et perpetua voluntas ius suum cuique tribuendi‹ (›der

Ambrogio Lorenzetti, *Allegorie des guten Regiments*. Fresko, 1338/39. Siena, Palazzo Pubblico. Scala Group S. p. A., Antella

unwandelbare und dauerhafte Wille, jedem sein Recht zu gewähren‹ definiert, deren Prinzipien im ›honeste vivere, alterum non laedere, suum cuique tribuere‹ (›ehrenhaft leben, niemanden verletzen, jedem das Seine gewähren‹) bestehen (Dig. 1.1.10).

Der Universalismus der röm. Stoa (Cicero, Seneca, Marc Aurel, Epiktet) und der Platonismus Plotins (um 204–270 n. Chr.) vermengen sich mit G.-Vorstellungen der Bibel (Ps 48,11; 89,15; 119,142; Mt 5,6; 6,33; Jo 16,8–11; Röm 1,17; 3,21) und bilden in der Folge das Naturrecht des aufblühenden Christentums. Die Kirchenväter Ambrosius (340–397) und Augustinus (354–430) und andere entwickeln daraus den theologischen Begriff der G. mit Bezug auf die Transzendenz des personalen Schöpfergottes.

B. MITTELALTER

Diese Theologisierung der G. bedeutet, daß sich alles Handeln auf Gott bezieht. Die G. bildet fortan Programm und Legitimation der Herrschaft (›iustitia fundamentum regnorum‹, Spr. 25,5). Eine Handlung ist dann gerecht, wenn ihr weltliches Handlungsgesetz (*lex positiva*) dem ewigen (*lex aeterna*) bzw. göttl. Gesetz (*lex divina*) entspricht. Zw. göttl. und weltlichem Recht vermitteln Glaube, Dekalog und Offenbarung, aber auch der Intellekt, der als Teil von Gottes Schöpfungsordnung das Naturrecht (*lex naturalis*) erkennen kann (Thomas v. Aquin, 1225–74, Summa Theologica 1,2,90; 2,2,57–59). Die G. sichert somit das Gemeinwohl. Anschaulichen Ausdruck findet diese Vorstellung im Wandgemälde des Rathauses von Siena (um 1338, Abb.): Die »gute« Regierung verbindet sich mit ihren Bürgern sinnbildlich durch die gemeinsam über eine Kordel »eingehaltene« Tugend der G. Die Darstellung deutet die aristotelischen Begriffe der kommutativen und distributiven G. zu Kardinaltugenden der strafenden und belohnenden Regierung um [3].

Die erneute wiss. Bearbeitung von Aristoteles' *Ethik* und *Politik* sowie von Justinians *Corpus Iuris Civilis* führt zur Differenzierung des theologischen G.-Begriff und stellt dessen Bezug zum Handel der Städte im 13. und 14. Jh. her [4]. Die kirchliche und weltliche Jurisprudenz, die sich in den → Universitäten autonom organisiert, thematisiert auch das Problem des gerechten Preises einer Handelssache (*iustum pretium*). Die Bettelorden (Dominikaner, Franziskaner) konfrontieren die Kirche mit der Armut als Ideal biblischer G. Diese Neuerungen und Gegensätze schärfen insgesamt das Bewußtsein in Bezug auf die individuelle Willensmacht und Verantwortlichkeit und sie schwächen die bis dahin durch Kaiser und Papst gewährleistete G.-Idee des MA.

C. NEUZEIT

Auch die Reformation verstärkt die Tendenz zur Individulisierung des Willens. G. wird im Gewissen des Einzelnen verinnerlicht (Luther, 1483–1546; Calvin, 1509–64). Die Bibel als Quellentext repräsentiert die neue Objektivität und Autorität. Insoweit folgt die Reformation den Forderungen von Humanismus und Renaissance, zurück zu den Quellen zu gehen und die eigene Vernunft zu gebrauchen. Damit werden aber auch jene ant. Quellen zutage gefördert, die der christl. Ethik widersprechen und Relativismus sowie Naturalismus propagieren (Thukydides, Tacitus). Diese ant. Auffassungen schärfen den Blick für eine analytisch-funktionale Betrachtung von Staat, Recht und Macht (Machiavelli, 1469–1527; Bodin, 1529–96) und verbinden die G.-Idee mit dem Kalkül des Nutzens. Die Methoden und Erkenntnisse der Naturwissenschaft des 17. Jh. (F. Bacon, 1561–1626; Galilei, 1564–1642) binden die G.-Idee in den Diskurs von Wiss. und Politik dieser Welt ein, die mit Hilfe der Geom. rational – *more geometrico* – erfasst wird (Descartes, 1596–1650). Hobbes (1588–1679), der an Thukydides anschließt, und Spinoza (1632–77) übertragen diese Denkweise auf die Staatstheorie und begründen das positive Recht der Moderne. G. wird als der durch Kooperation optimierte Nutzen der Gesellschaft von Individuen definiert (Spinoza, Ethica 4,35 ff.).

Kant (1732–1804) trennt die G. von dieser nutzenorientierten Bestimmung und begründet deren Autonomie als Idee. G. ist um ihrer selbst und der Freiheit der Individuen willen nur ein formales Grundgesetz des Verhaltens und Handelns, das aber jederzeit und unbedingt durchgesetzt werden muß (MdS, RL, Einl. §§ A–E einschließlich Anhang). Doch weder der formale G.-Begriff Kants noch die Erklärung der Menschenrechte durch die Französische Revolution von 1789 können den kosmopolitischen Aspekt gleicher Rechte für alle Menschen verwirklichen. Da die bürgerliche Gesellschaft nur die äußere Freiheit der Bürger schützt, schließt sie die Masse der Menschen mit deren ungleichen Voraussetzungen in der Produktion von der gerechten Teilhabe am gemeinsam erarbeiteten Erfolg aus. Das Privateigentum als Ausdruck individueller G. in der Industriegesellschaft unterläuft daher die postulierte Gleichheit und Freiheit aller Menschen in materieller Hinsicht. Hegels Kritik an der bürgerlichen Gesellschaft (Rechtsphilosophie, 1820, §§ 182–208) und Marx' (1818–83) Kritik des Kapitalismus stellen diese Rechtsordnung daher in Frage. Die ungerechte Sozialordnung wird zum Nährboden kollektivistischer G.-Postulate. G. wird als Nutzen einer durch Nation, Klasse oder Rasse bestimmten Masse von Menschen definiert. Die polit. Systeme des Stalinismus, Faschismus und Nationalsozialismus des 20. Jh. pervertieren, insbes. durch die Versuche, Menschen und Völker planmäßig zu vernichten, die abendländische Idee der G.

Aufgrund dieser Erfahrungen erneuert die Weltgemeinschaft nach dem Zweiten Weltkrieg die Erklärung der Menschenrechte (UNO-Charta 1948). Elemente der ant. G.-Idee werden somit wieder thematisiert, wovon u. a. die Theorie der G. von John Rawls (*1921) zeugt. Dagegen versteht die Systemtheorie G. als bloße Kontingenzformel (N. Luhmann, Das Recht der Gesellschaft, 1993, 214ff).

→ AWI Iustinianus [1]; Stoa

1 A. KAUFMANN, Rechtsphilos., 1997. 2 H. K.
KOHLENBERGER, F. LOOS, et. al., s. v. Gerechtigkeit, HWdPh
3, 329–338 3 A. RIKLIN, Ambroggio Lorenzettis Politische
Summe, 1996 4 M. SENN, Rechtsgesch.- ein kultur-histor.
Grundriß, ²1999, Kap. 2,5+6 5 H. WELZEL, Naturrecht und
materiale G., 1990, 178.      MARCEL SENN

## D. MODERNE

Die zeitgenössische philos. Diskussion der G. vollzieht sich heutzutage oft im Kontrast zu Aristoteles. Auf
die aristotelische Auffassung berufen sich hingegen gerne die Kritiker der Mod. Der Gegensatz läßt sich in fünf
Punkten zusammenfassen: Erstens wird die Relevanz
der aristotelischen Theorie einer G. in der Polis für unsere Zeit aufgrund grundsätzlicher histor., v. a. quanti-
tativer Veränderungen in Frage gestellt. Darum empfeh-
le sich als Surrogat die ›Autonomie der Sphären‹ von
menschlichen Aktivitäten, die eine ›größere Verteilung
der Sozialgüter als jede andere denkbare Lösung‹ ge-
währleiste [11. 320f.]. Zweitens wird seitens der Anti-
Mod. nicht diese demographische, sondern eine ide-
engeschichtliche Erklärung des Abschieds vom aristotelischen Ideal der G. angeführt. Die Folgen der mod.
›individualistischen Kultur (…) im Fall der G.‹ seien am
bedrohlichsten für unsere eigene Gesellschaft. Denn
›einer Gemeinschaft, der die praktische Übereinstimmung bezüglich einer Vorstellung von G. fehlt, muß
auch die notwendige Grundlage einer polit. Gemeinschaft fehlen‹ [6. 325]. Nach J. Pieper ist das mod. Bild
der aristotelischen G. als einer ›totalitären (…) Entrech-
tung und Versklavung des Einzelnen‹ selbst durch ein
ganz und gar ›utopisches Bild der Demokratie‹ als bloße
Gewaltfreiheit entstanden [8. 84f.]. Liberale wie Buchanan übernehmen durchaus Aristoteles' Gerechtigkeits-
auffassung, allerdings nur zur Hälfte. Die Zugehörigkeit
zu einer Gemeinschaft sowie Partizipationsrechte in der
polit. Gemeinschaft halten sie zwar für unentbehrlich
für ein gutes Leben. Aber ›man kann das Gute der polit.
Gemeinschaft auch in anderen Gemeinschaften erreichen als in einer allumfassenden polit. Gemeinschaft‹
[1. 859]. Neutral stellt man fest, daß, anders als die
Mod., Aristoteles die G. nicht durch gleiche Rechte für
alle und faire Kooperation definiert, sondern die Ver-
teilungsgerechtigkeit als die hierarchische Zuteilung
von sozialen Rollen versteht [9. 3f.; 10. 49f.]. Drittens
behandelt ›seit Aristoteles (…) die Philos. den Zusammenhang von Glück und G. unter dem Titel des Guten‹
[2. 48]. An diese Trad. schließen die Kommunitaristen
an, während der Liberalismus die G. von jeder Vorstellung des – persönlichen oder kollektiven – Glücks unabhängig machen will. ›Wider eine plane Alternative‹
zw. einer kantischen, mod. Trennung von Recht und
Moral und der ant. Konzeption eines das Recht integrierenden Guten appelliert Höffe: sowohl Kant als
auch Aristoteles unterscheiden die bloße Legalität von
der Moralität als Steigerung des moralischen Verhaltens
im Sinne eines Guten [5]. Viertens: Die aristotelische
Unterscheidung zw. Verteilungs- und Tauschgerechtig-
keit wird zunehmend in Frage gestellt: ›Eine der wich-

tigsten Fragen ist, ob sich beide Formen der G. auf eine
einzige reduzieren lassen. Rawls z. B. behauptet es (…).
Indem er den Ausdruck G. als Fairneß verwendet, legt
er nahe, daß sich die ganze G. auf Sorten der Vertei-
lungs-G. reduzieren läßt (…)‹ [4. 119]. Umgekehrt legt
Höffe eine Reduzierung der ganzen G. auf die
Tausch-G. nahe. Fünftens wird methodisch Aristoteles'
praktische Philos. dem aufklärerischen Anspruch z. B.
von Th. Hobbes (1588–1679) auf strenge Wissenschaftlichkeit entgegengesetzt [2. 14; 10. 63f.]. Im Anschluß
an Hegel neigt die heutige Philos. teilweise zu einer
Synthese der beiden, d. h. des ›abstrakten Universalismus der G.‹ und des ›konkreten Partikularismus des Ge-
meinwohls‹ [3. 17]. Auch der Kommunitarist MacIntyre unterstreicht die universalistische Dimension dieses
konkreten Partikularismus: ›Die Normen der G. existieren nirgendwo, außer in jeder einzelnen bestehenden Polis. Daraus folgt aber nicht, daß die Normen der
G. nichts anderes sind, als was sie in jeder einzelnen Polis
zu jeder einzelnen Zeit sind‹ [7. 122].
→ AWI Gerechtigkeit/Recht

1 A. E. BUCHANAN, Assessing the Communitarian Critique
of Liberalism, in: Ethics 99 (Juli 1989), 852–882
2 J. HABERMAS, Theorie und Praxis, 1969 3 Ders.,
Erläuterungen zur Diskursethik, 1991 4 R. M. HARE,
Justice and Equality, in: J. ARTHUR und W. SHAW (Hrsg.),
Justice and Economic Distribution, 1991 5 O. HÖFFE,
Ausblick: Aristoteles oder Kant? – Wider eine plane
Alternative, in: Ders. (Hrsg.), Aristoteles, Die
Nikomachische Ethik, 1995, 277–301 6 A. MACINTYRE,
[After Virtue] Der Verlust der Tugend, 1987 7 Ders., Whose
Justice? Which Rationality?, 1988 8 J. PIEPER, Über die G.,
in: Werke, Bd. 4, 1996 9 A. RYAN, Introduction, in: Ders.
(Hrsg.) Justice, 1993 10 M. VILLEY, Le Droit et les Droits de
l'Homme, 1983 11 M. WALZER, Spheres of Justice, 1983.
     JEAN-CHRISTOPHE MERLE

**Geriatrie** A. EINLEITUNG B. DIÄTETIK IN
GEROKOMIEN C. BEISPIELE FÜR LANGLEBIGKEIT
D. PATHOLOGIE DES ALTERS

### A. EINLEITUNG

Obschon der Begriff »G.« eine Wortschöpfung des
20. Jh. ist (J. L. Nascher, 1909), sind diagnostische und
diätetische Elemente einer Greisenheilkunde bereits in
der ant. Medizin überliefert. Hauptquellen ihrer bis ins
18. Jh. für die Praxis äußerst bedeutsamen Rezeption
waren zum einen sporadische Hinweise im *Corpus Hippocraticum* (Aphorismi 3,31; De victu 1,33) zu Erkrankungen des Alters und zur Altersabhängigkeit verschiedener Leiden, ihrer Verläufe und der zu empfehlenden
Diät; zum anderen widmete Galen, von Spekulationen
der röm. Kaiserzeit zu Alter und Unsterblichkeit beeinflußt (De mar. 2; De san. tuenda 5,4), dem Thema
bes. Aufmerksamkeit. Insbes. im 5. B. seiner »Hygiene«
(*De sanitate tuenda*), das sich fast ausschließlich der Al-
tenpflege als einem Teilgebiet der Medizin (μέρος τῆς
τέχνης γηροκομικόν) widmet, gab er nicht nur den Anstoß für alle späteren »Gerokomien«, sondern führte

auch die aristotelische Säfte-Dyskrasie des Alters (kalt und trocken: Aristot. gen. an. 784a 34) weiter aus; die Vorstellung des Stagiriten über einen altersbedingt erlöschenden *Calor innatus* (θερμότης φυσική: Parv. nat. 469b 9) interpretierte Galen als kalte Variante des Marasmus (De mar. 3 f.; De temper. 2,2). Ein wichtiges Strukturelement für die G.-Rezeption der Ant. sind außerdem Definitionen der Altersstufen: Galen lehnte freilich eine chronologische Festlegung der drei von ihm unterschiedenen Phasen des Greisenalters (De san. tuenda 5,12) ab, während das *Corpus Hippocraticum* eine spekulative Einteilung der Lebensalter in sieben bis zehn Perioden von sieben Jahren überliefert, von denen zwei dem Alter zuzurechnen sind (πρεσβύτης ab dem 50., γέρων ab dem 58 Jahr; Corpus Hippocraticum, De hebdomadibus 5; vgl. Isidor, Etymologiae 11,2,1 ff.; Thomas Cantimpratensis, Liber de natura rerum 1,82–83). Einen völlig anderen Zugang zur G. besaßen die Kirchenväter, wenn sie den Topos vom sündhaften Altern der Welt auf den menschlichen Körper übertrugen; die Seele hingegen altere nicht, sofern Buße und Eucharistie als φάρμακον ἀθανασίας wirken (Joannes Chrysostomus, 5. Jh., *De paenitentia*, MPG 60,766; Ignatios, 2. Jh., Epist. ad Ephesios 20,2).

## B. Diätetik in Gerokomien

Galens realistische Auffassung eines mehr oder weniger »natürlichen« (weil unausweichlichen) Alterungsprozesses, der durch Diätetik zwar aufzuhalten, aber letztlich nicht zu verhindern sei, prägt aufgrund fehlender therapeutischer Alternativen die medizinische Sichtweise bis in die Gegenwart. Utopische Hoffnungen auf eine Verlängerung des Lebens waren zwar stets lebendig, blieben aber spekulativ. Kurze Extrakte Galenischer Diätetik des Alters finden sich bei Oreibasios (4. Jh., Synopsis ad Eusthatium 5,18), Aëtios von Amida (6. Jh., Libri medicinales 4,30) und Paulos von Aigina (7. Jh., Epitomae medicae libri septem 1,23). Da sowohl *De sanitate tuenda* wie *De temperamentis* als Bearbeitungen in den Lehrkanon der *Summaria Alexandrinorum* aufgenommen worden waren, wurden sie von der islamischen Medizin häufig rezipiert, am ausführlichsten durch Avicenna (um 1000, Canon 1,3,3). Das *Responsum* des Maimonides (12. Jh.) zur Frage eines fest vorherbestimmten Todestermins verrät hingegen eine deutliche Erweiterung der Ätiologie des Alters [4]. Im Gegensatz zur Heilkunde im Islam überliefert das lat. MA bis zur Mitte des 14. Jh. zwar biologische Thesen zum Alter nach Aristoteles und Galen (Albertus Magnus, Kommentar zu den *Parva naturalia*, um 1250; Roger Bacon, *De retardatione accidentium senectutis*, um 1280; Arnald von Villanova, *De conservanda iuventute et retardanda senectute*, um 1300), nahm jedoch von dem entscheidenden fünften Buch der »Hygiene« noch keine Notiz, das spätestens durch die Übersetzung Niccolòs da Reggio (1308–1345) zugänglich wurde. Die mit Bacon und Arnald begründete Gattung spezieller Altersregimina innerhalb der Diätetik orientierte sich jedoch erst seit Marsilio Ficino [1. pars 2] und Gabriele Zerbi (er-

kennbar bereits an dem Titel *Gerontokomia*, 1489: erste gedruckte Monographie der »G.«) an der »Gerokomie« Galens. Modellhaft für die altershygienischen Texte der nächsten 300 Jahre (Antonio Fumanelli, *De senium regimine*, 1540; Aurelio Anselmo, *Gerocomica*, 1606; Bernardinus Stainer, *Gerokomicon*, 1631; John Floyer, *Medicina gerocomica*, 1724; Gerard van Swieten, *Oratio de senum valetudine tuenda*, 1778) erscheint die Gliederung von Zerbis Werk nach den *Sex res non naturales* (Einflüsse von Luft, Nahrung, Bewegung und Ruhe, Schlaf und Wachen, Füllung und Entleerung sowie Gemütsbewegungen), wie sie die islamische Diätetik nach ant. Vorgaben geprägt hatte. Meist gehen diesem Hauptteil biologische und diagnostische Hinweise zum Alter voraus, und pharmakologische Hinweise schließen die Texte ab. Selbst kritische Stimmen wie Girolamo Cardano und geistliche Autoren wie Daniel Tossanus (*De senectute*, 1591) oder Benedictus di Bacquere (*Senum medicus*, 1673) greifen die Empfehlungen Galens auf. Erst die klinisch-pathologische, später auch naturwiss. geprägte Medizin des 19. Jh. löste das globale Konzept einer humoralpathologisch oder mechanistisch gedeuteten Alterskonstitution mit entsprechend ganzheitlichen therapeutischen Strategien zugunsten einer Behandlung einzelner Symptome oder Krankheiten ab.

## C. Beispiele für Langlebigkeit

Die Faszination, die von rüstigen Individuen oder ganzen Volksgruppen hohen Alters ausgeht, schlug sich bereits in der Ant. in entsprechenden *memorabilia* oder *paradoxa* nieder. Während außerhalb der Medizin erste Sammlungen solcher *exempla* entstanden (Plin. nat. 7,48ff; Valerius Maximus, De dictis factisque memorabilibus 8,13) – teilweise auch anläßlich eines Geburtstags (Lukian. Makrobioi), eine Tradition, die die frühe Neuzeit gerne aufgriff (Tommaso Rangoni, *De vita hominis ultra CXX. annos protrahenda*, 1550; Heinrich Meibom, *Epistola de longaevis*, 1664) – verwandten die Gerokomien eher einzelne biographische Notizen, um an ihnen den Nutzen der empfohlenen Diät oder Therapie zu veranschaulichen. Schon Galen wählte zu diesem Zweck das Beispiel eines Arztes (Antiochus; De san. tuenda 5,4); die frühe Neuzeit erwähnte gerne Demokrit oder den von Platon kritisierten Gymnastiklehrer Herodicus aus Selymbria (rep. 406 a7b7 [1. pars 2,1; 8]), aber auch zunehmend Verfasser von Diätetiken wie den angeblich 140jährigen Galen selbst [2. 1,2]. Auch medizinische Gegner, bei denen theoretische Lehre und persönliche Lebensdauer nicht übereinstimmten, wurden als (negative) Beispiele zitiert: Nach dem Vorbild Galens, der auf diese Weise einen anonymen ägypt. Sophisten verunglimpfte (De mar. 2; vgl. Zerbi, Gerontokomia 8), argumentierte auch Henry Cuffe (The differences of the ages of mans life, 1607, 71 f.) und viele nach ihm gegen den bereits mit 57 Jahren verstorbenen Paracelsus. Nach 1600 verdrängte jedoch das autobiographische Beispiel des greisen Alvise Cornaro (*Discorsi alla vita sobria*, 1558–63) die ant. *exempla* innerhalb der Medizin nahezu vollständig. Die oft als persönliche

Überzeugung mißverstandene Satire Johann Heinrich Cohausens (*Hermippus redivivus*, 1742) über eine angeblich ant. Inschrift, die das hohe Lebensalter des Lehrers einer höheren Mädchenschule als Folge des Atems seiner Schülerinnen erklärt (Variante des sog. Sunamitismus), zeigt bereits einen spielerischen und zugleich kritischen Umgang mit der Tradition.

## D. PATHOLOGIE DES ALTERS

Neben einer veränderten Konstitution des greisen Organismus (*Kakochymia*), die sich an verschiedenen Symptomen wie verändertem Puls (Galen, De causis pulsuum 3,5; vgl. Avicenna 1), Urin und Respiration, aber auch an Veränderungen des Herzens äußert (nach Galen; vgl. [3. 171]), diskutierte bereits die Ant. Krankheiten, die vorwiegend in höherem Lebensalter auftreten. Die im *Corpus Hippocraticum* (Aphorismi 3,31) genannten Erkrankungen boten in der frühen Neuzeit Anlaß zu zahlreichen summarischen Unt. oder Einzelstud., teilweise auch im Anschluß an diätetische Schriften (David de Pomis, *Enarratio brevis de senum affectibus*, 1588). Unabhängig oder vergleichend dazu interpretierten Ärzte und Theologen die in Eccl. 12 allegorisch dargestellten Beschwerden des Alters (John Hill, *The pourtract of old age*, 1666).

Nach 1600 flammte anläßlich eines Terenz-Zitates (›senectus ipsa‹ morbu‹: Phormio 575) in der wiss. Medizin zw. Galenisten und Iatromechanikern (Jakob Hutter, *Tractatio medica qua senectus ipsa morbus sistitur*, 1732; im Anschluß an Santorio Santorio, De medicina statica, 1614, 1,83; 5,35) eine Diskussion um die Deutung des Alters als Krankheit auf, die bereits in der Ant. im Blick auf die aristotelische Sentenz τὸ δὲ γῆρας νόσον φυσικὴν (Aristot. gen. an. 784 b 34) sprichwörtlich gewesen war, jedoch von Galen (De san. tuenda 5,4) und v. a. von seinen frühneuzeitlichen Anhängern [5. 541 f.] entschieden zurückgewiesen wurde. Obwohl sich das hippokratische Konzept der (nach 1800 organbezogen gedachten) Alterskrankheiten nachfolgend durchsetzte, bleibt die Frage nach Biologie und Pathologie des Alters und deren grundsätzlicher Bewertung bis h. offen.

→ AWI Aëtios von Amida; Aristoteles; Galen; Herodikos; Hippokrates; Ignatios; Oreibasios; Paulos von Aigina; Summaria Alexandrinorum (?)

QU **1** MARSILIO FICINO, De vita triplice, Florenz 1489 **2** LAURENT JOUBERT, Erreurs populaires au Fait de la Médecine et Régime de Santé, Bordeaux 1578 **3** ANDRÉ DU LAURENS, A discourse of the Preservation of the sight, of Melancholike diseases, of Rheumes, and of Old age, London 1599 **4** MAIMONIDES, Über die Lebensdauer. Ein unediertes Responsum, hrsg. G. WEIL, 1953 **5** FRANCISCI RANCHINI, ΓΗΡΟΚΟΜΙΚΗ – De senum conservatione & senilium Morborum Curatione, in: FRANÇOIS RANCHIN, Opuscula medica, Lugduni 1627, 456–592.

LIT **6** L. DEMAITRE, The care and extension of old age in Medieval medicine, in: Aging and the aged in Medieval Europe, ed. M. M. SHEEHAN, 1990, 3–22 **7** J. T. FREEMAN, Ageing. Its history and lit., 1979 **8** M. D. GRMEK, On ageing and old age, 1958 **9** P. LÜTH, Gesch. der G., 1965

**10** G. MINOIS, History of old age, 1989 **11** H. ORTH, ΔΙΑΙΤΑ ΓΕΡΟΝΤΩΝ die G. der griech. Antike. Centaurus 8, 1963, 19–47 **12** D. SCHÄFER, Senex puer – aetas decrepita. Überlegungen zur Funktion und Gestaltung histor. Exempla für ein hohes Alter in der diätetischen Lit. der Ren. und der frühen Neuzeit, in: THOMAS RÜTTEN (Hrsg.), Gesch. der Medizingeschichtsschreibung. 41. Wolfenbütteler Symposium 14.– 18.9.1997, im Druck **13** D. SCHÄFER, »That senescence itself is an illness ...«. 18th century concepts of age and ageing in perspective. Journ. of the History of Medicine **14** J. STEUDEL, Zur Gesch. der Lehre von den Greisenkrankheiten. Sudhoffs Archiv 35, 1942, 1–27 **15** F. D. ZEMAN, Life's later years. Studies in the medical history of old age (1944–51), repr. in: Roots of modern gerontology and geriatrics, hrsg. G. J. GRUMAN, 1979, 168. DANIEL SCHÄFER

## Germanische Sprachen
I. MITTELALTER   II. NEUZEIT

### I. MITTELALTER
A. EINLEITUNG   B. EINFLUSS DES LATEINISCHEN UND GRIECHISCHEN   C. EINFLUSS DER RÖMISCHEN SACHKULTUR   D. EINFLUSS DES CHRISTENTUMS E. WISSENSCHAFT   F. INTERNATIONALER WORTSCHATZ

### A. EINLEITUNG

Die G. S. sind ein Zweig der idg. Sprachfamilie, als zusammengehörig erwiesen durch die Reihe von bes. Sprachentwicklungen wie der german. Lautverschiebung, der Entwicklung eines Dentalpräteritums, einer »schwachen« Adjektivflexion und anderem. Zu ihnen gehören h. die nordgerman. Sprachen (mit den Hochsprachen Schwedisch, Dänisch, Norwegisch in zwei Ausprägungen, und weiter entfernt, die Inselsprachen Isländisch und Fär[öy]isch), das Engl. in verschiedenen Ausprägungen und Folgesprachen, die friesischen Sprachen (mit Westfriesisch als eingeschränkter Hochsprache in den Niederlanden) sowie auf der Grundlage eines zusammenhängenden Mundartkontinuums Niederländisch und [Neuhoch-] Deutsch. Im niederd. Bereich sind die Ansätze zu einer selbständigen Hochsprache in der Neuzeit aufgegeben worden. Ausgestorben sind das im frühen MA bezeugte Got., das in der frühen Neuzeit in Resten bezeugte Krimgot. (mit dem Got. nicht näher verwandt), das nur in Einsprengseln des 7. Jh. bezeugte Langobardische und das nur schwer mit überlieferten Texten zu verbindende Westfränkische in Frankreich – sowie die Sprachen vieler german. Stämme, die keine Überlieferung hinterlassen haben.

### B. EINFLUSS DES LATEINISCHEN UND GRIECHISCHEN

Alle mod. G. S. sind nachhaltig von der lat. Kultur und Sprache beeinflußt worden, von der griech. Kultur und Sprache im allg. nur mittelbar über das Lat. Einem unmittelbaren Einfluß des Griech. unterlag nur das später ausgestorbene Got.; vereinzelt nachweisbare Spuren eines direkten Einflusses auf südostdt. Mundarten (z. B. bairisch *Pfinztag* »Donnerstag« zu griech. *pémptē hēmérā* mit Übers. des zweiten Glieds, bairisch *Er[ge]tag* »Dienstag« zu griech. *Áreōs hēmérā*) sind wohl durch got. Vermittlung zu erklären und schwer abzugrenzen.

C. EINFLUSS DER RÖMISCHEN SACHKULTUR

Die überlegene röm. Sachkultur muß die Germanen auf vielen Gebieten stark beeindruckt haben, denn sie haben schon früh die einschlägige Terminologie (sicher zusammen mit den Sachen und Verfahren) entlehnt, so z.B. im Hausbau *Mauer, Ziegel, Fenster, Mörtel* usw. Typisch für diese frühe Entlehnungsstufe ist die Entlehnung der Wörter und ihre starke Assimilation an die aufnehmenden Sprachen im Laufe der Zeit. Viele dieser Wörter sind in allen G.S. vertreten. Unter den Sachbereichen tritt v.a. der Handel hervor (*kaufen, Münze, Pfund*), Bezeichnungen für Gefäße (*Kessel, Schüssel, Kiste*), Wörter für nicht-einheimische Pflanzen und aus ihnen gewonnene Nahrungsmittel (*Wein, Birne, Kirsche, Pflaume*). Nicht selten wird die alte german. Sache oder Technik mit dem german. Wort bezeichnet, die überlegene neue röm. Sache oder Technik mit dem Lw. (z.B. dem ererbten Wort *Wand* gegenüber dem entlehnten Wort *Mauer*). In solchen Fällen zeigt sich mehrfach, daß das Dt. stärker an den Lw. hängt als die anderen G.S., die mehrfach das Erbwort auch auf die fremde Technik übertragen. So hat das Dt. für den Umgang mit der lat. Buchschrift das Lw. *schreiben* und die Lehnbedeutung *lesen* (eigentlich nur *auflesen*, dann ausgeweitet in Analogie zu lat. *legere* »auflesen« und »Schrift lesen«); während das Engl. und die nordischen Sprachen die Bezeichnungen der Runentechnik auf die Lateinschrift übertragen haben: neuengl. *to write*, eigentlich »ritzen«, und *to read*, eigentlich »raten«, beides Ausdrücke für den Umgang mit Runen.

D. EINFLUSS DES CHRISTENTUMS

Das Christentum ist zu den verschiedenen german. Völkern auf verschiedene Weise gekommen, und dies spiegelt sich auch in ihren Sprachen und dem Gebrauch der rel. Sprache, wenn auch die Terminologie selbst in jedem Fall weitgehend volkssprachlich sein mußte. Eine früheste Schicht christl. Terminologie zeigt sich in frühen Entlehnungen, die vermutlich schon vor der Mission aufgenommen wurden und deshalb eigentlich in die Sparte »Sachkultur« gehören. Besonders auffällig ist in dieser (schwer abgrenzbaren) Gruppe das Wort *Kirche*, das bereits früh vorhanden gewesen sein muß (zu denken ist an die Kirchen als Objekte der Plünderung durch heidnische Germanen), so daß sich das (griech.-)lat. Wort *ecclesia* im Zuge der Mission nicht durchsetzen konnte. Auch die Schicht des Ersatzes christl. Begriffe durch inhaltlich verwandte heidnische (*Hölle, Sünde, Gott, heilig*) ist ziemlich allg. verbreitet und beruht möglicherweise auf einer Gleichsetzung noch in heidnischer Zeit. In der Zeit der Mission und des frühen Christentums mußten dann Massen christl. Termini aufgenommen werden. Dies geschah nur zum Teil durch Entlehnung (bes. bei kirchlichen Ämtern u.ä.: *Priester, Bischof, Papst, Mönch, Nonne*; christl. Gebäuden wie *Kloster, Münster, Zelle, Kirche, Dom*; Teilen des Gottesdienstes

wie *Messe, Predigt* usw.); sonst wird übersetzt und neu gebildet, wobei aber wieder verschiedene Schichten zu unterscheiden sind: Die einfachen, den Gläubigen betreffenden, Begriffe wie *beten, Buße, Reue, Gnade, fasten, taufen, (Hl.) Geist* usw. beruhen auf bedeutungsähnlichen Wörtern, die dem rel. Gebrauch angepaßt wurden – sie haben sich in der Regel bis in die Gegenwartssprache gehalten. Für Lehnübers. verschiedener Art gilt dies nur sehr beschränkt: *Beichte* (nach *confessio*), *Gewissen* (nach *conscientia*, dieses nach *syneídēsis*), *barmherzig* (nach *misericors*), *Mitleid* (nach *compassio*, dieses nach *sympátheia*) usw. Zahlenmäßig weit häufiger waren die Lehnübers. für weiter abliegende christl. Begriffe und christl. Ethik. Für sie (wie auch für einige zentralere Begriffe) gab es verschiedene Ansätze der Wiedergabe, die lange Zeit miteinander konkurrieren konnten. Nur in wenigen Fällen hat sich eine der Varianten durchgesetzt; meist ist im Laufe der Zeit ein neueres Wort vorgezogen worden, nicht selten auch eine Entlehnung aus der Ausgangssprache. Für den Status und das Ausmaß dieser Terminologie war es wichtig, wie stark die Volkssprache bei der rel. Unterweisung und dem Gottesdienst herangezogen wurde. Bei den Goten (wie bei den Arianern und Homoiern überhaupt) war der Gebrauch der Volkssprache selbstverständlich – deshalb auch die frühe Bibelübersetzung. In gewissem Umfang gilt dies auch für die Angeln und Sachsen in Britannien, zu denen im 6. Jh. das Christentum ungefähr gleichzeitig vom Norden her durch die Iren und von Rom her durch eine spezielle, durch Gregor d. Gr. in Auftrag gegebene Mission auf friedliche Weise kam. In Britannien wurde in ungewöhnlich starkem Ausmaß in die Volkssprache übersetzt und in späterer Zeit (10./11. Jh.) gab es sogar Ansätze zu einer systematischen volkssprachlichen Terminologie in der Schule von Winchester (altengl. *þrowere* »Dulder« neben *martir* »Märtyrer«, in Winchester *cyðere* »Zeuge« in genauer Übers. des griech. Wortes). Nach der normannischen Eroberung wurde dann ein großer Teil dieser volkssprachlichen Errungenschaft wieder aufgegeben. Auf dem Kontinent wurde das Christentum in großem Umfang (wenn auch durchaus nicht überall) kriegerisch und aggressiv durchgesetzt. Deshalb wurde Heidnisches weitgehend ausgemerzt und das Christentum v.a. in seiner lat. Form durchgesetzt; die Volkssprache spielte hier eine wesentlich geringere Rolle. Hinzu kommen auf dem Kontinent die verschiedenen Missionsansätze: eine frühe Mission aus dem romanischen Bereich, dann die ebenfalls frühe, aber anhaltende irische Mission und schließlich die engl. Mission (mit der Tendenz, vorausgehende Ansätze zu verdrängen) – im Südosten gibt es auch kirchlich bestimmte Entlehnungen aus dem Griech., für die eine sonst nicht bezeugte got. Mission verantwortlich gemacht wird. Sprachlich mit einzelnen Termini verknüpfen lassen sich diese Ansätze nur in Einzelfällen, die zudem wenig sicher sind; aber daß sie bei der Entwicklung der volkssprachlichen Terminologie eine Rolle gespielt haben, sollte keinem Zweifel unterliegen. In den Norden ist die Mission deutlich später (und von England und Deutschland aus bestimmt) gekommen, den Abschluß bildet der Beschluß der isländischen Volksversammlung im Jahr 1000, das Christentum zu übernehmen, um diesbezügliche interne Auseinandersetzungen zu beenden. Dementsprechend ist die rel. Terminologie weitgehend durch die Vermittlung des Dt. und Engl. bestimmt; im Isländischen kommt als bestimmender Faktor noch die Abneigung dieser Sprache gegenüber Fremdwörtern hinzu.

### E. Wissenschaft

Der wohl wichtigste Einfluß der ant. Sprachen auf die german. (wie die mod. europ. Kultursprachen überhaupt) beruht darauf, daß die Wiss. und verwandte Kulturbereiche im frühen MA weitgehend in lat. Sprache und nach lat. Vorbild betrieben wurden (wobei dieses wiederum in hohem Maße von dem griech. Vorbild abhängig war). Erst langsam haben die Volkssprachen diese Aufgabe übernommen, wobei große Mengen lat. und griech.-lat. Termini einfach entlehnt, vielfach aber auch übersetzt wurden. Allg. kann gesagt werden, daß Versuche volkssprachlicher Wiss. schon früh unternommen wurden (spätestens im 10./11. Jh. in Deutschland, in England etwas früher), daß aber diese Versuche nicht eigentlich zum Ziel hatten, die lat.-sprachige Wiss. zu ersetzen, sondern eher, zu ihr hinzuführen. Deshalb (und auch aus anderen Gründen) sind die frühen Versuche, zu einer volkssprachlichen wiss. Terminologie zu kommen, nicht auf die Dauer wirksam gewesen. Terminologien, die sich in größerem Umfang durchsetzen, erscheinen frühestens nach der Einführung des Buchdrucks, nach Sprachgebieten und nach Sachgebieten verschieden spät. Es kann also bis weit in die Neuzeit hinein davon ausgegangen werden, daß bestimmte hochsprachliche Bereiche der G. S., wie Wissenschaftssprache (und liturgische Sprache), durch das Lat. abgedeckt wurden, so daß die Ausbildung der Volkssprachen in diesen Bereichen mangelhaft war und sich nur mühsam (und unter weitreichenden Entlehnungen aus dem Lat.) verselbständigen konnte. In welchem Umfang das Lat. darüber hinaus (z. B. durch sklavische Übers.) auch auf Gramm. und Stil der Volkssprachen einwirkte, unterliegt Meinungsverschiedenheiten.

### F. Internationaler Wortschatz

Diese Entwicklung hat dazu geführt, daß die europ. Kultursprachen in großem Umfang an der griech.-lat. Wiss.- und Kulturterminologie teilhaben, daß also ein nicht unbeträchtlicher Bestandteil ihres Wortschatzes international ist (ohne daß der Bestand überall der gleiche sein muß, und nicht ohne daß zw. den Sprachen auch Unterschiede auftreten). Mehr noch: Auch der Bedarf nach neuen Termini wird aus dem damit angelegten Fachwortschatz und seinen Elementen gewonnen, sei es durch korrekte Bildung nach den Regeln der ant. Sprachen, sei es durch mod. Veränderungen (Abkürzungen usw.), sei es durch hybride Formen (Mischungen verschiedener Sprachen). Die dabei verwendeten »Versatzstücke« werden mehrfach als Konfixe, der

Bildungsvorgang als Konfigierung bezeichnet. In anderer Weise zeigt sich der ant. Einfluß im sog. Bildungswortschatz, der vielfach auf die alte Geschichte und Mythologie Bezug nimmt (*Ariadnefaden, Tantalusqualen, Achillesferse*). In vielen Fällen, bes. bei Übers., ist diese Herkunft allerdings nicht mehr bewußt (*Labyrinth, Zankapfel*). Diese Besonderheit eines internationalen Wortschatzes neben dem Erbwortschatz wirkt sich bis tief in die Sprachstruktur hinein aus – natürlich nach den Sprachen verschieden.

→ Germanische Sprachen II; Internationalismen

(Zusammenfassende Werke unter GS II) 1) W. Betz, Der Einfluß des Lat. auf den ahd. Wortschatz. 1. Der Abrogans, 1936 (Grundlegende Terminologie der Lw.-Forsch., die allerdings auch an mehreren anderen Stellen dargestellt wird) 2 K. Büchner (Hrsg.), Lat. und Europa. Trad. und Ren., 1978 3 E. Gamillscheg, Zur Gesch. der lat. Lw. im Westgerman., FS Marchand 1968, 82–92 4 O. Lendle (u. a. Hrsg.), Mediterrane Kulturen und ihre Ausstrahlung auf das Dt., 1986 5 F. Maurer, H. Rupp, Dt. Wortgeschichte, ³1974 (bes. 55–164, 399–508) 6 M. Pei, The influence of Latin-Romance on Western European Languages. In: Ders., The story of Latin and the romance languages, 1976, 187–206 7 A. Schirmer, W. Mitzka, Dt. Wortkunde. Kulturgesch. des dt. Wortschatzes, 1969    ELMAR SEEBOLD

## II. Neuzeit
### A. Einleitung
### B. Neuzeitliche Entwicklungen
### C. Besonderheiten der Einzelsprachen

### A. Einleitung

Der über Jh. wirkende Einfluß des Lat. und Griech. auf die G. S. der Neuzeit, zu denen Dt., Niederländisch, Friesisch, Engl. und die nordgerman. Sprachen (Schwedisch, Dänisch, Norwegisch, Isländisch und Färöyisch) gehören, wird bes. auf der Ebene des Wortschatzes, der Wortschatzschichtung und der Wortbildung sichtbar.

### B. Neuzeitliche Entwicklungen
#### 1. Internationalität des Lehnwortschatzes

Alle mod. G. S. (mit Einschränkungen im Isländischen) wie auch die anderen europ. Sprachen haben in großem Umfang an der griech.-lat. Wiss.- und Kulturterminologie teil. Dies ist darauf zurückführen, daß die ant. Sprachen für die Wiss. und verwandten Kulturbereiche vom frühen MA zum Teil bis weit in die Neuzeit hinein maßgeblich waren und den Vorrang vor den Volkssprachen hatten. Je nach Fachgebiet werden wiss. Ergebnisse bis ins 20. Jh. in lat. Sprache dargestellt. So kommt es, daß ein nicht unbeträchtlicher Bestandteil des Wortschatzes dieser Sprachen, wenn auch in unterschiedlichem Umfang und Bestand, international ist (*Allegorie, Dialog, Dynastie, Emblem, Horizont, Kilometer, Kosmos, Logik, radioaktiv, Sphäre, Symbol, Theater* usw.). In wiss. Wortschatzdarstellungen und -untersuchungen zu den einzelnen G. S. finden sich meist alphabetisch geordnete Zusammenstellungen des lat. und griech. Lw.-Bestandes [z. B. 3; 10; 18; 24; 31; 34], darüberhinaus gegebenenfalls auch Angaben zur Chronologie bzw. Periodisierung (Ren., Human., Reformation, Klassik) [7], zu den betroffenen Sachbereichen (Kirche, Schule, Univ., Fachwiss., Buchdruck, Kanzlei, Gericht usw.) [8; 36], sowie zum quantitativen Anteil am Gesamtwortschatz und zur Wortfrequenz [19; 29]. Für alle diese Sprachen prägend ist die eindringende Flut lat. und griech. Wörter in der Zeit des Human., in der durch das Studium der Ant. das Griech. neu entdeckt und der Gebrauch eines an klass. Autoren orientierten Lat. verbindlich wird. Mittellat. Formen werden durch neue Entlehnungen aus dem klass. Lat. ersetzt. Nicht auf Lat. abgefaßte, wiss. Traktate oder Urkunden sind doch durchsetzt von flektierten lat. Wörtern. Auch im Mündlichen wird im gelehrten Diskurs das Lat. mit der Volkssprache gemischt (Luther). Dies führt zum einen dazu, daß im 16. Jh. ein neuer Wörterbuchtyp zur Erklärung solcher unbekannter Wörter entsteht: das Fremdwörterbuch. Zum anderen erwacht aber auch das Bestreben, die eigene Sprache von fremden Einflüssen zu befreien und ihr zu gebührender Geltung zu verhelfen. Dieses ist jedoch mehr gegen das Frz. als gegen das Lat.-Griech. gerichtet. Das Bemühen um »Sprachreinheit« setzt schon im 16. Jh. ein, geht im 17. Jh. verstärkt von den Sprachgesellschaften und vom 18. bis 20 Jh. teils sachlich-systematisch, teils nationalistisch-aggressiv von Einzelpersonen und Vereinen aus. Diesen Bemühungen verdankt ein nicht unbeträchtlicher Teil des heutigen Wortschatzes seine Existenz. Es handelt sich hierbei um volkssprachige Lehnübers. oder Ersatzwörter für lat.-griech. Ausdrücke, z.B. aus dem Bereich der Gramm. (lat. *casus* − dt. *Fall*, lat. *nomen* − niederländisch *naamwoord* usw.).

## 2. WORTNEUBILDUNG AUS LEHNWORTSCHATZBESTANDTEILEN

Auch der Bedarf an neuen Termini wird aus dem angelegten Fachwortschatz und seinen Elementen gedeckt. Dies geschieht zum einen durch korrekte Bildung nach den Regeln der ant. Sprachen, zum anderen durch mod. Veränderungen (Abkürzungen usw.) und schließlich auch durch hybride Formen, in denen verschiedene Sprachen gemischt werden. Die dabei verwendeten »Versatzstücke«, also Wortstämme der griech. und lat. Sprache, die in den »Nehmersprachen« nicht frei vorkommen können, werden vielfach als Konfixe (*Bio-, Geo-, Mikro-, Thermo-*), der Bildungsvorgang als Konfigierung bezeichnet. Exemplarisch lassen sich quantitative Angaben machen: Im fachsprachlichen Wortschatz der Biologie und Medizin lassen sich bis zu 1600 Konfixe aus einem Gesamtbestand von 30.000 Termini ermitteln. Bei den übereinzelsprachlich produktiven Präfixen griech. oder lat. Herkunft werden bis zu 71 Präfixe (gr. *a-, ana-, anti-, apo-, di-, dia-, dys-, ekto-, en-, endo-, epi-, ex-, hyper-, hypo-, kata-, meta-, para-, peri-, syn-* und lat. *ab-, ad-, con-, de-, dis-, ex-, in-, inter-, ob-, per-, prae-, pro-, re-, sub-, trans-* usw.) und 122 Suffixe gezählt (gr. *-ía, -iké, -ikós, -ismós, -istés* und lat. *-ant/-ent, -antia/-entia, -ia, -ion, -mentum, -tor, -ura, -arius, -aris,*

*-alis, -ivus, -osus* usw.), wobei genauere sprachvergleichende Untersuchungen noch ausstehen. Der ständige Bedarf an Neubildungen im wiss.-technischen, kulturellen, polit.-ideologischen und kommerziellen Bereich wird zu einem hohen Anteil aus lat.-griech. Bestandteilen bestritten, da diese internationale Geltung haben und regelhaft zum Ausbau von Nomenklaturen und terminologischen Systemen nutzbar gemacht werden können.

## 3. BILDUNGSWORTSCHATZ

Als Bildungsgut gelten nicht nur einzelne Wörter, sondern auch Fügungen (*semper idem, vice versa*), nominale Gruppen (*alter ego, terminus technicus*) oder ganze Sätze (*suum cuique, quod erat demonstrandum*), die oft erst im Mittellat. aufkommen. Dieses stellt nicht nur Formen (*autorisieren* zu mlat. *auctorizare*) und Bed. (*Notar* zu mittellat. *notarius* »durch kaiserliche Gewalt bestellter, öffentlicher Schreiber«) bereit, sondern vermittelt auch Entlehnungen aus dem Griech. (*Arzt* über mittellat. *archiater* aus griech. *archiātrós* »Erz-Arzt, Hofarzt«), Arab. (*Ziffer* über mittellat. *cifra* aus arab. *ṣifr* »Null«) und anderen Sprachen. Die Besonderheit eines internationalen Wortschatzes neben dem Erbwortschatz wirkt sich bis tief in die Sprachstruktur hinein aus, wobei nach den verschiedenen Einzelsprachen differenziert werden muß. (Zum Bildungswortschatz siehe auch G.S.I.F.)

## C. BESONDERHEITEN DER EINZELSPRACHEN

### 1. DAS DEUTSCHE

Im Dt. ist eine fremde Struktur gegenüber der ererbten anzusetzen, wobei (als eine Folge human. Bestrebungen) eine möglichst enge Anbindung an das fremde Vorbild bevorzugt wird. Dies geht so weit, daß in frühnhd. Zeit griech.-lat. Affixe nicht nur mit klass. Stämmen, sondern auch mit Wörtern dt. Ursprungs verbunden werden (*Grob-ian, Schlendr-ian, morgan-atisch*). Die klass. Wörter werden mitsamt ihrer Flexionsendung entlehnt und im Satz nach den lat. und griech. Regeln flektiert, was sich h. noch in Pluralformen wie *Tempora, Themata* (neben *Themen*) oder *Kommata* (neben *Kommas*) und relikthaft in Wendungen wie *nach Christi Geburt* widerspiegelt. Vom engen Kontakt zeugen auch wörtliche Übers. lat. Ausdrücke wie *minderjährig* zu mittellat. *minorennis, Völkerrecht* zu lat. *ius gentium* oder *Hauptsache* zu lat. *causa principalis*. Das Dt. hat überdies eine ganze Reihe von Präpositionen aus dem Lat. entlehnt (*ad, exklusive, inklusive, kontra, minus, per, plus, pro, qua, versus, via*), von denen einige sehr produktiv sind (*per Bahn, per Anhalter, per Gesetz, per Anschreiben* usw.). Hinzuweisen ist schließlich auch auf die Erscheinung der Relatinisierung, bei der (vorzugsweise aus den romanischen) Sprachen entlehnte Wörter in eine lat. Form gebracht werden. So ist z.B. *Animosität* »Feindseligkeit« aus frz. *animosité* entlehnt und nach lat. *animositas* relatinisiert (vgl. auch *äquivalent* aus frz. *équivalent* »gleichwertig« nach mittellat. *aequivalens* oder *Konservatorium* aus it. *conservatorio* »Musikschule« usw.).

## 2. Das Englische

Im Engl. ist durch die normannische Eroberung von 1066 und den Zustrom frz. Wörter der german.-volkssprachliche Charakter stark zurückgedrängt worden; auffälligerweise war dabei der romanische Fremdeinfluß mindestens ebenso stark ein lat. wie ein französischer. Die Tatsache, daß schon ein verwandtes, romanisch-frz. Element vorhanden war, begünstigte das Eindringen gelehrter lat. (und griech.) Wörter seit der Zeit des Human. im 16. Jh. durch Entlehnung oder durch Neubildung. In keiner anderen G.S. nahm der Wortschatzumfang durch Ren.-Latinismen so zu wie im Englischen. Die Entlehnungen werden teils morphologisch unverändert übernommen (*arena, status, extra*), teils wird das fremde Suffix subtrahiert (lat. *critic-us* > engl. *critic*, lat. *extend-ere* > engl. *extend*), teils durch ein heimisches Suffix substituiert. Durch Wortneubildung aus klass. oder neoklass. Wortschatzmaterial wird vom 16. Jh. an, bes. aber seit dem 18. Jh. dem gesteigerten Bedarf an wiss.-technischen Termini Rechnung getragen. Während das Dt. aber häufig neben einem Latinismus (oder Gräzismus) einen heimischen Ausdruck hat (*Geographie – Erdkunde, Computer – Rechner, synonym – bedeutungsgleich*), gibt es im Engl. oft nur ein einziges, fremdprachliches Wort (*geography, computer, synonymous*). Wo es auch im Engl. Synonyme gibt, gilt der lat. Wortgebrauch als der gewähltere, die ererbten german. Wörter bleiben dem Alltagswortschatz vorbehalten. Die deutlich lat. Wörter werden dabei von den einfachen Sprechern vielfach als *hard words*, also als schwierig zu gebrauchende Wörter empfunden. Diese *hard words* zeichnen sich nicht nur durch feine Bedeutungsunterschiede zu ihren Synonymen, durch stilistische Markiertheit, schwierige Schreibung oder Aussprache aus, sie sind häufig auch dissoziiert, d. h. weder formal noch inhaltlich an ein Grundwort oder an anderes, bereits vorhandenes Wortschatzmaterial anschließbar: während z. B. im Dt. das Adjektiv *mündlich* für die Sprecher erkennbar vom Substantiv *Mund* abgeleitet ist, ist im Engl. das Adjektiv *oral* vom Substantiv *mouth* isoliert. Die *hard words* stellen eine Sprachschwierigkeit dar, die letztlich eine soziale Scheidung der Sprecher zur Folge hat. Die Auseinandersetzung mit dem ant. Erbe der engl. Sprache in Wörter- und Lehrbüchern findet daher schon seit dem frühen 17. Jh. vorrangig mit dem Ziel statt, die sprachliche Kompetenz in diesem Bereich zu verbessern.

## 3. Die nordgermanischen Sprachen

Die nordgerman. Sprachen verhalten sich im Prinzip wie das Dt., was das Fortleben des Lat. als internationaler Gelehrtensprache und die Neubildung internationaler Wörter auf lat. oder griech. Grundlage im Bereich der Wiss. anbelangt, wobei das Dt. eine vermittelnde Rolle innehat. Mitte des 18. Jh. setzen auch hier verstärkt Bestrebungen ein, fremde, insbes. lat. und frz. Wörter zu vermeiden oder durch einheimische Synonyme zu ergänzen (*musik* durch dänisch *tonekunst, medicin* durch *lægekunst*) bzw. zu ersetzen (*gække* statt *ridikulere, selska-*belig statt *sociable*). Das Isländische ist nun aber in bes. Maß gegenüber fremden Wörtern empfindlich. Es leistet sich (als eine der Sprachen mit den geringsten Sprecherzahlen in Europa) den Luxus, auch sonst gängige → Internationalismen konsequent zu übersetzen, so z. B. *hitabelti* für »Tropen« (eigentlich »heißer Gürtel«), oder durch Kunstwörter zu ersetzen. Neuwörter werden unter Rückgriff auf native Lexeme und Ableitungselemente gebildet wie *sími* »Telefon« [zu *síma* »Draht«], *hreyf-ill* [»Beweg-er«] für »Motor« oder *smá-sjá* [»Klein-Seher«] für »Mikroskop«. Kunstwörter werden gebildet durch willkürliches, nicht morphologisch begründetes Herausgreifen von Teilen des Fremdwortes (*berk-* aus *Tuberkel*) und Weiterbildung mittels heimischer Affixe (*-ill* als Agenssuffix), so daß ein Wort wie *berk-ill* »Tuberkel« entstehen kann, das sich gut in die Wortschatzstruktur einpaßt. Durch die konsequente Neologismenbildung anstelle der Entlehnung kann das Isländische den Eindruck diachroner Einheitlichkeit zumindest in der Schriftlichkeit bewahren.

**1** G. Ahrens, Medizinisches und naturwiss. Latein. Mit latinisiertem griech. Wortschatz, 2. Aufl. 1992 **2** D. M. Ayers, English Words from Latin and Greek elements, 1977 **3** P. G. Aringström, Gunnar Ekelöf och antiken, 1992 (mit einem Lex. lat. u. griech. Wörter, Ableitungen, Lw. und Zit.). **4** G. J. M. Bartelink, Uitgewiste Latijnse sporen in het Nederlands, in: Hermeneus 56 (1984), 262–266 **5** P. Braun et al. (Hrsg.), Internationalismen. Studien zur interlingualen Lexikologie und Lexikographie, 1990 **6** M. Byrne, Eureka! A dictionary of Latin and Greek Elements in English Words, 1997 **7** Dt. Fremd-WB, 2. Aufl. 1995 f. (z. Z. bis C, für den Rest des Alphabets kann die 1. Aufl. benutzt werden) **8** F. Dornseiff, Die griech. Wörter im Dt., 1950 **9** K. Ehlich, Greek and Latin as a Permanent Source for Scientific Terminology: The German Case, in: F. Coulmas (Hrsg.), Language Adaptation, 1989, 135–157 **10** P. Gessler, Griech. Fremd- und Lehnwörter im Dt., 1967 **11** U. Groenke, Vom Kunstwort zum Wort. Eine Besonderheit der isländischen Neuwortproduktion, in: FS H. Seiler, 1980, 287–291 **12** Ders., Isländische Kunstwörter – natürliche Wörter, in: K. Sroka, Kognitive Aspekte der Sprache, 1996, 93–96 **13** H. Halldórsson, Icelandic purism and its history, in: Word. Journal of the International Linguistic association 30 (1979), 76–87 **14** P. Halleux, Le Purisme Islandais, in: Etudes Germaniques 20 (1965), 417–427 **15** A. G. Hatcher, Modern English Word-Formation and Neo-Latin, 1951 **16** E. Haugen, Die skandinavischen Sprachen, 1984 **17** F. J. Hausmann, W. Seibicke, Das Internationalismen-WB, in: WB, Dictionaries, Dictionnaires II, 1990, 1179–1184 **18** A. Hemme, Das lat. Sprachmaterial im Wortschatze der dt., frz. und engl. Sprache, 1904, Nachdr. 1979 **19** A. J. Hoof, Hoe klassiek is het Nederlands, in: Kleio 9 (1979), 25–35 **20** G. Hoppe, Das Präfix *ex-*. Beiträge zur Lw.-Bildung. Mit einer Einführung in den Gegenstandsbereich, 1999 **21** G. Hoppe et al. (Hrsg.), Dt. Lw.-Bildung. Beiträge zur Erforsch. der Wortbildung mit entlehnten WB-Einheiten im Dt., 1987 **22** A. Kirkness, Das Fremd-WB, in: WB, Dictionaries. Dictionnaires II, 1990, 1168–1178 **23** Ders., Eurolatin and English today: an examination of the nature history and roles of classicisms in

English and other European languages, in: English today 13 (1997), 3–8 **24** B. Kytzler, Unser tägliches Lat.: Lex. des lat. Spracherbes, ⁴1995 **25** E. Leisi, C. Mair, Das heutige Engl.: Wesenszüge und Probleme, ⁸1999 **26** B. Lindberg, De lärdes modersmål. Latin, humanism och vetenskap i 1700 talets Sverige, 1984 **27** G. Lurquin, Elsevier's dictionary of Greek and Latin word constituents: Greek and Latin affixes, words and roots used in English, French, German, Dutch, Italian and Spanish, 1998 **28** C. A. Luschnig, Etyma: an introduction to vocabulary building from Latin and Greek, 1982 **29** M. Mader, Lat. Wortkunde für Alt- und Neusprachler, 1979 **30** H. H. Munske, A. Kirkness (Hrsg.), Eurolatein. Das griech. und lat. Erbe in den europ. Sprachen, 1996 **31** F. Richter, Unser tägliches Griech.: Dt. Wörter griech. Herkunft, 1981 **32** H.-F. Rosenfeld, Klass. Sprachen und dt. Gesamtsprache, in: Lex. der Germanistischen Linguistik, ²1980, 653–660 **33** M. Scheler, Der engl. Wortschatz, 1977 **34** K. A. Sinkovich, A dictionary of English words from Greek and Latin roots, 1987 **35** M. C. van den Toorn, Neoklassiek en postmodern: een morfolexicografische verkenning, in: Jaarboek van de Stichting Instituut voor Nederlandse Lexicologie, 1987 (1988), 66–100 **36** J. Verheggen, Heureka: Grieske cultuur in Nederlandse woorden, 1996 **37** A. Weijnen, Leenwoorden uit de Latinitas, stratigrafisch beschouwd, in: Ders., Algemene en verglijkende dialectologie, 1975, 189–299 **38** E. C. Welskopf, Das Fortleben altgriech. sozialer Typenbegriffe in der dt. Sprache, 1981 **39** C. Werner, Wortelemente lat.-griech. Fachausdrücke in den biologischen Wiss., ⁷1997 **40** O. Wittstock (Hrsg.), Lat. und Griech. im dt. Wortschatz, ⁶1999.                                                BRIGITTE BULITTA

## Geschichtsmodelle   A. Einführung und Begriffe   B. Das Altertum   C. Lateinisches Mittelalter   D. Renaissance und Protestantismus   E. Barock und Aufklärung   F. Das 19. Jahrhundert   G. Ausblick auf das 20. Jahrhundert

### A. Einführung und Begriffe

Geschichtliches Denken und Geschichtsschreibung haben Wurzeln im Altertum. Damals sind Modelle entwickelt worden, welche sowohl spätere Geschichtsschreibung als auch späteres Geschichtsdenken geprägt haben. Zum ersten Mal erscheint das Wort »Geschichte« bei Herodot (ca. 484 – ca. nach 430 v. Chr.) (Hdt. pr. 1: histories apodexis, ἱστορίης ἀπόδεξις) im Sinne des Ergebnisses einer Forschung. Nach ihm ist die Geschichte Ermittlung von Wissen durch Befragung von Zeugen oder durch Autopsie. Das hat die Geschichtswiss. bis h. geprägt. Die Beziehungen zu Philos., Religion, Theologie, wie überhaupt zu Wiss., ebenso auch zur Dichtung sind seit der griech. Ant. für die Historiographie konstitutiv geworden. Bei Aristoteles (384–322 v. Chr.) erscheint das Berichten von Ereignissen als Erzählen von Einzelheiten im Gegensatz zu der Allgemeinheit der Dichtung (Aristot. poet. 9, 1451a 36–1451b 1/11). Die Geschichtsschreibung ist das Sammeln und die eventuelle Auslegung der Ereignisse der Vergangenheit; diese Auslegung bedingt die Geschichtsinterpretation. Bio-

graphie kann eigentlich nicht in die Geschichtsschreibung einbezogen werden, weil sie sich als Sondergattung ausschließlich mit Individuen befaßt und nicht mit Vorgängen. Jedoch steht die polit. Theorie in enger und gegenseitiger Verbindung mit der Geschichtsschreibung, weil die Politik offensichtlich die Geschichtsschreibung beeinflußt.

### B. Das Altertum

#### I. Der alte Orient

Grundlegende Unterschiede mod. Geschichtsauffassung bestehen zu den im Alten Orient (Ägypten, Hethiter, Iran, Mesopotamien) vorhandenen Modellen. Dort ist Geschichtsschreibung als Liste von Ereignissen und Herrschern konzipiert worden. Die orientalische Geschichtsschreibung wurde durch die Griechen überwunden und zu einer Darstellung des Geschehens nicht nur einzelner, sondern aller. Auf Buchrollen geschrieben und für eine Zuhörerschaft entworfen, unterscheidet sich diese neue Form der Geschichtsdarstellung von den monumentalen altorientalischen Inschriften. Freilich haben monumentale Inschr. als Form der Geschichtsdarstellung immer wieder eine Rolle gespielt.

#### 2. Die Juden

Im Gegensatz zu dem herodoteischen Begriff von Geschichte als Forsch. ist die Geschichte bei den Juden die Darstellung der Ereignisse des auserwählten Volkes. Die Geschichte des auserwählten Volkes ist gleichzeitig National- und Heilsgeschichte, weil das auserwählte Volk von Gott geführt wird. Juden wie Christen haben eine lineare Vorstellung des geschichtlichen Ablaufs. Im AT findet man die Theorie der Abfolge der Weltreiche im Buch Daniel (Dan 2,31–34; 7,2–27; 8,2–26). Diese Theorie der Weltreichssukzession hat als Ablaufmodell geschichtlichen Geschehens einen enormen Einfluß auf das geschichtsphilos. Denken ausgeübt.

#### 3. Griechenland

##### 3.1 Universalgeschichte

Eine der folgenreichsten Entwicklungen ant. Historiographie ist die Universalgeschichtsschreibung. Sie befaßt sich nicht mit der ganzen Oikumene, sondern nur mit den Völkern, die den Menschen der Ant. bekannt waren. Herodot mit seinen *Historien* und Ephoros (ca. 405–330 v. Chr.) in den *Historien* haben die Grundsteine im kulturhistor. und ethnographischen Sinne für die Weltgeschichtsschreibung gelegt. Der Gründer der Universalgeschichtsschreibung ist Polybios (ca. 200–ca. 118 v. Chr.), der in seinen *Historien* den Aufstieg Roms zur Weltmacht zu erklären versuchte. Dieses Werk ist polit. und räumlich orientiert und betrachtet die Weltgeschichte als Zeitgeschichte. Die Eroberung der bekannten Welt durch die Römer ist also der endgültige Anstoß für die Kristallisierung einer Universalgeschichtsschreibung. Polybios sieht die Geschichte seiner Zeit als zusammenhängendes Ganzes, in dem sich Handlungen und Geschehnisse in den verschiedenen Teilen der Welt verknüpfen mit Rom als Zentrum der Geschichte. Polybios' histor. Werk ist eine Universalgeschichte des Mittelmeerraumes von 264 bis 144

v. Chr. Die universalistische Philos. des Stoizismus inspiriert die Idee der Weltgeschichte in den *Historien des Poseidonios* (ca. 135–ca. 51 v. Chr.), des ersten Philosophen, der Geschichte schrieb. Im Geiste des Stoizismus wurde die universalhistor. Kompilation Diodors (ca. 90–30 v. Chr.) am E. der röm. Republik veröffentlicht. Universalgeschichtsschreibung findet sich erst recht in der Zeit des Augustus, als ein Großteil der bekannten Welt zu einer polit. Einheit zusammengefügt wurde. Das findet seinen Ausdruck in den *Historien* Strabons (64/3–nach 23 n. Chr.) oder bei Nikolaus von Damaskus (ca. 63 v. Chr.- nach 4 n. Chr.) und in den *Historiae Philippicae* des Pompeius Trogus (Mitte 1. Jh. v. Chr.-nach 14 n. Chr.), einem in Lat. nach hell. Vorlagen geschriebenem Werk, das später von Iustin epitomiert wurde und im MA einen großen Einfluß ausgeübt hat.

### 3.2 LOKALGESCHICHTE UND REGIONALGESCHICHTE

Die Lokalgeschichte beginnt mit den Atthidographen oder Lokalhistorikern von Attika. Der Vorgänger ist Hellanikos von Lesbos (ca. 480–395 v. Chr.), aber die wichtigste Gestalt ist Philochoros von Athen (ca. 340–260 v. Chr.). Die Regionalgeschichte, also die Geschichte einer größeren Zone, findet man bei den Historikern Siziliens: Antiochos von Syrakus (5. Jh. v. Chr.) und Timaios von Tauromenion (ca. 350–260 v. Chr.), dem Entdecker der Bed. des westl. Mittelmeerraumes und Historiker der Westgriechen. Sein Werk wurde von Polybios fortgesetzt. Die Lokal- und die Regionalgeschichtsschreibung haben in vielen Werken bis in unsere Zeit gewirkt.

### 3.3 GESCHICHTE VON FREMDEN VÖLKERN UND KULTUREN

Unter den Griechen findet man Historiker, die fremde Kulturen als Gegenstand ihrer Werke hatten – wie Ktesias (2. H. 5. Jh.–1. H. 4. Jh. v. Chr.) Persien und Megasthenes (ca. 350–290 v. Chr.) Indien. Beide Werke sind Ergebnisse der Autopsie und haben dazu beigetragen, den histor. Horizont der Griechen zu erweitern; sie sind auch Bausteine für die Entwicklung der Universalgeschichtsschreibung. Eigene, von der Geschichtsschreibung getrennte Gattungen bilden Ethnographie und Geogr., deren Werke freilich für die ma. wie neuzeitliche Historiographie fundamental gewesen sind.

### 3.4 RHETORISCHE GESCHICHTSSCHREIBUNG

Die Rhet. ist wohl zu allen Zeiten ein bestimmender Faktor bei der narrativen Modellierung von Historiographie gewesen. Einen übermäßig dominierenden Einfluß bekommt die Rhet. erstmals in den *Hellenika* und *Philippikai historiai* des Theopompos von Chios (378/7–320 v. Chr.), der unter dem Einfluß seines Lehrers, des Redners Isokrates (436–338 v. Chr.), gestanden hat.

### 3.5 TRAGISCHE GESCHICHTSSCHREIBUNG

Das histor. Werk als eine Trag. zu betrachten, ist in der Zeit des Hellen. mit den histor. Werken des Duris von Samos (ca. 340–260 v. Chr.) und des Phylarchos von Athen (2. H. 3. Jh. v. Chr.) wichtig geworden. Diese tragische Betrachtung der Geschichte hat immer wieder Anziehungskraft ausgeübt. Histor. Ansätze erscheinen schon bei den griech. Trag., bes. in den *Persern* des Aischylos.

### 3.6 POLITISCHE, WIRTSCHAFTLICHE UND SOZIALE GESCHICHTSSCHREIBUNG

Thukydides (etwa 460–etwa 400 v. Chr.) ist der Begründer der polit. Geschichtsschreibung, die bei ihm aber auch bereits in enger Beziehung mit der Berücksichtigung weiterer, insbes. auch wirtschaftsgeschichtlicher Gesichtspunkte steht. Die Beschäftigung des Aristoteles und seiner Schule mit den Verfassungen hat ihre Spuren im 6. Buch der *Historien* des Polybios (um 200–120 v. Chr.) hinterlassen, wo Geschichte als naturgesetzliche Abfolge von Regierungsformen erscheint: Monarchie, Aristokratie und Demokratie. Die röm. Verfassung, die nach Polybios diese drei Elemente kombiniert, ist die ideale Verfassung, eine Mischverfassung. Gleichzeitig findet man bei Polybios eine tiefe Analyse der kausalen und faktischen Zusammenhänge des Geschehens, die er als ›pragmatische Geschichtsschreibung‹ bezeichnet. Polybios ist der Entdecker der Verknüpfung von Ereignissen und hat das Interesse an der polit. Geschichte des Thukydides fortgesetzt. In den Fragmenten der *Historien* des Poseidonios (etwa 135–50 v. Chr.) findet man ein großes Interesse für die sozialen Probleme aus Anlaß der Sklavenaufstände in Sizilien.

### 3.7 METHODOLOGIE

Das einzig erhaltene Beispiel einer Schrift zur histor. Methodologie ist ein Werk des Lukian (ca. 120–nach 180 n. Chr.) *Wie soll man Geschichte schreiben?* Lukian hat berühmte Vorgänger: Thukydides im sog. »Methodenkapitel« (Thuk. 1,20–23) und Polybios im 12. Buch der *Historien*. Die Beschäftigung mit der Methode der Geschichte ist bes. prägnant in unserer Zeit geworden. Nach Ansätzen in der human. *ars historica* und nachdem schon im 19. Jh. gerade Altertumswissenschaftler fundamentale Arbeiten zur histor. Methodenlehre verfaßt haben, allen voran Johann Gustav Droysen, finden sich in jüngster Zeit in viel beachteten Publikationen wiederum regelmäßig von Altertumswissenschaftlern zu solchen Fragen Äußerungen (so: F. G. Maier, Ch. Meier, A. Momigliano, H.-I. Marrou oder P. Veyne).

### 3.8 EVOLUTION, FORTSCHRITT UND NIEDERGANG

In der Ant. existierte ein Evolutionsdenken, welches ein Gegenstück zum pessimistischen Weltaltermythos bildet. Das Evolutionsdenken wird von der materialistischen griech. Philos. vertreten. Es findet sich bei Demokrit, Diodor (Diod. 1,8), den Sophisten Gorgias und Protagoras, Epikur und in Rom bei Lukrez, der von Fortschritt spricht. Lukrez (ca. 94–55 v. Chr.) periodisiert die Vorgeschichte in Stein-, Erz- und Eisenzeit auf der Grundlage einer materiellen Kultur wie bereits Hesiod. Horaz (65 v. Chr.- 8 n. Chr.) denkt an die Vergangenheit vom Standpunkt der Evolution (carm. 3,6,46–48). Bei Manilius (Anf. 1. Jh. n. Chr., Astronomica, 1,95–117) und Seneca dem Jüngeren (gest. 65 n. Chr., nat. 6,5,3 und epist. 64,7) erscheinen Ansätze des Fortschrittsgedankens sowie der Evolution (nat. 7,30,5). Die Idee des Fortschritts, die in der Ant. kulturell und technisch ist, aber nicht moralisch, erscheint schon in der *Archäologie* des Thukydides (1,2–19). Dieser Begriff findet eine Resonanz in der Idee des Fortschritts in Frankreich im 18. Jh., vertreten von Turgot und Condorcet. Das Evolutionsdenken wurde im 19. Jh. in England von Darwin biologisch begründet.

### 3.9 WELTALTERMYTHOS

Bei Hesiod (um 700 v. Chr.) erscheint der Weltaltermythos (erg. 106–201), nach dem die menschliche Geschichte in fünf Perioden abläuft: Goldenes, Silbernes, Ehernes Zeitalter, Heroengeschlecht und Eisernes Zeitalter. Bei diesem ersten Versuch, Geschichte zu periodisieren, hat Hesiod im Kern einen babylonischen Mythos übernommen und die Periode der Heroen, die der myk. Epoche entspricht, hinzugefügt. In der Neuzeit ist diese Deutung zusammen mit anderen ant. Zeugnissen bei der Deutung arch. Bodenfunde und der Entwicklung des Dreiperiodensystems (Steinzeit, Bronzezeit, Eisenzeit) zuweilen erwähnt worden. Vielfach von Bed. ist die Übernahme oder das Zitieren jener pessimistischen Sicht der Geschichte, wonach die Menschheit nach dem Goldenen Zeitalter schrittweise degeneriert sei. In der Ant. hatte die Periodisierung Hesiods kaum Resonanz, weil sie durch einfachere Systeme ersetzt wurde. Claudian (ca. 370–404 n. Chr.) war ihr letzter Vertreter. In der Philos. von Platon (ca. 429–348 v. Chr.) spielt die Idee eines vergangenen Goldenen Zeitalters eine Rolle. Platon vergleicht auch die Arten der Menschen mit den Metallen (Plat. rep. 416a–c). Spuren des Weltaltermythos finden sich bei den Orphikern, und in Rom fand die Vorstellung von Weltepochen vielfache Resonanz.

### 3.10 WELTREICHSABFOLGE

In engem Zusammenhang mit der polit. Geschichte erscheint die Theorie der Weltreichsabfolge, die den Geschichtsablauf nach den Weltmonarchien periodisiert. Diese Geschichtstheorie, die sich bis zu Bossuet im 17. Jh. erstreckt, hat ihren ersten Vertreter in Herodot, der die folgende Sukzession der Weltmächte formuliert: Assyrien – Medien – Persien (Hdt. 1,95.130). Bei dem Universalhistoriker Polybios sind es: Persien – spartanische Hegemonie – Makedonien – Rom (Polyb. 1,2,2–7). Demetrios von Phaleron (2. H. 4. Jh. v. Chr.) hat als erster Makedonien (Polyb. 29,21), Aemilius Sura (1. H. 2. Jh. v. Chr) als erster Rom eingeführt (Vell. 1,6,6). Bei Dionysios von Halikarnassos ist das Röm. Reich die Vervollkommnung des histor. Vorgangs (Dion. Hal. ant. 1,95.130). Die Lehre der Weltreichsabfolge wurde entsprechend den verschiedenen Zielen der Historiker benutzt. Sie liegt der im MA verbreiteten Idee der *translatio imperii* zugrunde.

### 3.11 ZYKLISCHE VORSTELLUNGEN

Vorstellungen von einer zyklischen Weltzeit sind mit der Idee einer Wiederkehr des Gleichen verbunden gewesen. Sie gehören in den Bereich der Philosophie.

Zyklische Vorstellungen spielen sodann bei der Theorie einer systematischen Abfolge der Verfassungen und Staatsformen eine Rolle (v. a. Polyb. 6,4,11–13). Die zyklischen Vorstellungen von der Menschheitsgeschichte haben indes – v. a. durch Vico – bis in unsere Zeit gewirkt, wie O. Spengler oder A. Toynbee beweisen.

### 3.12 GESETZMÄSSIGKEITEN

Vorstellungen von Gesetzmäßigkeiten im Sinne anthropologischer Konstanten und von Gesetzmäßigkeiten aus dem Wesen der Politik heraus finden sich v. a. bei Thukydides und Polybios. Polybios zählte im Alt. nicht zu den bes. geschätzten Autoren, wiewohl er auf die spätere röm. und griech. Historiographie eine starke Wirkung ausübte. Dagegen haben ihn die byz. Historiker eifrig benützt. Nach seiner Wiederentdeckung in Florenz war er lange Zeit der einflußreichste ant. Historiker, bis sein Platz im 19. Jh. von Thukydides eingenommen wurde.

### 4. ROM

### 4.1 ZÜGE DER RÖM. HISTORIOGRAPHIE UND IHRE BEDEUTUNG FÜR DIE WIRKUNGSGESCHICHTE

In der Zeit des Fabius Pictor (ca. 270– nach 216 v. Chr.), des ersten röm. Geschichtsschreibers, ist Rom mehr und mehr in die griech. Welt einbezogen worden; Fabius Pictor selbst schrieb deshalb Griechisch. Griech. Geschichtsschreibung und ihre Prinzipien lenkten den Gang der röm. in der Folge nachhaltig. Die frühesten röm. Quellen, die Jahreschroniken der höchsten Priester, schienen schon Cato nur dürftige Informationen zu bieten (Cato orig. 77). Was die Röm. Geschichtsschreibung selbst noch nicht zu lösen vermochte, nämlich eine auf Mythen verzichtende Rekonstruktion der röm. Frühgeschichte, wurde in der Neuzeit einer der wichtigen Prüfsteine bei der Entstehung einer quellenkritischen Geschichtsschreibung. Dennoch hat auch die röm. mythische Verherrlichung der Frühzeit, wie sie klass. Titus Livius (59–17 n. Chr.) in seinem Werk *Ab urbe condita* festhielt, für jede spätere Geschichtsbetrachtung fundamentale Bedeutung.

Dasselbe gilt für das starke Interesse röm. Historiker an den ethischen Gehalten geschichtlichen Handelns. Es schlägt sich nicht nur in der großen Geschichtsschreibung eines Sallust, Tacitus oder Ammianus Marcellinus nieder, sondern ebenso in den äußerst wirkungsreichen *exempla* der röm. Geschichte, wie sie etwa Valerius Maximus festgehalten hat.

Geschichte war auch bei den Römern kein eigenes Fach. Wichtige Äußerungen über das Wesen der Geschichtsschreibung finden sich deshalb in den rhet. Schriften Ciceros oder bei Quintilian, die in der Folge auch in der Neuzeit regelmäßig zitiert worden sind, wenn es darum ging, das Wesen der Geschichtsschreibung zu erörtern (so etwa der berühmt gewordene Topos von der Geschichte als *magistra vitae*, Cic. de orat. 2,36).

Ein wichtiges Modell des Umganges mit Vergangenheit ist das Sammeln antiquarischen Wissens über die verschiedensten Gebiete. Wenn die Antiquare der frühen Neuzeit hier anschlossen, so schufen sie damit zugleich auch Grundlagen für eine Geschichtsschreibung, welche Kulturgeschichte einbezog und die Fokussierung auf die polit. Ereignisgeschichte überwand.

### 4.2 GESCHICHTE ROMS ALS STADTGESCHICHTE UND KAISERGESCHICHTE

Das nationale, patriotische Interesse wurde in der Geschichtsschreibung in der Folge zentral. Die Stadt Rom als Hauptgegenstand eines histor. Werkes erscheint erstmals bei Livius. Inbegriff Roms ist aber nicht nur die Stadt, sondern ebenso der Kaiser. Kaisergeschichte wird von Tacitus in den *Historiae* und den *Annales* geschrieben. Die Konzeption einer röm. Geschichte als einer Geschichte, die durch die Stadt Rom und einzelne Kaiser bestimmt ist, wurde durch zahlreiche Geschichtsabrisse der Kaiserzeit und der Spätant. zementiert und verbreitet. Diese Handbücher vermittelten auch in MA und früher Neuzeit geschichtliches Basiswissen.

### 4.3 LEBENSALTERVERGLEICH

Der Grundgedanke dieser Lehre ist der Vergleich der Entwicklung eines Staates mit den Phasen des menschlichen Lebens. In Rom findet man die Auslegung der Entwicklung der röm. Staates mit den Altersstufen des Lebens. Die Entwicklung der röm. Staates ist mit den Altersstufen des menschlichen Lebens vergleichbar. In den *Origines* Catos (234–149 v. Chr.) beispielsweise ging die röm. Republik durch vier Stadien. Moderne Kulturkreistheorien lassen regelmäßig solche Lebensaltervergleiche wiederaufleben.

### 4.4 HISTORISCHE MONOGRAPHIE

Die histor. Monographie befaßt sich mit einem zeitlich begrenzten Thema. Die röm. Geschichtsschreibung hat diese Gattung, die bis h. blüht, bes. gepflegt. Das erste Beispiel ist der *Punische Krieg* von L. Coelius Antipater (ca. 175– nach 121 v. Chr.). In spätrepublikanischer Zeit erscheinen Sallusts (ca. 86–35 v. Chr.), *Coniuratio Catilinae* und das *Bellum Iugurthinum*, die den moralischen und polit. Verfall des Staates zeigen. Die *Commentarii* Caesars (100–44 v. Chr.) gehören eigentlich auch zu dieser Gattung. Die *Komm.* haben viele Nachahmungen in verschiedenen Epochen gefunden.

### 5. CHRISTEN; SPÄTANTIKE; FRÜHBYZANTINISCHE ZEIT

### 5.1 NEUE EINTEILUNGEN DES GESCHICHTSVERLAUFES

Bei den Christen genauso wie bei den Juden existiert eine lineare Vorstellung der Geschichte, die von einem Anf. ausgeht und in gerader Linie auf ein E., durch die Vorsehung gesteuert, führt. Die Zeit teilt sich in vormessianisch und messianisch. Im Christentum erscheint das Schema: Paradies – Sündenfall – Erlösung mit einer Teilung: Adam bis Christus und Christus bis zum Jüngsten Gericht. Geschichte wird zur Geschichtstheologie. Die Wirksamkeit Gottes in der Geschichte gründet auf seinem Heilsplan. Der Lauf der Geschichte steht unter dem Einfluß der Vorsehung (*providentia*), welche die ganze Geschichtsinterpretation des MA prägt.

In den Schriften des Apostels Paulus trifft man auf eine Dreiteilung der Geschichte: Zeit des natürlichen Gesetzes (von Adam bis Moses), Zeit des mosaischen Gesetzes (von Moses bis Christus) und Zeit des Evangeliums (seit Christus). Nach der Doktrin der Chiliasten (*chilioi* = tausend) besteht die Gesamtdauer der Welt aus sechs Schöpfungstagen von 1000 Jahren, also 6000 Jahren. Von der Schöpfung bis zum zweiten Kommen Christi werden 7000 Jahre oder Weltalter ablaufen; der siebente Tag ist der »Weltaltersabbat«; das Jüngste Gericht wird danach kommen, und eine neue eigene Welt als achter Tag wird beginnen. Der Millenarismus erscheint im Barnabasbrief (zwischen 70 und 130). Immer wieder wurde schließlich die Christianisierung als Rückkehr des goldenen Zeitalters gedeutet (Lact. inst. 5,7,1; Eusebios HE 9,9,4; 9,9,11; 10,1,1).

Die Lebensalter im christl. Sinne treten bei Origenes auf (ca. 184–252): sie entsprechen Adam, Noah, Abraham, Moses und Christus. Der Grundgedanke besteht darin, daß die Geschichte der Welt ebenso wie das Menschenleben in Lebensalter (*aetates*) einzuteilen ist. Das ist die beliebteste Gliederung der Geschichte in der ma. Geschichtsschreibung. Das röm. Reich galt als das letzte Reich in der Geschichte; nach ihm, so glaubte man, würde das Ende der Welt folgen. In diesem Sinne interpretieren Tertullian (ca. 160–ca. 225 n. Chr., apol. 32,1) und auch Cyprian (ca. 205–258 n. Chr.) das letzte der vier von Daniel erwähnten Weltreiche. Rom gilt hier als alternder Organismus.

### 5.2 CHRONOLOGIE UND CHRONISTIK

Die christl. Chronographie beginnt mit Judas (Eusebios HE 6,7), dessen Werk nicht erhalten ist. Nach 221 wird die erste christl. Weltchronik durch Sextus Julius Africanus veröffentlicht. Es ist eine chronistische Zusammenstellung von Adam bis 217 n. Chr.; die Geburt Christi wird in das Jahr 5500 nach der Weltschöpfung gesetzt. Mit seiner Chronik, die später von Hieronymus (ca. 345–420 n. Chr.) bis 378 fortgesetzt wurde, hat Eusebios von Kaisareia (ca. 260–339 n. Chr.) eine künftig bestimmende Chronologie der Weltgeschichte eingeführt.

### 5.3 KIRCHENGESCHICHTE

Die christl. Kirchengeschichtsschreibung, welche mit Eusebios beginnt und rasch bedeutende Fortsetzer findet, hat nicht nur neue Gegenstände und Wertungsgesichtspunkte in die Historiographie eingeführt, sie bedeutet auch eine methodische Neuerung: Erstmals werden wörtlich zitierte Dokumente in Geschichtswerke eingelegt.

### 5.4 HAGIOGRAPHIE

Eine weitere Neuschöpfung der christl. Spätant. ist die Hagiographie. Ähnlich wie die Biographie ist sie zwar strenggenommen nicht Bestandteil der Gattung Historiographie, hat aber enorme Wirkungen auf das Geschichtsverständnis der Spätant. wie der späteren Epochen, welche spätant. Modelle, wie die Vita des Heiligen Martin von Tours, rezipiert haben.

## 5.5 Euseb, Hieronymus, Augustin, Orosius

Diese vier Autoren haben nicht nur in ihrer Zeit die Entwicklung der Geschichtsschreibung sowie das zeitgenössische Geschichtsverständnis maßgeblich geprägt, die von ihnen verfaßten Texte haben auch immer wieder fundamentale Bed. in MA und Neuzeit gehabt. Eusebios von Kaisareia ist nicht nur Verfasser u. a. einer Chronik und einer Kirchengeschichte. Mit dem *Leben Konstantins* begründete er die Reichstheologie, die einen Zusammenhang zwischen der Entstehung des *Imperium Romanum* und der Ausbreitung des Christentums herstellt. Seine Weltchronik hat das heilsgeschichtliche Denken des AT in das MA übertragen. Hieronymus (um 347–419/20 n. Chr.) brachte mit seinem Daniel-Komm. das hell. Schema der vier Weltmonarchien in das ma.-christl. Geschichtsdenken ein.

Die Plünderung Roms durch die Goten im Jahre 410 hat eine christl. Antwort auf die Schuldzuweisungen der Heiden gegen die Christen verlangt. In diesem Zusammenhang entstand Augustins (354–430 n. Chr.) *De civitate Dei* (413–426). Geschichte wird hier im theologischen Sinne interpretiert. Es gibt eine *civitas terrena* und eine *civitas Dei*, die gegeneinander kämpfen und am E. der Zeiten getrennt werden. Augustinus argumentiert gegen die zyklische Vorstellung der Geschichte. Er steht unter dem Einfluß von Varro (116–27 v. Chr.) und Laktanz (ca. 250–ca. 325 n. Chr., inst. 7,14,9) und teilt die Weltgeschichte in sechs Epochen ein: *infantia* von Adam bis Noa, *pueritia* bis Abraham, *adolescentia* bis David, *iuventus* bis zur babylonischen Gefangenschaft, *senior aetas* bis Christus, *senectus* vom Erscheinen Christi bis zum Weltgericht (Questionum sexaginta quinque, 26; Sermo 91).

Diese Geschichtstheologie fand einen historiographischen Ausdruck in den *Historiae adversum paganos libri VII* (418 n. Chr.) des Paulus Orosius (E. 4. Jh.–418). Es handelt sich um den ersten Versuch, die Universalgeschichte von einer christl. Grundidee aus zu verfassen.

## 5.6 Pagane spätrömische Historiographie

Den zwei Teilen des Reiches entsprechend finden wir sowohl griech. wie lat. Geschichtsschreibung. In der Trad. des Interesses für die Weltgeschichte steht die Chronik des Dexippos (3. Jh.), die sich bis 269/70 erstreckt und die in der byz. Historiographie fortgesetzt wurde. Die größte Persönlichkeit ist jedoch Ammianus Marcellinus (2. H. 4. Jh.), der in seinen *Res gestae* das Werk des Tacitus bis 378, dem Jahr der Schlacht bei Adrianopolis, fortsetzt. Er unterscheidet sich von den anderen Autoren durch seine Sachlichkeit. Ammianus Marcellinus hat das histor. Werk Gibbons (18. Jh.) tief beeinflußt.

## 5.7 Besonderheiten des spätrömischen paganen Geschichtsinteresses

In der zweiten H. des 4. Jh. blühten die Breviarien oder Zusammenfassungen von röm. Geschichte, wie die von Ampelius, Eutropius, Exuperantius, Iulius Obsequens, Festus Rufius oder die *Historiae abbreviatae* des Aurelius Victor, die mit einer *Origo gentis Romanae*, *De viris illustribus urbis Romae* und einer *Epitome de Caesaribus* das *Corpus Aurelianum* bilden. Die Tendenz, solche Zusammenfassungen zu schreiben, ist ausgeprägt auch im MA. Die senatorischen Kreise der Stadt Rom am E. des 4. Jh. interessierten sich – inspiriert u. a. durch Symmachus – für die röm. Vergangenheit. Das führte zu den Neuausgaben von Klassikern wie Livius. Die Exemplasammlung des Valerius Maximus wurde in der Spätant. exzerpiert.

## 5.8 Einflüsse der Völkerwanderung

Die german. Völker, die in das Röm. Reich eingedrungen sind, haben eine neue histor. Gattung geschaffen: die Geschichte der german. Stämme. Der erste Vertreter ist der Römer Cassiodorus (490–485 n. Chr.) mit einer freilich verlorenen *Historia Gothorum*. Ein Auszug davon ist in den *Getica* (ca. 551 n. Chr.) des Jordanes (6. Jh.) erhalten. Die Identifizierung des german. Begriffes vom Volk mit einem Gebiet führt zur nationalen Geschichtsschreibung.

## 5.9 Frühbyzantinische Zeit

In Byzanz wurde die Trad. der griech. Geschichtsschreibung fortgesetzt. Ausnahmsweise gibt es ins Griech. übers. lat. historiographische Texte, wie das *Breviarium* des Eutrop. Zosimos (E. 5.Jh.-Anf. 6.Jh.) ist mit seiner *Historia Nea*, um 501 geschrieben, der letzte heidnische Vertreter der Zeitgeschichte. Große Geschichtsschreibung verdanken wir Prokop (ca. 500–nach 551 n. Chr.), dem Historiker des Kaisers Justinian. Johannes Malalas (ca. 490–ca. 570) ist Autor einer ersten byz. Weltchronik, die mit der Schöpfung der Welt beginnt und bis 563 reicht. Johannes Xiphilinos (11. Jh.) hat Dio Cassius exzerpiert. Wir finden ebenso Kirchengeschichte, Annalen, Chroniken und Darstellungen der Zeitgeschichte. Die byz. Chroniken haben in Rußland gewirkt.

## C. Lateinisches Mittelalter

Im Gegensatz zur byz. Historiographie, die mit dem Fall von Konstantinopel (1453) endete, sind die chronologischen Grenzen der Geschichtsschreibung, die in Westeuropa abgefaßt wurden, schwierig festzulegen. Die Wurzeln der ma. Geschichtsschreibung liegen in der Spätant. bzw. in der Völkerwanderungszeit. Die Historiographie des MA besteht aus mehreren Gattungen: Universalgeschichte mit polit. und theologischer Interpretation, Kirchengeschichte, Historiographie der german. und slawischen Stämme, Annalen, Chroniken, Gesta, Exempla, Specula, die v. a. einen politischen Inhalt haben. In der ma. Geschichtsschreibung spielt die *Bibel* eine große Rolle.

## 1. Weltgeschichte

Die wichtigsten Vertreter der Auslegung der Weltgeschichte im MA sind Otto von Freising (ca. 1112–1159) und Joachim von Fiore (ca. 1136–1202). Otto von Freising nimmt in seiner *Historia de duabus civitatibus* die zwei *civitates* des Augustinus auf. Otto von Freising deutet die Geschichte als Kampf zw. den Reichen der Erde und dem Gottesreich. Bei ihm erscheint die Lehre der vier Weltreiche und Babylon als Ausgangspunkt der Zivilisation. Die *translatio imperii* tritt in Verknüpfung mit der Weltreichslehre Daniels auf. Otto ist ein Verteidiger des *Sacrum Imperium Romanum*, das in seiner Zeit von den Staufern vertreten ist. Die *Historia* des Otto von Freising knüpft mit ihrem universalistischen Sinn an die *Historiae Philippicae* des Pompeius Trogus an. Ottos Vorgänger sind Fechulf von Lisieux (9. Jh.), Frutolf von Michelsberg († 1103) und Hugo von Saint-Victoir († 1141). Sigebert von Gembloux (ca. 1028/9–1112) hat eine *Chronica universalis* geschrieben, in der Byzanz eingeschlossen wurde. Die Dreizeitenlehre, die die Welt und die Weltgeschichte als ein Werk der Trinität auffaßt und entsprechend gliedert, erscheint bei Ruppert von Deutz (ca. 1075/80–1129/30) und Joachim von Fiore (ca. 1135–1202), der von drei Zeiten spricht: 1. Zeit des Vaters und des AT, 2. Zeit des Sohnes und des NT, 3. Zeit des Hl. Geistes. Seine Geschichtsinterpretation steht in der Linie der *Bibel* und wird bei Otto von Freising und den ma. Geschichtsautoren im linearen Sinn verstanden, nicht in zyklischen Zeitvorstellungen heidnischer Philosophen, gegen welche bereits Augustin polemisiert hatte. Die Idee eines Dritten Reiches steht Pate bei dem polit. Versuch von Cola di Rienzo († 1354), die röm. Republik wiederzubeleben. Zu Wiederbelebungen des Dreiermodelles sollte es viel später kommen u. a. in den Bezeichnungen »Drittes Reich« im nationalsozialistischen Deutschland oder »Dritte Internationale« in der kommunistischen Vorstellung vom Friedensreich auf der Erde.

2. CHRONOLOGIE UND IDEOLOGIE

Grundlage ist zumeist der julianische Kalender, der von Cäsar im J. 46 v. Chr. eingeführt wurde. Er gehört zur Basis der gregorianischen Reform (1582), die bis in die Gegenwart gilt. Die Weltalterslehre Augustins, nach der jeder Tag der Woche einem bestimmten Zeitalter entspricht, wird von Isidor und Beda übernommen. Dionysius Exiguus († zw. 526 und 556) setzt in *Ab incarnatione Domini* die Geburt Christi auf das Jahr 754 *a.u.c.* fest und schafft damit einen Anhaltspunkt für die Chronologie, die sich nur langsam durchsetzt. Beda nahm sie in der *Historia ecclesiastica gentis Anglorum* auf. Beda hat das wichtigste chronographische Werk des MA geschrieben: *De temporum ratione*. Die Datierung »nach Christi Geburt« wurde bis in die Neuzeit beibehalten. Jedoch wurde die christliche Ära für die Zeit vor Christus erst von D. Petavius (1583–1652) eingeführt. Die Chronologie der ma. Geschichtsschreibung ist durch das Christentum bestimmt. Jesus Christus ist die Mitte der Geschichte, die auf das Jenseits ausgerichtet ist. Nach den ma. Historikern ist die Geschichte das Wirken Gottes gemäß seinem Heilsplan, wie dies v. a. Orosius ausgeführt hat.

3. DIE CHRONIKEN

Die ma. Chroniken entnehmen ihr Material der röm. Historiographie mit der Absicht, eine chronologische Abfolge der Ereignisse in der Weltgeschichte darzustellen. Das Vorbild war Cornelius Nepos (ca. 100–ca. 25 v. Chr.). Die Schöpfer dieser Gattung waren jedoch Euseb (ca. 260/4–ca. 339/40 n.Chr.) und Hieronymus (347/8–419/20 n.Chr.). Die Chronik des Hieronymus wurde von Prosper von Tiro (ca. 390–nach 445) 445 fortgesetzt. Marius von Avenches (530/1–594) hat sie von 445 bis 581 weitergeführt. Seinerseits hat Hydatius (5. Jh.) seine *Continuatio chronicorum Hieronymianorum* bis 468 fortgesetzt. Die ma. Chronistik ist v. a. an polit. und mil. Geschichte interessiert. Die Gattung der Chroniken war in allen europ. Ländern verbreitet. Die Angelsächsische Chronik ist unter anderem sehr wichtig, weil sie eine der ersten Chroniken ist, die in der Muttersprache geschrieben wurde.

4. GESCHICHTE DER STÄMME

In der Trad. von Cassiodor und Jordanes steht die Stammesgeschichte, die die Geschichte eines Volkes beschreibt und sich in eine Vorstufe der nationalen Geschichtsschreibung umwandelt. Vertreter dieser Gattung sind: Gregor von Tours (538/9–nach 593) mit seiner *Historiae Francorum* für die Franken, Isidor von Sevilla (ca. 560–636) mit den *Historiae Gothorum, Vandalorum et Sueborum* für die Westgoten und Beda Venerabilis (673/4–735) mit einer *Historia ecclesiastica gentis Anglorum* für die Angelsachsen. Paulus Diaconus (ca. 720/30–ca. 799) verfaßte für die Langobarden eine *Historia Langobardorum*, Widukind von Corvey (ca. 925–um 1004) die *Res gestae Saxonicae* für die Sachsen, Dudo von St. Quentin (ca. 960–1020) *De moribus et actibus primorum Normanniae ducum* für die Normannen, Adam von Bremen († ca. 1085) die *Gesta Hammaburgensis ecclesiae pontificum* für die Skandinavier, William von Malmesbury (ca. 1090–1143) *De rebus gestis regum Anglorum* in der Linie von Beda, Geoffrey von Monmouth (ca. 1090/1100–1155) eine *Historia regum Britanniae* als Nachfolger Bedas und Begründer des britischen Geschichtsbildes. Von Cosmas von Prag (ca. 1045–1125) haben wir eine *Chronica Boemorum* über die Böhmen, vom Anonymus Gallus (E. 11. Jh.-Anf. 12. Jh.) die *Chronica et gesta ducum sive principum Polonorum* über die Polen. Die Nestor-Chronik (Anf. 12. Jh.) berichtet über die Russen, Helmond von Bosaus (ca. 1120–nach 1177) *Chronica Slaworum* von den Slawen, Saxo Grammaticus (ca. 1150–ca. 1220) in den *Gesta Danorum* über die Dänen.

5. TROJANERABSTAMMUNG

Dionysios von Halikarnassos hat in seinen *Antiquitates Romanae* versucht, die trojanische Abstammung der Römer zu zeigen, um Griechen und Römer in der Zeit des Kaisers Augustus zu versöhnen. Den Ursprung (*origo*) durch Anknüpfung an die Trojaner darzulegen, bemüht sich die Fredegar-Chronik (6. Jh.) im fränkischen Bereich. Diese Gattung hat durch das MA in ganz Europa fortgewirkt.

6. ALEXANDERGESCHICHTE

Die Historiker Alexanders d. Gr. haben v. a. den Alexanderroman seit der Spätant. und durch das MA gestaltet. Die Legende wurde nicht nur in allen europ. Ländern, sondern auch in der hebräischen und in der islamischen Lit. rezipiert. Quintus Curtius Rufus (1. Jh. n. Chr.), Autor der *Historiae Alexandri Magni*, wurde im Westen bevorzugt. Dieses Werk bildet ein Modell für die *Vita Caroli Magni* von Einhard im 9. Jh. Curtius' Werk gibt neue Impulse im 12. Jh., wie Walter von Châtillon zeigt.

### 7. Lokalgeschichte

Die Lokalgeschichte des Alt. findet eine große Nachwirkung in den zahlreichen Stadtchroniken des MA, die fast unzählbar sind. Die Chroniken der führenden Familien, die hier im einzelnen nicht genannt werden können, sind in bestimmter Weise damit verbunden. Die Geschichtsschreibung der Dynastien hat mit der Entwicklung des territorialen Staates zugenommen. Die Stadtchronistik steht in enger Verbindung mit der zunehmenden Autonomie des Bürgertums. Die Villiani, mehrere Autoren derselben Familie, verfaßten eine Geschichte von Florenz bis 1360 auf Italienisch. Sie sind Vorgänger der Historiographie des Humanismus.

### 8. Kirchengeschichte

Die Kirchengeschichte, die in der Trad. Eusebs steht, wird fortgesetzt. Beda ist der erste wichtige Vertreter der ma. kirchlichen Geschichtsschreibung. Im MA wird jedoch eine neue Gattung entwickelt: die Klostergeschichte, die sich in der mod. Zeit auch in die Geschichte der rel. Orden umgewandelt hat. In enger Verwandtschaft damit steht der *Liber pontificalis*, ein Titel, der die *Gesta pontificum Romanorum* bezeichnet, die ihre Wurzeln in den Papstlisten des Alt. hatten.

### 9. Annalen

Die *Annales* sind eine eigenartige Form der ma. Geschichtsschreibung und praktisch deren Rückgrat; sie beginnen im 8. Jh. und haben ihre Wurzeln in den *Annales* der röm. Historiographie. Wie in den *Annales* des Tacitus beziehen sich die ma. Annalen auf eine relativ entfernte Vergangenheit, die schon Tacitus im Gegensatz zur Zeitgeschichte unterscheidet. Die Annalen sind im MA Aufzeichnungen von Ereignissen in der Reihenfolge der Jahre.

### 10. Geschichte der Kreuzzüge

Die Geschichtsschreibung der Kreuzzüge ist eine typische historiographische Gattung des MA. Der berühmteste Geschichtsschreiber ist Wilhelm von Tyrus (ca. 1130–ca. 1185). Sein Werk gründet weitgehend auf Autopsie. Man betrachtet als Kreuzzug auch die span. *Reconquista* und die dt. Eroberung der Gebiete jenseits des Flusses Elbe. Die Idee des Kreuzzuges hat zu verschiedenen Zeiten die Historiographie der Neuzeit beeinflußt. Ein Kernelement ist der Begriff des *bellum iustum*, der schon bei Augustinus erscheint.

### 11. Gesta

Die Gesta oder Geschichte der Taten stammen aus den *res gestae* der röm. Historiographie. So lautet z. B. der Titel des histor. Werkes des Ammianus Marcellinus. Im MA stehen sie in enger Verbindung mit dem Bericht der Taten der Persönlichkeiten der Kirche. Es gibt auch *Gesta* von profanen Persönlichkeiten.

### 12. Exempla

Die *exempla* sind eine sehr beliebte Gattung in der ma. Historiographie und haben als Vorbild die *exempla* der röm. Lit., bes. diejenigen des Valerius Maximus, dessen *Facta et dicta memorabilia* als Geschichtswerk gelesen wurde.

### 13. Specula

Der Begriff *speculum* stammt von Augustinus und kann in diesem Zusammenhang als Vorbild verstanden werden. Die *Specula* waren eigentlich für theologische und polit. Zwecke gedacht, aber sie enthielten auch histor. Zusammenfassungen. Das wichtigste *Speculum* verfaßte Vincenz von Beauvais (um 1190–1264). Wiewohl die *Specula* ihre Blütezeit während des MA besaßen, wirkten sie noch in der Neuzeit in der polit. Theorie.

### 14. Einfluss der Rhetorik auf die Geschichtsschreibung

Den Rhetorikern zufolge war die Geschichte (*historia*) eine lit. Gattung. Ciceros (106–43 v. Chr.) *De inventione* und die *Rhetorica ad Herennium* (Mitte 1. Jh. v. Chr.) sowie die *Institutio oratoria* Quintilians (ca. 35–nach 96) haben einen großen Einfluß auf die ma. Geschichtsschreibung ausgeübt.

### 15. Methodologie

In den *Historiae* des Paulus Orosius findet man Prinzipien einer histor. Methodologie. In der ma. Geschichtsschreibung erscheint ein klarer Unterschied zw. *res gestae* und *historia*, die ein übergreifender Begriff für jede Art von Geschichtsschreibung ist. Die Geschichte hat als Ziel das *exemplum*, was ihren moralisierenden Charakter verrät. Sie beruht auf lat. Quellen; hinzu kommen die mündliche Überlieferung und die Autopsie. Die ma. Historiker kopierten Urkunden und nahmen sie in ihre Berichte auf. Ordericus Vitalis (ca. 1075–1142) begann die Forsch. in den Archiven und benutzte Inschr., die ihn zu einem Vorgänger der mod. histor. Forsch. machten.

### 16. Grundzüge der mittelalterlichen Geschichtsschreibung

Isidor von Sevilla definierte *historia* als ›narratio rei gestae, per quam ea, quae in praeterito facta sunt, dinoscuntur‹ (Isid. orig. 1,41,1). Das Ziel der Geschichte war es, über die Vergangenheit wahr zu berichten. Die Geschichte war auch *magistra vitae*, Lehrmeisterin, und übernahm die moralische Ausrichtung der röm. Geschichtsschreibung. Der Glaube an die *providentia Dei* hat eine providentialistische Geschichtsauslegung verursacht. Die Weltreichslehre betrachtete das Röm. Reich als das letzte in der Abfolge der Weltreiche und behauptete, daß es bis zur Ankunft des Antichrist bestehen würde. Das *Imperium Romanum* war ein Reich wie die früheren Reiche, aber die Kirche war die Trägerin der universalen Einheit. Hier merkt man die Nachwirkung des Orosius.

### 17. Rezeption der Geschichtsschreiber der klassischen Antike

Griech. Texte waren im lat. MA vor dem 15. Jh. kaum bekannt. Die heidnische griech. Historiographie wurde praktisch nicht ins Lat. übersetzt. Eine Ausnahme ist der jüd. Historiker Flavius Josephus. Das *Bellum Iudaicum* wurde E. des 4. Jh. ins Lat. übersetzt; im 6. Jh. wurden auch die *Antiquitates Iudaicae* ins Lat. übertragen. Josephus war also im MA bekannt. Die lat. Vorbilder waren Sallust, die *Aeneis* Vergils, aber nicht als Dichtung, sondern als Geschichtswerk betrachtet, Livius, Pompeius Trogus im Auszug Iustins sowie Florus, dessen histor. Werk ein Abriß des Livius war und deswegen einen großen Einfluß besaß. Geringere Wirkung entfaltete Tacitus, aber nicht direkt, sondern durch die *Historiae* des Orosius. Eutropius (4. Jh.) war wegen des zusammenfassenden Charakters und der Kürze seines histor. Werkes von Bedeutung. Auch Ammianus Marcellinus und die *Historia Augusta* wurden gelesen. Die *Historiae* des Orosius waren sehr bekannt und haben stark nachgewirkt; sie sind die Grundlage der lat. Weltchronistik. Orosius wurde ins Angelsächsische und Arab. übersetzt. Cäsar benutzten fast nur Historiker, die an Kriegsgeschichte interessiert waren. Sueton hat auf die Autoren von Biographien Einfluß ausgeübt.

## D. Renaissance und Protestantismus

In der Ren. wurden die G. der Ant. wiederentdeckt und geschätzt. Die Humanisten der Reformation haben diese Modelle auch für theologische und polit. Zwecke benutzt. Die Entdeckung der Druckkunst hat zur Ausbreitung der Historiographie beigetragen. Die mod. histor. Kritik beginnt in Italien im 15. Jh. In der Ren. wurde zunehmend zw. Glauben und Wissen unterschieden. Geschichte galt neu als ein Vorgang , in welchem Ursachen und Wirkungen aufzufinden seien, ähnlich wie sie Thukydides analysiert hatte.

### 1. Strömungen der Historiographie des Humanismus

In der Ren. wird die Ant. idealisiert, und folglich gab es ein großes Interesse an der ant. Geschichtsschreibung, das aber durchaus mit einer kritischen Haltung einhergeht. Im Gegensatz zum MA wird die Geschichte säkularisiert. Petrarca (1304–1374) hat Livius entdeckt. In der Historiographie wurde den Regeln der ant. Rhet. gefolgt. Der Florentiner Leonardo Bruni (ca. 1370–1444) ist der Begründer der human. Geschichtsschreibung. Mit der human. Historiographie setzt zuerst in Italien, dann im übrigen Europa eine nationale Geschichtsschreibung ein, welche die Gebiete der sich bildenden Nationalstaaten zum Gegenstand hat. Das Vorbild ist die auf Cassiodor und Jordanes zurückgehende Stammesgeschichte. Auf diese Weise suchte man in England in der Zeit von Königin Elisabeth I. die Wurzeln der Angelsachsen. W. Camden (1551–1623) verfaßte eine *Britannia* (1586). Die Quellenkritik beginnt im 15. Jh. mit Flavio Biondo (1392–1463). Er beendete im Jahre 1453 ein Werk, in dem er sich mit der Geschichte Südeuropas von 410 bis 1442 befaßte. Die Grundlagen für die Abfassung dieses Werkes waren nicht nur Chroniken, sondern auch Urkunden, wie z. B. Briefe. Er hat Beatus Rhenanus (1486–1547), der

sich mit den Quellen der Geschichte der alten Germanen kritisch auseinandersetzte, beeinflußt. Lorenzo Valla (1405 oder 1407–1457) zweifelte schon im Jahre 1440 an der *Donatio Constantini*. In der Mitte des 16. Jh. hat L. V. de la Popelinière die trojanische Abstammung der Franken in Frage gestellt. Nach dem Modell des Thukydides beginnt im 15. Jh. die polit. Historiographie mit Niccolò Machiavelli (1469–1527) und Francesco Guicciardini (1483–1540). Beide nahmen sich die alte Geschichte zum Vorbild für die Darstellung der polit. Geschichte der it. Staaten. Gesetzmäßigkeiten, wie sie von Thukydides und Polybios zur Erklärung menschlichen Verhaltens und der Politik verwendet wurden, sind auch in den *Discorsi* Machiavellis und den *Ricordi* Guicciardinis berücksichtigt. Machiavelli hat sich bes. für Livius in seinen *Discorsi sulla prima deca di Tito Livio* (1531) interessiert. Er sah in den *exempla* der alten Historiker das Wesen der Geschichte; die Römer waren für ihn Meister der Politik. *Die Istorie Fiorentine* (1532) zeigen, daß Machiavelli an den polit. Realismus der Macht glaubte; dessen Ziel war die polit. Einheit Italiens. Quellenforschung hat Machiavelli freilich weitgehend vernachlässigt. Guicciardini steht in seiner *Storia d'Italia* (geschrieben zw. 1537 und 1540; erschienen zw. 1561 und 1564) unter dem Einfluß von Thukydides und Polybios. Sein Werk behandelt den Zeitraum 1492 bis 1532 und den Anf. des europ. Staatensystems. Der Autor hat wie Thukydides und Polybios Urkunden benutzt. Auch das Studium des röm. Rechts hat die Historiographie beeinflußt, stellvertretend sei das Werk von Guillaume Budé (1467–1540) genannt.

### 2. Protestantismus

In der Auffassung des Protestantismus ist Geschichte das Werk Gottes. Luther beeinflußte die Humanisten, und dies führte zu einer neuen Entdeckung der durch Euseb begründeten Kirchengeschichte. Die Geschichtsschreibung der Glaubenskämpfe begann mit den *Vitae Romanorum Pontificum* des Engländers Robert Barnes (1495–1540), der 1535 dieses Werk veröffentlichte. Die Veröffentlichung von Johannes Sleidanus' (1506–1566) Werk *Commentarii de statu religionis et rei publicae, Carolo Quinto Caesare* im Jahre 1555 bedeutet den Anf. der reichspublizistischen Historiographie. Die ekklesiastische Historiographie im Protestantismus entstand mit den *Magdeburger Zenturien* (1559–1574), die von Matthias Flacius Illyricus herausgegeben wurden. Die katholische Antwort kam mit den *Annales ecclesiastici* (1588–1607) des Caesar Baronius (1538–1607).

### 3. Die Periodisierung der Geschichte

Das Schema »Antike – Mittelalter – Moderne« kommt aus der Ren., welche die Ant. zum Vorbild hatte und das MA verachtete. Schon um 1440 hat Lorenzo Valla so gegliedert und das Alt. bevorzugt: Danach komme eine Zwischenzeit, *medium tempus*, also das MA, bis zur Renaissance. Mit dem Protestantismus erscheint die alte Theorie der vier Weltmonarchien wieder. Die Weltreichstheorie fand einen Vertreter in dem Engländer Johannes Carion (1499–1537). Mit der Bearbeitung des *Chronicon Carionis* durch Philipp Melanchthon (1497–1560) traten die vier Weltreiche auf, von denen jedes 2000 Jahre gedauert habe. Auch Johannes Sleidanus bietet eine Darstellung der vier Weltmonarchien in seiner Weltchronik *De quattuor summis imperiis* im Jahre 1556.

### 4. Historische Methodologie

Jean Bodin (ca. 1530–1596) in seinem *Methodus ad facilem historiarum cognitionem* (1566) ist einer der Begründer der mod. histor. Methodologie und setzt Überlegungen fort, die z.B. in Lukians Schrift *Wie man Geschichte schreiben soll* auftreten. Wie Hippokrates und Poseidonios vertritt er die Theorie, daß das Klima das Verhalten des Menschen beeinflußt. Bei Bodin erscheinen auch Überlegungen über die Reiche, die im Anschluß an die Theorie der *translatio imperii* stehen. Jedoch blieb Bodins Konzeption von einem universalen Zusammenhang in der Menschheitsgeschichte ohne Nachwirkung.

### 5. Die Entdeckung der Klassiker und ihre Verwendung

Thukydides wurde dank der lat. Übers. von Lorenzo Valla im Jahre 1452 wiederentdeckt; er war ein Modell für Machiavellis *Il Principe* (1513). Die Politik des Aristoteles hat dieses Werk ebenso beeinflußt wie Tacitus; ein großer Teil dieser Texte fand ab 1473 durch den Buchdruck Verbreitung. Das Werk des Fabius Pictor war eines der Vorbilder für die Nationalgeschichtsschreibung der Renaissance. Das Staatsideal Ciceros hatte große Wirkung. Das Rombild der Ren. stammt von Livius. Das Werk des Valerius Maximus war eines der am weitest verbreiteten ant. lat. Prosawerke. Die Alexandergeschichte in der Version des Quintus Curtius Rufus wurde dank der Humanisten Coluccio Salutati (1331–1406) und Lorenzo Valla (1407–1457) bekannt. Schon im 14. Jh. befaßte sich Giovanni Boccaccio (1313–1375) mit Tacitus, dessen *Germania* und *Agricola* dank Enea Silvio Piccolomini (1405–1464, seit 1458 Papst Pius II.) verbreitet wurden. Seit ungefähr dem Jahre 1500 gibt es in Deutschland die Tendenz, die eigene Vergangenheit zu verherrlichen. Jakob Wimpfeling (1450–1528) versucht in seiner *Germania* zu beweisen, daß das Elsaß ein german. Siedlungsgebiet sei. Von Konrad Celtis (1459–1508) ist postum eine *Germania illustrata* (1518) veröffentlicht worden; und Ulrich von Hutten (1488–1523) hat in seinem *Arminius* (1519–1520, veröffentlicht 1529) eine kultische Verehrung der gleichnamigen Gestalt begonnen. Der Historiker Florus hat in Petrarca nachgewirkt. Mit der Verbreitung der histor. Werke des Tacitus fängt das polit. Phänomen des → Tacitismus an, der die Einführung der absoluten Monarchien zwischen 1580 und 1680 rechtfertigt. Die histor. Werke von Xenophon waren in der Ren. geschätzt.

### E. Barock und Aufklärung

Im Gegensatz zu der Ren. und dem Protestantismus erscheinen jetzt Ansätze einer direkten Beschäftigung mit der Geschichte, die in viel geringerem Maße als zuvor durch Texte der klass. Ant. beeinflußt sind. Im 17. und 18. Jh. entwickelte sich eine kritische Haltung gegenüber der Geschichte. Es kam zum Übergang von theologischen zu philos. Betrachtungen histor. Vorgänge. Durch Rationalismus und Aufklärung wurde die Geschichtsschreibung von Theologie, Moral und Rhet. abgetrennt. Die histor. Dimensionen menschlichen Handelns sind dadurch eigentlich entdeckt worden. Historische Gelehrsamkeit wurde zunehmend wichtig.

### 1. Die Periodisierung der Geschichte

Das human. Schema »Alterum – Mittelalter – Neuzeit« bekommt im 17. Jh. neue Wirkung, aber es gibt Spuren der älteren Weltreichstheorie in der Geschichtsperiodisierung. Bei Justus Lipsius (1547–1606) in der *Epistolarum selectarum chilias* (Leiden, postum 1611) wird die *historia humana* in vier Perioden geteilt: *Orientalis, Graeca, Romana* und *Barbarica*. G. Voetius (1589–1676) bietet eine Periodisierung der Kirchengeschichte in drei Epochen: *antiqua ecclesia, intermedia aetas* und *novitates ecclesiasticae*. J. A. Bose (1626–1674) unterscheidet folgende drei Epochen: *antiquitas, media aetas* und *nostrum saeculum*. Seit Christoph Cellarius (1638–1707) ist die Einteilung in Alt. (bis Konstantin), MA (bis zur Eroberung von Konstantinopel) und Neuzeit vorherrschend, aber Cellarius selbst hat sich von christl.-theologischen Interpretationsmustern nicht völlig gelöst. Auch J.W. Jan hat noch 1712 eine Schrift *De IV monarchiis* herausgebracht, in welcher das alte System der vier Monarchien verteidigt wird.

### 2. Geschichtstheologie

Der letzte große Vertreter der providentialistischen Auffassung, wonach die Geschichte von der göttl. Vorsehung geleitet sei, ist Jacques-Bénigne Bossuet (1627–1704). Sein *Discours sur l'Histoire universelle* (1681) steht stark unter dem Einfluß der Ausdeutung von Augustins *De civitate Dei*. Bossuet hat so die augustinische Einteilung der Zeit für seine Epochengliederung benutzt; Geschichtsdeutung wird bei ihm zur Legitimierung der Gegenwart: Die frz. Monarchie wird als Erbin des Röm. Reiches dargestellt.

### 3. Die Geschichte als neue Wissenschaft

Giovanni Battista Vico (1668–1744) ist mit seiner *scienza nuova* der Vater der mod. Geschichtstheorie und ein Vorläufer des Historismus. Mit Vico entsteht eine Geschichtsauffassung, welche Historien oder Geschichten einbindet in den Kollektivsingular »Geschichte« als einem umfassenden Begriff für die Beurteilung menschlichen Handelns in Zeit und Raum. Bei Vico gibt es die Vorstellung zyklischer Verläufe in der Geschichte (*corsi* und *ricorsi*), die ihre Wurzeln in ant. Entwürfen besitzen. Nach Vico gibt es die drei Zeitalter (*corsi*) der Götter, der Heroen und der Menschen, nach denen sich die Völker entwickeln. Am E. kommt die Barbarei und damit wieder ein *ricorso*. Vico stellt eine Abfolge von Geistesepochen auf, die von allen Völkern und in allen Bereichen der Kultur gesetzmäßig durchlaufen werden. Er glaubt an die Vorsehung. Nach ihm findet ein Aufstieg und Niedergang der Völker gemäß einem Grundgesetz von gleichsam spiralförmigen Verlauf statt. Vico verteidigt die Gültigkeit der histor. Kenntnisse. Die Unveränderlichkeit der Menschennatur steht für ihn fest, ähnlich wie schon für Thukydides. Die Suche nach vernünftigen Regeln zur Erklärung histor. Abläufe hat in der Folge in der Geschichte der Geschichtsschreibung eine erhebliche Dynamik bewirkt. Den Begriff der »Geschichtswissenschaft« hat 1752 erstmals J. M. Chladenius verwendet; die Trennung von der Rhet. und Jurisprudenz ist damit auch begrifflich bezeichnet worden.

### 4. Geschichtsphilosophie, Universalgeschichte, Weltgeschichte

Die Ablösung der theologischen Deutungsmuster durch rationale Erklärungsansätze erfolgt wesentlich durch Voltaire (1694–1778). Sein *Essai sur les moeurs et l'esprit des nations* (1769) macht ihn zum Begründer der Geschichtsphilos. (*philosophie de l'histoire*) im kulturellem Sinn. Die philos. Betrachtung der Geschichte beendet dabei theologische Auslegungen. In die neue Gattung der Weltgeschichte vom philos. Standpunkt aus wurde auch der Orient aufgenommen: Geschichte ist nicht mehr eurozentrisch, sondern universal. Johann Gottfried Herder (1744–1803) in *Auch eine Philosophie der Geschichte zur Bildung der Menschheit* (1774) und *Ideen zur Philosophie der Geschichte der Menschheit* (1784–1791) kombiniert Providentialismus und Fortschrittsgedanken; damit vertieft er die Geschichtsphilosophie. Er hat genauso wie Voltaire eine lineare Auffassung des geschichtlichen Ablaufs. Für ihn liegt das Ziel der geschichtlichen Entwicklung in der Verwirklichung des Humanitätsideals. Herder unterscheidet zw. Mensch und Natur. Er hat viel zu der Gründung des Historismus beigetragen. In diesen Zusammenhang gehören auch Immanuel Kants (1724–1804) *Ideen zu einer allgemeinen Geschichte in weltbürgerlicher Absicht* (1784), wo die Geschichte unter der Natur steht. Friedrich Schiller (1759–1805) verbindet in *Was heißt und zu welchem Ende studiert man Universalgeschichte?* (1789) die Ideen von Herder und Kant in bezug auf die Weltgeschichte. Ein Interesse an der Universalgeschichte als solcher findet sich im 18. Jh. im akad. Kontext in der histor. Schule der Univ. Göttingen und dort bei ihrem prominentesten Vertreter August Ludwig Schlözer (1735–1809).

### 5. Die Idee des Fortschrittes

Die → Querelle des anciens et des modernes im Frankreich des 17. Jh. gehört zu den Bedingungen, unter denen sich der Fortschrittsgedanke entwickelt hat. Dieser ist urspr. christl., wurde dann aber säkularisiert. Der Begriff als solcher erscheint erst im 18. Jh. Die Ursprünge liegen im Gebiet der Literaturgeschichte, und zwar bei Bernhard Fontenelle (1657–1757). Die Hauptvertreter der Idee des Fortschrittes sind Turgot (1727–1781) und Condorcet (1743–1794), welche die Vervollkommnung der Menschheit als natürlich-gesetzmäßigen Prozeß betrachten. Sie sind die Vorläufer des Positivismus.

### 6. Geschichte, Politik, Gesellschaft und Erziehung

Wie Caesar und Machiavelli hat sich Friedrich II., der Große (1712–1786; König von Preußen seit 1740), mit Zeitgeschichte befaßt. Montesquieu (1689–1755) hat in *De l'Esprit des lois* (1748) den Einfluß von Klima und Umwelt auf die Völker und Staaten untersucht; Poseidonius war ein Vorgänger dieser Theorie in der klass. Antike. Der Ansatz verrät eine deterministische Auffassung. Regierungsverhältnisse sind gesetzmäßig bestimmt. Von dieser Perspektive aus sind auch die *Considérations sur les causes de la grandeur des Romains et de leur décadence* (1738) geschrieben. A. Ferguson (1723–1816) in *An Essay on the History of Civil Society* (1767) denkt an Fortschritt und Rückgang im Rahmen einer Betrachtung der Gesellschaft. G. E. Lessing (1729–1781) seinerseits glaubt in der *Erziehung des Menschengeschlechts* (1780) an eine allmähliche Vervollkommnung der Menschheit durch die Bildung. Im Gegensatz zur Idee des Fortschrittes sieht J. J. Rousseau (1712–1778) den Verfall der Völker als ein Ergebnis der Zivilisation, der er den Naturzustand der primitiven Menschen gegenüberstellt, Gedanken, die im *Discours sur les Sciences et les Arts* (1750) und im *Discours sur l'origine et les fondaments de l'inégalité parmi les hommes* (1755) ausgeführt werden.

### 7. Die historische Kritik

Die wiss. Revolution der frühen Neuzeit bedeutet das E. alter Autoritäten. Dieser Prozeß regte die Entwicklung der histor. Kritik an, welche sich gerade auch in den verschiedenen altertumskundlichen und dann altertumswiss. Disziplinen findet. F. A. Wolf hat in seinen *Prolegomena ad Homerum* zur Ausgabe der *Ilias* (1794–1795) solche Kritik schließlich exzessiv betrieben. Wichtig für die Entwicklung der histor. Kritik waren die Arbeiten zur Geschichte der katholischen Kirche und ihrer Orden, wie sie bei den jesuitischen Bollandisten und bei den benediktinischen Maurinern blühten. Ab 1643 veröffentlichen die Jesuiten die *Acta Sanctorum* in Verbindung mit J. Bolland (1596–1665): Aufgrund quellenkritischer Arbeit wurden die Viten der Heiligen herausgegeben. Die Benediktiner von St. Maur veröffentlichen die *Acta* der Heiligen der Benediktiner (1668), und J. Mabillon (1632–1707), der Gründer der Diplomatik, die *Annales ordinis s. Benedicti* (1703). Die Kritik, die I. Perizonius (1651–1715) an den Quellen der frühen röm. Geschichte in den *Animadversiones historicae* (1685) ausgeübt hat, war seiner Zeit weit voraus. Im 17. Jh. hat P. Bayle (1647–1706) in seinem *Dictionnaire historique et critique* (1697) dem histor. Skeptizismus und Rationalismus weitere Geltung verschafft. Zwischen 1751 und 1780 erschien die *Encyclopédie ou Dictionnaire raisonné des Sciences, des Arts et des Métiers* unter der Leitung von Diderot und d'Alembert. In diesem monumentalen Werk sind Skeptizismus und Kritik bezüglich des traditionellen Geschichtsverständnisses reichlich vertreten. Im 18. Jh. entwickelt sich ein Interesse an den Realien wie an der späten röm. Republik, und deswegen wurde die Grundlagenarbeit der Antiquare sehr geschätzt. Auch das Interesse für die Naturgeschichte hat indes die Geschichtswiss. angeregt.

## 8. HISTORIOGRAPHISCHE ENTWICKLUNG

Die Historiographie der polit. Parteikämpfe, wie sie im *Bellum civile* Caesars erscheint, wird in England in der Zeit der Restauration durch Lord Clarendon (1609–1674) vertreten. Der Jansenist Louis-Sébastien Le Nain de Tillemont (1637–1698) verfaßte nebst einer *Histoire des Empereurs* (1690–1739) die grundlegenden *Mémoires pour servir à l'histoire ecclésiastique des six premières siècles* (1693–1712), die Eusebios zum Vorbild haben. Unter dem Einfluß der Lektüre des Ammianus Marcellinus und mit der Benutzung vieler anderen Quellen schrieb Edward Gibbon (1783–1794) *The History of the Decline and Fall of the Roman Empire* (1766–1788), das größte historiographische Werk des Jahrhunderts. In diesem Werk befaßt sich Gibbon mit der Geschichte des Röm. Reiches seit der Zeit des Antoninus Pius (117–138), nach Gibbon einem Goldenen Zeitalter, und folgt dem Fortbestehen des Röm. Reiches im Osten bis 1453. Bei der Untersuchung der Ursachen des Niederganges Roms erscheint das Christentum als ein wichtiger Faktor. Nach dem entfernten Modell der Stammesgeschichte ist die *History of Scotland* (1759) von W. Robertson (1793) geschrieben. Sehr wichtig ist auch David Humes (1711–1776) *History of England, from the invasion of Julius Caesar to the revolution of 1688* (1754–1763). Die Lokalgeschichte fand einen wichtigen Vertreter in J. Möser (1720–1794). Die Forsch. der Antiquare wurden in der Kunstgeschichte fortgesetzt: Fundamental ist Johann Joachim Winckelmann (1717–1768) mit seiner *Geschichte der Kunst des Alt.* (1764).

## 9. REZEPTION DER KLASSIKER

Das Interesse an den Klassikern der Ant. ist in Barock und Aufklärung ungebrochen. Das Werk des Thukydides war ein Vorbild für den *Leviathan* von Thomas Hobbes. Der Absolutismus brachte ein Interesse für Sueton. Duris von Samos kann als ein Vorläufer des histor. Romans und des barocken Stils des 17. Jh. gesehen werden. Im 17. Jh. hat das Interesse für Polybios einen Höhepunkt erreicht.

## F. DAS 19. JAHRHUNDERT

Das 19. Jh. kann als die Epoche der Entwicklung der Wiss. und damit als die Blütezeit der Geschichtswiss. gelten. Geschichte wird nicht mehr als das Ergebnis des Handelns von Individuen betrachtet, sondern ausgehend von der Dynamik der sozialen Kräfte. Die Naturwiss. erleben einen enormen Aufschwung. Es entwickelt sich eine histor. Methode als Basis der Geschichtswissenschaft. Zu deren Kern gehören Quellenkritik und Heuristik. Die ant. Klassiker wurden im 19. Jh. nach diesen wiss. Prinzipien studiert. Die vielen kritischen Ausgaben ant. Autoren sind ein wichtiges Vermächtnis des 19. Jh.

### 1. RICHTUNGEN DER GESCHICHTSPHILOSOPHIE

Die Romantik hat Spuren in der Geschichtsphilos. hinterlassen, wie das Werk von Friedrich von Schlegel (1772–1829) zeigt. Schlegel betrachtet die Naturvölker als ein Resultat der Dekadenz eines goldenen Zeitalters. Dabei zeigen sich Resonanzen der Theorie des Goldenen Zeitalters der klass. Antike. Die großen Philosophen des Idealismus sind J. G. Fichte (1762–1814), F. W. J. Schelling (1775–1854) und W. G. F. Hegel (1770–1831). Für Fichte ist die Geschichte Bestandteil eines universalen Planes. Er unterscheidet fünf Epochen in der Entwicklung der Menschheit, in deren Verlauf die Menschheit eine größere Rationalität erlangt habe. Das ist eine Wiederbelebung klass. Vorstellungen. In den *Reden an die deutsche Nation* (1807–1809) klingt der alte german. Patriotismus an, der von Tacitus in seiner *Germania* dargestellt wurde. Bei Schelling erscheint die klass. Theorie der Weltalter. Hegel hielt 1830 an der Univ. Berlin Vorlesungen über die Philos. der Geschichte, die nach seinem Tode veröffentlicht wurden (1831): Hier spricht Hegel dem Schema Herders folgend von Orient, Griechenland, Rom und Germanien, wo der Weltgeist sich entfalte und die Menschheit stufenweise zur Freiheit komme. Nach Hegels Periodisierung der Geschichte entspricht der alte Orient der Kindheit des Menschenlebens, Griechenland und Rom bilden die Jugend, und die german. Welt bringt die Reife. Die Geschichte wird als ein Fortschritt im Bewußtsein zur Freiheit verstanden. Die letzte Periode, also die german., ist auch die Zeit des Ursprungs des Staates. Die histor. Dialektik ist das Prinzip, das den Gang der fortschreitenden Selbstverwirklichung des Weltgeistes bestimmt. Die Weltreichsabfolge erscheint als ein Muster der Geschichte, die sich zur Freiheit entfaltet.

Die histor. Dialektik ist die Grundlage für die histor.-ökonomische Theorie von Karl Marx (1813–1883) und Friedrich Engels (1820–1895), bei denen die Geschichte das Resultat der wirtschaftlichen Produktionsbedingungen und des Klassenkampfes ist. Das Ziel der Geschichte ist die Diktatur des Proletariats. Auf diese Weise wurde der histor. Materialismus begründet, der wiederholt ant. Historiker und bes. Diodor für seine Argumentation benutzt hat.

Bei Auguste Comte (1798–1857) wird die Geschichte als ein System allg. soziologischer Gesetze betrachtet, in dem es drei Stadien der Entwicklung gibt: ein theologisches, ein metaphysisches und ein positives. Der Positivismus, wie er sich bei Comte oder Herbert Spencer (1820–1903) findet, hat seine Wurzeln in der Idee des Fortschrittes.

Der Evolutionismus, der sich ebenfalls in die Ant. zurückverfolgen läßt, hat das Geschichtsdenken tief geprägt. Ausformuliert worden ist er durch Charles R. Darwin (1809–1882). Für den Evolutionismus gibt es eine progressive Entwicklung der Menschheit nach Stufen: Wildheit, Barbarei, Zivilisation.

Tiefe Wirkung zeitigten die klass. Autoren in der Philosophie Friedrich Nietzsches (1844–1900). Bei Nietzsche zeigen sich freilich Krise und Kritik des geschichtsphilos. Denkens sowie eine Abkehr von dem gerade auch von Jacob Burckhardt (1818–1897) kultivierten Eigenwert des Geschichtlichen, in dem Burckhardt die Gegeninstanz gegen den Relativismus seiner Zeit gesehen hatte. In der *Zweiten Unzeitgemäßen Betrachtung über Nutzen und Nachteil der Historie für das Leben* (1874) ist solche Abkehr ausgeführt. Nietzsche ist Irrationalist. Bei ihm erscheint die alte heidnische Idee der ewigen Wiederkehr des Gleichen. Auch rassistische Vorstellungen treten bei ihm auf.

### 2. Der Anfang des kritischen Studiums der Alten Geschichte und der modernen Geschichtswissenschaften

Nicht zuletzt durch Wilhelm von Humboldt (1767–1835) und die Gründung der neuen Univ. in Berlin haben die zeitgenössischen Überlegungen über die Geschichte Eingang in das akad. Leben gefunden. Die kritische Forsch. der Alten Geschichte beginnt mit Barthold Georg Niebuhrs (1776–1831) *Röm. Geschichte* (1811). Niebuhr erforscht von einem kritischen Standpunkt aus die erste Dekade des Livius. 1824 beginnt die Ed. der *Monumenta Germaniae Historica*, die auch Autoren der Spätant. aufnehmen. Die bedeutendste Persönlichkeit ist Theodor Mommsen (1817–1901). Mommsen war Wissenschaftsorganisator, beherrschte die Hilfswiss. und verfaßte unzählige grundlegende Werke, von denen hier nur die unvollendete *Röm. Geschichte* genannt sei, welche Mommsen 1902 den Nobelpreis für Lit. eintrug.

Begründer des Historismus ist Leopold von Ranke (1795–1886). Unter seinen zahlreichen Werken sei hier die *Weltgeschichte* (1881–1888) hervorgehoben, wo eine wiss. Grundlage für den histor. Bericht ausgearbeitet ist. Ranke bewertet alle histor. Kräfte. Obwohl er v. a. ein Sachkenner der mod. Geschichte ist, hat er als Ziel die Universalgeschichte. Ranke ist der Begründer der neuen histor. Methodologie. Für seine Geschichtsauffassung ist eine strenge methodische Vorgehensweise wichtiger als die lit. Qualitäten. In gewisser Weise führt er den Positivismus in die Geschichte ein. Quellenkritik und Philol. machen den Kern seiner Methode aus. Die Staaten gelten ihm als Individuen.

Die wiss. Grundlagen der histor. Erkenntnis sind explizit in der *Historik* von Johann Gustav Droysen (1808–1884) beschrieben. Ohne Droysens Auseinandersetzung mit dem Alt., insbes. mit Alexander und dem Hellen., wäre diese Arbeit undenkbar.

Im 19. Jh. hat eine massive histor. Spezialisierung eingesetzt: Zu der traditionellen Geschichtsschreibung (polit., diplomatische und mil.) kommen hinzu: die Verfassungsgeschichte mit ihren beiden Zweigen der Rechtsgeschichte und Geschichte der Institutionen, die Wirtschafts- und Sozialgeschichte und die Kulturgeschichte (Begründer: Jacob Burckhardt).

Wilhelm Dilthey (1833–1911) hat in seiner *Einleitung in die Geisteswissenschaften* (1883) eine Theorie der histor. Erkenntnis angeboten, wo Geschichtswiss. und Naturwiss. als unterschiedliche Gebiete dargestellt werden. Im Unterschied dazu wurden Natur und Geschichte von den Denkern des 18. Jh. als einheitlicher Bereich ange-

sehen. Mit Dilthey hat der Historismus begonnen. Nach ihm ist der Mensch keine Substanz, sondern wird durch den histor. Prozess zu dem gemacht, was er ist.

Im 19. Jh. ist auch die Kulturmorphologie biologischer Orientierung entstanden, wobei bereits Vico mit seiner Lehre des Aufstiegs und Niederganges der Völker und Hegel mit seiner Theorie der Weltalter zur der Entstehung dieser Strömung beigetragen haben.

### G. Ausblick auf das 20. Jahrhundert

Das 20. Jh. folgt zunächst und im allg. den wiss. Tendenzen im Studium der Geschichte des vorangegangenen Jh. Die Geschichtswiss. wird auf noch mehr neue Gebiete ausgeweitet. Sie steht jetzt auch in enger Verbindung mit den Sozialwissenschaften.

Einen beachtlichen Einfluß behalten G., wie sie im Alt. entwickelt worden sind, in den verschiedenen geschichtsphilos. Strömungen, so im Werk von Oswald Spengler (1880–1936), dem *Untergang des Abendlandes* (1918–1922). Es knüpft an die Kulturzyklentheorie von Vico an, aber auch Einflüsse von Herder sind vorhanden. Spengler unterscheidet acht Kulturkreise, und jeder geht wie im biologischen Leben durch die drei Phasen: Frühkultur, Hochkultur und Spätkultur. Diese Kulturzyklentheorie hat ihre Wurzeln in der Ant. genauso wie diejenige Arnold Toynbees (1889–1975), der in *A Study of History* (1934–1961) von einundzwanzig Zivilisationen spricht, die unabhängige Kulturkreise sind. Karl Jaspers (1883–1969) bietet in seinem Werk *Ursprung und Ziel der Geschichte* (1949) eine existentialistische Auslegung der Geschichte, in der eine sog. Achsenzeit von 800 v. Chr. bis 200 n. Chr. als Wendepunkt betrachtet wird.

Das Studium des Alt. hat fruchtbare Anstöße von Max Weber (1864–1920) empfangen. Hier sind Soziologie und Wirtschaft in die Universalgeschichte eingeführt und Wirtschafts- und Sozialgeschichte systematisch dargestellt worden.

Es gibt keine G. der Ant., die nicht in späteren Zeiten Anwendung gefunden hätten. Bei der Rezeption spielen viele Faktoren eine Rolle, nicht zuletzt herrschende Ideologien und ästhetische Präferenzen. Die historiographischen Gattungen des Alt. unterscheiden sich zwar in vielem von denjenigen der mod. Zeit, sind aber bei der wissenschaftsgeschichtlichen Selbstvergewisserung der Geschichtswiss. nach wie vor von Bedeutung. Und natürlich bleibt die ant. Historiographie eine Hauptquelle für jede Beschäftigung mit dem Altertum.

QU 1 G. J. VOSSIUS, De historicis grecis libri IV, ²1651 (Ndr. 1970) 2 Ders., De historicis latinis libri III, ²1651 (Ndr. 1970)

LIT 3 J. M. ALONSO-NÚÑEZ, El pensamiento historiológico alemán en el siglo XVIII. Investigaciones sobre Herder y los orígenes de la Filosofía de la Historia, 1971 4 Ders. (Hrsg.), Geschichtsbild und Geschichtsdenken im Alt., 1991 5 Ders., El concepto de historia universal en el pensamiento contemporaneo. Indagaciones sobre la historiografia universal en el siglo XX, 1994 6 R. R. BOLGAR, The Classical Heritage and its Beneficiaries, 1954 7 A. D. V. DEN BRINCKEN, Studien zur lat. Weltchronistik bis in das

Zeitalter Ottos von Freising, 1957 **8** P. BURKE, A survey of the popularity of ancient historians, 1450–1700, History and Theory 5, 1966, 135–152 **9** B. CROCE, Teoria e storia della storiografia, 1913 ([8]1963) **10** A. DEMPF, Sacrum Imperium. Geschichts- und Staatsphilos. des MA und der polit. Ren., [3]1962 **11** E. FUETER, Gesch. der neueren Historiographie, 1911, Neuausg. 1985 **12** B. GATZ, Weltalter, goldene Zeit und sinnverwandte Vorstellungen, 1967 **13** H.-W. GOETZ, Von der res gesta zur narratio rerum gestarum. Anmerkungen zu Methoden und Hilfswiss. des ma. Geschichtsschreibers, in: Revue Belge de Philologie et d'Histoire 67, 1989, 695–713 **14** W. GOEZ, Translatio imperii. Ein Beitrag zur Gesch. des Geschichtsdenkens und der polit. Theorien im MA und in der frühen Neuzeit, 1958 **15** G. P. GOOCH, Gesch. und Geschichtsschreiber im 19. Jh., 1964 **16** H. GRUNDMANN, Geschichtsschreibung im MA. Gattungen, Epochen, Eigenart, 1987 **17** B. GUENÉE, Histoires, annales, chroniques. Essai sur les genres historiques au moyen âge, in: Annales ESC 28, 1973, 997–1016 **18** Ders., Histoire et culture historique dans l'occident médiéval, 1980 **19** D. HAY, Annalists and Historians. Western Historiography from the 8th to the 10th Centuries, 1977 **20** G. G. IGGERS, Geschichtswissenschaft im 20. Jh. Ein kritischer Überblick im internationalen Vergleich, [2]1996 **21** W. KAMLAH, Utopie, Eschatologie, Gesch.-Theologie: Kritische Untersuchungen zum Ursprung und zum futuristischen Denken der Neuzeit, 1969 **22** N. KERSKEN, Gesch.-Schreibung im Europa der NATIONES. Nationalgeschichtliche Gesammtdarstellungen im MA, 1995 **23** A. KLEMPT, Die Säkularisierung der universalhistor. Auffassung. Zum Wandel des Geschichtsdenkens im 16. und 17. Jh., 1960 **24** J. KNAPE, »Historie« im MA und früher Neuzeit. Begriffs- und gattungsgeschichtlichen Untersuchungen im interdiziplinären Kontext, 1984 **25** K. H. KRÜGER, Die Universalchroniken, 1975 **26** B. LACROIX, L'historian au Moyen Age, 1971 **27** W. LAMMERS (Hrsg.), Geschichtsdenken und Geschichtsbild im MA, 1961 **28** K. LÖWITH, Meaning in History, 1949 = Weltgesch. und Heilsgeschehen. Die theologischen Voraussetzungen der Gesch. (a.d.Englisch [8]1990) **29** S. MAZZARINO, Il pensiero storico classico, 1966 ([5]1974) 3 Bde. **30** F. G. MAIER, Der Historiker und die Texte, in: Histor. Zschr. 238, 1984, 83–94 **31** G. MELVILLE, System und Diachronie. Untersuchungen zur theoretischen Grundlegung geschichtsschreibender Praxis im MA, in: Histor. Jahrbuch 95, 1975, 33–67 u. 308–341 **32** A. MOMIGLIANO, Contributi alla Storia degli Studi Classici e del Mondo Antico, 1955–1992 **33** Ders., Studies in Historiography, 1966 **34** Ders., Essays in Ancient and Modern Historiography, 1977 **35** Ders., The Classical Foundations of Modern Historiography, 1990 **36** K. E. MÜLLER, Gesch. der ant. Ethnographie und ethnologischen Theoriebildung, 2 Bde., Studien zur Kulturkunde 29 und 52, 1972 und 1980 **37** U. MUHLACK, Gesch.-Wiss. im Human. und in der Aufklärung. Die Vorgesch. des Historismus, 1991 **38** J. H. J. VAN DER POT, De periodisering der geschiedenis. Een overzicht der theorien, 1951 **39** V. REINHARDT (Hrsg.), Hauptwerke der Gesch.-Schreibung, 1997 **40** M. RITTER, Die Entwicklung der Gesch.-Wiss. an den führenden Persönlichkeiten betrachtet, 1919 **41** H. RUPP U. O. KÖHLER, Historia – Gesch., in: Saeculum 2, 1951, 627–638 **42** F. J. SCHMALE, Funktion und Form ma. Gesch.-Schreibung, 1985 **43** R. SCHMIDT, Aetates mundi. Die Weltalter als Gliederungsprinzip der Gesch., ZKG 67 1955/56, 288–317 **44** V. W. SCHOLZ, Annales und Historia(e), in: Hermes 127, 1994, 64–79 **45** A. SEIFERT, Historia im MA, Archiv für Begriffsgeschichte 21, 1977, 226–284 **46** B. SMALLEY, Historians of the Middle Ages, 1974 **47** G. SPITZLBERGER, C. D. KERNIG, Periodisierung, Sowjetsystem und demokratische Gesellschaft IV, 1971, 1135–1160 **48** R. STADELMANN (Hrsg.), Große Geschichtsdenker. Ein Zyklus Tübinger Vorlesungen, 1949 **49** H. STRASBURGER, Die Wesenbestimmung der Gesch. durch die ant. Gesch.-Schreibung, in: Studien zur Alten Gesch., hrsg. v. M. SCHMITTHENNER u. R. ZOEPFEL II, 1982, 963–1016 **50** G. W. TROMPF, The idea of Historical Recurrence in Western Thought. From Antiquity to Reformation, 1979 **51** F. WAGNER, Gesch.-Wiss., [2]1966.

JOSÉ MIGUEL ALONSO-NÚÑEZ

## Geschichtswissenschaft/Geschichtsschreibung

I. ALLGEMEIN   II. GRIECHISCHE GESCHICHTE
III. RÖMISCHE GESCHICHTE   IV. SPÄTANTIKE

### I. ALLGEMEIN
A. EINLEITUNG
B. AUTOREN, FORMTYPEN, GATTUNGEN
C. BEGRIFFE, METAPHERN, ZEITSTRUKTUREN
D. RHETORIK   E. WISSENSCHAFTSGESCHICHTE

### A. EINLEITUNG

Geschichte und Historiographie/Geschichtsschreibung (im folgenden abgekürzt: G.) sind vielseitig verwendbare Ausdrücke. Nicht nur, daß sie häufig vertauscht werden; sie bezeichnen auch je nach Kontext so verschiedene Tätigkeiten wie die Erforschung des Vergangenen und die Darstellung des Forschungsergebnisse. Eine Differenz, die schon in den Worten *historíēs apódexis* anklingt, mit denen Herodot seine Erzählungen eröffnet hat. Das griech. Nomen *historíē*, das bis h. »historstor. Wissen« als bes. Typus von anderen Wissenstypen abgrenzt, bezeichnete in Herodots Sprache die Arbeit des Ausforschens und Erkundens, das Nomen *apódexis* den (schriftlichen und mündlichen) Vortrag des Erkundeten. Selbst in streng wiss. verfahrenden Begriffsbestimmungen ist noch das Echo jener ant. Unterscheidung zw. *res gestae* im Sinne von Handlungsgeschehen/ Geschichte und *historia* im Sinne von Geschichtserzählung vernehmbar. Diese Präsenz des Vergangenen im Gegenwärtigen soll Anlaß sein, zunächst die Anknüpfung an Autoren und Gattungsbezeichnungen (B), sodann die Instrumentalisierung ant. Begriffe und Metaphern als allg. Deutungsmuster der Geschichte (C), in einem nächsten Schritt rhet. Aspekte der historiographischen Textproduktion (D) und schließlich einige wissenschaftskonstitutive Implikationen der Antikerezeption (E) zur Sprache zu bringen.

### B. AUTOREN, FORMTYPEN, GATTUNGEN

Den im Zuge einer Jahrhunderte während Rezeption erschaffenen Klassikerkanon führen Herodot, Thukydides und Xenophon an. Im Verlauf einer wirkungsmächtigen Traditionsbildung haben die B. des ersteren Modellcharakter für die phantasievoll ausgezierte, Militär-, Zeit- und Kulturgeschichte synthetisierende G. erworben. Die Darstellung des Thukydides hingegen, die mit einer metahistor. Reflexion einsetzt, avancierte seit der Renaissance zum Prototyp einer mit dem Pathos der Wahrheitssuche verbundenen, d. h. mit »wiss.« Anspruch auftretenden monographischen G. Die Namen beider Geschichtsschreiber sind überdies zu Markenzeichen für verschiedene, gleichwohl einander ergänzende kommunikative Funktionen der G. geworden: Herodot steht für das histor. Erinnern, Thukydides für die prognostische Anwendung der G.

Zum vollständigen, bis ins 19. Jh. fleißig studierten Kanon der ant. G. gehören v. a. die Namen Polybios, Livius, Tacitus und Plutarch. Im 16. und 17. Jh. wurde ein großer Teil des Klassikerkanons von Machiavelli (1469–1528) und Jean Bodin (1530–1596) bis Thomas Hobbes (1588–1679) als »Thesaurus« polit. Ideen genutzt. Aber jeder einzelne, der in der Namensreihe genannten Autoren erhielt im weiteren Verlauf der historiographischen Rezeptionsgeschichte die Weihen eines nachahmungs- und wettbewerbswürdigen Darstellungsmodells. Polybios galt als Modell für die pragmatische, Livius für die dramatische, Tacitus für die entlarvende und Plutarch als Modell für die biographische G.

Die verschiedenen Formtypen wurden in relativ grober Manier jenen drei historiographischen Hauptgattungen *annales* (chronikalische G.), *historiae* (Zeitgeschichte) und *vitae* (Lebengeschichte) zugeordnet, die nach wie vor in Gebrauch sind, auch wenn das – wie im Fall der frz. »Ecole des Annales« – die alte Semantik verändert hat.

C. Begriffe, Metaphern, Zeitstrukturen

Begriffe und Sprachbilder sind dem Geschichtsdenken nicht äußerlich und steuern wie Leitsterne die kompositorischen Gestaltungstechniken der G. Zu den geläufigen Konzepten der zeitstrukturellen Gestaltung gehören z. B. die aus dem Griech. übernommenen Begriffe »Epoche« und »Periode«, die beide schon in der Ant. von der Astronomie auf die G. übertragen worden sind [3. 127, 129]. Noch h. ist populär, was im ant. Mythen- und Geschichtsdenken dem Wandel der Gattung, der Mächte und Zeitalter unterstellt worden ist: eine biomorphe, nämlich lebenszyklische Struktur, nach »Kindheit«, »Jugend«, »Alter« (Dekadenz), gegebenenfalls auch »Wiedergeburt« (Ren.) skandiert. Die alten Bilder des Steigens und Fallens haben – nicht selten in Kombination mit der Organismusmetaphorik des Gesunden und Kranken – jenes Geschichtsdenken gefördert, das als »tragisches« mit Verfall und Untergang kokettiert. Andere ant., später aufgegriffene und elaborierte Sprachbilder markieren die Richtung der Zeitläufte: »Rad«, »Scheibe« und »Kreislauf« die Wiederkehr des Gleichen (zyklisches Geschichtsbild); »Strom« und »Pfeil« den Progress zielgerichteter Veränderung (lineares Geschichtsbild). Die christl., einen Anfang und ein Ziel statuierende G. hatte mit den griech.-röm. Chronologien ihre Probleme und griff auf alttestamentari-

sche Periodisierungen zurück (vier Reiche, sechs Zeitalter usw.), deren Spuren bis in die Geschichtsphilos. der Moderne zu verfolgen sind.

Als bes. wirkungsmächtig erwies sich Ciceros personifizierende Rede von der *historia magistra vitae* »der Lehrmeisterin Geschichte« (de orat. 2,9,36). In der mod. Geschichte der G. hat diese Erfindung als Erkennungszeichen für die Historiographie der Alten Welt und der Frühen Neuzeit Karriere gemacht [9. 38 ff.]. Der Magistra-Topos evoziert die bis h. nicht zur Ruhe gekommene Frage, ob aus der Geschichte für die Zukunft zu lernen sei.

D. Rhetorik

In der röm. Ant. galt die G. als Amt des Redners und zählte – mit starker Gewichtung der Lehrfunktion (*docere*) – zu den oratorischen Gattungen. Seit Herodot war es üblich, in Art der Rollenprosa die Ereignisse von den Akteuren in erfundenen Reden kommentieren zu lassen. Noch B. G. Niebuhr (1776–1831), einer der Begründer der wiss. G., hielt sich an diese Manier. Der rhet. Nutzen war indes nicht auf diesen formalen Kunstgriff angewiesen, galt die G. doch lange Zeit als eine exemplarische Fallsammlung, ein »Aggregat« von Geschichten, aus dem sich der Redner je nach Absicht bedienen konnte, um z. B. die fragile Geltung einer polit., mil. usw. Handlungsregel zu demonstrieren. So konnte, wie es die Rhetorikhandbücher lehrten, eine Historie vom Redner als Exempel, Illustration und Argument verwendet werden, während der Geschichtsschreiber gehalten war, beides – *narratio* und *argumentatio* – mit Kunst, aber ohne Falschheit zu verbinden. Redekunst und Historiographie gehörten zusammen und standen den poetischen Techniken nahe. Auf die so angedeuteten Familienähnlichkeiten zw. Rhet., Poetik, Historik legten v. a. die an die Klassiker anknüpfenden *Artes historicae* (historiographische Kunstlehren) der Ren. größten Wert [7].

Zu Unrecht wurde und wird die Rhet. auf ein stilistisches Regelwerk (*elocutio*) verkleinert oder gar mit einer hinterhältigen Parteilichkeit des Redners/Historikers ineins gesetzt. Denn sie hat sogar noch in ihrer konventionellen Gestalt in die systematische Grundlegung der Geschichtswiss. – z. B. in die Heuristik (*inventio*) und Topik Gustav Droysens (1808–1886) – eingegriffen [5. 867 f.]. Wird Rhet. nicht auf Formalismen reduziert, sondern als ein Organon der Text- und Kommunikationspragmatik verstanden, so hat sie nach wie vor einen Ort in der Theorie der G. In dem Maß, in dem die analytische Aufmerksamkeit sich auf das Konstruierte der Geschichtstexte und -bilder sowohl populärer als auch wiss. Provenienz richtet, rückt auch die ant., durchaus genealogisch nachweisbare Dialektik von Vergangenheitskunde und geschulter Eloquenz wieder in den Focus der histor. Kritik [10].

E. Wissenschaftsgeschichte

Eine bedeutende Reihe von Begriffspaaren, deren prekäre Relationen in der mod. Geschichtswiss. immer wieder Debatten auslösen, steht in einer mehr oder minder lockeren Beziehung zur griech.-röm. Ant.: Kunst und Wiss., Parteilichkeit und Objektivität sowie – nicht zuletzt – Ant. und Moderne. Ist die kritische Prüfung der im Geschichtstext verarbeiteten »Zeugnisse« und »Quellen« – zwei szientifisch geadelte Metaphern – ein Prüfstein seiner wiss. Dignität, so schlägt die früheste Geburtsstunde der protowiss. G. im Zeitalter des Humanismus. Paradoxerweise hat diese Zeit die lit. Autorität der ant. Klassiker der G. befestigt und zugleich die ersten Schritte in Richtung ihrer doxographischen Entzauberung getan. Während der → Tacitismus in Europa grassiert, legen die antiquarischen Studien des Späthuman. einen Schnitt zw. die Texte der Klassiker und die arch. Überbleibsel der alten Kulturen.

Zur gleichen Zeit bricht sich im Streit über Autorität und Geltung des ant. Kanons in der → *Querelle des Anciens et des Modernes* ein neues Zeitbewußtsein Bahn. Die Moderne entdeckt in dieser Auseinandersetzung ihre im Vergleich mit der ant. Lebenswelt andersartigen Qualitäten, und sie beginnt unter dem Schlagwort des → Klassizismus mit der ästhetisch-musealen Restauration der überkommenen Gebilde und Monumente. Folge ist eine ambivalente Einstellung zur Vergangenheit: Einerseits wird die Ant. historisiert, andererseits wird sie idolisiert. In diesem Prozeß löst sich nach und nach auch die G. von den lit. Darstellungsnormen der Klassiker, um jene professionellen Normen der Recherche und Textproduktion zu entwickeln, die sie als akad. von den romanhaften Versionen der G. unterscheidet. ›Wir unsers Orts‹, bemerkt Leopold Ranke (1795–1886) mit Blick auf die ant. Klassiker, ›haben einen andern Begriff von Geschichte.‹ [14. 24].

Ob G. als Kunst oder Wiss., als hybride Zwittergestalt, als autonomer Diskurstyp oder als lit., d. h. publikumswirksame Spätgeburt der Muse Klio zu gelten hat, bleibt ein virulentes Thema der innerfachlichen und interdisziplinären Debatten bis weit ins 20. Jh. [6. 224ff.]. Zitiert aber werden die ant. Klassiker nicht nur in diesem mit Stil- und Formfragen gespickten Kontext. Selbst die theoretische Minimaldefinition der historiographischen Arbeit, ›wahre Beschreibungen vergangener Ereignisse‹ zu geben, glaubt sich noch auf Thukydides berufen zu müssen [2. 25]. Die Alte Geschichte hingegen sucht die auf solche Art zumindest im Detail modellbildender Konstruktionen immer noch suggerierte Nähe zw. Spätmoderne und Ant. zu unterbinden. Sie bekämpft die falsche, auf Idealisierungen und Mythen bauende Vertrautheit zw. Ant. und Moderne und favorisiert eine G., die das fremde Unvertraute der griech.-röm. Lebenswelt entdeckt [15].
→ AWI Geschichtsschreibung

1 R. CHEVALLIER, R. POIGNAULT (Hrsg.), Présence de Tacite, 1992 2 A. DANTO, Analytical Philosophy of History, 1968 3 A. DEMANDT, Metaphern für Geschichte, 1978 4 D. FULDA, Wiss. aus Kunst, 1996 5 D. HARTH, G., in: HWdR III 1996, 832–870 6 J. KENYON, The History Men, 1993 7 E. KESSLER, Theoretiker human. G., 1971 8 R. KOSELLECK, W.-D. STEMPEL (Hrsg.), Gesch. – Ereignis und Erzählung, 1973 9 R. KOSELLECK, Vergangene Zukunft, 1979 10 D. LACAPRA, History and Criticism, 1985 11 J. LE GOFF, Histoire et mémoire, 1986 12 N. LORAUX, Thucydide n'est pas un collègue, in: Quaderni di Storia 12, 1980, 55–81 13 A. MOMIGLIANO, Storia e storiografia antica, 1987 14 L. v. RANKE, Sämtliche Werke, Bd. 33/34, Leipzig 1874 15 P. VEYNE, L'inventaire des différences, 1976 16 P. VIDAL-NAQUET, La démocratie grecque vue d'ailleurs, 1990.                    DIETRICH HARTH

## II. GRIECHISCHE GESCHICHTE
A. QUELLEN  B. MEHRBÄNDIGE »GRIECHISCHE GESCHICHTEN«  C. ALTERTUMSWISSENSCHAFT D. KULTURGESCHICHTE  E. ANDERE GATTUNGEN UND THEMEN  F. GRUNDPROBLEME UND TENDENZEN DER FORSCHUNG  G. AUSBLICK

### A. QUELLEN
1. Ein lebhafter Überblick von Carmine Ampolo [2b] ist die erste historiographiegeschichtliche Gesamtdarstellung der Griech. Geschichte. Die periodischen Übersichten in Bursians *Jahresberichten* und der *Revue historique* sind auf detaillierten Einzelber. und die Kritik publizierter Forschungen ausgerichtet gewesen: ihr Ziel galt nicht der Gestalt und Entwicklung des Faches an sich, und sie enden nach 1942 bzw. 1983. Nützlicher sind die einen größeren Zeitraum behandelnden Überblicke von Adolf Bauer [3] und Max Hoffmann [42]. Ergänzend zur Verfügung stehen die Standardgeschichten der Klass. Philol. und die Angaben zu den Kompilationen biographischer Daten in den Werken von Conrad Bursian und John Edwin Sandys [10; 65]. Neue Perspektiven haben die detaillierteren biographischen Studien von Arnaldo Momigliano und Karl Christ eröffnet [50–53; 17–19b]. Bis vor kurzem war die Erforsch. des 19. Jh. weiter vorangetrieben als des 20. Jh., wiewohl es eine Tendenz gibt, einen Ausgleich zu erreichen [18; 55].

2. Das Studium einzelner Forscherpersönlichkeiten allein kann nicht genügend zeigen, wie es zu den Veränderungen in den Konzeptionen der Griech. Geschichte kam und wie sich die Bedingungen für den Umgang mit den damit verbundenen Themen histor. gewandelt haben: Das Wachstum der Institutionen, die umstürzenden Veränderungen an Schulen und Univ. [69], die Interessen des lesenden Publikums, die Deutung der Vergangenheit aus den Interessen der Gegenwart heraus, die wachsenden Komplexitäten und Abhängigkeiten zw. alten und neuen akad. Studiengebieten: All dies sind Faktoren, welche einen Einfluß auf die Transformation des Zeitgeistes ausüben. Außerdem sind die großen Themen der Rezeption der Griech. Geschichte immer bestimmt gewesen durch die Auseinandersetzung mit der Politik, angefangen bei der geistigen Identifikation mit den Alten (›wir sind alle Griechen‹) und der Idealisierung Athens, über das Studium der *polis* und ihres »Scheiterns« hinweg zu den komplexen Antworten bei der Beschäftigung mit der griech. Demokratie, der griech. Sklaverei, dem athenischen oder spar-

tanischen Imperialismus sowie der griech.-maked.
Monarchie.

### B. Mehrbändige »Griechische Geschichten«

1. Griech. Geschichte als ausgearbeitete intellektuelle
Konstruktion ist wesentlich jünger als ihre röm. Schwe-
ster. Gewiss hatten die griech. Historiker Editoren und
Übersetzer angezogen, ein Prozeß, der mit Lorenzo
Valla und Papst Nikolaus V. als einem der wichtigen
Förderer einsetzt und in der frühen Ren. durch die Tätigkeit der Antiquare fortgesetzt wird [50. 1–39; 52. 54–
79]. Plutarchs *Biographien* hatten das Interesse an den
großen Persönlichkeiten entfacht, aber die Griechen
zogen weniger Aufmerksamkeit auf sich als die Römer.
Zwei Gemälde Poussins aus dem Jahre 1648, die den
Tod Phokions zeigen, sind Ausnahmen. Den wichtigsten Beitrag, wiewohl unkritisch verfaßt, steuerte Charles Rollin bei [63]. Trotz seines Titels betrifft Rollins
Werk, das sowohl ein frz.- wie englischsprachiges Publikum fand, hauptsächlich griech. Geschichte.

2. Gegenüber Rollin markieren die Griech. Geschichten von William Mitford [49] und John Gillies
[33] in den 1780er J. eine neue Epoche. Breiter im Umfang, gestützt auf ein größeres Quellenmaterial und stärker auf polit. und Kriegsgeschichte fokussiert, hoben sie
sich von der antiquarischen Trad. ab und scheuten sich
nicht vor stärker offenen polit. Tönen. Ihre Anziehungskraft zeigt sich an Übers. und an der Aufmerksamkeit, welche die beiden im damals aktuell dominierenden europ. Interesse fanden. Dem Neustart folgten die
Werke von Connop Thirlwall [70], der mit Niebuhr
wetteiferte, und v. a. von George Grote [37; 53. 15–31],
dessen 12 Bände den Gegenstand »Griech. Geschichte«
sowohl chronologisch definierten als auch die Debatten
für gut 50 Jahre bestimmten.

3. Man muß sich tatsächlich fragen, wann, wo und
warum »Griech. Geschichte« entstand. Der Einfluß der
schottischen Aufklärung ist bestenfalls indirekt, sogar
für Gillies. Keiner der Historiker aus dem engl.-schot-
tischen Quartett besuchte je Griechenland, obwohl es
nach den 1750er Jahren leichter zugänglich war. Wie die
Einleitung zu den Werken von Gillies und Mitford zeigen, ging es u. a. darum, die Schwierigkeiten bei der
Unterscheidung von Mythos und Realität zu überwinden und fragmentarische kleinere Erzählungen in ein
größeres Ganzes zu integrieren. Einen Einfluß hatte
ebenso die praktische wie theoretische Herausforderung, das Studium vergangenen Geschehens von demjenigen der ant. Historiker zu trennen, ein Problem, das
sich für die griech. Geschichte hartnäckiger stellt als für
die römische. Der Impuls, solche technisch-handwerk-
lichen Schwierigkeiten anzugehen, hatte indes hauptsächlich polit. Gründe. Obwohl die Verwendung der
griech.-röm. *exempla* in der Zeit der Frz. und Amerikanischen Revolution [71. 82–169; 61] eher rhet. Charakter besaß, als daß wir in der Öffentlichkeit auf vertiefte inhaltliche Auseinandersetzung stoßen würden,
beschäftigten umgekehrt in der Wiss. die Grundfragen
der Bed. und Gestaltung von Monarchie und Demokratie, wie sie nach den 1770er J. diskutiert wurden,
jeden der vier Pioniere, so unterschiedlich sie in ihrer
ideologisch-polit. Ausrichtung auch waren. Griech.
Geschichte wurde – freilich nur für eine kurze Zeit –
von Autoren wie Lesern als ein Gegenstand mit zeitgenössischer Resonanz empfunden, sei es als Ideal oder
abschreckendes Beispiel.

4. Auf diese Weise war die mehrbändige »Griech.
Geschichte« die erste lit. Form, in welcher Quellenmaterial kritisch behandelt wurde, in der es eine Verknüpfung mit zeitgenössischen polit. Themen und der
sozialen Entwicklung gab und die international Einfluß
auf breitere intellektuelle Kreise ausübte. Die »Griech.
Geschichte« wurde zum Rückgrat des neukonstituier-
ten Fachgebietes, und sie blieb es für lange Zeit, auch
wenn die engl.-schottischen Gründerväter durch zwei
brillante Generationen dt. Wissenschaftler abgelöst
wurden. Ergänzt außerhalb Deutschlands durch Victor
Duruy [24], Evelyn Abbott [1], Eugène Cavaignac [15]
und Gaetano De Sanctis [21], begann die dt. Folge
»Griech. Geschichten« in den 1850er J. mit Johann
Friedrich Christoph Kortüm [46], Maximilian Duncker
[23] und Ernst Curtius [20; 19a. 123–143]. Adolf Holm
[43] setzte sie fort; ihre Kulmination fand sie in den
Werken von Georg Busolt [12; 16] und den Bänden zur
griech. Geschichte von Eduard Meyer [48; 53. 209–222;
13] und Julius Beloch [4; 53. 97–120]. Griech. Geschichte wurde auch zu einem wichtigen Medium für
die Projektion zeitgenössischer Einstellungen und Auseinandersetzungen in ihrer ganzen Vielfalt auf Ereignisse, Institutionen oder Persönlichkeiten der Vergangenheit. Es ist auffallend, wie viele Historiker des ant. Griechenlands polit. aktiv gewesen sind.

5. Die *Geschichten* Busolts, Belochs und Meyers waren Meisterwerke Einzelner und bilden den Höhepunkt
der mehrbändigen monographischen Tradition. Gusta-
ve Glotz brauchte in den 1920er/30er J. zwei Mitarbeiter [35], während es mit Ausnahme von Helmut Berve
[6] nach dem Ersten Weltkrieg üblich wurde, zu akzeptieren, daß das Wachstum des Wissens und die Produktion gelehrter Studien zu gewaltig geworden waren: Das
Perfektionsideal eines Busolt aufrechtzuerhalten und
alles zu zitieren, was zu einem bestimmten Punkt einer
Darstellung Bed. besaß, war nicht mehr möglich. Die
Praxis entwickelte sich in drei verschiedene Richtungen. Die erste war diejenige der einbändigen zusammenfassenden Monographien und wird repräsentiert
durch J. B. Bury [11], Hermann Bengtson [5], Wolfgang
Schuller [67] und andere. Eine zweite Richtung ergab
sich durch die Schöpfung einer neuen Kunstform der
kollektiven Geschichte, bei der ein Team von Hrsg. einzelne Spezialisten beauftragt, Kap. zu verfassen, welche
in einen diachronisch bestimmten Rahmen passen müssen: Die *Cambridge Ancient History* bestimmten diesen
Weg; gefolgt wurde sie von den Werken *Storia e Civiltà*,
*Hellenische Poleis* [72], und *I Greci*. Drittens sind in jüngerer Zeit mehrere monographische Reihen entstanden
wie *Methuen*, *Nouvelle Clio* oder *Fontana*.

6. Grotes einflußreiche Entscheidung, Quellen für die Zeit vor 776 v. Chr. als unhistor. zu erachten, machte es einfacher, dieses Thema zu behandeln, aber sie schuf gleichzeitig eine Barriere, welche sich in der Folge als Nachteil erwies. Ebenso führte seine Entscheidung, mit dem J. 301 aufzuhören, zur Festlegung eines wachsenden Konsenses, sich auf das Griechenland der »freien Staaten« zu konzentrieren. Nur Beloch ging weiter bis 217. De Sanctis und Busolt führten die Darstellung sogar nicht einmal über 404 hinaus. In der Tat wurde die griech. Geschichte der Diadochenzeit bereits ein separates Unterthema mit Gillies' späterem Werk [34]. Eine definitive Form bekam das Thema 1836 mit Johann Gustav Droysen und seinem Epochenbegriff »Hellenismus« [22; 7; 53. 147–61]. Darstellungen dieser hell. Zeit führten fort: Gustav Friedrich Hertzberg [41], Benedikt Niese [56], Julius Kaerst [45], Carl Schneider [66] und Édouard Will [73].

7. Die Spaltung zw. Klass. und Hell., später widergespiegelt durch das Auftauchen des Archa., hat die Rezeption der griech. Geschichte tief beeinflußt. Sie hat Vorstellungen von Aufgang, Höhepunkt und Niedergang Dauer verliehen und breitere Sichtweisen behindert, welche die Geschichte des griech. Raumes als Bestandteil der Geschichte des Mittelmeer- und Balkanraumes in der Eisenzeit sehen. Außerdem hat sie das Vorurteil vertieft, daß mil. Macht und die Qualität von Kunst und Lit. bestimmen würden, was eine wichtige Epoche sei.

## C. ALTERTUMSWISSENSCHAFT

1. Die zweite Form für die Darstellung griech. Geschichte entstand durch die systematisch synchrone Beschreibung öffentlicher und privater Altertümer. Zuerst durch Friedrich August Wolf seit den 1780er J. formuliert und 1807 gedruckt [59. 76–103], wurde sie im Mai 1817 mit August Boeckhs *Staatshaushaltung der Athener* verwirklicht [8]. Boeckh widmete das Werk Niebuhr, aber sein Titel verdankte Hume ebensoviel wie Wolf, und die Publikation machte Boeckh zusammen mit seinen folgenden Leistungen auf dem Gebiete der griech. Epigraphik zu einem der Gründerväter der Griech. Geschichte. Schon die ersten Worte der ›Vorerinnerungen‹ zur ersten Ausgabe‹ sind .ebenso programmatisch wie prophetisch: ›Die Kunde der Hellenischen Altertümer steht noch in ihren Anfängen: großer Stoff ist vorhanden, die meisten wissen ihn nicht zu gebrauchen.‹ [59. 106–7]

2. Eine Generation später war Boeckhs Vision Realität geworden, v. a. in der einheitlichen Form der Bände von Karl Friedrich Hermanns Lehrbuch [40] in seinen verschiedenen Editionen. Dieses Werk schloß allmählich Staats-, Rechts-, Kriegs-, Bühnen-und Privat-Altertümer ein und wurde seinerseits gefolgt von Iwan von Müllers *Handbuch der Altertumswiss.*, in dessen allumfassender Struktur Griech. Geschichte nur einen Gegenstand und einen Band unter vielen bildet.

3. Sogar das Handbuch- und Lehrbuch-Format konnte indes nicht alles berücksichtigen. Das Studium der Top. und Geogr. Griechenlands, wie es die Napoleonischen Kriege angeregt hatten, blieb ein Spezialgebiet. Das gleiche gilt bedauerlicherweise für Numismatik und Papyrologie und leider v. a. auch für das Studium der griech. Inschriften. Boeckh leistete zwar gerade für die griech. Epigraphik mit dem *Corpus Inscriptionum Graecarum* Grundlegendes, wenn auch mehr durch seine Energie und sein organisatorisches Talent als seinen Scharfsinn für Inschriften. Er schuf eine Basis, auf welcher danach die *Inscriptiones Graecae* und das *Supplementum Epigraphicum Graecum* sowie eine stetig wachsende Zahl von Einzelstudien aufgebaut haben. Die wiss. Rezeption all dieser Leistungen in Spezialgebieten bildet ein wissenschaftssoziologisches Paradox. Zwar kommt aus diesen Gebieten – und gerade der Epigraphik – das Gros neuen Quellenmaterials für die polit., administrative, soziale oder Religionsgeschichte, aber diejenigen, welche es gewohnt sind, die lit. Trad. auszuwerten, haben noch immer Schwierigkeiten, den Zugang zu diesen neuen und als semantisch unordentlich empfundenen Welten zu finden.

## D. KULTURGESCHICHTE

1. Der Typus des Handbuches förderte eine extreme Form der Professionalisierung und die Systematisierung des Wissens im Rahmen äußerlicher Uniformität auf Kosten seiner Fragmentierung, wobei sich ein Eindruck von Unpersönlichkeit und abschreckender Detailkenntnis ergab. Als notwendige Ergänzung kam es zu einer Reaktion: Man wertete die Einzelpersönlichkeit wieder auf und versuchte zu rekonstruieren, welchen Werten sie verpflichtet gewesen war und in welcher psychologischen Welt sie gelebt hatte und dies unter Berücksichtigung einer statischen oder sich nur langsam entwickelnden Umgebung von Ritualen, Institutionen und Glaubensvorstellungen.

2. Solche Ansätze finden sich in der Kulturgeschichte. Obschon vorweggenommen in Boeckhs ungeschriebenem Buch *Hellen* und 1857–8 in Hermanns Lehrbuch erwähnt, verdankt die Kulturgeschichte ihren Mittelpunkt und die Abgrenzung zur Sittengeschichte den beiden Pionieren Numa Denis Fustel de Coulanges und Jacob Burckhardt. Fustels *La cité antique* von 1864 [28; 53. 162–178; 27; 19a. 114–122] war ein Werk unter einer ganzen Anzahl weiterer B. der 1850er und 60er J., welche alle die Entdeckung der Indo-Europäer und eines kollektiven Besitzeigentums reflektierten [53. 236–251]. Es bot eine komplex verflochtene Lektüre der Ursprünge über *gens/genos* und den Kult der Toten an, ebenso der Gesellschaft, des Besitzes und des Staates. Es verlor lange nichts von seinem Einfluß, obwohl seine Konzeption linearer Kontinuität so einfach war; in den 1970er Jahren wurde es dekonstruiert. Es stimulierte eine hervorragende Trad. v. a. frz. Wiss., welche über Émile Durkheim, Marcel Mauss, Louis Gernet, und Henri Jeanmaire zu Jean-Pierre Vernant und bis in die Gegenwart führt [44. 76–106], wobei die allg. histor. Soziologie und der Sozialanthropologie viel verdankt und ebenso viel zu diesen Gebieten beigetragen hat.

3. Jacob Burckhardts Vorlesungen, die postum als *Griech. Kulturgeschichte* publiziert wurden [9; 53. 44–53], ergänzten Fustel, indem sie die Quellenzeugnisse für die griech. Gesellschaft hinsichtlich der Denkweisen und Anschauungen sowie deren bewußten oder unbewußten Mentalitäten lasen. Burckhardt untersuchte Wertkonflikte und das Verhältnis zw. Politik, Religion und Kultur. Er zeigte, wie die Evidenz der griech. lit. und philol. Texte konstruktiv in einer nicht-narrativen und nicht auf das Antiquarische ausgerichteten Weise verwendet werden konnte. Sein Einfluß wirkte zwar langsam, diffus und indirekt, machte aber die Kulturgeschichte Griechenlands zu einem breiten und offenen Gebiet, das teilweise wenig von Theorien durchdrungen blieb [60], andererseits aber höchst aufnahmefähig für die interpretatorischen Ansätze einer ganzen Reihe neuer Disziplinen war, von der Psychoanalyse Freuds über die Rechtssoziologie und die strukturalistische Anthropologie von Lévi-Strauss [44; 58] zum Dekonstruktivismus heutiger Literaturkritik. Michel Foucault und Philippe Ariès können durchaus als Erben dieser Trad. gesehen werden.

E. ANDERE GATTUNGEN UND THEMEN

1. Diese können kürzer und einfacher skizziert werden. Natürlich zeigen sie die Bedürfnisse von Lehre und Unterricht [75]; es handelt sich um nationale Prestigeobjekte oder die Präsentation von Ergebnissen größerer Ausgrabungen, ebenso um Formen der Rezeption im eigentlichen Sinne. Einiges, wie Texteditionen oder Studien der Historiographie [36], hat ebenso philol. wie histor. Charakter, doch auch hier deuten Unterschiede auf selektive Rezeptionsvorgänge: Die athenischen Inschr. werden intensiv studiert, diejenigen Böotiens hingegen vernachlässigt. Während es für Thukydides bereits einen zweiten umfassenden Komm. gibt, fehlen solch systematischen Instrumente bei Diodor oder Demosthenes.

2. Zu den einfacheren Gattungen gehört die Chronologie. Ihre Dienstleistungen sind von grundsätzlicher Wichtigkeit für die Wiss., angefangen bei Joseph Justus Scaliger oder später Henry Fynes Clinton bis zu den uns näheren Spezialisten der Zeitrechnung. Wesentliche Veränderungen ergaben sich für die Chronologie, die im polyzentrischen griech. Raum weit verwickelter ist als unter den Römern, durch den Einfluß der Epigraphik. Ähnlich kompliziert ist die Herstellung von Fragmentsammlungen, unter denen Felix Jacobys *Fragmente der Griech. Historiker* hervorragen. Allein durch sie ist es möglich, einen Eindruck von verlorenen Historikern, Rhetoren oder Biographen zu bekommen. Eine dritte Gattung ist die Biographie selbst, nicht nur allein von bedeutenden Einzelnen, sondern ebenso von Kollektiven, v. a. Eliten wie den mil. Führern Alexanders, aber sogar auch – nämlich in der Prosopographie – von ganzen Gesellschaften. Geschichten einzelner Staaten und Regionen sind immer allgegenwärtig gewesen. Es liegt auf der Hand, daß sie eher von Sparta handeln oder weniger prominenten polit. Systemen als Athen, dessen

Geschichte tendenziell mit derjenigen der Griechen ineins gesetzt wird. Ebenso ist Militärgeschichte immer ein Kerngebiet gewesen, zusammen mit einem nahen Verwandten, der Landeskunde.

3. Andere Gattungen sind ideologisch komplexer. Während des ganzen 20. Jh. war Sozial- und Wirtschaftsgeschichte, vertreten etwa durch den das höchste Niveau anstrebenden Michael Rostovcev [64], eines der wichtigsten Felder intensiver Auseinandersetzung bei der Rezeption und Verbindung konkurrierender Ideen, angefangen bei der neoklass. Ökonomie über Karl Polanyis »Eingebettetheit« (der ant. Wirtschaft in die Gesellschaft und ihre Institutionen) und Moses Finley [25] bis hin zu den Lokalanalysen der Geographen. In ähnlicher Weise entwickelte sich auch die *Historiographie*, die einst vorwiegend eine Angelegenheit trockener Quellenforsch. gewesen war. Sie begann die Gattungen zu analysieren und narrative Strukturen zu untersuchen. Das gleiche Phänomen ist in den klass. »Histor. Komm.« festzustellen. Arbeiten über das Griech. Recht waren lange von den Kategorien des Röm. Rechtes beeinflußt oder vielmehr behindert gewesen, ebenso von der irreführenden Vorstellung eines Griech. Staatsrechts und dem Eindruck der vergleichsweise großen Einheitlichkeit des Rechts im ptolemäischen Ägypten [74]. Allmählich mußte indes nicht nur das kaleidoskopartige Spektrum griech. Rechtssysteme anerkannt werden [26], sondern auch Vorstellungen wie »vorrechtlich« [32. 175–321] oder Recht eher als Diskurs denn als System von Gesetzen und Präzedenzfällen [60]. Eine ähnliche Verlagerung betraf die Erforschung der griech. Religion, welche lange als gewissermaßen autonomes Gebiet in Fachtrad. etwa der skandinavischen Schule – meisterhaft repräsentiert durch Martin P. Nilsson [57] – betrieben wurde. Mehr und mehr wurde sie durch Émile Durkheims Insistieren darauf, daß Religion v. a. soziale Handlung sei, wieder in Verbindung mit generell dominierenden wiss. Tendenzen gebracht und als Aspekt der Kulturgeschichte verstanden. Noch komplizierter sind Ausgrabungstätigkeiten und -publikationen, wo konzeptionelle und institutionelle Diskussionen mit der Klass. Arch. über die Fachgrenzen hinaus mit *common-sense*-Vorstellungen interagieren, daß Griech. Geschichte keine seriöse *raison d'être* besitze, wenn sie sich nicht auch mit der Geschichte von Delos oder Olympia oder der athenischen Agora befasse. Am schwierigsten von allem zu beurteilen ist die Geschichte der polit. Ideen und ihres Verhältnisses zu Ereignissen und Institutionen.

F. GRUNDPROBLEME UND TENDENZEN DER FORSCHUNG

1. Der Titel dieses Abschnittes stammt von Wolfgang Schullers wertvollem Überblick [67], auf welchen der Leser verwiesen sei. Dennoch ist es nötig, einigen wenigen hervorstechenden Themen der heutigen Rezeption in Ergänzung dazu Nachdruck zu verleihen. Sie können alle in der Begrifflichkeit der »Grenzen« definiert werden. Topographisch gesehen hat die enorme

Intensivierung der Forsch. über Thessalien, Epirus und Makedonien das »dritte Griechenland« [30] immer weiter Richtung Norden ausgeweitet. Sie erlaubt es, Makedonien stärker von innen heraus und nicht durch den Zerrspiegel eines Demosthenes zu verstehen. Gegen Osten hin kann auf Grund von Louis Roberts Lebenswerk über Asia minor [62] zusammen mit den wachsenden Erträgen der *Inschriften griechischer Städte aus Kleinasien* (1972 ff.) davon gesprochen werden, daß ein »viertes Griechenland« Gestalt annimmt. Für die Gebiete noch weiter im Osten gibt es immer intensivere Studien über das Reich der Achaemeniden, über griech.-persische Beziehungen und über das Seleukidenreich. Sie ersetzen ein hellenozentrisches Bild von einer autonomen griech. Entwicklung durch einen realistischeren Diskurs, welcher die griech. und die östl. Mittelmeergeschichte als Kontinuum behandelt. Für den Süden wiederum kann gesagt werden, daß mit den Fortschritten in der Entzifferung demotischer Dokumente das Verständnis für die ägypt. Geschichte wächst, sowohl was die Zeit vor wie nach Alexander angeht, und Ägypten weniger ungewöhnlich, weniger einheitlich regiert und weniger griech. erscheint: ein erstklassiges Beispiel für die Dekolonisation der »Griech.« Geschichte. Die Magna Graecia und der Westen schlußendlich, welche einst aus griech. Sicht als klass. Kolonien galten, erscheinen auf Grund der Ergebnisse der *Convegni* in Taranto sowie der raschen Fortschritte der it. und span. Arch. als Schauplatz eines komplizierten Zusammenstoßens gegenseitiger kultureller Durchdringung, der erst noch eingehend zu beschreiben ist.

2. Traditionelle Grenzen wiss. Disziplinen stehen ebenfalls unter Druck. Die Entzifferung von Linear B als Griech. führte dazu, daß ein großer Teil der Vorgeschichte zur »Griech. Geschichte« wurde, und die Dunklen Jh. zu einem Gebiet wurden, das sich Klass. Archäologen mit ihren h. teilweise sehr fachspezifischen Vorstellungen von sozialer Handlung [54] und Historiker der Griech. Geschichte streitig machen, weil sie hier die Wurzeln ihres eigenen »archa. Griechenlands« sehen. Griech. Geschichte ist deshalb nicht nur ›ein Fach zwischen zwei Stühlen‹ [31], sondern sogar zw. dreien und deswegen nicht bequemer plaziert. Weil seither Informationen von intensiven Oberflächen-Surveys [2a] auch auf unser Wissen von anderen Perioden und Gebieten ihre Wirkung zeitigen, ist anzunehmen, daß solcher Wettbewerb sich ausweiten wird.

3. Schließlich gibt es vier ideologische Streitfragen, die aktuell und dringend sind. Erstens haben Surveys Analysen sozialen Handelns gefördert, indem sie die Erforschung ländlicher Siedlung, der Verwendung des Landes, der Ernteerträge, der Demographie und der Besitzverhältnisse ermöglichten. Studien tendieren dazu, polit. Grenzen zu vernachlässigen und dem Land mehr Aufmerksamkeit als der Stadt zu schenken. Verstärkt wurde diese Tendenz durch das für die Nachkriegszeit typische und teils durch den Marxismus, teils durch den Feminismus inspirierte Anliegen, Wiss. auf die Nicht-

sichtbaren und die Besitzlosen zu konzentrieren, auf Metöken, Frauen, Sklaven, Leibeigene oder Bauern. Ein zweiter Punkt und eng damit verbunden ist die »Polis-Debatte«. Die H. des 19. Jh. behandelte Athen, Sparta, Theben usw. unkompliziert als »Staaten«, wobei das Interesse sich auf die geeinten und urbanisierten Staaten richtete, und nicht auf schwach bezeugte ländliche Gebiete und Bünde. Im 20. Jh. hingegen ging die Tendenz mit Aristoteles aber neuerdings gegen skeptische Stimmen [29] darauf hin, die *polis* als eine spezifische Staatsform und eine präzise rechtliche Kategorie zu betrachten [39]. Ungelöst geblieben sind die Fragen, ob die Historiker Griechenlands die von den Griechen selbst entwickelte analytische Terminologie verwenden sollten oder ihre eigene zu entwickeln hätten und ob das Studium der Geschichte der griech. Polisentwicklung von derjenigen anderer urbanisierter Regionen des Mittelmeerraumes getrennt werden könne.

4. Eine dritte Debatte ist verbunden mit dem Begriff Alterität, einem Terminus komplexer Herkunft [14. 2–7], der h. verwendet wird, um die enorme Distanz – v. a. in Werten, Einstellungen und in der Rationalität – zw. dem alten Griechenland und uns zu bezeichnen und dabei bequem gewordene gefühlsmäßige Identifikationen aufzulösen. Viertens geht es um den Begriff »Griechisch« selbst, zusammen mit anderen ethnischen Identifikationsbegriffen wie »Dorisch« oder »Pelasgisch« oder um Etiketten für Kollektive wie »Stamm«. In der Debatte, welche über die Fragen der Ethnizität und der Ethnogenese entstanden ist, wird argumentiert, daß »Dorier«, »Geleontes« usw. nicht urspr. menschliche Gruppen bezeichnen würden, sondern neueren Datums seien, und es sich nur um künstliche und verschwommene soziale Konstrukte handle [38]. Heute ist es zu früh, um zu urteilen, welche Wirkung diese beiden letzten Debatten haben werden.

G. AUSBLICK

Das Thema der »Griech. Geschichte« [60] soll nicht übertrieben genau definiert werden. Während der letzten zwei Jh. bestand sie aus einem ständig sich verändernden Feld von Interaktionen zw. a) ant. Texten, Landschaften und Artefakten, b) einem kleinen Netzwerk professioneller Wissenschaftler, c) einer Klientel von Studierenden sowie einem interessierten Laienpublikum und d) dem allg. weltweiten Fluß von Ideen, Debatten und Werten. Die ganze Epoche hindurch haben sich die Schwerpunkte der Rezeption ständig verändert. Auch h. ist alles sehr rasch in Bewegung, und das wird so bleiben. Arnaldo Momiglianos berühmte Diagnose ›Greek history is passing through a crisis‹ [38] hat für das Jahr 1952 zugetroffen, ist h. aber überholt, obwohl Griech. Geschichte die breite Relevanz verloren hat, welche sie bis in die Zeit Eduard Meyers ausgezeichnet hat.

1 E. ABBOTT, A history of Greece, I–III, London, New York 1888–1900 2a S. ALCOCK, Breaking up the Hellenistic world: survey and society, in: [54], 171–190 2b C. AMPOLO, Storie greche. La formazione della moderna storiografia

sugli antichi Greci, 1997 **3** A. BAUER, Die Forsch. zur Griech. Gesch. 1888–1898, München 1899 **4** K. J. BELOCH, Griech. Gesch., I/1–IV/2, Strassburg, Berlin, Leipzig [1]1893–1904, [2]1912–1927 **5** H. BENGTSON, Griech. Gesch. von den Anf. bis in die röm. Kaiserzeit, [1]1950, [5]1977 **6** H. BERVE, Griech. Gesch. I–II, 1930 **7** R. BICHLER, Hellenismus. Gesch. und Problematik eines Epochenbegriffs, 1983 **8** A. BOECKH, Staatshaushaltung der Athener I–II, Berlin [1]1817, [2]1851, [3]1886 **9** J. BURCKHARDT, Griech. Kulturgesch., Berlin 1898–1902 **10** C. BURSIAN, Gesch. der class. Philol. in Deutschland, von den Anfängen bis zur Gegenwart, München, Leipzig 1883 **11** J. B. BURY, A history of Greece to the death of Alexander the Great, [1]1900, [2]1913, [3]1951 (rev. R. Meiggs), [4]1975 **12** G. BUSOLT, Griech. Gesch. bis zur Schlacht bei Chaeronea I–III/2, Gotha [1]1885–88, [2]1893–1904 **13** W. M. CALDER III, A. DEMANDT (Hrsg.), Eduard Meyer. Leben und Leistung eines Universalhistorikers, 1990 **14** P. CARTLEDGE, The Greeks, 1993 **15** E. CAVAIGNAC, Histoire de l'antiquité I–IV, 1913–1920 **16** M. H. CHAMBERS, Georg Busolt. His career in his letters, 1990 **17** K. CHRIST, Von Gibbon zu Rostovtzeff, [1]1972, [2]1979 **18** Ders., Neue Profile der alten Gesch., 1990 **19a** Ders., Griech. Gesch. und Wissenschaftsgesch., 1996 **19b** Ders., Hellas. Griech. Gesch. und dt. Gesch.-Wiss., 1999 **20** E. CURTIUS, Griech. Gesch. I–III, Berlin [1]1857–67, [6]1887–89 **21** G. DE SANCTIS, Storia dei Greci, dalle origini alla fine del secolo v, I–II, 1939 **22** G. DROYSEN, Gesch. des Hell. I–II, Hamburg 1836–43, I–III Gotha [2]1877–1878 **23** M. DUNCKER, Gesch. des Alt. I–IV, Berlin 1855–57, [4]1874–1886 **24** V. DURUY, Histoire grecque, Paris 1851 **25** M. I. FINLEY, The ancient economy, [1]1973, [2]1985 **26** Ders., The problem of the unity of Greek law, in: La storia del diritto nel quadro delle scienze storiche, 1966, 129–142 **27** Ders., The ancient city: from Fustel de Coulanges to Max Weber and beyond, in: Comparative Studies in Society and History 19, 1977, 305–327 **28** N.-D. FUSTEL DE COULANGES, La cité antique, Parsi 1864 **29** W. GAWANTKA, Die sog. Polis, 1985 **30** H.-J. GEHRKE, Jenseits von Athen und Sparta. Das dritte Griechenland und sein Staatenwelt, 1986 **31** Ders., Zw. Altertumswiss. und Gesch. Zur Standortbestimmung der Alten Gesch. am E. des 20. Jh., in: E.-R. SCHWINGE (Hrsg.), Die Wiss. vom Alt. am E. des 2. Jt. n. Chr., 1995, 160–196 **32** L. GERNET, Anthropologie de la Grèce antique, 1968 **33** J. GILLIES, The history of ancient Greece, its colonies, and conquests; from the earliest accounts till the division of the Macedonian Empire in the East, I–II, London 1786 **34** Ders., The history of the world from the reign of Alexander to that of Augustus... I–II, London 1807 **35** G. GLOTZ, R. COHEN, P. ROUSSEL, Histoire grecque, I–IV/1, 1925–1938 **36** G. T. GRIFFITH, The Greek historians, in: M. PLATNAUER (Hrsg.), Fifty Years of Classical Scholarship, 1954, 150–192 **37** G. GROTE, A history of Greece I–XII, London 1846–56 **38** J. M. HALL, Ethnic identity in Greek antiquity, 1997 **39** M. H. HANSEN (Hrsg.), The ancient Greek city-state, 1993 **40** K. F. HERMANN (Hrsg.), Lehrbuch der griech. Antiquitäten I–IV, Heidelberg 1831–1852 **41** G. F. HERTZBERG, Die Gesch. Griechenlands unter der Herrschaft der Römer I–IV, Halle 1866–1875 **42** M. HOFFMANN, AUGUST BOECKH, Lebensbeschreibung und Auswahl aus seinem wiss. Briefwechsel, 1901 **43** A. HOLM, Griech. Gesch. von ihrem Ursprunge bis zum Untergange der Selbständigkeit des griech. Volkes, Berlin 1886–1894 **44** S. HUMPHREYS, Anthropology and the Greeks, 1978

**45** J. KAERST, Gesch. des Hell. I–II, [2]1916–17 **46** J. F. CH. KORTÜM, Gesch. Griechenlands bis zum Untergang des Acha. Bundes I–III, Heidelberg 1854 **47** S. L. MARCHAND, Down from Olympus. Archaeology and philhellenism in Germany 1750–1970, 1996 **48** ED. MEYER, Gesch. des Alt. I–V, Stuttgart [1]1884–1902, [2]1907–1939 **49** W. MITFORD, The history of Greece I–V, London 1784–1810 **50** A. MOMIGLIANO, Studies in historiography, 1966 **51** Ders., Essays in ancient and modern historiography, 1977 **52** Ders., The classical foundations of modern historiography, 1990 **53** Ders., (G. W. Bowersock, T. J. Cornell Hrsg.), Studies on modern scholarship, 1994 **54** I. MORRIS (Hrsg.), Classical Greece. Ancient histories and modern archaeologies, 1994 **55** B. NÄF, Von Perikles zu Hitler? Die athenische Demokratie und die dt. Althistorie bis 1945, 1986 **56** B. NIESE, Gesch. der griech. und maked. Staaten seit der Schlacht bei Chaeronea I–III, Gotha 1893–1903 **57** M. NILSSON, Gesch. der griech. Religion I–II, 1941–50 **58** W. NIPPEL, Griechen, Barbaren und 'Wilde'. Alte Gesch. und Anthropologie, 1990 **59** Ders. (Hrsg.), Über das Studium der Alten Gesch., 1993 **60** R. OSBORNE, Law in action in Classical Athens, in: JHS 105, 1985, 40–58 **61** P. A. RAHE, Republics ancient and modern. Classical republicanism and the American revolution, 1992 **62** L. ROBERT, Hellenica I–XIII, 1940–1965 **63** CH. ROLLIN, Histoire ancienne des Egyptiens, des Carthaginois, des Assyriens, des Babyloniens, des Medes et des Perses, des Macedoniens, des Grecs, Paris 1730–1738 **64** M. I. ROSTOVTZEFF, The social and economic history of the Hellenistic world I–III, [1]1941, [2]1953 **65** J. E. SANDYS, A history of classical Scholarship, I–III, 1903–1908 (I2 1906, I3 1921) **66** C. SCHNEIDER, Kulturgesch. des Hell. I–II, 1967–69 **67** W. SCHULLER, Griech. Gesch., [1]1980, [3]1990 [1991] **68** H. E. STIER, Grundlagen und Sinn der griech. Gesch., 1945 **69** CH. STRAY, Classics Transformed. School, universities, and society in England, 1830–1960, 1998 **70** C. THIRLWALL, A history of Greece I–VIII, London 1835–1847 **71** P. VIDAL-NAQUET, Politics ancient and modern, Cambridge 1995 **72** E. C. WELSKOPF (Hrsg.), Hellenische Poleis, I–IV, 1974 **73** ÉD. WILL, Histoire politique du monde hellenistique I–II, [1]1966–67, [2]1979–82 **74** H. J. WOLFF, Das Recht der griech. Papyri Ägyptens in der Zeit der Ptolemäer und des Prinzipats, 2.: Organisation und Kontrolle des privaten Rechtsverkehrs, 1978 **75** D. VOLLMER ET AL., Alte Gesch. in Studium und Unterricht, 1994.      JOHN K. DAVIES / Ü: BEAT NÄF

## III. RÖMISCHE GESCHICHTE

### A. ALLGEMEINE BEDEUTUNG DER RÖMISCHEN GESCHICHTE   B. FORMEN   C. AUSBLICK

### A. ALLGEMEINE BEDEUTUNG DER RÖMISCHEN GESCHICHTE

Um 1500 nahm die röm. Geschichte (künftig: R. G.) in der Universalgeschichte einen so zentralen Platz ein, daß man sie geradezu mit dieser gleichsetzte. Ein wichtiger Grund dafür war die christliche Vorstellung von Universalgeschichte als Heilsgeschichte: Auf dem Höhepunkt von Roms Macht, so dachte man, sei Jesus Christus auf Erden erschienen und in der Folge seien Kirche und Papsttum entstanden. Im Röm. Reich als der vierten und letzten Weltmonarchie vor dem Jüngsten Gericht kulminierte die biblische Heilsgeschichte.

Deshalb war es nach Meinung der Zeitgenossen nicht wirklich untergegangen, sondern zur Zeit Karls d. Gr. durch eine *translatio imperii* auf die Franken übergegangen, um deren polit. Nachfolge die Kaiser des Hl. Röm. Reichs dt. Nation und die frz. Könige seither stritten.

Die Dauer seiner Größe und Macht war ein zweiter Grund für Roms Prestige. Nicht nur die Städte und viele der Titel und Institutionen, die es geschaffen hatte, blühten nach wie vor, sondern v. a. auch das röm. Recht (→ Römisches Recht), das mit dem Aufstieg mod. Fürstenstaaten seit dem 15. Jh. in ganz Europa stetig an Geltung gewann. Als Basis des bedeutendsten Reichs, das je existiert hatte, schien es ein schlechthin perfektes Recht zu sein. Rechtlichkeit und Klugheit also waren von den Römern zu lernen. Wer nach der besten Verfassung, nach Maximen des Machterhalts, aber auch nach den Ursachen von Revolutionen und Verfallsprozessen fragte, durfte sicher sein, in der R. G. die besten, lehrreichsten Beispiele zu finden. All diese Momente bewirkten, daß die Begriffe und Modelle, Ideen und Institutionen, Stereotypen und Symbole, mit denen die Zeitgenossen Politik definierten und organisierten, von der röm. Ant. geprägt waren. R. G. war insofern nicht vergangen, sondern ein machtvolles Moment der polit. Gegenwart.

Gleichwohl stand fest, daß das Röm. Reich trotz seiner Größe und Tugenden untergegangen war. Auch wer an seine *translatio* glaubte – und dieser Glaube dauerte bis weit ins 17. Jh. [80] –, mußte deren Zeitpunkt (also das E. des ant. Rom) möglichst genau bestimmen. Gerade die Rom-Begeisterung der it. Humanisten entzündete sich an der Erkenntnis, daß zw. der Ant. und der eigenen Zeit eine tiefe Kluft bestehe, die durch gelehrte Forsch. überbrücken müsse, wer die Römer wirklich nachahmen wolle [76. 27–43]. So erschien Rom trotz seiner Aktualität zugleich als ein durch und durch histor. Phänomen. Gerade an ihm ließ sich idealtypisch studieren, daß jeder Staat dem Gesetz von Aufstieg und Verfall unterworfen sei.

Paradigmatisch war R. G. schließlich in ästhetisch-formaler Hinsicht. Denn die ant. Klassiker, aus denen jeder Gebildete sie seit der Schulzeit kannte, galten vom Humanismus bis zu Beginn des 19. Jh. als unübertreffliche Muster histor. Stils. Mit Caesar, Cicero, Livius, Sallust und Tacitus zu konkurrieren, wäre jedem Zeitgenossen absurd erschienen. Mußte man R. G. gleichwohl neu erzählen – z. B. im Rahmen von Welthistorien –, beschränkte man sich meist darauf, diese Autoritäten zu paraphrasieren, ihren Stil möglichst genau nachzuahmen und Lücken in der Überlieferung mit Material zu füllen, das man anderen klass. Texten entnommen und stilistisch angepaßt hatte. Dies gelang manchen Humanisten so perfekt, daß ihre Ergänzungen – etwa die zu Livius in den *Annales Romanorum* des Stephanus Vinandus Pighius [39] – von späteren Editoren für Originale gehalten wurden (→ Fälschungen). Erst Edward Gibbon wagte es, R. G. im mod. Ton zu schreiben. überhaupt galt die Darstellung der R. G. bis ins

frühe 19. Jh. vorab als eine ästhetisch-moralische Aufgabe. Erst nach 1810 trat sie – zuerst in Deutschland – unter die Gesetze des mod. »Forsch.«-Prinzips: die pragmatisch-moralistische Perspektive wich einer histor.-systematischen Betrachtung, die das Einzigartige, Eigengesetzliche, Unvergleichliche der Epoche betonte und ant. Autoren nicht mehr als Autoritäten ansah, sondern als »Quellen« von Informationen, deren Wirklichkeit mittels mod. Kritik erst ermittelt und synthetisch rekonstruiert werden müsse [76. 412–435]. Das aber führte dazu, daß alle folgenden Versuche, eine Gesamtdarstellung der R. G. auf der Basis eigener Forsch. zu schreiben, unvollendet blieben. Mehr als die → Altertumskunde war die röm. Historiographie vor 1800 in Trad. und Konventionen gebunden.

B. Formen

1. Gesamtdeutungen

Dies gilt vorab für Gesamtdarstellungen. Seit den Kirchenvätern wurde R. G. im Rahmen des Weltmonarchie-Schemas als Geschichte der Entstehung und Ausbreitung des Christentums geschildert, weshalb das Gewicht stets auf der Kaiserzeit lag. Auch protestantische Lehrbücher wie die von Philipp Melanchthon und Caspar Peucer redigierte Chronik des Johannes Carion (1558/1560) oder Johannes Sleidans *De quatuor summis imperiis* (1556) verfuhren so [28; 43; 70; 83. 19–27]. Doch diese Form von R. G. wurde im Zeitalter der Glaubensspaltung zum Medium heftiger Konfessionskontroversen. Die *Magdeburger Centurien* nämlich, das von dem orthodoxen Lutherschüler Matthias Flacius Illyricus geleitete Kollektivunternehmen einer nach Jahrhunderten (*centuriae*) gegliederten Universalgeschichte seit Christi Geburt, suchte seit 1559 nachzuweisen, daß die frühe Kirche ganz mit Luthers Lehren übereingestimmt habe, bevor das Papsttum im 7. Jh. durch Intrigen zur Macht gelangt sei [14]. Dies provozierte katholische Autoren von Caesar Baronius (*Annales ecclesiastici*, Rom 1588–1607) bis hin zu Jacques-Bénigne Bossuet (*Discours sur l'histoire universelle*, Paris 1681 [76. 197–199; 283–289]) und Tillemont, in umfangreichen Werken zum gleichen Thema die gegenteilige These – die einer von Anf. an alleinigen Autorität der Petrus-Nachfolger – zu verfechten.

Seit E. des 17. Jh. säkularisierten sich solche teleologischen Modelle. In seiner *Historia antiqua* (Jena 1685) verließ Christoph Cellarius das Weltmonarchie-Schema und schilderte R. G. nicht mehr nur als Aufstieg der Kirche, sondern auch als Ausbau des Imperiums und als Kulturfortschritt [6; 70]. In Voltaires *Siècle de Louis XIV* (1751) kulminierte die R. G. in der Augusteischen Epoche zu einem Höhepunkt der Weltkultur [45]. Hegels *Philosophie der Weltgeschichte* sah sie als Zeitalter der Durchsetzung des Staates gegen alle Partikularitäten. Gegen die ›abstrakte Allgemeinheit der Herrschaft‹ jedoch, der ›die Individuen in ihrem sittlichen Leben aufgeopfert‹ worden seien, habe sich als notwendige Antithese das Christentum als ›an und für sich seiende Allgemeinheit‹ erhoben und zur Aufhebung des Reichs in die german. Welt geführt [21. 659–719; 49]. Auch Leopold von Ranke sah es 1883 in seiner *Weltgeschichte* als entscheidend an, daß in der R. G. ›eine einheitliche Macht zur höchsten Autorität‹ über die Welt gelangt und zugleich die ›Idee einer allg. Religion‹ herrschend geworden sei [41]. Theodor Mommsen und seine mod. Nachfolger hingegen fanden Roms welt-histor. Bed. eher in der Begründung einer allg. europ. Zivilisation. Im 20. Jh. äußern Gesamtdarstellungen solche Deutungen eher implizit. Weniger Einheit als Vielfalt, weniger übergreifende Interpretation als Resümees der Spezial-Forsch. sind das Ziel solcher Gemeinschaftsprojekte, deren maßgebliche Muster von britischen und frz. Gelehrten stammen (*The Cambridge Ancient History*, Bd. 7–10, 1928–1934; *Histoire Générale, Histoire Romaine*, 1925–1947; *Histoire Générale des Civilisations*, Bd. 2, 1954).

## 2. EINZELSTUDIEN

### 2.1 KOMMENTARE UND ANTIQUARISCHE STUDIEN BIS ZUM 18. JAHRHUNDERT

Anders stand es mit Einzel-Forschungen. Sie fanden bis zum 18. Jh. im Rahmen der Philol. [76. 347–411] bzw. der Altertumskunde statt und verfolgten zunächst nur den Zweck, unklare Stellen der Klassiker zu erhellen oder polit. Institutionen durch den Nachweis ihrer Abkunft aus röm. Zeit zu legitimieren. Weil die ersten derartigen Versuche in Rom selbst stattfanden, beherrschten zunächst papsttreue Humanisten dieses Feld. Rasch aber entwickelten sich Topographie, Genealogie, Münzkunde, Chronologie und Rechtsgeschichte zu eigenständigen Zweigen unterschiedlicher gelehrter Interessen. Erste Versuche zur Rekonstruktion der *Fasten* lieferten 1557/58 der Veroneser Augustinermönch Onophrius Panvinius und ab 1550 Carolus Sigonius aus Modena [36; 37; 69]. Letzterer, der auch die erste Monographie zum spätröm. Reich schrieb (*Historiarum de occidentali imperio libri XX a Diocletiano ad Justiniani mortem*, Bologna 1578), wurde zugleich zum Pionier der ital.-röm. Verfassungsgeschichte (*De antiquo iure civium Romanorum libri II; De antiquo iure Italiae libri III*, beide Venedig 1560) [69]. Seit der Glaubensspaltung wurde röm. Rechtsgeschichte zur Domäne calvinistischer Gelehrter. In Frankreich entwickelten Jacques Cujas (Cujacius), François Duaren (Duarenus), Hugo Doneau (Donellus), François Hotman (Hotomannus) sowie Dionys und Jacques Godefroy (Gothofredus) philol.-antiquarische Methoden (*mos Gallicus*), um die vorjustinianischen Formen des röm. Rechts bis hin zum legendären Zwölf-Tafel-Gesetz zu rekonstruieren [68; 76. 368–374]. Seit den 1570er J. wurden die niederländischen Univ. zu Zentren solcher Bemühungen. Eines ihrer polit. Ziele war es, das von Päpsten, Kaisern, Königen und Fürsten als Mittel staatlicher Zentralisierung eingesetzte röm. Recht als ein urspr. republikanisches zu erweisen und es so der ständisch-libertären Sache dienstbar zu machen.

Die typische Form röm. Forsch. dieser Epoche waren Text-Komm. (zum *Corpus Juris*, zum *Cod. Theodo-sianus* oder zu Historikern wie Livius oder Tacitus; → Kommentar). Das gilt auch für die *Discorsi sopra la prima deca di Tito Livio* (1513/19, gedr. 1531), in denen Niccolò Machiavelli gegen das topische Lob röm. Tugend die tatsächlichen Prinzipien röm. Politik erkundete [26], und für die Werke des späthuman. → Tacitismus. Justus Lipsius publizierte seine polit. Maximen als Tacitus-Komm. (1575/81), seine für die Oranische Heeresreform wegweisende Schrift *De militia Romana libri V* (1596) als *Commentarius ad Polybium*. Anders als die Gesamtdarstellungen interessierten sich solche pragmatischen Stud. weniger für die Kaiserzeit als für Roms Aufstieg zur Weltmacht. In Machiavellis *Discorsi* wurde er erstmals rein rational erklärt: als Erfolg der ausbalancierten, offenen Mischverfassung, der absoluten Autorität der Gesetze, der Aufstiegschancen für Tüchtige, der Ableitung innerer Konflikte in äußere Kriege und der Indienstnahme der Religion als Herrschaftsmittel. Rom wurde zum Ideal der Moderne, weil seine Macht und Größe ganz auf Vernunft zu beruhen schienen.

Der Versuch, Roms Geschichte rational zu rekonstruieren, die durch arch. Funde stetig anwachsende Überlieferung chronologisch-systematisch zu ordnen, schürte im 17. Jh. indes radikale Zweifel an dem, was die Klassiker über Roms Anf. berichteten. 1684 bestritt das Leidener Schulhaupt Jacob Gronovius die Existenz des Romulus, 1701 Henry Dodwell die der Könige von Alba [20; 8]. Da dies den Gegnern klass. Bildung willkommene Argumente gab, deren Wert generell zu bestreiten (→ Querelle des Anciens et des Modernes), wurde es zeitweise zum wichtigsten Ziel röm. Forsch., Kriterien für den Quellenwert der Frühgeschichte zu entwickeln. Eine optimistische Position bezog Jacob Perizonius aus Leiden 1685 mit der These, daß in Livius' Werk Familiensagen aus der Zeit vor dem Galliersturm überdauert hätten [38]. Der im holländischen Exil schreibende Hugenotte Louis de Beaufort hingegen bestritt dies 1738 mit dem Argument, daß die Römer erst spät Sinn für Historie entwickelt und authentische Nachrichten über ihre Frühzeit somit nie besessen hätten [2; 77]. Trotzdem behandelte er 1766 auch sie in einer großen Verfassungsgeschichte [3] und leistete so einen gewichtigen Beitrag zu jenen röm. »Staatsaltertümern«, deren Muster Flavio Biondo (1471) und der Regensburger Johannes Rosinus (1583) geschaffen hatten.

### 2.2 AUFGEKLÄRTE ROM-HISTORIOGRAPHIE BIS GIBBON

Auf die zeitgenössischen Darstellungen der R. G. wirkten die Debatten der Antiquare unterschiedlich ein [vgl. zum Folgenden jeweils: 77]. Einige ignorierten das Quellenproblem schlicht, so die im taciteischen Ton erzählte, nachweisarme *Roman History* des engl. Pfarrers Laurence Echard (1699) [10], die livianische, von Voltaire geschätzte *Histoire des révolutions arrivées dans le gouvernement de la République Romaine* (1719) des René Auber de Vertot [44] oder die populär-gefällige *Histoire romaine* des Pariser Jansenisten Charles Rollin (16 Bde., 1738–1748) [42]. Größeren Ehrgeiz entfaltete die monumentale *Histoire Romaine depuis la fondation de Rome* (20 Bde., 1725–1737) der Jesuiten François Catrou und Pierre-Julien Rouillé. Obwohl sie antiquarische Kleinteiligkeit ablehnten, suchte ihre traditionell moralistische, monarchiefreundliche Darstellung durch Quellen-, Bild- und Kartenbeigaben auch gelehrte Standards zu erfüllen [5]. All diese Werke endeten etwa mit der Schlacht von Actium. Doch eine anspruchsvolle Fortsetzung lag bereits vor: die *Histoire des empereurs* (5 Bde., Paris 1690–1697, 6. Bd. postum 1738) des Jansenisten Sébastien Lenain de Tillemont [25]. Daß diese Kette röm. Kaiserviten bis Anastasius zu jeder Biographie jeweils das gesamte Quellenmaterial aufführte, machte sie, gemeinsam mit Catrou/Rouillé, zur Basis aller folgenden Bearbeitungen.

Als konzeptuelle Leistung weit übertroffen indes wurden all diese Versuche durch die *Considérations sur les causes de la grandeur des Romains et de leur décadence* (1734) des Bordelaiser Parlamentsmitglieds Charles de Secondat, Baron de Montesquieu [33]. Er betrachtete die R. G. erstmals wieder mit Machiavellis polit.-praktischem Blick, ging aber nicht mehr von einer stets gleichen Menschennatur aus, sondern vom aufgeklärten Wissen um die Wechselwirkungen physisch-natürlicher, moralischer und polit. Verhältnisse. Er zeigte, wie eine geniale Gesetzgebung dem röm. Volkscharakter zu optimaler Entfaltung verholfen, wie aber gerade dieser Aufstieg mit naturgesetzlicher Notwendigkeit eben die Tugenden und Prinzipien röm. Politik zerstört habe, die seine Bedingungen waren. Je weiter sich das Reich über Italien hinaus ausgedehnt habe, desto mehr habe Rom jene nationale Geschlossenheit, Sittlichkeit und Kraft zur dynamischen Verfassungsreform verloren, auf denen seine Macht beruhte [56; 76]. Schenkte schon Montesquieus knappe Skizze dem Verfall mehr Aufmerksamkeit als dem Aufstieg, so rückte er in der berühmtesten R. G. der → Aufklärung ins Zentrum der Betrachtung: in Edward Gibbons *History of the Decline and Fall of the Roman Empire* (6 Bde., 1776–1788) [19]. Wiewohl Autodidakt und *philosophe*, baute Gibbon sein gewaltiges, bis zum Fall Konstantinopels 1453 reichendes Panorama doch durchweg auf die Erträge der antiquarischen Forsch. auf – vorab auf das von Tillemont aufgearbeitete Material [71; 72]. Dessen Fortschrittsgeschichte der Kirche jedoch parodierte er im Geiste Voltaires, wenn er als Grund für Roms Niedergang neben dem Verfall der Moral, dem Machtmißbrauch der herrschenden Schicht und den Barbarenstürmen v. a. das Christentum anführte, dessen aggressive Intoleranz den Staat gelähmt und von innen her zersetzt habe [50; 55; 59]. Diese provokante These, die Benutzung aller bekannten Quellen, der geistreich-ironische Erzählton, der Farben- und der Perspektivenreichtum der Darstellung machten das Werk zu einem Klassiker, der lange als unüberbietbare Darstellung der Kaiserzeit galt [73]. Nicht einmal Mommsen wagte, sich historiographisch mit Gibbon zu messen. So verlagerten sich – bedingt auch durch die polit. Umwälzungen im Zuge der Frz.

Revolution – die Forsch.-Interessen erneut auf die Republik. Schon zuvor war über sie v. a. in England eine rege polit. Diskussion entbrannt [81]. 1741 hatte der Whig Conyers Middleton Cicero in einer zweibändigen Biographie als Freiheitshelden gerühmt, während der Katholik Nathaniel Hooke die Gracchen und Caesar als wahre Retter Roms pries [23] – ein Verdienst, das der Schotte Adam Ferguson 1783 ausschließlich dem Senat zu reservieren suchte [11].

### 2.3 DIE DEUTSCHE ALTERTUMSWISSENSCHAFT

Niebuhr und Mommsen: Der röm. Frühgeschichte aber galt die Darstellung, die in ganz Europa als Anf. einer neuen Epoche röm. Forsch. empfunden wurde. Der preußische Reformpolitiker Barthold Georg Niebuhr war Autodidakt wie Montesquieu und Gibbon [63], als man ihn 1811 einlud, an der soeben eröffneten Univ. Berlin Vorlesungen über R. G. zu halten. Die überstürzt publ. Buchfassung (2 Bde., 1811/12), die er bis zu seinem frühen Tod quasi neu schrieb (3 Bde., 1827–1832) [34], wollte die Vorgeschichte zum *Decline and Fall* liefern, kam aber nur bis zum Pyrrhus-Krieg. Ähnlich wie Gibbon (doch fern von dessen lit. Brillanz) verschmolz Niebuhr antiquarische Detailanalysen mit kühnen polit. Urteilen, aber auch einer Erneuerung von Perizonius' »Liedtheorie«. Anders als sein Vorbild ignorierte er die gelehrte Lit., las die Klassiker aber mit dem praktischen Wissen des Steuer- und Finanzfachmanns. Dies erlaubte ihm, Lücken der Überlieferung durch frappierend plausible »Divinationen« (bes. zu Verfassungs- und Bodenrechtsfragen) zu überbrücken. Niebuhr pries Rom nicht mehr nur für seine Mischverfassung, sondern für seine Fähigkeit zur permanenten gesetzlichen Selbstreform. In provokantem Bruch der Trad. sah er die Plebejer nicht als Klienten der Patrizier, sondern als eigenständiges Volk und feierte sie und das Volkstribunat als Begründer der röm. Größe [49; 82]. Obwohl seine *Röm. Geschichte* in einem schwierigen Expertenton argumentierte, faszinierte sie die Zeitgenossen. In Deutschland inspirierte sie Karl Otfried Müllers *Die Etrusker* (1828) und Albert Schweglers *Röm. Geschichte bis zu den Licinischen Gesetzen* (3 Bde., 1853–1858), aber auch die Besitztheorie des jungen Karl Marx [49. 82–86] und Handbücher wie die von Becker/Marquardt (3 Teile, 1853–1853) [4] oder Ludwig Lange (3 Bde., 1856–1871) [24], in Frankreich Jules Michelets *Histoire Romaine* (2 Bde., 1830) [30], in England Thomas Babington Macaulays *Lays of Ancient Rome* (1842) und George Grotes *History of Greece* (12 Bde., 1846–1855). Auf neuem Niveau wurde die alte Diskussion um die frühröm. Quellen hier noch einmal geführt.

Als Ideal eines autonomen »Forschers« wurde Niebuhr (der nie Professor war) zu einer Symbolfigur der im Geiste Kants und Humboldts erneuerten dt. Universität. Deren Leitwiss. waren Philos. und Geschichte; als ihre Musterdisziplin galt eine universale, systematische »Alterthums-Wiss.«, deren Anziehungskraft bald weltweit wirkte. Alte Geschichte, anfangs noch im Rahmen der Klass. Philologie oder der allg. Geschichte gelehrt, erhielt seit den 1850er J. eigene Lehrstühle (zuerst 1856 in Göttingen; die erste Professur speziell für R. G. war 1861 diejenige Mommsens in Berlin) [57. 341; 64]. Die Zuordnung zur Geschichts-Wiss. unterschied die dt. akad. Forsch. zur R. G. von der in anderen Ländern, die im anglo-amerikanischen Raum z. B. bei den »Classics« situiert war. R. G. wurde in Deutschland daher meist systematischer und szientifischer, aber auch staatszentrierter und prosaischer betrieben als in den benachbarten Wiss.-Kulturen.

Der bedeutendste Repräsentant dieser mod. historisch-universalen R. G. war Theodor Mommsen [67]. Seine *Röm. Geschichte* (3 Bde., 1852–54) [31], die der exilierte 1848er-Liberale im Schweizer Exil schrieb, verdrängte rasch alle vorausgegangenen Werke. In einem dramatisch-suggestiven, oft bissig ironischen Stil, provokant durch souveräne wie exponierte polit. Urteile, schilderte sie die Staatswerdung It. von den Anf. bis zum Triumph Caesars 46 v. Chr. Obwohl Mommsen Hypothesen zur Frühgeschichte als »Phantasien« ablehnte, suchte er die Latiner doch als ein schlechthin autochthones Volk darzustellen, dessen ›geniale Rezeptivität‹ fremder Ideen seine sittliche Kraft offenbart und seinen Aufstieg zur Herrschaft über It. bewirkt habe. Das Weltreich hingegen sei Rom wider Willen zugefallen. Weil die herrschende Klasse es versäumt habe, die Stadtverfassung zum Repräsentativ-System fortzubilden, sei eine ›Militärmonarchie‹ nötig geworden, deren Vorläufer C. Gracchus, deren Gründer Sulla und deren höchste Vollendung Caesar gewesen sei. Cicero und Cato hingegen, die Helden der klassizistischen Trad., verhöhnte Mommsen als blasiert-borniere Schauspielernaturen [66].

Trotz des eminenten Erfolgs setzte Mommsen sein Jugendwerk nicht fort, sondern widmete sein langes, unermüdlich produktives Forscherleben stattdessen rechtshistor. Forsch. und internationalen Großprojekten wie z. B. der Sammlung röm. Inschriften., der provinzial-röm. Arch. und der spätant. Prosopographie [79]. Ihnen verdankte er seinen weltweiten Ruhm. Was der 68jährige 1885 als 5. Bd. seiner ›Röm. Geschichte‹ gab, ist eine hochspezialisierte Wirtschafts- und Verwaltungsgeschichte der röm. Provinzen, die bis Rostovtzeff autoritativ blieb. Seine neue Sicht der Republik hingegen elaborierte er in seinem bedeutendsten Werk, dem *Röm. Staatsrecht* (3 Bde., 1871–1888) [32]. In ihm potenzierte er die alte, von Friedrich Carl von Savignys histor. Rechtsschule erneuerte These, daß der röm. Staat ein geschlossenes System rationalen Rechts gewesen sei, indem er Gliederungen, Klassen, Magistraturen und Ämter nicht mehr einzeln für sich betrachtete, sondern als unterschiedlich »intensive« Momente eines als dynamisch-interaktives Netzwerk aufgefaßten röm. Staatsorganismus. Die scharfe, abstrakte, aktualisierende Begrifflichkeit wirkte ahistor., das so konstruierte Gefüge jedoch so zwingend, daß sich erst in jüngerer Zeit Kritik an diesem Modell und neue Ansätze durchsetzten.

## 2.4 RÖMISCHE WIRTSCHAFTS- UND SOZIALGESCHICHTE VON PÖHLMANN BIS FINLEY

Mommsens Alterswerk entsprach der wachsenden Neigung des späten 19. Jh. zur Modellbildung. Mit ihr reagierte die dt. Alt.-Wiss. auf die Herausforderung durch neue, statistische Disziplinen (Nationalökonomie, Demographie und Soziologie) und aktuelle soziale Probleme im Gefolge von Industrialisierung und Verstädterung. Am weitesten ging dabei Robert von Pöhlmann, wenn er in seiner *Geschichte des ant. Kommunismus und Sozialismus* (2 Bde., 1893/1901) [40] zeitgenössische Großstadtprobleme ins ant. Rom projizierte, den röm. Kapitalismus anprangerte und kommunistische Besitzformen – gegen Mommsens ›Gens‹-Theorie – nicht als alt-ital. Trad., sondern als Dekadenzsymptom zu erweisen suchte [53. 201–247]. Mehr gelehrten Konsens fand Karl Julius Beloch, der mit Hilfe mod. demographischer Methoden systematisch die Bevölkerungsdichte und -struktur Alt-It. erkundete (*Die Bevölkerung der griech.-röm. Welt*, Leipzig 1886) [53. 248–285]. Die anspruchsvollste Fortentwicklung von Mommsens Ansätzen aber gelang seinem bedeutendsten Schüler, Max Weber [65]. In seiner Habilitationsschrift über *Die röm. Agrargeschichte in ihrer Bed. für das Staats- und Privatrecht* (1891) [46] wie in einem Handbuchbeitrag über *Agrarverhältnisse im Alt.* (1897) [47] analysierte er die polit.-ökonomischen Beziehungen zw. Stadt und Land in ihrem Einfluß auf die ant. Kultur, die er als ›Stadt-‹, ›Küsten-‹ und ›Sklavenkultur‹ definierte. Diese sei mit dem E. der Eroberungskriege erloschen, die Sklaven zu unfreien Bauern und die Bauern zu Hörigen der Großgrundbesitzer geworden. Diese hätten sich samt ihrem (Handels-)Kapital aus den Städten zurückgezogen, diese den unteren Schichten, also dem Verfall überlassen und so den Ruin der röm. Zivilisation bewirkt.

Gerade im neu geeinten It., in dem eine reiche lokale Trad. röm. Forsch. bestand und Fragen der Agrarpolitik aufmerksam verfolgt wurden, stießen die dt. Diskussionen auf reges Interesse [75] und inspirierten Werke wie die stark spekulative, mehrfach revidierte *Storia di Roma* (1898) des Mommsen-Schülers Ettore Pais [35] und die gründliche, doch nur bis 133 v. Chr. reichende *Storia dei Romani* (4 Bde., 1907–1964) des Beloch-Schülers Gaetano de Sanctis. 1902, sieben J. nach der *Geschichte des Untergangs der ant. Welt* des Mommsen-Meisterschülers Otto Seeck (6 Bde., 1885–1921), veröffentlichte Guglielmo Ferrero eine poetisch-bewegte Geschichte zum gleichen Thema [12].

Auch die amerikanische Alt.-Forsch. war bis 1914 durch die dt. Trad. geprägt. Schufen der Erste und erst recht der Zweite Weltkrieg hier eine scharfe Zäsur, so waren es doch vielfach europ. Emigranten, die die USA ab jetzt zur Metropole auch der röm. Stud. machten. Der berühmteste unter ihnen war Michael Rostovtzeff, der seine russ. Heimat 1918 verlassen mußte und seit 1920 in Yale lehrte [53. 334–349; 22. 526–528]. Eine positivistisch-universale Gelehrsamkeit erlaubte ihm, für seine *Social and Economic History of the Roman Empire*

(1926) mit einer bis dahin unbekannten Vielseitigkeit Papyri und arch. Material beizuziehen, das er vor 1914 zum Teil selbst erschlossen hatte. Mit einer dichten Beschreibung der Besitz- und Sozialstrukturen verband er polit. Wertungen, die vom Schock der Russ. Revolution geprägt waren. So steigerte er Webers These vom Stadt-Land-Konflikt, indem er die röm. Kleinbauern als ant. Bolschewiki zeichnete, deren Sieg über die städtische Bourgeoisie das Röm. Reich zerstört habe.

Das war eine Kampfansage an die sowjetische Geschichts-Wiss., die zwar prinzipiell ähnliche Parallelen zog, wenn sie − einer Direktive Stalins folgend − die röm. mit den mod. Unterschichten gleichsetzte, den Untergang Roms aber als positiven Erfolg einer »Sklavenrevolution« auf dem Weg zur proletarischen Weltrevolution feierte [62; 78 mit großer Bibliogr.]. Die besten marxistischen Forscher jedoch lösten sich in der Folgezeit vorsichtig von diesem Modell, indem sie es zusehends differenzierten. Schon 1949 widerlegte es N. A. Maskin, seit 1965 auch S. L. Utčenko für die Bürgerkriegsepoche. 1957 stellte E. M. Staerman für das 3. Jh. die These auf, daß nicht die Sklaven, sondern die Großgrundbesitzer in den Provinzen die eigentlich revolutionäre Klasse gewesen seien und die Ungleichheit der Eigentumsformen über eine Krise der Produktion zwar zu einer allg. Krise geführt hätte, nicht aber zu einer Revolution [62. 208−212, 308−310]. Die kollektive Weltgeschichte (Vsemirnaja istorija, Bd. 2, 1956) teilte diese Sicht. Studien über alt-ital. Wirtschaftstypen und Besitzverhältnisse (wie die von M. E. Sergeenko, 1958, und V. I. Kuziscin (3 Bde. 1966−1976) [62. 224−230]) blieben seither eine Domäne sozialistischer Historiker. Noch 1979/80 schuf der it. Marxist F. de Martino, Verfasser einer umfänglichen Storia della constituzione romana (6 Bde., Napoli 1958−1972), eine Storia economica di Roma antica.

Auch in Amerika begründete Rostovtzeffs Werk eine Fülle von Folge-Forschungen. Ein Monument dafür war der umfassende, von dem John-Hopkins-Professor Tenney Frank geleitete Economic Survey of Ancient Rome (7 Bde., 1933−1940). Eine anthropologische Wende solcher ökonomischer Gesamtanalysen erfolgte 1973 durch den in den USA ausgebildeten, in Cambridge lehrenden Moses I. Finley [51. 295−337]. In The Ancient Economy erneuerte er Max Webers These, daß die Menschen der Ant. nicht nach mod. marktwirtschaftlichen Prinzipien gehandelt, nicht auf Gewinn, sondern eher auf Rendite und auf Erhalt ihres sozialen Status gezielt hätten. Ebenfalls im Rückgriff auf Weber versuchte Finley, dieses ant. Wirtschaftshandeln typologisch zu fassen, während Geza Alföldi sich in seiner Röm. Sozialgeschichte 1975 eher an Modellen der zeitgenössischen Soziologie orientierte.

### 2.5 PROSOPOGRAPHIE
Langsamer als in der Wirtschaftsgeschichte löste man sich auf politikgeschichtlichem Feld von Mommsens mächtigem Vorbild. Die erste gewichtige Kritik kam 1907 von Eduard Meyer, dem letzten dt. Vertreter einer universalen Alt.-Wiss. [53. 286−333]. In der 2. Auflage seiner Geschichte des Altertums verwarf er Mommsens Sicht des röm. Staates als Fortentwicklung der familienartigen frühen Dorfgemeinschaft. 1918 pries er gegen Mommsens Caesar-Apotheose Pompejus als den überlegenen Staatsmann, weil dessen Politik das Prinzipat präfiguriert, Caesar hingegen eine Monarchie nach hell. Muster erstrebt habe und also nicht den Idealen der Gracchen, sondern dem Vorbild Alexanders d. Gr. gefolgt sei [29]. Bis in die 1960er J. blieb die Frage nach den Staatskonzeptionen Caesars und seiner Kontrahenten ein bevorzugtes Thema der dt. R. G. Solche Debatten jedoch (wie die zw. Matthias Gelzer und Hermann Strasburger 1953/54) bewegten sich letztlich in Mommsens Bahnen. Einen wirklichen Bruch mit seiner suggestiven Systematik bewirkte erst die Wendung zur Prosopographie.

Schon in den 1830er J. hatte Wilhelm Drumann seine Geschichte Roms in seinem Übergange von der republikanischen zur monarchischen Verfassung (6 Bde., 1834−1844) in Einzelbiographien aufgespalten, weil in Zeiten ›großer Gärung‹ alles von einzelnen Handelnden abhänge [52. 45−48]. 1912 analysierte Matthias Gelzer Die Nobilität der röm. Republik nicht hinsichtlich ihrer Macht- oder Rechtsposition, sondern in ihrer sozialen Struktur [18]. Doch erst Friedrich Münzer entwickelte die prosopographische Methode in Röm. Adelsparteien und Adelsfamilien (1920) und zahllosen Artikeln für Pauly-Wissowas Real-Enzyklopädie zur Perfektion, so daß Anton von Premerstein sie 1937 in Vom Werden und Wesen des Prinzipats dazu nutzen konnte, die Patron-Klient-Bindung als zentrale Grundlage polit.-sozialer Beziehungen in Rom zu erweisen [52. 164−165, 128−133].

Auf Münzer und Premerstein berief sich Ronald Syme, als er den mit soviel Theorie-Trad. belasteten Übergang von der Republik zum Prinzipat 1939 provokant als Kampf von ›persons, not programs‹ schilderte. Nicht Wirtschaft, Verfassung oder Ideologien standen im Zentrum von The Roman Revolution − einer Analyse der Epoche zw. 60 v. Chr. und 14 n. Chr. − [51. 188−247], sondern die konkreten Vertreter der ›ruling class‹, in deren Karriere Syme mit hoher lit. Kunst die Entwicklung ihrer Parteien zur Darstellung brachte. Gleichwohl teilte er mit Mommsen neben dem »Revolutions«-Begriff die Verehrung Caesars und die Antipathie gegen Augustus, der seine Anhängerschaft zur national party ausgebaut habe und so als ant. Spiegelbild Adolf Hitlers erschien. Mit Gibbon'scher Ironie zerstörte Syme so das klassizistische Ideal des Augustan Age. Als würdiger Nachfolger des Decline and Fall begründete sein brillantes Werk ein seither international anhaltendes Forsch.-Interesse für Prosopographie.

Die nationalsozialistische Herrschaft zerstörte die einstige Weltgeltung der dt. Forsch. [52. 164−260] (→ Nationalsozialismus). Der Verfall der klass. Sprachen, besiegelt durch die Schul- und Univ.-Reformen der späten 1960er J., vernichtete hier wie in Großbritannien Bildungsgrundlagen des öffentlichen Interesses an professioneller Alt.-Forschung. Vielerorts führte diese Entwicklung seit 1968 zu einer *Second Emigration* führender europ. Gelehrter in die USA. In den besten dt.-sprachigen Werken blieben eine polit.-verfassungsgeschichtliche Perspektive und ein nüchtern-sachlicher Ton vorherrschend, so in den Schriften des Schweizers Matthias Gelzer, etwa seiner Caesar-Biographie (sechs Aufl., 1921–1960) [48; 52. 120–128], oder in der *Röm. Geschichte* von Alfred Heuß, der besten dt. Gesamtdarstellung nach 1945 [22; 52. 275–282]. Zugleich wurde der Einzelgänger Heuß durch seine Monographien zu Mommsen [66] und Niebuhr [63] zu einem Pionier einer mod. Forsch.-Geschichtsschreibung der R. G. Deren weltweit führender Vertreter indes war der it. Kosmopolit Arnaldo Momigliano, der seit 1938 in London lehrte und zugleich maßgeblich über alle Epochen der Ant., auch der R. G., arbeitete [51. 248–294].

### 2.6 Von der Religionsgeschichte zur Anthropologie

Zu den heutigen internationalen Forsch.-Interessen führt noch eine andere Trad.-Linie: eine Forsch., die sich demonstrativ von der mod., »deutschen«, polit. Historiographie abgrenzte und stattdessen die rel.-kulturelle Dimension der R. G. betonte. Nicht in polit. Klugheit, guten Gesetzen oder Verfassungsreformen suchte Johann Jakob Bachofen in der gemeinsam mit seinem Lehrer Franz D. Gerlach verfaßten *Geschichte der Römer* (Basel 1851) [1] die Erklärung für den Aufstieg Roms, sondern in der alle Lebensbereiche durchdringenden Frömmigkeit und Sittenreinheit eines Bauernvolks, die im Laufe der Republik verloren gegangen seien [58]. Ähnlich entwickelte Numa Denis Fustel de Coulanges 1864 in *La Cité antique* die röm. Staatlichkeit nicht aus Rationalität, sondern aus einem allgegenwärtigen Toten- und Ahnenkult [17; 61; 74].

Obwohl beide Werke von Quellenkritik absahen und in human. Geist eine moralisch makellose Ant. predigten, fand ihr Ansatz bes. in England und Frankreich Nachfolger. Hier hatten die kolonialen Kontakte mit außereurop. Kulturen seit dem 18. Jh. eine ethnologisch vergleichende Geschichtsbetrachtung begünstigt. In England etwa entstanden Pionierarbeiten über Familie, Recht und Bewußtsein archa. Gesellschaften wie z.B. Henry Maines *Ancient Law* (1861), J. F. McLennans *Primitive Marriage* (1865), E. B. Tylors *Primitive Culture* (1871) und James Frazers *The Golden Bough* (1890) [75]. Betrachteten solche Forsch. die »primitive Mentalität« meist am Beispiel der frühen Griechen, so unternahm W. Warde Fowler – neben Ludwig Deubler – 1911 erste Versuche, Ansätze wie die der »Cambridge Ritualists« für die Rekonstruktion der röm. Anf. zu nutzen [15]. Das dt. Standardwerk hingegen, Georg Wissowas *Religion und Kultus der Römer* (1902, neu 1912), behandelte das Thema mit Mommsenscher Systematik und nüchterner Vernunft als rein polit. Staatskult. Kirchenhistoriker wie Adolf von Harnack und Ernst Troeltsch konzentrierten sich auf die christl. Epoche. Die führende

Studie über die Kulte der Kaiserzeit schrieb 1906 der Belgier Franz Cumont [7]. Seit den 1930er J. wurden ihre Positionen durch Forsch. wie die von Andreas Alföldi abgelöst [51. 8–59].

Charakteristisch wurde die Kombination von Politik- und Kulturgeschichte (deren dt. Version Ludwig Friedländer 1862 in seiner *Sittengeschichte Roms* schuf [16]) mit anthropologischen Ansätzen bes. für die frz. Rom-Forsch. des 20. Jh., als deren führender Repräsentant Jérôme Carcopino galt [60]. André Piganiol, der zur Straßburger Gründungsgruppe der *Annales* zählte und 1939 eine vielbenutzte *Histoire de Rome* vorlegte [51. 348], analysierte 1923 mit Durkheims Kategorien die röm. Zirkusspiele (*Recherches sur les jeux romains*) – ein Thema, das Paul Veyne 1976 in *Le Pain et le Cirque* neu aufgriff, um städtisches Mäzenatentum im Sinne von Marcel Mauss und George Bataille als rituelle »Gabe« und »Verausgabung« zu beschreiben. Scheinbar extravagant, entsprechen solche Experimente doch eben jener klassizistischen Trad., der die R. G. ihre vitale Bed. für die europ. Geistes-, Ideen-, Kultur-, Bildungs- und Wiss.-Geschichte verdankt: ihrer Fähigkeit, als intellektuelles Experimentierfeld für aktuelle Ideen, Ideale und Probleme, neue polit. Modelle und gelehrte Methoden zu dienen.

### C. Ausblick

Charakteristisch für die Entwicklung der Rom-Forsch. während der letzten 150 J. erscheinen ihre Ausdifferenzierung und akad. Professionalisierung, der so bewirkte Konkurrenz- und Innovationsdruck und die Fülle arch. Funde bei gleichwohl wachsender Schwierigkeit, auf traditionellen Feldern grundlegend neue Deutungen und Ergebnisse zu erzielen. Gemeinsam bewirkten diese Faktoren eine starke Spezialisierung der einzelnen Forscher, eine Vorliebe für quantitative Methoden und eine Konzentration auf Randzonen der röm. (Lebens-)Welt. Dies kam v. a. der Erforschung von Roms Alltag, Provinzen, Nachbarn und Gegnern zugute, forcierte aber auch die Selbstisolation des Faches. So scheint das Schicksal der R. G. am Beginn des 3. Jt. mehr denn je davon abzuhängen, ob ihren Repräsentanten glückt, was den aufgeklärten Antiquaren des 18. Jh. gelang: eine skeptische Öffentlichkeit vom polit.-praktischen Wert röm. Forsch. für die eigene Gegenwart zu überzeugen.

→ Historismus

QU 1 J. J. Bachofen Gesammelte Werke, hrsg. von K. Meuli, Bd. 1, 1943 2 L. de Beaufort, Dissertation sur l'Incertitude des Cinq Premiers Siècles de l'Histoire Romaine. Nouvelle Edition. Revue, corrigée & considérablement augmentée, La Haye 1750 3 Ders., La Republique Romaine ou Plan Général de l'Ancien Gouvernement de Rome, Ou l'on develope des différents ressorts de de Gouvernement, l'influence qu'y avait la Religion; la Souveraineté du Peuple, la manière, dont il l'exercoit; quelle étoit l'autorité du Sénat & celle des Magistrats, l'administration de la Justice, les Prérogatives du Citoyen Romain, & les différentes conditions des sujets de ce vaste Empire 4 W. A. Becker, Handbuch der röm.

Alterthümer. Nach den Quellen bearbeitet, Erster und Zweiter Theil, 2 und 3 Bde., Leipzig 1843 f.; Dritter Theil (von J. MARQUARDT), Leipzig 1853 **5** F. CATROU, P.-J. ROUILLÉ, Histoire Romaine, depuis la fondation de Rome. Avec des notes Historiques, Géographiques et Critiques; des Gravres en Taille-douce; des Cartes Géographiques, et plusieurs Médailles authentiques, 22 Bde., Paris 1725–1732 **6** CH. CELLARIUS, Historia universalis breviter ac perspicue exposita, in antiquam, et medii aevi ac novam divisa, Jena 1708 [Gesamtausgabe der 1685,1688,1698 einzeln erschienenen Teile] **7** F. CUMONT, Les religions orientales dans le paganisme romain, 1906 [dt. 1910, Reprint 1959] **8** H. DODWELL, De veteribus Graecorum Romanorumque cyclis, obiterque de cyclo Judaeorum aetate Christi dissertationes decem, cum tabulis necessariis. Inseruntur tabulis fragmenta veterum inedita, ad rem spectantia chronologicam. Opus historiae veteri, tam Graece, quam Romanae, quam et sacrae quoque, necessarium, Oxford 1701 **9** W. DRUMANN, Gesch. Roms in seinem Übergange von der republikanischen zur monarchischen Verfassung oder Pompeius, Caesar, Cicero und ihre Zeitgenossen nach Geschlechtern und mit genealogischen Tabellen, 6 Bde., Königsberg 1834–1844 [Reprint 1964] **10** L. ECHARD, The Roman History, from the Building of the City to the Perfect Settlement of the Empire by Augustus Caesar, 2 Bde., London 1699 **11** A. FERGUSON, The History of the Progress and Termination of the Roman Republic, 4 Bde., London 1783 [Revised Ed.: 5 Bde. 1799) **12** G. FERRERO, Grandezza e decadenza di Roma, 5 Bde., 1902–1907 [dt. 1908–1910] **13** M. I. FINLEY, The Ancient Economy, 1973 [dt. 1989] **14** M. FLACIUS ILLYRICUS et al., Ecclesiastica Historia, integram Ecclesiae Christi ideam … secundum singulas centurias perspicuo ordine complectens, 13 Bde., Basel 1559–1574 **15** W. WARDE FOWLER, The Religious Experience of the Roman People, 1911 **16** L. FRIEDLÄNDER, Darstellungen aus der Sitten-Gesch. Roms in der Zeit von Augustus bis zum Ausgang der Antonine, 4 Bde., Leipzig 1862–1871 **17** N. D. FUSTEL DE COULANGES, La Cité antique, Paris 1996 (dt. 1988) **18** M. GELZER, Die Nobilität der röm. Republik, 1912, in: KS I, 1962, 17–135 **19** E. GIBBON, The History of the Decline and Fall of the Roman Empire, ed J. B. Bury, 7 Bde., London ²1909–1914 **20** J. GRONOVIUS, Dissertatio de origine Romuli, Leiden 1684 **21** G. W. F. HEGEL, Vorlesungen über die Philos. der Welt-Gesch. Vollständig neue Ausgabe von Georg Lasson (Philosoph. Bibl. 171), Bd. 3, ⁴1944 **22** A. HEUSS, Röm. Gesch., Hrsg., eingeleitet und mit einem neuen Forschungsteil versehen von J. BLEICKEN, W. DAHLHEIM und H.-J. GEHRKE, 1998 **23** N. HOOKE, The Roman History. From the Building of Rome to the Ruin of the Commonwealth. Illustrated with Maps and other Plates, 4 Bde., London 1738–1771 **24** L. LANGE, Röm. Altertümer, 3 Bde., Berlin 1856–1871 **25** S. LENAIN DE TILLEMONT, Histoire des empereurs et des autres princes qui ont régné durant les six premiers siècles de l'Église, 16 Bde., Brüssel 1707–1739 **26** N. MACHIAVELLI, Discorsi sopra la prima deca di Tito Livio, ed. C. VIVANTI, 1983 (dt. ²1965) **27** J. MARQUARDT, Die röm. Staatsverwaltung, 3 Bde., Leipzig 1884–1885 **28** PH. MELANCHTHON, Caspar Peucer (Bearb.), Chronicon Carionis, latine expositum et auctum multis et veteribus et recentibus historiis in descriptionibus regnorum et gentium antiquarum et narrationibus rerum ecclesiasticarum et politicarum Graecarum, Romanarum, Germanicarum et aliarum, ab exordio mundi usque ad

Carolum Quintum, Wittenberg 1572 **29** E. MEYER, Caesars Monarchie und das Prinzipat des Pompejus, 1918 **30** J. MICHELET, Histoire Romaine, in: Ders., Oevres Complètes, Bd. 2: 1828–1831, hrsg.v. P. VIALLANEIX, 1972 **31** TH. MOMMSEN, Röm. Gesch., 3 Bde., Berlin 1854–1856, Bd. 5, Berlin 1885 (Neuausg. hrsg. von K. CHRIST, 8 Bde., 1976) **32** Ders., Röm. Staatsrecht, 3 in 5 Bde.., Leipzig 1871–1888 (Ndr. 1971; Kurzfassung: Abriß des röm. Staatsrechts, Leipzig 1893, Ndr. 1974) **33** CH.-L. DE SECONDAT, BARON DE LA BRÈDE ET DE MONTESQUIEU, Considérations sur les causes de la grandeur des Romains et de leur décadence, hrsg. v. J. EHRARD, 1990 **34** B. G. NIEBUHR, Röm. Gesch., 2 Bde., Berlin 1811/12 (Neufassung: Berlin 1827/30, Bd. 3 postum 1832) **35** E. PAIS, Storia di Roma, Bd. 1, Rom 1898–1899; Storia critica di Roma durante i primi cinque secoli, 5 Bde., 1913–1920 **36** O. PANVINIUS, Fasti et triumphi Romani, Venedig 1557 **37** Ders., Fastorum libri V, eiusdem in Fastorum librorum commentarii, Venedig 1558 **38** J. PERIZONIUS, Animadversiones historicae, Amsterdam 1685 **39** ST. VINANDUS PIGHIUS, Annales magistratuum et provinciarum SPQR ab urbe condita opera et studio Andreae Schottii, 3 Bde. Antwerpen 1615 **40** R. v. PÖHLMANN, Gesch. des ant. Kommunismus und Sozialismus, 2 Bde., 1893/1901 (2. Aufl. unter dem Titel: Gesch. der sozialen Frage und des Sozialismus in der ant. Welt, 1912) **41** L. v. RANKE, Weltgesch., Teil II und III, 3 Bde., Leipzig 1883 **42** CH. ROLLIN, Histoire romaine, depuis la fondation de Rome jusqu'à la bataille d'Actium, c'est-à-dire jusqu'à la fin de la République, 16 Bde., Paris 1738–1748 **43** J. SLEIDANUS, De quatuor summis imperiis libri tres, in gratiam iuventutis confecti, Straßburg 1556 **44** R. AUBER, ABBÉ DE VERTOT, Histoire des révolutions arrivées dans le gouvernement de la République Romaine, 3 Bde., Paris 1719 **45** VOLTAIRE, Le siècle de Louis XIV, in: Œvres historiques, ed. RENÉ POMEAU, 1957, 603–1274 **46** M. WEBER, Die röm. Agrar-Gesch. in ihrer Bed. für das Staats- und Privatrecht (= Max Weber Gesamtausgabe I, 2), 1986 **47** Ders., Art. Agrarverhältnisse im Altertum, in: Handbuch der Staatswiss., Bd. 1, ³1909, 52–188, (künftig in: M. WEBER, Gesamtausgabe I, 6)

LIT **48** J. BLEICKEN, C. MEIER, H. STRASBURGER (Hrsg.), Matthias Gelzer und die Röm. Gesch., 1977. **49** G. BONACINA, Hegel, il mondo romano e la storiografia. (Pubbl. del Dip. di Filosofia dell'Univ. di Milano 19), 1991 **50** G. W. BOWERSOCK, J. CLIVE, S. R. GRAUBARD (Hrsg.), Edward Gibbon and the Decline and Fall of the Roman Empire, 1977 **51** K. CHRIST, Neue Profile der Alten Gesch., 1990 **52** Ders., Röm. Gesch. und dt. Gesch.-Wiss., 1982 **53** Ders., Von Gibbon zu Rostovtzeff, 1972 **54** P. B. CRADDOCK, Ed. Gibbon. A Reference Guide, 1987 **55** Ders., Ed. Gibbon, 1989 **56** L. DESGRAVES, Répertoire des ouvrages et des articles sur Montesquieu, 1988 **57** J. ENGEL, Die dt. Univ. und die Gesch.-Wiss., in: HZ, 189 ,1959, 223–378 **58** L. GOSSMAN, Orpheus Philologus. Bachofen versus Mommsen on the Study of Antiquity (Transactions of the American Philosophical Society, 73,5), 1983 **59** Ders., The Empire Unpossess'd. An Essay on Gibbon's *Decline and Fall*, 1981 **60** P. GRIMAL, Jérôme Carcopino, 1981 **61** F. HARTOG, Le XIXᵉ siècle et l'histoire. Le cas Fustel de Coulanges, 1988 **62** H. HEINEN (Hrsg.), Die Gesch. des Alt. im Spiegel der sowjetischen Forsch., 1980 **63** A. HEUSS, Barthold Georg Niebuhrs wiss. Anf. (AAWG, Dritte Folge, 114), 1981 **64** Ders., Institutionalisierung der

Alten Gesch., in: ders., Ges. Schriften 3, 1995, 1938–1970
65 Ders., Max Webers Bed. für die Gesch. des griech.-röm.
Alt., in: Ges. Schriften 3, 1995, 1835–1862 66 Ders.,
Theodor Mommsen als Geschichtsschreiber, in:
N. HAMMERSTEIN (Hrsg.), Dt. Geschichtswiss. um 1900,
1988, 37–95 67 Ders., Theodor Mommsen und das 19. Jh.,
1956 68 D. R. KELLEY, Civil Science in the Renaissance:
Jurisprudence in the French Manner, in: History, Law and
the Human Sciences. Medieval and Renaissance
Perspectives, 1984, 261–276 69 W. McCUAIG, Carlo
Sigonio, 1989 70 E. MEYER-ZWIFFELHOFFER, Alte Gesch. in
der Universalgeschichtsschreibung der Frühen Neuzeit, in:
Saeculum 46, 1995, 249–273 71 A. MOMIGLIANO,
Eighteenth-Century Prelude to Mr. Gibbon, in: Ders.,
Sesto contributo, 1980, 249–263 72 Ders., Gibbon's
Contribution to Historical Method, in: ders., Contributo
alla storia degli studi classici, 1955, 195–211 73 Ders., After
Gibbon's Decline and Fall, in: ders., Sesto contributo, 1980,
265–284 74 Ders., Foreword to N. D. Fustel de Coulanges,
The Ancient City, in: Settimo contributo, 1984, 171–177
75 Ders., From Mommsen to Max Weber, in: ders., New
Paths of Classicism in the Nineteenth Century (History &
Theory, Bd. 21 (1982), Beiheft 21), 16–32 76 U. MUHLACK,
Gesch.-Wiss. im Human. und in der Aufklärung, 1991
77 M. RASKOLNIKOFF, Histoire romaine et critique
historique dans l'Europe des lumières, 1992 78 Ders., La
Recherche en Union Soviétique et l'histoire économique et
sociale du monde hell. et romain, 1975 79 S. REBENICH,
Theodor Mommsen und Adolf Harnack, 1997
80 A. SEIFERT, Der Rückzug der biblischen Prophetie von
der neueren Gesch. Studien zur Gesch. der Reichstheologie
des frühneuzeitlichen dt. Protestantismus (Beihefte zum
Archiv für Kultur-Gesch. 31), 1990 81 F. M. TURNER,
British Politics and the Demise of the Roman Republic:
1700–1939, in: The Historical Journal 29, 1986, 577–599
82 G. WALTHER, Niebuhrs Forsch., 1993 83 G. WIRTH, Die
Entwicklung der Alten Gesch. an der Philipps-Univ.
Marburg, 1977.      GERRIT WALTHER

## IV. SPÄTANTIKE
### A. FORSCHUNGSGESCHICHTE  B. DEUTUNG

### A. FORSCHUNGSGESCHICHTE

Das wiss. Interesse an der Spätant. beginnt mit dem
Human., der die vom röm. Papst, vom dt. Kaiser und
vom byz. Basileus beanspruchte Kontinuität der imperialen Trad. in Frage stellte. Seit der »Ruinenmelan-
cholie« Petrarcas forderte die zerstörte Herrlichkeit
Roms eine Erklärung, die allg. im Kreislauf des Glücks,
speziell in der röm. Geschichte gesucht wurde. Boccaccio fand 1358 die Ursache im Sittenverfall Roms; sein
Zeitgenosse Villani machte die german. Barbaren verantwortlich.

Leonardo Bruni (1429/75) verband innere und äußere Verfallsursachen; ausführlich behandelte sodann
Flavio Biondo († 1463) die inclinatio Romanorum, die er
mit Alarich beginnen ließ. Schüler der beiden war Lorenzo Valla. Er vollendete 1440 seinen Traktat Über die
fälschlich angenommene und erlogene Schenkung Constantins,
indem er diese – tatsächlich im späten 8. Jh. in der Kurie
entstandene – Urkunde als unecht erwies. Deren Behauptung, Konstantin habe sich in den Osten zurückgezogen und dem Papst die weltliche Herrschaft über
den Westen überlassen, widerlegte Valla u. a. durch den
Hinweis auf die Fortdauer des westl. Kaisertums unter
den Söhnen Constantins und deren Nachfolgern. Die
Spätant. blieb auch im 16. Jh. Thema. Neben Egnatius
und Pomponius Laetus befaßte sich Machiavelli mit der
declinazione di Roma. Als Ursachen nennt er die Verlegung der Hauptstadt, die Glaubenskämpfe und die Ger-
manisierung des Heeres. Das Überleben des Ostreichs
erklärte Panvinius 1558 mit der Stoßrichtung der Wan-
dervölker, die den Westen getroffen habe. 1579 publizierte der Jurist Carolus Sigonius seine Historiae de occidentali imperio zw. 285 und 565, den Epochendaten, die
für die Spätant. bedeutsam blieben. Die erste speziell
den Gründen für Roms Verfall gewidmete Schrift ist
der elfte Discorso politico des Paolo Paruta († 1598).

Die Humanisten in Deutschland und Frankreich befaßten sich mit der Spätant. aus Interesse an den Germanen. Konrad Celtis erinnerte 1492 in Ingolstadt die
akad. Jugend an den Sieg der »tapferen Germanen« über
die »erschlafften Römer«. In ähnlichem Geist äußerten
sich Jakob Wimpfeling (1505) und Albert Krantz (†
1517); romfeindliche Akzente finden sich ebenso bei
den evangelischen Gelehrten Caspar Hedio aus Straßburg, François Hotman aus Bourges und Johannes Magnus aus Uppsala. Dem nun schillernden Bild Konstantins entsprach eine positive Beurteilung Julians und der
heidnischen Historiographie bei Johannes Leunclavius
alias Löwenklau (1576).

Grundlegend für die Erforsch. der Spätant. wurden
die Quellen-Edd.: Ammianus Marcellinus 1474, Claudian 1482, Aurelius Victor 1579, Zosimos 1581 (lat.
schon 1576) und Prokop (1531, 1607, 1623). Gothofredus Vater und Sohn edierten das Corpus Juris Civilis und den Cod. Theodosianus. Eine Kopie des im Dreißigjährigen Krieg verloren gegangenen Speyrer Cod.
mit der Notitia Dignitatum erschien 1552 in Basel. Die
kirchengeschichtliche Datensammlung zur Spätant. begann auf protestantischer Seite mit der Ecclesiastica Historia der Magdeburger Centuriatoren (Bd. V 1562), auf
katholischer mit den Annales ecclesiastici des Caesar Baronius († 1607). Daraus erarbeitete der Jansenist Lenain
de Tillemont († 1698) seine materialreiche Darstellung
der spätröm. und frühchristl. Zeit. Auf ihnen basieren
Charles Lebeau, Histoire du Bas Empire (1752), und Edward Gibbon († 1794), dessen History of the Decline and
Fall of the Roman Empire für Mommsen das Beste war,
was je über röm. Geschichte geschrieben wurde. Seit
dem 19. Jh. gewannen die Arbeiten zur Spätant. an wiss.
Genauigkeit, aber auch an publizistischer Aktualität, da
die Spätant. als Krisenspiegel der Gegenwart erschien.
Das gilt für Jacob Burckhardts 1853 erschienenes, 1880
bearbeitetes Werk Die Zeit Constantins d. Gr., wo zum
ersten Mal das Adjektiv »spätantik« erscheint, und für
die umfangreiche Geschichte des Untergangs der ant. Welt
(1895–1922) des Mommsenschülers Otto Seeck. Er inspirierte Oswald Spenglers Untergang des Abendlandes
(1917).

Unter den im 19. Jh. publizierten Quellenreihen sind zu nennen: das 1828 von Niebuhr inaugurierte *Corpus Scriptorum Historiae Byzantinae*, die von J. P. Migne herausgegebenen Kirchenväter: die PL seit 1844, die PG seit 1857, die *Auctores Antiquissimi* der MGH (1877–1919), langjährig betreut von Theodor Mommsen, der ebenso an den Neuausgaben des *Corpus Juris Civilis* (1892) und des *Cod. Theodosianus* (1904) mitwirkte. Unabgeschlossen sind das seit 1866 in Wien erscheinende *Corpus Ecclesiasticorum Latinorum*, die seit 1897 in Leipzig, seit 1953 in Berlin edierten *Griech. christl. Schriftsteller der ersten Jahrhunderte* und die seit 1942 in Paris gedruckten *Sources Chrétiennes*. Höchst nützliche Arbeitsinstrumente sind die *Regesten* Otto Seecks (1919), das RAC (1950 ff.) und die PLRE von A. H. M. Jones, J. Morris und J. R. Martindale (I 1971; II 1980; III 1992).

### B. DEUTUNG

Die Spätant. stellt drei verbreitete Annahmen in Frage: daß ein geordneter Staat ewig bestehen müsse, daß ein Kulturvolk seinen barbarischen Nachbarn überlegen sei und daß die Zivilisation sich in einem ununterbrochenen Fortschrittsprozeß entwickle. Daraus erwachsen fünf Fragen: 1. Die Frage nach dem Wesensproblem lautet: Was hat sich damals eigentlich vollzogen? Ein minimaler Ansatz beschränkt sich auf die Unterbrechung der Kaiserfolge 476 im Westen, ein maximaler betont die Wende von der heidnischen zur christl. Weltzeit. Dazwischen liegen Mischpositionen: Das Ende des weström. Reiches, der Untergang der Sklavenhalterformation, der Ausgang des griech.-röm. Heidentums, die Geburt Europas und seiner Völkerfamilie, der Aufgang des Abendlandes, die Metamorphose, Transformation oder Verwandlung der Mittelmeerwelt. Häufig ist von »Krise«, mitunter von »Revolution« (der Christen, der Germanen, der Sklaven, der Feudalherren, der Soldatenkaiser usw.) die Rede, ebenso von Debakel oder Katastrophe. Auf ein bevorstehendes Ende verweist der auf eine Vergangenheit bezogene Begriff »Spätant.« selbst, als Subst. zuerst bei Max Weber 1909 (Handwörterbuch der Staatswiss., 3. Aufl., I, 182, s. v. Agrargeschichte I 7), engl. *late antiquity, late antique* oder *later Roman empire,* frz. *antiquité tardive,* it. *basso impero.*

Das zweite Deutungsproblem betrifft die Periodisierung. Es geht darum, in welchem Jahr, mit welchem Ereignis der Schritt ins MA vollzogen sei. Vorgeschlagen wurden die Zeit Konstantins, sein Regierungsantritt 306, sein Sieg an der Milvischen Brücke 312 oder der Beginn seiner Alleinherrschaft 324, weiterhin der Hunnensturm (sicher erst 375) und der Übergang der Goten über die Donau 376 mit der Schlacht von Adrianopel 378 und der Gotenansiedlung 382, sodann die »Reichsteilung« des Theodosius 395 unter seine Söhne, die Einnahme Roms durch Alarich 410, am häufigsten jedoch die Absetzung des Romulus Augustulus 476; schon die Zeitgenossen Eugipp, Marcellinus Comes und Prokop haben den Vorgang als Einschnitt empfunden. In die ma. Lit. gelangte das Epochenjahr über Beda, über die Humanisten (Machiavelli, Hedio, Melanch-

thon) und die Aufklärer (Gatterer, Gibbon, Heeren) in den Historismus (Ranke, Seeck, Ernst Stein). Spätere Periodisierungen bevorzugen die Zeit Justinians oder gar erst die Stiftung des Islam.

Die dritte Frage, wie tief der Einschnitt zw. Ant. und MA gegangen sei, gilt dem Kontinuitätsproblem. Nicht nur in Byzanz sind ant. Trad. fortgeführt worden. Trotz des allg. Rückgangs haben auch im Westen Städtewesen, Schriftlichkeit und Geldwesen in rudimentärer Form überlebt. An die Stelle des Staatsbürgertums traten als Kulturträger Kirche, Klöster und Höfe. Im Bereich der Sozialökonomie hat Dopsch die fortlaufenden Überlieferungen unterstrichen. Aus dieser Sicht sind die Germanen nicht Zerstörer, sondern Bewahrer und Erneuerer der ant. Kultur.

Damit wurde indes nicht die vierte Frage gelöst: die nach der Dekadenz, die, wie man meint, zum Zerfall des Imperiums geführt habe. Ihr Beginn wird mit Konstantin, mit den Soldatenkaisern, mit Commodus oder gar mit Augustus angesetzt und dann als Fortsetzung der niedergehenden Republik verstanden. Die Römer selbst leiteten den Sittenverfall aus dem Wohlstand ab: Die Friedenszeit habe die Kriegstüchtigkeit untergraben. Bisweilen wird der Verlust der Freiheit, der Vaterlandsliebe, des gesunden Landlebens angeführt. Neben der These einer allg. »Kulturregression«, einer generellen »Reprimitivierung« findet man Niedergangssymptome in der spätant. Kunst, der Landwirtschaft, im Städtewesen, im Straßen- und Brückenbau, in der Bildung, in Staat und Heer. Diese Phänomene werden mit einer unvermeidlichen Schicksals- oder Kulturzyklik erklärt oder aus schuldhaftem Versagen abgeleitet.

Die fünfte, umfangreichste Kontroverse betrifft das Erklärungsproblem, die Frage nach der »Schuld« am Niedergang. Über 200 innere Krisenfaktoren sind angeführt worden. Je nach Grundeinstellung des jeweiligen Autors werden verantwortlich gemacht: die Christen, die alle Hoffnung aufs Jenseits richteten, der angeblich stets wachsende Gegensatz zw. (guten) Armen und (bösen) Reichen, erschöpfte Lebensgrundlagen (Klimaverschlechterung, Verkarstung, Entvölkerung, Rassenmischung), Korruption in Staat und Heer, so daß dem Druck auf die Grenzen nichts mehr entgegenzusetzen war. In der Regel wird übersehen, daß dieser Druck durch Entwicklungen im Barbaricum gewachsen ist. Nichts spricht dafür, daß sich das Imperium ohne äußere Einwirkung von selbst aufgelöst und die erreichte Kulturhöhe freiwillig aufgegeben hätte.

→ Epochenbegriffe; Konstantinopel

**1** Av. CAMERON, P. GARNSEY (ed.), The Late Empire, A. D. 337–425, CAH Bd. 13, 1998 **2** K. CHRIST (Hrsg.), Der Untergang des röm. Reiches, 1970 **3** A. DEMANDT, Der Fall Roms. Die Auflösung des röm. Reiches im Urteil der Nachwelt, 1984 **4** Ders., Die Spätant. Röm. Gesch. von Diocletian bis Justinian (234–565 n. Chr.), HdbA 3, 6, 1989 **5** S. D'ELIA, Il Basso Impero nella cultura moderna dal Quattrocento ad oggi, 1967 **6** M. FUHRMANN, Rom in der Spätant., 1994 **7** P. E. HÜBINGER (Hrsg.), Kulturbruch oder

Kulturkontinuität im Übergang von der Ant. zum MA, Wege der Forsch. 201, 1968 **8** Ders. (Hrsg.), Zur Frage der Periodengrenze zw. Alt. und MA, Wege der Forsch. 51, 1969 **9** J. P. ISAAC, Factors in the Ruin of Antiquity, 1971 **10** A. H. M. JONES, The Later Roman Empire 284–602, 3 Bde., 1964 **11** S. MAZZARINO, Das E. der ant. Welt, 1959/61 **12** W. REHM, Der Untergang Roms im abendländischen Denken, 1930 **13** O. SEECK, Regesten der Kaiser und Päpste für die Jahre 311 bis 476 n. Chr., 1919 **14** Ders., Gesch. des Untergangs der ant. Welt, 6 Bde., 1895–1922.                    ALEXANDER DEMANDT

**Geschmack.** Im Begriff des G. als Ausdruck der ästhetischen Urteilskraft konzentrieren sich grundlegende Fragestellungen der Ästhetik und Moralistik. Bereits die Ant. kannte zwar in der *urbanitas*, verstanden als Lebensform und -äußerung des kultivierten Menschen, zwei Bezeichnungen für den Geschmack: *sensus* (Cic. orat. 162), das angeborene, allen Menschen gemeinsame Perzeptionsorgan, das für die Schönheit empfänglich ist, und *iudicium* (Cic. orat. 36), die kulturbedingte, auf Bildung und geschärftem Intellekt basierende, individuell, subjektiv verschiedene Urteilskraft. Doch erst im lat. MA konkretisiert sich die Verbindung von Schmecken und Urteilen in *sapor* und *gustus*; zugleich entwickelt sich das begriffliche Material für die weiteren Diskussionen zu entwickeln. Nach der methodologischen Herleitung der Etymologie bestimmt Virgilius Maro (7. Jh.) mit *sapor sapere* den G. als literarästhetisches Urteilsvermögen (*Epitome* I). Ihm folgt Mathieu de Vendôme (11. Jh.), der nun auch *gustus* synonym zu *sapor* verwendet (III, 46, 178). Mit Guillaume d'Auvergne (1180–1249) gewinnt das MA zwei weitere Aspekte, die ästhetische Lust (*delectatio*), die der G. (*gustus*) im Augenblick der Erkenntnis aufgrund seiner sowohl rationalen (*sapor cognitionis*) als auch sensualistischen Ausrichtung (*sapor affectionis*) empfindet (B.f.216rb, 318). In den romanischen Sprachen des MA trifft man im Kontext der höfischen Dichtung häufig auf den G. (*sabor*), jedoch in verflachter Bed. als Ausdruck eines bloßen individuellen Wohlgefallens in einer Situation. Die ästhetische Komponente fehlt.

Erst mit Beginn des 16. Jh. entwickelt sich parallel in der Poetik, der Kunsttheorie und der Moralistik der mod. G.-Begriff. In seiner span. Übers. des für die Ren. wegweisenden höfischen Traktates *Il Cortegiano* von Baldassare Castiglione findet Juan Boscán das angemessene Vokabular für die neuen höfischen Ideale. Verschiedene Wörter aus dem Begriffsfeld *diletto* (*dolcezza*, *piacevolezza*, *modo*, *grato*) konzentriert er im span. *gusto* und im *hombre de gusto* [3. 231] als gesellschaftlichem Ideal. Die intensive Rezeption der *Ars poetica* von Horaz im ersten Drittel des Jh. schafft die Voraussetzungen für die poetologischen Begriffe der mod. Sprachen. Aus den Topoi *aut prodesse aut delectare* und *utile dulci* entstehen die ästhetischen Kategorien *diletto*, *gusto*, *plaisir* als eines der Ziele der frz./it. Dichtung [30]. In der Kunsttheorie zeigt u. a. Romano Alberti auf, daß die *grazia*, jene undefinierbare Schönheit, allein durch *buon gusto*

und *buon giudizio* erschaffen und erkannt werden kann [1. 59–71]. Und in der frz. Moralistik des 16. Jh. ist für Montaigne der G. (*goût*) ein Ausdruck der von ihm als *forme maistresse* bezeichneten ethischen Grundausrichtung des Menschen, der skeptischen Persönlichkeit, die die Freiheit der individuellen Lebensgestaltung (I, 39) ergreift.

Mit Lope de Vega wird der G. im 17. Jh. zum wichtigsten Argument in den literarästhetischen Debatten. In der Ablehnung des aristotelischen Regelkanons in Spanien und der Herausbildung eines neuen Dramentypus (*comedia*) manifestiert sich der G. (*gusto*) des zeitgenössischen Publikums als Richtschnur künstlerischen Schaffens. Die zentrale Rolle in der Entwicklung des mod. G.-Begriffs kommt jedoch dem span. Jesuiten Baltasar Gracián zu: Er vereint alle zeitgenössischen Tendenzen und liefert die erste umfassende, mod. Theorie, in der der G. (*buen gusto*) im Zusammenspiel mit der Urteilskraft zu einer Richtschnur des Handelns für den Lebensklugen und zum Gradmesser für das Ansehen der Person wird (Oráculo Manual 98, 233) und die den psychosozialen Idealtypus des *hombre de gusto* für die höfische Gesellschaft entwirft. In der barocken Ästhetik der scharfsinnigen *conceptos* erhält der G. die Funktion als Urteilskraft im ingeniösen Spiel mit der Sprache (Agudeza I.xxix, S.379) und zugleich als Reflexion der ästhetischen Lust. Durch die Vermittlung der Mme de Sablé findet der G.-Begriff Graciáns Eingang in die frz. Moralistik; v. a. La Rochefoucauld legt in seinen *Maximes* einen differenzierten G.-Begriff vor: Der G. ist einerseits Ausdruck des individuellen Begehrungsvermögens und ästhetischen Lustgewinns, andererseits aber auch ein durch Bildung und objektivierbare Regeln geformtes Kunstverständnis (13, 48, 81). Der G. wird im Frankreich des 17. Jh. allmählich vom klassizistischen Regelwerk vereinnahmt. Im System der *honnêteté*, der ästhetisierten sozialen Normen der frz. Klassik, wird der G. zum distinktiven Merkmal der kulturtragenden Schicht, der *personnes de bon goût* [11 Bd. I.22]. Das dem G.-Begriff inhärente Dilemma – ein Begriff aus dem Bereich der Psyche soll nach kartesianischer Methode objektivierbar gemacht werden – zeichnet sich bereits gegen Ende des 17.Jh. ab.

Die zahlreichen Debatten um den G.-Begriff des 18.Jh. kreisen um diesen inhärenten Widerspruch, wobei Sensualisten (Shaftesbury, Du Bos) und Rationalisten (Crousaz, Bellegarde, Batteux) die extremen Positionen beziehen. Nach der ersten Kenntnisnahme Graciáns durch Ch.Thomasius legt J.U. König 1727 eine *Untersuchung von dem guten G.* [8] vor, in der er die zeitgenössischen Theorien konzentriert. Er konstatiert ein komplementäres Verhältnis zw. Verstand und Empfindung und unterscheidet einen »sittlichen G.«, der zu Selbsterkenntnis und angemessenem Verhalten anleitet, und einen »empfindenden G.« im Bereich der Ästhetik. Ähnlich verfährt auch Baumgarten (§5, §607), der den G. dem schönen, angeborenen Geist zuordnet. Der G. wird ein integrativer Teil der Ästhetik als systematischer

Wiss., in der er die Kunst des Beurteilens umfaßt und Regeln für den erschaffenden Geist vorgibt. Bis zum E. des 18. Jh. hat die Entwicklung des G.-Begriffs drei determinierende Faktoren erreicht: im moralistisch-gesellschaftlichen Bereich die Herausbildung eines psychosozialen Idealtypus (*hombre de gusto*) und eines individualistischen G. als Ausdruck der Persönlichkeit und im erkenntnistheoretischen Bereich die rationale oder sensualistische Qualifikation des G.-Urteils. Der Versuch einer rationalen Begründung eines unbestimmbaren Sinnes zeigt den inhärenten Widerspruch des G.-Begriffs auf, der kartesianische Diskurs erweist sich als unfähig zur Integration eines Begriffes aus dem sinnlichen, irrationalen Bereich.

Mit der *Kritik der Urteilskraft* setzt Kant einen versöhnenden Schlußpunkt unter die bisherigen Debatten um den Geschmack. Ausgehend von der doppelten Ausrichtung des Menschen als Geschöpf des Verstandes und des Gefühls ist für Kant der G. einerseits eine subjektive Erkenntnis, andererseits aber ein Messen dieser Erfahrung an einem apriorischen allgemeingültigen Maßstab. Kant beendet auch die zum Sprichwort avancierte Debatte *de gustibus non disputandum est*: das G.-Urteil ist subjektiv, daher begriffslos (also kann man nicht darüber disputieren), und wenn man seine apriorischen Bedingungen unterstellt, den G. als ›reflektierende‹, ästhetische Urteilskraft‹ definiert und ihn letztlich auf den Gemeinsinn zurückführt, so kann es keine widerstreitenden Urteile geben.

Die G.-Theorien des 20. Jh. sind in erster Linie soziologisch bestimmt, es findet keine Auseinandersetzung mit dem Begriff mehr statt, sondern G. wird definiert als Ausdruck des kulturellen Verhaltens einer bestimmten sozialen Schicht [18; 19; 20].

QU  1 R. ALBERTI, Origine et Progresso dell'Academia del Disegno, de Pittori, Scultori, & Architetti di Roma, 1604, Ndr. herausgegeben von D. HETKAMP, 1961 2 A. BAUMGARTEN, Aesthetica, 1750, Ndr. 1912I 3 J. BOSCÁN, El Cortesano. Hrsg. R. REYES CANO, ⁵1984 4 Cicero, Orator 5 B. GRACIÁN, Obras Completas. Hrsg. A. DEL HOYO, ²1960 6 GUILLAUME D'AUVERGNE, in: H. POUILLON (Hrsg.), La Beauté, propriété transcendantale chez les scholastiques (1220–1270), in: Archives d'Histoire doctrinale et littéraire du Moyen Age 15, 1946 7 I. KANT, Kritik der Urteilskraft. Hrsg. K. VORLÄNDER, 1974 8 J. U. KÖNIG, Des Freyherrn von Canitz gedichte. Nebst dessen Leben und einer Untersuchung Von dem guten Geschmack in der Dicht= und Redekunst, 1727 9 MATHIEU DE VENDÔME in: E. FARAL (Hrsg.), Les Arts poétiques du XIIe et XIII siècles, 1958 10 CHEVALIER DE MÉRÉ, Oeuvres complètes. Hrsg. CH.-H. BOUDHORS, 3 Bde., 1930 11 M. DE MONTAIGNE, Essais. Hrsg. F. STROWSKI, 1906–1933 12 F. DE LA ROCHEFOUCAULD, Maximes et Réflexions diverses. Hrsg. J. TRUCHET, 1977 13 CH. THOMASIUS, Discours, welcher Gestalt man denen Frantzosen in gemeinem Leben und Wandel nachahmen solle, 1687 14 F. LOPE DE VEGA CARPIO, Arte nuevo de hacer comedias en este tiempo, 1609 15 VIRGILIUS MARO GRAMMATICUS, Epitome. Hrsg. J. HÜMER, Leipzig 1886 16 B. WEINBERG (Hrsg.), Trattati di poetica del Cinquecento, 1970

LIT  17 A. BÄUMLER, Das Irrationalitätsproblem in der Ästhetik und Logik des 18. Jh. bis zur Kritik der Urteilskraft 1923/1967 18 P. BOURDIEU, La Distinction, dt. Die feinen Unterschiede. Kritik der gesellschaftlichen Urteilskraft, 1982 19 G. DELLA VOLPE, Kritik des G. Entwurf einer histor.-materialistischen Literaturtheorie und Ästhetik, 1978 20 G. DORFLES, Im Labyrinth des G. Kunst zw. Technik und Konsum, 1987 21 L. FERRY, Homo aestheticus – L'invention du goût à l'Age démocratique, 1990 22 U. FRACKOWIAK, Der gute G. Stud. zur Entwicklung des G.-Begriffs, 1994 23 Dies., Marginalien zur Entstehung des G.-Begriffs. De gustibus non disputandum est, in: Romanische Forschungen 105, 1993, 371–376 24 H.-J. GABLER, G. und Ges., Rhet. und sozialgeschichtliche Aspekte der frühaufklärerischen G.-Kategorie, 1982 25 H. C. JACOBS, Schönheit und G. Die Theorie der Künste in der span. Lit. des 18. Jh., 1996 26 H. KLEIN, There's no disputing about taste. Unt. zum engl. G.-Begriff im 18. Jh., 1967 27 R. KLEIN, Giudizio et gusto dans la théorie de l'art au Cinquecento, in: Ders., La forme et l'intelligible, 1970 28 G. KOHLER, G.-Urteil und ästhetische Erfahrung. Beitr. zur Auslegung von Kants Kritik der Urteilskraft, 1980 29 G. SCHRÖDER, Logos und List. Zur Entwicklung der Ästhetik in der frühen Neuzeit, 1986 30 B. WEINBERG, A History of Literary Criticism in the Italian Ren., 1961.

UTE FRACKOWIAK

**Getty-Museum**  s. Malibu

**Gewichte**  s. Metrologie

**Glossatoren**  A. NAME  B. GLOSSIERTE TEXTE C. SCHULEN  D. WICHTIGSTE AUTOREN E. WERKE  F. FORSCHUNGSGESCHICHTE

### A. NAME

Die wiss. arbeitenden Rechtslehrer des 12. und beginnenden 13. Jh. bezeichnet man als G., weil sie zur Hilfe für ihre Lehrtätigkeit die dem Unterricht dienenden Textb. mit Glossen ausstatteten. Hingegen bezeichnet man die Rechtslehrer der dann folgenden Zeit mit einem anderen Namen: Kommentatoren. Zeitweise war daneben auch die Bezeichnung »Post-G.« üblich. Sie waren nämlich bereits der Mühe enthoben, selber Glossierungen zusammenzustellen; denn mittlerweile waren redigierte Glossenapparate mit festem Text veröffentlicht worden, und zu jedem Textb. hatte sich ein bestimmter Glossenapparat als Standard eingebürgert (darum als *glossa ordinaria* bezeichnet). Also schrieb man allenfalls noch Zusätze (*additiones*) zur *glossa ordinaria*, aber nicht mehr Glossen.

### B. GLOSSIERTE TEXTE

Zum Unterricht verwendet und deshalb glossiert wurden folgende fünf Gruppen von Texten: 1. die → Digesten und die übrigen Bücher des *Corpus iuris civilis* von Kaiser Justinian; 2. das *Decretum Gratiani* = eine Blütenlese der kanonischen Rechts, also gezogen aus Bibeltexten, Schriften der ant. Kirchenväter, Konzilsbeschlüssen und aus Papstbriefen, in erster Redaktion zusammengestellt in den 1120er J., in zweiter Redaktion veröffentlicht in oder kurz nach 1139. Über den

Verfasser wissen wir lediglich, daß er Gratianus hieß, in Mittelit. lebte und Sympathien für die röm. Kirchenreform hatte. 3. verschiedene Sammlungen von Auszügen aus *litterae decretales* = Briefe von Päpsten in Rechtsangelegenheiten, darunter v. a. die *Compilatio prima* (um 1190), – *secunda* (kurz nach der *tertia*), – *tertia* (1210), – *quarta* (wohl 1217), – *quinta* (1226) und die daraus schöpfende Dekretalensammlung Papst Gregors IX. von 1234 (= *Liber Extra*); 4. in Nordit. glossierte man nebenher in teils selbständigen, weniger bedeutenden Schulen die *Lombarda* = eine Sammlung von Auszügen aus Gesetzen des langobardischen Königreiches, und die *Libri Feudorum* = eine mehrfach umgearbeitete Sammlung von Gesetzen, sonstigen Rechtstexten und zugehörigen Erläuterungen zum → Lehnsrecht; 5. im anglonormannischen Kulturkreis glossierte man statt des *Corpus iuris civilis*, welches damals dort wenig verbreitet war, drei Sammlungen von Auszügen daraus: nämlich den *Liber Pauperum* des nach England gewanderten Italieners Vacarius, den *Ordo iudiciorum* »Olim edebatur actio . . .«, zugeschrieben einem Otto (Papiensis?) und die *Brocarda* »Dolum per subsequentia purgari . . .«, über deren Sammler wir nichts wissen.

Die Kommentatoren unterrichteten zudem den Text von weiteren Dekretalensammlungen und schufen auch für diese jeweils eine *glossa ordinaria*: *Liber Sextus* (1298), *Clementinae* (Texte bis 1315), *Extravagantes* (1220er und 1230er J.). Die Gesamtheit aller kanonistischen Unterrichtstexte nannte man *Corpus iuris canonici*. Der Begriff *corpus iuris* kommt übrigens bereits in Glossen des 12. Jh. vor. Er stammt nicht erst, wie man immer liest, aus dem 16. Jh. Im 13. Jh. wurde in Bologna zudem die Notariatskunst gelehrt anhand der *Ars notaria* des Rolandinus Passagerii, welche bereits durch ihn selbst mit einer *glossa ordinaria* ausgestattet war.

## C. SCHULEN

Nördl. und westl. der Alpen existierte im 12. Jh. nur einheitlicher Rechtsunterricht: Kleriker unterrichteten Kleriker im Kirchenrecht. Da die Kirche bei Fehlen eigener Regelungen auf das röm. Recht zurückgriff (›ecclesia vivit lege Romana‹), galt dieses als Bestandteil des Kirchenrechts und wurde folglich mit unterrichtet. Unterricht dieser Art gab es im anglo-normannischen Kulturraum, in Paris, im Rhônetal, in Köln und sporadisch auch in anderen Kulturzentren als auch in It. Hingegen gab es in Bologna bereits seit Beginn des 12. Jh. juristisch gebildete Laien, die einzig das justinianische *Corpus iuris civilis* unterrichteten, zwecks Anwendung auch in weltlichen Gerichten; denn diese Gegend Europas gehörte zu jenen, in denen auch außerhalb der kirchlichen Gerichtsbarkeit das röm. Recht in Geltung geblieben war. Erst nach 1150 entstand in Bologna daneben eine zweite Schultrad., in der Kirchenrecht unterrichtet wurde. Beide Bologneser Rechtsschulen waren führend auf ihrem jeweiligen Gebiet. Das Niveau und die Länge und wiss. Gründlichkeit der Ausbildung stiegen bis 1220 beständig an, so daß schließlich unter diesem Konkurrenzdruck alle anderen Rechtsschulen

verkümmerten. In der Folge entstanden zwar neue Rechtsschulen auswärts, aber sie folgten nun dem Bologneser Studienplan, so daß kanonisches Recht und röm. Recht getrennt studiert wurden: in Neapel, Padua, Orléans (nur röm. Recht), Paris (nur kanonisches Recht), Toulouse und später noch an vielen anderen Orten. Das Gelehrte Recht, sowohl das kanonische wie auch das röm. (beide vereinigt wurden »Gemeines Recht« genannt, → ius commune), blieb aber noch bis ins beginnende 16. Jh. außerhalb von Nordit. und Südfrankreich fast ausschließlich eine Studienmaterie für Kleriker, unterrichtet durch Kleriker. Durch den Einfluß der studierten Kleriker-Juristen wurden die Texte des Gelehrten Rechts allmählich zwischen 1200 und 1600 (in den verschiedenen Regionen Europas zu verschiedener Zeit) auch für die weltliche Gerichtsbarkeit verbindlich, soweit nicht das örtlich geltende Recht eigene, abweichende Regeln hatte (→ Rezeptionsformen).

## D. WICHTIGSTE AUTOREN

Wernerius (später als »Irnerius« zitiert) glossierte das *Corpus iuris civilis* als erster, nämlich schon zu Anfang des 12. Jh., in Bologna. Ihm folgten dort Bulgarus de Bulgarinis, Martinus Gosia, Hugo de Porta Ravennata, Jacobus, Albericus, Johannes Bassianus (er glossierte auch kanonisches Recht), Placentinus (er wanderte ab nach Montpellier), Henricus de Bayla, Otto Papiensis, Pilius de Medicina (er lehrte auch in Modena), Azo Portius (um 1210), Hugolinus Presbyteri, Jacobus Balduini, Odofredus de Denariis († 1265), Accursius († 1263) und andere. Die Glossenapparate des Letztgenannten zu den B. des *Corpus iuris civilis* wurden zu *glossa ordinaria*. Um 1160 lehrte Rogerius – wir wissen nicht ob in Südfrankreich oder in Nordit. Karolus de Tocco glossierte die *Lombarda*. Jacobus de Ardizone, vielleicht Jacobus Columbi, sicher die schon erwähnten Pilius und Accursius glossierten die *Libri Feudorum*. Das *Decretum Gratiani* und die Dekretalensammlungen wurden glossiert durch die → Kanonisten Paucapalea (1150er J.), Rufinus, Stephanus Tornacensis (er wanderte zurück nach Frankreich), Simon de Bisignano, Rolandus (nicht identisch mit Rolandus Bandinelli = Papst Alexander III), Sicardus de Cremona, »cardinalis« (= Raimundus de Arenis), Johannes Faventinus, Gandulphus, Bernardus Papiensis (er stellte um 1190 die *Compilatio prima* zusammen), Guilielmus Vascus, Damasus (Ungarus), Honorius, Alanus, Bernardus Compostellanus (senior), Tancredus, Laurentius Hispanus, Vincentius Hispanus, Huguccio (um 1210), Johannes Teutonicus und andere. Der Glossenapparat des Letztgenannten zum *Decretum Gratiani* (um 1216) wurde zu *glossa ordinaria*. Die Dekretalenzitate darin paßte Bartholomaeus Brixiensis an den *Liber Extra* von 1234 an. Die *glossa ordinaria* zum *Liber Extra* stammt von Bernardus Parmensis de Botone. Hierzu ist noch anzumerken, daß fast nur G. der Bologneser Rechtsschulen mit Namen bekannt sind. Von den G. der übrigen Rechtsschulen sind fast nur anonyme Glossen und anon. andere Werke überliefert.

## E. Werke

Glossenapparate bestehen aus *allegationes* (Verweisungen auf verwandte Textstellen) und verschiedenen Arten von worterklärenden oder juristisch erklärenden Glossen. Die älteren Glossierungen enthalten zudem *notabilia* (Schlagworte, abstrahierte Rechtsregeln) und verschiedene Arten von Zeichen.

Die G. und ebenso die Kommentatoren veröffentlichten außer Glossenapparaten und Komm. noch mehrere andere Arten von Lit. *Summae* bieten nach Materien geordnet eine Zusammenfassung des Stoffes eines Unterrichtsbs. Z.B. zum *Cod. Justinianus* gibt es eine *summa* von Rogerius, Placentinus, Azo und zwei anon. Summen. Zum *Decretum Gratiani* sind an die dreißig verschiedene *summae* erhalten, die wichtigste von Huguccio, und dazu zahlreiche Fragmente weiterer *summae*. Vorlesungsnotizen bezeichnet man als *lectura*. In ausgearbeiteter, zur Veröffentlichung bestimmter Form werden sie oft *commentarius* genannt. *Repetitiones* sind ausführliche Besprechungen einer ausgewählten Textpassage aus einem Unterrichtsb., wobei umfassend auch das mitbehandelt wird, was andere Textstellen zu dem angesprochenen Thema sagen. Umfassende Darstellungen eines ausgewählten Themas nennt man ansonsten *tractatus*, sofern sie nicht ihren Ausgang von einer bestimmten Textstelle nehmen und sich dadurch als *repetitio* zu erkennen geben. Jedoch sind die Grenzen fließend: Es kommt häufig vor, daß dasselbe Werk in Hss. bald *tractatus*, bald *repetitio* genannt wird. Die Begriffe *ordo iudiciorum*, *ordo iudiciarius* oder *practica* bezeichnen einen Traktat über Prozeßrecht. Anleitungen für Notare heißen *ars notaria*. Sammlungen von *notabilia*, auch *argumenta* oder *regulae* genannt, listen juristische Kernsätze auf. Sie sind teils wörtlich aus Textstellen entnommen, teils abstrahiert. *Brocardum, brocardicum* (»beißend«) nennt man eine Regel, zu der es eine entgegengesetzte Regel gibt. Sammlungen von *brocarda* listen jeweils eine Regel auf, mit Zitierung der Textstellen, welche sie stützen, gefolgt von der zugehörigen Gegenregel, wiederum mit Zitierung von deren Textstellen. Es folgt üblicherweise eine Erläuterung der Fallgestaltungen, bei denen die Regel zutrifft und ebenso eine Erläuterung der anderen Fallgestaltungen, bei denen die Gegenregel zutrifft. *Distinctiones* betrachten ein komplexes Thema von verschiedenen Gesichtspunkten her und zerteilen es auf diese Weise in mehrere, jeweils juristisch anders zu behandelnde Fallgruppen. Damit man schadlos Werke eines Rechtslehrers benutzen konnte, obwohl man bei einem rivalisierenden Rechtslehrer studierte, wurden Listen von Meinungsverschiedenheiten der Rechtslehrer angelegt (*dissensiones*). *Consilia* entwickeln gutachtenmäßig die juristische Lösung für Fälle aus der Rechtspraxis. *Quaestiones* stellen im akad. Unterricht die Studenten jeweils vor ein schwierig zu lösendes Rechtsproblem – oft eingekleidet in eine Ereignis-Schilderung, als handle es sich um einen Fall aus der Praxis. Die verschiedenen Lösungsmöglichkeiten zu der Rechtsfrage werden mit Argumenten dafür und dagegen disputiert, und am Ende legt der Lehrer seine persönliche Meinung dar. *Quare* erfragen kurz Gründe hinter dem Gesetzestext und beantworten die Frage ebenso kurz. Das Wort *Vocabularium iuris* bezeichnet ein alphabetisches Lex. Solche Werke wurden auch betitelt als *dictionaria, repertoria, directoria, remissoria*. Das früheste erhaltene *dictionarium iuris* stammt von Jacobus de Raveniaco (auch »de Ravanis« genannt = de Révigny, E. des 13. Jh.).

## F. Forschungsgeschichte

Die *glossa ordinaria* zu den verschiedenen Textb. blieb bis in die Neuzeit stets gut bekannt und benutzt, weil sie in fast allen ma. Hss. und fast allen Druckausgaben bis zum Anf. des 17. Jh. mit enthalten war. Sie genoß hohe Autorität – daher das Sprichwort ›Quidquid non agnoscit glossa, non agnoscit curia.‹. Gut bekannt blieben auch die *Summae* des Azo Portius zu verschiedenen Teilen des *Corpus iuris civilis* – ebenfalls sprichwörtlich: ›Che non ha Azzo, non va al palazzo‹ (doppelsinnig: 1. »Was Azo nicht hat, geht nicht im Gerichtspalast.« 2. »Wer ihn nicht hat, geht nicht zum Palast«). Alle anderen Werke der G. gerieten ab dem 14. Jh. in Vergessenheit. Viele wurden zwar im 16. Jh. durch Druckausgaben wieder bekanntgemacht, aber sie gewannen nicht erneut Einfluß auf die Rechtspraxis. Die wiss. Erforschung der hsl. überlieferten Lit. der G. setzte erst im 19. Jh. ein. Insbesondere Friedrich Carl v. Savigny beschäftigte sich mit den G. und Kommentatoren des *Corpus iuris civilis*. Johann Friedrich von Schulte und Franz Gillmann beschäftigten sich mit denen des *Corpus iuris canonici*. Die Erforschung der Hss. mit Werken kanonistischer G. kam einen großen Sprung vorwärts, als Stephan Kuttner 1937 sein *Repertorium der Kanonistik* veröffentlichte. Nachdem auf diese Weise eine große Anzahl einschlägiger Hss. bekannt geworden war, wandten sich zahlreiche Gelehrte diesem Fachgebiet zu, so daß der Wissensstand sich rasch erweiterte. Für die Lit. zum *Corpus iuris civilis* trat ein vergleichbarer Effekt 1972 ein, nachdem ein *Verzeichnis der Hss. zum röm. Recht bis 1600* erschienen war. Insgesamt ist darauf hinzuweisen, daß es zwar eine große Zahl von sehr zuverlässig gearbeiteten Studien über einzelne G., einzelne Werke, einzelne Rechtsthemen gibt, daß aber leider die darin geäußerten vorsichtigen Vermutungen, z.B. zu Lebensdaten und Lebensumständen und Werken einzelner G., durch zusammenfassende Lit. in unkritischer Weise kompiliert und als sichere Erkenntnis dargestellt worden sind. Derzeit wächst ein mehrbändiges Handbuch zum ma. kanonischen Recht heran, herausgegeben durch K. Pennington und W. Hartmann. Das Fehlen eines solchen Handbuches wird bisher dadurch ersetzt, daß man zunächst von den Angaben bei J.F.v. Schulte und in S. Kuttners Repertorium ausgeht, sie aber dann mit Hilfe der bibliogr. und biographischen Nachweise in neueren rechtsdogmatischen Arbeiten ergänzt und verbessert – z.B. derzeit anhand der Nachweise bei Zeliauskas, Chiodi, Maceratini. Ergänzend hält man sich an die Nachweise in den Beitr. zum *Bulletin of Medieval Canon*

*Law* und zu den *Proceedings* des alle vier Jahre stattfindenden *International Congress of Medieval Canon Law*.

Für die Forsch. zur ma. Bearbeitung des röm. Rechts geht man ähnlich vor. Man schlägt zuerst bei F. C. v. Savigny und in H. Coings Handbuch nach. Auch die B. von H. Lange und E. Schrage bieten sich an. Danach jedoch muß man die gefundenen Angaben präzisieren und ergänzen anhand der Speziallit., welche man über die Fußnoten und Bibliogr. dort und im *Repertorium manuscriptorum veterum Codicis Justiniani* (S. 1 ff. und S. 34) und im oben erwähnten Verzeichnis der Hss. findet. Seit 1990 dient für die bibliogr. Übersicht zur neuesten Lit. die *Rivista internazionale di diritto comune*.

→ AWI Glossographie

QU **1** W. C. BECKHAUS, (Hrsg.), Bulgari ad Digestorum titulum De diversis regulis iuris antiqui commentarius et Placentini ad eum additiones sive exceptiones, 1856, Ndr. 1967 **2** E. BESTA, L'opera d'Irnerio, 2 vol., Torino 1896 **3** S. CAPRIOLI, Bertrandi quaedam de regulis iuris, in: Annali di storia del diritto 8 , 1964, 225–267; 10/11, 1966/67, 479–526 **4** Ders. (Hrsg.), Bertrandus Metensis, de regulis iuris, 1981 **5** S. CAPRIOLI, V. CRESCENZI, G. DIURNI, P. MARI (Hrsg.), Glosse preaccursiane alle Istituzioni. Strato azzoniano. Libro II (schede unificate), 1978 **6** DIES. U. A. (Hrsg.), Glosse preaccursiane alle istituzioni. Strato azzoniano. Libro III (schede unificate), Perugia 1982 **7** S. CAPRIOLI, Habemus et Ioannem, in: Annali di storia del diritto 5/6, 1961/62, 375–385 **8** Ders., Quem Cuiacius Iohanni tribuerat, in: Annali di storia del diritto 7, 1963, 131–248 **9** G. DOLEZALEK, Azos Glossenapparat zum Infortiatum, in: Ius commune 3, 1970, 186–208 **10** Ders., Der Glossenapparat des Martinus Gosia zum Digestum Novum, in: Zschr. der Savigny-Stiftung für Rechtsgesch., Romanistische Abteilung 84, 1967, 245–349 **11** Ders., Repertorium manuscriptorum veterum Codicis Iustiniani, 1985, 515–853 **12** A. GARCIA Y GARCIA (Hrsg.), Constitutiones Concilii Quarti Lateranensis una cum Commentariis glossatorum, 1981 (Monumenta iuris canonici. Series A: Corpus Glossatorum 2) **13** H. U. KANTOROWICZ, W. W. BUCKLAND, Studies in the glossators of the Roman law. Newly discovered writings of the 12th century, 1938, Ndr. 1969 mit Ergänzungen durch P. WEIMAR **14** P. MARI, P. PERUZZI, Glosse preaccursiane alle Istituzioni. Strato azzoniano. Libro I, 1984 (Fonti per la storia d'Italia, 107) **15** K. PENNINGTON (Hrsg.), Iohannis Teutonici Apparatus glossarum in compilationem tertiam, tomus 1. Città del Vaticano 1981 (Monumenta iuris canonici. Series A: Corpus Glossatorum 3) (fortgesetzt im Internet) **16** A. ROTA (Hrsg.), L'apparato di Pillio alle Consuetudines feudorum, in: Studi e memorie per la storia dell'Università di Bologna 14, 1938, 1–170 **17** E. SECKEL, Distinctiones Glossatorum . . ., in: FS der Berliner Juristischen Fakultät für Ferdinand von Martitz, 1911, 277–436, Ndr. 1956 **18** F. DE ZULUETA (Hrsg.), The Liber Pauperum of Vacarius, 1927.

LIT **19** H. COING (Hrsg.), Hdb. der Quellen und Lit. der neueren europ. Privatrechtsgesch., vol. 1 1973 **20** G. CHIODI, L'interpretazione del testamento nel pensiero dei glossatori, 1996 **21** E. CORTESE, Il diritto nella storia medievale, I-II, 1995 **22** G. DOLEZALEK, Repertorium manuscriptorum veterum Codicis Iustiniani, 1985 (mit vollständiger Bibliogr. zu Glossen); **23** Ders., Research on

manuscripts of the Corpus iuris with glosses . . .: state of affairs, in: Miscellanea Domenico Maffei dicata, vol. I, 1995, 143–171 (Fortführung der Bibliogr.) **24** G. DOLEZALEK, H. VAN DE WOUW, Verzeichnis der Hss. zum röm. Recht bis 1600, 1972 **25** G. DOLEZALEK, R. WEIGAND, Das Geheimnis der roten Zeichen. Ein Beitr. zur Paläographie juristischer Hss. des 12. Jh., in: Zschr. der Savigny-Stiftung für Rechtsgesch., kanonistische Abteilung 100 (69), 1983, 143–199 **26** F. GILLMANN, Gesammelte Schriften zur klass. Kanonistik, vol. 1–3, 1988–1993 **27** S. KUTTNER, E. RATHBONE, Anglo-Norman Canonists of the 12th century, Traditio 7, 1949–51, 279–358 **28** S. KUTTNER, Repertorium der Kanonistik (1140–1234). Prodromus Corporis Glossatorum I., 1937 (Studi e testi 71) **29** H. LANGE, Röm. Recht im MA, Bd. I: Die G., 1997 **30** R. MACERATINI, Ricerche sullo status giuridico dell'eretico . . . (da Graziano ad Uguccione), 1994 **31** O. F. ROBINSON, T. D. FERGUS, W. M. GORDON, European legal history, ²1994 **32** F. C. v. SAVIGNY, Gesch. des röm. Rechts im MA, ²1834–1851, Ndr. 1961 **33** E. J. H. SCHRAGE, Utrumque ius: eine Einführung in das Studium der Quellen des ma. gelehrten Rechts, 1992 (Schriften zur Europ. Rechts- und Verfassungsgesch. 8) **34** J. FR. v. SCHULTE, Die Gesch. der Quellen und Lit. des Canonischen Rechts von Gratian bis auf die Gegenwart, 1875–1880, Ndr. 1956 **35** R. WEIGAND, Die Glossen zum Dekret Gratians. Stud. zu den frühen Glossen und Glossenkompositionen = Studia Gratiana 25–26, 1991 **36** Ders., Glossatoren des Dekrets Gratians, 1996 **37** J. ZELIAUSKAS, De excommunicatione vitiata apud glossatores (1140–1350), 1967.

GERO DOLEZALEK

**Glyptothek** s. München

**Gnosis** A. EINLEITUNG B. MITTELALTER C. GNOSTISCHES SELBSTBEWUSSTSEIN IN RENAISSANCE UND FRÜHER NEUZEIT D. VON DER AUFKLÄRUNG ZUR ROMANTIK E. DAS »GNOSTISCHE REZIDIV« IM 20. JAHRHUNDERT

A. EINLEITUNG

In der abendländischen Religions- und Geistesgeschichte kam es zu einer breiten Rezeption dessen, was in den ersten Jh. n. Chr. unter dem Begriff Gnostizismus oder – allgemeiner und die konkreten Ausformungen transzendierend – G. beschrieben worden ist. Die Begrifflichkeit ist dabei schwierig [39]. Für die Rezeption muß unterschieden werden zw. einer direkten Anlehnung an ant. Religionsgemeinschaften (wie bei den Katharern) und der religiös-kulturell-philos. »Denkfigur« G., die bisweilen als dritte Grundkomponente abendländischer Kultur – neben Vernunft und Glauben – bezeichnet wurde [33] und unter anderem folgende Charakteristika hat: Die Vorherrschaft des Erlebens (des Selbstes oder Gottes) gegenüber reiner Erklärung oder schlichtem Glauben; die Betonung der »Selbstermächtigung« [32; 15] des Menschen und seine Befreiung von allen Zwängen gegenüber der Unterwerfung unter Gott und das Schicksal; die dualistische Zuspitzung des Kampfes der Wenigen gegen die Masse der Unwissenden, oft im Konflikt mit herrschenden Mächten; die visionäre Ausgestaltung philos.-religiöser Grundannahmen [27. 111–116]; die Konstruktion der Welt in Metaphern des Gefängnisses, aus dem nur das Wissen (*gnōsis*) befreien kann. In diesem Sinne hat G. – dabei sich eng an Hermetik und Esoterik anlehnend – die europ. Geschichte als zentraler Kontrapunkt zu kirchlichem Christentum und Szientismus bis ins 20. Jh. begleitet.

### B. MITTELALTER

Am Ausgang der Ant. hatte die röm.-byz. Großkirche im wesentlichen über die gnostischen Christentümer gesiegt, die dennoch immer wieder zu einer Bedrohung christl. Selbstverständnisses werden konnten. So entstand am Ende des 7. Jh. in Armenien die stark dualistische Bewegung der Paulikianer, die sich später auch auf dem Balkan verbreitete, wo sie bis zum 13. Jh. nachweisbar bleibt [31. 46–53; 32]. Inhaltlich eng verbunden war die G. des Bogomil, die im 10. Jh. in Mazedonien und Bosnien, bis zum 12 Jh. auch in It. und Frankreich Fuß faßte [30; 25; 31] und zum Vorbereiter der wichtigsten Herausforderung der kath. Kirche wurde, der Katharer [13]. Papst Innozenz III. nahm den Kampf gegen die Katharer auf, und zwar sowohl inhaltlich durch seine Schrift *De miseria humanae conditionis* (1195), die im Kontrast zur G. die unaufhebbare Sünde und das Unglück der menschlichen Situation in ihrer Gefangenschaft als gegeben beklagt [3. 45], als auch mit Waffengewalt, was zur Ausrottung der Katharer zw. 1209 und 1229 in den Albigenserkriegen führte. Gnostische Spuren werden später in der dt. Mystik sichtbar, etwa bei Meister Eckehart, der auf den Mythos vom göttl. Funken rekurriert und in seinen Predigten sagt: ›Gott und ich, wir sind eins. Durch das Erkennen nehme ich Gott in mich hinein; durch die Liebe hingegen gehe ich in Gott ein‹ [4. 186]. Ähnliches ließe sich bei Jakob Böhme zeigen, allerdings gilt für beide Denker, daß die gnostische Abwertung der Wirklichkeit sowie des biblischen Gottes als Demiurgen nicht nachvollzogen wird, vielmehr der Selbstermächtigung die Devotion und Verschmelzung gegenübergestellt wird [32. 53–55].

### C. GNOSTISCHES SELBSTBEWUSSTSEIN IN RENAISSANCE UND FRÜHER NEUZEIT

Nachdem Marsilio Ficino 1471 das ant. *Corpus Hermeticum* übersetzt hatte, kam es zu einer starken Wiederbelebung der in diesen Dokumenten greifbaren Subjektentwürfe, die in die gnostische Tendenz zur Aufwertung bzw. Vergöttlichung des Menschen paßten. Sowohl Pico della Mirandola (1463–94) als auch Giordano Bruno (1548–1600) griffen darauf zurück. Ersterer läßt den Schöpfergott zum Menschen sagen: ›Du sollst dir deine (Natur) ohne jede Einschränkung und Enge, nach deinem Ermessen, dem ich dich anvertraut habe, selber bestimmen‹ [6. 7]; mit dem Ergebnis, daß der Mensch entrückt und gleichsam vergöttlicht werde: ›Laßt uns das Irdische verschmähen, das Himmlische verachten, und indem wir alles zur Welt Gehörige schließlich hinter uns lassen, dem außerweltlichen Hof zueilen, der der erhabenen Gottheit am nächsten ist‹

[6. 11]. Bruno wiederum spricht vom erbitterten und selbstbewußten Kampf der ›außergewöhnlichen, heroischen und göttl. Menschen‹ [1. 118f.], die gegenüber der Unwissenheit der Mehrheit und der Täuschung der Herrschenden ›das Wahre und Richtige abseits von der Menge zu suchen‹ hätten [1. 104] (s. [40. 194]). Zusammenfassend läßt sich trotz der inhaltlichen Unterschiede einzelner Entwürfe mit Pauen festhalten: ›Es führt ein direkter Weg vom Insistieren der Gnostiker auf dem göttl. Rang des Subjekts über Picos Theorie von der menschlichen Würde zur Apotheose des Subjekts bei Ernst Bloch‹ [32. 64].

### D. VON DER AUFKLÄRUNG ZUR ROMANTIK

Im 17. und 18. Jh. war der philos. Diskurs maßgeblich vom Begriff der Vernunft bzw. der Erkenntnis geprägt. Betrachtet man die inhaltliche Ausgestaltung jener Begriffe, so zeigt sich ein interessanter Unterschied zu heutigen Konzepten, denn häufig wurde zusätzlich von höherer Vernunft und absoluter Erkenntnis gesprochen, worin ein gnostisierendes Moment erkennbar ist. Wenn dabei ›die Koinzidenz zw. bestimmten Denkweisen des 18. Jh. und Formen synkretistischer Religiosität auffällt, so ist dies nicht unvermittelte Antikenrezeption und schon gar nicht im geheimen fortwirkende Trad. von Mysterienbünden, sondern Esoterik‹ [29. 173f.]. Die Renaissance-Philos. mit ihrer Interpretation des *Corpus Hermeticum* hat dabei ihren Einfluß geltend gemacht. Zwei Beispiele seien genannt: In seiner Bibelübersetzung von 1735 – den *Göttlichen Schriften vor der Zeit des Messie Jesus*, 1738 konfisziert – greift der Aufklärer Johann Lorenz Schmidt direkt eine gnostische Semantik auf, wenn er die Schlange zu Eva sagen läßt: ›ach nein, ihr werdet nicht des Todes seyn. Vielmehr weiß Gott wol, daß ihr eine große Erleuchtung bekommen werdet, wenn ihr von diesem Obst esset: ia, ihr werdet einen göttlichen Verstand bekommen und zu einer hohen Erkänntniß gelangen‹ (nach [36. 88]). In einer 1787 publ. Schrift wird zur Rekrutierung neuer Mitglieder für den 1776 von Adam Weishaupt gegründeten Illuminatenorden geraten: ›1. muß derjenige, der hiezu soll angeworben werden, eine Disposition zeigen, daß er ein Vergnügen an Erkenntniß höherer (...) Wahrheiten habe‹ (nach [29. 171]). Die gnostische Denkfigur zeigt sich übrigens auch in der »Neugründung« des Ordens durch Theodor Reuß Ende des 19. Jh., sowohl in dessen eklektischer Rezeption der Weishauptschen Schriften [28. 83–105], als auch in Reuß' Verbreitung der »Gnostischen Messe« (von Aleister Crowley 1913 für den Ordo Templi Orientis entworfen) und seiner Mitgliedschaft in der Gnostischen Katholischen Kirche bzw. seiner Funktion als *Légate Gnostique de l'Église Gnostique Universelle de France pour la Suisse* [28. 224–236].

Wie stark die gnostisch-esoterische Weltdeutung auf die Romantik einwirkte, läßt sich an Motiven wie der Wiedervereinigung mit urspr. Weisheit, dem Streben nach Erkenntnis jenseits des bloßen Wissens oder der Einführung eines Entwicklungsmodells des menschli-

chen Bewußtseins ablesen [8. 187–93]. Jene Bildungs-
geschichte und Selbsterziehung des mündigen Subjektes
führt zu einer Art universaler G. [22. 249]. Dies war im
damaligen Gespräch durchaus bekannt, wie die Analyse
Schellings, Schleiermachers und Hegels durch den
Tübinger Theologen Baur 1835 zeigt [10]. Die Nachwirkung dieses Diskurses ist noch in der sog. »New
Age«-Bewegung zu spüren, wenn dort immer wieder
von G. im Sinne der Verschmelzung mit der letzten
Einheit und der Verwirklichung des Höheren Selbstes
des Menschen die Rede ist [21. 371; 20].

### E. Das »gnostische Rezidiv«
### im 20. Jahrhundert

Das 20. Jh. erlebte ein gestiegenes Interesse an gnostischen Entwürfen, nun jedoch vor dem Hintergrund
der Kritik am Szientismus und dem Erfolg der Aufklärung. Hatte Eugen Heinrich Schmitt 1907 noch davon
gesprochen, es gäbe ›nichts Heiligeres und Grösseres,
(. . .) kein Göttliches außer dem heiligen Vernunftlichte,
und ›die Heiligung desselben (werde) im allgemeinen
Bewusstsein (. . .) das grosse Zeichen des nun kommenden dritten Weltalters sein‹ [7. 14], so gab es bald deutlich pessimistischere Stimmen, welche die Dramaturgie
umkehrten und die Sehnsucht nach der jenseits der Vernunft liegenden Wahrheit artikulierten. Man denke
etwa an Ludwig Klages' Gedicht *Vision*, wo es heißt:
›Nimm mich auf und löse, du weite See, / Diesen Leib,
den Kerker der Sonnenseele, / Daß befreit aus den
staubgewobenen Fesseln / Glutentrunken steige die
Sonnenseele‹ [5. 168] (s. [32. 135–198]). Die gnostische
Erwählungsideologie der Wissenden führte bei vielen
zu einer Immunisierung der eigenen philos. Position,
die somit nicht falsifizierbar war. Am deutlichsten zeigt
sich dies bei Martin Heidegger, dessen Rede vom »Ge-
worfensein« des Menschen in die Welt oder vom Ruf,
der an den Suchenden ergeht, eine direkte Anlehnung
an ant. Gnostik bedeutet. »Geworfenheit« steht für den
›in seinem Woher und Wohin verhüllten, aber an ihm
selbst um so unverhüllter erschlossenen Seinscharakter
des Daseins‹ [2. 134f.]. Heideggers vor-metaphysische
Ontologie erweist sich dabei als dualistisch, wobei das
Böse mit Gott verbunden wird und als dialektische Notwendigkeit der Entwicklung gefaßt wird, das Schreck-
liche wiederum als Teil des Menschen, soweit es dem
Sein entgegenstrebt [9. 172–175]. Heideggers gnostische Referenzen waren schon seinem Schüler Hans Jonas aufgefallen [23. 1. 107], der im Sinne dieser Philos.
eine einflußreiche wiss. Neubestimmung der G. vornahm. Eine polit. Wendung jener gnostischen Ontologie zeigte sich schließlich auch in Heideggers Verherrlichung des Nationalsozialismus.

Nach dem zweiten Weltkrieg entspann sich eine
breite philos. Debatte um die Legitimität der Neuzeit.
Nachdem Eric Voegelin die Neuzeit insgesamt als ›gno-
stisch abgewertet hatte, da die gnostischen Äonen von
Licht und Finsternis, von Wahrheit und Lüge (. . .) zu
beherrschenden Formen des polit. Denkens geworden‹
seien [38. 42f.], wartete Hans Blumenberg mit der ge-

genteiligen These auf, indem er die Neuzeit als zweite
und endgültige ›Überwindung der G.‹ [11. 144f.] bezeichnete, nachdem die erste zu Beginn des MA fehlge-
schlagen sei. Durch den Siegeszug von Technik und
Wiss. sei die Last des neuzeitlichen Menschen anders
zu sehen als vorher: ›sie ist Verantwortung für den Zustand der Welt als zukunftsbezogene Forderung, nicht
als vergangene Urschuld‹; folglich gibt es im *Kósmos
átheos* keinen Fluchtpunkt jenseits der Welt und keinen
gnostischen Ausweg aus der Welt mehr [12. 78]. Der
gnostischen Positivierung der Weltfremdheit durch
Negativierung der Welt wird der umgekehrte Entwurf
gegenübergestellt, was zu einer Neutralisierung escha-
tologischer Zuspitzungen in der Moderne führt: ›Dieser
Neutralisierungsvorgang ist Aufklärung: durch sie werden die genannten Neuzeitpotenzen häresie-unfähig –
ihre Probleme werden von heilserheblichen Entscheidungen entlastet – und dadurch pragmatisch ernüchtert:
indem die Neuzeit – als zweite Überwindung der G.: als
Negativierung der Weltfremdheit durch Positivierung
der Welt – die Lebensverhältnisse pragmatisiert, wird sie
die bewahrenswerteste der uns histor. erreichbaren Lebenswelten‹ [26. 34].

→ AWI Gnosis, Gnostiker
→ Kabbalah; Magie; Okkultismus

QU 1 G. BRUNO, Das Aschermittwochsmahl, übers. von
F. FELLMANN, 1981 2 M. HEIDEGGER, Sein und Zeit, 1927,
¹⁶1986 3 INNOZENZ III., Vom Elend des menschlichen
Daseins (1195), übers. von C.-F. GEYER (Hrsg.), 1990
4 MEISTER ECKEHART, Dt. Predigten und Traktate, übers.
von J. QUINT (Hrsg.), 1963, Ndr. 1979 5 L. KLAGES,
Rhythmen und Runen. Nachlaß, 1944 6 G. PICO DELLA
MIRANDOLA, De hominis dignitate. Über die Würde des
Menschen (1486), übers. von N. BAUMGARTEN, A. BUCK
(Hrsg.), 1990 7 E. H. SCHMITT, Die G. Grundlagen der
Weltanschauung einer edleren Kultur, 2 Bde., 1903/07.

LIT 8 M. H. ABRAMS, Natural Supernaturalism. Tradition
and Revolution in Romantic Literature, 1971 9 W. BAUM,
Gnostische Elemente im Denken Martin Heideggers? Eine
Stud. auf den Grundlagen der Religionsphilos. von Hans
Jonas, 1997 10 F. CHR. BAUR, Die Christl. G. oder die
Religionsphilos. in ihrer geschichtlichen Entwicklung,
Tübingen 1835 11 H. BLUMENBERG, Säkularisierung und
Selbstbehauptung, ²1983 12 Ders., Die Legitimität der
Neuzeit, 1966 13 A. BORST, Die Katharer, 1953, ²1991
14 R. VAN DEN BROEK, W. J. HANEGRAAFF (Hrsg.), G. and
Hermeticism from Antiquity to Modern Times, 1998
15 M. BRUMLIK, Die Gnostiker. Der Traum von der
Selbsterlösung des Menschen, 1992 16 C. COLPE,
W. SCHMIDT-BIGGEMANN (Hrsg.), Das Böse. Eine histor.
Phänomenologie des Unerklärlichen, 1993 17 K. R. H.
FRICK, Die Erleuchteten. Gnostisch-theosophische und
alchemistisch-rosenkreuzerische Geheimgesellschaften bis
zum E. des 18. Jh. – ein Beitr. zur Geistesgesch. der Neuzeit,
1973 18 Ders., Licht und Finsternis (= Die Erleuchteten II),
2 Bde., 1975 19 C. GILLY, F. A. JANSSEN (Hrsg.), 500 Years
of Gnosis in Europe: Exhibit of Printed Books and
Manuscripts from the Gnostic Tradition, 1993 20 W. J.
HANEGRAAFF, The Problem of Post-Gnostic Gnosticism, in:
U. BIANCHI (Hrsg.), The Notion of Religion in

Comparative Research. Selected Proceedings of the Sixteenth Congress of the International Association for the History of Religions, Rome, 3rd–8th Sept. 1990, 1994, 625–632 **21** Ders., The New Age Movement and the Esoteric Tradition, in: R. VAN DEN BROEK, W.J. HANEGRAAFF (Hrsg.), G. and Hermeticism from Antiquity to Modern Times, 1998, 359–382 **22** Ders., Romanticism and the Esoteric Connection, in: R. VAN DEN BROEK, W.J. HANEGRAAFF (Hrsg.), G. and Hermeticism from Antiquity to Modern Times, 1998, 237–268 **23** H. JONAS, G. und spätant. Geist, 1934, ⁴1988 **24** CHR. GRAF V. KROCKOW, Die Entscheidung. Eine Unt. über Ernst Jünger, Carl Schmitt, Martin Heidegger, 1958 **25** R. KUTZLI, Die Bogumilen. Gesch., Kunst, Kultur, 1977 **26** O. MARQUARD, Das gnostische Rezidiv als Gegenneuzeit. Ultrakurztheorem in lockerem Anschluß an Blumenberg, [37. 31–36] **27** D. MERKUR, G. An Esoteric Tradition of Mystical Visions and Unions, 1993 **28** H. MÖLLER, E. HOWE, Merlin Peregrinus. Vom Untergrund des Abendlandes, 1986 **29** M. NEUGEBAUER-WÖLK, Höhere Vernunft und höheres Wissen als Leitbegriffe in der esoterischen Gesellschaftsbewegung. Vom Nachleben eines Renaissancekonzepts im Jh. der Aufklärung, in: Dies. (Hrsg.), Aufklärung und Esoterik, 1999, 170–210 **30** D. OBLENSKY, The Bogomils. A Study in Balkan Neo-Manichaeism, 1948 **31** K. PAPASOV, Christen oder Ketzer – Die Bogomilen, 1983 **32** M. PAUEN, Dithyrambiker des Untergangs. Gnostizismus in Ästhetik und Philos. der Mod., 1994 **33** G. QUISPEL (Hrsg.), G.: De derde component van de Europese cultuurtraditie, 1988 **34** Ders. (Hrsg.), De Hermetische Gnosis in de loop der eeuwen. Beschouwingen over de invloed van een Egypt. religie op de cultuur van het Westen, 1992 **35** ST. RUNCIMAN, The Medieval Manichee. A Study of the Christian Dualist Heresy, ²1955 **36** W. SCHMIDT-BIGGEMANN, Theodizee und Tatsachen. Das philos. Profil der dt. Aufklärung, 1988 **37** J. TAUBES (Hrsg.), Religionstheorie und polit. Theologie, Bd. 2: G. und Politik, 1984 **38** E. VOEGELIN, Philos. der Politik in Oxford, in: Philos. Rundschau 1, 1953/54, 23–48 **39** M. A. WILLIAMS, Rethinking Gnosticism. An Argument for Dismantling a Dubious Category, 1996 **40** F. A. YATES, Giordano Bruno and the Hermetic Tradition, 1964.

KOCKU VON STUCKRAD

## Gotha, Schloßmuseum

A. SAMMLUNGSGESCHICHTE
B. AUSSTELLUNGSKONZEPTION

### A. SAMMLUNGSGESCHICHTE

Die Existenz ant. Sammlungsstücke auf Schloß Friedenstein läßt sich für das 17. und 18. Jh. durch entsprechende Einträge in den alten Kunstkammerinventaren und Archivalien belegen bzw. mit großer Wahrscheinlichkeit vermuten. Die Antiken erscheinen dort, im Sinne des enzyklopädischen Gedankens zeitgenössischer fürstlicher Sammlungen, als Einzelstücke oder als kleine Kollektion zu bestimmten Themengruppen. So befand sich als Bestandteil der etwa 1150 Positionen umfassenden Artificalia, die Herzog Ernst I. von Sachsen-Gotha-Altenburg (1640–1675), der Erbauer von Schloß Friedenstein, nach der sächsischen Landestei-

lung im J. 1640 mit nach Gotha brachte, unter ›Allerhand Antiquitäten insgemein ein Idolum Aegyptiacum, dergleichen bey den Mumys gefunden worden…‹ auch eine ›urna cinerum, dabey die Beschreibung, wo solche gefunden und außgegraben worden‹ [5]. Es handelt sich hierbei mit Sicherheit um die erste Erwähnung eines ant. Sammlungsstückes in der Gothaer Kunstkammer. Letztere wurde bereits kurz nach Einzug von Herzog Ernst in das neuerbaute Schloß im Westturm des Friedenstein eingerichtet. Daneben dienten Antiken als dekorative Schaustücke, wie z. B. im Münzkabinett oder in den fürstlichen Wohnräumen. Auch in den folgenden Kunstkammerinventaren werden Objekte ant. Charakters genannt, wie im J. 1721 ›Eine Römische Lampe aus dem Arnstädter Kabinett mit 110 bezeichnet (…), eine antike Lampe aus Bronze (…)‹ und im Inventar von 1764 u. a. ›eine irdene Urna, eine gläserne Urna, 26 Lampen, 18 Tränengläser‹ [7; 4].

Johann Georg Keyßler erwähnt in seiner ›Fortsetzung Neuester Reisen, durch Teutschland, Böhmen, Ungarn, die Schweitz, Italien und Lothringen…‹ aus dem J. 1741 innerhalb seiner umfassenden Beschreibung der Gothaer Sammlungen ›Etliche Heidnische Götzenbilder… Urnen von Kupfer, Thon und Glas, deren letztern eine von dem verstorbenen Fürsten von Schwarzburg-Arnstadt mit 100 Ducaten bezahlet worden ist‹ [6]. Im Vergleich zu den erwähnten Altertümern waren Gemmen und ant. Münzen im 17. und 18. Jh. in sehr großer Zahl auf dem Friedenstein vorhanden. Das Ludolphsche Inventar aus dem J. 1656 verzeichnet z. B. unter ant. Prägungen bereits 893 Objekte. Durch den Sachverstand der Herzöge und Sammlungsvorsteher konnten in den folgenden Jh. die Artificalia der Gothaer Kunstkammer systematisch erweitert werden, wobei sich im Bereich der Antiken eindeutige Erwerbungshöhepunkte abzeichnen.

Neben Ankäufen und Geschenken von Kunsthändlern und Privatpersonen brachten die Herzöge häufig selbst von ihren Italien- oder Mittelmeerreisen Altertümer nach Gotha mit. Teilweise gelangten aber auch Objekte, die zunächst in der Kunstkammer aufgestellt waren, wieder in die herzoglichen Privatgemächer zurück. So wurden z. B. am 21. Januar 1813 ›Drey Thränen Gläßer, und 1 ant. Lampe, welche am Eingang auf dem Schrank der Mumie befindlich waren‹ an Herzog August von Sachsen-Gotha-Altenburg (1804–1822) übergeben [10].

Im J. 1833 veröffentlichte Johann Heinrich Möller in seinem Inventarium *Das Herzogliche Kunst- und Naturalien-Cabinet zu Gotha* erstmals die auf dem Friedenstein befindlichen ›etrurischen und röm.‹ Altertümer. Im einzelnen waren es: 12 antike Vasen, sechs Schalen und Fläschchen, fünf Marmorwerke, 59 Tonlampen, 13 Ornamente von gebranntem Ton, mehrere Tränenfläschchen und andere Gefäße, Fragmente ant. Wandmalerei und sieben Bronzegegenstände [8]. Aus seinem Inventar geht auch hervor, daß schon 1808 fünf ant. Gefäße aus It. nach Gotha gekommen waren. Der Prinz von Sach-

Abb. 1: Primato-Maler, Glockenkrater.
Drittes Viertel 4. Jh. v. Chr. Geschenk von Papst Pius VII.
an Friedrich IV. von Sachsen-Gotha-Altenburg.
Schloßmuseum Gotha (Foto: Lutz Ebhardt)

sen-Gotha-Altenburg, Friedrich IV. (1822–1825), erhielt sie von zwei bemerkenswerten Zeitgenossen, Papst Pius VII. und Königin Caroline von Neapel, zum Geschenk (Abb. 1). Friedrich IV. weilte 1804–1810 in Rom, Venedig und Neapel und ließ an verschiedenen ant. Stätten Ausgrabungen durchführen. Von diesen Unternehmungen brachte er zahlreiche Altertümer mit nach Gotha, die neben seinen käuflichen Erwerbungen zum großen Teil in das herzogliche Kunstkabinett eingingen. Unter ihnen befanden sich Fragmente ant. Wandmalerei, irdene Gefäße und Urnen sowie Werke der Plastik und Kleinkunst [11].

Im J. 1824 wurden alle herzoglichen kunst- und wiss. Sammlungen zu einem Mus. vereinigt und damit einer breiten Öffentlichkeit zugänglich gemacht. Über die Besichtigung der Gothaer Kunstsammlungen informierte eine eigene Bekanntmachung, die angeblich in jedem Gasthofe auslag. Das Mus. war vom 1. April bis 31. Oktober geöffnet. Dienstags von 9–13 Uhr war der Eintritt kostenlos, an den anderen Tagen, mit Ausnahme der Sonn- und Feiertage, gegen Zahlung eines Talers und zehn Groschen möglich.

Einen bedeutenden Sammlungszuwachs konnte der Antikenbereich bis zum E. der 60er J. des 19. Jh. verzeichnen. Der Kunstkämmerer Adolf Bube führt in seinem Verzeichnis *Das Herzogliche Kunstkabinet zu Gotha* unter bemalten Vasen und anderen Gefäßen aus Unteritalien 86 Objekte auf; unter röm. Altertümern 427

Nummern [3]. Die Herkunft der Sammlungsstücke läßt sich oft nicht mehr genau rekonstruieren. Bekannt ist, daß einige Antikenobjekte in den 50er und Anfang der 60er J. über Ankäufe und den Nachlaß des Hofbildhauers Wolfgang in die Sammlung gelangten, andere wurden aus der gemeinschaftlichen Sammlung von Herzog Ernst II. von Sachsen-Coburg und Gotha (1844–1893) und des Prinzen Albert zu Coburg eingegliedert, weitere entstammten der Sammlung Grassi, Einzelkäufen oder Einzelfunden aus dem italienischen und dem dt.-rheinischen Raum.

Wieseler schreibt 1866 in seinem Aufsatz *Ueber die Sammlungen von Alterthümern auf Schloß Friedenstein zu Gotha*: ›Die Griech.-Röm. Alterthümer nun stammen dem bei weitem grössten Theile nach aus Italien. Ausserdem hat auch Deutschland, namentlich Salzburg und die Rheinlande, ein wenn auch nur geringes Contingent gestellt. (...) Sie repräsentieren so gut wie alle Hauptgattungen ant. Kunstübung‹ [12].

Die qualitativ und quantitativ einschneidenste Sammlungserweiterung, die das Profil und die Struktur der Antiken auch für die Folgezeit bestimmte, erfuhr die griech.-röm. Kollektion in den J. 1870–1890. Das 1890 fertiggestellte Inventar von Carl Aldenhoven, dem damaligen Direktor des Herzoglichen Mus., umfaßt 48 Gegenstände aus Stein, 59 Bronzegegenstände, 330 Tongefäße, 302 Tonbilder, 36 Gläser und 40 als Varia bezeichnete Objekte [2]. Dieser beachtliche Ausbau des Antikenkomplexes ist v. a. das Resultat einer seit den siebziger J. des 19. Jh. kontinuierlich betriebenen, umfangreichen Ankaufstätigkeit, die unter Herzog Ernst II. von Sachsen-Coburg und Gotha erfolgte. Im Auftrage der herzoglichen Familie erwarb der zweite Sekretär des *Dt. Arch. Instituts* in Rom, Wolfgang Helbig, zahlreiche Kunstobjekte für Gotha in Italien und Griechenland. Allein für die Gefäßsammlung konnte er in dieser Zeit etwa 100 Erwerbungen tätigen, darunter zahlreiche Vasen von herausragender Qualität [9]. Die langjährigen Beziehungen des Gothaer Herzoghauses und ihres Beauftragten Helbig zum italienischen Kunsthandel fruchteten neben den Ankäufen auch in Geschenken, die der regierende Herzog Ernst II. für die Antikensammlung entgegennehmen konnte.

Seit 1879 werden die Gothaer Antiken als eigenständiger Bereich unter den Kunstsammlungen geführt. Ihr Herauslösen aus dem herzoglichen Kunstkabinett stand in unmittelbarem Zusammenhang mit der Errichtung eines Museumszweckbaues (1864–1879) durch Herzog Ernst II. von Sachsen-Coburg und Gotha im Schloßpark des Friedenstein. Der nach Plänen des Wiener Architekten Franz von Neumann gestaltete Neorenaissancebau bot für die Kunstsammlungen weiträumige Ausstellungsflächen, so daß auch der griech.-röm. Komplex großzügig präsentiert und zahlenmäßig erweitert werden konnte.

Seit E. des 19. Jh. bis in die 20er J. des 20. Jh. sind nahezu jährlich fortlaufend Erwerbungen für die Antikensammlung zu verzeichnen. Zu den letzten Anschaffungen vor 1945 zählt ein ant. Gefäß, das 1942 in die Sammlung gelangte.

Zum Antikenkauf nutzten die herzogliche Familie und die Sammlungsbetreuer zunehmend Auktionen; daneben wurden auch Beziehungen zu internationalen Kunsthändlern als Erwerbungsquelle aufrechterhalten. Eine stattliche Anzahl ant. Sammlungsobjekte, viele Gläser und Gefäße sowie Terrakotten und Bronzegegenstände gelangten aus dem Nachlaß Herzog Alfreds (1893–1900) von Sachsen-Coburg und Gotha in das Museum [1]. Der arch. interessierte Herzog hatte auf seinen Mittelmeerreisen gern altertümliche Sammlungsgegenstände gekauft. Hervorzuheben sind auch einige frühe cyprische Gefäße, die er von Ausgrabungen auf Cypern mitbrachte. Unter Karl Purgold, der von 1890–1934 den Kunstsammlungen in Gotha vorstand, erfuhr der Antikenbereich eine systematische Erweiterung, die von seiner arch. Ausbildung profitierte. Durch ihn wurde die Vielfalt der Sammlungsstruktur maßgeblich weiter gefördert. Der Grundtenor seiner kontinuierlichen Erwerbungen zeigt sich z. B. in den Ankäufen des J. 1905. Neben fünf Bronzegegenständen, einer Bronzestatuette, einem ant. Porträt und einem Marmorrelief gelangten drei Marmorplastiken, verschiedene Terrakottafiguren, ein ant. Gefäß und ein ant. Glas in die arch. Kollektion. Im J. 1934 wurden das Mus., die Bibl. und das Münzkabinett zu der *Herzog von Sachsen-Coburg und Gothaischen Stiftung für Kunst und Wiss.* zusammengefaßt, die unter der Aufsicht des Thüringischen Ministeriums für Volksbildung stand. Damit sollte eine Erhaltung dieser Anstalten in Gotha und ihre Weiterführung zugunsten der Allgemeinheit gewährleistet werden. Die Antikenausstellung befand sich zu dieser Zeit im Erdgeschoß des 1879 eröffneten Museumszweckbaues und schloß sich, nach neu erarbeiteter Konzeption gestaltet und nach didaktischen Gesichtspunkten gegliedert, der Ägyptenausstellung an.

Die Kriegs- und Nachkriegsereignisse des Zweiten Weltkrieges brachten für die Gothaer Antikensammlung zahlreiche Verluste. Betroffen waren alle Gattungen der Sammlung. Maßgeblich für den heutigen Standort der Friedensteinschen Kunstsammlungen wurde die Neuorganisierung des Mus. in den fünfziger J. des 20. Jh. Die Gemälde- und Plastiksammlung, die Antiken- und Ägyptensammlung, die Ostasiatica und das Kupferstichkabinett zogen wieder in die Räume von Schloß Friedenstein ein, wo sie als inhaltlich geschlossene Expositionen bzw. in Teilbereichen dem heutigen Besucher präsentiert werden können.

Die Gothaer Antikenkollektion läßt sich zahlenmäßig als vergleichsweise mittelständige Sammlung charakterisieren, die neben den bedeutenden Gefäßbeständen sowohl unter den Kleinkunst- als auch bei den Marmorwerken kultur- und kunstgeschichtlich bemerkenswerte Objekte besitzt. Ihr kunstgeschichtliches Profil ist deutlich erkennbar. Gesammelt wurden wesentliche Gattungen ant. Kunst mit einem eindeutigen Schwergewicht auf ant. Gefäßmalerei. Die Dimensionen der Plastiken und Reliefs sind einheitlich, den Gothaer Bedingungen entsprechend kleinformatig gehalten. Bestandsmäßig umfaßt die Antikensammlung Gotha heute folgende Komplexe: Etwa 300 Gefäße aus dem Zeitraum 2500 v. Chr. bis zur röm. Kaiserzeit mit dem Schwergewicht auf schwarz- und rotfiguriger Vasenmalerei des 6. und 5. Jh. v. Chr.; 40 marmorne Kunstwerke, darunter Einzelwerke hell. Porträtkunst und Idealplastik, spätrepublikanischem und kaiserzeitlichem Porträtschaffens und Dekorationsplastik, Fragmente von Grabreliefs und Inschriften; 650 Bronzegegenstände, -schmuck und -statuetten; 130 vorwiegend kaiserzeitliche Tonlampen; über 100 Gläser, vorwiegend aus dem 1.–3. Jh. n. Chr.; etwa 300 Terrakotten und -fragmente; 25 Objekte verschiedener Gattungen, darunter Fragmente ant. Wandmalerei.

B. AUSSTELLUNGSKONZEPTION

Seit 1991 zeigt sich die Antikenausstellung im Schloßmus. Gotha in mod. Präsentation. Die konzeptionelle Umgestaltung war dabei Bestandteil einer umfassenden Überarbeitung der ständigen Ausstellungen im klassizistischen Westflügel von Schloß Friedenstein. Nach der 1990 eröffneten Dauerausstellung »Klassizistische Plastik« und der seit April 1991 in veränderter Gestalt präsentierten Aegyptiaca-Exposition bildete die Neueinrichtung der griech.- röm. Sammlung den Abschluss des Projektes. Die Vorgabe histor. Räume als Expositionsmedium und – umfeld, die sich aufgrund fehlender neutraler Ausstellungsmöglichkeiten ergab, gewann dabei in der Konzipierungsphase einen bes. Reiz, da Ant. und Klassizismus im Gesamtkontext der Veränderungen auf verschiedenen Ebenen sinnvoll aufeinander bezogen werden konnten. Grundidee für die Einbindung der Antiken- und Ägyptenexposition war, eine inhaltliche und visuelle Synthese von histor. Räumlichkeiten und Ausstellungsgegenstand – ägypt. und griech.-röm. Kunst – zu schaffen und für den Besucher erlebbar zu machen. In dieses inhaltliche Schema fügt sich, daß mit Beginn des 19. Jh. das bewußte Sammeln von Antiken im Gothaer Herzoghaus als eine Erscheinung der zeitgenössisch vorherrschenden Reminiszenz einsetzte. Visuell wird die Rezeption und stilistische Verarbeitung der griech.-röm. Kunst innerhalb der klassizistischen Stilrichtungen durch entsprechende Exponate veranschaulicht. Den Antikenbereich eröffnen einige Gipsabgüsse ant. Plastiken und Reliefs, die aus der ehemals bedeutenden, von Herzog Ernst II. von Sachsen-Gotha-Altenburg 1779 im Sinne des aufklärerischen Geistes gegründeten Abgußsammlung stammen. Den Abschluß des Antikenbereiches bilden drei histor. Räume, die ebenfalls verschiedenartige Antikenrezeption zeigen. Zu sehen sind z. B. Gotha Porzellan mit antikisierenden Gefäßen und Gefäßdekorationen aus der Zeit um 1795, graphische Landschafts- und Ruinendarstellungen aus klassizistischer Zeit mit ant. Motiven und Korkmodelle fast ausschließlich röm. Bauwerke vom italienischen Phelloplasten Antonio Chichi, die vermutlich bereits kurz nach 1779 auf den Frieden-

Abb. 2: Musikzimmer (1799)
mit Korkmodellen zum Thema
Antikenrezeption
(Foto: Lutz Ebhardt)

Abb. 3: Inszenierte
Grabkammer der
Ägyptenausstellung
(Foto: Lutz Ebhardt)

Abb. 4: Raum mit römischen
Portraits und Plastiken, Kleinkunst
und Alltagsgegenständen
(Foto: Lutz Ebhardt)

stein gelangten. Letztere fanden im Musikzimmer ihre Aufstellung und korrespondieren gleichsam thematisch mit den myth. Wanddarstellungen, die der Gothaer Hofbildhauer Friedrich Wilhelm Eugen Doell im J. 1799 schuf (Abb. 2). Neben diesem Klassizismusbezug, der sich durch die Ausstellungsbereiche Ant./Ägypten jeweils als eröffnende und abschließende Zäsur zieht, wurden mit mod. Ausstellungstechnik Reminiszenzen an ant. Architektur und an ägypt. Grabbaukunst in die Exposition eingebunden (Abb. 3). So zeigt sich der Raum mit griech. Gefäßkunst gleichsam in Tempelgestalt. Kleine quadratische Vitrinen werden zu gefäßgefüllten Säulen; die zentrale Mittelvitrine versteht sich als Schatzkammer ant. Kultur. Sie beinhaltet neben Marmorwerken die verschiedensten Kleinkunstgattungen – Terrakotten, Bronzestatuetten und Alltagsgegenstände, Gläser, Goldschmuck – und erweist sich so als Kleinod, das auf die Vielschichtigkeit des ant. künstlerischen Lebens Bezug nimmt. Im Ausstellungsbereich röm. Kunst und Alltagsgegenstände zeugen Apsis, Tür und Lamperie vom klassizistischen Ambiente, in das sich die Porträts und Plastiken, auf schlichten Sockeln präsentiert, harmonisch einfügen (Abb. 4).

1 Akten zur Antiken-Slg., Archiv Schloßmus., 140 2 C. ALDENHOVEN, Katalog der griech.-röm. Alterthümer des Herzoglichen Mus. Gotha, 1897–1890 3 A. BUBE, Das Herzogliche Kunstkabinet zu Gotha, dritte gaenzlich umgearbeitete Auflage, Gotha, 1869, 6 ff. 4 Inventarium über die Herzogl. Kunst-Cammer auf Friedenstein, 1764, Intrade 68 5 Inventarium über die Kunst Cammer, aufgerichtet den 29. Februari 1659, Folio 27 6 J. G. KEYSSLER, Fortsetzung Neuester Reisen, durch Teutschland, Böhmen, Ungarn, die Schweitz, Italien und Lothringen, worinnen der Zustand und das merckwürdigste dieser Länder beschrieben wird, Hannover, 1741, 1137 7 Kunstkammer-Inventarium 1721, 182 8 J. H. MÖLLER, Das Herzogliche Kunst- und Naturalien-Cabinet zu Gotha, Gotha, 1833, 7 f. 9 E. ROHDE, Corpus Vasorum Antiquorum, Gotha Schloßmus., Bde. 1 und 2, Berlin 1964, 1968 10 Thüringisches Staatsarchiv Gotha, Belege zur Kunstkammer 18./19.Jh. 11 Thüringisches Staatsarchiv Gotha, Herzogliches Oberhofmarschallamt zu Gotha, 26. Acta die Uebergabe des Kunst- und Naturalien Cabinets von Archivrath Dr. Möller an den Oberkonsistorialsekretär Bube betreffend (1842–1843), 583h 12 F. WIESELER, Ueber die Slgg. von Alterthümern auf Schloß Friedenstein zu Gotha, in: Jb. des Vereins von Alterthumsfreunden im Rheinlande, Heft XLI, Bonn, 1866, 51.

UTA WALLENSTEIN

**Gotik** A. BEGRIFF B. GATTUNGEN C. THEMEN (IKONOGRAPHIE)

### A. BEGRIFF

Dem Stilbegriff G. liegt die in It. aufgekommene, v. a. auf die Baukunst gemünzte Ansicht zugrunde, daß die german. Goten im Verlauf der Völkerwanderung dem »goldenen Zeitalter« der Ant. das E. bereitet und ihren barbarischen Stil etabliert hätten (u. a. Vasari, Vite..., I,3) [2; 15; 18]. Auch nach Berichtigung dieses

Irrtums und der Umwertung und Umdatierung der (dem Namen nach weiter bestehenden) G. seit der Romantik blieb ihr der evidente und durch die Namensgebung beglaubigte Charakter radikaler Gegensätzlichkeit zur klass. Ant. erhalten. Nun wurde jedoch im Zuge kunstgeschichtlicher Differenzierung mehr der Bruch zum romanischen Stil betont, bei dem die künstlerischen Trad. des (röm.) Alt. nicht nur nominell, sondern auch noch (bzw. erneut) materiell offenkundig zugegen sind. In dieser Weise sind G. und Romanik als ikonographische Gegensätze – christl. Neuzeit (*sub gratia*) versus at. Ant. (*sub lege*) – bereits in der altniederländischen Malerei thematisiert worden [15a]. Dennoch ist der G., dem vorherrschenden Kunststil Europas im 13.–15. Jh., nicht in Gänze jeglicher Antikenbezug abzusprechen.

Im Folgenden geht es nur um die spezifisch »gotischen« Modalitäten der Antikenrezeption, nicht aber um die dem gesamten MA eigenen, wie etwa das Spolienwesen – mit abnehmender Tendenz (vgl. jedoch die *Rosse von San Marco*, Venedig) – oder – mit gleichbleibender Tendenz – Schmuck- und Gemmenapplikationen (z. B. *Dreikönigsschrein*, Anfang 13.Jh., Köln, Dom; *Elisabethschrein*, um 1235, Marburg, Elisabethkirche; *Karlsbüste*, um 1350, Aachen, Münsterschatz).

### B. GATTUNGEN

#### 1. ARCHITEKTUR

Es bestehen zw. den einzelnen Kunstgattungen (und Kunstlandschaften) in ihrem Verhältnis zum Alt. deutliche Unterschiede. Am heftigsten zeigt sich der Bruch mit den ant. Trad. in der Architektur, was v.a. dem folgenreichen Wechsel vom romanischen (urspr. »röm.«) Rundbogen zum got. Spitzbogen zuzuschreiben ist. Die damit einhergehende Ablösung der in sich ruhenden kubischen Massivkonstruktion durch den zunehmend filigranen Skelett- und Richtungsbau gibt – schrittweise entstehend – bei der gewölbten Architektur ein völlig neues, eben got. Erscheinungsbild. Dennoch besteht zumeist, dezidiert gewollt, die basilikale Grundform der röm. frühchristl. Kirche fort. Die Weiterverwendung einiger antikischer Formen bei der Baudekoration (etwa säulenartige Stützen, att. Basen) sowie bildlicher Motive (wie Kentauren, Sirenen u.a.) bleibt marginal; das Akanthusmuster (korinthische Kapitele) wird zu naturalistischem Blattschmuck.

Es muß indes zw. den Kernländern der G. (Frankreich, Deutschland, England) und It. unterschieden werden, wo sich der got. Stil nur begrenzt und gemäßigt durchsetzte, der Rundbogen nie gänzlich aufgegeben und der Bruch zum hohen MA weit weniger spektakulär war (Spanien ist ein eigener Fall).

#### 2. PLASTIK (ZEICHNUNG)

Demgegenüber gibt die Skulptur ein konträres Bild. Hier verschwand zwar das schlaufige »nasse« Kleid, das vielfach den romanischen Figuren als ant. Erbe noch zu eigen war, zugunsten der got. Gewandfigur. Aber mit der gleichzeitigen Wiedergewinnung des »schönen« Abbildes der menschlichen Gestalt geschah eine grundlegende Revision des frühchristl. Statuenverbots, das bis

Abb. 1: Tanzender Satyr, Herkules. Portalreliefs, Ende 13.Jh. Auxerre, Kathedrale

Abb. 2: Villard de Honnecourt, Zwei nackte Männer (Bl. 43), König und Gefolge (Bl. 25).
Details aus dem Skizzenbuch, um 1230/40. Paris, Bibliothèque Nationale

in die Romanik nachwirkte. Es entstanden wieder selbständige, von der Wand gelöste Statuen: als Bau-(Portal-) und als Freiplastik (›Schönlebendigkeit‹ [15. 174]). Symptomatisch dafür ist, daß jetzt, im 13.Jh., der ant., lange verpönte Topos von der Liebe zu schönen Statuen, der von der → Knidischen Aphrodite des Praxiteles ausgegangen war (vgl. u.a. Plin. nat. XXXVI,20), auf Madonnenbilder überspringen und sich so rehabilitieren konnte (Gautier de Coincy, *Marienmirakel*, ab 1218) [10. 149f.].

Eine Verwandtschaft der früh- und hochgot. mit der ant. Skulptur ist oft konstatiert worden; aber das Verwandtschaftsverhältnis ist undurchsichtig, wirkt eher ideell denn materiell. Mehr oder minder direkte Nachahmungen sind selten; vgl. hier die Reliefs an der Fassade der Kathedrale von Auxerre (thematisch und stilistisch): *Herkules, Schlafender Amor, Tanzender Satyr* u.a., *Urteil Salomons* (vor und nach 1300) [13] (Abb. 1). Vgl. auch die stilistisch verwandten Darstellungen ant. Götter auf dem sog. *Kaiserpokal* in Osnabrück [16].

Stattdessen zeigen sich allgemeinere Verbindungen. Besonders bei der got. Gewandfigur sind oft deutliche Anlehnungen an kontrapostische röm. Togati erkennbar: am schlagendsten am Beispiel der Reimser Kathedral-Plastik, etwa beim Propheten vom westl. Mittelportal (5.Figur, links). Es war, neben der figuralen Selbständigkeit, wohl eher die Übernahme »formaler Rezepte« [8. 179ff.], die für den antikischen Eindruck verantwortlich ist, v.a. bei der Reimser Gruppe (*Heimsuchungsmeister, Josephsmeister* u.a.), für die man julisch-claudische Vorbilder in Betracht gezogen hat. Von Reims aus breitete sich der neue figurale »Geist« über große Teile Europas aus, ohne daß weitere Berührungen mit ant. Material stattfinden mußten.

Das wiedergekehrte statuarische Gleichgewicht manifestierte sich in einem der Klassik verwandten Kontrapost, der sich alsbald, unter dem jetzt obligatorischen Gewand, in die charakteristische got. S-Kurve verwandelte (und damit seine Genesis verleugnete).

Nacktheit blieb jedoch geächtet und tritt nur als ikonographisches Motiv auf: für (verlorene) Unschuld bei Adam und Eva, sodann für Unzucht, Sünde und Sterblichkeit (in diversen allegorischen und dogmatischen Darstellungen). Bezeichnenderweise ist der antikische Habitus an den nackten Statuen der Bamberger *Adamspforte* (um 1240) viel schwächer ausgeprägt als an den Gewandfiguren daselbst (Kaiser Heinrich und Petrus versus Adam und Eva). Das gilt mutatis mutandis auch für einige Zeichnungen im Musterbuch des Villard de Honnecourt (um 1230/40), worin der Zeichner, gehemmt vor der ungegliederten, nackten Natur ant. Statuen, die er im Sinn hatte, auf die ihm geläufigen »begrifflichen« (letztlich romanischen) Schemata regredierte, während er mit antikischen Gewandfiguren keine Probleme hatte [8. 193] (Abb. 2).

Auch in der got. Grabmalplastik wollte man gelegentlich, sowohl der Form wie der Stimmung nach, Berührungen mit der Ant. erkennen: Das Ehepaargrab

Abb. 3: Giovanni Pisano, *Venus Pudica* (Allegorie). Stützfigur der Kanzel, vor 1311. Pisa, Dom

im schlesischen Löwenberg (um 1350) scheint durch die dextrarum junctio mit röm. Hochzeitsarkophagen verbunden. Und die elegische Haltung der Verstorbenen auf dem Grab des Cuno von Falkenstein und der Anna von Nassau im hessischen Lich (1329/33) [14] erinnert an att. Grabstelen.

Ein Problem eigener Art bildet die früher vielbeachtete Affinität von »Griechentum und Gotik«, darunter das bekannte und verblüffend verwandte Lächeln von Figuren frühgot. Zeit. Auch die Köpfe der Propheten an den Bamberger Chorschranken (um 1235) und die der Giebelfiguren von Olympia (um 460 v.Chr.) und Ägina (um 480 v.Chr.) sind als geschwisterliche Phänomene gesehen worden. Da Kontakte mit der griech. Kunst wohl auszuschließen sind, wurde die

Abb. 4: Werkstatt Diepold Lauber, Paris überreicht den Apfel an Venus.
Illustrationszeichnung im *Trojanerkrieg* des Konrad von Würzburg (Bl. 25r), um 1440.
Berlin, Staatsbibliothek Preussischer Kulturbesitz

Verwandtschaft als paralleles Phänomen, als entwicklungsgeschichtliche Analogie gedeutet [8. 226–238].

Aufs Ganze gesehen blieb auch bei der Plastik in It. die Verbindung zur Ant. enger als im übrigen Europa. Der seit dem 13.Jh. auflebende Antiken-Kult (zunächst am Hof Kaiser Friedrichs II.) und der Umstand, daß der got. Stil nur partiell bzw. reduziert Geltung gewann, erlaubten ein künstlerisches Milieu im it. Spät-MA (Niccolò u. Giovanni Pisano, Giotto, Arnolfo di Cambio, Andrea Pisano), das, nach einer Regotisierung, ohne deutliche Grenze in die Früh-Ren. mündete: vgl. die rahmenden antikischen Statuetten der got. Porta della Mandorla am Florentiner Dom (1391/97), die Portalreliefs von S. Petronio in Mailand von Jacopo della Quercia (ab 1425) u. a. Exemplarisch für diesen Übergang steht Ghiberti (Statuen an Or San Michele, Flo-

renz), durch dessen *Commentarii* wir zudem über ein Beispiel früher Antiken-Manie, die öffentliche Aufstellung (und spätere Demolierung) einer Venus-Statue (vor 1348) in Siena unterrichtet sind [10. 171–173]. Vasaris Künstlerviten (1550 u. 1568) konzentrieren sich auf den Nachweis der schrittweise fortschreitenden Regeneration der Künste aufgrund zunehmender Beachtung ant. bzw. natürlicher Standards (seit Cimabue und Giotto) und verbinden die Antikenrezeption und den »Naturalismus« mit dem kunstgeschichtlichen Fortschrittsmodell.

Dennoch bilden auch in It. Figuren wie der nackte *Herkules* (Fortitudo) und die Reliefs an Niccolò Pisanos Kanzel (Pisa, Baptisterium, um 1260) die Ausnahme. Niccolòs antikisierender Stil beruht auf einer lokalen Voraussetzung, den zahlreich im Camposanto von Pisa vorhandenen röm. Sarkophag-Reliefs. Noch auffälliger ist die *Venus* seines Sohnes Giovanni als allegorische Stützfigur der im übrigen got. Kanzel im Pisaner Dom (vor 1312): fast wörtliche Wiederholung einer hell. *Venus pudica* [10. 164–166] (Abb. 3).

### C. Themen (Ikonographie)

Figuren wie diese leiten über zu einer bes. Modalität des Antikenbewußtseins der G., der ikonographischen Rezeption. Ant. Themen und Bildgegenstände erscheinen dabei nicht als Selbstzweck, sondern v. a. als Text-Illustrationen. Nahezu alle h. bekannten ant. Schriften wurden durch ma. Schreiber überliefert und fallweise, zunehmend in got. Zeit, illustriert. Dabei hält indes nur eine Gruppe, die im späten MA anschwellenden astronomisch-astrologischen Hss., aufgrund bildlicher Stereotypien (z. B. Zodiacus) einigermaßen an den spätant. Mustern fest [17].

Im übrigen wurden die ant. Themen und Personen, unabhängig von der Textgattung, anachronistisch »modernisiert«, d. h. in zeitgenössisches Gewand und Ambiente gesteckt; bes. auffällig bei den Stoffen der ant. Lit., die im höfischen Kontext kultiviert wurden: etwa den (nationalsprachlichen) Nachdichtungen der drei »klass.« Epen des Alt., dem *Roman des Thèbes*, *Roman d'Enéas* und dem *Roman de Troie* des Benoît de Saint-Maure um die Mitte des 12. Jh. [5]. Hier spiegelt sich die adlige Gesellschaft des MA unbekümmert in den Abenteuern, Liebschaften und Heldentaten des Alt. In Text und Bild folgen die an den Aventiuren beteiligten Damen und Herren denselben Spielregeln, die sich die feine Gesellschaft zu ihrer kulturellen Identität und sozialen Reproduktion gegeben hat. Auf got./spätgot. Illustrationen sind Paris und Äneas oder Helena und Dido nicht anders anzusehen als Tristan und Lanzelot oder Isolde und all die anderen höfischen »Dames«, »Frouwen«, »Madonne« und »Ladies« (Abb. 4). Das gilt auch für die Darstellungen ant. Götter und Heroen in moralischen und mythographischen Texten, etwa dem *Ovide moralisé* oder der *Othea* von Christine de Pizan [11].

Auf diese Weise reichte die Ant. der G. noch tief in die Ren. der Ant., bis auf die Hochzeitstruhen und Geschenkdeschi der Florentiner Gesellschaft, die noch durch Botticelli entsprechend bedient wurde. Selbst noch für Cranach d. Ä. ist Paris, der Held des ominösen Urteils, stets ein gewappneter Ritter.

Dagegen wurden (die eher seltenen) Formzitate, wie Niccolòs Pisaner *Herkules*, Giovannis Pisaner *Venus* oder die Götter des Pokals von Osnabrück, der → Interpretatio Christiana unterzogen. Panofsky hat erkannt, daß über die Modi von Form und Inhalt das Gesetz der »Disjunktion«, die Logik des Entweder-Oder geherrscht habe, die den Chiasmus bewirkte, daß sich ant. Formen nur mit zeitgenössischen Inhalten, ant. Inhalte nur in zeitgenössischen Formen artikulieren konnten [16. Kap. 2, III].

Dem entspricht auch die Ikonographie des Idols in der got. Kunst: Sie beherbergt die Erinnerung an die heidnischen Statuen, macht sie zu deren Diminutiven, die abgehoben auf einer Säule stehen. So wird das Idol, je nach Tendenz, gotteslästerlich verehrt oder gottgefällig gestürzt [3]. In pejorativer Absicht werden gelegentlich auch neue antikische Stoffe und Bildthemen kreiert: z. B. die Geschichten vom Zauberer Virgil [4] oder die Legende von Aristoteles und Phyllis. Diese entsprang im 13. Jh. antiaristolelischer Polemik und blieb im Kanon der Männertorheiten und Weiberlisten ein beliebtes Sujet bis in die frühe Neuzeit [20].

Einen eigenen Fall bilden die (eingelegten oder reliefierten) Labyrinthe in und an got. Kathedralen (Chartres, Amiens, Reims, Sens, Lucca, Bayeux u. a.). Sie thematisierten den gefahrvollen Weg des Christen (»Chemin de Jérusalem«), wurden aber auch zur Signatur des genialen Baumeisters (Amiens, Reims) als neuer Dädalus (LCI 3. 2–4).

Aufs Ganze gesehen ist die der G. immanente Antikenrezeption uneinheitlich und von Fall zu Fall durch bes. Umstände geprägt. Mit einem Wort Panofskys: ›Die Gotik dagegen hat die Antike stets nur als etwas Fremdartiges, nicht aber als etwas Historisch-Distanziertes gesehen und daher immer nur einzelne Seiten ihres Wesens dem eigenen zu assimilieren versucht‹ [15. 175]. Die G. endet mit dem Aufkommen der dezidiert antiquarischen Haltung, welche die Distanz des MA überspringt (womit dieses überhaupt erst zum Mittel-Alter wird), um sich in bewußter Distanz zur Ant. der Ant. zuzuwenden. Es ist ein von den Humanisten und Philologen seit dem 14. Jh. vorbereiteter epochemachender Prozeß, der die Ren. der ant. Kunst bewirkte und der im Selbstbewußtsein der (euro-amerikanischen) Neuzeit bis h. andauert.

1 J. Adhémar, Influences antiques dans l'art du Moyen Age français, 1939 2 E. S. de Beer, Gothic: Origin and Diffusion of the Term, in: JWI 11, 1948, 143–162 3 M. Camille, The Gothic Idol, 1989 4 D. Comparetti, Virgilio nel Medio Evo, I/2, 1937/41 5 A. Ebenbauer, Ant. Stoffe, in: Epische Stoffe des MA, hrsg. von V. Mertens und U. Müller, 1984, 247–289 6 P. Frankl, Meinungen über Herkunft und Wesen der G., in: W. Timmling, Kunstgesch. und Kunstwiss., 1923, 9–35 7 Ders., The Gothic. Lit. Sources and Interpretations through 8 Centuries, 1960 8 R. Hamann-MacLean, Antikenstudium in der Kunst des MA, in: Marburger Jb. für Kunstwiss., 15, 1949/50, 157–250 9 N. Himmelmann, Ant. Götter im MA, 1986 10 B. Hinz, Aphrodite. Gesch. einer abendländischen Passion, 1998 11 C. Lord, Three Manuscripts of the Ovide moralisé, in: The Art Bulletin, 57, 1975, 161 ff. 12 E. Mâle, L'art religieux du XIIe siècle en France, 1928 13 F. Nordström, The Auxerre Reliefs, 1974 14 R. Probst, Der Meister des Löwenburger Doppelgrabmals, in: Kunstgesch. Stud., hrsg. v. H. Tintelnot, 1943, 201–217 15 E. Panofsky, Die Ant. in der nordischen G. (Vortragsresumée, 1928), in: E. Panofsky, Deutschsprachige Aufsätze, I, Berlin 1998, 174 f. 15a Ders., Early Netherlandish Painting, 1953, V, II 16 Ders., Renaissance and Renascences in Western Art (1960), dt. 1979 17 Fr. Saxl und H. Meier, Verzeichnis der astrologischen und myth. illustrierten Hss. des lat. MA, I–IV, 1915, 1927, 1953 und 1966 18 J. Schlosser, Zur Gesch. der Kunsthistoriographie: »Gotik«, in: Präludien, 1927, 270–295

**19** J. Seznec, Das Fortleben der ant. Götter (1940), dt. 1990 **20** W. Stammler, Der Philosoph als Liebhaber, in: Wort und Bild, 1962, 12–44 **21** H. Wentzel, Antiken-Imitationen des 12. und 13.Jh. in It., in: Zschr. für Kunstwiss., 9, 1955, 29–72.      Berthold Hinz

**Grammatik** s. Sprachwissenschaft

## Greek Revival    A. Allgemeines
### B. Bedeutende Architekten des Greek Revival und ihre Hauptwerke in Auswahl

### A. Allgemeines

G. R. bezeichnet einen architekturhistorischen t.t., der das kopierende bzw. imitierende Aufgreifen ant.-griech. Architekturmuster im späteren 18. und 19. Jh. beschreibt. Der Begriff wurde nach 1900 im angelsächsischen Sprachraum geprägt und wird üblicherweise in diesem Sinne auch als regional beschränkt verstanden (auf Großbritannien und die USA); eine Ausgrenzung analoger Erscheinungsformen klassizistischer Architektur anderer Länder, bes. derjenigen im deutschsprachigen Raum, ist aber wenig zwingend. Kontrovers diskutiert wird die Beziehung zw. amerikanischem und britischem G. R. Während lange Zeit die Idee eines einseitigen Stil-Transports von Europa nach Amerika dominierte (als Schlüsselfigur fungierte hier der von England in die USA ausgewanderte, schon in England prominent gewordene Architekt Benjamin H. Latrobe, 1764–1820), haben jüngere Untersuchungen auf den erheblichen Eklektizismus und damit, daraus abgeleitet, auf eine gewachsene Stilcharakteristik des amerikanischen G. R. hingewiesen. Als eine unter vielen Bau- und Dekor-Optionen geht das G. R. im späteren 19. Jh. in den architektonischen Formenfundus des → Historismus ein. Die Ausprägung der G. R.-Architektur steht in engem Zusammenhang mit der Wiederentdeckung und Wertschätzung der Monumente der griech. Antike. Insbesondere die Neuentdeckung der griech.-dorischen Bauordnung in ihrer architektonisch korrekten Form (Tempel von Paestum; Parthenon auf der Athener Akropolis) – eine Form, die nicht durch ihre hell.-röm. Brechung und die darauf aufbauende Vitruv-Rezeption von Ren. (Alberti, Palladio) und Barock (z. B. »Palladianismus« à la Inigo Jones in England; frz. »Akademismus«) belastet war – gab hier wichtige Impulse. Jedoch schlägt die in der Forschung häufige Gleichsetzung von G. R. mit dem t.t. *Doric Revival* fehl; G. R. rezipiert neben dorischem gleichermaßen auch ionisches und korinthisches Formengut, dies jedoch in Gestalt einer unmittelbaren, einer »arch.-kopierenden« Anlehnung an griech. Vorbilder.

Die Verbindung zw. der allg. Wertschätzung der griech. Ant. und den anti-absolutistischen Leitgedanken der Aufklärung findet sich auch im G. R. wieder, und so ist es wenig erstaunlich, daß sich dieses Phänomen zunächst vornehmlich in der englischen, etwas später dann auch in der amerikanischen Architekturlandschaft her-

ausbildet – hier wie dort im Kontext »Freiheit/Republikanismus«. Ant.-griech. Baumuster wurden als nobilitierende Formen aufgefaßt, die als solche nun aber nicht mehr den Prunkbauten von Adel und Klerus exklusiv vorbehalten waren, sondern auch im großbürgerlich-frühindustriellen Milieu (Villen, Stadthäuser, Fabrikgebäude) sowie an öffentlichen Bauten der modernen Infrastruktur (Bahnhöfe) bzw. den Demonstrationsarchitekturen eines zunehmend pluralistisch organisierten Staatswesens (Parlaments- und Gerichtsbauten) Anwendung fanden.

Knotenpunkte der Vermittlung ant. Architekturvorbilder an eine hiervon zunehmend faszinierte Gruppe europ. und amerikanischer Architekten und Bauherren waren die Publikationen der ant. Bau-Originale, die in mehr oder weniger filigran kopierter bzw. durchgepauster Form rasche Verbreitung in Musterbüchern und Architekturkompendien fanden. Weitreichend benutzt wurde in Architektenkreisen das oft übersetzte und mehrfach aufgelegte einbändige Werk *Les Ruines des plus beaux Monuments de la Grèce* von Julien David LeRoy (Erstausgabe Paris 1758). Die von der kunsthistor. und arch. Forsch. als eigentliches Schlüsselwerk betrachteten *Antiquities of Athens* der englischen Architekten James Stuart und Nicholas Revett entstanden in den 1750er Jahren im Auftrag der → Society of Dilettanti, die wegen des exorbitanten Preises, der kleinen Auflage und des unberechenbar zögerlichen Erscheinens (4 Bände, editiert in London zw. 1762 und 1816, Supplementband von 1830) zwar als Prachtpublikationen von vermögenden Bauherren geschätzt waren, fanden zunächst jedoch nur in Exzerpten und skizzenhaften Kopien Eingang in Architektenkreise. Erst gekürzte Ndr., die ab der Mitte des 19. Jh. in verschiedenen Sprachen zirkulierten (in Deutschland v. a. die Kompakt-Ausgabe von C. Gurlitt), gaben dem Werk seine heutige Breitenwirkung und Bedeutung. Weitere wichtige Impulse vermittelten im 18. Jh. die verschiedenen Publikationen zu den Tempeln von Paestum, u. a. auch Winckelmanns sorgfältig bebilderte *Anmerkungen über die Baukunst der Alten* von 1762. Besonders amerikanische Architekten waren wegen der kaum überwindlichen Entfernung zu den Architektur-Originalen hinsichtlich der Bau-Vorbilder auf sekundäre Kompilationen aus diesen Primär-Publikationen angewiesen; Asher Benjamins vielfach aufgelegter Bestseller *The American Builder's Companion* (Erstauflage Boston 1806) bildete den Beginn einer ganzen Serie von Musterbüchern, die ant.-griech. Bauformen nicht nur in den gut erschlossenen Neuengland-Staaten des Ostens, sondern auch in entlegensten Goldgräber-Siedlungen Alaskas, den Außenposten Oregons und den agrarischen-kolonialen Südstaaten zu einer realisierbaren Architektur-Option werden ließen. Die Werke Minord Latevers aus der Jh.-Mitte stellen den Höhepunkt dieser Musterbücher dar.

Diese bes. Quellen- und Vermittlungssituation erklärt das grundsätzlich kleine Formenspektrum der kopierten bzw. imitierten ant. Baumotive; nur das, was in gedruckt abgebildeter Form vorlag und auf diese Weise Verbreitung gefunden hatte, ließ sich letztlich als Vorbild heranziehen. Von größtem Belang waren hier die bei LeRoy und Stuart-Revett in präzisen Rissen abgebildeten Bauten aus Athen und Attika. Die dorische Ordnung wurde in ihren Details wie in ihren verschiedenen Konzeptionen repräsentiert von Parthenon (achtsäulige Prunk-Front) und Hephaisteion auf der Athener Agora (klass. proportionierter hexastyler »Norm-Tempel«). Das Urbild der ionischen Ordnung fand sich im Erechtheion, sowohl hinsichtlich der Gestaltung der Einzelformen wie auch in bezug auf die Kombinationsmöglichkeiten der Elemente; neben der repräsentativen dorischen Giebelfassade wurde das von ionischen Halbsäulen gerahmte Fenster-Motiv der Erechtheion-Westwand zu einem Topos des G.R. Den Formenvorrat der korinthischen Ordnung, aus Rom und Italien bereits seit der Ren. als ein Baumuster geläufig, bereicherte das im späten 4. Jh. v. Chr. errichtete choregische Denkmal für Lysikrates am Ostabhang der Athener Akropolis, das zudem auch als Turm-Motiv in den Dekaden um 1800 intensiven Eingang in die Architektur von Kapitols- und Gerichtsbauten, Kirchen, Landsitzen und in die Villen- und Gartenarchitektur fand.

Die in der kunsthistor.-arch. Forsch. immer wieder betonte Annahme einer sozio-ökonomisch gefilterten Verwendung der wenigen existierenden Baumuster ist bei näherer Betrachtung der bis h. nur ausschnitthaft publizierten Gesamtmenge der G.R.-Bauten durchaus in Frage zu stellen; auch Villen und Wohnhäuser und nicht allein »offizielle« Bauten wie Bahnhöfe oder Bankgebäude bedienten sich der mit den symbolhaften Adjektiven »streng« und »förmlich« konnotierten dorischen Bauordnung. Im Gegenzug findet sich die vermeintlich weitgehend exklusiv auf private Baufaufgaben bezogene »schmückend-dekorhafte« ionische wie auch die korinthische Ordnung durchaus häufig in prominenter Position an eigentlich als »streng« und »förmlich« charakterisierten öffentlichen oder offiziösen Architekturen. Inwieweit im G.R. eine Verwendungsbedeutung der Ordnungen und ihrer Details im Sinne der normativ verstandenen → Architekturtheorie der Ren. oder der *Architecture Parlante* des 16., 17. und frühen 18. Jh. vorliegt, bleibt deshalb weiterhin in der Diskussion. Ein markanter Zug des amerikanischen G.R. ist zum einen die doppelt anachronistische Umsetzung ant.-dorischer Steinbauten in den zeitgenössischen Holzbau. Auffällig ist ferner bereits seit dem späten 18. Jh. die auf den Historismus vorausweisende Verschmelzung ant.-griech., ant.-röm. und renaissancesker Architekturmotive – etwa bei Kapitolsgebäuden, die an der Front einem griech. Ringhallentempel, in der Gesamtgestaltung hingegen dem auf eine Freitreppen-Front ausgerichteten röm. Podiumstempel nachempfunden und um eine zentral positionierte Steil-Kuppel in der Art der Hoch-Ren. wie auch um verschiedenste palladianeske Züge ergänzt sind. In bes. Maße zeigen derartige Baukörper zugleich das Kerndilemma der Architektur des Klassizismus, indem sie dem Betrachter ein prunkvolles Äußeres darbieten, sich zugleich aber als Architekturen mit geringem Gebrauchswert entpuppen; das bes. bezüglich der Durchfensterung relevante Problem, ant. Bauformen mit aktuellen technisch-rationalen Nutzungsaspekten zu verbinden, blieb auch in den USA ungelöst.

## B. BEDEUTENDE ARCHITEKTEN DES G.R. UND IHRE HAUPTWERKE (AUSWAHL)

### 1. GROSSBRITANNIEN

Joseph Bonomi (Great Packington: St. James Church). Decimus Burton (London-Regent's Park: Colosseum; London-Hyde Park Corner: Constitution Arch; London-Whitehall: Athenaeum Club). Charles R. Cockerell (Oxford: Ashmolean Museum; Cambridge: Fitzwilliam Museum). Thomas Hamilton (Edinburgh: Royal High School). Thomas Harrison (Chester Castle). Henry Holland (Woburn Abbey/Bedfordshire). William Inwood und Henry William Inwood (London: St. Pancras Church; London-Camden: All Saints Church). James Milne (Edinburgh: St. Bernard's Crescent). John Nash (London: Regent Street; London-Regent's Park: Terraces). James Playfair (Edinburgh: Scotish Academy; Edinburgh: Carlton Hill Monument, zusammen mit C.R. Cockerell). Sir Robert Smirke (London: Covent Garden Theatre; London: British Museum; London: Canada Building). Sir John Soane (London: Bank of England, Mitarbeit). James Stuart (London: Lichfield House; Greenwich: Hospital Chapel, Mitarbeit; Hagley Park und Shugborough Park: Gartenbauten). Alexander Thomson (Glasgow: United Presbyterian Church)

### 2. USA

Charles Bulfinch (Washington: United States Capitol, Mitarbeit; Massachusetts: State House). James H. Dakin (Mobile: Barton Academy; Louisville: Bank of Louisville). Alexander J. Davis, Ithiel Town (New York: Lafayette Terrace; New York: Customs House/Treasury; Raleigh: North Carolina State Capitol). George Hadfield (Arlington: Arlington House). John Haviland (Philadelphia: First Presbyterian Church; Portsmouth: Naval Hospital). Benjamin H. Latrobe (Philadelphia: Bank of Pennsylvania; Baltimore: Cathedral; Charlottesville: Univ. of Virginia, Mitarbeit). Robert Mills (Charleston: Record Office; Washington: Washington Monument, Entwurf; Washington: Old Patent Office). William Strickland (Nashville: State Capitol; Philadelphia: Branch Bank of the U.S.; Philadelphia: Merchants Exchange). Thomas U. Walter (Philadelphia: Girard College). Ammi B. Young (Boston: Customs House).

→ Athen; Dorischer Eckkonflikt; Paestum

1 H. COLVIN, A Biographical Dictionary of British Architects 1600–1840, ³1995 2 T. HAMLIN, G. R. Architecture in America, 1944 3 E. HARRIS, British Architectural Books and Writers, 1990 4 H.-R. HITCHCOCK, American Architectural Books, ³1976

**5** C. Höcker, G. R. America? Reflections on Uses and Functions of Antique Architectural Patterns in American Architecture, in: Hephaistos 15, 1997, 197–240 **6** R. G. Kennedy, G. R. America, 1989 **7** J. Mordaunt Crook, The G. R. Neo-Classical Attitudes in British Architecture 1760–1870, ²1995 **8** W. H. Pierson Jr., American Buildings and their Architects I: The Colonial and Neo-Classical Styles, 1970 **9** J. Raspi Serra (Hrsg.), Paestum and the Doric Revival, Ausst.-Kat. New York 1976 **10** L. Schneider, Ant. ohne Arch. Ein Blick auf griech. inspirierte Architektur des 19. Jh. in den USA, in: Veröffentlichungen der J. Jungius-Ges. 87 (Widmungsband für H. G. Niemeyer), 1998, 859–868 **11** D. Stillman, English Neoclassical Architecture, 1988 **12** R. K. Sutton, Americans interpret the Parthenon. The Progression of G. R. Architecture from the East Coast to Oregon 1800–1860, 1992 **13** P. Tournikiotis, The Place of the Parthenon in the History and Theory of Modern Architecture, in: P. Tournikiotis (Hrsg.), The Parthenon and its Impact in Modern Times, 1994, 200–229 **14** D. Watkin, Athenian Stuart: Pioneer of the G. R., 1982 **15** D. Wiebenson, Sources of G. R. Architecture, 1969.

CHRISTOPH HÖCKER

Abb. 1: Giuliano da Sangallo, *Parthenon* (nach Ciriaco d'Ancona), Rom, um 1500. Biblioteca Vaticana, Cod. Barberini 4424, 28v

## Griechen-Römer-Antithese

A. Definition   B. Vorgeschichte
C. Kunsthistorische und kunsttheoretische Voraussetzungen und Zusammenhänge
D. Die Griechenland-Expeditionen und die Publikationen von Stuart/Revett und LeRoy   E. Piranesis Polemik gegen LeRoy
F. Piranesi gegen Mariette und der Ausgang der Debatte

### A. Definition

Die G.-R.-A., auch »Griechenstreit« genannt, ist ein Disput, der in den fünfziger und sechziger Jahren des 18. Jh. über den histor. und künstlerischen Vorrang der griech. bzw. der röm. Kunst, insbes. der Architektur, geführt wurde. Den unmittelbaren Auslöser für die »dramatische« Phase der Kontroverse bildete die erste auf Vermessungen beruhende Publikation griech. Bauten durch den frz. Architekten J.-D. LeRoy im J. 1758. Auf sie reagierte der it. Kupferstecher, Architekt und Archäologe G. B. Piranesi wohl auch deswegen so heftig, weil er den von ihm behaupteten Primat der röm. Kunst gleichzeitig durch J. J. Winckelmanns 1755 erschienene *Gedancken über die Nachahmung der Griech. Wercke in der Mahlerey und Bildhauer-Kunst* in Frage gestellt sah. Im weiteren Verlauf der Debatte trat für Piranesi der histor.-arch. Prioritätenstreit allerdings zunehmend zurück hinter der für ihn grundlegenderen Frage, was für den schöpferischen Prozeß wichtiger sei: die Orientierung an der griech. ›belle et noble simplicité‹ oder aber eine von jedem Regelzwang befreite Einbildungskraft, die sich aus dem Fundus aller histor. Stile frei bedient.

### B. Vorgeschichte

Die Sensation, welche die ersten auf exakten Vermessungen beruhenden Publikationen griech. Archi-

tektur in den späten fünfziger und in den frühen sechziger J. des 18. Jh. machten, war eine direkte Folge der völligen Unkenntnis, die bis zu dem Zeitpunkt auf diesem Gebiet geherrscht hatte. Tatsächlich waren die Vorstellungen von ant. Architektur bis dahin ausschließlich von Monumenten aus dem röm. Kulturkreis abgeleitet worden. Zwar hatte in den dreißiger und vierziger J. des 15. Jh. der aus Ancona stammende Kaufmann und Humanist Ciriaco di Filippo Pizzicolli (Ciriaco d' Ancona, 1391–nach 1453) [4; 16] bei seiner Suche nach Altertümern den Radius seiner Tätigkeit über Italien hinaus auf Dalmatien, Griechenland, Byzanz und den vorderen Orient ausgedehnt und von seinen Reisen auch Skizzen mitgebracht, in denen nicht nur Inschriften und Architekturdetails, sondern auch Aufrisse ganzer Gebäude – so etwa des Parthenon – aufgezeichnet waren (→ Athen III.). Allerdings war, weil die sechs Bände seiner *Commentaria* wahrscheinlich 1514 dem Brand der Bibl. von Pesaro zum Opfer fielen, seine Wirkung beschränkt geblieben [17, 1–3]; eine »Kopie« von Giuliano da Sangallo nach Ciriaco aus der Zeit um 1500 (Abb. 1) zeigt zudem, in welchem Maß die griech. Bauten beim Rezeptionsprozeß »röm.« umgedeutet wurden [5]. Nach der türk. Eroberung unter Mohammed II. (1451–81) waren Griechenland und Athen für das europ. Bewußtsein jedoch für lange Zeit in weite Ferne gerückt. So bemerkte denn auch William Biddulph, der 1605 als einer der ersten westl. Besucher Athen auf einer ausgedehnten Nahostreise besuchte, voller Verwunderung, daß die Stadt immer noch bewohnt sei (*The Travels of certaine Englishmen into Africa, Asia, Troy*, 1609) [7 Bd. I. 873; 6. 2].

Die »Wiederentdeckung Griechenlands«, die im wesentlichen das Werk engl. und frz. Reisender war, begann schließlich in den 1670er Jahren. 1674 besuchte der frz. Gesandte in Konstantinopel, Charles-François Ol-

Der Tempel Minervæ zu Athen.
Welcher biß auf die letzte Belagerung
noch gantz zu sehen gewesen .

Le Temple de Minerve à Athenes
Qui s'est conservé jusqu'au demier.
Siege .

Abb. 2: Johann Bernhard Fischer von Erlach, *Entwurff einer historischen Architektur*, 1721,
1. Buch, Tafel XIX (Ausschnitt): ›Der Tempel Minervae zu Athen‹

lier, Marquis de Nointel, Athen im Rahmen einer mit
allem höfischen Pomp ausgestatteten offiziellen Mission. In seinem Gefolge befand sich Jacques Carrey, der
die Giebelskulpturen des Parthenon noch vor ihrer Zerstörung durch die verheerende Explosion im J. 1687
zeichnete, (→ Athen III., Abb. 5; Abb. 2) [7 Bd. I. 881;
19. 19]. Bemerkenswert im Hinblick auf die G.-R.-A.
des 18. Jh. ist dabei insbes. Nointels Feststellung, daß die
Altertümer Athens ›die schönsten Reliefs und Statuen
Roms übertreffen‹ würden [3. 340].

Ebenfalls 1674 veröffentlichte der aus Lyon stammende Mediziner und Antiquar Jacob Spon (1647–1685)
einen zwei J. zuvor entstandenen Text des Jesuitenpaters
Jacques Paul Babin, den er mit einem Vorwort, einem
kurzen Abriß der Geschichte Athens und einer Ansicht
der Stadt versah (*Relation de l' état présent de la ville d'
Athènes ancienne capitale de la Grèce, batie depuis 3400 ans avec
un abrégé de son histoire et de ses antiquités*, Lyon 1674); für
die Kenntnis der griech. Architektur blieb diese erste detaillierte Beschreibung Athens aufgrund eigener Anschauung – die Jesuiten hatten sich 1645 in Athen nie-
dergelassen – allerdings bedeutungslos. Noch im gleichen J. brach jedoch Spon selber mit dem engl. Botaniker
George Wheler (1650–1723) zu einer Reise auf [8]. Ihr
1678 erschienener Bericht (*Voyage d' Italie, de Dalmatie, de
Grèce et du Levant, fait aux années 1675 & 1676 par Jacob Spon
docteur médecin agregé à Lyon et George Wheler gentilhomme
anglois*) enthielt eine Reihe von Illustrationen, die zwar
klein und summarisch waren, die aber dennoch für mehr
als ein halbes Jh. zur Hauptinformationsquelle in bezug
auf die griech. Architektur wurden. So stützte sich etwa
Johann Bernhard Fischer von Erlach in seinem *Entwurff*

*einer histor. Architektur* (1721) bei der Darstellung des Parthenon (*Tempel Minervae zu Athen*) auf Spon; anstelle des
dort dargestellten Westgiebels mit dem Wettstreit zw.
Athena und Poseidon zeigte er allerdings den Ostgiebel
mit der Geburt der Athena – dies jedoch in einer Darstellungsweise, die viel mehr zu tun hat mit christl. Ikonographie (Geburt Christi, Marientod) als mit griech.
Kunst (Abb. 2).

Zu einer zweiten Phase (und einer eigentlichen Welle) von Griechenland- und Kleinasienreisen hauptsächlich engl. Adeliger kam es in den dreißiger und vierziger
J. des 18. Jh. Dabei ist nun ein aufschlußreicher Wandel
zu beobachten. Hatten die ersten dieser Unternehmungen (Richard Pococke, 1736–40; John Montagu, Earl of
Sandwich, 1738, mit dem Maler Jean-Etienne Liotard
im Gefolge; aber auch noch James Caulfield, Earl of
Charlemont, 1749) noch ganz im Zeichen der breit angelegten Bildungsinteressen der *Grand Tour* gestanden
(zu denen, wie im Fall des Earl of Sandwich, eine Vermessung des Parthenon durchaus auch gehören konnte), so rückte gegen 1750 eine explizite Beschäftigung
mit griech. Architektur in den Vordergrund. Exemplarisch ist das Beispiel von Robert Wood, der bereits 1742
und 1743 im Sinn jener allg. Ausrichtung auf den griech.
Inseln unterwegs gewesen war, der nun jedoch nach
seiner 1750 zusammen mit James Dawkins und John
Bouverie unternommenen dritten Reise ein Foliowerk
publizierte, das eine lange Reihe von großen engl. arch.
Architekturpublikationen eröffnen sollte: *The Ruins of
Palmyra, otherwise Tedmor in the Desert*, London 1753 [7. II
497–498]. Die Anregung dazu aber war von einer erstmals 1748 publ. Projektbeschreibung ausgegangen, in

der eine genaue Aufnahme und Beschreibung der Bauten in Athen gefordert – und gleichzeitig in Aussicht gestellt – wurde: den *Proposals for publishing a new and accurate Description of the Antiquities, &c. in the Province of Attica* von James Stuart (1713–1788; genannt »Athenian«) und Nicholas Revett (1720–1804). Begründet wurde die Notwendigkeit dieses Vorhabens von den beiden Autoren mit der Behauptung des histor. und des künstlerischen Vorrangs der griech. vor der röm. Kunst, wenn sie (in einer Formulierung der *Proposals* von 1751) schrieben: ›There is perhaps no part of Europe more deservedly excites the Curiosity and Attention of lovers of Polite Literature than the Province of Attica, and in particular Athens its capital City; whether we reflect on the figure it makes in History (...), or whether we consider the number of Antiquities still remaining there, monuments of the good sense and elevated genius of the Athenians, and the most perfect Models of what is excellent in Sculpture and Architecture. (...) Rome, who borrowed her Arts and frequently her Artificers from Greece, has by means of Serlio, Palladio, Santo Bartoli, and other ingenious men, preserved the memory of the most excellent Sculptures, and magnificent Edifices which once adorned her (...). But Athens, the mother of Elegance and Politeness, whose magnificence scarce yielded to that of Rome, and who for the beauties of a correct style must be allowed to surpass her, as much as an original excels a copy, has been almost entirely neglected, and unless exact drawings from them be speedily made, all her beauteous Fabricks, her Temples, her Theatres, her Palaces will drop into oblivion (...)‹ [19. 77–78; 7 Bd. II. 479–481].

## C. Kunsthistorische und kunsttheoretische Voraussetzungen und Zusammenhänge

Natürlich ist eine in solchen Sätzen zum Ausdruck gebrachte radikale Umwertung überkommener Vorstellungen nicht denkbar als isolierte Meinungsäußerung zweier (als Maler und Architekten eher dilettierender) Engländer, die beide 1742 – der eine im Alter von 29, der andere im Alter von 22 J. – nach Rom gekommen waren und sich dort ihren Lebensunterhalt wahrscheinlich als *ciceroni* verdienten [13. 130]. Vielmehr reflektieren sich in ihnen Theorien, die ihren Ursprung v. a. in Frankreich hatten, wo das Konzept eines Primats der griech. Kunst vor der röm. die Postulierung einer von Rom (und damit von Italien) unabhängigen künstlerischen Entwicklung ermöglichte [19. 49; 14. 316–18]. Tatsächlich war in Frankreich nach 1687 im Zusammenhang mit der → Querelle des Anciens et des Modernes nicht nur die Frage nach dem Rang der Modernen im Vergleich mit den Alten gestellt (und unterschiedlich beantwortet) worden, sondern auch diejenige nach der relativen Bedeutung von griech. und röm. Ant. aufgeworfen worden; und schon vier Jahrzehnte zuvor hatte Roland Fréart de Chambray (1606–1676) in seiner *Parallèle de l' architecture antique et de la moderne* (Paris 1650) entschieden für die Überlegenheit der griech.

über die röm. Architektur plädiert: ›Denn Vortrefflichkeit und Perfektion einer Kunst entstehen nicht durch die Vielfalt ihrer Prinzipien; vielmehr wird sie durch wenige und sehr einfache nur um so bewundernswerter.‹ [11. 140–142].

Eben diese Überzeugung vertrat nun 100 J. später auch der bei weitem bedeutendste frz. Antiquar der Zeit, Anne Claude Philippe de Tubières, Comte de Caylus (1692–1765), im Rahmen seines großangelegten Sammelwerks *Recueil d' Antiquités Egyptiennes, Etrusques, Grecques et Romaines*, dessen sieben Bände zwar erst ab 1752 (bis 1767) erschienen, dessen Grundthese aber mit Sicherheit schon vorher bekannt gewesen war. Caylus' zyklischer Geschichtsauffassung zufolge hatte am Anf. aller künstlerischer Entwicklung die strenge Würde der hieratisch geprägten Architektur und Bildhauerei Ägyptens gestanden; von dort war die Kunst über Etrurien nach Griechenland gelangt, wo sie (z.Z. Alexanders d. Gr.) den höchsten Grad der Vollendung erreichte. In Rom schließlich, wo sie ›nicht anders als durch fremde Hilfe‹ noch eine Zeitlang zu glänzen und gegen die Barbarei anzufechten vermocht habe, sei sie schließlich im Zerfall des Kaiserreichs begraben worden. Die gleiche Ansicht äußerte auch der als Architekturtheoretiker dilettierende Jesuitenpater Marc-Antoine Laugier (1713–1769) in der Einl. zu seinem 1753 zunächst anonym erschienenen, als Manifest einer »neuen Einfachheit« aber sofort über Frankreich hinaus Furore machenden *Essai sur l' architecture* (engl. Übers.: London 1755, 1756; dt. Übers.: Frankfurt/Leipzig 1756, 1758, 1771) [9; 20. 534–535]. Wenn aber das Merkmal der griech. Kunst, durch das sie sich vor allen anderen vorausgegangenen und nachfolgenden Stufen auszeichnet, auch nach Caylus ihre (nicht urspr., sondern im Verlauf eines langen geschichtlichen Prozesses erworbene) ›simplicité‹ ist, dann ist damit jene Qualität benannt, die auch nach Winckelmann ›das allgemeine vorzügliche Kennzeichen der Griech. Meisterstücke‹ ist: ›eine edle Einfalt, und eine stille Größe, so wohl in der Stellung als im Ausdruck‹ (*Gedancken über die Nachahmung der Griech. Wercke in der Mahlerey und Bildhauer-Kunst*, 1755).

## D. Die Griechenland-Expeditionen und die Publikationen von Stuart/Revett und LeRoy

In den Bemühungen um eine Wiedergewinnung dieser angeblich höchsten Stufe der Architektur versprach nun die Ankündigung einer genauen Vermessung und einer mehrbändigen Publikation durch Stuart und Revett 1748 neue wiss. Maßstäbe und Einsichten. Wie sehr dies einem Bedürfnis entsprach, zeigt sich an der Tatsache, daß es nach 1750 zu einem eigentlichen Wettlauf um die Erstpublikation verläßlicher Daten kam.

Unterstützt durch Mitglieder der 1732 in London gegr. *Society of Dilettanti* segelten Stuart und Revett im Januar 1751 von Venedig aus nach Griechenland. Über zwei J., bis zum Herbst 1753, hielten sie sich in Athen auf, wo sie alle damals noch stehenden ant. Gebäude vermaßen und zeichneten. Im Oktober 1755 kehrten sie nach England zurück und begannen mit der Arbeit an ihrer Publikation. Der erste Band von *The Antiquities of Athens, Measured and Delineated by James Stuart, F. R. S. and F. S. A., and Nicholas Revett, Painters and Architects,* erschien 1762 in London; drei weitere folgten, nachdem Revett sich schon zuvor vom Unternehmen zurückgezogen hatte, erst nach Stuarts Tod bis 1816 [7 Bd. II. 481–485]. Die Sensation, als die die *Antiquities* geplant gewesen waren, konnten sie indes schon beim Erscheinen des ersten Bandes nicht mehr sein, weil den beiden Engländern ein Franzose zuvorgekommen war.

Nur wenige Monate nach der Rückkehr Stuarts und Revetts aus Athen, 1754, war nämlich der frz. Architekt Julien-David LeRoy (1724–1803) von Rom aus, wo er sich seit 1751 als Stipendiat der frz. Akademie aufgehalten hatte, mit dem gleichen Ziel wie die beiden Engländer nach Griechenland aufgebrochen. Nach einem Besuch der Insel Delos hielt er sich lediglich einige Monate in Athen auf, besuchte außerdem Korinth und Sparta und kehrte bereits 1755 – im J. also der Rückkehr von Stuart und Revett nach London (und im J. der Ankunft Winckelmanns in Rom) – über Rom nach Paris zurück. Dort begann er, unterstützt von Caylus und einem ganzen Team von Zeichnern und Stechern, mit der Arbeit an der Publikation seiner in Griechenland gemachten Aufzeichnungen. Bereits 1758, vier J. vor dem ersten Band der *Antiquities,* erschien in Paris sein Buch *Les Ruines des plus beaux monuments de la Grèce* (→ Athen I. Abb. 1; Athen III. Abb. 9).

### E. Piranesis Polemik gegen LeRoy

Mit LeRoys *Ruines* lag nun erstmals eine Publikation vor, die den Anspruch erhob, die zuvor eher abstrakt behauptete Überlegenheit der griech. Architektur über die röm. auch visuell unter Beweis zu stellen. Damit (und mit den neu vorgetragenen alten Thesen: ›Schließlich gelangten die Griechen in der Architektur zu größter Schönheit und größtem Einfallsreichtum; und die Römer, die sie mit Waffengewalt bezwungen hatten, mußten die Überlegenheit ihres Geistes anerkennen (. . .)‹ [20. 535]) provozierte LeRoy den denkbar schärfsten Widerspruch jenes bedingungslos röm. Archäologen, der seit seiner ersten Publikation im J. 1743 (und natürlich bereits während der fünfziger J. in zunehmendem Maß gegen die immer lauter werdenden Stimmen, die das Gegenteil behaupteten) nicht müde geworden war, die *Magnificenza* der Römer und insbes. ihrer Architektur zu beschwören: des (wie er sich Zeit seines Lebens selbst nannte) *Architetto Veneziano* Giovanni Battista Piranesi (1720–1778).

1756 war mit den vier Bänden der *Antichità Romane* Piranesis bis dahin umfangreichstes und ambitioniertestes Werk erschienen. Es ist sicher nicht falsch, bereits in den teilweise kühnen Rekonstruktionen v. a. des vierten Bandes (etwa in den monumentalen Tafeln mit der Vision der Fundamente des Hadrian-Mausoleums) eine Reaktion auf die in den Augen eines Römers ebenso skandalösen wie lächerlichen Behauptungen der Ver-

Abb. 3: Giovanni Battista Piranesi, *Ostium, sive Emissarium Cloacae Maximae in Tiberim,* in: *Della Magnificenza (. . .),* 1761, Tafel II

treter der »Griechenpartei« zu sehen. Seine erste explizite Stellungnahme im Glaubenskrieg – *Della Magnificenza ed Architettura de' Romani* – legte Piranesi zwar erst vier J. später, 1761, vor; doch scheint er bereits 1758 beim Erscheinen des Buchs von LeRoy mit dieser Thesenschrift beschäftigt gewesen zu sein – schrieb er doch in einem Brief an den engl. Architekten George Dance der Jüngere, daß er sich aufgrund der neuen Situation zu einer Erweiterung gezwungen gesehen habe [20. 536].

In der Tat könnten weite Teile des hundert lat. und ebensoviele it. Seiten umfassenden Textes von *Della Magnificenza* [1] schon kurz nach 1755 geschrieben worden sein – als Entgegnung auf einen in jenem Jahr vom schottischen Maler Alan Ramsay (dem Piranesi im Frontispiz zum zweiten Band der *Antichità* ein Denkmal gesetzt hatte . . .) anonym publizierten *Dialogue on Taste* [7 Bd. II. 504]. In diesem Text, den Piranesi kaum ohne fremde Hilfe verfaßt haben dürfte, wird v. a. auf der Überlegenheit der Etrusker und der Römer in ihren Ingenieurbauten – als Paradebeispiel dient die *Cloaca maxima* (Abb. 3) – insistiert. In mehr als zwei Dritteln der zu einem guten Teil doppelseitigen, in einigen Fällen gar zu einem Format von über 120 cm Breite aus-

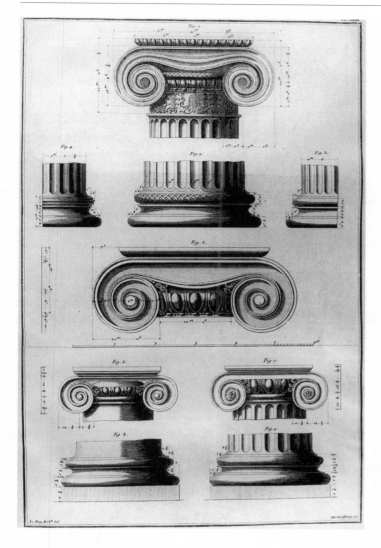

Abb. 4: Säulenbasen und Kapitelle
vom Erechtheion,
in: Julien-David LeRoy, *Les Ruines
des plus beaux monuments de la Grèce*,
1758

klappbaren Tafeln läßt Piranesi jedoch dieses erste Kriterium der funktionalen Strenge souverän hinter sich; statt dessen führt er, indem er aus den Tafeln von LeRoy zitiert, die im Vergleich mit den Produkten der röm. Einbildungskraft erbärmliche Einfachheit der griech. Bauornamentik richtiggehend vor – bei durchaus fließenden Grenzen zwischen stringenter visueller Argumentation und virtuoser Bildpolemik (Abb. 4–6).

### F. PIRANESI GEGEN MARIETTE UND DER AUSGANG DER DEBATTE

In einer *Lettre (...) sur un Ouvrage de M. Piranesi concernant les Antiquités Romaines*, abgedruckt in der *Gazette Littéraire de l' Europe* vom 4. November 1764, reagierte der frz. Kritiker Jean Pierre Mariette auf Piranesis *Della Magnificenza*. Mariette argumentierte, daß auch die Etrusker griech. Ursprungs gewesen seien, daß die röm. Kunst ihren Ursprung in Griechenland habe und v. a. von griech. Sklaven ausgeführt worden sei. Die Griechen hätten nur kurz ›eine schöne und noble Einfachheit‹ und ›guten Geschmack‹ besessen; unter den Römern aber sei die Kunst ›lächerlich und barbarisch‹ geworden [11. 225]. – Ein J. später schlug Piranesi gegen Mariette 15 Seiten mit einem ganzen dreiteiligen Buch zurück [1].

Das Titelblatt des ersten Teils, der *Osservazioni (...) sopra la Lettre de M. Mariette aux Auteurs de la Gazette Littéraire de l' Europe (...)*, gestaltete er als eine beißende Karikatur des schaffenden Künstlers auf den als Schreiberling charakterisierten Mariette (Abb. 7); der Text der *Osservazioni* besteht aus zwei Spalten: in einer schmalen rechten Kolumne wird der Brief Mariettes nochmals integral abgedruckt, links davon drischt Piranesi ebenso bissig wie furios Punkt für Punkt auf seinen Gegner ein. Es folgt als zweiter Teil unter dem Titel *Parere su l'Architettura* ein Dialog – eine in ihrer Substanz und tatsächlichen Aussage schwer einzuschätzende *cicalata* (›scherz-

Abb. 5: Giovanni Battista Piranesi, Verschiedene Säulenbasen
im Vergleich mit den Basen vom Erechtheion nach LeRoy,
in: *Della Magnificenza* (...), 1761, Tafel XI

Abb. 6: Giovanni Battista Piranesi, Römische Kapitelle, Friese und
ornamentale Fragmente im Vergleich mit einem Detail aus LeRoy,
in: *Della Magnificenza* (...), 1761, Tafel XVII (linke Hälfte)

Abb. 7: *Osservazioni di Gio. Battista Piranesi sopra la Lettre de M. Mariette* (...), 1764, Titelblatt

hafte Plauderei‹) [11. 225–226] – zw. Protopiro, einem Gefolgsmann von Marc-Antoine Laugier, und Didascalo, dem Sprachrohr Piranesis. Im abschließenden dritten Teil, überschrieben mit *Della introduzione e del progresso delle belle arti in Europa ne' tempi antichi* und ausgegeben als Einführung zu einem neuen (nie erschienenen) Buch, wiederholte Piranesi schließlich seine antigriech. Invektiven.

Piranesis letztes »Wort« sind allerdings, wie es sich für einen bildenden Künstler ziemt, fünf Bilder – genauer: Radierungen –, die er nach 1768 in den *Parere* integrierte. Dabei handelt es sich um fünf Architekturentwürfe, die als totaler Affront gegen alle theoretischen Regeln und Gesetze gesehen werden können. Auf dem abschließenden Gesims des letzten dieser Entwürfe (Abb. 8) steht die Sallusts *Bellum Iugurthinum* entnommene Zeile ›Novitatem meam contemnunt, ego illorum ignaviam‹ – ›sie verachten meine Neuheit, ich ihre Trägheit‹. Die von Piranesi präsentierte Fassade aber ist ›ein Inferno aller klass. Ordnungslehren‹ [11. 226].

Mit der breiten Durchsetzung der an griech. Vorbildern sich orientierenden klassizistischen Tendenzen endete die G.-R.-A., die vielleicht doch mehr war als ein ›Sturm im Wasserglas‹ (Miller) oder ein bloßer ›Pa-pierkrieg‹ (Wilton-Ely), in den letzten Jahrzehnten des 18. Jh. faktisch mit einem »Sieg« der »Griechenpartei«. Dies bedeutete einerseits den Beginn der ›Tyranny of Greece over Germany‹ (E.M.Butler, 1935); der »Grieche« Winckelmann wurde – allerdings nur im dt. Sprachbereich – zum alleinigen »Vater der Klass. Arch.«. Piranesi, der Römer, dagegen fiel als ernstzunehmender Archäologe (der er aber tatsächlich war und ist) weitgehend außer Betracht.

QU 1 J. WILTON-ELY (Hrsg.), G. B. Piranesi: The Polemical Works (Rome 1757, 1761, 1765, 1769), 1972 (Reprint der Texte von Piranesi)

LIT 2 C. BERSANI, I monumenti archeologici nelle opere degli artisti e dei viaggiatori stranieri dei secoli XVIII e XIX, in: L' immagine dell' antico fra settecento e ottocento, 1983, 73–120 3 L. BESCHI, La scoperta dell' arte greca, in: S. SETTIS (Hrsg.), Memoria dell' antico nell' arte italiana, Bd. 3: Dalla tradizione all' archeologia, 1986, 295–372 4 E. W. BODNAR, Cyriacus of Ancona and Athens, 1960 5 B. L. BROWN/D. E. KLEINER, Giuliano da Sangallo's Drawings after Ciriaco d' Ancona. Transformations of Greek and Roman Antiquities in Athens, in: JSAH 42, 1983, 321–335 6 J. M. CROOK, The Greek Revival. Neo-Classical Attitudes in British Architecture 1760–1879, 1972 7 J. DOBAI, Die Kunstlit. des Klassizismus und der Romantik in England, Bd. I, 1974, 867–920 (Auslandreisen); Bd. II, 1975, 476–526 (Archäol. Architekturpublikationen) 8 R. ÉTIENNE, J.-C. MOSSIÈRE (Hrsg.), Jacob Spon. Un humaniste Lyonnais du XVIIème siècle, 1993 9 W. HERRMANN, Laugier and Eighteenth Century French Theory, 1962 10 E. KAUFMANN, Piranesi, Algarotti and Lodoli. A controversy in XVIII Century Venice, in: Gazette des Beaux-Arts 97, 1955, 21–28 11 H.-W. KRUFT, Gesch. der Architekturtheorie. Von der Ant. bis zur Gegenwart, 1985, 218–244 12 S. LANG, The Early Publications of the Temples at Paestum, in: Journal of the Warburg and Courtauld Institutes 13, 1950, 48–64 13 L. LAWRENCE, Stuart and Revett: Their Literary and Architectural Careers, in: JWI 2, 1938, 128–146 14 N. MILLER, Europ. Philhellenismus zw. Winckelmann und Byron, in: Aufklärung und Romantik 1700–1830 (Propyläen Gesch. der Lit.), 1983, 315–366 15 Ders., Winckelmann und der Griechenstreit. Überlegungen zur Historisierung der Ant.-Anschauung im 18. Jh., in: T. GAEHTGENS (Hrsg.), J. J. Winckelmann 1717–1868, 1986, 239–264 16 G. PACI, S. SCONOCCHIA (Hrsg.), Ciriaco d' Ancona e la cultura antiquaria dell' umanesimo, 1998 17 A. SCHMIDT, Antikenkopien und künstlerische Selbstverwirklichung in der Früh-Ren., in: R. HARPRATH, H. WREDE (Hrsg.), Antikenzeichnung und Antikenstudium in Ren. und Frühbarock, 1989, 1–20 18 D. WATKIN, Athenian Stuart, Pioneer of the Greek Revival, 1982 19 D. WIEBENSON, Sources of Greek Revival Architecture, 1969 20 J. WILTON-ELY, Vision and design: Piranesi's *Fantasia* and the Graeco-Roman Controversy, in: G. BRUNEL (Hrsg.), Piranèse et les français, 1978, 529–544 21 Ders., The Art of Polemic: Piranesi and the Graeco-Roman Controversy, in: P. BOUTRY ET AL. (Hrsg.), La Grecia antica. Mito e simbolo per l' età della Grande Rivoluzione, 1991, 121–130 22 R. WITTKOWER, Piranesi's *Parere su l'architettura*, in: JWI 2, 1938, 147–158.

MARCEL BAUMGARTNER

Abb. 8: Giovanni Battista Piranesi, Architekturentwurf (›Novitatem meam contemnunt, ego illorum ignaviam‹),
Zusatzblatt zum *Parere su l'Architettura*, nach 1768

**Griechenland**  I. ALLGEMEIN
II. BILDUNG UND WISSENSCHAFT  III. MUSEEN

I. ALLGEMEIN
A. CHRONOLOGIE UND ABGRENZUNG
B. POSTBYZANTINISCHE EPOCHE
C. AUFKLÄRUNG UND NATIONALISMUS
D. DER NEUGRIECHISCHE STAAT

A. CHRONOLOGIE UND ABGRENZUNG
»G.« läßt sich in einem doppelten Sinne verstehen:
Einmal meint man damit den ngriech. Staat seit seiner
Gründung (1830); »G.« kann aber auch, ohne unmittelbar staatliche Bed., jene Gebiete des ehemaligen byz.
Reiches bezeichnen, in denen sich nach 1204 oder 1453
die griechischsprachige Kultur artikulierte, sei es im
Rahmen des Osmanischen Reiches (OR), sei es innerhalb des venezianischen Herrschaftsgebietes. Obwohl
die ngriech. Antikerezeption nach 1830 ohne die vorhergehende Periode undenkbar ist, empfiehlt es sich
daher, zumal die territoriale Deckungsgleichheit zw.
dem ant. Hellas und dem mod. G. eine scheinbare ist,
beide Stränge zu trennen. Wir behandeln demnach zuerst die als »postbyz.« Ära zu verstehende Epoche bis ca.
1700. Diese ist von der nachfolgenden, als Übergangs-
phase zu begreifenden Aufklärungszeit durch einschneidende Entwicklungen und Ereignisse (Kreta wird
türk., endgültig 1669; Niederlage des OR vor Wien
1683; Niedergang des venezianischen und des türk. Im-

periums; Aufstieg der Habsburgermonarchie) gekennzeichnet. Daran schließen wir die Darstellung der ca.
150 J. währenden ngriech. Staatlichkeit an.

B. POSTBYZANTINISCHE EPOCHE
Jede Beschäftigung mit Antikerezeption im byz.-
ngriech. Raum muß von einer grundsätzlichen Voraussetzung [4. 11 ff.] ausgehen: Trotz histor. Brüche und
ethnischer Verschiebungen, trotz zahlreicher Katastro-
phen wie dem Vierten Kreuzzug hatte die byz. Elite den
Anspruch, röm. Staatlichkeit und hell. Erbe weiterzu-
führen, nie aufgegeben. Das byz. Reich ist – nach dem
Rückgang der Sprachkenntnisse in der Spät-Ant. und
vor dem 14. Jh. – das einzige Territorium, wo die ant.
und christl.-patristische griech. Lit. weiter gepflegt wurde, und es ist sich dieses Umstandes fast allzusehr bewußt. Neben dieser unbezweifelbaren Kontinuität in
der Pflege der Lit. steht auch jene der Sprache: das
Ngriech. (und seine Dialekte) ist der direkte Nachfahre
des ant. Griech., und zugleich sein einziger. Auch die
sich daraus für die heutigen Griechen ergebende Ab-
stammungsproblematik ist spätbyz. Gelehrten (z. B.
G. Plethon) durchaus bewußt gewesen [18. 160 ff.].
Nach 1204, spätestens seit dem E. des 13. Jh., kann
von einer einheitlichen Entwicklung der ehemals byz.
Territorien keine Rede mehr sein: Neben dem immer
kleiner werdenden Reststaat, der 1453 verschwindet,
befinden sich immer größere Territorien unter islamischer (seldschukischer, dann osmanischer) oder venezianischer (genuesischer, frz.) Herrschaft. Während im

Paläologenreich eine Wiederbelebung der ant. Stud. eintritt, verläuft die Entwicklung in den westl. beherrschten Gebieten völlig anders: Der massive it. und frz. Einfluß führt zu einer Blüte der Lit. in der Volkssprache und v. a. auf Kreta [1; 15] zu einer Verschmelzung des spätbyz. und des it. Human. [19]. In »Candia« werden in der zweiten H. des 15. Jh. (Michael Apostolis, ca. 1422–ca. 1480 [8. 73 ff.]) nicht nur zahlreiche Kopien ant. Mss. angefertigt (v. a. der Alexandriner), sondern es läßt sich dort auch ein lebhaftes geistiges Leben nach dem Vorbild der it. Ren. ausmachen, das neben dem Griech. eine Produktion in lat. und it. Sprache umfaßte. Getreu den Traditionen des *umanesimo volgare* wird aber v. a. der heimische griech. Dialekt, das Kretische, zur ersten vollgültigen ngriech. Literatursprache ausgebaut. Übers. und Bearbeitungen der repräsentativen Werke von Ren., Manierismus und Barock (etwa des *Pastor fido* von Guarini als Ὁ πιστικὸς βοσκός) lassen bald alle Gattungen der it. Vorbilder auf der Insel vertreten sein: So erfolgt auch eine Wiederbelebung des ant. Dramas nicht in direkter Tradition, sondern die kretische Produktion greift auf die westl. Vorbilder zurück: Jesuitendrama, Schauerstück, Idylle, rel. Theater und Komödie (wichtigster Vertreter: G. Chortatsis) erleben eine Blüte. Gedruckt wird diese Produktion fast ausschließlich in Venedig [17]. Eine weitere Stätte lit. Tätigkeit war das venezianische Euboia (N. Sagundinos, ca. 1400–1462 [2]). Träger dieses griech. Zweiges des venezianischen Human. sind einmal die alte byz. Oberschicht, die in den Dienst der neuen Herren trat, zum anderen aber auch gräzisierte Venezianer, die seit dem 13. Jh. auf der Insel siedelten.

Dieser Kontakt mit dem Westen ließ auch einen christl. Human. entstehen, der bisweilen im Protestantismus mündete: Zacharias Gerganos [20. 160 ff.] studierte in Wittenberg und ließ dort 1622 den ersten lutherisch beeinflußten Katechismus auf Ngriech. drukken; Kyrillos Loukaris [10] aus Kreta trat als Patriarch von Konstantinopel zum Kalvinismus über und ließ in Genf eine ngriech. Bibel drucken, was ihm den Vorwurf der Häresie einbrachte und (1638) das Leben kostete.

Völlig anders lagen die Verhältnisse im OR [20]. Hier wurden die spätbyz. Tendenzen zu einem ngriech. Nationalstaat (Reich von Nikaia) durch das osmanische *millet*-System zurückgedrängt: Die Griechen lebten hier als Angehörige und führende Gruppe der orthodoxen Religionsgemeinschaft (*Rūm milleti*) im Prinzip weitgehend unbehelligt, waren jedoch durch das Druckverbot und andere Beschränkungen von der Ren. und der folgenden Entwicklung abgeschnitten. Das geistige Leben war um das Konstantinopolitaner Patriarchat konzentriert und bewegte sich weitgehend in den überkommenen spätbyz.-theologischen Bahnen; eine gewisse Erstarrung ist unübersehbar. Die enge Symbiose zw. osmanischem Staat und orthodoxer Kirche verfolgte alle Ansätze von Human., Reformation und Ren., schließlich auch die Aufklärung.

## C. Aufklärung und Nationalismus

Die Eroberung Kretas beschränkte die venezianischen Besitzungen auf die ionischen Inseln; der griech. Katholizismus auf den übrigen Inseln verfiel. Andererseits bescherten mil. Krise und Dezentralisierungserscheinungen des OR den Griechen eine außergewöhnliche Ausgangsbasis im Verhältnis zu den anderen Balkanvölkern: In den halbautonomen Fürstentümern Moldau und Walachei herrschten phanariotische Dynastien; als Händlervolk waren die Griechen in fast allen westeurop. Großstädten durch Kolonien vertreten; gleichzeitig standen sie in engem Kontakt mit den im Orient (Konstantinopel, Thessaloniki, Smyrna, Beirut, Alexandreia) niedergelassenen Europäern und besuchten deren Schulen. Dadurch kamen sie in Kontakt mit den im Westen kursierenden Ideen der Aufklärung, des beginnenden Nationalismus und der Revolution [6]. Während die orthodoxe Kirche im 18. und 19. Jh. eine ablehnende Haltung zu diesen Entwicklungen einnahm (lediglich bei E. Vulgaris, 1716–1806 [20. 344 ff.], läßt sich eine ernsthafte Auseinandersetzung feststellen), verfolgte das griech. Bürgertum innerhalb und außerhalb des OR intensiv die Diskussionen in Europa. Dabei übernahmen seine wichtigsten Vertreter (so A. Korais, 1748–1833 [16]) auch den neoklassizistischen Antikebegriff und übertrugen ihn auf ihre Konzeption einer griech. Nation. Damit vollzogen zur Zeit der definitiven Niederlage der Osmanen gegen die Russen (1774, Küçük Kaynarcı) die griech. oder gräzisierten Bildungsschichten (etwa die Phanarioten in Konstantinopel) einen für die ngriech. Geschichte entscheidenden Paradigmenwechsel [7; 9] von ihrer byz.-postbyz. Identität (die sich im osmanischen *millet*-System manifestierte) zu einer vom europ. Ant.-Ideal geprägten idealisierten Bild der eigenen Vergangenheit [13; 5]: Die griech. Nation sei demnach seit den Zeiten der Römer in den Fesseln der Knechtschaft gelegen, deren schlimmste Ausprägung das OR sei. Aus dem kulturell-polit. Verfall müsse sie durch Erziehung befreit werden, was am ehesten durch die Errichtung eines Nationalstaates möglich sei.

Durch diesen radikalen Schnitt wurde nicht nur das gesamte byz. Erbe in Frage gestellt, sondern auch die fortwirkende Kraft der orthodoxen Kirche, um deren Mittelpunkt, das Patriarchat, sich die Mehrheit der damaligen Griechen und der übrigen orthodoxen Balkanchristen organisierte. In diesem Zusammenhang tauchte auch die das gesamte 19. Jh. beherrschende Sprachfrage [11] zuerst in unvermittelter Härte auf: Sollte, so die Mehrheit der Phanarioten, etwa P. Kodrikas (1762(?)–1827), im neuen Staat das Altgriech. herrschen, – oder das Neugriech., so die Reformer D. Katartzis (ca. 1730–1807) und Vilaras (1771–1823), das von Turzismen »verunreinigt« war und wenig geeignet erschien, das neu-alte Hellenen-Ideal zu repräsentieren? Oder ein Kompromiß (so Korais)? Diese im Grunde unauflösbaren Spannungen zw. westl. Neuhuman. und (post-)byz. Tradition fanden ihren Ausdruck in der Verkündung des Kirchenbannes gegen die griech. Revolutionäre von 1821 durch den orthodoxen Patriarchen Gregorios V. auf Anstiften der osmanischen Regierung. In welch auswegloser Situation sich die Kirche befand, zeigt der Umstand, daß derselbe Patriarch als Vertreter des »verräterischen« *Rūm-millet* ungeachtet dieser Maßnahme zu Ostern in seiner Kirche von den Türken aufgeknüpft wurde (10. April 1821).

### D. Der neugriechische Staat

Der ngriech. Staat erbte somit vom 18. Jh. eine schwere ideologische Erblast, die zu seinen schier auswegslosen äußeren und inneren Problemen hinzutraten [12; 22]: Verdankte er seine bloße Existenz einem Kompromiß der Großmächte (England, Frankreich, Rußland) mit dem OR, mußte er eine unliebsame Staatsform (Monarchie), eine fremde und zudem katholische Dynastie (Otto I. von Wittelsbach) akzeptieren, so umfaßten die Grenzen von 1830 nur einen Bruchteil der sich als »Griechen« empfindenden Bevölkerung. Das Problem der Irredenta bestimmte folglich die gesamte Politik bis zumindest 1923, im Grunde bis 1974 (Zypernkrise). Die vom Diskurs des 18. Jh. übernommene Antikerezeption unter nationalem Gesichtspunkt wurde fortgeführt und in einen chauvinistischen Revanchismus umgedeutet. Das staatstragende Bewußtsein, von den alten Hellenen abzustammen, erlitt erwartungsgemäß einen Schock durch die Begegnung des urspr. liberalen Philhellenismus und der dt. Altertumswiss. im 19. Jh. mit der Realität eines von Krieg und Bürgerkrieg verwüsteten, tief osmanisch geprägten Landes: Versagte die dt. Antikebegeisterung gegenüber der intellektuellen Herausforderung durch die Existenz des neueren Griechentums, von rühmlichen Ausnahmen abgesehen, völlig, so reagierten die Bewohner des winzigen Staates an der europ. Südostperipherie mit einer um so heftigeren Insistenz auf dem ant. Erbe. Das apodiktische und im Grunde rassistische Verdikt J. P. Fallmerayers [23; s. auch Meraklis apud 5, 269ff.], der die »biologische« Deszendenz der heutigen von den alten Griechen bestritt, wurde von jenen mit einer intensiven Übernahme dt. altertumswiss. Ideologie beantwortet: Die griech. Begründer von Klass. Philol., Arch. und Alter Geschichte, aber auch von Sprachwiss. und Volkskunde studierten zum größten Teil in Deutschland, wenn sie nicht selber Deutsche waren, die an der neugegr. (1837) Univ. Athen lehrten. Insofern sich die dt. Altertumswiss. im Laufe des 19. von einer liberalen zu einer zunehmend präfaschistischen Wiss. wandelte (F. Thiersch, 1784–1860, einer der ersten Professoren in München, bei dem junge Griechen studierten, verfaßte nicht nur 1834 eine bis h. lesenswerte Darstellung der Verhältnisse im mod. G., sondern wurde auch von Metternich bei seinem Souverän angeschwärzt [22. 55f.]), folgte das junge G. diesem Paradigma: Die mit dem »Griechentum« befaßten Wiss. dienten in der zweiten H. des 19. Jh. auch dem Zweck, die irredentistischen Ansprüche auf das osmanische Erbe zu rechtfertigen. Das Grundbuch dieser Ideologie ist die Ἱστορία τοῦ Ἑλληνικοῦ Ἔθνους ... (zuerst 1860–1874) von K. Paparri-

gopulos (1815–1891), das eine einzige Apologie gegen Fallmerayer darstellt. In den Rahmen dieses »Ethnos«-Begriffes wurde auch die am E. des 19. Jh. einsetzende Rezeption des zunächst verdrängten byz. Erbes eingeordnet.

Die Forderung nach der Verwirklichung der »Großen Idee«, der Wiedererrichtung des byz. Reiches unter griech.-nationalistischen Vorzeichen, war bis zum mißglückten Feldzug in Kleinasien (1922–23) das Gebot der Stunde [12. Bd. I, 305ff.]. Bis zu diesem Zeitpunkt und noch darüber hinaus verfiel das Land einer gigantischen Mimikry: Ortsnamen wurden (bisweilen irrtümlich) ant. umbenannt; röm., byz., v. a. aber auch venezianische und osmanische Baudenkmäler wurden, unter emsiger Anleitung europ. Archäologen, zerstört, um Ant. zu finden; anstelle des alten »Rhomaioi«-Wortes wurde der fast vergessene »Hellenen«-Begriff wieder propagiert etc. Die Zerstörung der Vergangenheit im Rahmen des übernommenen Hellenenideals gipfelt in der »Ausgrabung« (recte: Neukonstruktion) der Akropolis von Athen [21]: Nach Tilgung aller nichtant. Denkmäler dieser alten Burg, die noch im Krieg 1821–1830 als Festung gedient hatte, läßt sich ohne Übertreibung sagen, daß die heutige Akropolis von Athen die repräsentativste Monumentalruine ist, welche die dt. Altertumswiss. in der Hauptstadt des neuen Staates gebaut hat.

Die nach dem ersten Weltkrieg (Gründung der Univ. Thessaloniki), v. a. aber nach dem Ende von Monarchie und Diktatur (1974) eingetretene Öffnung dieses ideologischen Gebäudes durch verschiedene Faktoren erhielt nach dem Ende des Kalten Krieges einen empfindlichen Rückschlag in der Makedonien-Krise, die in paradigmatischer Weise verdeutlicht, wie noch heute der Diskurs des griech. Nationalismus dt. Modellen des 19. Jh. verhaftet bleibt: Das Buch O. Hofmanns [14] von 1906, das das griech. »Volkstum« der ant. Makedonen beweisen sollte, wurde in G. von dem (zu Recht) berühmten kretischen Sprachwissenschaftler G. Chatzidakis (1848–1941), der in Deutschland studiert hatte, im Vorfeld der Balkankriege zur Stützung der griech. Ansprüche auf Makedonien übersetzt. Auf dem Höhepunkt der neuen Makedonienkrise in der Mitte der 90er Jahre wurde ebendiese alte Übers. neu aufgelegt und mit einem nationalistischen Vorwort versehen — wieder durch einen in jeder Hinsicht verdienten ngriech. Sprachwissenschaftler, G. Babiniotis. Auch er hatte in Deutschland (Köln) studiert ([3. 259ff.]: Ψευδώνυμη γλῶσσα ψευδεπίγραφου κράτους). Besser läßt sich der Reflex dt., völkisch orientierter Altertumswiss. in Südosteuropa kaum illustrieren. Ironie der Geschichte bleibt es, daß ihre Rezeption nicht nur völlig unabhängig von der jeweiligen dt. Politik, etwa im Makedonien-Streit, verläuft, sondern auch, daß gerade die dt. Altertumswiss. den wiss.-polit. Diskurs in G. mitbestimmt(e) – einem Land, zu dem sie im 19. sowenig wie im 20. Jh. jemals ein vernünftiges Verhältnis gefunden hat. Ob ihre gegenwärtige Krise dazu führen wird, die bestehenden Barrieren abzubauen und beide Traditionen zu einer umfassenden »Ellenologie« zu vereinen, erscheint z.Z. zweifelhaft.

→ Aufklärung; Barock; Bayern; Byzanz; Griechisch; Neugriechische Literatur; Osmanisch-islamische Kulturregion; Renaissance

1 F. BABINGER, Veneto-kretische Geistesstrebungen um die Mitte des XV. Jh., in: ByzZ 57, 1969, 62–77 2 Ders., Nikolaos Sagoundinos, ein griech.-venedischer (sic!) Humanist des 15. Jh., in: Aufsätze und Abh. zur Gesch. Südosteuropas und der Levante, Bd. III, 1976, 242–56 3 G. BABINIOTIS, Die Sprache Makedoniens. Das Altmaked. und die fälschlich so benannte Sprache von Skopje, Athen 1992 (griech.) 4 H.-G. BECK, Das byz. Jt., 1978 5 E. CHRYSOS (HRSG.), Ἕνας νέος κόσμος γεννιέται, Athen 1996 (griech.) 6 K. TH. DIMARAS, Νεοελληνικός Διαφωτισμός, Athen ⁶1993 (griech.) 7 H. EIDENEIER, Hellenen – Philhellenen: ein histor. Mißverständnis?, in: AKG 67, Heft 1, 1985, 137–159 8 D. J. GEANAKOPLOS, Greek Scholars in Venice, 1962 9 G. P. HENDERSON, The Revival of Greek Thought 1620–1830, 1971 10 G. HERING, Ökumenisches Patriarchat und europ. Politik 1620–1638, 1968 11 Ders., Der Streit über die ngriech. Schriftsprache, in: Sprachen und Nationen im Balkanraum, hrsg. von CHR. HAMMICH, 1987, 125–194 12 Ders., Die polit. Parteien in G. 1821–1936, 2 Bde. 1992 13 HEYDENREUTER et al. (Hrsg.), Die erträumte Nation. G. Wiedergeburt im 19. Jh., 1995 14 O. HOFFMANN, Die Makedonen, ihre Sprache und ihr Volkstum, 1906 15 D. HOLTON (Hrsg.), Literature and society in Ren. Crete, 1991 16 CL. HOPF, Sprachnationalismus in Serbien und Griechenland. Theoretische Grundlagen sowie ein Vergleich zw. V. St. Karadžič und A. Korais, 1997 17 E. LAYTON, The Sixteenth Century Greek Book in Italy, 1994 18 J. NIEHOFF-PANAGIOTIDIS, Koine und Diglossie, 1994 19 N. PANAYOTAKIS, The Italian Background of Early Cretan Literature, in: Dumbarton Oaks Papers 49, 1995, 281–323 20 G. PODSKALSKY, Griech. Theologie in der Zeit der Türkenherrschaft, 1988 21 L. SCHNEIDER, CHR. HÖCKER, Die Akropolis von Athen. Ant. Heiligtum und mod. Reiseziel, 1990 22 W. SEIDL, Bayern in G. Die Geburt des griech. Nationalstaats und die Regierung König Ottos, 1981 23 G. VELOUDIS: Jakob Philipp Fallmerayer und die Entstehung des ngriech. Historismus, in: Südost-Forsch. 29, 1970, 43–90. JOHANNES NIEHOFF

## II. BILDUNG UND WISSENSCHAFT
### A. TURKOKRATIE UND DIASPORA
### B. DER NEUGRIECHISCHE STAAT

### A. TURKOKRATIE UND DIASPORA

1. Andauernde Konflikte zw. Byzanz und dem lat. Westen einerseits, den slawischen Völkern des Balkans (Serben, Bulgaren) andererseits stärkten seit dem 13. Jh. das griech. Bewußtsein der Byzantiner. Die Eroberung Konstantinopels durch die Kreuzritter (1204) und der Zerfall der ökumenischen Staatsform verhalfen zur Anpassung der röm. Kaiserideologie an die Idee einer griech. Monarchie (vgl. die Ideologie der Könige von Nikäa: [23]). Die zunehmende Selbstbestimmung durch den Begriff »Hellenen« (anstelle von »Römer«) [54. 17]

wurde von der Aneignung der ant. Trad. durch viele Gelehrte der Paläologenzeit (bes. G. Gemistos-Plethon) begleitet (zur Wiederbelebung der Benennung im 19. Jh. s. [25]). Dennoch blieb der Einfluß gelehrter Vorstellungen auf die gesprochene Sprache und die Volkskultur (d.h. auf die sprachlichen und ideologischen Grundlagen der ngriech. Lit.) zunächst gering.

Der Vormarsch der Osmanen und der Fall Konstantinopels (1453) hatten die Auflösung der Bildungszentren der spätbyz. Zeit und eine Aufwertung der Bed. der Kirche zur Folge, da die neuen Herrscher die Bildung als mit der von ihnen tolerierten Religion zusammenhängend betrachteten [22. 6]. Während in venezianisch beherrschten Gebieten (Chios: bedeutendes Handels- und Kulturzentrum bis 1566; Kreta; Zypern; ionische Inseln) eine programmatische »Hellenisierung« der Bildung durch den Einfluß der it. Ren. und durch die Einschränkung der Befugnisse der orthodoxen Kirche verzögert wurde, blieb der Patriarch von Konstantinopel als Oberhaupt aller Christen im osmanischen Reich Erbe der spätbyz., hellenozentrischen Traditionen. Die mageren materiellen und geistigen Ressourcen ließen dennoch keinen kulturellen Durchbruch zu. Der wiss. Umgang mit ant. Texten ging zurück, das Studium der griech. Lit. diente der konservativen, christl. orientierten Erziehung, in der es seinen Platz im Osten nie verloren hatte, jedoch nur insofern es die Sittlichkeit und den Glauben nicht gefährdete. Auch die Philos. stand anfangs im Dienst des rechten Glaubens, und aus dieser Perspektive wurden auch jetzt die im Westen fortdauernden Konflikte zw. Platonikern (Michael Apostolis, Bessarion) und Aristotelikern (Theodoros Gazis, Andronikos Kallistos) rezipiert [39. Bd. 1. 35–42]: 1460 wurden die Gesetze Plethons durch Patriarch Georgios (Gennadios) Scholarios verurteilt. Platon wurde dementsprechend aus der griech. Bildung für fast drei Jh. verbannt [2].

Trotz der zunehmenden Kluft zw. den Griechen im osmanischen Reich und der Diaspora sind zahlreiche Griechen in It. um die »Wiedergeburt« des genos, zu dessen Definition nunmehr die Ant. maßgebend wurde, bemüht. Darauf zielte z.B. das editorische Übersetzungsprogramm des Nikolaos Sofianos ab [56]: er verfaßte 1534 die erste griech. Gramm. in der Volkssprache (veröffentlicht 1870) und gab als erster einen ant. Prosatext heraus, und zwar Plutarchs Über die Kinderzucht, in ngriech. Übers., 1534, sowie eine Landkarte (Totius Graeciae descriptio, 1536; Neudruck 1544: Angabe ant. und mod. Ortsnamen im Anhang); er faßte außerdem die Übers. klass. Autoren ins Ngriech. ins Auge, ein Plan, der auf unüberwindbare finanzielle und praktische Schwierigkeiten stoßen mußte. Übersetzungen und Adaptationen ant. Texte (bes. Popularität genoß darunter die Ilias: diese ist einerseits durch die Hochschätzung des Epos in der Ren. zu erklären, andererseits zeugt sie von einem Interesse an einer griech. Heldensage) erreichten kaum ein breiteres Publikum im Osten. Nicht zu verkennen ist jedoch die Rezeption des Alexanderromans, der sich seit 1680 ca. 50 Auflagen erfreute.

Die griech. Bildung in It. war oft der Unterstützung durch die katholische Kirche verpflichtet (so das von Papst Gregor XIII. in Rom gegr. *Collegio Greco*, 1577; ein griech. Gymnasium existierte in Rom bereits seit 1515) oder auf die Unterstützung wohlhabender Griechen angewiesen: Thomas Flangines aus Corfu stiftete 1662 Stipendien für die von ihm 1655 gegr. Schule (*frontisterion*) in Venedig. Im Syllabus dieser Schulen waren neben Griech. und Lat. auch die Naturwiss. vertreten. Italien war Bildungsort der meisten griech. Lehrer während der Osmanenherrschaft, ferner Verlagsort der wichtigsten ngriech. Buch-Edd., darunter auch der im Unterricht verwendeten Bücher.

Eine Schule wird in Konstantinopel erst 1556 mit Sicherheit bezeugt; bis auf wenige Schulen in größeren Städten (allen voran Ioannina), an denen der Unterricht stark von der Person und den Interessen der Lehrer abhing, die oft ihre Orte wechseln mußten, existierten in der zweiten H. des 16. Jh. keine öffentlichen Schulen; erst 1593 forderte Patriarch Meletios Pigas von seinen Bischöfen die tatkräftige Förderung der Bildung. Im 17. Jh. unternahm Patriarch Kyrillos Lukaris (1572–1638), ein Vorläufer der griech. Aufklärung, der in engem Kontakt zur Reformation stand, aktive Bildungsinitiativen: zu nennen sind v. a. die Anschaffung einer Druckerei (1627), die Übers. des NT ins Ngriech. durch Maximos Kallipolitis (Genf 1638) und die Berufung von Theophilos Korydalleus nach Konstantinopel (1574–1646, Studium in Padua bei Cremonini [50]) an die Spitze der inzwischen neu organisierten Patriarchalakad. (ab 1663 erhält sie eine philos. Abteilung und ab 1716 eine theologische Schule). Anstelle der herrschenden theologischen Ausrichtung stellte Korydalleus die systematische Lehre der Philos. (bislang auf Logik und Rhet. beschränkt) durch die Interpretation und Kommentierung sämtlicher aristotelischer Schriften (und nicht mehr durch die Komm. von Alexander, Simplicius und Themistius) in den Mittelpunkt. Korydalleus knüpfte die Wiederbelebung der Philos. an das Studium der klass. Autoren. Nach anfänglichem Zögern wurde im 17. Jh. der neuaristotelische »Korydallismus« zum festen Bestandteil eines rel. Human., der seit ca. 1700 als Schutzschild der Kirche gegen die vom Westen strömenden neuen Ideen und Bildungsideale diente, die in der sog. ngriech. Aufklärung kulminierten. Erstmals wurde die Autorität des Aristoteles in den *Philotheou parerga* (postum ediert, Moskau 1800) von Nikolaos Mavrokordatos (1680–1730) mit Entschlossenheit bezweifelt; zugleich wurde Platon aufgewertet und die Idee des Naturrechts propagiert. Höhepunkt der kirchlichen Reaktion gegen die Einführung mod. Gedankenguts war die Verurteilung von Methodios Anthrakites, der im Unterricht (Siatista, Kastoria) die peripatetische Lehre durch Geom. und Physiologie ersetzt haben soll (1723). Zu den prominenten Vertretern der europ. Naturphilos. zählen im 18. Jh. Vikentios Damodos (1679–1757; lehrte in Kefallenia) und Eugenios Voulgaris (1716–1806; lehrte in Ioannina, Kozani, Athos, Kon-

stantinopel), ein Eklektiker, der zahlreiche Übers. zeitgenössischer europ. philos. Schriften anfertigte und theol., philol. und philos. Traktate verfaßte. In seiner *Logik* (1766) wird die europ. Philos. rezipiert (Einfluß von Descartes, Locke, Voltaire). Der Bruch mit dem dogmatischen Aristotelismus erreichte in der *Apologie* (1780) des Iosipos Moisiodax (ca. 1725–1800) einen ersten Höhepunkt. Moisiodax versuchte einen Mittelweg zw. der konservativen Antikenverehrung und der Tendenz mancher Vertreter der Aufklärung zu einem radikalen Bruch mit der Vergangenheit einzuschlagen [27. 167–176].

Im 18. Jh. bekommt die Kirche zunehmend die Konkurrenz des aufkommenden Bürgertums und dessen ehrgeizigen Bildungsinitiativen (Gründung von Schulen und Bibl., Übers. ant. und europ. Autoren) zu spüren (auch mit Unterstützung der Griechen in der Diaspora). Handelszentren in Epirus und Mazedonien, daneben Athen, Patmos und Konstantinopel, werden zu Bildungszentren; der Vertrag von Küçük Kaynarcı (1774), der den Griechen das Recht zur freien Navigation durch den Bosporus erteilte, gibt auch Hafenstädten wie Chios, Smyrna, Kydoniai einen weiteren Aufschwung. Daneben blühen lokale Gemeinden in Thessalien und auf dem Peloponnes (seit 1715 unter türk. Kontrolle). Die Buchproduktion (Venedig, später Wien, Leipzig u. a.) nimmt zu, der Anteil der theologischen Lit. wird geringer, dagegen steigt im 18 Jh. der Anteil der Gramm. von 9 auf 14% aller griech. Bücher.

Einen Sonderfall stellen Moldavien und die Walachei dar. Seit 1709 werden sie von griech. Fürsten (aus dem Milieu der Phanarioten) regiert, die den wirtschaftlichen und kulturellen Kontakt mit dem Westen pflegten (in Moldavien existierten griech.-lat. Schulen bereits seit ca. 1560). Fürst N. Mavrokordatos unterstützte aktiv die Schulen in Jasi und Bukarest. Bereits am Anf. des 19. Jh. war Bukarest ein bedeutendes Kulturzentrum mit Druckereien und nennenswertem Theaterleben: hier und in Odessa fanden erstmals Aufführungen griech. Trag. statt [40]. Seit 1620 existierte ferner eine griech.-lat. Schule in Kiew, seit 1633 eine in Moskau. Im 18. Jh. nahmen auch die griech. Gemeinden in Zentraleuropa, bes. in Wien und Triest zu. Das steigende Bildungsniveau und das griech. Bewußtsein der Diaspora sind eine wichtige Voraussetzung für die ideologische und materielle Vorbereitung des Freiheitskampfes gewesen (zu den griech. Gemeinden in Europa s. [55. 115–131]).

Die Entstehung eines gebildeten Leserpublikums und der Kontakt mit der Philos. der Aufklärung und ihren human. Idealen, mit den liberalen Ideen der frz. Revolution und der Freiheitsbewegungen in It. trugen zur Formung eines neuen Selbstbewußtseins im Bürgertum bei. Das neu empfundene Bedürfnis nach Freiheit und Menschenrechten wurde als Erneuerung und Wiedergeburt der Nation verstanden. In diesem Zusammenhang wurden neue Zugänge zur Ant. gesucht. Nicht die philos. und wiss. Kenntnisse wurden in den

Texten gesucht, sondern einerseits human. Ideale und histor. Beispiele, andererseits die identitätsstiftenden Prinzipien des Griechentums. In der reichen protreptischen Lit. der sog. griech. Aufklärung [13; 28] stehen Wiss. und Freiheit als Ziele gleichberechtigt nebeneinander; Zit. aus ant. Autoren sind häufiger als aus Kirchenvätern. Nach dem anon. Autor der *Hellenike Nomarchia* (1806) war das Bewußtsein der Abstammung und der kulturellen Identität des griech. Volkes mit der damaligen polit. Situation in G. nicht vereinbar. Zugleich ist er über die Imitation der Vorfahren zuversichtlich: ›Griechenland zeugt immer noch Leoniden und Themistoklen‹ (Hellenike Nomarchia, 43). Rigas Pheraios träumte von einer griech. Republik, die nach dem Vorbild des Alexanderreichs alle Völker des Balkans in einem auf der griech. Bildung fundierten multikulturellen Staat vereinen würde.

In diesem Zusammenhang stellte sich auch die Frage nach der Sprache des wiederaufgewachten Volkes mit ausgesprochener Schärfe. Das neue Bürgertum sehnte sich nach einer einheitlichen Kodierung seiner nationalen und kulturellen Identität und empfand die Sprache als ein einheitstiftendes Instrument für die Gesamtheit der Griechen; ferner sollte sie für die Übertragung mod. westl. Ideologie und Wiss. geeignet sein. Zwischen den »Archaisten« (P. Kodrikas, S. Kommitas), welche die klass. Bildung als die Wiedergeburt des Altgriech. verstanden [33. 55], und Reformern wie A. Psalidas (1767–1829), Schulleiter in Ioannina (1796–1820), der die histor. Orthographie durch phonetische ersetzen wollte (dies tat z. B. J. Vilaras in der *Romeika Glossa*, 1814), stand Adamantios Korais (1748–1835), wohl der einflußreichste Gelehrte der vorrevolutionären Zeit [12]. Der in Paris lebende Philologe begründete 1805 eine Reihe ant. Autoren in ngriech. Übers. (*Hellenike Bibliotheke*; 16 Bde. sind zw. 1807–26 erschienen). Sein Denken schlägt sich in den umfangreichen *Prolegomena* seiner Edd. nieder [29]. Seine auf Reinigung der Volkssprache von fremden Elementen absehende, gemäßigte Sprachlehre schien zunächst eine Alternative zur undifferenzierten Übernahme vielfältiger dialektischer Elemente zu bieten und die Kommunikation mit Europäern, die des Altgriech. mächtig waren, zu erleichtern. Wegen der Künstlichkeit und der Unbestimmtheit dieser Konzeption konnte es bald zu einer Annäherung seiner Anhänger (N. Doukas, K. Oikonomos) mit den Archaisten kommen. Korais' Kreis gehörte noch Anthimos Gazis an, erster Hrsg. der Zeitschrift *Logios Hermes* (Wien, 1811–1821), in der u. a. wiss. Errungenschaften der europ. Altertumswiss. erstmals in griech. Sprache vorgestellt wurden und auf die griech. Volkskultur als Zeugnis eines in der Ant. wurzelnden Volksgeistes aufmerksam gemacht wurde.

Die polit. und ideologischen Botschaften, die mit der Antikenverehrung verbunden waren, stießen regelmäßig auf Widerstand seitens der Kirche. In der Patriarchalenzyklika von 1819 wurde der Grammatikunterricht gegen die Konkurrenz von Mathematik und Physik stark befürwortet, aber die Mode, christl. Namen durch ant. zu ersetzen, verurteilt. Dagegen wurde die Bildung seit Anf. des 19. Jh. durch die an mehreren Orten gegr. Kulturgesellschaften unterstützt (1810: Philol. Gesellschaft in Bukarest; 1813: Gesellschaft der *Philomousoi* in Athen, förderte auch die Arch.; 1814: Gesellschaft der *Philomousoi* in Wien). Dieser Trad. folgten auch der Verein zur Verbreitung der griech. Bildung (gegr. 1869) und der Philol. Verein von Konstantinopel (gegr. 1861), die im 19. Jh. die griech. Bildung in den noch osmanisch beherrschten Gebieten (Mazedonien, Thrazien, Kleinasien) förderten [43. Bd.3] (der erste griech. Staat enthielt keines der bedeutenden Bildungszentren der Zeit zuvor).

Die wirtschaftliche und soziale Stärke der Griechen verschaffte der griech. Bildung hohes Ansehen und machte die griech. Sprache zur Hauptsprache im gesamten Balkan. Am Anf. des 19. Jh. wurden griech. Schulen von verschiedenen ethnischen Gruppen bevorzugt (so war z. B. um 1810 Griech. die Unterrichtssprache in den Volksschulen Serbiens [1. 293]). Seit der Mitte des 19. Jh. existierte ein organisiertes Netz griech. Volksschulen in Mazedonien. In den 60er J. existierten *hellenika scholeia* im ganzen osmanischen Reich, an denen griech. Sprache und Geschichte unterrichtet wurden [5. 47–48]. Die nationalen Konflikte, die in der zweiten H. des 19. Jh. zunahmen, setzten dem Durchdringen griech. Bildung deutliche Grenzen; nicht zuletzt trugen die starke Orientierung an der Ant. und der Gebrauch einer archaisierenden Sprache im Unterricht zu dessen geringer Attraktivität bei (selbst bei der griech.-sprachigen Bevölkerung) [52. 123–147; 11 Bd. 2. 133]. Ein Versuch, die griech. Vergangenheit von Mazedonien zu dokumentieren, ist die monumentale Sammlung epigraphischen und arch. Materials von M. Dimitsas mit dem bezeichnenden Titel Ἡ Μακεδονία ἐν λίθοις φθεγγομένοις καὶ μνημείοις σῳζομένοις (1896; Nachdruck 1988); vgl. Kofos in [5. 107].

Smyrna blieb bis zur Zerstörung von 1922 und dem darauffolgenden Bevölkerungsaustausch ein blühendes Kulturzentrum, das mit Athen wetteiferte. Davon zeugen die zahlreichen Vereine, Zeitschriften, Druckereien (1904 waren es 14) und schließlich die Pläne der Regierung von E. Venizelos zur Gründung einer griech. Univ. (1920), an der u. a. das Studium der orientalischen Sprachen und der Ethnologie möglich sein sollten. Die von der Kirche und den türk. Behörden unabhängige Evangelische Schule (gegr. 1733; ihre Autonomie wurde vom engl. Konsulat garantiert) unterhielt seit 1747 ein arch. Museum (reiche numismatische Sammlung mit über 15000 Münzen), eine Druckerei und eine Bibl. (35000 Bde., 180 Hss.). Das vom Korais-Schüler K. Koumas (1777–1836) gegr. Philol. Gymnasium führte die experimentelle Naturwissenschaft in die Lehre ein (zum Bildungswesen in Kleinasien [43]).

Während auf den von den Türken 1571 bzw. 1669 eroberten Inseln Zypern und Kreta die Bildung dramatisch zurückging (es dauerte bis zum 18. Jh., bis die

Kreter Schulen eröffneten, da die Gebildeten in den Westen und auf die ionischen Inseln flohen), wurde auf den ionischen Inseln unter venezianischer Herrschaft die öffentliche Erziehung ab Mitte des 16. Jh. eingeführt. Hier wurden sowohl Altgriech. als auch Ngriech. und Lat. durch Fachlehrer unterrichtet [15. 191–233]. Seit 1803 (Gründung der Ionischen Republik, des ersten ngriech. Staates) war Griech. die offizielle Sprache. In den Gymnasien wurde auch Geschichte (ant. wie neuere) unterrichtet. Als Vorläufer der griech. Hochschulen kann die Ionische Akad. (1824–1864) angesehen werden. Der Wunsch, an die ant. Trad. anzuknüpfen war offenkundig: Lord Guilford und die sieben Professoren erschienen bei der Einweihung bekranzt, in Chiton, Chlamys und Sandalen gekleidet; ähnlich war die Tracht der Philol.-Studenten. Die Bed. dieser ersten griech. Hochschule ist groß, nicht zuletzt weil sie wiss. Kräfte ausbildete, die später von dem griech. Staat gebraucht wurden. Einige Dozenten wie der Griech.-Lat.- und Geschichtsprofessor K. Asopios wurden später nach Athen berufen.

2. Das griech. Schulsystem im osmanischen Reich war nicht einheitlich. Man unterscheidet im allg. zw. zwei Stufen: Volksschulen (*koina*) und höhere Schulen (meistens *museia, frontisteria, gymnasia, scholai* etc. genannt; stärker theologisch ausgerichtet waren oft die *akedemiai*) [15. LXXXI]. Einen höheren Status (obwohl keine Univ. im eigentlichen Sinne) genossen die Patriarchalakad. (seit 1691) sowie die Schulen von Athos (seit 1753) und Patmos (18. Jh.).

Grundlage der Lehre war die Gramm., meistens aus den Werken des Theod. Gazis (1496; konservativer, wurde mehr in Konstantinopel und den kirchlich kontrollierten Schulen gebraucht) oder Konst. Laskaris (1476; mehr verbreitet außerhalb des osmanischen Reichs) [51. 56f.]. Erste Schullektüre waren die Psalmen und Kirchengesänge, darauf folgten kirchliche und ant. Texte, die wegen ihrer Sprachform und ihrer moralischen Inhalte gewählt wurden: Äsopische Fabeln, Gnomen (z.B. aus den *Gnomai monostichoi* des Manuel Chrysoloras), Herrscherparänesen; später kamen Plutarch, Xenophon, Lukian, Rhet., Epistolographie, die *Batrachomyomachia*, die *Progymnasmata* des Aphthonios, Keves' *Pinax*, Reden des Basilius von Cäsarea und Gregor von Nazianz und anderes mehr; am Schluß Dichtung, oft mit Hilfe der Metrik des Gerasimos Vlachos, die auch zur Versifikation hilfreich war; bes. wurden gelesen: Epos (insbes. *Ilias* und *Erga*), Drama (*Hecuba, Orest, Plutus, Wolken, Aias*, Sophokles' *Elektra*), Theokrit, weniger Pindar. Platon tauchte erst im 18. Jh. wieder auf [41]. Eine graduelle Vereinheitlichung erfolgte mit der Auflage von Textbüchern: zu nennen sind Joh. Patousas' *Philol. Enzyclopädie* (Venedig 1710, mehrere Wiederaufl.; Homer fehlt, vielleicht wegen der Abweichung vom Att. [1]), und St. Kommitas' *Enzyklopädie griech. Disziplinen* (Wien 1812). Sie wurden teilweise auch in den Schulen des ngriech. Staats neben den Textbüchern des Th. Pharmakides, *Chrestomatheia Hellenike* (seit 1836) und A. Rangavis (seit 1844) verwendet.

Die Texte wurden Wort für Wort übersetzt; oft wurden für jedes Wort mehrere Syn. angegeben (sog. psychagogische Methode); gramm. Phänomene wurden ausführlich behandelt (*technologia*). In der sog. *thematographia* wurde aus dem Ngriech. (*koine*) ins Altgriech. übersetzt. Die Interpretation beschränkte sich auf Evidentes. Geschichtsunterricht wurde bis zum 19. Jh. nie systematisch gegeben. Es wird bezeugt, daß Neophytos Kausokalybites (Gründer der Athos-Akad. 1739; gest. 1774) von seinen Schülern in Bukarest gebeten wurde, den *Epitaphios* des Lysias zu behandeln, jedoch entgegnete, er bedaure, daß er dazu nicht geeignet sei, denn er besitze nicht die notwendigen histor. Kenntnisse [14. 52f.]. Das empfundene Bedürfnis nach enzyklopädischer Bildung traf jedoch mit dem ideologischen Rahmen des Historismus zusammen und führte Anf. des 19. Jh. zur Auffassung der griech. Geschichte als eigenständiger Disziplin (urspr. verbunden mit der Geogr. [30]). Neophytos' Schüler Photiades wird von Korais und Koumas gepriesen, weil er an die ›Texterklärung die pragmatische Forsch. anhängte‹ [41. 305]. Die zehnbändige Thukydides-Ed. von Neophytos Doukas (1805–6) signalisiert ein aufwachendes Interesse an der altgriech. Geschichte und in die Jahre um 1820 fallen die ersten chronologischen, histor. und histor.-geogr. Übersichten sowie Darstellungen der Entwicklung verschiedener Disziplinen [14. 52f.].

Der Schulunterricht wurde oft von Lex. zusätzlich unterstützt. Das erste gedruckte ngriech. Lex., Gerasimos Vlachos' Θησαυρὸς τῆς ἐγκυκλοπαιδικῆς βάσεως τετράγλωσσος (1659, 2. Aufl. 1723, 3. Aufl. 1784; Druck N. Glykys, Venedig) war eine Kompilation aus vorhandenen Lex. (viersprachig: Ausgangssprache ist Ngriech., Worterklärungen in Altgriech., Lat. und It., in der 3. Aufl. auch Frz.) [46]. Erst im viersprachigen Lex. des Georgios Konstantinou (1786) ist die Ausgangssprache Altgriechisch. 1816 wird ein Projekt zur Übers. des *Thesaurus Linguae Graecae* in der 1798 gegr. Druckerei des Patriarchats angekündigt, der Plan wird aber nicht vollständig durchgeführt [20].

## B. DER NEUGRIECHISCHE STAAT

1. Eine enthusiastische Tendenz zur Erneuerung der klass. Bildung manifestiert sich in den ersten Versuchen zur Errichtung eines Bildungsapparats im ngriech. Staat (ausgewählte Dokumente zur griech. Bildungspolitik: [11]). Bereits die 2. Nationalversammlung (1824) beschloß die Vereinheitlichung des Schulsystems; der Unterricht der gesprochenen Sprache sollte im ersten Zyklus eingeführt werden, während Altgriech.-, Lat.- und Frz.-Unterricht erst ab dem zweiten vorgesehen war; ferner wurde die Sammlung der Antiquitäten jeder Provinz in Schulmuseen zur Förderung der Geschichtskenntnis und der Forsch. über die eigenen Vorväter beschlossen. Der erste Gouverneur der neugegr. Republik, J. Capodistrias (1828–1831), unternahm weitgehende Initiativen zur Organisierung der Schulen. Im Kurrikulum des von ihm gegr. Lehrerseminars sollten u.a. Arch., Philos. und Paläographie unterrichtet wer-

den. Der Stolz und Eifer der »wiedergeborenen« Nation traf bald mit der Antikenverehrung des dt. Klassizismus zusammen. Unter der bayerischen Monarchie (1833–1864) wurde ein Schulsystem eingeführt, das aus den (nach frz. Muster entworfenen) Grundschulen (*demotika*, 4 Jahre), und in der Sekundarstufe aus den sog. »Griech. Schulen« (*hellenika*, nach dem Vorbild der »Lat. Schule«) und den (im humboldtschen Sinne definierten) »Gymnasien« bestand (3 + 4 Jahre). Ein detailliertes Kurrikulum für die Grundschule wurde erst 1883 zugrundegelegt [16. 154f.]. Lehrstoff und Methoden blieben zunächst der vorrevolutionären Praxis weitgehend verpflichtet. Wegen mangelnder Schulbücher und Lehrerausbildung wurde der 1833 parallel zum Altgriech.- eingeführte Ngriech.-Unterricht bald abgeschafft [3. Bd.3. 86]. Als »Griech.« galt im griech. Schulsystem bis 1897 Altgriech. [15. 2]: In einem Dekret von 1856 wird bestimmt, daß im Griech.-Unterricht allein die Gramm. des Att. unterrichtet wird – selbst in den Volksschulen [19. 29; vgl. auch 47]. Durch die Schule wurde so das Ideal der Nachahmung der ant. Sprache gefördert. Die hierin wurzelnde Gleichsetzung sprachlicher Kompetenz mit dem Archaismus prägte eine neue Auffassung von Bildung und trug zur Entstehung neuer Hierarchien bei: die neue Schicht der »Gebildeten« erkämpfte sich hohes Ansehen und ergriff, nach anfänglicher Konkurrenz mit den Phanarioten, Führungsposten in der Verwaltung und im polit. und sozialen Leben. Zugleich wurden die ideologisch bedingte Auswahl und Interpretation der Texte und die Orientierung des Unterrichts an der Sprachform der Texte für die Idealisierung der Ant. und für die Instrumentalisierung ihrer Botschaft im Dienst sprachlicher, moralischer oder nationalistischer Absichten maßgebend.

Grundschule und Griech. Schule waren obligatorisch; in allen Stufen war der Schulbesuch gebührenfrei. Dies entsprach dem Bedürfnis, die Bildung allg. zu fördern, da aus einem weitgehend illiteraten Volk ein Verwaltungsapparat für den jungen Staat geschaffen werden mußte. Entsprechend hoch blieb im gesamten 19. Jh. die Schüler- und Studentenquote (1885 war G. führend in Europa). Da aber keine Schulstufe eigenständige Aufgaben erfüllte, sondern die Schüler auf die nächste (und schließlich auf die Univ.) vorbereiten sollte [42. 145], wurde durch das Bildungssystem keine gesellschaftliche Rollendifferenzierung anhand fachlicher oder beruflicher Kompetenz gefördert, sondern das Halbwissen sanktioniert und ein quantitatives Kriterium suggeriert, wonach die Qualifikation des einzelnen zur sozialen und kulturellen Integration bemessen wurde. Entscheidend war dabei die Aneignung der archaistischen Sprache (*katharevousa*) und der damit verbundenen sozialen und nationalen Ideologie. Erst 1892 wurden Gebühren eingeführt: darin wird der Versuch der damals herrschenden Schichten deutlich, einerseits die eigenen Privilegien zu sichern, andererseits die Rekrutierung von Arbeitskräften für die wachsende Industrie zu erleichtern. Obwohl die Maßnahme nur fünf J. in

Geltung blieb, wurde dadurch das Bewußtsein einer neuen bürgerlichen Schicht signalisiert, die nicht mehr auf die Reproduktion der Ideologie des weitgehend korrupten (und nunmehr bankrotten) Staats bestand, sondern Träger eines neuen Klassenbewußtseins und für neue Rollen bereit war. Die archaisierende Sprache war nicht mehr Bestandteil eines utopischen Programms zur Wiederbelebung der Vergangenheit, sondern zunehmend Symbol der Autorität und Ideologie einer gesellschaftlichen Gruppe. Der Kampf um die Sprache fand nicht mehr zw. Anhängern unterschiedlicher Formen einer archaisierenden Sprache statt, sondern zw. Archaisten und Anhängern der Volkssprache (*demotike*). Darunter trafen sich liberale Intellektuelle und Protestierende aus dem nationalistischen Lager (darüber [44]) wie aus dem Kleinbürgertum und einer organisierten Arbeiterklasse, deren Aufkommen zugleich den Eindruck der Kluft zw. der anpassungsunfähigen offiziellen Sprache und der Realität verstärkte [49].

Trotz kleiner Verkürzungen in der Stundenzahl (1884, 1886, 1897) blieb Altgriech. das stärkste Fach in allen Schultypen, während weit über die H. der Stunden theoretischen Disziplinen gewidmet waren. Die ngriech. Lit. wurde erst 1884 ins Schulprogramm aufgenommen; darunter verstand man aber fast ausschließlich Lit. des 19. Jh. in archaisierender Sprache. Als Hauptfach wurde Ngriech. erst 1927 anerkannt. Ein Lehrstuhl für ma. und ngriech. Lit. wurde an der Univ. Athen erst 1925 geschaffen, etwa gleichzeitig zur Gründung der Univ. Thessaloniki, die das Studium des mod. G. als Schwerpunkt haben sollte. Das Gymnasium behielt seinen philol. Charakter das ganze 19. Jh. hindurch. Die Feststellung des ersten großen Kongresses der griech. Kulturvereine aus dem In- und Ausland, daß die Schulprogramme ›ihren philol. Charakter verändern und einen enzyklopädischen und realitätsbezogenen Charakter erwerben müssen‹, blieb effektlos [14. 354]. Eine umfassende Reform wurde 1899 von Kultusminister Eutaxias dem Parlament vorgelegt (Einführung des Ngriech. anstelle des Altgriech. in den Grundschulen, Gründung eines praktischen neben dem philol. Gymnasium, Anpassung des Schulsystems an die Bedürfnisse der gesellschaftlichen und wirtschaftlichen Entwicklung), jedoch abgelehnt; noch nach der Errichtung von Berufsschulen (1959) wurde das klass. Gymnasium von 74% der Volksschulabsolventen besucht. Die vom dt. Modell inspirierte human. Schule wurde in der Mitte des 19. Jh. auch von den Griechen auf Zypern eingeführt und konnte sich selbst gegenüber der praktisch orientierten angelsächsischen Trad. bewähren, die (seit 1878) durch die engl. Kolonialregierung bevorzugt wurde [38].

Die erstmals durch die bürgerliche Bewegung von 1909 möglich gewordenen Reformen von 1913–17 (Gesetzentwürfe von D. Glinos: archaisierende Schulbücher wurden durch neue ersetzt; Abschaffung der Griech. Schule, sechsjährige Volksschule, sechsjähriges Gymnasium, Einführung der dreijährigen Realschule) und die späteren von 1929–30 (Einführung der Volkssprache in die Grundschule; Lat. sollte bis auf das philol. Gymnasium fakultativ werden; Altgriech. konnte auch aus Übers. unterrichtet werden) und 1964 (Gesetzentwürfe von E. Papanoutsos: die Volkssprache wurde in allen Klassen eingeführt; im Gymnasium wurde altgriech. Lit. nur aus Übers. unterrichtet und studiert u.v.m.) wurden entsprechend 1920, 1932, 1967 rückgängig gemacht. Erst nach dem Fall der Militärdiktatur (1967–74) wurde das griech. Schulsystem (in Anlehnung an die Prinzipien der Reform von 1964) gründlich reformiert: 1976 wurde die *demotike* als einzige offizielle Staatssprache anerkannt, das Gymnasium wurde dreijährig und durch das dreijährige Lyzeum ergänzt; altgriech. Lit. wird im Gymnasium aus Übers. unterrichtet, erst im Lyzeum in der Originalsprache; Lat. wird auf das Lyzeum klass. Ausrichtung beschränkt. 1982 wurde durch die Einführung des Einakzentsystems die Rechtschreibung reformiert, Fragen der Lehrmethoden und der Schulbücher stehen seitdem im Mittelpunkt von Diskussionen und Reformversuchen.

Die Auswahl der Texte und die Ziele des Unterrichts wurden anfangs eng aufgefaßt: Neben der Vermittlung eines human. Ideals sollte das Studium der Ant. die Kontinuität der griech. Sprache und Kultur nachweisen und zur Erneuerung des geistigen Lebens der Nation beitragen (Fallstudie in: [17]). 1914 wurde ein zusätzlicher Gesichtspunkt neu angesprochen: ›Die neuen Handlungsperspektiven der Nation nach dem glücklichen Ausgang des neuesten Geschehen (sc. die balkanischen Kriege)‹. Dementsprechend wurden z.B. die beiden ersten B. von Xenophons *Hellenika* aus dem Kurrikulum gestrichen, da in ihnen Kriege der Griechen untereinander dargestellt werden; stattdessen wurden Texte ausgewählt, die sich auf siegreiche Kriege der Griechen gegen die Perser beziehen. Dieser Haltung stand eine Gruppe von Intellektuellen entgegen, die 1910 den »Bildungsverein« (*Ekpaideutikos homilos*) gründeten, und eine breite Diskussion um die Ziele und Methoden des Bildungssystems initiierten. Hauptvertreter war D. Glinos (1882–1943; 1924–26 Leiter der pädagogischen Akad.), ein entschlossener Kritiker des Formalismus in der griech. Altertumswiss. [18], der die Beziehung zur Ant. durch den von ihm geprägten Begriff des »kreativen Historismus« zu umschreiben versuchte. Darunter verstand er die kritische Betrachtung und kreative Aneignung des ant. Erbes im Sinne einer aufgeklärten, liberalen Lebenshaltung. Weitere Mitglieder des Vereins waren M. Triantafyllidis (1883–1959), prominenter Sprachwissenschaftler und später Professor an der Univ. Thessaloniki sowie Autor der ersten Standard-Gramm. des Ngriech., und der Pädagoge A. Delmouzos (1880–1950), der 1908 eine alternative Mädchenschule in Volos gegründet hatte, welche in Folge heftiger Angriffe ihren Betrieb einstellen mußte (1911); Delmouzos hatte dort komparatistische Methoden zum Studium der ant. Lit. eingeführt, um so die Schüler mit der Welt der Texte in stärkerem Maße vertraut zu machen.

2. Die 1837 gegr. Univ. Athen [34] stand in Abhängigkeit vom Königshof und den nachfolgenden Regierungen; ihrer polit.-sozialen Bed. gemäß war sie zeitweise durch einen Abgeordneten im Parlament offiziell vertreten (1844–62). Die größte unter den anfangs vier Fakultäten war die juristische, die den fähigen Nachwuchs des jungen Staatsapparates ausbilden sollte. Der philos. Fakultät, der bis 1904 auch die Naturwiss. angehörten, kam die Aufgabe zu, den ideologischen Rahmen hierfür zu erarbeiten. Wie der erste Rektor K. Schinas, Professor für Geschichte und Schüler von A. Boeckh, B.G. Niebuhr sowie Fr.K.v. Savigny (dessen Tochter er geheiratet hatte), in der Eröffnungsfeier betonte [9, 11], sollte die junge Hochschule als Brücke zur Vermittlung der mod. Wiss. ostwärts fungieren; sie sollte ferner die geistige Einheit des Griechentums fördern, auch wenn es (wie in der Ant.) an polit. Einheit mangelte (Dimaras in [24, 48]). Während das kulturelle Leben des 19. Jh. hauptsächlich durch den frz. Einfluß geprägt wurde, ist gleichwohl der dt. Einfluß auf die Altertumswiss. erkennbar. Dazu trug die Präsenz dt. Professoren bei, wie etwa des ersten Arch.-Professors L. Ross und des Latinisten H.N. Ulrich, der das erste Lat.-Ngriech. Lex. verfaßte (1843; dies wurde von seinem Nachfolger S. Koumanoudis, der sich auch als Epigraphiker auszeichnete, überarbeitet). Die griech. Altphilol. [26] konnte und wollte nicht mit der europ. Wiss. wetteifern. Abgesehen von textkritischen Beiträgen (darin zeichnete sich bes. K. Kontos aus[8]) und spärlichen Edd. (Gr. Vernardakis u. a.) konnte sich die griech. Gräzistik erst mit dem früh verstorbenen J. Sykoutris (1901–1937) internationales Ansehen erkämpfen [45]. Erst nach dem zweiten Weltkrieg haben sich die griech. Univ. als Stätten der Forsch. im Bereich der Altphilol. allg. bewährt. Dazu trugen bes. A. Skiadas in Athen und J. Th. Kakridis (1901–1992) sowie S. Kapsomenos (1907–1978) in Thessaloniki bei. Die philol. Tätigkeit des 19. und der ersten Jahrzehnten des 20. Jh. beschränkte sich auf die Produktion von Lehrmaterial (bes. von Komm.), größtenteils übers. für den schulischen und universitären Unterricht (Ph. Kakridis in [10. 25–40]). Die Beziehung zur Ant. erfüllte in der griech. Wiss. des 19. Jh. eine identitätsstiftende Aufgabe. Den polit. und ideologischen Postulaten entsprechend standen Geschichte und Sprache im Mittelpunkt wiss. und publizistischer Diskussionen dieser Periode, bei denen die Athener Professoren eine maßgebende Rolle spielten. Die Kontinuität des griech. Volkes von der Ant. bis in die Gegenwart wurde (gegen die Theorie J. Ph. Fallmereyers) in der monumentalen, in mehreren Etappen verfaßten (1853 schon einbändig) *Geschichte der griech. Nation* (1860–1877) von Konstantinos Paparrigopoulos (1815–1891) zugrundegelegt. Auch die Bed. des lange unterschätzten byz. Reichs (als griech. Monarchie dargestellt [42, 179–83]) wurde aufgewertet, was dem Autor nicht geringe Kritik seitens der Verehrer der Ant. bescherte, darunter von den Kreisen der Phanarioten, die sich inzwischen nicht mehr mit der Politik des

Patriarchats identifizieren wollten [5. 12]. In der Formulierung von P. Kalligas, ›(P.) benutze die Geschichte als Beweismittel zu einem bes. Thema‹; ideologisch fundierte Vorbehalte brachten noch führende Intellektuelle der Zeit wie S. Koumanoudis, N. Saripolos und I. Rizos Neroulos zur Geltung [5. 12].

Das Streben nach einem lückenlosen Studium der griech. Kultur und Geschichte öffnete breite Perspektiven zur Erforschung vernachlässigter Perioden, wie die spät- und nachbyz. Geschichte. S. Lambros (1851–1919) und K. Sathas (1842–1914) gehören zu den produktivsten Hrsg. von Texten dieser Perioden. Die Erforschung des Volkscharakters (im Herderschen Sinne) und der Nachweis der organischen Einheit des mod. und früheren G. führten zu weiteren Projekten: S. Zambelios gab eine Sammlung griech. Volkslieder heraus (1852) und prägte darüber hinaus den Begriff der »griech.-christl. Zivilisation«, der die Verschmelzung des ant. Erbes mit der christl. Trad. im ngriech. Nationalcharakter zum Ausdruck bringen sollte. Die damit verbundene Betrachtung eines spezifisch griech. Charakters blieb auch für die philos. Forsch. der Zeit maßgebend [4. Bd.2. 57]; ein gleichzeitiges Interesse für Platon verwundert in diesem Zusammenhang nicht. In den beiden letzten Jahrzehnten des 19. Jh. kam schließlich eine Aufwertung der Volkskultur zustande (Puchner in [10. 247–267]). Dazu trug bes. Nikolaos Politis (1852–1921) mit seinen Werken (darunter Sammlungen ngriech. Sprichwörter und Legenden) bei. Sein Anliegen war, die Kontinuität zw. der ant. und neuerer griech. Kultur nachzuweisen. Das Werk von Politis inspirierte den Kreis der Literaten um den Dichter und Kritiker K. Palamas und trug zur Definition des ngriech. kulturellen Bereichs entschieden bei. Zur Erforschung der Spuren hellenischen Heidentums und ant. Weltanschauung vgl. schon [53]; über Zypern [32]; diese Richtung wurde in neueren Arbeiten (bes. von G. Megas) weiterverfolgt (vgl. auch [33]), es bleibt es aber noch viel zu erforschen; zum Überleben äsopischer Fabeln und zur Vita Aesopi [36].

Die griech. Sprachwiss. blieb lange in der Debatte um die ngriech. Sprache verhaftet. Charakteristisch für die Konsolidierung des konservativen Lagers am Anf. des 20. Jh. ist der Fall des prominentesten Sprachwissenschaftlers G. N. Hatzidakis (1848–1941; Hauptwerk: Einleitung in die ngriech. Grammatik, Leipzig 1892), der trotz einer anfangs nüchternen Haltung aufgrund relativ gemäßigter, wiss. Positionen [21] später zum Hauptverfechter des Archaismus und Gegner aller Reformen des Bildungssystems wurde (v. a. der Verselbständigung der ngriech. Studien von der Altertumswiss.), so daß er nach den heftigen Debatten, die der Gründung der unter liberalen Regierungen konzipierten und entworfenen Univ. Thessaloniki (1925) vorangingen [31], schließlich von den Konservativen zu deren erstem Rektor ernannt wurde.

Obwohl ein Teil der urspr., ehrgeizigen Pläne an heftigem Widerstand scheiterten (so etwa die Einfüh-

rung eines Diploms für Hebräische Studien und die Entwicklung der Slawischen Studien), entwickelte sich die Univ. Thessaloniki zu einer Hochburg der demotike und bildete einen Gegenpol zur konservativen Univ. Athen in den Debatten des 20. Jh. um das Bildungswesen und der Stellung der Altertumswissenschaft. Heute existieren Philos. Fakultäten noch an den Univ. von Ioannina und Kreta; dazugerechnet werden kann auch die 1989 gegr. Univ. Zypern (Nikosia). Seit den 90er J. sind altphilol. Abschlüsse auch an den Univ. von Thrazien (Komotini) und Patras eingeführt worden.

Die Athener Akad. (gegr. 1926) hat u. a. die Verantwortung für wichtige Projekte, so etwa für das 1908 gegr. Histor. Lexikon der ngriech. Sprache (1933 f.) und das 1918 gegr. Archiv für griech. Volkskunde übernommen; hinzu kommt die durch die Edd. von J. Sykoutris eingeleitete Reihe Hellenike Bibliotheke (benannt in Anlehnung an das Editionsprogramm des Korais), die h. vom 1955 gegr. Zentrum zur Ausgabe gr. Autoren der Akad. herausgegeben wird. In der Nationalen Forschungsanstalt wird die Altertumswiss. durch das Zentrum zur Forsch. der griech.-röm. Ant. vertreten. Zu den Aktivitäten der Gesellschaft für Mazedonische Studien (Thessaloniki, gegr. 1939) zählt die Herausgabe der Zeitschrift Hellenika. Ein Altphilologenverband existiert seit 1948; daneben ist noch die Griech. Human. Gesellschaft (gegr. 1958) zu nennen.

1 A. K. ABDALI, Ἡ »Ἐγκυκλοπαιδεία Φιλολογική« τοῦ Ἰωάννη Πατούσα. Συμβολὴ στὴν Ἱστ. τῆς Παιδείας τοῦ Νέου Ἑλληνισμοῦ (1710–1839), 1984 2 A. ANGHELOU, Πλάτωνος τύχαι. Ἡ λόγια παράδοση στὴν Τουρκοκρατία, 1963 3 D. ANTONIOU, Προγράμματα Μέσης Ἐκπαίδευσης (1833–1929), 3 Bde., 1987–9 4 R. D. ARGYROPOULOU (Hrsg.), Ἡ φιλοσοφ. σκέψη στὴν Ἑλλ. ἀπὸ τὸ 1828 ὡς τὸ 1922, 2 Bde., 1995–98 5 M. BLINKHORN, TH. VEREMIS (Hrsg.), Modern Greece: Nationalism & Nationality, 1990 6 V. CANDEA, Les Intellectuels du sud-est Européen aux XVIIe siècle, in: Revue des ét. sud-est Européennes 8 (1970) 181–230, 623–668 7 P. CHARIS (Hrsg.), Ἡ δίκη τῶν τόνων, 1943 8 G. A. CHRISTODOULOU, Κωνσταντῖνος Στ. Κόντος, 1979 9 TH. CHRISTOU, Κωνσταντῖνος Δημητρίου Σχινᾶς, 1998 10 E. CHRYSOS (Hrsg.), Ἕνας νέος κόσμος γεννιέται, 1996 11 A. DIMARAS (Hrsg.), Ἡ μεταρρύθμιση ποὺ δὲν ἔγινε, 2 Bde., 1973–4 12 K. TH. DIMARAS, Ὁ Κοραῆς καὶ ἡ ἐποχή του, 1953 13 Ders., La Grèce au temps des Lumières, 1969 14 Ders., Κ. Παπαρρηγόπουλος, 1986 15 T. EVANGELIDES, Ἡ παιδεία ἐπὶ Τουρκοκρατίας, 2 Bde., 1936 16 R. FLETCHER, Cultural and Intellectual Development 1821–1911, in: J. Koumoulides (Hrsg.), Gr. in Transition, 1977, 153–172 17 A. GARTZIOU-TATTI, Ὁ Ἐπιτάφιος τοῦ Περικλῆ ( Θουκ. II, 35–46) στὴ μετεπαναστατικὴ Ἑλλ. Ἰδεολογικές συνιστῶσες, Δωδώνη 28 (1999), 209–228 18 D. GLINOS, Μερικοὶ στοχασμοὶ γιὰ τὴ σημερινὴ θέση τῶν ἀνθρωπιστικῶν σπουδῶν στὴν Ἑλλάδα, in: Πλάτων, Σοφιστής, 1940, 4–63 19 A. E. GOTOVOS, Παράδοση και γλώσσα στο σχολείο. Προβλήματα νομιμότητας των γλωσσικών μεταρρυθμίσεων στην ΝΕ εκπαίδευση, 1991 20 T. A. GRITSOPOULOS, Ὁ Κιβωτὸς τῆς Ἑλλ. Γλώσσης, in: Ἀθηνᾶ 70 (1968), 223–252 21 G. N. HATZIDAKIS, Περὶ τοῦ γλωσσικοῦ ζητήματος ἐν Ἑλλάδι, in: Ἀθηνᾶ 2 (1889), 169–235 22 G. P. HENDERSON, The Revival of Gr. Thought. 1620–1830, 1971 23 J. IRMSCHER, Nikäa als

Zentrum des Griech. Patriotismus, in: Revue des ét. sud-est Européennes 8 (1970), 33–47 **24** Ιστ. Αρχείο Ελλ. Νεολαίας, Γεν. Γραμματεία Ν. Γενιάς, Πανεπιστήμιο: Ιδεολογία και Παιδεία. Ιστορική Διάσταση και προοπτικές, 2 Bde., 1989 **25** J. Th. Kakridis, Alte Hellenen und Hell. der Befreiungskriege, in: Gymn. 68 (1961), 315–328 **26** J. Kalitsounakis, Ἡ ἀναβίωσις τῶν κλασσικῶν σπουδῶν ἐν Ἑλλάδι ἀπὸ τῆς ἀπελευθερώσεως καὶ ἐντεῦθεν, EEAth (1957/58), 325–450 **27** P. Kitromilidis, Ἰ. Μοισιόδαξ, 1985 **28** P. Kondylis, Ὁ Νεοελλ. Διαφωτισμός. Οἱ φιλοσοφ. ἰδέες, 1988 **29** A. Korais, Προλεγόμενα στοὺς Ἀρχαίους Ἕλλ. συγγραφεῖς, Nachdruck 1986 ff. **30** Ch. Koulouri, Ἱστορία καὶ Γεωγραφία στὰ Ἑλλ. σχολεῖα, (1834–1914), 1988 **31** B. L. Kyriazopoulos u. a., 1926–1976. Τὰ πενήντα χρόνια τοῦ Πανεπ. Θεσσαλονίκης, Thessaloniki 1976. **32** G. Loukas, Φιλολογικαὶ ἐπισκέψεις τῶν ἐν τῷ βίῳ τῶν νεωτέρων Κυπρίων μνημείων τῶν ἀρχαίων, 1874 **33** J. C. Lawson, Modern Greek Folklore and Ancient Greek Religion, 1910 **34** I. Pantazidis, Χρονικὸν τῆς πεντηκονταετίας τοῦ ἑλλ. Πανεπ., Athen 1889 **35** A. Papaderos, Metakenosis. G. kulturelle Herausforderung durch die Aufklärung in der Sicht des Korais und des Oikonomos, 1970 **36** J.-Th. Papademetriou, Αἰσώπεια καὶ αἰσωπικά, 1989 **37** E. Papanoutsos, Νεοελλ. Φιλοσοφία, 1953 **38** P. Persianis, Πτυχὲς τῆς ἐκπαίδευσης τῆς Κύπρου κατὰ τὸ τέλος τοῦ 19ου καὶ τὶς ἀρχὲς τοῦ 20 αἰ., Nikosia 1994 **39** N. K. Psimmenos, Ἡ Ἑλλ. φιλοσοφία ἀπὸ τὸ 1453 ὣς τὸ 1821, 2 Bde., 1988–89 **40** J. Sideris, Τὸ ἀρχ. θέατρο στὴ νέα Ἑλλ. Σκηνή, 1817–1932, 1976 **41** A. Skarveli-Nikolopoulou, Τὰ μαθηματάρια τῶν ἑλλ. σχολ. τῆς Τουρκοκρ., 1993 **42** E. Skopetea, »Τὸ πρότυπο βασίλειο« καὶ ἡ μεγ. ἰδέα. Ὄψεις τοῦ ἐθν. προβλ. στὴν Ἑλλ. (1830–1880), 1988 **43** Ch. S. Soldatos, Η εκπαιδευτική και πνευματική κίνηση του Ελληνισμού της Μ. Ασίας (1800–1922), 3 Bde. 1989–91 **44** P. Stavridi-Patrikiou, Δημοτικισμὸς καὶ κοινωνικὸ πρόβλημα, 1976 **45** J. Sykoutris, Μελέται καὶ Ἄρθρα, 1956 **46** B. N. Tatakis, Γεράσιμος Βλάχος ὁ Κρὴς (1605/7–1685). Φιλόσοφος, Θεολόγος, Φιλόσοφος, Venedig 1973 **47** D. Tombaïdis, Le problème de la langue d'enseignement en Grèce. Diss. Paris 1975 **48** M. Triantafyllidis, Νεοελληνική Γραμματική. Ἱστορικὴ εἰσαγωγή, 1938 **49** K. Tsoukalas, Dépendance et reproduction. Le rôle sociale des appareils scolaires en Grèce, 1975 **50** C. Tsourkas, Les débuts de l'enseignement philosoph. et de la libre pensée dans les Balkans. La vie et l'œuvre de Th. Corydalée (1570–1646), Thessaloniki ²1967. **51** N. D. Varmazis, Η ΑΕ γλώσσα και γραμματεία ως πρόβλ. της ΝΕ εκπαίδευσης, Thessaloniki 1992 **52** S. Vouri, Εκπαίδευση και εθνικισμός στα Βαλκάνια, 1992 **53** C. Wachsmuth, Das alte Griech. im neuen, Bonn 1864 **54** S. G. Xydis, Medieval Origins of Modern Greek Nationalism, Balkan Studies 9 (1968) 1–20 **55** D. A. Zakythinos, The Making of Modern Gr., 1976 **56** P. Ch. Ziogas, Μιὰ κίνηση πνευματικῆς ἀναγεννήσεως τοῦ ὑπόδουλου Ἑλληνισμοῦ κατὰ τὸν 16ο αἰ. (1540–1550), in: Ἑλληνικά 27 (1974) 50–78, 268–303.

ANTONIS TSAKMAKIS

## III. Museen
## A. Gegenstand  B. Geschichte

### A. Gegenstand

Die M. der Republik G. sind staatliche Einrichtungen oder private M. mit staatlicher Registrierung. Sie bilden eine Abteilung des Kultusministeriums, das für das Kulturerbe und die Künste des Landes verantwortlich ist. Das Ministerium besteht seit September 1971.

### B. Geschichte

Die Geschichte der M. G. ist die eines kulturellen Phänomens. Untrennbare Wegbegleiter seiner nationalen und Wissenschaftsgeschichte, haben sie immer dazu beigetragen, das Bild G. seit seiner Staatswerdung 1833 in der Welt zu formen. Für das Verstehen des griech. M.-Systems ist die Erkenntnis wichtig, daß die M. des Landes von Anf. an eine mehrfache Mittlerrolle spielen. Sie vermitteln zw. der sich wandelnden Realität des schrittweise erschlossenen, einheimischen Materials und den Vorstellungen der Besucher, die in der westl. Hemisphäre auf einem jahrhundertealten, aber zutiefst amodernen, rein traditionellem Antikenbild beruhen.

Dies bedeutet, daß die M. von Hellas in musealer Technik und musealer Präsentation einen eigenen Erkenntnisstand widerspiegeln, der den Vorstellungen und Wünschen der nationalen Kulturpolitik entspricht. Diese richtete sich einmal an der Politik der herrschenden, inländischen Strömungen aus. Zum anderen wurden selbst aus der Ablehnung des Auslandes heraus dessen einflußreiche Funktion noch anerkannt. Insgesamt erfüllen griech. M. implizit einen Staatsauftrag, so daß polit. oder ökonomische Absichten wiss. Ziele und Fragestellungen in den Hintergrund drängen können.

Über Jt. hatte die kulturelle und künstlerische Leistung dieser kleinen Nation erst dem röm. Imperium und dann dem christl. Europa als Bergwerk gedient. Dessen Nutzung trug ganz wesentlich zur Formulierung des intellektuellen Gerüstes Europas seit der Ren. bei. Von der Wirkung des Erbes blieb G. selbst jedoch bis weit in das 18. Jh. auf Grund seiner Zugehörigkeit zum Sultanat von Istanbul ausgeschlossen. Als der griech. Staat 1830 nach den Befreiungskämpfen gebildet wurde, setzten die europ. Großmächte als Taufpaten den Bayernprinzen Otto (I.) auf den Thron. Die Wirkung der einst engen Verbindung zw. Bayern und G. ist noch in vielen Aspekten griech. Lebens vom Stadtbild Athens bis zur Organisation der Bürokratie und des Rechts spürbar [1; 2].

Der neu konstruierte griech. Staat sah sich mit der Notwendigkeit konfrontiert, unter dem Druck des Kontinents ein eigenes, den europ. Vorgaben gerecht werdendes Kulturleben zu entwickeln [3]. Zwar war im 18. Jh. durch den wirtschaftlichen Aufschwung der griech. Handelsmarine ein kleines, westl. orientiertes Bürgertum entstanden. Dies hatte jedoch durch den Krieg seine Flotte und damit seine Einnahmenquelle verloren und stellte kein Fundament für den Aufbau einer nationalen Kulturpolitik aus dem Nichts dar [4].

Die Wirklichkeit G. um 1830, mit einer Bevölkerungs-
zahl unter einer Million, ließ wenig Raum für eine eigenständige Kulturentwicklung, zumal eine Infrastruktur, die eine allg. Erziehung ermöglichte, erst aufgebaut
werden mußte.

Eine zusätzliche Hypothek stellten die europ. Phil-
hellenen-Bewegung und die europ. Freiwilligen des
Freiheitskampfes dar. Die Neuankömmlinge brachten
eine an den histor., d.h. byz. und latent islamischen
Realitäten des neuen Staates wenig geübte Vorstellung
mit. Ihre Sicht wurde auf das neue/alte G. projiziert,
wobei ein gewisser missionarischer Eifer die frühen
Entscheidungen der Regierung bestimmte.

Das vorgefundene klass. Erbe und dessen Erhaltung
und weitere Erschließung bestimmten die mit der bayerischen Regentschaft beginnenden Aktivitäten. Für die
Erhaltung und Aufbewahrung waren M. notwendig.
Die ersten Schritte zur Errichtung einer zentralen
Sammlung wurden in der Inselstadt Ägina 1829 unternommen, diese Altertümer wurden 1834 nach Athen,
die neue Hauptstadt, verlagert. Für die Schaffung der
systematischen Grundlagen zur Erforschung und musealen Erfassung der lokalen Altertümer wurden auch
nicht-staatliche Einrichtungen wichtig. Zu diesen zählt
insbes. die Arch. Gesellschaft Athens, gegr. 1837, daneben spielten durch ihre Grabungen an bestimmten
Orten die ausländischen Arch. Institute eine Rolle [5].
Die → École Française wurde 1846 als erste gegründet,
das → Dt. Arch. Institut eröffnete seine Athener Filiale
1875. [6]. Die Wirkung dieser derzeit fünfzehn Schulen
und Institute geht weit über die jeweiligen Ortsgrabun-
gen hinaus, da sie u.a. auch durch eigenen Bibl. und
Stipendien einen wichtigen Wissensaustausch unterhalten.

Für Zentraleuropa, Amerika oder Australien sind
Antiken-M. grundsätzlich »Fremd-M.«, d.h. ihr Inhalt
besteht aus Kulturgut, das in den Lebens- und Erfah-
rungsbereich der jeweiligen Länder importiert wurde.
Dieser urspr. »Exotenfaktor« von Antikensammlungen,
der für ethnographische M. eine der Grundlagen ihres
Bestehens ist, ist weitgehend aus dem Bewußtsein ge-
schwunden. Der Umgang über Generationen mit visuellen und sprachlichen Zeugnissen der Klassik in der
Bildung hatte »Antikes« im weitesten Sinne zu einem
integralen Bestandteil des mod. kulturellen Kontexts
gemacht. Allerdings ist durch die Erweiterung des Bildungssystems und die Zurückdrängung der traditionellen human. Bildung dieser Zustand weitgehend verdrängt worden. Geblieben ist eine Faszination für das
»Abenteuer« Arch. und »vergrabene Schätze«. Diese
wiederum präsentiert jedoch eine allg. Vorstellung, die
nur teilweise auf G. bezogen werden kann.

In den M. war konzentriert zu sehen, weshalb G.
neben It. für lange Zeit als klass. Ziel bürgerlicher Bil-
dungsreisender diente. Noch bis in die 60er J. hinein
stellte G. in der Reisegeschichte des europ. Bürgertums
ein relativ elitäres Ziel dar. Erst der europaweite Aufschwung des Reisetourismus nach G. einerseits und die
Ankunft griech. »Gastarbeiter« in Europa andererseits
leiteten eine Abkehr von der Vorstellung ein, G. sei ein
großes ant. Freilichtmuseum. Im Ergebnis ist der Tourismus, betrieben auf dem Fundament der Präsentation
der eigenen, ant. Vergangenheit und gekoppelt mit mediterranen Sommerfreuden, h. die wichtigste Einnahmequelle für die ca. zehn Millionen Einwohner der
griech. Republik.

Die Geschichte der M. in G. illustriert einen Dau-
erkonflikt. Auf der einen Seite steht seitens der arch.
Forsch., zu der die M. gehören, das Postulat nach einer
wiss. reflektierten Konstruktion einer verloren geglaub-
ten klass. Antike. Auf der anderen muß der Sysi-
phus-Pflicht der praktischen, arch. und museologischen
Erschließung des ungeheuren Fundmaterials Genüge
getan werden. Bei Beginn des griech. Staates war die
kulturelle Erblast des Landes weitgehend unbekannt,
das Land selbst war zudem teilweise noch besetzt. Erst
seit 1947 mit der Eingliederung der Dodekanes umfaßt
die griech. Republik ein Staatsgebiet, das mehr oder
weniger alle Inseln der Ägäis einschließt.

Den griech. M. war somit seit ihrer Gründung ein
schwieriger Pfad vorgegeben, der im Laufe der Zeit keineswegs einfacher wurde. Denn eine nicht abreißende
Kette neuer Funde und die stetige Verfeinerung der
arch. Sammel- und Dokumentationsmethoden ließen
die Menge des zu bearbeitenden und auszustellenden
Materials proportional anwachsen. So waren bei Gründung des griech. Staates u.a. die Kulturen der Bronzezeit, die frühe Eisenzeit oder die archa. Periode, noch
weniger das Neolithikum, mehr oder weniger unbekannt. Heute bildet gerade die Frühzeit ein umfangreiches und wichtiges Forschungsgebiet.

Im mod. G. sind Antiken-M. ein Teil des gesamten
kulturellen Erbes im Sinne einer »Heimat-Institution«.
Das in den M. versammelte klass. Erbe ist zugleich
Quelle nationalen Stolzes und verpflichtende Hypothek, deren Pflege hohe Anforderungen an die Staatsfinanzen stellt und auch in der Politik Auswirkungen
hat, wie z.B. bei den Parthenon-Skulpturen [7; 8]. Eine
Änderung ist insofern eingetreten, als innerhalb des histor. Gesamtbildes der Nation in den letzten Jahrzehnten
die griech. Kulturgeschichte zunehmend als ein Kontinuum begriffen wird. Gerade durch größere Aufmerksamkeit den nachant. Epochen gegenüber entsteht ein
umfassenderes G.-Bild, das sich auch in den M. widerspiegelt.

Die arch. M. sind Teil des staatlichen Antikendienstes
(Archaiologiki Yperesia) und somit gesetzliche Repo-
sitorien aller Reste materieller Kultur des Landes, auch
der Grabungsfunde. Durch diese Regelung wird ein
Problem sichtbar, das gerade Länder mit reichem ant.
Kulturerbe, bes. im östl. Mittelmeer betrifft: den M.
fehlt prinzipiell eine Wahlmöglichkeit, eine grundlegende Voraussetzung für fast alle westl. M. Statt kon-
zentrierter, d.h. sich begrenzender Sammlungspolitik
muß eine passive, alles sichernde Sammeltätigkeit betrieben werden, für die eigentliche M.-Tätigkeit des
Selektierens und Ausstellens bleibt wenig Freiraum.

Unter diesen teils aversen Bedingungen hat G. in bald zwei Jh. eine Vielfalt von M. hervorgebracht. Ihre Zahl beläuft sich auf ca. 250. Die vom Kultusministerium auf einer ausgezeichneten Web-Seite (Odysseus) vorgestellten Kategorien sind: a) Arch. M. und Sammlungen, b) Byz. M. und Sammlungen, c) Geschichte und Volkskunde, d) Griech. Kunst (ant., byz., mod.), e) Asiatische Kunst, f) Kunst-M. und Galerien, g) Theater, h) Film, j) Musik, k) Seefahrt, l) Naturkunde, m) Wiss. und Technik [9]. Außerdem verwaltet das Kultusministerium mehr als 430 arch. Stätten, von denen einige mit den aufgelisteten M.-Orten identisch sind, sowie rund 330 registrierte Monumente.

Die Verwaltung dieser Vielfalt erfolgt durch die Organisation in Bezirke (Ephorien). Auf oberster Ebene gibt es einen Generaldirektor der Antiken, dem die Direktoren der Abteilungen für A) Prähistor. und Klass. Altertümer; B) Byz. und Nachbyz. Denkmäler; C) Denkmal-Archiv und Publikationen und D) Antikenkonservierung; E) Enteignungen unterstehen. Die Grundsatzentscheidungen werden durch den Arch. Rat getroffen. Daneben besteht im Ministerium die Abteilung Restaurierung, M. und Technische Arbeiten ebenfalls unter einem Generaldirektor, dem u. a. eine Unterabteilung für Museumskunde untersteht. Eine weitere Abteilung mit einem Generaldirektor betreut die Kulturelle Entwicklung, was im Zeichen der EU von bes. Bed. ist.

Die Arbeit vor Ort wird ausgeführt durch 25 Ephorate für prähistor. und klass. Denkmäler. Daneben bestehen 14 Ephorate für byz. Altertümer sowie acht Ämter für Denkmäler der Gegenwart und Moderne. Diese Ämter sind jeweils von 1 – n durchnumeriert. Die Numerierung beginnt, in Anerkennung des bayerisch-zentralistischen Ursprungs der Landesverwaltung, für alle Bereiche in Athen. Die Distrikte zeigen mitunter Begrenzungen, die nicht den geogr. Gegebenheiten entsprechen, sondern eher den polit. Einflußsphären der Zentren.

Die 125 arch. M. bilden etwa die Hälfte der griech. M. und sind über das ganze Land verteilt. Sie gliedern sich in zentrale, regionale, lokale und Grabungs-M. Das arch. M. von Athen gehört als nationale Einrichtung in eine eigene Kategorie. Die M. in Thessaloniki und Heraklion mit ihren großen Einzugsgebieten nehmen eine Zwischenstellung ein. Regionale M., die Objekte aus einer weiteren Umgebung zeigen, sind u. a. das prähistor. M. Thera [10], oder auch das arch. M. in Chora, das neben Funden der Grabungen im »Palast des Nestor« in Pylos auch die Arch. Messeniens präsentiert. Das M. in Nauplion in einem histor., venezianischen Gebäude, zeigt Funde aus der Umgebung, z. B. Tiryns, Mykene – M. im Bau – und Dendra. Dagegen ist die Arch. des nahegelegenen Argos in dieser Stadt in einem eigenen M. zu besichtigen.

Rein örtliche M. sind v. a. Grabungsort-M., die oft von einer der 15 beim Kultusministerium akkreditierten ausländischen Schulen unterhalten werden. Dazu zählen Olympia [11], Delphi, der Kerameikos in Athen [12], das Akropolis-M. in Athen oder die M. in Alt-Korinth und Nemea. Alle sind mit den Grabungsbereichen eng verbunden, die den Charakter eines Freilicht-M. annehmen.

Eine Bereicherung der musealen Welt schufen griech. Archäologen durch das offene M. »Kunst vor dem Bau«. Dabei werden Objekte und Komplexe, die bei dem Bau der Athener Untergrundbahn zutage kamen, vor Ort in verschiedenen Haltestationen-M. ausgestellt, bislang in Syntagma, Omonoia und am Evangelismos [13]. Damit werden neben unverrückbaren Monumenten wie Akropolis, Zeus-Tempel und ähnlichem begreifbare und indviduelle Kunstzeugnisse auf neue Weise in den öffentlichen Bereich gerückt, so daß ant. Geschichte und mod. Gegenwart unmittelbar miteinander verbunden werden.

In jüngerer Zeit wird in G. lokalen Grabungs- und Fundstätten mehr Eigenständigkeit zugebilligt, und arch. M. können in allen Bereichen des Landes die Vergangenheit illustrieren. Bei Entdeckungen von bes. künstlerischer, arch. oder nationaler Bed. gilt jedoch weiterhin das Prinzip der Zentralautorität der Hauptstadt. So war 1875 das Heim für Schliemanns Funde aus dem Gräberrund A (Mykene) selbstverständlich im Athener NM. Auch bei den im nationalen Bewußtsein nicht minder bedeutenden Funden der Königsgräber in Vergina (1977) gingen diese an das arch. M. in Thessaloniki, die Vize-Hauptstadt der Republik. An der Grabungsstätte selbst wurden, ähnlich wie in Mykene, Schutzmaßnahmen für den arch. Rahmen getroffen, die eine auch im touristischen Sinne ergiebige Besichtigung der Stätte erlauben.

Neben den staatlichen M. wächst die Bed. des privaten Sektors bei den M. deutlich. Bereits im J. 1931 wurde das M. Benaki von der aus Alexandria stammenden Familie gleichen Namens eingerichtet, das nach einer zehnjährigen Umbauphase 2000 wiedereröffnet wurde. Es zeigt u. a. eine wichtige Sammlung ant. Schmucks [14], spätant. Knochenschnitzereien sowie hell. Mumienporträts aus dem Fayum. Nach dem zweiten Weltkrieg hat sich v. a. die Reedereifamilie Goulandris mit ihren M.-Stiftungen einen Namen gemacht. Das M. Kykladischer Kunst [15] im Athener Zentrum ist ein mod., auch architektonisch sorgfältig konzipiertes M. Dieselbe Familie engagiert sich auch für die Kunst der Mod. sowohl in dem Athener M. wie auch auf der Insel Andros. Beachtenswert durch seine umfangreiche Sammlung in einer alten Villa in der Athener Plaka ist das Paul und Alexandra Kanellopoulos M. [16]. Ein schönes Beispiel für griech. Stiftungstrad. ist die dem Athener NM durch Stiftung 1957 vermachte Sammlung H. Stathatos, die, wie auch das Kanellopoulos-M., eine wichtige Sammlung ant. Schmucks umfaßt [17].

1 J. MURKEN et. al, König-Otto-von-Griechenland-Museum der Gemeinde Ottobrunn (= Bayerische Museen, Bd. 22), 1995 2 K. DICKOPF, Die bayerische Regentschaft in G. (1833–1835) in: R. HEYDENREUTER, J. MURKEN,

R. WÜNSCHE (Hrsg.), Die erträumte Nation. G. Wiedergeburt im 19. Jh., ²1995, 83–95 **2a** H.-J. HECKER, Die bayerische Regentschaft und das griech. Recht, 1995, 97–98 **3** M. HERZFELD, Ours Once More: Folklore, Ideology, and the Making of Modern Greece, Austin, Texas 1982 **4** H. SCHMIDT, Die wirtschaftliche Entwicklung G. während der Herrschaft Ottos I. in: [2] 167–173 **5** M. SHANKS, Classical Archaeology of Greece. Experiences of the Discipline = Experience of Archaeology, 1996, Kap. 1 **6** W. SCHIERING, Zur Gesch. der Arch., in: U. HAUSMANN (Hrsg.), Grundlagen der Arch., 63ff, 118ff. **7** C. HITCHENS, The Elgin Marbles: should they be returned to Greece, 1987 **8** Anspruch auf Rückkehr der Parthenon – Skulpturen vor dem Europäischen Parlament, 1999: http://www.culture.gr **9** http://www.culture.gr **10** Museum of Prehistoric Thera URL: http://www.culture.gr/2/21/211/21121m/ e211um18.html **11** A. MALLWITZ, H.-V. HERRMANN (Hrsg), Die Funde aus Olympia. Ergebnisse hundertjähriger Ausgrabungstätigkeit, 1980 **12** U. KNIGGE, Der Kerameikos von Athen. Führer durch Ausgrabungen und Gesch., Athen 1988 **13** Das längste Museum Athens, Athener Zeitung Nr. 302 / 21. Jan. 2000, 7 **14** B. SEGALL, Kat. der Goldarbeiten des M. Benaki, 1938 **15** Museum of Cycladic Art – The Nicholas P. Goulandris Foundation; URL: http://www.culture.gr/4/42/421/42102/42102b/ e421bb04.html **16** http://www.culture.gr/2/21/211 **17** Stathatos Collection URL: http://www.culture.gr/2/21/214/21405m/ e21405m8.html.                    WOLF RUDOLPH

## Griechisch   I. BYZANTINISCHES MITTELALTER UND NEUZEIT   II. LATEINISCHES MITTELALTER

### I. BYZANTINISCHES MITTELALTER UND NEUZEIT
A. METHODISCHE VORBEMERKUNGEN
B. INNERE SPRACHGESCHICHTE
C. ÄUSSERE SPRACHGESCHICHTE
D. DIE ROLLE DES GRIECHISCHEN FÜR DIE NICHT-GRIECHISCHEN SPRACHEN SEIT DER SPÄTANTIKE

### A. METHODISCHE VORBEMERKUNGEN

Die Termini »mittel- und ngriech.« sind lediglich als konventionell übernommen; ihre Verwendung in der Lit. beruht auf einer unzulässigen Übertragung westeurop. Einteilungen auf die gänzlich anderen Verhältnisse im byz. Osten [1]. Grundlegend für den folgenden Abriß sind dagegen die Dichotomien »schriftlich« vs. »mündlich« sowie »äußere« vs. »innere« Sprachgeschichte. Während erstere Unterscheidung kaum erläutert werden muß, bezeichnet man mit »innerer Sprachgeschichte« die phonologischen, morphologischen und syntaktischen Veränderungen, die eine histor. Sprache im Laufe ihrer Zeit erfährt; die »äußere Sprachgeschichte« umfaßt hingegen alle sozial motivierten Bewertungen, die eine gegebene Gemeinschaft einer Sprache gegenüber einnehmen kann. Konkret: Das Verschwinden des Optativs in der hell. Zeit ist Teil der »inneren Sprachgeschichte« der Koine; Art und Umfang, wie dieser Schwund in den geschriebenen Texten der hell. und nachfolgenden Zeit reflektiert wird, ob z. B. ein Autor den Optativ auch schriftlich aufgibt (wie die meisten Verf. des NT) oder versucht, ihn beizubehalten, betreffen die sozialen Normen, in die ein bestimmter Sprachgebrauch eingebettet ist. Somit stellt diese Ebene auch methodisch die Brücke zw. der eigentlichen Linguistik und den Nachbardisziplinen dar, wie Literaturgeschichte, Kulturgeschichte und Sozialgeschichte. Lange von der »harten« Linguistik vernachlässigt, soll sie hier im Folgenden im Vordergrund stehen.

### B. INNERE SPRACHGESCHICHTE

Wegen der vom späten Rom, dann von Byzanz fortgesetzten Diglossie ist es schwierig, die Veränderungen der gesprochenen Sprache durch geschriebene Texte hindurch zu verfolgen. Solange aus Ägypten noch reichlich Papyri zur Verfügung stehen (auch nach der arabischen Eroberung bis ins 8. Jh.), ist dies einfacher als später. Gerade die Zwischenzeit bis zum Einsetzen einer volkssprachlichen Lit. (8.–12. Jh.) ist für diese Fragestellung eine quellenarme Zeit (Ausnahme: die Schriften des Konstantinos VII. Porphyrogennetos (905–959) und die rhythmischen Akklamationen der Demen). Fest steht, daß auf dieser Ebene gegen Ende der Spätant. (6./7. Jh.) die allermeisten für das »Ngriech.« typischen Veränderungen bereits eingetreten waren: Itazismus, Verlust von Dual und Optativ (beides schon hell.), Verlust des Dat., Umbau der Dekl. (die dritte Dekl. wird auf die Neutra beschränkt, Verlust der Feminina auf -ος), Verlust des synthetischen Perfekts. Zumindest angebahnt waren der Verlust des Inf. und sein Ersatz durch ἵνα und der Umbau des Tempus-Modussystems: Während im Ind. Präs., Impft. und Aor. das Ngriech. im wesentlichen die ant. Tempora fortsetzt, wird das synthetische Fut. durch eine Periphrase mit θέλω ἵνα ersetzt, die das Ngriech. an die Balkansprachen weitergegeben hat (s. u.). Später wird daraus ein Konditional hinzugebildet. Der ganze Vorgang ähnelt so sehr der lat.-romanischen Parallelentwicklung, daß ein genetischer Zusammenhang unabweisbar erscheint; zu Recht spricht J. Kramer von einem spätant. »griech.-lat. Sprachbund« [2]. Der Wortschatz der Umgangssprache wird im Gegensatz zur Schriftsprache in der Spätant. mit zahlreichen Latinismen angereichert, die auch für die Romanistik von Interesse sind und z. T. bis ins Ngriech. fortgesetzt werden. Sonstige Fremdeinflüsse sind lokal bezeugt und auch z. T. nachweisbar für Ägypten und Syrien/Palästina, gelangten aber mit Ausnahme der hebräisch/aramäischen Vokabeln des NT nur selten in die gemeingriech. Umgangssprache. Seit dem Hoch-MA drangen verstärkt it., dann auch türk. Elemente ein. Ebenfalls bezeugt, wenn auch im einzelnen schwer nachweisbar ist das Bestehen von Dialekten im griech. Sprachgebiet der spätant. und byz. Zeit. Durch Kombination mehrerer Indizien ist es jedoch möglich nachzuweisen, daß bereits zum Ausgang der Ant. erste Dialektgrenzen bestanden haben müssen. Umfangreiche schriftliche Zeugnisse liegen jedoch erst nach dem vierten Kreuzzug (1204) vor. Demnach ist es wahrscheinlch, daß die heutigen »Extremmundarten« des Ngriech. in

Unteritalien, Südostpeloponnes (Tsakonisch, setzt Dorisch fort), am Schwarzen Meer (Pontisch, stark Ionisch durchsetzt) und Zyprisch bereits damals begonnen hatten sich abzusondern. Inwieweit dem Dialekt der Hauptstadt Konstantinopel ein bes. Gewicht zukam und ob er überhaupt existierte, ist dagegen umstritten. Die heutige ngriech. Umgangssprache beruht genetisch jedenfalls auf peloponnesischen Mundarten.

## C. Äussere Sprachgeschichte

Die romanischen Sprachen sind bekanntlich in doppelter Weise Töchter des Lat.: zum einen genetisch, indem sie aus lokalen Varianten des gesprochenen Lat. hervorgegangen sind, zum anderen dadurch, daß sie jahrhundertelang neben dem Lat. als Schriftsprache gebraucht wurden, aus seinen Schrifttraditionen heraus eine Norm entwickelten und aus ihm die meisten Lehnwörter für geistiges Leben, Wiss., Verwaltung und Technik entnahmen. Ähnlich das Ngriech.: es ist genetisch auf das Altgriech. zurückzuführen, gleichzeitig war die letztlich ant. Normsprache für Jahrhunderte das Vorbild, an dem die Volkssprache gemessen wurde und die sie schließlich ersetzen sollte. Diese Ähnlichkeiten zum Romanischen dürfen jedoch über grundlegende Verschiedenheiten, gerade auf der Ebene der »äußeren Sprachgeschichte«, nicht hinwegtäuschen: Die romanischen Sprachen emanzipierten sich – mit Ausnahme des Rumänischen, das sich abseits der lat.-katholischen Trad. entwickelte – schrittweise seit dem MA vom Lat.; in der frühen Neuzeit sind sie vollausgebildete Schriftsprachen. Das Ngriech. wurde erst im 19. Jh. zur anerkannten Literatursprache, erst im letzten Viertel des 20. Jh. offizielle Verwaltungssprache. Sodann: dem einen Lat. stehen mehrere romanische Schriftsprachen gegenüber. Dem ist im Griech nicht so: das Ngriech. ist die einzige Schriftsprache, die dem Altgriech. entspricht. Beide Abweichungen vom romanischen Befund haben einen gemeinsamen Grund: Ostrom blieb als Byzanz tausend Jahre bestehen; Norm- und Prestigesprache dieses Reiches war aber die ant. Normsprache, sei es die etwas gemilderte Koine-Form (Modell: NT) oder die streng att. Variante. Seit den Zeiten der makedonischen Dynastie herrscht in Byzanz eine immer stärkere Tendenz zum Klassizismus vor; Schriftsteller des 14. Jh. wie Pachymeres schreiben klassischer, thukydideischer als Johannes Malalas im 6. Jh. So waren es wohl westl. Einflüsse (Kreuzzüge), die einige Literaten in Byzanz dazu veranlaßten, die Volkssprache in Gedichten zu verwenden (*Ptochoprodromika*). Eine dem Romanischen wirklich vergleichbare Entwicklung brachten nur die zweieinhalb Jahrhunderte der Lateinerherrschaft im Gefolge des vierten Kreuzzuges: Venezianer und Genuesen, die Franzosen auf der Peloponnes und die Lusignan auf Zypern verwendeten die ngriech. Dialekte ihres Herrschaftsbereichs als Schriftsprachen, wie sie das aus ihrer romanischen Heimat gewohnt waren. Diese z. T. umfangreichen Texte umfassen Gesetzessammlungen, Historiographie und Dichtung – und stellen in der Regel die frühesten Zeugnisse für die ngriech. Dialekte dar.

Dieser Prozeß wird jedoch durch die osmanische Eroberung rückgängig gemacht: Zwar ist Mehmeds II. frühester Staatsvertrag ngriech. abgefaßt [3], aber dadurch, daß dieser Sultan nach der Eroberung von Konstantinopel (1453) den orthodoxen Patriarchen nach byz. Manier einsetzte und alle orthodoxen Balkanchristen wieder seiner Jurisdiktion unterstellte und die katholischen Mächte aus SO-Europa vertrieb, herrschten er und seine Nachfolger wieder über die Gesamtheit aller Griechen und die Orthodoxen des Balkans. So wurde das osmanische Reich auch hier zum Verwalter des byz. Erbes: als Rum-millet (orthodoxe Gemeinschaften) genossen die Orthodoxen kulturelle und rel. Autonomie in seinem Rechtssystem; bei weitem bevorzugtes Ausdrucksmedium des Patriarchats als Zentrum dieser Gruppe war aber die ant. Normsprache. Nur auf den ionischen Inseln und unter der kulturell sehr aktiven katholischen Minderheit wurde die Trad. der Kreuzzugszeit weiter gepflegt; hier wurde das Ngriech. bisweilen gar in lat. Schrift gebraucht. Wie auch sonst, wirkte die Osmanenherrschaft somit kulturell konservierend auf eine Situation, die letztlich spätant. Wurzeln hatte. Problematisch wurde diese Situation erst dann, als gegen 1800 verschiedene Konzepte für einen griech. Nationalstaat diskutiert wurden. Umstritten war von Anf. die Frage, welches denn die Nationalsprache des noch zu schaffenden Staates werden sollte. Intellektuelle aus den ionischen Inseln (wie Solomos) und Anhänger der frz. Revolution plädierten für die Volkssprache, Kirchenmänner und die Elite um das konstantinische Patriarchat hingegen für das trad. Idiom. A. Korais suchte nach einem Kompromiß, dem er selber den Namen Καθαρεύουσα gab. Diese ist somit nicht, wie oft zu lesen, einfach die Fortsetzung der ant. Normsprache, sondern ein Mittelweg; die wirklich überkommene Srache wurde eher ἀρχαΐζουσα genannt. Aus dieser Konstellation erwuchs der ngriech. Sprachenstreit, der bis in die siebziger Jahre des 20. Jh. die Gemüter beherrschte; erst nach dem Fall der Diktatur wurde die Volkssprache offizielle Staatssprache. Über deren Charakter, v. a. über das Ausmaß möglicher Anleihen beim Altgriech., wird immer noch gestritten – freilich gedämpft.

## D. Die Rolle des Griechischen
### für die nichtgriechischen Sprachen
### seit der Spätantike

Die Entscheidung der frühen Kirche, die ant. Normsprache und ihre lit. Ideale im wesentlichen zu übernehmen, entspricht in ihrer Tragweite der Bedeutung der byz. Mission unter den Völkern des Balkans. Der Verlust der arab. Ostprovinzen und die Dauerbedrohung durch Bulgarien führten dazu, daß sich die byz. Elite im 9. Jh. entschlossen darum bemühte, die Slaven SO-Europas durch Konversion an sich zu binden. Dieses Vorhaben ist auf ganzer Linie geglückt: zunächst durch die Schaffung einer slavischen Liturgiesprache durch Kyrillos, die zwar nicht griech., aber in jeder Hinsicht vom griech. Vorbild abhängig war (und zwar auf allen Ebenen, von der Graphie bis zu den lit. Gattungen, wo-

Abb. 1: ›Formae litterarum secundum Grecos‹:
Griechische Majuskel-Alphabettafel aus dem Jahr 799
mit graphischen Varianten der griechischen Buchstaben
(z.B. bei M als zweite Form das »Siglen-M«),
phonetischer Umschrift, lateinischer Entsprechung
(links vom griechischen Buchstaben ›pro a‹, ›pro b‹ usw.)
und Zahlenwert der griechischen Buchstaben.
Wien, Österr. Nationalbibliothek Cod. 795, fol. 19 recte

bei Lw. eher selten sind). Diese *langue calque*, die ohne
Kenntnis des Vorbildes bisweilen gar nicht verständlich
ist, wurde nun ihrerseits das Vorbild für die meisten slavischen Sprachen: Wie das Lat. für die romanischen,
war das Aksl. für Jh. das Vorbild der slavischen Volkssprachen, das ihnen bis h. einen Großteil des Vokabulars
etc. liefert. Die byz. Liturgiesprache war aber auch lange
Vorbild für das romanische Rumänisch, das bis ins
19. Jh. kyrillisch geschrieben wurde. Auch hier konser-
vierte die Osmanenherrschaft bestehendes, ja, sie kehrte
seit 1453 Prozesse um: Die neue Herschaft des griech.
Patriarchen läßt in ganz SO-Europa wieder das Griech.
als Schriftsprache Boden gewinnen (wichtigster Faktor:
das griech. Schulmonopol), und zwar ganz überwiegend die gelehrte Variante: Bulgaren, Rumänen, Makedonen, Albaner und sogar die Serben werden einer
Regräzisierung unterworfen, die bis ins 19. Jh. anhält.
Das Aksl. tritt zurück, und ganze Sprachen wie das Al-

banische werden bis ins 18. Jh. fast nur von den Katholiken schriftlich gebraucht. Dementsprechend groß
ist der Einfluß des Griech. in seinen beiden Varianten
auf die modernen Balkansprachen: zahlreiche Lw., Einflüsse auf Syntax und Phraseologie, ja auf die Formenlehre (»Balkansprachbund«), schließlich das Vorhanden-
sein einer panbalkanischen Volksdichtung sind noch h.
Zeugnisse dieser kulturellen Vorherrschaft der Griechen
über die Orthodoxen des Balkanraumes in der Osma-
nenzeit. Ihre Erforschung erfolgt erst allmählich ohne
nationalistische Vorzeichen.

1 J. NIEHOFF-PANAGIOTIDIS, Koine und Diglossie, 1994
2 J. KRAMER, Der kaiserzeitliche griech.-lat. Sprachbund, in:
Ziele und Wege der Balkanlinguistik, hrsg. von N. REITER,
1983, 115–131 3 F. BABINGER, F. DÖLGER, Mehmed's II.
frühester Staatsvertrag (1446), in: Orientalia Christiana
Periodica 15, 1949, 225–258　　　JOHANNES NIEHOFF

## II. LATEINISCHES MITTELALTER
### A. GRIECHISCHE SCHRIFT UND SPRACHE
### B. GRIECHISCHE LITERATUR

### A. GRIECHISCHE SCHRIFT UND SPRACHE

Das griech. Alphabet findet sich in vielen ma. Werken, z. B. den *Etymologiae* Isidors v. Sevilla, Bedas *De
temporum ratione*, Hrabanus Maurus, *De computo* und
Hugo v. St. Victor, *De grammatica*. Oft sind auch die
Zahlenwerte verzeichnet. Kenntnis des Zahlenwertes
der griech. Buchstaben erforderte die *Epistola formata*,
ein kirchliches Beglaubigungsschreiben, bei dem der
Zahlenwert gewisser Buchstaben im Namen des Schreibenden, des Empfohlenen, des Adressaten und des Aus-
stellungsortes mit der Zahl der Indiktion und anderem
zu einer Gesamtsumme addiert war [20. 91–93]. Als
Geheimschrift gebrauchte man das griech. Alphabet gelegentlich beim Eintrag von Subskriptionen zu Urkunden und B., zur Niederschrift von Rezepten und Se-
gensformeln. Während das griech. Alphabet v. a. vom 9.
bis ins 11. und 12. Jh. so angewandt wurde, gilt für das
ganze hohe und späte MA, daß jeder Bischof für den
röm. Ritus der Kirchweihe das griech. Alphabet richtig
zeichnen können sollte. Daran erinnert im 13. Jh. der
scharfe Kritiker der Fremdsprachenkenntnisse seiner
Zeit, Roger Bacon († 1294). Er wendet sich gegen die
Praxis der des Griech. unkundigen Bischöfe, im griech.
Alphabet die drei Zahlzeichen für 6, 90 und 900 mit-
zuschreiben. ›Da es um eines großen Geheimnisses willen von der Kirche festgesetzt worden ist, daß griech.
Buchstaben zu schreiben sind, dürfen nicht irgendwel-
che Zeichen untergeschoben werden, die keine Buch-
stabenzeichen sind, und folglich kann man bei den Weihen jene Zeichen, die keine Buchstaben sind, nicht
schreiben, ohne dem Sakrament Unrecht zu tun‹
[15. 83]. Die Form der griech. Buchstaben, die man im
lat. MA schrieb, war durchweg die Majuskel, in der häufig ein Buchstabe ꭢ, das *Siglen-M* [21], gebraucht wird
(Abb. 1). Nur in wenigen Denkmälern des 9. und
10. Jh. und auch im hohen MA nur sporadisch ist das

Abb. 2: Älteste Psalterbilingue (Unzialschrift um 600), Verona, Biblioteca Capitolare I (1), fol. 46 verso–47 recte. Der griechische Text (links) ist in lateinischen Buchstaben geschrieben

neue griech. Minuskelalphabet benützt worden [2; 21; 48]. Bacons griech. Gramm. lehrt beide Alphabete; sie gehört schon in die Epoche der durch abendländische Aktivität neuangebahnten Kontakte mit dem griech. Mittelmeerraum.

Größere zusammenhängende Texte in griech. Schrift oder ganze griech. Hss., die von Abendländern geschrieben wurden, sind selten. Bezeichnend für die Art der griech. Studien im lat. MA ist das häufige Vorkommen von griech. Texten in lat. Umschrift – meist in itazistisch gefärbter Graphie. Griech. liturgische Texte, wie sie in der seit dem 9. Jh. verbreiteten *Missa graeca* vorkamen, transkribierte man im Abendland gern in lat. Buchstaben; bei ihnen kam es mehr auf den Wortklang als auf das Wortbild an. Aber auch bilingue biblische Hss. zeichneten das Griech. in lat. Umschrift auf, so schon die älteste erhaltene griech.-lat. Psalter-Hs. der Biblioteca Capitolare von Verona (cod. I [1], um 600) (Abb. 2).

Ein beträchtlicher griech. Wortschatz war dem lat. MA durch die aus dem ant. Schulwesen überkommenen Glossare zugänglich, die z. T. auch Idiomatisches enthielten. Im frühen MA wurden solche Glossare noch gelegentlich neu angelegt. Im allg. ist aber eine Verflachung und schließlich ein Verschwinden dieser Glossare

im Verlauf des MA festzustellen. Gesprächspartien in den alten Glossaren wurden schon vom 9. Jh. an als bloßer lexikalischer Stoff ausgewertet; für das Schulgriech. im hohen MA ist die Tendenz bezeichnend, griech. Nomina mit -*os* und -*on*, Verba mit -*in* und -*on* endigen zu lassen. Die lat. Lexikographen des 12. Jh. zergliederten griech. Kompos. in der Absicht, sie etym. zu erklären; die Worthälften wanderten als selbständige »griech. Wörter« durch den Unterricht [30]. Im 13. Jh. setzte die Reaktion gegen das verdorbene »Schulgriech.« ein, das sich aber gleichwohl bis ins 15. Jh. hielt.

Es gab im MA kein Lehrb. des Griech., aus dem man im Abendland hätte Griech. lernen können, wie man aus Donat und Priscian Lat. lernte. Aus der Ant. besaß man die urspr. für den Lateinunterricht von Griechen gedachte Gramm. des Dositheus in lat.-griech. Parallelversion. Aus ihr war nur ein Teil des gramm. Stoffes der griech. Sprache zu entnehmen, fast nichts über die Formenlehre. Das umfänglichste Zeugnis von Bemühungen um das gramm. Verständnis der griech. Sprache im frühen MA bildet Cod. 444 der Stadtbibl. von Laon. Die im Kreis der Iren um Martinus v. Laon († 875) entstandene Hs. enthält unter anderem den Entwurf einer Gramm. des Griechischen [35]. In ottonischer Zeit hat Froumund v. Tegernsee [3; 18; 20. 47] einen Ansatz zu einer griech. Gramm. unternommen.

Es fällt auf, daß aus dem so fruchtbaren und vielgestaltigen 12. Jh. kein Versuch zu einer griech. Gramm. bekannt ist. So empfand es Johannes v. Salisbury als einen Mangel, daß er kein Griech. konnte, und er versuchte – übrigens nahezu erfolglos – dem abzuhelfen, indem er Griechischstunden bei einem unterit. Griechen nahm [20. 276f.]. Die praktische Kenntnis des Griech. war im It. des 12. Jh. nicht selten. Wir kennen die Namen einer Reihe von Italienern, die, zumeist in Konstantinopel, Urkunden und B. aus dem Griech. übersetzten. Immer deutlicher tritt zutage, daß diese Abendländer in der östl. Reichshauptstadt an den prachtvollen zweisprachigen Auslandsschreiben der Kaiser direkt beteiligt waren [45. 49]. Für den nicht in diesem zweisprachigen Milieu aufwachsenden Abendländer, der sich um das Griech. bemühte, blieb kaum ein anderer Weg als das Studium von Bilinguen, z. B. griech./lat. Hss. einzelner biblischer B., die in der Tat in erheblicher Zahl aus dem MA überliefert sind [20; 50].

Im 13. Jh. wurde in England ein Anlauf unternommen, das Griech. für das Studium zu erschließen. Roger Bacon schuf eine Gramm., die als Anleitung zum Lesen des Griech. geeignet war [15]. Ausführlich verweilt Bacon beim griech. Alphabet, bei Phonetik und Orthographie; die Formenlehre ist kurz, aber in einprägsamen Paradigmen behandelt; Versionen geläufiger lat. Texte, wie *Paternoster* und *Cantica*, sind zur Übung beigegeben. Doch fand Bacons Werk kein Publikum.

Erst als die frühen Humanisten ihrer Sehnsucht nach den griech. Quellen Ausdruck gaben, war auch die Zeit für die breite Resonanz einer griech. Gramm. gekommen. Manuel Chrysoloras († 1415) verfaßte in seinen Ἐρωτήματα τῆς Ἑλληνικῆς γλώσσης eine Gramm. in Frage und Antwort, die das erste weit verbreitete griech. Unterrichtswerk im lat. Abendland wurde. Das Werk war griech. abgefaßt, es setzte den persönlichen Lehrer voraus. Guarino v. Verona († 1460) arbeitete die Chrysoloras-Gramm. zu einem lat.-griech. Text um, mit dem endlich das Selbststudium des Griech. möglich wurde.

Nur langsam verdrängten die neuen gramm. Hilfsmittel die ma. Technik, Griech. zu lernen. So lernte der Humanist und Kamaldulensergeneral Ambrogio Traversari († 1439), der spätere Übersetzer des Diogenes Laertius und des Dionysius Areopagita, sein Griech. noch an bilinguen Bibeltexten, angefangen vom vertrauten Psalter zu schwierigeren Texten fortschreitend [20. 47].

## B. GRIECHISCHE LITERATUR

*Graeca non leguntur*/»Griechisches wird nicht gelesen« – diese Devise gilt für das lat. MA insofern, als nur wenige Abendländer dieser Epoche die Fähigkeit erlangt haben, einen anspruchsvolleren griech. Text im Original zu lesen und zu verstehen. Aber man unterschätzt gewöhnlich das Ausmaß der Übers. aus dem Griech. während des MA und die dadurch bewirkte Präsenz griech. Autoren, v. a. der Kirchenväter, im abendländischen Geistesleben.

Es sind insbes. vier Epochen, in denen der Vorrat griech. Lit. im Abendland durch Übers. gemehrt wurde, die Spätant., die Karolingerzeit, das Hohe MA und der Humanismus.

### 1. DIE SPÄTANTIKE

Den nachhaltigsten Anreiz zu griech. Studien stellte in der lat. Spätant. für die Gebildeten aller Richtungen der Neuplatonismus dar. Vettius Agorius Praetextatus († 384) übersetzte die Aristoteleskomm. des in Konstantinopel wirkenden Themistius († 388); der Philologe Macrobius ging der Verwandtschaft von griech. und lat. Sprache nach in seinem Werk über *Unterschiede und Gemeinsamkeiten des griech. und lat. Verbums* und gab mit einem Komm. zu Ciceros *Somnium Scipionis* eine Einführung in den Platonismus, die neben Calcidius' *Timaeus*-Komm. und Boethius' *Trost der Philosophie* ein philos. Grundwerk bis zum Aufkommen des Aristotelismus im hohen MA blieb.

Der Neuplatonismus Plotins und Porphyrius' beherrschte im 4. und 5. Jh. auch das Denken von Christen, wie des röm. Rhetors Marius Victorinus, des Übersetzers der *Isagoge* des Porphyrius, und des mailändischen Rhetors Manlius Theodorus. Den spätant. Übersetzer und Kommentator von Platons *Timaeus*, den Christen Calcidius, sucht man nunmehr ebenfalls im Kreis des mailändischen Platonismus um 400. Der *Timaeus* des Calcidius war bis zur Mitte des 12. Jh. der einzige platonische Dialog, den das Abendland in lat. Übers. lesen konnte.

Für die Christen des lat. sprechenden Reichsteils bildeten einen eigenen Anreiz zu griech. Studien die hl. Schriften des Christentums und ihre Erklärung. Die Ursprache der Schriften des NT war fast ausnahmslos das Griech., die des AT nur zu einem kleinen Teil; aber hier lag in der *Septuaginta* eine als autoritativ angesehene Übers. aus dem Hebräischen vor. Unter den ant. Schulen der Schrifterklärung erregte die alexandrinische Schule das größte Interesse, insbes. das große exegetische Werk des Origenes († 254).

Im letzten Drittel des 4. Jh. traten zwei hervorragende Vermittler griech.-christl. Lit. auf, die in ihrer Jugend befreundeten Kleriker Rufinus v. Aquileia († 410) und Hieronymus († 420). Die wichtigsten Übers. Rufins sind die der Kirchengeschichte des Eusebius und die des dogmatischen Hauptwerks des Origenes *De principiis*. In beiden Arbeiten ist Rufin Übersetzer und Bearbeiter zugleich. Die Kirchengeschichte des Eusebius, die bis zum Jahr 324 reicht, wurde von Rufin gestrafft, geändert und erweitert; seine wertvollste Zutat ist die Fortführung der Kirchengeschichte bis auf das Todesjahr Theodosius' d. Gr. (395).

Auch Hieronymus widmete sich in seinen jüngeren J. der Vermittlung von Werken des Eusebius und des Origenes. Er übersetzte und bearbeitete um 380 die *Chronographie* des Eusebius und führte sie bis zum Jahr 378 fort. Zur selben Zeit etwa kam Hieronymus der starken Nachfrage nach Texten von Origenes mit der Übers. von je vierzehn Homilien über Jeremias und

Ezechiel entgegen und kündigte an, er wolle einen großen Teil der Werke des Origenes ins Lat. übertragen. Nach der Verwerfung der Dogmatik des Origenes, etwa ab 394, übersetzte Hieronymus nur noch einmal Origenes: *De principiis* als Gegenübersetzung zu der Rufins. Unter der Ägide des Papstes Damasus I. (366–384) revidierte Hieronymus zunächst das NT und den Psalter nach dem Griechischen. Er verwarf nicht grundsätzlich die unklass. sprachliche Form (die z. T. auf das Prinzip der wörtlichen Übers. zurückgeht), sondern änderte nur, wo es ihm der Sinn zu erfordern schien. Später, als Hieronymus in Caesarea die *Hexapla* des Origenes kennenlernte, begann er, das AT zu revidieren und neu zu übersetzen, nun nicht mehr nach *Septuaginta*, sondern nach dem hebräischen Urtext. ›Novum testamentum graecae fidei reddidi, vetus iuxta hebraicum transtuli‹, so würdigt Hieronymus sich selbst am Ende seiner Literaturgeschichte *De viris illustribus*.

Augustins († 430) Interesse für das Griech. zeigt in gewissem Sinn schon die Richtung an, die allg. in den folgenden Jh. zu beobachten ist. Augustin ist kein Hellenist; Homer mag er nicht. Aber als Theologe will und kann er den griech. Wortlaut der Heiligen Schriften vergleichen. Die griech. Exegeten liest Augustin in Übers.; auf die griech. Symbolik rekurriert er, wenn es um Sprache geht, die sich nicht ohne weiteres ins Lat. übers. ließ, wie die Deutung des Namens des ersten Menschen ΑΔΑΜ aus den Anfangsbuchstaben der vier Himmelsrichtungen in griech. Sprache [3; 20. 7; 32]

ΑΝΑΤΟΛΗ
ΔΥCIC
ΑΡΚΤΟC
ΜΕCΗΜΒΡΙΑ

und die Entschlüsselung des Zahlenwerts der Buchstaben des Namens ΑΔΑΜ als 1+4+1+40=46. Das ist das griech. Lieblingsexercitium des Kirchenvaters gewesen, und seit ihm gehörte das zum Bildungsgut der christenlat. Welt.

Eine praktische Begegnung mit dem Griech. brachten dem lat. Klerus in der Spätant. die Konzilien [1], die fast ausnahmslos auf griech. Boden stattfanden. Die Geschichte der Konzilsakten im lat. Westen zeigt allerdings, daß sich hier keine feste Trad. in der Aufnahme und Übers. der griech. Texte bildete. In der ersten H. des 6. Jh. stand der röm. Kirche für längere Zeit in Dionysius Exiguus ein Übersetzer aus dem Griech. zur Verfügung, der in mehreren Redaktionen griech. Konzilsakten herausgab.

In der got. Epoche It. erschien in Boethius noch einmal ein großer Vertreter des philos. Hellenismus. Er hatte den Ehrgeiz, die röm. Weltherrschaft durch die Übertragung der Künste der griech. Weisheit auf seine röm. Mitbürger zu vollenden, und wollte zu diesem Zweck zunächst alle Werke des Aristoteles, dann die platonischen Dialoge ins Lat. übersetzen, sie kommentieren und zu einer *concordia* zusammenschließen. Von seinem gewaltigen Vorhaben hat Boethius nur einen Bruchteil

verwirklicht. Er übersetzte und kommentierte partienweise die logischen Teile des aristotelischen Corpus. Zur Hinführung auf die Philos. entwarf Boethius ein *quadrivium* von Arithmetik, Musik, Geometrie und Astronomie, das viel griech. Wissen vermittelte.

Eine förmliche Übersetzerschule gründete Cassiodor († nach 580) in seinem Kloster Vivarium. Epiphanius übersetzte Didymus, Bellator aus Origenes, Mutianus aus Johannes Chrysostomus, Ungenannte übersetzten Clemens v. Alexandrien. Bedeutendes leisteten die Übersetzer von Vivarium auf dem Gebiet der Geschichte. Cassiodor, in früheren J. der Geschichtsschreiber des got. Volkes, sorgte dafür, daß der kirchengeschichtlich erst mangelhaft ausgestattete lat. Westen ein volleres histor. Bild erhielt. ›Mit großer Mühe‹ (Institutiones I 17) ließ er die *Antiquitates Iudaicae* des Flavius Josephus ins Lat. übersetzte; die an Eusebius anknüpfenden Kirchengeschichtsschreiber Theodoret, Sozomenos und Sokrates verband er v. a. mit Epiphanius' Hilfe zur lat. *Historia tripartita*.

In Rom wirkte in kirchenpolit. Diensten als Vermittler aus dem Griech. der erwähnte Mönch Dionysius, der sich den Beinamen Exiguus gab († Mitte des 6. Jh.). Cassiodor stand mit ihm in Verbindung und rühmte sein Übersetzertalent. Seine bedeutendste Übers. war neben den *Kanones*-Sammlungen das Werk *De opificio hominis* von Gregor v. Nyssa. Im übrigen übersetzte Dionysius Exiguus Hagiographisches wie die Viten des Mönchsvaters Pachomius und der bekehrten Buhlerin Thais.

Die starke byz. Präsenz in It. von der Mitte des 6. bis tief in das 8. Jh. läßt viele Autoren intensive Wechselbeziehungen auch auf dem Gebiet der Übersetzungslit. vermuten [51]. Gesichert ist hier freilich wenig. So ist aus der »byz. Epoche des Papsttums« (ca. 537–752) bisher nur ein einziger Übersetzer mit Namen, Lebensdaten und Werk deutlich zu erkennen, Bonifatius Consiliarius [24].

2. DAS 9. UND 10. JAHRHUNDERT

Ein Heiratsplan des Hofes Karls d. Gr. steht am Anf. des allmählich regelmäßig werdenden Gesandtenaustauschs zw. Konstantinopel und dem fränkischen Hof, der sich um das Jahr 800 (Kaiserkrönung Karls d. Gr.) verdichtet und von 810–817 sogar zu jährlichen Gesandtenbesuchen führt [29]. Mit einer byz. Legation des Jahres 827 ist das entscheidende geistige Ereignis der griech.-lat. Beziehungen im 9. Jh. verknüpft. Damals ließ der oström. Kaiser Michael II. in Compiègne die vier theologischen Schriften und die zehn Briefe des Dionysius Areopagita dem karolingischen Kaiser Ludwig d. Fr. überreichen (Die Hs. ist erhalten: Paris, BN gr. 437). Kaiser Ludwig gab den Cod. an das Kloster St. Denis bei Paris weiter, dessen Abt Hilduin († 855/859) eine erste lat. Übers. herstellen ließ. Eine Neuübers. der Dionysius-Schriften übernahm Iohannes Scottus auf den Wunsch Karls d. Kahlen. ›Es ist nach unserer Meinung ein vielverschlungenes Werk, das dem mod. Verständnis fern liegt, vielen unzugänglich ist, wenigen sich auftut, nicht allein wegen seines Alters, sondern wegen der Tiefe der himmlischen Mysterien‹ (MGH Epistolae 6, 159). Iohannes Scottus versuchte, die Fehler und die Unverständlichkeiten der Hilduinschen Übers. zu vermeiden, andererseits näher am griech. Text zu bleiben. Zur *Hierarchia caelestis* verfaßte er auch einen Kommentar. Ebenfalls auf Aufforderung Karls d. Kahlen übertrug Iohannes Scottus ein zweites großes frühbyz. Werk, die *Ambiguen* des Maximus Confessor ([12] dazu 13]). Iohannes begnügte sich nicht mit der Vermittlung östl. Theologie durch Übers. und Kommentar. Er arbeitete selbst ein großes spekulatives Werk aus, *De divisione naturae*. Der Ehrgeiz der karolingischen Hellenisten fand sogar Ausdruck in griech. Gedichten [8].

Viel besser Griech. als Iohannes Scottus konnte Anastasius v. S. Maria in Trastevere, der zeitweilige Gegenpapst und spätere Bibliothekar († 879). In ihm erstand dem Papsttum nach Dionysius Exiguus wieder ein eifriger Übersetzer, der sich als Kenner des Griech. in Rom trotz seiner kompromittierten Vergangenheit unentbehrlich machen konnte. Er ehrte einflußreiche Persönlichkeiten durch die Widmung von Übers. aus der griech. Hagiographie [16; 24, 38–40]. Hervorzuheben ist die Übers. des Bios Johannes' d. Barmherzigen von Leontius aus Zypern [23. 2. 162–164]. Es ist die einzige frühbyz. Lebensbeschreibung, die auch im lat. Westen zu einem Klassiker der Biographie wurde. Für den neben ihm am Papsthof als Historiker tätigen Johannes Diaconus übersetzte und bearbeitete Anastasius in einer *Chronographia tripartita* (871–874) und in *Collectanea* (874) griech. Texte zur Kirchengeschichte; die wichtigste darunter sind Übers. aus der *Chronographie* des Theophanes († 818). Damit stellte Anastasius in der Geschichtsschreibung den Anschluß an den Osten wieder her, ähnlich wie Johannes Scottus dies in der Theologie getan hatte. Die Chronik des Theophanes ist das letzte histor. Werk des MA, das von einem griech. und lat. Publikum gelesen wurde. Als Legat Papst Hadrians II. und Kaiser Ludwigs II. nahm Anastasius am 8. Ökumenischen Konzil in Konstantinopel (869/870) teil. Die griech. Akten dieses Konzils übertrug er ins Lat.

Die »ottonische Epoche« kann ohne weiteres als griechenfreundlich gelten. Es gibt so etwas wie eine griech. Anachorese ins Abendland [20. 226–230]; eine Griechin ist nicht nur Ehefrau eines Kaisers, sondern selbst *imperator* [sic]: Theophanu († 991). Angesichts der vielen Spekulationen um Brautschatz, Mäzenatentum und hellenisierenden Einfluß dieser bedeutenden Frau muß betont werden, daß kein einziges B., kein Elfenbein und kein Goldschmiedewerk beweisbar mit Theophanu in Verbindung gebracht werden kann [18; 40]. So hoch das emotionale Niveau dieser griech.-lat. Beziehungen gewesen sein mag, das intellektuelle blieb auf der Ebene des Studiums griech. Alphabete, zweisprachiger Psalterien [2; 34], der *Missa graeca* und anderer Gesten der Offenheit gegenüber der heiligen Sprache Griechisch [33]. Die große Ausnahme verkörpert der aus einer Gesandtenfamilie stammende Liudprand v. Cremona, der

mit seiner ΑΝΤΑΠΟΔΟCΙC (begonnen 958 in Frankfurt) und *Relatio de legatione Constantinopolitana* (968) glänzende und für Jh. einzigartige Beispiele stilistischen Arbeitens mit lat.-griech. Mischprosa gab [5; 20. 214–222; 22; 44].

Noch im 9. Jh. war neben Rom Neapel als ein Mittelpunkt lit. Kultur in Italien getreten. Was in Neapel aus dem Griech. übersetzt wurde, war fast ausnahmslos Hagiographie; die Übersetzer [23. 2. 167–171; 4/1. 22–30] waren in der Mehrzahl Diakone. Ein Diakon Paulus übertrug die berühmte Vita der Maria Aegyptiaca und die ebenso berühmte *Poenitentia* des Theophilus und widmete sie Karl d. Kahlen. Der als Geschichtsschreiber der Kirche von Neapel bekannte Diakon Johannes (um 900) übersetzte unter anderem die Nikolausvita. Auch ein bedeutender profaner Stoff war unter den neapolitanischen Übers., der Alexanderroman des Ps.-Kallisthenes. Ihn lernte ein Archipresbyter Leo als Gesandter des langobardischen Fürstenhauses von Kampanien auf der Reise nach Konstantinopel im J. 942 kennen, als er »Bücher zum Lesen« suchte. Leo schrieb die Erzählung ab und brachte sie der Gemahlin seines Herrn; später wurde eine lat. Übers. angefertigt, die am Anf. des weitverzweigten lat. Alexanderromans steht.

### 3. Hohes Mittelalter

Diese Epoche endet mit der Wirksamkeit des Kardinals Humbert v. Silva Candida († 1061). Er ist der erste Übersetzer aus dem Griech., der sich ausschließlich für die Kontroverse zw. Ost und West interessiert. Er übersetze z. B. den Brief gegen das Samstagsfasten und die Azymen der Lateiner, den Leon v. Achrida 1053 an Bischof Johannes v. Trani gesandt hat, und provozierte dadurch eine Reaktion des Papsttums. Mit ihm setzte die das ganze hohe und späte MA anhaltende kirchenpolit.-dogmatische Auseinandersetzung zw. Griech. und Lat. ein; mit dem Streit um den seit der Karolingerzeit vom Westen demonstrativ ins Glaubensbekenntnis (*Credo*) aufgenommenen Zusatz ›filioque‹ [41] reicht die Kontroverse bis in unsere Gegenwart.

Die theologische Auseinandersetzung beeinträchtigte zunächst kaum den intellektuellen Austausch zw. Byzanz und den kampanischen Seestädten Amalfi und Salerno. Eine ganze Reihe von griech.-lat. Übers., v. a. hagiographischer Art ist in den letzten J. der im 11. Jh. tätigen Übersetzerschule von Amalfi zugeschrieben worden [4; 14; 26; 38]. Diese Übersetzer können allerdings auch an den überseeischen Stützpunkten ihrer Vaterstadt tätig gewesen sein; ein solcher war in Konstantinopel, und sogar auf dem Hl. Berg Athos gab es ein lat. Amalfitanerkloster, das von etwa 985 bis 1287 Bestand hatte (Der *Pirgos Amalfinon* auf dem Athos ist ein Rest davon). Dort übersetzte ein Mönch Leo um die Mitte des 11. Jh. das berühmte *Miraculum a S. Michaele Chonis patratum*; vielleicht hat derselbe Leo die Übertragung des griech. Barlaam- und Josaphat-Romans (der im Kern der Buddha-Legende entspricht) durch einen Abendländer in Konstantinopel im J. 1047 veranlaßt. Er fand im Abendland nicht weniger Anklang als im Morgenland [14].

V.a. die Familie Comiti(s) Mauronis förderte in Amalfi die kulturellen Beziehungen zu Byzanz. Ein Sproß dieser Familie namens Lupinus veranlaßte um 1080 den in Konstantinopel lebenden Priester und Mönch Johannes, eine Vita der hl. Irene zu übersetzen. Denselben Johannes ermahnte Pantaleo oftmals, etwas, das man in den griech. B. oder Erzählungen findet, ins Lat. zu übersetzen. Johannes kam diesem Wunsch mit seinem *Liber de miraculis* nach, der griech. asketische Erzählungen enthält, v.a. aus dem *Pratum spirituale* des Iohannes Moschus.

In Salerno läßt sich beobachten, wie Griech. im lat. Milieu präsent bleibt: nämlich durch die Liturgie. Dort ist um 1100 eine Schreibschule tätig, die griech. liturgische Prachthss. herstellt und dies offenbar für den eigenen Gebrauch. Das kann als Hinweis auf das Milieu aufgefaßt werden, aus dem die Übersetzer medizinischer Fachlit. kamen, die für die rasch berühmt werdende Schule von Salerno arbeiteten [27]. Der arab. Einfluß ist hier geringer, als man früher glaubte. Von den fünf Teilen der *Articella* [46], des seit dem 12. Jh. weit verbreiteten Unterrichtswerkes Salernos, sind mindestens drei aus dem Griech. übersetzt. Der namhafteste Salernitaner Griech.-Übersetzer ist Bischof Alfanus v. Salerno (†1085), der, *Latinorum cogente penuria*, das anthropologisch-medizinische Werk *De natura hominis* des Nemesius v. Emesa in Übers. herausbrachte.

Konstantinopel beherbergt im 12. Jh. eine Gruppe von sprachenkundigen und lit. tätigen Lateinern. Moses v. Bergamo [38; 49] stand im Dienst des byz. Hofes in Konstantinopel (um 1130–1140). Er war der erste Abendländer, der in Konstantinopel griech. Hss. sammelte; seine Sammlung ging ihm jedoch bei einem Brand im Venezianerviertel in Konstantinopel verloren. Aus seiner reichen Kenntnis des Griech. scheint er nur gelegentlich und auf bestimmte Aufforderung etwas mitgeteilt zu haben, obwohl er von sich sagte, daß er ›das Griech. v.a. darum gelernt habe…‹, um es in unsere Sprache zu übersetzen, wenn ich etwas Nützliches fände…‹ (C.H. Haskins, Medieval Science ²1927, 201). Iacobus v. Venedig, der sich selbst als *Veneticus Grecus* bezeichnet, ist der wohl wichtigste Vermittler der »neuen Logik« des Aristoteles [37]. Iacobus hat als erster die *Analytica posteriora* übersetzt, hierzu angeregt wohl durch die damaligen Aristotelesstudien in Konstantinopel.

Der Pisaner Burgundio († 1193), der größte Übersetzer des 12. Jh. [6; 33; 53], begann um 1140 mit einer juristischen Übersetzungsarbeit, die der griech. Zitate in den Digesten des *Corpus Iuris Civilis*. Es folgten theologische Übers., auf Anregung des aus Pisa stammenden Papstes Eugens III., im Jahr 1151 die 90 Matthäus-Homilien des Johannes Chrysostomus, 1152 Basilius d. Gr. *In Isaiam*, ebenfalls Eugen III. gewidmet. Derselbe Papst stand auch Pate bei Burgundios wichtigster Übers., der *Expositio fidei orthodoxae* von Johannes v. Damaskus. Kaiser Friedrich I. widmete er eine Neuübers. von *De natura hominis* des Nemesius v. Emesa. Während eines Gesandtschaftsaufenthaltes in Konstantinopel 1173 ver-

lor Burgundio seinen Sohn; ›pro redemptione animae eius‹ übersetzte Burgundio die 88 Johannes-Homilien des Johannes Chrysostomus ins Lat. Um 1085 widmete Burgundio einem König Heinrich – wohl dem späteren Kaiser Heinrich VI. – die Übers. eines Traktats Galens; die griech. Medizin beschäftigte ihn in den letzten J. seines langen Lebens.

Es ist unmöglich, das Panorama der in der Weltstadt Konstantinopel entstehenden Übersetzungslit. hier vollständig zu zeichnen. Nur die Namen der abendländischen Übersetzer und der von ihnen übersetzten Autoren seien noch genannt. Übersetzer: Cerbanus, Hugo Etherianus, Leo Tuscus [11], Pascalis Romanus. Übers. griech. Autoren: Johannes Chrysostomus, Johannes v. Damaskus, *Traumbuch des Achmet*, das *Kyranidenbuch* über die Kräfte der Tiere, Steine und Pflanzen, Epiphanius v. Konstantinopel.

Im normannischen Sizilien setzt die griech.-lat. Übersetzungslit. des MA mit einem Heiligenleben ein [17]. Dann trat um die Mitte des 12. Jh. ein Aristippus auf, der Platons *Phaidon* und *Menon* übersetzte. Dieser Aristippus hatte Verbindungen zur östl. Reichshauptstadt; von dort brachte er die Μεγίστη σύνταξις des Ptolemaeus (im Hohen und späten MA meist *Almagest*, nach dem Arab., genannt) mit und ließ das Werk übersetzen. In diesem Kreis scheint auch eine Übers. der *Data* des Euklid entstanden zu sein [10].

In Frankreich arbeitete ein rätselhafter Johannes Sarracenus an der Verbesserung der Dionysiusübers. des Iohannes Scottus. Auffallend schwach sind die lit. Wechselbeziehungen in den Kreuzfahrerstaaten ausgeprägt; man kann bisher kein einziges dort aus dem Griech. übers. Werk namhaft machen [20. 248 f.]. Im Gegenteil wissen wir, daß Papst Eugen III. um 1150 vergeblich versuchte, über den Patriarchen von Antiochien eine lat. Übers. von Matthäushomilien des Johannes Chrysostomus zu erhalten; man sandte dem Papst ein Expl., das dann in Pisa durch Burgundio übersetzt wurde [20. 268].

Unter Friedrich II. v. Hohenstaufen [52] ist das apulische Otranto das Zentrum des griech.-lat. Kontakts. Dort wird Homers *Odyssee* studiert [28]; das 1201 in Otranto geschriebene Expl. ist erhalten (Heidelberg Pal. gr. 45). Die anziehende Gestalt des Nikolaus-Nektarios v. Otranto (†1235) wirbt mit zweisprachigen Texten-Bilinguen für das Griech. unter den Lateinern; eine italo-griech. Dichterschule verficht die staufisch-ghibellinische Sache in griech. Versen [7], und Friedrich II. erläßt das erste staatliche Gesetzbuch des Abendlandes (*Liber Augustalis*, Konstitutionen von Melfi) in lat. und griech. Sprache.

Die bekanntesten und bedeutendsten Übersetzer des 13. Jh. sind der Engländer Robert Grosseteste (†1253), Bischof v. Lincoln [36], und der flämische Dominikaner Wilhelm v. Moerbeke [31], der als Missions-Erzbischof v. Korinth starb (vor 1286). Sie sind die sprachenkundigen Repräsentanten des Zeitalters, das die herkulische Anstrengung unternahm, Aristoteles, den Aristotelismus und die griech. Wiss. überhaupt zu verstehen und zu rezipieren. Sie schufen damit die Voraussetzung, daß dieser Stand des Wissens irgendwann auch überwunden wurde.

## 4. HUMANISMUS

Das war dann das Werk der Humanisten, in denen Petrarca den Wunsch erweckte, eine andere Kenntnis des Griech. zu erwerben als die einer auf Alphabettafeln und Bilinguen mehr schlecht als recht studierten, in sinnreichen Zeremonien verehrten, auf Theologie und Philos. fixierten »hl. Sprache«. Im 14. Jh. versuchten etliche Frühhumanisten mit Hilfe von Italogriechen weiterzukommen. Petrarca nahm bei dem Kalabresen Barlaam (†1350) Griechischunterricht, aber wohl ohne Erfolg. Denn als Petrarca 1353/54 endlich einen vom byz. Gesandten überlassenen Homercod. (Mailand, Ambros. gr. I 98 inf.) in die Arme schließen konnte, sprach er seufzend: ›O großer Mann, wie wünsche ich dich zu hören ...‹. Der ersehnte Homer blieb für ihn stumm.

Etwas weiter als Petrarca kam schon Boccaccio, wieder mit Hilfe eines Italogriechen, Leontius Pilatus (†1365). Endlich erschien in dem byz. Gesandten Manuel Chrysoloras (†1415 während des Konzils zu Konstanz und begraben im Konstanzer Dominikanerkloster = »Inselhotel«) ein großer Griechischlehrer (ab 1397 in Florenz), zu dessen Füßen die Humanisten saßen, um gramm. Griech. zu lernen.

Von da an wurden die ma. Übers. aus dem Griech. als barbarisch verschrien und durch neue, dem rhet. Empfinden der Zeit gemäßere (elegantere, aber nicht immer genauere) ersetzt. Die Interessenperspektive wandelte sich. Hatte sich die Scholastik und das MA überhaupt vorwiegend für griech. Theologie, Philos., Medizin und Naturwiss. interessiert, so rückten jetzt Dichtung, Geschichtsschreibung, Drama und überhaupt Schöne Lit. in den Mittelpunkt des Interesses. Gleichzeitig verschob sich auch die Epochenperspektive. Seit dem Human. ist es im Abendland selbstverständlich, daß man sich mit einer weit zurückliegenden Epoche des Griech. beschäftigt, dem Klass. Altertum. Homer lesen zu können wurde das Ziel des Griechischstudiums. Der Human. schuf endlich ein Publikum, das griech. Lit. in der Originalsprache lesen konnte. Nach der Katastrophe von 1453 gab es für Jh. kein geistig lebendiges griech. Gegenüber mehr. Aber die griech. Studien und die griech. Lit. hatten sich wenigstens teilweise ins Abendland gerettet.

QU **1** Acta Conciliorum Oecumenicorum, series 1, E. SCHWARTZ et.al. (Hrsg.), t. 1–4, 1922–1984; series 2, R. RIEDINGER (Hrsg.), 1–2, 1984–1995 **2** W. BERSCHIN, Drei griech. Majestas-Tituli in der Trier-Echternacher Buchmalerei, in: W. NYSSEN (Hrsg.), Begegnung zw. Rom und Byzanz um das J. 1000, 1991, 37, 52 **3** Ders., Eine griech.-althochdt.-lat. Windrose von Froumund v. Tegernsee im Berlin-Krakauer Cod. lat. 4°939, in: Vetustatis amore et studio (FS K. Liman) 1995, 23–30 **4** P. CHIESA, Vita e morte di Giovanni Calibita e Giovanni l'Elemosiniere. Due testi »amalfitani« inediti, 1995 **5** Ders., Liutprandi Cremonensis opera omnia, 1998 **6** R. J. DURLING, Burgundio of Pisa's Translation of Galen's ... De interioribus, 1–2, 1992 **7** M. GIGANTE, Poeti bizantini di terra d'Otranto nel secolo XIII, ²1979 **8** M. W. HERREN, Iohannis Scotti Eriugenae carmina, 1993 **9** J. HOECK, R. J. LOENERTZ, Nikolaos-Nektarios v. Otranto, Abt v. Casole, 1965 **10** S. ITO, The Medieval Latin Translation of The Data of Euclid, 1980 **11** A. JACOB, La traduction de la Liturgie de saint Jean Chrysostome par Léon Toscan, Orientalia Christiana Periodica 32, 1966, 111–162 **12** E. JEAUNEAU, Maximi Confessoris Ambigua ad Iohannem iuxta Iohannis Scotti ... interpretationem, 1988 **13** C. LAGA, C. STEEL, Maximi Confessoris quaestiones ad Thalassium ... una cum ... interpretatione Iohannis Scotti 1–2, 1980–1990 **14** J. MARTÍNEZ GÁZQUEZ (Hrsg.), Historia Barlae et Iosaphat, 1997 **15** E. NOLAN, S. A. HIRSCH, The Greek Grammar of Roger Bacon, 1902 **16** E. PERELS, G. LAEHR, Anastasii Bibliothecarii epistolae sive praefatione, MGH Epistolae 7, 1912–1928, 395–442 **17** M. V. STRAZZERI, Una traduzione dal greco ad uso dei Normanni. La vita latina di Sant'Elia lo Speleota, in: Archivo Storico per la Calabria e la Lucania 59, 1992, 1–108

Lit **18** W. J. AERTS, The knowledge of Greek in Western Europe at the time of Theophano and the Greek grammar fragment in ms. Vindob. 114, in: Byzantium and the Low Countries in the 10th Century, 1985, 78–103 **19** C. M. ATKINSON, Zur Entstehung und Überlieferung der Missa Graeca, in: Archiv für Musikwiss. 39, 1982, 113–145 **20** W. BERSCHIN, Griech.-lat. MA, 1980 **21** Ders., Griech. bei den Iren, in: Die Iren und Europa im früheren MA 1, 1982, 501–510 **22** Ders., Liudprands Griech. und das Problem einer überlieferungsgerechten Ed., in: MLatJb. 20, 1985, 112–115 **23** Ders., Biographie und Epochenstil im lat. MA t.1–4/1, 1986–1999 **24** Ders., Bonifatius Consiliarius. Ein ma. Übersetzer in der byz. Epoche des Papsttums, Lat. Kultur im 8. Jh. (Traube-GS), 1989, 25–40 **25** Ders., Griech. in der Klosterschule des alten St. Gallen, in: ByzZ 84/85, 1991/92, 329–340 **26** Ders., I traduttori d'Amalfi nell' 11. secolo, in: Cristianità ed Europa (FS L. Prosdocimi) 1, 1994, 237–243 **27** Ders., Salerno um 1100. Die Übers. aus dem Griech. und ihr byz.-liturgischer Hintergrund, in: Ab oriente et occidente (GS W. Nyssen), 1996, 17–25 **28** Ders., Homer im Reich Friedrichs II. v. Hohenstaufen, in: Expedition nach der Wahrheit (FS T. Stemmler), 1996, 503–512 **29** Ders., Die Ost-West-Gesandtschaften am Hof Karls d. Gr. und Ludwigs d. Frommen (768–840), in: Karl d. Gr. und sein Nachwirken 1, 1997, 157–171 **30** B. BISCHOFF, Das griech. Element in der abendländischen Bildung des MA, in: Ders., Ma. Stud. 2, 1967, 246–275 **31** J. BRAMS, W. VANHAMEL (Hrsg.), Guillaume de Moerbeke, 1989 **32** D. CERBELAUD, Le nom d'Adam et les points cardinaux, in: Vigiliae Christianae 38, 1984, 285–301 **33** P. CLASSEN, Burgundio v. Pisa, 1974 **34** J. L. VAN DIETEN, Plastes ke piitis. Die »versiculi greci« des Bischofs Reginold v. Eichstätt, in: Studi Medievali III 31, 1990, 357–416 **35** A. C. DIONISOTTI, Greek Grammars and Dictionaries in Carolingian Europe, in: The Sacred Nectar of the Greeks, M. W. HERREN (Hrsg.), 1988, 1–56 **36** DIES., On the Greek Studies of Robert Grosseteste, in: The Uses of Greek and Latin, 1988, 19–39 **37** B. G. DOD, Aristoteles latinus, in: The Cambridge History of Later Medieval Philosophy, 1982, 45–79 **38** F. DOLBEAU, Une liste ancienne d'apôtres et de disciples, traduite du grec par Moïse de Bergame, Anal. Boll. 104, 1986, 299–314 **39** Ders., Le rôle des interprètes dans les traductions hagiographiques d'Italie du Sud, in: Traduction et traducteurs au moyen âge, 1989, 146–162 **40** A. v. EUW,

P. Schreiner (Hrsg.), Kaiserin Theophanu. Begegnung des Ostens und Westens um die Wende des ersten Jt. 1–2, 1991 **41** J. M. Garrigues, L'esprit qui dit Père et le problème du filioque, 1982 **42** E. Jeauneau, Etudes Erigéniennes, 1987 **43** B. M. Kaczynski, Greek in the Carolingian Age. The St. Gall Manuscripts, 1988 **44** J. Koder, T. Weber, Liutprand v. Cremona in Konstantinopel, 1980 **45** O. Kresten, A. E. Müller, Die Auslandsschreiben der byz. Kaiser des 11. und 12. Jh., in: ByzZ 86/87, 1993/1994, 402–429 **46** P. O. Kristeller, Studi sulla Scuola medica salernitana, 1986 **47** D. Luscombe, Denis the Pseudo-Areopagite in the Middle Ages from Hilduin to Lorenzo Valla, in: Fälschungen im MA 1, 1988, 133–152 **48** A. Paravicini Bagliani, La provenienza »angioina« dei codici greci della biblioteca di Bonifacio VIII, in: Italia medioevale e umanistica 26, 1983, 27–69 **49** F. Pontani, Mosè del Brolo e la sua lettera da Costantinopoli, in: Aevum 72, 1998, 143–175 **50** P. Radiciotti, Manoscritti digrafici grecolatini e latinogreci nell'alto medioevo, in: Röm.-Hist.-Mitteilungen 40, 1998, 49–118 **51** J.-M. Sansterre, Les moines grecs et orientaux à Rome 1–2, 1983 **52** M. B. Wellas, Griech. aus dem Umkreis Kaiser Friedrichs II., 1983 **53** N. G. Wilson, Ioannikios and Burgundio, in: Scritture, libri e testi nelle aree provinciali di Bisanzio, G. Cavallo etc. (Hrsg.), 1991, 447–455, Braunsberga.                    WALTER BERSCHIN

## Griechisch, Aussprache   s. Aussprache

## Griechische Komödie
A. Antike und Mittelalter
B. 17.–19. Jahrhundert
C. 20. Jahrhundert

### A. Antike und Mittelalter
Im Unterschied zur griech. Trag., bei der Wiederaufführungen seit 386 v. Chr. offiziell zugelassen waren, sind inschr. Wiederaufführungen »alter« K. erst seit 339 v. Chr. bezeugt. Wie es scheint, wurden jedoch nicht K. des 5. Jh., sondern Stücke zeitgenössischer Autoren oder von Dichtern der jüngsten Vergangenheit, also aus der Phase der Mittleren oder Neuen K., wieder aufgeführt. Die Alte K. des 5. Jh. mit der für sie typischen Zeitgebundenheit insbes. der namentlichen Verspottung stadtbekannter Persönlichkeiten (*onomastí komodeín*) konnte auf der Bühne der hell. Zeit mit keiner großen Resonanz rechnen – vielleicht mit der Ausnahme von Stücken, die eine allgemeinere oder unpolit. Thematik aufwiesen. So scheinen sich die *Thesmophoriazusen* des Aristophanes einiger Beliebtheit erfreut zu haben, da sie sich mit der Person des beliebtesten Tragikers des 4. Jh., mit Euripides, befaßten. Die aus Apulien stammende Würzburger Telephos-Vase (Martin von Wagner Mus. der Univ. Würzburg, H 5697) ist wohl nicht als Reflex einer Phlyakenposse, sondern als direkter Nachhall auf die aristophanische K. zu verstehen [7. 38 ff.]. Daß von der reichen K.-Produktion des 5. Jh. wenigstens elf Stücke des Aristophanes auf dem Weg der handschriftlichen Überlieferung erhalten sind, ist den attizistischen Tendenzen der röm. Kaiserzeit zu verdanken, die in der Sprache des Aristophanes reines Attisch verwirklicht sahen [13. 9ff.].

Von Menander, dem bedeutendsten K.-Dichter der hell. Zeit, sind Wiederaufführungen inschr. aus dem 2. und 1. Jh. v. Chr. belegt. Seine Beliebtheit ist durch zahlreiche bildliche Darstellungen mit Szenen aus seinen Stücken (z. B. die Mytilene-Mosaiken) bezeugt. Mit der Durchsetzung eines strengen Attizismus seit dem 2. Jh. n. Chr. verliert Menander jedoch seine Bed. und verschwindet aus dem Lektürekanon der Schulen. Dies führt schließlich dazu, daß Menander in der Zeit der sog. Dunkeln Jahrhunderte in Byzanz (726–842 n. Chr.) auch aus der handschriftlichen Überlieferung verschwindet. Lediglich Sentenzen aus seinen K. (*Menandru Gnomai*) sind auf direktem Weg in die Neuzeit gelangt; die K. wurden erst durch umfangreiche Papyrus-Funde am Ende des 19. und im 20. Jh. wieder bekannt.

Wie im Fall der drei griech. Tragiker edierten und kommentierten die Philologen des 13./14. Jh. auch die K. des Aristophanes, wobei sie sich bes. auf drei Stücke konzentrierten (»byz. Trias«): auf den *Plutos* (*Reichtum*), die *Wolken* und *Frösche*, also auf die Dramen, die aufgrund ihres moralisierenden und allgemeinmenschlichen Tones (*Plutos*), ihres philosophie- (*Wolken*) oder literaturgeschichtlichen Inhaltes (*Frösche*) als Schullektüre in Frage kamen.

### B. 17.–19. Jahrhundert
Zurück auf die europ. Bühne gelangte Aristophanes zunächst in Straßburg, im Theatrum Academicum, in dem 1613 die *Wolken* in griech. Sprache aufgeführt werden. Der moralisierende Tenor der Aufführung wird in der dt., mit einem belehrenden Epilog versehenen Übers. von Isaak Fröreisen deutlich: Der Zuschauer soll von Sokrates, dessen »Denkerei« (»Phrontistérion«) am Ende der K. in Brand gesteckt wird, Charakterstärke lernen [8. 464]. Der Straßburger Aufführung der *Wolken* hat ohne Zweifel die lat. Übers. des Humanisten Nicodemus Frischlin (1586) den Weg gebahnt, der neben den *Wolken* den *Plutos*, die *Frösche*, *Ritter* und *Acharner* ins Lat. übertragen hatte.

Von dem kurzen Straßburger Gastspiel abgesehen verschwand Aristophanes wieder von den Bühnen. Die Zeitgebundenheit seiner Stücke, insbes. der derbe, teilweise obszöne Gehalt, den schon Plutarch in dem Vergleich von Menander und Aristophanes (mor. 853 A-D) anprangert, verhinderte die Rezeption des att. K.-Autors. Lediglich der *Plutos* wurde übers. (Chr. Mylius, 1744). 1783 folgte eine Übers. der *Frösche* durch Goethes Schwager J. G. Schlosser, der den polit. Charakter der aristophanischen K. unterstreicht [8. 469]. Stärker ins öffentliche Bewußtsein wurde Aristophanes allerdings erst durch Chr. M. Wieland gerückt, der seit 1794 die *Acharner*, *Ritter*, *Wolken* und *Vögel* ins Dt. übertrug.

Eine Neubewertung des Aristophanes setzte zu Beginn des 19. Jh. ein. Zwar hatte J. W. v. Goethe bereits 1780 in eigener Bearbeitung die *Vögel* in Weimar auf die Bühne gebracht. ›Dies war nun gewiß nicht der Versuch, das ant. Drama auf die Bühne zu bringen, sondern heitere Maskerade, die sich ant. Formen bediente‹ [2. 50]. Goethe wußte zwar die dramatische Kunst des

Aristophanes durchaus zu schätzen (Brief an F. Schiller, 8.04.1794); seine Charakterisierung von Aristophanes als »Hanswurst« (Tagebucheintrag vom 22.11.1831) zeigt allerdings, daß er noch in der von Plutarch begründeten Trad. der Ablehnung des att. Komikers steht. Erst die Romantiker entdeckten Aristophanes als lit. Herausforderung, die Autoren des Vormärz als polit. Vorbild. Wie der Rückkehr der griech. Trag. die Auseinandersetzung mit der Theorie (Aristoteles, *Poetik*; Hegel) voranging, bahnt auch den K. des Aristophanes eine theoretische Studie den Weg zurück ins lit. Bewußtsein und schließlich in die Theater: F. Schlegel sieht in seiner Abhandlung *Vom ästhetischen Wert der griech. K.* (1794) in Aristophanes das Ideal des Komischen verwirklicht. Angeregt durch Schlegels Schrift unternahmen die Romantiker den allerdings kurzlebigen Versuch einer Wiederbelebung der aristophanischen K. (L. Tieck, *Der gestiefelte Kater*, 1794). Von größerem Einfluß war die Rolle als Volksdichter, die Schlegel Aristophanes zugeschrieben hatte. Die polit. Brisanz der aristophanischen K. wird bes. in der Vorrede von L. Seegers Übers. deutlich (1845–1848), der seinen Zeitgenossen Aischylos und Aristophanes als wahre Patrioten, als Männer ›des begeisterten Wortes und der begeisterten That‹, vor Augen stellt [5/1. 18 f.]. Den wahren, also radikal polit. Aristophanes würdigt auch H. Heine (*Deutschland, ein Wintermärchen*, Caput XXVII): ›Dem wirklichen Aristophanes, / dem ginge es schlecht, dem Armen; / wir würden ihn bald begleitet sehn / mit Chören von Gendarmen‹.

### C. 20. Jahrhundert

Der polit., kritische oder gar subversive Charakter der aristophanischen K. verhinderte einen der griech. Trag. vergleichbaren Erfolg auf den Bühnen bis in die Zeit nach dem zweiten Weltkrieg. Die Inszenierung der *Lysistrate* durch M. Reinhardt in der Bearbeitung von L. Greiner und mit einem Prolog von H. v. Hofmannsthal (Berlin, Kleines Theater, 27.02.1908) war ein enormer Bühnenerfolg, ohne allerdings U. v. Wilamowitz-Moellendorffs Wohlwollen zu erregen [10. 91; 11. 7], blieb aber die Ausnahme. Eine kurze Blüte erlebten Aristophanes-Aufführungen in den 30er und 40er Jahren in der Schweiz durch den Reinhardt-Schüler G. Kachler. Der gebürtige Basler war, sicherlich angeregt durch K. Meulis Unt. und die Fasnachtsbräuche seiner Heimatstadt, durch den kult. Charakter des griech. Dramas fasziniert. In seinen Inszenierungen (Aristophanes, *Frösche* 1936; *Acharner* 1938; *Frieden* 1945; *Vögel* 1946; Sophokles, *Elektra* 1939, *Antigone* 1944; Euripides, *Kyklops*, *Iphigenie bei den Taurern* 1943/44) versuchte er, die Starrheit der ant. Theatermaske ›zu durchbrechen durch Wendungen nach allen Richtungen im Licht und durch perspektivische Verschiebungen, wodurch eine außerordentliche Variationsbreite der Stimmungen ermöglicht wurde. Die gleiche Maske konnte lachen, sich freuen, weinen und wütend sein‹ [2. 168]. Die Trad. wurde von Kachler im röm. Theater von Augst (bei Basel) weitergeführt (*Der Reichtum oder Geld regiert die Welt*: *Plutos*

1965; *Die Acharner oder Wie sich's besser leben läßt* 1974) und lebt bis heute fort (*Vögel* 1983, Regie: J. Hatz; *Friede* 1989, Regie: J. Hatz).

Die Friedensstücke des Aristophanes (*Acharner*, *Frieden*, *Lysistrate*) erlebten nach 1945 eine Renaissance auf der Bühne, nachdem bereits nach dem ersten Weltkrieg die Aktualität der aristophanischen K. erkannt worden war: Zeitgleich und offensichtlich unabhängig voneinander hatten L. Feuchtwanger und H. Blümner die *Acharner* und den *Frieden* in einem Stück vereinigt (L. Feuchtwanger, *Friede. Ein burleskes Spiel. Nach den »Acharnern« und der »Eirene« des Aristophanes*, 1918; H. Blümner, *Krieg und Frieden. Mit einem Nachspiel: Die Befreiung der Friedensgöttin. Nach den »Acharnern« und der »Eirene« des Aristophanes für die heutige Bühne frei bearbeitet von H. B.*, 1918). Nach 1945 machte den Neuanfang eine wenig bekannte und meines Wissens auch nie aufgeführte Bearbeitung der *Acharner* durch E. Kästner (in: *Die kleine Freiheit. Chansons und Prosa 1949–1952*). Im Stile der »Gebrauchslyrik« Kästners preist der Chor in der »Exodos« den Frieden: ›Reicht euch die Hände, seid eine Gemeinde! / Frieden, Frieden heiße der Sieg. / Glaubt nicht, ihr hättet Millionen Feinde. / Euer einziger Feind heißt – Krieg! /.../ Schön sein, schön sein könnte die Erde, / wenn ihr nur wollet, wenn ihr nur wollt!‹ [3. 285 f.]. Nach der *Lysistrate* in der Fassung von C. Bremer unter U. Brecht und mit der Musik von A. Asviel (Kassel, 2.10.1966) [2. 207] löste P. Hacks' Bearbeitung des *Frieden* (Berlin, Dt. Theater, 14.10.1962) [2. 209 f.] eine wahre Welle von Aristophanes-Inszenierungen aus. Hacks' *Frieden* war ein enormer Erfolg: Allein in Berlin wurde er über 250mal gegeben, Gastspiele in ganz Europa folgten. In Hacks' Bearbeitung des *Frieden* wird ›erstmals auf der Bühne die polit. Dimension der Alten K. ernstgenommen, ohne daß der Charakter der K. zerstört wäre‹ [2. 210]. Eine plumpe Aktualisierung wird vermieden, vielmehr werden die poetischen Grundlinien herausgearbeitet. Noch deutlicher wird die polit. Stoßrichtung in der Inszenierung der selten gespielten *Ritter* durch den griech. Regisseur St. Doufexis (Nürnberg, 14.10.1967). Das Stück richtet sich gegen das griech. Obristenregime, die polit. Zeitumstände (Studentenrevolte, außerparlamentarische Opposition) klingen an [2. 211 f.]. Die deutliche Aktualisierung kommt allerdings mit relativ wenig Textänderungen aus. Die Inszenierung der *Vögel* durch K. Koun im Herodes-Atticus-Theater in Athen (1959) endete in einem Theaterskandal [2. 213 f.], da Koun die aristophanischen Gebets- und Opferparodien nach Riten der griech.-orthodoxen Kirche gestaltete. Die *Vögel* sind das Stück, das durch die durch E. Blochs *Das Prinzip Hoffnung* (1959) ausgelöste Utopie-Diskussion nicht nur die philol. Forsch. beschäftigte [12], sondern auch häufig auf der Bühne zu sehen war. Die polit. Dimension der K. wird bes. in H. Heymes Stuttgarter Inszenierung (18.4.1980) deutlich [2. 257 f.; 11]. In letzter Zeit wird wieder der phantastische, märchenhafte Charakter des Stücks herausgestellt (Konstanz, 24.2.1988 in der Fas-

Abb. 1: *Wolken* 1988; Foto Maltese, Siracusa

sung von D. Dorn und E. Wendt, Regie: O. Schnelling). Auch die Inszenierungen des Istituto Nazionale Del Dramma Antico (INDA) im griech. Theater von Siracusa betonen die komisch-phantastischen Elemente der aristophanischen K. (*Wolken* 1988, siehe Abb. 1, Regie: G. Sammartano, Musik: S. Marucci; *Acharner* 1994, Regie: E. Marucci, Musik: G. Gregori) [4].

Im Gegensatz zu Aristophanes hat Menander bisher nicht zurück in die großen Theater gefunden. Die dt. Erstaufführung des *Dyskolos* fand im röm. Theater von Augst (Schweiz) anläßlich des 500jährigen Jubiläums der Univ. Basel unter der Regie von Kachler statt (Wiederholung 1967).

→ AWI Aristophanes; Menandros; Plutarchos; Euripides
→ Griechische Tragödie

1 M. BRAUNECK, Die Welt als Bühne. Gesch. des europ. Theaters, bisher 3 Bde., 1993–1999 2 H. FLASHAR, Inszenierung der Ant. Das griech. Drama auf der Bühne der Neuzeit, 1991 3 E. KÄSTNER, Vermischte Beiträge, GS Bd. 5, 3. Aufl. ohne J. 4 Ombra della parola. Ottanta anni di teatro nella Siracusa del novecento 1914–1918 5 L. SEEGER, Aristophanes, 3 Bde., Frankfurt a. M. 1845–1848 5 W. SÜSS, Aristophanes und die Nachwelt, 1911 6 O. TAPLIN, Comic Angels and other approaches to Greek drama through vase-paintings, 1993 7 O. WERNER, Aristophanes-Übers. und Aristophanes-Bearbeitungen in Deutschland, in: H.-J. NEWIGER (Hrsg.), Aristophanes und die alte K., 1975, 459–485 8 U. v. WILAMOWITZ-MOELLENDORFF, Die griech. Lit. des Alt., ³1912 (1995) 9 Ders., Aristophanes, Lysistrate, 1927 10 Württembergisches Staatstheater Stuttgart (Hrsg.), Die Vögel. K. des Aristophanes, Stuttgarter Hefte 12, 1980 11 B. ZIMMERMANN, Utopisches und Utopie in den K. des Aristophanes, in: Würzburger Jbb., N. F. 9, 1983, 57–77 12 Ders., Die griech. K., 1998.

BERNHARD ZIMMERMANN

**Griechische Philologie** s. Philologie

**Griechische Tragödie** A. ANTIKE UND MITTELALTER B. RENAISSANCE C. 1700–1832 D. 19. JAHRHUNDERT E. 1900–1945 F. 1945–2000 G. ZUSAMMENFASSUNG

A. ANTIKE UND MITTELALTER

Der folgende Beitrag widmet sich nur den Aufführungen der Stücke der drei griech. Tragiker und den unterschiedlichen Tendenzen der Inszenierungen in der Neuzeit. Bearbeitungen, Um- oder Neudichtungen und die Rezeption der griech. T. insgesamt in der europ. Kultur- und Geistesgeschichte können in diesem Zusammenhang nicht behandelt werden.

Das Epochenjahr, das einen einschneidenden Wandel in der Aufführungspraxis von Dramen in Athen markiert, ist 386 v. Chr., als offiziell Wiederaufführungen »alter« Stücke zugelassen wurden. Zuvor waren wiederholte Aufführungen nur in Ausnahmefällen möglich oder außerhalb Athens zulässig. Der Beschluß des J. 386 läßt ein Repertoiretheater im mod. Sinne entstehen. Aus den Dramen, die im 5. Jh. dem Gott Dionysos als geistige Opfergaben nur einmal dargebracht werden durften, werden reine Theaterstücke. Ein Reflex des Umbruchs findet sich in den *Gesetzen* Platons (700a), der kritisiert, daß die Dichter nunmehr, nachdem die verschiedenen Gattungen der Dichtung ihren traditionellen »Sitz im Leben« verloren hätten, sich nur noch am Publikumsgeschmack orientierten. Die Säkularisierung des Theaterbetriebs ging Hand in Hand mit einer Professionalisierung des Schauspielerwesens und einer Verbreitung von Theatern in hell. Zeit über die ganze griechischsprachige Welt, seit der Kaiserzeit im ganzen Imperium Romanum [9]. Verantwortlich für diese Entwicklung sind insbes. die Dionysos-Techniten, die bis in die Spätant. nachweisbaren Gilden nicht nur von Schauspielern, sondern auch von in unterschiedlichen Gattungen tätigen Autoren, Choreuten, Musikern und Rhapsoden [12. 279 ff.]. Die Gruppen müssen über ein bestimmtes Repertoire an Stücken verfügt haben, was neben der durch den Schulbetrieb verursachten Selektion eine weitere Ursache für den Verlust zahlreicher dramatischer Texte gewesen sein dürfte. Der Vortrag von Glanzstücken aus beliebten, bes. euripideischen Dramen hat auf die griech., mündlich überlieferten Volkslieder des MA gewirkt (*Tragúdia*).

Während das lat. MA keinen Zugang zu den griech. Dramatikern hatte, wurden die erhaltenen Texte der Tragiker und des Aristophanes von den byz. Philologen Maximos Planudes (ca. 1250–1310), Thomas Magister (ca. 1270–1325), Manuel Moschopulos (ca. 1265–1315) und Demtrios Triklinios (ca. 1280–1340) unter textkritischen und metrischen Aspekten bearbeitet und neu ediert, wobei sie sich bes. auf je drei Stücke der drei Tragiker konzentrierten (»byz. Trias«: Aischylos: *Prometheus, Sieben gegen Theben, Perser*; Sophokles: *Aias, Elektra, König Oidipus*; Euripides: *Hekabe, Orestes, Phönizierinnen*). Ihre Ausgaben bestimmten im wesentlichen die Drucke des 15. Jh. und bilden somit die wichtigste Voraussetzung von Wiederaufführungen der griech. Tragiker in der Neuzeit.

## B. RENAISSANCE

Die intensive Beschäftigung mit ant. Dichtung im it. Humanismus führte zur Neuentdeckung der aristotelischen *Poetik* (editio princeps 1508 durch Aldus Manutius; 1498 erste lat. Übers. durch G. Valla, die von A. Pazzis Übers., 1536, abgelöst wird) und zu einer intensiven Beschäftigung, bes. Kommentierung des Textes (F. Robertello, 1548; V. Maggi und B. Lombardi 1550; P. Vettori 1560; L. Castelvetro, 1576) und poetologischer Reflexion (J. C. Scaliger, *Poetices libri septem*, 1561) [17]. Die Wertschätzung, die Aristoteles dem so-phokleischen *König Oidipus* entgegenbringt, ebnete der griech. T. den Weg zurück auf die Bühne. Förderlich waren sicher auch ein gesteigertes Interesse an der griech. Musiktheorie und ant. Architektur (Vitruv [3/1. 450 ff.]) sowie die Gründung von Akademien, die sich der ant. Lit. widmeten.

Die 1555 gegr., 21 Mitglieder umfassende Accademia Olimpica in Vicenza beschloß, wohl angeregt durch die Aufführung der antikisierenden, auf Livius (30, 12–16) basierenden T. *Sofonisba* von G. Trissino (erschienen 1524, aufgeführt unter der Regie des Akadmiemitglieds und Architekten Andrea Palladio) A. Palladio mit der Planung und Errichtung eines Theaters zu beauftragen [10. 3 ff.]. Nachdem für die Einweihung zunächst die Aufführung der *Andria* des Terenz oder der Pastorale *Eugenio* von F. Pace im Gespräch waren, entschied man sich schließlich für den *König Oidipus* des Sophokles. Die Übers. wurde von Orsatto Giustiniani, die Vertonung der Chorpartien – das 3. Stasimon (1086–1109) und die Exodos blieben unvertont – wurde Andrea Gabrieli übertragen, Regie führte Angelo Ingenieri, der die Inszenierung nach dem zeitgenössischen Verständnis der aristotelischen *Poetik* vornahm und bes. die »Fallhöhe«, den Sturz des tragischen Helden betonte. Die Bühnenausstattung von V. Scamozzi orientierte sich an Vitruv. Die Aufführung am 3.03.1585 war ›das Resultat einer Verbindung von griech. T., röm. Prinzipatsdenken, Überhöhung der Ant. ins Idealische und Anwendung all dieser Ideen auf eine idealisierte Gegenwart‹ [5. 33].

## C. 1700–1832

Nach der glanzvollen Rückkehr verschwand die griech. T. zwar nicht aus dem Bewußtsein, wohl aber von den öffentlichen Bühnen und fristete ein Schattendasein in Schultheatern (bes. in Straßburg [5. 35]). Die Theater wurden von den unter Senecas Einfluß stehenden Stücken und von der aus ant. Stoffen schöpfenden → Oper beherrscht [5. 41]. Der zweiten Rückkehr der griech. T. bahnte J. W. v. Goethe in Weimar den Weg [5. 49 ff.], wo er den *Ion* des Euripides in A. W. Schlegels Übers. inszenieren ließ (2.01.1802), allerdings ohne durchschlagenden Erfolg. Die sophokleische *Antigone* in der Bearbeitung von J. F. Böttiger brachte er am 30.01.1809 auf die Bühne, eine frei nach Sophokles gestaltete T. *Oedipus und Iokaste* von A. Klingemann folgte 1813. So konnte die griech. T. in der Goethe-Zeit sich in den Theatern kaum durchsetzen; wohl aber bereiteten Goethes Auseinandersetzung mit der griech. Lit., bes. seine *Iphigenie in Tauris*, und F. Schillers praktische und theoretische Beschäftigung mit dem griech. Drama und insbes. der Chor-Problematik (in der Vorrede zur *Braut von Messina*, 1803) den Boden, auf dem in der zweiten Hälfte des 19. Jh. aufgebaut werden konnte.

## D. 19. JAHRHUNDERT

(Überblick: [5. 60 ff.]). Wie in Vicenza die Theorie, die Rezeption der *Poetik* des Aristoteles, dem *König Oidipus* zur Aufführung verhalf, wirkte G. W. F. Hegels Auseinandersetzung mit der sophokleischen *Antigone* bes. in seinen Ästhetik-Vorlesungen als Katalysator für die Inszenierung der T. in der Übers. von L. Tieck in Potsdam und Berlin (1841). A. Böckh, der als philol. Berater fungierte, bestand im Sinne einer authentischen, die ant. Verhältnisse realistisch wiedergebenden Aufführungssituation auf der Vertonung der Chorlieder, die F. Mendelssohn Bartholdy übertragen wurde. Das Potsdamer Hoftheater im Neuen Palais wurde nach den Vorstellungen gestaltet, die der Architekt und Archäologe H. C. Genelli entwickelt hatte (*Das Theater von Athen*, 1818). Aufgrund des großen Erfolgs beauftragte Friedrich Wilhelm IV. L. Tieck mit der Übertragung weiterer T.: 1843 folgten Euripides' *Medea* mit der Bühnenmusik von G. W. Taubert, 1845 – wiederum in Mendelssohns Vertonung – der sophokleische *Oidipus auf Kolonos*, 1851 schließlich der euripideische *Hippolytos* (Musik A. Schulz). Eine Aufführung der *Eumeniden* des Aischylos scheiterte. Mendelssohns und Tiecks Tod und das wachsende Desinteresse des preußischen Königs setzten der kurzen Blütezeit jedoch ein Ende.

Der Erfolg der Potsdamer *Antigone* verhalf dem Stück auch außerhalb Preußens zu Aufführungen (1844 Paris). In München wurde die *Antigone* 1851 mit Mendelssohns Musik inszeniert, L. v. Klenze entwarf das Bühnenbild. *König Oidpus* und *Oidipus auf Kolonos* unter der Regie von F. Dingelstedt folgten 1852 und 1854. Unter dem Eindruck, den die Münchner Aufführungen auf ihn gemacht hatten, führte A. Wilbrandt in eigenen Übers. in Meiningen als Trilogie *König Oidipus*, *Oidipus auf Kolonos* und *Antigone* auf (1867). Ziel seiner Inszenierungen war die histor. Authentizität; bes. Wert legte er auf Massenszenen, wobei er den Chor in Einzelstimmen auflöste. Am Burgtheater in Wien inszenierte Wilbrandt die sophokleische *Elektra* und den euripideischen *Kyklops* (1882), den *König Oidipus* (1886) und *Oidipus auf Kolonos* (1887). Das 19. Jh. ist, was die Bühnenpräsenz angeht, in erster Linie eine sophokleische Epoche. Das Interesse an Aischylos wurde v. a. durch R. Wagner geweckt, kam aber erst im 20. Jh. im Theater zur Wirkung.

E. 1900–1945

[5. 110ff.] Wie die Verbindung von Tieck, Böckh und Mendelssohn in den 40er Jahren des 19. Jh. für die griech. T. äußerst fruchtbar wirkte, gingen in noch höherem Maße neue Impulse aus der Zusammenarbeit von U. von Wilamowitz-Moellendorff und M. Reinhardt zu Beginn des 20. Jh. aus. Reinhardt gewann Wilamowitz, der seit 1897 in Berlin lehrte und dessen Übers. griech. T. seit 1899 erschienen, als wiss. Berater für die Aufführung des *König Oidipus* (28.02.1900). Wilamowitz hielt den Einführungsvortrag »Die Aufführbarkeit der griech. T.«. Wie bereits bei Wilbrandt wurden die Chor- als Massenszenen gestaltet, die Chorpartien wurden unisono rezitiert. Am 24.11.1900 folgte in der Übers. von Wilamowitz die *Orestie* in der Bühnenbearbeitung von H. Oberländer. In der Vertonung von M. v. Schillings wurde als neue Form das Chormelodram entwickelt, die Gestik wurde zur Interpretation des Wortes eingesetzt. M. Reinhardt inszenierte

die *Orestie* (ohne *Eumeniden*) in K. Vollmoellers Übers. 1912 in München und Berlin, die komplette Fassung 1919 in Berlin: 1000 Statisten wurden eingesetzt, Licht- und Toneffekte sowie die Bühnenbauten sollten zu einem festlich überhöhten Theatererlebnis verhelfen [5. 129]. Unter dem Einfluß von Wagners Vorstellung des Gesamtkunstwerks stand auch die Aufführung des aischyleischen *Agamemnon* in Siracusa (1914) in der Übers. und Vertonung von E. Romagnoli [11]. Die dionysische Komponente der griech. T. wurde in der Zeit vor dem ersten Weltkrieg von H. v. Hofmannsthal in seiner *Elektra* (1903) betont, F. Werfel in seiner Bearbeitung der *Troerinnen* des Euripides (1915) verband das Dionysische mit dem christl. Erlösungsgedanken [18. 179ff.]. Die feierliche Erhöhung des Theatererlebnisses wurde durch die »Wiederentdeckung« von F. Hölderlins Sophokles-Übers. für die Bühne noch verstärkt (1919 Aufführung der *Antigonae* Hölderlins in Zürich). Das Archaische, Rituelle und Fremde der griech. T. betont J. Cocteaus *Oedipus Rex* mit der Musik von I. Strawinsky, wobei der Fremdheitscharakter durch die lat. Übers. des Librettos durch den Jesuitenpater J. Danielou noch unterstrichen wird [5. 147ff.]. Die Vorstellung von der griech. T. als Weihespiel in Verbindung mit dem Erlösungsgedanken und Betonung des Fremden und Fernen, Dunkeln und Schaurigen prägt die Inszenierung der aischyleischen *Orestie* anläßlich der Berliner Olympischen Spiele (2.8.1936, Regie: L. Müthel), wobei die neue Ordnung, die in den *Eumeniden* geschaffen wird, polit. auf das nationalsozialistische Regime bezogen werden sollte [5. 164ff.].

F. 1945–2000

Die Möglichkeit, die griech. T. aktualisierend auf die polit. Verhältnisse zu beziehen, wie dies im ersten Weltkrieg bereits F. Werfel (*Troerinnen*, 1915) und W. Hasenclever (*Antigone*, 1917) getan hatten, bestimmt die Inszenierungen der 2. Hälfte des 20. Jh. Den Beginn macht B. Brechts Bearbeitung der *Antigone* (Chur, 15.02.1948), während C. Orffs *Antigonae* (mit Hölderlins Übers.) die Wiedergewinnung der Einheit von Musik, Wort und Gebärde leisten will und den hieratisch-rituellen Charakter der T. unterstreicht [5. 181ff.]. V. Gassmann bezieht in seiner Inszenierung der *Orestie* (Siracusa 1960, Übers. P. P. Pasolini) das Aufeinanderprallen von alter und neuer Ordnung in den *Eumeniden* auf den Gegensatz zwischen dem industrialisierten Norden und rückständigen, archa. Süden Italiens. Marxistische Theorie und S. Freuds Psychologie bilden den Hintergrund von P. P. Pasolinis filmischen Auseinandersetzungen mit der griech. T. (*Edipo Re*, 1967; *Medea*, 1969; *Appunti per un' Orestiade Africana*, 1975) [6]. Eine archa.-fremde Vergangenheit und die Gegenwart fließen ineinander, das Geschehen scheint fern und fremd und doch zugleich nah und vertraut und immer wiederholbar zu sein; die ant. Mythen dienen als Deutungsmuster der Gegenwart. Die Symbolkraft der griech. Mythen zu aktualisieren und diese bes. kritisch auf die Gegenwart zu beziehen beherrscht zahlreiche Inszenie-

Abb. 1: *Aias*, 1988; Foto Maltese, Siracusa

rungen des mod. Regietheaters, bes. H. Heymes Auseinandersetzungen mit der griech. T. [5. 225 ff.] und H. Müllers Bearbeitungen des sophokleischen *Philoktet* (1968) und *Prometheus* (1978) [5. 241 ff.]. P. Stein will in seiner Inszenierung der *Orestie* (Berliner Schaubühne, 18.10.1980) die ant. Theatererfahrung nacherleben lassen (allein schon durch die Dauer der Aufführung von 14.00–23.30 Uhr). Wie bereits Tieck und Böckh, Reinhardt und Wilamowitz philol. Forsch. und Regie in einen fruchtbaren Dialog eintreten ließen, bezieht Stein widersprüchliche Forschungsmeinungen in seine Übers. ein. Wie Wilbrandt löst auch Stein den Chor in Einzelstimmen auf, um dadurch eine »chorische Diskussion« zu schaffen und die Integration des Chors in die Handlung zu unterstützen [5. 263 ff.; 14]. In eine ähnliche Richtung geht S. Schoenbohms Inszenierung der *Bakchen* des Euripides (Athen 1996, Musik: A. Kounadis). Schoenbohm geht es nicht darum, die Chorpartien komplett vortragen zu lassen, sondern sie auf das Wesentliche zu konzentrieren, um damit die »Stimmung«, die eine Szene beherrscht, zum Ausdruck zu bringen. Tanz, Gesang und Pantomime sind als Einheit konzipiert [13. 271 ff.]. A. Mnouchkines *Atridentetralogie* im fernöstl. Gewand (Paris, abgeschlossen 1992) betont – unter dem Einfluß von M. Foucaults Theorie – die anthropologisch-rituellen Dimensionen und das ekstatisch-dionysische Substrat der griech. T. [2. 54 ff.]. Die jüngste Inszenierung der *Orestie* (G. Ladavaunt, Pa

ris 1999) streicht wieder die polit. Aussagekraft der *Eumeniden* heraus. Als Auseinandersetzung mit der ant. Form der Trilogie ist wohl H. Heymes jüngste Regiearbeit anläßlich der Ruhrfestspiele Recklinghausen (2000) zu verstehen (Imera – Der Tag – *Medea, Alkestis, Ion*). In eine ähnliche Richtung wird wohl auch die im Juli/August 2000 vom INDA organisierte »thebanische Trilogie« (Sophokles, *König Oidipus, Antigone, Oidipus auf Kolonos*) im Kolosseum in Rom gehen.

### G. ZUSAMMENFASSUNG

Im Rückblick auf 415 Jahre der Bühnenpräsenz der griech. T. in der Neuzeit, von der Aufführung des sophokleischen *König Oidipus* in Vicenza am 3.03.1585 bis ins J. 2000, lassen sich vier gleichbleibende Tendenzen der Auseinandersetzung erkennen.

1. Das Bemühen um Authentizität prägte die Aufführung von Vicenza und die Inszenierungen des 19. Jh., und selbst P. Steins *Orestie* läßt sich in diese Linie einreihen. Bezeichnend für diese Richtung sind die Vertonung der lyrischen Partien, die Beschäftigung mit dem Chor und die Tatsache, daß klass. Philologen als wiss. Berater herangezogen werden. Das Istituto Nazionale Del Dramma Antico (INDA) in Siracusa pflegt in bes. Maße die Zusammenarbeit von Regisseuren, Philologen, Schauspielern und Komponisten (siehe Abb. 1).

2. Die enge Verbindung von Theorien verschiedener Provenienz mit der Aufführungspraxis griech. T. bestimmt die Inszenierungen von 1585 bis in die Gegen-

wart. Im Gegensatz zur Ant., in der die Theorie, die aristotelische *Poetik*, auf die Praxis folgte, bahnte in der Neuzeit die Theorie der griech. T. den Weg zurück auf die Bühne und gab immer neue Anstöße zur Auseinandersetzung (Aristoteles, Hegel, Freud, marxistische Theorie) [2; 6].

3. Im 20. Jh. ist nach der Erfahrung mit zwei Weltkriegen und einer Vielzahl anderer mil. Auseinandersetzungen, sozialen Spannungen, von Gewaltherrschaften und menschenverachtenden Ideologien die polit. Dimension der griech. T. immer stärker in den Mittelpunkt gerückt worden. Die T. werden zum Gegen- oder Zerrbild der Realität; der Mythos – im Zusammenhang mit einer intensiven Mythos-Diskussion nach dem zweiten Weltkrieg – wird zur Chiffre, zum Symbol, um die Realität widerzuspiegeln und zu deuten.

4. Beinflußt durch F. Nietzsche (*Die Geburt der Tragödie*, 1872), E. Rohde (*Psyche*, ²1898) und lit. Tendenzen um die Wende vom 19. zum 20. Jh. (z. B. Th. Mann, *Tod in Venedig*, 1912) erwächst ein Interesse an den kult.-rituellen, dionysisch-ekstatischen Wurzeln der griech. T. [15; 18. 179 ff.]. Inszenierungen dieser Richtung betonen das Fremde, Archaische, teilweise sogar die grausamen, dunklen Seiten der griech. T.

→ AWI Aristoteles; Aischylos; Euripides; Sophokles; Tragödie

→ Griechische Komödie; Lateinische Tragödie

1 A stage for Dionysos. Theatrical space & ancient drama, 1997 2 A. BIERL, Die Orestie des Aischylos auf der mod. Bühne. Theoretische Konzeptionen und ihre szenische Realisierung, 1997 3 M. BRAUNECK, Die Welt als Bühne. Gesch. des europ. Theaters, bisher 3 Bde., 1993–1999 4 F. DUNN (Hrsg.), Sophocles' Electra in performance, 1996 5 H. FLASHAR, Inszenierung der Ant. Das griech. Drama auf der Bühne der Neuzeit, 1991 6 M. FUSILLO, La Grecia secondo Pasolini. Mito e cinema, 1996 7 V. GREISENEGGER-GEORGILA, H. J. JANS (Hrsg.), Was ist der Ant. wert? Griechen und Römer auf der Bühne von Caspar Neher, 1995 8 Memoria del futuro. I teatri greci e romani – censimento, 1992 9 M. MCDONALD, Ancient sun, modern light. Greek drama on the modern stage, 1992 10 G. NOGARO, Cronache degli spettacoli nel Teatro Olimpico di Vicenza dal 1585 al 1970, 1972 11 Ombra della parola. Ottanta anni di teatro antico nella Siracusa del Novecento 1914–1994, 1994 12 A. PICKARD-CAMBRIDGE, The dramatic festivals of Athens, ²1968 (1988) 13 P. RIEMER, B. ZIMMERMANN (Hrsg.), Der Chor im ant. und mod. Drama, 1999 14 B. SEIDENSTICKER (Hrsg.), Die Orestie des Aischylos. Übers. von Peter Stein, 1997 15 E. STÄRK, Hermann Nitschs »Orgien Mysterien Theater« und die »Hysterie der Griechen«. Quellen und Trad. im Wiener Antikebild seit 1900, 1987 16 A. STEFANI, Cronache degli spettacoli nel Teatro Olimpico di Vicenza dal 1971 al 1991, 1992 17 B. ZIMMERMANN (Hrsg.), Ant. Dramentheorien und ihre Rezeption, 1992 18 Ders., Europa und die griech. T. Vom kult. Spiel zum Theater der Gegenwart, 2000. BERNHARD ZIMMERMANN

**Großbritannien** s. United Kingdom

**Groteske** A. EINLEITUNG B. MITTELALTER C. WIEDERENTDECKUNG UND REZEPTION IN DER RENAISSANCE D. KUNSTTHEORETISCHE DISKUSSION E. REZEPTION IN DER NEUZEIT

A. EINLEITUNG

Viele ant. Prachtbauten enthielten Malereien und Stukkaturen, die Wände und Gewölbe bedeckten. Die für die spätere Rezeption wichtigsten Beispiele, die G. der *Domus Aurea* des röm. Kaisers Nero, die man bei ihrer Entdeckung für die Titusthermen gehalten hatte, entsprachen stilistisch dem 3. und 4. pompejianischen Stil: Sie bestanden aus fadenförmigen und fadengestalten Pflanzen, Tieren und Monstern. Die G.-Ausstattung in der *Domus Aurea* bediente sich dabei eines auf einer geometrischen Ordnung basierenden Systems, in das auch kleine Bilder eingefügt waren und stellte ihrerseits eine Rezeption hell. Kunst durch den gräkophilen Kaiser dar. Die *Domus Aurea* erhielt ihren Namen durch die ausgiebige Verwendung von Gold. Durch zahlreiche Umbauten, die im wesentlichen unter dem röm. Kaiser Titus (79–81) einsetzten, wurden die Räumlichkeiten verschüttet und erst ca. 1470/1480 wieder entdeckt. Die dort gefundenen Malereien und vergoldeten Stukkaturen der zu Grotten gewordenen Palasträume (»Grotesken«) faszinierten die Künstler der Ren., des Manierismus und späterer Jh., gerieten dann aber im 19. Jh. in Vergessenheit. Terminologisch sind die G. schwer zu fassen, der Streit um ihre richtige Bezeichnung bricht mit ihrer Entdeckung aus: Die G. werden im 16. Jh. als *mostri* (B. Cellini, *Vita*, publ. zuerst Neapel 1728), allg. als *ogni di pittori* bzw. als *più specifico del* »*capriccio*« *manirista* bezeichnet, worunter auch Arabeske und Mau(o)reske subsumiert wurden, darüberhinaus wurde der Begriff auch auf Lit. und Tanz übertragen. Faktisch läßt sich zw. den verschiedenen Gattungen innerhalb der bildenden Kunst jedoch im 15.–18.Jh. kaum unterscheiden.

B. MITTELALTER

Zwar waren die G. der *Domus Aurea* dem MA unbekannt, doch ihre phantastische Formenwelt existierte bereits in hohem Maße in Hss., im Skulpturenschmuck der Kapitelle und anderer Teile ma. Kirchen [2]. Als Vorlagen dienten ant. Sarkophage, Lisenendekorationen, Stukkaturen und Malereien (z. B. in Krypten: [9]), wie sie später noch bei der Ausmalung der Decke der *Libreria Piccolomini*, Siena, Dom, Verwendung fanden (Schule Pinturicchios, 15.Jh.), die nur in ihrem Schema auf die *Domus Aurea* zurückgeht.

C. WIEDERENTDECKUNG UND REZEPTION IN DER RENAISSANCE

Nach der Wiederentdeckung der *Domus Aurea* lösten die G. unter den Künstlern der Ren. große Begeisterung aus. Wie in einem künstlerischen Wettstreit verbreiteten sie sich in immer neuen Varianten – sie überzogen Kirchen und Paläste in ungeheurem Ausmaß. Um nur einige Beispiele zu nennen: Ghirlandaio verwendete sie als Pilasterfüllung seiner *Mariengeburt* (Ka-

Abb. 1: Luca Signorelli, Wandsockel mit
Grotesken-Dekoration (Detail).
1501/04. Orvieto, Dom (Brizio-Kapelle)

Abb. 2: Giovanni da Udine, Akanthusblatt der Loggien.
1519 beendet. Rom, Vatikan

pelle *Tornabuoni, S. Maria Novella*, Florenz 1488; im *Codex Escurialensis* aus der Werkstatt Ghirlandaios finden wir zahlreiche Zeichnungen von G., die als Vorlagen dienten). Die Künstler, die sie vor Ort studieren konnten, versuchten, sie auch stilistisch nachzuahmen: Pinturicchio bemühte sich in seiner Ausmalung der Kapelle *di San Gerolamo* (*S. Maria del popolo*, Rom 1488) die schnellen Pinselstriche der *Domus Aurea* zu kopieren. Filippino Lippis G. in der *Carafa*-Kapelle (*S. Maria sopra Minerva*, Rom, 1488–92) sind »plastischer«; er benutzte sie außerdem, um seine arch. Gelehrtheit unter Beweis zu stellen. Ähnliches gilt für die *Strozzi*-Kapelle (*S. Maria Novella*, Florenz, ab 1489). Peruginos G. der Deckengewölbe des *Collegio del cambio* in Perugia (1499/1500) erinnern an die Pinturicchios, sind dabei traditioneller als die Lippis. In Signorellis Fresken in der *Brizio*-Kapelle (Dom, Orvieto, 1501–1504; Abb. 1) finden wir in der hybriden Formenwelt des Künstlers eine quasi dämonische Version der »normalen« G.: Seine G. entsprechen nicht mehr den Kompositionsprinzipien etwa der »klass. Monster«, sondern sie scheinen vor Vitalität zu pulsieren. Anfang des 16. Jh. entwickeln sich regelrechte Spezialisten wie Amico Aspertini, ein Schüler Pinturicchios: Er fügt als erster phantastische Architekturen ein, die aus der Ant. enlehnt waren. Mit Giovanni da Udine, der einer Legende G. Vasaris zufolge die G. der *Domus Aurea* zusammen mit Raffael entdeckt

haben soll, tritt jedoch ein Bruch mit der Trad. des 15. Jh. ein. Giovanni orientiert sich von neuem an dem urspr. System der Formenwelt zur Zeit Neros. Beispiele: *stufetta* (beendet 1516) und *loggetta* (beendet 1519) des Kardinal Bibbiena, Rom, Vatikan). Der Maler überzieht die Wände komplett mit einem Netz von G. und entwickelt ein neues Dekorationsschema, das für die Manieristen später wichtig wird. Hinzuweisen ist schließlich auch noch auf Cesare Bagliones *Salon des jongleurs* im Schloß *Torrechiara* (1525–1590). Berühmtestes Beispiel und glanzvollen Höhepunkt bilden die Loggien Giovanni da Udines und Raffaels (1519 beendet) (Abb. 2); letzterer war vorher bereits in der *Chigi*-Kapelle (*S. Maria del popolo*, Rom) tätig. Auch er studierte die urspr. Technik der Römer, möglicherweise zusätzlich in den *porticati* des Kolosseums, und konnte sie für seine weißen Stukkaturen im Vatikan anwenden. Gleich nach ihrer Entstehung riefen die Loggien Raffaels einen einmütigen Enthusiasmus hervor, sie wurden als *decorazione alla antica* (Castiglione) gefeiert. Sie galten seiner Zeit als perfekt, da sie gebildet, doch nicht gelehrt wirkten, dabei zeigten sie Naturalismus und Heiterkeit. Die G., die die biblischen Szenen in den Loggien rahmen, bestehen aus einfachen paganen Geschöpfen wie Sphingen, Sirenen, Nymphen, Satyrn, Faunen, Kentauren etc. Daneben finden sich Darstellungen der Natur, wie etwa mit großer Detailliebe gemalte verschiedenartige Pflanzen. Mit demselben System, das er für die Loggien entwickelte, arbeitete Raffael mit seinen Gehilfen auch in der *Villa Madama* (Rom, 1525 unterbrochen). Viele Künstler sahen und rezipierten die Loggien noch zu Lebzeiten Raffaels [6], so etwa Correggio (*Camera di San Paolo*, Parma, 1519), Parmigianino (Kastell der Sanvitale in Fontanellato bei Parma, ca. 1523) und Beccafumi (ehemaliger *Palazzo Bindi Sergardi*, h. *Palazzo Casini Casunicci*, Siena, 1524–25 oder 1528–30). Raffaels Schüler verbreiteten sie in ganz It., so etwa Perin del Vaga (*Palazzo Doria Pamphili*, Genua, 1529), Giulio Romano (*Palazzo del Tè*, Mantua; 1527–29; 1530–35) – seine G. fallen jedoch ungleich massiver aus –, Peruzzi (*Villa Belcaro* bei Siena, vor 1523) und Bronzino (Kapelle der Eleonora von Toledo, *Palazzo Vecchio*, Florenz, 1540/41). Die G. der Loggien Raffaels wurden in der Folgezeit durch Stiche und Zeichnungen außerhalb It. v.a. in Frankreich, Deutschland und den Niederlanden verbreitet. Diese Nachbildungen stellen teilweise freie Umsetzungen dar, teilweise exakte Kopien. Die G. im allg. werden ebenso wie die der Loggien Raffaels im 16. Jh. als Stiche verbreitet, etwa durch Nicoletto da Modena, A. Veneziano oder Enea Vico, und halten Einzug in die dekorativen Künste. Sie finden sich in Grabmälern (Beispiel: Grab Julius II. durch Michelangelo in S. *Pietro in Vincoli* ca.1514–16) oder im Bereich der angewandten Kunst, wie in Form der *Graffiti* an den Palastfassaden (Florenz: Andrea di Cosimo Feltrini; Rom: Polidoro da Caravaggio). Daneben schmücken sie Wandteppiche in Florenz (A. Aspertini, Giovanni da Udine, Bachiacca; ca. 1550), Keramiken sowie Werke der Goldschmiedekunst, Rüstungen und Waffen. Die Mode der G. klingt ab 1580 im sakralen Bereich aus. Innerhalb des profanen Ambientes dagegen beginnen sie erst Anfang des 17.Jh. zu verschwinden bzw. nur noch schmückendes Beiwerk darzustellen, wie etwa bei der Dekoration der Galleria des *Palazzo Ruccellai*, Florenz, durch Jacopo Zucchi 1586/87 (Tür- und Fensteröffnungen), während Zucchi sie in der Kapelle *Orsini-Tolfa in Santo Spirito in Sassia* (Rom 1588) nicht mehr benutzt. Ähnliches gilt für die G. in Federico Zuccaris Künstlerhaus (1590–1600), der heutigen Bibliotheca Hertziana, wo sie nur mehr schmückendes Beiwerk sind, während sie im 16. Jh. z. T. als »dämonische Hieroglyphen« verstanden wurden (s.u.). Ein spätes Beispiel stellen die G. in den Uffizien dar (1. Galleria 1581; 2. Galleria ab 1658). Hinzuweisen ist abschließend auf den Export der G. in die Niederlande, wo sie sich etwa im Werk von Cornelis Floris (1514–1575) finden, nach Deutschland, v. a. bei Peter Flötner (ca. 1485–1546), und nach Frankreich, wo Primaticcio ab 1540 in Paris die Odysseus-Galerie mit gemalten und stuckierten G. schmückt, und wo sie durch die Publikation des *Livre des Grotesques* (1550, neu publ. 1562 und 1566) von Jacques Androuet du Cerceau auf großes Interesse stoßen. Sie finden im 16. Jh. ihren Weg darüberhinaus nach Lateinamerika, und zwar in den span. besetzten Teil Mexikos: Dort entstanden G. in Hss. (Diego Duràn, *Hi-

storia de las Indias de Nueva España*, 1579–81 und *Codice Magliabecchiano*, vor 1566) oder Klöstern des 16.Jh. (Acolman, Puebla oder Ixmiquilpan [12]).

## D. Kunsttheoretische Diskussion

Die G. hat v. a. Mitte des 16. Jh. eine lebhafte kunsttheoretische Diskussion um ihre Zulässigkeit und Bed. entfacht: Ihre Gegner bezogen sich gewöhnlich auf Vitruv (*De architectura*) und Horaz (*De arte poetica*). Von vielen Künstlern wurden die G. mit Enthusiasmus als Ausdruck künstlerischer Freiheit verstanden (z. B. Michelangelo), stießen aber später speziell im Umfeld der Gegenreformation auf heftige Kritik. Serlio (*Sette libri sull'archittetura*, Venedig 1537), Francisco de Hollanda (*I Quatro Dialogos da pintura antigua*, 1548, publ. Porto 1896, in portugiesischer Übers.), Vasari, dessen Interesse für die G. zw. den ersten beiden Ausgaben seiner *Vite* deutlich zunahm (Florenz 1551: 41 Erwähnungen, Florenz 1568: 104), R. Borghini, *Il Riposo*, Florenz 1584, B. Cellini *Vita* (publ. Neapel 1728) und andere beschäftigten sich mit ihnen und begrüßten die G.: Man sah in ihnen zentrale Gedanken der Ren. ins Bild gesetzt, nämlich z. B. den der Metamorphose (Ovid) und den der faktisch existierenden, doch unsichtbaren Analogie scheinbar diverser Dinge, etwa im Sinne Foucaults [14]. Lomazzo (*Trattato dell'arte della pittura, scultura e architettura*, Milano 1584, und *Rime di Gio. Paolo Lomazzo Milanese Pittore, divise in sette Libri, nelle quali ad imitatione de' Grotteschi usati dai pittori...*, Milano 1587) war bei einem eingeschränkten Gebrauch mit ihnen einverstanden – er hielt sie u. a. für Embleme bzw. für Hieroglyphen einer noch nicht entzifferten Schrift. Gegen die G. sprach sich Pirro Ligorio (*Libro dell'iantichità*, Venedig 1553) aus; Vitruvkommentatoren wie D. Barbaro (*Traduzione di Vitruvio*, Venedig 1556) polemisierten regelrecht; Ähnliches gilt für die sog. Moralisten wie G. A. Gilio, *Errori ed abusi dei pittori nei quadri storici*, Camerino 1564, und G. B. Armenini, der von den ›schrecklichen unbewohnbaren Orten‹ der Auffindung der G. spricht und sie am liebsten ›auslöschen‹ will (*De veri concetti della pittura libri III*, Ravenna 1587). Ihren schlimmsten Gegner fanden sie jedoch in der Person des Kardinal G. Paleotti (*Discorso intorno alle imagini sacre e profane*, Bologna 1582) Für ihn sind die G. nicht akzeptabel, weil in ihnen erstens der Unterschied zw. Wahrheit und Fiktion nicht beachtet wird und zweitens die Unterschiede zw. der Fiktion (möglich) und dem Fabelhaften (unmöglich) übertreten werden; darüberhinaus sieht er ihren Ursprung in unterirdischen lichtlosen Sälen voller Schrecken, die infernalischen Gottheiten geweiht waren und deren G. die »modernen« Maler nur aufgrund der mangelnden Kenntnis ihrer urspr. Funktionen nachbildeten und damit mißbrauchten.

## E. Rezeption in der Neuzeit

Die Rezeptionsgeschichte der G. war abhängig von ihrer Verbreitung in »Medien« wie Zeichnungen, Stichen etc. Dies gilt speziell für die der *Domus Aurea*, wie die der Loggien Raffaels als deren umfangreichste »Kopie«. Beide stellten nämlich ein Dekorationssystem dar,

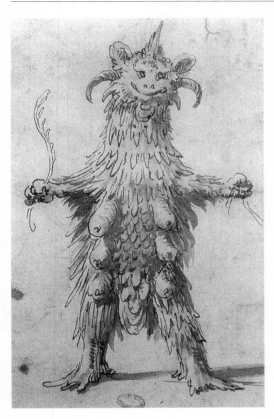

Abb. 3: Baccio del Bianco (1604–1656),
Maske in Form eines Bären. Handzeichnung.
Florenz, Bibl. Marcelliana (Disegni, vol. C, n. 109)

das einer ausführlichen Publikation bedurfte. So war es zunächst den in Rom ansässigen Künstlern vorbehalten, die G. vor Ort studieren zu können; sie waren die ersten, die infolgedessen in der Lage waren, sie als Gesamtdekorationssystem zu verstehen, auch wenn generell die Rezeption zunächst vorwiegend auf einzelne Elemente dieses Systems beschränkt war. Als die G. im Laufe der Zeit auch außerhalb It. bekannt wurden, führte die künstlerische Umsetzung einzelner Elemente Anfang des 17. Jh. zur Herausbildung von Gattungen. Auf der einen Seite stehen figurative Kompositionen (Abb. 3), oft auch Erben der Monsterwelt des MA, auf der anderen die Ornamente. Vorwiegend im Norden Europas entstehen Serien von Kupferstichen, die zu regelrechten (Modell-)Büchern werden (Beispiele: *Grotesco, in diverse manieren*, nach Hans Vredeman de Vries, 1565, oder das *Neuw Grottesken Buch* mit Stichen Christoph Jamnitzers, 1610), die sich allerdings von den ant. Modellen z. T. weit entfernt haben. Auf großes Interesse stießen einige isolierte Motive der Pilaster und Girlanden. Das Rokkoko mit seinem Stein- und Muschelwerk kann auf diese Bücher bei der Herausbildung seiner eigenen Formenwelt zurückgreifen.

Gleichzeitig setzt zu Beginn des 18. Jh. eine Auflösung der strengen Trennung der Gattungen und ihrer Hierarchie ein – der Gesamteindruck ist es nun, den man schätzt, doch oft »nur« als Inspiration, nicht als »Kopie«; ihn könne man mit nach Hause tragen: so der Tenor der Reiseberichte wie etwa der *Lettres historiques e critiques sur l'Italie* von 1739/40 (publ. in 3 Bd., Paris 1798) von Charles De Brosses oder Montesquieus *Voyages* von 1729 (publ. Bordeaux 1894). In der Rezeptionsgeschichte waren es lange Zeit v. a. die Loggien Raffaels im Vatikan, die als die G. schlechthin galten; sie wurden angesehen als getreue Kopien der ant. Originale und ersparten den Romreisenden (Künstlern, gebildeten Kunstinteressierten) die Unbequemlichkeit der Expedition in die »Grotten« – siehe Vasari. Als → Herkulaneum (ab 1739) und → Pompeji (ab 1748) ausgegraben, doch ihre Wandmalerein zunächst in ihrer Gesamtheit nicht entsprechend publik gemacht wurden, waren es immer noch die G. Raffaels, auf die man in der neuen Begeisterungswelle zurückgriff: Kardinal Valentin Gonzaga, Staatssekretär Benedikts XIV., bestellte 1745 eine komplette Kopie bei dem span. Maler und Ingenieur Francisco La Vega. Ab etwa 1760 werden Raffaels G. durch Stichwerke in ganz Europa verbreitet, etwa durch solche von Teseo, Volpato und Ottaviani (ca. 1775), 1768 kopieren sie die Zeichner Savorelli und Camporesi. Nach der Verbreitung in verschiedenen Drucken finden sich Anfragen nach den Preisen, z. B. um ein neues Haus in Mailand zu dekorieren (1776). Mit der weiteren Verbreitung der Stichwerke im 18. Jh. tat sich eine neue Möglichkeit auf, nämlich die einer Kopie des ganzen Ambiente, das so in den ursprünglichen Bedeutungskontext zurückversetzt werden konnte – und zwar in den eines herrschaftlichen Dekorationssystems: Kopien der G. der Loggien schmückten in Dresden den für den Prinzen Maximilian 1783 umgebauten Palast, das durch den Architekten Weinling (1739–1799) ab 1760 errichtete und durch die Kopisten der Loggien Raffaels, Salvorelli und Camporesi, 1768 dekorierte Schloß von Pillnitz (bei Dresden) und einen Pavillon des Prinzen Johann Georg. In Schweden finden wir sie im »Blauen Vorzimmer« des Pavillon von Gustav III. im Park von Haga (bei Stockholm). Sie schmücken in Frankreich z. B das Hotel Hostein oder Véfour, wo sie mit vegetabilischen Elementen der *Domus Aurea* gemischt werden. Die direkteste Kopie besitzt das Schloß von Bagatelle (1777–1787).

Die G. der Loggien beeinflußten auch den Stil zur Zeit Ludwigs XVI. und des Direktoriums (1795–1799) in Frankreich (u. a. Schmuckkästchen-Möbel von Marie Antoinette). Gemalte Kopien finden sich darüberhinaus in der Bibl. des frz. Königs. Das außerhalb It. vielleicht berühmteste Beispiel findet sich in Rußland: Begeistert durch ein Stichwerk im September 1778 wollte auch Katharina II. die Loggien Raffaels besitzen. In Rom beauftragte der Präsident der russ. Akademie Reiffenstein Unterberger, einen der besten

Schüler von Mengs, eine Gruppe von Malern zusammenzustellen, die als Kopisten tätig werden konnten. 1787 wurden die nach St. Petersburg geschickten *panelli* montiert. Die Kopien hatten sich auf geringe Änderungen beschränkt: Der Enthusiasmus war so groß, daß auch in anderen Räumen der Residenz in Tarskoè Selo eine *Sala degli arabeschi* (so eine im 18. Jh. geläufige Bezeichnung für Raffaels Loggien) entstand, sowie ein *Salottino raffaellesco* und ein *Gabinetto d'argento*. 1776 wurden die Werke der *Domus Aurea* (immer noch verwechselt mit den Titusthermen) durch Stiche von Mirri und Carletti publiziert, gefolgt 1786 von Ponce. Waren zunächst die Erfolge der Loggien durch die Funde in Herkulaneum und Pompeji mitbedingt, so begannen die Ausgrabungen an der *Domus Aurea* und ihre Publikation das Interesse an den Loggien langsam zu verdrängen. Beim Vergleich zw. den ant. G. der *Domus Aurea* und denen Raffaels meldet sich zunehmend Kritik an letzteren an: Sie werden als »Arabesken« in das Reich der *bizzarerie* geschoben. (F. Milizia, *Dell'arte di vedere nelle belle arti del disegno secondo i principi di Suzer e di Mengs*, Venezia 1781). Katharina II. wechselt bei der weiteren Ausschmückung ihrer Residenz nun zu Kopien nach Mirri, und auch Napoleon zieht die Grotesken der *Domus Aurea* vor. Im engl. Neoklassizismus gibt es kaum mehr Spuren der Loggien, der Geschmack ist eher etruskisch oder ägypt., pompejanisch oder an Herkulaneum ausgerichtet. Zu Anfang des 19.Jh. wandern einzelne Elemente der G. u. a. in den Bereich des Möbeldesign (Lampenständer) ab, ansonsten verschwindet das Interesse an den Loggien mit wenigen Ausnahmen (außer den biblischen Szenen): Dank Ingres' Raffaelverehrung entsteht 1835 eine Form der G., die Bibel und Arabesken mit Billigung der Regierung verbindet (Maler: P. und R. Balze, Flandrin, Comairas, Jourdy und Rousseau): Es entstehen 52 Bilder, die 1847 im Pariser Pantheon mit großem Erfolg ausgestellt wurden, und u. a. T. Gauthier und R. Delacroix begeisterten. Später gelangten sie in die Kirche *Petits-Augustins*, dann in die Galerie der *Ecole des Beaux-Arts*. Danach bricht die Wirkungsgeschichte der Loggien ab. Nur noch in Rom sind sie von Interesse: Pius IX. (1922–1939) läßt den dritten *braccio* der Loggien ausmalen. Das möglicherweise letzte Beispiel für eine »imperiale« Rezeption der Loggien findet sich in der Dekoration des Kapitols in Washington, D.C. (USA), das in klassizistischer Manier errichtet wurde; ausgemalt wurde es zw. 1855 und 1880 durch den gräko-it., in Rom geb. Constantino Brumidi. Er hatte, als Gregor XVI. (1831–1846) sich für die Loggien zu interessieren begann, deren dritten Stock restauriert. Die Pilasterdekoration und Stuckmedaillons der Loggien werden im Kapitol in flache Malerei auf ockerfarbenem Grund übersetzt; darüberhinaus finden sich zahlreiche Varianten im Repertoire der Vögel und Pflanzen.

Im 20.Jh. schließlich finden wir Nachklänge der G. in der Malerei der Surrealisten, bei Paul Klee oder als Illustration populärer Werke, wie C. Collodis Kinder-

Abb. 4: Luigi und Maria Augusta Cavaliere, *Der grüne Fischer*. Illustration für: C. Collodi, Le avventure di Pinocchio, Florenz (Salani) 1924

buch *Pinocchio* in Form des grünen Fischers, eines wahrhaftig grotesken »Meermonsters« (Abb. 4).
→ AWI Erotik

QU **1** A. Paré, Des monstres et prodiges, 1575 (Kritische Ausgabe hrsg. von J. Céard, 1971)

LIT **2** J. Baltrusaitis, Le Moyen Age fantastique. Antiquités et exotismes dans l'art gothique, 1973 **3** F.K. Barasch, The Grotesque. A Study in Meaning, 1971 **4** M. Camille, Image on the edge. The Margins of Medieval Art, 1992 **5** A. Chastel, La grottesque. Essai sur l'ornement sans nom, 1988 **6** N. Dacos, s.v. »grottesche«, in: Dizionario della pittura e dei pittori, vol. 2, 1990, 711–713 **7** Dies., Le logge di Raffaello. Maestro e bottega di fronte all'antico, 1986 **8** Dies., La Découverte de la Domus Aurea e la Formation des grotesques à la Ren.,1969 **9** M. De Vos, La ricezione della pittura antica fino alla scoperta di Ercolaneo e Pompei, in: Memoria dell'antico nell'arte italiana, Bd. II, 1985, 351–377 **10** J. Evans, Pattern. A Study of Ornament in Western Europe. From 1180–1900, 1975 **11** J.W. Goethe, Von den Arabesken, in: Der Teutsche Merkur, Februar 1789 **12** S. Gruzinski, La pensée métisse, 1999 **13** G.G. Harpham, On the Grotesque. Strategies of Contradiction in Art and Literature, 1982 **14** Ph. Morel, Il funzionamento simbolico e la critica delle grottesche nella seconda metà del Cinquecento, in: Roma e l'antico nell'arte e nella cultura del Cinquecento, 1985, 149–178 **15** F. Piel, Die Ornament-Groteske in der it. Ren. Zu ihrer kategorialen Struktur und Entstehung, 1962 **16** C.-P. Warncke, Die ornamentale G. in Deutschland 1500–1650, 1979. GABRIELE HUBER

# H

**Halikarnass.** Die früheste Nachricht vom Ursprung der Stadt verdanken wir Herodot, der selbst aus H. stammte. Laut Herodot war H. von dorischen Siedlern aus Troizen auf der Peloponnes gegr. worden und war als Mitglied der dorischen Hexapolis zeitweilig mit Lindos, Kameiros, Ialysos, Kos und Knidos in Kultgemeinschaft verbunden (Hdt. 1,144; 7,99).

Den Namen von H. hat zuerst die Artemisia berühmt gemacht, die sich als Machthaberin von H. an der Seeschlacht von Salamis im Jahre 480 v. Chr. auf persischer Seite mit überraschender Tatkraft beteiligte und vom Großkönig die sprichwörtlich gewordene Bemerkung hervorrief, daß ihm ›die Männer zu Weibern, die Weiber aber zu Männern‹ geworden seien (Hdt. 8,88). Herodot zufolge hatte Artemisia die Herrschaft über H. von ihrem verstorbenen Gatten übernommen (Hdt. 7,99). Nach der Angabe der Suda (s. v. Pigres) hieß der Gatte ›derjenigen Artemisia, die sich als hervorragend in Kriegsdienst erwiesen hatte‹, Mausolos. Gemeint ist zweifellos die Heroine der Salamisschlacht und keinesfalls die jüngere Artemisia, deren Verdienste im Bau des Maussolleions liegen. Es gibt ebenfalls keinen Grund zu vermuten, daß der spätere Mausolos gemeint sei. Vielmehr gab es sowohl ein frühes wie auch ein späteres Herrscherpaar mit gleichlautenden Namen.

Wie H. im 5. Jh. und bis zur Umgestaltung der Stadt unter den Hekatomniden aussah, ist bestenfalls Andeutungen in der späteren Entwicklung zu entnehmen (Abb. 1 und 2). Der urspr. Ausgangspunkt für ihre Ausbreitung war ohne Zweifel der Hafen und die strategisch vorteilhaft gelegene Felskuppe daneben, die durch eine Landzunge mit der Küste verbunden war. Wo man später die Anlage des Maussolleions plante, gab es eine Nekropole, deren Gräber beim Bau des Monumentes geschleift werden mußten. Dies Gebiet muß im offenen Gelände zw. H. und Salmakis gelegen haben.

In einer Inschr. des 5. Jh. wird ein Apollonheiligtum (Apollonion) als eines der Monumentalbauten in H. aus archaischer und hochklass. Zeit erwähnt (SGDI 5726, 45). Vereinzelte Bausteine sind in neuzeitlichen Wohnhäusern und bes. vielfältig im ma. Johanniterkastell auf der Felskuppe vermauert. Frühklass. Kapitelle, reliefdekorierte Säulenhalstrommeln [11] und Säulenbasen ionischen Stils sind deutlich von samischen Vorbildern (Polykratestempel) beeinflußt [15. 27f.].

H. war Mitglied des delischen Seebundes und scheint fast bis zum E. des peloponnesischen Krieges im J. 404 v. Chr. mit Athen sympathisiert zu haben [3. 28]. Mylasa, die Hauptstadt Kariens, hatte ebenfalls Steuern an die Kasse des Seebundes zu zahlen (IGI³ 263. I. 12; 272.II.76), war auf der anderen Seite wegen ihrer Lage zugleich gezwungen, sich im Binnenland mit den Persern zu verständigen. Dies um so mehr, je schwieriger es für Athen wurde, ihre Machtposition in der Ägäis aufrechtzuerhalten. Ein einflußreicher Bürger in Mylasa

namens Hekatomnos scheint sich an die Spitze einer propersischen Neuorientierung gestellt und das Vertrauen des Großkönigs Artaxerxes II. gewonnen zu haben, so daß er um 392/1 v.Chr. zum ersten Satrapen einer neuen karischen Satrapie ernannt wurde.

Hekatomnos hatte drei Söhne und zwei Töchter, von welchen der älteste Bruder Maussollos die ältere Schwester Artemisia heiratete. Wahrscheinlich erhielten die Kinder ihre Namen als ein Zeichen der Gesinnungstreue dem Großkönig gegenüber. Hekatomnos nahm damit möglicherweise die künftige Ehe der Geschwister sowie die spätere Überführung der Residenzstadt nach H. vorweg.

Im J. 377/6 v.Chr. trat Maussollos die Nachfolge seines Vaters an (Diod. 16,36,2). Die Erweiterung der Stadt H. erfolgte durch Zusammenlegung von H. und Salmakis und Einbeziehung des dazwischenliegenden Geländes. Die Lage von Salmakis, gleich gegenüber H. auf der anderen Seite des Hafens, ist 1998 [8] durch eine Inschr. bestätigt worden. Das Stadtgebiet wurde durch eine ca. 7 km lange Geländemauer umgrenzt, die sich von Salmakis im Westen bis zur Felskuppe im Osten erstreckte und somit den ganzen Hafen umfaßte (Abb. 1: 1). Im Inneren wurde die neue Stadt durch ein orthogonales System von Straßen durchquert, das sich noch im heutigen Straßennetz abzeichnet [13. 98–103]. Die 15 m breite Hauptstraße, die das Tor gegen Myndos im Westen mit der Landstraße nach Mylasa verband, den Marktplatz durchlief und das Maussolleion passierte (Abb. 1: 9), ist im Verlauf der jetzigen *Turgut Reis Caddesi* zu erkennen. In diesem Sinne scheint der neue Stadtplan dem wenig späteren von Priene als Vorbild gedient zu haben (vgl. dazu Abb. 140 in [2. 145]).

Im Zusammenhang mit der Erweiterung der Stadt durch Fusion (griech. *synoikismos*) wurden, anscheinend auf Betreiben des Maussollos, sechs kleinere Ortschaften auf der H.-Halbinsel geräumt und ihre Einwohner nach H. versetzt (Strab. 13,611). Wohl in Anerkennung seiner Verdienste als Gründer des neuen H. errichtete man dem Maussollos am Marktplatz ein riesiges Grab- und Denkmal: das Maussolleion [5a]. Nach seinem Tod übernahm seine Witwe Artemisia die Funktion des Satrapen [3. 40]. Nach Vitruv, der vielleicht von Fremdenführern in H. informiert wurde, gelang es ihr, einen Überfall von Seiten der Rhodier durch Kriegslist abzuwehren (Vitr. 2,8,14–15). Theopompos von Chios, der Sieger des musischen Wettbewerbes, den Artemisia anläßlich der Bestattung ihres Gatten veranstaltet hatte, schreibt, daß sie ›von einer auszehrenden Krankheit befallen aus Kummer über ihren Mann und Bruder Maussollos starb‹ (Harpokration, s. v. Artemisia). Später hat dieser Bericht auch Cicero (Cic. Tusc. 3,31) beeindruckt. Laut Plinius d. Ä. (Plin. nat. 36,30–31) leitete Artemisia die Errichtung des Grabmals, und als sie starb, war es noch nicht ganz fertig. Gellius (Gell. 10,18) wuß-

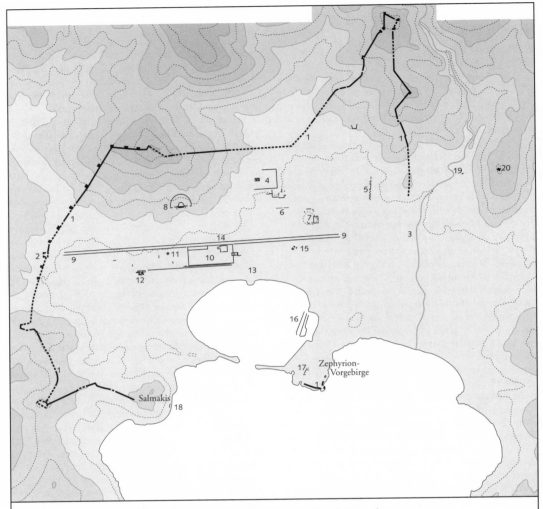

Abb. 1 **Plan von Halikarnass (Bodrum) einschließlich der Ergebnisse der Dänischen Ausgrabungen seit 1966**

1 Stadtmauer
2 Myndostor
3 Ungefähre Lage des Mylasatores
4 Terrasse des Marsheiligtums
5 Stadion
6 Hellenistische Säulenhalle dorischen Stils
7 Baureste im Türkkuyusu-Gebiet
8 Theater
9 Hauptstraße
10 Maussolleionterrasse
11 Hellenistisches Haus mit Mosaiken
12 Spätrömische Villa
13 Marktplatz
14 Hausfassaden an der Nordseite der Hauptstraße
15 Demeterheiligtum
16 Antike Mole
17 Maussolos' Palast auf der Burg
18 Salmakisinschrift
19 Grab der »karischen Prinzessin«
20 Festungsturm

Höhenangaben: (in Metern)

0   50   100   150   200   250

0                         500 m

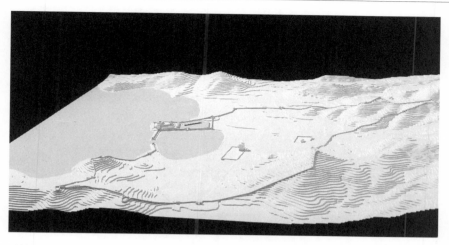

Abb. 2: Modell von Halikarnass, Hauptzüge der Stadt zur Zeit der Hekatomniden um die Mitte des 4. Jh. v. Chr. (K. Jeppesen, P. Pedersen)

te auch von anderen Zeugnissen ihrer leidenschaftlichen Liebe für den Gatten zu erzählen. Von den Künstlern der → Renaissance wurde sie als Musterbeispiel ehelicher Dahingabe dargestellt (Abb. 3).

Zerstreute Überreste bezeugen die Existenz anderer Monumentalbauten der Hekatomnidenepoche in H., so Kalyptere eines marmornen Daches und Fragmente von Säulentrommeln und Kapitellen eines Tempels ionischen Stils, die in der Nähe des heutigen Türkkuyusu-Platzes (Abb. 1: 7) gefunden worden sind (vgl. dazu Abb. 3–8 in [12. 361f.]). Mutmaßlich mit dem Aresheiligtum identisch, das laut Vitruv (Vitr. 2,8,11) oberhalb der Hauptstraße der Stadt lag, ist eine ebenso breite Terrasse wie die des Maussolleions erhalten, auf welcher ein großer Tempel ionischen Stils stand, h. nur noch durch Säulenfragmente erkennbar (Abb. 1: 4) [12. 360f.]. Es ist ungewiß, ob das damalige Theater an derselben Stelle wie das spätere lag (Abb. 1: 8), und ob auch das spätant. Stadion (Abb. 1: 5) einen klass. Vorgänger hatte. Beide könnten als Schauplätze für die musischen bzw. hippischen Wettbewerbe am Leichenbegängnis des Maussollos gedient haben. Eindeutige Reste des von Vitruv erwähnten Palastes des Maussollos auf der Felskuppe am Hafen (Vitr. 2,8,10) (Abb. 1: 18) sind noch nicht gefunden worden ebensowenig wie vom geheimen Hafen daneben (Vitr. 2,8,13). Das Emporium muß außerhalb der Stadtmauer am Ufer der Bucht östl. des Hafens gelegen haben (Vitr. 2,8,11)[4. 85f.]. Die Stadtmauer existiert h. noch von Salmakis bis zu einem Punkt ungefähr 800 m von der Küste östl. der Felskuppe am Hafen. Bes. gut erhalten ist die Turmanlage des Myndostors (Abb. 1: 2), die kürzlich mittels Unterstützung von Ericsson/Turkcell restauriert worden ist. Laut Vitruv lag der Marktplatz gleich oberhalb des Hafens, und demnach an der Ostseite der Maussolleionterrasse. Vom Straßennetz ist es bisher nicht gelungen, andere Straßen als die Hauptstraße und eine damit parallele

längs der Nordseite der spätant. Villa (Abb. 1: 12) und der Südseite der Maussolleionterrasse nachzuweisen.

Nach dem Tod der Artemisia 351/0 v. Chr. wurde die Satrapie vom jüngeren Geschwisterpaar Idrieus und Ada übernommen. Idrieus starb schon 344/3 v. Chr. Danach regierte Ada allein, bis sie im J. 341/0 v. Chr. vom Bruder Pixodaros vertrieben wurde und in Alinda, im bergigen karischen Hinterland, Zuflucht suchen mußte. Nach dem Tod des Pixodaros, ungefähr 336 v. Chr., herrschte der Perser Orontobates, der die

Abb. 3: Artemisia bei der Errichtung des Maussolleions, Gemälde von Simon Vouet (1590–1649), Hofmaler am Hof Louis XIII. (Stockholm)

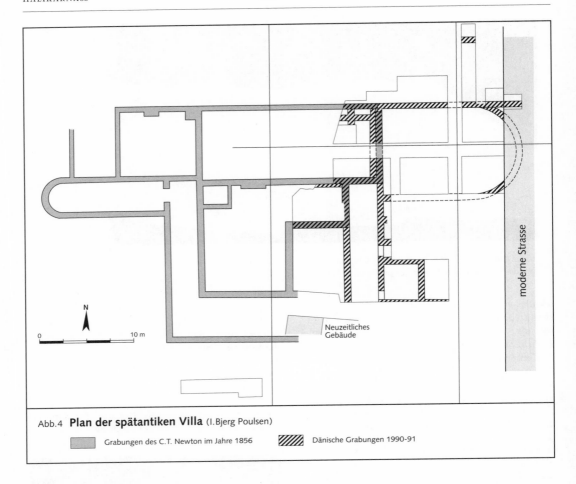

N

0             10 m

Neuzeitliches Gebäude

moderne Strasse

**Abb.4 Plan der spätantiken Villa** (I. Bjerg Poulsen)

Grabungen des C.T. Newton im Jahre 1856          Dänische Grabungen 1990-91

Tochter des Pixodaros, Ada, geheiratet hatte. 334 v. Chr. belagerte Alexander d. Gr. die Stadt, nahm sie ein, und ließ sich von der älteren Ada adoptieren [3. 41–51].

Von Idrieus wurden auffallend viele Prunkgebäude im Bezirk des Zeusheiligtums der Mylasier in Labraunda errichtet, in deren Dedikationsinschr. er sich immer als ›Sohn des Hekatomnos, von Mylasa‹ bezeichnete [20. 117], während Maussollos sich auf seinem Bankett-haus daselbst nur als ›Sohn des Hekatomnos‹ ohne jede Ortsangabe benannt hatte [1. 64f.]. Offenbar war er un-sicher, ob er sich zu Mylasa oder lieber zu H. bekennen sollte.

Nach dem Tod Alexanders wurde Karien, erst ver-schiedenen seiner Nachkommen unterstellt, im J. 129 v. Chr. röm. Provinz. Bereits im 3. Jh. v. Chr. war das Maussolleion in die Liste der → Sieben Weltwunder eingegliedert worden (Anth. Pal. 9,58, Epigramm des Antipatros von Sidon). Ein langes in einen Wandquader eingraviertes Gedicht aus der zweiten H. des 2. Jh. v. Chr., das kürzlich am Strand des Salmakisgebiets ent-deckt wurde und die Lage desselben bestätigt, ist retro-spektiv und verherrlicht auf Hexametern die glorreiche Vergangenheit von H. [8]. Aus der hell. Periode stam-men auch die kürzlich ausgegrabenen Ruinen eines Pri-vathauses mit schönen Mosaiken (Abb. 1: 11) und eine Säulenhalle dorischen Stils, von welcher jetzt nur we-nige Reste von Säulen *in situ* geblieben sind. Ein Gym-nasion, das König Ptolemaios genehmigt hatte, und eine Säulenhalle, die dem Apollon und dem Ptolemaios ge-widmet war, sind inschriftlich überliefert.

Im 1. Jh. v. Chr. wurde H. wiederholt von Seeräu-bern verheert, und laut Cicero hatte sein Bruder, der damals Statthalter der röm. Provinz Asia war, H. ›wie-derhergestellt‹, nachdem sie ›zerstört und fast verlassen‹ gewesen war (Cic. ad Q. fr. 1,1,8). Die sehr umfassende Bescheibung der Stadt durch Vitruv (Vitr. 2,8,10–15) scheint auf eigener Beobachtung zu beruhen. Als Be-lagerungsingenieur beteiligte er sich an Caesars letzten Feldzügen gegen polit. Widersacher, und nach dem Sieg bei Zela in Pontos im J. 47 v. Chr. (*veni,vidi,vici*) könnte er die Gelegenheit benutzt haben, auf dem Rückweg nach Rom unter anderem H. zu besuchen. Gesichert ist seine Beteiligung am letzten mil. Unternehmen des fol-genden J. in Afrika [4. 96f.].

Abb. 5: Mosaiken mit Inschrift im apsidalen Hauptraum der spätantiken Villa

Zur Zeit des Tiberius bewarben sich H. und einige andere Städte um die Erlaubnis, einen Tempel für den Kaiser errichten zu dürfen – H. mit der Behauptung, die Stadt sei seit 1200 Jahren von Erdbeben verschont (Tac. ann. 4,55). Eine späte Nachblüte der ant. Stadt bezeugt die Entdeckung einer großen, überall mit Mosaiken reich gepflasterten Villa, die schon zum Teil von Newton ausgegraben wurde [17] (Abb. 4 und 5). Die eindrucksvollen Mosaiken lobt eine Inschr. in Versen im apsidalen Hauptraum, die ebenso einen gewissen Charidemos als Urheber preist. Die stilistische Eigenart des Gedichtes erinnert an den Stil des Epikers Nonnos von Panopolis, der im 5. Jh. lebte.

Danach verging fast ein ganzes Jt., bis H. aus der Vergessenheit wieder emportauchte. Inzwischen hatten türk. Nomaden fast ganz Kleinasien besetzt, und im J. 1453 wurde Konstantinopel eingenommen. Am Anf. desselben Jh. gründeten die Johanniter in H. ein Kastell auf der Felskuppe am Hafen, das in der folgenden Zeit laufend erweitert und konsolidiert werden mußte, um Angriffen von türk. Seite zuvorzukommen [9. 117–214; 219–222]. Ungefähr seit 1494 sind Steine vom Maussolleion als Baumaterialien in die Mauern des Kastells einbezogen worden. Im J. 1522 wurden die letzten Reste des Monumentes unter der Leitung einer Gruppe von Johanniterrittern aus Rhodos abgetragen. Bald danach wurden die Johanniter zur Übergabe der Festung auf Rhodos gezwungen und das Kastell in H. geräumt. Einer der Johanniter berichtete später von der Entdek-

kung einer prunkvollen Grabanlage in den Fundamenten des abgetragenen Grabmals [5. 67f.; 7].

Bis zum 18. Jh. wurde H. nur selten von Fremden aus Europa besucht (RE 24, 1963, 379, s. v. Pytheos). Um so wichtiger waren die Berichte der ant. Verfasser, die seit der Erfindung des Buchdrucks sowohl Gelehrten wie auch Laien zugänglich geworden waren [9. 165]. Die arch. Erforschung von H. wurde von C. T. Newton [10] (Abb. 6) eingeleitet, der mit Recht die im Johanniterkastell vermauerten Friesblöcke und Löwenfiguren dem Maussolleion zuschrieb und später auch die Lage des Monumentes und einige Hauptzüge seines Grundplans nachweisen konnte. Von den Bruchstücken des Oberbaus, die angetroffen wurden, ließ Newton sämtliche Fragmente von Friesen und Rundskulpturen nach England ausschiffen. Dabei handelte es sich aber um eine zu enge Auswahl der Architekturfragmente. Es erwies sich bald, daß diese Funde als Grundlage für eine zuverlässige Rekonstruktion des Monumentes unzureichend waren. Die zusätzlichen Grabungen Biliottis in der Umgebung der Fundamentausschachtung haben daran auch nichts geändert [14. 1, 117–173]. Newtons Sondierungen berührten ebenfalls ant. Ruinen im übrigen Stadtgebiet und die Nekropolen östl. und westl. der Stadtmauer (Abb. 1: 4, 14, 12, 11) [10. 280–341].

Bis zum Anf. der britischen Ausgrabungen war die kurze Beschreibung in der Naturgeschichte des älteren Plinius (Plin. nat. 36,30–31) alles, was man über das Maussolleion wußte. Aber auch nach der dänischen

**Abb. 6** **Plan von Halikarnass (Bodrum) einschließlich der Ergebnisse der Britischen Ausgrabungen,** nach: C.T. Newton, A History of Discoveries at Halicarnassus etc. (1862) pl.1

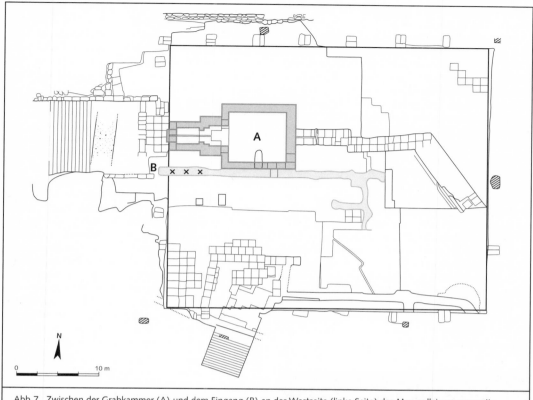

Abb.7 Zwischen der Grabkammer (A) und dem Eingang (B) an der Westseite (linke Seite) des Maussolleions zum weit verzweigten Tunnel wurden hinterlassene Spolien der Grabräuber aufgefunden, hier mit Kreuzen angedeutet (K.Jeppesen)

Wiederausgrabung bleibt der Pliniusbericht ein wichtiges und z.T. unentbehrliches Testimonium. Als die Möglichkeit noch nicht bestand, ihn mit arch. faßbaren Resten zu vergleichen, gab es freies Spiel für Vermutungen zur Interpretation des handschriftlich überlieferten Textes und damit auch zur Ergänzung des verschollenen Grabmals. Widersprüchliche oder sinnlose Konstruktionen im Satzbau regten zu der Vermutung an, daß es sich um ein fabelhaftes Gebilde wie etwa das himmelanstrebende Grabmal des Königs Porsenna in Etrurien gehandelt habe. Zu dieser Vorstellung mag auch der Ruhm des Maussolleions als Weltwunder und Vitruvs überschwengliche Lobpreisung der beiden Architekten beigetragen haben (Vitr. 7, praef. 12–13). Bes. den Freimaurern galt das Maussolleion als ein Vorbild der Baukunst. Man war überzeugt, daß dessen Eigenart auf verheimlichte Bauvorschriften zurückzuführen sei.

Newtons Grabungen haben zu einer erdnäheren (wenn auch lange, wegen Mangel an Vergleichbarem, wenig erfolgreichen) Analyse der Pliniusstelle angeregt. Sie führt in Verbindung mit einer sorgfältigen Interpretation der Stelle bei Plinius (Plin. nat. 36,30–31) zu einem Umfang von 440 Fuß (ca. 140 m) und zu einer Höhe von 140 Fuß (ca. 45 m) des Gebäudes.

Den neuen Ausgrabungen zufolge, die zw. 1966 und 1977 von dänischen Archäologen durchgeführt wurden, gelang es, die Ausmaße der großen Terrasse, auf welcher das Grabmal stand, 242 x 105 m in Länge und Breite, festzustellen [14], und die Fundamentausschachtung für das Maussolleion wieder an den Tag zu bringen. Dadurch kamen sowohl die bisher vermißte Grabkammer als auch der im bodenständigen Felsen ausgehauene Tunnel zum Vorschein, durch welchen Räuber in die Grabkammer eingedrungen waren (Abb. 7) [5. 63 f.]. An beiden Stellen wurden Reste von Beigaben aus Gold und Halbedelsteinen, in der Grabkammer überdies Objekte von Glas und Elfenbein sowie Scherben von Alabastergefäßen und att. Vasen des 4. Jh. v. Chr. gefunden [18. 66–72].

Fragmente haben es ermöglicht, die marmorne Doppeltür zu ergänzen, die den Zutritt vom Korridor zum Vorzimmer der Grabkammer vermittelte. Reste eines marmornen Deckels gehörten mutmaßlich zu dem Sarg, den die Johanniterritter im Vorzimmer vorfanden, als sie im Begriff waren, die letzten Reste des Maussolleions abzubauen. Da Maussollos' Leichnam kremiert wurde [4. 102 f.] und seine Knochen wohl in einer

Aschekiste in der Grabkammer deponiert waren, könnte es der Sarg der Artemisia sein.

Neufunde von Fragmenten bisher unbekannter Einzelheiten des architektonischen Aufbaus [5. 72–96; 6. 161–203] in Verbindung mit G. Waywells Veröffentlichung und Systematisierung sämtlicher der von Newton heimgebrachten Fragmente von Rundskulpturen im Britischen Museum [19] haben vieles zur Lösung der Rekonstruktionsprobleme beigesteuert (Abb. 8). Keinesfalls handelte es sich um ein aus Räumen bestehendes Gebäude im traditionellen Sinne: Das Innere war kompakt und bestand aus Steinschichten aus Lava. In diesem Kubus gab es lediglich einen Hohlraum für die Grabanlage des Maussollos. Das Äußere war mit Quadern aus weißem Marmor und bläulichem Kalkstein bekleidet. Dieser Aufbau hatte den Charakter einer freien Kombination von traditionellen Bauelementen mit einer Säulenhalle ionischen Stils als Höhepunkt. Darüber erhob sich, als ein Novum der Architekturgeschichte, die 24-stufige Dachpyramide mit dem Viergespann auf dem Gipfel, das wohl zur Verherrlichung des verstorbenen Dynasten und seiner Mitregentin dienen sollte. Die Basis dieser Gruppe bekleidete der sog. Kentaurenfries. Am Dachrand standen Gruppen von Löwenfiguren, an den Ecken Akroterien, von deren Basen Reste nachgewiesen sind (vgl. dazu Taf. 22.3 in [5. 81]).

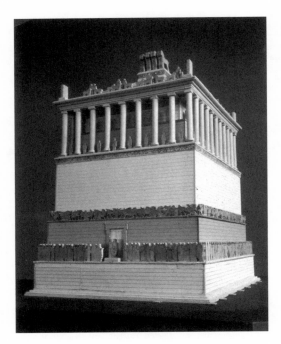

Abb. 8: Experimentalmodell vom Maussolleion von vorne gesehen. Auf dem Sockel ganz unten: Darstellung einer Audienzszene mit Maussollos in der Mitte (kolossales Sitzbild im Britischen Museum). Aus Holz und Pappe. Fecit K. Jeppesen 1987.

Hinter der Säulenhalle gab es keine Zella, sondern auf einem Sockel aus Kalkstein längs der Rückwand waren u. a. Porträtstatuen von Mitgliedern der Dynastie der Hekatomniden aufgestellt. Darüber lief der sog. Wagenrennenfries [6. 176]. Den Übergang zw. der Säulenhalle und dem hohen Podium des unteren Baues markierte der sog. Amazonenfries.

Um das Podium herum liefen zwei Sockel, von denen der obere aus Kalkstein lebensgroße Kampfgruppen trug. Der untere umfaßte Kompositionen von kolossalen Rundskulpturen mit Darstellungen einer Jagdpartie und einer Audienzversammlung – typische Themen aus dem glanzvollen Leben des verstorbenen Satrapen. Somit war das Gebäude im Äußeren als ein stolzes und über alle Maßen prächtiges Denkmal zur Erinnerung seines Lebens und seiner Großtaten aufzufassen, dessen Verbindung mit dem im Inneren verborgenen Grab nur die fatalistisch anmutende Haltung der zw. den Säulen aufgestellten Standbilder von Leibwachen ahnen ließ.

Nach Beendigung der Grabungen am Maussolleion hat Poul Pedersen seine Erforschung der ant. Stadtbildes durch neue Beobachtungen und Ausgrabungen weitergeführt. Auf dem Programm steht jetzt die bisher nur in den Hauptzügen untersuchte Stadtmauer, die als das am besten erhaltene Bauwerk aus der Blütezeit der ant. Stadt größere Aufmerksamkeit verdient [16].

1 P. HELLSTRÖM, TH. THIEME, The Androns at Labraunda. A Preliminary Account of their Architecture, Medelhavsmuseet 16, 1981  2 W. HOEPFNER, E.-L. SCHWANDNER, Haus und Stadt im klass. Griechenland, 1986  3 S. HORNBLOWER, Mausolus, 1982  4 K. JEPPESEN, The Ancient Greek and Latin Writers, in: The Maussolleion at Halikarnassos, 2,1, 1986  5 Ders., Tot Operum Opus. Ergebnisse der dänischen Forschungen zum Maussolleion von H. seit 1966, in: JDAI 107, 1992, 59–102  5a Ders., Founder cult and Maussolleion, in: P. PEDERSEN (Hrsg.), Halicarnassian Studies I, 1994, 73–84  6 Ders., Das Maussolleion von H., Forschungsber. 1997, in: Proc. of the Danish Institute at Athens 2, 1998, 161–231  7 Ders., The Quadrangle, The foundations of the Maussolleion and its sepulchral compartments, Appendix 3, in: The Maussolleion at Halikarnassos 4 (erscheint 2000)  8 S. ISAGER, The Pride of Halikarnassos, Editio princeps of an inscription from Salmakis, in: ZPE 123, 1998, 1–23  9 A. LUTTRELL, The Later History of the Maussolleion and and its Utilisation in the Hospitaller Castle at Bodrum, in: The Maussolleion at Halikarnassos 2, 2, 1986  10 C. T. NEWTON, A History of Discoveries at Halicarnassus, Cnidus and Branchidae, London 1862  11 P. PEDERSEN, Zwei ornamentierte Säulenhälse aus H., in: JDAI 98, 1983, 87–121  12 Ders., Two Ionic Buildings in Halicarnassus, in: Arastirma Sonuclari Toplantisi 1987 (erschienen 1988)  13 Ders., Town-planning in Halicarnassus and Rhodes, 1988  14 Ders., The Maussolleion Terrace and Accessory Structures, in: The Maussolleion at Halikarnassos, 3, 1–2, 1991  15 Ders., The Ionian Renaissance and some Aspects of its Origin within the field of Architecture and Planing, in: Ders. (Hrsg.), Halicarnassian Studies 1, 1994, 11 f.  16 Ders., The Fortifications of Halikarnassos, in: REA 96, 1994, 215–235  17 B. POULSEN, S. ISAGER, Patron and Pavements in Late

Antiquity, in: P. PEDERSEN (Hrsg.), Halicarnassian Studies 2, 1997, 9–29 **18** B. B. RASMUSSEN, Gold Ornaments from the Mausoleum at Halikarnassos, in: DYFRI WILLIAMS (Hrsg.), The Art of the Greek Goldsmith, 1998, 66–72 **19** G. WAYWELL, The Free-Standing Sculptures of the Mausoleum at Halicarnassus in the British Museum. A Catalogue, 1978 **20** A. WESTHOLM, Labraunda, Bd. 1,2: The Architecture of the Hieron, 1963.     KRISTIAN JEPPESEN

# Handel/Handelswege  A. Einleitung
## B. Handel und Handelstechniken
## C. Handelsgüter  D. Handelswege

## A. Einleitung

Um die Frage der Kontinuität des Handels, insbes. im Mittelmeerraum, von der ant. in die nachant. Welt entspann sich seit den 1920er Jahren eine heftige Forschungsdiskussion, die Dopsch 1918–20, dann Pirenne 1922 entfachten und die letztlich bis heute andauert. Allerdings haben sich die Positionen zwischen uneingeschränkter Kontinuität einerseits und tiefem, langandauerndem Entwicklungsbruch andererseits inzwischen sehr weit angenähert: Trotz des keineswegs geleugneten Niedergangs des Mittelmeerhandels zwischen dem 4. und dem 9. Jh. wird zunehmend die Bed. der Kontinuität des See- wie auch des Landhandels – über kürzere oder weitere Entfernungen – für die wirtschaflichen, sozialen und polit. Entwicklungen im westl. Europa betont, ohne krisenhafte Erscheinungen in engeren oder weiteren Regionen des Mittelmeerraums zu vernachlässigen. Dabei hat es den Anschein, als ob ›die Betonung einer Fortdauer des Mittelmeerhandels oder aber die Akzentuierung eines Wandels, der bis zum Bruch reichen kann, nicht zuletzt von dem subjektiven Standpunkt des Betrachters abhängt‹ [2. 14]. Das Hauptproblem, mit dem einschlägige Forschungen zu ringen haben, ist die überaus dürftige Quellenlage. Es sind keine Quellen überliefert, die bewußt über Wirtschaft und Handel berichten und die in diesem Zusammenhang mit auch nur annähernd exakten Zahlen aufwarten. Die einzelnen Zufallsfunde, oft mit jahrzehntelangen Lükken, erlauben auch heute nur eine sehr unzureichende Antwort auf die Frage, inwieweit der Handel der ant. Welt seine Fortsetzung in den sog. »dunklen Jahrhunderten« fand und den Aufschwung des Handels seit dem 9. Jh. in It., zeitverschoben dann im übrigen Europa, zumindest indirekt beförderte.

## B. Handel und Handelstechniken

Ansätze einer theoretischen Auseinandersetzung mit dem Begriff des »Handels« in der nachant. Welt bietet allenfalls Isidor von Sevilla. Für ihn leitet sich *commercium* von *merces* (»Waren«) ab, die auf dem Markt gehandelt werden, um Gewinn zu erzielen (Etymologiae 5,25,36; 15,2,45; 18,15,3). Cassiodor verbindet *commercium* mit dem Gebrauch von Münzgeld (Var. 6,7,3). Beide Ansätze greifen jedoch deutlich zu kurz: Wie in der Ant. war auch der Handel der nachant. Welt weder allein auf die Gewinnerzielung ausgerichtet – im staatli-

chen Handel beispielsweise stand immer die Versorgung der Bevölkerung oder des Militärs im Vordergrund –, noch wurde er ausschließlich in geldwirtschaftlicher Weise abgewickelt, da der Naturaltausch zumindest im westl. Europa im Zuge der seit dem 3. Jh. rückläufigen Geldwirtschaft für Jh. an Bed., allerdings regional in deutlich unterschiedlicher Intensität, gewann.

Der Handel nahm innerhalb der vornehmlich agrarisch geprägten Wirtschaft und Gesellschaft der nachant. Welt eine gegenüber früheren Jh. vergleichsweise geringe Bed. ein, zumal der Güteraustausch wie in der gesamten Ant. nicht allein auf den kommerziellen Sektor beschränkt blieb: Kriege und Piraterie, v. a. in der Zeit der Völkerwanderung und der Arabischen Expansion, konnten einerseits interregionale (Fern)Handelsströme zu Land oder zur See unterbrechen, setzten jedoch den Warenaustausch mit anderen, in der Regel gewaltsamen Mitteln fort. Geschenke und Mitgiften, insbes. Luxuswaren von hohem Wert, zwischen dem Kaiser in → Konstantinopel und den german., später auch slawischen Königen bzw. Heerführern, zum Teil auch zwischen führenden Familien stellten neben Tributleistungen ebenfalls einen nicht zu vernachlässigenden Teil des Warenaustauschs dar. Der staatliche Warentransfer, der seit der augusteischen Zeit in den jährlichen Getreidetransporten (*annonae*) von Ägypten nach Rom zur Versorgung der dortigen Bevölkerung (v. a. der *plebs frumentaria*) einen Höhepunkt erreicht hatte, hielt bis in das beginnende 7. Jh. an, wenngleich sich die Richtung des Transfers änderte. Teils erhebliche Mengen an Getreide wurden bis 618 von Ägypten nach Konstantinopel verschifft, als Herakleios I. wegen der sassanidischen Eroberung Ägyptens die staatliche Brotverteilung in der Hauptstadt erstmals einstellen mußte; ab 641 stand dem Byzantinischen Reich aufgrund der arab. Invasion überhaupt kein ägypt. Getreide mehr zur Verfügung. Darüber hinaus berichten die Quellen auch von Getreidetransporten im Ostgotenreich, die, von Theoderich I. veranlaßt, die Trad. der ant. *annona* fortsetzten. Auch der kirchlich-grundherrliche Warentransfer, insbes. im Auftrag des Papstes und des Patriarchen von Alexandria, zur Versorgung von Rom und Alexandria, daneben z. B. der des Exarchen von Ravenna setzten »staatliche« Versorgungsleistungen für die Bevölkerung zumindest teilweise fort. Die Getreidelieferungen von den päpstlichen Gütern auf Sizilien nach Rom zur Zeit Gregors des Gr. waren bisweilen so umfangreich, daß mehrere Dutzend Schiffe für den Transport benötigt wurden. Im oström.-byz. Reich kann dabei vielfach nicht zwischen staatlicher und kirchlicher Warenzirkulation unterschieden werden, doch waren beide vornehmlich auf den Transfer vornehmlich von Massengütern (Getreide, auch Öl) ausgerichtet.

Damit erscheint der kommerzielle Warenaustausch zu Land und zur See mindestens bis zum 7. Jh. allenfalls als ein Teil der wesentlich umfangreicheren Warenzirkulation im Mittelmeerraum. Er umfaßte sowohl Luxusgüter als auch Massengüter, wobei aber der Anteil der Massengüter am Transportvolumen deutlich zurückging, wenn auch präzise Zahlen fehlen. Die steigenden Transferkosten forcierten die Ausrichtung des privaten (kommerziellen) Übersee- wie auch des überregionalen Überlandhandels zunehmend auf solche Güter, die in ihrem Verhältnis zu Umfang und Gewicht einen relativ hohen Wert besaßen, so z.B. Gewürze, Seide oder Edelsteine. So konnten die Frachtkosten zwischen Alexandria und Rom etwa 16% des Warenwertes, zwischen Spanien und It. etwa 8% betragen, lagen vielfach aber auch deutlich höher (bis zu mehreren Hundert Prozent). Als der staatliche und kirchliche (quasi-staatliche) Warentransfer seit der zweiten Hälfte des 7. Jh. an Bed. einbüßte, stieg die relative (bescheidene) des privaten erneut an, wenn auch auf deutlich geringerem Niveau im Vergleich zur Hohen Kaiserzeit oder auch zu der des 4. Jh.

Dieser säkulare Rückgang der Handelstätigkeit wie auch des Handelsvolumens seit dem 4./5. Jh. ist in unmittelbarem Zusammenhang mit Entwicklungen im Bereich des Überseeverkehrs und des Schiffsbaus zu sehen: Allg. wurden die ant. »Regeln« für den Seeverkehr im Mittelmeer fortgeführt; in den Wintermonaten blieb das Meer aufgrund der durch die Witterung und Winde hervorgerufenen Gefahren unbefahren (*mare clausum*); die ganzjährige Schiffahrt wurde, von Ausnahmen abgesehen, erst im 13. Jh. möglich. Auch der seit dem 9. Jh. nachgewiesene, aber wohl bereits zuvor teilweise Gebrauch des Lateinsegels änderte hieran nichts. Gleichzeitig aber hatte die Krise des Seetransportwesens im 4. Jh. zu einer Reduktion der Schiffsgröße geführt, denn die *navicularii* gingen zum Bau kleinerer Einheiten über, um der Requirierung ihres Laderaums für die staatliche *annona* zu entgehen. Spätestens im 5. Jh. ist somit ein drastischer Rückgang der Ladekapazität gegenüber dem 2. Jh. zu beobachten, der im westl. Mittelmeerraum bis in das 11. Jh. hinein irreversibel blieb. Es war dies zugleich eine Reaktion auf die örtlichen Verkehrsverhältnisse: da die Dezentralisierung der Märkte insbes. seit dem 6. Jh. nunmehr auch zum Anlaufen kleinerer oder vormals großer, jetzt aber versandender Häfen zwang, wollte man den vielfach noch schwierigeren, gefährlicheren und teureren Landtransport umgehen. Schließlich ist das gesunkene Transportvolumen nicht zuletzt als eine Reaktion auf den durch Kriege und Seuchen hervorgerufenen deutlichen Bevölkerungsrückgang, vielleicht sogar auf den Verlust technischer Fertigkeiten zu werten.

Die Betriebsformen im Seehandel wurden in der nachant. Zeit einfacher und unkomplizierter als in der Spätant.; die bereits in der Kaiserzeit in Einzelfällen nachweisbare Personalunion zwischen Kaufmann, Schiffseigner und Schiffsführer wurde zur Normalität. Die *corpora* der *navicularii* der Spätant. verschwanden in den westl. Reichsteilen mit der Übernahme der Herrschaft durch die Germanen; im Osten lockerte sich ihr Verhältnis zum Staat seit Iustinianus I. Der reisende Händler, der zur See oder auch zu Land seine Waren begleitet, wie er auch in der Ant. vielfach begegnet, wurde zum typischen Kaufmann bis zur Kommerziellen Revolution des 12./13. Jh., als der seßhafte Kontorkaufmann und sein Faktorensystem den Typus des reisenden Händlers wieder abzulösen begannen. Auch Reisegemeinschaften von Kaufleuten und geschäftliche Zusammenschlüsse für einzelne Unternehmungen blieben in der nachant. Zeit üblich. Die Vergabe von Krediten – beispielsweise durch Geistliche (v. a. für Päpste und Patriarchen nachgewiesen) oder *argentarii* – erfolgte in Geld oder in den Zeiten rückläufiger Geldwirtschaft zunehmend in Waren und war – entgegen den späteren Wucherbestimmungen der röm. Kirche – durchaus nicht anrüchig, so daß Darlehensverträge unter dem Kreuzzeichen abgeschlossen wurden. Die Höhe der Zinsen orientierte sich mit 16% oder 25% (oft auch deutlich höher) an ant. Maßstäben und ist in dieser Höhe auch bis weit in das späte MA hinein belegt. Neben Schuldscheinen (*cautiones*) mit zeitlich begrenzter Wirkung gelangte das ant. Seedarlehen (*foenus nauticum*) zur Verwendung und Weiterentwicklung: Hierbei war der Gläubiger an Verlusten durch höhere Gewalt (Schiffbruch, Kaperung) beteiligt (oder trug ihn ganz), erhielt aber dafür ein Entgelt in Form von Zinsen, die vielfach höher als bei normalen Darlehen lagen (oft 33⅓%) und daher durch Iustinianus I. auf 12% begrenzt wurden – ein Richtwert, der über lange Jh. Geltung behielt. Seit dem 12. Jh. entwickelte sich in It. und Südfrankreich aus dieser Praxis des Seedarlehens, das ja zugleich eine Art Seeversicherung darstellte, das *foenus quasi nauticum* für den Landhandel und im nordischen Seehandel die Bodmerei. ›Bewegten sich derartige Geschäfte und Verträge durchaus in den lange geübten ant. Handelstrad., so war die Entwicklung neuer Kreditformen im Überseehandel (...) wohl der wichtigste und für die Zukunft fruchtbarste Fortschritt für den kommerziellen Verkehr in den »dunklen Jahrhunderten«‹ [2. 243]: Insbes. bildeten sich – zeitlich nicht näher bestimmbar – auf der Basis des röm. *societas*-Rechts und der ostmediterranen *chreokoinonia* Vor- oder Frühformen des *commenda*-Vertrages heraus, der im Hoch-MA zur wichtigsten Form der Handelskapitalinvestition wurde und wesentlich zur Handelsexpansion seit der Kommerziellen Revolution beitrug. ›Ob die Fortbildung des Seehandelskredits die Antwort auf ein erhöhtes Transportrisiko oder auf eine größere Gefahr von Geschäftsverlusten als Folge zunehmender Preisschwankungen war, muß offenbleiben‹ [2. 243].

### C. Handelsgüter

Die verringerten Ladekapazitäten zur See und die Verschlechterung der Transportmöglichkeiten zu Land (u. a. teilweiser Verfall der röm. Straßen) wie auch die Veränderungen der polit. Situation v. a. im 7. Jh. hatten den Rückgang des Transports von Massengütern, insbes. von Getreide (außer in Notzeiten und bei sehr hohen Gewinnerwartungen), zur Folge. Öl und andere Produkte des »gehobenen Lebensbedarfs« (Oliven, Wein, Datteln, span. Fischsaucen) begannen nun, den größten

Teil der Schiffsladungen auszumachen, wobei der Übergang von der teuren und viel Laderaum verbrauchenden Amphore zum Faß einen deutlich kostensenkenden Faktor darstellte. Aus der Levante gelangten Feigen, Mandeln, Reis, Pistazien, Koriander, Mastix, Sumach und verschiedene indische Gewürze (Pfeffer) nach It., von dort bis in die zweite Hälfte des 7. Jh. teilweise auch nach Südgallien. Unter den gewerblichen Produkten ist die Ausfuhr einfacher Kleidungsstücke aus Gallien, aber auch der Export von Papyrus aus Ägypten (in das Westgotenreich bis etwa zur Mitte des 7. Jh., in das Frankenreich bis in das späte 7. Jh., nach It. noch deutlich länger) zu nennen. Unter den oriental., in den Westen vermittelten Luxusgütern nahm neben den in geringsten Mengen gehandelten Edelsteinen und Gegenständen aus Edelmetallen (chinesische) Seide den Rang des wertvollsten Produktes ein, gefolgt von Brokat- und Baumwollgeweben. Insgesamt ist wohl spätestens seit dem 7. Jh. von einem Anstieg des Anteils der Luxuswaren am Gesamttransportvolumen gegenüber früheren Jh. auszugehen, doch ist dies vorrangig auf den Wegfall der Massenprodukte (Getreide) zurückzuführen. Auch der Handel mit Sklaven – Resultat der massenhaften Versklavung im Gefolge von Kriegszügen und Hungerkatastrophen – ist seit dem späten 6. Jh. in den Quellen gut bezeugt: Aus Gallien beispielsweise wurden über Marseille als einen der wichtigsten Sklavenmärkte vorrangig Angelsachsen und heidnische Grenznachbarn des Merowingerreichs, selten christl. Bewohner des Frankenreiches nach Spanien, zum Teil auch in den Osten des Mittelmeerraums verkauft; seit dem ausgehenden 8. Jh. ist dann auch der Handel mit Slawen schriftlich bezeugt. Insgesamt ist in den früh-ma. Quellen der Transport von Waren aus dem Osten in den Westen bezeugt, kaum jedoch umgekehrt. So ist die Ausfuhr von west- und mitteleurop. Metallwaren (z. B. von fränkischen Schwertern) vor dem 8. Jh. eher fraglich.

### D. Handelswege

Aufgrund seiner geogr. Lage nahm It. mit Sizilien auch in nachant. Zeit eine zentrale Position im Mittelmeerhandel ein. Der Seehandel von hier nach Afrika, Spanien, Südgallien und in den östl. Mittelmeerraum überdauerte, wenn auch in unterschiedlicher Intensität, die Jh. bis zur Kommerziellen Revolution des 12./13. Jh., als die Apenninhalbinsel zum Handelszentrum im gesamten Mittelmeerraum aufgestiegen war. Auch die übrigen ant. Seehandelswege, so zwischen Spanien und Gallien oder zwischen Ägypten und Syrien, veränderten ihre Ausrichtung kaum; allerdings ging der Schiffsverkehr im einzelnen vielfach stark zurück (z. T. nur ein Schiff pro Jahr zwischen der Provence und Afrika), wenn er wohl auch kaum über längere Zeit gänzlich abriß. Auf diese Weise wurde ein vergleichsweise rasches Wiederaufleben der verschiedenen Handelsrouten, ausgehend von It. im 9./10. Jh., v. a. dann im Zeitalter der Kreuzzüge und der Kommerziellen Revolution möglich, als das Handelsvolumen wieder stark anschwoll. Nicht einmal der Seehandelsweg aus

dem westl. Mittelmeerraum in den Atlantik an die gallische und britische Küste riß in der nachant. Zeit gänzlich ab, wurde aber nur noch äußerst selten genutzt.

Die Unsicherheit der Seewege (Piraten, arab. Vorstöße) führte jedoch auch zu einer Verlagerung der Handelswege auf das Land. Als der Handelsweg von It. nach Gallien – zur See über Genua, Nizza, Marseille und Arles, dann das Rhône-Tal hoch in die fränkischen Kernlande mit röm. geprägten *civitates* als Handelszentren westl. des Rheins, wie Mainz oder Verdun, und grundherrlichen, in spätant. Trad. stehenden *villa*-Märkten mit lokaler Funktion – im ausgehenden 7. Jh. immer unsicherer wurde, kam es seit etwa 680 vermehrt zu Alpenüberquerungen. Damit wurde der Rhône als wichtigster, seit der Zeit des vorröm. Galliens bestehender Handelsweg nach Süden seit dem 8. Jh. durch die Alpenpässe abgelöst. Den ersten über die Alpen ziehenden Pilgern folgten bald Kaufleute, auch wenn sich der Handelsverkehr zwischen dem Franken- und dem Langobardenreich erst im ausgehenden 8. Jh. – nach der fränkischen Eroberung – intensivierte. Trotz der großen Transportschwierigkeiten bei den Alpenüberquerungen wurden diese Handelswege mit ihrer Verlängerung über den Po zur Adria immerhin so bedeutend, daß die Po-Alpen-Route im 9./10. Jh. Teil einer weiträumigen Verbindung zwischen dem Frankenreich und dem östl. Mittelmeerraum wurde. Der Aufstieg Venedigs, das – zusammen mit Comacchio – nach der langobardischen Eroberung Ravennas das Erbe des ravennatischen Hafens Classis als wichtigster Umschlagplatz der Adria angetreten hatte, war eine wesentliche Folge dieser Entwicklung. Durch das gesamte MA hindurch, in Teilen sogar bis in die Frühe Neuzeit hinein, blieb Venedig unter diesen Voraussetzungen ein Zentrum des Austauschs zwischen dem östl. und dem westl. Mittelmeerraum.

→ Geld/Geldwirtschaft/Geldtheorie;
Reise/Reiseliteratur; Römisches Recht

1 H. ADAM, Das Zollwesen im fränkischen Reich und das spätkarolingische Wirtschaftsleben. Ein Überblick über Zoll, Handel und Verkehr im 9. Jh., 1996 2 D. CLAUDE, Der Handel im westl. Mittelmeer während des Früh-MA (= Unt. zu Handel und Verkehr der vor- und frühgesch. Zeit in Mittel- und Nordeuropa, Teil II), 1985 3 A. DOPSCH, Grundlagen der europ. Kulturentwicklung von Cäsar bis auf Karl den Gr., 2 Bde., 1918–20 4 K. DÜWEL et al. (Hrsg.) Unt. zu Handel und Verkehr der vor- und frühgesch. Zeit in Mittel- und Nordeuropa, Teil III, 1985; Teil IV, 1987; Teil V, 1989 5 E. ENNEN, Die europ. Stadt des MA, ⁴1987 6 P. E. Hübinger (Hrsg.), Bed. und Rolle des Islam beim Übergang vom Alt. zum MA, 1968 7 M. LOMBARD, Blütezeit des Islam. Eine Wirtschafts- und Kulturgesch. (8.–11. Jh.), 1992 (frz. 1971) 8 H. PIRENNE, Mahomet et Charlemagne, in: Revue Belge de Philologie et d'Histoire I, 1922, 77–86

MARKUS A. DENZEL

**Handschriftenkataloge** s. Anhang letzter Bd.

**Hebraistik** s. Semitistik

**Heldendichtung** s. Epos

**Hellenismus** s. Epochenbegriffe

**Herculaneum**
A. DIE AUSGRABUNGEN IM 18. JAHRHUNDERT
B. DIE AUSGRABUNGEN IM 19. UND
20. JAHRHUNDERT
C. ORGANISATION, KONZEPTION UND KRITIK DER
AUSGRABUNGEN IM 18. JAHRHUNDERT
D. BEWERTUNG UND WIRKUNG

A. DIE AUSGRABUNGEN IM 18. JAHRHUNDERT
Anders als → Pompeji war H. so tief und massiv verschüttet worden, daß nach dem Vesuvausbruch von 79
n. Chr. keine Plünderung der Ruinen möglich war. Der
Ausbruch von 1631 verstärkte diese Schichten bis zu
25 Metern Dicke. Beim Bohren von Brunnen auf dem
Gebiet des Ortes Resina (seit 1969 Ercolano) kamen
jedoch immer wieder ant. Reste zutage. Erste Stollengrabungen ließ Prinz d'Elbœuf zw. 1709 und 1716 vornehmen. Dabei wurden zahlreiche Statuen im Bereich
des Theaters von H. geborgen, darunter die sog. Kleine
und Große Herkulanerin (h. in Dresden). 1738 begannen an der gleichen Stelle die offiziellen Ausgrabungen
auf Geheiß Karls von Bourbon (König von Neapel
1734–1759). Im gleichzeitig errichteten Sommerschloß
in Portici wurden zunächst alle Funde aufbewahrt und
restauriert, 1758 ein eigenes *Herculanense Museum* eingerichtet (1799 aufgelöst) [14]. Ein Inschriftenfund sicherte 1740 die Benennung der Ruinen. Nominell leitete der Genieoffizier Roque Joachim de Alcubierre das
Unternehmen mit Unterbrechungen (1741–1745 Leiter
Pierre Bardet de Villeneuve) bis zu seinem Tode. Die
eigentliche Grabungsarbeit lag jedoch 1750–1764 in den
Händen des Schweizer Militäringenieurs Karl Jakob
(Carlo) Weber und danach bis 1776 in jenen des Architekten Francesco La Vega. Von zentralen Einstiegs-
schächten aus wurden weite Teile der Stadt mit Hilfe
enger Stollen erforscht: zunächst das Theater (zahlreiche Statuen, Reiterstatuen der Balbi, Inschriften,
Bauglieder), dann der Bereich um die sog. Basilika
(1739, Statuen, Wandgemälde) und schließlich in den J.
1750–1761 die Villa dei Papiri (große Zahl von Marmor-
und Bronzestatuen sowie Porträtbüsten; Entdeckung
der Papyri im Oktober 1752). 1776 endeten die letzten
Untersuchungen im Theater.

B. DIE AUSGRABUNGEN IM 19. UND
20. JAHRHUNDERT
1828 nahm man die Ausgrabungen wieder auf mit
dem Ziel, die Ruinen auch freizulegen. Bis 1838 konnten so unter der Leitung Carlo Bonuccis die Case del
Argo, del Genio und dello Scheletro ausgegraben werden, 1869 bis 1875 weitere Hausfassaden und Teile der
Thermen. Ein Versuch des engl. Archäologen Charles
Waldstein, die Freilegung der Stadt als internationales
Forschungsvorhaben erneut in Angriff zu nehmen,
scheiterte 1905 nicht zuletzt an nationalen Vorbehalten

Abb. 1: Theseus und Minotaurus. Herculaneum Basilica.
Die 1754 publizierten Abbildungen von Gemälden
aus Herculaneum hatte C.-N. Cochin trotz Verbotes
aus dem Gedächtnis gezeichnet. Sein zumeist
negatives Kunsturteil blieb lange Zeit maßgeblich.

[32]. Erst 1927 konnte Amedeo Maiuri mit ausdrücklicher Unterstützung Benito Mussolinis großflächige
Ausgrabungen in H. beginnen, die er bis 1960 fortsetzte
(Unterbrechung 1942–52) [24]. Hand in Hand mit den
Ausgrabungen ging die weitgehende Restaurierung aller Bauten. Acht innerstädtische Insulae und die suburbanen Thermen waren danach zugänglich. Nach 1960
folgten kleinere Unt. v. a. im Bereich des Cardo Maximus und unterhalb der Stadtmauer. Dort entdeckte man
seit 1980 zahlreiche Skelette von Menschen, die während des Ausbruchs vergeblich versucht hatten, über das
Meer zu entkommen [23]. Geländekäufe zw. dem ausgegrabenen Teil der Stadt und der suburbanen Villa dei
Papiri ermöglichen seit dem E. der 80er J. weitläufigere
Ausgrabungen. Teile dieser Villa liegen nun erstmals zutage [20]. Ein Abschluß dieser Arbeiten ist noch nicht
abzusehen.

C. ORGANISATION, KONZEPTION UND KRITIK
DER AUSGRABUNGEN IM 18. JAHRHUNDERT
König Karl von Bourbon und später der Regent
Bernardo Tanucci förderten die Ausgrabungen aus
Kunstinteresse und um für das junge Königreich (seit

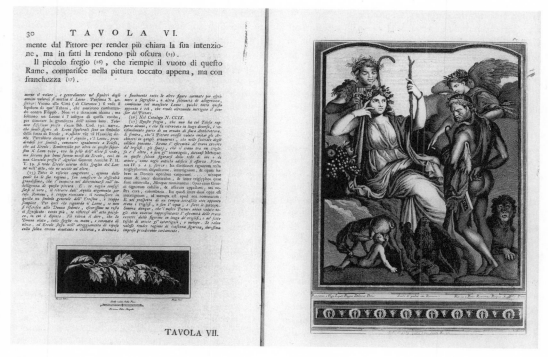

Abb. 2: Herkules und Telephos. Herculaneum, Basilica.
Die Stiche der offiziellen Publikation der Funde wurden von gelehrten Texten begleitet.
Illegale Nachdrucke verzichteten weitgehend auf Kommentare und
verbreiteten mit Erfolg allein die Bildmotive.

1734) eine kulturelle Legitimation zu schaffen [13]. Die Funde aus den Vesuvstädten setzte man daher den kriegerischen Leistungen gleich. Karl behielt sich auch die unumschränkte Verfügungsgewalt über die neuen und teilweise einzigartigen (Malerei) Antiken vor. Neben den Vermessungstechnikern Alcubierre, Weber und La Vega wurden der Bildhauer Joseph Canart ab 1739 für die Restaurierung der Skulpturen und die Abnahme der Wandmalerei, der Maler Camillo Paderni ab 1751 als Leiter der Sammlungen und ab 1753 Antonio Piaggio für die Papyri eingestellt. Mit der Publikation der Funde wurde 1746 Ottavio Antonio Bayardi beauftragt [3; 4]. Die Gründung einer fünfzehnköpfigen *Reale Accademia Ercolanese di Archeologia* 1755, deren Vorsitz Tanucci inne hatte, führte zur Veröffentlichung der *Antichità di Ercolano esposte* ab 1757. Die bis 1792 erscheinenden acht Bände (geplant waren 40) wurden zwar in hoher Auflage gedr., aber zunächst nur als Geschenk des Königs vergeben und waren damit schwer zugänglich [1; 33].

Technisch wie intellektuell stellten die Ausgrabungen ein völliges Novum dar. Die Stollengrabungen und die Konservierung v. a. der Malerei brachten große Probleme mit sich [27; 31]. Dennoch entstanden z. T. schon von Winckelmann gelobte, jedoch unpubl. gute Pläne der unterirdischen Entdeckungen (Stadtplan von Bardet [29. 52 f.]; Villa dei Papiri [29. 100 f.] von Weber und Theater von Weber und La Vega [29. 233–263; 28]).

Wöchentlich abgefaßte Arbeitsberichte ermöglichen die genaue Rekonstruktion des Grabungsverlaufs [8; 2; 7]. Die einmalige Möglichkeit, eine Stadt als Kontext ant. Lebens zu verstehen, wurde trotz erster Überlegungen C. Webers [29. 264–281] noch nicht begriffen. Im Vordergund aller Bemühungen stand die Gewinnung von Schätzen für das Mus., die nach Gattungen geordnet aufgestellt und publ. wurden. Wandbilder wurden herausgeschnitten und wie Tafelbilder aufgehängt, Statuen vervollständigt. Unbrauchbares konnte zerstört oder eingeschmolzen werden. Da auch die Publikation der Funde zunächst auf sich warten ließ und später enttäuschte, übten Reisende und Gelehrte heftige Kritik an den Arbeiten. Der absolute Besitzanspruch des Königs stand den Forderungen nach schneller und umfassender Information diametral gegenüber [13; 33]. Berichte, wie jene Winckelmanns, der aus erkennbarem Eigeninteresse nicht mit abfälligen Bemerkungen sparte, wurden sofort übers. und mit großem Interesse aufgenommen ([12], mit Kommentaren). Sie prägen z. T. noch h. das schiefe Bild einer mehrheitlich inkompetenten und untereinander verstrittenen Administration in Neapel.

Ein Besuch der Ausgrabungen selbst war nicht ungefährlich und mit großen Anstrengungen verbunden (Abb. 3). Deshalb besichtigten die meisten Reisenden allein → Pompeji und das *Herculanense Museum*, das ›A und Ω aller Antiquitätensammlungen‹ (Goethe). Zutritt erhielt man nur mit einer bes. Genehmigung, Aufzeichnungen waren nicht gestattet [14]. Deshalb gehören die Klage über diese Restriktionen und die Versuche, sie zu umgehen, zu den Topoi der Reiseberichte des 18. Jh. [21].

### D. BEWERTUNG UND WIRKUNG

Das Interesse an den Funden aus H., dessen Name für alle Vesuvstädte stand, war von Beginn an in ganz Europa groß. Aus Mangel an authentischen Beschreibungen und v. a. an Abbildungen wurden bisweilen abenteuerliche Gerüchte verbreitet [22]. Die ersten Wiedergaben der Gemälde aus der Basilika durch Charles-Nicolas Cochin, die nach dem Gedächtnis gezeichnet waren, führten zu einem meist negativen Urteil über die in H. gefundene Malerei, die als steif, ungeschickt und unnatürlich in der Farbgebung angesehen wurde ([5] und Abb. 1). Diese Einschätzung wandelte sich auch mit der Publikation der *Antichità* kaum (Abb. 2). Bis auf *La marchande d'amours* aus → Stabiae, die in der 1762 im Salon ausgestellten Adaption von Joseph-Marie Vien großen Erfolg hatte, spielten die Gemälde keine Rolle in der aktuellen Kunstdiskussion, den *Querelles des Anciens et des Modernes*. Demgegenüber war die Wirkung der Funde aus H. in den angewandten Künsten groß [15; 30]. Wenn auch nicht durch sie ausgelöst, so speiste sich jedoch in Paris aus

Abb. 3: Anonym. Besuch des Theaters von Herculaneum. Beginn 19. Jh. Steile Treppen, rauchende Fackeln und schlechte Luft erschwerten den Besuch der unterirdisch gelegenen Ruinen von Herculaneum. Die erhaltenen Ansichten betonen den abenteuerlichen Charakter der Ausgrabungen.

ihnen die Mode *à la grecque*. Doch erst die Nachdrucke und Auszüge aus den *Antichità*, die ab 1773 in verschiedenen Sprachen meist verkleinert und z. T. auf Umrißstiche reduziert erschienen [25. 571–573 Nr. 8. 55–56; 8. 58; 8. 63], brachten die Bildwelt H.s allg. in Umlauf. V. a. dekorative Motive, wie die schwebenden Figuren, wurden in zahllosen Kopien in der Wandmalerei, als Gouachen, auf Porzellan und auf Möbeln wiederholt, Gebrauchsgegenstände wurden kopiert und Skulpturen in Biscuitporzellan umgesetzt [16. 504f., 509–522]. Naturgemäß ging von der weitgehend unsichtbaren Architektur die geringste Wirkung aus. Das vollständig erhaltene Theater, an dessen Plänen Weber, La Vega und Giovanni Battista Piranesi intensiv arbeiteten, wurde zu spät publ., um in der Diskussion um den Theaterbau im 18. Jh. noch eine Rolle zu spielen [28]. Spektakulär wirkt dagegen die Kopie der Villa dei Papiri als J. Paul Getty Museum in Malibu/California [18] (Abb. 4). Sie wurde aus dem Plan Webers von 1756 [18. 34] entwickelt und 1974 eingeweiht.

QU 1 Le Antichità di Ercolano esposte con qualche spiegazione, 8 Bde., Neapel 1757–1792 (Vol. 1–4, 7: Pitture; 5, 6: Bronzi; 8: Lucerne e candelabri) 2 ARCHIVIO DI STATO DI NAPOLI (Hrsg.): Fonti documentarie per la storia degli scavi di Pompei, Ercolano e Stabia, 1979 3 A. BAYARDI, Prodromo delle Antichità d'Ercolano, 5 Bde., Neapel 1752 4 Ders., Catalogo degli antichi monumenti dissotterrati dalla discoperta città di Ercolano, Neapel 1754 5 CH.-N. COCHIN, J. CH. BELLICARD, Observations sur les antiquités d'H., Paris 1754 (²1755/1757, engl. 1753/55) 6 A.D. FOUGEROUX DE BONDAROY, Recherches sur les ruines d'H., Paris 1770 7 U. PANNUTI, Il »Giornale degli scavi« di Ercolano (1738–1756). Atti della Accademia Nazionale dei Lincei, Memorie, Ser. VIII vol. 26, fasc. 3, 1983. 8 M. RUGGIERO, Storia degli scavi di Ercolano ricomposta su' documenti superstiti, Napoli 1885 9 M. DE VENUTI, Descrizione dell prime scoperte dell'antica città d'Ercolano, ritrovato vicino a Portici, Villa della Maestà del Re delle Due Sicilie..., Rom 1748, Venedig 1749 10 J. J. WINCKELMANN, Sendschreiben von den Herculanischen Entdeckungen, Dresden 1762 (frz. 1764, engl. 1765 und 1771) 11 Ders., Nachrichten von den neuesten Herculanischen Entdeckungen, Dresden 1764 (frz. 1784) 12 Ders., Schriften und Nachlaß. St.-G. Bruer, M. Kunze (Hrsg.), 1997

LIT 13 A. ALLROGGEN-BEDEL, Winckelmann und die Arch. im Königreich Neapel, in: WINCKELMANN-GES. STENDAL (Hrsg.), Johann Joachim Winckelmann. Neue Forsch., 1990, 27–46 14 Dies., H. KAMMERER-GROTHAUS, Das Museo Ercolanese in Portici, in: Cronache Ercolanesi 10, 1980, 175–217 15 F. BOLOGNA, Le scoperte di Ercolano e Pompei nella cultura del XVIII secolo, in: La Parola del Passato, 188/89, 1979, 377–404 16 A. CARÓLA-PERROTTI, Le porcellane dei Borbone di Napoli. Kat. Ausst. Neapel 1986 17 E. C. CORTI, Untergang und Auferstehung von Pompeji und H., 1940 (9. erw. Auflage 1978) 18 J. PAUL GETTY MUSEUM (Hrsg.), The J. Paul Getty Museum Guide to the Villa and its Gardens, 1988 19 M. GIGANTE, I papiri ercolanesi in: Le antichità di Ercolano, 1988, 63–80 20 Ders., A. DE SIMONE et al., Lo scavo della Villa dei Papiri, in: Cronache Ercolanesi 28, 1998, 1–63 21 C. GRELL, H. et Pompéi dans les récits des voyageurs français du XVIII$^{me}$

Abb. 4: J. Paul Getty Museum, Malibu/California. Der Bau kopiert die mit Kopien griechischer Statuen reich ausgestattete Villa dei Papiri, als deren Besitzer gern C. Calpurnius Piso genannt wird. J. Paul Getty stellt sich damit als Sammler in eine antike Tradition, Kalifornien wird zum neuen Rom.

siècle, 1982 **22** Dies., CHR. MICHEL, Erudits, hommes de lettres et artistes en France au XVIIIᵉ siècle face aux découvertes d'H., in: L. FRANCHI DELL'ORTO (Hrsg.), Ercolano 1738–1988, 1993, 133–144 **23** V. KOCKEL, Funde und Forsch. in den Vesuvstädten II, in: AA 1986, 523–532 **24** A. MAIURI, Ercolano. I nuovi Scavi 1927–1958, 1958 **25** C. McILWAINE, H.: A Guide to Printed Sources, 2 Bde., 1988 **26** Dies., Suppl., in: Cronache Ercolanesi 20, 1990, 87–128 **27** M. PAGANO, Metodologia dei restauri borbonici a Pompei ed Ercolano, in: Rivista di Studi Pompeiani 5, 1991/92, 169–191 **28** Ders., Il teatro di Ercolano, in: Cronache Ercolanesi 23, 1993, 121–156 **29** CHR.C. PARSLOW, Rediscovering Antiquity. Karl Weber and the Excavation of H., Pompeii, and Stabiae, 1995 **30** M. PRAZ, Il Gusto neoclassico, ³1974 **31** L. A. SCATOZZA HÖRICHT, Restauri alle collezioni del Museo Ercolanese di Portici alla luce di documenti inediti, in: Atti della Accademia Pontaniana N. S. 31, 1982, 495–540 **32** C. WALDSTEIN, L. SHOOBRIDGE, H. Past, Present and Future, 1908 **33** F. ZEVI, Gli Scavi di Ercolano e le Antichità, in: Le Antichità di Ercolano, 1988, 9–38.     VALENTIN KOCKEL

**Hermetik** s. Okkultismus

**Herrscher** A. FORMEN ANTIKER HERRSCHAFT UND IHRE BEDEUTUNG FÜR DIE SPÄTERE REZEPTION B. AUSGEWÄHLTE ANTIKE HERRSCHER

A. FORMEN ANTIKER HERRSCHAFT UND IHRE BEDEUTUNG FÜR DIE SPÄTERE REZEPTION 1. ALLGEMEINES 2. HERRSCHERERHEBUNG 3. TRIUMPH UND ADVENTUS 4. NEUES ZEITALTER 5. ALLEGORIE 6. RECHT UND GESETZGEBUNG 7. TITULATUR 8. HERRSCHAFTSZEICHEN

1. ALLGEMEINES
1.1 VORBEMERKUNGEN
Neben einer allg. Rezeption ant. H. als Gestalten einer mythischen Vorzeit sind ant. H. und ant. Formen der Herrschaft für die nachant. Idee des Herrschertums von Interesse. Sie dienen oft als Zeichen der jeweiligen polit. Idee und auch zur Formulierung der polit. Wirklichkeit, wie sie von Zeitgenossen wahrgenommen wurde. Eine bes. Rolle spielt für das Heilige Römische

Reich (Deutscher Nation) bis 1806 das Fortleben des ant. röm. Kaisertums. Auch für andere Länder im Geltungsbereich der lat. Kirche galt das Kaisertum in Kontinuität zur Ant. als legitim, weshalb auch außerhalb des Reiches die Rezeption ant. Herrschergestalten und Herrschaftsformen von staatsrechtlicher Bed. blieb.

Seitdem wird die Gegenwart zunehmend weniger in Kontinuität zur Ant. gesehen, wobei die Ant. zum Korrektiv der Gegenwart erhoben wird. Vielfach ist umstritten, ob es sich bei ant. Formen von Herrschaft um Rezeption der Ant. oder um Übernahmen aus Byzanz handelt. Unmittelbare Kontinuität zur Ant. ist in vielen Fällen ebenfalls nicht auszuschließen. Eindrücklich sind solche Kontinuitäten in den Leitungsinstitutionen der christl. Kirchen, auf die im Folgenden nur am Rande eingegangen wird. Ähnlich knapp behandelt wird die Geschichte der Herrscheridee in → Byzanz.

### 1.2 Antike Vorbilder

Das nachant. Bild vom H. hat seine Wurzeln v. a. im röm. Kaisertum, sodann auch im Königtum des Alten Bundes und im Christusbild der Evangelien. Seit Konstantin wird das Bild vom nunmehr christl. Kaiser dem Christusbild angenähert. Schon das frühe Christentum kennt Christus als *verus imperator*, war doch das röm. Kaisertum Inbegriff der irdischen Universalmonarchie, der das Reich »nicht von dieser Welt« gegenübergestellt werden kann. Auch findet die Kirche noch vor Konstantin Eingang in die röm.-rechtliche Begriffssphäre. Seit Konstantin fließt das Herrscherbild der Evangelien (nämlich das Bild von Christus) und des Alten Bundes in die kaiserliche Selbstdarstellung zunehmend ein und kommt in der Herrschaftsidee Karls d. Gr. zu erheblicher Bedeutung. Die Verschmelzung von röm.-ant. und christl.-jüd. Herrschaftsidee ist ein wesentlicher Grund für die Kontinuität des röm. Reiches und für die Vorbildfunktion des Kaisertums für die H. im nachant. Europa, zu denen neben Königen und Herzögen auch die Päpste und Bischöfe zu rechnen sind. Die Vorbilder unter den ant. Herrschergestalten sind für die polit. Sphäre unter den röm. Kaisern – auch den heidnischen – und den Königen des Alten Bundes zu suchen. Obwohl die Helden der Republik (z. B. Scipio Africanus) ihre Vorbildfunktion nicht gänzlich verlieren, sind die röm. Kaiser der Ant. als die *caesares* (bes. bei den Staufern) unter den Herrschern der Ant. von der weitaus größten Bed. für die Nachantike.

Die Reihe der röm. Kaiser beginnt mit Caesar oder Augustus, je nach dem jeweiligen histor. Konzept des Autors. In der polit. Idee des MA überwiegt die heilsgeschichtliche Deutung, nach der die Weltmonarchie des Augustus als Voraussetzung für das Kommen Christi anzusehen ist, in der allg. eher volkssprachigen Lit. kommt zumeist Caesar die Rolle des Reichsgründers zu.

Nicht unbedeutend ist in der Auseinandersetzung um die Rollen von Kaisertum und Papsttum der Versuch von kaiserlicher Seite, das Kaisertum direkt an Caesar und Augustus anzubinden, um es nicht von der Vermittlung des Papstes als des faktischen Empfängers der → Konstantinischen Schenkung abhängig werden zu lassen.

### 1.3 Bewertung des Kaisertums

In der Spätant. konnte das heidnische Kaisertum durchaus kritisch oder ablehnend beurteilt werden (z. B. durch Augustin und auch noch Gregor von Tours, dem die heidnischen Kaiser vorwiegend als Christenverfolger erscheinen, weitaus positiver aber bei Oros). Im MA wurde das Kaisertum der heidnischen Ant. überwiegend positiv bewertet, weil es als konstitutiv für die polit. Ordnung galt: Wilhelm von Ockham bemerkt, daß Christus die Herrschaft Caesars und Oktavians anerkannt habe und somit deren Herrschaft von Gott sei (Breviloquium, 206), anders dagegen schon z. B. Thomas von Aquin, der als Folge der Republik die Tyrannis sieht (De regimine principum I,5). Entscheidender polit. Grund für die im MA verbreitete positive Beurteilung des heidnischen Kaisertums ist der legitimatorische Versuch des Kaisertums, über Konstantin hinaus das Kaisertum des MA gegenüber Papsttum und Byzanz heilsgeschichtlich zu begründen.

### 1.4 Herrscherreihen

Einige H. der Ant. bildeten verstärkt seit dem frühen MA Typologien. Sie stehen für bestimmte Herrscherattribute und bilden Reihen von guten und schlechten Herrschern. Oft werden diese Reihen in die jeweilige Gegenwart verlängert, wie im karolingischen Freskenzyklus der Ingelheimer Pfalz (Konstantin, Theoderich, Karl Martell, Pippin und Karl d. Gr., so Ermoldus Nigellus, In honorem Hludowici IV, 179 ff.). Für Sedulius Scottus (9. Jh.) verkörpern Augustus, Theodosius II., Karl d. Gr. und Ludwig der Fromme *misericordia* und *clementia*, in einer erweiterten Reihe auch Konstantin; ungerechte H. sind nach ihm Pharao als Gegenspieler Moses', Antiochus, Herodes, Nero, Julian und Theoderich [133. 268, 278, 438]. Lupus von Ferrières (9. Jh.) hebt David für den Alten Bund, Trajan unter den heidnischen röm. Kaisern und Theodosius (I.) unter den christl. Kaisern als vorbildlich hervor [133. 443]. Eine bemerkenswerte Reihe bietet Benzo von Alba (11. Jh.), der die Erbauer von Tempeln bzw. Kirchen zusammenstellt; die Reihe führt von biblischen H. (v. a. Salomo) über Kaiser Hadrian (wegen seines Mausoleums), Konstantin, Justinian, Galla Placidia, Theodosius, Karl d. Gr. (in dieser Reihenfolge!) und die Kaiserin Adelheid zu den Saliern und endlich zu Heinrich IV. (Ad Heinricum VII,7). Giraldus Cambrensis (ca. 1146–1223) stellt als vorbildlich eine Reihe aus Alexander, Caesar, Augustus und Karl d. Gr. zusammen [149. 44], und in der *Determinatio compendiosa* (cap. 5) führt er eine Reihe von Konstantin zu Karl d. Gr. Als Verfolger der Kirche nach Konstantin gelten dem Verfasser Julian Apostata, Otto IV. und Friedrich II. Beim Einzug Karls V. in Bologna 1530 wurden auf dem Stadttor → Medaillen von Caesar, Augustus, Vespasian und Trajan angebracht [28. 140]. Weite Verbreitung finden seit dem 16. Jh. Kaiserreihen nach Sueton, in It. entstanden schon im 15. Jh. ganze

Serien von Kaiserbildnissen. Üblich war die Darstellung von 12 ant. Imperatoren auch in den sog. Kaisersälen reichsunmittelbarer Klöster. In der Bamberger Residenz findet sich eine Imperatorenserie von 16 ant. Kaisern und 16 Habsburgern (zw. 1707 und 1709). Kaiser Maximilian I. plante für seine Grabstätte Statuen zahlreicher Personen, darunter befanden sich einige ant. und ma. Kaiser, beginnend mit Caesar. In der Münchener Residenz sind ant. (unten) und nachant. (beginnend mit Karl d. Gr., oben) Kaiser dargestellt; Kurfürst Friedrich Wilhelm von Brandenburg ließ möglicherweise schon als Ausdruck einer bald stark verbreiteten Mode eine Reihe von Bildnissen 12 ant. Kaiser aufstellen.

### 1.5 IKONOGRAPHIE ANTIKER HERRSCHER

Bildliche Darstellungen ant. H. finden sich seit dem 12. Jh. bes. in der Buchmalerei. Hervorzuheben sind diejenigen des Augustus in der Illustration der Chronik Ottos von Freising (Cod. Jenensis Bose q.6, fol. 38b, Abb. in Otto von Freising, *Chronica* 1960, Taf. 6) und derselbe in den *Chronica S. Pantaleonis* zw. Romulus und Caesar (Wolfenbüttel, Herzog August Bibl., Cod. Guelf. 74.3 Aug. 2, fol. 3r, Abb. in: [165; 1. 57]). Augustus, dem Vitruv sein Werk darbringt, ist in einer Vitruvhandschrift des 15. Jh. wie ein spätma. Herrscher dargestellt (Vitruv, De architectura, Firenze, Biblioteca Medicea Laurenziana, Cod. Plut. XXX.10, fol. 1r). Dabei wird der ant. Kaiser in jeder Weise wie ein ma. H. dargestellt. In der genannten Illustration der Chronik Ottos von Freising thront Augustus sogar auf einem Löwenfaltstuhl, nach ma. Gewohnheit in Anlehnung an den Thron Salomos. Die verbreitete Annahme, vor der Ren. sei es unmöglich gewesen, ant. Kaiser zu identifizieren, widerlegt Hausmann [156], der nachweist, daß zur Zeit Kaiser Friedrichs II. das Bildnis des Augustus bekannt war und in der Münzprägung mit den Augustalen auch zitiert wurde (Abb. 1). Es ist zu vermuten, daß auch schon vorher Kaiserbilder aufgrund ant. Mz. identifizierbar waren.

Die Funktion von ant. Bildern als Objekte der göttl. Verehrung war, nachdem dies schon in der Spätant. zu großen Zerstörungen von Standbildern geführt hatte, auch im späten MA nicht unbekannt → Apotheose, wie Johannes Cavallini (Polistoria, X,68) bezeugt. Dabei wurde meist nicht unterschieden zw. der Aufstellung von Kultbildern und der bis in das 8. Jh. fortbestehenden Gewohnheit, stellvertretend für den Kaiser sein Bildnis aufzustellen, wobei die Stellvertreterfunktion der Bilder als Ausdruck der angemaßten Göttlichkeit des Kaisers gewertet wurde.Seit dem 14. Jh. führte dann mit gewandelter Religiosität die erwachte Bereitschaft zum detailgetreuen Portrait zur systematischen Beschäftigung mit den Kaiserbildnissen. 1320 gestaltete Giovanni Mansionario in seiner *Historia imperialis* die Bildnisse röm. Kaiser getreu nach ihren Mz., und in Verona finden sich am Scaligerpalast bald nach 1364 Profilbildnisse röm. Kaiser und Kaiserinnen, die ebenfalls Mz. zum Vorbild hatten. Seit der zweiten H. des 15. Jh. nahmen

Abb. 1: Der Augustalis Kaiser Friedrichs II. (Messina zwischen 1231 und 1266) zeigt den Kaiser mit Lorbeerkranz, dessen Schleifenenden frei flattern, er ist sehr wahrscheinlich frei nach dem Münzportrait des Augustus gestaltet

die Bemühungen um die Bildnisse ant. Personen (v. a. der Kaiser) erheblich zu, z B. mit den Suetonausgaben des Bartolomeo Sanvito. 1517 erschienen die *Illustrium imagines* des Andrea Fulvio, Darstellungen von 206 berühmten ant. Personen. Und auch Tizian (1488–1576) schuf für die Reggia in Mantua eine Imperatorenserie nach ant. Mz. und Büsten.

### 1.6 IKONOGRAPHIE NACHANTIKER HERRSCHER

Vorbild für die karolingische Reiterstatuette des Louvre (Galerie d'Apollon) aus dem Metzer Domschatz war vermutlich nicht oder nicht allein der Marc Aurel des Kapitols in Rom, sondern vielmehr gallo-röm. Reiterstatuetten der Göttin Epona [163. 61f.]. Als Vorbild für den Cappenberger Barbarossakopf, der wegen der detaillierten Ausführung einzigartig ist, wurden sassanidische Portraits vermutet [5]. In der Ren. kommen die ant. Vorbilder zu bes. Bed. v. a. mit der getreuen Nachahmung von Bildnissen. Zwei Medaillen des Francesco II. da Carrara zeigen Francesco il Vecchio und Franceso Novello als röm. Imperatoren mit eigenem Profil, Vorbild war ein Sesterz des Kaisers Vitellius (1390, Padua, Museo Civico, Abb. in: [176, Bd. 2, Nr. 187f.]). Darstellungen europ. H. nach ant. Vorbild wurden in der Neuzeit üblich (z.B. Karl V., Ludwig XIV. und das Bronzestandbild Napoleons von Canova in der Brera in Mailand).

### 1.7 BESTATTUNG

Mehrere ma. H. ließen sich in ant. Sarkophagen bestatten, so Karl d. Gr. in einem Proserpina-Sarkophag (Aachen, Domkapitel). Papst Innozenz II. ließ sich 1143 im Porphyrsarkophag Kaiser Hadrians beisetzen, den er eigens aus der Engelsburg (Hadrians Mausoleum) hatte holen lassen. Papst Anastasius IV. fand 1154 seine letzte Ruhe im Sarkophag Helenas, der Mutter Konstantins.

Im 16. Jh. ließen sich erneut Päpste in ant. Sarkophagen bestatten, und manche florentinische Sarkophage kopieren ant. Sarkophage. Die Bestattungszeremonie selbst spielt seit dem 16. Jh. in Frankreich mit ant. Formen – so wurden in Anlehnung an die bei Herodian geschilderte Apotheose des Septimius Severus einer Nachbildung des verstorbenen Franz' I. 1547 Speisen serviert [162. 420ff.].

### 1.8 ABSTAMMUNG

Die Ant. ist in ihrer teilweise mythischen Ferne und zugleich unbezweifelten histor. Realität gut geeignet, den Rahmen für die Begründung familiärer und allg. kollektiver Identität zu bieten, wobei die unbestrittene Größe eines ant. Stammvaters wie z.B. Caesar die Bed. der Familie illustriert. Manche it. Herrschergeschlechter leiten sich von röm. *gentes* ab. Weit verbreitet ist die Behauptung mancher Herrschergeschlechter, von den Trojanern abzustammen, so bei den frz. Königen seit dem 12. Jh., auch bei den Herzögen von Burgund, den Welfen, den Herzögen von Brabant und den Habsburgern.

### 1.9 VERGLEICH MIT ANTIKEN HERRSCHERN

Nicht zuletzt können ant. H. in ihrer Größe auch erreicht und übertroffen werden. Lampert von Hersfeld z.B. behauptet von Karl d. Gr., daß sein Ruhm so groß wie der Caesars, Oktavians oder eines anderen berühmten Kaisers wäre, wenn er einen Livius oder Sallust gehabt hätte (Lampert, Vita Lulli, 327,31ff.).

### 1.10 DOMUS

Auch der herrscherliche Hof wird gelegentlich in Analogie v.a. zur *domus* des Augustus gesehen, was für den Hof Karls d. Gr. durch die Vorliebe für augusteische Dichter und die gelegentliche Bezeichnung Karls als Augustus auch in diesem Zusammenhang nahegelegt wird. Die Karolinger bemühten sich auch nach Karl d. Gr. demonstrativ um Kunst und Lit. und zogen Dichter und Gelehrte an ihren Hof (→ Karolingische Renaissance). Ekkehard von Aura (um 1100) betont (nach Sueton) die Treue des Augustus zu seinen Freunden, zu denen Ekkehard Maecenas, Agrippa, Vergil und Horaz zählt, womit Augustus einer zentralen Forderung der karolingischen → Fürstenspiegel nach vorbildlicher Führung des eigenen Hauses angeglichen wird (Ekkehard von Aura, Chronicon, 93). Die Förderung von Kunst und Wiss. als Aufgabe des H. hebt auch Petrarca unter Verweis auf Alexander, Caesar und bes. Augustus ausdrücklich hervor.

→ Festkultur/Trionfi

1 M.M. Donato, Gli eroi romani tra storia ed exemplum, in: [176, Bd. 2. 95–152] 2 M. Eichberg, Zur Identifizierung röm. Kaiserporträts in der Ren., in: Röm. Mitt. 101, 1994, 213 3 Ders., Das röm. Kaiserporträt als Denkmal in der Ren., in: Göttinger Forum für Alt.-Wiss. 1, 1998, 117–122 4 Kl. Fittschen, Sul ruolo del ritratto antico nell'arte italiana, in: [176, Bd. 2. 381–412] 5 R. Tölle-Kastenbein, Der Cappenberger Barbarossa-Kopf und sassanidische Porträts, in: A&A 21, 1975, 111–139

## 2. HERRSCHERERHEBUNG

### 2.1 HEERKAISER

Akklamation und Krönung als wesentliche Elemente ma. Herrschererhebung gehen letztlich auf den ant. Heerkaiser zurück [149. 170f.]. Kaiser Ludwig II. (geb. um 805, gest. 876) erklärt in einem Schreiben an Basileios I., verfaßt von Anastasius Bibliothecarius, die Erhebung des Kaisers durch das Heer – obwohl die Herrschererhebung durch das Heer im Früh-MA nicht ungewöhnlich war – für minderwertig im Vergleich zur Erhebung durch die päpstliche Salbung [173. 80]. Atto von Vercelli (10. Jh.) verwirft im *Polipticum* die Erhebung durch die Großen oder *milites*, berechtigt sei nur die Erhebung durch Erbrecht, Wahl und göttl. Bestimmung [173. 80]. Und der Autor der *Determinatio compendiosa* (cap. 11) bemerkt, daß seit Karl d. Gr. der Kaiser durch den Papst erhoben werde, während zur Zeit Konstantins diese Aufgabe Senat, Volk oder Heer zugefallen sei.

### 2.2 VORAUSSETZUNGEN

Die Befugnis des Papstes, einen Kaiser zu erwählen, beruht v.a. auf der Konstantinischen Schenkung, die als Brücke für die Übertragung des Kaisertums im Westen an die Franken anzusehen ist. Vor der Kaisererhebung steht in aller Regel die Erhebung zum fränkischen bzw. röm.-dt. König, weshalb man den *rex romanorum* als designierten Kaiser auffassen kann. Schon bei der Kaiserwahl Karls d. Gr. wird die Bed. des *populus romanus* deutlich, da neben der Salbung und Krönung durch den Papst die Akklamation des *populus romanus* einen wesentlichen Bestandteil darstellte, die auch in Byzanz konstitutiven Charakter hatte. Das Kaisertum bleibt an den *populus romanus* gebunden – nicht zuletzt aufgrund der Fiktion, daß die kaiserliche Gewalt vom röm. Senat und vom röm. Volk herrühre (CIC: *lex regia*), wobei bald allg. nicht mehr die Bewohner der Stadt Rom darunter verstanden wurden, sondern das Reichsvolk (i.e. der Reichsadel, z.B. bei Friedrich Barbarossa in seiner Rede an die Römer von 1155, Otto von Freising, Gesta Frederici II,32).

### 2.3 SPÄTANTIK-BYZANTINISCHE FORMEN

Mit der Erhebung seines Sohnes Ludwig (der Fromme) 813 möglicherweise in der Form der Selbstkrönung und der Krönung Lothars I. durch seinen Vater Ludwig zum Mitkaiser (817) sollte nach byz. Vorbild das Kaisertum gänzlich an die Familie gebunden werden, was sich in der Folge aber nicht aufrechterhalten ließ. Friedrich Barbarossa erhob zwar seinen Sohn Heinrich zum *caesar*, nicht jedoch in der Absicht, eine spätere Krönung durch den Papst zu umgehen. Erst in der Frühen Neuzeit wurde das Kaisertum faktisch an die Familie der Habsburger gebunden, die nach der Krönung Karls V. 1530 in Bologna auf die päpstliche Krönung verzichteten.

### 2.4 DYNASTIE

Erbrechtliche und erbrechtsähnliche Ansprüche auf das Kaisertum waren während des gesamten Heiligen Römischen Reiches von erheblicher Bed. für die Kaisererhebung. Deutlich wird das bei den Staufern, bes.

im Manifest König Manfreds von Sizilien, die ihre Rechte auf das Kaisertum erbrechtlich über ihre Familie begründeten und erbrechtsähnlich auf Caesar und Augustus zurückführten, in deren legitimer Nachfolge sie die eigene Familie sahen (Kaiser Heinrich VI. als Nachkomme Jupiters und der Trojaner bei Gottfried von Viterbo, Speculum regum, 189 ff., für Friedrich II. vgl. [180]). Daneben wird bes. im Manifest König Manfreds auf die Bed. des *populus romanus* Bezug genommen.

### 2.5 Lex regia

Nach der *lex regia* hatte der ›populus romanus omne suum imperium et potestatem‹ an den Prinzeps übertragen (zitiert im CIC, Cod. Iust. I,17,7; Inst. I,2,6 und Dig. I,4,1–2). Der Ursprung der kaiserlichen Herrschaft im *populus romanus* ist zwar vor dem 12. Jh. bekannt, aber erst das gewachsene Interesse an → Römischem Recht als Kaiserrecht führt zu einer Theoretisierung dieses Rechtssatzes. Allg. wird in Anbetracht des überkommenen Verfahrens der Kaisererhebung die Übertragung der Herrschaft vom *populus romanus* an den Prinzeps als einmalig betrachtet. Mit der *Renovatio Senatus*, der Erneuerung des ant. Senates durch die stadtröm. Bürgerschaft im Jahr 1143, erheben die Stadtrömer in einem Brief eines Wezel an König Friedrich Barbarossa 1152 den Anspruch auf die Wahl und Erhebung des Kaisers unter Berufung auf die *lex regia*, die sie als geltendes Gesetz auffassen, da nach dem Erweis der Konstantinischen Schenkung als Fälschung durch denselben Wezel der Papst keine Berechtigung zur Vergabe der Kaiserkrone habe, sondern *imperium* und *potestas* des *populus romanus* an diesen zurückgefallen seien. Kaiser Friedrich II. suchte zwar die Nähe zur röm. Herrschaftsidee, erkannte jedoch die Gültigkeit der *lex regia* nicht an; sein illegitimer Sohn, König Manfred von Sizilien, erkannte in seinem Manifest 1265 die *lex regia* als Grundlage zur Kaiserwahl an – nicht aber zur Gesetzgebung – und wies zugleich auf seine dynastischen Ansprüche auf das Kaisertum hin [179. 431]. Cola di Rienzo nutzte die *lex regia* als Grundlage für seinen eigenen auf Rom begründeten Anspruch auf Führung im *Imperium Romanum*, wobei ihm zu Hilfe kam, daß er die *lex de imperio* Vespasians, die er in S. Giovanni in Laterano wiederaufgefunden hatte (Bronzetafel; Rom, KM), mit der *lex regia* selbst identifizierte, was ihm bis in die neueste Zeit als Verdienst angerechnet wird. Bei der *lex regia* handelt es sich jedoch eher um eine allg. Bestimmung zur Legitimation der Monarchie, die in der Form der *lex de imperio* Vespasians eine von mehreren Bestätigungen erfuhr (Lit. bei [179. 20 f.]). In der Staatstheorie wird die *lex regia* seit dem 14. Jh. verstärkt diskutiert, Cino da Pistoia (1270–1336) sieht das *imperium* zwar von Gott, die *potestas* aber vom röm. Volk herstammend. Daß die *lex regia* eine gültige Bestimmung zur Gesetzgebung durch das röm. Volk sei, betont neben den Stadtrömern schon im 13. Jh. der Jurist Martin Sillimani (gest. 1306). Marsilius von Padua (um 1290–1343) geht in seinem *Defensor minor* (cap. 12) ausführlich auf die *lex regia* ein, die seine v. a. im *Defensor pacis* dargelegte Auffassung

von der irdischen Herkunft der Autorität vom Volk stützt. Der Jurist Francesco Zabarella (1360–1417, seit 1411 Kardinal) identifizierte ebenfalls die *lex regia* mit der *lex de imperio* Vespasians und schloß auf dieser Basis auf die Wiederholbarkeit der Wahl durch den *populus romanus*, den er aber nunmehr als im Kurfürstenkolleg vertreten sah. Guillaume Budé übertrug im 16. Jh. die *lex regia* als ein allg. Prinzip auf die frz. Verfassung und sah den Hof in Analogie zum röm. Senat als Verwalter der Gewalt des Volkes.

6 R. W. Carlyle, A. J. Carlyle, A History of Mediaeval Political Theory in the West, Bd. 6, 1936

### 3. Triumph und Adventus
### 3.1 Antike

Schon im frühen Prinzipat beginnt der herrscherliche Einzug den Triumph zu verdrängen. Der Kaiser ist bald nach Augustus der einzige, dem ein Triumph zusteht, wobei die dauerhafte Sieghaftigkeit, ausgedrückt im Imperatorentitel, den Triumph als solchen zunehmend unnötig erscheinen läßt, da der Adventus zur Darstellung fortbestehender Sieghaftigkeit geeigneter erscheint. Während der klass. Triumph an die Stadt Rom gebunden ist, weil das Ziel des Triumphzuges der Jupiter Capitolinus ist, eignet sich der *adventus augusti* zur Demonstration von dauerhafter herrscherlicher Sieghaftigkeit bei jedem Einzug in eine Stadt des Reiches und kann in seinen Formen Bezug auf den Ort des Einzuges nehmen. Konstantin mußte im Zeichen des christl. Gottes auf den regelrechten Triumph als Teil des Jupiterkultes gänzlich verzichten, weshalb der *adventus augusti* als herrscherlicher Einzug in triumphalen Formen den klass. Triumph ersetzte. Im spätant. Konstantinopel ist als Ziel des Zuges der Jupitertempel durch die Hagia Sophia ersetzt worden.

Da der Adventus des H. auf die ritualisierte Erscheinung einer Gottheit zurückgeht (Epiphanie), eigneten sich seine Formen v. a. in der bildlichen Darstellung bes. für den *adventus Christi* (Parusie), der bei jedem herrscherlichen Einzug seit Konstantin dem *adventus augusti* zu sakraler Überhöhung verhalf. Daneben wurde auch für Heilige und ihre Reliquien ein regelrechter Adventus veranstaltet, ganz ähnlich der ant. Gewohnheit, ankommende Götter bzw. das Bild des Herrschers zu begrüßen.

### 3.2 Mittelalterlicher Adventus

Das Nachleben des klass. Triumphes ist ein Fortbestehen des *adventus augusti* als triumphaler Einzug. Als solcher hatte der Triumph kontinuierlich über Byzanz bis zu den Karolingern und darüber hinaus Bestand. Vermutlich ist auch die Zeremonie der Einholung von Herrschern auf diese Weise mit dem ant. Adventus verwandt. Die Rezeption bzw. Kontinuität im Falle der Krönungsumzüge vom Vatikan zum Lateran bei der Krönung von Papst und Kaiser ist dagegen deutlicher erkennbar. Die Stadt Rom bietet im Gegensatz zu Klöstern, Pfalzen und zunächst wenig entwickelten Städten des frühen und hohen MA den für den Umzug notwendigen Raum. Einholung und Umzug bilden auch im Falle der Kaiserkrönung zusammen den Adventus, und auch der Papst erscheint ja als solcher erst nach der Krönung, weshalb auch die *possessio* des Papstes zum Adventus gerechnet werden kann. Einen Eindruck von dem in den Krönungsordines festgelegten Krönungsumzug des Kaisers vermittelt die ausgeschmückte Darstellung Benzos von Alba, *Ad Heinricum* (I,9): Dem Zug voran getragen werden das Kreuz und die Hl. Lanze, darauf folgen Bischöfe, Äbte und Priester. Nach dem Kaiser im vollen Ornat, der zw. dem Papst und dem Bischof von Mailand ging, folgten die weltlichen Großen. Der Gebrauch der Triumphalsymbolik für den *adventus Christi* auch während des MA bringt jeden Adventus eines H. über die strukturelle Ähnlichkeit beider Adventus hinaus in Verbindung mit der Wiederkunft Christi, was für den ma. H. als *typus Christi* naheliegt.

### 3.3 MITTELALTERLICHER TRIUMPH

Wipo (1. H. 11. Jh.) fordert, von den Siegen der rechtgläubigen H. der Gegenwart nicht zu schweigen, weil ja auch die Triumphe heidnischer H., darunter Tyrannen wie Tarquinius Superbus, weithin bekannt gemacht worden seien (*Vita Chuonradi*, prologus). Die Triumphe ma. H. sind in der Regel nicht sehr detailliert überliefert (ein wesentliches Merkmal eines solchen triumphalen Einzugs sind die erhobenen Standarten (Benzo von Alba, Ad Heinricum, II,18); mehrere Abb. solcher Einzüge Heinrichs VII. in It. finden sich in einer zeitgenössischen Bilderchronik (Kaiser Heinrichs Romfahrt). Von seinem Triumph schreibt Kaiser Friedrich Barbarossa, daß er auf Einladung der Pavesen nach Siegen über einige Lombardenstädte mit der Krone auf dem Haupt und unter gewaltigem Jubel triumphierte (Brief Friedrichs I. zu Beginn von Otto von Freising, Gesta Frederici und vgl. ebenda II, 28). Das triumphale Tor in Capua, das Friedrich II. als Tor zu seinem Königreich Sizilien errichten ließ, gab jedem Einzug den Charakter eines Adventus [166. 74–78]. Nach seinem Sieg über die Mailänder bei Cortenuova 1237 hielt er in Cremona einen Triumph ab, bei dem neben dem Podestà und anderen Gefangenen der Mailänder Fahnenwagen und ein Elefant mitgeführt wurden, der die Fahnen des Reiches trug. Alle drei Elemente verweisen auf die intensive Rezeption ant. Triumphe. Den Fahnenwagen ließ der Kaiser nach Rom auf das Kapitol bringen und mit einer Inschr. versehen, die auf den Triumph des *caesar augustus* Friedrich hinwies, was als Annäherung an einen regulären ant. Triumph verstanden werden darf. Die Römer erinnerte Friedrich II. an die Bewilligung der Triumphe durch Senat und Volk von Rom.

### 3.4 RENAISSANCE

Triumphale Einzüge blieben jedoch nicht allein dem Kaiser vorbehalten. So soll Castruccio Castracane, der Herzog von Lucca, 1326 stehend als röm. Imperator auf einem Wagen in Lucca eingezogen sein. Nach seinem Sieg über die Barone 1347 feierte Cola di Rienzo einen weitgehend nach ant. Formen ausgestalteten Triumph,

er selbst trug eine silberne Krone, die er in S. Maria in Aracoeli auf dem Kapitol niederlegte. Bei dieser Gelegenheit wurden auch die Leichname der Hauptgegner in S. Maria niedergelegt. Bei seiner Wiedereinsetzung 1354 wurde Cola als neuer Scipio Africanus beim Monte Mario eingeholt und zog durch Triumphbögen auf das Kapitol zum Senatspalast (Anonimo Romano, Chronica, 269; Cola di Rienzo, Briefwechsel, Nr. 77). Eine weitere Präzisierung der Kenntnisse ant. Triumphzüge beruht auf den Werken Petrarcas (*Triumph des Scipio Africanus* und *I tronfi*) und der *Amorosa visione* Boccaccios sowie der direkten Rezeption von Livius' Kapitel 30. Im 15. Jh. nimmt die Zahl der antikisierenden Triumphzüge zu, so z. B. der des Königs Alfons V. von Neapel im Jahr 1443 (dokumentiert in einer Darstellung des Francesco Laurana u. a. auf dem Torbogen des Schlosses von Neapel, Arco di Castelnuovo, Abb. bei [28. 83]; florentinischer cassone, der den Einzug Alfons V. zeigt, ist abgebildet in → Festkultur/Trionfi). Der Altertumskenner Andrea Mantegna malte zum E. des 15. Jh. den Triumphzug Caesars nach den verschiedenen ant. Quellen [28. Abb. 31]. Ihre eigene Trad. über die Papstkrönung hatten die Umzüge der Päpste, die seit dem Ende des 15. Jh. immer mehr Formen ant. Triumphzüge enthielten; für den Umzug Alexanders VI. 1492 wurden z. B. Triumphbögen aus Holz errichtet. Schon Papst Julius II. hatte einen eigentlichen Triumph gefeiert, er fuhr von der Engelsbrücke bis St. Peter auf einem vierspännigen Wagen, der von vier Rossen gezogen wurde. Auf dem Weg durch die Stadt nutzte der Zug ant. Bögen (der Konstantinsbogen war nachgebaut und mit den mil. Erfolgen des Papstes dekoriert worden). Die *possessio* Leos X. 1513 geriet zu einem Triumphzug, der sich auf einen Sieg des Vorjahres bezog. Die triumphale Symbolik wußte auch Karl V. bei seinen Einzügen zu nutzen. Anläßlich seiner Kaiserkrönung 1530 in Bologna hielt er einen großen Umzug ab (Abb. in [158. 136f.], vgl. [145, Bd. 1. 312ff.]), bei seinem Einzug in Rom 1536 wurde er nach ant. Weise wegen seines Sieges über die Türken in Afrika als »dritter Africanus« gefeiert, bei seinem Einzug in Mailand 1541 gerieten zum Zeichen seiner Weltherrschaft und permanenten Sieghaftigkeit auf einem Triumphbogen ein Schwarzer, ein Indianer und ein Türke unter die Hufe des kaiserlichen Pferdes. König Heinrich II. von Frankreich zog 1550 mit Elephanten in Rouen ein, er selbst thronte, über sein Haupt hielt Fortuna die Kaiserkrone in Anspielung auf die goldene Krone des klass. Triumphes [28. 87/90, Abb. S. 89].

### 3.5 BAROCK

Im Barock ist die Ausgestaltung von herrscherlichen Adventus in den Formen relativ frei. Von bes. Bed. ist im Barock die Ausgestaltung der Bögen, die entlang des Weges aufgestellt wurden. Auf ihnen wurden die komplexesten allegorischen Aussagen in Bildern und Beischriften dargelegt. Nach der Unterwerfung der Stadt Münster durch ihren Fürstbischof 1661 feierte der Bischof Christoph Bernhard von Galen einen Adventus, bei dem die Geistlichkeit wohlgeordnet dem Bischof voranging. Am Schluß des Zuges, nicht zu Beginn wie bei einem Triumph, gingen Vertreter der besiegten Bürgerschaft. Der Bischof zeigte sein Konzept von seiner Stadt, die die Bürger in seinen Siegeszug einbezog, nicht zuletzt als Zuschauer, die bei Umzügen zu den Akteuren gerechnet werden müssen [21. 73]. Die eigentliche Demonstration der Unterwerfung der Bürgerschaft erfolgte auf den Triumphbögen, z. B. mit der Darstellung einer siebzehnköpfigen Hydra, Sinnbild für die 17 Zünfte und Gilden, auf deren Nacken Mars den Fuß und über deren Köpfe derselbe Gott das Schwert hielt (Theatrum Europaeum IX,311 ff.). Beim Krönungszug des engl. Königs Karl II. 1661, der gerade aus dem Exil zurückgekehrt war, ritt der König auf einem Schimmel. Auf den Triumphbögen gab es Gemälde, die die dem Einzug vorausgehenden Ereignisse darstellten, so eines, das die Ankunft des Königs in Dover mit ›adventus augusti‹ glossierte. Eine immer wiederkehrende Beischrift bei solch triumphalen Ereignissen ist ›redeunt saturnia regna‹, hier ebenfalls auf dem ersten Bogen (Theatrum Europaeum IX,388 ff.). Die Entrées der frz. Könige und von Angehörigen der königlichen Familie in den Städten Frankreichs sind Beispiele für frühneuzeitliche Adventus, die dem Anlaß nach weniger als Triumphzüge zu werten sind als die des Bischofs von Münster oder des engl. Königs. Sie nehmen Bezug auf die wechselnden Orte der Einzüge und vermitteln Königsnähe, nicht ohne die Sieghaftigkeit des Königs in ausgeklügelten Allegorien zu betonen. Triumphzüge waren im frühneuzeitlichen Europa ein fester Bestandteil des Zeremoniells, die im Rekurs auf ant. Formen der Bevölkerung die herrscherliche Größe und Sieghaftigkeit vor Augen führten. Friedrich Heinrich von Oranien wurde um die Mitte des 17. Jh. im *Huis ten Bosch* auf einem vergoldeten Triumphwagen, gezogen von vier Schimmeln, in antikischer Tracht dargestellt, wobei die Rezeption der röm. Herrscherapotheose nicht zu übersehen ist. Eine ähnliche Darstellung ist auch für Napoleon Bonaparte überliefert, der umgeben von allegorischen Gestalten mit Lorbeerkranz auf einem geschmückten Triumphwagen steht (nach Pierre-Paul Prud'hon, → Paris, Louvre, Cabinet de Dessins, Abb. in: [176, Bd. 2, Nr. 267]).

### 3.6 Veröffentlichung

Schon ant. Triumphe und Adventus wurden publiziert; nicht immer handelte es sich dabei um konkrete Ereignisse, die zunächst auf Siegessäulen, später auf Triumphbögen bzw. auf Mz. und Medaillen dargestellt wurden. Seit der Ren. werden wieder Mz. und Medaillen aus Anlaß von Triumph bzw. Adventus geschlagen. Eine Schaumünze von 1633 zu Gustav Adolfs Tod in Lützen zeigt den König im Triumphwagen mit der Umschrift ›Et vita et morte triumpho‹. Kaiser Maximilian I. veranlaßte die Herstellung einer monumentalen, 57 m langen fiktiven Darstellung eines triumphalen Adventus, in dem manche Formen des ant. Triumphes aufgenommen waren, wie z. B. das Mitführen von Gefangenen und das Vorantragen von Bildern eroberter Länder. Die Publikation herrscherlicher Einzüge, typisiert auf Mz. und Medaillen, ausführlich im Druck als Bilder von Einzügen und Triumphbögen und als Beschreibung derselben, seit dem Barock auch auf steinernen Triumphbögen (z. B. Arc de Triomphe, Paris und Brandenburger Tor in Berlin) wurde bald allg. zu einem wesentlichen Zweck der Umzüge.

**7** H. Appuhn, Nachwort, Triumphzug Kaiser Maximilians I., 1979, 157–167 **8** L. M. Bryant, The King and the City in the Parisian Royal Entry Ceremony, 1986 **9** W. Dotzauer, Die Ankunft des H., in: AKG 55, 1973, 244–288 **10** P. Dufraigne, Adventus Augusti, Adventus Christi, 1994 **11** H. M. Freiherr v. Erffa, Die Ehrenpforte für den Possess der Päpste im 17. und 18. Jh., in: Ders., E. Herget (Hrsg.), FS H. Keller, 1963, 335–370 **12** B. Guenée, F. Lehoux, Les entrées royales françaises de 1328 à 1515, 1968 **13** O. Holl, Triumphalmotive, in: LCI 4, 1994, 355 **14** E. H. Kantorowicz, The »Kings Advent« and the enigmatic panels in the doors of Santa Sabina, in: The Art Bulletin 26, 1944, 207–231 und in: Ders.: [160. 37–75] **15** E. H. Kantorowicz, Oriens Augusti – Lever du Roi, in: Dumbarton Oaks Papers 17, 1963, 117–177, 15 Taf. **16** S. McCormack, Change and Continuity in Late Antiquity, in: Historia 21, 1972, 721–752 **17** S. G. McCormack, Art and Ceremony in Late Antiquity, 1981 **18** M. McCormick, Eternal Victory, [1986] 1990 **19** Ders., F. Cardini, s. v. Triumph, -zug, in: LMA 8, 1997, 1024–1027 **20** H. Maxwell, Trionfi terrestri e marittimi nell'Europa medievale, in: Archivio Storico Italiano 152, 1994, 641–667 **21** K. Möseneder, Zeremoniell und monumentale Poesie, 1983 **22** E. Peterson, Die Einholung des Kyrios, in: Zschr. für systematische Theologie 7, 1930, 682–702 **23** H. C. Peyer, Der Empfang des Königs im ma. Zürich, in: Archivalia et Historica, FS A. Largiadèr, 1958, 219–233 **24** A. Pinelli, Feste e Trionfi, in: [176, Bd. 2. 281–350] **25** B. Schimmelpfennig, Die Krönung des Papstes im MA, in: Quellen und Forsch. aus it. Archiven und Bibl. 54, 1979, 192–270 **26** Ders., Vatikanpalast und Zeremoniell, in: [158. 154–159] **27** Ch. L. Stinger, Roma Triumphans, in: Medievalia et Humanistica, NS 10, 1981, 189–201 **28** R. Strong, Feste der Ren. 1450–1650, (1973) 1991 **29** P. Willmes, Der H.-»Adventus« im Kloster des Frühmittelalters, 1976 **30** B. Wisch, S. Scott (Hrsg.), All the World's a Stage, 1990

### 4. Neues Zeitalter

Der H. als Begründer eines neuen bzw. goldenen Zeitalters ist zwar ein von der Antikenrezeption selbst unabhängiges Motiv, findet aber immer wieder seine Formulierung im Rückgriff auf die *Vierte Ekloge* Vergils: Z. B. Petrus von Eboli, *Liber ad honorem Augusti* für Kaiser Heinrich VI.; Heinrich IV. von Frankreich hält bei seinem Einzug um 1600 in Avignon die Himmelskugel mit der Inschr. ›redeunt saturnia regna‹, beim Einzug Jakobs I. in London 1604 begegnen dieselben Worte. Unter Hinweis auf das Reich des Juliers Augustus verheißt Benzo von Alba Heinrich IV. die Errichtung eines neuen Zeitalters (Ad Heinricum, VI,6). Beim Einzug Eleonoras von Toledo in Florenz z. B. findet sich auf einem Bogen unter der Gestalt Karls V. in ant. Tracht das *Aeneis*-Zitat ›aurea condit saecula‹.

## 5. ALLEGORIE

Während im MA die Darstellung des H. und seiner Attribute zumeist im Rahmen der Typologie blieb, wird seit der Ren. zunehmend die Welt der Götter bemüht, um den H. und seine Eigenschaften zu beschreiben. Der H. als Herkules ist ein häufiges Bild. Seit dem Einzug Heinrichs II. in Paris 1549 erscheint der König als *Herkules gallicus*, dem zum Zeichen, daß Heinrich mit seiner Rede sein Volk im Zaum hält, Ketten aus dem Mund ragen. Dies geht auf Lukian zurück, der Herkules mit dem keltischen Gott Ogmios identifizierte, dessen Beredsamkeit zu fesseln vermochte. Oft wird der H. mit Jupiter in Verbindung gebracht, im Schloß Tanlay in Burgund erscheinen unter den Göttern des Olymp die Angehörigen des frz. Königshauses, darunter König Heinrich II. als Jupiter (vor 1559); auf einem Gemälde von Rubens in Whitehall (1. H. 17. Jh.) hat König Jakob von England einen Fuß auf dem Erdball, den anderen auf dem Adler des Zeus, in der rechten Hand das Szepter, in der Linken die Iustitia; Ludwig XIII. von Frankreich erscheint als Zeus mit Adler oder Blitz.

Ludwig XIV. von Frankreich läßt sich bevorzugt als Apoll darstellen. Die Vermählung Heinrichs IV. mit Maria Medici wird von Rubens als Hochzeit von Jupiter und Juno dargestellt (Louvre). Seit dem E. des 17. Jh. mehren sich die Darstellungen des Kaisers als Apoll oder Sonnengott (Deckenfresko des Kaisersaales des Benediktinerstiftes in Kremsmünster von Melchior Steidl (1696); Fresko in St. Florian in Wien von Paul Troger (1739), Helios-Apoll im Sonnenwagen trägt die Züge von Karl VI. von Österreich [138, Bd. 1, Abb. 61]. Die Darstellung des H. als Apoll findet in dieser Zeit weite Verbreitung (z.B. Herzog Anton Ulrich von Braunschweig in Salzdahlum, Gustav III. Adolf von Schweden unterhalb des Schlosses in Stockholm).
→ Allegorie

**31** B. GUTHMÜLLER, W. KÜHLMANN (Hrsg.), Renaissancekultur und ant. Myth., 1999 **32** H.-K. LÜCKE, S. LÜCKE, Ant. Myth., 1999 **33** M. J. MAREK, Ekphrasis und Herrscherallegorie, 1985

## 6. RECHT UND GESETZGEBUNG
### 6.1 LEX ANIMATA

Schon im Hell. (Stob. IV, 1,135) erscheint der H. als *nomos empsychos*. Lactantius übertrug den Gedanken auf Christus (Inst. 4, 17). Entscheidend für das Fortleben des *lex animata*-Gedankens ist Justinians Novelle 105, auf die sich seit Kaiser Friedrich I. die Kaiseridee der Juristen immer wieder bezog (Friedrich II. wurde nach Gottfried von Viterbo, Gesta Friderici, V. 388, von vier Bologneser Juristen als ›lex viva‹ bezeichnet). Friedrich II. bezeichnete sich selbst als ›lex animata‹. Möglich wurde dieser Rückgriff auf heidnische Herrschaftsvorstellungen über den Logos-Begriff des Johannes-Evangeliums [39. 338f.]. Immer wieder dient die Idee vom H. als *lex animata in terris* zur Erklärung des Widerspruchs von dem Kaiser als *legibus solutus* und *legibus allegatus* im CIC (→ Römisches Recht). Den Kaiser als ›lex Dei animata

in terris‹ und ›imago voluntatis divinae‹ bezeichnet auch Johannes Cavallini (Polistoria X,5,1).

### 6.2 CRIMEN LAESAE MAIESTATIS

Gregor von Tours berichtet von mehreren Fällen von Anklagen wegen *crimen maiestatis* bei den Merowingern (z.B. Greg. Tur. Franc. V,18). Der Kaiser Leo III. drohte damit noch Papst Gregor II. in der 1. H. des 8. Jh. Im abendländischen MA wird das Majestätsverbrechen mit dem Prozeß um das Attentat auf Papst Leo III. wieder greifbar und wird daraufhin schon bei den Karolingern zu einer gebräuchlichen Schutzbestimmung. Vermutlich geht die Kenntnis der Rechtsform nicht direkt auf das *Corpus iuris* zurück, Hageneder vermutet die Überlieferung der *Sententiae Pauli* als Quelle [34]. Otto III. wandte die Bestimmung 999 in Rom an, und auch ein Gesetz Heinrichs III. verurteilte den Verächter der kaiserlichen Majestät zum Tode [173. 281]. Der Majestätsbegriff selbst wird jedoch im MA vorwiegend auf Christus angewandt, weshalb die Ketzergesetzgebung unter die Bestimmung des *crimen maiestatis* fiel. Friedrich II. sieht in den Ketzern Verletzer sowohl der *maiestas Domini* als auch der kaiserlichen Majestät. Die Gesetze Kaiser Heinrichs VII. zum Majestätsverbrechen, erlassen 1313 in Pisa, wurden noch dem *Corpus iuris* eingefügt. In der Goldenen Bulle Kaiser Karls IV. (1356) erscheint das *crimen maiestatis* ausgeweitet auf die Personen der Kurfürsten, die als kaiserlicher Körper bezeichnet werden, und somit ein Angriff auf diese zugleich als ein Angriff auf den Kaiser und das *sacrum imperium* verstanden wird (*Bulla aurea*, cap. 24, Metzer Gesetze). Als 1610 François Ravaillac auf Heinrich IV., König von Frankreich und Navarra, ein Attentat verübte, war das ein Grund, ihn wegen ›crime de lèse-majesté divine et humaine‹ zu verurteilen. In der Frühen Neuzeit wurde im erneuten Rückgriff auf das *Corpus iuris* der Tatbestand weiter differenziert und fand im Allgemeinen Preußischen Landrecht seine mod. Unterscheidung in Landes- und Hochverrat.

**34** O. HAGENEDER, Das Crimen maiestatis, der Prozeß gegen die Attentäter Papst Leos III. und die Kaiserkrönung Karls des Großen, in: H. MORDEK (Hrsg.), Aus Kirche und Reich. FS für FRIEDRICH KEMPF, 1983, 55–79 **35** L. MAYALI, Lex animata, in: A. GOURON, A. RIGAUDIERE (Hrsg.), Ren. du Pouvoir législatif et Genèse de l'État, 1988, 155–164 **36** O. KELLNER, Das Majestätsverbrechen im Dt. Reich bis zur Mitte des 13. Jh., Diss., 1911 **37** TH. SZABÓ, Römischrechtliche Einflüsse auf die Beziehung des H. zum Recht, in: Quellen und Forsch. aus it. Archiven und Bibl. 53, 1973, 34–48 **38** M. WILKS, The Problem of Sovereignity in the Later Middle Ages, 1964 **39** G. WOLF, Kaiser Friedrich II. und das Recht, in: ZRG, Rom. Abt. 102, 1985, 327–343

## 7. TITULATUR
### 7.1 IMPERATOR

In Byzanz wird seit Herakleios I.(610–641) an Stelle von *imperator, caesar* und *augustus basileus* zum eigentlichen Kaisertitel. *Imperator augustus* ist seit der Kaiserkrönung Karls d. Gr. die staatsrechtlich relevante Bezeichnung für den Kaiser des Westens, wobei *augustus* bald zum Beiwort wird, möglicherweise wegen der Etymologie Isidors als »Mehrer« [44. 201]. Der Astronomus gebraucht in der *Vita Hludowici* durchgehend Imperator für Kaiser. Seit 982 wird dem Imperator das *romanorum* hinzugesetzt, womit gegen Byzanz die Vollgültigkeit des westl. Kaisertums betont wird. Der röm. Kaiser bleibt mit Variationen *imperator romanorum augustus*.

### 7.2 CAESAR

Als allg. gebräuchliche Bezeichnung für Kaiser setzt sich im Westen bald *caesar* durch, wovon auch das Wort Kaiser abgeleitet ist. Daß die röm. Kaiser den Caesar-Namen von Julius Caesar haben, ist auch während des MA bekannt (Ekkehard von Aura, Chronicon, S. 91), auch daß schon Augustus von Julius Caesar den Namen ererbte (Frechulf von Lisieux, Chronicon I, cap. 14, 9. Jh., und Otto von Freising, Chronica III,1). Kaiser Friedrich I. versuchte mit der Erhebung seines Sohnes Heinrich zum Caesar dessen Designation zum Kaisertum zu verstärken. V. a. Kaiser Friedrich II. gebraucht den Caesar-Namen zur Verdeutlichung von Stärke, nämlich mit Bezug auf den Eroberer Julius Caesar [180].

### 7.3 AUGUSTUS

Karls d. Gr. Kaisertitel enthält den Augustus-Namen von Beginn an. Bei seiner Kaisererhebung 823 erhielt Ludwig der Fromme vom Papst den Namen *augustus* (z. B. Astronomus, Vita Hludowici, cap. 36). Der Augustustitel bezeichnet auch für Frechulf von Lisieux die Spitze des Imperiums (Chronicon I,16). Dabei ist bekannt, daß sich der Name von Oktavian herleitet (Ekkehard von Aura, Chronicon, S. 91, Z. 43); wegen der Etymologien Isidors wird der Ursprung aber schon früh auch in der Mehrung des Imperiums gesehen (Ekkehard von Aura, Chronicon, S. 92, Z. 51f.). An den Prinzipat und die *potestas* im Imperium sieht Frechulf von Lisieux den Namen *augustus* seit Oktavian gebunden (Chronicon II,1,4). Philipp II. von Frankreich (1180–1223) erhielt als »Mehrer« des Reiches den Beinamen *augustus* und wurde als Philippus ›semper augustus francorum rex‹ bezeichnet [174. 183]. Bes. Bedeutung erlangt der Augustustitel bei Friedrich II., der in bezug auf Oktavian-Augustus an die *pax augusta* anknüpft, was Petrus von Eboli im *Liber ad honorem Augusti* schon für dessen Vater Kaiser Heinrich VI. programmatisch ankündigte. Ähnliche Absichten verband auch Cola di Rienzo mit der Annahme des Augustustitels am 1. August, der dies mit der Erhebung zum Ritter und Kandidaten des Hl. Geistes verknüpfte (Cola di Rienzo, Briefwechsel, Nr. 28). Im 14. Jh. legt Johannes Cavallini dar, daß jeder Caesar, der den Augustustitel von der Kirche erhält, alle anderen Könige überrage (Polistoria X, 61). Übersetzt wird *augustus* im Kaisertitel als »Mehrer«. König Manfred bezeugt in seinem Manifest an die Römer beide Bed., die Übers. und den Bezug auf Oktavian. Seit dem späten MA wird die Übers. als »Mehrer« zur hauptsächlichen Bed. des Augustustitels (deutlich bei Schedel 1493, 93r). Beliebt war der Augustustitel u. a. auch bei den polnischen Königen der Frühen Neu-

zeit (z. B. Sigismund II. August, 1560). Während *caesar* den Kaiser bevorzugt als Eroberer erscheinen läßt, wird der Augustus-Titel, wenn er auf die Person Augustus bezugnimmt, zur Bezeichnung von Frieden und Sicherheit gebraucht.

### 7.4 AUGUSTA

Die Kaiserin heißt allg. *augusta*. Irmingard z. B., Gemahlin Ludwigs des Frommen, erhielt den Augusta-Namen offiziell bei der Kaiserkrönung (Thegan, Gesta Hludowici, cap. 17). Sein zweites Buch der Chronik widmete Frechulf von Lisieux der ›domina augustarum felicissima Judith‹, die er auch als ›domina semper augusta‹ ansprach (MGH Epp V, 319f.). In den Krönungsordines ist spätestens seit dem frühen 16. Jh. die Vergabe des Augusta-Titels mit der Krönung zur Kaiserin verbunden, die auch in Abwesenheit ihres Gemahls gekrönt werden konnte. Einige Glossatoren, beginnend mit Johannes Bassianus (12. Jh.), sprechen der *augusta* als Frau die Berechtigung, neue Gesetze zu machen, zwar ab, bezeichnen sie aber dennoch als *legibus soluta*.

### 7.5 PATER PATRIAE

Durchgehend beliebt und häufig verbunden mit der Person des Augustus ist die Bezeichnung des H. als *pater patriae*, als der sich Friedrich Barbarossa in seiner Wahlanzeige an den Papst selbst bezeichnet (MGH DF I 5): König Heinrich I. bei Widukind von Corvey, Res gestae saxonicae I,39; Petrarca, *De re publica optime administranda* empfiehlt Francesco da Carrara 1373 den *pater patriae* Augustus als Vorbild. Als *pater patriae* wird z. B. auch 1507 der frz. König Ludwig XII. bei seinem Einzug in Pavia bezeichnet (*Cérémonial françois*, 719), per Dekret der Signorie wurde Cosimo de Medici il Vecchio (1389–1464) nach seinem Tod zum *pater patriae* erklärt, Kaiser Maximilian II. auf einer Mz. zu seinem Einzug in Nürnberg 1570, Gustav Adolf von Schweden wurde nach seinem Tod bei Lützen 1632 von Axel Oxenstierna »Vater des Vaterlandes« genannt.

### 7.6 PRINCEPS

Nicht dem Kaiser allein vorbehalten ist im Prinzip die Bezeichnung *princeps*, die schon Karl Martell für sich in Anspruch nahm, zu dem Roger II. von Sizilien im Rückgriff auf ältere südital. Trad. sogar gesalbt wurde, und die bald allg. mit Fürst übersetzt wurde, im Zusammenhang mit dem *Corpus iuris* aber weiterhin den Kaiser bezeichnete.

### 7.7 TRIUMPHATOR

Ant. und antikisierende Siegertitel wie *victor, victoriosissimus, invictissimus* (bei Papst Stephan II. und Hadrian I. für die fränkischen Könige), *triumphatorissimus* (Hadrian I.) werden gelegentlich genutzt, z. B. nennt Benzo von Alba Heinrich IV. *triumphator* (Ad Heinricum V,1); den Titel *triumphator* führte Kaiser Friedrich II. in seinen Konstitutionen von Melfi.

### 7.8 SACRATISSIMUS

Die *res sacrae* bezeichnen seit der hohen Kaiserzeit die in die kaiserliche Verfügung gehörenden heiligen Dinge im Unterschied zu den *res sanctae*, zu denen v. a. hl. Orte gehören. Daraus abgeleitet wurde von Trajan bis Septimius Severus und dann wieder seit Diocletian der Kaiser mit dem Epitheton *sacratissimus* – nicht aber mit *sacer* belegt. Gelegentlich wurden die karolingischen Kaiser jeweils als *sacratissimus* bezeichnet, und *sacrum palatium* war die gängige Bezeichnung für Kaiserpfalz. Auch hier gehört der Begriff *sacer* in die kaiserliche Sphäre. Der seit 1157 belegte Gebrauch des Begriffes für das Imperium Romanum geht auf diesen Zusammenhang ebenso zurück wie auf die Rezeption des Sakralepithetons *sacer* für den 1143 erneuerten röm. Senat. Da das *sacer* bald auf die einfache Bed. von hl. reduziert wurde, verbot sich die Bezeichnung des Kaisers als *sacratissimus*, wobei das Reich ein hl. blieb.

### 7.9 DIVUS

Obwohl schon von den *Libri Carolini* (E. 8. Jh.) als Bezeichnung für den H. abgelehnt, ist v. a. in der Panegyrik die Bezeichnung *divus* für den H. gebräuchlich, z. B. bei Benzo von Alba (Ad Heinricum III,5 f. und V,3) für Kaiser Heinrich IV., für Friedrich Barbarossa im anon. *Carmen de gestis* (V,71), bei Dante für Heinrich VII. Die ant. Kaiser werden gelegentlich *divi* genannt (z. B. von König Manfred und bei Johannes Cavallini, Polistoria X,6,14). Giordano Bruno wurde von der Inquisition angeklagt, Königin Elisabeth I. *diva* genannt zu haben, worauf er erklärte, einem ant. Brauch gefolgt zu sein.

### 7.10 PATRICIUS

Seit Konstantin wurde der Ehrentitel des *patricius* vergeben. Das blieb auch so in byz. Zeit bis ins 12. Jh. Die *patricii* von Rom und Ravenna galten als Schutzherren der beiden Landschaften. Auf dieser Basis ist auch in der Konstantinischen Schenkung vom Patriciustitel die Rede, diesen nämlich darf der Papst vergeben (Constitutum Constantini, S. 88 f.). 754 vergab Papst Stefan II. den Titel *patricius romanorum* an König Pippin und seine Söhne, um sich des fränkischen Schutzes zu versichern, aber erst Karl d. Gr. nahm ihn 774 in seine offizielle Titulatur auf. Mit dem Kaisertum Karls d. Gr. verlor der Patriciustitel seine neugewonnene Funktion, blieb aber in Rom selbst gebräuchlich, wo im 10. Jh. die Adelsfamilie der Crescentier den Titel führte. Otto III. schuf das kaiserliche Amt eines *patricius romanorum*, womit Otto den universalen Anspruch seines Kaisertums auch gegenüber Byzanz zum Ausdruck brachte. Im Zuge der *Renovatio Senatus* 1143 erscheint in Rom für kurze Zeit ein *patricius* Jordanus, der dem Stadtpräfekten entgegengestellt wird. Mit der Durchsetzung des regionalen Herrschaftsanspruches des röm. Senates und der konkurrierenden Funktion des Stadtpräfekten verliert das Amt eines *patricius* seinen Sinn, wiewohl noch Friedrich Barbarossa 1167 mit dem goldenen Zirkel des *patricius* gekrönt wurde. Benzo von Alba spricht von Adelheid, der Gräfin von Turin, als *patricia* (Ad Heinricum V,10).

40 O. HILTBRUNNER, Die Heiligkeit des Kaisers, in: FMS 2, 1968, 1–30 – 41 H. H. KAMINSKY, Zum Sinngehalt des Princeps-Titels Arichis' II. von Benevent, in: FMS 8, 1974, 81–92 42 H. MICHELS, L. MAKSIMOVI'C, s. v. Patricius,

Patrikios, in: LMA 6, 1993, 1789–1791 43 W. OHNSORGE, Das Zweikaiserproblem im frühen MA, 1947 44 S. GRAF v. PFEIL UND KLEIN-ELLGUT, Der Augustus-Titel der Karolinger, in: Die Welt als Geschichte 19, 1959, 194–210 45 G. POST, Bracton as Jurist and Theologian on Kingship, in: ST. KUTTNER (Hrsg.), Proc. of the Third International Congr. of Medieval Canon Law, 1971, 113–130 46 P. E. SCHRAMM, Die Titel der Karolinger (814–911), in: Ders., Kaiser, Könige und Päpste II 1968, 75–98 47 H. WOLFRAM, (A. SCHARER) (Hrsg.), Intitulatio, 3 Bde., 1967–1998 48 K. ZEILLINGER, Kaiseridee, Rom und Rompolitik bei Friedrich I. Barbarossa, in: I. LORI SANFILIPPO (Hrsg.), Federico I Barbarossa 1990, 367–419

## 8. HERRSCHAFTSZEICHEN

Die meisten Herrschaftszeichen im nachant. Europa sind ant. Ursprungs, wobei die Kontinuität zur heidnischen Ant. meist durch die Rezeption biblischer Formen ermöglicht wird.

### 8.1 KRONE

Da in der Auffassung v. a. des NT (Briefe und Offenbarung) die Vergabe der → Krone als Ausdruck der Verheißung des ewigen Lebens gilt, wandte sich nicht nur Tertullian, *De corona*, gegen den Gebrauch von Bekränzungen. Konstantin machte dennoch das gelegentlich schon vorher von Kaisern getragene Diadem als eine Form der Krone zum permanenten Herrschaftszeichen, wobei er auf eine im Osten schon von Alexander d. Gr. eingeführte Gewohnheit zurückgriff und zugleich den röm. Lorbeerkranz ersetzte. Die von Konstantin vorbereitete Stellung des Kaisers als Stellvertreter Gottes auf Erden ermöglichte in der Folge die Verschmelzung heidnischen Brauches und christl. Überhöhung in der Kaiserkrone, die zunächst noch mit dem Kreuzeszeichen verbunden wurde (Ambrosius, De obitu Theodosii, cap. 47–48, berichtet von der Verbindung einer Krone Konstantins mit einem Kreuzesnagel; in das Diadem des Kaisers Arkadius war ein Kreuz eingearbeitet).

Bei den Langobarden ist die Königskrone fester Bestandteil des Herrscherornats und wird auch bei den Karolingern zu einem zentralen Herrschaftszeichen, dessen Form und Bed. sich v. a. an biblischen Kronen orientiert.

V. a. im Bereich der fiktiven Bekränzungen, die abgebildet aber nie getragen wurden, finden sich gelegentliche Zitate ant. Kronen, z. B. trug der Kaiser Friedrich I. darstellende Barbarossakopf in Cappenberg eine Imperatorenbinde. Augustus trägt in den *Historiae Romanorum* eine Helm-ähnliche Bekränzung (Staats- und Universitätsbibl. Hamburg, Cod. in scrin. 151, 97r, spätes 13. Jh.), ganz ähnlich der Krone, die Kaiser Friedrich II. seiner Gemahlin Konstanze mit ins Grab gab. Diese wird auf normannisch-byz. Trad. zurückgeführt, geht letztlich aber auf die Helmkrone Konstantins d. Gr. zurückgeht (Abb. bei [55, Taf. 7]).

Eine ganze Reihe v. a. fiktiver Bekränzungen und Kronen der Ant. zählt Petrus Diaconus in der von ihm kompilierten und z. T. verfaßten *Graphia aureae urbis*

*Romae* (cap. 43) auf (Mitte 12. Jh.). Die edelsteingeschmückte goldene Krone schließlich führt er auf Diocletian zurück, der sie bei den Persern gesehen und von diesen übernommen habe. Eine andere Trad. sieht in Aurelian den ersten Kaiser, der eine Krone trug (z. B. noch bei Schedel 1493, 121r). Vermutlich beruhen diese Annahmen letztlich darauf, daß Konstantin als erster christl. Kaiser nicht als der erste gesehen werden sollte, der das den Menschen auf Erden eigentlich nicht gebührende Siegeszeichen trug. Bald wurde der Lorbeerkranz als Zeichen des Sieges, das ja die Krone eigentlich sein sollte, wieder eingeführt: Friedrich II. läßt sich auf seinen Augustalen (als Augustus) mit Lorbeerkranz darstellen (Abb. 1). In diesem Sinne ließ sich ebenfalls Cola di Rienzo bekränzen, nachdem auch die Dichterkrönung Petrarcas (1341) in triumphale Formen gekleidet worden war.

## 8.2 STAB/SZEPTER

Der Stab ist ein urspr. Herrschaftszeichen vieler Kulturen, geht aber im Abendland in seiner Form auf das Szepter des Jupiter zurück, der zuerst das kurze Adlerszepter führte, später aber den aus Griechenland stammenden langen und kugelbekrönten Stab, meist ebenfalls als Adlerszepter, der in karolingischer und ottonischer Zeit häufig Zeichen königlicher Herrschaft war. Daneben gab es auch den kurzen Stab. Möglich war auch das Führen beider Stäbe, des kurzen Adlerszepters und des langen knauf- bzw. kugelbekrönten Stabes, des zweiten vielleicht als Darstellung der Hl. Lanze. Zur Zeit der Salier verschwindet der lange Stab endgültig. Die Kontinuität des langen Stabes als Herrschaftszeichen, sein Gebrauch bei der Darstellung von Heiligen (übernommen von Insignien aus dem byz. Hofzeremoniell) und zunächst als Bischofsstab (seit dem 7. Jh. auch der Krummstab) wurde vermutlich entscheidend gefördert durch das häufige Vorkommen des Stabes als Hirten- und Herrscherstab in den Büchern der Bibel. Benzo von Alba dagegen führt das Führen des Szepters auf Caesar, Augustus und Tiberius zurück (Ad Heinricum I,9). In diesen Zusammenhang gehört möglicherweise auch die Lanze als Herrschaftszeichen, z. B. die Hl. Lanze als Reichsinsignium, die zugleich eine Kreuzesreliquie darstellte und zeitweise mit der Lanze des hl. röm. Söldners Mauritius identifiziert wurde.

## 8.3 GLOBUS/REICHSAPFEL

Urspr. bezeichnete die *sphaira* in der griech. Welt den Himmel, den sich die Griechen nicht als Zelt, sondern als Kugel vorstellten. Als Herrschaftszeichen wurde sie bei den Römern zur einfachen Kugel, die u. a. zum Zeichen Jupiters wurde. Sie bekrönte als Zeichen der Weltherrschaft das herrscherliche Szepter. Der Globus war Attribut der Göttin Roma und des *genius populi Romani* und seit Caesar und Augustus ein Hauptmotiv der Kaisersymbolik. Zunächst steht oder tritt der Kaiser auf den Globus, meist aber hält er ihn in der Hand. Sehr häufig steht Victoria auf der Kugel. Die personifizierte Roma hält auch das MA hindurch einen Globus in der Hand (z. B. Liber Historiarum Romanorum, Hamburg, Staats-

und Universitätsbibl. Hamburg, Cod. in scrin. 151, 97v., so auch auf stadtröm. Münzbildern und bei einem Einzug Colas di Rienzo).

Karl der Kahle hat sich als erster Kaiser des MA mit dem Globus darstellen lassen (Bibel in San Paolo in Rom 870 für Karl den Kahlen, Abb. in: [160, Pl. 21]). Auch Karls d. Gr. Reiterstatuette aus Metz aus der Zeit Karls des Kahlen (Paris, Louvre) führt den Globus. Nach Einhard befand sich der goldene Apfel schon zur Zeit Karls des Großen auf dem Dach der Aachener Pfalz (Vita Caroli, 32). Otto II. führte im Bild Szepter und Globus als Zeichen des Kaisertums. Otto III. führte beide auch schon als König. In ottonisch-salischer Zeit häufen sich Darstellungen von Christus auf der Erdkugel bzw. Scheibe anstelle der ant. Victoria (z. B. Evangeliar aus St. Maria ad Gradus, Köln, Erzbischöfliche Diözesan- und Dombibl. Hs. 1a, 2. Viertel 11. Jh.). Darstellungen des Globus als bekreuzter Reichsapfel sind seit ihrem ersten Auftreten üblich (z. B. im Evangeliar Ottos III., Widmungsbild, und in einer Elfenbeinsitula um 1000, beide im Aachener Domschatz). Papst Benedikt VIII. überreichte Heinrich II. 1014 in Rom einen bekreuzten quasi *aureum pomum*. In der Folge wurde die Kugel in der Hand des Herrschers vollends zum (Reichs-) Apfel, der zunächst ebenfalls für die Weltherrschaft stand, aber wie schon in byz. Zeit bald nicht mehr nur dem Kaiser vorbehalten war. Auf ma. Darstellungen des Reichsapfels sind gelegentlich die drei Erdteile eingezeichnet (Roma in den Historiae Romanorum, Staats- und Universitätsbibl. Hamburg Ms. 151 in scrin., fol. 97v, die Ecclesia Romana, ebenda fol. 123v trägt das Erdenrund, bekrönt mit einem Engel statt der ant. Victoria (Abb. 2); bei Petrus von Eboli, Liber ad honorem Augusti, Burgerbibl. Bern, Cod. 120 II, fol. 146r hält Kaiser Heinrich VI. in der Linken den Reichsapfel mit der Aufschrift *mundus*). Dagegen zeigt die Bezeichnung *pomum* an, daß die Bed. des Reichsapfels als Zeichen für die Welt in Vergessenheit geriet (Rodulfus Glaber (1. H. 11. Jh.) bezeichnet die Kugel in der Hand des Herrschers erstmalig als ›pomum‹, Gottfried von Viterbo dagegen sieht in dem Reichsapfel die *figura mundi* (Pantheon 26,4, S. 274f.). Benzo von Alba schildert den in Rom einziehenden Kaiser mit goldenem Apfel, Zeichen der Herrschaft des Einen über die (alle) Reiche sei (›monarchia regnorum‹, Ad Heinricum I,9).

Schon im hohen MA führten die engl. Könige den Reichsapfel im Bild, bis zur Gegenwart gehört der Reichsapfel zu den Insignien engl. Königsherrschaft. Die frz. Könige haben bewußt auf den Reichsapfel verzichtet, anders z. B. die ungarischen Könige, die seit dem hohen MA mit Reichsapfel dargestellt wurden.

## 8.4 THRON

In der heidnischen Ant. sind Throne urspr. den Göttern vorbehalten. Der Kaiser sitzt zwar erhöht, nicht jedoch auf einem Thron sondern auf einer *sella*. Erst um die Wende zum 4. Jh. erhält der Kaiser zumindest im Bild den Thron, der dann in christl. Zeit beibehalten

Abb. 2: Die *Ecclesia romana*
auf einem Löwen stehend,
der den Thron Salomos zitiert,
mit Globus, auf dem ein Engel
die antike Victoria ersetzt
(*Historiae romanorum*, 2. H. 13. Jh.,
Staats- und Universitätsbibliothek
Hamburg, ms. 151 in scrin.,
fol. 123v)

werden kann, da in der Bibel die Könige ebenfalls Throne besaßen. Die ma. Throne werden v. a. in der Ikonographie dem Thron Salomonis (Vulgata, Liber Malachiam, 3,10,18–20 bzw. 2. Chronik 9,17–19) nachempfunden, wie z. B. der Thron Karls d. G. in Aachen, oft aber auch als Faltstuhl, dann mit flankierenden Löwen, die wesentliches Attribut des Thrones Salomos sind (Kaiser Lothar I. in seinem Psalter, kurz nach 842, Hofschule, British Library, London, Add. Ms 37768, fol. 4r, Abb. bei [175]; Heinrich VI. auf einem Löwenthron bei Petrus von Eboli, Liber ad honorem Augusti, Burgerbibl. Bern, Cod. 120 II, 147r (Abb. 3); Roma auf dem Löwenthron, Historiae Romanorum, Staats- und Universitätsbibl. Hamburg, ms. in scrin. 151, 97v.; Ludwig der Bayer auf dem Löwenthron, Goldbulle Ludwigs 1327/28, München, Bayerisches Haupt und Staatsarchiv, Abb. 4). Der erhöhte Sitz ist in Byzanz ohnehin üblich und wird auch im Westen mit dem Thron verbunden.

## 8.5 ADLER

Urspr. war der röm. Adler der Vogel Jupiters, der dann als Legionsadler zum Feldzeichen wurde. Der Adler ist als Tier Jupiters auch ein Zeichen für das Kaisertum, etwa mit dem Adlerszepter und v. a. bei der Apotheose, da er die Seele des verstorbenen Kaisers in den Himmel trägt.

Schon Karl d. G. soll nach Thietmar von Merseburg (III,8) auf der Pfalz in Aachen neben dem Globus auch einen Adler angebracht haben. Darstellungen ottonischer H. mit dem Adler sind häufig, wobei gelegentlich der Adler durch eine Taube ersetzt bzw. ihr ikonographisch angeglichen wird (Reichenauer Evangelistar, Kupferstichkabinett der Staatlichen Mus. Preußischer Kulturbesitz Berlin, Cod. 78A2, Dedikationsbild). Auf dem Szepter wurde der Adler im Bild seit Otto III. geführt. Der Adler wurde vom Zeichen kaiserlicher Herrschaft (im 12. Jh. wurden unter Rückgriff auf die Ant. Adler aus Metall als Feldzeichen eingeführt) zum Zei-

Abb. 3: Kaiser Heinrich VI. sitzt
auf einem Löwenthron, der dem Thron
Salomos nachempfunden ist, bei
Petrus von Eboli,
Liber ad honorem augusti sive de
rebus siculis,
Burgerbibliothek Bern Codex 120 II,
fol. 147r vom Ende des 12. Jh.

Abb. 4: Die Goldbulle Kaiser Ludwigs des Bayern zeigt auf der Vorderseite den Kaiser auf einem Löwenthron,
nach dem Vorbild des Thrones Salomos, mit Szepter und Reichsapfel, auf der Rückseite ist die Stadt Rom dargestellt,
in der Mitte das Kolosseum, davor der Palast des mittelalterlichen Senates (München, Bayerisches Hauptstaatsarchiv)

chen des Reiches und dann auch zum Wappentier (seit dem 13. Jh. schwarz auf Gold), seit dem 14. Jh. steht der Doppeladler sporadisch für das Kaisertum (seit 1433 offiziell als Zeichen des Kaisertums und des Reiches).

Petrus Diaconus hält in der von ihm kompilierten *Graphia aureae urbis Romae* Augustus für den ersten, der das Adlerszepter führte, wobei er das *sceptrum* selbst als Reminiszenz des Sieges Scipios betrachtet und den Adler als ersten aller Vögel. Ebenfalls seit Augustus habe der Imperator auch eine *palla* mit Adler in seinen Händen gehalten, zum Zeichen der Weltherrschaft, ›ut maius figuram orbis designet‹ (Graphia, cap. 45). Daß der Adler urspr. Zeichen einer heidnischen Gottheit war, hindert z. B. Petrus von Eboli nicht, ihn zugleich als kaiserliches Zeichen zu betonen (Liber ad honorem Augusti 32, V. 1005 ff.).

**49** A. ALFÖLDI, Die monarchische Repräsentation im röm. Kaiserreiche, 1970 **50** H. DRECHSLER, s. v. Zepter, in: LMA 9, 1998, 544 f. **51** J. ENGEMANN, V. H. ELBERN, A. CAVANNA, s. v. Stab, in: LMA 7, 1995, 2160–2162 **52** J. ENGEMANN, O. ENGELS, G. KREUZER, H. DRECHSLER, P. SCHREINER, M. RESTLE, s. v. Thron, in: LMA 8, 1997, 738–743 **53** V. H. ELBERN, s. v. Krone, in: LMA 5, 1991, 1544–1547 **54** H. FILLITZ, Kaisertum, Papsttum und Politik in der Kunst des 12. Jh., in: P. WUNDERLI (Hrsg.), Herkunft und Ursprung, 1994, 133–148 **55** C. D. FONSECA, in: C. D. FONSECA (Hrsg.), Federico II e l'Italia, 1995, 35–47 **56** H.-W. GOETZ, s. v. Hl. Lanze, LMA 4, 1989, 2020 f. **57** E. LUCCHESI-PALLI, H.-E. KORN, s. v. Adler, in: LMA 1, 1980, 153 f. **58** J. OTT, Krone und Krönung, 1998 **59** P. E. SCHRAMM, Kaiser Friedrichs II. Herrschaftszeichen, 1955 **60** Ders., Sphaira Globus Reichsapfel, 1958 **61** M. SORDI, Dall'elmo di Costantino alla corona ferrea, in: [113, Bd. 2. 883–892] **62** J. STROTHMANN, Der Löwe als Symbol für die Stadt Rom bis zu Ludwig dem Bayern, in: L'Aigle et le Lion dans le Blason Médiévale et Moderne, 1997, 69–84 **63** A. VORETZSCH, s. v. Stab, in: LCI 4, 1994, 193–198

## B. AUSGEWÄHLTE ANTIKE HERRSCHER

1. VORBEMERKUNGEN 2. DAVID/SALOMO
3. ALEXANDER DER GROSSE 4. ROMULUS UND
DAS RÖMISCHE KÖNIGTUM 5. CAESAR
6. AUGUSTUS 7. TIBERIUS 8. NERO
9. VESPASIAN UND TITUS 10. TRAJAN
11. KONSTANTIN

### 1. VORBEMERKUNGEN

Die folgende Auswahl ant. Herrscher orientiert sich an der Bed. der jeweiligen Person für die nachant. Rezeption. Sie endet mit Konstantin, obwohl z. B. Theodosius I. wegen seiner Kirchenbuße und Theoderich I. als german. Herrscher über Rom bes. für die karolingische Idee vom H. von Bed. waren. Die Rezeption Justinians fällt v. a. in den Bereich der Rezeption des Römischen Rechts. Ebenfalls ist auf eine Darstellung der nicht unbedeutenden Rezeption des Königs Kyros verzichtet worden. Auch hätte die Rezeption rein mythischer Gestalten wie z. B. Aeneas und ant. Götter wie z. B. Jupiters selbst durchaus einen Sinn ergeben. Aus-

gewählt wurden dagegen solche H.-Gestalten, die entweder wie Alexander in größter Breite rezipiert wurden oder wie Caesar, Augustus und Konstantin von eminenter polit. Bed. für die nachant. polit. Idee waren. Die Rezeption von Romulus, Tiberius, Vespasian und Titus ist wegen der geschichtlichen Rollen dieser H. von Interesse. Trajan ist als Personifikation des guten Kaisers, Nero als die des schlechten in die Auswahl gekommen. David und Salomo als Vertreter der jüd.-christl. Trad. sind in der christl. Herrschaftsidee neben Christus selbst die Idealgestalten des Königtums.

**64** H. LÖWE, Von Theoderich d. Gr. zu Karl d. Gr., Deutsches Archiv 9, 1952, 353–401 **65** A. MASSER, Von Theoderich d. Gr. zu Dietrich von Bern, in: Der Schlern 58, 1984, 635–645

### 2. DAVID/SALOMO
#### 2.1 ALLGEMEINES

Unter den Königen des Alten Bundes nehmen David und Salomo eine bes. Stellung ein. Nicht nur in Byzanz wurde darauf Bezug genommen, indem seit Theophilos (829–842) die vermeintlichen Tische Davids und Salomos im byz. Kaiserschatz aufbewahrt wurden. Bes. polit. Bed. erfuhren die beiden Könige als ideale H. im Westen zur Zeit der Karolinger. Aber schon im 7. Jh. wurden einem Enkel Chlotars I. David und Salomo als vorbildliche H. entgegengehalten. Der Gelehrte Cathwulf (8. Jh.) bezeichnet David und Salomo als ideale H., nämlich wegen ihrer Stellung zu Gott. Und auch Thomas von Aquin *De regimine principum* (I,8) sieht in den beiden Königen herrscherliche Vorbilder.

Die Vergleiche des karolingischen Königs mit Josua, Moses und David gingen zunächst von den Päpsten aus (751 oder 754 wurden Bezüge auf David und Salomo in die Texte zur Königserhebung eingeführt), unter Karl d. Gr. wurden sie dann vom Königtum übernommen. Schon zur Zeit Karls d. Gr. hielt sich das Papsttum seinerseits mit solchen Vergleichen zurück, um die theokratische Stellung der karolingischen H. nicht weiter zu befördern. In der Dedikation einer Bilderhandschrift findet sich Karl der Kahle an der Seite Davids und Salomos (MGH PL III,255). Auf der Reichskrone aus der Zeit Konrads II. (1024–1039) zeigen zwei von vier Bildplatten die Könige David und Salomo, was zeigt, daß die beiden Könige auch nach der karolingischen Zeit bedeutende Herrschervorbilder blieben. Die Vorbildfunktion Davids und Salomos verlor jedoch nach dem E. der karolingischen Herrschaft weitgehend ihre polit. Bedeutung.

#### 2.2 DAVID

Im Osten war David ein bes. Herrschervorbild, so für den *novus David* Marcian auf dem Konzil von Chalcedon, 451; der Kaiser Herakleios I. gab 638 seinem jüngsten Sohn den Namen David. Vergleiche fränkischer Könige mit David finden sich seit dem frühen 7. Jh. (Chlotar II., 626/27). David ist während des 9. Jh. als *rex et propheta* und wegen seiner *iustitia, pietas, humilitas* und *misericordia* als Vorbild der Karolinger anzusehen (Alkuin sieht Karl den Großen wie David als *rex et propheta*, Karl der Große gilt ihm wie David als ›rex a Deo electus et Deo dilectus‹. Zur Steigerung der Größe Davids wird im 9. Jh. z. B. bei Smaragd von St. Mihiel seiner *Humilitas* die *Superbia* Sauls gegenübergestellt [133. 426, 434]. In der Kunst wird David seit dem 9. Jh. mit Krone – auch mit Kaiserkrone –, Königsmantel und pluviale-ähnlichem Mantel des Hohepriesters dargestellt, um die Vereinigung von königlichen und priesterlichen Funktionen zu symbolisieren. Seit dem 9. Jh. wird David zunehmend als Sünder und Büßer gesehen. Noch für Karl den Kahlen bleibt David aber, der in einer Bibel Karls wie ein karolingischer H. dargestellt ist, ein wesentliches Vorbild.

### 2.3 Salomo

Schon der Merowingerkönig Dagobert I. war in den 20er J. des 8. Jh. mit Salomo verglichen worden, gelegentlich galt auch Karl d. Gr. als Salomo. Mit Ludwig dem Frommen nehmen die Vergleiche mit Salomo zu. Vorwiegend als Salomo erscheint Karl der Kahle bei Lupus von Ferrières und Sedulius Scottus, was neben seiner Rolle als Friedensherrscher seine Stellung zu den Wiss. zeigen soll [133. 253, 260; 65a. 119].

### 2.4 Vater und Sohn

Während David durchgehend als Typus des Eroberers und Siegers über die Feinde Gottes gilt, steht Salomo für den Typus des Friedensherrschers (z. B. bei Sedulius Scottus und auch später bei Machiavelli, Discorsi I, 19, der Salomo die Früchte der väterlichen Tüchtigkeit genießen läßt). Ludwig der Fromme wird als Salomo seinem Vater Karl d. Gr. als David gegenübergestellt. Die Rollenverteilung zw. Vater und Sohn als Eroberer und Friedensherrscher entspricht oft ganz oder näherungsweise der Wirklichkeit und bietet daher auch später noch den Vergleich mit David und Salomo als Vater und Sohn an, so auch 1485 beim Einzug Karls VIII., des Sohnes König Ludwigs XI. von Frankreich, in Rouen und beim Einzug Philipps, des Sohnes Kaiser Karls V., 1548 in Antwerpen.

**65a** N. Staubach, Rex Christianus, 1993 **65b** H. Steger, David Rex et Propheta, 1961 **66** M. Schulze-Dörrlamm, Die Reichskrone Konrads II., 1991

## 3. Alexander der Grosse

### 3.1 Bedeutung

In Byzanz ist Alexander d. Gr. von einiger polit. Bed., weil seit Eusebius die geschichtlichen Aufgaben von Alexander und Konstantin parallelisiert wurden, seit 326 wurde das Münzportrait Konstantins dem Alexanders angenähert. In Byzanz hat auch der »Alexanderroman« große Bed. für die byz. Herrschaftsidee.

Im Westen kommt Alexander zunächst keine eigentlich polit. Funktion zu. Die volkssprachliche Überlieferung zu Alexander ist dagegen äußerst umfangreich. Sie zeigt v. a. den Helden Alexander, der sich in das ma. Ritterbild einfügen ließ. Dabei ist das Alexanderbild des MA ausgesprochen variabel und läßt sich der jeweiligen Intention eines Autors leicht anpassen.

### 3.2 Quellen

Die Quellen für das ma. Alexanderbild sind vorwiegend Curt., Pomp. Trog. und Oros.

### 3.3 Bewertung

Der Ps.-Kallisthenes beurteilt den gottgleichen Alexander in seinem Roman recht günstig. Bei Hrabanus Maurus (9. Jh.) gilt Alexander als Tyrann und ideale Herrschergestalt zugleich, als Beispiel für schlechte Erziehung zieht Hinkmar von Reims (9. Jh.), Alexander heran (De ordine palatii, cap. 1), und bei Richard von St. Viktor, *Excerptiones*, und in der Chronik des Hugo von Fleury (um 1100) dominiert ein positives Alexanderbild. Auch bei Petrus de Prece eignet sich Alexander neben Caesar als Vorbild für die Nachkommen Kaiser Friedrichs II. Ulrich von Etzenbach erklärt, Alexander habe sich von den Tugenden entfernt. Als vorbildlichen H. beschreibt Petrarca Alexander (Africa IX, 52–54, in De viris illustribus 15 wirft er ihm vor, persische Sitten angenommen zu haben). Seine Freigiebigkeit heben z. B. Machiavelli (Il Principe 27) und Schedel (1493, 75r) hervor.

### 3.4 Alexander als Ritter

Als vorbildlicher Ritter gilt Alexander u. a. bei Rudolf von Ems (um 1240); bei dem Pfaffen Lamprecht (um 1150) soll Alexander gar Vorbild für die Kreuzritter sein.

### 3.5 Stellung zum Kult

Schon in der Spätant. wurde Alexander gelegentlich als Werkzeug des einen Gottes gesehen. Gottfried von Viterbo sieht in Alexander einen ›magnus Dei cultor‹, anders als Rupert von Deutz, der bei den Griechen und Persern keine *Dei cultores* annimmt. Als H. mit göttl. Auftrag gilt Alexander bei Rudolf von Ems, demzufolge Aristoteles Alexander ein christl. Gottesbild vermittelt habe.

Alexanders Stellung zu den Juden hängt bes. davon ab, ob sie als Ursprung des noch nicht entstandenen Christentums oder schon als schuldig am Tod Christi gesehen werden. In der volkssprachlichen Dichtung haben die Autoren auch hierin bes. Freiheiten. In der histor.-polit. Lit. kommt es sehr viel mehr auf histor. Präzision an.

### 3.6 Stellung zum christlich-jüdischen Gott

Im Straßburger Alexander hält der alte Jude, der Alexander die Bed. des Paradies-Steins erklärt, es für möglich, daß dieser von Gott in das Himmelreich aufgenommen werden könnte. Nach der Weltchronik des Frutolf von Michelsberg und später der *Determinatio compendiosa* (cap. 5) erkannte Alexander den jüd. Gott als göttl. an, beschenkte den Tempel und nahm die Juden vom Tribut aus, nachdem er eigentlich gegen Jerusalem gezogen war. Bei Rudolf von Ems verweigerte derselbe Alexander die Befreiung verbannter Juden, weil er begriffen habe, daß Gott es so wolle.

### 3.7 Himmelfahrt

Die Greifenfahrt bzw. Himmelfahrt Alexanders wird in Byzanz durchgehend positiv gedeutet, im Westen wird die Himmelfahrt Alexanders seit dem 12. Jh. als Sinnbild der *superbia* (auf dem Fußbodenmosaik im Dom von Otranto) oder wahlweise als Präfiguration der Himmelfahrt Christi dargestellt. Sie mußte auch in der Dichtung des MA nicht kritisch behandelt werden, Alexanders Rückkehr zur Erde konnte als Zeichen von Demut gedeutet werden, wie in der Weltchronik des Jans Enikel (13. Jh.) und in oberdt. Historienbibeln des 14. Jh. Bis in das 18. Jh. gehörte Alexander zu den mythischen Helden.

### 3.8 Identifikation

Seit dem Human. erfuhr die Gestalt Alexanders neue Beliebtheit. Alexander wurde vom Vorbild für den Ritter zum Vorbild des Herrschers. Karl der Kühne von Burgund eiferte ihm nach, Ludwig XIV. von Frankreich ließ sich als Alexander darstellen, August der Starke von Sachsen trat auf Hoffesten sogar selbst u. a. als Alexander auf, der Türkensieger Max Emanuel von Bayern ließ sich als neuer Alexander feiern, Gustav Adolf von Schweden wird auf einem Flugblatt als größer als Alexander der Große gefeiert und auch Ludwig XIV. wurde als größer als Alexander dargestellt. Die türk. Sultane Muhammed II. und Suleyman sahen sich ebenfalls als neue Alexander.

### 3.9 Moderne

Obwohl seit dem 18. Jh. der histor. Alexander aus dem Nebel der »Mirabilien« tritt, gelingt es nicht, auf den Mythos Alexander zu verzichten. Barthold Georg Niebuhr (1776–1831) sieht in seinen Bonner Vorlesungen von 1829/30 Alexander als Vorläufer Napoleons, den er selbst als Hegemon ablehnt. Alexander wirft er die Barbarisierung der griech. Kultur vor, wobei er Alexanders Herrschaft aber zugleich als Beginn der bestimmungsgemäßen Dienstbarkeit Asiens unter der Herrschaft Europas betrachtet. In Johann Gustav Droysens *Geschichte Alexanders des Großen* von 1833 ist Alexander der strahlende Held, der als Sieger in der Geschichte gerechtfertigt ist. Als Verfechter dt. Einheit sieht Droysen Alexander als Einiger der Griechen. Aus dem Einheitsbestreben heraus läßt sich Alexander als unrechtmäßiger Hegemon ablehnen oder aber als Schöpfer der Einheit feiern. Häufig wurde eine Parallele zw. Friedrich d. Gr. und Alexander gezogen, z. B. bei Niebuhr, Droysen, Ulrich von Wilamowitz-Moellendorff, Adolf Hitler und Eduard Meyer. Preußen als neues Makedonien zu sehen, bot sich wegen seiner Randstellung in Deutschland an. Ernst Curtius parallelisierte unter dem Druck der Ereignisse die Erfolge Preußens von 1870/71 und diejenigen Alexanders. In der demokratisch-orientierten Geschichtsschreibung in England und den USA konnte Alexander trotzdem als Verkünder von Frieden und Freiheit hingestellt werden. Während des ersten Weltkrieges wuchs das Interesse an Alexander noch einmal, danach parallelisierte Julius Beloch Alexander und Wilhelm II. wegen des verlorenen Weltkrieges. In den 20er, 30er und 40er J. des 20. Jh. nimmt die Heroisierung Alexanders noch zu, bei Viktor Ehrenberg, Fritz Taeger und Helmut Berve wird er zum

göttl. Wesen. Berve faßte 1927 seine Hochachtung für Alexander in Begriffe wie ›furchtbar großartige Härte‹ und ›brutalste Gewalt‹, und Ehrenberg entließ 1926 den großen Menschen Alexander aus allen rechtlichen Bindungen. Alexander wird zum Vorbild für den erwarteten irdischen Erlöser, dem man jede Freiheit zugesteht. So wurde Alexander im Dritten Reich zur Idealgestalt, 1943 bei Ernst Kornemann zum Vorbild ›nordischen Führertums‹, der es seiner Lehre als Verdienst anrechnete, daß seine Studenten zum Tod für das Vaterland gereift seien. Derselbe Kornemann stellte 1946 Philipp und Alexander in den Dienst des Europa-Gedankens. Der Welteroberer Alexander ist bis in die Gegenwart Gegenstand der Lit. Das Alexanderbild des 19. und 20. Jh. hängt wesentlich ab von nationalen Anschauungen und Emotionen, die als ordnendes Prinzip Geschichtsschreibung und öffentliche Kommunikation über Alexander bestimmen. War es im MA der Universalismus, der den Reiz Alexanders ausmachte, so mußte seine Person seit dem 19. Jh. für den Gedanken der Überlegenheit einer Nation und deren Berechtigung zur Herrschaft über andere Völker herhalten. Wie in der Dichtung des MA unterlag das Alexanderbild in der histor. Forsch. dieser neueren Zeit der Anpassung an die Ziele und Gegebenheiten der Gegenwart.

**67** W. J. Aerts, J. M. M. Hermans, E. Visser (Hrsg.), Alexander the Great in the Middle Ages, 1978 **68** M. Bridges, J. Ch. Bürgel, The problematics of power, 1996 **69** S. D. Carraroli, La leggenda di Alessandro Magno, 1892 **70** G. Cary, The medieval Alexander, 1956 **71** A. Demandt, Polit. Aspekte im Alexanderbild der Neuzeit, in: AKG 54, 1972, 325–363 **72** B. Gicquel, Alexandre le Grand et Frédéric de Hohenstaufen chez Rudolf von Ems, in: D. Buschinger, A. Crepin (Hrsg.), La Représentation de l'Antiquité au Moyen Âge, 1982, 203–209 **73** H. J. Gleixner, Das Alexanderbild der Byzantiner, (Diss.) 1961 **74** J. Gruber, G. Prinzing, F. Svejkovsky, M. Wesche, D. Ross, H. Buntz, W. P. Gerritsen, H. Sauer, H. Ehrhardt, J. van Ess, J. H. Niggemeyer, s. v. Alexander d. Gr. B: Alexanderdichtung, in: LMA I, 1980, 355–366 **75** W. Harms, Gustav Adolf als christl. Alexander und Judas Makkabaeus, in: Wirkendes Wort 35, 1985, 168–183 **76** R. W. Hartle, The Image of Alexander the Great in Seventeenth Century France, in: Ancient Macedonia, 1970, 387–406 **77** J. Kampers, Alexander d. Gr. und die Idee des Weltimperiums in Prophetie und Sage, 1901 **78** R. M. Kloos, Alexander d. Gr. und Kaiser Friedrich II., in: AKG 50, 1968, 181–199 **79** H. Kugler, Alexander d. Gr. und die Idee der Weltherrschaft bei Rudolf von Ems, in: H. Hecker (Hrsg.), Der H. 1990, 99–120 **80** R. Merkelbach, Alexander und der vierbeinige Löwe im Dom zu Otranto, in: ZPE 38, 1980, 255–258 **81** U. Puschner, Die Darstellung Alexanders d. Gr. im barocken Deutschland, AKG 61, 1979, 102–119 **82** D. J. A. Ross, Illustrated Medieval Alexander-Books in Germany and the Netherlands, 1971 **83** L. C. Ruggini, Sulla cristianizzazione della cultura pagana, in: Athenaeum 43, 1965, 3–80 **84** R. Schnell, Der »Heide« Alexander im »christl.« MA, in: [146. 45–63] **85** Ch. Settis Frugoni, Historia Alexandri elevati per gryphos ad aerem, 1973 **86** K. Wessel, s. v. Alexander. I. Byzanz, in: LMA 1, 1980, 354

## 4. Romulus und das römische Königtum

Das röm. Königtum und auch Romulus sind während des MA und noch danach von nur geringer polit. Bedeutung. Allg. wird das Königtum Roms positiv bewertet (z. B. bei dem Juristen Martino da Caramanico, 13. Jh., Proemium zu dem *Liber constitutionum* Friedrichs II.), Petrarca sieht Cola di Rienzo als neuen Romulus, den Gründer, neuen Brutus, den Befreier, und neuen Camillus, den *restitutor* von beidem, nur sei er größer als diese (Cola di Rienzo, Briefwechsel, Nr. 23). Jean d'Outremeuse sieht Romulus sogar als ersten röm. Kaiser [92. 240]. Während Machiavelli (Il Principe, 6) in seiner Wertung noch der röm. Überlieferung folgt, wenn er Romulus als tüchtig bezeichnet, kann Heinrich Bebel in den *Facetien* Romulus als Räuber darstellen [152. 42]. Eine andere Form der Geringschätzung liegt in der ma. Legende kurialen Ursprungs, wonach die Wölfin, die Romulus und Remus säugte, eigentlich eine Prostituierte gewesen sei (*De mirabilibus urbis Romae*, vgl. auch 150. 74 f. z. B. zu Brunetto Latini, Tesoro). In Siena gilt seit dem 14. Jh. die Wölfin als Wahrzeichen der Stadt, im Buon Governo des Ambrogio Lorenzetti zeigt ein zentraler Ausschnitt die Wölfin mit Romulus und Remus. Remus gilt auch als Gründer von Reims.

## 5. Caesar

### 5.1 Quellen

Das Caesarbild des MA beruht ausschließlich auf lat. Quellen, (darunter Lucan., Val. Max., Sall. Catil. und Sueton). Die Verfasserschaft des *Bellum gallicum* war noch im 16. Jh. umstritten.

### 5.2 Rezeption

Zu großer Bed. unter den ant. Gestalten kam Caesar im MA in It. und Frankreich. Im 16. Jh. fanden Caesars Bildnisse in It. weite Verbreitung; die Caesar-Mz. wurden bereits 1527 von Enea Vico mit Erl. versehen veröffentlicht. Die Caesar-Rezeption in Frankreich beruht vornehmlich auf der Bed. Caesars für Gallien und hat ihre Hauptquelle im *Bellum gallicum*, das bald in kompletter frz. Übers. in den *Fêt de Romains* vorlag. Es bildeten sich eigene Caesar-Sagen in Reims, Trier, Metz, Verdun, Amiens, Arras, Tournai, Tongern und Bavay, wobei die Sage von Tournai die weiteste Verbreitung fand. Die wichtigste ma. Quelle für das engl. Caesarbild ist die *Historia regum britanniae* des Geoffrey of Monmouth von 1136–1139. In Spanien erlangte die Caesar-Rezeption erst im 15. Jh. einige Bedeutung. Nach den volkssprachlichen Quellen gilt Caesar weithin als der Begründer des Kaisertums, so auch bei Dante.

### 5.3 Bewertung

Während Anselm von Canterbury in Caesar neben Nero und Julian einen der drei Widerchristen erblickt, ist er in der volkssprachlichen Lit. eine beliebte Figur, was sich ändert, da zunehmend die ritterlich-höfische Auffassung des MA einer bürgerlich-ständischen weicht [149. 71]. Moritz von Craûn sah Caesar um 1300 noch als wahren Ritter, bei Sebastian Brant wird Caesar zum unüberlegt Handelnden. Shakespeares Caesarbild ist

noch durchgehend positiv, Jean-Jacques Rousseau dagegen war entschiedener Caesargegner. Goethe sieht in Caesar den ›Inbegriff aller menschlichen Größe‹. Für den Liberalen Theodor Mommsen (1817–1903) verkörperte Caesar schließlich den Höhepunkt der röm. Geschichte, weil die Republik unter seinem Schutz zu bewahren gesucht habe. Um die Wende zum 20. Jh. knüpft sich in Deutschland zunehmend fanatische Bewunderung an die Person Caesars, was einen vorläufigen Höhepunkt in Friedrich Gundolfs Buch über Caesars Nachleben von 1924 fand, z. B. mit einer Invektive gegen Rousseau, den er als ›kranke Seele‹ bezeichnete [89. 224].

### 5.4 Eroberer

Die grundlegende Typologie, die das MA und auch die Neuzeit nicht zu Unrecht mit Caesar verbinden, ist die des Eroberers. Schon im *Annolied* (um 1080) und in der *Kaiserchronik* (um 1160–65), dann in der *Sächsischen Weltchronik* des Eike von Repgow (um 1225) werden die Schwierigkeiten betont, die Caesar mit der Eroberung Germaniens hatte: Die Schwaben unterwerfen sich freiwillig, die Franken erscheinen ihm wegen der trojanischen Abstammung als so gefährlich, daß er gegen sie Befestigungen errichten läßt. Bei Geoffrey von Monmouth gilt Caesar als Eroberer von ganz Britannien; schottische Chronisten betonen seit dem 14. Jh. die Niederlage Caesars gegen die Schotten. Auch die Ablehnung Caesars wegen seines Eroberertums belegt gerade diese Typologie, z. B. bei Voltaire, der Caesar die Abschlachtung von Millionen von Menschen vorwirft. Im MA gibt es neben den Ber. von tatsächlichen Eroberungen Caesars auch Legenden von unhistor. Feldzügen, z. B. von der Eroberung Indiens. Armannino Giudice, *Fiorita d'Italia* (1325) bemerkt, daß nur vier Männer die Weltherrschaft erlangt hätten, nämlich Jupiter, Herkules, Alexander und Caesar. Daß Alexander in Caesar und beide in Napoleon wiedergekehrt zu sein schienen, bemerkte z. B. Christian Friedrich Hebbel (1813–1863). Auch im polit. Caesarbild des MA wird ebenfalls Caesar als Eroberer vorgestellt und als solcher direkt und über den Caesartitel zu einem Vorbild z. B. der Staufer.

Immer wieder wird Caesar auch als Befreier gesehen, so von Armannino Giudice, *Fiorita d'Italia*, der Caesars Überschreiten des Rubikon zum Anlaß nimmt, Ludwig den Bayern zum Italienzug zu ermuntern. Cola di Rienzo sieht u. a. Caesar als Befreier der *patria* (Cola di Rienzo, Briefwechsel, Nr. 2), Petrarca bezeichnet dagegen Cola als dritten Brutus, als Befreier von der Tyrannei (Cola di Rienzo, Briefwechsel, Nr. 23).

### 5.5 Tyrann

Caesar als Gewaltherrscher und Tyrann ist ein häufiges Bild auch über das MA hinaus, das jedoch vorwiegend in der polit. Lit. erscheint. Für Frechulf von Lisieux ist er mehr ›metator imperii quam imperator‹ (Chronicon II,2), und Johannes von Salisbury sieht im *Policraticus* (1156–59) den Mord an Caesar als Tyrannenmord an, weil dieser die Gesetze gebrochen habe. Und wohl wegen der staufischen Caesar-Rezeption sieht im 13. Jh. der Biograph Papst Gregors IX. den Caesarnamen als Bezeichnung für den Tyrannen schlechthin. Nach der Ansicht von Leonardo Bruni gehört der Caesarmörder Brutus nicht wie bei Dante in Luzifers Maul, weil er die *res publica* vertreten habe. Marsilius von Padua sieht in Caesar den Usurpator der Republik (De translatione imperii, cap. 2). Als Mißachter des gemeinen Nutzes und Tyrann gilt Caesar bei Hans Sachs. Im Human. wird Caesar oft als Rechtsbrecher und Tyrann gesehen [92. 203]. Sebastian Brant hält die Ehegesetze des Augustus für Caesars Werk, den er als Gewaltherrscher sieht, wie auch Michelangelo Buonarroti (1475–1564) und Jean Bodin (1530–1596). Als Tyrann und Krönung des Niedergangs der Republik gilt Caesar bei Montesquieu (1689–1755).

### 5.6 IDENTIFIKATION

Als *caesar* wird der Kaiser schon in karolingischer Zeit angesprochen, bei Benzo von Alba ist Heinrich IV. durchgehend *caesar*, nicht ohne gelegentlichen Hinweis auf Julius Caesar. Die Staufer, bes. Friedrich II. und König Manfred von Sizilien sehen sich selbst als Caesar und als Erben Julius Caesars. Auch wenn Papst Bonifaz VIII. sich als *imperator* und *caesar* sieht, ist die Erinnerung an den kraftvollen H. Julius Caesar mitzudenken. Papst Julius II. sah sich als Caesar und ließ in diesem Sinn eine Gedächtnismedaille prägen mit der Beischrift ›Iulius caesar pont. II.‹. Das Caesar-Zitat ›veni, vidi, vici‹ wandelte Karl V. nach der Schlacht von Mühlberg (1547) ab zu: ›Ich kam, sah, Gott siegte‹. Napoleon, der sich selbst als neuer Caesar sah, lehnte die Titel *augustus* und *germanicus* ab, den Caesartitel hätte er gerne gehabt, den hätten aber die Habsburger enthrt [89. 261].

### 5.7 LEGITIMATION

Allg. werden der Legitimation halber Beziehungen zu Caesar hergestellt, so seien die urspr. Besitzer des Grundes von Monte Cassino Caesar und Antonius gewesen (Petrus Diaconus). Den Ursprung des Herzogtums Brabant sieht Richard de Wassebourg (16. Jh.) in der Mitgift, die Caesar einer Nichte schenkte, die den Offizier Brabon heiratete (*Antiquitez de la Gaule Belgicque*). Die Kaiserchronik sieht Caesar als Freund der Germanen und Verwandten der Franken. Flodoard von Reims (10. Jh.) schildert in der *Historia Remensis ecclesiae* die freiwillige Unterwerfung der Reimser als Treue zu Rom; die *Hystoria Treverorum* (1000/1060) zieht eine Parallele von Troja zu Trier, das Caesar 10 Jahre lang belagert hatte, bevor er es durch Verrat einnehmen konnte. Und die *Fêt de Romains* stellen mit der Person Caesars die imperialen Absichten des frz. Königs Philipp August dar. Tongern wurde nach einer solchen Legende tributfrei, weil Caesar in einem Zweikampf unterlag, nach Jean d'Outremeuse, *Geste de Liège* (14. Jh.). Ein bemerkenswerter Versuch der Herrschaftslegitimation über Julius Caesar findet sich im Bereich des Rechts. Der Herzog Rudolf IV. von Österreich legte dem Kaiser Karl IV. 1360 Privilegien von Caesar und Nero vor, nach denen Caesar Österreich (»plage orientalis terre«)

seinem Onkel als erbliches Lehen übertragen und diesen und seine Nachfolger zu kaiserlichen Ratgebern erhoben habe und Nero Österreich vom Tribut befreit habe, womit der Herzog von Österreich in den Kreis der Kurfürsten aufsteigen wollte. Diese Privilegien wurden Petrarca zur philol. Prüfung übergeben, der sie dann als Fälschung entlarvte.

### 5.8 ABSTAMMUNG

Als Abkömmling Caesars sieht Petrus von Eboli Kaiser Heinrich VI. (Liber ad honorem Augusti, cap. 12). Von Julius Caesar leiteten sich seit dem Human. zahlreiche europ. Herrscherfamilien her.

### 5.9 STÄDTEGRÜNDER

In England gründete Caesar v. a. nach Geoffrey von Monmouth die Städte Exeter, Chilham, Chichester, Norwich und Chester, die Burgen Canterbury, Rochester, Salisbury, Kenilworth, Dover, Warwick und den Tower von London. In Spanien soll Caesar Toledo, Segovia, Sevilla und Saragossa gegründet haben. Nach der Zerstörung von Fiesole soll Caesar einer Legende des 12. Jh. zufolge Florenz nach dem Abbild Roms gegründet haben. In Gallien galt er als Erbauer von Straßen und Gebäuden in solchem Außmaß, daß Voltaire später bemerkte, daß Caesar so viel Zeit gar nicht gehabt haben könne. Im Reich gibt es zu den Orten Jülich, Deutz, Harzburg, Lüneburg, Magdeburg, Mainz, Merseburg, Schauenburg, Wolgast, Wollin, Remagen, Neumagen und Melk Legenden, die von der Gründung durch Caesar berichten.

87 K. CHRIST, Zum dt. Caesarbild des 20. Jh., in: [142. 23–47] 88 Ders., Caesar. Annäherungen an einen Diktator, 1994 89 FR. GUNDOLF, Caesar, 1924 90 Ders., Caesar im neunzehnten Jh., 1926 91 Ders., Zur Gesch. von Caesars Ruhm, in: Neue Jahrbücher 6, 1930, 369–382 92 J. LEEKER, Die Darstellung Caesars in den romanischen Lit. des MA, 1986 93 J. RIPLEX, Julius Caesar on stage in England and America, 1599–1973, 1980 94 H. THOMAS, Julius Caesar und die Deutschen, in: ST. WEINFURTER (Hrsg.), Die Salier und das Reich 1991, 245–278 95 J. V. UNGERN-STERNBERG, Cäsar und Nero in der Vorstellungswelt des 14. Jh., Jb. für fränkische Landeskunde 36, 1976, 103–115 96 G. WOLF, Imperator und Caesar, in: Ders. (Hrsg.), Friedrich Barbarossa, 1975, 360–374

## 6. AUGUSTUS

### 1. GRÜNDER

Schon Severus Alexander soll nach der *Historia Augusta* (SHA Sev. Alex. 10,3 f.) Augustus als ersten ›auctor imperii‹ und als seinen Nachfolger gesehen haben. Als ersten Kaiser sehen Augustus nach Orosius im MA die heilsgeschichtlich-polit. argumentierenden Autoren wie Otto von Freising (Chronica III,1 ff.) und auch Marsilius von Padua (De translatione imperii, cap. 2). Diese Autoren setzen sich über die Vorgabe Suetons hinweg, indem sie wie Orosius Christus und Augustus in einen Sinnzusammenhang bringen.

### 6.2 BEWERTUNG

Während Augustus im MA durchgehend hochgeschätzt wurde, mehren sich seit dem Human. die negativen Urteile. Als Militärdespot gilt Augustus bei Erasmus von Rotterdam (um 1500). Hatte schon der Human. seit dem ausgehenden MA mit dem Ideal republikanischer Formen gespielt, so stellte die Aufklärung die Monarchie grundsätzlich in Frage. Neben die Herrschaft Caesars trat als Gegenbild zum Prinzipat des Augustus die Republik, wie in August Ludwig von Schlözers Universalgeschichte (1772), der das ant. Kaisertum seit Augustus als Despotie auffaßte. Bei Montesquieu, Voltaire und Edward Gibbon (1737–1794) ist Augustus grausamer Tyrann; für schlau, aber von niedrigem geistigen Talent hielt ihn Niebuhr. Christoph Martin Wieland (1733–1813) betonte die Gegensätzlichkeit im überlieferten Verhalten des Augustus, als wären Octavian und Augustus zwei verschiedene Personen.

Mit dem Ende des Röm. Reiches 1806 wich auch die Selbstverständlichkeit, mit der sein Gründer Augustus als idealer Kaiser gesehen werden konnte. In Deutschland wurde Augustus in der ersten Hälfte des 19. Jh. kaum noch thematisiert, erlebte aber im zweiten dt. Kaiserreich als Herrschervorbild eine Renaissance. Dagegen setzte Mommsen seinen Caesar, dem er ein republikanisches Gewand verlieh. Das Vorbild Augustus wurde zur Wahl gestellt, mit 1806 war nach seiner heilsgeschichtlichen Rolle auch seine Funktion als Vorläufer des gegenwärtigen H. verloren. Augustus wurde zur bloßen histor. Persönlichkeit, die oft hinter dem kraftvolleren Caesar zurückstand. Im Nationalsozialismus wurde auf dieser Basis von einigen Althistorikern ein neuer Mythos kreiert. Im it. → Faschismus erlangte Augustus als Universalmonarch und Begründer eines neuen Zeitalters neue mythische Bed., indem sich Mussolini als neuer Augustus gerierte.

### 6.3 WELTMONARCHIE

Die Herrschaft des Augustus als Weltmonarchie ist seit Orosius, der diese mit der Verleihung des Augustusnomens beginnen läßt (Oros. 6,20,2), ein geläufiges und im MA unwidersprochenes Bild, das seine Plausibilität über die irdische Entsprechung zur *monarchia Christi* erhält. Nach Frechulf von Lisieux hatte Augustus als erster Kaiser die ›monarchia mundi‹ inne (Chronicon II,1,4), im *Liber floridus* des Lambert von St. Omer (gest. 1121) wurde Augustus als Weltherrscher dargestellt mit dem Schwert in der Rechten und dem Erdenrund mit den drei Erdteilen – in Anlehnung an Darstellungen des Reichsapfels – in der Linken. Der Archipoeta sieht in Friedrich Barbarossa einen neuen Augustus, der die Welt schätzen läßt (Ave Caesar, 30). Das Bild von Augustus als Weltmonarchen begegnet z.B. auch bei Petrarca (Cola di Rienzo, Briefwechsel, Nr. 23).

### 6.4 PAX AUGUSTA

Zur Weltmonarchie des Augustus gehört die *pax augusta*; auch sie wird mit Christus in Verbindung gebracht, nämlich als Bedingung für sein Kommen. Nicht umsonst betont schon Orosius die erstmalige Schließung des Ianustempels nach 200 Jahren als Zeichen des Friedens (Oros. 6, 20,8). Der Frieden des Augustus wird allg. als Teil des göttl. Plans gesehen, als Frieden ›ordi-

natione Dei‹, wie in den *Gesta Treverorum*, bei Ado von Vienne (Martyrologium, S. 203 und ders., Chronicon, S. 75) und v. a. in der Chronik Ottos von Freising. In der Braunschweigischen Reimchronik erscheint Lothar III. als zweiter Augustus wegen der Stiftung eines dauerhaften Friedens. Christus selbst wollte nach Alexander Neckam (1157–1217) wegen der *pax augusta* ›sub tanto principe nasci‹. Bes. deutlich wird der Zusammenhang von Augustus und *pax* bei Petrus von Eboli, der Kapitel 48 des *Liber ad honorem Augusti* programmatisch mit ›Pax tempore Augusti‹ überschreibt. Friedrich II. stellt sich selbst als Augustus dar, der den Frieden mit Papst Gregor IX. wollte (Petrus de Vinea I,11 bzw. Regesta Imperii V,3225). Um 1231 wünschte Friedrich II. in einer Verfügung, daß in Sizilien so ein Glück der Ruhe gedeihe wie zur Zeit des Augustus (Petrus de Vinea VI,7 bzw. Regesta Imperii V,1905). Und auch in der dt. Lit. des MA ist das Bild des Friedensfürsten Augustus nicht unbekannt (so bei Albrecht von Halberstadt und Hans Folz). Nicht als Endzustand, sondern als Ausgangsbasis sieht Heinrich von Veldeke in der *Eneide* (13397 ff.) den Frieden des Augustus. Und auch Giovanni Dondi und Petrarca gaben sich als Verehrer der *pax augusta* zu erkennen.

### 6.5 GOLDENES ZEITALTER

Mit der *pax augusta* eng verbunden ist die Idee von einem neuen Zeitalter, zumal zur Zeit der *pax augusta* Christus geboren wurde und auch manche Augusteischen Zeugnisse ein neues Zeitalter ausrufen. Im *Liber ad honorem Augusti* des Petrus von Eboli wird die Herrschaft Kaiser Heinrichs VI. mit dem neuen und goldenen Zeitalter mehrfach in Verbindung gebracht, als Erneuerung des Zeitalters Jupiters und Octavians (cap. 41) und in Anlehnung an Vergil mit den Versen: ›Iam redit aurati Saturnia temporis etas, iam redeunt magni regna quieta Iovis‹ (cap. 48).

In seiner eigenen Herrschaft sah Cangrande della Scala (um 1300) die Wiederkehr des augusteischen Zeitalters, und auch Papst Leo X. wurde als H. des goldenen Zeitalters dargestellt. Immer wieder wurde die eigene Herrschaft mit dem Kommen eines neuen und goldenen Zeitalters in Verbindung gebracht, meist mit Versen der *Vierten Ekloge* oder der *Aeneis* Vergils. Zu dem Einzug eines frühneuzeitlichen H. gehörte die Evokation eines bestehenden oder kommenden Goldenen Zeitalters wesentlich dazu [21. 32 f.].

### 6.6 PARALLELE VON CHRISTUS UND AUGUSTUS

Schon in der Ant. wurden Christus und Augustus aus christl. Sicht parallelisiert. Auch hier schafft Orosius die für das MA maßgebliche Ausgangsposition. Anders als Augustin, der die zeitliche Koinzidenz sachlich notiert (Aug. Civ. 3,30) und immerhin Monarchie und *pax augusta* als Bedingung für das Kommen Christi sieht (Aug. Civ. 18,46), findet Orosius (6, 22) eine ganze Reihe von Parallelen und Beziehungen zw. beiden Friedensfürsten, die z.B. bei Christian von Stablo (9. Jh.), Expositio in Matthaeum, 1280 und bei Frechulf von Lisieux *Chronicon* (II,14) ihre Wirkung entfalten, zu bes. Bed. aber bei Otto von Freising gelangen, der die Herrschaft des Augustus nicht bloß als Voraussetzung für das Kommen Christi sieht, sondern sie in einen strukturellen Zusammenhang mit der Herrschaft Christi bringt (Chronica III,6).

### 6.7 ABLEHNUNG DER APOTHEOSE – AUGUSTUSVISION

Die von Sueton (cap. 53) berichtete Ablehnung der Anrede ›dominus‹, unter christl. Vorzeichen aufzufassen als Ablehnung der Vergöttlichung, möglicherweise auch als Ausdruck für die faktische Ablehnung der Vergöttlichung des Augustus im Westen, findet über Orosius (6,22,3–4) einen direkten Weg ins MA (z.B. Frechulf von Lisieux, Chronicon II, 1,4; Ekkehard von Aura, S. 95 und Otto von Freising, Chronica III,4). Eine von Johannes Malalas (X,358) im 6. Jh. überlieferte Anfrage Oktavians, wer sein Nachfolger sei, und die Antwort, es sei ein Knabe, knüpft möglicherweise an die *Vierte Ekloge* Vergils an und bildet den Ursprung einer Legende, die während des MA große Beliebtheit fand. Im 12. Jh. berichten zuerst die *Mirabilia urbis Romae* (vor 1143) von der Augustusvision, nach der der Senat dem Oktavian die Anrede *dominus* antrug, dieser sich drei Tage Bedenkzeit erbat, ihm die Sibylle mit den Worten ›Haec ara filii Dei est‹ die Jungfrau Maria mit dem Jesuskind erscheinen ließ, und er daraufhin das Kind anbetete und am nächsten Morgen die Apotheose ablehnte. An der Stelle der Vision wurde später die Kirche S. Maria in Aracoeli errichtet, wo sich der sog. Augustus-Altar aus der Mitte des 12. Jh. befindet, der die Vision bildlich darstellt. Augustus wurde in den *Mirabilia urbis Romae* durch die Vision und andere Ber. zum ersten röm. Kaiser, der sich der Herrschaft Christi unterwarf, und konnte so von der röm. Bürgerschaft seit der *Renovatio Senatus* 1143 dem von der röm. Kirche als Ursprung der christl.-weltlichen Herrschaft propagierten Konstantin entgegengesetzt werden [179]. Die Augustusvision erlangte in der Folge nicht nur in Rom – dort bald ohne die urspr. polit. Bed. – weite Verbreitung. Sie findet sich z.B. in der *Graphia aureae urbis Romae*, bei Gottfried von Viterbo, Speculum regum, V. 846ff., Pantheon 21,2, Jacobus de Voragine, Legenda aurea, cap. 6 (*De nativitate domini*), bei Martin von Troppau (13. Jh.), Chronicon, S. 443, Gervasius von Tilbury, Petrarca und auch in der deutschsprachigen Überlieferung, z.B. bei Wolfram von Eschenbach, bei Jakob Twinger von Königshofen und bei Rudolf von Ems. Eine Bearbeitung des Stoffes nahm Papst Innozenz III. vor, die ihren Weg z.B. in die *Determinatio compendiosa* (cap. 6) fand. Die *Mirabilia* selbst fanden zahlreiche Bearbeitungen und volkssprachliche Übersetzungen. Eine bildliche Darstellung der Augustusvision findet sich z.B. noch bei Schedel (1493, 93r) und in einem Bild von Antoine Caron (ca. 1570), das die Vision in das Paris Karls IX. verlegte.

### 6.8 DYNASTIE

Als Erben des Augustus betrachteten sich die röm. Kaiser des MA ohnehin, gelegentlich stellte man aber auch persönliche bzw. dynastische Beziehungen zu Au-

gustus her, wie Gottfried von Viterbo für Heinrich VI., den er zugleich auch als Nachkommen Jupiters und als Erben Caesars und Justinians versteht [136. 105]. Kaiser Friedrich II. stellte eine solche Beziehung zu Augustus v.a. in seinen Briefen an die Römer, in seinen Bildnisplastiken und den Augustalen, seinen Goldmünzen (Abb. 1), her, die augusteischen Mz. nachempfunden sind und den Kaiser als Augustus zeigen. Der russ. Zar Ivan IV. sah in einem Bruder des Augustus den Begründer des Moskauer Fürstentums, womit er den Anspruch Moskaus als drittes Rom unterstrich.

### 6.9 LOTHARKREUZ

Umstritten ist die Bed. des Augustus-Kameo in der Vierung des ottonischen Lotharkreuzes in Aachen (Abb. 5). Da die Zuordnung des Augustusportraits vermutlich schon in ottonischer Zeit möglich war [156], muß es sich nicht um die Darstellung des aktuellen Augustus [98] oder Christus als König [101] handeln, sondern könnte auch mit der Person des Augustus eine irdische Entsprechung des himmlischen Universalmonarchen gefunden worden sein. Möglicherweise bot der Augustuskameo des Lotharkreuzes mit dem Adlerszepter und der Imperatorenbinde ein ikonographisches Vorbild für manche Darstellung ma. Kaiser [175. 60].

97 M. ACCAME LANZILLOTTA, Contributi sui Mirabilia Urbis Romae, 1996 98 J. DEÉR, Das Kaiserbild im Kreuz, in: Schweizer Beitr. zur Allg. Gesch. 13, 1955, 48–110, 12 Taf. 99 W. DEONNA, La légende d'Octave Auguste, dieu, sauveur et maître du monde, in: Revue d'Histoire des Religions 83, 1921, 32–58, 163–195; 84, 1921, 77–107 100 E. VON FRAUENHOLZ, Imperator Octavianus Augustus in der Gesch. und Sage des MA, in: HJb 46, 1926, 86–122 101 TH. JÜLICH, Gemmenkreuze, in: Aachener Kunstblätter 54/55, 1986/87, 99–258 102 H. KOWALSKI, Die Augustalen Kaiser Friedrichs II., in: Schweizerische Numismatische Rundschau 55, 1976, 77–150 103 J. LEEKER, Gottgewollter Herrscher oder Kulturpolitiker auf dem Kaiserthron, in: Zschr. für Romanische Philol. 109, 1993, 113–135 104 E. LEFÈVRE, Wielands Augustusbild, in: [142. 71–87] 105 I. OPELT, Augustustheologie und Augustustypologie, JbAC 4, 1961, 44–57 106 E. PETERSON, Kaiser Augustus im Urteil des ant. Christentums, in: Hochland 30, 1932/33, 289–299 107 B. SCHMIMMELPFENNIG, Jesus, Maria und Augustus, in: L. KÉRY (Hrsg.), Licet preter solitum, FS J. FALKENSTEIN, 1998, 119–142

## 7. TIBERIUS

Schon bei Sueton ist Tiberius äußerlich maßvoll und bescheiden, persönlich aber verbittert und grausam, was Sueton getrennt in zwei Teilen der Vita mitteilt. Diesen Gegensatz im Charakter des Tiberius bzw. der Darstellung Suetons nimmt Orosius (7,4) zum Anlaß, die Vita inhaltlich zu ordnen. Tiberius ist bei ihm ein Muster an herrscherlicher Tugend, maßvoll und bescheiden, der auf die Nachricht von Christi Tod hin beim Senat die Aufnahme Christi unter die Götter beantragte, was der Senat verweigerte. Auf das Verhalten des Senates hin veränderte sich das Wesen des Tiberius schlagartig, der nunmehr grausam und maßlos in seinem Haß v.a. auf den Senat war. Dieses Bild von Tiberius zeichnen in der

Abb. 5: In das sog. Lotharkreuz (um 1000) ist in der Vierung (gegenüber dem Gekreuzigten) eine antike Gemme mit dem Bildnis des Augustus eingearbeitet, die den Kaiser mit einem Adlerszepter zeigt, das möglicherweise Vorbild für auf Bildern gezeigte Adlerszepter der Kaiser nach dem Jahr 1000 wurde, Schatzkammer des Aachener Doms

Folge eine ganze Reihe ma. Autoren: Landulf Sagax, *Historia Romana* (VII,23); Frechulf von Lisieux, *Chronicon* (II,1,9); Ekkehard von Aura, *Chronicon* (Sp. 663 f.); Otto von Freising, *Chronica* (III, 11); Eike von Repgow, *Zeitbuch* (S. 111–113). Tiberius wird im NT nach der Auffassung christl. Geschichtsschreibung als rechtmäßiger H. anerkannt (Mk 12,17 und Mt 22,21), nach Orosius (VI,22,8) und Otto von Freising (Chronica III,7) wollte Christus röm. Bürger sein, und ist nach den genannten Quellen seit Orosius H. des Reiches, das von Gott als Voraussetzung für Christi Kommen eingerichtet wurde. Daher wird die überlieferte Grausamkeit des Tiberius heilsgeschichtlich gedeutet, nämlich als Reaktion auf die Christenfeindlichkeit des Senates. In der *Legenda aurea* des Jacobus de Voragine (cap. 53, De passione domini, S. 233) erscheint Tiberius als Gerichtsherr über den Sünder Pilatus und ist selbst auch dort Vertreter der rechtmäßigen Herrschaft. In allen genannten Quellen werden die Briefe des Pilatus an Tiberius zitiert, in denen er dem Kaiser vom Tod und den Wundertaten Christi berichtet (auch bei Greg. Tur. Franc I,24). Diese Briefe sind bis in das 2. Jh. zurückzuverfolgen und veranlaßten schon Tertullian, Pilatus geradezu als Christen zu schildern.

## 8. NERO

### 8.1 ALLGEMEINE BEWERTUNG

Allg. gilt Nero als *monstrum*. Er wird schon in der Ant. zum Inbegriff des herrschsüchtigen grausamen Tyrannen (nahezu durchgehend von Augustinus über Gregor von Tours, Otto von Freising, die Kaiserchronik, Boccaccio, Calvin zu Racine und darüber hinaus bis in die Gegenwart), der nicht nur Rom eingeäschert, sondern auch seine Mutter umgebracht hat, der Unzucht trieb und sich als der erste Christenverfolger hervortat (schon bei Tert. apol. 53). Eusebius (HE) und Orosius (7,7) betonen, daß Nero verantwortlich für den Tod von Petrus und Paulus gewesen sei. Nero galt schon Victorinus von Pettau (3. Jh.) als das Tier der Apokalypse. Nero als Vorläufer des Antichrist sehen z. B. Laktanz, Sulpicius Severus und Adso von Montier-en-Der (10. Jh.), Nero gilt im MA gelegentlich auch als Teufel und gemeinsam mit Jupiter, Alexander, Venus, Aeneas und anderen bezeichnet ihn Gundacker von Judenburg als Kind der Hölle, gelegentlich gilt Nero als Diener des Antichristen. In enger Verbindung mit dem Antichristen bzw. gar als dieser selbst wird Nero häufig gesehen.

## 7.2 Typus Antichristi

Kaiser Nero gilt fast durchgehend bis in die Gegenwart als eine Inkarnation des Bösen. Für die polit.-theologische Idee des MA führt die Bösartigkeit Neros nicht zur Ablehnung des – fortbestehenden – *Imperium Romanum*, sondern weist auf die Notwendigkeit seiner Christianisierung hin. Als *typus antichristi* bzw. als Inbegriff des Christenverfolgers eignete sich der Name Neros als polit. Kampfbegriff. Schon Gregor von Tours hatte Chilperich als ›Nero nostri temporis‹ bezeichnet (Greg. Tur. Franc. VI,46). Im Investiturstreit wurde es gebräuchlich, den Gegner als Antichrist oder dessen Vorläufer zu verunglimpfen. Als Nero bezeichnen in diesem Zusammenhang Kaiser Heinrich IV. z.B. Rupert von Deutz und Manegold von Lautenbach. Anselm von Canterbury sieht in Heinrich IV. den Nachfolger einer Reihe Caesar-Nero-Julian Apostata; Gerhoch von Reichersberg sieht Nero, Julian Apostata und Heinrich IV. als Antichristen. Papst Innozenz IV. greift diese Typologie auf, wenn er Friedrich II. als zweiten Nero bezeichnet, Heinrich von Isernia sieht in Karl I. von Sizilien eine Steigerung Neros und Catilinas. Merkwürdigerweise versuchte Rudolf IV. von Österreich Österreichs Reichsunmittelbarkeit auf ein Privileg Neros zu gründen (vgl. auch zu Caesar). Die einhellige Ablehnung Neros, die noch über die Wertung bei Sueton und Tacitus hinausgeht, nahm Girolamo Cardano (1501–1576) zum Anlaß, eine regelrechte Apologie Neros zu verfassen (Cardano, *Encomium Neronis*), in der er Neros Verbrechen gegenüber den Untaten anderer Kaiser wie z.B. des Augustus zu relativieren und an manche positive Eigenschaften Neros erinnerte, wie seine Liebe zur Kunst sowie seine Freigebigkeit (cap. 37), und schließlich andere zu erschließen versuchte, z.B. daß Nero ein guter Feldherr gewesen sei (cap. 19).

**108** W. Jakob-Sonnabend, Unt. zum Nero-Bild der Spätant., 1990 **109** R. Konrad, Kaiser Nero in der Vorstellung des MA, in: K. Schnith (Hrsg.), Festiva Lanx, 1966, 1–15 **110** Ch. Schubert, Stud. zum Nerobild in der lat. Dichtung der Ant., 1998

## 9. Vespasian und Titus

Ohne positive Bewertung erwähnt Gregor von Tours (Franc. I,26) die Zerstörung des Tempels in Jerusalem und den Tod von 600000 Juden, wohingegen Benzo von Alba das Schicksal der Juden Jerusalems mit der Schuld am Tod Christi rechtfertigt (Ad Heinricum, cap. 1,92f.). Und auch Otto von Freising (Chronica III,18) sieht die Behandlung der Juden als gerechte Sühne an, was ihm recht leicht gefallen sein mag, waren es doch Heiden, die diesen gerechten Krieg gegen die Juden unternahmen. Vielfach finden sich bei ma. Theologen und Historikern solche Rechtfertigungen histor. Ereignisse, die nach allg. Auffassung dem göttl. Plan folgen, wie schon Caesar als heidnischer Rechtsbrecher gesehen werden konnte, dessen Aufgabe darin bestand, die Monarchie des Augustus erst möglich zu machen. In

dieser Hinsicht folgerichtig distanziert sich Thomas von Aquin von den tyrannischen Kaisern der Ant. und sieht in Titus und Vespasian die maßvollsten unter diesen (De regimine principum I,6). Iohannes Cavallini berichtet von einer Gesandtschaft des Pilatus an Tiberius, die zuerst Vespasian erreichte und diesen überzeugen konnte, daß Christus Gottes Sohn sei (Polistoria III,6,1–7,1), worauf Cavallini von der Belagerung Jerusalems durch Vespasian berichtet.

## 10. Trajan

Gregor von Tours steht im MA recht allein mit der Auffassung, daß Trajan nur ein grausamer Christenverfolger gewesen sei (Greg. Tur. Franc. I,27), bei Lupus von Ferrières gilt Trajan als nachahmenswerter H., Johannes von Salisbury und Alexander Neckham rühmen Trajans Milde. Als Typus des gerechten Kaisers erscheint Trajan z.B. in der Kaiserchronik, bei Dante (Purg. X, 73ff.), Petrarca und bei Hans Sachs. Angeblich betete Gregor d. Gr. für die Seele Trajans, die daraufhin in den Leib zurückkehrte, um auf das Gericht zu warten, so in der Kaiserchronik, bei Sigebert von Gembloux, Gottfried von Viterbo (Speculum regum, 944ff.) und Jans Enikel. In der deutschsprachigen Chronistik des MA wird ebenfalls über die Christenverfolgung hinweggesehen und Trajan erscheint als barmherzig und gerecht. Auch bei Schedel (1493,109r), Johannes Cochläus und Erasmus von Rotterdam ist das Bild Trajans positiv. Bis in die Geschichtsforschung des 20. Jh. gilt Trajan als einer der guten Kaiser.
→ Trajanssäule

**111** A. M. Cetto, Der Berner Traian- und Herkinbald-Teppich, in: Jb. des Bernischen Histor. Mus. in Bern 43/44, 1963/64, 9–230 **112** C. Riessner, Die Gesch. von Kaiser Trajan und der Witwe in der Romsage, Volkserzählung und Dichtung, in: FS F. Karlinger, 1980, 151–160

## 11. Konstantin
### 11.1 Konstantinische Schenkung

Konstantin d. Gr. gilt während des MA als erster christl. Kaiser, der bei seinem Weggang nach Konstantinopel dem hl. Petrus und seinen Nachfolgern die Herrschaft im Westen überließ, was auf der Basis der seit dem E. des 4. Jh. entstandenen weitverbreiteten Legende von der Heilung und Taufe Konstantins durch Papst Silvester I. (Silvesterlegende) aller Wahrscheinlichkeit nach noch im 8. Jh. in der Konstantinischen Schenkung, der angeblichen Abschrift einer Urkunde Konstantins, eine rechtlich-relevante Form erhielt. Schon der Kaisertitel des *Constitutum Constantini* ist eine spätere Schöpfung, vermutlich des 8. Jh. Der erste Teil des Dokuments besteht aus der Geschichte von Heilung und Taufe durch Papst Silvester, einem korrekten Glaubensbekenntnis und der Anerkenntnis des Primats Petri. Im Folgenden überläßt Konstantin Petrus und Paulus, mit ihnen Papst Silvester und seinen Nachfolgern, v. a. den Lateranpalast, die Krone, die kaiserlichen Szepter (*sceptra* vielleicht für »Herrschaft«) und verfügt, daß die Kirche *consules* und *patricii* ernennen darf; ferner werden den Päpsten die Stadt Rom und die Orte It. und der westl. Provinzen überlassen. Die Bestimmungen zeugen von dem Bemühen der Päpste, sich vom byz. Kaiser zu emanzipieren, unter dessen Herrschaft sie zu Beginn des 8. Jh. noch standen, und erlauben mit der im Dokument mehrfach betonten kaiserähnlichen Stellung der Päpste die Verbindung mit den Frankenkönigen. Sehr bald diente die Schenkung auch zur Betonung des Vorrangs der Päpste vor den auf dieser Basis erhobenen Kaisern des Westens. Bereits Kaiser Otto III. erklärte die Schenkung für eine Fälschung, als er sie Papst Silvester II. bestätigen sollte (MGH, DO III 389). Im sog. Investiturstreit wurde sie verstärkt thematisiert, ein weiteres Mal wurde sie von stadtröm. Seite 1152 zur Fälschung erklärt. In der ersten Hälfte des 14. Jh. war sie erneut Thema der publizistischen Auseinandersetzung zw. den zwei Gewalten; endgültig wies Lorenzo Valla in der 1. H. des 15. Jh. ihre Unechtheit nach. Konstantin galt wegen der Schenkung im Westen als Urheber der weltlichen Gewalt der Kirche und damit zunächst (nicht nur) aus kurialer Sicht als Ursprung des Kaisertums im Westen.

### 11.2 ALLGEMEINE BEWERTUNG

Wegen seiner weltgeschichtlichen Rolle gilt Konstantin als guter H. (schon bei Augustin als Idealbild eines christl. Regenten, für Gregor d. Gr. als Anfang der *christiana res publica*, als Pendant zu David und *minister Dei*, bei Sedulius Scottus als *vicarius christi* in der *Determinatio compendiosa* (cap. 25), bei Dante als Typus des gerechten Königs). Im Prolog des Sachsenspiegels erscheint Konstantin als Gesetzgeber und bei Hinkmar von Reims und Sedulius Scottus achtete Konstantin die Autonomie der Kirche, in der sächsischen Weltchronik wird ihm die Exemtion der Kirche von der weltlichen Gerichtsbarkeit angerechnet. Das durchgehend positive Konstantinbild im Westen reicht von dem Hof Karls d.G. bis zu Martin Luther, der Konstantin als fromm und gottesfürchtig bezeichnete.

Daneben gibt es aber auch reichlich kritische Stimmen, wie die König Manfreds, der Konstantin vorwirft, er habe das Reich nicht gemehrt und sei daher kein *augustus* (Manifest an die Römer, cap. 16, wie auch schon Gottfried von Viterbo, Speculum regum, V. 1098). Dante argumentiert ähnlich, wenn er die Unteilbarkeit des Reiches postuliert und Konstantin das Recht abspricht, über das *imperium* zu verfügen, als wäre es sein persönliches Erbe (Monarchia III,10). Konstantin wird im Human. gelegentlich die Schuld am Niedergang des Westreiches gegeben (Leonardo Bruni, *Historia Florentini*, 1429; Lorenzo Ghiberti, *Commentarii*, nach [151. 8f.]). Bei Voltaire ist Konstantin Tyrann und Verbrecher. Und auch bei dem Historiker August Ludwig Schlözer gilt Konstantin als Bösewicht.

Im Osten ist Konstantin der Begründer des Reiches, was in der Annahme seines Namens durch elf byz. Kaiser deutlich wird. Bis h. wird er in der griech.-ortho-doxen Kirche am 21. Mai als Heiliger verehrt. Als erster christl. Kaiser ist Konstantin auch im Westen Neugründer des Reiches, was z.B. von Cola di Rienzo und Melanchthon hervorgehoben wird.

### 11.3 BEGRÜNDER DES CHRISTLICHEN IMPERIUMS

Wegen seiner geschichtlichen Rolle als Begründer des christl. Imperiums galt Konstantin schon in merowingischer Zeit als Herrschervorbild, das zum E. des 8. Jh. zunächst von päpstlicher Seite Karl d. Gr. empfohlen wurde, der sich als *novus Constantinus* z.B. bei der Kopie des Lateranplatzes in Aachen zeigte, nicht jedoch unbedingt in der Kaiserbulle Karls, die eher auf Kontinuität beruht als auf der Rezeption eines konstantinischen Vorbildes [118. 478–484]. Mit seinem Bad in dem angeblichen Taufbecken Konstantins im Lateran versuchte Cola di Rienzo sich in die Nachfolge Konstantins zu setzen, nämlich als christl. Neugründer des Reiches. Gustav II. Adolf von Schweden ließ sich als neuer Konstantin darstellen, der im Zeichen des Kreuzes siegte. Mussolini hat in Ergänzung seiner Rolle als neuer Augustus sich auch als neuer Konstantin gesehen, weil er mit den Lateranverträgen von 1929 die Existenz des Kirchenstaates wiederherstellte.

### 11.4 IDENTIFIKATION

Als neuer Konstantin wurden zu allen Zeiten zahlreiche Herrscher bezeichnet, die alle als Beschützer und Wohltäter der Kirche gelten sollten, so Kaiser Marcian, der Merowinger Chlodwig, Karl d. Gr., den Papst Hadrian so nannte (778), Karl der Kahle, Heinrich IV. (bei Benzo von Alba, Ad Heinricum, VI,6), Cola di Rienzo, der sich ausdrücklich als Wohltäter der Kirche bezeichnete (Cola di Rienzo, Briefwechsel, Nr. 43), sowie König Karl VIII. bei seinem Einzug in Rouen 1485.

Von päpstlicher Seite wurden anfangs noch Karl d. Gr. und Konstantin parallelisiert: Das Triklinums-Mosaik des Lateran in Rom aus der Zeit Leos III. selbst ist verloren, die dokumentierte Restauration von 1625 führte die Parallele Karl-Konstantin möglicherweise erst nachträglich ein. In der Vorhalle der Peterskirche in Rom wurden Reiterstandbilder von Konstantin und Karl d. Gr. (letzteres aber erst 1725) aufgestellt.

Auch auf fränkischer Seite wurden Karl und Konstantin parallelisiert (z.B. auf dem sog. Einhardsbogen, einem Untersatz für ein Reliquienkreuz, den Einhard nach 815 St. Servatius in Maastricht stiftete; erhalten ist er nur in Nachzeichnung, Paris BN fr. 10440, Abb. 6). 781 ließ Karl d.G. seinen Sohn Pippin im Baptisterium des Lateran taufen; der Buchdeckel der Trierer Ada-Handschrift (Kopie von 1499) enthält einen ant. Kameo, der Konstantin und seine Familie zeigt.

Der mit der Konstantinischen Schenkung begründete Anspruch des Papsttums auf Vergabe der Kaiserkrone ließ die Parallelisierung der ma. Kaiser mit Konstantin zunehmend zurücktreten. Sie wurden Konstantin bevorzugt nachgeordnet, z.B. als 816 Papst Stephan IV. Ludwig den Frommen mit einer Krone krönte, die nach Ermoldus Nigellus einmal Konstantins Krone gewesen sein soll (In honorem Hludowici II, 425f.). Kon-

Abb. 6: Der sog. Einhardsbogen ist ein Kreuzfuß, den Einhard, der Biograph Karls des Großen,
dem Stift St. Servatius in Maastricht stiftete, erhalten in einer Nachzeichnung
in der Bibliothèque Nationale de France, Paris, Fr. 10440, fol. 45

stantin hatte der Konstantinischen Schenkung zufolge seine Krone Silvester und seinen Nachfolgern überlassen, aus deren Händen also die künftigen Kaiser die Krone zu empfangen hatten (Constitutum Constantini 221 und 249 ff.). Papst Bonifaz VIII. erhob schließlich sogar den Anspruch, selbst der *caesar* zu sein, als der er sich in vielerlei Hinsicht gerierte, nicht ohne Verweis auf die Schenkung Konstantins [123. 112]. Mit solchen Hinweisen durften die Päpste jedoch nicht zu deutlich werden, da sie sonst ihre Legitimation über den Hl. Petrus, den Fels der Kirche (nach Mt 16,18), in Frage gestellt hätten, denn ihre Vorrangstellung gegenüber dem Kaisertum wurde v. a. von Gregor VII. und Innozenz III. eigentlich mit der Höherwertigkeit der geistlichen Gewalt begründet. Daher erweckt auch der Freskenzyklus im Kloster SS. Quattro Coronati, der Konstantins Heilung, Taufe, die Übergabe der kaiserlichen Bekrönung (Phrygium bzw. Krone) und das Geleiten des berittenen Silvesters von Konstantin zum Lateran zeigt, in Komposition und Ausführung der Bilder den Eindruck, die Schenkung sei der angemessene Dank Konstantins für die Heilung vom Aussatz und die Taufe (Oratorio di S. Silvestro). Auch die Stanzen Raffaels zeigen mit der *Sala di Costantino* das päpstliche Konstantinbild, dargestellt sind die Ansprache an das Heer, die Konstantinsschlacht, Taufe und die Schenkung Konstantins.

### 11.5 Taufe

Wesentlicher Bestandteil der Silvesterlegende ist Konstantins Taufe durch Papst Silvester, mit der erst die Voraussetzung geschaffen ist, daß Konstantin dem hl. Petrus bei seinem Weggang nach Konstantinopel die Herrschaft im Westen überlassen kann. Daneben ist im MA die Taufe durch den Arianer Eusebius von Nikomedien nicht unbekannt. Da aber beide Berichte einander ausschließen, liegt es nahe, bei der für die vom Papsttum vermittelte westl. Kaiserherrschaft wichtigen Taufe durch Silvester zu bleiben. Sie begründet nicht nur die → Konstantinische Schenkung, sondern ist damit neben der zunächst noch nicht konsequent entwickelten Zweigewaltenlehre des Papstes Gelasius I. eine wesentliche Begründung für die Doppelspitze Papst und Kaiser und deren Aufgabenverteilung, die im Grundprinzip das gesamte MA hindurch Bestand hatte, wenn auch um die Aufgabenverteilung und den Vorrang gestritten wurde. Schon Eusebius von Caesarea verschwieg die arianische Taufe (Eusebius, vita Const., 4,62), ebenso Augustin. Bei Isidor von Sevilla, Fredegar und Otto von Freising ist die Taufe durch den Arianer Eusebius von Nikomedien bekannt. Gerhoch von Reichersberg dagegen hält sich an die Legende von der Taufe durch Silvester.

### 11.6 Reiterstandbild des Marc Aurel

Als Konstantin galt während des MA die Reiterstatue des Marc Aurel, die spätestens seit dem 8. Jh. als Ausdruck der päpstlichen Konstantinsnachfolge auf dem

Lateranplatz stand und dort als Gerichtsort diente. Die *Mirabilia urbis Romae* (cap. 15) behaupteten dann im 12. Jh., es handle sich gar nicht um ein Bild Konstantins, sondern um das eines Helden der Republik, was wenig daran änderte, daß seit dem 12. Jh. in Frankreich und dem 13. Jh. in It. die Statue unter dem Namen Konstantins nachgeahmt wurde. Der Magister Gregorius (cap. 4; 12. oder 13. Jh.) berichtet in seiner Rombeschreibung von verschiedenen Deutungen des Standbildes, nämlich bei den Fremden als Theoderich, den Römern stellte es angeblich Konstantin dar, den Kardinälen und Klerikern Marcus oder Quintus Quirinus. Cola di Rienzo knüpfte an die Deutung als Konstantin an, als er es zu seinem Standbild machte, den Reiter mit einem Hermelinmantel bekleidete und die Statue vermutlich als Zeichen des neuen Zeitalters zum Wein- und Wasserspender umbauen ließ, womit er Papst und Kaiser gegenüber Konstantin vereinnahmte und sich selbst als neuer Konstantin zeigte. In Analogie zu dem aus einfachen Verhältnissen stammenden Cola di Rienzo entstand eine Legende, die in dem Reiter nunmehr einen Bauern sah, der sich in einer nahezu verlorenen Schlacht des Pferdes des abgeworfenen Konstantin bemächtigte und die Feinde besiegen konnte. Erst zu Beginn des 16. Jh. setzte sich die Deutung als Marc Aurel durch, zu einer Zeit, da die Kirche nach der endgültigen Widerlegung der Konstantinischen Schenkung durch Lorenzo Valla auf Konstantin verzichten konnte. Papst Paul III. ließ 1536 das Standbild auf das Kapitol bringen, wo es als Wahrzeichen seiner Stadt diente.

### 11.7 HELENA

Konstantins Mutter Helena, von der z.B. angenommen wurde, sie stamme aus einer vornehmen Trierer Familie, wird in der griech.-orthodoxen Kirche bis h. mit ihrem Sohn zusammen am 21. Mai als Heilige verehrt, da sich mit ihr die Legende von der Auffindung des Kreuzes Christi verbindet, die auch im Westen weite Verbreitung fand (zur Ikonographie [128]).

→ AWI Alexander der Große; Augustus; Caesar; Consecratio; Constantinus; David; Helena; Imperium Romanum; Nero; Romulus; Salomo; Tiberius; Traianus; Triumph

113 G. BONAMENTE, F. FUSCO (Hrsg.), Costantino il Grande dall'Antichità all'Umanesimo, 1990, 2 Bde., 1992/1993
114 E. EWIG, Das Bild Konstantins d. Gr. in den ersten Jahrhunderten des abendländischen MA, in: HJb 75, 1956, 1–46
115 H. FUHRMANN, Einfluß und Verbreitung der pseudoisidorischen Fälschungen, Bd. 2, 1973
116 N. GRAMACCINI, Die Umwertung der Ant. – Zur Rezeption des Marc Aurel in MA und Ren., in: Ausstellungs-Kat. Natur und Antike in der Ren., 1985, 51–83
117 E. G. GRIMME, Novus Constantinus, in: Aachener Kunstblätter 22, 1961, 7–20
118 TH. GRÜNEWALD, Constantinus Novus, in: [113, Bd. 1. 461–485]
119 K. HAUCK, Karl als neuer Konstantin 777, in: FMS 20, 1986, 513–540
120 E. HEYDENREICH, Constantin d. Gr. in den Sagen des MA, in: Dt. Zschr. für Geschichtswiss. 9, 1893, 1–27
121 W. KAEGI, Vom Nachleben Constantins, in: Schweizerische Zschr. für Gesch. 8, 1958, 289–326
122 A. KAZHDAN, Constantine imaginaire, in: Byzantion 57, 1987, 196–250
123 G. LAEHR, Die Konstantinische Schenkung in der abendländischen Lit. des MA bis zur Mitte des 14. Jh., 1926
124 S. N. C. LIEU, D. MONTSERRAT (Hrsg.), Constantine – history, historiography and legend, 1998
125 M. LUCHTERHANDT, Famulus Petri, in: CH. STIEGEMANN, M. WEMHOFF (Hrsg.), 799 – Kunst und Kultur der Karolingerzeit III, 1999, 55–70
126 D. MAFFEI, La Donazione di Costantino nei Giuristi Medievali, 1964
127 K. NOWAK, Der erste christl. Kaiser, in: E. MÜHLENBERG (Hrsg.), Die Konstantinische Wende, 1998, 186–233
128 H. W. v. OS, G. JÁSZAI, Kreuzlegende, in: LCI 2, 1994, 642–648
129 W. POHLKAMP, Zur Vorgesch. der Konstantinischen Schenkung, in: Fälschungen im MA, Bd. 2, 1988, 413–490
130 K. STEMMER (Hrsg.), Kaiser Marc Aurel und seine Zeit, 1988
131 H. WOLFRAM, Constantin als Vorbild für den H. des hochma. Reiches, in: Mitteilungen des Instituts für Österreichische Geschichtsforschung 68, 1960, 226–243

Editionen und zweisprachige Ausgaben: ADO VON VIENNE, Martyrologium, PL 123, 139–420 · ADO VON VIENNE, Chronicon in aetates sex divisum, PL 123, 23–138 (dieser Teil nicht in MGH SS 2, 315 ff.). · ANONIMO ROMANO, Cronica. Vita di Cola di Rienzo, hrsg. v. ETTORE MAZZALI, 1991 (auf der Basis von: Anonimo Romano, Cronica, hrsg. v. G. PORTA, 1979) · ARCHIPOETA, Ave Caesar, in: H. WATENPHUL, H. KREFELD (Hrsg.), Die Gedichte des Archipoeta, 1958, Nr. 9, 68–73 · ASTRONOMUS, (Anonymi Vita Hludowici Imperatoris, in: R. RAU (Hrsg.), Quellen zur karolingischen Reichsgesch., Bd. 1, 1955, 257–381 · BENZO VON ALBA, Ad Heinricum imperatorem libri VII, hrsg. v. H. SEYFFERT, 1996 · Bulla aurea Karoli IV. imperatoris (Die Goldene Bulle Kaiser Karls IV. vom Jahre 1356), hrsg. v. W. D. FRITZ, 1972 · GERONIMO CARDANO, Encomium Neronis, hrsg. v. N. EBERL, 1994 · Carmen de gestis Frederici I. Imperatoris in Lombardia, hrsg. v. IRENE SCHMALE-OTT, 1965 · Cérémonial françois, hrsg. v. TH. GODEFROY, D. GODEFROY, Bd. 1, Paris 1649 · CHRISTIAN (VON STABLO) DRUTHMAR, Expositio in Matthaeum Evangelistam, PL 106, 1261–1504 · COLA DI RIENZO, Briefwechsel, hrsg. v. P. PIUR und K. BURDACH, Bd. 1, 1912 · Constitutum Constantini, hrsg. v. H. FUHRMANN, 1968, Ndr. 1984 · De mirabilibus urbis Romae, Bayerische Staatsbibl. München Clm 850 · Determinatio compendiosa de iurisdictione imperii auctore anonymo ut videtur Tholomeo Lucensi, hrsg. v. MARIUS KRAMMER, 1909 · EIKE VON REPGOW, Zeitbuch, hrsg. v. H. F. MASSMANN, Stuttgart 1857, Ndr. 1969 · EINHARD, Vita Caroli Magni, in: R. RAU (Hrsg.), Quellen zur karolingischen Reichsgesch., Bd. 1, 1955 · EKKEHARD VON AURA, Chronicon universale, MGH SS 6, 1–267 · ERMOLDUS NIGELLUS, In honorem Hludowici II, MGH PL 2, 4–79 · FRECHULF VON LISIEUX, Chronicon, PL 106, 917–1258 · FRIEDRICH II., Konstitutionen von Melfi = Die Konstitutionen Friedrichs II. für das Königreich Sizilien, hrsg. v. W. STÜRNER, 1996 · GOTTFRIED VON VITERBO, Speculum regum, MGH SS 22, 21–93 · GOTTFRIED VON VITERBO, Gesta Friderici, MGH SS 22, 307–334 · GOTTFRIED VON VITERBO, Pantheon, MGH SS 22, 107–307 · GREGOR VON TOURS, Historia Francorum = Gregorii Turonensis libri historiarum X, hrsg. v. B. KRUSCH und W. LEVISON, 1937–1951 · HINKMAR VON REIMS, De ordine palatii, hrsg. v. TH. GROSS und R. SCHIEFFER, 1980 · Historiae Romanorum, Staats- und Universitätsbibl.

Hamburg ms. 151 in scrin • IACOBUS A VORAGINE, Legenda aurea vulgo historia lombardica dicta, hrsg. v. TH. GRAESSE, Leipzig 1850 • IOHANNES CAVALLINI, (Ioannis Caballini) Polistoria de virtutibus et dotibus Romanorum, hrsg. v. MARC LAUREYS, 1995 • Kaiser Heinrichs Romfahrt, hrsg. v. F.-J. HEYEN, 1965 • LAMPERT VON HERSFELD, Vita Lulli Archiepiscopi Mogontiacensis, in: Lamperti Monachi Hersfeldensis Opera, hrsg. v. O. HOLDER-EGGER, 1894, 305–340 • LANDULF SAGAX, Historia Romana, hrsg. v. A. CRIVELLUCCI, 2 Bde., 1912/13 • NICCOLO MACHIAVELLI, Discorsi, hrsg. u. übers. v. R. ZORN, ²1977 • NICCOLO MACHIAVELLI, Il Principe – Der Fürst, hrsg. u. übers. v. PH. RIPPEL, 1988 • MAGISTER GREGORIUS, Narracio de mirabilibus urbis Romae, hrsg. v. R. B. C. HUYGENS, 1970 • KÖNIG MANFRED VON SIZILIEN, Manifest an die Römer, in: E. DUPRÉ THESEIDER, L'idea imperiale di Roma nella tradizione del medioevo, 1942, 216–229 • MARSILIUS VON PADUA (Marsile de Padoue), Oeuvres mineures. Defensor minor. De translatione imperii, hrsg. v. C. JEUDY und J. QUILLET, 1979 • MARTINO DA CARAMANICO, Prooemium zum Liber Constitutionum Friedrichs II., in: F. CALASSO, I Glossatori e la teoria della Sovranità, 1957, 174–205 • MARTIN VON TROPPAU, Chronicon pontificum et imperatorum, MGH SS 22, 377–475 • Mirabilia urbis Romae, in: Codice topografico della città di Roma, III, hrsg. v. R. VALENTINI und G. ZUCCHETTI, 1946, 3–65 • Die Ordines für die Weihe und Krönung des Kaisers und der Kaiserin, hrsg. v. R. ELZE, 1960 • OTTO VON FREISING, Chronica sive historia de duabus civitatibus. Chronik oder die Gesch. der Zwei Staaten, übers. v. A. SCHMIDT, hrsg. v. W. LAMMERS, 1960 • OTTO VON FREISING UND RAHEWIN, Gesta Frederici seu rectius cronica – Die Taten Friedrichs oder richtiger Chronica, übers. v. A. SCHMIDT, hrsg. v. F.-J. SCHMALE, ³1986 • PETRUS VON EBOLI, Liber ad honorem Augusti sive de rebus Siculis, übers. v. G. BECHT-JÖRDENS, hrsg. v. TH. KÖLZER und M. STÄHLI, 1994 • PETRUS DIACONUS, Graphia aureae urbis Romae, in: Codice topografico della Città di Roma, hrsg. v. R. VALENTINI und G. ZUCCHETTI, Bd. 3, 1946, 67–110 • PETRUS DE VINEA, Friderici II. Imperatoris epistulae. Novam editionem curavit Johannes Rudolphus Iselius Basel 1740, 2 Bd., hrsg. v. H.-M. SCHALLER, 1991 • Regesta Imperii V, 1–3, hrsg. v. J. F. BÖHMER, J. FICKER und E. WINKELMANN, 1881–1901 • Hartmann Schedel, [Die Schedelsche] Weltchronik, Nürnberg 1493, Ndr. 1978 • Theatrum Europaeum = Irenico Polemographiae Continuatio sive Theatri Europaei Continuatio Tomus IX, Friedens- und Kriegsbeschreibung vom Anfang des 1600sten Jahrs, biß an das 1666ste Jahr, bearb. v. MARTIN MEYER VOM HAIN in Schlesien, Frankfurt am Main (Matth. Merians Erben) 1672 • THEGAN, Die Taten Kaiser Ludwigs (Gesta Hludowici imperatoris) – ASTRONOMUS, Das Leben Kaiser Ludwigs (Vita Hludowici imperatoris, hrsg. v. E. TREMP, 1995 • THOMAS VON AQUIN, Über die Herrschaft der Fürsten (De regimine principum), übers. v. F. SCHREYVOGL, (1971) 1994 • Der Triumphzug Kaiser Maximilians I., 1979 • VESPASIANUS, Lex de imperio, in: Roman Statutes, hrsg. v. M. H. CRAWFORD, 2 Bde., I, 549–553 • WIDUKIND VON CORVEY, Res gestae saxonicae – Widukinds Sachsengeschichte, in: Quellen zur Gesch. der sächsischen Kaiserzeit, bearb. und übers. v. A. BAUER und R. RAU, 1971, 1–183 • WILHELM VON OCKHAM, Breviloquium de Principatu Tyrannico, in: William Ockham, Opera Politica IV, hrsg. v. H.S. OFFLER, 1997 •

WIPO, Gesta Chuonradi II. imperatoris, in: Die Werke Wipos, hrsg. v. H. BRESSLAU, (³1915) 1993

LIT 132 J. AMMANN-BUBENIK, Kaiserserien und Habsburgergenealogien, in: [134. 73–89]
133 H. H. ANTON, Fürstenspiegel und Herrscherethos in der Karolingerzeit, 1968 134 M. BAUMBACH (Hrsg.), Tradita et inventa, 2000 135 A. BECHERER, Die panegyrische Inszenierung des Herrschers in der frz. Lit. der Ren., in: [134. 131–146] 136 W. BERGES, Die Fürstenspiegel des hohen und späten MA, 1938 137 S. BERTELLI, Il Corpo del Re, (1990) 1995 138 W. BRAUNFELS, Die Kunst im Hl. Röm. Reich Dt. Nation, 6 Bde., 1979–1989 139 P. BURKE, Ludwig XIV, (1992) 1996 140 J. H. BURNS (Hrsg.), Medieval Political Thought, (1988) 1995 141 K. CHRIST, A. MOMIGLIANO (Hrsg.), Die Ant. im 19. Jh. in It. und Deutschland, 1988 142 K. CHRIST, E. GABBA (Hrsg.), Röm. Gesch. und Zeitgesch. in der dt. und it. Alt.-Wiss. während des 19. und 20. Jh. I: Caesar und Augustus, 1989
143 A. DEMANDT, Der Fall Roms, 1984 144 F. DVORNIK, Early Christian and Byzantine Political Philosophy, 2 Bde., 1966 145 E. EICHMANN, Die Kaiserkrönung im Abendland, 2 Bde., 1942 146 W. ERZGRÄBER (Hrsg.), Kontinuität und Transformation der Ant. im MA, 1989 147 H. FICHTENAU, Byzanz und die Pfalz in Aachen, Mitt. des Inst. für österreichische Geschichtsforschung 59, 1951, 1–54
148 H. FICHTENAU, Vom Verständnis der röm. Gesch. bei dt. Chronisten des MA, in: P. CLASSEN, P. SCHEIBERT (Hrsg.), FS P. E. SCHRAMM, 1964, 401–419 149 H.-D. FISCHER, Beitr. zum Nachleben röm. Kaiser in der dt. Lit. des MA, (Diss. Bochum) 1969 150 A. GRAF, Roma nella memoria e nelle immaginazioni del Medio Evo, 1923
151 N. GRAMACCINI, Mirabilia, 1996 152 F. GRAUS, Troja und trojanische Herkunftssage im MA, in: [146. 25–43]
153 M. GREENHALGH, Iconografia antica e sue trasformazioni durante il Medioevo, in: [176, Bd. 2. 153–197] 154 H. HECKER (Hrsg.), Der H., 1990 155 K. J. HEINISCH, Kaiser Friedrich II. in Briefen und Berichten seiner Zeit, 1968 156 U. HAUSMANN, Zur Bed. des röm. Kaiserbildes im MA, in: MDAI, Römische Abteilung 97, 1990, 383–393 mit Taf. 113–116 157 KL. HEITMANN, Zur Antike-Rezeption am burgundischen Hof, in: A. BUCK (Hrsg.), Die Rezeption der Ant., 97–118 158 NN (Hrsg.), Hochren. im Vatikan, 1998 159 F. KAMPERS, Die Fortuna Caesarea Kaiser Friedrichs II., in: HJb 48, 1928, 208–229
160 E. H. KANTOROWICZ, Selected Studies, 1965 161 Ders., Kaiser Friedrich II. und das Königsbild des Hell. (1952), in: [160. 264–283] 162 Ders., Die zwei Körper des Königs, (1957) 1990 163 H. KELLER, Das Nachleben des ant. Bildnisses von der Karolingerzeit bis zur Gegenwart, 1970 164 F. LANDSBERG, Das Bild der alten Gesch. in ma. Weltchroniken, 1934 165 A. LEGNER (Hrsg.), Ornamenta Ecclesiae, 1985 166 M. MACCONI, Federico II. Sacralità e Potere, 1994 167 S. MADDALO, In Figura Romae, 1990 168 E. M. MOORMANN, W. UITTERHOEVE, Lex. der ant. Gestalten, (1987) 1995 169 G. OSTROGORSKY, Geschichte des byz. Staates, 1963 170 J. QUILLET, Community, Counsel and Representation, in: Cambridge History of Medieval Political Thought, (1988) 1995, 520–572
171 G. RÖWEKAMP, Pilatus-Lit., in: Lex. der ant. christl. Lit. 1998, 508 f. 172 M. ROKOSZ (Hrsg.), Our Eagles. The White Eagle in the Collections of the Jagiellonian Library, Kraków 1997 173 P. E. SCHRAMM, Kaiser, Rom und Renovatio, (1929) 1992 174 Ders., Der König von Frankreich, 2 Bde., 1939 175 Ders., FL. MÜTHERICH,

Denkmale der dt. Könige und Kaiser, ²1983 **176** S. Settis (Hrsg.), Memoria dell'antico nell'arte italiana, 3 Bde., 1984ff., Bd. 2, 1985 **177** H. Sichtermann, Römische Kunst und ihre Nachwirkung, in: K. Büchner (Hrsg.), Latein und Europa, 1978, 282–312 **178** I. Stahlmann, Imperator Caesar Augustus, 1988 **179** J. Strothmann, Kaiser und Senat, 1998 **180** J. Strothmann, Caesar und Augustus im MA, in: [134. 59–72] **181** R. Stupperich, Die zwölf Caesaren Suetons, in: Ders. (Hrsg.), Lebendige Antike, 1995, 39–58 **182** O. Treitinger, Die oström. Kaiser- und Reichsidee nach ihrer Gestaltung im höfischen Zeremoniell, 1938           JÜRGEN STROTHMANN

# Hethitologie   A. Name, Arbeitsgebiet   B. Geschichte   C. Strukturen des Faches

## A. Name, Arbeitsgebiet

Die Disziplin der H. im engeren Sinne beschäftigt sich mit Sprache, Geschichte und Kultur der Hethiter, des Volkes, das im Laufe des 2. Jh. v. Chr., ausgehend von seinem Kernland in Zentralanatolien, ein Großreich in Anatolien und Syrien aufbaute. Im weiteren Sinne aber gehören zum Arbeitsgebiet der Hethitologen auch die anderen in den hethitischen Archiven festgehaltenen indoeurop. (Palaisch, Keilschriftluwisch) und nicht-indoeurop. (Hattisch, Hurritisch) Sprachen sowie das von den Hethitern für Felsinschr. und Siegel benutzte Hieroglyphenluwische; daneben die anatolischen Sprachen des 1. Jahrtausends (Lydisch, Lykisch usw.). In der hier verwendeten breiten Bed. des Wortes ist »H.« synonym mit der Fachbezeichnung »Altanalistik«, die aber weniger geläufig ist.

Strenggenommen sind die Bezeichnungen »H.«, »Hethitisch« und »Hethiter« nicht ganz zutreffend. Die Bezeichnung »Hethiter« stammt aus den Anfangsj. der H. und beruht auf dem biblischen »Hittim« (eigentlich sind mit diesem Wort Syrer des 1. vorchristl. Jh., nicht Anatolier des 2. vorchristl. Jh. gemeint), dem akkadischen »Land Hatti« und dem ägypt. »Land Hata«. Die Hethiter selbst nannten ihre Sprache nach einer früheren anatolischen Königsresidenz Neša (oder Kaneš) »Nesitisch« (bzw. »Kanisisch«) und bezeichneten sich selbst als »Leute von Hattusa« nach dem Namen der Hauptstadt ihres Reiches und dem ihres Reiches überhaupt. Aber auch wenn also die Worte »Hethitisch« und »Hethiter« anachronist. sind und teils auf falschen Voraussetzungen beruhen, sind sie fest eingebürgert und sollten deshalb als traditionelle Termini beibehalten werden.

Die H. ist in erster Linie Teildisziplin der → Altoriental. Philologie und Geschichte, da die hethitische Schreibkultur durch die Entlehnung der Keilschrift vom mesopot. Kulturkreis geprägt war. Andererseits gehören die anatolischen Sprachen zu den ältesten histor. Vertretern der indoeurop. Sprachfamilie, und die H. wird somit manchmal als Teil der Indoeuropäistik betrieben.

## B. Geschichte

### 1. Die Anfänge (1834–1915)

1834 wurde Hattusa (mit dem Felsheiligtum Yazılıkaya) von Charles Texier beim türk. Dorf Boğazköy entdeckt. Zunächst identifizierte man die Stadtruine mit den aus den ant. Quellen bekannten Städten Pteria und Tavium, konnte sie aber noch nicht mit den Hethitern (die man auf Grund von dort gefundenen hieroglyphischen Inschriften v. a. in Syrien vermutete) in Verbindung bringen. Erst Jahrzehnte später wurde der Zusammenhang zw. den syr. Hieroglyphentexten und den Felsmonumenten in Anatolien erkannt. In den 80er J. konnte sich die Identifikation der Ruine bei Boğazköy mit der Hethiterhauptstadt durchsetzen. E. Chantre fand hier 1893 einige Tontafelfragmente in einer unbekannten Sprache, in der auch die zwei sog. Arzawa-Briefe aus dem Amarna-Archiv (1887 gefunden) verfaßt waren. So richtete sich das arch. Interesse verstärkt auf Boğazköy. Wie in Mesopotamien gab es auch hier internationale Konkurrenz. Der engl. Archäologe John Garstang hatte eine Grabungserlaubnis für Boğazköy erbeten. Aufgrund einer Intervention beim türk. Sultan durch den von der Arch. faszinierten dt. Kaiser Wilhelm II. ging aber die Erlaubnis nicht an ihn, sondern an einen Deutschen: Hugo Winckler. Bei dessen Grabungen in den J. 1906–1912 war die Ausbeute sofort reichlich: Viele Texte im schon bekannten Akkadischen kamen zutage, aber die Mehrzahl der Texte zeigte die Sprache der »Arzawa-Briefe«. Die Texte in dieser Sprache waren lesbar – die Entzifferung der Keilschrift war um die Mitte des 19. Jh. v. a. durch die Bemühungen von G. F. Grotefend, H. C. Rawlinson, E. Hincks und J. Oppert erfolgt, aber deuten konnte man die Texte in der neuen Sprache noch nicht. J. A. Knudtzon hatte 1902 in Zusammenarbeit mit S. Bugge und A. Torp in den »Arzawa-Briefen« eine indoeurop. Sprache vermutet, aber seine These hatte keine Anerkennung gefunden, und diese Spur wurde vorläufig nicht weiter verfolgt.

### 2. »Entzifferung«, Aufbau und Entwicklung der hethitischen Philologie (ab 1915)

Der tschechische Assyriologe B. Hrozný konnte 1915 überzeugend nachweisen, daß es sich beim Hethitischen um eine indoeurop. Sprache handelte. Seine Ergebnisse wurden erstmals in den MDOG LXVI von 1915 zusammen mit einer ersten und knappen histor. Auswertung von E. Meyer veröffentlicht. Dies war der Anfang der hethitischen Philologie. Die neue Disziplin wurde in den nächsten Jahrzehnten rasch auf- und ausgebaut. Die Texte aus den Grabungen von Winckler, die in das Vorderasiatische Museum in Berlin überbracht worden waren, wurden von einer Gruppe von Gelehrten ediert; der Löwenteil der Edd. stammt von H. Ehelolf, ab 1927 Kustos der Vorderasiatischen Abteilung der Staatlichen Mus. zu Berlin. Der junge Schweizer E. O. Forrer, der auch in Berlin arbeitete, erkannte schon früh die unterschiedlichen in Hattusa geschriebenen Sprachen und legte eine ausführliche Zeichenliste vor. Eine feste Basis für die Kenntnisse der hethitischen Gramm. und des Lex. wurde v. a. durch die dt. Philologen H. Ehelolf, J. Friedrich, A. Goetze und F. Sommer geschaffen. Ab 1931 wurde unter der Leitung von K. Bittel die Grabung in Ḫattusa wieder aufgenommen.

In den 30er und 40er J. wurde die H. in Deutschland, bis dahin das unbestrittene Zentrum der Disziplin, einiger ihrer besten Kräfte beraubt. A. Goetze und H. G. Güterbock, ein Schüler von H. Ehelolf und des Leipziger Assyriologen B. Landsberger, mußten, gezwungen durch das Nazi-Regime, das Land verlassen. Goetze ging 1933 nach Dänemark und 1934 nach Yale; Güterbock arbeitete von 1936 bis 1948 in Ankara, dann ein J. in Schweden und erhielt anschließend den Ruf nach Chicago. Im J. 1939 erlag Ehelolf 47-jährig einer Blutvergiftung. Forrer verließ im April 1945 Berlin und die H., entmutigt v. a. durch die scharfen Attacken auf seine Position in der sog. Aḫḫiyawa-Frage, in der er übrigens nach heutiger Sicht das Recht auf seiner Seite hatte.

Die Teilung Deutschlands nach dem Zweiten Weltkrieg hatte für die H. schwerwiegende Folgen. Die Tontafeln aus den Grabungen Wincklers, die sich in Ost-Berlin befanden, wurden in der DDR ediert, während die Texte aus Bittels Grabungen im Westen Deutschlands herausgegeben wurden. Diese »Arbeitsteilung« hatte zur Folge, daß ab den 50er J. die hethitischen Keilschrifttexte in zwei Reihen erschienen: In Ostdeutschland wurde die Reihe Keilschrifturkunden aus Boghazköi (KUB), zu der v. a. Ehelolf mit seinem Team beigetragen hatte, von H. Otten, H. Freydank, H. Klengel und L. Jakob-Rost weitergeführt, und in Westdeutschland erfuhr die Reihe *Keilschrifttexte aus Boghazköi* (KBo), in der von 1916 bis 1923 sechs Hefte erschienen waren, ab 1954 eine Wiederbelebung v. a. durch H. Otten. KUB und KBo waren und sind die für die Hethitologie wichtigsten Editionsreihen.

Für die Entwicklung der H. von der Nachkriegszeit bis jetzt sind v. a. vier Gelehrte von maßgebender Bed. gewesen: H. G. Güterbock, A. Kammenhuber, E. Laroche und H. Otten. Güterbock (1908–2000) hat mit seinen früheren Werken über die Historiographie, die Myth. und die Siegel (v. a. die Königssiegel) in vielfacher Hinsicht für die Weiterentwicklung der Philol. richtungsbestimmend gewirkt. In der Türkei hat er in den 30er und 40er J. Wesentliches für den Aufbau der dortigen H. geleistet. Nach seiner Berufung an das Oriental Institute of the Univ. of Chicago hat er die Weiterentwicklung der H. in den USA in hohem Maße beeinflußt. A. Kammenhuber (1922–1995) hat in zahlreichen Publikationen viel zur Erhellung des Hethitischen und der anderen anatolischen Sprachen beigetragen. Die Methodik zur Datierung hethitischer Texte mit linguistischen Argumenten hat Kammenhuber wesentlich vorangetrieben. Der heutige Stand der hethitischen Lexikographie wäre ohne ihr WB (s. u.) und ihren Thesaurus undenkbar. Dem in Straßburg und Paris tätigen frz. Linguisten Laroche (1914–1991) verdankt die H. u. a. eine Zusammenstellung der hethitischen Göt-

ternamen und eine der Personennamen sowie v. a. eine geordnete Übersicht der hethitischen Texte mit all ihren bekannten Textvertretern (*Catalogue des textes hittites*, 1971). Auch zu anderen Sprachen hat Laroche Grundlegendes publ.: ein hurritisches Glossar, ein WB mit Gramm. zum Keilschriftluwischen, eine hieroglyphenluwische Zeichenliste und viele Aufsätze zum Lykischen. Otten (*1913), der langjährige Grabungsphilologe von Ḫattusa, ist der Autor vieler Textbände sowohl in der Reihe KBo als auch in der Reihe KUB. Unter seiner Leitung ist ein sehr umfangreiches Projekt in Arbeit: ein umfassender Thesaurus zum hethitischen Wortschatz an der Mainzer Akad. der Wiss. Die Fortschritte auf dem Gebiet der hethitischen Paläographie (s. u.) sind v. a. ihm zu verdanken. Viele der jetzt in Deutschland (und im Ausland) tätigen Hethitologen haben bei ihm studiert.

Die Ausgrabung in Ḫattusa wird bis h. fortgesetzt. Bittel [3] hat sie, mit einer Unterbrechung zw. 1939 und 1952, bis 1977 geleitet; seine Nachfolger sind P. Neve [7] und ab 1993 J. Seeher [9]. Ihre jährlichen Unt. haben v. a. viel zur Klärung der Stadttopographie beigetragen und das hethitische Textcorpus wesentlich bereichert. Während der letzten Jahrzehnte wurden aber auch größere Tafelfunde außerhalb von Ḫattusa gemacht. In den 70er und 80er J. hat T. Özgüç auf dem Maşat-Höyük [1] ein umfangreiches Archiv – v. a. mit Briefen – ausgegraben. Seit 1990 fördern A. und M. Süel bei Ortaköy immer mehr Tontafeln zutage. Im J. 1993 begann A. Müller-Karpe eine erfolgreiche Grabung in Kuşakli (bei Sivas) [11].

Der ständige Zuwachs an edierten Texten hat für neue Erkenntnisse auf vielerlei Gebieten gesorgt. Seit dem E. der 60er J. wurde in der H. über die Paläographie als Datierungshilfe eine oft sehr polemische Diskussion geführt, in der mittlerweile ein Konsens erreicht ist. Es ist jetzt möglich, die Abschrift eines Textes aufgrund ihrer Zeichenformen grob zu datieren. Auch für die Geographie ist das Bild allmählich schärfer geworden. Dies ist v. a. den Arbeiten von S. Alp und M. Forlanini zu verdanken. Zudem sorgt das außerhalb von Ḫattusa gefundene Textmaterial dafür, daß viele hethitische Toponyme jetzt mit mehr Sicherheit lokalisiert werden können.

Lange Zeit galt J. Friedrichs *Hethitisches Wörterbuch* (HW, 1952, mit Ergänzungsheften 1957, 1961 und 1966) zurecht als der Höhepunkt der hethitischen Lexikographie. Die von der Forsch. erzielten Fortschritte machten aber ein neues Lex. notwendig. Kammenhuber hat bis zu ihrem Tod an einer 2. Auflage von Friedrichs HW gearbeitet; erschienen sind seit 1975 die Buchstaben A, E und das erste Drittel von Ḫ. Das HW² ist breiter angelegt als das knapp formulierte HW. Bei manchen Lemmata wird die Beleglage sehr ausführlich beschrieben; auch wird der Etym. viel Aufmerksamkeit geschenkt. Ein zweites umfangreiches WB-Projekt wurde 1976 am Oriental Institute der Univ. of Chicago unter der Leitung von H. A. Hoffner und H.-G. Güterbock in Gang gesetzt: das *Chicago Hittite Dictionary* (CHD). Das Projekt wurde inspiriert vom *Chicago Assyrian Dictionary* (CAD) an derselben Univ. Von 1981 bis jetzt sind die Buchstaben L bis P erschienen. Das CHD ist straffer aufgebaut als das HW². Es ist mehr philol. orientiert und verzichtet auf Etymologien. Neben diesen zwei allg. WB-Projekten sind zur Zeit auch zwei etym. WB. in Arbeit: das *Hittite Etymological Dictionary* von J. Puhvel (ab 1984) und das *Hethitische Etym. Glossar* von J. Tischler (ab 1983).

Nicht nur mit seinem WB, sondern auch mit seinem *Hethitischen Elementarb. Erster Teil: Kurzgefaßte Gramm.* (1940, 1966²) hatte Friedrich einen Standard gesetzt, und auch hier hat Kammenhuber in einer späteren Publikation den neueren Forschungsergebnissen Rechnung getragen (in einem umfangreichen Beitrag zum HbdOr-Band *Altkleinasiatische Sprachen* von 1969). Viele grammatikalische Unt. sind seitdem erschienen, aber eine neue umfassende hethitische Gramm., die namentlich den neugewonnenen Erkenntnissen zu den hethitischen Sprachstufen und den Beschreibungsmethoden der Linguistik der letzten Jahrzehnte gerecht wird, fehlt noch.

Als allg. Darstellungen der hethitischen Geschichte gelten zwei Werke schon lange Zeit als grundlegend: *Kleinasien* (1957) von Goetze (erstmals 1933 erschienen als *Kulturgeschichte Kleinasiens*) und *The Hittites* von O. R. Gurney (1952, mit vielen Ndr.). Beide Monographien bieten einen breiten Überblick über die hethitische Kultur und haben stimulierend auf die Forsch. gewirkt. Allerdings sind sie ein wenig veraltet. Eine allg. hethitische Kulturgeschichte ist somit ein großes Desideratum. Glücklicherweise sind in den letzten J. zwei hervorragende Bücher zur polit.-militär. Geschichte [4; 5] und zwei zur Religionsgeschichte [5; 8] erschienen, so daß diese zwei Teilgebiete jetzt nach dem letzten Stand beschrieben sind.

### C. STRUKTUREN DES FACHES

Nach der »Entzifferung« des Hethitischen hat sich die H. an dt. Univ. etabliert und sich dann bald auch in anderen west- und osteurop. Ländern und in den USA gefestigt. Dieser Zustand konnte nach dem Zweiten Weltkrieg wiederaufgenommen werden. Obwohl die H. in vielen Ländern akad. vertreten ist, ist ihr Fortbestehen mancherorts gefährdet. Dies hängt einerseits mit der fast weltweiten Neigung zusammen, das Studium der sog. kleinen Fächer an den Univ. »wegzurationalisieren«, beruht andererseits aber auf der Tatsache, daß die H. als Teil sowohl der Altorientalistik als auch der Indoeuropäistik oft kaum eine eigene Präsenz entwickeln kann.

Außerhalb der europ.-nordamerikanischen Welt wird die H. u. a. in Israel, Japan und seit einiger Zeit auch in China betrieben. In der »Heimat« der Hethitologie, der Türkei, wo das Studium des Hethitischen durch Kemal Atatürk stark stimuliert wurde, sind viele Hethitologen aktiv; dies ist v. a. der Aufbauarbeit von Güterbock und des führenden türk. Hethitologen S. Alp zu verdanken.

Die *Rencontre Assyriologique Internationale*, der allg.-altorientalistische Kongreß, hat immer auch für die H. als wichtiges Forum gedient. 1990 fand in Çorum der erste Internationale Kongreß der Hethitologie statt, der seitdem in einem Dreijahresrhythmus veranstaltet wird und sich als h. Fachtagung bewährt und fest etabliert hat. → AWI Akkadisch; Amarna-Briefe; Hattisch; Hurritisch; Indogermanische Sprachen; Hieroglyphenschriften; Lydisch; Luwisch; Hattusa; Tavium

1 S. ALP, Hethitische Keilschrifttafeln aus Maşat-Höyük, 1991 2 Hethitische Briefe aus Maşat-Höyük, 1991 3) K. BITTEL, Hattuscha, 1983 4 T. BRYCE, The Kingdom of the Hittites, 1998 5 V. HAAS, Gesch. der hethitischen Rel., 1994 6 H. KLENGEL, Gesch. des hethitischen Reiches, 1999 7 P. NEVE, Hattuša – Stadt der Götter und Tempel, 1992 8 M. POPKO, Religions of Asia Minor, 1995 9 J. SEEHER, Hattuscha-Führer, 1999 10 V. SOUVEK, J. SIEGELOVÁ, Systematische Bibliogr. der H. 1915–1995, 1996 11 G. WILHELM, Kuşakli-Sarissa, Bd. 1: Keilschrifttexte, Faszikel 1, 1997. JOOST HAZENBOS

**Hippokratischer Eid.** Die Belege für einen Gebrauch des H. E. in der Spätant. sind uneindeutig. Gregor von Nazianz (or. 7,10) berichtet, sein Bruder Caesarius habe als Medizinstudent in Alexandreia den Eid nicht abgelegt, womit impliziert ist, daß andere ihn sehr wohl geschworen haben. Doch findet sich für die byz. und muslimische Welt kein Nachweis für eine offizielle Verbindlichkeit, den Schwur zu leisten, auch wenn der Eid wohlbekannt war. In der Praxis trat er hinter dem galenischen Konzept zurück, demzufolge eine ethisch einwandfreie Medizin mit einer wirkungsvollen Therapie gleichgesetzt wurde und in dem die Legenden, die sich um Hippokrates rankten, und dessen »Testament« Orientierungswissen für ärztliches Verhalten bereitstellten. Auch wenn Übers. und Versionen des Eides in zahlreichen ma. Sprachen existieren und eine gewisse Nachfrage bezeugen, nahmen die meisten Ärzteeide doch die Form von Loyalitätsbekundungen gegenüber Herrschern oder → Universitäten an, die spezifische Vorschriften zur ärztlichen Praxis und zur Honorarfrage enthielten. In der → Renaissance tauchen Auszüge aus dem H. E. in Universitätseiden auf, so 1508 in Wittenberg und 1570 in Basel. In Heidelberg hatte ihn der Dekan der medizinischen Fakultät innerhalb eines Monats nach Amtsantritt öffentlich abzulegen, während sich in Jena von 1558 bis ins 19. Jh. hinein die Universitätsabgänger auf alles zu verpflichten hatten, was Hippokrates im Eid und in *De medico* gefordert hatte. In Leiden mußte man im 17. Jh. einer lat. Eidversion zustimmen, desgleichen in Edinburgh zw. 1705 und 1731, ehe diese Version durch eine kürzere und weit unbestimmtere Fassung ersetzt wurde. In Montpellier mußte ab 1804 jeder medizinische Examensabsolvent den Eid bei der akad. Abschlußfeier vor einer von der frz. Regierung gespendeten Büste des Hippokrates aufsagen. Der Wunsch, den H. E. abzulegen, wurde bes. laut in den USA ab 1840, v. a. da sein Verbot eines Schwangerschaftsabbruchs dazu diente, den wahren Arzt vom Quacksalber zu unterscheiden. Dennoch glaubte man, ein neuer Ärztekode sei dem neuen Lande angemessener. Um 1880 hatte sich die Begeisterung für den H. E. gelegt, so daß Univ., an denen er weiterhin geschworen wurde, wie die McGill-Univ., als altmodisch galten. Wo man weiterhin Ärzteeide ablegte, hatten sie zumeist die Form des Loyalitätseides. Das gilt beispielsweise für den von C. W. Hufeland entworfenen preußischen Ärzteeid von 1810, der Verpflichtungen sowohl gegenüber dem Staat als auch gegenüber dem Patienten einklagte. Der Zweite Weltkrieg brachte eine Wende, insofern er im Anschluß an die Enthüllungen der Nürnberger Ärzteprozesse das Interesse an Ärzteeiden und -kodes erneuerte. Das → Genfer Gelöbnis von 1948 übertrug den Eid in einen mod. Kontext, während in den USA und Kanada die Anzahl der medizinischen Fakultäten, die den H. E. − oder eine Spielart − zur Anwendung brachten, von 20 im J. 1928 auf 69 im J. 1965, 108 im J. 1977 und 119 im J. 1989 anstieg. Eine ähnliche Entwicklung fand in Großbritannien statt, wo die British Medical Association im Jahre 1996 eine verbesserte Version des H. E. für das 21. Jh. herausgab. Um neuen gesellschaftlichen Umständen Rechnung zu tragen, wurden seit der Spätant. immer wieder einzelne Paragraphen des H. E. (z. B. die Götteranrufung oder, in den 1960er Jahren, der Abtreibungsparagraph) verändert oder ausgelassen, gleichwohl ohne die symbolische Bed. des H. E. aufzuheben. Einige Medizinethiker, v. a. konservativer Provenienz, halten weiterhin den Prinzipien die Treue, die sie im H. E. verewigt glauben − auch wenn gilt: je allg. die Prinzipien, um so weniger hippokratisch im engeren Sinne ihr Inhalt −, während andere den H. E. lediglich als ein überkommenes Stadium in der Entwicklungsgeschichte der mod. medizinischen Ethik ansehen.

→ AWI Hippokrates

1 Auctores varii, The Hippocratic Oath, in: JHM 51/4, 1996, 401–500 **2** D. CANTOR (Hrsg.), Hippocrates and Modern Medicine, forthcoming, 2000 **3** C. LICHTENTHAELER, Der Eid des Hippokrates. Ursprung und Bed., 1984 **4** V. NUTTON, Hippocratic medicine and modern morality, in: Médecine et morale dans l'Antiquité, Entretiens 43, 1997, 31–63 **5** T. RÜTTEN, Hippokrates im Gespräch, 1993, 50–63.            VIVIAN NUTTON/Ü:
                    LEONIE V. REPPERT-BISMARCK

**Hippokratismus.** Obwohl Hippokrates in Byzanz und im christl. Abendland des MA als Begründer der Medizin galt und geradezu zur Legende erhoben wurde, beschäftigte man sich mit den im Corpus Hippocraticum vertretenen Lehren nur auf schmalster Textbasis, wobei man die wenigen Texte entweder nur in der Deutung Galens oder aus den Lemmata der galenischen Hippokrateskommentare kannte. Im MA waren in der westl. Medizin pseudonyme Abhandlungen mindestens ebenso einflußreich wie die Abhandlungen, die unsere heutige Hippokratesausgabe enthält. Ausnahmen bilden die Aphorismen, das Prognostikon und die Schrift über die Lebensordnung bei akuten Krankheiten De diaeta acutorum. Das Korpus war erst mit der ersten lat. Übers. aus dem Jahre 1525 allg. verfügbar. Ihr folgte im Jahr 1526 die griech. Erstausgabe, die Aldina. Von 1550 an bildeten v. a. in Paris hippokratische Texte statt galenischer die Grundlage medizinischer Lehre, wobei die Vielfalt (und bisweilen auch die Unverständlichkeit) der im Korpus enthaltenen Lehrsätze eine Vielzahl neuer Interpretationen erlaubte und Deutungsspielräume eröffnete, die der logischer aufgebaute → Galenismus nicht bot. Hippokrates wurde als Stifter genauer Vorschriften für die klinische Medizin mit bes. Betonung der Beobachtungskunst angesehen, und Ärzte wie der Holländer Pieter van Foreest (1521–1597), der Franzose Guillaume de Baillou (1538–1616) und der Engländer Thomas Sydenham (1624–1689) wurden als »Hippokrates« ihres jeweiligen Landes berühmt. Paracelsisten wie Petrus Severinus (1540–1602) und Iatrochemiker wie Friedrich Hoffmann (1660–1742) konnten jeweils unterschiedliche Texte aus dem Korpus heranziehen, um Hippokrates als Gewährsmann für ihre eigenen Vorstellungen in Anspruch zu nehmen. Andere Gelehrte wiederum glaubten, Hippokrates habe Harveys Entdeckung des Blutkreislaufs vorweggenommen. Im 18. Jh. behauptete Herman Boerhaave (1668–1738), dessen Lehren von zahlreichen Schülern in alle Welt getragen wurden, Hippokrates sei der erste wahre klinische Beobachter. Hippokratische Vorstellungen über Umweltmedizin und Chirurgie wie auch über die Krankheit fanden v. a. in Frankreich bis ins späte 19. Jh. Verbreitung. J. P. E. Pétrequins 1877–78 erschienene Ausgabe der chirurgischen Schriften des Hippokrates und v. a. M. P. E. Littrés gewaltige Gesamtausgabe des Corpus Hippocraticum (1839–1861) sollten einen Beitrag zu zeitgenössischen medizinischen Debatten und ärztlicher Praxis leisten. Auch verfestigte Littrés Edition das Bild, das sich die Moderne von Hippokrates machte, nämlich das eines theoriefreien Beobachters, der in seinen Schriften De vetere medicina und De morbo sacro die Medizin aus ihrer Verstrickung mit Philos. und Religion befreit habe. (Littrés Überzeugung von der Bedeutung und Authentizität dieser beiden Schriften wurde nicht von allen früheren Hippokratesanhängern geteilt). Obwohl der hippokratische Eid als Gründungsurkunde der medizinischen Ethik galt, wurde seine Relevanz für die jeweilig zeitgenössische Medizin oftmals in Frage gestellt, und erst in den 1920er und bes. in den 1950er Jahren begann man v. a. in den USA, ihn in zahlreichen medizinischen Hochschulen abzulegen. In den 20er und 30er J. des 20. Jh. erlebte der H. unter den führenden Ärzten Europas eine »Renaissance«. Sie plädierten dafür, daß der Arzt allein, nicht der medizinische Forscher oder seine Instrumente, den Patienten als individuelle Ganzheit erfolgreich diagnostizieren bzw. behandeln könne. Diese positive Einschätzung des H. ist noch h. in ärztlichen Kreisen anzutreffen.

→ AWI Galen; Hippokrates
→ Hippokratischer Eid

1 G. BAADER, R. WINAU (Hrsg.), Die hippokratischen Epidemien, 1989 2 J. R. PINAULT, Hippocratic Lives and Legends, 1992 3 T. RÜTTEN, Demokrit – lachender Philosoph u. sanguinischer Melancholiker. Eine pseudohippokratische Geschichte, 1992 4 Ders., Hippokrates im Gespräch, 1993 5 W. D. SMITH, The Hippocratic trad., 1979 6 O. TEMKIN, Hippocrates in a World of Pagans and Christians, 1992.

VIVIAN NUTTON / Ü: LEONIE V. REPPERT BISMARCK

## Hirtendichtung   s. Bukolik

## Historienmalerei   A. GATTUNGSBEGRIFF
B. FRÜHFORMEN DER HISTORIENMALEREI IM
14. UND 15. JAHRHUNDERT
C. HOCHRENAISSANCE UND MANIERISMUS
D. BAROCK   E. KLASSIZISTISCHE
HISTORIENMALEREI DER AUFKLÄRUNG UND
REVOLUTION
F. ROMANTIK UND HISTORISMUS   G. REZEPTION
DER HISTORIENMALEREI IN DER MODERNE

### A. GATTUNGSBEGRIFF

Die Bildgattung der H. besitzt eine herausragende Stellung, die ihr erstmals in der Früh-Ren. von L. B. Albertis *Della Pittura* (1435) zugedacht wurde [1]. Gemeint war in dem für die Kunsttheorie fundamentalen Traktat die »erzählende Malerei« in ihrer Gesamtheit, d. h. Themen der christl. Ikonographie, der Myth., der Lit., der Gegenwart und der Geschichte. Griech.-röm. Themenkreise histor. Charakters sind – trotz einer riesigen Materialfülle – innerhalb der genannten Gattungsbereiche quantitativ in der Minderzahl. Überdies sind histor. Sujets des Alt. nicht immer eindeutig zu bestimmen, wie Darstellungen, die sowohl die Spätant. als auch das frühe Christentum thematisieren (z. B. Historien von Kaiser Konstantin) oder Darstellungen, die gleichzeitig eine myth.-lit. wie histor. Konnotation besitzen können (z. B. Illustrationen von Homers *Ilias* oder Vergils *Äneis*). Aus diesen Gründen wurde eine Gesamtdarstellung von Sujets der ant. Geschichte bislang nicht vorgenommen. Die Forsch. ordnete das Material der H. erstens nach einer epochenübergreifenden Entwicklung bestimmter, ikonographischer Gegenstände [7; 20; 22], zweitens nach Epochencharakteristika der H. [19] und drittens nach der Theorie der H. [11]. So können die Sujets der Ant. nur ein relatives Kriterium im Fragehorizont bilden, inwieweit Malerei als Spiegel histor. Bewußtseins zu bewerten ist. Die Funktion bzw. der Bildgebrauch der H. ist von der jeweils aktuellen Zeit abhängig. Somit ist die Relation von Textquelle und Bild nur über eine Vielfalt von Determinanten definierbar (Auftraggeber-, Politik- u. Sozialgeschichte). Es braucht kaum betont zu werden, daß Künstler in den seltensten Fällen mit dem Anspruch eines Historikers aufgetreten sind, auch wenn – wie Max Imdahl feststellt – H. ›bald mehr, bald weniger als Vortäuschung‹ eines histor. Geschehens betrachtet wurde [16. 45]. Andererseits ist zu berücksichtigen, daß klass. Gelehrsamkeit seit der → Renaissance

Künstlern wie Auftraggebern zur gesellschaftlichen Aufwertung gereichen konnte. Dabei hatte die H. vorrangig ein *exemplum* zu veranschaulichen, stellte mithin den Betrachtern idealisierte Handlungen vor Augen und erhob phasenweise sogar den Anspruch, *magistra vitae* zu sein. Bis ins 19. Jh. wurde die Aufgabe der H., zur Bestärkung sittlichen Bewußtseins beizutragen, nie ernsthaft in Frage gestellt [14. 10]. Unter diesen Prämissen ist es gerechtfertigt, Sujets der ant. Geschichte aus dem Gesamtkontext der »erzählenden Malerei« zu extrahieren und – zumindest stichprobenhaft – als Rezeptionsgeschichte zu beschreiben.

### B. FRÜHFORMEN DER HISTORIENMALEREI IM 14. UND 15. JAHRHUNDERT

Eine Entwicklung der H., die einer reflektierten Auseinandersetzung mit der Ant. erwuchs, ist bis auf den »Vater« des Frühhuman. zurückzuführen. Im Anf. steht eine Vergil-Hs. von Francesco Petrarca, mit dem Frontispiz der *Allegoria Virgiliana* (ca. 1338–1342) von Simone Martini. Durch den Kommentator Servius wird den Protagonisten der *Äneis*, *Bucolica* und *Georgica* ihr geistiger Schöpfer vor Augen geführt, der poetisch inspirierte Vergil (Abb. 1). Eine rühmende Inschr. auf Simone kommentiert: ›Mantua Virgilium qui talia carmina finxit/Sena tulit Symonem digito qui talia pinxit‹. Durch das Text-Bild Verhältnis rangierte erstmals ein Maler als Didaktiker klass. Kultur [18. 124]. Zudem führten Petrarcas *Africa* sowie seine *Trionfi* zu neuen ikonographischen Ideen, wie Jacopo Avanzis Fresken des Veroneser Scaliger-Palastes mit den Triumphzügen der Kaiser Titus und Vespasian (ca. 1380, zeichnerisch überliefert: Paris, Louvre) [24]. Auf Petrarcas persönliche Anregung hin entstand der Bildtypus der *uomini illustri*: Seine *De viris illustribus* – eine Anthologie von 36 Viten berühmter, vornehmlich der röm. Republik entstammender Staatsmänner und Feldherren – versah sein Schüler, L. della Seta, mit einer Widmung an den Dichter-Mäzen Francesco di Cararra. Darin ist der Freskenzyklus bezeugt, der ab 1368 die *Sala Virorum Illustrium* im Palazzo del Capitano in Padua ausschmückte (bis auf das wahrscheinlich von Altichiero geschaffene Bildnis Petrarcas wurde das Werk zw. 1538–40 ersetzt) [28]. Die ikonographische Herleitung entstammt den *neuf preux* des MA, d. h. einem statuarischen, nicht erzählerischen, Motiv. Trotzdem war der H. nunmehr die Idee *sui generis* geboren: das *exemplum virtutis* ant. Persönlichkeiten wurde demjenigen, der Ruhm erstrebte, vor Augen gestellt [7. 97–152].

Zahlreiche Zyklen ant. Tugend- und Geistesheroen entstanden daraufhin im *Quattrocento* in Rathäusern, Amtsgebäuden, großbürgerlichen Palazzi und suburbanen Villen. Eines der ältesten Beispiele schuf 1414 Taddeo di Bartolo in der Anticapella des Palazzo Pubblico in Siena (Abb. 2). Die Bildaussage steht im Kontext mit Lorenzettis *buon governo* (1338), wo signifikanterweise bereits die Personifikation der *Civitas* über der röm. Wölfin abgebildet worden war. Man sah den histor. Ursprung und das polit. – gleichsam tugendhaft zu ver-

Abb. 1: Simone Martini,
Allegoria Vergiliana. Um 1340.
Mailand, Biblioteca Ambrosiana

waltende – Erbe des Stadtstaates von Siena in der röm. Ant. begründet [28]. Funktionsgeschichtlich vergleichbar sind Ghirlandaios (1482–84) *uomini illustri* im Sala dei Gigli des Florentiner Palazzo della Signoria, wo Bezüge zum Florentiner Humanismus aktualisiert wurden. Gemäß Leonardo Brunis *Laudatio Florentinae Urbis* assoziierte man mit der röm. Ahnenreihe die Verdienste der Florentiner Nachfahren (vgl. auch Peruginos Fresken im Collegio del Cambio in Perugia, ca. 1500). Maßgeblich für den Erfolg dieses Bildtypus war der aus der Ant. abgeleitete patriotische Impetus [7].

Gegenüber einer erzählerischen Monumentalumsetzung der Ant. nahm die Früh-Ren. aber eine noch erstaunlich zögernde Haltung ein. Das human. gebildete Großbürgertum förderte die H. vorzugsweise im Kleinformat bemalter Hochzeitstruhen [32]. In diesem Medium sollte sich das ant. Themenrepertoire entfalten. Im Œuvre des Florentiner Cassone-Spezialisten Apollonio di Giovanni finden sich neben Illustrationen der *Ilias*

und der *Äneis* häufig Darstellungen von Schlachten gegen die Perser, Xerxes oder Darius, als Beispiel gestürzten Hochmuts bzw. als Hinweis auf die türk. Eroberungen von Konstantinopel (1453) und Trapezunt (1462). Hingegen konnte der *Raub der Sabinerinnen* auf Hochzeitstruhen ein gutes Omen für die Gründung eines neuen Familienzweigs versinnbildlichen [12. 37]. Sujets aus der legendären Gründungszeit Roms und der Frühzeit der Republik fanden gleichermaßen Verbreitung. Auch wenn auf den Cassoni öfters bekannte ant. Bauwerke auftauchen, so dominierte der »prachtliebende« Stil internationaler Spätgotik. Das von Panofsky aufgestellte Disjunktionsprinzip [23. 177] – welches besagt, daß christl. Themen seit dem späten MA einer ant. Formensprache anverwandelt sein konnten, während die Ant. im Gewand der Gegenwart betrachtet wurde – fand bei Apollonio di Giovanni Ausdruck bei den myth. Figuren im Habitus byz. Honoratioren, wie man sie 1439 auf dem Ökumenischen Konzil in Florenz gesehen

Abb. 2: Taddeo di Bartolo, Uomini illustri. 1414. Siena, Palazzo pubblico

Abb. 3: Mantegna, Triumphzug Cäsars. Ab 1486. Hampton Court, Lower Orangery (Nachstich)

hatte [12. 34]. Die beliebten *Triumphallegorien* von *Amore*, *Castità*, *Morte* und *Fama* wurden – über den anhaltenden Erfolg Petrarcas hinaus – in Hinblick auf ephemere Festdekorationen illustriert. Vergleichsweise figurierten Scipio, Cäsar und Trajan auf den Cassonetafeln schon deshalb in Triumphzügen, weil sich hiermit das Erlebnis prunkvoll ausgestatteter Festaufzüge der eigenen Zeit verband [24].

Mantegnas *Triumphzug Cäsars* verlieh diesem Thema eine bedeutende Neuerung (Abb. 3). Mit seinen sechs Tafelgemälden (ab 1486, Hampton Court, Lower Orangery) hielt die H. Einzug ins Monumentalformat. Überdies wurde diese Arbeit als Beispiel korrekter arch. Rekonstruktion geschätzt. Das Schlüsselwerk für die Repräsentation Francescos II. Gonzaga bildete eine Attraktion bei hohen Staatsempfängen, höfischen Festen

bzw. theatralischen Aufführungen in Mantua, wodurch der H. Vorschub geleistet wurde [27. 318].

## C. Hochrenaissance und Manierismus

In Rom, wo seit der *renovatio urbis* Sixtus' IV. (1471–1484) erneut die Bed. der *caput mundi* herausgestellt worden war, sammelten sich zu Beginn des 16. Jh. unter Julius II. die intellektuellen und künstlerischen Kräfte, die der H. nachhaltig die Weichen stellen sollten. Raffaels *Schule von Athen* (Abb. 4) in der *Stanza della Segnatura* des Vatikans bildet einen Meilenstein in der Genese der H. (1508–1511). Dem thematischen Bezugssystem mit der *Disputa* und dem *Parnaß* liegt das Dekorationsschema ant. Bibl. zugrunde, der Verbund von Philos., Dichtung und Religion. Die ikonographische Idee stammt wahrscheinlich von dem Humanisten Paolo Giovio, wobei Raffaels »Tempel der Philosophie« auch Bramantes Entwurfsplanung der neuen Sankt Petersbasilika verwertete. Hierin sind die größten ant. Philosophen bei der Diskussion bzw. bei der Demonstration ihrer Lehren nach den → Artes liberales gruppiert [25. 100–104]. Mittels Kryptoporträts der bedeutendsten zeitgenössischen Künstler (u. a. Leonardo da Vinci als Platon, Michelangelo als Heraklit oder Bramante als Euklid) wird die Projektion ant. Weisheit zur Perspektive für die Gegenwart.

Wenn die nachfolgende H. der Raffael-Stanzen (*Sala di Eliodoro* u. *Sala di Incendio di Borgo*) das Papsttum als rettende Kraft der Christenheit propagierten, so galt es in der *Sala di Costantino*, die Legitimation päpstlicher Macht aus der Spätant. zu begründen. In der *Schlacht zw. Konstantin und Maxentius* (1523/24) übersetzte Giulio Romano die Realia ant. Reliefs in eine lebensnahe Dramatik (Abb. 5) [12. 161]. Eine dergestalt wiederbelebte *ecclesia militans* aus den Prämissen der Ant. konstituierte den neuzeitlichen Prototyp des Schlachtengemäldes [14. 40].

Kongenial zeigt sich der Bildgedanke einer »welthistor. Wende« um wenige Jahre später in Altdorfers *Alexanderschlacht* (1529, München, Alte Pinakothek). Hierbei wurde das Kampfgeschehen im Widerschein von Elementen und Gestirnen zum ›kosmischen Ereignis‹ stilisiert [14. 43].

Die neue, im großen Stil gestaltete H. gewann schnell Ausstrahlungskraft auf ambitionierte Dekorationsprojekte von Villen und Palazzi. Noch auf Veranlassung Leos X. wurden Andrea del Sarto, Franciabigio und Pontormo mit der Freskierung des Salons der Medici-Villa Poggio a Caiano bei Florenz beauftragt (1519/21; später von Alesandro Allori vollendet). Das Programm von Paolo Giovio analogisierte die durch die Medicipolitik eingeleitete *Wiederkehr des Goldenen Zeitalters* mit Episoden der röm. Geschichte. So alludiert der *Triumph Ciceros* auf die Rückkehr Cosimo des Älteren aus dem Exil, der *Tribut an Cäsar* auf das Geschenk des Sultans an Lorenzo Magnifico, *Titus Flavius im Rat der Achäer* auf Lorenzos diplomatischen Erfolg in Cremona sowie *Scipio Africanus am Hof des Syphax* auf Lorenzos couragierte Friedensverhandlung am Hof zu Neapel.

Abb. 4: Raffael, Die Schule von Athen. 1508/1511. Rom, Vatikan (Stanza della Segnatura)

Abb. 5: Giulio Romano,
Die Konstantinschlacht (Detail).
1523/24. Rom, Vatikan
(Sala di Constantino)

Die bildliche Strategie, ein bürgerliches Geschlecht durch ant. Themen sozial aufzuwerten, wurde von Agostino Chigi in den Fresken seiner röm. Villa (nachmals Farnesina) aufgrund einer delikateren Situation verfolgt (1512–1519). Raffaels *Triumph der Galatea* sowie das *Götterfest* beziehen sich auf die unstandesgemäße und daher problematische Eheschließung des Sieneser Bankiers mit seiner Mätresse Francesca Ordeasca [15. 210]. In der Ausstattung des Schlafgemachs wird Chigis Ehe durch eine Historie nobilitiert: Sodomas ebenso anmutige wie sinnlich gestaltete *Hochzeit Alexander des Großen mit Roxane* verbildlicht die Ekphrasis Lukians von einem hell. Gemälde [29. 220].

Dekorative Schemata der Farnesina waren für Beccafumis Gemälde im Sieneser Privatpalazzo Bindi Sergardi (1524?) vorbildlich. *Zeuxis und die Jungfrauen von Croton* sowie *Die Enthaltsamkeit des Scipio* (Abb. 6) verweisen im Deckenspiegel auf die künstlerische Idealisierung weiblicher Schönheit bzw. auf die Unantastbarkeit der Ehe [4. 93]. Die übrigen Szenen zeigen drakonische

Strafen und tragische Opferbereitschaft der Republik aus Valerius Maximus' *Factorum et dictorum memorabilium libri* (1–6). Aufgrund dieses im *Cinquecento* überaus verbreiteten Textes wurde Sienas traditionell staatstragende Tugendikonographie radikalisiert. Das gleiche Programm verwendete Beccafumi in seinen meisterlichen Fresken in der Sala di Concistoro im Palazzo Pubblico (1529–35). Im Ensemble der Personifikationen von *Justitia*, *Vaterlandsliebe* und *Eintracht* wurde röm. Geschichtsschreibung in einer bis dato nicht erreichten Ausführlichkeit illustriert [13]: *die Enthauptung des Spurius Cassius*; *Marcus Manillius wird vom tarpeischen Felsen gestürzt*; *Versöhnung zw. Marcus Lepidus und Fulvius Flaccus*; *Codros, der König von Athen läßt sich vom Feind töten*; *Publius Mucius läßt seine Kollegen verbrennen*; etc.

Neben Valerius Maximus lieferte Plutarch die gebräuchlichste Quelle für parabolisch konzipierte Bildprogramme des *Cinquecento*. Insbes. eigneten sich die ant. Biographien für die dynastische Glorifikation zeitgenössischer Potentaten, wie die Geschichte der *Gens*

Abb. 6: Beccafumi, Die Enthaltsamkeit des Scipio. 1524(?). Siena, Palazzo Bindi Sergardi

*Fabia*, die im Palazzo Massimo alle Collone von Daniele da Volterra für Fabio Collona gemalt wurde (ca. 1540). Mit Perin del Vagas Historien *Alexanders des Großen* in der Sala Paolina der Engelsburg verstand Paul III. (Alessandro Farnese) seinen Namen histor. auszuschmücken [13]. Allerdings emanzipierten sich an den höfischen Zentren um die Jahrhundertmitte gerade im Bezug zur → Apotheose des → Herrschers zunehmend die Darstellungen zeitgenössischer Ereignisse (vgl. Vasari, 1555, im Florentiner Palazzo della Signoria oder auch Rosso Fiorentinos Grande Galerie in Fontainebleau, 1530–40).

Politische Krisen konnten vice versa zur Rückbesinnung auf die ant. Geschichte führen. Während der Glaubenskriege in → Frankreich lieferten Appians *Kriege der Römer* ein geeignetes historiographisches Muster. Antoine Caron, Hofmaler im Dienste Katharina de Medicis, malte vier Jahre nach dem an den Hugenotten grausam verübten Massaker in Paris das *Blutbad des Triumvirats* (1566, Paris, Louvre) [34. 433]. Seine Illustration der röm. Monumente gerät zum Theaterdekor, wo als pervertierte Variante des höfischen Manierismus das Gemetzel als gefälliges Ornament erscheint.

### D. BAROCK

In Bologna kündigte sich durch die Carracci noch kurz vor der Wende zum 17. Jh. die klassizistische Tendenz frühbarocker Malerei an, was sich auf die Gestaltungsweise ant. Sujets auswirken sollte. Hier waren bereits während der zw. H. des 16.Jh., als human. Attitüde einer von der Curia Romana abhängigen Stadt, bedeutende Bildfriese zur ant. Lit. entstanden, so im Palazzo Poggi (ca. 1555/59 – Niccolò dell'Abate: Vergil, Pellegrino Tibaldi: Homer) und im Palazzo Fava (1587 Ludovico, Annibale u. Agostino Carracci: Jason und Me-

dea-Mythos). Gleichermaßen sprach sich im Palast des Lorenzo Magnani eine pagane Ausstattungsvorliebe aus, wo die Carracci 1592 im Salone d'Onore den bis dato umfassendsten und quellentreusten Bilderfries zur röm. Gründungsgeschichte durch Romulus und Remus malten (Abb. 7). Die 14 Szenen (Plutarch und Livius) postulieren in der malerischen Auffassung der Carracci die Abkehr vom Manierismus zugunsten einer unmittelbar nacherlebbaren Naturnähe [2]. Annibale Carracci perfektionierte diese künstlerische Reform im myth. Programm (Ovid) des Palazzo Farnese (1597–1600).

Eine wichtige Ausstattungskampagne wurde kurz nach Fertigstellung des Konservatorenpalastes (1575) als Betonung des *Genius loci* auf dem Kapitol fällig. Hier wurden ab den 1580er Jahren über ein halbes Jahrhundert hinweg Freskenprogramme geschaffen, bei denen Cavalier d'Arpino sowie seine Schüler im Sitzungsaal des Stadtrats (Sala Maggiore bzw. Sala degli Orazi) die histor. Ereignisse in der Frühphase Roms als mustergültiges Exempel für die *virtus* des gesamten Volkes zu verbildlichen hatten: Die *Auffindung der Wölfin* (1595), *die Schlacht gegen Veji und Fidanae* (1598–1601), *das Duell zw. Horatiern und Kuratiern* (1612), *der Raub der Sabinerinnen, die Einführung des Vestakultes* sowie *Romulus*, der mittels einer Pflugfurche die Abmessungen des zu gründenden Roms fixiert (1635) [17]. Die Trad., durch repräsentative Antikenprogramme den öffentlich-polit. Ort zu kennzeichnen, gelangte hier an einen vorläufigen Endpunkt.

Allein eine Generation später knüpfte das selbstbewußte Bürgertum der Niederlande erneut hieran an, allerdings unter umgekehrten polit. Vorzeichen. Für das Amsterdamer Rathaus sollte 1661 ein Gemäldezyklus mit dem *Bataveraufstand gegen die Römer* (Tac. hist. 4) an die Erhebung gegen die spanische Fremdherrschaft erinnern. Rembrandts *Verschwörung des Claudius Civilis* (Stockholm) wurde aufgrund seiner eigenwilligen Version der Geschichte abgelehnt – als mystisch intoniertes Nachtstück stellt das Bild ein um so bemerkenswerteres Ausnahmewerk der H. dar [10. 136].

Das 17. Jh. verlagerte sein Interesse an der H. von der polit. Relevanz auf die Betonung ästhetischer Kriterien, was u. a. an der vermehrten Produktion großformatiger Salonbilder für private Auftraggeber erkennbar ist. Der Ruhm Niccolas Poussins als *pictor doctus*, der arch. Sachkompetenz mit einem sublim-klass. Stil verband, ist auch der Förderung seines Mäzens Cassiano del Pozzo zu verdanken, der dem Künstler seine Kollektion von Statuen, Medaillen und Stichwerken zugänglich machte. Aus Pozzos Gelehrtenkreis ging 1627 das erste epische Meisterwerk Poussins hervor: *Der Tod des Germanicus* (Abb. 8, Minneapolis, Institute of Arts) sollte über die Verbreitung von Kupferstichen großen Einfluß auf die klassizistische H. des 18 Jh. gewinnen [6. 15].

Konträre Stil-Auffassungen der Epoche trafen während der Ausmalung des Palazzo Barberini in Rom (1633–1639) aufeinander. Gegenüber den klass., d. h. harmonisierten Gestaltungsmitteln Andrea Sacchis be-

Abb. 7: Annibale Carracci,
Romulus fixiert
die Stadtgrenzen Roms.
1592. Bologna, Palazzo Magnani

hauptete Pietro da Cortona eine H. im barocken Sinne [6. 17]. Der *Glorifikation Urbans VIII.* als Hauptthema der Quadratura wurden röm.-republikanische Szenen auf den Eckpfeilern untergeordnet, so daß die ant. Tugendthematik, die für den Aufstieg der H. während der Ren. so wichtig gewesen war, nunmehr zum selbstverständlich hingenommenen Bestandteil im sinnebetörenden Gesamteindruck wurde.

Charakteristisch für das barocke Verständnis der H. war auch der affektbeladene Umgang mit der Todesthematik. Einerseits fand der Auftraggebergeschmack Gefallen an theatralischen, sentimentalen bis sinnlichen Sterbeszenen ant. Heldinnen. Lucretia, Dido und v.a. Kleopatra paraphrasierten immer wieder das ant. Begriffspaar Eros – Thanatos (vgl. Guercino, *Selbstmord der Kleopatra,* 1639, Ferrara, Privatsammlung; Jacop Jordaens, *Selbstmord der Kleopatra,* 1653, Kassel, Staatliche Mus.). Andererseits erfreuten sich auch Sujets vom Tod des Philosophen größter Beliebtheit – gewissermaßen als profane Pendants zu den Märtyrerbildern christl. Ikonographie. Die zahlreichen Seneca-Darstellungen wurden durch die im 17 Jh. mehrmals aufgelegten moralischen Schriften des Neo-Stoikers Justus Lipsius angeregt. So sind Gemälde von Joachim Sandrart, Giuseppe Maria Crespi, Luca Giordano sowie v.a. von Rubens (Alte Pinakothek, München) einschlägige Beispiele von der Überwindung körperlicher Qualen durch die geistig-seelische Selbstdisziplin [25. 94].

Auch der fürstliche Großmut bildete eine ethische Qualität der barocken H. In Charles Lebrunes *Zelt des Darius* (1661, Versailles, Musée National du Château) erkannte sich Ludwig XIV. im Weltherrscher Alexander d. Gr., der gegenüber der Familie seines besiegten Feindes Gnade vor Recht ergehen läßt [19. 62]. Eine inhaltliche Affinität hierzu weisen die Darstellungen von der *Enthaltsamkeit des Scipio* auf. Gegenüber der Ren. erfuhr das Thema durch namhafte Meister des Barocks eine beträchtliche erzählerische Bandbreite. Antonius van Dyck (1621?, Oxford, Library of Christ Church) zelebriert die großmütige Geste mit zwischenmenschlicher Verbindlichkeit. Sebastiano Ricci (1705, Royal London Collection) setzt hingegen einen jugendlichen, erotischen Gefühlen durchaus zugetanen Siegertypus in Pose, während Gian Battista Tiepolo (1743, Villa Cordellina, Vicenza) mit prunkvoller Architekturszenerie die Glorie des Heroen inszeniert, welche aus seiner charakterlichen Integrität entsteht [20. 169–171].

Bei der Gestaltung derartiger Sujets wurde bewußt nach rhet. Gesichtspunkten verfahren. Den theoretischen Diskursen des Barocks (Bellori, de Piles, Félibien, Du Bos) ist zu entnehmen, daß Bildwirkungen der H. von Mal zu Mal zw. Verständlichkeit des Sujets, Dramatik oder Emotion variieren konnten [11. 156, 166, 181, 206].

E. KLASSIZISTISCHE HISTORIENMALEREI DER AUFKLÄRUNG UND REVOLUTION

Als Epochenphänomen von → Aufklärung und → Klassizismus kam es in der 2. H. des 18. Jh. zu einem erheblichen Bedeutungszuwachs der H., für welche die europ. Kunstakademien nunmehr den Gipfel in der Hierarchie der Bildgattungen reklamierten. Sir Joshua Reynolds, der erste Präsident der *Royal Academy,* forderte in seinen Diskursen (1769–1790) die Reaktivierung des *exemplum virtutis* für eine in der öffentlichen Verantwortung stehende Bildungselite [26]. Demnach sollte der didaktische Wert des heroischen Genres mit der Erhabenheit des Stils korrespondieren. Diese Bildaufgabe wurde von Benjamine Wests *The Departure of*

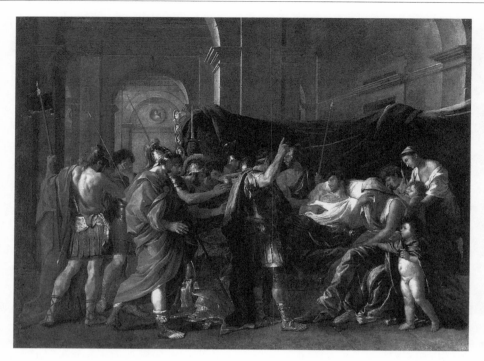

Abb. 8: Poussin, Der Tod des Germanicus. 1627.
Minneapolis, Institute of Arts

Abb. 9: Jacques-Louis David, Der Schwur der Horatier. 1785.
Paris, Louvre

*Regulus from Rome* (1769) exemplarisch vorgeführt, wo der röm. Held in Todesverachtung bereit ist, sein Leben dem Allgemeinwohl zu opfern [36. 56f.].

Die Reform der »Bâtiments du Roi« unter dem Direktor d'Angiviller steckte den propagandistischen Rahmen noch weiter. In der frz. Kunstakademie, die ein direktes Organ in der Kulturpolitik des Monarchen bildete, wurde 1774 ein Plan ausgearbeitet, mit dem die vorrangig zu fördernden Sujets der Ant. einen allg. Fortschritt in den Sitten der Nation demonstrieren sollten [33. 122–123]. Die Art, in der man diese Gemälde bei den alljährlich in Paris veranstalteten Salonausstellungen auffaßte, verselbständigte sich aber zu einem Grad, mit der sich die H. später als Zeitdokument des vorrevolutionären Frankreich erweisen sollte. Unter dem Einfluß des *siècle philosophique* um Aufklärer wie Voltaire, Diderot und Rousseau erlebten so die Leitbilder des »Philosophischen Sterbens« ein ikonographisches Revival [22]. Bes. der häufig dargestellte *Tod des Sokrates* wurde zur ›geläufigen Metapher für den Wahrheitssuchenden‹, für denjenigen, der seinen aufrührerischen Kampf um Gedankenfreiheit und Recht bis in den Tod führt (u. a. Gemälde von: Joseph Saint Quentin, Jean Baptiste Alizard im Jahre 1762 sowie von Peyron und David im Jahre 1787). Hiermit läßt sich eine ikonographische Linie bis zu Davids Revolutionsbild par excellence verfolgen: *Der Tod des Marat* (1793, Louvre, Paris) [22. 122].

Gleichermaßen wurden die berühmten Gemälde *Schwur der Horatier* (Abb. 9, 1785, Louvre, Paris) und *Brutus* (1789, Louvre, Paris) von den Zeitgenossen als Revolutionsbilder Davids gefeiert, etwa in einer 1790 gehaltenen Rede Dubois Crancés auf der Tribüne der Jakobiner [31. 109]. Unbeachtet blieb die Tatsache, daß es sich noch um Auftragswerke Ludwigs XVI. gehandelt hatte. Wenn der Erfolg der *Horatier* zum Zeitpunkt der Ausstellung auf einer rein künstlerischen Qualität gegründet hatte – der Reliefgruppenkomposition *all'antica* bei gleichzeitig naturalistischer Akkuratesse – so ließ sich der Bildgehalt im nachhinein polit. instrumentalisieren: die Verherrlichung von »Moral« im Zeichen der Republik während der Auseinandersetzung zw. »Kuratiern« und »Horatiern«, die ungeachtet ihrer familiären Bindungen auf den Kampf gegeneinander schwören. Diese Aussage war in der Art des *Schwurs im Ballhaus* mit einem Abschwur vom *ancien régime* assoziierbar [31. 78].

Nach den Schrecken der Revolution verkehrte Guérin mit seinem Sensationswerk von 1799 die bildnerische Agitation ins Gegenteil: *Marcus Sextus* (Paris, Louvre), der bei der Rückkehr aus seiner Verbannung durch Sulla seine Familie im tiefsten Elend vorfindet, veranschaulicht eine Tragödie in Zeiten der Tyrannei, womit das Regime von Robespierre gemeint war [33. 233].

Zu diesem Zeitpunkt kehrte David mit seinem Gemälde *Die Sabinerinnen* (1799, Paris, Louvre) vom polit. Engagement zu rein künstlerischen Aufgaben des *grand genre* zurück. Hierzu beanspruchte er, das Erbe Poussins fortzuführen, zugleich aber auch den urspr. unbefangenen Umgang griech. Kunst mit der Nacktheit zu-

rückzugewinnen, was seinerzeit zum Skandal führte – ein Symptom dafür, daß sich das Publikumsinteresse an ant. Sujets zu ändern begann [31. 188–202]. Die Wandlung zeigte sich noch später in Ingres Insistenz auf das Thema von *Antiochus und Stratonice* (insgesamt fünf Fassungen, vgl. u. a. die Version v. Chantilly, Musée Condé, 1840), wo der ant. Held von seinem angestammten Platz in der Öffentlichkeit nunmehr in die Privatsphäre versetzt wird [19. 194, 205]. Im Dienst napoleonischer Staatspropaganda bevorzugten die klassizistischen Maler im ersten Jahrzehnt des 19. Jh. die »heroisch« empfundenen zeitgenössischen Ereignisse.

### F. ROMANTIK UND HISTORISMUS

Die im 19. Jh. in England stark vertretene H. erhielt ihre Impulse aus der aristokratischen »Grand Tour« respektive aus dem klass. ausgeprägten Standes- und Bildungsbewußtsein der entsprechenden Gesellschaftsschichten. Einflußreich war außerdem die Lit. der europ. Romantik in Reisebeschreibungen, Romanen und in der Lyrik (Goethe: *It. Reise*, Stendhal: *Rome, Neaple, Florence*, Madame de Stäel: *Corinne*, Percey Shelley: *Prometheus Unbound*, Lord Byron: *Childe Harold*). Die hiervon ausgehende Faszination und Idee ›von vergangener Macht und Pracht imperialer Größe‹ prägten das Antikenbild der engl. Romantik [36. 20–23].

Insbes. für Vedute, verklärendes Genre und Ruinenbild zeigten sich Maler wie Hugh Williams sowie v. a. der junge William Turner (It. Reise 1819) sensibilisiert. Eine Serie von Frühwerken Turners zielt auf die Gegenüberstellung von ant. Vergangenheit und polit. Gegenwart. *The Rise of Carthagien Empire* (1815, National Gallery) sowie *The Decline of Carthagien Empire* (1817, Tate Gallery) spielen auf das Scheitern von Napoleons imperialen Ambitionen an, gleichzeitig war eine Warnung vor den britischen Aspirationen auf Weltherrschaft angedeutet. Später exemplifizierte Turners *Agrippina landing with the ashes of Germanicus* (Abb. 10, 1839, London, Tate Gallery) das tragische Ende des Tugendhelden, der zum Opfer des despotischen Giftmords durch Tiberius wurde [36. 20, 83]. Der moralische Verfall – so die Aussage – führt unweigerlich zum Untergang Roms, wobei Turner auf die figürliche Handlung verzichtet. Vielmehr bestechen Vedute und Landschaft mit malerischer Gelöstheit als Bedeutungsträger. Während der machtvolle Palatin in blendend goldenem Gegenlicht über der gleißenden Wasserfläche aufgelöst scheint, verschmilzt das unheilverheißende Dunkel der Uferböschung mit dem Tiber, über den die Totenbarke des Germanicus gleitet.

Gegenüber Turners mod. Maltechnik als Mittel histor. Interpretation, blieb die H. aber der akad. Trad. verhaftet. Dieser Zug konnte mit einer idealistischen Nachwirkung der Nazarener kompatibel sein, wie dies bei dem »Deutschrömer« Anselm Feuerbach zu beobachten ist. In *Platons Symposium* (1868–1873, u. a. Karlsruhe, Staatliche Kunsthalle) verkörpern die Bildprotagonisten ein erlesenes Menschentum. Durch Alkibiades sowie durch Agathon bzw. den Kreis um So-

Abb. 10: William Turner, Agrippina kehrt mit der Asche des Germanicus zurück. 1839.
London, Tate Gallery

krates ist hier die Antinomie von ›Sinnen- und Geistesleben‹ herausgestellt [19. 272].

In der Malerei des → Historismus war ein Realismus
vorherrschend, bei dem die antiquarische Manie zur
Detailversessenheit führen konnte. So lenkte der Ge-
schichtsenthusiasmus des 19 Jh. das Augenmerk der
Künstler auf Kostüme, Architekturen, Möbel und
Schmuck [9. 138]. Karl Theodor von Piloty gelang es
darüber hinaus, seine Bildakteure wie lebendig wirkende Schauspieler einzusetzen. Sein Kunstmittel bestand
in einer vorgeblichen Realität der Historie mit nur sparsam, dafür aber gezielt eingesetzter Idealisierung einzelner Figuren. Hierauf beruhte sein Erfolg als bekanntester Historienmaler der Gründerzeit. Pilotys Parade-
stück auf der Wiener Weltausstellung – *Thusnelda im
Triumphzug des Germanicus* (1873, München, Alte Pinakothek) – wurde im nachhinein der Sinn eines überlegenen Deutschtums unterstellt.

Die Wechselwirkung zw. darstellender und bildender Kunst begünstigte auch den Erfolg des Theaterre-
gisseurs, Herzog Georg von Meiningen, namentlich seine Inszenierung von Shakespeares *Julius Cäsar* (1879).
Die antiquarisch perfekt ausstaffierten Aufführungen
sind durch Xylographien Kleinmichels überliefert
(Wien, Österreichisches Theatermuseum) [9]. Die
Bühne war nun umgekehrt zur lebenden H. geworden.

Hatte das Opernereignis von Giuseppe Verdis spekta-
kulärer Uraufführung *Aidas* zur Eröffnung des Suez-
kanals einen machtvollen Einfluß hierauf ausgeübt
(1871), so griff man u. a. auch auf die Geschichtswerke
Theodor Mommsens (1856) oder die Forsch. der arch.
Akad. in Rom unter Pietro Visconti zurück, um die
absolute ›Wahrheit des histor. Ereignisses‹ zu erbringen.

Außerdem veränderten zahlreiche Funde bzw. das
arch. Interesse an Alltagsgegenständen den Fokus der H.
Diese Entwicklung traf im viktorianischen England mit
dem vorherrschenden Geschmack des mittelständischen
Bürgertums zusammen. In der Folge wurden Darstellungen von großen polit. bzw. moralischen Ereignissen,
mithin das Konzept des *exemplum virtutis*, zugunsten von
Genreszenen der Ant. preisgegeben [36. 56].

Maler wie John William Waterhouse, Joseph Poynter
und Sir Lawrence Alma Tadema thematisierten fast bei-
läufige, mitunter antiheroische Begebenheiten, die oft
von Verkitschung gekennzeichnet sind. So bei einem
Gemälde von Waterhouse, das den auf dem Divan aus-
gestreckten, von Gewissenbissen geplagten Nero zeigt,
der gerade seine Mutter ermorden ließ (1878; London
Privatsammlung) oder Alma Tademas *The Roses of Heliogabelus* (1888, London, Privatsammlung), wo das fest-
liche Amüsement der Römer dabei gezeigt wird, wie die
geladenen Gäste in einer Flut herabfallender Rosen-

Abb. 11: Sir Lawrence Alma Tadema, The Roses of Heliogabelus. 1888.
London, Privatsammlung

blätter ertränkt werden, so daß der sinnliche Event ihnen den letzten Atemzug versüßt (Abb. 11). Erst spät
quittierte die Kunstkritik das Überhandnehmen von
ant. Sujets, die nur noch ein Unterhaltungsbedürfnis
befriedigten. So monierte Roger Fry (1913) die Bilder
Alma Tademas [36.54].

Nach einem halben Jahrtausend hat die H. ihre Vorrangstellung eingebüßt, weil sich ihre Themen und ihre
Formen erschöpft hatten: eine Auszehrung, die sie mit
der gesamten trad. Malerei teilte.

### G. Rezeption der Historienmalerei in der Moderne

Die anbrechende Moderne revolutionierte das re-
zeptionsästhetische Wertesystem. Der dargestellte Gegenstand, also auch die Ant., konnte nun nicht mehr das
primäre Kriterium zur Beurteilung eines Kunstwerks
ausmachen. Allerdings ist weder die histor. Reflexion
noch die Erinnerung an die Ant. in der Malerei des
20. Jh. verlorengegangen. Beide Aspekte bilden jetzt
aber keinen Kanon mehr, noch viel weniger stehen sie
für den Ausdruck human. Standesbewußtseins, für eine
künstlerische Doktrin oder etwa für ein Vorbild polit.
Moral. Fast immer, wenn sich mod. Künstler auf die
Ant. bzw. auf die Trad. ant. Sujets bezogen haben –
wozu es im 20. Jh. freilich nur punktuell gekommen ist
–, erfolgte dies über einen individuellen Kommentar
bzw. über eine individuelle Mythenbildung [11. 67–69].
Einerseits finden sich Themen myth. Herkunft bei Pi-
casso und Matisse, andererseits erscheint im Œuvre v.
Giorgio de Chiricos Pittura Metafisica die klass. Welt als
halluzinatorische Vision. Sein Gladiatorenkampf oder

sein Triumphzug dissoziieren diese Rituale der Schaulust
wie in einem Zerrspiegel [30]. Paul Delveaux verarbeitete 1940 beim Einmarsch der dt. Truppen in Belgien in
Die unruhige Stadt den Alptraum von Besetzung, Terror
und Exodus in Gestalt einer ant. Tragödie, d. h. im Geist
der H. [8. 97].

Im ital. → Faschismus versuchte man noch einmal,
H. als Veranschaulichung nationaler Trad. bzw. impe-
rialer Identität von staatswegen dienstbar zu machen.
Anläßlich der für 1942 in Rom geplanten Esposizione
Universale wurde für den Palazzo del ricevimento des E 42
Geländes bei Fausto Pirandello, Achile Funi und Afro
Basaldella ein entsprechendes Bildprogramm bestellt
[5. 215–221, 331–337]. Die Titel dieser für das »Impe-
rium« kontinuitätsstiftenden Historien sprechen für
sich: Roma come caput mundi; Roma come centro della civiltà;
Primordi di Roma; L'Impero, Rinascenza e Universalità della
Chiesa; Roma di Mussolini. Sowie tutte le strade conducono a
Roma; Trionfo di Cesare; Trionfo di Augusto.

Es kann kaum verwundern, daß in der Nach-
kriegsavantgarde histor. Sujets geradezu verpönt zu sein
schienen. Die Moderne hat seit den 70er J. dann aber
eine Wiederannäherung an die H. geleistet, was sich
auch in der Biennale von Venedig 1984 zeigte, die unter
dem Motto »Kunst und Geschichte« veranstaltet wurde.
Die Sehnsucht nach einem »Neulesen und Neuinter-
pretieren« der großen klassizistischen Historienmaler
David und Ingres hat 1982 Carlo Mariani auf der documenta 7 in Kassel mit seiner Costellazione del Leone
veranschaulicht [35. 220]. Eine Position zeitgenössischer Kunst zur H. bezog Anselm Kiefer mit Wege zur

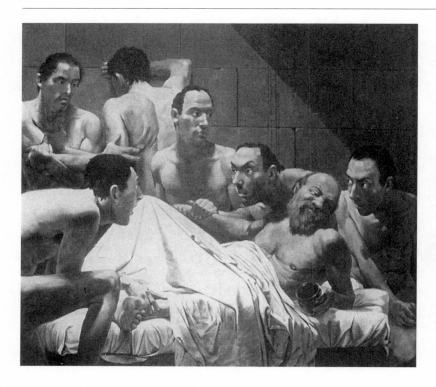

Abb. 12: Jochim Grützke,
Der Tod des Sokrates.
1975. Aachen,
Neue Galerie Ludwig

*Weisheit* – die *Hermannsschlacht* (1978, London, The Saachi Collection). Dargestellt ist nicht Arminius, der 9. n. Chr. die röm. Truppen des Varus im Teutoburger Wald besiegte, sondern die Folge der Dichter, Philosophen, Historiker und Generäle, die den german. Helden für ihre Zwecke benutzten [19. 404–405]. Last but not least ermöglicht die zeitliche Distanz auch eine ironische Sicht auf die H. Der *Tod des Sokrates* (Abb. 12, Aachen, Neue Galerie Ludwig), den Joachim Grützke 1975 malte, zeigt den alten Philosophen, umgeben von der Tölpelhaftigkeit seiner entblößten Schüler (immer desselben), wie im Zechgelage trunken lächelnd im Sinne der Anklage: ein Verführer der Jugend? [25. 59–60].
→ Apotheose; Ekphrasis
→ AWI Appianos; Apuleius; Homeros; Horaz; Livius; Lukianos; Ovidius; Plutarchos; Tacitus; Valerius Maximus; Vergilius

QU **1** L. B. ALBERTI, Della Pittura (1435/38), Kleine kunsttheoretische Schriften, hrsg. und übers. von H. JANITSCHEK, Wien 1877

LIT **2** A. W. BOSCHLOO, Annibale Caracci in Bologna, 1974 **3** D. BOUSDON, C. M. Mariani – Caeremonia, 1997 **4** G. BRIGANTI, E. BACCESCHI, L'opera completa di Beccafumi, 1977 **5** M. CALVESI, E. GUIDONI (Hrsg.), E 42 – Utopia e scenario del regime, 1987 **6** R. J. CAMPBELL, V. CARLSON, Visions of Antiquity. Neoclassical Figure Drawings, 1993 **7** M. M. DONATO, Gli eroi romani tra storia ed »exemplum«, in: S. SETTIS (Hrsg.), Memoria dell'antico nell'arte italiana, Torino 1985 **8** B. EMERSON, P. Delveaux, 1985 **9** H. FILLITZ (Hrsg.), Der Traum vom Glück. Die Kunst des H. in Europa, 1996 **10** H. GERSON, Rembrandts Gemälde, 1968 **11** T. GETHGENS, U. FLECKNER (Hrsg.), H., 1994 **12** E. GOMBRICH, Norm und Form, 1985 **13** R. GUARINI, Dal testo all'immagine. La pittura di storia nel rinascimento, in: S. SETTIS (Hrsg.), a.a.O. **14** W. HAGER, Gesch. in Bildern, 1989 **15** J. HELD, N. SCHNEIDER, Sozialgeschichte der Malerei, 1993 **16** M. IMDAHL, Picassos Guernica, 1985 **17** E. LA ROCCA, M. E. TITTONI MONTI (Hrsg.), Die kapitolinischen Mus., 1987 **18** P. LEONE DE CASTRIS, Simone Martini, 1989 **19** E. MAI, H. in Europa, 1990 **20** G. MAINZER, Die Darstellung des Feldherrn Scipio Africanus, 1982 **21** TH. E. MOMMSEN, Petrarch and the decoration of the Sala Virorum Illustrium in Padua, in: Art Bulletin, 1952, Bd. 34, 95–116 **22** G. OBERREUTER KRONABEL, Der Tod des Philosophen, 1986 **23** E. PANOFSKY, Die Renaissancen der europ. Kunst, 1978 **24** A. PINELLI, Feste e Trionfi – continuità e metamorfosi di un tema, in: S. SETTIS, a.a.O, 1985, 280–350 **25** M. PRISCHI, P. DE VECCHI, L'opera completa di Raffaello, 1966 **26** SIR JOSHUA REYNOLDS, Discourse on Art, hrsg. von R. WARK, 1975 **27** G. ROMANO, Auf dem Weg zur mod. Manier: Von Mantegna zu Raffael, in: G. PREVITALI, F. ZERI (Hrsg.), It. Kunst eine neue Sicht auf ihre Gesch., Bd. II., 1987 **28** N. RUBINSTEIN, Political Ideas in Sienese Art, in: JWI 21, 1958, 179–207 **29** A. v. SALIS, Ant. u. Renaissance, 1947 **30** W. SCHMIED, W. RUBIN, J. CLAIRE (Hrsg.), Giorgio de Chirico der Metaphysiker, 1982 **31** A. SCHNAPPER, David u. seine Zeit, 1981 **32** P. SCHUBRING, Cassoni, Truhen und Truhenbilder der it. Früh-Ren., 1923 **33** G. SPRIGATH, Themen aus der Gesch. der röm. Republik in der frz. Malerei des 18. Jh., 1968 **34** A. THÖNESMANN, D. ARASSE, Der europ. Manierismus, 1997

KAT **35** Katalog documenta 7, Bd. II., 1982 **36** Imagining
Rome. British Artists and Rome in the Nineteenth Century,
Ausstellungs-Kat. 1996.   FRIEDHELM SCHARF

**Historiographie**   s. Geschichtswissenschaft/
Geschichtsschreibung

## Historische Demographie
s. Bevölkerungswissenschaft

## Historische Geographie   A. DEFINITION
B. ENTSTEHUNG   C. GRUNDLEGUNG   D. ANTIKE
HISTORISCHE GEOGRAPHIE NACH POLYBIOS
E. MITTELALTER   F. NEUZEIT   G. METHODEN

### A. DEFINITION
H. G. ist eine Zweigwiss. der Geogr. bzw. der
→ Geschichtswissenschaft und setzt sich mit dem histor.
Wechselverhältnis von Mensch und Landschaft auseinander. Ihr ist neben verbalen (lit., epigraphischen, nu-
mismatischen) und gegenständlichen (arch.) Zeugnissen
der Vergangenheit der landschaftliche Rahmen histor.
Ereignisse die Hauptquelle. Es sind im wesentlichen
zwei Forschungsrichtungen, die heutzutage die H. G.
bestimmen: Eine Forschungsrichtung führt sich auf den
Kulturgeographen Otto Schlüter (1872–1959) zurück
und begreift sich als Angewandte H. G., deren haupt-
sächliches Anliegen die histor. Begründung und Ableitung aktueller Landschafts- und Siedlungsplanung aus
den räumlichen Zuständen, Strukturen und Beziehungen der verschiedenen histor. Epochen ist [2; 13]. Die
andere Forschungsrichtung der H. G., von der an dieser
Stelle zu sprechen ist, führt sich auf die Anfänge der
abendländischen Wiss. zurück, in der sich natur- und
geisteswiss. Fragestellungen und Methoden noch als
Einheit darstellten.

### B. ENTSTEHUNG
Im wiss. Werk des Hekataios (ca. 560–480 v. Chr.)
waren Geschichte und Geogr. noch eng ineinander ver-
flochten. Seine geogr. Kenntnisse, die er der Lehrtrad.
des Anaximandros (frühes 6. Jh. v. Chr.; vgl. Strab.
14,1,7) entnommen und auf seinen zahlreichen Reisen
(Hdt. 2,143; Agatharchides geogr. 1,1) gewonnen hatte,
schlugen sich in der verbesserten Auflage der Erdkarte
des Anaximandros (*Gés Períhodos*) nieder, desgleichen in
den beiden Prosaschriften, einem an der sublit. Gattung
des Logbuchs orientierten Komm. zu dieser Erdkarte
(*Perihégesis*) und den *Genealogíai*, in denen er die griech.
Götterwelt genealogisch ordnete. Anwendungsbezogen
wird die Verbindung beider Wissensbereiche deutlich,
wo er im J. 500 v. Chr. in Kenntnis der unerschöpfli-
chen Reserven des Perserreichs vor einem Aufstand gegen den Großkönig warnte und den Ioniern, als sie diesen Rat nicht annahmen, zum Bau einer Flotte riet, mit
der man immerhin zur See dem Großkönig Paroli bieten könne (Hdt. 5,36; vgl. auch seinen Rat, sich im
Notfall auf die Insel Leros zurückzuziehen, bei Hdt.
5,126). Sie zeigt sich auch in beiden lit. Werken (vgl.

FGrH 1 F 129; 266; 275 bzw. 6f.; 18a; 27), die in aller nur
wünschenswerten Deutlichkeit erkennen lassen, daß
Geschichte, Ethnographie und Geogr. bei ihm ein organisches Ganzes bildeten; seine Zeitgenossen nannten
diese wiss. Disziplin *historíe*. Die epischen Berichte, mit
denen sich Hekataios in den *Genealogíai* auseinandersetzte, waren ihm fehlerdurchwirkte Darstellungen geschichtlicher Wirklichkeit, die er einer rationalistischen
Kritik unterzog – was ihn nach mod. Verständnis zwei-
felsfrei als den ersten abendländischen Historiker auszeichnet. Das lit. Œuvre des Hekataios wurde vorbildlich für die Wiss. in Methodik und Darstellungsweise.
Das erweisen etwa die *Genealogíai* des Akusilaos von
Argos (Ende 6./1. H. 5. Jh. v. Chr.; FGrH 2), dessen
Interesse nicht nur Göttern und Heroen, sondern auch
den Menschen der Frühzeit und im Rahmen der an den
Troianischen Krieg anschließenden Heimkehrerge-
schichten auch der Geogr. Griechenlands und des ägäischen Raums galt. Die *Genealogíai* des Pherekydes von
Athen (1. H. 5. Jh. v. Chr.; FGrH 3) setzten mit der Darstellung des Heroenzeitalters ein und enthielten ebenfalls zahlreiche geogr. Elemente. Wo Pherekydes die
genealogischen Entwicklungslinien bis in die eigene
Zeit (FGrH 3 F 2) herabführt, gibt er den Ansatz zur
Zeitgeschichtsschreibung zu erkennen. Während nach
heutigem Verständnis in den erwähnten Schriften der
frühen griech. Wiss. histor. Aspekte gegenüber geogr.
im Vordergrund zu stehen scheinen, sind wiederum in
Werken, in denen in erster Linie geogr. Anliegen den
Autor zu lit. Tätigkeit angeregt haben, histor. Aspekte
anfangs nie außer acht gelassen worden. Als Beispiel
kann hier das Werk des Demokles aus Phygela (erste H.
5. Jh. v. Chr.; [3. Bd. 2. 71 Anm. 45]) dienen, der darin
vom Mythos moralisch begründete Erscheinungen auf
natürliche Weise zu erklären versucht – so etwa die Zerstörung von Sipylos, der Residenzstadt des Tantalos: Für
mythisches Verständnis war diese Katastrophe göttl.
Strafe, bei Demokles aber die natürliche Folge eines
überregionalen Erdbebens (Strab. 1,3,17). In der Folge
hat sich eine bestimmte geogr. Fachschriftstellerei klar
von der beschreibenden Geogr. und der Geschichtsschreibung abgesetzt und ist im Rahmen der Kartographie spezifisch geogr. (auch mathematisch-astronomischen) Problemen nachgegangen – eine Entwicklung,
die schon Hekataios vorgegeben hatte und die spätestens
mit Eratosthenes (3. Jh. v. Chr.) abgeschlossen war, der
die kartographische Arbeit unter Einbeziehung mathe-
matischer und astronomischer Methoden als das eigentliche Zentrum der Geogr. betrachtete (vgl. Hipparchos
von Nikaia, Mitte 2. Jh. v. Chr., Marinos von Tyros,
2. Jh. n. Chr.) im Gegensatz zur bloß lit. Landeskunde,
wie sie beispielsweise Homer betrieben hatte (Poseidonios, Strabon, Plinius der Ältere, Pomponius Mela).
Dagegen haben Historiker den Zusammenhang zur beschreibenden Geogr. nie verloren. So sind Geogr. und
Ethnographie prägender Hintergrund des histor. Geschehens in der Historiographie Herodots (ca. 485–424
v. Chr.), ob er sie in größeren und kleineren Exkursen

zu Wort kommen läßt oder dem Fortgang des Geschehens einfügt (vgl. [14. 41 f.]). In seiner prinzipiellen Beschränkung auf polit.-mil. Vorgänge reiht sich Thukydides (ca. 455–400 v. Chr.) nur dort in diese histor.-geogr. Trad. ein, wo der Zusammenhang mit einzelnen Kriegshandlungen gegeben ist. In den histor. Schriften Xenophons (ca. 430–350) verleiht bes. die dem Autor durch Autopsie vertraute Geogr. dem Geschehen Relief.

## C. GRUNDLEGUNG

Eine theoretische Begründung für die Notwendigkeit, Geschichtsdarstellungen mit der dazugehörigen geogr. Folie zu hinterlegen, hat erst Polybios (um 200 bis 120 v. Chr.) geliefert. Ihm zufolge zeichnen drei Qualitäten den Historiker aus: an dritter Stelle rangiert ihm die Kenntnis der schriftlichen Quellen (12,25i,2; ungewichtet 12,25e,1; 4), an zweiter Stelle praktische Lebenserfahrung (12,25e,1; 4; 25g,1; 20,12,8), am wichtigsten aber ist ihm die durch eigenes Erleben erworbene Kenntnis der Geogr. (12,25e,1; 25f,5). Seine Vertrautheit mit der wiss. Geogr. ging nicht über das Maß hinaus, das einem praktizierenden Strategen anstand; mit Fragen der allg. und der mathematisch-astronomischen Geogr. hat er sich also grundsätzlich nicht befaßt, selbst wenn er solche Überlegungen für sinnvoll erachtete (vgl. z. B. die Hydrographie der Maiotis, des Schwarzen Meeres und der Propontis: Pol. 4,39–42). Er gab im 34. Buch seiner Geschichte – es ist uns verloren – einen vom Gang der Geschichte losgelösten Überblick über die Geogr. der Alten Welt (angekündigt 3,37,11; 57,5; 59,6; vgl. Strab. 8,1,1). Ein Musterbeispiel einer in seine Geschichtsdarstellung eingebetteten histor.-geogr. Argumentation ist die Charakterisierung der Lage von Byzantion, die Polybios aus Anlaß des Krieges gab, den die Rhodier 220 gegen die Stadt Byzantion führten (4,38–46; [18. 486–507; 19. 469–479]). Wenn Thukydides als der Begründer der mod. Geschichtswiss. gilt, kann Polybios mit Recht der Begründer der mod. H. G. genannt werden.

## D. ANTIKE HISTORISCHE GEOGRAPHIE NACH POLYBIOS

Wie in anderen Bereichen der Kulturgeschichte läßt sich auch bei aller Vorbildhaftigkeit der polybianischen Programmatik im Bereich der H. G. keine stetige Entwicklung nachzeichnen. Caesar (100–44 v. Chr.) wird man bei allem Interesse an Ethnographie und Geogr., das in seinen Schriften zum Ausdruck kommt, in der Reihe der Historiographen kaum suchen, haben doch seine *commentarii* einen ganz eigenen, jedenfalls nicht historiographischen Charakter. Anders dagegen Sallust (86–34 v. Chr.), der in der Trad. der hell. Geschichtsschreibung steht. Von dieser ist uns das meiste verloren, erhalten hat sich zum Teil allein das Geschichtswerk des Polybios – und bei aller thematischen und stilistischen Verschiedenheit: was die histor.-geogr. Kommentierung geschichtlicher Vorgänge betrifft, schließt sich Sallust eng an Polybios an (vgl. [14. 57 f.]). Dasselbe ist auch für Pompeius Trogus (augusteische Zeit) zu sagen, des-sen *Historiae Philippicae* uns nur im Auszug des Iustinus (3. Jh. n. Chr.) und in der Kurzfassung von Prologen zu den einzelnen Büchern vorliegen, aber auch so noch erkennen lassen, wie wesentlich diesem Historiker der geogr. Hintergrund des Geschehens war (vgl. [14. 54 f.]). Livius (59 v. Chr. – 17 n. Chr.), der sicher nicht weit in der Welt herumgekommen ist, hat es doch verstanden, das geogr. Ambiente verschiedener Passagen seiner Geschichtsdarstellung so lebendig zu gestalten, daß man, was die histor.-geogr. Seite seines Werks angeht, auch in ihm einen Epigonen des Polybios sehen kann (vgl. [14. 47–49]). Weniger Wert auf geogr. Unterrichtung seines Publikums legte dagegen Tacitus (geb. ca. 55 n. Chr.) in seinen vorwiegend histor. Schriften, was möglicherweise mit der Beachtung rhet. Prinzipien zusammenhängt; anders liegt der Fall in der nicht als historiographische, sondern ethnographische Schrift angelegten *Germania* mit gattungsbedingt notwendigen geogr. Passagen. Auch Arrianos (85/90 – nach 146 n. Chr.) bemühte die Geogr. nur, wo sie zum Verständnis des Feldzugsgeschehens notwendig war (vgl. Arr. an. 5,5 f.). Der Umstand, daß Xenophon sein lit. Vorbild war, änderte daran nichts. Wie er nutzten Herodianos (geb. ca. 178/180 n. Chr.) und Cassius Dio (ca. 164– nach 229 n. Chr.) geogr. Angaben sparsam und ausschließlich zur Verdeutlichung mil. Vorgänge. Am Schluß dieser Reihe ant. Historiker stehen mit Ammianus Marcellinus (ca. 330–400 n. Chr.) und Prokopios (490/507 – nach 555 n. Chr.; vgl. [14. 55–57]) Autoren, die – was die Berücksichtigung histor.-geogr. Aspekte in ihren Werken betrifft – polybianischen Maßstäben entsprechen; Ammianus schrieb geradezu eine Reichsgeschichte auf geogr. Grundlage [1. 19].

## E. MITTELALTER

Als in der Spätant. das Christentum mit seinem ausschließlichen Bezug auf die hl. Schriften und deren Interpretation das Interesse an der wiss. Erforsch. der Welt zurückdrängte, erreichte das Niveau geogr. Forsch. infolgedessen auch für die H. G. im Osten wie im Westen einen bes. Tiefstand (vgl. Kosmas Indikopleustes); → Konstantinopel hat dabei immerhin noch seine auch in anderen Gebieten wirksame bewahrende Funktion ausgeübt (vgl. Stephanos von Byzanz; Abschriften von Strabon und Ptolemaios seit dem 9. Jh.). Auch die → Kartographie war in den Dienst der Kirchenkultur getreten. Während aber die Kartographie der Ant. grundsätzlich die gegenwärtige Welt zu erfassen bemüht war, gewinnen die ma. *mappae mundi* mit ihrer Orientierung auf das Heilsgeschehen in Jerusalem z. T. eine rückgewandte Perspektive und so schließlich auch einen Ansatz zur H. G. Dagegen dienten histor. Motive in den möglicherweise auf byz. Kartenmaterial zurückgehenden Portulanen, wo in Binnengebieten keine geogr. Namen eingetragen sind, prinzipiell dekorativen Zwecken.

## F. NEUZEIT

Die Auseinandersetzung mit der geogr. Hauptschrift des Ptolemaios (2. Jh. n. Chr.), dessen Werke erst im

Zusammenhang mit der Fluchtwelle von Gelehrten mit ihren → Bibliotheken aus Konstantinopel, bevor die Stadt 1453 von den Türken erobert wurde, in der griech. Originalfassung – gefördert durch die Fortschritte der Drucktechnik – europaweit bekannt geworden waren, gab der wiss. Geo- und Kartographie enorme Impulse; die Euphorie, in der Nachfolge der Entdeckung von Amerika immer neue Länder aufzuspüren, trug ebenfalls dazu bei. Beteiligt waren daran Gelehrte wie Gerhard Mercator (1512–1594), Abraham Ortelius (1527–1598), G. Delisle (1675–1726), Jean Baptiste Bourguignon d'Anville (1697–1782) und Eberhard David Hauber (1695–1765). Bei allem Gegenwartsbezug haben diese Geographen sich aber immer wieder mit den Verhältnissen der ant. Welt befaßt.

### 1. PH. KLÜWER

So kann nicht verwundern, daß in der Neuzeit der eigentliche Anstoß zur Beschäftigung mit der H. G. aus den Altertumswiss. kam. Philipp Klüwer (1580–1622) hat diese von Hekataios herrührende und von Polybios begründete Trad. wieder aufgenommen. Während seines Jura-Studiums in Leiden hatte er sich unter dem Einfluß des Klass. Philolologen Joseph Justus Scaliger (1540–1609) mit der Altertumskunde, speziell mit der ant. Geogr. beschäftigt. Er unternahm zw. 1607 und 1613 verschiedene Reisen durch ganz Europa und lernte dabei in England den Klass. Philologen Isaac Casaubon (1559–1614) kennen, der Klüwer durch seine Vertrautheit mit Strabon bes. faszinierte. Die Schrift *Germania Antiqua*, eine illustrierte dt. Altertumskunde, eröffnete Klüwer 1616 in Leiden eine Anstellung an der Univ. als Geographus Academicus [6]. 1617/18 unternahm er eine Reise durch It. und Sizilien. In seinen letzten Lebensjahren hat er die auf dieser Reise gesammelten Kenntnisse in verschiedenen Schriften über die ant. Geogr. von Sizilien und It. integriert [9; 8]; darunter fand die Einführung in die alte und zeitgenössische Geogr. [7] bes. Verbreitung. Klüwer hat mit seinen Schriften in weiten Kreisen die Beschäftigung mit histor.-geogr. Themen angeregt – aber immer noch fast ausschließlich auf dem Gebiet der griech.-röm. Antike. Während also der Aufschwung der H. G. in der Ant. von seiten der Historiographie (Polybios) angestoßen worden war, kamen die Anregungen zur Wiederbelebung dieser Disziplin in der Neuzeit hauptsächlich von der ant. Geogr. her (Strabon, Ptolemaios).

### 2. C. RITTER

Von seiner Schulbildung her war Carl Ritter (1779–1859) nicht auf die Ant. festgelegt: Geschichte und Geogr. waren seine bevorzugten Fächer. Da er durch seine Fertigkeiten im Zeichnen von Landkarten auf sich aufmerksam machte, lenkte man ihn auf das Handwerk des Kupferstechers hin. Das Studium, dem er sich dann aber in Halle widmete, galt einer allg. Bildung mit dem Ziel der enzyklopädischen Pädagogik. Er hat damals auch Vorlesungen über griech. und röm. Literaturgeschichte bei Friedrich August Wolf gehört, fand aber erst im Alter von 26 bis 29 Jahren Gelegenheit, Griech.

zu lernen, als er längst schon seinen Lebensunterhalt als Privatlehrer verdiente. Damals hat sich sein Interesse an Geschichte und Geogr. in einem Aufsatz über *Die Ruinen am Rhein. Über die Alterthümer in Cölln* niedergeschlagen [17]. Was bereits in dieser Erstlingsarbeit zu erkennen ist, bleibt für sein weiteres wiss., pädagogisches und publizistisches Wirken prägend: die Auffassung, daß Geogr. und Geschichte nicht getrennt betrachtet werden dürfen, sondern nur vereint zu sinnvollen Ergebnissen führen können. Sie kommt auch in seiner 1820 in Berlin veröffentlichten Arbeit *Vorhalle europ. Völkergeschichte vor Herodotos, um den Kaukasus und an den Gestaden des Pontus. Eine Abhandlung zur Alterthumskunde* zum Tragen und ist maßgebliches Anliegen in seinem Hauptwerk *Die Erdkunde im Verhältnis zur Natur und Geschichte des Menschen* [16]. Dieser Auffassung, ganz wesentlich geprägt durch Gespräche mit Alexander von Humboldt, den er zehn Jahre lang begleitete, hat er als Hochschullehrer an der Univ. in Berlin (seit 1820) weitere Geltung verschafft. So gilt Ritter heute als Wegbereiter der Allg. H. G., der bei aller Berücksichtigung der auf die Ant. orientierten Trad. dieser Forschungsrichtung das Blickfeld auf weitere Erdräume und spätere Geschichtsepochen öffnete.

### 3. K. J. H. NEUMANN

Wie Wissenschaftsgeschichte sich grundsätzlich nicht als die Folge aufeinander fugen- und widerspruchslos aufbauender Gedanken darstellen läßt, wie ähnlich geartetes, aber unabhängiges Denken verschiedenenorts zu ähnlichen Ergebnissen führt, so ist hier als ein Wissenschaftler, der die Ausweitung der herkömmlichen H. G. über die Ant. hinaus nicht in der Nachfolge Ritters vollzogen hat, der Königsberger Karl Johann Heinrich Neumann (1823–1880) zu nennen: Er studierte in Königsberg Geschichte, wo einer seiner Lehrer Walter Drumann war. Neumann promovierte mit einer Arbeit über die Geschichte von Olbia [11] und veröffentlichte 1855 den ersten (und schließlich einzigen) Band seiner Schwarzmeerstudien über *Die Hellenen im Skythenlande* [10]. Diese Arbeit begründete sein wiss. Ansehen, aufgrund dessen er 1865 eine Ordentliche Professur an der Univ. Breslau erhielt. Bes. in der Lehre, aber auch in der Forsch. ist er seiner Überzeugung von der Fruchtbarkeit des Zusammengehens von Geogr. und Geschichte Ausdruck verliehen. Daß er dabei die Physische Geogr. auch zu ihrem Recht kommen ließ, beweist sein von seinem Schüler J. Partsch überarbeitetes Werk über die *Allgemeine Physikalische Geographie von Griechenland* [12].

Seit dem Ende des 18. Jh. haben immer mehr Reisende aus aller Welt, bes. aus England, Frankreich und Deutschland, mit Blick auf die Überreste der ant. Kulturen die Kenntnis der materiellen Kultur, so auch der Geogr. der Alten Welt erweitert. Es war bes. die ant. Topographie, mit der man sich auseinandersetzte. Vorherrschend war das Interesse, die Alte Welt kartographisch zu erfassen. Diesem Ziel dienten hauptsächlich die Forsch. von Geographen und Klass. Philologen wie

Heinrich Kiepert (1818–1899), Conrad Bursian (1830–1883), Alfred Kirchhoff (1838–1907), Wilhelm Sieglin (1855–1935), Joseph Partsch (1851–1925), Eugen Oberhummer (1859–1944), Wilhelm Tomaschek (1841–1901), Johann Sölch (1883–1951), Heinrich Nissen (1839–1912), Gustav Hirschfeld (1847–1895), Alfred Philippson (1864–1953) und Hugo Hassinger (1877–1952). Friedrich Ratzel (1844–1904), bei dem u. a. auch Ellen Churchill Semple (1863–1932) hörte, redete in Anlehnung an den Historiker und Staatswissenschaftler R. Kjellén (1864–1922) einem landschaftlich bestimmten Determinismus das Wort – einer Sicht der H. G., die sich nicht lange gehalten hat [4; 15]. Die hier von Polybios ausgehende Entwicklungslinie der H. G. mündet heute in eine große internationale Gelehrtenwelt, für die stellvertretend Ernst Kirsten (1911–1987) anzuführen ist, der in seinen umfangreichen Forsch. mit bes. Nachdruck die weit gespannte Interdisziplinarität der H. G. betont hat.

### G. Methoden

So wichtig für Polybios die Einbeziehung der Geogr. in die Geschichtswiss. war, so finden sich bei ihm explizit keine Gedanken über den Einsatz spezifischer Methoden der H. G. Als eigene Wissenschaftsdisziplin hat sich die H. G. erst im Laufe des 19. Jh. herausgebildet; daher kann man erst seither von der Entwicklung einer eigenen Methodologie der H. G. sprechen. Die H. G. definiert sich prinzipiell nicht durch die Gegenstände ihres Interesses (wie etwa kanonische Disziplinen, z. B. die Geschichtswiss. oder die Biologie), sondern durch die Fragestellungen, mit denen sie geschichtliche Entwicklungen untersucht; sie ist also eine Disziplin, die einem bestimmten, und zwar dem geogr. Aspekt histor. Entwicklungen ihre bes. Aufmerksamkeit widmet. Der gemeinsame Nenner histor.-geogr. Forsch. in diesem Verständnis ist das Wechselverhältnis von Mensch und Landschaft. Zwei Hauptthemen lassen sich hierbei ausmachen: es interessieren einerseits histor. Entwicklungen, in deren Zusammenhang entweder die Landschaft auf den Menschen und sein Handeln bestimmend eingewirkt hat, andererseits histor. Entwicklungen, in deren Zusammenhang der Mensch auf die von ihm belebte Landschaft bestimmend eingewirkt hat. Je nach landschaftlicher Dimension des jeweiligen histor. Komplexes kommen entweder geogr. oder chorographische oder schließlich topographische Betrachtungsweisen zur Anwendung [5]: Großräumig verlaufenden Entwicklungen gilt das geogr. Erkenntnisinteresse an Problemen im Beziehungsgeflecht von Mensch und Umwelt, d. h. hauptsächlich an Problemen der Sozialgeogr. (wie der Beschreibung von Räumen unterschiedlicher sozialer Verhaltens- und Lebensformen) und der Geosystemforsch. (wie der Erforsch. von kurz- und mittelfristigen Entwicklungen, von Steuerungsmöglichkeiten des Naturhaushalts und von konkreten Gestaltungsproblemen in bestimmten Regionen); wir sprechen hier von H. G. Solche Fragen können auch für einzelne Landschaften interessant werden; sie können

also auch chorographische Relevanz gewinnen. Die Histor. Chorographie nähert sich aber auch in bestimmten Bereichen der Histor. Topographie, in deren Kompetenz auf kleine Bereiche innerhalb von Landschaftsräumen beschränkte Problemkomplexe fallen. Hier geht es um die kleinräumige Analyse und Rekonstruktion histor. Landschaftselemente mit Hilfe lit., arch., paläogeographischer, paläobotanischer und paläozoologischer Befunde, also um die kleinräumige Feststellung der geogr. Lage bestimmter Objekte; gemeint ist etwa die Erarbeitung gegenwärtiger und histor. geogr. Qualitäten, die Ortung einer geogr. Erscheinung wie z. B. eines Platzes in der umgebenden Landschaft; gemeint ist auch die Beschreibung seiner geologisch-geogr.-physischen Eigenschaften wie z. B. des Bodens, der Flora, der Fauna und des Klimas und die Analyse und Schilderung verwaltungstechnischer Strukturen, der Bewohner und der künstlichen Einwirkung des Menschen auf die Landschaft durch die Anlage von Straßen, Dämmen, Terrassen, Kanälen und dergleichen. Histor.-geogr. Verfahrensweisen wie Retrogression und Progression kommen bes. bei chorographischen und topographischen Problemen zur Anwendung. Im ersten Fall handelt es sich um ein vergangenheitsbezogenes reduktives Verfahren, mit dessen Hilfe man bestimmte histor. Landschaftsbeschaffenheiten aus ihrer Fortentwicklung rekonstruiert (Retrogression). Im Zentrum des wiss. Interesses steht hier die Vergangenheit einer Landschaft, deren histor. Erscheinungsbild mithilfe ihres heutigen Zustandes rekonstruiert werden soll. Im zweiten Fall geht es um eine entwicklungsgeschichtliche Methode (Progression), bestimmte Landschaftsbeschaffenheiten aus ihrer Entstehung zu erklären, die auf histor. Landschaftszustände angewendet wird und stufenweise von der älteren zur jüngeren Zeit fortschreitet.

Wie die H. G. schon per definitionem eine interdisziplinär arbeitende Wiss. ist, so bedient sie sich der Methoden verschiedener Wissenschaftsdisziplinen. Um die methodische Vielfalt histor.-geogr. Forsch. zu demonstrieren, sei hier nur eine Auswahl von Wissenschaftsbereichen aufgeführt, die teils von Fall zu Fall, teils häufiger oder sogar grundsätzlich zu Rate gezogen werden müssen: Wo es um den Menschen und seine Natur als Individuum und als Glied der Gesellschaft geht, sind Anthropologie, Anthropogeographie, Demographie, Ethnologie und Ethnographie gefragt; soll das vorliegende Sprachmaterial Aufschluß geben, die Vergleichende Sprachwiss., die Sprachengeogr. und die Toponomastik; generell kulturelle Bezüge liefern Agrargeogr., Architektur, Astronomie, Geodäsie, Philos., Religionsgeogr., Theologie und Wirtschaftsgeographie. Die materielle Hinterlassenschaft menschlicher Kulturen erschließt die Arch.; für Kultur und Natur bestimmter Länder und Länderkomplexe sind Afrikanistik, Ägyptologie, Germanische Altertumskunde, Indologie, Judaistik, Keltologie, Klass. Philol., Alte Geschichte und Orientalistik gefragt; für Erscheinungen der Natur sind Botanik, Geologie, Geophysik, Klimakunde, Meereskunde und Zoologie zuständig.

QU 1 W. ENSSLIN, Zur Geschichtsschreibung und Weltanschauung des Ammianus Marcellinus (Klio Beiheft 16), 1923 2 K. FEHN, Stand und Aufgaben der H. G., in: Blätter für Dt. Landesgesch. 111, 1975, 31–53 3 K. v. FRITZ, Die griech. Geschichtsschreibung, 2 Bde., 1967 4 C. HEUCKE, Von Strabon zu Haushofer? in: Orbis Terrarum 1, 1995, 203–211 5 E. KIRSTEN, Möglichkeiten und Aufgaben der H. G. des Alt. in der Gegenwart, in: Stuttgarter Kolloquium zur H. G. des Alt. 1, 1980 (Geographica Historica 4), 1987, 1–50 6 PH. KLÜWER, Germaniae Antiquae libri III, adiectae sunt Vindelicia et Noricum, 1616, Mikrofiche-Ausgabe 1992 7 Ders., Introductionis in universam geographiam tam veterem quam novam libri VI, Amsterdam 1659 8 Ders., Italia antiqua, 2 Bde., 1624, Mikrofiche-Ausgabe 1998 9 Ders., Sicilia antiqua cum minoribus insulis adiacentibus, item Sardinia et Corsica, 1619, 1994 10 C. J. H. NEUMANN, Die Hellenen im Skythenlande. Ein Beitr. zur alten Geogr., Ethnographie und Handelsgesch. 1, Berlin 1855 11 Ders., De rebus Olbiopolitanorum, Diss. Königsberg 1852 12 Ders., J. PARTSCH, Physikalische Geogr. von Griechenland mit bes. Rücksicht auf das Alterthum, Breslau 1885 13 H.-J. NITZ, H. G., in: Siedlungsforsch. 10, 1992, 211–237 14 E. OLSHAUSEN, Einführung in die H. G. der Alten Welt, 1991 15 Ders., Gebirgsland als Lebensraum, in: Ders. (Hrsg.), Stuttgarter Kolloquium zur H. G. des Alt. 5, 1993 (Geographica Historica 8), 1996, 1–11 16 C. R. RITTER, Die Erdkunde im Verhältnis zur Natur und Gesch. des Menschen, 2 Bde., 1817/18 (spätere vollständige Überarbeitung des Werkes durch den Autor: Bd. 1, Afrika, Berlin 1822, eine weitere Bearbeitung ergab Die Erdkunde von Asien, 19 Bde., Berlin 1832/59) 17 Ders., Die Ruinen am Rhein. Über die Alterthümer in Cölln, in: Rheinisches Archiv für Gesch. und Litteratur 1, 1810, 199–220 18 F. W. WALBANK, A Historical Commentary on Polybius Bd. 1, 1957 19 Ders., Polybius on the Pontus and the Bosphorus (IV. 39–42): FS D. M. ROBINSON, hrsg. v. G. E. MYLONAS, 1951.

LIT 20 P. PÉDECH, La méthode historique de Polybe, 1964, 517–597 21 J. G. TEXIER, Polybe géographe: Dialogues d'Histoire ancienne 2, 1976, 385–411 22 F. W. WALBANK, The Geography of Polybius: CeM 9, 1948, 155–182 23 K. ZIEGLER, s. v. Polybios 1), RE 21, 1567–1569.

ECKART OLSHAUSEN

# Historische Methoden   A. EINLEITUNG   B. ENTWICKLUNG   C. HEUTIGER STAND

## A. EINLEITUNG

Die Auffassung des Begriffs H. M. reicht von der Beschreibung bestimmter Techniken und Arbeitsweisen in einem gleichsam handwerklich-zünftigen Sinne bis hin zu grundsätzlichen (methodologischen) Fragen nach den Möglichkeiten und Modi histor. Erkenntnis. Im Bereich der Alten Geschichte, die einerseits histor., andererseits alt.-wiss. Disziplin ist, sind neben den H. M. auch solche der engsten Nachbarfächer, Arch. und Philol., zu beachten.

## B. ENTWICKLUNG

### 1. HUMANISMUS UND AUFKLÄRUNG

Die mit F. Petrarca einsetzende und in der Ren. seit dem 15. Jh. entscheidend verstärkte Rückwendung zum Alt., die den Human. kennzeichnet, war primär ästhetisch und praktisch (d. h. ethisch-polit. und edukativ) ausgerichtet. Das wirkte sich auch in der Geschichtsschreibung aus: sie diente polit. Zwecken und orientierte sich an der ant. Historiographie [2. 48 zu L. Bruni u. G. Poggio Bracciolini]. Für Methode und Verständnis der Geschichte erwiesen sich v. a. zwei für den Human. charakteristische Elemente als folgenreich: Der v. a. von Melanchthon [35. 26] propagierte Rückgriff auf die Quellen (ad fontes) förderte den Zugang zu den jeweils ältesten und den Ereignissen nächststehenden Zeugnissen, die als urspr. und unverfälscht galten. Ferner konnten die ant. Autoritäten nicht allein nachgeahmt und auf mod. Horizonte bezogen werden, sondern auch einem verbesserten Verständnis der Ant. selbst dienen, wie es bereits Lorenzo Valla in seiner Kontroverse mit Poggio um dessen Kyropädie-Übers. postuliert hatte [36. 42 f.]. Diese »Spannung« zw. Vorbild und Differenz, Nähe und Entfernung, die bes. in Erasmus' Ciceronianus akzentuiert wird, eröffnete die Möglichkeit für einen distanzierten, also histor. Blick auf die Ant. [2. 132 f.; 29. 614 f.]. Freilich standen weiterhin in der Geschichtsschreibung und im Rückgriff auf die Geschichte selbst Orientierungen praktisch-polit. Natur und normative Belehrung im Vordergrund [2. 94; 35. 43; 18. 10].

Dies setzte sich auch in die Aufklärungshistorie hinein fort. Deutlich dominierten die philos.-programmatischen Vorgaben, und bes. Wert wurde auf die lit. Gestaltung gelegt. Dazu kam aber im 18. Jh. ein deutliches Interesse an der histor. Entwicklung, am Fortschreiten der Entwicklung der Menschheit, das zu neuen Fragen an das histor. Material und zu zentralen Aussagen über Charakter und Stellenwert histor. Epochen führte. Nicht mehr die klass. Autoren, sondern die Geschichte wurde zur »Lehrmeisterin« [35. 461]. Meisterwerke dieses Genres, wie Montesquieus Considérations sur les causes de la grandeur des Romains et de leur décadence (1734) und Gibbons History of the Decline and Fall of the Roman Empire (1776–1788), bieten wichtige histor. Erkenntnisse, basieren aber nicht auf eingehender Erforschung des benutzten Quellenmaterials.

Dabei hatten sich gerade auf diesem Gebiet wichtige Leistungen ergeben. Die Orientierung an den Quellen und das Bemühen um eine adäquate Erfassung des Alt. führten zur Entwicklung von rationalen Methoden der Erfassung, Ed. und Interpretation der Texte. Wesentliche Gesichtspunkte wurden von Joseph Justus Scaliger, aber – hinsichtlich der Geschichte – auch von Jean Bodin formuliert, und v. a. unter dem Eindruck von Descartes' methodischem Rationalismus entwickelte sich eine philolog.-wiss. Weise des Umgangs mit den Texten, vornehmlich in der Textkritik. Darüber hinaus wurden in wachsendem Maße aus antiquarischem Interesse, aber auch zum besseren Verständnis der Autoren diverse nicht-lit. Zeugnisse und Fragmente (Inschr., Mz. etc.) gesammelt und in großen Korpora zur Verfügung gestellt [29. 615f.; 18. 62f.].

## 2. DIE HISTORISTISCHE WENDE

Zugespitzt formuliert ist die mod. Geschichtswiss. nun eine Verbindung der großen histor. Thematik mit den philol. Methoden der Quellenforschung und damit eine Übertragung des kritischen Verfahrens der Textbehandlung auf alle histor. Materialien, ihre Inhalte und Aussagen. Das ist der handwerklich-zünftige Aspekt. Wirkungsmächtig wurde das aber erst in einer spezifischen Konstellation, in der mehrere Elemente zusammenwirkten: 1. Die umstürzende Wirkung der Frz. Revolution und die darauf folgenden Erfahrungen unerhört beschleunigter Entwicklungen [29. 611f. mit Hinweis auf B. Croce; 20. 1973f.; 23]. 2. Ein neues Verständnis von Wiss., welches gerade im Blick auf die Naturwiss. von Kant formuliert worden war und gemäß dem der Gegenstand der Forsch. vom Forscher als »Sachverhalt« gefaßt, zugleich »objektiviert« und methodisch (*legis arte*) untersucht wird [20. 2107ff.; 31. 32ff.]. 3. Ein Unbehagen mit der Aufklärungshistorie, verbunden mit dem für Romantik und Klassizismus so charakteristischen und v.a. im dt. Idealismus wirkenden Bemühen um einen inneren Zugang zur Vergangenheit, mit der man sich ideell verbunden weiß [18. 65ff.; 31. 37f.; 22. 62ff.].

Daß es hier um eine Koinzidenz ging, zeigt die nahezu gleichzeitige Präsenz und die rasche Verbreitung dieser neuen Sichtweise. Auf Grund der human.-philol. Trad. des Forschens, die den Schlüssel zur methodischen Untersuchung gab, kamen die ersten Impulse aus der Beschäftigung mit dem Alt. in B.G. Niebuhrs Analyse der *lex agraria* und der frühen röm. Republik generell, in der »Sachphilologie« A. Boeckhs, dessen erstes großes Werk über den Staatshaushalt der Athener (1817) Niebuhr gewidmet war, aber auch in der Begründung der → Histor. Rechtsschule durch F.C. von Savigny [19; 38; 6; 21. 34ff.].

Bei aller »Vergegenständlichung« und Distanz bestand nun der neue Zugang zur Vergangenheit gerade in einem Zugriff der Vergegenwärtigung, einem Akt des Verstehens, der sich nicht nur auf Handlungen einzelner oder von Gruppen erstreckte [8. 128ff.], sondern auch auf Zustände und Strukturen, auf ›unpersönliche Daseinsgestaltungen‹ [20. 2121]. Das Interesse richtete sich auf den Menschen bzw. die Menschheit in einem umfassenden Sinne [32. 177], und diese wurde damit in allen ihren Lebensäußerungen histor. gesehen bzw. »historisiert«. Deshalb spricht man auch von → Historismus und meint damit nicht nur diesen spezifisch geschichtswiss. Zugang, sondern auch die ›grundsätzliche Historisierung unseres Wissens und Denkens‹ (E. Troeltsch) in dem umfassenden Sinne, wie sie für das 19., das »histor.« Jh. charakteristisch geworden ist [31. 17, 40; 32].

## 3. DAS »HISTORISCHE« JAHRHUNDERT

Die Verwissenschaftlichung der Geschichte durch den Rückgriff auf die philol. Methode griff unmittelbar auf die Behandlung der nachant. Epoche aus – man denke etwa an die von K. vom Stein 1819 gegr. *Gesellschaft für Deutschlands ältere Geschichtskunde*, welche die wiss. Ed., Sammlung und Erschließung der ma. Quellen organisieren sollte (*Monumenta Germaniae Historica*). V.a. aber ist hier L. von Ranke zu nennen, der nach wie vor als Gründerfigur der mod. Geschichtswiss. und des Historismus gilt [22. 86ff.; 7. 25ff.]. Ranke lehnte jedes nachträgliche Urteil über eine Epoche ab und betonte deren jeweiligen Eigenwert: Sie müsse immer aus sich heraus verstanden werden; ohnehin gehe es nicht um höhere Belehrung, sondern nur darum zu ›zeigen, wie es eigentlich gewesen‹ [33. VII]. Dazu war der Rückgriff auf die Quellen, im Sinne der philol. Methodik, der Schlüssel.

Der Siegeszug der neuen Richtung zeigte sich nicht zuletzt in den Alt.-Wiss., was bes. in Deutschland durch die Reform von Gymnasium und Univ. wesentlich gefördert wurde [20. 1941, 1950f., 1978, 2108; 24]. Der histor. Zugang machte auch den Blick frei auf Epochen, die human.-klassizistischem Verdikt anheimgefallen, und auf Bereiche, die vernachlässigt worden waren. J.G. Droysen begründete auf diese Weise die neuere Hellenismusforsch. [14], und K.O. Müller, ebenfalls ein Schüler Boeckhs, förderte nachdrücklich die histor. Landeskunde und prägte damit seinen Schüler E. Curtius, einen der einflußreichsten Althistoriker der 2. Jh.-Hälfte [13].

Vergleichbare Entwicklungen zeigten sich auch in der röm. Geschichte, wo wegen der Bedeutung Niebuhrs und der juristischen Orientierung v.a. Fragen des Rechtslebens, aber damit auch des wirtschaftlichen, administrativen und gesellschaftlichen Kontexts erörtert wurden. Dies führte zur Hinwendung zu Quellen jenseits der juristischen Texte, zu Inschr. v.a., aber auch zu sprachhistor. Studien. Hierfür ist Th. Mommsen repräsentativ, der philol. von O. Jahn geprägt war [21].

Neben die philol.-kritische Behandlung der bekannten Texte – unabhängig von der Textsorte – trat v.a. die Aufdeckung, Erschließung, Ed. und Deutung neuer Texte. Das Forschen bestand im wesentlichen darin, hiermit immer neue Kenntnisse zu gewinnen, und Mommsen sprach in diesem Zusammenhang vom Ordnen der ›Archive der Vergangenheit‹ als ›Grundlegung der histor. Wiss.‹ [30. 165]. Auf diese Weise entwickelten sich spezielle »Hilfswiss.«, wie die Epigraphik (→ Inschriftenkunde), → Numismatik und – später – die → Papyrologie, welche im Sinne einer wiss. Arbeitsteilung gerade die erste Materialpräsentation besorgten. Durch → Entzifferungen bisher unbekannter Sprachen wie des Ägyptischen, Assyrischen und Altpersischen eröffneten sich neue Zugänge zu ganz anderen Kulturen. Daß Forschen in der zünftigen Erarbeitung der Quellen liegt bzw. auf dieser beruht, ist und bleibt ein Grundelement der H.M., gerade weil die Geschichte als Vergangenes sich nur noch in solchen Spuren darbietet.

Andererseits bildet sich vergangenes Geschehen nicht photographisch bzw. spiegelbildlich in den Quellen ab, ihre Erschließung und Analyse ist also zwar ein notwendiges, aber noch kein hinreichendes Kriterium, um von wiss.-methodischem Umgang mit Geschichte sprechen zu können. Geschichte ist zugleich Rekonstruktion und deren Darstellung durch den Historiker. Gerade in dieser Hinsicht gibt es erhebliche methodologische Probleme, denn es fragt sich, inwiefern sich auf dieser Ebene die nötige wiss. Objektivität erreichen läßt. Mommsen ist hierfür ein gutes Beispiel: ein Meister der Gelehrsamkeit gerade in dem oben skizzierten Sinne, zugleich Verfasser einer dramatisch-parteiisch geschriebenen *Röm. Geschichte*, die mit dem Literaturnobelpreis prämiert wurde. Mommsen hat das selbst noch akzentuiert, als er in seiner Rektoratsrede 1874 erklärte, wahre Historiker würden ›nicht gebildet, sondern geboren‹ [7. 69]. Das methodologische Problem liegt also – anders gesagt – darin, den Platz des Historikers zw. ›Registrator‹ und ›Dichter‹ [20. 2286] zu bestimmen.

Die idealistische Fundierung des Historismus ließ dieses Problem zunächst nicht virulent werden, weil sie eine schlüssige Erklärung gab. Droysens *Historik* [4], mit der dieser sich selbst und seinen Hörern über die methodische Grundlage seines Tuns Rechenschaft ablegte, bringt das klar zum Ausdruck. Breit entfaltet sie die Elemente der Erschließung, Kritik und Interpretation der Quellen. Das meiste davon ist Standard geblieben (die Differenzierung nach ›Tradition‹ und ›Überrest‹, wofür man h. neutraler von primären und sekundären bzw. ›originalen‹ und ›abgeleiteten‹ Quellen [28. 112] spricht; die Unterscheidung von Formen der Kritik nach Echtheit, Zeitstellung, Richtigkeit, differenzierender Quellenkritik). Entscheidend ist für Droysen aber der innere Zusammenhang: nicht das Geschehen selbst, sondern das ›Wissen von dem Geschehen‹ [4. 397]. Dazu hat der Historiker einen Zugang, da er es als Mensch mit Menschen zu tun hat. Sie sind ihm deshalb zugänglich, durch Verstehen ihrer Pläne, Handlungen, Lebenswelten: ›Das Wesen der histor. Methode ist forschend zu verstehen‹ [4. 398]. Der Gegenstand des Historikers ist ihm von dieser inneren, ideellen Nähe her zugänglich, so wie auch der Historiker selbst ›in seinen Gegenstand (sc. die Geschichte) involviert ist‹ [31. 43].

## 4. Die Krise des Historismus

Eine von solchem Selbstverständnis geprägte histor. Forsch. konnte am E. des 19. Jh. eine beachtliche Bilanz vorlegen. Die Organisation der wiss. Arbeiten, wachsend institutionalisiert in → Akademien, Univ. (→ Universität) und anderen Einrichtungen, hatte zu großen Verbünden geführt, zur »Großforschung«, mit einem hohen Maß an internationaler Kooperation. Zahlreiche Ed. waren entstanden oder im Entstehen begriffen, neue Materialien wie Papyri wurden gezielt gesammelt, gekauft und veröffentlicht, die Erforschung der griech. Landschaften sollte international in Angriff genommen werden. Aber nicht allein zahlreiche Korpora spiegelten

die Forschungsaktivitäten, auch bedeutende Synthesen waren entstanden, so etwa der große Wurf Ed. Meyers, eine veritable *Geschichte des Altertums*, die nicht nur die klass. Quellen berücksichtigte, sondern auch die ägypt. und altorientalischen, und die auf dieser Grundlage einen dezidiert universalhistor. Standunkt einnahm.

Ähnliche Kontroversen jedoch, die unmittelbar vor und nach der Jh.-Wende in Deutschland und Frankreich ausgetragen wurden [34], signalisierten eine Krise des Historismus. Sie resultierte aus dem vergleichbaren und zunehmend deutlicher werdenden Siegeszug der Naturwiss. und verband sich mit (zum Teil aus Nietzsche-Lektüre gespeisten) kulturpessimistischen Tendenzen des → Fin de siècle. Die szientifische Herausforderung war deshalb so virulent, weil sie – fußend auf dem philos. Positivismus A. Comtes – den objektiven Charakter der empirisch beobachteten Realität und damit die durch Beobachtung mögliche Erkenntnis der Natur vertrat. Der Naturwiss. wurde deshalb explizit rel. Charakter zugeschrieben [31. 22f.]. Wiss. Dignität lag eben in der Erkenntnis der Dinge und insbes. im Aufstellen bzw. Auffinden von Gesetzen. Dies strahlte (im wesentlichen über die Psychologie W. Wundts) auch auf die Geschichte aus, wo K. Lamprecht die Erforsch. ›allg. Entwicklungsgesetze‹ einforderte und zugleich die Umorientierung zur ant. polit. Geschichte zu einer Kulturgeschichte im weiteren Sinne postulierte [22. 256ff.; 34]. Gerade im Bereich der Wirtschaftsgeschichte hatte die histor. Schule deutlich auf die Analyse von Entwicklungsstufen gesetzt, so daß auch die Kontroverse zw. E. Meyer und dem Nationalökonomen K. Bücher um die Vergleichbarkeit der ant. mit der mod. Wirtschaft [37. 1ff.] in diesem Kontext zu sehen ist.

Der »Historikerstreit« blieb aber nicht auf die Zunft (in der Lamprecht wenig Chancen hatte) beschränkt, sondern führte zu einer methodologischen Grundsatzdiskussion über den Stellenwert der jetzt als solche verstandenen »Geisteswiss.« und ihre Abgrenzung von den Naturwiss., die v. a. in der Philos. geführt wurde. W. Dilthey blieb im wesentlichen auf der Basis der idealistischen Hermeneutik, indem er, ähnlich wie Droysen, auf die ideelle Verbindung von Objekt (Geschichte) und Subjekt (Ich des Historikers) als Grundlage verstehender Erkenntnis verwies [22. 175ff.]. Auch die Neukantianer W. Windelband (auf ihn geht die Unterscheidung zw. Naturwiss. und histor. Wiss. als »nomothetisch« und »idiographisch« zurück) und H. Rickert gingen von zeitübergreifenden inneren Zusammenhängen aus, von einem das histor. Geschehen durchwaltenden *logos*, der sich wenigstens in der Welt kultureller Werte zeigt [22. 192ff.].

Daß es in der Debatte nicht nur um Gesetzmäßigkeiten und Verallgemeinerungen in der Geschichte ging, sondern überhaupt um die Relation der Geschichtswiss. zu den eher systematisch arbeitenden und stärker szientifisch geprägten Nachbarfächern (Geogr., Psychologie, Nationalökonomie, Soziologie), wird in der etwa gleichzeitigen Kontroverse in Frankreich deutlicher. Die noch in der Philos. verankerte Soziologie wurde von E. Durkheim ganz in die Nähe der Geschichte gerückt bzw. mit ihr identifiziert. Der Schlüssel zur histor. Erklärung liegt für Durkheim im Vergleich und damit zugleich in der Verbindung einer speziellen Ebene der einzelnen Phänomene mit einer allg. Ebene von Aussagen zu gesellschaftlichen Phänomenen [10. 348].

In diesem Zusammenhang kommt M. Weber bes. Bedeutung zu. Bei ihm wirkte vieles zusammen, die Formung durch die juristische Romanistik und die histor. Schule der Nationalökonomie, die philos. geschulte Methodendiskussion, umfassende Geschichtskenntnisse und ein histor. relativierender Sinn für die empirische Welt. Ohne den Rückgriff auf idealistische Zusammenhänge fand er eine Kategorie zur Verbindung zw. dem empirisch-histor. Detail und generellen Aussagen, und zwar im »Idealtypus«. Dieser bezeichnet ein histor. Phänomen (wie etwa Adel, Staat, Feudalismus) als gedachte Größe, die als solche durch logische Operationen aus der empirischen Realität abstrahiert ist. Im »Reinzustand« ist sie dort nicht zu finden, aber sie erlaubt den Vergleich und damit die Erklärung und ein Verstehen über Epochen und Kulturkreise hinweg. Soziologie und Universalgeschichte fallen hier letztlich zusammen [20. 1835 ff., 1863 ff.; 22. 208 ff.].

## 5. ZWISCHEN DEN KRIEGEN

Der Erste Weltkrieg beschädigte nicht nur die für die histor. »Großforsch.« so wichtige internationale Kooperation nachhaltig, sondern brachte die oben konstatierte »Sinnkrise« definitiv zum Ausdruck. Die Reaktion in den Geschichtswiss. verlief sehr unterschiedlich: In Frankreich etwa setzte sich in den 20er J. allmählich die von Durkheim inspirierte Richtung durch, wozu der Kreis um die Zeitschrift *Annales* (bes. L. Febvre und M. Bloch) beitrug. Dezidiert verstand sich Geschichte hier als Wiss. vom Menschen, und neben der Geogr. bildete eine stark anthropologisch-ethnologische Soziologie die wichtigste Nachbardisziplin. Die Verbindung von Anthropologie und Geschichte wirkte sich auch in den Alt.-Wiss. (L. Gernet) aus [9; 5].

In Deutschland dagegen stand die Alt.-Wiss. deutlich unter dem Einfluß der Kritik am Historismus und an der »wertneutralen« Erforschung aller Lebensäußerungen der Ant., wie sie durch die Betonung des klass. Erbes im sog. → Dritten Humanismus W. Jaegers deutlich wurde [18. 128 ff.]. Das wirkte sich auch auf die Geschichte aus, indem sich dort der Blick auf innere Kräfte und Prinzipien richtete, z.B. auf die Bedeutung der griech. Stämme und ihre Wesensart (H. Berve) oder auf die geistigen Tendenzen einer Zeit, im Sinne einer in der Mittleren und Neueren Geschichte verbreiteten Richtung (W. Weber) [20. 787 ff.; 34. 356]. Dies ließ sich, mit dem Blick auf »große Männer« und »ethnisch-völkische« Identitäten, relativ leicht mit der nationalsozialistischen Ideologie verbinden, die auf diese Weise auch in die Alte Geschichte Fuß faßte und dort pseudowiss. Methoden und Konzepte des Rassismus zur Gel-

tung brachte (F. Altheim, F. Schachermeyer, J. Vogt). Die Wirkung von M. Weber blieb demgegenüber begrenzt (J. Hasebroek).

Dagegen haben Webers Konzepte – und damit auch wichtige Positionen der histor. Schule der Nationalökonomie – international eine hohe Verbreitung gefunden, gerade in der soziologisch-anthropologischen Forsch. und Konzeptionalisierung, etwa im amerikanischen Funktionalismus (T. Parsons) und der Wirtschaftsanthropologie (K. Polanyi, M. Finley), während sich in Frankreich dank der engen Beziehungen zw. der Durkheim-Schule (M. Halbwachs, M. Mauss) und dem Annales-Kreis vergleichbare (und auch in wechselseitigem Austausch gewonnene) Konzepte zunehmend durchsetzten.

## 6. DIE ENTWICKLUNG NACH 1945

Die durch Diktatur und Krieg bedingte, auch geistige Isolierung Deutschlands wirkte sich bis in die 60er J. aus. Die weitgehende personelle Kontinuität und die deutlich restaurativen Tendenzen verzögerten die Rezeption der erwähnten international zunehmend wirksamen Konzepte und Methoden. Statt dessen spiegelte sich die dt. Teilung auch in Kontroversen zw. »bürgerlicher« und marxistischer Geschichtswiss. wider, die v.a. die unterschiedliche Einschätzung der ant. Sklaverei betrafen. Gegen den histor. Materialismus wurde objektivistisch das Postulat wertfrei-neutraler Quelleninterpretation ins Feld geführt.

In den 60er J. begann – zunächst eher zaghaft – eine theoretisch fundierte Methodendiskussion, die politologisch-soziologische Konzepte ins Spiel brachte und sehr rasch die Bedeutung M. Webers unterstrich (A. Heuß, Ch. Meier) [20. 1835 ff., 1863 ff.; 27; 8]. Dies wurde intensiviert durch die Auswirkungen der sog. Studentenrevolte im Jahre 1968; sie waren ein internationales Phänomen, führten aber in Deutschland speziell zur Rezeption der »neueren«, westl. Ansätze in den Geschichtswiss. Die bes. Beachtung der Annales-Schule steht dabei *pars pro toto*. Innerhalb kürzester Zeit vollzog sich in den 70er J. ein Paradigmenwechsel, der in Deutschland bes. spürbar war. Die Situation in den histor. Wiss. und der Stand der H.M. ist noch h. davon geprägt. Begleitet von theoretischen Reflexionen und Kontroversen setzte sich zunächst eine an Strukturen und Stratifizierungen orientierte, zum Teil mit quantifizierenden Methoden arbeitende Sozialgeschichte durch [7. 44 ff.], der seit den 80er J. zunehmend mikrohistor. und alltagsgeschichtliche Forsch. zur Seite traten, die sich auch der Untersuchung kollektiver Mentalitäten und Vorstellungen widmeten. Die Diskrepanz zw. der Erforsch. von Strukturen und Deutungen scheint derzeit in der neuen kulturwiss. Orientierung auch der histor. Disziplinen »aufgehoben« zu sein.

Es haben sich damit ganz bestimmte Forschungsfelder und -methoden etabliert, die v.a. auf den Konzepten der Jh.-Wende (E. Durkheim, M. Weber) beruhen und deshalb deutlich anthropologisch-soziologisch fundiert sind. Gerade wegen der Konzentration auf das *hu-*

*manum* verweisen sie aber – ohne daß dies bisher richtig wahrgenommen wurde – auf die Orientierung des frühen Historismus, etwa bei A. Boeckh und K. O. Müller.

In diesem Rahmen hat sich ein neues Verständnis der Funktion von Geschichte im Rahmen einer ›mémoire collective‹ (M. Halbwachs) entwickelt. Die Differenzierung zwischen Praktiken und Diskursen, d. h. v. a. Denk- und Sichtweisen (M. Foucault, P. Bourdieu [1]), hat die Benutzung anthropologischer Konzepte und die histor. Komparatistik beträchtlich gefördert. Histor.-landeskundliche und siedlungs- wie landschaftsarch. Forsch. haben einen markanten Aufschwung genommen. Die wirtschaftshistor. Differenzierung, die die ant. Ökonomie in ihrem spezifischen Stellenwert erfaßt, ist nicht zuletzt durch M. Finley vorangebracht worden. Auch traditionelle Vorhaben wie die Begriffsgeschichte sind in einem theoretischer Reflexion günstigen Milieu neu fundiert worden [15].

## C. HEUTIGER STAND

Die aktuelle Situation in der histor. Methodologie ist durch eine Kontroverse gekennzeichnet, die den Debatten um die letzte Jh.-Wende nicht nachsteht. Die postmod. Herausforderung der geschichtlichen Methodik wird gern als *linguistic turn* bezeichnet. Damit bezieht man sich auf Theorien frz. (Post-)Strukturalisten (bes. R. Barthes, J. Derrida), nach denen es keine Wirklichkeit außerhalb der Texte gebe. Diese Theorien haben starke Beachtung erfahren, naturgemäß v. a. in der Literaturwiss., aber auch in der Ethnologie, wo in C. Geertz' ›dichter Beschreibung‹ Riten und Praktiken wie ein Text gelesen werden. Auf diese Weise können Geschichte und Geschichtsschreibung auch als lit. Gattung verstanden werden, die sich von fiktiver Lit. nicht mehr unterscheidet (H. White) [12; 39]. Geschichte löst sich auf in beliebige Konstruktionen verschiedener Historiker.

Diese Herausforderung ist deshalb so gravierend, weil sie Punkte berührt, die in der histor. Methodologie bes. problematisch sind, nämlich die Rolle des (re-)konstruierenden Historikers mit seiner Verstehens- und Einbildungskraft und die Frage, inwiefern sein Gegenstand unabhängig von ihm gedacht werden kann. Deshalb kann sich die poststrukturalistische Theorie nicht nur auf Gadamers Hermeneutik, sondern auch auf so grundlegende Werke des Historismus wie Droysens *Historik* beziehen. Die Herausforderung und die aus ihr resultierenden Debatten der 90er J. (Überblick in [7]) haben sich demzufolge auch als fruchtbar erwiesen und zu neuen bzw. erneut überdachten Reflexionen über H. M. geführt, insbes. über das Verhältnis des Historikers zu seinem Gegenstand [32; 7; 10; 25]. Dabei sind einerseits die Rollen von Empathie, Erfahrung, Phantasie und Vorstellungsvermögen herausgearbeitet worden als im übrigen legitime und für die Geschichtswiss. notwendige, gerade das histor. Geschehen als Zusammenhang konstruierende und in der Geschichtsschreibung zum Ausdruck kommende Elemente [11; 20. 2250 ff.; 8. 137 ff.]. Das kommt überdies nicht allein

in dem fraglos vorhandenen lit.-künstlerischen Charakter der Geschichtsdarstellung (oder wenigstens: mancher Geschichtsdarstellungen) zum Ausdruck, sondern fördert auch den Dialog mit einer Richtung innerhalb der Literaturwiss. (*New Historicism*), die sich um eine Rekonstruktion histor. Kontexte aus lit. Werken bemüht [17. 7 ff.].

Auf der anderen Seite wurde aber nachdrücklich betont und begründet, daß es jenseits der Texte einen Gegenstand, ein Objekt histor. Erkenntnis gebe, Ereignisse oder Zustände (Kontexte), die ihre Spuren in den Quellen hinterlassen hätten. Zwar werde dieser Gegenstand als Sachverhalt erst vom Historiker definiert (und insofern wäre auf Kant und Droysen zu verweisen [31; 7. 86 f.]), aber nicht willkürlich, sondern in einem rationalen und intersubjektiv nachvollziehbaren und insofern methodischen Verfahren, zu dem auch die Typenbildung gehört [8. 93 ff.]. Vereinfacht gesagt handelt es sich also um kontrollierte Phantasie. Dies ähnelt der von P. Bourdieu vertretenen Methode der ›reflexiven Anthropologie‹ [10. 355; 1].

Damit ist auch deutlich, daß die Quellen allein noch nicht – wie manche »positivistischen« Auffassungen suggerieren – den histor. Gegenstand selbst bilden, so wenig wie sich in ihnen die Geschichte unmittelbar widerspiegelt. Doch sind die zünftige Erschließung, Präsentation und Analyse dieses Materials neben den ständig neuen und verfeinerten Deutungen und Rekonstruktionen zentrale Bestandteile histor. Forschens. Damit behalten die traditionellen Nachbar- und Hilfswiss. wie Philol., Epigraphik, Papyrologie und Numismatik ihren Stellenwert unverändert bei. Dies gilt auch für den Bereich der altorientalischen und ägyptologischen Fächer wegen der zunehmend komparatistisch-universalhistor. Orientierung. Letztlich können aber, wie schon L. Febvre betont hat [9. 18], auch nicht in Textform vorliegende Materialien als Quellen in Frage kommen. Der Historiker ist hier nicht allein – wie schon von jeher – auf die arch. Forsch. angewiesen, sondern in zunehmendem Maße auch auf naturwiss. Methoden, die weitere Materialien als Quellen erschließen und aufbereiten oder die Deutung und Datierung bekannter Überreste verbessern (C–14 Methode, Dendrochronologie, paläobotanische Pollendiagramme, Thermoluminiszenzmethode) [26; 16]. Jede histor. Konstruktion hat sich immer wieder solchen und anderen Materialien zu stellen, sie kann durch deren Umdeutung oder durch neue Funde jederzeit falsifiziert werden. Nicht zuletzt das macht H. M. zu wiss. Methoden [7. 120; 3. 26].

1 P. BOURDIEU, Sozialer Sinn. Kritik der theoretischen Vernunft, 1987 2 P. BURKE, Die europ. Ren., 1998 3 R. CHARTIER, On the Edge of the Cliff. History, Language and Practices, 1997 4 J. G. DROYSEN, Historik. Rekonstruktion der ersten vollständigen Fassung der Vorlesungen (1857), Grundriß der Historik in der ersten hsl. (1857/58) und in der letzten gedruckten Fassung (1882), hrsg. von P. LEYH, 1977 5 G. DUBY, Über einige

Grundtendenzen der mod. frz. Geschichtswiss., in: HZ 241, 1985, 543–554 **6** F. EBEL, Friedrich Carl von Savigny, in: M. Erbe (Hrsg.), Berlinische Lebensbilder. Geisteswissenschaftler, 1989, 21–36 **7** R.J. EVANS, Fakten und Fiktionen. Über die Grundlagen histor. Erkenntnis, 1998 **8** K.-G. FABER, Theorie der Geschichtswiss., 1972 **9** L. FEBVRE, Das Gewissen des Historikers, 1988 **10** E. FLAIG, Gesch. ist kein Text, in: M. W. BLANKE, F. JAEGER, TH. SANDKÜHLER (Hrsg.), Dimensionen der Historik, 1998, 345–360 **11** J. FRIED, Wiss. und Phantasie, in: HZ 263, 1996, 291–316 **12** C. GEERTZ, Die künstlichen Wilden. Der Anthropologe als Schriftsteller, 1990 **13** H.-J. GEHRKE, Carl Otfried Müller und das Land der Griechen, in: MDAI(A) 106, 1991, 9–35 **14** Ders., Johann Gustav Droysen, in: M. ERBE (Hrsg.), Berlinische Lebensbilder. Geisteswissenschaftler, 1989, 127–142 **15** Ders., Zw. Alt.-Wiss. und Gesch. Zur Standortbestimmung der Alten Gesch. am E. des 20. Jh., in: E.-R. SCHWINGE (Hrsg.), Die Wiss. vom Alt. am E. des 2. Jahrtausends n. Chr., 1995, 160–196 **16** Ders., Histor. Landeskunde, in: A. H. BORBEIN, T. HÖLSCHER, P. ZANKER (Hrsg.), Klass. Arch., 2000, 39–51 **17** S. GREENBLATT, Schmutzige Riten. Betrachtungen zw. Weltbildern, 1991 **18** A. HENTSCHKE, U. MUHLACK, Einführung in die Gesch. der Klass. Philol., 1972 **19** A. HEUSS, Barthold Georg Niebuhrs wiss. Anfänge, 1981 **20** Ders., Gesammelte Schriften in 3 Bde., 1995 **21** Ders., Theodor Mommsen und das 19. Jh., 1956, Ndr. 1996 **22** G. G. IGGERS, Dt. Geschichtswiss. Eine Kritik der traditionellen Geschichtsauffassung von Herder bis zur Gegenwart, 1971 **23** R. KOSELLECK, Vergangene Zukunft. Zur Semantik geschichtlicher Zeiten, 1979 **24** M. Landfester, Human. und Ges. im 19. Jh. Unt. zur polit. und gesellschaftlichen Bedeutung der human. Bildung in Deutschland, 1988 **25** CH. LORENZ, Konstruktion der Vergangenheit. Eine Einführung in die Geschichtstheorie, 1997 **26** F. G. MAIER, Neue Wege in die alte Welt. Mod. Methoden der Arch., 1977 **27** CH. MEIER, Entstehung des Begriffs »Demokratie«. Vier Prolegomena zu einer histor. Theorie, 1970 **28** A. MOMIGLIANO, Wege in die Alte Welt, 1995 **29** U. MUHLACK, Empirisch-rationaler Historismus, in: HZ 232, 1981, 605–616 **30** W. NIPPEL (Hrsg.), Über das Studium der Alten Gesch., 1993 **31** O. G. OEXLE, Die Geschichtswiss. im Zeichen des Historismus. Bemerkungen zum Standort der Geschichtsforschung, in: HZ 238, 1984, 17–55 **32** O. G. OEXLE, J RÜSEN (Hrsg.), Historismus in den Kulturwiss. Geschichtskonzepte, histor. Einschätzungen, Grundlagenprobleme, 1996 **33** L. VON RANKE, Sämtliche Werke. Zweite Gesamtausgabe, Bd. 33/34, Leipzig 1874 **34** L. RAPHAEL, Historikerkontroversen im Spannungsfeld zw. Berufshabitus, Fächerkonkurrenz und sozialen Deutungsmustern. Lamprecht-Streit und frz. Methodenstreit der Jh.-Wende in vergleichender Perspektive, in: HZ 251, 1990, 325–363 **35** W. RÜEGG (Hrsg.), Gesch. der Univ. in Europa, Bd. II, 1996 **36** H. SANCISI-WEERDENBURG, Cyrus in Italy, in: dies., Achaemenid History V. The Roots of the European Tradition, 1990, 31–52 **37** H. SCHNEIDER (Hrsg.), Sozial- und Wirtschaftsgesch. der röm. Kaiserzeit, 1981 **38** Ders., August Boeckh, in: M. ERBE (Hrsg.), Berlinische Lebensbilder. Geisteswissenschaftler, 1989, 37–54 **39** H. WHITE, Metahistory. Die histor. Einbildungskraft im 19. Jh. in Europa, 1991.

HANS-JOACHIM GEHRKE

## Historische Rechtsschule
A. BEGRIFF  B. ENTSTEHUNG  C. KERN  D. STELLUNG IN DER ZEIT  E. WISSENSCHAFT  F. NEUE JURISTISCHE GRUNDBEGRIFFE  G. LEISTUNGEN  H. KRITIK

### A. BEGRIFF

H. R. nennt man eine zunächst kleine Gruppe von Juristen um Friedrich Carl v. Savigny (1779–1861) und Karl Friedrich Eichhorn (1781–1854), die sich 1815 als »geschichtliche Schule« ausrief. Eine säkulare Blüte im weitesten Sinne rechtsgeschichtlicher Leistungen prägte dann das Jh. Der methodische Gehalt wurde immer diffuser. Der Kern der Bewegung zeigt sich in ihrer Entstehung.

### B. ENTSTEHUNG

Die H. R. kommt aus dem auch im 19. Jh. noch deutlich dominierenden Privatrecht. Es geht um die zeitgemäße Bewahrung und Fortbildung der europ.-kontinentalen Rechtswissenschaft. Sozial betraf dies den universitätsgeprägten Juristenstand (bes. im dt. Raum), rechtsinhaltlich die Trad. des *Ius commune* v. a. zu den Quellen und Fortbildungen des spätröm. *Corpus iuris civilis* von 533 sowie lokale Trad. bes. im Familien- und Erbrecht, z. B. seit dem Sachsenspiegel (um 1230). Seit dem späten 18. Jh. stand dieses pluralistische Erbe unter dem Druck der Kodifikationsbewegung, also umfassender monarchischer (Bayern 1750 ff., Preußen 1794, Österreich 1811) wie revolutionärer zentraler Rechtsetzungen (*Cinq Codes* in Frankreich 1804–1810). Die Durchsetzung dieses frz. Rechts auch im dt. Raum seit 1806 erhöhte den Druck wie die neue Freiheit nach 1813. Sozial ging es um die Erneuerung der gesellschaftlichen Rolle der Univ. gegen die neufrz. Fachschulkonzeption und die Fürstenschulen.

Formiert wird die neue Schule noch nicht in Savignys berühmter Absage an den *Beruf unsrer Zeit für Gesetzgebung und Rechtswiss.* vom Oktober 1814, sondern im März 1815 im ersten Heft der neuen *Zeitschrift für geschichtliche Rechtswiss.* Berlin und seine neue Univ. bilden den Kontext. Die prägnante Einführung Savignys *Über den Zweck dieser Zeitschrift* [2. 1–17] enthält das Programm, Eichhorns Aufsatz *Über das geschichtliche Studium des Dt. Rechts* [2. 124–146] exemplifiziert es. Ausdrücklich gegründet wurde nicht eine H. R., sondern eine »geschichtliche Schule«. ›Ungeschichtliche‹ Gegenspieler waren nicht nur ›Philosophie und Naturrecht‹, sondern auch die Vertreter des ›gesunden Menschenverstandes‹ [2. 2]. Die seit 1815 endgültig überstandene frz. und rheinbündisch-bayerische Polemik eines N. Th. Gönner (1764–1827) und anderer wird nun selbstbewußt ins Positive gewendet. Gönner hatte seit 1808 gegen ›unsere neuesten Civilisten – berühmt unter dem Namen der histor. Schule‹ [6. 82–86 und 73 f.] gewettert, da sie wider alle Vernunft und Gesetzgebungsphilos. beim röm. Recht stehen blieben. Er zielte v. a. auf den Göttinger Juristen Gustav Hugo (1764–1844). Das Schimpfwort »histor. Schule« wurde nach 1815 zur Empfehlung. In übrigens bewußt dt. Ausdrucksweise und neuer Akzentuierung forderte man ›geschichtliche Rechtswiss.‹ über die übliche ›eigentliche Rechtsgeschichte‹ [2. 14] hinaus.

Das bedeutet: Es geht nicht um eine Rechtsschule, sondern um eine rechtswiss. Schule, nicht um Rechtsgeschichte als solche, sondern um geschichtliche Rechtswiss., nicht um eine Fachdebatte, sondern um einen zentralen polit.-sozialen Vorgang, nicht um Gesetzgebung oder gar Zivilrecht oder röm. Recht allein, sondern um das ganze Recht. Die Vorgänge von 1815 entschieden eine längst, seit den 1790er J., laufende Debatte um Juristen und Recht, Univ. und Wiss. – für lange Zeit.

## C. Kern

Der genaue Sinn dieser Richtung blieb erstaunlich kontrovers. Entsprechend wechseln die Aussagen darüber, wer zur Schule zu zählen sei, wann sie beginne und sich vollende usw. Exemplarisch klagt der gewiß irgendwie zugehörige Hugo sofort 1816 über ›die geschichtliche Schule wie sie nun leider heißt‹. Die Verbindung ›geschichtlich‹ – ›Wiss.‹ sei unklar; sie bedeute teils nur ›wiss. und gelehrt‹, teils schließe ›geschichtlich‹ das doch einbezogene ›heutige anwendbare Recht‹ aus; sie schaffe falsche Fronten, da doch die Rettung der Wiss. gegen die Gesetzbücher wesentlich sei [6. 74, 330]. Rechtswiss. ging Hugo noch nicht in »geschichtlich« auf. Sein Problemaufriß prophezeite treffend bis h. – nur daß uns die hier maßgebende Sprachwelt Savignys noch viel fremder geworden ist.

Savigny selbst sah mehrfach Anlaß, sein ›wahrhaft geschichtliches‹ Anliegen gegen bloß geschichtliche oder bornierte Versionen abzugrenzen (gesammelt in [6. 331f.]). Das traf die überkommene *cognitio ex datis* ebenso wie die »pragmatische« Methode, die Geschichte betont übersichtlich und mit vielfältigen Mitteln kausal, psychologisch usw. auf Handlungen hin strukturierte, spürbar bei Hugo und Eichhorn. Er betonte dagegen das Natürlich-Organische der Verläufe als ›eines sich entwickelnden Ganzen‹ [2. 4] und ihre stete ›Fortsetzung und Entwicklung aller vergangenen Zeiten‹ [2. 3]. Er strukturierte also nach natürlichen Kontinuitäten und autonomen Prozessen, nicht nach menschlichen Setzungen und Handlungen. Die Handlungsorientierung folgte hier aus der ›wahren Erkenntnis‹ des Prozesses, nicht mehr aus einer ›moralisch-polit. Beyspielsammlung‹ [2. 4]. Ein Weg zw. bloßer Willkür z.B. eines Gesetzgebers und ›blinder Überschätzung der Vergangenheit‹ [2. 11] war gewiesen und als wiss. begehbar begründet. Das große Erbe war den bloßen ›Menschenhänden‹ [1. 43] entzogen und der Einsicht der Wiss. in die ›unvermeidlichen‹ [2. 4] geschichtlichen Prozesse anvertraut, eine inhaltlich wie sozial gleich anziehende Lösung. Sie betraf wenigstens drei Ebenen: eine ganz allg., die wiss. und die fachjuristische.

## D. Stellung in der Zeit

Bemerkenswert kühn betont Savigny, der Schulgegensatz werde zwar ›am meisten (…) in allem, was zur Verfassung und Regierung der Staaten gehört, sichtbar‹,

d.h. in Politik und Recht. Verständlich sei dies aber erst aus einem ›Gegensatz (…) ganz allg. Natur‹, dem Verhältnis von ›Vergangenheit und Gegenwart‹, ›Werden und Seyn‹, ›Freiheit und Nothwendigkeit‹ [alles 2. 2f.]. Geschichtsbedeutung, Ontologie, Sollen und Sein sind also angesprochen. Die Elemente werden nicht mehr methodisch getrennt, sondern energisch verbunden als ›unauflösliche Gemeinschaft‹, als ›nothwendig und frey zugleich‹, konkret im Gedanken einer ›höheren Natur des Volkes als eines stets werdenden, sich entwickelnden Ganzen‹ [2. 3f.]. Die H.R. steht so mit einer eigenen Variante in einer grundsätzlichen Linie neben den idealistischen Kant-Überwindern ihrer Generation. Nicht ›verborgene Nothwendigkeit‹, ›Offenbarung des Absoluten‹ (Schelling 1802) oder die begreifbare Vernunftentfaltung (Hegel 1802/03: ›Es geht vernünftig zu‹), aber doch die recht verstandene Selbst-Entwicklung der natürlich-organisch gedachten Substanz Volk und seines Bewußtseins leiten sie. Polit. bedeutet das negativ klar antirevolutionäre Haltungen, positiv weniger eng ein Spektrum von reformkonservativ bis rechtsliberal [6. 208ff., 376ff.; 11. 98ff.]. Die herausfordernde Allgemeinheit dieses Ansatzes erklärt Ruhm, Verwicklungen und Anziehungskraft der H.R. bis heute.

## E. Wissenschaft

Diesen doppelsinnigen, zugleich notwendigen und freien Entwicklungsgang wiss. zu erfassen, wird entscheidend. Leisten soll dies ein ›zweyfacher wissenschaftlicher Sinn‹ [2. 48]: der histor. und der systematische. Beides war der Zeit an sich wohlvertraut. Die Pointe lag in der neuen Verbindung, der Doppelorientierung, wie sie in den Wortkombinationen sinnfällig wird. ›Wahrhaft histor.‹ war mehr als »historisch«. Die alte *cognitio ex datis* wurde mit der *cognitio ex principiis* neu verbunden in einem anderen Geschichts- und Wiss.-Begriff. Die Prinzipien entsprangen nun aus richtiger Betrachtung, besser »Anschauung«, der Geschichte selbst – so der neue Geschichtsbegriff nach Kant. So konnte die Vergangenheit mit der Gegenwart verschmolzen werden und die Rechtswiss. zwei willkürträchtige »Abwege« vermeiden: die unwiss. bloß-histor. Rechtskunde mit dem Handeln nur nach ›gesundem Menschenverstand‹ [1. 2] ebenso wie die bloß-philos. Rechtserfindungen von ›Naturrecht‹ und ›Normal-Recht‹ [3. 152f.; VIII 533], die alle das ›wirkliche Recht‹ [1. 17] verfehlen. Die juristische Arbeit wurde geadelt von der Gesetz-, Urteils- oder Meinungskunde zum wiss. Erkennen. Nicht mehr galt es, geschichtlich-faktische Vorgänge nach einer äußeren Ordnung zusammenzustellen (antiquarisch, gelehrt), sondern das gewordene wirkliche Recht zu erkennen in seiner ›in dem Mannigfaltigen verborgenen‹ (so 1827–42) oder ihm ›inwohnenden Einheit‹ (1812, 1815) [8. 39 mit [5]]. Solche geschichtliche Rechtswiss. wurde zum Medium eines inneren Systems. Sie fand ein nach eigenen ›Prinzipien geordnetes Ganze‹ (Kant) und darin den Anschluß an den anspruchsvollsten Wiss.-Begriff der Zeit. Diese Art von Erkennen wurde konsequent zum ›einzigen Weg‹ [1. 4]. Den Geschichts-»Stoff« mußte man sich hier als ›mit innerer Nothwendigkeit gegeben‹ [2. 6] vorstellen. So konnte sich ein ›organisches Princip‹ ergeben und sogar ›von selbst, das, was noch Leben hat‹ [1. 117f.], wenn man es unternahm, – mit einem berühmten Wort- ›streng histor. (…) jeden gegebenen Stoff bis zu seiner Wurzel zu verfolgen und so sein organisches Princip zu entdecken‹ [1. 117], bzw. ›diesen mit innerer Nothwendigkeit gegebenen Stoff zu durchschauen, zu verjüngen und frisch zu erhalten‹ [2. 2], oder ›wahrhaft histor. (…) das Gegebene aufwärts durch alle seine Verwandlungen hindurch (…) zu verfolgen‹, ›zurückzuführen auf inwohnende Einheit‹ und dadurch zu ›verwandeln und vergeistigen‹ (Rez. Gönner 1815, in [4. V 141]). Es ging niemals um bloßes Historisieren. Gefordert war eine stete Verbindung oder Doppelorientierung, histor.-systematisch, methodisch wie stofflich, empirisch wie normativ. Daß sich dann ein Prinzip von selbst ergab, war entscheidender Glaube; wie dies geschah, ließ sich abstrakt kaum erklären. Prämisse war ›inwohnende Einheit‹. Dann half ein Vergleich: Das Verfahren der Auffindung der leitenden Grundsätze aus einzelnen Bestimmungen oder umgekehrt das der organischen Ergänzung aus Prinzipien [1. 74] ähnele der geometrischen Erschließung eines Dreiecks aus ›zwey Seiten und den zwischenliegenden Winkeln‹ [1, 22] oder der mathematischen ›Construction‹ [1. 128, 134; 3. I 8] unbekannter Glieder aus bekannten.

### F. Neue juristische Grundbegriffe

Vom Privatrecht her lag es nahe, sich Rechtsbildung wie Sprachbildung vorzustellen: als weder willkürlich gewachsen, noch kontingent geplant, aber doch offen. Als Beispiel nannte Savigny den Geldkurs und das Wechselrecht, das ohne Absicht ›durch das innere Bedürfnis des Welthandels entstanden‹ [ungedr., 8. 59] sei. Diese institutionelle und funktionale, nicht intentionale Perspektive hatten auch David Hume oder Adam Smith (»invisible hand«) oder G. Hugo (1812). Sie wurde nun nicht utilitär, sondern idealistisch (bes. mit Schelling) eingebettet [8. 61f.]. Rechtsdogmatik und Methode ›in geschichtlichem Sinn‹ [2. 14] bedeuteten daher nicht Gesetzesvervollkommnung, sondern Prinzipsuche im gegebenen Stoff und nicht dem der Rechtssätze, sondern des Rechts. Dies wiederum hatte zwar ein ›selbständiges Daseyn‹, aber doch kein bloßes ›Daseyn für sich‹ [1. 30; 3. I 54, 322]. Methode, Begriff, Entstehung, Quellen und Auslegung des Rechts, Rechtsverhältnis, Rechtsinstitut, subjektives Recht, Gesetzgeber-, Richter- und Juristenrolle, ja alle Grundbegriffe waren neu zu denken – ›alles wird von Grund aus anders, je nach der einen oder anderen Ansicht‹ [2. 7]. Umwälzende Sätze dazu fielen v. a. 1814/15 [1; 2] und 1840–49 [3]. Für Strafrecht und Staatsrecht kollidierte dies mit dem dringenderen Bedürfnis sicherer, gewisser Rechtssätze, ›eines äußern Factums, wodurch die Rechte der Bürger bestimmt werden‹ [1802, ungedr., 6. 126]. So trat Savigny, wie man jetzt weiß, früh für Strafgesetzgebung ein [1816/17, ungedr. 6. 164; 8. 57], nach 1842 als Mi-

nister ohnehin. Im Staatsrecht verwarf er die vorherrschenden Vertrags- und Souveränitätslehren. Staat sei ›Naturganzes‹ (also nicht Maschine), ›leibliche Gestalt der lebendigen Volksgemeinschaft‹ (also nicht Instrument) [1840, 1814/15, 6. 312, 328]; Volk und Recht kämen darin nur zu ›sichtbarer und organischer Erscheinung‹ [6. 313]; ›Volk‹ sei organische Substanz, nicht polit. Subjekt. Monarch, Volk, Gesetzgebung und Juristen wurden zum ›Organ‹ des ›wirklichen Rechts‹; extrem gesagt hatten sie nur ›das unabhängig von ihnen seiende Recht zu erkennen und auszusprechen‹ [6. 177]. Im Strafrecht und Staatsrecht stand die H. R. damit gegen die hier stärkere Kodifikations- und Verfassungsbewegung. Sie brachte zwar auch hier mehr Geschichte, aber weniger ›geschichtliche Rechtswiss.‹ im Sinne positiver Prinzipienentwicklung und Vonselbst-Dogmatik bis in die Gegenwart als im Privatrecht [10. 97].

### G. Leistungen

Sie reichen histor. von Quellened. und -geschichte, Lit.-Geschichte, Wiss.-Geschichte und Dogmengeschichte bis zu großen Handbüchern, suggestiven Entwicklungsgeschichten und großangelegten Geschichtsentwürfen, systematisch von eindringenden Monographien zu großen Systemen und äußerst dichten »Lehrbüchern«. Paradebeispiele sind Edd. wie Gaius (1817–1820), die der Monumenta Germaniae Historica (1817ff.) und Homeyers Sachsenspiegel (1827ff.), Verzeichnisse wie Homeyers Rechtsbücher (1836), Eichhorns umfassende Dt. Staats- und Rechtsgeschichte (1808–23), Savignys unersetzte Geschichte des röm. Rechts im MA (1815–31), seine Monographie Recht des Besitzes (1803), sein System des heutigen röm. Rechts und Obligationenrecht (1840–51) und Eichhorns Einleitung in das dt. Privatrecht (1823), Puchtas Pandekten (1838), daneben eine Fülle von Monographien (etwa von Hasse, Rudorff, Albrecht, Beseler). Wer dagegen die eigentliche ›Entdeckung der Rechtsgeschichte‹ [12. 416ff.] erst um 1880 sehen will, blickt schon wieder anders. Vergangenheit und Gegenwart, Geschichte und Dogmatik werden dann erneut getrennt, wieder gesetzesgläubig, aber im relativistisch-histor. Geist des Historismus. Die prinzipielle Ausdeutung der Vergangenheit im Sinne der Savignyschen Doppelorientierung gelang nicht mühelos, daher die Vorwürfe der Mikrologie usw. Sie führte leicht zu unterschiedlichen Prinzipiendeutungen, so in der Kodifikationsdebatte bis zum BGB und in der um Volksrecht-Juristenrecht mit den jüngeren Germanisten (Reyscher, Wilda, Beseler).

### H. Kritik

Programm und Praxis der H. R. waren kühn und enthielten mehrfache Fronten, entsprechend heftig fiel die Kritik aus, bis h. [9. 325ff.]. Das Prinzip lasse sich nicht ergraben, die Schule sei doch antiquarisch, reaktionär, formalistisch, positivistisch (teilweise schon Feuerbach, Gönner; dann Hegel, Gans, Marx, Ruge, Lorenz v. Stein; teilweise Reyscher, Beseler, Gierke, Kantorowicz, Wilhelm, Wiethölter). Umgekehrt galt sie auch als unhistor., weil zu philos. (Welcker, Reyscher, Bergbohm, Wieacker, Böckenförde). Der Volksgedanke, bes. der dt., laufe leer; das sei inkonsequent, elitär, unhistor. (Reyscher, Beseler, Gierke, Böckenförde). Im Privatrecht leite doch zu sehr ein kantianisch-individualistischer Ansatz (Gierke, Wieacker, Larenz, Wiethölter) oder − umgekehrt − im ganzen zu wenig (K. W. Nörr). Aber es handelt sich weniger um Einwände als um Alternativen zu dem nach seinen Prämissen überaus erfolgreichen und schlüssigen Angebot der H. R.

QU 1 F. C. v. Savigny, Vom Beruf unserer Zeit für Gesetzgebung und Rechtswiss., Heidelberg 1814 2 Zschr. für geschichtliche Rechtswiss., Bd. 1, hrsg. von F. C. v. Savigny u. a., Berlin 1815 3 F. C. v. Savigny, System des heutigen röm. Rechts, Bd. 1–8, Berlin 1840–49 4 Ders., Vermischte Schriften, Bd. 1–5, Berlin 1850 5 Ders., Vorlesungen über juristische Methodologie 1802–1842, A. Mazzacane (Hrsg.) (= Savignyana Bd. 2, hrsg. v. J. Rückert, 1995)

LIT 6 J. Rückert, Idealismus, Jurisprudenz und Politik bei Friedrich Carl v. Savigny, 1984 (mit Quellen u. Lit. im wesentlichen vollständig) 7 Ders., Savignys Konzeption von Jurisprudenz und Recht, ihre Folgen und Bedeutung bis h., in: TRG 61, 1993, 65–95 (mit Lit. bis 1992) 8 Ders., Der Methodenklassiker Savigny (1779–1881), in: Fälle und Fallen in der neueren Methodik des Zivilrechts seit Savigny, 1997, 29 f. (mit Lit. bis 1997) 9 Ders., A. L. Reyschers Leben und Rechtstheorie. 1802–1880, 1974 10 M. Stolleis, Gesch. des öffentlichen Rechts, Bd. 2, 1992 11 J. Q. Whitman, The Legacy of Roman Law in the German Romantic Era, 1990 12 F. Wieacker, Privatrechtsgesch. der Neuzeit, ²1967.                JOACHIM RÜCKERT

# Historismus I. Allgemein
## II. Kunstgeschichte

## I. Allgemein
### A. Statt einer Definition
### B. Zur Entstehungs- und Begriffsgeschichte
### C. Die »Krisis des Historismus«   D. Neuere historiographiegeschichtliche Forschungen
### E. Historismus und Altertumswissenschaft

### A. Statt einer Definition

Der Begriff »H.« bezeichnet ein zentrales Wissenschaftsparadigma der Moderne und ist Gegenstand zahlreicher wissenschaftsgeschichtlicher und -theoretischer Untersuchungen. Bisweilen wird er auch als polemisches Schlagwort benutzt, das Werterelativismus und Lebensfremdheit der histor. orientierten Wiss. bezeichnen soll. Ein Konsens über seine Bed. zeichnet sich nicht ab. So haben nicht nur verschiedene Fächer ein jeweils spezifisches Verständnis von »H.«, sondern auch innerhalb einzelner Disziplinen, v. a. in der Philos., der Nationalökonomie, der protestantischen Theologie, der Rechts-, Kunst- und Geschichtswiss., wurden und werden unterschiedliche Definitionen vorgeschlagen [Überblicke: 55; 57; 88; 89; 117]. In der dt. Geschichts-

wiss., der im folgenden unsere besondere Aufmerksamkeit gilt, wird H. häufig mit dem um 1800 einsetzenden Bemühen, die Geschichte in den Rang einer systematischen Wiss. zu erheben, gleichgesetzt. Diese Wissenschaftskonzeption soll zu einem einzigartigen Aufschwung der histor. Disziplinen an den dt. Univ. beigetragen haben und, nachdem sie in der zweiten Hälfte des 19. Jh. in verschiedenen Schulen und Richtungen formiert worden war, spätestens im ersten Drittel des 20. Jh. in eine »Krise« geraten sein [32. 3; 78. 81]. Kontroverse Erörterungen sind indes nicht auf den deutschsprachigen Wissenschaftsraum begrenzt, sondern wurden auch in England [25; 65; 107], Frankreich [3] und Spanien [90] geführt. In It. gibt es in Anschluß an die H.-Arbeiten von Benedetto Croce eine lebhafte Debatte um die Möglichkeiten und Grenzen einer völligen Historisierung der Wirklichkeit [26; vgl. 104. 55–101]. Die Literaturwiss. kennen den *New Historicism*, der in den Vereinigten Staaten seinen Ausgang genommen hat und in Abgrenzung von strukturalistischen und poststrukturalistischen Theorien die histor. und kulturelle Kontextualisierung von Texten einfordert [6; 39; vgl. 104. 13–54]. Neben H. findet sich auch der Begriff »Historizismus«, der von Karl Popper geprägt und auf verschiedene Wiss. (bes. den → Marxismus) bezogen wurde, die aus der Geschichte gesetzmäßige Theorien ableiten wollen, welche es erlauben, Prognosen für die Zukunft zu stellen [92].

### B. Zur Entstehungs- und Begriffsgeschichte

Das Wort »H.« läßt sich an der Wende vom 18. zum 19. Jh. bei Friedrich Schlegel und Novalis nachweisen [52; 103], wird jedoch erst in der ersten Hälfte des 19. Jh. häufiger im philos. Diskurs benutzt. Die Bed. sind unterschiedlich. Ludwig Feuerbach (1839) polemisiert gegen ›rel. Materialismus und H.‹ und meint damit die an der Vergangenheit orientierte Theologie seiner Zeit. Ein Jahrzehnt später prägen Christlieb Julius Braniß und Carl Prantl das Wort in geschichtsphilos. Traktaten, die nach Funktion und Methodologie der Geschichtswiss. fragen [102]. Für Prantl zielt H. auf die Erkenntnis von Individualität in ihrer ›konkreten Zeit und Räumlichkeit‹ [93]. In der Debatte um den H. wird in der Folgezeit in steter Auseinandersetzung mit der Philos. des dt. Idealismus und dem Erlebnis der Französischen Revolution das Verhältnis von Vergangenheit und Gegenwart thematisiert. Zugleich wird H. zur Charakterisierung der »Historischen Rechtsschule« verwendet, die in Preußen nach den Freiheitskriegen entsteht und in Abkehr vom Naturrechtsdenken der Aufklärung die geschichtliche Bedingtheit des institutionellen Rechtes betont. Zu ihren Hauptvertretern zählen Friedrich Carl von Savigny, Carl Friedrich Eichhorn, Barthold Georg Niebuhr und Jacob Grimm.

Von entscheidender Bed. für die weitere Entwicklung des Begriffes ist die Theorie des histor. Wissens, die die Geschichtswiss. im 19. Jh. entwickelt und die die fundamentale Historisierung der Vorstellungen von

Mensch und Welt zur Folge hat. Die auf der gründlichen Erfassung der Quellen beruhende Interpretation der Überlieferung wird als die entscheidende Erkenntnisoperation der histor. Forsch. dargestellt. Das Bemühen um völlige Objektivität wird zum Signum der »historistischen« Epoche. Im methodischen Bereich knüpft man an die kritisch-philol. Methode an, die sich in den Jahrhunderten vom → Humanismus bis zur → Aufklärung entwickelt hat [77]. In theoretischer Hinsicht geben die geschichtsphilos. Konzeptionen Fichtes, Schleiermachers und Hegels vielfältige Anregungen. Die zeitgenössischen Vorstellungen sind durch einen tief verwurzelten Glauben an die immanente Sinnhaftigkeit des geschichtlichen Geschehens gekennzeichnet und betonen die Rolle des Individuums, durch das sich die Vernunft in der histor. Realität fortschreitend offenbare.

Für die Konstituierung einer histor. Fachdisziplin ist Leopold von Ranke von herausragender Bedeutung. Sein Streben nach Objektivität gipfelt in dem Satz, der Historiker rekonstruiere die Vergangenheit ›wie es eigentlich gewesen‹ (vgl. Thuk. 1,22,2) [94. VII]. Die Aufgabe des Geschichtsschreibers liegt für Ranke darin, die in den Quellen nicht explizit genannten überindividuellen Bedingungen und Zusammenhänge zu erkennen und dadurch dem Leser die formenden Kräfte der Geschichte darzulegen [111]. Tief verwurzelt im Protestantismus vertraut er optimistisch auf die Ökonomie des göttl. Willens, die sich in jeder Epoche neu zeige. Die eher beiläufig geäußerten Vorstellungen Rankes zu einer Theorie der Geschichte werden von Johann Gustav Droysen [22. 50–67] aufgegriffen und weitergeführt. Seine zw. 1857 und 1881 immer wieder überarbeiteten Vorlesungen über ›Enzyklopädie und Methodologie der Geschichte‹, die erst 1937 unter dem Titel *Historik* ediert wurden, spiegeln die Forschungspraxis seiner Zeit und definieren die Standards geschichtswiss. Forsch.: ›Das Wesen der geschichtlichen Interpretation ist forschend zu verstehen, ist die Interpretation‹ [29. 22]. Damit ist die Geschichte zu einer hermeneutischen Wiss. geworden [35. 162–205], die den Fortschritt im geschichtlichen Wandel nachweisen soll. Während Ranke das Walten Gottes und Droysen ›sittliche Mächte‹ objektiv erfassen will, sind für Wilhelm von Humboldt im Anschluß an die Kategorien der idealistischen Philos. die ›Ideen‹ von geschichtsmächtiger Bedeutung. Der Objektivitätsanspruch der histor. Wiss. wird somit letztlich nicht erkenntnislogisch, sondern metaphysisch begründet [47]. Weder die Exponenten der Hauptströmung der mod. Historiographie noch ihre bedeutendsten Kritiker verwenden allerdings das Wort »H.«. Es wird erst in den Diskussionen seit der Jahrhundertwende und verstärkt in den 20er Jahren des 20. Jh. retrospektiv auf die Geschichtswiss. des 19. Jh. angewandt.

Der Aufstieg des H. in der dt. Geschichtswiss. geht einher mit der Professionalisierung, Institutionalisierung und Differenzierung des Faches Geschichte an den Universitäten. Die sog. »Historische Schule« prägt die Geschichtswiss. in Deutschland nachhaltig und verfügt in der 1859 von Heinrich von Sybel gegründeten *Historischen Zeitschrift* über ein einflußreiches Publikationsorgan. Das 19. Jh. erlebt die Prädominanz der histor. Methode und des histor. Denkens. Im Mittelpunkt des historiographischen Interesses stehen der Nationalstaat und die schöpferische Kraft »großer Männer«. Die geschichtswiss. Hermeneutik beeinflußt die Philos., die Rechts- und Staatswiss., die Nationalökonomie und die protestantische Theologie. Fachspezifische Methodologien entstehen, die sich besonders durch effiziente Quellenkritik auszeichnen. Innerhalb der Geschichtswiss. schwindet aber die Bereitschaft zur philos.-erkenntnistheoretischen Reflexion. Statt dessen widmet man sich hochspezialisierten Forsch., die eine polit. Instrumentalisierung der bürgerlichen Historiographie keineswegs ausschließen. Nach 1848 treten jüngere Historiker (wie Droysen, Sybel, Treitschke) als Advokaten einer polit. Geschichtsschreibung auf und agitieren für die »kleindeutsche« Lösung der nationalen Frage unter preußischer Hegemonie [58. 120–162; 59. 86–92].

C. Die »Krisis des Historismus«

Die explosionsartige Mehrung des Wissens und die Pluralisierung der Wertvorstellungen führen in der zweiten Hälfte des 19. Jh. zu einer tiefgreifenden Verunsicherung. Zunehmend wird Kritik an dem »Positivismus« einer in sich selbst versponnenen Tatsachenforsch. und dem Relativismus einer analytisch-empirischen Wiss. geäußert, die alle Werte unterschiedslos historisiert und komplexe gesellschaftliche Strukturen nur ungenügend zu beschreiben vermag. H. wird mit dem sterilen, lebensfeindlichen Objektivismus einer antiquarischen Forsch. gleichgesetzt. Eine Überfülle von Material, so lautet ein häufig zu vernehmender Vorwurf, werde angehäuft, ohne daß man über die Notwendigkeit und Funktion solcher Sammlungen Rechenschaft gebe. Der kulturpessimistische Basler Historiker Jacob Burckhardt kritisiert in seinen *Weltgeschichtlichen Betrachtungen* die lebensfeindliche Wirkung einer auf individualisierendem Verstehen gegründeten Geschichtswiss., die nicht mit dem praktischen Leben verbunden sei, und wettert gegen das ›kecke Antizipieren eines Weltplanes‹. Friedrich Nietzsche attackiert 1874 in seiner zweiten *Unzeitgemäßen Betrachtung* über den ›Nutzen und Nachteil der Historie für das Leben‹ den Fortschrittsoptimismus seiner Kollegen, die aus der Vergangenheit die Gegenwart verstehen wollten [78; 88. 73–94; 117. 42–55]. Tatsächlich jedoch könne die histor. Wiss. durch die Zerstörung aller geschichtlichen Normen keine konkrete Hilfe für die Lebensgestaltung geben. Eben deshalb entwirft Nietzsche gegen die theoretischen und methodischen Standards der zeitgenössischen Altertums- und Geschichtswiss. das Konzept einer dem Leben dienenden Historie. Die durch Nietzsche klar formulierte, aber keineswegs überzeugend beantwortete Frage nach der Korrelation von histor. Forsch. und Lebenswirklichkeit wird in der Folge zu einem zentralen geschichtsphilos. und erkenntnistheoretischen Problem.

Doch auf die Wissenschaftspraxis hat dieser Diskurs zunächst keinen Einfluß. Die Geschichtswiss. verweigert sich einer Theoriediskussion, beharrt hartnäckig auf dem Postulat der Objektivität und erneuert ihren kulturpolit. Führungsanspruch. »Überparteilichkeit« wird zum Ideal sowohl im wiss. wie im polit. Schrifttum. Auch der sog. Lamprecht-Streit kann E. der 80er Jahre des 19. Jh. das traditionelle Methodenverständnis der Fachhistoriker nur kurzfristig in Frage stellen. Karl Lamprechts Modell einer integralen Kulturgeschichte, die analog zu den Naturwiss. allgemeine und gesetzmäßige Zusammenhänge erfassen soll, findet in der Zunft kaum Widerhall [8. 439–474; 9; 59. 141–136].

Die vielfältigen sozialen, polit., ökonomischen und kulturellen Brüche des ausgehenden 19. und des beginnenden 20. Jh. erschüttern das Vertrauen in wiss. begründete und histor. deduzierte Normen von allgemeiner Gültigkeit. Die Frage, wie Wiss. und Leben versöhnt werden kann, wird immer häufiger gestellt. Auch die Nationalökonomie, die Jurisprudenz, die Philos. und die Theologie beteiligen sich an dieser Debatte [117. 61–125]. So wollen Wilhelm Dilthey und die Neukantianer Wilhelm Windelband und Heinrich Rickert die Geschichtswiss. als eine Geistes- respektive Kulturwiss. konstituieren, die scharf von den Naturwiss. zu scheiden ist [59. 148–156]. Die durch den histor. Vergleich notwendigerweise bedingte Relativität aller geschichtlichen Überzeugungen versucht Dilthey durch den neuen philos. Fundamentalbegriff »Leben« zu überwinden, der nun die »Ideen« Humboldts oder die »sittlichen Mächte« Droysens substituiert. ›Leben ist das erste und immer Gegenwärtige, die Abstraktionen des Erkennens sind das zweite und beziehen sich nur auf das Leben‹ [27. 148]. Der Historiker als Erkenntnissubjekt ist Teil dieses »lebensweltlichen« Wirkzusammenhangs und *eo ipso* zum »intuitiven« Verstehen befähigt.

Der geschichtsphilos. Diskurs über die wissenschaftsimmanente und lebensweltliche Funktion der histor. orientierten Wiss. und ihre erkenntnistheroretische Axiomatik wird in den ersten Jahrzehnten des 20. Jh. maßgeblich geprägt von Ernst Troeltsch und Max Weber. Letzterer verwendet als zentralen Begriff »H.« allerdings nicht [117.213 Anm. 5].

Troeltsch legt in zahlreichen, zw. 1897 und 1922 veröffentlichten Unt. eine überzeugende Analyse des Relativismusproblems des H. vor [108; 109; 110; vgl. 38; 40; 42; 43]. Darüber hinaus versucht Troeltsch in seinen späteren Publikationen, der kontrovers geführten Debatte über den negativ konnotierten Begriff »H.« eine neue Richtung zu geben, indem er unter H. nunmehr – sozusagen terminologisch neutral – die ›grundsätzliche Historisierung alles unseres Denkens über den Menschen, seine Kultur und seine Werte‹ [108. 102] versteht. H. ist – neben dem Naturalismus – eine der ›beiden großen Wissenschaftsschöpfungen der mod. Welt‹ [108. 104 ff.] und bezeichnet ein Geschichtsdenken, das nach der ›Konstruktion eines gegenwärtigen und die nächste Zukunftsrichtung bestimmenden Kultursystems aus der Historie heraus‹ [108. 82] strebt. Seine Bemühungen um einen Neuanfang, der ganz im Zeichen der europäisch-abendländischen Trad. steht, kulminiert in dem Postulat, ›Geschichte durch Geschichte (zu) überwinden‹ [108. 772]: Für Troeltsch kann der gegenwärtige Relativismus der histor. Wiss. durch eine ›Kultursynthese‹ bewältigt werden, die das Ziel verfolgt, durch das Studium der europäisch-abendländischen Geschichte ein gleichermaßen wiss. und philos. legitimiertes System objektiver Werte aufzurichten.

Diesen Glauben an die Harmonisierung histor.-wiss. und lebensweltlich-normativer Erkenntnis teilt Weber nicht. Da die Wiss. durch die individuellen Wertsetzungen des Wissenschaftlers überhaupt erst konstituiert wird, vermag sie objektiv-gültige Werte nicht zu begründen. Sie kann einzig Forum eines rationalen Diskurses über divergierende Urteile sein [37; 60; 87; 88. 73–94]. Der Historiker ist als Subjekt der Geschichtsschreibung nicht befähigt zu erkennen, ›wie es eigentlich gewesen‹. ›Das Schicksal einer Kulturepoche, die vom Baum der Erkenntnis gegessen hat, ist es, wissen zu müssen, daß wir den Sinn des Weltgeschehens nicht aus dem noch so vervollkommneten Ergebnis seiner Durchforstung ablesen können, sondern ihn selbst zu schaffen imstande sein müssen‹ [114. 154]. Auf Grund ihrer lebensweltlichen Konditionierung ist Wiss. nicht auf absolute Erkenntnis ausgerichtet, sondern Teil eines ständigen Revisions- und Fortschrittsprozesses: ›Wissenschaftlich (...) überholt zu werden, ist (...) nicht nur unser aller Schicksal, sondern unser aller Zweck‹ [114. 592]. Der Historiker ist nun nicht mehr der handlungsleitende Normen vermittelnde Geschichtsschreiber, sondern der Kärrnerarbeit leistende Fachmann. Seine wiss. Arbeit wird zur innerweltlichen Askese [47].

In Auseinandersetzung mit Nietzsche, Dilthey, Troeltsch und Weber bemühen sich in den zwanziger und dreißiger Jahren verschiedene Disziplinen, das H.-Problem zu lösen [5; 7]. Der Historiker Otto Hintze will histor. und ethische Erkenntnis dissoziieren, um die relativierende Wirkung des H. für individuelle Wertmaßstäbe aufzuheben [31]. In der Philos. parallelisiert Max Scheler den H. mit Albert Einsteins Relativitätstheorie. Martin Heidegger erkennt im H. nur die ›Ratlosigkeit‹ einer ›ungeschichtlichen‹ Geschichtswiss.; statt nach der Objektivität histor. Erkenntnis fragt er nach dem Sinn histor. Seins [4; 117. 161–184]. Der Kirchenhistoriker Karl Heussi wagt 1932 eine erste Bestandsaufnahme der bisherigen Diskussion in Deutschland [52], definiert H. ohne erkennbaren Rückbezug auf die Begriffsgeschichte als ›die Geschichtsschreibung der Zeit um 1900‹ [52. 20] und beklagt unter dem Stichwort ›Krisis des H.‹, daß in den Jahren nach dem Ersten Weltkrieg in Deutschland der Glauben an die Möglichkeit einer objektiven histor. Forsch. verloren gegangen sei.

Für die Geschichtswiss. von zentraler Bed. hingegen sind mehrere Unt. von Friedrich Meinecke [70], v. a. seine 1936 veröffentlichte Studie über *Die Entstehung des H.* [69; vgl. 30; 58. 253–294; 88. 17–40, 95–136; 105].

Meinecke propagiert ein positives Verständnis von H., das die Krise der histor. Wiss. überwinden soll. H. ist für ihn keine Wissenschaftskonzeption, sondern eine Weltanschauung, nämlich ›die Anwendung der in der großen dt. Bewegung von Leibniz bis zu Goethes Tode gewonnenen neuen Lebensprinzipien auf das geschichtliche Leben‹ [69. 2]. Die Absage an das statische Naturrecht, die Säkularisierung der ma. Geschichtstheologie und die Rezeption neuplatonischer Gedanken in der dt. Klassik seien konstitutiv für ein Geschichtsdenken gewesen, das sich deutlich von der Aufklärung absetze und durch das ›eine der größten geistigen Revolutionen‹ eingeleitet worden sei, ›die das abendländische Denken erlebt hat‹ [69. 1]. Die Entstehung des H. sei zudem ein genuin dt. Phänomen gewesen, eine der ›Großtaten‹ des dt. Geistes [69. 2]. Die spezifische Leistung des H. ist die Verbindung von Entwicklungsbegriff und ›individualisierender Betrachtung‹. Auch in dieser Darstellung hat Meinecke – wie in seinem klass. Werk über die *Idee der Staatsräson* – Geistesgeschichte und polit. Geschichte synthetisiert. Das Problem des Wertrelativismus greift Meinecke nicht auf; er begnügt sich mit der Feststellung: ›Wir sehen in ihm (sc. dem H.) die höchste bisher erreichte Stufe in dem Verständnis menschlicher Dinge und trauen ihm eine echte Entwicklungsfähigkeit auch für die um uns und vor uns liegenden Probleme der Menschheitsgeschichte zu‹ [69. 4].

Die ausführlichen Diskussionen um die »Krisis des H.« seit dem E. des 19. Jh. haben keineswegs zu einer begrifflichen und inhaltlichen Klärung geführt. Einerseits wird H. als Synonym für Relativismus, Objektivismus, Nihilismus und Positivismus gebraucht, andererseits wird der Begriff zur Kennzeichnung der mod. Geschichtswiss., ihrer Methoden und Leistungen benutzt.

### D. Neuere historiographiegeschichtliche Forschungen

Die dt. Geschichtswiss. hat sich nach 1945 v. a. mit Meineckes H.-Konzept auseinandergesetzt; die H.-Diskussionen in anderen Ländern sind kaum zur Kenntnis genommen worden. In den sechziger und siebziger Jahren des 20. Jh. geht eine neue Generation von Historikern auf Distanz zu einem H., den sie mit der Trad. der Geschichtswiss. in Deutschland identifiziert, die den dt. Nationalstaat bismarckscher Prägung verteidigt hatte. Doch auch diese Kritiker, die eine gegenwartsbezogene »Geschichtswiss. jenseits des H.« fordern und für eine Histor. Sozialwiss. streiten, setzen sich *ex negativo* mit Meineckes H. auseinander [58; 74; 116]. H. ist für sie eine Chiffre für die methodischen Innovationen der dt. Geschichtswiss. im 19. Jh. und ihre polit. Verstrickung in die Zeitläufte. Eine kritische Historiographiegeschichte habe mithin die Aufgabe, diejenigen ideologischen Komponenten des H. aufzuspüren, die im 19. und 20. Jh. eine polit. Instrumentalisierung der Geschichtswiss. ermöglichten. Auf die polit. und methodologischen Einwände, die die sozialwiss. orientierte Geschichtswiss. gegen den H. erhebt, antwortet Thomas Nipperdey in einem Aufsatz von 1975 [84], in dem er darauf abhebt, daß der H., so er von den spezifischen philos. und polit. Voraussetzungen seiner Entstehung befreit sei, als Grundlage einer mod. wiss. Geschichte dienen könne. H. ist Nipperdey zufolge ›eine neue Methode im erkennenden Umgang mit Vergangenem, die das Eigenrecht und die tiefe Andersartigkeit des Vergangenen, seine »Individualität«, »seine Entwicklung«, seine wechselseitige Bedingtheit ans Licht stellt und sich dazu der Quellenkritik und des Zugriffs des »Verstehens« bedient [85. 498].

Seit den 8oer Jahren des 20. Jh. hat sich die historiographiegeschichtliche Forsch. verstärkt dem Phänomen H. zugewandt. Die zum Teil polemisch geführten Debatten [vgl. Rechtshistorisches Journal 11, 1992, 54–66; 12, 1993, 585–597] fragen immer wieder nach der Grundlegung einer »mod.« Geschichtswiss. durch den H. Ist er ein obsoletes oder innovatives Wissenschaftsparadigma? Jörn Rüsen hat in Anschluß an die wissenschaftstheoretischen Überlegungen von Thomas S. Kuhn [61] das Modell der »disziplinären Matrix« entwickelt und auf den H. angewandt. Der eigentliche Beitrag des H. zur Konstituierung der Geschichtswiss. als einer eigenständigen Fachdisziplin liege in der ›Auffassung von der histor. Methode als Regelsystem der Forschung‹. Methode wiederum ist im H. ›eine Form der Darstellung, die die quellenkritisch ermittelten Tatsachen zu histor. Zusammenhängen verbindet‹ [59. 48 f.; vgl. 99], d. h. eine Methode, die Geschichte ›forschend versteht‹, wie schon Droysen formuliert hatte. Horst Walter Blanke hat in Anlehnung an Rüsen versucht, das Zeitalter des H. zu differenzieren und seine strukturelle Homogenität aufzuzeigen; er sieht die Historiographiegeschichte der letzten 250 Jahre durch die drei aufeinanderfolgenden Wissenschaftsepochen »Aufklärungshistorie«, »H.« und »Histor. Sozialwiss.« gekennzeichnet [8]. Für Rüsen und Blanke ist H. ein überholtes Paradigma. Demgegenüber betont Ulrich Muhlack, der Anregungen von Nipperdey und Croce aufgreift, ›daß die Entstehung der mod. Geschichtswiss. in Deutschland mit der Entstehung des sog. H. seit der Wende vom 18. zum 19. Jh. zusammenfällt‹ [79. 7; 78]. Dem H., der deutlich von der Geschichtsschreibung des Human. und der Aufklärung geschieden werden soll, verdanken wir nach Muhlack die Autonomie histor. Erkenntnis, die restlose Säkularisierung geschichtlicher Ursachenforsch. und die Aufgabe der Unterscheidung zw. allgemeiner und Einzelerkenntnis.

Es ist offenkundig, daß in der aktuellen Diskussion [89; 104] Meineckes Konzeption des H. nachwirkt. Nicht die Tatsache, daß der H. eine tiefgreifende Zäsur in der Entwicklung der mod. Geschichtswiss. darstellt, ist kontrovers, sondern die Bewertung ebendieses Phänomens. Diese ausufernde Debatte wird in problemgeschichtlicher und wissenschaftstheoretischer Hinsicht durch drei Forschungsansätze wenn nicht überwunden, so doch erweitert. Zum einen ist aus gutem Grund auf die Bed. der Aufklärungshistorie für die Entstehung der mod. Geschichtswiss. hingewiesen worden. Eine Fülle von Unt. hat nicht nur zahlreiche Kontinuitätslinien aufgezeigt [8; 11; 12], sondern auch die Autonomisierung der Geschichte als Wiss., das Methodenverständnis und die »historistischen« Kategorien ›Individualität‹ und ›Entwicklung‹ in der Aufklärung entdeckt [15; 67; 98]. Zum anderen haben Otto Gerhard Oexle und Anette Wittkau die bisher von der Geschichtswiss. weitgehend vernachlässigten H.-Debatten in anderen Kulturwiss. untersucht und durch den Rückgriff auf Max Weber dem historiographiegeschichtlichen Diskurs eine neue transdisziplinäre, ›problemgeschichtliche‹ Perspektive eröffnet [88; 117; vgl. 100; 106]. Oexle hat zudem angeregt, zwei Phasen des H. zu unterscheiden: ›H. I‹, der die erkenntnistheoretisch-philos. Debatten im späten 19. und im ersten Drittel des 20. Jh. über das Verhältnis von histor. Erkenntnis und Werterkenntnis und über das Problem des wissenschaftsimmanenten Relativismus bezeichnet, und ›H. II‹, der die ›idealistische Begründung der Geschichtswiss.‹ im 19. Jh. meint [88. 31]. Schließlich hat Wolfgang Hardtwig den historistischen Anspruch auf Objektivität in Frage gestellt und auf die rel.-theologischen Elemente dieser Geschichtsauffassung hingewiesen [47; vgl. auch 54; 88]. Der jüngst von Frank R. Ankersmit unternommene Versuch, die Bed. des H. im aktuellen geschichtstheoretischen Diskurs über die Funktion der Sprache neu zu bestimmen, ist nicht ohne Widerspruch geblieben [1; 2; 89. 389–410; vgl. 56].

E. HISTORISMUS UND ALTERTUMSWISSENSCHAFT

Innerhalb der historiographiegeschichtlichen Forsch. ist mit Nachdruck auf die Bed. der Altertumswiss. an der Entstehung einer kritischen Geschichtswiss. hinzuweisen, die im Anschluß an Friedrich Meinecke mit dem Begriff »H.« bezeichnet wird. Angesichts der herausragenden Bed. der Ant. für das Selbstverständnis der akademisch gebildeten Eliten in Klassik und → Neuhumanismus nimmt es nicht wunder, daß zahlreiche Historiker und Philologen an altertumswiss. Gegenständen die Frage nach den Bedingungen der Möglichkeit objektiver Erkenntnis in der Geschichte zu beantworten suchen und Prinzipien der von ihnen neu konstituierten Hermeneutik auf die philol.-histor. Analyse ant. Texte anwenden [16; 34]. Unter dem Eindruck der Französischen Revolution wird die griech. Ant. zum vornehmsten histor. Demonstrationsobjekt vernunftorientierter Individualität. In diesem Zusammenhang sollte indes der »historistische Hiat« nicht überbetont werden, da gerade die Wiss. vom Alt. in vielfältiger Weise, inhaltlich wie methodisch, an die Leistungen der antiquarischen Forsch. des Human. und der Aufklärung anknüpft [12. 167–186; 71; 73; 76; 79; 82; 119; vgl. auch 45; 48; 101]. Die histor.-kritische Methode der Geschichtswiss. wird insbesondere von der kritischen Bibelwiss. und der Klass. Philol. geprägt. In zahlreichen Vorlesungen geben Altertumswissenschaftler über ihre Methodik und Kritik des philol. Studiums Rechenschaft. Der Beitrag der Altertumskunde an der Entwick-

lung eines mod. Geschichtsverständnisses und einer wiss. Methodologie ist nicht minder bedeutend als der Anteil der zeitgenössischen Philos., besonders der Friedrich Schleiermachers [35].

Friedrich August Wolf gilt – neben Christian Gottlob Heyne – als *heros ktistes* der neuen Altertumswiss., die sich das Verstehen und Erklären der Alten Welt zum Programm gemacht hat. Die ästhetisierende Begeisterung für die Ant., insbesondere die griech. Ant., die rationale, durchaus bereits von der Aufklärung entwikkelte Kritik, die Apotheose des schöpferischen Individuums und ein neuhuman. Bildungskonzept bilden die Grundlage für eine Theorie der philol. Methode und der Interpretation der ant. Überlieferung. Friedrich August Wolf praktiziert die Quellenkritik in seinen *Prolegomena ad Homerum* (Halle 1795), in denen die Einheit des Homertextes radikal in Frage gestellt wird, und entwikkelt zunächst in Vorlesungen und dann in seinem Aufsatz über die *Darstellung der Althertums-Wissenschaft nach Begriff, Umfang, Zweck und Werth* (= ders., Kleine Schriften, Bd. 2, Halle 1869, 808–895) in ersten Ansätzen das Konzept einer umfassenden, verschiedene Einzeldisziplinen integrierenden Altertumswissenschaft. Zugleich trägt Wolf dazu bei, daß sich die Klass. Philol. zu einer histor. Altertumswiss. entwickelt, die um das geschichtliche Verständnis ihrer Gegenstände bemüht ist [118]. Barthold Georg Niebuhr rekonstruiert in seiner *Römischen Geschichte* (Bd. 1–2: 1811/12; ²1827–1830; Bd. 3: 1832) in Übereinstimmung mit dem Wolfschen Modell aus den lit. Trümmern die röm. Frühgeschichte. Er verschmilzt ›all die gängigen, an sich alles andere als »originellen« Ansichten seiner Zeit zu einem neuen, systematischen Ganzen‹ [113. 18; vgl. 22. 26–49; 51; 72] und begründet eine erkenntnistheoretisch reflektierte, autonome Geschichtsforsch. [49. 65–96; 77]. August Boeckh, ein Schüler von Wolf, definiert in seiner sechsundzwanzigmal gehaltenen und postum edierten Vorlesung über *Encyklopädie und Methodologie der philologischen Wissenschaften* [14; 53] den Umfang der zu erforschenden Gegenstände neu: Entscheidend sind nun nicht mehr allein die Textzeugen, sondern die gesamte Hinterlassenschaft der griech. und röm. Ant. muß von der als histor. verstandenen Philol. erfaßt werden. Ihr Ziel ist ›das Erkennen des vom menschlichen Geist Produzierten, d. h. des Erkannten‹ [14. 10]. So wendet sich Boeckh mit Hilfe der *Preußischen Akademie der Wissenschaften* der Sammlung der griech. Inschr. zu (*Corpus Inscriptionum Graecarum*, seit 1825 ff.) und untersucht auf deren Basis die Staatshaushaltung der Athener (2 Bde., Berlin 1817; 3 Bde., Berlin ²1851; ³1886). Sein Schüler Karl Otfried Müller verfaßt *Prolegomena zu einer wissenschaftlichen Mythologie* (Göttingen 1825), um die Verbindung von Religion und Kunst aufzuzeigen [20]. Das neue Totalitätsideal erschließt neue Quellen und verlangt nach neuen Methoden. Es entsteht ein Kanon histor. Hilfswiss., die nicht mehr antiquarischen Vorlieben, sondern dem histor. Verstehen dienen. Die Verwissenschaftlichung der »Antiquitäten« geht einher mit der

Polemik gegen die älteren Kompilationen und der systematischen Erfassung der Realien unter leitenden Gesichtspunkten [36].

Boeckhs Wissenschaftslehre, die eine Neukonstituierung der Klass. Philol. intendiert, beeinflußt nachhaltig die allgemeine Geschichtswiss. und ihre Theoriediskussion, wie Droysens *Historik* zeigt. Der Boeckh-Schüler versteht unter Geschichte das, was sein Lehrer als Philol. definiert hat: histor. Erkenntnis schlechthin. Auch in methodischer Hinsicht ist Boeckh für Droysen von größter Bed., wie seine *Materialien zur Geschichte Alexanders des Großen* im Anhang zur zweiten Auflage seiner *Geschichte des Hellenismus* (Gotha 1877) belegen [10]: Die kritische Quellenanalyse ist den histor. Erkenntnisinteressen unterworfen.

Das historistische Zeitalter der Altertumswissenschaft bedingt die innerfachliche Differenzierung und Spezialisierung. Die Alte Geschichte emanzipiert sich gleichermaßen von der Universalhistorie und der Klass. Philol. Die Arch. wird als ein eigenständiges Fach begründet [44; 66. 36–115]. Doch die eben skizzierte Entwicklung bleibt nicht ohne Widerspruch. Zunächst äußern Gottfried Hermann, Karl Lachmann, August Immanuel Bekker und Friedrich Ritschl an dem von Boeckh sehr weit gefaßten Zuständigkeitsbereich der Philol. grundlegende Kritik [53. 101–114; 83; 112]. Die Auseinandersetzung zw. »Wort«- und »Sachphilol.« entzündet sich an einem prinzipiell unterschiedlichen Verständnis von Sprache. Während die ›Textphilologen‹ das Konzept einer auf formale, sprachliche Aspekte konzentrierten Wiss. propagieren, fühlen sich die ›Sachphilologen‹ für die ›Totalität der Thatsachen‹ zuständig [14. 263 f.]. Der Streit um die *cognitio totius antiquitatis* wird die Geschichte der Altertumswiss. im Zeichen des H. weiter begleiten. Doch die Bemühungen um eine wiss. Theorie und universale Methodologie werden seit den 40er Jahren des 19. Jh. nicht fortgesetzt [13]. Die Altertumswiss. beschränkt sich immer häufiger auf die hochspezialisierten Operationen der Quellenkritik und des hermeneutischen Verstehens. Hier werden in der Tat großartige Erfolge erzielt. Gigantische Gemeinschaftsunternehmen – *Corpora*, *Monumenta* und *Thesauri* – erschließen das Erbe der Alten Welt und sind für andere Fächer richtungweisend [95; 96]. Ein analytisch-histor. Empirismus erhebt selbstbewußt sein Haupt. Fortschrittsgläubigkeit und Wissenschaftsoptimismus kennzeichnen die professionalisierte Altertumskunde an den Univ. und in den Akademien. Beispielhaft ist das Wirken Theodor Mommsens, der Totalitätsideal und philol. Methode für die Geschichtswiss. institutionalisiert und programmatisch fordert, ›die Archive der Vergangenheit zu ordnen‹ [75. 37]. Der Großbetrieb der Altertumswiss. entsteht, der die Leistungsfähigkeit der historisch-kritischen Methode eindrucksvoll bestätigt, in dem aber Heuristik und Interpretation auseinanderfallen und der Gelehrte zum Arbeiter und Kärrner wird [75. 196]. Diese Funktion des Forschers wird von Theodor Mommsen in der Wissenschaftspraxis konstituiert, bevor sie Max Weber theore-

tisch legitimiert. Der Verfasser der *Römischen Geschichte* (3 Bde., Leipzig; Berlin 1854–1856), in der sich die polit. Erfahrungen der 1848er Revolution spiegeln, wird später erklären, daß der Geschichtsschreiber eher Künstler als Wissenschaftler sei [75. 11; vgl. 50; 68; 120]. Die rapide Historisierung des Alt. hat notwendigerweise die Abkehr von der früheren normativen und ästhetisierenden Betrachtungsweise zur Folge. Die Sonderstellung der Ant., besonders der Griechen, wird aufgegeben, die Epoche des Alt. tritt gleichberechtigt neben andere histor. Formationen.

Wie in anderen Disziplinen breitet sich auch in den altertumskundlichen Fächern Ende des 19. Jh. und zu Beginn des 20. Jh. ein Krisenbewußtsein aus. Kritik wird an einer Wiss. geäußert, die zu zersplittern drohe und nur noch Epigonen hervorbringe. Unter dem Einfluß von Jacob Burckhardt und Friedrich Nietzsche [66. 124–133], aber auch in Anlehnung an ältere Konzeptionen wird das Problem des Werterelativismus und der Korrelation von Wiss. und Leben diskutiert. Radikal in Frage gestellt wird die Legitimität einer Altertumswiss., die ihre Aufgabe in positivistischer Produktivität sieht und deren Wissenschaftlichkeitspostulat die normative Funktion der Ant. unterminiert. Der Ruf nach umfassenden Rekonstruktionen und aktuellen Synthesen wird lauter. Innerhalb der Klass. Philol. skizziert Hermann Usener das neue Modell einer vergleichenden Kulturwiss., die aus den geschichtlichen Tatsachen zu allgemeingültigen Erkenntnissen vordringen soll, und Ulrich von Wilamowitz-Moellendorff definiert die Philol. als histor. Wiss., die das griech.-röm. Leben in seinem Wesen und allen Äußerungen zu verstehen und lebendig zu machen habe und Sammlung und Auswertung verbinden müsse [62; vgl. 19; 72]. Eduard Meyer stellt die Alte Geschichte als integralen Bestandteil der Universalgeschichte dar [18; 21. 45–60; 22. 286–333]. In der histor. Theologie, einem weiterem Glanzstück des H., entsteht zu Beginn des 20. Jh. eine breite Bewegung gegen die Historisierung des Evangeliums sowie der Kirchen- und Dogmengeschichte, der Adolf von Harnack sein Lebenswerk gewidmet hat [97]. Statt einer histor. Kulturwiss. des Christentums wird nun eine systematische Normwiss. gefordert [41; 86]. Die altertumswiss. Fachvertreter sind durch vielfältige publizistische Aktivitäten bemüht, die Ant. als relevantes Bildungsmedium zu verankern und einer von polit., sozialen und kulturellen Veränderungen erschütterten Gesellschaft sichere Orientierung zu geben [63; 66. 133–142]. Dennoch wird die Forschungspraxis von der »Krisis des H.« wenig erschüttert. Nach wie vor ist eine Fülle althist. Dissertationen ausschließlich quellenkritischen Fragen gewidmet [28]. Die minuziöse Detailarbeit am Text bzw. am Monument findet weiterhin den Beifall der *scientific community*.

Der Erste Weltkrieg führt zu einer Verschärfung der Identitätskrise der Altertumswissenschaft. Zahlreiche neue Ansätze entstehen, die den H. oder »histor. Positivismus« überwinden wollen [33]. Obschon der Begriff

»H.« theoretisch nicht reflektiert wird, stellen sich auch die altertumskundlichen Fächer der drängenden Frage, wie die Kluft zw. Wiss. und Leben überbrückt werden könne. Der Mehrzahl der unter diesem Leitmotiv entwickelten Konzepte ist gemeinsam, daß sie die Ant. als sinnstiftende histor. Größe rehabilitieren wollen und eine Rückkehr zum H. ablehnen. Die Adepten des George-Kreises, die eine ›monumentalische Historie‹ verherrlichen und sich gegen die ›historische Krankheit‹ wenden, suchen ihr Heil in der *scienza-nuova*-Ideologie [46]. Die Klass. Philol. besinnt sich auf Friedrich Nietzsches »Zukunftsphilol.« und verteidigt ihn gegen Wilamowitz' Verdikt. Neuhuman. Modelle treten an die Stelle der histor. Altertumswissenschaft. Intensiv wird über den Begriff der »Klassik« debattiert. Werner Jaeger etwa begründet mit seinem → Dritten Humanismus ein Klassik-Konzept »jenseits des H.«, das die griech. Ant. fokussiert, sich inhaltlich durch den *paideia*-Begriff bestimmt und Geschichte als teleologischen Prozeß definiert [17]. Die Arch. betrachtet und analysiert den Stil und ist mit der Klass. Philol. auf der Suche nach »innerer Form« und »geistiger« Substanz. Geschichtliches Verstehen von Individualität und »Geist« wird ebenfalls in der Alten Geschichte gefordert. Die Kritik an einem vermeintlich degenerierten H., an dem epigonalen Charakter eines reinen Forschungspositivismus und der Verabsolutierung individualistischer Subjektivität nimmt in den 20er und 30er Jahren zu. Ein tiefsitzendes Krisenbewußtsein, die Konkurrenz wiss. und polit. Leitsysteme, antidemokratische und antiparlamentarische Überzeugungen, die schwindende Bed. der Ant. und – *last, but not least* – ein antihistoristischer Reflex lassen einzelne Gelehrte auf ihrer Suche nach einem neuen Bild der Ant. faschistische und nationalsozialistische Ideologeme rezipieren [64; 80; 81; 115]. Die historistisch ausgerichtete Altertumskunde, die strenge Objektivität und Rationalität zumindest verbal einfordert, geht mit der irrationalistisch-kulturkritischen Geschichtstheorie des Nationalsozialismus indes nicht konform. Das Unterfangen, die altertumswiss. Fächer inhaltlich und methodisch neu zu konstituieren und die bildungs- und kulturpolitische Relevanz der Ant. zu demonstrieren, findet durch Nationalsozialismus und Zweiten Weltkrieg ein abruptes Ende.

Seit 1945 bemühen sich die Altertumswiss. in Europa und Nordamerika, ihren Standort zw. »historistischer« Faktenforschung und (post)strukturalistischen Interpretationsmodellen, zwischen Gegenwartsbezug, Wissenschaftspostulat und Krisenbewußtsein zu bestimmen. Die zweite Hälfte des 20. Jh. hat so Apologie und Verdammung des H. erlebt, und an Appellen zur Versöhnung von H. und Human. hat es ebenfalls nicht gefehlt. Für das Selbstverständnis und die Selbstvergewisserung der Altertumswiss. ist die disziplin- und problemgeschichtliche Aufarbeitung des H. aus altertumswiss. Perspektive notwendig. Sie ist ein Desiderat.
→ Akademie; Böckh-Hermann-Auseinandersetzung; Historische Methoden; Historische Rechtsschule, Philologische Methoden; Universität

1 F. R. ANKERSMIT, Historiography and Postmodernism, in: History and Theory 28, 1989, 137–153 2 Ders., Historicism: An Attempt of Synthesis, in: History and Theory 34, 1995, 143–161 3 R. ARON, Introduction à la philosophie de l'histoire. Essai sur les limites de l'objectivité historique, 1938 (Ndr. 1986) 4 CH. R. BAMBACH, Heidegger, Dilthey, and the Crisis of Historicism, 1995 5 P. BAHNERS, Kritik und Erneuerung – Der H. bei Franz Schnabel, in: Tel Aviver Jb. für dt. Gesch. 25, 1996, 117–153 6 M. BASSLER (Hrsg.), New Historicism. Literaturgesch. als Poetik der Kultur, 1995 7 W. BIALAS, G. RAULET (Hrsg.), Die Historismusdebatte in der Weimarer Republik, 1996 8 H. W. BLANKE, Historiographiegeschichte als Historik, 1991 9 Ders. (Hrsg.), Transformation des H. Wissenschaftsorganisation und Bildungspolitik vor dem Ersten Weltkrieg, 1994 10 Ders., Die Kritik der Alexanderhistoriker bei Heyne, Heeren, Niebuhr und Droysen, in: Storia della storiografia 13, 1988, 106–127 11 H. W. BLANKE, D. FLEISCHER (Hrsg.), Theoretiker der dt. Aufklärungshistorie, 2 Bde., 1990 12 H. W. BLANKE, J. RÜSEN (Hrsg.), Von der Aufklärung zum H. Zum Strukturwandel des histor. Denkens, 1984 13 H. W. BLANKE, D. FLEISCHER, J. RÜSEN, Historik als akademische Praxis, in: Dilthey-Jahrbuch 1, 1983, 182–255 14 A. BOECKH, Encyklopädie und Methodologie der philol. Wiss., Leipzig 1877 (²1886 = Darmstadt 1966) 15 H. E. BÖDEKER, G. G. IGGERS, J. B. KNUDSEN, P. H. REILL (Hrsg.), Aufklärung und Geschichte. Stud. zur dt. Geschichtswiss. im 18. Jh., 1986 16 M. BOLLACK, H. WISMANN (Hrsg.), Philol. und Hermeneutik im 19. Jh. Philologie et herméneutique en 19ème siècle, Bd. 2, 1983 17 W. M. CALDER III (Hrsg.), Werner Jaeger Reconsidered, Atlanta 1990 18 W. M. CALDER III, A. DEMANDT (Hrsg.), Eduard Meyer. Leben und Leistung eines Universalhistorikers, 1990 19 W. M. CALDER III, H. FLASHAR, TH. LINDKEN (Hrsg.), Wilamowitz nach 50 Jahren, 1985 20 W. M. CALDER III, R. SCHLESIER (Hrsg.), Zw. Rationalismus und Romantik. Karl Otfried Müller und die ant. Kultur, 1998 21 L. CANFORA, Polit. Philol. Altertumswiss. und mod. Staatsideologien, 1995 22 K. CHRIST, Von Gibbon zu Rostovtzeff. Leben und Werk führender Althistoriker der Neuzeit, ³1989 23 K. CHRIST, Röm. Gesch. und dt. Geschichtswiss., 1982 24 Ders., Hellas. Griech. Gesch. und dt. Geschichtswiss., 1999 25 R. G. COLLINGWOOD, The Idea of History, 1994 26 B. CROCE, La storia come pensiero e come azione, 1938, ⁶1954 (dt.: Die Gesch. als Gedanke und als Tat, 1944) 27 W. DILTHEY, Einleitung in die Geisteswiss. (1883), in: Ders., Gesammelte Schriften, Bd. 1, ²1922 28 H.-J. DREXHAGE, Deutschsprachige Dissertationen zur Alten Gesch. 1844–1978, 1980 29 J. G. DROYSEN, Historik; hrsg. v. P. LEYH, 1977 30 M. ERBE (Hrsg.), Friedrich Meinecke heute, 1981 31 Ders., Das Problem des H. bei Ernst Troeltsch, Otto Hintze und Friedrich Meinecke, in: [43. 73–91] 32 K.-G. FABER, Ausprägungen des H., in: HZ 228, 1979, 1–22 33 H. FLASHAR (Hrsg.), Altertumswiss. in den 20er Jahren. Neue Fragen und Impulse, 1995 34 H. FLASHAR, K. GRÜNDER, A. HORSTMANN (Hrsg.), Philol. und Hermeneutik im 19. Jh. Zur Gesch. und Methodologie der Geisteswiss., Bd. 1, 1979 35 H.-G. GADAMER, Wahrheit und Methode, ⁴1975 36 W. GAWANTKA, ›Die Monumente reden‹. Realien, reales Leben, Wirklichkeit in der dt. Alten Gesch. und Altertumskunde des 19. Jh., in: W. M. CALDER III, J. COBET (Hrsg.), Heinrich Schliemann nach 100 Jahren, 1990,

56–117 **37** A. Germer, Wissenschaft und Leben. Max Webers Antwort auf eine Frage Friedrich Nietzsches, 1994 **38** P. Gisel (Hrsg.), Historicisme et théologie chez Ernst Troeltsch, 1992 **39** J. Glauser, A. Heitmann (Hrsg.), Verhandlungen mit dem New Historicism. Das Text-Kontext-Problem in der Literaturwiss., 1999 **40** F. W. Graf, Ernst Troeltsch. Kulturgesch. des Christentums, in: N. Hammerstein (Hrsg.), Dt. Geschichtswiss. um 1900, 1988, 131–152 **41** Ders., Gesch. durch Übergeschichte überwinden. Antihistorisches Geschichtsdenken in der protestantischen Theologie der 1920er Jahre, in: Geschichtsdiskurs Bd. 4, 1997, 217–244 **42** F. W. Graf, H. Ruddies (Hrsg.), Ernst Troeltsch Bibliographie, 1982 **43** Dies. (Hrsg.), Umstrittene Moderne. Die Zukunft der Neuzeit im Urteil der Epoche Ernst Troeltschs, 1987 **44** A. Grafton, Polyhistor into Philolog. Notes on the Transformation of German Classical Scholarship, 1780–1850, in: History of Universities 3, 1983, 159–92 **45** Ders., Defenders of Text. The Traditions of Scholarship in an Age of Science, 1450–1800, 1991 **46** C. Groppe, Die Macht der Bildung. Das dt. Bürgertum und der George-Kreis 1890–1933, 1997 **47** W. Hardtwig, Geschichtsreligion – Wiss. als Arbeit – Objektivität. Der H. in neuer Sicht, in: HZ 252, 1991, 1–32 **48** F. Haskell, History and its Images, New Haven; 1994 (dt.: Die Gesch. und ihre Bilder, 1995) **49** A. Hentschke, U. Muhlack, Einführung in die Gesch. der Klass. Philol., 1972 **50** A. Heuss, Theodor Mommsen und das 19. Jh., 1956 (Ndr. 1998) **51** Ders, Barthold Georg Niebuhrs wiss. Anfänge, 1981 **52** K. Heussi, Die Krisis des H., 1932 **53** A. Horstmann, Ant. Theoria und mod. Wiss. August Boeckhs Konzeption der Philol., 1992 **54** G. G. Iggers, Ist es in Deutschland früher zur Verwissenschaftlichung der Gesch. gekommen als in anderen europäischen Ländern?, in: Geschichtsdiskurs Bd. 2, 1994, 73–86 **55** Ders., Historicism: The History and Meaning of the Term, in: Journal of the History of Ideas 56, 1995, 129–152 **56** Ders., Comments on F. R. Ankersmit, in: History and Theory 34, 1995, 162–167 **57** Ders., H. – Geschichte und Bed. eines Begriffs. Eine kritische Übersicht der neusten Lit., in: [104. 102–126] **58** Ders., Dt. Geschichtswiss. Eine Kritik der traditionellen Geschichtsauffassung von Herder bis in die Gegenwart, ²1997 (1. dt. Aufl. 1971) **59** F. Jaeger, J. Rüsen, Gesch. des H. Eine Einführung, 1992 **60** J. Kocka (Hrsg.), Max Weber, der Historiker, 1986 **61** Th. S. Kuhn, The Structure of Scientific Revolutions, ²1970 (dt.: Die Struktur wiss. Revolutionen, ⁵1981) **62** M. Landfester, Ulrich von Wilamowitz-Moellendorff und die hermeneutische Trad. des 19. Jh.s, in: [34. 156–180] **63** Ders, Human. und Ges. im 19. Jh., 1988 **64** V. Losemann, Nationalsozialismus und Antike. Stud. zur Entwicklung des Faches Alte Gesch. 1933–1945, 1977 **65** M. Mandelbaum, The Anatomy of Historical Knowledge, 1979 **66** S. L. Marchand, Down from Olympus. Archaeology and Philhellenism in Germany, 1750–1970, 1996 **67** L. Marino, I Maestri della Germania, Göttingen 1770–1820, Turin 1975 **68** Chr. Meier, Das Begreifen des Notwendigen. Zu Theodor Mommsens Röm. Gesch., in: R. Koselleck, H. Lutz, J. Rüsen (Hrsg.), Formen der Geschichtsschreibung, 1982, 201–244 **69** F. Meinecke, Entstehung des H., Werke, Bd. 3, ⁴1965 **70** Ders., Zur Theorie und Philos. der Gesch., Werke, Bd. 4, ²1965 **71** A. Momigliano, Ancient History and the Antiquarian (1950), in: Ders., Stud. in Historiography, 1966,

1–39 = Contributo alla storia degli studi classici, 1955, 67–106 (dt.: Ders., Wege in die Alte Welt, 1991, 79–107; Ders., Ausgewählte Schriften, Bd. 2, 1999, 2–36) **72** Ders., New Paths of Classicism in the Nineteenth Century, in: History and Theory Beiheft 21, 1982, 1–64 (dt.: Ders., Wege in die Alte Welt, 1991, 108–176) **73** Ders., The Classical Foundations of Modern Historiography, 1990 **74** W. J. Mommsen, Die Geschichtswiss. jenseits des H., ²1972 **75** Th. Mommsen, Reden und Aufsätze, 1905 (Ndr. 1976) **76** U. Muhlack, Klass. Philol. zw. Human. und Neuhuman., in: R. Vierhaus (Hrsg.), Wiss. im Zeitalter der Aufklärung, 1985, 93–119 **77** Ders., Von der philol. zu histor. Methode, in: Chr. Meier, J. Rüsen (Hrsg.), Histor. Methode (= Theorie der Gesch., Bd. 5), 1988, 154–180 **78** Ders., Bildung zw. Neuhuman. und H., in: R. Koselleck (Hrsg.), Bildungsbürgertum im 19. Jh., Teil II, 1990, 80–105 **79** Ders., Geschichtswiss. im Human. und in der Aufklärung. Die Vorgeschichte des H., 1991 **80** B. Näf, Von Perikles zu Hitler? Die athenische Demokratie und die dt. Althistorie bis 1945, 1986 **81** Ders. (Hrsg.), Ant. und Altertumswiss. in der Zeit von Nationalsozialismus und Faschismus, (im Erscheinen) **82** W. Nippel, »Geschichte« und »Altertümer«. Zur Periodisierung in der Althistorie, in: Geschichtsdiskurs Bd. 1, 1993, 307–316 **83** Ders., Philologenstreit und Schulpolitik. Zur Kontroverse zw. Gottfried Hermann und August Böckh, in: Geschichtsdiskurs Bd. 3, 1997, 244–253 **84** Th. Nipperdey, H. und Historismuskritik heute (1975), in: Ders., Ges., Kultur, Theorie. Gesammelte Aufsätze zur neueren Gesch., 1976, 59–73 **85** Ders., Dt. Gesch. 1800–1866, 1983 **86** K. Nowak, Histor. oder dogmatische Methode? Protestantische Theologie im Jahrhundert des Historismus, in: Geschichtsdiskurs Bd. 3, 1997, 282–297 **87** O. G. Oexle, »Wiss.« und »Leben«. Histor. Reflexionen über Tragweite und Grenzen mod. Wiss., in: Gesch. in Wiss. und Unterricht 41, 1990, 145–161 **88** Ders., Geschichtswiss. im Zeichen des H., Stud. zu Problemgeschichten der Moderne, 1996 **89** O. G. Oexle, J. Rüsen (Hrsg.), H. in den Kulturwiss. Geschichtskonzepte, histor. Einschätzungen, Grundlagenprobleme, 1996 **90** J. Ortega y Gasset, Sobre la razón histórica (1944), 1979 (engl.: Historical Reason, 1984) **91** R. Pfeiffer, Die klass. Philol. von Petrarca bis Mommsen, 1982 **92** K. R. Popper, The Poverty of Historicism, 1957 (²1960); dt.: Vom Elend des Historizismus, 1965 (⁶1987) **93** C. Prantl, Die gegenwärtige Aufgabe der Philos., München 1852 **94** L. v. Ranke, Gesch. der romanischen und german. Völker von 1494–1514. Vorrede zur ersten Ausgabe (1824) = Ders., Sämtliche Werke, Bd. 33, Leipzig ²1874 **95** St. Rebenich, Die Altertumswiss. und die Kirchenväterkommission an der Akademie: Theodor Mommsen und Adolf Harnack, in: J. Kocka (Hrsg.), Die Königlich Preußische Akademie der Wiss. zu Berlin im Kaiserreich, 1999, 199–233 **96** Ders., s. v. Akademie, in: DNP 13, 1999, 40–56 **97** Ders., Der alte Meergreis, die Rose von Jericho und ein höchst vortrefflicher Schwiegersohn: Mommsen, Harnack und Wilamowitz, erscheint in: K. Nowak, O. G. Oexle (Hrsg.), Adolf von Harnack (1851–1930) **98** P. H. Reill, The German Enlightenment and the Rise of Historicism, 1971 **99** J. Rüsen, Konfigurationen des H. Studien zur dt. Wissenschaftskultur, 1993 **100** H. Schnädelbach, Geschichtsphilos. nach Hegel. Die Probleme des H., 1974 **101** A. Schnapp, La conquête du passé, 1993 (The

Discovery of the Past, 1996) **102** G. SCHOLTZ, »Historismus« als spekulative Geschichtsphilos.: Christlieb Julius Braniß (1792–1873), 1973 **103** Ders., s. v. Historismus, Historizismus, in: HWPh 3, 1974, 1141–1147 **104** Ders. (Hrsg.), H. am Ende des 20. Jahrhunderts. Eine internationale Diskussion, 1997 **105** E. SCHULIN, Das Problem der Individualität. Eine kritische Betrachtung des Historismuswerkes von Friedrich Meinecke, in: HZ 197, 1963, 102–133 (= Ders., Traditionskritik und Rekonstruktionsversuch. Stud. zur Entwicklung von Geschichtswiss. und histor. Denken, 1979, 97–116) **106** V. STEENBLOCK, Transformationen des H., 1991 **107** H. STUART, Consciousness and Society, 1979 **108** E. TROELTSCH, Der H. und seine Probleme, 1922 (Ndr. 1961) **109** Ders., Die Krisis des H., in: Die Neue Rundschau 33,1, 1922, 572–590 **110** Ders., Der H. und seine Überwindung. Fünf Vorträge, hrsg. v. F. v. HÜGEL, 1924 **111** R. VIERHAUS, Rankes Begriff der histor. Objektivität, in: R. KOSELLECK u. a. (Hrsg.), Objektivität und Parteilichkeit in der Geschichtswiss. (= Theorie der Gesch., Bd. 1), 1977, 63–76 **112** E. VOGT, Der Methodenstreit zw. Hermann und Böckh und seine Bed. für die Gesch. der Philol., in: [34. 103–121] **113** G. WALTHER, Niebuhrs Forschung, 1993 **114** M. WEBER, Gesammelte Aufsätze zur Wissenschaftslehre, ³1968 (⁶1985) **115** C. WEGELER, ›... wir sagen ab der internationalen Gelehrtenrepublik‹. Altertumswiss. und Nationalsozialismus, 1996 **116** H.-U. WEHLER, Geschichte als Historische Sozialwissenschaft, ³1983 **117** A. WITTKAU, H. Zur Geschichte des Begriffs und des Problems, ²1994 **118** F. A. WOLF, Studien. Dokumente. Bibliographie, 1999 **119** H. WREDE, Die Entstehung der Arch. und das Einsetzen der neuzeitlichen Geschichtsbetrachtung, in: Geschichtsdiskurs Bd. 2, 1994, 95–119 **120** A. WUCHER, Theodor Mommsen. Geschichtsschreibung und Politik, ²1968.

STEFAN REBENICH

## II. KUNSTGESCHICHTE
A. EINLEITUNG   B. DEFINITIONEN, WERTUNGEN
C. MALEREI   D. ARCHITEKTUR   E. SKULPTUR

### A. EINLEITUNG
In der Kunstgeschichte ist H. in seiner zeitlichen und begrifflichen Eingrenzung nicht exakt bestimmt. Das Verhältnis zu anderen Zeit- und Stilstufen wie Klassizismus oder Realismus kann wegen der vielfachen Gleichzeitigkeiten nur ungenau benannt werden.

### B. DEFINITIONEN, WERTUNGEN
Der H. hat als Begriff in die Kunstgeschichtsschreibung spät Eingang gefunden, während wichtige Aspekte schon seit dem ausgehenden 18. Jh. benannt wurden (Nachahmung von Vergangenheiten, Abhängigkeit von der Ant., Stilpluralismus, Sehnsucht nach dem schöpferisch Neuen). Nachdem die jeweils zeitgenössische Kunstgeschichte die grundsätzliche Abhängigkeit der Kunst von Geschichte in ihrer Vielfalt angenommen hatte, allerdings die Überlegenheit der Ant. zunächst konstatieren konnte (Winckelmann, 1755 [12]); A. Hirt, 1809 [5] und 1822 [6]; Stieglitz, 1792 [9] und 1801 [10]), bildete sich eine breite Akzeptanz der Rückbezüge auf Vergangenheiten aus, ein ›freies, selbstständiges Umschauen und Hineinfühlen‹ (Vischer, 1854

[11. 482]) . Noch Gurlitt blickte in seiner Bilanz des 19. Jh. auf dessen Vielfalt mit Wohlwollen, hob allerdings die Abkehr von der Ant. hervor: ›Das Wort Marathon regt uns nicht mehr auf‹ (...) [33. 185]. Bereits Schmids Kunstgeschichte [61] und Osborn in Springers Handbuch von 1907 sahen die Entwicklung ablehnend, wobei letzterer noch nicht von H. sprach, sondern, einen älteren Gebrauch aufnehmend, von Historienkunst [52. 226]. Hildebrandt kritisierte 1931 drastischer: ›Auflösung, Abstieg, Zerfall, Verdorren‹ [42]. Beenken fand 1938 im ersten umfassenden Definitionsversuch von H. in der Architektur zum Ausdruck »Krankheit«, die er im Unvermögen sah, sich von den Vergangenheiten zu lösen [13]. Dieser Beurteilung hing noch Pevsner 1961 an [55]. 1970 erarbeitete Götz eine neue Definition. Teile seiner Bestimmungen stammen aus der Geschichtswiss. (Meinecke), wie die Festlegung von H. als »Gesinnung« und »Eklektizismus« als ihre Methode. Er unterscheidet H. von »Nachleben« und Trad. und definiert: ›H. in der Kunstgeschichte heißt: Kunst im Dienste einer Weltordnung, einer Staatsidee, einer Weltanschauung, die aus der Geschichte programmatisch ihre Denkmodelle und Formmodelle beziehen.‹ [31. 211]. V. a. Hardtwig führte diese allg. Bestimmung auf die Konkretheit des ausgehenden 18. u. 19. Jh. hin, indem er, im Anschluß an Koselleck, erneut auf deren grundsätzlich neue Auffassung verweist: Verlust der normativen Kraft von Exempla, permanente Reversibilität von Geschichte, Relativierung durch Geschichte, Optimierung ihrer Muster, Beliebigkeit der Rückgriffe [38]. Oexle hat, auf W. Hofmann verweisend, H. als Epochenbegriff der Kunstgeschichte betont [51]. In neuer Zeit wird der Begriff in der Kunstgeschichte also für die Zeit von etwa 1770 bis 1914 eingesetzt und der Stilpluralismus als entscheidende Erscheinung angesehen, wie bei der großen Ausstellung in Wien 1996 [27]. Dabei wird der scheinbar eindeutige → Klassizismus als weitgehend eigenständig behandelt. Erst mit dem Verlust seiner Dominanz um 1840 werden seine Formen Teil des H.

### C. MALEREI
In Frankreich prägten die *Ecole des Beaux-Arts* mit ihrer zeichnerischen Ausbildung nach ant. Skulpturen sowie die Academie à Rome das Bild. Beim Wettbewerb um den jährlichen Grand Prix de Rome wurden zwar häufig Aufgaben aus der Ant. gestellt, ohne vor rel. Themen den Vorzug zu haben [32]. Die Romstipendiaten hatten nur wenige ant. Themen als Pflichtleistungen abzuliefern. So ergibt die Rekonstruktion des Bestandes des Musée du Luxembourg, Paris für 1874 mit seiner zeitgenössischen anerkannten Malerei unter 240 Arbeiten nur 29 mit ant. Themen [50]. Erfolge konnten Maler mit Schilderungen des Verfalls Roms (T. Couture, 1847), mit dramatisch anrührenden (L. Gerôme, *Ermordung Caesars*, 1867), mit erotischen (A. Cabanel, *Geburt der Venus*, 1863), ebenso wie mit ant. Genreszenen (L. Gerôme, *Röm. Sklavenmarkt*, 1884) erreichen [60]. Stilistisch orientierte man sich an it. und flämischen Vorbildern des 16. und 17. Jh. bzw. an neuen realisti-

Abb. 1: Karl Theodor v. Piloty, Die Ermordung Caesars. Gemälde, 1865.
Niedersächsisches Landesmuseum Hannover

Abb. 2: Arnold Böcklin, Triton und Nereide. Gemälde, 1874.
Bayerische Staatsgemäldesammlungen, Schack-Galerie, München

schen Mitteln. Die Antikenkritik in der → Karikatur konnte scharf ausfallen (H. Daumier, ab 1841). Ant. Themen aus der griech. Myth., aus der röm. Geschichte und Allegorien fanden durchgehend in der Wandmalerei vorrangig kultureller Institutionen Verbreitung. Arbeiten von Puvis de Chavannes in den Museen von Marseille (1869), Amiens (1882), Lyon (1886), Rouen (1891) und in Boston(Public Library; 1861) sind zu nennen [28]. Ausmalungen in polit. bedeutsamen Bauten mit allegorischen und lit. Szenen der Ant. wurden E. Delacroix übertragen (Paris, Palais Bourbon, 1833/47; Paris, Rathaus, Herkuleszyklus, 1851). Die große Zahl amerikanischer Maler in Paris hat in der Wandmalerei der USA zu allegorischen Darstellungen mit Antikenbezug in öffentlichen Gebäuden geführt; in der freien Malerei spielte die Ant. eine untergeordnete Rolle [68]. In Deutschland dienten lange Phasen des Zeichnens nach ant. Vorbildern (→ Abguß/Abgußsammlung) [14] nicht mehr der Einübung von Vorbildern, sondern waren generelles Mittel zum Erlernen von zeichnerischen Fähigkeiten. Die Darstellung von Geschichte gehörte nach 1840 zu den wichtigsten Aufgaben [35], bevorzugt die nationale und rel., etwa an der Akad. in München oder Düsseldorf, wo die Ant. weder im großen Historienbild noch im Genre, noch im Stil eine größere Rolle spielte (E. Bendemann, *Opfer der Iphigenie*, 1867). Theoretiker wie Vischer untermauerten solche Erscheinungen mit kunstimmanenten Vorstellungen, ›daß die Stoffe der alten Geschichte weniger malerisch sind als die der mittleren und neueren Zeit‹ und daß der Orient hier bes. geeignet sei [11. 398]. K. v. Piloty, München, gehörte zu den Meistern des einfühlenden, dramatisierenden, auf höchster Ebene spielenden, personalisierenden Historienbildes. Gegenüber Darstellungen aus der neueren Geschichte trat die Ant. zurück (*Ermordung Caesars*, 1865, (Abb. 1); *Tod Alexanders d. Gr.*). Pilotys Schüler H. Makart ersetzte die Rührung durch barockisierende Inszenierung, die in der Historie, auch des Todes, pralles Leben suggerierte (*Triumph der Ariadne*, 1873; *Tod der Kleopatra*, 1876). A. Böcklin fand dagegen in der Konzentration auf das niedrige Personal der griech. Myth. einen Bereich, in dem die Konflikte von Geschlechterverhältnissen, Freiheit und Bindung spielerisch-hintergründig dargestellt werden (*Triton und Nereide*, 1874 (Abb. 2); *Im Spiel der Wellen*, 1883) [46]. M. Klinger übernahm das Personal Böcklins, verdeutlichte manches (*Triton und Nereide*, 1895) und bot in seinen graphischen Zyklen z. T. ironisch-kritische Eingriffe in feste Strukturen von Mythos und Lit. der Ant. ( *Rettung Ovidischer Opfer*, 1879; *Amor und Psyche*, 1880). O. Greiner und F. v. Stuck zeigten mit ihren Faunen und Kentauren scheinbar unbeschwerte Antikenbilder, konnten aber auch bedeutungsschwangere Hintergründigkeit darstellen (F. v. Stuck, *Sphinx*, 1895). Von R. Hamann schon 1914 als sog. »High Life«-Maler charakterisierte Künstler wie A. v. Keller verfeinerten ant. Myth. zu koketten, erotisch-anzüglichen Darstellungen (*Kaiserin Faustina*, 1882; *Parisurteil*, 1891 und 1905) [36]. Vollkommen gegensätzlich bearbeitete schon früher A. Feuerbach ant. Themen. Pathos, Strenge im Aufbau, zurückgenommene, verschleierte Farbigkeit, Verrätselung von Personen und Themen kennzeichnen seine z. T. großformatigen Gemälde (*Iphigenie*, 1862 und 1871; *Medea*, 1870; *Gastmahl des Plato*, im Detail teils nach röm. Antiken, 1869 und 1873). In der Ant. spielende christl. Historienbilder erhielten vielfach in Kostüm und Begleitpersonal (Engel) einen ma. Modus (E. v. Gebhardt, *Die Auferweckung des Lazarus*, 1896). Die Ant. behauptete auch in Deutschland einen bedeutenden Stellenwert in der Wandmalerei. Museen, Akad., Hochschulen, Gymnasien wurden mit lit. oder histor. Zyklen ausgestattet. Personifikationen und Allegorien erschienen überwiegend in ant. Gewand. Zeitgeschichte in ant. Kostüm gab es nur noch selten. Das *Leben Kaiser Wilhelm I.* anläßlich seines 90. Geburtstages am Akademiegebäude Berlin, als Fries gemalt, zeigte alle Personen in ant. Kostüm (F. Geselschap, 1886). Schinkels Darstellungen einer Entwicklung der Kultur im Alten Mus. in Berlin (ab 1841) arbeitete mit konkreten myth. Themen (*Kronos und die Gestirne*) aber v. a. mit Allegorien. Beides wurde wegen des kaum erkennbaren Gegenwartsbezugs kritisiert [67]. W. v. Kaulbachs riesige Wandbilder mit Themen aus der Weltgeschichte im Treppenhaus des Neuen Museums in Berlin (1847/65) reagierten darauf. *Homer und die Griechen* war nur noch eines von sechs Bildern, wenn auch eines, das als einziges eine der Konkretheit des histor. Augenblicks der übrigen entzogene Allegorisierung bot. Die *Zerstörung Jerusalems unter Titus* war dagegen durch Christianisierung im ikonographischen Apparat entantikisiert [48]. Folgen mit ant. Bezügen im Kunstmuseum Düsseldorf (C. Gehrts, 1887/97) und im Museum von Breslau (H. Prell, 1894) sind zu nennen. Im gehobenen Privathaus gehörten Antikendarstellungen häufig zur Ausstattung, wie etwa in den Salons der Palais um die Ringstraße in Wien [45]. Für It. sei nur auf die großen Fresken von C. Maccari für den Senat im Palazzo Madama in Rom mit Exempla der röm. Geschichte (1881/88) hingewiesen [26]. Eine bes. Stellung gewann die Ant. in der engl. Malerei der Präraphaeliten und Symbolisten. V. a. Frauen der persönlichen Umgebung der Künstler erfuhren in ant. Rollen eine Dämonisierung und z. T. erotische Aufladung (D. G. Rossetti, *Proserpina*, 1877; *Venus Verticordia*, 1868. G. F. Watts, *Daphne*, 1870). E. Burne-Jones gab mit seinen Zyklen (*Pygmalion*, 1868/78; *Perseus*, 1875/95) eine psychologisierende, von überkommenen ikonographischen Vorlagen gelöste Fassung von Mythen. Stilistisch aber wurde keine Nähe zur Ant. gesucht. Die in Frankreich, später auch in anderen Ländern seit den 60er J. auftretende Freilichtmalerei (Impressionisten) wandte sich thematisch nahezu vollkommen von der Vergangenheit ab (E. Degas, *Spartanerinnen*, 1860; A. Renoir, *Diana*, 1867; P. Cezanne, *Badende*, aber mit neutralen Titeln). Unter dem Einfluß Nietzsches fand in Deutschland L. Corinth zu einer oft ausgelassenen, wild bewegten Ant. (*Kindheit des Zeus*,

1905), die v. a. dazu diente, malerische Probleme (Farbe, Komposition) zu gesteigerter Wirkung zu bringen; Ironie brach zudem die Verbindlichkeit der Mythen.

## D. ARCHITEKTUR

Die Vielfalt der Stile im Landschaftsgarten seit der 2. H. des 18. Jh. sowie die frühe Wertschätzung der Gotik boten augenfälligen Stilpluralismus, verbunden mit histor. Interpreationstiefe. In der Architektur Frankreichs offerierten die baugeschichtlichen Arbeiten von Percier/Fontaine (1798)[8], von Gailhabaud (1839) [3], sowie die Lehr- und Muster-B. Durands (ab 1800) [1] umfangreiche Vorlagen nahezu aller Epochen, was konträr stand zur antikenbezogenen Lehre der Ecole des Beaux-Arts. Deren Neubau (1834/40) durch F. Duban lieferte ein erstaunliches Beispiel von H. [70]. Der Stil eines Renaissancepalastes um 1480 wurde von Duban verteidigt als Muster mod. Entwicklung seit der Antike. Ein Weg, den er durch die Plazierung von Großspolien der Gotik, der frz. Früh- und Hochren. im Hof bildhaft veranschaulichte, während die Ant. im Innenhof des neuen Palais d'Etudes in Originalabgüssen Aufstellung fand. Hier war ein Konzentrat von Baugeschichte geboten, das 1869 durch Ch. Garniers Panegyrikus auf die optimierende Rolle der Stilvielfalt seine Vollendung fand [4]. Griech. und röm. Architektur wurde dabei als eigentliches Leitbild hervorgehoben, ebenso wie durch die Architekten (H. Labrouste, L. Duc, L. Vaudoyer) des sog. *Neo Grec*, die mit Duban seit etwa 1830 neue Lösungen suchten, die in der Form keine Verbindung zur Ant. aufweisen (Labrouste, Bibl. Sainte Geneviève, Paris, 1843/50) [25]. Mit dieser übergeordneten, dynamischen Vorstellung einer *architecture classique* waren auch Lefuels neue, barocke Teile des Louvre oder Garniers Oper (Paris, 1861/75) zu vereinbaren. Die Ausbildung an der Ecole des Beaux-Arts [49] und ihrer Dependance in Rom mit der dort geforderten zeichnerischen Rekonstruktion sorgte für die Einübung röm. Vorlagen [57]. Die griech. Architektur dagegen wurde bis in die 30er J. wegen der Unregelmäßigkeiten an den Tempeln von Paestum mit Mißtrauen wahrgenommen. Umfangreiche Übernahmen ant. Architektur sind also in Frankreich selten. Die zahlreichen Kirchen mit Säulenportikus, die bis um 1850 entstanden, folgten Chalgrins Saint-Philippe-du-Roule in Paris (1768/84) und boten damit ein konservatives Bild. Diesem gab J. I. Hittorf mit dem Versuch, die neu entdeckte ant. Polychromie auf den Kirchenbau zu übertragen (Saint-Vincent-de-Paul in Paris, 1830/46), eine nur vereinzelte Wende [71]. Die Justizpaläste gehörten zu den wenigen weiteren Bauten, die kontinuierlich ant. Formen, wie Tempelfassaden, zeigten. Im Gegensatz zu den frz. Architekten wandten die zahlreichen in Paris ausgebildeten Amerikaner in den USA seit dem ausgehenden 19. Jh. ant. Formen verstärkt an. Die Repräsentationsbauten der Weltausstellung in Chicago (1893) bildeten den Ausgangspunkt, die eigene Trad. seit dem ausgehenden 18. Jh. die Folie (→ Greek Revival). So gab es Kopien ant. Tempel, etwa des Parthenon für das Aus-

stellungsgebäude in Nashville (1896 und 1920), einschließlich der Skulpturen. Die Public Library von New York (J. M. Carrere, 1897/ 1911) zeigte Ant. in barokkem Modus, die dortige Pennsylvania Station (McKim, Mead, White, 1906/10) folgte röm. Tempeln außen und Thermen im Inneren. Die Polychromiedebatte fand ihren Niederschlag in vereinzelten Werken (Madison Square Presbytarian Church in New York, McKim, Mead, White, 1906). Bauten wie das Philadelphia Museum of Art in Philadelphia (Ch. Zantzinger, 1916/28) oder das Jefferson Memorial in Washington (J. R. Pope, 1924/35) zeigen, wie weit ins 20. Jh. die Ant. wirkte und wie stark neben röm. Vorlagen auch heimische des frühen Greek Revival aufgenommen wurden [44]. Neben Washington dürfte nur noch Athen so dicht von ant., dort griech., Vorbildern in seinen öffentlichen Bauten bestimmt sein, wobei bemerkenswert ist, daß gerade H. Schliemann sich in Athen sein Wohnhaus in der Form der venezianischen Ren. hatte bauen lassen (E. Ziller, 1879). Früher als in Frankreich erwuchs der Ant. in Deutschland Konkurrenz durch die got. Architektur sowohl durch Aussagen der Philos. zur Gültigkeit verschiedener Epochen und Kulturen (Herder) als auch der Kunstphilos. (Schlegel, Hegel), wodurch die got. Architektur hohen Rang erhielt als die organisch entwickelte, lebendige, zur »Unendlichkeit« strebende, die zudem national und christl. sei. Schon früh gab es die Möglichkeit der Stilwahl. L. v. Klenze legte 1815 für die Glyptothek in München Entwürfe in griech., röm. und it. (Ren.-) Stil vor. In die Ausführung im griech. Stil (1816/30) gingen Renaissanceformen ein. Schinkels Stilvarianten für die Wersche Kirche in Berlin (1821/30) sind zu erwähnen. Ähnlich wie in Frankreich wurde bis in die 20er J. die Ren. als letztlich ant. Stil wahrgenommen. Dies war Teil eines synthetischen Denkens, das v. a. Schinkel, ausgeweitet auf die Gotik, beschäftigte, der in seinen Entwürfen für ein Nationaldenkmal (1814) einen got. Turm aus einem dorischen Tempel hatte aufsteigen lassen. Noch um 1835 ist er der Meinung, daß die besten Erscheinungen des MA griech. zu nennen seien, während die röm. Architektur als unreiner Stil bezeichnet werde [56]. Schinkels Bauakad. in Berlin (1831/35), war eine Lösung, bei der allerdings die Wölbung im Innern mit der skelettartigen Pfeilerkonstruktion nur durch den massiven Einsatz von verdeckten Eisenankern vereinbart werden konnte. Diese Probleme fanden in der Ablehnung der Ant. durch H. Hübsch (1828) eine zukunftsweisende Gegenposition [7]. Aus konstruktiven, materiellen, klimatischen und sozialen Gründen wurde das griech. Vorbild abgelehnt und eine Rundbogenarchitektur auf Grundlage röm., romanischer und renaissancenaher Vorlagen gefordert und von ihm auch gebaut [6]. Aus ähnlichen Gründen fand G. Semper zur Ren., die bei ihm stark ant.-röm. Züge erhielt (Dresden, Oper, 1838/41). Trotz der allg. Verbreitung von Neu-Ren., Neugotik und Neuromanik spielten ant. Formen als Versatzstücke wie Aedikulen, Säulenporti-

Abb. 3: Gottfried Semper, Gemäldegalerie (Detail). 1847/56. Dresden. Bildarchiv Foto Marburg

ken oder Karyatiden noch eine Rolle (in Preußen als sog. Schinkelschule) [17]. Eine deutliche Ausrichtung am ant. Tempel boten ab der Mitte des Jh. die Nationalgalerie in Berlin (F. Stüler, H. Strack, 1865/75), der Königsbau in Stuttgart (Saalbau, Passage, Ch.F. Leins, 1855/59), das Theater in Breslau (K.F. Langhans, 1864/67), die Oper in Frankfurt am Main (R. Lucae, 1873/80). Kolonnaden wurden an den Schauseiten von Börse (F. Hitzig, 1859/63) und Reichsbank (ders., 1869/76) in Berlin angewandt. Mit imposanten Säulenportiken wurden Großbauten ausgestattet, so daß ant. Motive in Renaissancekontexten Aufnahme fanden, wie z.B. am Reichstag in Berlin (P. Wallot, 1884/94) und am Reichsgericht in Leipzig (L. Hoffmann, 1887/96). Ebenso ist an die Einbindung von Triumphbögen nach röm. Vorbild als monumentales Fassadenmotiv zu erinnern, wie sie G. Semper an der Gemäldegalerie in Dresden (1847/56) einsetzte [69] (Abb. 3). Während etwa die einflußreiche Dt. Bauzeitung für den Berliner Reichstag kategorisch einen hell. Epistylienbau ausschloß (1872, S. 183), entstand mit dem Parlament in Wien (Th. v. Hansen, 1874/83) ein Bau, der mit seinem zentralen Tempel als österreichische Ruhmeshalle die Walhalla aufnahm und in der Gesamtarchitektur Selbstbestimmung nach griech. Vorbild andeuten wollte. Bereits vor 1900 (München, Villa Stuck, 1898; Planungen O. Wagners in Wien) ist eine neue Tendenz zu ant. Modellen zu beobachten, die sich bis 1914 zu einer breiten Reformbewegung entwickelte. Angeregt auch durch P. Mebes B. *Um 1800* [47] entstanden Bauten wie das Stadttheater in Dortmund (M. Dülfer, 1902/04),

Peter Behrens' Dt. Botschaft in St. Petersburg (1911/12), das Pergamonmuseum in Berlin (A. Messel, ab 1909), das Festspielhaus in Dresden-Hellerau (H. Tessenow, 1912), der österreichische Pavillon auf der Werkbundausstellung in Köln (J. Hoffmann, 1914). Die Entwicklung in England und Schottland kann mit Verweis auf das Greek Revival kurz gefaßt werden. Der Flexibilität ant. Bauformen waren, trotz des Einsatzes von Gußeisen beim British Museum (R. Smirke, 1823/47) oder der spektakulären dorischen Propyläen an der Euston Station in London (P. Hardwick, 1835/37), Grenzen in bautechnischer (Gewölbe, Spannweiten) und repräsentativer Wirkung gesetzt. So benutzten ab etwa 1830 die Londoner Clubs für ihre Häuser die it. Hoch-Ren., die im Laufe der Jahrzehnte zum Hauptstil öffentlicher Gebäude wurde. In Schottland entwickelte A. Thomson in den 50er bis 70er J. eine freie, antikisierende Architektur, die er, ähnlich wie Schinkel, perfektionierend, nicht kopierend weiterentwickeln wollte, ›so wie die Griechen es getan hätten, würden sie heute bauen‹ [21]. Seine drei phantasievoll komponierten Kirchen in Glasgow (United Presbyterian Churches, 1857, 1859, 1867) bezeugen das. Das Geschäftshaus Egyptian Halls in Glasgow (1871/73) ist wegen der Verarbeitung von ionischen, korinthischen und ägypt. Formen in Verbindung mit einer nur aus Stützen und Glas bestehenden Fassade von Rang. Die Mischung von antikisierenden Bauteilen mit solchen der Ren. ist häufig. Als Extremfall gilt das Rathaus von Birmingham (J. A. Hanson, 1832/61), wo ein korinthischer Peripteros auf hohem rundbogigem Renaissancesockel steht. Bei Museen wurden Säulenportiken unterschiedlicher Ordnung und in einem Barockmodus mehrfach verwendet, so in Oxford, Ashmolean Museum (C. R. Cockerell, 1841/45), oder als spätes Beispiel Preston, Harris Free Library, Museum and Art Gallery (J. Hibbert, 1882/93, Abb. 4), sowie strenger bei der Mappin-Art-Gallery in Sheffield (Flockton und Gibbs, 1887). In der it. Architektur des H. spielten Übernahmen aus der Ant. eine geringe Rolle, die Neu-Ren. überwiegt. In Rom können die Tabakmanufaktur (A. Sarti, 1859/63) sowie die Kirche S. Antonio in Via Merulana (L. Carimini, 1888) genannt werden. Besonders ist auf die Verwendung monumetaler Triumphbögen zu verweisen, die als Fassaden dienten, wie bei der Galleria Vittorio Emanuele II in Mailand (G. Mengoni, 1863/67), beim Aquarium in Rom (E. Bernich, 1885) oder als städtebauliche Komponente an der Piazza Vittorio Emanuele (della Republica) in Florenz (1893/95), jeweils im Kontext von Neurenaissancebauten. Als Großarchitektur mit stark antikisierender Formgebung entstand 1885/1911 in Rom das Denkmal für Viktor Emanuel II. (G. Sacconi) [8]. Auf ein auffallendes Phänomen ist hinzuweisen: In Deutschland, z.T. in It. entstanden Krematorien überwiegend in ant. Formen, ebenso wie in It., seltener in Deutschland, Friedhofsgebäude als antikisierende Tempel und Kolonnaden errichtet wurden. Beispiele für Krematorien: Gotha (io-

Abb. 4: J. Hilbert, Harris Museum and Art Gallery. 1882/93. Preston

nisch, 1878), Heidelberg (dorisch, 1891), Chemnitz (dorisch, 1906), Mailand (dorisch, 1876/80). Friedhofsbauten: Genua (dorisch, ab 1840), Messina (ionisch, 1872), Bologna (dorisch, 1880), München, Ostfriedhof (dorisch, 1894/1900). Verweise auf Ruhe, Gelassenheit, Zeitlosigkeit mögen Gründe dafür gewesen sein.

### E. SKULPTUR

Im Gegensatz zur Malerei standen der Skulptur neben röm. v. a. griech. Werke in großer Zahl als Vorlage zur Verfügung. In Frankreich hielt die Ecole des Beaux-Arts bis nach 1900 an ant. Vorbildern fest. Trotz deren strengen Grundsätzen (Antikennachahmung, Allegorie, Themen aus Myth. und Geschichte, Vorrang Griechenlands) ist schon seit den 30er J. eine Tendenz zu individualisierender Darstellung zu beobachten. Ehemals strenge Klassizisten wie J. Pradier führten um 1850 auch bei ant. Themen diese Individualisierung, Realismus und eine einfühlende Wahrnehmung ein, so daß etwa Pradiers *Chloris und Zephyr* (1849) in der Haltung einer *Venus pudica* (Kapitolinische Venus) eine gefühlsbetonte Erotik zeigen konnte. Marmor von Paros, griech. Sokkelaufschrift und zarte Polychromie banden das Werk an die griech. Vorbilder. E. Guillaume verwendete, fast kopierend, röm. Formen, verlieh seinen Personen aber eine einfühlende Gegenwärtigkeit in Physiognomie und Haltung bei stimmigem Kostüm (*Doppelbüste der Gracchen*, 1853; *Röm. Ehepaar*, 1877) (Abb. 5). Aufgaben für den Rompreis schlossen zunehmend die »niedere« Historie ein; so gewann L.-E. Barrias 1865 mit dem Relief *Die Gründung von Marseille*, während Falguière noch 1864 für seine Einsendung aus Rom, *Statue einer zeitgenössischen Neapolitanerin*, heftig kritisiert wurde

[66]. Ab etwa 1850 ist auch eine erneute Tendenz zur röm. Geschichte und eine stilistische Orientierung an Ren. und Barock It. und Frankreichs zu beobachten. So wählte L.-E. Barrias für den *Schwur des Spartakus* (1871) in Form und Stil Arbeiten von Michelangelo als Vorlage, während etwa J. Dalou seinen *Triumph des Silen* (1884) von Rubens ableitete. Ant. Themen in genrehaft-gefälligem Modus oder in hochdramatischem Furor fanden einen breiten Markt als Kleinbronzen (A.-E. Carrière-Belleuse, *Raub der Hippodamia*, 1871) [64]. Zu einer Zeit (um 1905), als die Akad. ihre strenge Ausrichtung auf die Ant. aufgab, ist, bei freien Themen, bereits eine Tendenz zu monumentalen, ruhigen, voluminösen Skulpturen zu beobachten (A. Maillol), die vergleichbar dem neuen Klassizismus A. Hildebrands in Deutschland ist. Die grundsätzliche Entwicklung ist in Deutschland ähnlich verlaufen. Antiken waren als Studienobjekte in den großen Abgußsammlungen und in Originalen vertreten [14]. Die Abkehr von ant. Themen und ihren Verbindlichkeiten, nicht vom Schönheitsideal, hatte Vischer 1853 in seiner *Aesthetik* breit begründet [11]. In der populären Bewertung von Ant. in der zeitgenössischen Skulptur machte sich gleichzeitig Kritik bemerkbar, die etwa für die Figuren der Schloßbrücke in Berlin (ab 1842) Spott, Unverständnis der Allegorie und der unmotivierten Nacktheit äußerte. Schon früh ist auch in Deutschland eine Tendenz zur Individualisierung zu beobachten, die z. B. die Möglichkeit bot, die Statuen der Feldherren vor der Neuen Wache in Berlin im zeitgenössischen Kostüm darzustellen, wohingegen die Sockelreliefs ant. Allegorien in ant. Reliefstil zeigten und damit als Basis dem Individuum Gültigkeit verlie-

Abb. 5: Eugene Guillaume,
Die Gracchen. Bronze, 1853.
Paris, Musée d'Orsay

hen (Ch.D. Rauch, 1816/22). Die Kostümfrage war
noch nicht abschließend gelöst. Rauchs Denkmal für
Max I. Joseph in München zeigt den Herrscher noch in
einem stark antikisierenden Umhang (1826/35) [65]
und sein Entwurf für das Goethe-Schiller-Denkmal in
Weimar (1848/49) zeigt die Dichter in ant. Gewand; der
Einspruch Ludwig I. von Bayern als Mäzen sicherte E.
Rietschel dann den Auftrag und das zeitgenössische Kostüm (1853/56). V. a. an und in musischen Gebäuden
wurden bevorzugt Skulpturen nach ant. Themen aufgestellt, die fast durchgehend in barockem Stil erschienen, wie etwa *Dionysos und Ariadne auf Pantherquadriga* in
der Oper in Dresden (J. Schilling, 1876); *Muse auf Pantherquadriga* im Theater in Wiesbaden (G. Eberlein,
1893). Für das ant. Genre gab es eine breite Nachfrage
v. a. in Reduktionen zur Kleinplastik, wobei erotisch
ansprechende Themen beliebt waren. Th. Kalides *Bacc-
hantin auf Panther* (1844/48) endete allerdings im Skandal, während etwa A. Clesingers *Frau von Schlange gebis-
sen* (1847) in Paris Aufsehen und Erfolg verbinden
konnte. Die farbige Skulptur nach ant. Anregung war
selten (L. v. Schwanthaler, *Karyatiden* in Walhalla,
1842). Bewundert wurde M. Klinger für seine aus verschiedenen farbigen Steinsorten geformten Skulpturen
(*Kassandra*, 1895, Abb. 6) oder B. Elkan für bemalte Figuren (*Persephone*, 1908) [16]. Die niedere Götterwelt
fand in der Skulptur auch im monumentalen Maßstab
Eingang, vorbereitet sicher auch durch Böcklins Malerei und Vischers Rechtfertigung derartiger Themen in
der Kunsttheorie (1. § 631). Zu nennen sind der Nep-
tunbrunnen in Berlin (R. Begas, 1888/91), der Triton-
brunnen in Wien (E. Hofmann, 1890) und der Teich-

Abb. 6: Max Klinger, Kassandra.
Marmor, 1895.
Leipzig, Museum der Bildenden Künste

mannbrunnen in Bremen (R. Maison, 1899). Ihr Personal war von üppiger barocker und gegenwartsbezogener Realistik der Antikenauffassung bestimmt, die teils, wie von Vischer gefordert, durch Ironie gemildert erschien. Den völligen Gegensatz dazu bot A. Hildebrand mit dem Wittelsbacherbrunnen in München (1891/95). Hier wurde der neue, flächig-beruhigte Stil gezeigt, dem eine Gruppe von Bildhauern folgte, zu der H. Hahn, H. Lederer und v. a. L. Tuaillon gehörten, wobei letzterer mit seinem Denkmal Friedrich III. für Bremen (1905) den Kaiser in einem enganliegenden Brustpanzer erscheinen ließ, der ant. Nacktheit suggerierte und wieder das ant. Kostüm bot.

QU 1 J. N. L. DURAND, Recueil et parallèle des édifices de tous genre, anciens et modernes, Paris 1800 2 Ders., Précis des leçons d'architecture, 2 Bde., Paris 1802–05 3 J. GAILHABAUD, Monuments anciens et modernes des différents peuples a toutes les époques, Paris 1839 4 CH. GARNIER, A travers les arts, 1869, 67–90 5 A. HIRT, Die Baukunst nach den Grundsätzen der Alten, Berlin 1809 6 Ders., Die Gesch. der Baukunst bei den Alten, Berlin 1821 7 H. HÜBSCH, In welchem Style sollen wir bauen?, Karlsruhe 1828 8 CH. PERCIER, P. F. L. FONTAINE, Palais, maisons et autres édifices modernes dessinés à Rome, Paris 1798 9 CH. L. STIEGLITZ, Gesch. der Baukunst der Alten, Leipzig 1792 10 Ders., Archaeologie der Baukunst der Griechen und Römer, Weimar 1801 11 F. TH. VISCHER, Aesthetik oder Wiss. des Schönen (1854), Bd. 3, ²1923 12 J. J. WINCKELMANN, Gedanken über die Nachahmung der griech. Werke in der Malerei und Bildhauerkunst, Dresden 1755

LIT 13 H. BEENKEN, Der H. in der Baukunst, in: HZ, 157, 1938, 27–68 14 M. BERCHTOLD, Gipsabguß und Original, Diss., 1987 15 W. ARENHÖVEL, CH. SCHREIBER (Hrsg.), Berlin und die Ant. Architektur, Kunstgewerbe, Malerei, Skulptur, Theater und Wiss. vom 16. Jh. bis h., 2 Bde., 1979 16 A. BLÜHM, The colour of sculpture. 1840–1910, 1996 17 E. BÖRSCH-SUPAN, Berliner Baukunst nach Schinkel. 1840–1870, 1977 18 H. BÖRSCH-SUPAN, Die dt. Malerei von Anton Graff bis Hans von Marées, 1988 19 A. BOIME, The Academy and French Painting in the Nineteenth Century, 1971 20 M. BRIX, M. STEINHAUSER (Hrsg.) Gesch. allein ist zeitgemäß. H. in Deutschland, 1978 21 J. M. CROOK, The Dilemma of Style. Architectural Ideas from the Picturesque to the Post-Modern, 1987 22 Ders., The Greek Revival. Neoclassical Attitudes in British Architecture, 1760–1870, 1972 23 K. DÖHMER, In welchem Style sollen wir bauen? Architekturtheorie zw. Klassizismus und Jugendstil, 1976 24 D. DOLGNER, H. Dt. Baukunst 1815–1900, 1993 25 A. DREXLER,(Hrsg.), The Architecture of the Ecole des Beaux-Arts, 1977 26 S. V. FALKENHAUSEN, It. Monumentalmalerei im Risorgiomento, 1830–1890, 1993 27 H. FILLITZ (Hrsg.), Der Traum vom Glück. Die Kunst des H. in Europa, 2 Bde., 1996 28 S. GERMER, Historizität und Autonomie. Stud. zu Wandbildern im Frankreich des 19. Jh., 1988 29 W. H. GERDTS, American Neo-Classical Sculpture, 1973 30 W. GÖTZ, H. Ein Versuch zur Definition des Begriffs, in: Zschr. des Dt. Vereins für Kunstwiss. 24, 1970, 196–212 31 H. GOLLWITZER, Zum Fragenkreis Architekturh. und polit. Ideologie, in: Zschr. für Kunstgesch., 1979, 1–14 32 P. GRUNCHEC, La peinture à l'Ecole des Beaux-Arts. Les Concours des Prix de Rome, 1797–1863, 2 Bde., 1986 33 C. GURLITT, Die dt. Kunst des 19. Jh. Ihre Taten und Ziele, Berlin 1899 34 W. HAGER (Hrsg.), Beitr. zum Problem des Stilpluralismus, 1977 35 Ders., Gesch. in Bildern. Stud. zur Historienmalerei des 19. Jh., 1989 36 R. HAMANN, Die dt. Malerei im 19. Jh., 1914 37 W. HAMMERSCHMIDT, Anspruch und Ausdruck in der Architektur des H. in Deutschland, 1860–1914, 1985 38 W. HARDTWIG, Kunst und Gesch. im Revolutionszeitalter. H. in der Kunst und der Historismusbegriff der Kunstwiss., in: Archiv für Kulturgesch., 61, 1979, 154–190 39 J. HARGROVE (Hrsg.), The French Academy. Classicism and its Antagonists, 1990 40 L. HAUTECOEUR, Histoire de l'architecture classique en France, Bd. 7, La Fin de l'architecture classique, 1848–1900, 1957 41 M. HELLENTHAL, Eklektizismus. Zur Ambivalenz einer Geisteshaltung und eines künstlerischen Konzepts, 1993 42 H. HILDEBRANDT, Die Kunst des 19. und 20. Jh., 1931 43 S. JORDAN, Geschichtstheorie in der ersten H. des 19. Jh., 1999 44 W. C. KIDNEY, The Architecture of Choice. Eclecticism in America, 1880–1930, 1974 45 W. KITLITSCHKA, Die Malerei der Wiener Ringstraße, 1981 46 A. LINNEBACH, Arnold Böcklin und die Ant. Mythos, Gesch., Gegenwart, 1991 47 P. MEBES, Um 1800. Architektur und Handwerk im letzten Jh. ihrer traditionellen Entwicklung, 1908 48 A. MENKE-SCHWINGHAMMER, Weltgesch. als Nationalepos. Wilhelm v. Kaulbachs kulturhistor. Zyklus im Treppenhaus des Neuen Museums in Berlin, 1994 49 R. MIDDLETON (Hrsg.), The Beaux -Arts and 19th Century French Architecture, 1982 50 G. LACAMBRE (Hrsg.), Le Musée du Luxembourg en 1874. Peintures, 1974 51 O. G. OEXLE, Geschichtswiss. im Zeichen des H. Stud. zur Problemgesch. der Mod., 1996 52 M. OSBORN, Das 19. Jh., 1907 (= A. SPRINGER, Hdb. der Kunstgesch., Bd. 5) 53 Ausstellungskat., Paris, Rome, Athènes. Le voyage en Grèce des architectes français aux 19e et 20e siècles, 1982 54 N. PEVSNER, Academies of Art. Past and Present, 1940 55 Ders., Die Wiederkehr des H. (1961), in: H. und bildende Kunst, L. GROTE (Hrsg.), 1965, 116–117 56 G. POESCHKEN, Das Architektonische Lehrb., 1979 (= Schinkel Lebenswerk) 57 Ausstellungskat., Pompéi. Travaux et envois des architectes français au 19e siècle, 1981 58 P. PORTOGHESI, L'eclettismo a Roma, 1870–1922 59 A. D. POTTS, Political Attitudes and the Rise of Historicism in Art Theory, in: Art History, 1. 1978, 191–213 60 C. RITZENTHALER, L'Ecole des Beaux-Arts du 19e siècle. Les Pompiers, 1987 61 M. SCHMID, Kunstgesch. des 19. Jh., 2 Bde., 1904/06 62 G. SCHOLTZ (Hrsg.), H. am E. des 20. Jh., 1997 63 M. SCHWARZER, German Architectural Theory and the Search for modern Identity, 1995 64 Ausstellungskat., La sculpture française au 19e siècle, 1986 65 J. v. SIMSON, Wie man die Helden anzog, in: Zschr. des Dt. Vereins für Kunstwiss., 43. 1989, 47–63 66 K. TÜRR, Zur Antikenrezeption in der frz. Skulptur des 19. und 20. Jh., 1979 67 M. WAGNER, Allegorie und Gesch. Ausstattungsprogramme öffentlicher Gebäude des 19. Jh. in Deutschland. Von der Cornelius-Schule zur Malerei der Wilhelminischen Ära, 1989 68 H. B. WEINBERG, The Lure of Paris. Nineteenth Century American Painters and their French Teachers, 1991 69 U. WESTFEHLING, Triumphbogen im 19. und 20. Jh., 1977 70 D. v. ZANTEN, Felix Duban and the Buildings of the Ecole des Beaux-Arts, 1832–1840, in: Journal of the Society of Architectoral Historians, 37. 1978, 161–174 71 Ders., The Architectural Polychromy of the 1830s, 1977.                    HAROLD HAMMER-SCHENK

**Hohl- und Längenmaße**  s. Metrologie

**Homerische Frage**   I. Allgemein
II. Literaturtheorie um 1800

I. Allgemein
A. Definition und Problemhorizont
B. Geschichte   C. Bedeutung für die
Altertums- und Geisteswissenschaften

A. Definition und Problemhorizont

Die H. F. läßt sich aufteilen in eine H. F. im engeren und eine H. F. im weiteren Sinne. Die H. F. im engeren Sinn lautet in ihrer einfachsten Form: ›Sind *Ilias* und *Odyssee* die Werke je nur eines (evtl. ein und desselben) oder je mehrerer Dichter?‹ In dieser Form stellte die H. F. ein philol. Spezialproblem vornehmlich des 19. Jh. mit Ausläufern bis ca. 1960 dar. – Die H. F. im weiteren Sinn lautet: ›Wie sind die beiden unter den Titeln *Ilias* und *Odyssee* unter dem Autornamen Homeros überlieferten altgriech. Epen entstanden?‹ Diese Dachfrage, unter die u. a. auch die H. F. im eigentlichen Sinn zu subsumieren ist, stellt eine zeitunabhängige Systemfrage dar; sie umschließt zahlreiche Teilfragen, deren Beantwortung nur in Form von Wahrscheinlichkeitserwägungen (Hypothesen) möglich ist, da aus der Entstehungszeit der Epen keinerlei objektbezogene Dokumente zur Verfügung stehen außer den Epen selbst. Wichtige Teilfragen sind: 1. Wer oder was verbirgt sich hinter »Homeros«? 2. Hat »Homeros« beide oder nur eines der beiden Epen geschaffen? 3. Hat »Homeros« die *Ilias* (und evtl. die *Odyssee*) vom ersten bis zum letzten Vers allein geschaffen? 4. Hat »Homeros« a) mündlich oder b) schriftlich oder c) mündlich + schriftlich geschaffen? – Jede dieser (und weiterer) Teilfragen wird je nach Antwort ihrerseits wieder zur Dachfrage für eine Fülle von Einzelfragen. Wird z. B. unter 1. geantwortet: ›Eine bestimmte real existierende Dichterpersönlichkeit namens Homeros‹, dann folgen Fragen wie: War Homeros ›ein schöpferischer Geist, ein geschickter Bearbeiter, ein trefflicher Rezitator, ein fleißiger Schreiber‹ oder vielleicht nur der letzte Redaktor?‹ [11. 7]. Wird dagegen unter 1. geantwortet: ›Eine bloße Kollektivbezeichnung für Angehörige einer Sängerzunft‹ [4; 55] oder ›Inbegriff jener epischen Dichtung überhaupt, wie sie uns in Ilias und Odyssee vor Augen liegt‹ [11. 7], dann folgen Fragen wie: Wann und wie sind dann die beiden Epen zu den Einheiten geworden, die uns vorliegen? Durch sukzessive Ein- und Anlagerungen in/an einen Kern [14]? Durch einen ›dichtenden Volksgeist‹ [21]? In welcher Form wurden die Epen konzipiert und publiziert (mündlich : schriftlich : auf beide Arten)? Wie wurden sie weitergegeben (zuerst nur mündlich und erst Jahrhunderte später verschriftlicht, oder von Anfang an schriftlich)? usw. In dieser Fassung stellt sich die H. F. als Gewirr voneinander abhängiger Einzelfragen mit ungezählt vielen Ja/Nein-Entscheidungsmöglichkeiten und entsprechend vielen Folgefragen dar. Ein

allg. akzeptiertes Hypothesengebäude daraus zu errichten ist wegen der Unüberschaubarkeit der einzukalkulierenden Faktoren bei gleichzeitigem Fehlen objektiver Kontrollmöglichkeiten bisher nicht gelungen und wird wahrscheinlich nie gelingen. Der stets von neuem faszinierende Rätselcharakter des Problemkomplexes führt jedoch über immer detaillierter und tiefer analysierende Lösungsversuche zu immer umfassenderen Perspektiven und damit zu immer stärker erhellenden Erkenntnissen über das Wesen der Dichtungen *Ilias* und *Odyssee*. Die H. F. stellt damit ein exemplarisches Forschungsfeld für systemorientierte, strikt logisch vorgehende interdisziplinäre lit.- und geisteswiss. Arbeit dar.

B. Geschichte

I. Antike

Das Nachdenken über die Entstehungsweise der beiden Epen wird in drei, möglicherweise vier Debatten faßbar: 1. Debatte der alexandrinischen Homer-Philologen Zenodotos, Aristophanes von Byzanz und Aristarchos (3./2. Jh. v. Chr.) über die Echtheit bzw. Unechtheit von Einzelversen und Vers-Partien, die zu Streichung bzw. Verdächtigung zahlreicher Textstellen führte (Überblick bei [28. 835–838]). Dahinter steht die (aus der Sichtung voneinander abweichender Epen-Manuskripte gewonnene) Erkenntnis, daß die Originalfassung der Epen im 3. Jh. v. Chr. nicht mehr vorlag. 2. Debatte zwischen v. a. Aristarchos und Hellanikos/Xenon – alle 2. Jh. v. Chr. – über die Frage, ob *Ilias* und *Odyssee* vom gleichen oder von verschiedenen Verfassern stammen. 3. Debatte über eine eventuelle Einflußnahme der athenischen Tyrannoi-Familie der Peisistratiden (6. Jh. v. Chr.) auf die Überlieferung oder gar Konstitution der Epen; Höhepunkt dieser Debatte war der Zweifel an der allg. Überzeugung, die Struktur der beiden Epen gehe auf Homer zurück (Cic. or. 13,137): ›(Peisistratos,) der als erster die Bücher Homers, die zuvor durcheinandergemengt gewesen waren, so angeordnet haben soll, wie wir sie jetzt haben‹. 4. Der jüd. Historiker Josephos (1. Jh. n. Chr.) argumentiert in seiner Schrift *Über das hohe Alter der Judäer* (= *Contra Apionem*), die Griechen hätten erst viel später als die Juden lesen und schreiben gelernt; ihr ältestes Schriftdenkmal sei ja Homer, der doch erst nach dem Troianischen Krieg gelebt habe, nicht einmal der habe seine Dichtung schriftlich hinterlassen, sondern aus dem Gedächtnis weitergegeben, sei sie erst später aus den [einzelnen] Liedern zusammengesetzt worden, und deswegen enthalte sie so viele Ungereimtheiten‹ (1,12). Da der Adressat der Schrift, der damals bekannte (judenfeindliche) alexandrinische Grammatiker Apion, Homer-Experte war, hätte sich Josephos mit purer Erfindung dieses Ondit keinen Gefallen getan. Dahinter könnte also eine (hier als Waffe eingesetzte) weitere alexandrinische Homer-Debatte stehen. Fazit: Mit einem Faktor »Mündlichkeit« bei der Entstehung und Weitergabe der Epen hat bereits die Ant. gerechnet. Daß die Epen – wenn auch zunächst vielleicht in Form von Einzelgesängen – von nur einem Autor stammen,

wurde hingegen nie angezweifelt (die Selbstverständlichkeit dieser Annahme erhellt v. a. aus Aristoteles' *Poetik*). Nur daß der Autor in beiden Fällen Homeros sei,
wurde – von einer Minderheit – bezweifelt (Chorizonten).

### 2. NEUZEIT
#### 2.1. VOR F. A. WOLF

Die neuzeitliche Problembehandlung, seit etwa
1700, ist charakterisiert durch einen ständig wachsenden
Sinn für die Geschichtlichkeit von Dichtung: Homer
rückt aus einer virtuellen überzeitlichen Dichtergalerie,
in der er während des MA neben Vergil und Dante stand,
heraus und gleitet von der Seite Vergils um Jh. zurück.
Damit entsteht die Frage, in welche Zeit genau Homer
gehört und welchen Bedingungen Dichtung in seiner
Zeit unterlag. Diese veränderte Fragestellung läßt die
ant. Debatten in neuem Licht und damit diskussions-
würdig erscheinen. Wohl zum ersten Mal wieder aufgegriffen und miteinander kombiniert wurden sie (v. a.
Nr. 3 und 4) im J. 1685 von dem holländischen Historiker Perizonius (= Jacob Voorbrock) [36. 203 f.], der im
Zuge seiner Forschungen zur Mündlichkeit der Überlieferungen über die Frühgeschichte Roms auch die
Frühgeschichte Griechenlands in den Blick nahm. Nach
ihm dichtete Homer mündlich einzelne Lieder, die später aufgeschrieben wurden, nach Athen gelangten und
dort auf Veranlassung des Peisistratos zu *Ilias* und *Odyssee* zusammengefügt wurden. Davon hatte Wolf keine
Kenntnis. Statt dessen kam ihm das schon vor 1670 verfaßte, aber von Freunden bis 1715 zurückgehaltene
Pamphlet des weit weniger seriösen François Hédelin,
Abbé d' Aubignac, in die Hände, das sich gegen die
Homer-Anbetung seiner Zeitgenossen richtete, indem
es die Existenz eines Menschen Homeros bestritt und
die beiden Epen als zusammengestoppelte Produkte ›aus
Tragödien und buntscheckigen Straßenliedern von
Bettlern und Gauklern, nach Art der Chansons du Pont-
neuf‹ ([13] bei [60. Kap. 26, Anm. 84]) bezeichnete. Das
Buch brachte Wolf, der es mehrmals durchlas [60. Kap.
26, Anm. 84], aufgrund seines grob polemischen Dilet-
tantismus beinahe von der Ausarbeitung seiner seit ca.
1780 konzipierten, in der Sache ähnlichen Theorie ab
(die mit Josephos' Bemerkung nahezu identische Hypothese des Neapolitaners Giambattista Vico von 1725
[51] lernte Wolf hingegen erst nach Erscheinen seiner
Prolegomena kennen [61]). Bestärkt fühlte sich Wolf
andererseits durch Meinungsäußerungen wie die des
»Kritikerfürsten« Richard Bentley [1. 18], Homer habe
›eine Folge von Liedern und Rhapsodien geschrieben,
um sie für schmalen Lohn und gute Stimmung bei Fest-
spielen und anderen festlichen Anlässen selbst vorzusin-
gen (...) Diese unzusammenhängenden Lieder wurden
erst etwa 500 Jahre später gesammelt und zur Form einer
epischen Dichtung vereinigt‹.

Neuen Auftrieb bekamen diese älteren Vermutungen durch die in den 70er Jahren ins Deutsche übersetzten Bücher der beiden Engländer Thomas Blackwell [2]
und Robert Wood [62], in denen Homer erstmals kon-

sequent in seinen Lebensraum, das kleinasiatische Ioni-
en, und in seine vermutetete Lebenszeit hineinzusehen
versucht wurde (bei Wood durch eigene Reise-An-
schauung gestützt) und (bei Wood unter Kombination
der ant. Debatten) als mündlich improvisierender
Rhapsode in einer noch schriftlosen Zeit erschien. Diese Anschauung wurde in Deutschland von damals einflußreichen Gelehrten wie Herder, Heyne, Tiedemann,
Köppen (bei [54. 27–31]) in Rezensionen, Aufsätzen,
Vorlesungen usw. sofort positiv aufgenommen; als F. A.
Wolf, seit 1777 Schüler Heynes an der Univ. Göttingen,
seine Arbeit am Homer begann, galt sie als die allg. akzeptierte gängige Homer-Auffassung.

#### 2.2 BEI F. A. WOLF

(Grundlegend [54]; vgl. [12; 26. 402–407]) Wolf
wollte nicht die H. F. behandeln – diese Bezeichnung
erhielt das Problem erst nach ihm (er sprach durchgehend von *quaestio* = »Frage«) –, sondern er wollte eine
Gesamtausgabe der Homerischen Epen machen. Wie
noch heute üblich, begann er mit einer lat. Vorrede
(Praefatio), deren erster Teil die Geschichte des Textes
von der Niederschrift bis zu Wolfs Ausgabe darlegen
sollte (die Idee zu diesem Verfahren kam aus der Bibel-
forsch., vgl. [12. 18–26]) und als deren zweiter Teil die
Erläuterung von Wolfs Textgestaltung vorgesehen war;
das Ganze nannte er *Prolegomena ad Homerum* [60]. Der
erste Teil (erschienen in Halle im März 1795) sollte die
Überlieferung des Textes in sechs Perioden nachzeichnen (1: Von der Entstehung der Epen um 950 v. Chr. bis
zu Peisistratos – 2: Von Peisistratos bis Zenodotos – 3:
Von Zenodotos bis Apion – 4: Von Apion bis Longinos
und Porphyrios – 5. Von Porphyrios bis zum Erstdruck
1488–6: Vom Erstdruck bis zu Wolf); er gedieh nur bis
zur 3. Periode (Krates v. Mallos, Gegner Aristarchs,
2. Jh. v. Chr.); der zweite Teil ist nie erschienen.

Um die erste Periode rekonstruieren zu können, zog
Wolf alle ant. und mod. Homer-Debatten, soweit er sie
kannte, heran und baute daraus ein Hypothesengebäude
auf, dessen Einzelteile zwar allesamt bekannt waren, das
aber in dieser Vollständigkeit der Material-Erfassung
und logischen Stringenz der argumentativen Verknüpfung nicht nur inhaltlich, sondern auch methodisch so
neuartig war, daß der schmale Band die Grundlegung
der (nicht nur Klass.) → Philologie als Wiss. bedeutete.
Die Hauptthese lautete: Da Homer in einer Zeit lebte,
die noch keine Textfixierung durch Schrift, sondern nur
mündliche Weitergabe kannte, kann er nur die Grund-
linie und gewisse, von der Einzelforschung noch her-
auszuschälende tragende Hauptteile der Epen-Hand-
lungen gesungen haben; Rhapsoden gaben das Vorhandene mündlich weiter (zwar auswendig gelernt, aber
aufgrund der Eigengesetzlichkeit mündlichen Vortrags
dennoch im Wortlaut verändert [60. Kap. 24/25]) und
erweiterten es dabei beständig im Sinne des manifesten
Grundplans, bis Peisistratos in Athen im 6. Jh. v. Chr.
daraus durch Niederschrift je ein Ganzes machen ließ;
*Ilias* und *Odyssee* sind also die Schöpfungen nicht eines
Dichters, sondern vieler. Damit hatte Wolf a) drei (nach

wie vor gültige) Haupt-Charakteristika der frühgriech. Sänger-Epik theoretisch erschlossen: 1. Mündlichkeit, 2. Traditionalität, 3. Instabilität des Wortlauts, b) aus der Mündlichkeit, bedingt durch das Fehlen von Schrift, die Unmöglichkeit der Abfassung der Epen durch eine (oder je eine) Einzelperson abgeleitet: ›Daraus scheint also notwendig zu folgen, daß die Gestalt so großer und kontinuierlich fortlaufender Werke von keinem Dichter [der Welt] im Geist entworfen und dann ausgearbeitet werden konnte – ohne ein kunstgerechtes Hilfsmittel für das Gedächtnis‹ [60. Kap. 26].

Bereits etwa sechs Wochen nach Erscheinen schrieb Herder an Heyne: ›Die Haupt- und Grundpunkte, dünkt mich, wird ihm jeder zugeben; ja seit Blackwell und Wood hat beinahe niemand daran gezweifelt‹ (bei [24. 43 Anm. 9]; vgl. [54. 90 f.]). Das eigentliche Verdienst Wolfs wurde also von Anfang an in der Systematisierung vorhandener Wissenselemente gesehen.

### 2.3 Von F. A. Wolf bis M. Parry

Diese Periode – der Entfaltungszeitraum der H. F. im engeren Sinne – stellt sich heute größtenteils als methodischer Irrweg dar (›Die Behandlung der H. F. seit Fr. A. Wolf darf als das fragwürdigste Kapitel philol. Forsch. bezeichnet werden‹: A. Lesky 1954, bei [24. 297]): Das Fundament der Wolfschen Theorie (Fehlen von Schrift, also Mündlichkeit der Abfassung) war von Wolf nur extern erschlossen, nicht intern aus der Machart der Epen selbst abgeleitet worden. Statt nun das Fundament, also die Voraussetzung der gefolgerten Verfasserpluralität, durch interne Diktions-Analyse zu sichern, wurde es als selbstverständlich übernommen (Nachweise bei [24. 32 f.]) und durch Parallelen aus lebender Improvisationsepik als »bewiesen« beiseite gelegt (Nachweise bei [24; 37]), obwohl es mit z. T. guten Argumenten schon früh (Hug 1801 [18]; Nitzsch 1830 [34]) bestritten wurde. Dafür stürzte sich die Forsch. auf Wolfs Folgerung der Verfasserpluralität: Mit Karl Lachmann [21], der die *Ilias* in 10–14 Einzel-»Lieder« zerlegte (Liedertheorie), begann ein jahrzehntelanger verbissener Gelehrtenstreit um die Frage, ob die *Ilias* (seit Kirchhoff 1859 [20] auch die *Odyssee*) von mehreren oder doch nur von einem Autor stamme; die erste Partei suchte durch sprachlich-stilistisch (»alt = gut, jung = schlecht«), z. T. auch strukturell begründete Auflösung (Analyse) der Epen unterschiedliche Verfasser (»Hände«) voneinander zu sondern (»Liederjäger«), die zweite durch Gegenargumente die Einheit (Unität) jedes der beiden Epen zu beweisen (»Unitarier«, »Einheitshirten«). Ihren logischen Kardinalfehler, von mündlicher Entstehung der Epen auszugehen, aber bei ihrer Argumentation implizit moderne schriftliche Textform und Textverarbeitung (›Schreibtisch, Schere und Kleister‹: Lesky bei [24. 299]) vorauszusetzen und damit die aus schriftlich abgefaßter Dichtung abgeleiteten und zudem meist subjektiv beschränkten Maßstäbe von Logik, Struktur, Ästhetik, Originalität an frühe mündlichkeitsbedingte Dichtung anzulegen, bemerkten beide Parteien nicht. Ineinander verkeilt, ka-

men weder die Analyse (Höhepunkt: Wilamowitz 1916 [57]; Nachzügler: Theiler 1947/1954/1962 [47–49]; Von der Mühll 1952 [31]) noch der Unitarismus (Höhepunkt: Rothe 1910/1914 [40; 41]; Nachzügler: Reinhardt 1961 [39]) ihrem Beweisziel näher. Der Streit war folgerichtig ein ›Leerlauf‹ (Lesky bei [24. 297]), dies um so mehr, als seit der Auffindung der hexametrischen Dipylon-Kannen-Aufschrift von ca. 740 v. Chr. im Jahre 1871, publiziert 1880 [17. 116 Anm. 631], das Fundament der Wolfschen Theorie endgültig zusammengebrochen war.

Immerhin warf der Streit als Nebenprodukt wertvolle Teil-Einsichten in die Art der Gefügtheit der Epen ab. Diese nutzte 1938 Wolfgang Schadewaldt für den exzellenten Entwurf eines den Streit überwindenden »Röntgenbildes« der *Ilias* [43], das unter Verwendung von Kategorien der inzwischen in Nachbarphilologien entwickelten allg. Erzählforsch. (»Vorausdeutung«, »Rückgriff«, »Retardation« u. a., später systematisiert von [22]) sowie der allg. vergleichenden Epenforschung (einschließlich der Erforsch. der serbokroatischen Volksepik [43. 24–28]; die Parry-Theorie lernte Schadewaldt erst später kennen und schätzen [44]) die hochelaborierte Großarchitektur der *Ilias* sichtbar machte und so den Schluß auf planvolle Abfassung durch nur einen Dichter näher denn je legte.

Am Rande des Hauptkampfplatzes der Analytiker-Unitarier-Debatte entwickelte sich gleichzeitig, von den Kombattanten ignoriert, als methodisch und sachlich angemessene Forschungsrichtung die Untersuchung der sprachlichen und metr. Machart der Epen: Gottfried Hermann begründete 1840 [15] die wesensmäßige Mündlichkeit der Epen-Diktion aus ihrer Textstruktur, näherhin aus ihrer Versgebundenheit, erkannte die daraus folgende Füllsel-Funktion der episch Beiwörter (Epitheta ornantia) und erschloß aus diesen inneren Indizien die (bei Wolf und anderen [24. 43 Anm. 10] nur behauptete) Improvisationstechnik, die den Sängern diese Form der Diktion – mit ihrer typischen Wiederholung fester Wortverbindungen, ganzer Verse und ganzer Szenen (Formelhaftigkeit, Typizität) – aufzwang. Die mit dieser ersten geschlossenen Mündlichkeits-Theorie begonnene Erforsch. der Epen-Diktion setzte sich fort v. a. in den methodisch klaren und überaus materialreichen Arbeiten von J. H. Ellendt [7], H. Düntzer [5], J. Meylan-Faure [30] und K. Witte [58] und mündete in den Studien von M. Parry.

### 2.4 M. Parry

Der Amerikaner Milman Parry, der sich in den 20er Jahren des 20. Jh. in Paris unter dem Sprachwissenschaftler und Metrik-Experten Antoine Meillet die europ. Homer-Forsch. erarbeitete, knüpfte in seiner frz. geschriebenen Dissertation *L'Epithète traditionnelle dans Homère* von 1928 [38] explizit an Ellendt, Düntzer, Witte und andere Formelforscher an (Katalog: [24. 574–583]). Wie seinerzeit Hermann (den er als einzigen seiner relevanten Wegbereiter leider nicht rezipiert zu haben scheint) ging er von der Versbedingtheit der Diktion aus, beschränkte sich aber im Gegensatz zu Hermann und dessen oben genannten Fortsetzern auf ein einziges durch den Verszwang hervorgerufenes Phänomen, die Füllsel-Funktion der stehenden Beiwörter (Epitheta ornantia). Diese Konzentration ermöglichte ihm eine eklatante Erhöhung sowohl der untersuchten Materialmenge als auch der Untersuchungsaspekte. Seine mikroskopische Analyse des Materials erbrachte den stringenten Nachweis sowohl der Vers-Gebundenheit stehender Nomen-Epitheton-Verbindungen (»bauchige Schiffe«, »Hirte der Männer«; »vielkluger Odysseus«, bei Bedarf verlängerbar zu »vielduldender göttl. Odysseus« usw.) als auch der überaus häufigen (aber nicht ausnahmslosen) Bedeutungslosigkeit der in diese Verbindungen eingebundenen Epitheta (»bauchig«, »Hirte«, »vielklug«, »vielduldend göttl.«) für den jeweils aktuellen Sinnzusammenhang (Hermann 1840: ›Wörter, die gleichsam Leerstellen in den Sätzen ausfüllen‹: bei [24. 49]); heute: »kontextsemantische Nullwertigkeit«). Aus einer exakten Statistik der Beziehungen zw. den Nomen-Epitheton-Formeln und ihren Positionen im Vers erschloß er sodann das »Gesetz der epischen Ökonomie« (*economy, thrift*): Für ein und dieselbe Person oder Sache (Agamemnon, Achilleus; Schwert, Schiff) werden in dieser Diktion zwar mehrere metr. und semantisch unterschiedliche Epitheton-Nomen-Verbindungen verwendet, aber (offensichtlich zur Gedächtnis-Entlastung) nur so viele, daß für eine bestimmte Versstelle immer nur eine – und nicht mehr als eine – zur Verfügung steht (obgleich beliebig viele metr. gleichwertige, aber semantisch anderslautende gebildet werden könnten). Aus dieser perfektionistischen Ökonomie des Formelsystems erschloß er schließlich die Traditionalität der epischen Diktion (eine derartige Technik und ein derart reiches Formel-Repertoire brauchen Generationen zu ihrer Entwicklung), aus der Traditionalität wiederum den dahinterstehenden Druck mündlichen Improvisationszwangs vor erwartungsvollem Publikum. Zur externen Zusatzbestätigung seiner intern gewonnenen Ergebnisse zog er noch lebende mündliche Improvisationsepik heran; deren zu seiner Zeit bekannteste Erscheinungsform war die schon seit Beginn des 19. Jh. ([19], [46] bei [24. 537 Anm. 5]) bekannte und zuletzt durch M. Murko [32; 33] erforschte serbokroatische Volksepik; ihrer Aufzeichnung und Auswertung widmete er sich zusammen mit seinem Assistenten Albert Lord in den folgenden Jahren; sein früher Tod im J. 1935 hinderte ihn an der Auswertung seiner Ergebnisse für eine Neuformulierung der H. F.

2.5 NACH M. PARRY

Ebenso wie bei F. A. Wolf läßt sich auch bei M. Parry feststellen, ›daß jeder der spezifischen Grundsätze, die [seine] Homer-Sicht ausmachten, bereits von einem früheren Gelehrten aufgestellt worden war‹ (so sein Sohn Adam Parry [37. XXII]). Wie bei Wolf ist jedoch auch bei Parry die Feststellung berechtigt, daß sein ›Werk eine neue Ära der Homer-Forsch. einleitete‹ [37. LX]. In beiden Fällen waren vorausgegangene Entwick-

lungen reif, zusammengefaßt zu werden. In Parrys Fall bestand die Leistung darin, die Homer-Forsch. seit Wolf vom Kopf wieder auf die Füße gestellt zu haben, indem er die von Wolf gestellte, von seinen Nachfolgern jedoch übersprungene Forschungsaufgabe, die behauptete Traditionalität und Mündlichkeit der epischen Diktion aus dieser Diktion selbst abzuleiten, in Aufnahme und Weiterführung einschlägiger Vorarbeiten endlich erfüllte. Damit machte seine Homer-Theorie, wie sein Sohn 1971 zu Recht konstatierte, ›die ganze Unitarier-Analytiker-Kontroverse, zumindest in ihrer älteren und am besten bekannten Form, obsolet‹ [37. LI]. Denn wenn jeder Vertreter der von Parry rekonstruierten Dichtungstrad. das gesamte vor ihm geschaffene Formelinventar, älteste wie jüngste Bestandteile, zum Einsatz bringen konnte – wodurch die Wiederholung formelhafter Elemente, zwangsläufig auch in logisch/ästhetisch weniger passenden Kontexten, stilkonstituierend wurde –, dann ist eine Schichtensonderung nach sprachlich-stilistischen Kriterien unmöglich.

Was auf Parry folgte – wegen des zweiten Weltkriegs mit einer Verzögerung von rund 30 Jahren –, war eine Zeit der Rezeption und des Ausbaus, z. T. auch der Modifizierung der von Parry begründeten und von Albert B. Lord [29] weiterentwickelten Theorie (Oral poetry-Theorie; dazu [9]) auf zwei Forschungsfeldern: 1. dem der Formelforsch., 2. dem der komparatistischen Erforsch. noch heute lebender Mündlichkeitsdichtung in aller Welt. Für die Weiterarbeit an der H. F. bedeutete diese Phase des Parryismus, wie schon seinerzeit die des Wolfianismus, eine erneute Stagnation (dargestellt und mit den wichtigsten Original-Arbeiten belegt bei [24]; vgl. ferner den Forschungsbericht von [16]). Wirkliche Fortschritte über M. Parry hinaus setzten erst in den 80er Jahren des 20. Jh. ein: 1. Sprachwiss. Forsch. zeigten, daß Trad. und Traditionalität der epischen Sprache wesentlich weiter zurückreichen, als selbst Parry vermutet hatte: mindestens bis ins 16. Jh. v. Chr., 2. durch eine Arbeit von Edzard Visser von 1987 [52] über die epische Versifikationstechnik wurde die Parry-Theorie aus ihrer Beschränkung auf das winzige Teilphänomen der Nomen-Epitheton-Formeln befreit und der Prozeß improvisatorischer hexametrischer Versgenerierung als solcher durchsichtig gemacht: Der Sänger formt den Hexameter nicht, wie Parry annahm, durch Zusammenführung von Formel-Bausteinen, sondern im Vers für Vers neuen Zusammenspiel einer Setzung von Determinanten, deren Ergänzung durch Variable und einer Auffüllung der technikbedingt vorsorglich offengelassenen Freiräume durch freie Ergänzungen; Formel-Bausteine, die urspr. selbst Resultate dieser Technik waren, können dabei Verwendung finden, Verse können aber mittels dieser Technik auch jederzeit völlig neu generiert werden ([52; 53]; Zusammenfassung bei [26]; ›bedeutsamer Fortschritt‹: [6. 266]; ›neuer Impuls‹: [42. 254–257]). Die Gefahr der raschen Versteinerung der Diktion, die unter den Voraussetzungen der Parry-Theorie gedroht hätte, ist durch diese Technik vermieden, die Kreativität der Sänger und damit die jahrhundertelange Lebensfähigkeit und tatsächliche Lebensdauer der epischen Diktion ist somit durch die Visser-Theorie rational begründet.

Als Ergebnis der Forschungsgeschichte stellt sich der Stand der H. F. gegenwärtig in Form der folgenden weithin akzeptierten Arbeitshypothese dar: Unter Verwendung ältester wie jüngster sprachlich-stilistischer Elemente einer zu seiner Zeit bereits mindestens 850 Jahre alten Trad. mündlichen Improvisierens von Dichtung in der festen Form von Hexametern schafft ein das Handwerkliche weit überragender Einzelsänger Homeros in Ausnutzung der seit ca. 800 v. Chr. verfügbaren Möglichkeiten zur Stoffstrukturierung durch Schriftanwendung um 700 v. Chr. eine (bzw. bei Verfasser-Identität zwei) thematisch und strukturell einheitliche, individuell geformte und geprägte Gestaltung(en) von Ausschnitten aus dem beliebten alten Sagenstoff der Troia-Geschichte: 1. die Retardation der Eroberung Troias in einer 51–Tage-Erzählung vom »Groll des Achilleus« (= Ilias), 2. die gegen alle Hindernisse nach 20 Jahren dennoch geglückte Rückkehr des Troia-Kämpfers Odysseus in einer 40–Tage-Erzählung von der »Heimkehr des Odysseus« (= Odyssee); beide Epen sind Produkte einer in der europ. Kulturgeschichte singulären kurzen Übergangszeit zw. Mündlichkeit und Schriftlichkeit; daraus erklärt sich ihre formale und qualitative Singularität innerhalb der europ. Lit. [25]. Beide Werke wurden zwar unter Verwendung der Schrift konzipiert und sogleich schriftlich festgehalten, aber bis zur abgeschlossenen Textualisierung der griech. Kultur im 5. Jh. v. Chr. mündlich durch Rhapsoden weiterverbreitet. Dank der schriftlichen Parallel-Überlieferung blieben jedoch die rhapsodischen Veränderungen an Wortlaut und Textbestand geringfügig und die Großstruktur erhalten [56]. An der Absicherung dieser Hypothese wird zur Zeit weltweit gearbeitet.

## C. Bedeutung für die Altertums- und Geisteswissenschaften

Die H. F. stellt den Sammelpunkt aller mit den beiden Anfangswerken der europ. Lit. verbundenen literarästhetischen, wiss. und wissenschaftshistor. Probleme dar.

In ihrer ersten neuzeitlichen Phase, als H. F. im engeren Sinne, fungierte sie als Auffangbecken und Erneuerungskraft der im 18. Jh. aus der → Querelle des Anciens et des Modernes hervorgegangenen, das lit. Leben der Zeit dominierenden [45; 59] gesamteurop. Homer-Diskussion. In ihrer durch F. A. Wolf geschaffenen Komprimierungsform entfaltete sie drei unmittelbare Wirkungen: 1. Sie löste die literarästhetische, admirativ bis enthusiastisch geprägte Betrachtungsweise Homers und der ant. Lit. überhaupt endgültig durch die geschichtliche Perspektive ab; 2. sie begründete die Philol. als kritische Wiss. mit Aufklärungspotential gegenüber traditionellen Überlieferungen allg. und etablierte sie damit als ernstzunehmende Gegenkraft auch gegen Religion und Kirche [23. 65f; 50. 141–144]; 3. als Beweis-

stück für die Leistungsstärke der philol. Methode lieferte sie der neuhuman. Bewegung des 19. Jh. und speziell der von Wilhelm von Humboldt betriebenen Generalreform des preußischen Unterrichtswesens eine wesentliche Argumentationshilfe für die Fundierung der neuen dt. Nationalbildung in der griech.(-röm.) Ant. [23. 37–39; 50. 131]; dadurch war sie mitbeteiligt an der Dominanz sowohl des → Altsprachlichen Unterrichts und der klass. Bildung an den dt. Gymnasien als auch der (zunächst Klass.) Philol. an den dt. Univ. des 19. Jh., die zu deren weltweiter Ausstrahlung und z. T. Modellwirkung beitrug.

In ihrer durch M. Parry erneuerten Form der Oral poetry-Theorie erlangte die H. F. im 20. Jh. Impulsfunktion sowohl für die weltweit sich ausbreitende Mündlichkeits-Schriftlichkeits-Forsch. [8] als auch für die v. a. mit dem Namen Marshall McLuhan verbundene Begründung der mod. Medien- und Kommunikationswiss. [37. XLIII Anm. 2]. Die H. F. erweist sich damit als (nunmehr bereits rund 250 Jahre lang wirksame) einflußreiche geisteswiss. Anregungskraft innerhalb der europ. und europ. geprägten neueren Wiss.- und Kulturgeschichte.

→ AWI Chorizonten; Epos (griechisch); Homeros; → Neuhumanismus

1 R. Bentley, Remarks upon a late Discourse of Free-Thinking, in a Letter to F. H. D. D. by Phileleutherus Lipsiensis, London/Cambridge (1713) ⁵1716 2 Th. Blackwell, An Enquiry into the Life and Writings of Homer, London 1735 (dt. von J. J. Voss, 1776) 3 A New Companion to Homer, hrsg. von I. Morris, B. Powell, 1997 4 G. Curtius, De nomine Homeri, Kiliae 1855 5 H. Düntzer, Homerische Abhandlungen, Leipzig 1872 6 M. Edwards, Homeric Style and »Oral Poetics«, in [3. 261–283] 7 J. H. Ellendt, Drei homerische Abhandlungen, Leipzig 1864 8 J. M. Foley, Oral-Formulaic Theory and Research. An introduction and Annotated Bibliography, 1985 9 Ders., The Theory of Oral Composition: History and Methodology, 1988 10 Ders., Oral Tradition and its Implications, in: [3. 146–173] 11 H. Fränkel, Dichtung und Philos. des frühen Griechentums, ²1962 12 A. Grafton, G. W. Most, J. E. G. Zetzel, Prolegomena to Homer 1795 (translation with introduction and notes), 1985 13 F. Hédelin, Abbé d'Aubignac, Conjectures académiques ou Dissertation sur l'Iliade, Paris 1715 14 G. Hermann, Über die Behandlung der griech. Dichter bei den Engländern, nebst Bemerkungen über Homer und die Fragmente der Sappho (1831), in: Ders., Opuscula Bd. VI, Leipzig 1835, 70–141 (bes. 88) und De interpolationibus Homeri dissertatio (1832), ebenda Bd. V, Leipzig 1834, 52–77 (bes. 70) 15 Ders., De iteratis apud Homerum, Leipzig 1840 (dt. in [24. 47–59]) 16 A. Heubeck, Die H. F., 1974 17 Ders., Schrift, 1979 (= Archaeologia Homerica. Fasc. X) 18 J. L. Hug, Die Erfindung der Buchstabenschrift, Ulm 1801 19 V. S. Karažić, Srpske narodne pjesme, Leipzig 1823 20 A. Kirchhoff, Die homerische Odyssee, Berlin (1859) ²1879 21 K. Lachmann, Betrachtungen über Homers Ilias, mit Zusätzen von M. Haupt, Berlin 1847 22 E. Lämmert, Bauformen des Erzählens, 1955 23 M. Landfester, Human. und Ges. im 19. Jh., 1988 24 J. Latacz (Hrsg.),

Homer. Trad. und Neuerung, 1979 **25** Ders.,
Hauptfunktionen des ant. Epos in Ant. und Moderne, in:
Der Altsprachliche Unterricht 34/3, 1991, 8–17 **26** Ders.,
Erschließung der Ant. KS zur Lit. der Griechen und Römer,
1994 **27** A. LESKY, Mündlichkeit und Schriftlichkeit im
Homerischen Epos, in: [24. 297–307] **28** Ders., s. v.
Homeros, RE Suppl.-Bd. 11, 687–846 **29** A. B. LORD, The
Singer of Tales, 1960 **30** J. MEYLAN-FAURE, Les Épithètes
dans Homer, Lausanne 1899 **31** P. VON DER MÜHLL,
Kritisches Hypomnema zur Ilias, 1952 **32** M. MURKO,
Neues über Südslavische Volksepik, in: [24. 118–152]
**33** Ders., La poésie épique en Yougoslavie au début du
XXième siècle, 1929 **34** G. W. NITZSCH, De historia
Homeri maximeque de scriptorum carminum aetate
meletemata, Hannover 1830 **35** Oralità. Cultura,
Letteratura, Discorso. Atti del Convegno Internazionale
Urbino 1980, a cura di B. GENTILI e G. PAIONI, 1985
**36** J. PERISONII (sic) Ant. F. Animadversiones historicae,
Amsterdam 1685 **37** A. PARRY (Hrsg), M. Parry: The
Making of Homeric Verse, 1971 **38** M. PARRY, L'Epithète
traditionnelle dans Homère, 1928 **39** K. REINHARDT, Die
Ilias und ihr Dichter, 1961 **40** C. ROTHE, Die Ilias als
Dichtung, 1910 **41** Ders., Die Odyssee als Dichtung, 1914
**42** J. RUSSO, The Formula, in: [3. 238–260]
**43** W. SCHADEWALDT, Iliasstud. (1938) ³1966 **44** Ders., Die
epische Trad., in: [24. 529–539] **45** K. SIMONSUURI,
Homer's original genius: eigteenth-century notions of the
early Greek epic, 1979 **46** TALVJ, Volkslieder der Serben,
metr. übers. und histor. eingeleitet von TALVJ, Leipzig 1824
**47** W. THEILER, Die Dichter der Ilias, in: FS E. Tièche, 1947,
125–167 **48** Ders., Noch einmal die Dichter der Ilias, in:
Thesaurismata, FS I. Kapp, 1954, 113–146 **49** Ders., Ilias
und Odyssee in der Verflechtung ihres Entstehens, in: MH
19, 1962, 1–27 **50** F. TURNER, The Homeric Question, in:
[3. 123–145] **51** G. VICO, Principi di scienza nuova
d'intorno alla commune natura delle nazioni, Milano 1725
**52** E. VISSER, Homerische Versifikationstechnik, 1987
**53** Ders., Formulae or single Words? in: WJA 14, 1988, 21–37
**54** R. VOLKMANN, Gesch. und Kritik der Wolfschen
Prolegomena zu Homer, Leipzig 1874 **55** M. L. WEST, The
Date of the Iliad, in: MH 52, 1995, 203–219 **56** Ders., Gesch.
des Textes, in: J. LATACZ (Hrsg.), Homers Ilias:
Gesamtkommentar. I: Prolegomena (im Druck) **57** U. V.
WILAMOWITZ-MOELLENDORFF, Die Ilias und Homer, 1916
**58** K. WITTE, s. v. Homeros (Sprache), RE 8.2, 2213–2247
**59** J. WOHLLEBEN, Die Sonne Homers, 1990 **60** FR. A.
WOLF, Prolegomena ad Homerum sive de operum
Homericorum prisca et genuina forma variisque
mutationibus et probabili ratione emendandi, Halis
Saxonum 1795 **61** Ders., Giambattista Vico über den
Homer, in: Museum der Alterthums-Wiss. 1, 1807, 555–570
**62** R. WOOD, Essays on the Original Genius of Homer,
London (1769) ²1775 (dt.: Versuch über das Originalgenie
Homers, von J. D. MICHAELIS, Frankfurt a. M. 1773, ²1778).

JOACHIM LATACZ

## II. LITERATURTHEORIE UM 1800

A. EINLEITUNG  B. WOLFS PROLEGOMENA AD
HOMERUM UND DIE GERMANISTISCHE PHILOLOGIE
C. REAKTIONEN DER AUTOREN
D. URSPRUNG DER POESIE, NEUE MYTHOLOGIE
E. ROMANTISCHE EPOSTHEORIE, GOETHES FAUST

### A. EINLEITUNG

Für die ästhetische Diskussion, die Bildende Kunst
und lit. Praxis in Deutschland seit Mitte des 18. Jh. spielte die Rezeption Homers eine zentrale Rolle [7]. Die
Homer-Faszination bringt lit. und ästhetische Innovationen hervor. Die Ausbildung einer dt. Literatursprache um 1800 verdankt sich wesentlich den Homerübers.
von Johann Jacob Bodmer (1698–1783), Gottfried August Bürger (1747–1794) und v. a. von Johann Heinrich
Voß (1751–1826) [3]. Die explosive und schockhafte
Wirkung von Friedrich August Wolfs *Prolegomena ad
Homerum* (1795) auf die lit. Szene erklärt sich vor diesem
Hintergrund der Homer-Rezeption und zeitgenössischer ästhetischer Entwicklungen und Konstellationen.
Die ästhetische Diskussion wird geleitet von Oppositio-
nen wie Natur-Kunst, Naturpoesie/Volkspoesie-
Kunstpoesie, Antike-Moderne, Klassik-Romantik,
Mündlichkeit-Schriftlichkeit, Homogenität-Heteroge-
nität. Die Opposition Sinnlichkeit-Intellektualität motivierte die Projekte einer »Neuen Mythologie«. Auf
diese Denkfiguren wirkte Wolfs »Zerstörung« Homers
(Goethe, Gespräch mit Eckermann, 1.02.1827: ›Wolf
hat den Homer zerstört, doch dem Gedicht hat er nichts
anhaben können‹) als Herausforderung und Antwort.
Die Diskussion um die H. F. hatte unmittelbare litera-
turtheoretische Auswirkungen. Die Auflösung der Vorstellung des einen Dichters Homer in einen heteroge-
nen Entstehungs- und Überlieferungszusammenhang,
der aber immer noch eine normative, klass. Geltung innehatte, nötigte dazu, das Verhältnis von Ant. und Moderne, Klassik und Romantik, Autor, Werk und Hörer/
Leser zu überdenken.

### B. WOLFS PROLEGOMENA AD HOMERUM UND DIE GERMANISTISCHE PHILOLOGIE

Auch für die sich eben erst als Disziplin formierende
germanistische Philol. war die H. F. folgenreich. Wolfs
Hypothesen inspirierten das Verständnis und die Ed. des
um 1800 intensiv diskutierten Nibelungenlieds [1]. 1816
veröffentlichte Karl Lachmann (1793–1851) die *Untersuchung über die urspr. Gestalt des Gedichtes von der Nibelunge Noth.* Der Wolf-Schüler Wilhelm Müller (1794–
1827) hatte schon 1815 in der Vorrede zu seiner *Blu-
menlese aus den Minnesingern* (1816) Wolfs Hypothesen
auf die alt-dt. ›Dichtkunst‹ übertragen. In seiner *Untersuchung* vertritt Lachmann die Ansicht, daß das *Nibelungenlied* aus einer noch jetzt erkennbaren Zusammensetzung einzelner romanzenartiger Lieder entstanden sei.
Die verschiedenen, mündlich überlieferten Lieder seien
von »Diaskeuasten« gesammelt worden. 1826 erschien
Lachmanns epochale Ed. *Der Nibelunge Noth mit der Klage,* die als die erste verläßliche Ausgabe des *Nibelungen-*

*lieds* gilt. Eine neue Gesamtausgabe erschien 1841. Im Streit um die »Liedertheorie« Lachmanns ging es wie im Streit um die H. F. um die Entgegensetzung und das Verhältnis von Traditionslit. (»Naturpoesie«) und Autorenlit. (»Kunstpoesie«), das Verhältnis von Genese und ästhetischer Einheit eines Werkes, schließlich um die Geltung der ästhetischen Norm der Homogenität. Das Konzept der »Naturpoesie« (»Volkspoesie«, »Nationalpoesie«) der Brüder Grimm ist neben den Volkspoesie-Theorien Herders von Wolfs Hypothesen inspiriert. Eine anon. und kollektive Autorschaft kennzeichnet für die Brüder Grimm Volkslieder, Sagen, Märchen und Epen wie das *Nibelungenlied*. In der Diskussion mit Achim von Arnim 1811, der diese Entgegensetzung bestritt, bestimmt Jakob Grimm die Kunstpoesie als eine ›Zubereitung‹, die Naturpoesie als ein ›Sichvonselbstmachen‹. Es ist ihm ›undenkbar, daß es einen Homer oder einen Verfasser der Nibelungen gegeben habe‹ (an A. v. Arnim, 20.05.1811).

### C. Reaktionen der Autoren

Wolfs *Prolegomena* spalteten die lit. Szene in enragierte Gegner und Parteigänger [8]. Manche wechselten dabei die Fronten, wie Goethe, der sie zuerst ablehnte (an Schiller 17.05.1795), dann als eine Befreiung von der ästhetischen Autorität Homers empfand, die ihm *Hermann und Dorothea* (1797), ein Epos für die Gegenwart, ermöglicht habe. Der ›hohe Begriff von Einheit und Unteilbarkeit‹ der Homer. Schriften habe ihn abgeschreckt. Dadurch, daß diese ›herrlichen Werke‹ nun einer ›Familie‹ und nicht einem einzelnen Autor zugeeignet seien, sei ›die Kühnheit geringer, sich in größere Gesellschaft zu wagen‹ (an Wolf, 26.12.1796; vgl. auch sein Gedicht *Hermann und Dorothea*, in dem er Wolf seine Dankbarkeit bezeugt). Nach einem wiederholten, genauen Studium der *Ilias* neigte er dann wieder der Ansicht von der ›Einheit und Unteilbarkeit des Gedichtes‹ zu (an Schiller, 16.05.1798; vgl. das Altersgedicht *Homer wieder Homer* und die *Tag- und Jahreshefte zum Jahr 1820*).

Wolfs Thesen haben abgelehnt u. a. Christoph Martin Wieland, Johann Heinrich Voß, Jean Paul, Friedrich Hölderlin, Novalis, Friedrich Schiller. Die Diskussion der H. F. nimmt im Briefwechsel zw. Goethe und Schiller einen breiten Raum ein. Schiller kam der Gedanke an ›rhapsodische Aneinanderreihung und an einen verschiedenen Ursprung notwendig barbarisch‹ vor, denn ›die herrliche Kontinuität und Reziprozität des Ganzen und seiner Teile ist eine seiner wirksamsten Schönheiten‹ (an Goethe, 27.04.1798). Ohne auch Wolfs Namen zu nennen, geht Hölderlin indirekt auf die H. F. ein. Er apostrophiert Homer betont als ›dieser außergewöhnliche Mensch‹ (an Böhlendorff, 4.12.1801) und erläutert die Einheit der *Ilias* gerade an der Figur des Achill, die für Wolf ein Beleg für die Zusammensetzung des Epos war (*Prolegomena ad Homerum*, Kap. 27): ›Man hat sich oft gewundert, warum Homer, der doch den Zorn des Achill besingen wolle, ihn fast gar nicht erscheinen lasse. Er wollte den Götterjüngling nicht profanieren in

dem Getümmel vor Troja‹ (über Achill). Hölderlins Homer-Überlegungen sollten in »Briefe über Homer« münden. Eine vermittelnde Position nahm Wilhelm von Humboldt ein. Johann Gottfried Herder beanspruchte Wolfs Hypothesen, v. a. die Konzeption einer Autor-»Familie«, als schon lange formulierte Einsichten (*Homer, ein Günstling der Zeit*, 1795, Kap. 8; ähnlich in *Adrastea*, 9. Stück, 1803). Wolf, der in dieser Abhandlung nur beiläufig erwähnt wird, bezichtigte Herder daraufhin des Plagiats (*Ankündigung eines dt. Auszugs aus Professor Wolfs Prolegomena ad Homerum und Erklärung über einen Aufsatz im IX. Stück der Horen*, in: Intelligenzblatt der Allgemeinen Literaturzeitung, 24.10.1795) [2].

Von den Romantikern lehnten Novalis und Jean Paul Wolfs Hypothesen ab, Zustimmung fanden sie bei Friedrich und August Wilhelm Schlegel, Friedrich Wilhelm Schelling und bei Jacob und Wilhelm Grimm. Friedrich Schlegel (*Über die homer. Poesie. Mit Rücksicht auf die Wolfischen Unt.*, 1796, eine Vorstudie zu seiner *Geschichte der Poesie der Griechen und Römer*, erster und einziger Teil 1798) und, ihm folgend, August Wilhelm Schlegel (Rezension von Goethes *Hermann und Dorothea*, 1796; Berliner Vorlesung *Geschichte der klass. Lit.*, 1802) formulierten im Ausgang von den *Prolegomena* eine neue Theorie des Ursprungs der Poesie und eine neue Theorie des Epischen. In einer spekulativen Überbietung werden schließlich Wolfs Hypothesen von Schelling in seinem Projekt einer »Neuen Mythologie«, das er mit Herder, F. Schlegel, Hölderlin, Hegel, Novalis u. a. teilt, verwendet.

### D. Ursprung der Poesie, Neue Mythologie

In seinem *Gespräch über die Poesie* (1800) sieht F. Schlegel im ›Gewächs‹ der homer. Poesie ›gleichsam das Entstehen aller Poesie‹. Seine auf Quintilian (inst. 2,10,1,46) zurückgehende Metaphorik der ›Quelle‹, des ›Stroms‹, der ›flüssigen Gestalt‹, des ›gebildeten Chaos‹ der Homer. Poesie setzt gegen das klassizistische Ideal des von einem Künstler bestimmten und vollendeten Werks die Idee, daß im Ursprung der Poesie Bildung und Auflösung von Kunstformen zusammenfallen [5]. Schellings *System des transzendentalen Idealismus* (1800) endet in der Aussicht auf eine »Neue Mythologie«: nach ihrer Vollendung sollen Philos. und Wiss. ›in den allgemeinen Ocean der Poesie‹ zurückfließen, von welchem sie ausgegangen waren. In der Vorlesung zur *Philosophie der Kunst* (1802/03) wird diese neue Myth. gedacht als Werk des Menschengeschlechts, ›sofern es selbst Individuum‹ ist. Schelling ›will durch den aufgestellten Satz von der Myth. dasselbe, was Wolf von Homer, behaupten‹. Insofern kann er auch formulieren: ›Die Myth. und Homer sind eins‹ [6]. Homer wird zum Namen für eine neue, poetisch erzeugte menschheitsgeschichtliche Einheit.

### E. Romantische Epostheorie, Goethes Faust

Die *Prolegomena* inspirierten eine neue Theorie des Epischen. Wegen seiner Synthese von Natur und Geschichte postuliert Schelling (Philos. der Kunst, Ausgewählte Schriften 2, 285) das ›Epos des Homeros (nach dem wörtlichen Sinn der Einigende, die Identität)‹ als Ursprung und Ziel, als ›das Erste‹ und als ›das Letzte‹ aller Kunst. In F. Schlegels Aufsatz *Über die Homerische Poesie. Mit Rücksicht auf die Wolfischen Unt.* wird das → Epos bestimmt durch ›unbestimmte Fülle episodischer Begebenheiten‹, jede Begebenheit ein ›Glied einer endlosen Reihe‹. Anders als das Drama, dem eine ›vollständige poetische Handlung‹ eignet, kennt das Epos nur eine ›unbestimmte Masse von Begebenheiten‹, die eine ›ins Unendliche gehende Erwartung bloßer Fülle überhaupt‹ erzeugt. Zur Beschreibung dieser Struktur des Epos wählt Schlegel das Bild des in den Naturwiss. des 18. Jh. intensiv diskutierten Polypen: ›das epische Gedicht ist (...) ein poetischer Polyp, wo jedes kleinere oder größere Glied (...) für sich eignes Leben, ja auch ebensoviel Harmonie als das Ganze hat.‹ Die Teile des Polypen sind für sich ein (trennbares, vermehrbares) Ganzes und Teile eines Ganzen. Wie der Polyp nach der zeitgenössischen Lehre zw. Pflanzen und Tieren steht, steht das homer. Epos zw. Natur und Kunst. Mit diesem Bild wird auch die poetische Produktivität vom Autor auf die Entstehungs-, Überlieferungs- und Rezeptionsgeschichte des Werks verlegt.

Schlegels Abhandlung kam eigenen Überlegungen Goethes, formuliert im Briefwechsel mit Schiller, entgegen. Gegenüber Schlegel besteht Goethe auf der Tendenz der Teile nach Einheit (an Schiller, 28.04.1797. Schlegel hätte nicht widersprochen!). Schlegels Überlegungen macht er auch für die Konzeption des *Faust*-Dramas fruchtbar: ›bei dem Ganzen, das immer ein Fragment bleiben wird, mag mir die neue Theorie des epischen Gedichts zustatten kommen‹ (an Schiller, 27.06.1797). Wegen dieser fragmentarischen Struktur des Dramas, dessen ›kleine Weltenkreise (...) in sich abgeschlossen, wohl aufeinander wirken, aber doch einander wenig angehen‹ (Gespräch mit Eckermann, 13.02.1831), kann Goethe sein Drama auch ein ›rhapsodisches Drama‹ nennen (an Schiller, 11.04.1798). Die solcherart von der romantischen Aneignung Wolfs inspirierte Konzeption des Dramas überspielt die ästhetischen Grenzen von Klassik und Romantik [4].

→ AWI Homeros
→ Epos

1 O. EHRISMANN, Das Nibelungenlied in Deutschland, 1975 2 O. FAMBACH, Ein Jh. dt. Literaturkritik, Bd. 3: Der Aufstieg zur Klassik, 1959, 664–685 3 G. HÄNTZSCHEL, Johann Heinrich Voß. Seine Homer-Übers. als sprachschöpferische Leistung, 1977 4 G. KURZ, Das Drama als Ragout. Zur Metaphorik des Essens und Trinkens in Goethes Faust, in: Interpreting Goethes's Faust Today, hrsg. von J. K. BROWN, M. LEE, TH. P. SAINE, 1994, 172–186 5 S. MATUSCHEK, Homer als unentbehrliches »Kunstwort«. Von Wolfs *Prolegomena ad Homerum* zur »Neuen Mythologie«, in: D. BURDORF, W. SCHWEICKARD (Hrsg.), Die schöne Verwirrung der Phantasie. Ant. Myth. in Lit. und Kunst um 1800, 1998, 15–28 6 F. W. J. v. SCHELLING, Ausgewählte Schriften, hrsg. von M. FRANK, 1985, Bd. 2,

244 7 Wiedergeburt griech. Götter und Helden. Homer in der Kunst der Goethezeit (Katalog), 1999 8 J. WOHLLEBEN, Die Sonne Homers. Zehn Kapitel dt. Homer-Begeisterung. Von Winckelmann bis Schliemann, 1990.

GERHARD KURZ

## Homer-Vergil-Vergleich

A. GEGENSTAND UND BEDEUTUNG
B. ANTIKE   C. RENAISSANCE
D. 17. UND 18. JAHRHUNDERT

### A. GEGENSTAND UND BEDEUTUNG

Der H.-V.-V. ist der teilweise mit großer Leidenschaft ausgetragene Streit um den Vorrang zwischen den beiden ranghöchsten ant. Dichtern. Insofern er einen Leitfaden für die Debatte um zentrale ästhetische Konzepte von der röm. Kaiserzeit bis zum Ende des 18. Jh. abgibt, stellt er eine der Konstanten der europ. Literaturkritik dar. Bei dem Vorzugsstreit, der im Synkrisisschema der ant. Gramm. wurzelt, handelt es sich somit um mehr als um die Entscheidung, ob der griech. oder der röm. Dichter der größere sei; vielmehr treibt die Frage Begründungsstrategien hervor, die weit über den urspr. lit.-stilistischen Horizont hinausführen. Dies gilt zumal für das 16. bis 18. Jh., in denen die Debatte ihre Blütezeit erlebt und dabei in komplexer Weise in den Prozeß der Selbstkonstitution der Frühen Neuzeit in Auseinandersetzung mit der Ant. verschränkt ist. Die Besetzungen können sehr unterschiedlich erfolgen: ›Homère et Virgile deviennent (...) les acteurs allégoriques d'un débat entre le »sublime sans art« et le »sublime régulier« des âges classiques‹ [11. 452]. Oder auch: ›controversy about Homer's merits and vices becomes one of the dominate modes of public discussion of literary and, beyond that, cultural values‹ [15. 56]. Darüber hinaus stellt der Vergleich eine Parallellinie zu der nach ihrer frz. Hauptphase benannten → Querelle des anciens et des modernes dar, mit der er sich kraft der paradigmatischen Stellung seiner beiden Exponenten vielfach überschneidet; man kann ihn geradezu als eine »Querelle im Binnenraum der Ant.« bezeichnen. Die Entscheidung über den ersten Rang weist zwei Zäsuren auf. Während bis um 1500 das ant. Urteil vom Vorzug Homers Geltung bewahrt, wird ab dem 16. Jh. der erste Platz überwiegend Vergil zuerkannt. Der abermalige Umschlag zugunsten Homers im 18. Jh. ist zugleich Indikator einer Verabschiedung des *imitatio*-orientierten »rhet. Zeitalters« und geht mit einer tiefgreifenden Veränderung des Literaturbegriffs einher.

### B. ANTIKE

Genese und Verfahren des H.-V.-V. sind eng mit den Voraussetzungen des ant. Literatursystems verbunden. Den Horizont bildet die Doktrin der lit. → *imitatio*, die nicht nur auf hochlit. Ebene Leitmodell ist, sondern im Sinne einer elementaren kulturellen Praxis der Textverfertigung bereits im Gramm.- und Rhetorikunterricht eingeübt wird. Unter der Maßgabe, daß man sich an als vorbildlich erkannte Gestaltungen anzuschließen und mit ihnen in Wettstreit zu treten habe, um sie nach Möglichkeit zu übertreffen, erhalten Homer und Vergil als hervorragendste Vertreter der ranghöchsten poetischen Gattung den Status von Paradigmata, und zwar im praktischen Sinn von Schreibanweisungen. Diese pragmatische Komponente, die von herausragenden Vertretern des H.-V.-V. wie Macrobius, Vida oder Scaliger mit Nachdruck betont wird, gleichwohl heute vielfach aus dem Horizont geraten ist, erlaubt, die Eigentümlichkeiten des Vergleichsverfahrens zu verstehen. Es geht dekontextualisierend und punktuell vor und kommt insbes. ohne Zeitparameter aus: Autoren aus den unterschiedlichsten Epochen finden sich einem einheitlichen normativen Urteil unterworfen, in welchem von den je spezifischen Produktionsumständen abgesehen wird. Wenn Homer und Vergil somit in einer Art zeitlosen Raumes verglichen werden, rührt das allerdings nicht von einer Unfähigkeit, zeitliche Unterschiede wahrzunehmen – die vielfachen Ansätze von Literaturgeschichtsschreibung in Ant. und Früher Neuzeit bezeugen zur Genüge das Gegenteil. Vielmehr erklärt sich das Verfahren von seiner Zwecksetzung her, da im Rahmen der *imitatio*-Doktrin, insbes. für die Bedürfnisse der Schule, histor. Differenz keine Rolle spielt, so daß man von ihr abstrahieren kann.

Für den Vorzugsstreit zwischen Homer und Vergil kommt als Zweites hinzu, daß jenes produktionsästhetische Prinzip der Mimesis nicht nur für die Vergleichenden, sondern bereits die Verglichenen gilt. In exemplarischer Weise wird es von Vergil erfüllt, ›der in seiner *Aeneis* das Konzept der »totalen« Homerimitation (...) verfolgt und auch verwirklicht‹ [23. 478; 13]. Davon zeugt schon die zeitgenössische Vorerwartung, hier entstünde ein größeres Werk als die *Ilias* (Prop. 2,34,65f). In dem durch die Doktrin vorgegebenen Rahmen reagiert ebenso die lit. Kritik. Die Donat-Vita (44–46) bietet die Nachricht, ein Perellius Faustus habe ein Verzeichnis von Vergils *furta* publiziert, ein Q. Octavius Avitus in acht Bänden Stellen zusammengestellt, in denen sich Vergil mit früheren Autoren berühre, ein Q. Asconius Pedianus schließlich habe einen *Liber contra obtrectatores Vergilii* verfaßt – allesamt maßgebliche Quellen für die späteren Vergilkomm. und bis in die Spätant. benutzt. Ungeachtet aller Anfeindung wird Vergil jedoch seit dem 1. Jh. n. Chr. als Gipfel der röm. Epik betrachtet und rückt damit unmittelbar neben Homer, was das messende Vergleichen herausfordert. Maßgeblich wurde insbes. das Urteil Quintilians (Inst. 10,1,85 f.), der Homer den ersten, Vergil unter allen Dichtern den zweiten Rang zuerkennt, und zwar dem Ersten näher als dem Dritten. Der H.-V.-V. bleibt dabei nicht auf eine professionelle Ebene beschränkt; so bildete er auch eine beliebte Unterhaltungsform beim Symposion. Im Zerrspiegel Juvenalscher Satire begegnet eine Vertreterin des weiblichen Geschlechts, ›die, kaum daß man Platz genommen hat, Vergil lobt, für Didos Selbstmord Verständnis hat, Vergleiche zwischen Dichtern zieht und Vergil gegen Homer in die Waag-

schale wirft‹ (Sat. 6,434–7; Anspielung auf die Praxis des H.-V.-V. beim Symposion auch Sat. 11,180f). Wie jener Vergleich in der lit. Konversation oder in der Schule praktisch durchgeführt worden ist, gibt, bei insgesamt dürftiger Quellenlage, gelegentlich Gellius zu erkennen.

Das Hauptzeugnis aus der Ant. stellen Macrobius' *Saturnalien* dar, ein implizites Kompendium spätant. Poetik, die in ihrem fünften Buch den ausführlichsten Vergleich aus der Ant. bieten und damit zugleich der maßgebliche Vermittler des H.-V.-V. an die Frühe Neuzeit sind [23]. Nachdem zunächst die *imitatio* als solche an einer Vielzahl von Stellen nachgewiesen wird (2–10), ist die zentrale Partie so disponiert, daß zunächst Überlegenheit, hernach Gleichrangigkeit, schließlich Unterlegenheit Vergils gegenüber Homer aufgezeigt werden (11–13). Die Fernwirkung dieser Kapitel erfolgt über viele Vermittlungsstufen. Wenn es etwa heißt, Vergil sei bestrebt gewesen, nicht nur mit Homers Größe zu wetteifern, sondern auch mit seiner *simplicitas*, ferner der Wirkmacht seiner Rede und schließlich seiner *tacita maiestas*, so zeigt sich Winckelmanns bekannte Formel von der »edlen Einfalt und stillen Größe« als wörtliche Übers., allein daß das schlichte »Einfalt« durch das Epitheton ornans »edel« überhöht ist [9. 81; 20. 21; 24. 11–14].

### C. Renaissance

Die Rahmenbedingungen des Vergleichs in der Frühen Neuzeit sind zunächst durch ein Ungleichgewicht der Protagonisten bestimmt. Homer ist zwar als großer Name durch das MA präsent, die Lektüre des griech. Texts setzt jedoch erst im 15. Jh. wieder ein – wenn Petrarca in seinem *Brief an Homer* (1360) die Frage, welcher der beiden Dichter der größere sei, für umstritten erklärt, so geschieht dies noch allein mit Bezug auf Macrobius. Das Interesse an Homer ist durch die superiore Stellung Vergils bedingt; seine Wiederentdeckung durch die *Aeneis*-Kommentierung, indem die im Servius-Komm. angegebenen Parallelen ausgeschrieben und ergänzt werden [13. 62], zieht eine verzerrende Optik nach sich, so daß die frühhuman. Wiederschließung Homers als Geschichte einer Verfehlung beschrieben werden kann [19]. Gleichwohl wird in den bedeutendsten Beiträgen des 15. Jh. zum H.-V.-V. von Angelus Decembrius, Angelus Politianus und Ioannes Iovianus Pontanus der Vorrang Homers noch nicht grundsätzlich in Frage gestellt; den Wendepunkt markieren vielmehr die *Poetices libri tres* des Marcus Hieronymus Vida (1527; verfaßt ca. 1516 am Hof Leos X.), in denen erstmals in elaboriertem Begründungshorizont eine klare Bevorzugung Vergils erfolgt. Die Verspoetik erlangt diese epochale Rolle durch eine Rezeptionsgeschichte, in der sie mit über 100 Drucken bis ins frühe 19. Jh. hinein ein europ. Standardwerk wird. Das eigentliche Novum an Vidas Poetik jenseits der Verkehrung der Wertung ist jedoch, daß sie einen Weg eröffnet, der von der ant. Auffassung eines Vorbilds als Autorität fort und hin zu methodischer Kontrolle führt: Sie stellt den ersten umfassenderen Versuch dar, aus dem röm. Dichter die Regularitäten der Dichtkunst zu gewinnen [21]. Impliziten Bezugspunkt des Verfahrens bildet dabei oft ein Vergleich zwischen Homer und Vergil, indem auf die jeweils aufgestellte Regel als negatives Beispiel Homer folgt, dem sich entweder das positive Beispiel Vergils anschließt oder die Bemerkung, der röm. Dichter wäre so nie verfahren. Bei Vidas Kritik an Homer handelt es sich dabei vielfach um solche Züge, die heute als Kennzeichen einer frühen, stark von oralen Verfahrensweisen geprägten Schriftlichkeit beschrieben und in Zusammenhang mit der Entstehungssituation der homerischen Epen gebracht werden. Insofern ist es konsequent, wenn Vergil als Vertreter einer hochentwickelten Schriftkultur und höchstrangiges Vorbild des richtigen Schreibens im Nachahmungsparadigma gerade diese Merkmale nicht mehr aufweist oder sich sogar an seiner Homer-Nachahmung zeigen läßt, wie solche »mündlichen« Stilmerkmale eliminiert werden.

Der schärfste Verfechter von Vergils Superiorität über Homer ist Iulius Caesar Scaliger, der im fünften Buch seiner *Poetices libri septem* (1561) den zweitlängsten H.-V.-V. bietet, der jemals angestellt worden ist [7. 64–307] – übertroffen nur wenig später von Fulvius Ursinus [8], der jedoch eine reine Parallelensammlung ohne lit. Wertungsabsichten bietet. Scaligers Vergleich besitzt eine außerordentliche Ausstrahlung und wirkt bis in den Schulunterricht (etwa im Kurrikulum der Jesuiten). Von dem ihm beigemessenen Einfluß zeugt der hypertrophe Vorwurf, er habe für Jh. die Erkenntnis Homers verschüttet, überhaupt das Studium des Griech. gegenüber der röm. Lit. auf Generationen hinaus zurückgedrängt [18. 72f.]. Scaligers maßlose Polemik streift in der Tat bisweilen die Grenze des Grotesken; Ioannes Ludovicus de La Cerda urteilt, er scheine nicht sosehr gegen Homer als gegen einen Feind zu wüten [3]. Die Argumentation erfolgt einerseits im Rahmen eines gesellschaftlichen Ideals der Renaissance. Wenn homerische Verse von vergilischen so hoch überragt werden wie ein Hirtenmahl von einer Königstafel [7. 142] oder wenn der Abstand zwischen beiden Dichtern so groß ist wie zwischen einer Frau aus dem Volk und einer vornehmen Dame [7. 48], ist die soziale Aufladung der alten Antithese von »roher Natur« und »künstlerischer Verfeinerung« augenfällig. Bedeutsam ist ferner das Bestreben, die histor. Differenz als zusätzliches Argument fruchtbar zu machen, indem der Versuch unternommen wird, den literarkritisch konstatierten Abstand in ein entwicklungsgeschichtliches Modell aufzuheben. Scaliger formuliert das Modell der stufenweisen Optimierung in aller Deutlichkeit: ›Die Homer von der Natur vorgetragenen, gleichsam dem Schüler diktierten Stoffe verbesserte Vergil so wie ein Lehrer‹ [7. 238].

Ein weiteres Potential des H.-V.-V. wird in den *Recherches de la France* des Estienne Pasquier (verfaßt vor 1565; umgearbeitet bis 1607) sichtbar, in denen Macrobius' und Scaligers Vergleiche explizit rezipiert und in die Antithese »ant.-mod.« umgesetzt sind, womit sich

Translatio- und Querelle-Schema überlagern. Dabei rückt Vergil in die Rolle Homers, Ronsard in jene Vergils ein [5. 719ff.]. Eine direkte Verschränkung des Querelle-Schemas mit dem H.-V.-V. bietet ferner zu Beginn des 17. Jh. Paolo Beni, dessen *Comparazione di Homero, Virgilio e Torquato* (1607) abschließend noch auf Ariost ausgedehnt wird.

Stärker als in der »Querelle zwischen antiqui und moderni« beginnen im H.-V.-V. bereits vom 15. Jh. an unter der überkommenen Zielsetzung, die jeweilige Wertung zu begründen, histor. orientierte Argumentationsmuster aufzuscheinen. Alte Argumentationslinien entfalten hier in neuen Kontexten eine veränderte Dynamik: Denn gegenüber der ant. Diskussion stellt es etwas völlig Neues dar, daß der zeitliche Abstand zw. Homer und Vergil einen Stellenwert in der Auseinandersetzung erhält. Der Ansatz, wenn auch zunächst tastend verfolgt, schafft die Grundlage für jenen einschneidenden Umbruch in der Wahrnehmung einer lit. Anfangsphase seit dem 18. Jh., indem ihr Protagonist Homer nicht mehr wie in der Ant. als schlechthinniger lit. Gipfel und unüberbietbares Muster der Redekunst betrachtet wird, vielmehr als ein archa., durch eine eigentümliche kulturelle Spezifik ausgezeichneter Dichter entdeckt werden kann [22]. Der H.-V.-V. erlaubt dabei, unter der Grundbedingung der paradoxalen Struktur des rinascimentalen Rekurses auf die *auctores veteres* die Funktionen »alt« und »neu bzw. mod.« innerhalb des Binnenraums der Ant. selbst aufzuspalten: Homer als Repräsentant der Vergangenheitsoption befördert eine Differenzierung der Wahrnehmung von »alt«; in Vergil, der für eine Modernität implizierende Modellfunktion des Alt. steht, unterliegt jene Musterhaftigkeit einem Abstraktionsprozeß, die in den Dienst der Etablierung eines Normengebäudes gestellt werden kann. Die jeweiligen Zielrichtungen innerhalb der Antithese liegen nicht auf derselben Ebene; daraus ergeben sich Verschiebungen, die der Homer-Vergil-Debatte eine inhärente Dynamik verleihen, die sie, anders als etwa den Ciceronianus-Streit, auch in den allmählich sich wandelnden Rahmenbedingungen des 17. und 18. Jh. aktuell bleiben läßt.

### D. 17. UND 18. JAHRHUNDERT

Indikator für das Verlassen der Problemstellungen der Ren. ist eine zunehmende Kritik an der Methode des Vergleichs, nur Einzelstellen ins Auge zu fassen. Nachdem J. L. de La Cerda in der Einleitung seiner monumentalen Vergil-Ausgabe (1608) einen systematischen Überblick über die einzelnen Positionen und ihre Vertreter seit der Ant. gegeben hatte [3], erhebt zur Jh.-Mitte René Rapin den Vorwurf, Macrobius und Scaliger hätten Homer und Vergil nur als Grammatiker untersucht und seien an der Oberfläche geblieben, anstatt auf das Wesentliche der Ausführung zu achten [6. 12f.; 10. 171f.]. Die topisch werdende Kritik – noch im 19. Jh. ereifert sich Ch. Nisard, Scaliger gehe vor wie einer, der über ein Gebäude nach seinen Kapiteln urteile [16.375] – indiziert den Ablösungsprozeß des poetisch-rhet. Paradigmas, worin einen markanten Referenzpunkt das neuentdeckte »Originalgenie« Homer bildet: ein europ. Phänomen, das von A. Popes Homerübers. (1726) seinen Ausgang nimmt. Gleichwohl bewegt sich die Debatte weitgehend in den argumentativen Bahnen, die durch den Vergleich des griech. und röm. Dichters seit Quintilian geschaffen worden sind. Dies gilt zumal für die sich mit bes. Intensität Homer zuwendende dt. Ästhetik, die von Herder bis zu den Schlegel Gesichtspunkte und Begriffe verwendet, die sich mit jenen der Renaissancepoetik weitgehend decken und nur in der Bewertung abweichen [25. 21]. Die Verankerung im älteren rhet.-poetologischen Diskurs wird in den Leitkonzepten, die gegen die *ars*-Doktrin ausgespielt werden, deutlich.

Ein Schlagwort, unter dem Homer wieder den Vorzug vor Vergil gewinnt, ist der emphatische Begriff der Schlichtheit. Winckelmanns genannte Formel ist nicht nur Antikerezeption, sondern auch eine direkte Verkehrung des rinascimentalen Ansatzes, nach dem Homers »ungehobelte Schlichtheit« als defizitär erscheint, während Vergil die im Rohzustand auf ihn gekommene Kunst zum Gipfel der Vollendung geführt habe [7. 46]. Vom beginnenden Umbruch zeugt ein Urteil Diderots in der Schrift *De la poésie dramatique*, die in Deutschland durch Lessings Übers. (1760) zur Wirkung gelangt: ›Die Natur hat mir Geschmack an der Einfalt gegeben, und ich bemühe mich, diesen Geschmack durch das Lesen der Alten vollkommener zu machen. (...) Wer den Homer mit ein wenig Genie lieset, wird bey ihm die Quelle, woraus ich schöpfe, mit mehr Zuverlässigkeit finden. O mein Freund, wie schön ist die Einfalt! Wie übel haben wir gethan, uns davon zu entfernen!‹ [1. 165]. In der Fortsetzung, daß das Genie sich fühlen, aber nicht nachahmen lasse, fällt der zweite zentrale Begriff: Die Stellen, an denen Vergils *imitatio Homeri* als Mangel an Originalität ausgelegt, ihm Genialität abgesprochen und seine *ars* als Künstelei abgetan wird, sind Legion – ein prominentes Beispiel liefert Lessing im 18. Stück des Laokoon [17. 74–78]; zumal die dt. Vergilauffassung des 19. Jh. ist davon tiefgreifend geprägt. Indes ist dies nichts anderes als der Rekurs auf das Begriffspaar, unter dem seit Quintilian Homer und Vergil einander gegenübergestellt wurden. Bei Quintilian wird allerdings von *natura* gesprochen, was dort syn. mit *ingenium* ist (Inst. 10,1,86). Natur, das dritte gegen *ars* ausgespielte Schlagwort, zeigt eine bes. signifikante Begriffsverschiebung. Paradigmatisch kann die Äußerung Herders stehen, Homer treffe eben auf den Punkt, ›da die Natur das vollendete Werk ihrer Hände auf die Gränze ihres Reichs stellte, damit von hier an Kunst anfinge; das Werk selbst aber (...) ein Inbegriff ihrer Vollkommenheit wäre. Bei Homer ist noch alles Natur‹ [2. 165; 24. 15–26]. Im älteren Verhältnis von *ars* und *natura* hingegen bezeichnet Natur sowohl den Ursprung als auch das Telos der poetischen Ausführung. Nach rinascimentaler Auffassung bleibt einerseits Homer als dem ersten Dichter nichts anderes als die Natur nachzuahmen,

während der Spätere in der glücklichen Lage ist, bereits vorhandene Muster wie Rohentwürfe ausfeilen zu können; gleichzeitig bedeutet jener Prozeß der Ausarbeitung andererseits keinen Verlust von Ursprünglichkeit, sondern zielt im Gegenteil auf *natura* hin: So gelinge es etwa dem röm. Dichter, die Sache selbst mit Worten zu bilden und nicht so sehr die Worte aus den Dingen als die Dinge aus den Worten entspringen zu lassen, während Homer bloß erzähle.

Unabhängig von Kontinuität im kategorialen Bereich wird jedoch die Fragestellung des Streits selbst, welcher der beiden Dichter der größere sei, seit Mitte des 18. Jh. zunehmend für obsolet erklärt. Christian Gottlob Heyne erhebt in seinem epochemachenden Vergilkomm. (1771) den Einspruch, Vergleiche zw. Vergil und Homer hätten viele angestellt, doch sei ärgerlich, wie gelehrte Männer zumeist auf einen der beiden Dichter erzürnt an dieses Geschäft heranträten und es so betrieben, daß sie den einen verdammten, den anderen unmäßig rühmten, indes ohne feineres Urteilsvermögen verführen, blieben sie doch an einzelnen Wörtern und Versen kleben; indem sie nicht auf das Ganze sowie das Zusammenspiel der Teile blickten, wendeten sie ihr Augenmerk von dem ab, was in Betracht gezogen werden müßte [4. 36; 20. 29]. Dieses werkästhetische Argument wird ab der dritten Auflage (1797–1800) um das der zeitlichen, gesellschaftlichen und sprachlichen Differenz ergänzt – eine Reaktion auf Friedrich August Wolfs *Prolegomena ad Homerum* (1795), die den Grundsatz der histor. Betrachtungsweise in die Homerkritik einführen und in Kapitel 12 explizit die geläufige Praxis verurteilen, ›welche den Homer, Kallimachus, Vergil, Nonnus und Milton mit derselben Auffassung‹ lese [14. 29–31]. Damit mündet die Paarbildung der durch ein Dreivierteljahrtausend getrennten ant. Musterautoren schließlich in dasselbe Resultat der Historisierung wie die »Querelle des anciens et des modernes« [12], indem sich die Auffassung von der Unvergleichbarkeit des Verglichenen Bahn bricht. Indes ist der Preis der histor. Hermeneutik der Bedeutungsverlusts der Muster [14. 1]: Wenn Homer und Vergil nicht mehr untereinander vergleichbar sind, sind sie dies auch nicht mehr in Hinblick auf die je eigene Gegenwart.

QU 1 D. DIDEROT, Œuvres esthétiques, hrsg. von P. VERNIÈRE, 1968 2 J. G. HERDER, Fragen über die Bildung einer Sprache, in: Werke, hrsg. von W. PROSS, Bd. 1, 1984 3 I. L. DE LA CERDA, Vergilii opera, 3 Bde., 1642–1663, Bd. 1 »Elogia« (unpaginiert) 4 Virgilii opera, hrsg. von CH. G. HEYNE, 3 Bde., ²1787–1788, Bd. 2 5 E. PASQUIER, Recherches de la France, in: Œuvres, 1723, Bd. 1 6 R. RAPIN, Comparaison des poèmes d'Homère et de Virgile (spätere Auflage als: Observations sur les poèmes d'Homère et de Virgile), 1669 7 I. C. SCALIGER, Poetices libri septem Bd. 4, 1998 8 F. URSINUS, Virgilius collatione scriptorum Graecorum illustratus, 1568 9 J. J. WINCKELMANN, KS und Briefe, hrsg. von H. UHDE-BERNAYS, 1925, Bd. 1

LIT **10** G. FINSLER, Homer in der Neuzeit, 1912
**11** M. FUMAROLI, L'âge de l'éloquence, 1980 **12** H. R. JAUSS,
s. v. Antiqui/moderni, in: Histor. Wb. der Philos. 1, 1971,
410–414 **13** G. N. KNAUER, Die Aeneis und Homer, ²1979
**14** J. LATACZ, Trad. und Neuerung in der Homerforschung,
in: Ders. (Hrsg.), Homer: Trad. und Neuerung, 1979, 26–44
**15** G. MOST, The Second Homeric Ren., in: P. MURRAY
(Hrsg.), Genius, 1989, 54–75 **16** CH. NISARD, Les
gladiateurs de la république des lettres, 1860 **17** J. SCHMIDT,
Gesch. des Geniegedankens, 2 Bde., 1988
**18** E. STEMPLINGER, Horaz im Urteil der Jh., 1920
**19** R. SOWERBY, Early Humanist Failure with Homer (I), in:
International Journal of the Classical Trad. 4, 1997, 37–63
**20** G. VOGT-SPIRA, Ars oder Ingenium, Literaturwiss. Jb. 35,
1994, 9–31 **21** Ders., Von Auctoritas zu Methode, in:
U. ECKER, C. ZINTZEN (Hrsg.), Saeculum tamquam
aureum, 1997, 149–163 **22** Ders., Die Konstruktion des
Archaischen, in: A. KABLITZ, J.-D. MÜLLER (Hrsg.),
Wahrnehmung von Altem und Neuem (erscheint 2001)
**23** A. WLOSOK, Zur Geltung und Beurteilung Vergils und
Homers in Spätant. und früher Neuzeit, in: E. HECK, E. A.
SCHMIDT (Hrsg.), Res humanae – Res divinae, 1990,
476–498 **24** J. WOHLLEBEN, Die Sonne Homers, 1990
**25** F. J. WORSTBROCK, Elemente einer Poetik der Aeneis,
1963. GREGOR VOGT-SPIRA

## Homiletik / Ars praedicandi

A. BEGRIFFSBESTIMMUNG B. ANTIKE
C. WIRKUNGSGESCHICHTE

### A. BEGRIFFSBESTIMMUNG

Als bes. Form der öffentlichen Rede wird die christl.
Predigt oft als rhet. Gattung verstanden. In der Geschichte ihrer Theorie spiegelt sich die Verwurzelung in
der ant. Rhet. ebenso wie die kritische Auseinandersetzung mit der Trad. im Bemühen teils um Abgrenzung
und Autonomie, teils aber auch um konstruktive Nutzung. In ihrer ma. Gestalt, der A.p., zeigt sich die H.
formal noch ganz als Disziplin der Rhet.; erst in der
Neuzeit entwickelt sie ihr Profil als eigenständige Wiss.,
die h. der praktischen Theologie zugeordnet wird. Verweist die ma. Bezeichnung für die Predigtlehre (lat.
*praedicare* »öffentlich verkündigen«; in kirchenlat. Bed.
»predigen«) auf eine oratorische Technik, so bezieht sich
der neuzeitliche Begriff H. (erstmals belegt im 17. Jh. als
*cursus homileticus*) stärker auf die sozialethische Funktion
des Predigens (griech. *homilía* »Zusammensein, gesellschaftlicher Umgang, Gespräch«; in der Bed. »kirchliche
Rede« bei Iustinus und Flavius Josephus).

### B. ANTIKE

Bereits das NT zeigt, daß den frühchristl. Prediger
mit dem ant. Redner der Auftritt vor der Öffentlichkeit
mit dem Ziel des Überzeugens verbindet (Apg 17,16–
34; 18,4); er benötigt also, zumal um sich gegen heidnische Konkurrenz wie etwa die zeitgenössische popu-
larphilos. Diatribe behaupten zu können, ein Instrumentarium der Argumentation und Darstellung, wie es
die ant. Rhet. entwickelt hat. Als ein prägnantes frühes
Beispiel für den Einfluß rhet. Stilisierung gelten die Antithesen der Paulusbriefe [33]. Neben die Herausbil-

dung einer ›praktischen Gebrauchsrhet. der Predigt‹
[14. 308] in der Frühzeit des Christentums treten wichtige hermeneutische und ethische Grundlagen der späteren Theorieentwicklung. Mit seiner neuplatonisch
geprägten Lehre vom dreifachen Schriftsinn (histor.,
moralisch, allegorisch; analog zu Körper, Seele und
Geist des Menschen) wird Origenes (185–254 n. Chr.)
zum »Vater« der bis in die Neuzeit wirkenden und v. a.
die ma. Exegese bestimmenden allegorischen Bibelaus-
legung. Die formale Orientierung der frühchristl. Predigt des griech. Kulturraums an der zeitgenössischen
Rhet. ist zum einen bedingt durch die dem üblichen
Bildungskanon entsprechende Rhetorikausbildung, die
die meisten Kirchenväter erhalten haben, und zum anderen durch die Einsicht, daß eine nach den Maßstäben
der Rhet. gestaltete Predigt zur Verbreitung des Christentums in einem von paganen Bildungstrad. geprägten
Umfeld besser beitragen konnte. Repräsentativ für die
rhetorisierte H. des 4. Jh. ist der Predigtstil der drei Kap-
padozier (Gregor v. Nyssa, Gregor v. Nazianz, Basilius
d. Gr.). Die an den Prediger erhobene Forderung der
sittlichen Vorbildlichkeit ist ein zentrales Thema in den
Schriften des Johannes Chrysostomus (349–407
n. Chr.), dessen *Homilien* als eindrucksvolle Beispiele der
Verbindung von Predigt und rhet. Stilistik gelten. Er
betont die Notwendigkeit der Belehrung durch das
Wort und propagiert in stilistischer Hinsicht ein auf
überflüssigen Schmuck verzichtendes Schlichtheitsideal
(De sacerdotio 4,3 ff.).

Rhet. Ethos und Fragen nach dem angemessenen
Ausdruck (Bevorzugung des klaren, schlichten Stils)
sind auch zentrale Elemente in der Predigttheorie seines
Zeitgenossen Augustinus (354–430 n. Chr.), der in seiner Schrift *De doctrina christiana* in Anlehnung v. a. an
Cicero eine auf dem ant. Rhetoriksystem aufbauende
christl. Predigtrhet. entwirft, die zum Grundstein und
Leitbild der gesamten homiletischen Lehre des MA
wird. Augustin sieht die Rhet. in der Rolle einer »Die-
nerin«, die der Weisheit folgt (4,6,10); im Umgang mit
der Hl. Schrift unterscheidet er, gemäß der klass. Aufteilung der Rhet. in *inventio* (Auffinden der Gedanken
und Argumente) und *elocutio* (sprachlicher Ausdruck),
den die inhaltliche Erfassung leistenden *modus inveniendi*
und den die Versprachlichung und Darstellung vollziehenden *modus proferendi* (1,1,1; 4,1,1). Durch die Ge-
bundenheit an den stets erhabenen Redegegenstand
muß der christl. Prediger zwar die Zuordnung der Stilhöhe zum jeweiligen Rang des Stoffes aufgeben; beibehalten werden jedoch die drei Wirkungsfunktionen
der ant. Rede *delectare* (erfreuen), *movere* (bewegen) und
– vorrangig – *docere* (belehren), zu deren Erfüllung stilistische Variationen beitragen sollen (›ut veritas pateat,
placeat, moveat‹, »so daß die Wahrheit offensteht, gefällt
und bewegt«: 4,28,61). Die Übernahme der klass. Wir-
kungsintentionen in die Predigttheorie liegt begründet
in der Rücksicht auf die Konstitution der Zuhörer (4,
12,27), die wiederum eine zentrale Kategorie der ma.
A.p. darstellt. Macht Augustin einerseits die klass. ant.

Rhet. für die Theorie der christl. Predigt nutzbar, so zeichnet sich andererseits in seinem Bemühen, dieses Vorgehen zu legitimieren, bereits das spannungsreiche, oft zwiespältige Verhältnis von Theologie und Rhet. ab, das die Geschichte der H. bis in die Gegenwart begleitet. Die Ursache liegt in der schon in der Spätant. erkannten Notwendigkeit der Abgrenzung aufgrund prinzipieller Unterschiede in den Anwendungsbereichen und Zielsetzungen profaner Rhet. und christl. Predigt. Dient jene der Bildung von Entscheidungsfähigkeit bzw. Konsens in strittigen Fragen, der (individuellen) Erzeugung von Stimmungen und Meinungen, so sieht sich diese im Dienst der (generell gültigen) Verkündigung und Verbreitung verbindlicher Wahrheitslehren. Nicht der Erfolg des Redners, sondern das Heil der Zuhörer gilt als vorrangiges Ziel der Predigt, eine Sichtweise, die bestimmend für das MA wird [28. 282]. Da die Rhet. als persuasive Kunst nicht zwangsläufig an die Wahrheit gebunden ist, muß Augustin der Frage stellen, ob eine Technik der Plausibilitätserzeugung überhaupt der Wahrheitsverkündung dienen kann. Er bejaht diese Frage, indem er die rechte Anwendung zum entscheidenden Kriterium macht: die Beredsamkeit selbst ist daher für ihren eventuellen Mißbrauch nicht verantwortlich (›non est facultas ipsa culpabilis, sed ea male utentium perversitas‹, »nicht die Fähigkeit selbst ist tadelnswert, sondern die Verdorbenheit derer, die sie mißbrauchen«: 2,36,54). Der Prediger benötigt sogar eine rhet. Ausbildung, um gegen den profanen Redner, der die Technik der Publikumslenkung beherrscht, nicht waffenlos dazustehen (4,2,3); diese instrumentelle Auffassung von der Rhet. als Kampfmittel gelangt insbes. in der protestantischen Predigt der Reformationszeit zu verstärkter Geltung.

## C. Wirkungsgeschichte

### 1. Mittelalter

Durch Tradierung ebenso wie durch Anpassung und Umdeutung bleibt die ant. Rhet. in der ma. Predigt und ihrer Theorie präsent. Bis ca. 1200 wird die H. wesentlich von Augustins Auffassung des Predigeramtes und der Pastoralethik Gregors d. Gr. (um 540–604) bestimmt und wird nur selten systematisch reflektiert: Hrabanus Maurus (780–856) *De institutione clericorum*, baut auf Augustin und Gregor auf und bezieht die → Artes liberales in die Klerikerausbildung ein; Guibert v. Nogent, *Liber quo modo sermo fieri debeat* (1084), formuliert ant. rhet. Trad. verpflichtete Vorschriften zu Aufbau, Stilistik und Vortrag der Predigt. Als Hilfsmittel (insbes. für den weniger gebildeten Klerus), um der von Karl d. Gr. im Jahr 801 eingeführten Pflicht nachzukommen, an Sonn- und Festtagen zu predigen, entstehen Sammlungen zum Vortrag bestimmter Predigten (Homiliarien), die teils zeitgenössische Texte enthalten (Hrabanus Maurus), teils aber auch Predigten der spätant. Kirchenväter (v. a. Augustin, Leo d. Gr., Gregor d. Gr.), deren Autorität auf diese Weise weiter gefestigt wird.

Wenn Gregor d. Gr. in seiner hauptsächlich seelsorgerisch ausgerichteten *Regula pastoralis* betont, ein Prediger müsse geschätzt werden, um Gehör zu finden (2, 8: ›difficile est, (...) ut praedicator, qui non diligitur, libenter audiatur‹, »schwerlich hört man gern einem Prediger zu, den man nicht auch liebt«) so zeigt sich hierin die christl. Ausformung des schon von Aristoteles als rhet. Überzeugungsmittel definierten Ethos (Rhet. 1,2,4), das die sympathisch-glaubwürdige Selbstdarstellung des Redners und seine Akzeptanz als menschliches Vorbild bezeichnet. Das von Gregor formulierte wesentliche Anliegen der ma. Predigt, verschieden geartete und situierte Zuhörer auf jeweils passende Weise anzusprechen, führt in der von festen Standesordnungen bestimmten ma. Welt dazu, daß sich die Frage nach der angemessenen Darstellungsform (*aptum*) weg vom Redegegenstand hin zur sozialen Stellung der Zuhörer verlagert, eine Umdeutung, die auch für die ma. Poetik und insbes. für die → Briefkunst (*ars dictaminis*) relevant wird. Prinzipiell berücksichtigt jedoch bereits die ant. rhet. Theorie auch diesen Aspekt (Quint. inst. 10,1, 43 ff.). Die nach Kriterien wie Alter, Geschlecht, Sozialstatus, Temperament oder Charakter differenzierte Hörertypologie Gregors (3. Buch) verweist auf ein Problemfeld, dessen sich auch die ant. Rhet. annimmt, sei es durch Einbeziehung psycho-sozialer Analytik (Aristot. rhet. 2,2ff.) oder das Postulat psychologischer Schulung des Redners (Cic. orat. 1,12,53).

Den Schritt zu einer ausschließlich an der Standeszugehörigkeit orientierten Publikumstypologie unternimmt um 1200 Alanus ab Insulis und begründet damit das Genus der Standespredigt. Seine *Summa de arte praedicatoria* kennzeichnet den Beginn der systematischen und durch die Entstehung überaus zahlreicher Traktate dokumentierten ma. A.p. Die seit dem 13. Jh. stark wachsende Bed. der Predigt als öffentliche Unterweisung (Alanus bezeichnet sie als *publica instructio*) und der Einfluß scholastischer Argumentationslogik fördern das Bedürfnis nach homiletischen Regelwerken und die Ausprägung kunstvollerer Predigtformen wie z.B. der thematischen Predigt, die ähnliche Methoden der erweiterten Beweisführung wie die röm. Gerichtsrhet. kennt, oder der sich in den Bahnen ant. rhet. Systematik und Logik bewegenden Universitätspredigt. Schwerpunkte der meist rhet. strukturierten A.p. sind Ethos des Predigers, Aufbau und Form der Predigt, wobei auch Überlegungen zu Stilelementen wie Klauseln und Figurenschmuck miteinbezogen werden, sowie die Vortragsweise. Es finden sich zahlreiche Elemente ant. Rhet.-Theorie; großen Einfluß haben im 13. Jh. v. a. die im MA Cicero zugeschriebene *Rhetorik an Herennius* und Ciceros *De inventione*. Die Aufgabe des ant. Redners, sein Publikum auf dreifache Weise einzustimmen, wird von Alexander von Ashby, *De modo praedicandi* (um 1200), auch für den Prediger formuliert (›ut (...) auditores reddat dociles, benivolos et attentos‹, »daß er die Zuhörer lernbereit, wohlwollend und aufmerksam macht«; vgl. Rhet. Her. 1,6). Thomas v. Salisbury, *Summa de arte praedicandi* (frühes 13. Jh.), setzt sich gezielt mit der röm. Rhet. auseinander und zitiert aus der *Rhetorik an Heren-*

*nius.* Eine nach ant. Aufbauschema gestaltete »Rhet. des Gebets« [32. 45] entwirft Wilhelm von Auvergne (gest. 1249) in *De rhetorica divina;* in einem weiteren homiletischen Traktat, *De arte praedicandi,* strukturiert er seinen Stoff anhand von Fragen nach den Umständen (›quis, quibus, ubi, quando, quomodo, quid‹, »wer, womit, wo, wann, wie, was«), eine Methode, die bereits im 2. Jh. v. Chr. von Hermagoras von Temnos entwickelt und zum Hilfsinstrument insbes. der röm. Gerichtsrhet. wurde (vgl. Quint. inst. 3,6) [21. 99 ff.]. Standardwerk bis in die frühe Neuzeit wird Robert von Basevorns *Forma praedicandi* (1322), die sich an ant. Aufbaustrukturen und der Autorität Augustins (bei einzelnen Fragen auch an ciceronianischer Rhet.) orientiert. Bes. Beachtung gilt im 24. Kapitel verschiedenen Einleitungsvarianten, die Aufmerksamkeit und Wohlwollen der Zuhörer erzeugen sollen. Die Wichtigkeit des Vortrags betont Thomas Waleys, *De modo componendi sermones* (Mitte 14. Jh.); er empfiehlt Predigern, zur Übung zuerst abseits der Menschen vor Bäumen und Steinen zu predigen – eine aus der rhet. Praxis entlehnte Methode. Zu fragen bleibt jedoch, in welchem Ausmaß theoretische Reflexionen und Vorschriften in die homiletische Praxis des MA umgesetzt werden; neben der individuellen Ausbildung des Predigers müssen hierbei auch die Unterschiede zw. der einfachen Volkspredigt und der Predigt für ein klerikal gelehrtes oder höfisches Publikum in Betracht gezogen werden.

## 2. NEUZEIT

Die Bed. der ant. Rhet. für die H. der Neuzeit zeigt sich zunächst in der starken Orientierung der human. Predigttheorie an ant. Vorbildern; doch auch für den barocken Predigt-Formalismus sind Rhetorikkenntnisse wichtig, und noch nach der Aufklärung dient das klass. Rhetorikstudium als Grundlage der Predigerausbildung. Der auf der Lektüre Ciceros und Quintilians basierende Rhetorikunterricht wird im 16. Jh. als allg. Studienpropädeutik in den evangelischen Schulordnungen festgelegt (Melanchthon, J. Sturm); die jesuitische *Ratio studiorum* (1599) etabliert mit weitreichender Wirkung die Rhet. als Bestandteil der katholischen Priesterausbildung.

Die homiletische Theorie des Human. steht auf den Fundamenten ant. Rhet.; v. a. Erasmus' *Ecclesiastes* (1534) zeigt formale wie inhaltliche Rückbesinnung auf ant. Tradition. Besondere Wertschätzung erfährt die 1415 wiederentdeckte *Institutio oratoria* Quintilians, die sich u. a. auf den Predigtstil Luthers auswirkt [36. 474]. Durch die geistig eng mit dem Human. verbundene Reformation und die durch Luther verankerte Auffassung vom Wortcharakter der göttl. Offenbarung erhält die Predigt eine neue, zentrale Bed. für den Gottesdienst. Während dies für die evangelische Predigt die Umsetzung in die Volkssprache nach sich zieht, bewahrt die katholische Kirche die kultisch institutionalisierte Lateinsprachigkeit bis zum 2. Vatikanischen Konzil (1962–65). Die Predigttheorie Augustins lebt wieder auf im maßvoll-schlichten Stilideal der protestantischen

Orthodoxie (Ablehnung überflüssigen, nicht zweckgebundenen Redeschmucks) und dem Verständnis der Rhet. als Waffe, die in den Glaubensauseinandersetzungen des Reformationszeitalters v. a. in den polemisch-argumentativ strukturierten Streit- oder Kontroverspredigten eingesetzt wird. Die theoretische Rezeption der ant. Rhet. wird in dieser Zeit einerseits vom Bemühen bestimmt, traditionelle Aufgaben des Redners auch als die des Predigers zu etablieren, und andererseits von der Suche nach neuen Redegattungen, die christl. Belehrungszwecken besser dienen können als die antiken. Melanchthon betrachtet die H. zunächst als Teilbereich der Rhet.; er fordert das Studium der Rhet. und Dialektik für Theologen (*Encomium,* 1523) und fügt in seinen *Elementa rhetorices* (1531) den ant. Gattungen Gerichts-, Beratungs- und Lobrede das auf die Predigt bezogene *genus didascalicum* hinzu. Später konzentriert er sich ganz auf die Predigtrhet. und erweitert die homiletische Gattung um das belehrende *genus epitrepticum* und das moralisch mahnende *genus paraeneticum* (*De officiis concionatoris,* 1535). Die gattungsgemäße Bestimmung der christl. Predigt verläuft hier in den strukturellen Bahnen der ant. Rhetorik. Als ›Befreier der H. aus den Fesseln der Rhet.‹ [12. 104] und Begründer einer eigenständigen evangelischen Predigttheorie sieht die mod. Theologie Andreas Hyperius an, der in seiner Schrift *De formandis concionibus sacris* (1552/1562) die prinzipiellen Unterschiede zw. profaner Rhet. und christl. Predigt präzise bestimmt und die Anwendbarkeit der Rhet. auf homiletische Belange kritisch prüft. Dies führt zwar zu verstärkter inhaltlicher Abgrenzung, doch die Dispositionsschematik bleibt weiterhin ant.-human. Trad. verpflichtet. Die Predigt wird zunächst (in der früheren Fassung von 1552) unterteilt in die Gattungen Lehr-, Streit-, Moral-, Straf-, Trostpredigt und das gemischte *genus mixtum,* in der späteren Fassung jedoch auf drei Formen reduziert, die in bezug auf die aus der Rhet. übernommenen Wirkungsabsichten (*docere, delectare, flectere*) stehen. Auch die Produktionsstadien der Rede (*inventio, dispositio, elocutio, memoria, pronuntiatio,* Finden der Gedanken, Anordnung, sprachliche Fassung, Einprägen ins Gedächtnis, Vortrag) werden beibehalten, wobei der *inventio* (Stoffwahl) bes. Relevanz zukommt.

Die barocke Predigt zeigt die Tendenz zu Erweiterung (*amplificatio*) und festen Aufbauschemata, die den ant. Redeteilen vergleichbar sind [20. 131]. Unter dem Einfluß der lit. Barockstilistik und der klass.-ciceronianischen Jesuitenrhet. verstärken sich Formalismus, Verwendung von Redeschmuck (v. a. Metaphorik, Emblematik) und die Wahl höherer Stilebenen. V. a. in funktionserweiterten Formen wie der Leichenpredigt, der Heiligenpanegyrik oder der Hofpredigt, die Gemeinsamkeiten mit dem ant. epideiktischen Redegenus aufweisen (enkomiastische bzw. affirmierende Funktion), finden ant. Stilelemente Verwendung.

Als Gegengewicht zur kunstvoll rhetorisierten Predigt läßt sich die oft als rhet.-feindlich bezeichnete Haltung des Pietismus (H. A. Francke, J. Lange, J. J. Rambach) verstehen (›die erkäntnuß der H. schrift per oratoriam jemand beyzubringen / ist eine verlorne arbeit / und heisset mit der ruthe ins wasser schlagen‹: P. J. Spener, Theologische Bedencken. Dritter Teil. Das sechste Kap. Artic. II, Sect. XXIII, 1700, 752). Vorrangig sind hier die gefühlsmäßige Glaubenserfahrung und die Wirkung auf das Herz des Menschen, vermittelt durch die Frömmigkeit (rhet. gesehen: das Ethos) des Predigers; das Stilideal ist dementsprechend einfach und natürlich.

Die von den geistigen Strömungen der Aufklärung geprägte H. steht wiederum unter dem Primat der Wirkungsintention *docere* im Bemühen um Abstimmung auf den individuellen Zuhörer. Kohärente sachlogische Argumentation und Beweisführung sind nötig für die willensbildende Überzeugung des Verstandes (L. v. Mosheim, *Anweisung erbaulich zu predigen*, posth. 1763). Beeinflußt vom Platonismus und der frühchristl. Predigttheorie der Kirchenväter bringt Fénelon (*Dialogues sur l'éloquence en général et celle de la chair en particulier*, posth. 1718) die H. wieder in Zusammenhang mit der ant. Rhetorik. Insgesamt zeigt sich, daß die ant. rhet. Wirkungsabsichten in der Predigt der Neuzeit beibehalten werden, allerdings mit wechselnden Gewichtsverlagerungen, in denen verschiedene geistesgeschichtliche Entwicklungslinien zutage treten. So betont z. B. J. J. Spalding, *Vertraute Briefe die Religion betreffend* (1784), wiederum die Wichtigkeit der emotionalen Rührung (*movere*), die der rationalen Darlegung erst bindende Kraft verleihe (7. Brief).

Seit der beständige Bedeutungsverlust der Rede im polit.-öffentlichen Leben zu einem allg. Niedergang der Rhet. geführt hat (ab Mitte des 18. Jh.), wird die Kirchenpredigt als letzte noch öffentlich wirksame Form der Redekunst angesehen. In seiner Schrift *Sollen wir Ciceronen auf den Kanzeln haben?* (in: *Sämmtliche Werke. Zur Schönen Literatur und Kunst. Zweiter Teil*) erörtert J. G. Herder (1744–1803) im Anschluß an die Feststellung, die Beredsamkeit sei ›in die Tempel geflohen‹, die Frage, ob an. Rhet. ein Maßstab für die zeitgenössische Predigt sein könne. Unter Verweis auf die Differenzen in Zielsetzung und kulturgeschichtlichen Bedingungen lehnt er eine Nachahmung ant. Muster ab und plädiert für eine neue, selbständige Predigtrhetorik. Eine Verteidigung ant. Vorbilder hingegen findet sich bei F. V. Reinhard (*Geständnisse seine Predigten und seine Bildung zum Prediger betreffend in Briefen an einen Freund*, ²1811), der, geschult an Demosthenes und Cicero als Vertretern der ›wahren Beredsamkeit‹, im Sinne ant. Rhetorikvorschriften fordert, eine Predigt müsse ›deutlich für den Verstand, behältlich für das Gedächtnis, erweckend für die Empfindung, ergreifend für das Herz‹ sein (53 ff.).

### 3. 19./20. JAHRHUNDERT

Wenn es auch im Laufe der Geschichte immer wieder Annäherungen und Vermittlungsversuche gibt, so wird doch das Verhältnis zur klass. Rhet. in dem Maße distanzierter, in dem sich die H. zur einer eigenständigen theologischen Wiss. entwickelt. Wesentlich zu ihrer

wiss. Etablierung im Rahmen der praktischen Theologie trägt F. Schleiermacher (1768–1834) bei, der die Predigt als kommunikativen Bestandteil des Gottesdienstes im Sinne rel. Bewußtseinserweckung funktional neu bestimmt. Die Auffassung vom Christentum als Wortreligion spiegelt sich auch bei A. Vinet (1797–1847), der prinzipiell von einer Rhet. ausgeht, die lediglich durch den Unterschied des Gegenstandes profane oder christl. Gestalt annimmt (Ausgewählte Werke, hrsg. v. E. Staehelin, Bd. 3, 1944, 80). Wie Schleiermacher orientiert er sich beim Aufbau der Predigt am ant. Redeschema. Neben Beispielen für Aufgeschlossenheit gegenüber der Rhet. in der Predigttheorie des 19. Jh. (H. A. Schott, F. Theremin, A. Schweizer) zeigt sich aber auch das Fortwirken rhet.-feindlicher (pietistischer) Tendenzen bis ins 20. Jh.: ›Wo Gott verkündigt wird, da ersterben die armseligen Versuche menschlicher Redekunst.‹ (E. Thurneysen, Die Aufgabe der Predigt, 1929, 112).

Ant. Grundlagen werden in der mod. H. zum einen durch die histor. Forsch. wieder ins Bewußtsein gerufen, zum anderen im Kontext allg. rhet. Prinzipienfragen neu diskutiert. Rhet. ist hierbei ein Aspekt im interdisziplinären Umfeld, das u. a. auch Kommunikationswiss., Soziologie oder Psychologie mitumfaßt. Elemente des rhet. Systems werden auf spezielle homiletische Belange angewendet, z. B. argumentative Strategien (schon im 19. Jh.: F. L. Steinmeyer, *Die Topik im Dienste der Predigt*, 1847). Nach zeitgenössischer Auffassung läßt sich die Arbeit des Predigers, wie schon bei Augustinus, in einen Findungs- und einen Vermittlungsprozess hinsichtlich der Wahrheit aufteilen und wird insofern als rhet. angesehen (G. Otto, Predigt als rhet. Aufgabe, 1987, 14); hier steht die ant. Abgrenzung von *inventio* und *elocutio* als inhaltlicher und formaler Kernbereich der Rhet. im Hintergrund.

QU **1** ALANUS AB INSULIS, Summa de arte praedicatòria, PL 210, 111–195 **2** ERASMUS V. ROTTERDAM, Ecclesiastes, in: Desiderii Erasmi Roterodami Opera omnia, J. CLERICUS, ND 1961/62, 5, 767–1100 **3** GREGOR D. GR., Regula pastoralis, PL 77; dt. Übers.: J. Funk, BKV, 1933 **4** GUIBERT V. NOGENT, Liber quo modo sermo fieri debeat, PL 156, 11–21 **5** HRABANUS MAURUS, De institutione clericorum, ed. A. KNÖPFER, 1900 **6** A. HYPERIUS, De formandis concionibus sacris libri 2, ed. H. B. WAGNITZ, Halle 1781; dt. Übers.: E. C. Achelis, E. Sachsse, 1901 **7** PH. MELANCHTHON, Rhet., ed. mit dt. Übers.: J. KNAPE, 1993 **8** Ders., Encomium, in: Werke in Auswahl, ed. R. STUPPERICH, ²1978–83, Bd. 3 **9** ROBERT V. BASEVORN, Forma praedicandi, ed. T.-M. CHARLAND, Artes praedicandi, Paris/Ottawa 1936, 233–323; engl. Übers.: J. J. Murphy, Three Medieval Rhetorical Arts, Berkeley/Los Angeles 1971, 114–215 **10** THOMAS WALEYS, De modo componendi sermones, ed. CHARLAND [9], 328–403 **11** WILHELM V. AUVERGNE, Opera omnia, 2 Bde., Paris/Orléans 1674–75 (ND 1963)

LIT **12** E. CH. ACHELIS, Lehrbuch der praktischen Theologie, Bd. II, ⁶1912 **13** T. E. AMERINGER, Stylistic influence of the Second Sophistic on the panegyrical sermons, 1921 **14** E. AUERBACH, Sermo humilis,

Romanische Forsch. 64, 1952, 304–364 **15** W. BARNER, Barockrhet., 1970 **16** B. BAUER, Jesuitische ars rhetorica im Zeitalter der Glaubenskämpfe, 1986 **17** B. BOHNE, R. G. BOGNER (Hrsg.). Die katholische Leichenpredigt der frühen Neuzeit, Amsterdam/Atlanta 1999 **18** H. CAPLAN, Classical Rhet. and the Medieval Theory of Preaching, in: A. KING, H. NORTH (Hrsg.), Of Eloquence, 1970, 105–134 **19** J. DYCK, Ornatus und Decorum im protestantischen Predigstil des 17. Jh., Zschr. für dt. Alt. und dt. Lit. 94, 1965, 225–236 **20** L. FENDT, Grundriß der praktischen Theologie, Bd. I, 1938 **21** M. FUHRMANN, Die ant. Rhet., 1984 **22** W. GRÜNBERG, H. und Rhet., 1973 **23** M. HANSEN, Der Aufbau der ma. Predigt, 1972 **24** M. JOSSUTIS, Rhet. und Theologie in der Predigtarbeit, 1986 **25** G. A. KENNEDY, Classical Rhet. and its Christian and Secular Trad. from Ancient to Modern Times, 1980 **26** H.-I. MARROU, Augustinus und das E. der ant. Bildung, 1982 **27** H. M. MÜLLER, H. Eine evangelische Predigtlehre, 1996 **28** J. J. MURPHY, Rhet. in the Middle Ages, 1974 **29** U. NEMBACH, Predigt des Evangeliums. Luther als Pädagoge, Prediger und Rhetor, 1972 **30** P. PRESTEL, Die Rezeption der ciceronianischen Rhet. durch Augustinus in De doctrina christiana, 1992 **31** F. QUADLBAUER, Die ant. Theorie der genera dicendi im MA, 1962 **32** D. ROTH, Die ma. Predigttheorie und das Manuale Curatorum des J. U. Surgant, 1956 **33** N. SCHNEIDER, Die rhet. Eigenart der paulinischen Antithesen, 1970 **34** U. SCHNELL, Die homiletische Theorie Melanchthons, 1968 **35** W. SCHÜTZ, Gesch. der christl. Predigt, 1972 **36** B. STOLT, Docere, delectare und movere bei Luther, DVjS 44, 1970, 433–474 **37** P. WEHRLE, Orientierung am Hörer: die Predigtlehre unter dem Einfluß des Aufklärungsprozesses, 1975.          SYLVIA USENER

**Horoskope** I. GESCHICHTE
II. REZEPTION IN DER GEGENWART

I. GESCHICHTE
A. EINLEITUNG  B. MITTELALTER
C. RENAISSANCE  D. FRÜHE NEUZEIT
E. MODERNE

A. EINLEITUNG

*Horoskópos*, »Stundenschauer«, bezeichnet urspr. den Aszendenten (am östl. Horizont aufsteigendes Zodiakalzeichen), dann den ersten 30°–Abschnitt der Dodekatropos (Zwölfstundenkreis) und schließlich den gesamten Sternstand zu einem bestimmten Zeitpunkt. Die erhaltenen ca. neun ägypt. und über 180 griech. H. sind meist auf Papyrus, aber auch auf Ostrakon oder als Graffito [1; 17], ferner im → Lehrgedicht (bei Manethon als Sphragis) oder in der Fachlit., darunter bei Firmicus Maternus das einzige in lat. Sprache, überliefert. H. wurden für Individuen, Städte, Länder, ja die ganze Welt gestellt. Eine bes. Form des H. fragt nach dem günstigsten Augenblick für den Beginn einer bestimmten Handlung (*katarchaí*). Die meisten nachant. Quellen sind noch in den Hss. verborgen. Ihre Pflege betreibt v. a. das Warburg-Institut in London. Für einen abschließenden Überblick ist die Zeit noch nicht reif.

B. MITTELALTER

Im MA gelangt die Astrologie bei den Arabern zu hoher Blüte, für die viele Horoskope bezeugt sind. Die Quellen müssen noch aufgearbeitet werden, einiges hat D. Pingree gesammelt: zwei H. aus den Jahren 281 und 381 [24. XV], fünf aus Māshāállāh zw. 766 und 768 [25. 135], elf aus al-Qaṣrānī zw. 531 und 884 [25. 135], ferner das Geburts-H. des berühmten Astrologen Abū Maʿšar [20. 487], weiteres bei Kunitzsch [14. 109 Anm. 60]. H. der sassanidischen Geschichte, die auf indischen Methoden basieren, arbeitete ein arab. Astrologe (Abū Maʿšar?) in ein astrologisches Geschichtswerk ein, aus dem 79 H. als Exzerpt erhalten sind [20].

Auf zwei Wegen gelangte die H.-Technik in den lat. Westen: einmal über Inder und Perser und den griech. Osten, zum anderen mit den Arabern über Sizilien und Südspanien. Wenn es im Westen auch mancherlei Versuche gab, die heidnische Lehre an das Christentum zu adaptieren [9], so finden sich dennoch infolge der Verdammung der Lehre durch die Kirche kaum traditionelle H. Das H. Christi haben Māshāállāh, Abū Maʿšar, Cecco d'Ascoli, Albertus Magnus, Roger Bacon, Pierre D'Ailly, Lucas Gauricus (mit päpstlicher Approbation), Girolamo Cardano, Johann Valentin Andreae, Johannes Kepler und andere spekulativ zu bestimmen versucht [9. 127 Anm. 211b], das H. seiner Todesstunde 1980 G. Voss [31. 143–155].

Stärker als im lat. Westen lebte die Lehre im byz. Osten weiter, wobei in den Hss. die ant. Kreisfigur zum Quadrat wird (s. Abb. 1). H. wurden weiter auch für Städte gestellt. War Alexandrien unter dem expansiven Sommerzeichen des Löwen gegr., so wählte man für Konstantinopel – und dann auch für seine zeitweilige Erbin Venedig – den amphibischen Krebs [26; 27]. Mehrere byz. H. hat D. Pingree herausgegeben und berechnet: drei zw. 475 und 483 aus der Regierungszeit des Kaisers Zeno [25], eines von 601 [24. XII], das H. des Konstantin VII. Porphyrogenitus von 905 [23], zwei von 984 und 1011 [24. XIIIsq.], weitere zw. 1003 und 1162 [22. IX; XIX-XXII] sowie polit. und private H. zw. 1345 und 1396 aus der Schule des Johannes Abramius [21]. Ein späteres vom 18.10.1626 bei A. Delatte, CCAG X (1924), 251. Weiteres Material verspricht das seit 1983 erscheinende *Corpus des Astronomes Byzantins*.

C. RENAISSANCE

Die → Renaissance knüpfte über die Araber hinweg wieder an die griech. Lehre an und war eine große Blütezeit der Astrologie, an der man bes. den kosmologischen, universalen Charakter schätzte. Hofastrologen stellten H. für Herrscher und Päpste. Papst Julius II. ließ den Tag seines Amtsantritts, Paul III. den günstigsten Moment für die Grundsteinlegung von St. Peter durch Astrologen bestimmen [30. V 259], bei der Gründung und Neugründung der Univ. Wittenberg spielte der Sternstand eine Rolle. H. für Städte erstellten die dt. Astrologen Peter Johannes Hensel (für Berlin) und Andreas Goldmayer. Auch der Astronom Regiomontanus stellte H. [11], Lucas Gauricus sammelte 200 Nativitäten

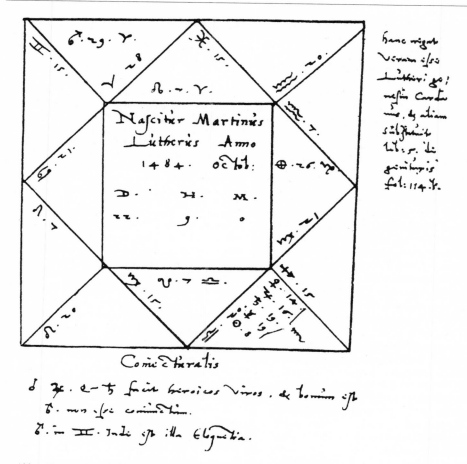

Abb. 1: Erasmus Reinhold, Nativität Luthers, Handschrift der Stadtbibliothek Leipzig

berühmter Zeitgenossen und fälschte Luthers H. im Dienst der Kirche [32]. In Berlin stellte er H. für brandenburgische Fürstlichkeiten, die noch erhalten sind [32. 210 Anm. 15]. Auf ihn gehen im Kern die H.-Sammlungen von Carion und de Scheppers zurück. H. sammelte auch Erasmus Reinhold, vgl. die in München und Leipzig [32. 13] sowie in Stuttgart aufbewahrten Hss.: cod. math. 4° 22 (1602 geschrieben von Conradus Haegaeus Cellarius) [28. I 464 Abb. G 48] und cod. math. 4° 24 (mit H. für sechs Angehörige des Hauses Württemberg zw. 1588 und 1643). Im gelehrten Briefverkehr teilte man sich H. von hervorragenden Persönlichkeiten, aber auch von Neugeborenen mit. Man studierte die H. von → Herrschern, hatte aber bes. Interesse am eigenen H.: Cardano fügte sein H. in seine Autobiographie *De vita propria* ein, später erschien es eingereiht in eine H.-Sammlung von 112 bekannten Persönlichkeiten der Vergangenheit und Gegenwart [4]. Joseph Justus Scaliger veröffentlichte sein H. in seiner ersten Maniliusausgabe (1579 – danach nicht mehr), später wurde es in der *Epistola de vetustate et splendore gentis Scaligerae* abgedruckt. Wie einst der Lehrdichter Manethon

am Ende des sechsten Buches als Sphragis, so versifizierte Konrad Celtis sein eigenes H. (1459) im ersten Gedicht der *Amores* (1,1), Petrus Lotichius sein eigenes (1528) in der Elegie *De natali suo* (2,8) und das Melanchthons (1497) in der Totenelegie für seinen Lehrer (4,4).

### D. Frühe Neuzeit

Im 17. Jh. war der bedeutendste H.-Steller in Rom Morandi [5], in England William Lilly, der die Astrologie wirksam als polit. Waffe einsetzte [6]. Kepler verdiente sich Geld mit H.-Stellerei, verfeinerte die Aspektlehre [8] und berechnete das H. des Kaisers Augustus, um darin die Rolle des zum Herrschaftszeichen erwählten Steinbocks herauszufinden, und zwar deswegen, weil Rudolf II. seinen Aszendenten im Steinbock hatte. Am berühmtesten ist sein mehrfach korrigiertes Wallenstein-H. (1609) [8. 93; 15].

Die kopernikanische Wende und die Aufklärung verdrängten die Astrologie so sehr, daß die Romantik, die ihrem Geist eigentlich affin war, nichts mehr vorfand, an das sie im technischen Sinne hätte anknüpfen können. H. wurden nicht mehr wiss. ernstgenommen. Goethe exzerpierte den Maniliusvers 4,197 ›hic et scriptor erit velox«, um das Merkur-Zeichen der Jungfrau, die zur Zeit seiner Geburt kulminierte, irrtümlich auf sein Dichtertum zu beziehen (Manilius meint hingegen den von dem Schreibergott Thot begünstigten Berufsstand der Tachygraphen) [10. 265 Anm. 441]. F. Boll [3. 67–71, dazu 160–164] hat auf der Grundlage von Pearces *Textbook of Astrology* scherzhalber Goethes H. ausführlich interpretiert und sich dafür Kritik eingehandelt. Andere haben es später zu rektifizieren versucht [3. 161]. Noch im 19. Jh. waren die Geburtszeichen von König Emmanuele III. und Zar Nikolaus II. bekannt [33. 207–210].

### E. Moderne

Die mod. H. basieren auf den ant. Methoden, die sie aber verfeinern [12]: Sie berücksichtigen die seit dem 18. Jh. neuentdeckten Planeten, die Präzession der Tierkreiszeichengrenzen, den genauen Zeitpunkt, der jetzt meistens bekannt ist, und bes. die genauen geogr. Breiten der Geburtsorte. Man trennt nun streng zw. dem abstrakten Ekliptikzwölftel von 30° und dem zwar nicht mehr übereinstimmenden, aber dennoch die Symbolik weiter bestimmenden Sternbild. Im allg. Bewußtsein ist meist nur der jahreszeitliche Stand der Sonne zur Zeit der Geburt präsent, während die Stellung des Aszendenten oder gar andere Details der Lehre nur den Experten vertraut sind. Die Printmedien tragen zur Verbreitung der H. bei, die neuen elektronischen Hilfsmittel erleichtern die Berechnungen erheblich.

H. begegnen auch weiter in der Literatur: Th. Mann verarbeitet in seinem Roman *Joseph und seine Brüder* ein H. [9. 35 f.], das ihm selbst einmal ein Münchener Astrologe gestellt hatte [7. 71 Anm. 2]: Wie bei Goethe spielt auch dort Merkur eine bes. Rolle.

→ Naturwissenschaft/Astrologie

1 D. Baccani, Oroscopi greci. Documentazione papirologica, 1992 2 F. Boll, Die Erforsch. der ant. Astrologie, in: Neue Jbb. für das klass. Alt. 21, 1908, 103–126 3 Ders., C. Bezold, W. Gundel, Sternglaube und Sterndeutung, ⁷1977 (¹1918) 4 A. Buck, Cardanos Wissenschaftsverständnis in seiner Autobiographie »De vita propria«, in: Sudhoffs Archiv 60, 1976, 1–12 5 B. Dooley, The Last Prophecy of Morandi: Politics and the Occult in Baroque Rome, (noch nicht erschienen) 6 A. Geneva, Astrology and the Seventeenth Century Mind, 1995 7 A. Heimann, Thomas Mann's »Hermesnatur«, in: Publications of the English Goethe Society, N. F. 27, 1957/58,46–72 8 N. Herz, Keplers Astrologie, Wien 1895 9 W. Hübner, Zodiacus Christianus, 1983 10 Ders., Manilius als Astrologe und Dichter, ANRW II 32.1, 1984, 126–320 11 W. Knappich, Regiomontanus als Astrologe, in: Zenit 1, 1936, 137–144 12 Ders., Die Astrologie im Weltbild der Gegenwart, 1948 13 Ders., Gesch. der Astrologie, 1967 14 P. Kunitzsch, The Description of the Night in Gurgānī's Vīs u Rāmīn, in: Der Islam 59, 1982, 93–110 15 M. List, Das Wallenstein-Horoskop von Johannes Kepler, in: Kat. zur Kepler-Ausstellung in Linz 1971, 127–136 16 O. Mazal, Die Sternenwelt des MA, 1993 17 O. Neugebauer, H. B. van Hoesen, Greek Horoscopes, 1959 18 J. D. North, Astrology and the Fortunes of Churches, in: Centaurus 24, 1980, 181–211 19 Ders.,

Horoscopes and History, 1986 20 D. Pingree, Historical Horoscopes, in: Journal of the American Oriental Society 82, 1962, 487–502 21 Ders., The astrological school of John Abramius, in: Dumbarton Oaks Papers 25, 1971, 189–215 22 Ders. (Hrsg.), Hephaestio Thebanus, Apotelesmatica II, 1974 23 Ders., The Horoscope of Constantine VII Porphyrogenitus, in: Dumbarton Oaks Papers 27, 1973, 217–231 24 Ders. (Hrsg.), Dorotheus Sidonius, Carmen astrologicum, 1976 25 Ders., Political Horoscopes from the reign of Zeno, in: Dumbarton Oaks Papers 30, 1976, 133–150 26 Ders., The Horoscope of Constantinople, in: Πρίσματα. Naturwiss. Stud. (FS Willy Hartner), 1977, 305–315 27 Th. Preger, Das Gründungsdatum von Konstantinopel, in: Hermes 36, 1901, 336–342 28 Die Ren. im dt. Südwesten (Ausstellungskat. Karlsruhe), 1986 29 R. Reisinger, Histor. Horoskopie. Das iudicium magnum des Johannes Carion für Albrecht Dürers Patenkind, 1997 30 L. Thorndike, A history of magic and experimental science, 1923–1958 31 G. Voss OSB, Astrologie – christl., 1980 32 A. Warburg, Heidnisch-ant. Weissagung in Wort und Bild zu Luthers Zeiten, 1920 33 O. Zanotti Bianco, Astrologia e Astronomia, 1905.

Wolfgang Hübner

## II. Rezeption in der Gegenwart
### A. Überblick  B. Richtungen und Schulen

### A. Überblick

In Deutschland und den meisten europ. Ländern war die Astrologie in der ersten Hälfte des 19. Jh. faktisch nicht mehr existent; die Bemühungen des Astronomen J. W. A. Pfaff (1774–1835) und des Naturphilosophen Gotthilf Heinrich Schubert (1780–1860), ihr in akad. Kreisen wieder Reputation zu verschaffen, blieben unbeachtet oder wurden abgelehnt. Im Gegensatz hierzu setzte in England gegen Ende des 18. Jh. eine merkliche Wiederbelebung astrologischen Gedankengutes ein. Die Gebrüder Ebenezer und Manoah Sibly publizierten 1784/90 ein astrologisches Kompendium und besorgten einen Neudruck der erstmals 1701 von John Whalley veröffentlichten engl. Übers. von Ptolemaeus' *Tetrabiblion* [6. 189 f.]. Die Entdeckung des Uranus durch Wilhelm Herschel (1781) erregte unter Astrologen zunächst kaum Aufsehen, obwohl damit alle trad., auf der Siebenzahl der Planeten und den zwölf Zeichen des Tierkreises basierenden Zuordnungsschemata einer Erweiterung bedurften. Gleiches gilt für die zu Beginn des 19. Jh. entdeckten ersten Asteroiden und den 1846 aufgrund von Bahnstörungen des Uranus gefundenen Neptun.

Im Verlauf des 19. Jh. erschienen in England eine Reihe von Handbüchern und Tafelwerken unter Pseudonymen wie »Zadkiel« und »Raphael«, die weite Verbreitung fanden. Mit der Einbringung theosophischer Ideen (die Theosophische Gesellschaft wurde 1875 in New York gegr. und gewann ab 1884 auch in England an Einfluß) bildete sich eine esoterische Astrologie heraus, als deren bekanntester Exponent Alan Leo (William Frederick Allen, 1860–1917) angesehen werden kann. Der ebenso schreibfreudige wie geschäftstüchtige Leo betrieb eine regelrechte »H.-Fabrik« und sorgte mit seinen zahlreichen, noch heute erhältlichen Büchern für ein Wiederaufleben des Interesses an der Astrologie [8. 84 ff.]. In Deutschland sind neben Karl Brandler-Pracht (1864–1945), der 1905 ein astrologisches Lehrbuch vorlegte [1], Otto Pöllner, Albert Kniepf und Ernst Tiede als Vertreter der theosophisch orientierten Astrologie zu nennen [8. 114 ff.]. Was die mathematisch-technischen Voraussetzungen anbelangt, so waren die engl. Textbücher tonangebend. Die noch heute allg. übliche Häusereinteilung nach Placidus aus dem 17. Jh. verdankt ihre Verbreitung weniger der zuweilen postulierten Überlegenheit gegenüber anderen Systemen, sondern der Tatsache, daß sie die in England bevorzugte Methode war, für die zahlreiche gedruckte Tafeln vorlagen [14].

Die Astrologie erlebte in der wirtschaftlichen Krisenzeit nach dem Ende des ersten Weltkrieges in Deutschland einen großen Aufschwung und die Produktion von Astrologica übertraf nach 1920 die anderer europ. Länder bei weitem. In diese Zeit fallen auch erste Ansätze einer Verbindung mit der Psychologie, wobei insbes. C. G. Jung und E. Kretschmer rezipiert wurden. Der wohl bedeutendste Pionier dieser Richtung, Herbert Freiherr von Klöckler (1896–1950), suchte eine den Bedürfnissen des 20. Jh. entsprechende Astrologie zu formulieren und befaßte sich auch mit statistischen Analysen [10; 11]. Neben dieser gelehrten Astrologie mit wiss. Anspruch kamen von England ausgehend die allg., in Tageszeitungen veröffentlichten Prognosen nach dem Sonnenstandszeichen auf.

B. Richtungen und Schulen

Wie bei der Einteilung der zwölf Häuser am besten zu verfahren sei, ist unter Astrologen eine stets vieldiskutierte und umstrittene Frage [7]. Im ersten Drittel dieses Jh. setzte eine kontroverse Debatte ein, die einerseits zur Schaffung neuer Systeme, andererseits zur Wiederentdeckung oder Variation »klass. Verfahren« (etwa der Ptolemaeus zugeschriebenen »äqualen Manier« oder der mit den Namen von Regiomontan und Campanus verbundenen Einteilungsarten) führten [12; 14]. Eine Gruppe von wiss.-mathematisch interessierten, zumeist aus Akademikerkreisen stammenden Astrologen lieferte Beitr. für die 1930 gegr. Zeitschrift Zenit, die acht Jahre später von den Nazis verboten wurde. Das Blatt gewährt nicht nur einen guten Einblick in die Debatte um die »richtige« Manier der Häusereinteilung, sondern enthält auch wertvolles histor. Material [8. 144].

Eine Besonderheit stellte die von Alfred Witte (1878–1941) begründete »Hamburger Schule« dar, die mit einem komplexen Deutungssystem und der Existenz von acht »transneptunischen« Planeten operierte [6. 242 f.]. Immerhin stellte sich mit dem 1930 von Clyde Tombaugh entdeckten Planeten Pluto ein weiterer Himmelskörper ein, für den alsbald Ephemeriden nebst astrologischen Interpretationen seines Einflusses verfügbar waren [6. 244 f.]. Zwar wurde von den Astronomen ein myth. Name für den neuen Planeten ge-

wählt, doch sollte gleichzeitig dessen geistiger Entdecker, Percival Lowell, der sich lange der Berechnung des neuen Planeten gewidmet hatte, mit der Abkürzung PL am Himmel verewigt werden [20. 24]. Aus der Perspektive des Historikers betrachtet, griff in der Astrologie das, was der Kunstwissenschaftler Aby Warburg als ›platten Namensfetischismus‹ bezeichnete: Pluto stand für die untergründigen, zerstörerischen Kräfte, die das »Dritte Reich« und während des zweiten Weltkrieges die Atombombe hervorgebracht haben sollten. In der Sichtweise von Astrologen korrespondieren dagegen Entdeckung, Benennung und Auswirkung der neuen Planeten, und sie sehen derartige Ereignisse nicht als zufällig an.

Die Entdeckung des Asteroiden Chiron (1977) zog die Publikation einer großen Anzahl von Aufsätzen, Büchern und Ephemeriden nach sich. Mit dem angeblich 1897 entdeckten »Dunklen Mond«, auch als »Lilith« bezeichnet, sollte auch die Erde einen zusätzlichen Satelliten erhalten – eine Hypothese, die der engl. Astrologe Sepharial (Walter Richard (Gorn) Old, 1864–1929) diskutierte. Allerdings wird in der Astrologie der Gegenwart unter »Lilith« ein geom. Punkt (der zweite Brennpunkt der Mondellipse) verstanden.

Eine weitere Richtung, die sich von klass. Lehrmeinungen der Astrologie, etwa der Aspektenlehre, gänzlich absetzt, ist die von Reinhold Ebertin (1901–1988) begründete Kosmobiologie, die zwar transneptunische Planeten ablehnt, aber die auch von der »Hamburger Schule« benutzten »Halbdistanzpunkte« (Mittelpunkt auf der Ekliptik zw. den Positionen zweier Planeten oder zw. Planet und Aszendent oder Himmelsmitte) zur Deutung eines H. benutzt. Statistische Methoden zur Verifikation der Astrologie wendete erstmals der frz. Artillerieoffizier Paul Choisnard (1867–1930) an. Umfangreiche Unt. dieser Art wurden auch von dem frz. Psychologen Michel Gauquelin (1928–1991) und seiner Frau Françoise angestellt, die nach Korrelationen zw. Planeten in verschiedenen Himmelsstellungen und Berufen suchten [1. 236–238] und die Hypothese aufstellten, wonach gewisse Planetenpositionen – einen normalen Geburtsverlauf vorausgesetzt – von den Eltern auf Kinder vererbt werden [4; 5].

Aufgrund der großen Vielfalt der Ansätze ist es unmöglich, die Astrologie der Gegenwart einheitlich zu charakterisieren. Es lassen sich grob vier Richtungen (mit mannigfachen Übergängen) unterscheiden: 1. H.-Interpretation und Zukunftsdeutung in trad. Technik (wobei dieser Terminus sehr unterschiedlich gefaßt sein kann, aber im wesentlichen hell. Doktrinen und deren Fortschreibung bis zur Ren. beinhaltet); 2. Psychologisch orientierte Astrologie, die sich der Prognostik enthält und im H. mehr ein Meditationsbild und Vehikel der Psychoanalyse oder -therapie sieht; 3. Esoterische Astrologie, in der rel., myth. und philos. Gedanken unterschiedlichster Provenienz eingewoben sind; 4. Stundenastrologie, d. h. die Stellung von Elektions-H. für spezielle Zeiten und Ereignisse. Die bis in das 17. Jh.

hinein gepflegte Astrometeorologie und die astrologische Medizin spielen gegenwärtig nur mehr eine marginale Rolle.

Allen Neuerungen in der Astrologie des 20. Jh. zum Trotze hat die Berufung auf ehrwürdige Vorbilder nach wie vor einen hohen Stellenwert. Eine Gruppe amerikanischer Astrologen arbeitet seit einigen Jahren an der Übers. und Kommentierung des gesamten Korpus lat., griech., arab., hebräischer und Sanskritquellen und hat bereits zahlreiche Texte vorgelegt. Leitender Gedanke dieser als »Project Hindsight« bezeichneten Unternehmung ist der Gedanke, daß der »reine Quell« astrologischer Weisheit wenn nicht verschüttet, so doch mindestens fehlinterpretiert oder ganz unverstanden ist. Diese Rückbesinnung *ad fontes* steht den Bemühungen human. Autoren des 16. Jh. mit astrologischen Neigungen sehr nahe, und manche Astrologen sehen in der Rekonstruktion und praktischen Anwendung hell. H.-Deutungen und Prognosetechniken eine echte Verbesserung des Lehrgebäudes.

Die Astrologie hatte stets in histor. Umbruchphasen und krisenhaften Situationen Konjunktur. Ihr gegenwärtiges Aufleben resultiert einerseits aus dem Bedürfnis nach einer sinnvollen Ordnung der Welt, das offensichtlich weder von polit. Ideologien noch durch die trad. Glaubensgemeinschaften zureichend bedient wird und oft mit einer kritischen Haltung zum mechanistischen, von den Naturwiss. geprägten Weltbild verbunden ist. Andererseits erhofft man sich in einer Zeit, in der die individuelle Persönlichkeitsentfaltung ganz im Mittelpunkt steht, von der Astrologie Orientierungshilfe. Trotz aller Bemühungen, die Astrologie naturwiss. zu begründen, statistisch zu verifizieren oder psychologisierend zu erweitern, liegt ihre eigentliche Anziehungskraft seit jeher in der Idee des Kosmos im altgriech. Sinn, in dem der Mensch in eine übergreifende Ordnung eingebunden ist.

→ AWI Astrologie

1 K. BRANDLER-PRACHT, Mathematisch-instruktives Lehrbuch der Astrologie, 1905, ³⁻⁵1921 2 A. FANKHAUSER, Das wahre Gesicht der Astrologie, 1932 3 Ders., Horoskopie, 1939 4 M. GAUQUELIN, Les hommes et les astres, 1960 5 Ders., L'Heredité Planetaire, 1966 6 J. H. HOLDEN, A History of Horoscopic Astrology from the Babylonian Period to the Modern Age, 1996 7 R. W. HOLDEN, The Elements of House Division, 1977 8 E. HOWE, Uranias Kinder: Die seltsame Welt der Astrologen und das Dritte Reich, 1995 9 W. HÜBNER, Ant. in der Astrologie der Gegenwart, in: W. LUDWIG (Hrsg.), Die Ant. in der europ. Gegenwart (= Veröffentlichung der Joachim-Jungius-Ges. der Wiss. Hamburg, 72), 1993, 103–124 10 H. FRHR. V. KLÖCKLER, Grundlagen für die astrologische Deutung, 1926 11 Ders., Astrologie als Erfahrungswiss., 1927 12 W. KNAPPICH, Entwicklung der H.-Technik vom Alt. bis zur Gegenwart (= Qualität der Zeit: Trad. und Fortschritt der klass. Astrologie, Nr. 38/39), 1978 13 Ders., Gesch. der Astrologie, ²1988 14 Ders., Das Häuserproblem in England, in: Zenit: Zentralblatt für astrologische Forsch. 7, 1936, 19–22, 42–46 15 Ders., Die

Astrologie im Weltbild der Gegenwart: Eine kritische Unt., 1948 16 H. KORSCH, Gesch. der Astrologie, 1935 17 F. RIEMANN, Psychoanalyse und Astrologie, 1972 18 Ders., Lebenshilfe Astrologie, 1976 19 TH. RING, Astrologische Menschenkunde, 1956 und 1973 20 D. WATTENBERG, Die Namen der Planeten und ihrer Satelliten (= Archenhold-Sternwarte Berlin-Treptow: Vorträge und Schriften, Nr. 18), 1964.

GÜNTHER OESTMANN

## Humanismus I. RENAISSANCE II. RECHT III. MEDIZIN IV. MUSIK

### I. RENAISSANCE
A. DEFINITION B. 14. JAHRHUNDERT
C. 15. JAHRHUNDERT D. 16. JAHRHUNDERT

#### A. DEFINITION

Unter Humanismus der Ren. (HR) versteht man eine lit. und philol. Bewegung, die sich mit Petrarca zunächst an den Höfen und Stadtoligarchien (in geringerem Maß an den Univ.) It. durchsetzte, die die Imitation und Wiederherstellung des klass. Lat. (im wesentlichen Ciceros für die Prosa und Vergils für metr. Texte) zum Ziel hatte und sowohl von der Produzenten- wie Rezipientenseite auf einer neuentstandenen, nichtklerikalen, stadtbürgerlichen Bildungsschicht beruhte. In seiner Konzentration und zum Teil Wiederentdeckung der rhet. Doktrin der Ant. und Sophistik ist der HR zugleich die Fortsetzung der *ars dictaminis* des 13. Jh. und bezieht sich auf dieselben sozialen Schichten: auf die Notare, die Sekretäre der Fürsten und Städte, die Lehrer an Schulen und manchmal Univ., vom E. des 16. Jh. an zunehmend auf Adelige und Großkaufleute. Die human. ›Wiederbelebung des classischen Alterthums‹ (G. Voigt 1859) setzt das Bewußtsein voraus, daß die Ant. und ihre schulischen wie polit. Institutionen vergangen und nicht unmittelbar fortsetzungsfähig sind. Daher bedeutet die Reorientierung am *usus* oder der *consuetudo* der *aurea latinitas* zugleich einen epochalen Bruch sowohl mit der Trad. des ma. Schullat. wie mit den Volkssprachen und -literaturen. Im Gegensatz zu den letzteren bleibt das human. Lat. reine Männersprache. Von der Mitte des 16. Jh. an verliert das Lat. seine alleinige autoritative Stellung, und das Griech. und Hebräische gewinnen an Gewicht. Davon profitieren nicht zuletzt die Volkssprachen, in die die inzw. entwickelten lat. Normen überführt werden; Resultat ist der sog. Vulgärhuman. (*umanesimo volgare*). Im selben Zeitraum und im Zug derselben Entwicklung strahlt der Human. von It. auf andere europ. Länder aus, und Nicht-Italiener können sogar eine Führungsrolle übernehmen (Erasmus). Insgesamt läßt sich der HR auf den Zeitraum zw. ca. 1350–1520 begrenzen.

Der Terminus »Humanist« ist (wie auch der der »Ren.«) eine mod. Erfindung. Der Ausdruck *studia humanitatis* ist schon seit Petrarca und v. a. seit Leonardo Bruni geläufig und umfaßt die Disziplinen des Triviums. Das Wort *humanista* (in Analogie zu *jurista, canonista, le-*

*gista* usw.) taucht erst am E. des 15. Jh. im studentischen Jargon auf und geht im folgenden Jh. in die offizielle Universitätssprache ein, um Lehrer des Griech. und Lat. zu bezeichnen. Noch jüngeren Datums ist das Wort »Human.«, das erstmals 1808 vom Jenenser Professor Friedrich Immanuel Niethammer in einer Verteidigung der klass. Philol. verwendet worden ist.

## B. 14. JAHRHUNDERT

### 1. PRÄHUMANISMUS

Dante führt sich in der *Commedia* noch als direkter Nachfolger Vergils vor und verwendet in seinen lat. Schriften die Juristensprache der *dictatores*. Polit. geht er von der Fortexistenz des Imperiums aus (*De Monarchia*), linguistisch von der Ewigkeit und Unkorrumpierbarkeit des Lat. unter dem Namen *grammatica* (*De vulgari eloquentia*). Seine poetologische Terminologie ist unklass. (*Epist. a Candgrande*). Die *Commedia* ist nicht für die lat. *litterati* geschrieben, denen Dante vorwirft, an Lit. nicht interessiert zu sein, sondern für die ›volgari e non letterati‹ (Il Convivio 1,9,2–4), also für das Stadtbürgertum der höheren Zünfte ohne Universitätsstudium, den *popolo grasso*. Obwohl Dante im Gegensatz zur volkssprachlichen Trad. des MA seine Lyrik und die *Commedia* eindeutig als schriftliche Texte konzipiert (vgl. z.B. die Akrosticha in Purg. 12,25–72 und Par. 19,115–141), hat er dennoch ihre orale Überlieferung einkalkuliert (in Purg. 2,112 wird Dantes Canzone *Amor che ne la mente mi ragiona* gesungen) und sich durch den Einsatz der *terza rima* gegen Interpolationen abgesichert. Dante, dem eine Sonderposition zukommt, wird aus diesen Gründen nicht zu den Prähumanisten gerechnet, wohl aber seine lateinsprachigen Gegner. Giovanni del Virgilio, der an der Univ. Bologna Ovid las, hat Dante 1318/19 in einer Ekloge vorgehalten, philos. Wissen an die *gens idiota* zu verraten: ›Clarus vulgaria temnit‹ (1,15). Dante hat darauf nicht geantwortet. Neben Bologna, dem Ausgangspunkt der *ars dictaminis*, war v.a. Padua ein Zentrum des Prähuman. zur Zeit Dantes. Nach dem Vorbild von Lovato de' Lovati (1262–1309) verteidigte dort Albertino Mussato (1262–1329) in 18 Versepisteln das Studium der lat. Dichter gegen philos. und theologische Kritik und nahm damit ein Thema vorweg, das sich nach Petrarca außerordentlicher Beliebtheit erfreuen sollte. In seiner Historiographie (*De gestis Italicorum post mortem Henrici VII*) nahm er sich Livius zum Vorbild und in seiner (ziemlich makabren) Schultragödie *Ecerinus* Seneca. Sowohl Lovati als auch Mussato hatten eine Ausbildung an der juristischen Fakultät genossen, wo sich im Gegensatz zur medizinischen die *ars dictaminis* etabliert hatte. 1315 wurde Mussato nach ant. Vorbild in Padua zum Dichter gekrönt.

### 2. PETRARCA UND BOCCACCIO

Der HR im engeren Sinn beginnt jedoch erst mit Petrarca (1304–74); mit ihm hatte auch G. Voigts Werk *Die Wiederbelebung des classischen Alterthums oder das erste Jh. des Human.* 1859 erstmals eingesetzt. Kennzeichnend ist nun nicht mehr nur die Rückbesinnung auf eine verlorene *aetas aurea* als vielmehr die kritische Distanzie-

rung von den zeitgenössischen kulturellen wie polit. und rel. Zuständen. Unabhängig von den durch K. Burdach zu stark akzentuierten chiliastischen Tendenzen Petrarcas in seiner Epistel an Cola di Rienzo von 1347 [13. 73–81] läßt sich schon bei ihm eine Koinzidenz zw. der *renascentia studiorum*, der Rückkehr zum klass. Lat., und Versuchen der Wiederherstellung des Imperiums, das die kulturelle Blüte garantiert hatte und wieder garantieren sollte, feststellen (*Epist. fam.* ed. ROSSI, 103). Nachdem die in Cola gesetzten polit. Hoffnungen schnell gescheitert waren, tritt Petrarca immer mehr in polemischen Schriften gegen den aristotelischen Betrieb der *scholae*, gegen die *logici recentiores*, d.h. *britanni*, auf, die ihren Unterricht auf unzuverlässige und darum unverständliche Texte stützen und selbst ein verderbtes Lat. produzieren. Die Angriffe richten sich zentral gegen die aristotelisch orientierten medizinischen Fakultäten, die sich auch die Rhet., als Bestandteil der Affektenlehre, einverleibt hatten (*Invectiva contra medicum quendam, Invectiva contra quendam magni status hominem sed nullius scientie et virtutis*, 1355). Am radikalsten ist diese Polemik in der explizit anti-averroistischen, implizit aber anti-aristotelischen Invektive *De sui ipsius et multorum ignorantia* (1367–71), die auf eine grundsätzliche Unvereinbarkeit von heidnischer, ant. Philos. und Christentum hinausläuft, welches daher besser auf der Grundlage rhet. Argumentationsverfahren und des *sensus communis* vertreten werden sollte. In einem Passus seiner *Rerum memorandarum libri* (nach dem im MA weit verbreiteten Vorbild von Valerius Maximus' *Factorum et dictorum memorabilium libri*) führt Petrarca sein eigenes Werk als letzte Bastion der *civilitas* innerhalb der *aetas tenebrarum* vor [43. 19]. Petrarca besaß die umfangreichste Privatbibl. seiner Zeit, die ausschließlich aus lat. Klassikern und Kirchenvätern (abgesehen von einer Abschrift der *Commedia*, die Boccaccio 1351 für ihn hatte anfertigen lassen) bestand und die er durch eigene Funde noch bereichern konnte. Zu den wichtigsten zählen Ciceros Rede *Pro Archia poeta* (1333), die für die human. Poetik bedeutsam werden sollte, und die ciceronianischen *Epistulae ad familiares* (1350), die er in den 350 Stücken seiner *Rerum familiarum libri* imitierte. Der berühmteste dieser Briefe (4.1 aus dem J. 1351 oder 1352) beschreibt die Ersteigung des Mont Ventoux bei Avignon und endet in einer ganz traditionellen Reflexion auf die *vanitas mundi* unter Berufung auf Augustinus' *Confessiones*: ›Et eunt homines admirari alta montium et ingentes fluctus maris et latissimos lapsus fluminum et oceani ambitum et giros siderum, et relinquunt se ipsos.‹ Griech. Lit. spielt bei Petrarca noch keine Rolle. So war er nicht imstande, Homer im Original zu lesen, sondern ließ sich dank der Vermittlung Boccaccios durch Leonzio Pilato 1366 eine lat. Version der *Ilias* und von Teilen der *Odyssee* anfertigen. Mit Petrarca beginnt in jedem Fall die für den Human. kennzeichnende Suche nach überlieferten Kodizes ant. Texte, deren unübertroffener Meister im 15 Jh. Poggio Bracciolini werden sollte.

Ebenso eifrig in der Wiederentdeckung klass. Texte ist sein jüngerer Zeitgenosse und Bewunderer Giovanni Boccaccio (1313–75). Während Petrarca noch Kleriker war, aber nie kirchliche Ämter wahrgenommen hat, tritt der HR nun ins stadtbürgerliche Milieu über. Während seines Aufenthalts in Neapel (1327–40) konnte Boccaccio auf die Bibl. von Montecassino zurückgreifen, wo er u. a. den kompletten Ausonius, *De lingua latina* von Varro, den Statius-Kommentar von Placidus, *Ibis* von Ovid, eine Sammlung von 80 *Priapea* und das möglicherweise komplette Corpus der ciceronianischen *Verrinae* entdeckte. Sein bedeutendster Fund bestand vermutlich in den histor. Schriften des Tacitus, die die Textgrundlage des Tacitismus in der zweiten H. des 16. Jh. bildeten. Ähnlich wie Petrarca verwendet auch Boccaccio noch spätant. und früh-ma. Quellen gleichberechtigt (z. B. Paulus Diaconus) und beschränkt sich nicht auf die augusteische *aurea latinitas*. Boccaccios poetische Produktion in lat. Sprache ist dagegen sehr begrenzt (*Bucolicum carmen*, 1367), um so umfangreicher jedoch sind seine enzyklopädischen Schriften: *De casibus virorum illustrium* (1373) mit dem entsprechenden *De mulieribus claris* (1362), *De montibus, silvis, fontibus* etc. (1355–74) und v. a. die *Genealogia deorum gentilium* (1350–75) in 14 B., deren beide letzte der Verteidigung der Poesie gewidmet sind. Boccaccio beruft sich dort auf den platonischen *furor*, zieht aber nicht Plato selbst heran, sondern Ciceros *Pro Archia*. Alle diese Schriften stehen in der Trad. des ma. Enzyklopädismus, bemühen sich aber um eine (zum Teil gesuchte) lat. Hochsprache. Im Gegensatz zu Petrarca war Boccaccio stark genug an die Florentiner Trad. gebunden, um sich mit der volkssprachlichen Trad. der Stadt auseinandersetzen zu müssen. Zur Verteidigung Dantes ergreift er sowohl auf Lat. (*De origine, vita, studiis et moribus viri clarissimi Dantis Aligerii florentini*, 1351–55) als auch in der Volkssprache (*Esposizioni sopra la Comedia*, 1374) das Wort. Die Dichtung leitet ihre Führungsansprüche unter den Wiss. hier daraus ab, daß sie nicht allein die *eloquentia*, sondern auch die *doctrina* und womöglich *sapientia* vermittle und zur höchsten rhet. Tugend des *movere* fähig sei. Wie auch in den letzten B. der *Genealogia deorum* kündigt sich hier jene ciceronianische Identität von Rhet. und Philos. wieder an, die für den Human. des folgenden Jh. zentral geworden ist. Zugleich machen sich bei Boccaccio Zweifel an der volkssprachlichen Entscheidung Dantes bemerkbar, die sich in der folgenden Generation entschieden verstärken sollten. Auf Boccaccios Ausführungen geht die Legende einer ursprünglich lat. Version der *Commedia* zurück. Wegen dieser Zweifel, die ebenso Boccaccios eigenes volkssprachliches Werk betrafen, und wegen des wachsenden Drucks der lat. Elite scheint er seine öffentlichen Dante-Lesungen nach Inf. XVII abgebrochen zu haben. In dieser Perspektive wird Boccaccios Verteidigung poetischer *obscuritas* in *Genealogia deorum* XIV,12 relevant, die zum Schutz vor unbefugten Lesern dienen soll: ›Damnanda non est obscuritas poetarum.‹ Dante hat sich durch seine Entscheidung für die Volkssprache einer bedenklichen Grenzüberschreitung schuldig gemacht, die die folgende human. Generation nicht mehr nachvollzieht.

## C. 15. JAHRHUNDERT

### 1. DIE FLORENTINER KANZLEI

Mit Coluccio Salutati, Kanzler der Republik Florenz 1375–1406, und seinem Schülerkreis findet der Human. sein unbestrittenes Zentrum in Florenz. Dazu trug entscheidend der von Salutati 1396 durchgesetzte reguläre Griech.-Unterricht durch Manuel Crisolora bei. Petrarca und Boccaccio waren zweisprachig gewesen, sofern sie neben der lat. Lit. auch die volkssprachliche gepflegt hatten, wenngleich auf niederem Niveau: Petrarca hatte seine *Rerum vulgarium fragmenta*, den später sog. *Canzoniere*, selbst als ›nugae‹ bezeichnet. Die kommenden Jh. haben diese Einschätzung bestätigt, denn Petrarcas lat. Schriften waren, wie die Auflagen- und Übersetzungsgeschichte eindeutig zeigt, die ungleich erfolgreicheren. In der Generation Salutatis wird nun diese Diglossie zunehmend durch die lat.-griech. abgelöst. Die Vulgärsprache tritt damit im 15. Jh. fast ganz aus dem human. Horizont, sie überlebt in den niederen Gattungen wie der Burleske, dem Ritterepos usw. Salutatis *De laboribus Herculis* knüpft an die *Genealogia deorum* seines Freundes und Lehrers Boccaccio an, stellt aber die Verteidigung der Poesie voran. In seiner *Invectiva* gegen den in Mailänder Diensten stehenden Humanisten Antonio Loschi setzt Salutati das Vorbild der Cicero-Reden erstmals auch polit. im diplomatischen Schriftverkehr ein. In seiner Kritik des zeitgenössischen Schulbetriebs (*De nobilitate legum et medicinae*) steht er auf den Schultern Petrarcas, erspart sich aber die Polemik gegen Aristoteles, was auf den Versuch seines Schülers Leonardo Bruni vorausweist, einen neuen Aristoteles-Text gegen den Schulgebrauch auszuspielen.

### 2. DIALOGLITERATUR

In Leonardo Bruni, Nachfolger Salutatis als Florentiner Kanzler (1410/1411, 1427–1444), tritt die human. Abgrenzung sowohl gegen die volkssprachliche Lit. wie gegen das Schullat. mit aller Schärfe zutage. Sein *Ad Petrum Paulum Histrum Dialogus* (1401/1416) stellt insofern eine wichtige Zäsur dar, als er erstmals einen nach ciceronianischen Regeln *in utramque partem* geführten Disput in Szene setzt und sich damit von der augustinischen Gattung der *Soliloquia* (die noch Petrarca gepflegt hatte) verabschiedet. Das einleitende Lob der *disputatio* legt Bruni seinem Lehrer Salutati, unter dessen Aufsicht der Dialog stattfindet, in den Mund: ›Nam quid est (...) quod ad res subtiles cognoscendas atque discutiendas plus valere possit quam disputatio? (...) Quid est quod animum fessum atque labefactum (...) magis reparet (...) quam sermones in corona coetuque agitati, ubi vel gloria, si alios superaveris, vel pudore, si superatus sis, ad legendum atque perdiscendum vehementer incenderis? Quid est quod ingenium magis acuat, (...) quam disputatio?‹ [18. 46f.]. Bruni weist dem Dialog hier eine dreifache Funktion zu: er ist unter kognitivem Aspekt die einzig mögliche Gewähr für die

Vollständigkeit und Verläßlichkeit der gewonnenen Aussagen, er dient zur Anstachelung müder Geister durch die *aemulatio*, und schließlich schärft er das Ingenium. In der Folge beklagt der Sprecher Salutati ausführlich den Verfall der Kultur und die Unerreichbarkeit der klass. Texte, erblickt in den Dichtern seit Dante jedoch die ersten Anzeichen einer Wiedergeburt. Gegen diese Auffassung protestiert Niccolò Niccoli, der ebenso wie Bruni zur jüngeren human. Generation zählt. Insbes. Dante sei des Titels eines Humanisten unwürdig und gehöre in den Horizont der ›lanarii, pistores atque eiusmodi turba‹ [22. 70]. Der alte Salutati hatte sich bei seinem Lob der drei Dichter auf den *consensus omnium* berufen und so seine Übereinsimmung mit der ihn umgebenden Gesellschaft zum Ausdruck gebracht. Umgekehrt unterstreicht der junge Niccoli ganz entschieden die Zäsur, die die human. Elite in die lit. Trad. von Florenz einführt. Im zweiten Teil des Dialogs jedoch (*Dialogus II*) widerruft Niccoli seine Attacke, erklärt, daß er seine Zuhörer, speziell Salutati, nur habe provozieren wollen und stellt Dante nunmehr sogar noch über Homer und Vergil. Der Dialog erhält damit eine unauflösbare Ambiguität: der Niccoli des *Dialogus I* erscheint zunächst als der echte und der Widerruf in *Dialogus II* als fiktive Palinodie, andererseits erklärt Niccoli, der *Dialogus II* gebe seine wirkliche Meinung wieder und *Dialogus I* sei fiktiv. Niccoli wird damit vorgeführt als Rhetor, der gleich überzeugend nach ciceronianischem Muster *in utramque partem* sprechen kann und dessen authentische Auffassung in der Schwebe bleibt. Damit nimmt der Humanist eine rein technische, rhet. Kompetenz für sich in Anspruch, die gegenüber fürstlichen Auftraggebern ins Feld geführt werden kann. Die Analogien zu Ciceros Rhet. gehen noch weiter, denn das Verhältnis von Salutati und Niccoli reflektiert das von Crassus und Antonius in *De oratore*. Dort weigert sich Crassus, die Diskussion über den wiss. Status der Rhet. fortzuführen, die er selbst angestoßen hatte; Crassus möchte nicht weiter ›de dicendo dicere‹ (1,24,112) und Salutati nicht mit der *de disputando disputatio* [22. 62] fortfahren. Beide überlassen es Antonius bzw. Niccoli, nicht nur die rhet. Lehre weiter zu entwickeln, sondern sie zugleich exemplarisch vorzuführen. In dieser Verschränkung von *rhetorica docens* und *rhetorica utens* liegt seit Bruni die für den Human. ausschlaggebende ciceronianische Erbschaft.

Die Einführung der ambivalenten Dialogform ohne Konklusion ist zugleich impliziter Protest gegen Augustinus' Unterwerfung des Disputs unter die Autorität der Schrift in *Contra Academicos*. Sie hat im Human. Schule gemacht; der Dialog bleibt für die kommenden ca. 150 J. die bei weitem führende Gattung, die sogar von so heterodoxen Autoren des Vulgärhuman. wie Machiavelli noch verwendet wurde (*Arte della guerra*, 1521). In der auf Bruni folgenden Generation hat v. a. Lorenzo Valla in *De vero falsoque bono* (1441, in der ersten Fassung *De voluptate*) die paradoxen Möglichkeiten dieser Form am radikalsten ausgeschöpft. Im ersten B. des Dialogs vertritt Catone Sacco die Tugendlehre der Stoa; im zweiten, bei weitem längsten B. widerlegt der Poet Maffeo Vegio diese Auffassung und weist in epikureischer Perspektive nach, daß noch die rigoroseste Ataraxie doch nur auf eine letztlich irdische *voluptas* abzielt; im dritten und kürzesten B. ergreift der Prediger Antonio da Rho das Wort, gibt der epikureischen Widerlegung der Stoa ausdrücklich Recht, verweist aber die sinnliche *voluptas* an die himmlische Glückseligkeit. Der christl. Prediger erklärt abschließend, er habe die beiden Kontrahenten nur zur Übung ihres Ingeniums reden lassen. Die Frage nach der richtigen Tugendlehre wird damit zu einem bloßen rhet. Exerzitium herabgestuft. In jedem Fall steht die stoische Lehre der christl. noch ferner als die epikureische, und auch die kurze Palinodie des dritten Buches könnte nur eine Salvationsklausel darstellen, auf die man sich zurückziehen kann, falls Angriffe von kirchlicher und philos. Seite erfolgen. Valla antwortet in diesem Dialog nicht nur wie Bruni auf Augustinus' *Contra academicos*, sondern auch auf Ciceros *De finibus bonorum et malorum*. Dort war Cicero von der epikureischen Lehre ausgegangen, da sie am leichtesten verständlich sei (1,5,13), um dann zur stoischen aufzusteigen. Valla dreht diese Reihenfolge um und weist damit die zentrale und dominante Position dem Epikur zu. Im Angriff auf die Stoa findet sich Valla zwar in Übereinstimmung mit Augustinus, widerspricht aber dessen Auffassung, die Suche nach dem *summum bonum* verlaufe von den weltlichen zu den himmlischen Gütern (conf. 7,17,23). Ganz im Gegenteil bestreitet Valla gerade die Konsistenz der stoischen Tugendbegriffe.

### 3. RHETORIK

Alle diese Dialoge – zu nennen sind mindestens noch *De avaritia*, *De nobilitate* und *De varietate fortunae* von Poggio Bracciolini, *De libero arbitrio* und *De professione religiosorum* von Valla, *I libri della famiglia* (1433–40) von Leon Battista Alberti, die zahlreichen Dialoge von Giovanni Pontano (*Charon*, *Antonius*, *Actius*, *Aegidius*, *Asinus*), bis hin zum *Libro del Cortegiano* (1528) von Baldassarre Castiglione – präsentieren sich zunächst als rhet. Übungen des Ingeniums. Die klass. Rhet., die sich v. a. seit der Wiederauffindung von Quintilians *Institutio oratoria* durch Poggio Bracciolini (1417) auf eine zunehmend zuverlässige Textgrundlage stützen kann, ist somit die Zentraldiszilin des Humanismus. Das Ideal des HR bleibt der universell einsetzbare, perfekte Redner der ciceronianischen Trad., der nun jedoch weitgehend auf die Produktion schriftlicher Texte beschränkt ist. Deutliches Indiz für diese Aufwertung der Rhet. sind auch Vallas *Elegantiae*, an denen das einzig Elegante, nach einer Formulierung von Carlo Dionisotti, der Titel ist. In diesem mit Bildungsgut überfrachteten stilistischen Handbuch ist durchgehend die Absicht erkennbar, die Übung des Stils den *grammatici* zu entziehen und sie den Rhetoriklehrern zuzuweisen. In der *praefatio* zu Buch IV heißt es: ›Ego sic ago, tanquam eloquentiae contra calumniantes patrocinium praestem, quod est maius propositio meo‹ [52. 120]. Aus diesem Primat der Rhet.

folgt, daß sich inhaltliche Positionen sehr leicht verschieben lassen. Ein bekanntes Extrembeispiel ist hierfür erneut Lorenzo Valla, der in *De falso credita et ementita Constantini donatione* (1440) mit philol. – nicht polit. – Argumenten die Echtheit der Konstantinischen Schenkung widerlegt hatte, weil sein Auftraggeber, Alfonso d'Aragón, König von Neapel, sich gerade im Konflikt mit dem Kirchenstaat befand, was ihn aber nicht hinderte, ab 1448 als päpstlicher Sekretär an die Kurie zu gehen. Ganz ähnlich wechselhaft ist auch die Laufbahn von Poggio Bracciolini. Von einem republikanischen ›civic humanism‹ (Hans Baron) läßt sich daher allenfalls für den Florentiner Frühhuman., v. a. in Bezug auf L. Bruni, sprechen. Aber ebenso wie in der (nominellen) Republik Florenz finden die Humanisten als Sekretäre Anstellung bei den *Signorie* oder kleinen Stadttyrannen und beherrschen durchgehend die Kunst des überraschenden Frontwechsels. So finden wir in Mailand Antonio Loschi, Pier Candido Decembrio, Gasparino Barzizza, Francesco Filelfo, Giorgio Merula, Maffeo Vegio und zeitweise Valla, in Neapel Antonio Beccadelli (Panormita), Giovanni Pontano und Jacopo Sannazaro, in Rom Poggio Bracciolini, Pomponio Leto, Flavio Biondo, Giorgio Gemisto Pleton (Kardinal Bessarion) usw.

Das universitäre Kurrikulum können die Humanisten demgegenüber in nur geringem Maß beeinflussen. Da sie sich auf die Rhet. konzentrieren, wird nicht einmal das gesamte Trivium von ihnen abgedeckt. In jedem Fall bleiben sie unterhalb der akad. Disziplinen (Medizin, Jurisprudenz, Theologie). Human. Lehrstühle an den Univ. besitzen in der Regel kein Promotionsrecht und erhalten auch eine geringere Bezahlung. Nur selten finden sich daher Humanisten ersten Ranges an den Univ., sie ziehen die lukrativeren Höfe und Stadtschulen vor. Um die Mitte des 15. Jh. siedeln die Latein- und Griechischlehrstühle meist von der medizinischen Fakultät, wo die Rhet. im Zusammenhang der Affektenlehre behandelt worden war, an die juristische über, wo sie an die Trad. der *ars dictaminis* anknüpfen können. Zudem wenden sich die Lehrstühle an den Univ. nicht in erster Linie an it. Studenten, die schon vor dem Eintritt in die Univ. das human. Trivium durchlaufen hatten, als vielmehr an eine nord- und mitteleurop. Nachfrage, die in dieser Hinsicht Nachholbedarf aufweist. Schulphilos. und Human. begegnen sich mit gegenseitiger Mißbilligung; nur in diesem Kontext läßt sich der human. Versuch einer Überordnung der Rhet. über die Philos. verstehen. Valla zufolge ist die ant. Rhet. mit dem Christentum zu vereinbaren, die Spekulationen des Aristotelismus sind es jedoch nicht: ›Cur non potius Ciceronis philosophia nocuisse putanda Hieronymo est, quam ars dicendi? Nolo hoc in loco comparationem facere inter philosophiam et eloquentiam, utra magis obesse possit, de quo multi dixerunt, ostendentes philosophiam cum religione vix coherere, omnesque haereses ex philosophiae fontibus profluxisse‹ (Opera 119). Valla bezieht auch hier eine Extremposition, denn

er verweigert sich sogar Brunis Versuch, einige aristotelische Schriften in den human. Kanon aufzunehmen. Brunis Übers. der *Nikomachischen Ethik* ist allerdings nur eine stilistische Bearbeitung der ma. Version von Grosseteste. Vallas *Dialecticae disputationes* (1439) vereinfachen die aristotelische Logik, indem sie sie auf das Niveau der Rhet. ermäßigen und stützen sich dabei auf Quintilians soeben wiederentdeckte *Institutio*. Während im ma. Kurrikulum Rhet. und Poetik als Teile der Moralphilos. galten und in der medizinischen Fakultät behandelt wurden (bei Aristoteles stehen sie zw. Politik und Ökonomik einerseits, Ethik und Politik andererseits), versucht der Human., sie aus ihrer Funktion als Hilfswiss. herauszulösen und zu neuen Leitdisziplinen aufzuwerten. Aus diesem Primat der Rhet. erklärt sich auch der philos. und rel. Synkretismus des Human. von der zweiten H. des 16. Jh. an. Seit Francesco Filelfo suchen die Humanisten nicht allein einen Ausgleich zw. platonischer und aristotelischer Philos., sondern auch den zw. den Religionen und Konfessionen auf der Grundlage allg., natürlich evidenter Prinzipien. Am deutlichsten wird dies in der *Oratio de hominis dignitate* (1486) von Giovanni Pico della Mirandola. Aber auch der spekulative Neuplatonismus, der v. a. am Hof der Medici in Florenz gefragt ist (Marsilio Ficino, *Theologia platonica de immortalitate animae*, 1482; Cristoforo Landino, *Disputationes Camaldulenses*, 1480), hat auf die Univ. zunächst kaum Einfluß. Von schulphilos. Seite zieht er sich sofort den energischen Widerstand des Aristotelikers Pietro Pomponazzi aus Padua zu, der sich als Philosophieprofessor im Gegenzug zu den philol. Argumenten der Humanisten zeitlebens rühmt, kein Griech. zu können und auch ein stark volkssprachlich gefärbtes, fast schon »makkaronisches« Lat. schreibt (*De immortalitate animae*). Gegenüber allen Versuchen, dem Human. »philos.« Dignität zuzusprechen, gilt also nach wie vor die Feststellung von P. O. Kristeller: ›I should like to suggest that the Italian humanists on the whole were neither good nor bad philosophers, but no philosophers at all‹ [28. 51]. Diese Situation an den Univ. ändert sich bis zu einem gewissen Grad erst in den ersten Jahrzehnten des 16. Jh., als Francesco Parizi da Cherso in Ferrara platonische Philos. lehrt.

### 4. HISTORIOGRAPHIE

Die Schriften von Pietro Pomponazzi sind ein gutes Beispiel dafür, welch unklass. Lat. an den Univ. nach wie vor verwendet wurde. Die Humanisten dagegen haben schon Leonardo Bruni das Verdienst einer Restauration der klass. Sprache im diplomatischen Verkehr zuerkannt. So heißt es in Gianozzo Manettis *Oratio funebris in Leonardi Historici* (1444): ›Quibus quidem in magistratibus quantum primum litteras, cum ad diversos Italiae populos, tum ad varios principes, reges, imperatores, pontefices Florentini populi nomine elegantissime scriptas profecerit, difficile dictu est‹ [10. 97]. Eine solche Zäsur ging mit einer genaueren Bestimmung des zw. Ant. und Neuzeit liegenden *medium aevum* einher, um die sich u. a. die umfangreiche Historiographie der

Epoche bemüht. Bruni begrenzt es in *Historicarum florentini populi libri* und *Commentarii rerum suo temporum gestarum* auf 700 J. vor 1404; es sind genau die J., in denen das Griech. unbekannt gewesen sei: ›Septingentis iam annis nemo per Italiam graecas litteras tenuit; atque tamen doctrinas omnes ab illis esse confitemur‹ [11. 403 f.]. Flavio Biondo datiert 1457 in *Historiarum ab inclinatio Romanorum Imperio decades tres* das MA exakt auf 410–1412 [6. 393]. Damit hat die human. Geschichtsschreibung die epochalen Koordinaten festgelegt, die im wesentlichen bis h. gelten.

### 5. LYRIK

Weniger umfangreich als die human. Traktat- und Dialoglit. sowie Historiographie (durchweg im Auftrag des jeweiligen Fürsten) ist die poetische Produktion des Human., die sich zudem weitgehend auf niedere und offene Gattungen (Epigrammatik, Bukolik und *Silvae*) konzentriert. Das erste christl.-human. Epos – nach Petrarcas fragmentarischer *Africa* (1341) – ist erst *De partu virginis* (1526) von Jacopo Sannazaro. Selbstverständlich setzt die human. Modelle voraus, vermeidet aber allzu wörtliche Anleihen. Schon Petrarca bittet seinen Freund Boccaccio, zwei Verse aus Ekloge X seines *Bucolicum carmen* zu korrigieren, die eine Vorlage von Vergil und Ovid zu deutlich übernehmen (Epist Fam. XXII,2). Von Panormita (Antonio Beccadelli) ist bekannt, daß er im Epigramm II,3,4 seines *Hermaphroditus* (1425) zunächst geschrieben hatte: ›accedant capiti cornua, Bacchus eris‹, den Vers dann aber korrigierte, um das Zitat aus Ovid, epist. 15,24 zu vermeiden (Herm. ed. COPPINI, 90). Gelegentlich findet sich bei Panormita auch ein ironischer Umgang mit ant. Vorlagen. So überträgt er in *Hermaphroditus* II,1, *Laus Aldae*, eine Elegie Ovids (Epist. 15,23–24) in ein entschieden obszönes Epigramm: ›Si tibi sint pharetrae atque arcus, eris, Alda, Diana;/si tibi sit manibus fax, eris, Alda, Venus./Sume lyram et plectrum:fies quasi verus Apollo;/si tibi sit cornu et thyrsus, Iacchus eris./Si desint haec et mea sit tibi mentula cunno,/pulchrior, Alda, deis atque deabus eris.‹ Ein ähnlich virtuoses Spiel mit ant. Modellen findet sich sogar noch in den zahllosen Gelegenheitsgedichten auf Fürsten, Damen und sonstige Auftraggeber, die fast alle Humanisten, auch die zweiten und dritten Ranges, produziert haben.

Eine überragende Position in der human. Lyrik nimmt Agnolo Poliziano (1454–1494) ein, der sowohl griech., lat. als auch volkssprachliche (*Stanze*, *Favola d'Orfeo*, 1480) Werke hinterlassen hat. Zentral sind dabei die *Sylvae* (1482–86) nach dem Vorbild des Statius, die eine Art versifizierter *praelectiones* zur Literaturgeschichte und Poetik bilden. Poliziano vernachlässigt dabei ganz die christl. Dichtung von Spätant. und MA und schließt die eigene Zeit direkt an die Ant. an. Bes. relevant ist in dieser Sammlung der Ausgleich zw. einem Verständnis von Rhet. und Poetik als *téchnai* in der aristotelisch-horazischen Trad. und dem neuplatonischen *enthousiasmós* Ficinos und seiner Schüler in der *Nutricia* (ed. DEL LUNGO 369 ff.). Beide Dichtungstheorien hat-

ten seit Boccaccios *Genealogia* XIV unversöhnt nebeneinander bestanden. Unter Berufung auf *Ion* 533d geht Poliziano nun von einer Übertragbarkeit des *furor* aus, d. h. die Dichter reichen sich quasi den Inspirationsfunken weiter: ›Deque aliis alios idem proseminat ardor/ Pectoris instinctu vates; ceu ferreus olim/Anulus, arcana quem vi magnesia cautes/Sustulerit, longam nexu pendente catenam/Implicat et caecis inter se conserit hamis‹ (5,192 ff.). Damit werden Lektüre, Imitation und Textarbeit zur notwendigen Vorbereitung der nun histor. vermittelten Inspiration. Die ma. Lehre vom vierfachen Schriftsinn, die noch Boccaccio und Salutati zur ethischen Salvierung der Dichtkunst gedient hatte, tritt bei Poliziano und seinen Zeitgenossen nicht mehr auf.

Neben dem Verfassen eigener Texte befassen sich die Humanisten auch mit der Herausgabe und Kommentierung der Klassiker, nicht zuletzt der lange vernachlässigten griechischen. Lorenzo Valla z. B. hat Ausgaben von Herodot, Aesop, Thukydides, Homer sowie der Evangelien betreut. Während Humanisten wie Filelfo und Guarino noch nach Byzanz reisen mußten, um Griech. zu lernen, kommen v. a. nach dem Fall der Stadt in die Hände der Türken (1453) immer mehr griech. Gelehrte nach Italien. Der berühmteste von ihnen, G. G. Pleton (*Bessarion*, 1403–72), schenkt 1468 seine wertvolle Büchersammlung der Stadt Venedig. Unter diesen Einwanderern ist auch Georgius Trapezuntius, der mit seinen *Rhetoricorum libri V* (1433) erstmals auch die *Téchne Rhetoriké* des Hermogenes von Tarsos und die byz. rhet. Trad. im Westen bekannt macht. Dem Human. steht damit eine ausdrücklich sophistische Alternative zur ciceronianisch-quintilianischen Trad. zur Verfügung, die sich zwar wegen Trapezunts Trennung von *eloquentia* und *philosophia* nicht durchsetzen kann, aber sporadisch immer wieder auftaucht (z. B. bei G. G. Trissino im 16. Jh.).

### D. 16. JAHRHUNDERT

#### 1. DE IMITATIONE

Die neulat. Lit. des Human. steht von vornherein vor der Frage, welche Autoren genau zu imitieren seien. Der Florentiner Human., der seine Verbindung mit der volkssprachlichen Dichtung nie ganz verloren hatte, vertritt dabei eine eklektische Position. Die Kurie verpflichtet sich dagegen auf einen strengen Ciceronianismus, in dem sich die *Ecclesia* als legitime Nachfolgerin des *Imperiums* präsentiert. Zum öffentlichen Austrag kommt der Streit erstmals 1494 in einem Briefwechsel zw. Paolo Cortesi (1465–1510) und Agnolo Poliziano. Poliziano hatte geschrieben: ›Quid tum? non enim sum Cicero, me tamen, ut opinor, exprimo‹ [22. 902]. Gerade dies aber könne man, so Poliziano, von Cicero lernen. Der Ciceronianismus sei daher ein untrüglicher Beweis für das Unverständnis Ciceros. Cortesi als Sprecher der Kurie – von ihm stammt auch der Traktat *De cardinalatu* (1509) – hält an der Notwendigkeit eines einzigen Imitationsvorbildes fest, an dem sich die Perfektion einer Rede oder Schrift erst messen lasse: ›Eloquentia una est ars, una forma, una imago‹ [22. 908]. 1502 findet dieser Streit seine Fortsetzung im gleichnamigen Briefwechsel zw. Pietro Bembo (1470–1547), dem künftigen Kardinal, Historiographen Venedigs und päpstlichen Sekretär, und Gian Francesco Pico (1469–1533), dem Neffen des Philosophen Giovanni Pico. Pico beruft sich auf den Vorrang der rhet. *inventio*, die angesichts der Verschiedenheit der *ingenia* jede strenge Imitationslehre unmöglich mache. Für Bembo dagegen ist die Unmittelbarkeit der *inventio* nur ein Schein, hinter dem sich jahrelang akkumulierte Lektüren verbergen. Bembo nimmt also Cortesis Konzentration auf ciceronianische Muster auf, mehr noch, er setzt sie in It. auch durch.

### 2. Erasmismus

Durch den inzwischen entstandenen außerit. Human. mußten solche kulturellen Hegemonieansprüche der Kirche natürlich zurückgewiesen werden. Unbestrittene Führungsfigur wird dabei Erasmus von Rotterdam (1466–1536), der in seinem *Ciceronianus sive de optimo genere dicendi dialogus* (1528) das nunmehr streng klass. Kirchenlat. der neupaganen Verirrung bezichtigt. Erasmus setzt dabei die von Valla ausgehende philol. Linie fort und konzentriert sich auf rhet. Gattungen wie die paradoxe *laudatio* (*Moriae Encomion*, 1511), Sprichwortsammlungen (*Adagia*, 1508), Briefstellerlehren (*De conscribendis epistolis*, 1522) und dergleichen. In It. wird Erasmus v. a. durch Alberto Pio da Carpi auf das heftigste bekämpft und von vornherein der Häresie verdächtigt. Dagegen scharen sich die Humanisten Nordeuropas und Spaniens um den Niederländer, wie sein umfangreicher Briefwechsel belegt. Am auf die Versöhnung der Konfessionen ausgerichteten Hof Karls V. ist der Erasmismus, dort vertreten durch Alfonso de Valdés (1490–1532), bes. erfolgreich. In den span. Niederlanden führen Juan Luis Vives (1492–1540) und Fadrique Furió Ceriol (Ceriolanus) die Ansätze des Erasmus fort. In Frankreich folgen ihm u. a. G. Budé und J. Dorat. Hier greift der Human. auch massiv in das akad. Studium ein. Die erasmistischen Vereinfachungen des klass. Triviums (die wiederum auf den Arbeiten Vallas beruhen) führen über die Vermittlung von Johannes Sturm in Straßburg zur Neuordnung des Triviums durch Petrus Ramus (Pierre de La Ramée), dessen Reform in den kommenden Jahrhunderten v. a. in den protestantischen Ländern das Curriculum determinieren sollte. In Deutschland allerdings läßt Melanchthon sowohl die ramistische wie die klass., aristotelische Studienordnung zu. In den katholischen Ländern hält die jesuitische *Ratio studiorum* (1599) das klass. Trivium mit nur relativ wenigen Verschiebungen und dementsprechend auch die ciceronianischen Stilmuster aufrecht.

### 3. Vulgärhumanismus

It. verliert zu Beginn des 16. Jh. seine Führungsposition in Europa und beginnt, eine Sonderrolle zu spielen. Ähnlich wie Pietro Bembo auf dem Gebiet des Lat. strikte Imitationsvorschriften durchgesetzt hat, ist es ihm auch gelungen, den neu entstehenden Vulgärhuman., zu dem er selbst im Dialog *Gli Asolani* (1506) das

erste Exempel liefert, auf die Nachahmung Petrarcas für die Lyrik und Boccaccios für die Prosa, also auf ein archa. Sprachmodell, zu verpflichten (*Prose della volgar lingua*, 1525). Diese Imitationslehre leistete, was andere Positionen nicht leisten konnten: die Festlegung der Sprache auf eine fixe und damit lernbare Grammatik. Der it. Vulgärhuman. des 16. Jh. überträgt somit die für das Lat. entwickelten Regeln in die Volksliteratur. Castigliones europaweit erfolgreicher *Libro del Cortegiano* (1528) z. B. führt erstmals das Modell eines ciceronianischen Dialogs mit unzähligen wörtlichen Anleihen in ein volkssprachliches Werk ein. Schon der erste Satz des B. ist nichts weiter als eine Übers. des ersten Satzes von Ciceros *Orator*. Der Vicentiner Gian Giorgio Trissino (1478–1550) legt sämtliche klass. Gattungen in regelgerechter Form in der Volkssprache vor, die Tragödie *Sophonisba* 1529, das Epos *Italia liberata dai Goti* 1547, die Komödie *I Simillimi* 1548. Auf dem Markt kann er sich damit gegen Ariostos ganz unklass. Ritterroman (*Orlando furioso*, 1532) und gegen dessen (regelgerechte) Komödien nicht durchsetzen. Um als Humanist zu gelten, ist von der Mitte des 16. Jh. an nicht mehr die Kenntnis der ant. Klassiker erforderlich, sondern es genügt die der inzw. kanonischen volkssprachlichen Autoren, allen voran die von Petrarca und Boccaccio. Dies jedenfalls ist die Linie der wichtigsten it. Sprachgesellschaft, der *Accademia della Crusca*, und ihres Wortführers Lionardo Salviati.

Im Vulgärhuman. schlägt sich ein Autoritätsverlust des Lat. nieder, der durch den Aufstieg des Griech. und um die Jh.-Wende auch des Hebräischen (Pico della Mirandola, Johannes Reuchlin) begünstigt worden war. Es läßt sich jedoch nicht behaupten, daß der lat. Human. durch den volkssprachlichen einfach verdrängt worden wäre, vielmehr existieren beide nebeneinander. Die Produktion von lat. Lit. und Traktatistik steigt sogar, nicht zuletzt dank des Buchdrucks, sprunghaft an. Die lat. Humanisten It. dieser Generation flüchten aber ausnahmslos an die Kurie. Die Mitglieder der noch völlig laizistischen Adelsgesellschaft, die Castiglione 1528 in seinem *Libro del Cortegiano* beschrieben hatte, finden sich schon wenige J. später alle als Kardinäle oder wenigstens Bischöfe wieder. Nachdem mit den Medici-Päpsten (Leo X. und Clemens VII.) auch Florenz in den Dunstkreis der Kurie getreten war, hatte It. ein alternatives kulturelles Zentrum nicht mehr aufzuweisen.

### 4. Die aristotelische Poetik

Die Ren. läßt man gewöhnlich mit der Reformation (1519), dem *Sacco di Roma* (1527) oder der Eröffnung des Konzils von Trient (1545) enden. Die großen philol. Leistungen des 16. Jh., wie die Tacitus- und Seneca-Ausgaben des Niederländers Justus Lipsius, liegen damit außerhalb ihres Horizonts. Dasselbe gilt für die sehr umfangreiche jesuitische Epigrammproduktion und das jesuitische Theater. Nur auf einem Gebiet hat der it. Human. noch eine Vorreiterrolle innegehabt, die für die klass. Lit. der anderen Länder wegweisend werden sollte: in der Herausgabe und Kommentierung der aristotelischen *Poetik*. Sie ist 1498 durch Giorgio Valla erstmals ins Lat. übersetzt worden, erlebt aber erst – gemeinsam mit Horaz' *Ars poetica* – nach Girolamo Vidas *De arte poetica* (1527) ihren wirklichen Aufschwung. In It. sind im 16. Jh. unzählige Kommentare zur aristotelischen Poetik geschrieben worden: sie reichen von Bemühungen, sie mit der gegenreformatorischen Psychomachie in Übereinstimmung zu bringen, bei Minturno (*De Poeta libri VI*, 1559; *L'arte poetica*, 1563) bis zu dem komplexen Regelwerk des Protestanten Lodovico Castelvetro (*Poetica volgarizzata et sposta*, 1570). Für Europa, v. a. für die frz. Klassik, verbindlich werden aber bes. Giulio Cesare Scaligers *Poetices libri septem*, 1561.

→ Philologie

1 R. Avesani, La professione dell'umanista nel Cinquecento, in: Italia medioevale ed umanistica, 13, 1970, 205–232 2 C. S. Baldwin, Ren. Literary Theory and Practice, 1939 3 H. Baron, The Crisis of Early Italian Ren. Civic Humanism and Republican Liberty in an Age of Classicism and Tyranny, 1966 4 Ch. Bec, Les marchands écrivains, 1967 5 G. Billanovich, Petrarca letterato, 1947 6 F. Biondo, Italia illustrata, historiarum ab inclinatio imperio decades II, 1531 7 G. Breitenbürger, Metaphora, 1975 8 P. B. Brown, A Significant Sixteenth Century Use of the Word »Umanista«, in: Modern Language Review, 64, 1969, 565–575 9 F. Bruni, L'invenzione della letteratura mezzana, 1990 10 L. Bruni, Epistolarum libri octo, ed. L. Mehus, 1741 11 Ders., Historiarum Florentini Populi libri XII et Rerum suo tempore gestarum commentarius, ed. E. Santini, C. Di Pierro, 1914 12 K. Burdach, Rienzo und die geistige Wandlung seiner Zeit, 1913–28 13 Ders., P. Piur (Hrsg.), Briefwechsel des Cola di Rienzo, 1929 14 A. Campana, The Origin of the Word Humanist, in: Journal of the Warburg and Courtauld Institutes, 9, 1946, 60–73 15 D. L. Clark, Rhetoric and Poetry in the Ren., 1922 16 L. D'Ascia, Erasmo e l'umanesimo romano, 1991 17 C. Dionisotti, Gli umanisti e il volgare fra Quattro e Cinquecento, 1968 18 C. Dionisotti, Geografia e storia della letteratura italiana, 1967 19 R. Fubini, Ricerche sul De voluptate di Lorenzo Valla, in: Medioevo e Rinascimento, I, 1987, 189–239 20 E. Garin (Hrsg.), Filosofi italiani del Quattrocento, 1942 21 Ders., Der it. Human., 1947 22 Ders. (Hrsg.), Prosatori latini del Quattrocento, 1952 23 H. H. Gray, Ren. Humanism: The Pursuit of Eloquence, in: Journal of the History of Ideas, 24, 1963, 497–514 24 M. Guglielminetti, Memoria e scrittura, 1977 25 Ch. H. Haskins, The Ren. of the 12th Century, 1928 26 B. Hathaway, The Age of Criticism, 1962 27 M. T. Herrick, The Fusion of Horatian and Aristotelian Literary Criticism 1531–55, 1946 28 R. Hirzel, Der Dialog, 1895 29 J. Hutton, The Greek Anthology in Italy, 1935 30 W. J. Kennedy, Rhetorical Norms in Ren. Literature, 1978 31 P. O. Kristeller, La tradizione classica nel pensiero del Rinascimento, 1965 32 Ders., Studies in Ren. Thought and Letters, 1969 33 J. Linhardt, Rhetor, Poeta, Historicus, 1979 34 D. Marsh, The Quattrocento Dialogue, 1980 35 A. v. Martin, Soziologie der Ren., 1974 36 L. Martines, The Social World of the Italian Humanists 1390–1460, 1963 37 G. Mazzacurati, Misure del classicismo rinascimentale, 1967 38 A. Michel, La parole et la beauté. Rhétorique et esthétique dans la trad. occidentale, 1982 39 J. Monfasani, George of Trebisond, 1976 40 J. J. Murphy (Hrsg.), Ren. Eloquence, 1983 41 W. A. Ong S. I., Ramus, 1958 42 Panormita (A. Beccadelli), Hermaphroditus, ed. D. Coppini, 1990 43 F. Petrarca, Rerum memorandarum libri, ed. G. Billanovich, 1943 44 A. Poliziano, Nutricia, ed. G. Boccuto, 1990 45 N. A. Robbs, Neoplatonism of the Italian Ren., 1935 46 C. Segre, Studi sulla storia della prosa italiana, 1963 47 R. Sabbadini, Le scoperte dei codici latini e greci ne'secoli XIV e XV, 1905–14 48 S. Seidel-Menchi, Erasmo in Italia, 1987 49 J. E. Seigel, Rhetoric and Philosophy in Ren. Humanism, 1968 50 J. E. A. Spingarn, A History of Literary Criticism in the Ren., 1924 51 F. Tateo, Umanesimo etico di G. Pontano, 1972 52 L. Valla, Opera omnia, 1540 (Ndr. 1962) 53 C. Vasoli, La dialettica e la retorica dell'Umanesimo, 1968 54 Th. Zielinski, Cicero im Wandel der Jh., 1912 55 G. Zonta, Rinascimento, Aristotelismo, Barocco, in: Giornale Storico della Letteratura Italiana, 104, 1934, 1–63, 185–240.

MANFRED HINZ

## II. RECHT

A. Definition  B. Entstehung und Ausbreitung  C. Inhalt  D. Wirkungen  E. Elegante Jurisprudenz  F. Holländische Eleganz

### A. Definition

Juristischer Humanismus (J. H.) bezeichnet die rechtsgeschichtliche Epoche um 1510/20 bis 1530/40, die der in Bologna entwickelten »alten« analytisch-exegetischen Methode des *Mos italicus* den in Frankreich unter dem Einfluß des Human. neu geschaffenen *Mos gallicus* gegenüberstellt, um daraus Folgerungen für den Rechtsunterricht und eine systematische Methode zu ziehen.

### B. Entstehung und Ausbreitung

Der Übergang vom Spät-MA zur Neuzeit ist geprägt durch die Ren., die »Wiedergeburt« der ant. Lebenskultur, insbes. in der Kunst, und durch den Human., der in den Geisteswiss. den kirchlichen Trad. ein neues, am Menschen orientiertes und das Individuum heraushebendes Weltbild gegenüberstellt, das in den ant. Klassikern verwirklicht ist. Aus den Quellen der Ant., zu denen der Ruf *ad fontes* auffordert, werden in allen Lebensbereichen (Kirche, Staat, Recht) »Reformationen« eingeleitet. Während südl. der Alpen diese Bewegung durch die »Grammatiker« Petrarca, Filelfo, Valla oder Poliziano früher und umfassender wirksam wurde, eine Umgestaltung der Rechtswiss. aber nicht anstrebte, wurde in Deutschland der Human. durch die Ideen der kirchlichen Reformation und die Kritik am päpstlichen und kaiserlichen Universalismus ideologisch aufgeladen und nahm polemische Züge an. Der J. H. gewann als Reformprogramm an Bedeutung, weil er mit der praktischen Rezeption des röm. Rechts zeitlich zusammenfiel.

Die human. Reform der Jurisprudenz nahm ihren Ausgang von der frz. Universität Bourges (gegr. 1464). Als ihre Begründer gelten Guillaume Budé (1467–1540) [25], Andrea Alciato (1492–1550) [7], der in Avignon und Bourges lehrte, und Ulrich Zasius (1461–1535) in Freiburg [29; 10]. Der Human. wandte sich mit heftiger Kritik gegen den ganzen Berufsstand, der zu einem Juristenmonopol tendierte, und fand darin die breite Zustimmung der Bevölkerung (›Juristen, böse Christen‹ [16]); man beklagte mangelnde Standesethik, Geldgier und Rabulistik und argwöhnte eine gegen altes Herkommen gerichtete Handhabung eines fremden Rechts im Dienste der Landesherren. Beispielhaft prangert Erasmus in seinem *Lob der Torheit* die Juristen an, was andererseits aber auch wache Geister unter ihnen zur Selbstreflexion führen mußte. Der J.H. wurde damit den Grammatikern entzogen und zur Sache der Juristen; doch griff man dabei auf Argumente der Humanisten zurück. In Deutschland breitete sich der J.H. seit etwa 1520 von Löwen (L. Vives) an den Oberrhein aus; er faßte Fuß in Basel (C. Cantiuncula, J. Sichardus, B. Amerbach), wohin gleichzeitig auch Erasmus [21] übersiedelte. Die Bewegung breitete sich auf Heidelberg (J. Wimpfeling, J. Spiegel), Tübingen (Spiegel), Wien (Brassican) [9] und Wittenberg (Ph. Melanchthon, J. Apel u.a.) aus; demgegenüber blieb v.a. Leipzig ein Zentrum des traditionellen *Mos italicus*.

## C. INHALT

Der J.H. knüpfte mit der Kritik am *Mos italicus* bei den Italienern an und wandte sich gegen die scholastische Unterrichtsform, die Autoritätsgläubigkeit, die sprachliche Unkultur und die Ignoranz im geschichtlichen Verständnis. Die von den Italienern geforderten antiquarischen Studien traten eher zurück. Eine vermehrte Beschäftigung mit Tacitus' *Germania* förderte gleichwohl ein erstmals aufkommendes Interesse an der Rechtsgeschichte: der Zasiusschüler J. Sichardus edierte das westgot. *Breviarium Alarici* (Basel 1528) und die german. *Leges* (Basel 1530).

Der J.H. wurde vornehmlich zu einem pädagogischen Anliegen. Hauptangriffsziel war die für die scholastische Methode charakteristische Autoritätsgläubigkeit. Die Forderung nach einer Rückkehr zu den Quellen war mit der im Rechtsunterricht üblichen Vermittlung des röm. Rechts über die *Glossa ordinaria* des Accursius und mehr noch die Komm. der Postglossatoren Bartolus und Baldus nicht zu vereinbaren. Während aber der *Mos gallicus* in Frankreich die ma. Überlieferung verwarf, hielt der dt. J.H. aus praktischen Erwägungen daran fest.

Die Kritik der Reformer richtet sich nicht zuletzt auch gegen die mangelhafte Textüberlieferung. Die Textkritik gewinnt für den Unterricht an Bedeutung, wobei jetzt auch griech. Texte einbezogen werden [34]. Gregor Haloander schuf 1529/31 die erste kritische Gesamtausgabe des *Corpus iuris civilis*.

Unüberhörbar wurde auch der Ruf nach einem System, das die Legalordnung bzw. Legalunordnung des *Corpus iuris civilis* überwinden sollte. An die Stelle der herkömmlichen analytisch-exegetischen Methode sollte die systematische Methode treten, wie sie – nach der Überzeugung der Reformer – von Cicero in der verlorenen Schrift *De iure civili in artem redigendo* verwirklicht worden war. Das Ziel, diese Schrift wiederaufzufinden oder zu rekonstruieren, führte zu vielfältigen Bemühungen um ein juristisches System (Apel, Derrer, Lagus, Donellus u.a.).

Sowohl das pädagogische Anliegen (Zurückdrängung der Komm., Einschränkung des Lehrstoffs, selbständiger Vernunftgebrauch) wie auch das geforderte Herausarbeiten des Systems zielen auf einen Zeitgewinn ab: denn das Zitieren von ›1000 leges‹ und ›totidem glossas‹ [38] und das übliche Aufführen einer Unzahl von Komm. machte den Wissensstoff unüberschaubar. Die Studenten werden mit viel Unnützem beladen; und ›weyll sie eins lernen‹, sagen die Heidelberger Statuten, ›haben sie das ander vergessen, und wan uns das buch entpfelt, so ist die kunst auch verloren‹ [5]. Die Totalrezeption des röm. Rechts, die Gründung des Reichskammergerichts und zahlreicher Hofgerichte, der Ausbau der auf ein mod. Beamtentum gestützten Territorialherrschaft, die Entstehung der Peinlichen Gerichtsordnung Karls V., kurz: die Verwirklichung des sich abzeichnenden Juristenmonopols, verlangte in kurzer Zeit eine große Zahl wiss. gebildeter Juristen. Eine Verkürzung des Studiums konnte aber nur über eine entsprechende Reform erreicht werden. Ein weiterer Faktor, der zu der Kürzung der Studienzeit führte, war die Verlagerung des bisherigen Schwergewichts von der Kanonistik auf die Legistik bzw. ein noch weiter reichender Abbau des Kirchenrechts im Zuge der Reformation.

Das Reformprogramm suchte auch das sprachlich-ästhetische Anliegen zu verwirklichen. Abgesehen von den herkömmlichen Bedenken der alten Schule, ›neminem posse et latine scire et iurisconsultum agere‹, vertraten auch Anhänger des Reformprogramms (B. Amerbach, J. Hattstedt, A. Gentilis) die Meinung, der Jurist solle sich nicht allzu sehr in die sachfremde Abhängigkeit der Philologen begeben. In diesem Sinne erregte denn auch Sichardus selbst innerhalb der Reformbewegung Anstoß, wenn er die *Digesten* in der gleichen Weise interpretierte wie Terenz oder Plautus. In Wien wurde eine solche Vorgangsweise sogar durch die Statuten von 1537 festgeschrieben, indem sie dem Pandektisten auferlegten, den jungen Juristen auch ›elegantiam et castitatem linguae Latinae‹ zu vermitteln [9]. Die noch weitergehende Forderung, ma. Rechtsbegriffe dem Stil eines Cicero und Livius anzupassen, mußte geradezu kontraproduktiv wirken, weil damit für die Studenten nur neue Verwirrung geschaffen wurde, um deren Abbau es ja gerade ging.

## D. WIRKUNGEN

Ungeachtet der seitens des J.H. geübten vielfältigen Kritik konnte sich der *Mos italicus* in der Praxis behaupten. Noch 1562 erschien in Basel eine Ausgabe des Bartolus, deren Vorrede festhielt, ›daß jeder Rechtslehrer, wenn er bei seinem Bartolus bleibt, allen anderen vorzuziehen ist, weil Bartolus die größte Autorität darstellt‹. Bei der Beurteilung der Wirkungen des Reformprogramms bleibt zu berücksichtigen, daß es sich um ein an die Anfänger gerichtetes pädagogisches Anliegen handelte. Hier wurde in der Tat einiges erreicht. So suchte man durch Studienanleitungen den Studenten zum selbständigen Vernunftgebrauch hinzuführen. Indem man den Anfänger auf die Institutionen hinlenkte und mit dem System des Gaius vertraut machte, entsprach man der Forderung ›System statt Exegese‹. Zugleich wurden Parallelvorlesungen über Cod. und Digesten eingerichtet, die *More gallico* vorgingen und so den Stoff nicht nur gekürzt vortrugen, sondern auch auf bestimmte Teile des Systems ausrichteten (z. B. Schuldrecht, Erbrecht). Im Unterricht setzte sich die Abkehr von der Legalordnung nach der Mitte des 16. Jh. durch die Einführung systematischer Vorlesungen vollends durch: die Lehrstuhlinhaber von Cod., Digesten und Novellen sprachen untereinander ab, wer jeweils über *materia iuris personarum*, *materia contractuum* oder *materia testamentorum et successionis* lesen würde, während die *materia actionum iuris civilis* dem Kanonisten zufiel [8. 107–111]. Dem Lehrangebot wurde damit das Institutionensystem des Gaius (*personae, res, actiones*) zugrundegelegt.

### E. Elegante Jurisprudenz

Der in Bourges entstandene *Mos gallicus* wurde dort seit der Mitte des 16. Jh. fortentwickelt. Anders als im Reich galt in Frankreich das *Corpus iuris civilis* nicht auf Grund kaiserlicher Anordnung *ratione imperii*, sondern *imperio rationis*, d. h. auf Grund der ihm immanenten Vorzüge. Hielt man in It. und in Deutschland aus praktischen Erwägungen an den histor. Autoritäten fest (›nemo iurista nisi Bartolista‹), so konnte man in Frankreich eine freiere Position gegenüber dem *Corpus iuris civilis* einnehmen: man löste sich vom »Irrweg« der Lehrmeinungen und stellte den Text selbst in den Mittelpunkt, um ihn allein im Wege der Vernunft auszulegen. Wegen der Klarheit des Systems und der an der Klassik orientierten Sprache bezeichnete man diese Richtung als »elegante Jurisprudenz«.

Die philol. Richtung der eleganten Jurisprudenz fand ihren Höhepunkt in J. Cujas (1522–1590), dem Meister der histor.-exegetischen Methode. Die systematische Richtung vertrat v. a. H. Donellus (1527–1591). Als bedeutendster Textkritiker machte sich D. Godefroy (1549–1622) einen Namen, der Herausgeber des *Corpus iuris civilis* (1583). Wegweisend für die künftige Kodifikationsbewegung des 18. Jh. wurde F. Hotman (1524–1590), der mit seinem *Antitribonianus* (1574) das *Corpus iuris civilis* als fehlerhaftes Machwerk hinstellte, aus dem man zu einem Neubeginn finden müsse. Das calvinistische Bourges hatte das päpstliche Bologna als führende europ. Rechtsschule abgelöst [13; 15; 17; 36; 37].

Die gewaltsame Unterdrückung der Hugenotten zwang zahlreiche Vertreter der eleganten Jurisprudenz ins Exil, unter anderem nach Deutschland (Dumoulin nach Tübingen, Hotman nach Straßburg, Donellus nach Heidelberg und Altdorf, Godefroy nach Straßburg und Heidelberg) und in die Schweiz (Donellus, Hot-

man, Bonnefoy und Godefroy nach Genf, Hotman nach Basel). Der häufige Wechsel zw. den Univ. stand einer Neugründung von Schulen entgegen. Mit J. Godefroy (1587–1652), dem Sohn des D. Godefroy, der den *Cod. Theodosianus* (Lyon 1665) in mustergültiger Weise ediert und kommentiert hatte, fand in Genf die elegante Jurisprudenz ihren krönenden Abschluß.

### F. Holländische Eleganz

Das Erbe der eleganten Jurisprudenz ging im 17. und 18. Jh. an die calvinistischen Niederlande über. Auch in den Niederlanden galt das röm. Recht nicht auf Grund des ma. Reichsgedankens, sondern kraft der Vorbildlichkeit der Ant. Ziel der holländischen eleganten Schule war es, das klass. Recht durch den Einsatz philol. und histor.-antiquarischer Methoden von den ma. Verfälschungen zu befreien. Zu Vertretern der Holländischen Eleganz zählen A. Vinnius (1588–1657), G. Noodt (1647–1725), A. Schultingh (1659–1734), C. von Bynkershoek (1673–1743), H. Brenkman (1680–1736), J. O. Westenberg (1667–1737), mit Vorbehalt U. Huber (1636–1694) und J. Voet (1647–1713) [26; 36; 37].

Die dt. Jurisprudenz stand im 17. und 18. Jh. unter dem starken Einfluß der Niederlande; Voet lehrte in Herborn, Noodt wurde nach Duisburg und Heidelberg berufen. Von Holland läßt sich eine Verbindung zum Aufstieg der dt. Pandektenwiss. des 19. Jh. herstellen: Holland reichte die Fackel der großen Rechtswiss., die einst in It. entzündet worden war und von dort nach Frankreich und dann weiter in die Niederlande gewandert war, an Deutschland weiter [37. 169].

QU 1 A. Alciato, Opera omnia, Basel 1582 2 G. Budé, Opera omnia, Basel 1557 3 J. Cujas, Opera, Prati 1859/71 4 H. Donellus, Opera, Firenze 1840/47 5 A. Thorbecke, Statuten und Reformationen der Univ. Heidelberg vom 16. bis 18. Jh., Leipzig 1891 6 U. Zasius, Opera omnia, Lyon 1550, Ndr. 1964

LIT 7 R. Abbondanza, s. v. Alciato Andrea, Dizionario Biografico degli Italiani 2, 1960, 69–77 8 K. H. Burmeister, Das Studium der Rechte im Zeitalter des Human. im dt. Rechtsbereich, 1974 9 Ders., Einflüsse des Human. auf das Rechtsstudium am Beispiel der Wiener Juristenfakultät, in: Acta humaniora 1987, 136–145 10 Ders., Ulrich Zasius (1461–1535), Humanist und Jurist, in: Human. im dt. Südwesten, Biographische Profile, 1993, 105–123 11 A. M. M. Canoy-Olthoff, P. L. Nève, Holländische Eleganz gegenüber dt. Usus modernus Pandectarum, 1990 12 H. Coing, Die juristische Fakultät und ihr Lehrprogramm, in: Coing (Hrsg.), Hdb. der Quellen und Lit. der neueren europ. Privatrechtsgeschichte II/1, 1977, 3–102 13 H. Conrad, Dt. Rechtsgesch. 2, 1966 14 F. Elsener, Die Schweizer Rechtsschulen vom 16. bis zum 19. Jh., 1975 15 H. Hattenhauer, Europ. Rechtsgesch., ²1994 16 M. Herberger, s. v. Juristen, böse Christen, HWB zur dt. Rechtsgesch. 2, 1978, 481–484 17 R. Hoke, Österreichische und dt. Rechtsgesch., 1992 18 G. Kisch, Johannes Sichardus als Basler Rechtshistoriker, 1952 19 Ders., Human. und Jurisprudenz: Der Kampf zw. mos italicus und mos gallicus an der Univ. Basel, 1955 20 Ders., Bartolus und Basel, 1960 21 Ders., Erasmus und die Jurisprudenz seiner Zeit, 1960 22 Ders., Die human.

Jurisprudenz, in: La storia del diritto nel quadro delle scienze storiche, 1966, 469–490 **23** Ders., Claudius Cantiuncula, 1970 **24** Ders., Stud. zur human. Jurisprudenz, 1970 **25** D. R. KELLEY, Guillaume Budé and the First Historical School of Law, in: American Historical Review 72, 1967, 807–834 **26** G. KLEINHEYER, J. SCHRÖDER, Dt. und Europ. Juristen aus neun Jh., 1996 **27** K. LUIG, s. v. Mos gallicus, mos italicus, HWB zur dt. Rechtsgesch. 3, 1984, 691–698 **28** D. MAFFEI, Gli inizi dell' umanesimo giuridico, ³1972 **29** ST. ROWAN, Ulrich Zasius, A Jurist in the German Renaissance, 1987 **30** M. SENN, Rechtsgesch. – ein kulturhistor. Grundriss, 1997 **31** H. E. TROJE, Die europ. Rechtslit. unter dem Einfluß des Human., in: Ius Commune 3, 1970, 33–63 **32** Ders., Arbeitshypothesen zum Thema Human. Jurisprudenz, in: Tijdschrift voor rechtsgeschiedenis 38, 1970, 519–563 **33** Ders., Zur human. Jurisprudenz, in: FS H. Heimpel 2, 1972, 110–139 **34** Ders., Graeca leguntur, 1971 **35** Ders., Die Lit. des gemeinen Rechts unter dem Einfluß des Human., in: COING (Hrsg.), Hdb. der Quellen und Lit. der neueren europ. Privatrechtsgeschichte, II/1, 1977, 615–795 **36** G. WESENBERG, G. WESENER, Neuere dt. Privatrechtsgesch., 1985 **37** F. WIEACKER, Privatrechtsgesch. der Neuzeit, ²1967 **38** Ders., Human. und Rezeption, Eine Stud. zu Johannes Apel Dialogus, in: Gründer und Bewahrer, 1959, 44–91.　　KARL HEINZ BURMEISTER

## III. MEDIZIN

In der Moderne haben Historiker jener Bewegung innerhalb der Medizin, die seit den 1490er J. eine Rückkehr zu den originalen griech. Quellen gelehrter Medizin forderte, den Namen M. H. (Medizinischer Humanismus) gegeben [5]. In dieser Geistesströmung wurden nicht nur die ant. lat. Vermittler der griech. Medizin, wie z. B. Cornelius Celsus und Plinius d. Ä. (die im 15. Jh. wieder wirkmächtig wurden), abgelehnt, sondern auch arab. Autoren wie Avicenna und Rhazes, die in lat. Übers. die Stütze der ma. Schulmedizin gewesen waren. Niccolò Leoniceno (1428–1524), Professor für Medizin in Ferrara und Eigentümer der erlesensten zeitgenössischen Büchersammlung zur griechischsprachigen Medizin und Wiss., zeigte in seiner Schrift *De Plinii et plurimum aliorum erroribus* (1492), daß die Unkenntnis bzw. das Mißverstehen des Griech. eines Galen, Pedanios Dioskorides, Hippokrates u. ä. große Verwirrung gestiftet hätten [3]. Sein Gegenmittel war eine unmittelbare Rückkehr zum Griech. oder, da nur wenige mit dem Griech. und zugleich mit der Medizin vertraut seien bzw. Zugriff auf griech. Handschriften hätten, eine Besinnung auf neue lat. Übers. aus dem Griechischen.

Bis 1525, dem Erscheinungsjahr der griech. Galen-*Aldina* (die Hippokrates-*Aldina* erschien 1526), galten die neuen Übersetzungsanstrengungen hauptsächlich den universitären Standardtexten, z. B. den *Aphorismen* des Hippokrates, doch zw. 1526 und 1560 ergoß sich eine wahre Flut von lat. und gelegentlich volkssprachlichen Übers. sämtlicher ant. Medizintexte auf den Buchmarkt [1]. Nach 1540 verlagerte sich das Interesse auf die Fortentwicklung ant. Ideen, die entweder neu entdeckt oder neu interpretiert worden waren. V. a. in Paris kommentierte man eine breite Palette hippokra-

tischer Texte und gründete neue Ideen, z. B. über Klimaeinflüsse, auf ant. Vorbilder [2]. Um 1600 kam die Ed. und Übers. ant. Texte praktisch zum Stillstand, und die philol. Methoden der früheren medizinischen Humanisten bildeten nun einen Teil einer Medizin, die sich nach wir vor auf antike Autoritäten berief

Die Errungenschaften des M. H. sind: 1. die Wiederentdeckung ant. Texte, insbes. des Dioskorides (ed. 1499), Galen (ed. 1525) und Hippokrates (ed. 1526; lat. Übers. 1525), 2. die Einführung neuer Techniken und Ideen, die von ant. Vorbildern abgeleitet wurden, z. B. die Bedeutung der Anatomie (die Humanisten wie Matteo Corti, 1475–1544, Jacobus Sylvius, 1478–1555 und John Caius, 1510–1573, betonten), der Botanik (Leoniceno, P. A. Matthioli, 1501–1577) sowie der Chirurgie (Vidus Vidius, gest. 1569), 3. die Entwicklung neuer klinischer Methoden zur Beobachtung und Klassifizierung (G. B. Da Monte, 1498–1552).

V. a. drängten die medizinischen Humanisten durch ihre dominierende Stellung an den Medizinhochschulen, durch ihre Brandmarkung von Harnschau und Astrologie als Quacksalberei sowie durch ihre Implementierung höherer Ausbildungsstandards für orthodoxe Ärzte (v. a. durch die Anforderung von Griechischkenntnissen) der Medizin ein neues, galenischorthodoxes Konzept auf, das die Kluft zw. ihnen und anderen Heilkundigen weiter vertiefte [4].

→ Arabisch-islamisches Kulturgebiet; Arabische Medizin; Medizin

→ AWI Celsus; Galenos aus Pergamon; Hippokrates; Plinius

**1** R. J. DURLING, A chronological Census of Ren. Editions and Translations of Galen, in: JWI 24, 1961, 230–305 **2** I. M. LONIE, The »Paris Hippocratics«: teaching and research in Paris in the second half of the sixteenth century, in: A. WEAR, K. FRENCH, I. M. LONIE (Hrsg.), The medical Ren. of the sixteenth century, 1985, 155–174 **3** D. MUGNAI CARRARA, La Biblioteca di Nicolò Leoniceno, 1991 **4** V. NUTTON, Pieter van Foreest on Quackery, in: H. A. BOSMAN-JELGERSMA (Hrsg.), Petrus Forestus Medicus, 1997, 245–258 **5** W. PAGEL, Medical Humanism, in: F. MADDISON, M. PELLING, C. WEBSTER (Hrsg.), Essays on the Life and Work of Thomas Linacre, 1977, 375–386.
　　VIVIAN NUTTON / Ü: LEONIE V. REPPERT-BISMARCK

## IV. MUSIK

Die dem abendländischen Geist immanente Haltung, den Ursprung der Kultur und der damit verknüpften Denkformen in der Ant. anzusiedeln, ging – wie auch die Scholastik – von It. aus. Sie schloß neben dem von Cicero geprägten Begriff der *studia humanitatis*, der zunächst v. a. die Gramm., Rhet., Poetik, Geschichte und Moralphilosophie umfaßte, später durch die Erweiterung des an den → Universitäten verbreiteten *curriculum* auch die → Artes liberales, also das *trivium* (Gramm., Rhet., Dialektik) und das *quadrivium* (Arithmetik, Geom., Musik, Astronomie) mit ein. Dadurch wird der musikalische H. im Verständnis der ant. Musiktheorie (*musica theorica*) und der zeitgenössischen Pra-

xis (*musica practica*; → Musica) als eine auf interdisziplinäre Studien ausgerichtete Teildisziplin des Humanismus verstanden. Da es in der Musik im Gegensatz zu
den angewandten Künsten (Architektur, Bildhauerei,
Malerei, Dichtkunst und Lit.) wegen des Fehlens entsprechender Musikbeispiele nicht möglich war, die Ant.
wiederzubeleben, wurden Forsch. auf dem Gebiet der
Musikästhetik und der Musiktheorie in den Vordergrund einer wiss. Auseinandersetzung gerückt. Trotz
dieses mangelnden Praxisbezuges zur Ant. waren dennoch − gerade bei einem weiter gefaßten Humanis-
musbegriff − auch Fragen der Kompositionstechnik und
der Aufführungspraxis von Bedeutung.

1. Jene bei Boethius primär zum *quadrivium* gehörende *scientia musicae* bezog sich einerseits auf das von ihm
entworfene Klassifikationsschema der *musica mundana*,
*musica humana* und *musica instrumentalis*, andererseits im
wesentlichen auf die Besprechung des griech. Tonlei-
tersystems (*systema teleion*), der Oktavgattungen (*species*)
und der Modi (*tonoi*; → Musikalische Elememtarlehre);
diese basierte auf der durch Nikomachos von Gerasa
übermittelten pythagoreischen Zahlenlehre. Zu einem
ersten Einwirken der *scientia musicae* auf die ars musica,
und zwar in der Besprechung der Tonleitern und Modi
im Gregorianischen Choral unter Berufung auf Boethius, kommt es bei Hucbald von Saint-Amand (9. Jh.),
dessen Lehre zusammen mit der des hl. Augustin die
Grundpfeiler der Kenntnis ant. Musiktheorie im frühen
MA bildete. Die Theoretiker des 13. und 14. Jh. hingegen (Johannes de Garlandia, Hieronymus de Moravia,
Johannes de Muris und Walter Odington) widmeten
sich zusehends Fragen der Mensuralnotation, jedoch
ohne dabei die abstrakte *musica theorica* zu vernachlässigen (vgl. Jacobus Leodiensis, *Speculum musicae*). Aber
auch im späten 14. und im 15. Jh. fand das *auctoritas*-
Denken des Boethius in den musiktheoretischen Schriften weite Verbreitung, so zum Beispiel bei Prosdocimus
de Beldemandis, Marchettus de Padua und Ugolino de
Orvieto. Bes. deutlich zeigt sich die volle Bandbreite
human. Einflüsse bei Franchino Gaffurio, v. a. in dessen
*Theorica musice* (1492). In diesem Werk beruft er sich bei
der Behandlung des *enconium musicae*, der Musikklassi-
fikation, der Physik, der Arithmetik, der Intervallehre
(als Teil der griech. *harmonia*) und schließlich bei der
problematischen Gegenüberstellung des *systema teleion*
und der *Solmisation* des Guido von Arezzo − basierend
auf einem gravierenden Mißverständnis in der Gleichsetzung lat. Kirchentonarten und griech. *tonoi*, das erst in
seinem *De harmonia musicorum instrumentorum opus* (1518)
zur Klärung gelangt − auf über 150, teilweise erstmals
erwähnte Quellen. Letztere umfassen enzyklopädische
Schriften (Isidorus von Sevilla, Martianus Capella), einschlägige lat. Werke (Guido von Arezzo, Giorgio An-
selmi, Ugolino de Orvieto, Johannes Gallicus) sowie
eigens erteilte Übersetzungsaufträge griech. Texte (Er-
molao Barbaros Übers. der Themistius-Paraphrasen von
Aristoteles' *De anima*, Marsilio Ficinos Übers. von Platons Werke, Giovanni Francesco Buranas Übers. der

*Introductio artis musicae* des Bacchius). Gaffurios Zeitgenosse Johannes Tinctoris wurde durch sein Fachwör-
terbuch human. Prägung bekannt (*Terminorum musicae
diffinitorium*, um 1473/74); ferner entwickelte er in seinen *Libri contrapuncti* (1477) eine Methode human.
Textkritik und deren Anwendung auf die zeitgenössische Kompositionspraxis (dargelegt anhand zahlreicher
Beispiele) mit Hinweis auf das satztechnische Prinzip
der *varietas*, das sich auf die ant. Poetik stützte. Derartige
human. Tendenzen sowie eine Beschäftigung mit der
Rhet. (nach der *Institutio oratoria* des Fabius Quintilia-
nus) führten zu einem neuen, von Nikolaus Listenius
(1533) formulierten Klassifikationsschema der Musik
unter Einbeziehung der *musica poetica* als dem höchsten,
allumfassenden Begriff musikalischer Praxis. Im 16. Jh.
erfuhr das mathematisch-physikalische Konzept der
Musik als klingende Zahl (*numerus sonorus*) eine grundlegende Erweiterung. So wurden bei Lodovico Foglia-
no, dem Verfechter der → musikalischen Ethoslehre,
neben den traditionell überlieferten Konsonanzen der
pythagoreischen Lehre (Oktave, Quinte, Quarte) auch
Terz, Sext und deren Vielfache mittels der Geom. des
Euklid bestimmt. Diese Strömung leitete eine allmähliche Abkehr von der Tonlehre des Boethius ein. In dieser Neuorientierung kam es auch zu einer fortschreitenden Abwendung von jener im 15. Jh. (Ramos de Pareja)
und noch zu Beginn des 16. Jh. (Giovanni Spataro) apo-
strophierten pythagoreischen Stimmung. Vollzog sich
das Loslösen von der ant. Trad. auch in Gioseffo Zarli-
nos Moduslehre, so hielt noch Heinrich Glareanus in
seiner Theorie der zwölf Modi (ähnlich wie auch Gaffurio in seinen Betrachtungen) an einer Zwölferteilung
der sieben Oktavgattungen in Quinte und Quarte fest.

2. Grundlegend für das Nachvollziehen human.
Tendenzen in der damaligen zeitgenössischen Kompositionspraxis waren persönliche Begegnungen zw. Humanisten und Musikern an den Fürstenhöfen (z. B.
Heinrich Isaac und Lorenzo de Medici). Die Werke der
»Burgundischen Schule« sowie auch der »Niederländischen Schule« (vor 1530) waren noch ganz dem poly-
phonen Stimmgefüge, das auf dem *cantus prius factus*
basiert, und somit auch der dem Gregorianischen
Choral innewohnenden Textdeklamation verhaftet; dabei wurde v. a. eine auf Melismen beruhende, metr. auf
akzentlose Silben fallende Deklamation des Chorals
auch in der Polyphonie übernommen. Im Zuge einer
allmählichen Loslösung von *cantus firmus*-Techniken
kam es jedoch zu einem Wechsel von dem imitierenden,
linearen Kontrapunkt mit vokalisierender Melismatik,
der nach dem *cantus firmus* ausgerichtet und von eigenständiger Melodieführung der einzelnen Stimmen gekennzeichnet ist, und einer oftmals differenzierten
Mensurierung zur gesteigerten, auf einfachen Tonfort-
schreitungen und metr. Einheitlichkeit (oft im *tempus
imperfectum diminutum*) basierenden homophonen Anlage mit akzentuierter Deklamation syllabischer Textunterlegung. Dabei treten beide Techniken in einzelnen
Werken noch nebeneinander auf (z. B. in der Motette

*Tu solus* von Josquin Desprez). Dieser Angleichung musikalischer, nach natürlicher Textdeklamation ausgerichteter Metrik und polyphoner Satztechnik mit bisweilen auftretender Chromatik zur Steigerung des Affektgehaltes von Texten (vermutlich als bewußte Nachahmung des weichen Charakters des griech. Tonsystems) begegnet man v. a. in den wortreichen Ordinariumssätzen choralfreier *cantus firmus*-Messen, in jenen als *soggetti cavati* ausgelegten *cantus firmus*-Sätzen (z. B. in Josquins *Missa Hercules Dux Ferrarie*), in Psalmvertonungen, ferner auch in *carmina congratulatoria*, Epitaphen (z. B. *Epitaphium Lutheri* von Caspar Othmayr), Huldigungsgedichten, *intermedii*, Nänien (z. B. auf Johannes Ockeghem), Lobliedern und Traueroden sowie in jenen, zu rein didaktischen Zwecken (nämlich zur Erprobung des Prinzips der Gleichsetzung der Quantitäten in der Dichtung mit entsprechenden Notenwerten) herangezogenen Werken, v. a. in Humanistenoden, die auf Vertonung von Poesie basieren (z. B. Conrad Celtis) und oft dem ant. Versmaß angemessen sind (z. B. *Glogauer Liederbuch*). Im Zuge fortschreitender Präzisierung der Textunterlegung bedienten sich Kopisten und auch Drucker des Idemzeichens, zur gänzlich syllabischen Textierung von ehemals wohl auf einer Silbe vorgetragenen Passagen; bei jener bisweilen weiterhin auftretenden Melismatik wird eine ebenfalls akzentgerechte Metrisierung des Textes nicht ausgeschlossen (vgl. z. B. Giovanni Pierluigi Palestrinas *Missa Papae Marcelli*). Das Drängen nach größerer Textverständlichkeit erklärt wohl auch das Aufblühen des gewöhnlich von einer Lyra begleiteten Sologesangs im späten 15. Jh. als Wiederentdeckung ant. musikalischer Aufführungspraktiken, wobei der daraus resultierende monodische Stil auch in der → Oper seine Fortsetzung findet – jener Gattung, die die ant. Einheit von Poesie, Musik und Tanz mit der rhet. Figurenlehre zu einem *opus perfectum* verknüpft.

1 H. ALBRECHT, s. v. H. und Musik, MGG¹, 6, 1957, 895–918 2 Ders., s. v. H., Riemann Musik Lex., Sachteil, hrsg. von W. GURLITT und H. H. EGGEBRECHT, 1967, 380–381 3 J. HAAR, s. v. H., MGG², 4, 1996, 440–454 4 W. K. KREYSZIG, Francio Gaffurio, The Theory of Music (= Music Theory Translation Ser.), 1993 5 C. V. PALISCA, Humanism in Italian Renaissance Musical Thought, 1985.
WALTER KREYSZIG

## Humanistisches Gymnasium

A. BEGRIFF  B. GESCHICHTE
C. GEGENWÄRTIGES SELBSTVERSTÄNDNIS

### A. BEGRIFF

Das H. G. ist jene Form der höheren Schule, in der die Bildung junger Menschen als ›geistige Durchformung‹ durch die ›Auseinandersetzung mit lit. geformter Humanität‹ [6. 312] angeregt wird. Traditionell gehört zum Lehrprogramm des H. G. das Studium der alten Sprachen, Lat. und Griech. Als »human.« gilt diese Institution, weil in ihr die Bildung junger Menschen ihre Grundlage durch einen altsprachlichen Unterricht erhält und über weitere Studien in mod. Sprachen, Mathematik, Gesellschafts- und Naturwiss. sowie in musisch-gymnastischen Fächern vervollständigt wird. Dabei bilden die alten Sprachen zusammen mit Dt. und Mathematik das zentrale Lehrangebot. Diese traditionelle Vorstellung wird seit kurzem durch eine Umdeutung des Begriffs »human.« modifiziert. Generell verstehen sich Gymnasien als human. Bildungseinrichtungen, weil ihr vorrangiges Ziel die allg. Bildung junger Menschen zu verantwortlicher Handlungsfähigkeit in geschichtlich-gesellschaftlichen Situationen ist.

### B. GESCHICHTE

Das H. G. ist ein Ergebnis der preußischen Bildungsreform, die W. von Humboldt 1809 als Leiter der Sektion für Unterricht und Kultus in Berlin einleitete. Es stellte die zweite Stufe eines allg. Bildungswesens zw. Elementarschule und → Universität dar. Mit seinem didaktischen Schwerpunkt »Alte Sprachen, Muttersprache und Mathematik« sollte es eine ausgewogene Bildung des Menschen anregen. Humboldt ging davon aus, daß das Erlernen der alten Sprachen dazu beiträgt, gramm., rhet. und dialektische Fähigkeiten zu entwickeln. Sie können die fremde Welt des Alt. als eine hochstehende Kultur erschließen und dadurch Beispiele vernünftigen Handelns vermitteln. Zusammen mit muttersprachlichen und mathematischen Studien bieten sie die fundamentalen Anregungen zur Bildung einer ›Persönlichkeit‹ als ›selbständige[r] Individualität, die sich auch unter widrigen Bedingungen in Freiheit entschließen und handeln kann‹ [5. 353].

Das H. G. sollte die institutionelle Umsetzung dieser Vorstellungen sein. Es war zudem ›die Reaktion auf einen Umbruch in der Zeit‹ [4. 13], die Antwort jener Reformer, die keine neue Standesschule und keine berufsvorbereitende Institution, sondern eine allgemeinbildende höhere Schule wollten, deren Lehrplan den Grundsatz human. Bildung spiegeln sollte, ›daß sich in Sprache, Kunst, Mathematik jene Welten darstellen, durch die reine Menschenbildung erwirkt werden kann‹ [5. 352]. Dieser Schultyp wurde seit 1809 entwickelt und 1816 von J. W. Süvern für Preußen vorgegeben. Er umfaßte urspr. zehn Jahrgänge und war in eine Unter-, Mittel- und Oberstufe differenziert. Insgesamt waren 320 Wochenstunden Unterricht vorgesehen, davon 78 für Lat., 50 für Griech., 44 für Dt., 60 für Mathematik; 88 Stunden entfielen auf andere Fächer. Die ant. Studien umfaßten also 40%, die zentralen Lehrgegenstände Sprachen und Mathematik zusammen etwa 70% der Schulstunden. Entgegen Humboldts Vorstellungen war das Erlernen beider alter Sprachen in diesem Plan für alle Gymnasiasten verbindlich, sofern das Abitur angestrebt wurde. Den Abschluß des Gymnasialkurses bildete die Abiturprüfung, die (in Preußen) ab 1834 die alleinige Zugangsberechtigung zur Univ. darstellte und damit das sog. »Gymnasialmonopol« begründete. In Bayern wurde das H. G. durch F. Thiersch nach 1830 verbindlich durchgesetzt.

Schon bald zeigten sich in der Praxis erhebliche Probleme mit dieser Schulform, weil das städtische Bürgertum den verpflichtenden Griechischunterricht als unzeitgemäß ablehnte. Es gelang nicht, die an höherer Bildung Interessierten von den Vorteilen dieser Studien für eine grundlegende allg. Bildung des Menschen zu überzeugen. Die Philologisierung des altsprachlichen Unterrichts – Übers. aus dem Griech. ins Lat., lat. Abituraufsätze und Dichtungen – verschärfte die »Latinitätsdressur« und verstellte den Blick auf die urspr. Intention, die Ideale des Wahren, Schönen und Guten an den ant. Texten zu erarbeiten. Die Klagen über eine Überforderung der Jugend durch gymnasiale Studien belegen diese Fehlentwicklung. Die Bildung durch altsprachliche Studien entartete zur Aneignung von Kenntnissen und Fertigkeiten, deren nachgewiesener Besitz als Statussymbol zählte. Bildung wurde damit zum Mittel, um sich von Ungebildeten abzugrenzen. Diese Entwicklung geschah in einer gesellschaftlichen Situation, in der mit aufkommender Industrialisierung Naturwiss. und Technik ständig an Bed. gewannen. Die Vertreter des H. G. beharrten auf der herausragenden Bed. altsprachlicher Studien und befanden sich damit zunehmend in Abwehrstellung gegenüber Vertretern »realistischer Konzepte« und entsprechender Lehrpläne, deren Anerkennung als Mittel allg. Bildung gefordert wurde. In dieser Situation sicherte nur noch das »Abiturmonopol« die Existenz des H. G., neben dem sich in der zweiten H. des 19. Jh. zwei weitere gymnasiale Typen etabliert hatten: das Realgymnasium mit Lateinunterricht, aber stärkerer Gewichtung von mod. Fremdsprachen, Mathematik und Naturwiss. sowie die Oberrealschule, ganz ohne Unterricht in den alten Sprachen. Als 1900 hinsichtlich der Abiturberechtigung eine formale Gleichstellung der drei Gymnasialtypen erfolgte, mußten auch die Repräsentanten des H. G. erkennen, daß die bislang behauptete Vorrangstellung nicht mehr legitimiert werden konnte. Das vermochte auch nicht der sog. → Dritte Humanismus, durch dessen Vertreter nach 1920 eine Erneuerung des H. G. angestrebt wurde. Ihm fehlte im Spannungsfeld der Weimarer Republik die polit. Durchschlagskraft. Das H. G. galt als unzeitgemäß und der gesellschaftlichen Entwicklung unangemessen, als Relikt einer früheren Zeit. Als bes. bedrückend empfanden seine Verteidiger folgende Situation: ›Weiten polit. Kreisen, hauptsächlich den Vertretern der Arbeiterschaft, gilt der Geist des Gymnasiums als reaktionär‹ [3. 2]. Deutschnationalen Kräften erschien das H. G. als Repräsentant undeutscher Gesinnung. Auch jugendpsychologische Unt. schienen gegen diese Schule zu sprechen, so daß sich das H. G. erneut gegen »realistische Bildungsformen« behaupten mußte. Dabei wurde es zunehmend schwerer, die exemplarische Bed. ant. Lehrgegenstände zu legitimieren.

Nach 1933 wurde auch das H. G. in die NS-Ideologie einbezogen. Zunächst wurden inhaltliche Veränderungen durchgesetzt, die in vielen Fällen zu anderen Akzentuierungen des altsprachlichen Unterrichts führten

[1]. 1938 wurde das traditionelle Gymnasium durch eine achtklassige Deutsche Oberschule ersetzt, in der nach Englisch einheitlich Lat. als zweite Fremdsprache eingeführt wurde. Mit der human. Bildungsidee hatte dies aber nichts mehr zu tun. In den beibehaltenen H. G. wurden die Inhalte der altsprachlichen Bildung an deutschnationalen Interessen ausgerichtet. Die polit. Funktionalisierung war nichts Neues. Schon im Kaiserreich war das H. G. zu einem Erfüllungsgehilfen des dt. Nationalismus geworden. Ant. Texte wurden einseitig ausgewählt und unter Bezug auf Gegenwartsfragen der dt. Politik, z. T. sogar chauvinistisch, interpretiert. Die ant. Lit. wurde ebenso wie die Alte Geschichte genutzt, um in patriotischer Absicht zu erziehen. Die urspr. Intention einer Bildung durch Auseinandersetzung mit dem Gedankenreichtum jener Schriften war zugunsten einer nationalpatriotischen Erziehung aufgegeben worden. Diese Tendenz, der herrschenden polit. Richtung zu dienen, ist auch nach 1933 deutlich nachweisbar, wenngleich festzuhalten bleibt, daß nicht alle Lehrer des H. G. dieser Versuchung erlagen. Daneben bot die Lektüre altsprachlicher Texte ebenso die Möglichkeit polit. Distanzierung.

Nach 1945 konnte in den Westzonen das H. G. zunächst in der traditionellen Form wieder eingerichtet werden, obwohl insbes. die Amerikaner dem dt. Gymnasium reserviert gegenüberstanden und eine andere Re-Education der Deutschen anstrebten. In der Ostzone (ab 1949: DDR) wurde das traditionelle Gymnasium durch eine grundlegende Schulreform aufgehoben. Schon bald wurden im Westen die Vorwürfe der Unzeitgemäßheit gegen das H. G. wieder lauter. Zwar wurden im »Düsseldorfer Abkommen« der Kultusministerkonferenz (KMK) zw. den Ländern (1955) die drei gymnasialen Typen – alt- und neusprachliches sowie mathematisch-naturwiss. Gymnasium – bestätigt; die Diskussion über den frühen Lateinunterricht, die soziale Selektivität des H. G. und den Sinn altsprachlicher Studien erschwerten aber zunehmend die gesellschaftliche Situation dieses Schultyps. Der weitere Rückgang wurde durch verschiedene Faktoren beeinflußt: durch die Einführung neuer gymnasialer Schwerpunkte, den Andrang zu den neuen Gymnasialformen und die Öffnung der gymnasialen Oberstufe mit Wahlmöglichkeiten. Das Latinum, nach wie vor für Universitätsstudien notwendig, konnte bereits nach Klasse 10 erworben werden; ein Graecum hatte allenfalls noch für künftige Theologen oder Altertumswissenschaftler Bedeutung. Auf diese Situation reagierte man mit einer schon nach 1900 angewandten, bewährten Methode: Man öffnete das H. G., indem man in derselben Schule verschiedene Gymnasialzweige einführte. So konnte sich das H. G. in einer Zeit, in der die Verpflichtungen schulischer Lerninhalte gelockert wurden, auch gegenüber moderner erscheinenden Gymnasialtypen behaupten.

C. GEGENWÄRTIGES SELBSTVERSTÄNDNIS

Unterschiedslos beanspruchen die verschiedenen Gymnasialformen mit und ohne altsprachlichen Unterricht für sich, human. Bildungsanstalten im Sinne einer allg. Menschenbildung zu sein. Ihre pädagogische Aufgabe sehen sie v. a. darin, Kinder und Jugendliche durch vielfältige Lernanreize im sprachlichen Lernfeld, in Mathematik, Natur- und Gesellschaftswiss., im musischen Bereich und durch spezielle situative Anregungen zur Urteils- und Handlungsfähigkeit heranzubilden. Die alten Sprachen und der Unterricht in Alter Geschichte haben in diesem Kontext zwar an Bed. eingebüßt, aber der Lateinunterricht wird als grundlegendes Bildungsangebot wieder betont und gewählt. Darauf stützt sich das H. G., wenn z. B. mit Lat. begonnen und ab Klasse 7 Engl. verpflichtend eingeführt wird, bevor in Klasse 9 eine Verzweigung – alt- oder neusprachlich bzw. mathematisch-naturwiss. – stattfindet. Das H. G. versteht sich gegenwärtig als weltoffene Schule, durch die das rechte Gleichgewicht zw. Trad., Gegenwart und Fortschritt vermittelt werde. Dt., Lat. und Mathematik bilden das Fundament des Unterrichts, ergänzt durch Englisch als erste mod. Fremdsprache. Lat. wird als grundlegende europ. Basissprache angeboten, deren Erlernen System und Ordnung – klare logische Verhältnisse im Aufbau des Satzes – vermitteln könne, ohne größere Schwierigkeiten mit Rechtschreibung und Aussprache zu verursachen. Schwieriger ist die Legitimation des Griechischunterrichts. Sie erfolgt durch den Hinweis auf das inhaltliche Gewicht ant. Texte. Human. Schulbildung zielt auch gegenwärtig noch auf eine histor. orientierte Allgemeinbildung, in der aber die Trad. unserer gesellschaftlichen Situation mit einem begründeten Wirklichkeitsverständnis verbunden werden soll. Dazu dient eine stärkere Berücksichtigung von Gesellschafts- und Naturwiss., die mit musischen Fächern ein breites Bildungsangebot sichern sollen. Die Schüler sollen am H. G. die Gelegenheit haben, durch bes. sprachliche Herausforderungen ihre Fähigkeiten zu entwickeln und in der Schule Urteils- und Handlungsfähigkeit zu erproben.

→ Altsprachlicher Unterricht; Bildung; Lehrplan

QU 1 H. J. Apel, S. Bittner, Human. Schulbildung 1890–1945, 1994 2 W. v. Humboldt, Der Königsberger und der litauische Schulplan. Werke, Bd. 13, 1920 3 M. Krüger, Methodik des altsprachlichen Unterrichts, 1930 4 C. Menze, Die Bildungsreform W. v. Humboldts, 1975 5 Ders., s. v. Bildung., Enzyklopädie Erziehungswiss. I, 1983, 350–356 6 W. Rüegg, Prolegomena zu einer Theorie der human. Bildung, in: Gymnasium 92, 1985, 306–328

LIT 7 K. E. Jeismann, Das preußische Gymnasium in Staat und Ges., Bd. 1 1974, Bd. 2 1996 8 M. Landfester, Human. und Ges. im 19 Jh., 1988 9 F. Paulsen, Gesch. des gelehrten Unterrichts, Bd. 2 1921.        HANS JÜRGEN APEL

**Hymnos.** Als Lobgesang zu Ehren einer Gottheit wurde der griech. H. (lat. *Hymnus*, dt. Hymne) urspr. im Zusammenhang rel. Feste vorgetragen und instrumental begleitet. An den alten »Sitz im Leben« erinnern die Grundelemente: Erhebung, Ansprache, Lobpreis und Bitte. Die Erhebung manifestiert sich im enthusiastischen Ton, die Ansprache (Epiklese) in formelhaft-sakralen Attributionen und Prädikationen, der Lobpreis (Aretalogie) in der myth. Erzählung vom Wesen und Wirken der angerufenen Gottheit, die Bitte in der Beschwörung gegenseitiger Zuneigung. Die Ansprache bringt eine bes. Stilhöhe (genus sublime) mit sich. Indem der Hymnendichter sich stellvertretend für die Gemeinde an die Gottheit richtet, nimmt er eine vermittelnde Position ein: Einerseits offenbart er dem Publikum das göttl. Wissen, andererseits erhöht er mit seinem Gesang das Ansehen der Gottheit. Diese Mittlerposition verleiht ihm eine bes. Autorität (vgl. die Römeroden des Horaz), setzt ihn aber auch einer hohen Gefährdung aus (vgl. Hölderlins Feiertagshymne).

Während in der Ant. und im Christentum (bis zur Ren.) der liturgische Gebrauch des H. vorherrscht und rein lit. Hymnen eher am Rande entstehen, kehrt sich dieses Verhältnis seit der Ren. um: Die lat. Hymnendichtung erstarrt; zugleich entsteht die vielseitige, nationalsprachliche Hymnik. Mit der Lösung aus dem rel. Rahmen (Profanisierung) öffnet sich die Hymnik profanen Gegenständen, die sie sakral aufwertet (Sakralisierung). Diese Dialektik der Säkularisierung prägt die Geschichte der neuzeitlichen Hymnik. Auch allg. Ideen (etwa Harmonie, Freiheit) werden zum Gegenstand hymnischer Anrufung. Wichtiger als das rel. Moment des Gottesbezuges und der Andacht wird der enthusiastische Ton. Das ausgeprägte Gattungsprofil verblaßt zugunsten eines begrifflich unscharfen »hymnischen« Stils. Da es keine spezifisch metr. Hymnenform gibt, hat sich ein breites Spektrum bevorzugter Formen entfaltet. Es umfaßt chorlyrische, hexametr., odische Maße, Reimstrophen, Prosa und freie Rhythmen. Da der H. allein thematisch festgelegt ist, kommt es häufig zu terminologischen Überschneidungen (insbes. mit der Ode).

Die Entwicklung der Hymnik ist eng mit der Rezeption von Pindar [4] und Horaz [11] verknüpft. Die Poetiken des Humanismus und Barock empfehlen die Nachfolge Pindars um des prachtvollen Lobes willen. So entwickeln Trissino und Alamanni Canzonen und Hymnen mit pindarischen Form- und Stilmerkmalen, in Frankreich kommt es unter dem Einfluß Ronsards (*Odes*, 1550, *Hymnes*, 1555/56) zur Mode des *pindariser* im Kreis der Pléiade [7]. Hiervon angeregt entsteht in England die wirkungsmächtige Trad. der *Pindaricks*, die über Milton, Jonson, Cowley (*Pindarique Odes*, 1656), Dryden (*A Song for St. Cecilia's Day*, 1687, *Alexander's Feast*, 1697), Congreve, Th. Gray und Wordsworth bis in die Gegenwart reicht [5]. Innerhalb der dt. Lit. [1] begründet Klopstock mit dem Rekurs auf Pindar und die Psalmen die Lyrik in freien Rhythmen. Seine *Gesänge* (1757/59) verzichten auf gleichbleibende Stropheneinteilungen, auf Metrum und Reim zugunsten einer starken Rhythmisierung. Sie bieten Archaismen, neue Wortzusammensetzungen, pathetische Wiederholungen, verwirrende Inversionen, »harte Fügungen«,

Brüche, Lakonismen und strophenübergreifende Bögen [3]. Neben den freien Rhythmen entstehen kleinere hymnische Formen, wie die Dithyramben-Dichtung im Anschluß an Willamov (1763), die Prosahymnik (Goethes *Von Deutscher Baukunst*, 1775), die Hexameterhymnen nach dem Vorbild der homerischen und orphischen Hymnen (Stäudlin, Stolberg), schließlich die großen Reimhymnen von Schiller und Hölderlin, die sich zwar nicht metr., dafür aber thematisch auf die Ant. beziehen [10]. Demgegenüber nutzen die *Hymnen an die Nacht* (1799/1800) die Trad. der christl. Hymnik und Lieddichtung. Novalis verwendet wechselnde Metren und Ausdrucksformen zur Komposition des gedankenschweren, religiös-spekulativen Zyklus. Platens *Festgesänge* (um 1830) bilden einen klassizistischen Versuch der metr. getreuen Pindarimitation. Er bleibt ebenfalls ohne Nachfolge, während sich die freien Rhythmen Klopstocks durchsetzen: Es entstehen Goethes Sturm und Drang-Hymnen (ab 1772) [6], Hölderlins *Vaterländische Gesänge* (ab 1800) [8], Heines *Nordsee*-Zyklen (1825/26), Nietzsches *Dionysos-Dithyramben* (1884) [2] und die freirhythmische Dichtung des Naturalismus (Dehmel, Bierbaum). In Anküpfung an Nietzsche, Whitman (*Leaves of Grass*, ab 1855) und Verhaerens (*Les heures claires*, 1896) bringt der Expressionismus (Stadler, Mombert, Trakl, Heym) eine Erneuerung der hymnischen Dichtung, die bei Becher zu polit. Panegyrik, im Georgekreis zu priesterlicher Feierlichkeit, bei Rilke, Weinheber, Werfel zu weltanschaulicher Reflexion tendiert [9]. Auch die christl. Trad. wird aufgegriffen (Le Fort) oder »umfunktioniert« (Brecht, *Psalmen*, 1920). In der Hymnendichtung nach 1945 bietet Hölderlin mit seinem nüchternen Pathos den Anknüpfungspunkt für Celan, Meister, Sachs und Bachmann. Elytis greift mit seinem nationalgeschichtlichen Zyklus *To Axion Esti* (1959) auf die hymnische Liturgie der griech. Orthodoxie zurück. Bemerkenswerte Parodien bieten Enzensberger, Rühmkorf, auch Benn (*Eine Hymne*, 1951), Brinkmann (*Hymne auf einen it. Platz*, 1975), Henscheid (*Hymne auf Bum Kun Cha*, 1979).
→ AWI Homeros, Horatius, Orpheus, Pindaros.

1 N. GABRIEL, Stud. zur Gesch. der dt. Hymne, 1992
2 W. GRODDECK, Friedrich Nietzsche, Dionysos-Dithyramben, 2 Bde., 1991 3 K. M. KOHL, Rhetoric, the Bible and the Origins of Free Verse. The Early »Hymns« of Friedrich Gottlieb Klopstock, 1990
4 S. LEMPICKI, Pindar im lit. Urteil des 17. und 18. Jh., in: Eos 33, 1930/31, 419–474 5 K. SCHLÜTER, Die engl. Ode. Studien zu ihrer Entwicklung unter dem Einfluß der ant. Hymne, 1964 6 J. SCHMIDT, Die Gesch. des Genie-Gedankens in der dt. Lit., Philos. und Politik 1750–1945, Bd. 1, 1985, 179–309 7 T. SCHMITZ, Pindar in der frz. Ren. Studien zu seiner Rezeption in Philol., Dichtungstheorie und Dichtung, 1993 8 P. SZONDI, Hölderlin-Stud., 1967 9 H. THOMKE, Hymnische Dichtung im Expressionismus, 1972 10 M. VÖHLER, ›Danken möcht' ich, aber wofür?‹ Zur Trad. und Komposition von Hölderlins Hymnik, 1997 11 Zeitgenosse Horaz, hrsg. von H. KRASSER und E. A. SCHMIDT, 1996. MARTIN VÖHLER

**Hymnus.** Der in der Ant. weit gefaßte Wortbegriff H. fand im MA eine zunehmende Einschränkung auf metr. oder rhythmische geistliche Strophenlieder zum Lob Gottes. Ungeachtet aller Redigierungen, Neuzusammenstellungen, aber auch umfangreicher Repertoireerweiterungen des ma. liturgischen H.-Bestandes bilden die H. patristischen Ursprungs, etwa des Ambrosius, einen Kernbestand, der ab dem 12. Jh. einen festen Platz in der röm. Liturgie des Stundengebets einnimmt. Der spätant. H.-Bestand, der im 6. und 7. Jh. v. a. in den gallischen Klosterregeln als sog. Alter Hymnar für den liturgischen Gebrauch im monastischen Stundengebet zusammengestellt und fixiert worden war, wurde bis in das 9. Jh. weiter tradiert. Im 9. Jh. fand, möglicherweise im Umfeld der kaiserlichen Hofkapelle, eine wesentliche Umformung der H.-Praxis durch das sog. Neue Hymnar statt, das zur Grundlage für die spätere röm. H.-Praxis im *Breviarium Romanum* wurde. Patristische H. blieben jedoch nach wie vor ein wichtiger Grundbestand der liturgischen Hymnodie. Mehr noch als das vergleichsweise kleine Korpus an authentischen Texten spätant. Ursprungs, Ambrosius beispielsweise werden nur 14 H. zugeschrieben, finden die metr.-rhythmischen Strophenmodelle aus der Frühzeit christl. H.-Dichtung eine bes. Nachwirkung. Die überlieferten Schemata, v. a. jedoch die ambrosianische H.-Strophe, die sapphische Strophe und die asklepiadeischen Strophen, bilden die Grundlage für einen Großteil der neugeschaffenen ma. Hymnen. Im Verlauf des MA verengte sich das Spektrum der Strophen offenbar zunehmend auf den jambischen Dimeter und die sapphische Strophe. Eine teilweise Neuausrichtung des gesamten liturgischen H.-Bestandes an den ant. Strophenmodellen wird in den liturgischen Reformen im 16. und 17. Jh. deutlich, die 1643 zum ersten verbindlichen röm. Hymnar führten. Die musikalische H.-Aufzeichnung läßt sich ab dem 10. Jh. nachweisen. Inwieweit ant. Melodien und musikalische Elemente in den ma. H. einen Ausdruck finden, wird aufgrund des Fehlens ant. Melodieaufzeichnungen kaum zu klären sein. Durch ihre strophische Form boten sich die lat. H. geradezu für Übers. an. Ab dem 14. Jh. fanden auf dem Weg der H.-Übers. nationalsprachliche Texte einen ersten Zugang in die lat. Liturgie und bereiteten dem strophischen volkssprachlichen Kirchenlied des 16. Jh. den Boden. Primär zur Verwendung in der Vesper wurden H. ab dem 15. Jh. mehrstimmig vertont, u. a. von Guillaume Dufay.

QU 1 G. M. DREVES, C. BLUME, H. M. BANNISTER, Annalecta hymnica medii aevi, 55 Bde., 1886–1922
2 B. STÄBLEIN, Hymnen I. Die ma. Hymnenmelodien des Abendlandes, 1956

LIT 3 C. J. GUTIÉRREZ, La himnodia medieval en España, Diss. Orviedo 1993 4 A. HAUG (Hrsg.), Der lat. H. im MA, Druck in Vorbereitung 5 M. LATTKE, Materialien zu einer Gesch. der ant. Hymnologie, 1991 6 J. SZÖVERFY, Latin Hymns, 1989. VOLKER SCHIER

**Hysterie.** In den Behandlungsräumen S. Freuds hing ein Stich, der eine von J.-M. Charcots Patientinnen im hysterischen Anfall zeigte. Obwohl aus der heutigen Kenntnis ant. medizinischer Diagnose nichts bekannt ist, was mit einer solchen Darstellung eines großen, vierphasigen hysterischen Anfalls mit *arc de cercle*-Gebärde vergleichbar wäre, wurden in der westl. Medizin immer wieder Anstrengungen unternommen, diese Diagnose autoritativ zu untermauern, indem man sie auf die hippokratische Medizin zurückführte [3]. Dessenungeachtet unterscheiden die hippokratischen Schriften bei der Beschreibung der durch einen »Wanderuterus« verursachten Symptome Krankheitsbilder je nach dem Ort, an dem die Gebärmutter ihre Reise unterbricht, ohne sie unter die Kategorie »H.« zu subsumieren.

Während H. heutzutage Zustände ›ohne damit einhergehende körperliche Befunde‹ [2] bezeichnet, führten ant. Beschreiber der *hysterikê pnix* eine derartige »uterine Erstickung« ausnahmslos auf körperliche Ursachen zurück; sie ging in jedem Fall von der Gebärmutter aus, ob sie sich nun frei im Körper bewegen konnte oder nicht. Ansichten über die uterine Erstickung wie auch Therapiekonzepte für diesen Zustand schöpften aus hippokratischen Schriften und Werken des Plinius, Celsus und Galen. Die so entstandenen Amalgame wurden in der Spätant. im Werk der Enzyklopädisten wie Oreibasios, Aetius und Paulus von Ägina überliefert. Im Zuge der Inkorporierung griech. Medizin in die arabische Medizin, wie sie seit dem 9. Jh. stattfand, verband sich Galens Ansicht, daß verhaltenes Menstrualblut oder einbehaltener »weiblicher Samen« den Körper vergifteten, mit der Überzeugung, daß die Gebärmutter beweglich sei und »Dämpfe« von ihr aufsteigen und sogar den Kopf affizieren könnten.

In der westl. Medizin hielt sich bei den meisten Autoren bis ins 17. Jh. hinein der Glaube aufrecht, daß die Gebärmutter ernst zu nehmende Symptome verursachen könne, wenn der Blutüberschuß im weiblichen Organismus nicht behutsam mittels Diät, Aderlaß und Menstruation abgebaut würde. In den 1680er J. aber behauptete Th. Sydenham, der »engl. Hippokrates«, die H. bediene sich der Nerven und könne auf diesem Wege alle übrigen Krankheiten imitieren. Damit eröffnete er den Weg, die Diagnose auch auf den männlichen Personenkreis auszudehnen, der einer sitzenden Tätigkeit nachging oder sich im Übermaß dem Bücherstudium widmete.

Im 18. Jh. hielt man dagegen, daß die Nervenbahnen der Frau von feineren Membranen umschlossen seien und ein Blutüberschuß einen der Hauptgründe für eine Nervenirritation darstelle. Damit war die H. wieder in ihr »altes Recht« als Frauenkrankheit gesetzt.

Das 19. Jh. lieferte indes eine ganze Reihe von Theorien. Der Neurologe Jean-Martin Charcot (1825–1893) war zwar der Überzeugung, daß auch Männer an H. leiden konnten, als Auslöser galten ihm jedoch bei seinen weiblichen Patienten emotionale Erlebnisse, während er bei seinen (in jedem Fall selteneren) männlichen Patienten körperliche Traumata für die Genese einer H. verantwortlich machte. Praktische Ärzte hielten ihre H.-Patienten für wenig vertrauenswürdig und zeigten sich ihnen gegenüber durchaus feindlich gesinnt, wie S. Freuds Besprechung des Falles Dora zeigt, die den Beginn der Psychoanalyse markiert [1]. Heutzutage wird der Begriff auch zur Benennung der sog. »hysterischen Persönlichkeit« verwendet, die sich durch manipulatives, betrügerisches und sexuell provokantes Verhalten auszeichnet. Ebenso findet er Anwendung auf epidemische Ausbrüche von »Massenhysterie«.

QU **1** C. BERNHEIMER, C. KAHANE (Hrsg.), In Dora's Case, 1985 **2** E. SLATER, Diagnosis of »hysteria«, British Medical Journal 1965, 1395–1399 **3** I. VEITH, Hysteria, 1965

LIT **4** S. GILMAN et al., Hysteria Beyond Freud, 1993 **5** M. MICALE, Approaching Hysteria, 1995 **6** Ders., Hysteria and its historiography, in: History of Science 27, 1989, 223–261 und 319–351. HELEN KING

# I

**Idylle** s. Bukolik

**Igeler Säule** s. Trier

**Imitatio** A. ALLGEMEINES B. GESCHICHTE

### A. ALLGEMEINES

Der Begriff der I. ist in der nach-ant. Trad. zur Bezeichnung ganz unterschiedlicher ästhetischer, rhet. und teilweise auch ethischer Phänomene oder Normen verwendet worden. Vom ästhetisch-rhet. Konzept der I. ist zunächst die ethisch bzw. rel. motivierte Nachahmung vorbildlichen Lebens (z. B. *I. Christi*) zu unterscheiden. Im Bereich der Ästhetik und Poetik bezeichnet I. die spezifische Eigenschaft der Künste, Ideelles zu konkretisieren oder Wirklichkeit mehr oder weniger idealisierend abzubilden (*I. naturae*) und fungiert damit meist als Entsprechung des platonischen oder des aristotelischen Konzepts der Mimesis, bedeutet gelegentlich aber auch die Fähigkeit der Künste, die Natur in ihrer schöpferischen Produktivität nachzuahmen. Im Zentrum der normativen Ästhetik und Poetik vom Ren.-Human. bis zum E. des Klassizismus steht schließlich das aus der Rhet. stammende Konzept der *I. auctorum*, der Nachahmung eines oder mehrerer kanonisierter Modelle. Diese *I. auctorum* steht im allg. nicht in einem Gegensatz zum Konzept der *I. naturae*, sondern ist u. a. gerade darin fundiert, daß den Modellautoren eine vorbildliche Naturnachahmung zugeschrieben wird. Abgesehen von unterschiedlichen Funktionen, die mit der poetologischen Norm der *I. auctorum* verbunden sind, und unterschiedlichen Zielsetzungen der Nachahmungspraxis – sie kann z. B. in einer bloßen sprachlich-stilistischen *exercitatio*, in einer künstlerischen *aemulatio* mit dem Modell oder in der Orientierung an spezifischen, aus Modelltexten abgeleiteten Stil- oder Gattungskonventionen bestehen – sind bei der Relation zw. »nachahmendem« Text und »nachgeahmten« Texten in struktureller Hinsicht zwei Arten des Bezugs zu unterscheiden:

1) Systemaktualisierung als einer *langue-parole*-Relation, d. h. die Verwendung eines oder mehrerer semiotischer Systeme, die von Texten eines oder mehrerer Autoren abstrahiert sind; diese bestehen aus (teils notwendigen, teils fakultativen) Elementen und Strukturen, und mittels dieser Systeme werden nach systeminhärenten Regeln neue Texte erzeugt;

2) Intertextualität, d. h. Verweisrelationen zw. Texten (einem Hypertext und einem oder mehreren Hypotexten) im Sinne von *parole*-Akten auf der Basis syntaktischer, semantischer, lexikalischer oder pragmatischer Strukturähnlichkeiten. Das aktualisierte System kann sich dabei auf der Basis gattungsunabhängiger bzw. gattungsübergreifender Textmerkmale konstituieren oder als System von gattungskonstitutiven bzw. gattungstypischen Elementen und Strukturen, letzteres auf der Ebene der *inventio* (*res*), der *dispositio* und der *elocutio* (*verba*). Intertextualität kann die Ebene der *res* oder die Ebene der *verba* des Textes betreffen. Außerdem sind unterschiedliche Grade, Arten und Funktionen der Transformation des Hypotextes zu unterscheiden (Systemmarkierung, Parodie usw.).

## B. GESCHICHTE

### 1. MITTELALTER

Das ma. Verhältnis zur Ant. ist einerseits gekennzeichnet durch eine als im wesentlichen unproblematisch verstandene Kontinuität, die eine weitgehende Integrierbarkeit ant. Wissens und ant. Kultur impliziert, andererseits durch ein Bewußtsein fundamentaler Differenz und Überlegenheit, das sich auf den privilegierten Zugang zur geoffenbarten Wahrheit gründet. Studium und Nachahmung der Ant. sind damit nicht ausgeschlossen, aber nicht verbindlich und funktional vielfach höheren Zwecken wie der didaktischen Vermittlung von Wahrheit untergeordnet. Für das Konzept der *I. naturae* bedeutet dies: Die Darstellung von konkret Wirklichem in Kunst und Lit. ist möglich, aber nicht verbindlich, da Wahrheiten auch in Form allegorisch-fiktionaler Verhüllung dargestellt werden können. Die *I. auctorum* im Sinne einer Aktualisierung sprachlich-stilistischer Modelle oder Gattungen der Ant. spielt in der Poetik und entsprechend auch in der lit. Praxis des MA – von seltenen Ausnahmen wie z. B. Ovids *Heroides* imitierende Versepisteln von Baudri von Bourgueil ab-

gesehen – kaum eine Rolle. Epochentypisches Phänomen ist vielmehr das von E. Panofsky für die bildende Kunst konstatierte ›principle of disjunction‹ [1. 84], d. h. von klass. Autoren übernommene Stoffe werden in mod. Gattungen behandelt (z. B. altfrz. Eneas-Roman). Wo auf ant. Gattungen zurückgegriffen wird, sind der Darstellungsgegenstand und/oder die Art seiner Behandlung mod. (z. B. im *Waltharius*, einem Hexameterepos mit german. Sagenstoffen oder im allegorischphilos. Epos der Schule von Chartres). In den volkssprachlichen Lit. fungieren praktisch ausnahmslos volkssprachliche *auctores* und Gattungen als I.- Modelle (z. B. die Lyrik der Troubadours). Im übrigen dominiert im gesamten MA eine im Sinne von Intertextualität verstandene I., d. h. einzelne Elemente (Topoi, Vergleiche, Sentenzen oder treffende Formulierungen) und/oder Strukturen der verwendeten Hypotexte werden in neue Strukturzusammenhänge integriert (z. B. Zitate aus lat. Klassikern in der Vagantenstrophe *cum auctoritate* bei Walter von Châtillon oder die Unterweltfahrt der *Aeneis* in Dantes *Commedia*). Entsprechend dieser Praxis behandelt die zeitgenössische *ars versificatoria* v. a. die rhet. Verfahren origineller *variatio* bei der Verarbeitung vorgefundener Stoffe.

### 2. RENAISSANCE

Das epochale Selbstverständnis der Ren. ist geprägt von der Erkenntnis histor. Diskontinuität, die einerseits einen bewußt vollzogenen Bruch mit dem MA und andererseits eine nun bewußt gewordene Distanz zur Ant. impliziert. Aus diesem neuen Verhältnis zur Ant., das diese zugleich als eine der Moderne überlegene Epoche begreift, resultiert das human. Programm einer umfassenden Erneuerung in allen wiss. und künstlerischen Disziplinen und in allen Bereichen kultureller Praxis nach Modellen der Ant.; zur Diskussion stehen lediglich Fragen, die Auswahl, Anwendung sowie Grad und Ausmaß der Verbindlichkeit der Modelle betreffen. *I. naturae* wird unter dem Einfluß der wiederentdeckten *Poetik* des Aristoteles und ant. lit. Modelle zur Norm, wobei *I. naturae* teilweise auch in einem eingeschränkten Sinn als szenisch-dramatische Darstellung von handelnden Personen verstanden und darüber diskutiert wird, ob Lyrik und narrative Texte mimetisch sein können und mittels welcher spezifischer Verfahren (z. B. Dialoge, rhet. Mittel der *evidentia*) dies erreicht werden kann. Die *I. naturae* gerät jedoch nie in Konflikt mit der *I. auctorum*. Vielmehr wird Dichtung damit seit der Ren. in einer gleichzeitig mimetischen und imitativen (an kanonisierten Modellen orientierten) Dichtungskonzeption fundiert, die erst E. des 18. Jh. und dann v. a. in der Romantik von einer auf Expressivität und absolute Originalität ausgerichteten Genieästhetik abgelöst wird. Die rhet. Konzeption der systemaktualisierenden Nachahmung lit. Vorbilder ist in der Ren. zum ersten Mal bei Petrarca eingehend reflektiert und in die eigene Praxis umgesetzt. Petrarca orientiert sich insbes. in seiner lat. Prosa und Versdichtung bewußt an Stil- und Gattungsmodellen der klass.-röm. Ant. (Cicero, Livius, Seneca,

Vergil), und zwar auf allen Strukturebenen der Texte, so daß das für ma. Dichtung charakteristische *principle of disjunction* aufgehoben ist (z. B. in seinem unvollendeten Epos *Africa*). Diese umfassende I. lat. Klassiker versteht Petrarca als etwas im Verhältnis zu den zeitgenössischen Literaten Innovatives. In Petrarcas Nachahmungstheorie (v. a. formuliert in Epistulae familiares XXII,2; XXIII,6 und XXIII,19), die sich primär mit dem intertextuellen Verhältnis zu den verwendeten Hypotexten befaßt, stehen v. a. zwei Gedanken im Mittelpunkt:

1) I. ist ein Streben nach *similitudo*, nicht nach *identitas*, d. h. es handelt sich um eine Ähnlichkeit, die schwer faßbar ist (wie diejenige zw. Vater und Sohn) und im Ähnlichen gerade das Unähnliche hervortreten läßt. Ziel der I. ist also paradoxerweise gerade das Hervorbringen von etwas Eigenem und Neuem. Die angestrebte Individualität ist allerdings keine absolute, sondern besteht darin, daß die *res* des Hypotextes – gemäß ma. Dichtungskonzeption – mittels neuer *verba* formuliert bzw. die *verba* des Hypotextes dissimulierend verändert werden.

2) I. ist im Sinne von Senecas Bienengleichnis eine eklektische und verarbeitende I., die zugleich eine *aemulatio* mit den Hypotexten impliziert.

Eingehend theoretisch reflektiert werden die aus ant. Rhet. und Poetik übernommenen I.-Konzepte und deren wechselseitige Beziehungen im Verlauf des 15. und 16. Jh. v. a. in Italien (z. B. B. Ricci, *De imitatione*, 1541). Dabei werden auch mehrere Kontroversen über die *I. auctorum* geführt (v. a. zw. Paolo Cortesi und A. Poliziano, später zw. P. Bembo und G. Pico della Mirandola). I. ist dabei stets als Systemaktualisierung verstanden, während Intertextualität als fakultative Übernahme einzelner Textelemente oder -strukturen mit Begriffen wie *sumere*, *mutuari* oder *excerpere* bezeichnet wird. Im Zentrum der Diskussion steht dabei anfangs die Frage nach der Konstitution eines obligatorischen Sprach- und Stilmodells (gattungsübergreifend oder gattungsspezifisch), und zwar zunächst in der lateinischsprachigen Lit. Dabei steht einer eklektizistischen Position, die mehrere Autoren oder histor. Perioden der Latinität als Referenzmodelle zuläßt, eine puristische Position gegenüber, die auf einem einzigen Sprachmodell insistiert, nämlich Cicero für die Prosa (→ Ciceronianismus) und Vergil für die Versdichtung. In analoger Konstellation wird dann die Frage hinsichtlich der volksprachlichen Lit. diskutiert; P. Bembo etabliert das Toskanische des 14. Jh. als Norm der Literatursprache (Boccaccio für die Prosa, Petrarca für die Versdichtung), während andere für das zeitgenössische Florentinische (z. B. Machiavelli) oder für eine auf mehreren regionalen und lit.-histor. Trad. basierende *lingua cortigiana* (z. B. B. Castiglione) eintreten. Eine weitere wesentliche Funktion kommt der *I. auctorum* bei der programmatischen Erneuerung der lateinischsprachigen und der volkssprachlichen Dichtung zu, insofern ant., teilweise auch mod. Autoren als obligatorische oder zumindest fakultative Gattungsmodelle fungieren, wobei durchaus alternative Sy-

steme koexistieren (z. B. eine an Petrarca und eine an der klass.-lat. oder hell. Liebesdichtung orientierte Lyrik). Intertextuelle Referenzen übernehmen dabei in der Regel die Funktion, in der I. aktualisierte Systeme und bes. Texte, auf die sich die künstlerische *aemulatio* konzentriert, oder ironisch behandelte Texte bzw. Systeme zu markieren und damit dem Rezipienten zu signalisieren. Die Normativität ant. Modelle bleibt jedoch nicht unbestritten. Unter Rekurs auf die rhet. Norm des *aptum*, die u. a. die Situationsadäquatheit aller Rede verlangt, kritisiert z. B. Erasmus von Rotterdam (*Ciceronianus*, 1528) den histor. indifferenten Gebrauch ciceronianischer Sprache. In der Gattungspoetik wird im Zusammenhang mit mod. Gattungen wie dem Romanzo (Ariosts *Orlando furioso*) und dem Pastoraldrama (Guarinos *Pastor fido*) eingehend die Frage nach der Möglichkeit neuer, nicht durch ant. Modelle legitimierter Gattungen diskutiert.

### 3. 17. UND 18. JAHRHUNDERT

Hinsichtlich der *I. naturae* verstärkt sich in der Ästhetik des 17. und 18. Jh. die Tendenz, diese nicht so sehr als eine Abbildrelation zw. Wirklichkeit und Kunstwerk, sondern primär als einen illusionistischen Darstellungsmodus zu konzipieren, entweder mit dem Ziel, den poetischen Diskurs als einen autonomen, nicht der Wahrheit verpflichteten Diskurs zu konstituieren (Barock), oder in der Absicht, die Identifikation mit dem Dargestellten zu fördern und auf diese Weise den poetischen Diskurs didaktischen Zielen unterzuordnen (z. B. Diderot). Hinsichtlich der *I. auctorum* zeigt sich eine z. T. radikale Aufwertung des *ingenium*, die im → Barock auf überraschende *novitas* zielt und in der v. a. von England ausgehenden Genieästhetik dazu führt, daß die bis dahin einander ergänzenden produktionsästhetischen Komponenten *ingenium* (Genie) und *ars* bzw. *I.* als einander entgegengesetzt begriffen werden. Dennoch bleibt insbes. in den romanischen Ländern eine rational reflektierte und durch kritisches *iudicium* geleitete *I. auctorum* als Modell für eine künstlerisch idealisierende *Imitation de la belle nature* (Batteux) die Regel. Seit der → *Querelle des anciens et des modernes* wird allerdings die ausschließliche Kanonisierung ant. Modelle in Frage gestellt. Zur Begründung mod. Modelle dient v. a. eine Differenzierung zw. essentiellen und invariablen Normen der Dichtung bzw. einzelner Gattungen und dem histor. variablen, dem Wandel der Sitten unterworfenen Publikumsgeschmack (*beautés absolues* vs. *beautés relatives* bei Ch. Perrault), die sich in ähnlicher Weise schon in den poetologischen Schriften T. Tassos findet. Die essentiellen Normen der ant. Gattungen (z. B. die *decorum*-Norm als solche) bleiben gültig, während v. a. hinsichtlich der partikulären Züge der darzustellenden Welt die Ant. ihren Vorbildcharakter einbüßt. Und insofern auch in der konkreten Realisierung der abstrakten Normen des Schönen seit der Ant. zumindest in partieller Hinsicht ein Fortschritt stattgefunden hat, ersetzen vielfach lit. Modelle der Moderne diejenigen der Ant. (so wird z. B. die Tragödie der frz. Klassik zum Modell der Tragödie des 18. Jh.).

QU **1** E. Panowsky, Ren. and Renascences in Western Art, 1969

LIT **2** H. Gmelin, Das Prinzip der I. in den romanischen Lit. der Ren., in: Romanische Forsch. 46 (1932), 83–360 **3** P. Godman, O. Murray (Hrsg.), Latin Poetry and the Classical Tradition. Essays in Medieval and Ren. Lit., 1990 **4** B. Hathaway, The Age of Criticism, 1962 **5** M. L. McLaughlin, Literary I. in the Italian Ren., 1995 **6** G.-W. Pigman, Versions of I. in the Ren., in: Ren. Quarterly 33 (1980), 1–32 **7** B. Weinberg, A History of Literary Criticism in the Italian Ren., 1961.          FRANZ PENZENSTADLER

**Imperator** s. Herrscher

**Imperialismus** s. Cäsarismus; Imperium

**Imperium** A. Antike  B. Völkerwanderung
C. Mittelalter  D. Britische Inseln
E. Frankreich; Italien (Neuzeit)

## A. Antike

Der rezeptive Umgang mit dem Begriff *i.* begann in der röm. Republik [22; 37]. Zur urspr. Bed. (Amtsgewalt röm. Magistrate) trat zunächst die Komponente *Herrschaft* (*i. populi Romani*: Cic. rep. 3,24), an die sich bald ein röm. Weltherrschaftsgedanke anlagerte (*i. sine fine*: Verg. Aen. 1,279ff; 6,851ff.). Im Prinzipat erweiterte sich das Bedeutungsspektrum um *Herrschaftsgebiet*. Etwa ab der Mitte des 1. Jh. entsprach die Wendung *i. Romanum* (zuerst Sall. Catil. 10,1) dem Sinn Röm. Reich (Plin. nat. 6,120; Tac. Germ. 29,1; Tac. ann 2,61,2), das zunehmend als kongruent mit dem *orbis terrarum* gesehen wurde [49. 5f.]. Die Anwendung von *i.* auf nichtröm. Reiche findet sich dagegen vornehmlich in der universalhistor. Lit. Im Prinzipat avancierte *i.* ferner zum Zentralbegriff für die *Herrschaft der Kaiser* (Cass. Dio 53,32,5; Dig. 4,1), die seit Nero stets den Imperatortitel führten. Die mod. Forsch. verwendet daher *i. Romanum* häufig synonym für die histor. Phase der Kaiserzeit [28].

Als Matrix polit. und histor. Selbstbeschreibung übte das geogr.-polit. Gebilde des *i. Romanum* eine langanhaltende Suggestivkraft auf die nachant. Welt aus, intensiviert durch das Prestige des bis 1452 fortbestehenden byz. Reiches, dessen direkte Nachfolge allgemein anerkannt war. Die Byzantiner hielten ihrerseits den Anspruch aufrecht, die Träger des einzigen, von Gott gewollten Weltreiches und universalen Kaisertums zu sein. Im 6. Jh. versuchte Justinian als letzter, der Identität von *orbis terrarum* und *i. Romanum* durch Wiederherstellung der Reichseinheit noch einmal realpolit. Konturen zu verleihen. Programmatisch kam dies im auf seine Veranlassung zusammengestellten *Corpus Iuris Civilis* zum Ausdruck, wo *i.* für Kaiserherrschaft und *orbis terrarum/Romanus* für Reich steht. Erst die Zerrüttung der byz. Autonomie nach 1204 bedeutete einen konkreten Prestigeverlust des östl. *i.* Die Reichsidee überlebte hingegen selbst den Untergang des Ostreichs. Der türk. Sultan Süleiman der Prächtige erhob zu Be-

ginn des 16. Jh. gegen Karl V. Ansprüche auf den Imperatortitel. Die zaristische Romidee gründete sich ebenfalls auf die polit. Nachfolge von Byzanz, wenngleich sie zunächst nach Rußland importiert wurde, um Bündnispartner im Kampf gegen die Osmanen zu gewinnen [30].

### B. Völkerwanderung

Die Goten [18] akzeptierten das byz. *i. Romanum* als *unicum i.* (epist. Theoderici nach Byz.: Cassiod. var. 1,1,3) und Folie für ihr *i. Italiae/nostrum* (ibid. 1,18,2; 12,22,5; 2,2,2), das im diplomatischen Verkehr ein *regnum* blieb (ibid. 10,1,2). Die Franken folgten der Verwendung von *i.* (*Romanum*) allein für Byzanz (Fredegar 2,56d; 4,33) und nannten nur die Perserherrscher *imperatores* (ibid. 4,64), ihr Reich jedoch nicht *i.* Daneben sind sakrale Einflüsse für die Konzeption eines einzigen Reichs angesichts der christl. Gebetsformulare (1. Clemensbrief 61) für d a s Reich und d e n Kaiser unübersehbar.

### C. Mittelalter

Bis zur Ren. prägten zwei Hauptlinien die Trad. der röm. I.-Idee im Westen. Erstens die legalistische Idee einer *translatio imperii*, d. h. die Vorstellung, daß die neuen Kaiser Nachfolger der ant. *imperatores* waren, und zweitens die stärker polit. Idee einer *renovatio Romae*, die eine Erneuerung bzw. Wiederherstellung des altröm. Reichs anstrebte. Beide Vorstellungen wurzelten in der Antike. *Renovatio* knüpfte an die ant. Romidee, die neben dem Weltherrschaftsgedanken seit augusteischer Zeit auch die Vorstellung vom Ewigkeits- und Erneuerungsgedanken der Stadt (*Roma aeterna*) einschloß [14; 24]. Auch die Gründung von Konstantinopel (330) durch den christl. Kaiser wirkte als Vorbild ant. polit. Romerneuerung (δευτέρα Ῥώμη; νέα Ῥώμη) [1; 21], zumal sie top. von Rom abgelöst war. Eine ant. Translatio-Vorstellung hingegen, die von der teilweisen rechtlichen Übertragung röm. Herrschaftsgewalt ausging, ohne den Fortbestand der universalen Reichsidee grundsätzlich in Frage zu stellen, findet sich ansatzweise in regionalen Aufstandsbewegungen während des Prinzipats (z. B. 68/69 *i. Galliarum*: Tac. hist. 4,59,2; 67,1; 69,2). Die Usurpatoren im 3. Jh. bildeten in ihren lokalen Sonderreichen auf dem Boden des *i.* formal Miniaturimperien, die sich jedoch an den polit. Schlagworten der *Roma aeterna, renovat(or) Roma(m/e), renovatio Romana* und *restitutor/conservator orbis/Galliarum* orientierten (RIC V,2, Nr. 36ff; 387ff). Ein Mangel an alternativen legitimatorischen Bezugssystemen von Herrschaft sowie die immer häufigere Anerkennung der Teilbarkeit imperialer Würde seit dem 3. Jh. zeichneten die Entwicklung vor. Als konkrete polit. Theorie mit verschiedenen staatsrechtlichen Implikationen dagegen tauchte die *translatio imperii* erst seit dem Ende des 11. Jh. auf und meinte nun die Übertragung der Herrschaft von den Byzantinern auf die Franken durch die Kaiserkrönung Karls d. Gr. [17. 104]. Diese jüngere Vorstellung der *translatio imperii* speiste sich zum Teil aus dem biblischen Translationsgedanken. Bereits die frühchristl. Autoren hatten die Verbindung zw.

christl. Heilsgeschichte (Lk 2) und räumlicher Etablierung des *i. Romanum* gezogen (Oros. 6,1,8) und so deren weltgeschichtliche Bed. herausgearbeitet. Diese Verschränkung von röm. Reichsgeschichte und christl. Heilsgeschichte knüpfte an die vier Weltreiche aus dem Buch Daniel (2,21) an, die ihrerseits die griech. Konzeption einer Abfolge von Weltreichen mit messianischen Vorstellungen des Judentums verband [29]. Tertullian (apol. 32,1; nat. 2,17,18–19; de resurrectione mortuorum 24,17f.; ad Scapulam 2,6) hatte als erster in Anlehnung an Paulus (Röm 9–11) aus einer teleologisch christl. Geschichtssicht die These entwickelt, daß das Röm. Reich das letzte vor dem Weltgericht sei [13]. Dies rezipierte eine Denkart der röm. Historiographie, die zuerst den Begriff *i. transferre* im universalgeschichtlichen Kontext geprägt hatte (Pomp. Trog./Just. 1,3; Vell. 1,6) und damit die Übertragung der Vorherrschaft von einem Volk auf ein anderes ebenso beschrieb wie abrupten innerstaatlichen Machtwechsel (Sall. Catil. 2,6). Sie rezipierte damit freilich die im Danielbuch präsente griech. Vorstellung einer Abfolge von Reichen und übertrug sie auf eine Abfolge von Herrschaft. Ihre Vermittlung an die MA erfuhr diese Theorie der *translatio imperii* durch Hieronymus' [45. 97–110] Vulgata und Danielkomm. [17. 16ff. 37ff. 49ff] sowie durch eine Übers. der Chronik des Euseb, der den Zusammenhang zw. monarch. Friedensordnung und göttl. Offenbarung gezogen hatte (HE 1,2,17–23; demonstratio evangelica 3,6) [33. 71–82; 10].

## 1. DAS PAPSTTUM

Der Ant. am stärksten verpflichtet war die kuriale I.-Idee, die sich aus den Ansprüchen der Kurie auf imperiale Gewalt ergab und wesentlichen Einfluß auf die Entwicklung der säkularen I.-Idee des MA genommen hat. Sie stützte sich auf einen juristisch begründeten Anspruch (Clemensbrief) der Nachfolge Petri und damit der weltlichen Stellvertreterschaft Christi (Mt. 16. 18f.) seitens des röm. Bischofs. Im 4. Jh. unter Rückgriff auf Tertullian und Cyprian adaptiert wurde dieser Primat im 5. Jh. von Papst Leo I. (440–461) endgültig formuliert [47]. Während die Petrusnachfolge bes. zur Abgrenzung gegen den vom röm. Kaiser (als neue röm. Kirche) gegründeten Bischofssitz von Konstantinopel diente, implizierte sie den Anspruch, dem Kaiser die geistlichen Funktionen seines Amtes streitig zu machen (Konzil von Rom 382; konkretisiert in Gelasius' I. (epist. 12: Zweigewaltenlehre). Dies kam in der Annahme des *pontifex maximus*- Titels (seit Leo I.) zum Ausdruck, der bis 382 ausschließlich Bestandteil der Kaisertitulatur gewesen war. Der am Vorbild des röm. Kaisertums geformte monarchische Anstaltscharakter der Kurie [48. cp. 5; 20. 23–71] prägte ebenfalls eine imperiale Rolle des Papstes, ohne daß *i.* selbst Anwendung auf die päpstliche Herrschaftsgewalt fand [15]. Leo I. verwendete beispielsweise die Bezeichnung *principatus* oder *princeps apostolorum* für den Primat des Papstes; Gelasius I. formte den Gedanken einer *sacrata auctoritas*. Das Kaisertum wies, trotz der urspr. Begünstigung des röm. Bischofs

durch Konstantin, im 4. Jh. diesen Anspruch Roms zurück und versuchte, in Konstantinopel einen gleichrangigen Patriarchat zu etablieren, legitimiert durch den öffentlich-rechtlich zivilen Status der Stadt (Konzil von Konstantinopel 381), was auf erbitterten Widerstand der röm. Kirche stieß.

Erst die Kaisererhebung Karls d.Gr. im Jahr 800 bot der kurialen I.-Idee Möglichkeiten, polit. reale Gestalt anzunehmen. Papst Leo III. hatte sich, gemäß seinem Primat innerhalb der gesamten Christenheit, die identisch war mit dem alten *i. Romanum*, das Recht genommen, einen neuen röm. Kaiser zu kreieren, der von Heer, Senat und Volk ausgerufen wurde. Voraussetzung war, daß der Papst den mit Kaiserin Irene besetzten (ost.)röm. Kaiserthron für vakant befand und Karl, der als *patricius Romanorum* 785 und 798 von Byzanz anerkannt war, den Thron – staatsrechtlich gesehen – als Römer bestieg. Kurz darauf formulierte Leo III. mit Hilfe der ca. 750 entstandenen *constitutio Constantini* (→ Konstantinische Schenkung) [34] seinen Anspruch auf eine überimperiale Stellung gegenüber dem neuen Kaiser. Trotz Karls ausdrücklicher Ablehnung der angeblichen Verfügung Konstantins gelang es der Kurie, nach 816 die päpstliche Kaiserkrönung zum eigentlichen konstitutiven Akt der Kaisererhebung zu machen, womit der kuriale I.-Gedanke, daß der Papst den Kaiser macht, dauerhaft an Einfluß gewann.

## 2. DIE FRANKEN

Die fränkische I.-Idee Karls [2] bezog sich dagegen vornehmlich auf eine Aufwertung des *i. Francorum* und dessen Gleichberechtigung als *i.* neben dem röm. *i.*, weshalb Karl in Titularfragen weitgehend auf den röm. Zusatz verzichtete und sich um byz. Anerkennung bemühte. Erst als seine Pläne am Widerstand des Kaisers Nikephoros I. scheiterten, griff er zur programmatischen Herausstellung einer eigenen imperialen Rolle. Nun trat der im Grunde vom Papst vorweggenommene Erneuerungsgedanke des *i. Romanum* (*renovatio imperii*) im Westen in den Vordergrund. 803 erschien in einer Bulle *Romanum gubernans i.* (MGH DD 1, 265 Nr. 197). Die Formel *renovatio Romani imperii* wurde hingegen, nachdem der Kaisertitel in Byzanz ohne röm. Zusatz 812 anerkannt worden war (Einhard MGH SS 1, 199: *imperator [autokrator] et basileus*), auf *renovatio regni Franc[orum]* verkürzt und im Kaisertitel schlicht als *imperator Augustus* reflektiert. Ausdruck imperialer Gleichrangigkeit war 814 Karls Erhebung seines Sohns nach röm./byz. Muster (seit 364/7) zum Mitkaiser. Dagegen erneuerte der Papst 816 die kuriale I.-Idee, als er in Reims die Krönung mit der angeblichen Krone Konstantins und unter Hinzufügung einer Salbung wiederholte.

Während das Zweikaisertum für das Ostreich ein dauerhaftes staatsrechtliches Problem darstellte und titular zur Einführung von βασιλεὺς τῶν Ῥωμαίων schon im 7. Jh. [38. 12f.] führte, fehlte im Westen jede tiefere Sensibilität. Vielmehr nivellierte sich hier das Problem, indem man, anknüpfend an das traditionelle gentile

Staatsdenken, im Ostkaiser den Inhaber eines *regnum* mit titularer Überhöhung zu sehen begann. Ferner setzte sich im Westen seit dem 9. Jh. die Zweiteilungsvorstellung in *i.* und *sacerdotium* durch, die ihren symbolischen Ausdruck in der Kaiserkrönung fand. Zeremoniell imitierte sie die byz. Kaiserkrönung vorerst, da der Papst seit dem Ende des 9. Jh. bis ins 12. Jh. vor der eigentlichen Krönung den Kaiser als *filius ecclesiae* adoptierte, in Analogie zur Erhebung des Thronerben zum Mitkaiser [8. 40–223].

### 3. DIE OTTONEN

Die ottonische I.-Idee ist gekennzeichnet von einer universalen Ausweitung der urspr. partikularen fränkischen Kaiseridee. Die Könige des ostfränkischen Reiches Otto I. und Otto II. zielten noch allein auf die Gleichrangigkeit mit Konstantinopel und pflegten einen zurückhaltenden Umgang mit der Bezeichnung *i. Romanorum*. Sie betrieben jedoch den institutionellen Ausbau des Reiches nach dem Vorbild des Ostimperiums. Otto III., Sohn einer byz. Prinzessin, ging darüber hinaus und erhob nun für das Westreich einen Ausschließlichkeitsanspruch auf das röm. *i.*, in dem Rom die Rolle des Hauptes (gegen constitutio Const. 18) zukam und dem Westkaiser eine universale Herrschaftskompetenz. Er nahm die Bezeichnung *imperator Romanorum* an. Unter dem Schlagwort *renovatio imperii Romanorum* verfügte er eine Vielzahl programmatischer Maßnahmen. Dazu gehörte der Bau einer Pfalz auf dem Palatin, der Wohnstätte der vorkonstantinischen Kaiser, die Umgestaltung des Hofzeremoniells sowie der Ämtertitulaturen nach ant. Vorbild und eine Neubelebung des stadtröm. Patriziats. Dem Papst gegenüber erklärte er die *constitutio Constantini* zur Fälschung und verlieh ihm Ländereien und Herrschaftsrechte aus eigener Machtvollkommenheit als *imperator* (MGH DD 2/2, 820 Nr. 389). Allerdings dürfte Ottos Renovatio-Ideologie von viel kurzfristigeren polit. Zielen bestimmt gewesen sein, als es die Forsch. in Anschluß an P. E. Schramm angenommen hat [16. 267ff.]. Als *defensor ecclesiae* griff Otto in Ausübung seines imperialen Amtes in die außer Kontrolle geratenen Verhältnisse Roms ein. Andererseits muß der Rückgriff auf imperiale Trad. als Versuch gesehen werden, eine Integrationsklammer für das Westreich zu schaffen, das nach wie vor aus einer Vielzahl konkurrierender *gentes* bestand, unter denen die Sachsen nie eine ähnliche Führungsrolle als Reichsvolk erlangen konnten wie einst die Franken. Otto III. hatte wie kein anderer Westkaiser in Byzanz die weitesten Zugeständnisse in Hinblick auf eine mögliche Angliederung an das oström. Herrscherkollegium erlangt, was sein früher Tod verhinderte [32. 145 f.]. Vielmehr trat der Konflikt der Doppelimperien im 11. u. 12. Jh. erneut in den Vordergrund. Die Ottonen bezeichneten in ihren Diplomen das Reich weiterhin als *i.* ohne ergänzenden Zusatz.

### 4. SALIER UND STAUFER

Als erster nahm 1034 der Salier Konrad II. *i. Romanum* als Reichstitel an. In einer Phase expansiver imperialer Politik durch Manuel II. mit dem Ziel der Wiederherstellung der Reichseinheit nach dem Vorbild Iustinians kam es zur Neupositionierung des *i.* Friedrich Barbarossa suchte nun die Integrität eines abendländischen Reiches als eigenständiges *i. Romanum* zu sichern (Vertrag von Konstanz 1153) und bemühte sich durch die Wiederbelebung der Mitkaiseridee (Ernennung seines Sohnes Heinrich VI. zum Caesar), ein erbliches papstunabhängiges *i.* zu verwirklichen, dessen wesentliche Herrschaftslegitimation auf dem Recht basierte und damit an spätant. I.-Vorstellungen anknüpfte. Der schwelende Konflikt zw. Kaiser und Papst, der von Byzanz instrumentalisiert wurde, gab dieser neuen I.-Auffassung, die sich unter dem Stichwort *sacrum i.* etablierte, weitere Nahrung.

### D. BRITISCHE INSELN

Für England lassen sich beispielhaft für eine nationale I.-Rezeption verschiedene Phasen unterscheiden. Bis zum E. des 8. Jh. hatte sich hier bereits ein *imperator*-Begriff ausgeprägt, der sich an die Bed. von *imperator* = Feldherr anlagerte und unter Verzicht eines universalen Führungsanspruchs die Konzeption eines verschiedene *gentes* (*regna*) leitenden lokalen Heer-Kaisertums (Beda: *Anglorum i.*) entwickelte, für das im 9. und 10. Jh. [42] die altengl. Bezeichnung *Bretwalda* überliefert ist. Bis zu einem gewissen Grad basierte diese Konstruktion auf der röm. Vorstellung, daß Britannien einen eigenen *orbis* bildete (Verg. ecl. 1,66). Die einflußreiche *historia ecclesiastica Anglorum* des Romanen Beda suchte Anknüpfungspunkte an den röm. Reichsgedanken und strich die bes. Bed. Britanniens bei einer Anzahl von Kaisererhebungen heraus, von denen jedoch nur Konstantin im ganzen Reich anerkannt wurde.

Im 12. Jh. wird im polit.-konstitutionellen Bereich von Heinrich II. in England eine lokale I.-Konzeption entwickelt, die unter Einfluß von Johann von Salisbury (Opera omnia 2, 1848, Nr. 239, S. 114: (. . .) *qui* (Heinrich) *in terra sua erat rex, legatus apostolicus, patriarcha, imperator et omnia, quae volebat*) zuerst die Formel eines *imperator in regno suo* prägte, die sich bei Papst Innozenz III. im Kontext der Zurückweisung imperialer Ansprüche des Kaisers Friedrich II. von Hohenstaufen wiederfindet. Diese Konzeption muß im Zusammenhang mit einer ausgreifenden kontinentalen wie irischen Reichsbildung des Königs gesehen werden, der seine Herrschaftsrechte zu stärken versuchte. Im 16. Jh. bediente sich König Heinrich VIII. bei der Loslösung von Rom noch einmal der I.-Idee. Der entscheidende *Act in Restraint of Appeals* (1533) begründete ausführlich eine I.-Konzeption, zu der ein unabhängiges britisches I. gehörte, für das nun die Bezeichnung *empire* gängig wurde. Dieses stand unter einer imperialen Krone, die aufgrund ihrer staatlichen Qualität geistliche und weltliche Gewalt, die traditionellen Felder eines röm. *imperator*, vereinigte. Ganz bewußt wurde der britannische I.-Status vom *sacrum i. Romanum* abgegrenzt, das seine Weihe durch den Papst erhielt. Dagegen galt der imperiale Status Britanniens als genuin und nicht als additiv. Das leitende Argument lieferte die britische Geschichte in ihrer Verbindung zur ant. Welt. Heinrichs Anspruch stand so in direkter Anknüpfung an die imperiale Rolle Konstantins, der zunächst ein britischer *imperator* gewesen war [27. 157ff]. In der Auseinandersetzung zw. Krone und Parlament im 17. Jh. diente diese Konstruktion dann zur Begründung der monarchischen Prärogative.

Eine letzte Phase ist mit dem *British Empire* des 19. Jh. verbunden. In der zeitgenössischen Imperialismusdiskussion [11] zur Verwaltung der Weltreiche glaubte man sich in die Nachfolgerolle Roms und seines Weltreichs gestellt. Während auf dem Kontinent Imperialismus im Kontext frz. kontinental-europ. Expansion als eine mil. geprägte Willkürherrschaft diskutiert wurde, prägte man in Großbritannien das Schlagwort vom *true imperialism* (Lord Carnavon), was als Verpflichtung gesehen wurde, für das Wohlergehen der Kolonien und den Zusammenhalt des Empire zu sorgen. Das *i. Romanum* erschien als Folie geeignet, die Probleme des eigenen Weltreichs zu lösen (ab 1870) [5]. Aus einem Unbehagen über die eigene imperiale Rolle, die der herrschenden Freiheitsideologie der Whigs entgegenstand, erschien die ciceronische Patroziniumidee sehr attraktiv. Dazu gehörte die Überzeugung, daß die Kolonien sich langfristig vom Mutterland emanzipieren müßten, was freilich lange erzieherische Vorbereitung voraussetzte. Dieses Prinzip der Erziehung zur Selbstverwaltung konkurrierte streckenweise mit der Überzeugung vom Sendungsauftrag der *pax Britannica* (analog zur *pax Romana*), wonach Chaos und Anarchie dem brit. Rückzug folgen würden. Im Gegensatz dazu stand das frz. *i.* in Nordafrika, das sich ebenfalls als direkter Nachfolger des *i. Romanum* sah, aber die Vorstellung von der Assimilation/Romanisierung = Gallisierung der indigenen Bevölkerung rezipierte. Erleichtert wurde die britische Identifikation mit Rom bei der Suche nach einer polit. Lösung der Weltreichsproblematik durch die Präsenz der ant. Lit. als wesentliches Bildungsgut [31] der herrschenden Schichten bis zum ersten Weltkrieg.

### E. FRANKREICH; ITALIEN (NEUZEIT)

Anknüpfungen an das *i. Romanum* finden sich in der Neuzeit in zahlreichen weiteren Ländern, in Österreich, Portugal, Spanien oder den USA. Auch die Vorstellung eines geeinten Europas ist oft durch Vergleiche mit dem *i. Romanum* legitimiert worden.

Eine bes. ausgeprägte Rolle hatte die Rezeption in → Frankreich. Sie erreichte einen Höhepunkt in Napoleon I. und seinem *Grand Empire* [7. 53 ff.]. Daß Napoleon wie ein röm. Kaiser Europa verwaltete, war eine naheliegende und von Napoleon durchaus geförderte Parallele, nachdem die Konsulatsverfassung mit Billigung des Volkes aufgelöst war. Der *Code Civil* von 1804, die Kaiserkrönung von 1806 oder die *pax Napoleonica* paßten zum Bild eines erneuerten röm. *i.* Als → Cäsarismus ist die napoleonische Form der Herrschaftsausübung in späterer Zeit denn auch kritisiert worden. Der Klassizismus des Empire-Stils gehört ebenfalls in diesen Zusammenhang, auch wenn eingewendet werden kann, daß es sich gleichzeitig um ästhetische Präferenzen handelt, wie sie sich europaweit seit etwa 1760 durchzusetzen beginnen. Die Assoziationen zw. Rom und dem napoleonischen Frankreich haben die neue Herrschaft propagandistisch unterstützt, obwohl gleichzeitig ebenso die emotionalen Gehalte anderer histor. Epochen ausgebeutet worden sind. Napoleon I. ist mit Caesar verglichen worden; er selbst hat auf St. Helena den *Précis de guerre de César* diktiert.

Charakteristisch für die Anküpfung an röm. Kaiser sind Bauwerke in Paris: 1806 ließ Napoleon nach dem Sieg von Austerlitz den *Arc de Triomphe* zu Ehren der frz. Armee errichten. Zur Erinnerung an die siegreiche Schlacht errichtete er 1810 in der Mitte der *Place Vendôme* eine Säule nach dem Vorbild derjenigen Trajans in Rom. Um sie winden sich spiralförmige Bronzereliefs, die aus erbeuteten Kanonen gegossen wurden und Schlachtszenen zeigen, während oben auf der 44 Meter hohen Säule Napoleon als Imperator steht. Das Denkmal wurde bezeichnenderweise 1814 beschädigt, dann aber wieder hergestellt. 1809 hatte Napoleon Rom zur zweiten Hauptstadt des Reiches ernannt und dort ein umfangreiches Grabungsprogramm initiiert. In Deutschland wandte man sich in Reaktion auf die frz. Inanspruchung der röm. Vergangenheit stärker der griech. Geschichte als Sinnstifterin zu. In Frankreich dagegen kam es zu einer Fortsetzung der auf das *i. Romanum* ausgerichteten Antikerezeption mit einem weiteren Höhepunkt im *Second Empire* unter Napoleon III.

Im 20. Jh. sind ideologischen Rückbezüge auf die imperiale Größe Roms im faschistischen Italien am auffallendsten (→ Faschismus). Die Eröffnung der *Via dell'Impero* (h.: Via dei Fori Imperiali) anläßlich des zehnten Jahrestages von Mussolinis »Marsch auf Rom« 1932 oder die *Mostra Augustea della Romanità* – 1937, zum 2000. Geburtstag des Augustus – bilden bes. sinnfällige Inszenierungen im Dienste des faschistischen Italien.

→ AWI Imperium; Patrozinium

1 H.-G. BECK, Konstantinopel, das neue Rom, in: Gymnasium 71, 1964, 166–174 **2** H. BEUMANN, Nomen imperatoris. Stud. zur Kaiseridee Karls des Großen, in: HZ 185, 1958, 515–549 **3** Ders., Der dt. König als »Romanorum rex«, SB der Wiss. Ges. an der J. W. Goethe-Univ. Frankfurt a.M. 18,2, 1981 **4** A.-D. V. DEN BRINCKEN, Von den Stud. zur lat. Weltchronistik bis in das Zeitalter Ottos von Freising, 1957 **5** P. BRUNT, Reflections on British and Roman Imperialism, in: Comparative Stud. in Society and History 7, 1965, 267–288 **6** E. DUPRÉ THESEIDER, L'idea imperiale di Roma, 1942 **7** CH. EDWARDS (ed.), Roman Presences. Receptions of Rome in European Culture, 1789–1945, 1999 **8** E. EICHMANN, Die Kaiserkrönung im Abendland, Bd. 1, 1942 **9** C. ERDMANN, Das ottonische Reich als Imperium Romanum, in: Dt. Archiv für Erforsch. des MA 6, 1943, 412–441 **10** R. FARINA, L'impero e l'imperatore cristiano in Eusebio di Cesarea, 1966

**11** D. Flach, Der sog. Römische Imperialismus. Sein Verständnis im Wandel der neuzeitlichen Erfahrungswelt, in: HZ 222, 1976, 1–42 **12** R. Folz, L' Idée d'Empire en Occident du Ve au XIVe siècle, Collection Historique, 1953 **13** R. Frick, Die Gesch. des Reich-Gottes-Gedankens in der alten Kirche bis zu Origines und Augustin, 1928 **14** M. Fuhrmann, Die Romidee in der Spätantike, in: HZ 207, 1968, 529–561 **15** J. Gaudemet, La formation du droit séculier et du droit de l'église dans l'empire romain aux 4ᵉ–5ᵉ s., 1959 **16** K. Görich, Otto III. Romanus Saxonicus et Italicus, 1993 **17** W. Goez, Translatio Imperii. Ein Beitr. zur Geschichte des Geschichtsdenkens und der polit. Theorien in MA und in der frühen Neuzeit, 1958 **18** F. Haenssler, Byzanz und die Byzantiner. Ihr Bild im Spiegel der Überlieferung der german. Reiche im frühen MA, Diss. 1960 **19** F. Hardegen, Die Imperialpolitik König Heinrichs II. von England, Heidelberger Abh. zur mittleren und neueren Gesch. 12, 1905 **20** E. Herrmann, Ecclesia in re publica, 1980 **21** J. Irmscher, Neurom oder zweites Rom, in: Klio 65, 1983, 431–439 **22** D. Kienast, Corpus Imperii. Überlegungen zum Reichsgedanken der Römer, in: G. Wirth (Hrsg.), Romanitas-Christianitas, Festg. J. Straub, 1982, 1–17 **23** G. Klingenberg, s. v. I., in: RAC 17, 1996, 1121–1142 **24** C. Koch, Roma aeterna, in: R. Klein (Hrsg.), Prinzipat und Freiheit, Wege der Forsch. Bd. 135, 1982, 23–67 **25** K. Koch, Europa, Rom und der Kaiser vor dem Hintergrund von zwei Jahrtausenden Rezeption des Buches Daniel, Ber. aus den Sitzungen der Joachim-Jungius Ges. der Wiss., Hamburg Jg. 15,1, 1997 **26** R. Koebner, Empire, 1961 **27** Ch. Kunst, Röm. Trad. und engl. Politik, Spudasmata 55, 1994 **28** A. Momigliano, La formazione della moderna storiografia sull'impero romano (1936), in: Ders., Primo Contributo, 1955, 107–164 **29** Ders., Daniel und die griech. Theorie von der Abfolge der Weltreiche (1980), in: Ders., Die Juden in der Alten Welt, 1988, 49–56 **30** P. Nitsche, Moskau – das Dritte Rom? in: Gesch. in Wiss. und Unterricht 42, 1991, 341–354 **31** R. M. Ogilvie, Latin and Greek, A History of the Influence of the Classics on English Life From 1600–1918, 1964 **32** W. Ohnsorge, s. v. Abendland und Byzanz, Reallex. der Byzantinistik 1, 1968, 126–170 **33** E. Peterson, Monotheismus als polit. Problem. Ein Beitr. zur polit. Theologie im Imperium Romanum (1935), Ndr. in: Theologische Traktate, 1951, 45–147 **34** W. Pohlkamp, Privilegium ecclesiae Romanae pontifici contulit. Zur Vorgeschichte der Konstantinischen Schenkung, in: Fälschungen im MA, Schriften der MGH 33/2, 1988, 413–490 **35** N. Reitter, Der Glaube an die Fortdauer des röm. Reiches im Abendlande während des 5. und 6. Jh., dargestellt nach den Stimmen der Zeit, Diss. 1910 **36** Renovatio Imperii, Società di Studi Romagnoli, 1963 **37** J. Richardson, Imperium Romanum. Empire and the Language of Power, in: JRS 81, 1991, 1–9 **38** G. Rösch, ΟΝΟΜΑ ΒΑΣΙΛΕΙΑΣ. Stud. zum offiziellen Gebrauch der Kaisertitel in spätant. und frühbyz. Zeit, Byzantina Vindobonensia 10, 1978 **39** H. M. Schaller, Die Kaiseridee Friedrichs II., 1974 **40** P. E. Schramm, Kaiser, Rom und Renovatio. Stud. zur Gesch. des röm. Erneuerungsgedankens vom E. des karolingischen Reiches bis zum Investiturstreit, Studien der Bibl. Warburg 17, 1929, Ndr. 1984 **41** A. Graf v. Stauffenberg, Das I. und die Völkerwanderung, 1947 **42** E. Stengel, Imperator und I. bei den Angelsachsen (1960), in: Ders., Abh. und Unt. zur Gesch. des Kaisergedankens im MA, 1965, 287–342 **43** J. Straub, Vom Herrscherideal in der Spätant., 1964 **44** W. Suerbaum, Vom ant. zum frühma. Staatsbegriff. Über Verwendung und Bed. von res publica, regnum, imperium und status von Cicero bis Jordanis, orbis antiquus 16/17, 1961 **45** K. Sugano, Das Rombild des Hieronymus, 1983 **46** M. Uhlirz, Das Werden des Gedankens der renovatio imperii Romanorum bei Otto III., in: Settimane di studio del centro italiano di studi sull' alto medioevo 2, 1955, 201–219 **47** W. Ullmann, Leo I. and the Theme of Papal Primacy, in: Journ. of Theological Studies N. S. 11, 1960, 25 ff. **48** Ders., Papal Growth of Authority, 1966 **49** J. Vogt, Vom Reichsgedanken der Römer, 1942 **50** H. Zimmermann, Imperatores Italiae, in: H. Beumann (Hrsg.), Histor. Forsch. für Walter Schlesinger, 1974, 379–399.

CHRISTIANE KUNST

**Indien.** Daß I. der Dialektik von Ant. und Moderne weitgehend entgangen ist, hat L. Dumont gezeigt. Doch schon vor ihm hatten andere die mangelnde Fähigkeit I. betont, sich, wenn es nicht in Form des Mythos geschah, seiner eigenen Vergangenheit zu bedienen. Das ist zwar zum Teil richtig, aber man sollte doch einige Fälle von programmatischem Archaismus von neuem aufgreifen (z. B. die Wiederaufnahme von Vorbildern der Maurya in der Gupta-Periode) und ebenfalls jüngere Bewegungen näher betrachten, die auf eine »nationale« Kunst abzielen.

Die klass. Ant. ist also dem mod. I. in doppelter Hinsicht fremd: Sie liegt ihr sowohl in der Zeit wie im geogr.-kulturellen Raum fern. Doch hatte I. in der Vergangenheit – zw. dem 4. Jh. v. Chr. und dem 6. Jh. n. Chr. – in intensivem Verkehr mit der griech. Welt und dem Röm. Reich gestanden. Die Gandharakunst war das hervorstechendste Produkt dieser Beziehungen, aber auch die Kunst der Guptazeit empfing vielfältige Anregungen aus den großen griech. Zentren des Vorderen Orients. Diese griech. Vergangenheit war völlig in Vergessenheit geraten, als die Europäer neoklass. Architekturmodelle für ihre Wohnhäuser und mehr noch für die öffentlichen Bauten der imperialen Macht nach I. brachten. Bereits in der Zeit um 1780 konnten Madras und Kalkutta als »griech.« Städte erscheinen.

Anfangs wurde die Planung meist Militärarchitekten anvertraut, doch bald schon kümmerten sich die Engländer darum, ihren Planern eine gute Architekturausbildung zu verschaffen. Von Bed. war auch der Diskussionsbeitrag europ. Amateure: Es sei hier an J. P. Parker und den Franzosen Claude Martin erinnert. Letzterem verdankt man den am Ausgang des 18. Jh. errichteten prachtvollen Palast in Lucknow, der unter dem Namen *La Martinière* bekannt ist.

Gegenüber rein neoklass. oder durch regelrechte Zitate des Parthenon sogar ausdrücklich »griech.« Bauten wie der Town Hall von Kalkutta (J. Garstin, 1807–13) oder mehr noch der Town Hall von Bombay (Th. Cowper und andere, vollendet 1833) stellt *La Martinière* einen der engagiertesten Versuche dar, die Regeln der klass. Baukunst mit einem traditionellen Plan der Moghul-Architektur zu verbinden. Zahlreiche andere Beispiele des Synkretismus (zu E. des 18. und Beginn des

19. Jh.) sind im Bereich der öffentlichen, privaten und rel. Bautätigkeit des britischen Bengalen belegt, mit bisweilen überraschenden Ergebnissen – am augenfälligsten und einflußreichsten dürfte das Viceroy's House von Sir Edwin Lutyens in New Delhi sein. Die Übernahme von Vorbildern der griech. Architektur stellte zu Beginn des 19. Jh. für reiche Inder ein Mittel zum sozialen Aufstieg dar. Interessant ist die Untersuchung mancher Stadtpläne, die klass. städtebauliche Ansätze in unterschiedlicher Weise verwenden.

Den Indern mußten diese neoklass. Bauten nicht weniger fremdartig im Vergleich zur eigenen Trad. erscheinen als in der zweiten H. des 19. Jh. die neogotischen. Doch zum Verständnis dieser klass. Bauten in ihrem Unterschied oder, besser gesagt, Gegensatz zu jenen got. trug auf seiten der kultivierten Inder die im Laufe des 19. Jh. fortschreitende Entdeckung der Gandharakunst bei. Es ist kein Zufall, wenn Mountstuart Elphinstone in seinem *Account of the Kingdom of Caubul* (1815) die Stupa von Manikyala als ›den griech. Stil nachahmend‹ beschrieb, ›ganz so wie jedes Bauwerk, das die Europäer h. errichten könnten, wenn sie unerfahrene lokale Handwerker beschäftigten‹. Wie man weiß, wurde die »graeco-buddhistische« (oder »romano-buddhistische«) Gandharakunst von westl. Experten – auch aus auf der Hand liegenden ideologischen Motiven – als die einzige wirklich große Kunst bezeichnet, die I. hervorgebracht habe. In dieser Weise äußerten sich auch jene Gelehrten, die I. andererseits als schöpferisches Ursprungsland einer glänzenden Trad. des Kunsthandwerks sahen. Die Reaktion von seiten indischer Intellektueller wie A. K. Coomaraswamy war verständlicherweise ablehnend, und diese Haltung wurde auch von Engländern wie E. B. Havell geteilt, der die Buddha- und Bodhisattva-Figuren der Gandharakunst als ›Puppen ohne Seele‹ bezeichnete (1908). Unschwer erkennt man hinter der ästhetischen Auseinandersetzung die tieferliegenden ideologischen Motive: Der Hell. der Gandharakunst wurde abgelehnt, weil er den Normen einer als rein dargestellten indischen Trad. widersprach und gleichzeitig als eine Vorausnahme jener neoklass. Architektur erschien, die mit dem britischen Kolonialismus gleichgesetzt wurde.

Die Diskussion wurde noch bedeutungsschwerer, als es darum ging, Lehrpläne für die Kunstakad. aufzustellen. Die Entscheidung zugunsten der klass. Modelle, die der Verwaltung in der Mitte des 19. Jh. als selbstverständlich erschien und im Studium der klass. Texte der griech. und röm. Lit. ihre Entsprechung fand, die in den Schulen vorgeschrieben war, wurde auch von einigen indischen Intellektuellen geteilt: In seinem Handbuch *Chitravidya* (1874) versichert Charuchandra Nag, die wohlproportioniertesten Formen des menschlichen Körpers seien jene des alten Griechenlands, die daher allen zum Vorbild dienen müßten. Widerspruch wurde von Männern wie John Lockwood Kipling (Superintendent der Mayo School of Art in Lahore von 1875–95) erhoben, der den Präraffaeliten und der *Arts and Crafts*-

Bewegung verbunden war, oder von E. B. Havell (von 1884 an Superintendent der School of Arts in Madras und von 1896 an Principal der von Kalkutta). Ohne Zögern lösen sie sich von den griech.-röm. Vorbildern und vermitteln ihren Schülern statt dessen die ihnen näherstehenden der indischen Tradition. Sie haben auf diese Weise ebenso wie Rabindranath Tagore, Ananda K. Coomaraswamy und andere zur Entwicklung der Debatte über die »Neue Indische Kunst« beigetragen.

Erst in den letzten J. hat der indische Kulturkreis begonnen, sich dem griech. und röm. Westen als Forschungsthema zuzuwenden. So ist es bezeichnend, daß im J. 1991 eine *Indian Society for Greek and Roman Studies* gegründet worden ist (Bareilly).

→ United Kingdom; Pakistan/Gandhara-Kunst

1 S. K. ABE, Inside the Wonder House: Buddhist Art and the West, in: D. S. LOPEZ, JR. (ed.), Curators of the Buddha: The Study of Buddhism under Colonialism, 1995, 63–106 2 M. ARCHER, Lockwood Kipling: Champion of Indian Arts and Crafts, in: L. CHANDRA-J. JAIN (ed.), Dimensions of Indian Art: Pupul Jayakar Seventy, 1986, 7–12 3 M. BENCE-JONES, Palaces of the Raj, 1973 4 S. CROSS, E. B. Havell and the Art of India, in: Temenos 10, 1989, 224–243 5 PH. DAVIES, Splendours of the Raj: British Architecture in India 1660–1947, 1985 6 L. DUMONT, La civilisation indienne et nous, 1964 7 T. GUHA-THAKURTA, The Making of New »Indian«Art, 1992 8 A. D. KING, The Westernisation of Domestic Architecture in India, in: Art and Archaeology Research Papers 11, 1977, 32–41 9 G. MICHELL, Neo-Classicism in Bengali Temple Architecture, in: Art and Archaeology Research Papers 11, 1977, 28–31 10 P. MITTER, Artistic Responses to Colonialism in India, in: C. A. BAYLY, The Raj. India and the British 1600–1947, 1990 11 Ders., Art and Nationalism in Colonial India 1850–1922: Occidental Orientations, 1994 12 S. NILSSON, European Architecture in India 1750–1850, 1968 13 G. STAMP, British Architecture in India 1857–1947, in: Journal of the Royal Society of Arts, 1981.
MAURIZIO TADDEI (†)/Ü: ANDREAS WITTENBURG

**Indogermanistik** s. Hethitologie; Sprachwissenschaft

**Infrastruktur** s. Straßen(bau); Wasserleitungen

**Initiation** s. Okkultismus

**Inschriftenkunde, griechische** I. FUNDGESCHICHTE II. WISSENSCHAFTSGESCHICHTE

I. FUNDGESCHICHTE
A. HISTORISCHER ÜBERBLICK B. AUSWAHL BEDEUTENDER EINZELFUNDE UND FUNDGRUPPEN

A. HISTORISCHER ÜBERBLICK
Inschr. wurden und werden auf verschiedenem Wege sowie durch die Anwendung verschiedener Methoden gefunden, wobei oft auch der Zufall eine nicht unerhebliche Rolle spielt. Das gilt v. a. für die Frühphase der Beschäftigung mit Inschr. (15.–17. Jh.), denn die ersten Funde gehen nicht auf zielgerichtete und sy-

stematische Suche zurück, sondern waren gleichsam Nebenprodukte der eigentlichen Tätigkeit der Finder, in den meisten Fällen Reisende und Diplomaten. Auch als später schon Forschungsreisen mit dem ausgesprochenen und einzigen Ziel der Suche nach Inschr. unternommen wurden, schlossen sich Epigraphiker gerne Unternehmungen an, die anderen Zielen dienten, ihnen jedoch die Möglichkeit boten, in bisher unzugängliche Gebiete vorzustoßen; so folgte dem Ausbau der anatolischen Eisenbahn zu E. des 19. Jh. eine von der Bahngesellschaft finanzierte Forschungsreise ins Innere der Türkei, die auch Inschriftenfunde zu Tage förderte [27. 140], und selbst Kriegszüge wurden zu diesem Zweck benutzt, wie z. B. der Feldzug Napoleons I. nach Ägypten (1798–1799) und die frz. Expedition gegen Ibrahim Pascha in Griechenland (1828) [27. 58, 81].

Die Beschäftigung mit griech. Inschr. begann im späten MA, und das Neue daran wird bes. im Vergleich mit der Situation der lat. Epigraphik deutlich. Denn das Interesse an lat. Inschr. ist auch über die Epochengrenze zum MA hinweg kaum jemals vollständig erloschen, zumal die Einwohner It. von lat. Inschr. gleichsam umgeben waren; die Sprache ermöglichte ihnen darüber hinaus einen im Vergleich mit griech. Inschr. leichteren Zugang. Dagegen waren die griech. Inschr. außerhalb der Gebiete byz. Kultur im Laufe der Zeit unverständlich geworden. Das wiedererwachte Interesse an ihnen kann zu den charakteristischen Erscheinungen der Ren. gerechnet werden. Demzufolge waren es zunächst Angehörige westeurop. Länder, die sich mit griech. Inschr. zu beschäftigen begannen, und erst spät kamen die Griechen selbst hinzu (etwa seit der Mitte des 19. Jh.), dann auch Russen sowie gegen E. des 19. Jh. Türken und Amerikaner.

Als Begründer des im 15. Jh. einsetzenden Interesses an griech. Inschr. kann der Kaufmann Cyriacus von Ancona (eigentlich Ciriaco de' Pizzicolli, 1392–1457) gelten [19]. Waren es zunächst Geschäftsreisen, die Cyriacus bis nach Kleinasien und Ägypten geführt hatten, wo er an allen Orten, zu denen ihn seine Geschäfte führten, Inschr. kopierte, verselbständigte sich im Laufe der Zeit sein Interesse am Studium der griech. Inschr. soweit, daß er schließlich eigens zu diesem Zweck ausgedehnte Reisen unternahm. Vieles, was nach seiner Zeit verlorenging, wurde so zumindest in (meist zuverlässigen) Abschriften gerettet, und für unzählige Texte ist Cyriacus unser einziger Gewährsmann. Leider ist er nie dazu gekommen, seine Funde zu veröffentlichen; lediglich mittels seiner nur unvollständig erhaltenen Tagebuchaufzeichnungen und Briefe an seine Freunde und Bekannten sind zahlreiche griech. Inschr. überliefert.

Schon wenige J. nach den Reisen des Cyriacus trat infolge der Eroberung fast des gesamten ehemals griech. Kulturraumes (außer Unterit.) durch die Osmanen eine neue Situation ein, die die Reisemöglichkeiten stark einschränkte. Zu den spärlichen Ergebnissen der folgenden Zeit gehört eine etwa 100 J. später gelungene große Entdeckung auf dem Feld der Epigraphik, nämlich die Auffindung des *Monumentum Ancyranum*, einer zweisprachigen Fassung des Tatenberichts des Kaisers Augustus in der heutigen türk. Hauptstadt Ankara.

Zu E. des 16. Jh. war die Zahl der verstreut publ. griech. Inschr. insgesamt so sehr angewachsen, daß erste zusammenfassende Veröffentlichungen in Angriff genommen wurden, zunächst eine Auswahlsammlung von M. Smetius und schließlich der erste vollständige »Thesaurus« von J. Gruter. Beide blieben lange eine unverzichtbare Arbeitsgrundlage, wenn sie auch durch die Flut neuer Funde bald überholt waren, denn seit der zweiten H. des 17. Jh. nahmen die Möglichkeiten, in den östl. Mittelmeerraum zu reisen, wieder zu. In dieser Zeit entstanden zahlreiche B. mit Publikationen von griech. Inschr., entweder als reine Sammlung oder in Zusammenhang mit Reiseberichten (im Text oder als Anhang). Einzelne der besagten Reisen dehnten sich über durchaus ansehnliche Strecken und Gebiete aus, doch waren die meisten auf einen begrenzten geograph. Raum beschränkt. Unter mehreren anderen Berichten seien hervorgehoben: Spon und Wheler [14; 15; 17]), Smith [13], Chishull [4], Pococke [12] und Vidua [16]. Die Qualität hinsichtlich der Publikation und teilweise auch Erklärung der Inschr. ist höchst unterschiedlich.

Neben die weiterhin durchgeführten Unternehmungen Einzelner trat ab dem 18. Jh. die Bündelung von Anstrengungen auf dem Gebiet der Altertumsforsch. in eigens zu diesem Zweck ins Leben gerufenen Gesellschaften von bzw. unter Beteiligung von Fachleuten, zu denen als eine der frühesten die sog. → *Society of Dilettanti* zählt, gegr. in London im Jahre 1733. Nachdem die 1751–1753 mit ihrer Unterstützung durch J. Stuart und N. Revett unternommene Reise nach Griechenland, auch aufgrund der Verbindung mit einer Ausgrabung, erfolgreich beendet worden war, erbrachte eine zweite Expedition, diesmal unter Beteiligung von R. Chandler, eine reiche Ernte an inschriftlichem Material, welches u. a. in [3] veröffentlicht wurde. Wenig später nutzte der frz. Altertumsforscher und Gesandte in Istanbul, M. G. A. L. de Choiseul-Gouffier, seine Reisen und Diplomatentätigkeit, um eine beachtliche Zahl griech. Inschr. zu erwerben, die er dem Louvre vermachte. Einen großen Zuwachs an Material brachte auch der mehrjährige Aufenthalt des engl. Architekten und Archäologen Ch. R. Cockerell in It., Griechenland und der Türkei; allerdings veröffentlichte er seine Funde nicht selbst, sondern übergab sie einem Freund zur Publikation, die aber nie verwirklicht wurde.

Mit dem 19. Jh. begann gleichsam eine neue Epoche für die Epigraphik; damals ist nicht nur das *CIG* entstanden, sondern epigraphische Forsch. wurde von dieser Zeit an auch von Forschern derjenigen Länder betrieben, in denen griech. Inschr. gefunden wurden; die einsetzende Ausgrabungstätigkeit vermehrte darüber hinaus in nie gekannter Weise auch den Inschriftenbestand. Zu den ersten Nationen, die sich aufgrund von Funden in ihren eigenen Ländern der Epigraphik widmeten,

Abb. 1: Monumentum Ancyranum, sechste Kolumne des griechischen Textes.
Ankara, Tempel der Roma und des Augustus

gehörte Rußland: hier veröffentlichte man seit dem frühen 19. Jh. Inschr. aus der Krim und von der nördl. Küste des Schwarzen Meeres. Nach Gewinnung der Unabhängigkeit wandten sich auch die Griechen ihrer Vergangenheit zu, gründeten die *Arch. Gesellschaft* und führten in großem Stil Ausgrabungen durch (u. a. Athen, Eleusis, Epidauros, Theben, Sparta, Messene, Thermos, Dodona). Gleichzeitig fanden weiterhin ausländische Ausgrabungen statt, deren Inschriftenfunde v. a. in Reihen publiziert wurden (u. a. [6; 9; 10]). Die auf Kreta gefundenen griech. Inschr. hat M. Guarducci [7] zusammengestellt.

In der Türkei waren es zunächst griech. Gesellschaften (die evangelische Schule in Smyrna wurde bereits

1743 gegr.) und schließlich auch türk. Wissenschaftler, die für die Sicherung arch. Funde sorgten, während Ausgrabungen meistens von Ausländern durchgeführt und Inschriftenfunde von Griechen sowie anderen im Lande ansässigen Angehörigen westl. Nationen in Lokalzeitschriften veröffentlicht wurden. In jüngerer Zeit ist für die in Kleinasien gefundenen Inschr. die nach Städten gegliederte Reihe [8] (bisher über 50 Bände) hinzugekommen; von türk. Seite werden immer mehr epigraphische Surveys durchgeführt.

Die epigraphische Forsch. war auf diesem Wege in immer engere Verbindung mit der Arch. getreten, und so ist es nur folgerichtig, daß sie mit den seit dem 19. Jh. entstehenden ausländischen arch. Instituten in Griechenland und der Türkei zusammenarbeitet, in deren Ausgrabungsmannschaften sich meist auch ein für die Publikation der Inschriftenfunde verantwortlicher Epigraphiker befindet. Inzwischen hat sich neben der Ausgrabung eine zweite arch.-histor. Methode eingebürgert, die zur Entdeckung von griech. Inschr. führt, nämlich der sog. (arch., histor., top. und/oder epigraphische) Survey; während Inschriftenfunde bei Ausgrabungen lediglich eine von mehreren Fundgruppen darstellen, werden zahlreiche Surveys mit dem vornehmlichen Ziel der Aufnahme von Inschr. durchgeführt, ohne daß dabei aber die Fundzusammenhänge vernachlässigt werden.

Eine Schattenseite des gewachsenen Interesses an Inschr. und ihres vermeintlichen materiellen Wertes waren und sind immer noch Raubgrabungen. Durch sie werden zwar viele Texte ans Tageslicht gefördert, doch verschwinden sie umgehend in Privatsammlungen, wo sie der wiss. Forsch. nur selten zur Verfügung stehen. Gelangt dennoch ein solches Objekt zur Kenntnis eines Fachmannes, fehlen oft jegliche Angaben über Fundort und Fundumstände, wodurch seine Auswertung empfindlich beeinträchtigt und sein Wert für die Wiss. erheblich vermindert wird.

## B. AUSWAHL BEDEUTENDER EINZELFUNDE UND FUNDGRUPPEN

Obwohl alle griech. Inschr. histor. Dokumente sind, ist ihre Aussagekraft durchaus unterschiedlich, und es sind oft einzelne Texte oder Textgruppen, die unser Wissen schlagartig erweitern. Von ihnen wird im Folgenden eine Auswahl der wichtigsten in ungefährer chronologischer Anordnung (nach den Daten der Auffindung) vorgestellt.

Am Anfang steht die im J. 1555 erfolgte Entdeckung des sog. Monumentum Ancyranum, des in der heutigen türk. Hauptstadt Ankara in eine Wand des Tempels der Roma und des Augustus eingemeißelten Tatenberichts (*Res gestae*) des ersten röm. Kaisers, bestehend aus einer lat. und einer griech. Fassung (Abb. 1). Bezeichnend für die Zeit ist, daß dieser Fund anläßlich der Reise eines Gesandten gemacht wurde, des flandrischen Gelehrten Augier Ghislain de Busbecq (1522–1592); abgeschrieben wurde der Text von seinem Begleiter H. Dernschwam (auch Dornschwamm geschrieben), aber zunächst nicht publiziert. Bei der lat. Version dieses Dokuments handelt es sich um eine Abschrift des auf Bronzeplatten niedergelegten Berichts, den Augustus vor seinem Mausoleum in Rom aufstellen ließ. Für die Griech. sprechenden Einwohner des Reiches wurde eine griech. Übers. angefertigt, die (teils alleine, teils mit dem lat. Original) über die östl. Reichshälfte verteilt worden sein muß; jedenfalls haben sich weitere Fragmente der *Res gestae* in Apollonia/Pisidien (nur griech.) gefunden, während bezeichnenderweise in der röm. Kolonie Antiochia/Pisidien nur Bruchstücke einer lat. Fassung entdeckt wurden (erst zu Beginn des 20. Jh.) [34].

Ein für die griech. Chronologie wichtiger Fund gelang zu Beginn des 17. Jh., als ein in Smyrna erworbener Block aus parischem Marmor in die Sammlung des Earl of Arundel gelangte, ein Teil des sog. Marmor Parium, welches urspr. eine Liste mythischer und histor. Daten bis zum Jahre 264/3 v. Chr. enthielt, angefangen bei dem ins Jahr 1581/80 datierten athenischen König Kekrops. Die Inschr. ist zugleich ein Beispiel für die Zufälligkeiten der Fundumstände: der Stein aus Smyrna umfaßte die Z. 1–93, und erst im Jahre 1897 wurde auf Paros selbst ein zweites Fragment mit den Z. 101–132 gefunden [24].

Ebenso wie der Tatenbericht des Augustus ist eine weitere bedeutende Inschr. in zwei Sprachen im Osten des Röm. Reiches aufgestellt gewesen, das Preisedikt Diokletians, mit welchem der Kaiser Höchstpreise vorzuschreiben versuchte; allerdings sind keine bilinguen Texte bekannt, und die einzigen griech. Fassungen stammen aus der Provinz Achaia. Die ersten Fragmente fand W. Sherard (britischer Konsul in Smyrna) im Jahre 1709 in der karischen Stadt Stratonikeia; seitdem sind weitere dazugekommen [28].

Grundlegend für die Entzifferung der ägypt. Hieroglyphen war der sog. Stein von Rosette, der während des Ägyptenfeldzuges Napoleons I. im J. 1798/99 gefunden wurde und ein Dekret des Königs Ptolemaios V. Epiphanes in Griech. trägt, dem Übers. in Hieroglyphen und Demotisch beigegeben wurden. Damit war die Grundlage für die Entzifferung der Hieroglyphen durch J. F. Champollion gegeben, die durch einen weiteren Fund in denselben drei Sprachen im J. 1866 durch K. R. Lepsius (Dekret zu Ehren des Ptolemaios III. Euergetes) bestätigt wurde [1. Nr. 8, 16].

Ähnliche Bed. wie der »Stein von Rosette« haben zahlreiche Bilinguen (Griech., Lykisch) im kleinasiatischen Lykien, von denen die ersten in der Mitte des 19. Jh. entdeckt und veröffentlicht wurden; eine Trilingue wurde im Jahre 1973 gefunden und umfaßt einen (auch histor. höchst interessanten) Text in Griech., Lykisch und Aramäisch. Auf diese Inschr. stützt sich die Entschlüsselung des Lykischen [30].

Einer der wichtigsten Funde für die frühgriech. Rechtsgeschichte wurde im J. 1884 bei der Ausgrabung der kretischen Stadt Gortyn gemacht: das sog. Stadtrecht von Gortyn aus dem 5. Jh. v. Chr. Es enthält in zwölf Kolumnen eine Sammlung juristischer Vorschriften [11. Nr. 163–181]. Daneben kamen dort zahlreiche weitere, teilweise auf das 7. Jh. v. Chr. zurückgehende Gesetzestexte zutage [11. Nr. 116–162].

Ausgrabungen in Athen haben eine Vielzahl von Inschr. erbracht, die ein tieferes Verständnis der finanziellen Organisation des Delisch-Att. Seebundes ermöglichen. Die Texte lassen sich in zwei Gruppen einteilen, in die »Tributlisten«, in denen der für Athena bestimmte sechzigste Teil des Tributs der »Bündner« verzeichnet war, und die »Schatzungsurkunden«, in denen die alle vier J. neu festgesetzten Tributforderungen Athens an die »Bündner« aufgezeichnet wurden [29].

Für die bedeutenden Funde der letzten Hälfte des 20. Jh. hat sich v. a. das Gebiet der heutigen Türkei als

äußerst ergiebig erwiesen. Oben wurde bereits die Trilingue von Xanthos erwähnt [30], die bei der Entschlüsselung des Lykischen eine große Rolle spielte.
Einen vergleichbaren Stellenwert für das Karische hat
eine erst 1996 in Kaunos gefundene und ein J. später
publ. Bilingue, deren vielschichtiger Informationswert
nicht nur für das Karische selbst, sondern auch für die
Geschichte der Zeit (vielleicht während des Lamischen
Krieges) unmittelbar nach ihrer Publikation zu einer
eigens einberufenen interdisziplinären Konferenz geführt hat [18]. Damit ist die Inschr. zugleich ein mustergültiges Beispiel für die rasche Publikation und
gründliche, alle Aspekte berücksichtigende Bearbeitung
eines epigraphischen Fundes. Der Text, ein Proxeniedekret der Kaunier für zwei Athener in Karisch und
Griech., bestätigt die bis dahin noch umstrittenen Le-
sungen mancher Buchstaben, ermöglicht sowohl die
Entzifferung weiterer Zeichen als auch die Klärung
gramm. Probleme und wirft neues Licht auf die polit.
Ereignisse in der 2. H. des 4. Jh. v. Chr. (Abb. 2).

Eine Inschr. aus dem maked. Beroia, die schon 1949
ausgegraben, aber erst 1993 publ. wurde, macht ausführlich die Pflichten des städtischen Gymnasiarchen
bekannt und gewährt damit einen Einblick in die Ausbildung der jungen Männer in der Spätzeit des maked.
Königreiches [21]. Ebenfalls aus Beroia kommt ein Ehrendekret für einen gewissen, aus einer seit dem 3. Jh.
v. Chr. belegten Familie stammenden Harpalos aus der
Zeit um 100 v. Chr. [22]. Neben den ausführlich aufgezählten Wohltaten des Geehrten in für die Stadt
schwierigen Zeiten, sowohl auf militärischem als auch
auf rel. Gebiet, ist bes. die Art der Ehrungen des Harpalos interessant: er erhält nämlich nicht nur einen
Kranz, sondern auch eine Bronzestatue (eine in dieser
Zeit seltene Auszeichnung), und das Ehrendekret soll
jährlich bei den Wahlen der Beamten öffentlich verle-
sen werden.

Bei den Ausgrabungen in Ephesos fand man 1976
eine große Platte mit dem größten Teil eines Zollgeset-
zes für die Prov. Asia (»Monumentum Ephesenum«).
Die Inschrift besteht aus einem urspr. Gesetz des J. 75
v. Chr. und mehreren, bis in die Regierungszeit Neros
reichenden Zusätzen; sie ist damit ein nicht zu unter-
schätzendes Dokument für die frühe Geschichte der
Provinz und der röm. Verwaltung [5]. Zwei Inschr.
werfen Licht auf die administrative Entwicklung des Innern Kleinasiens im Hellenismus. Beide Texte, bei denen es um den Status der Orte als griech. πόλεις geht,
enthalten Briefe pergamenischer Könige; der erste wurde in den 70er J. in Olbasa/Pisidien gefunden [26], der
zweite im J. 1997 in Tyriaion/Phrygien [25]. Die Inschr.
von Olbasa datiert aus dem J. 159 v. Chr. und deutet
darauf hin, daß die Stadt wohl schon vor der Herrschaft
der Attaliden (ab 188 v. Chr.) eine griech. Polis mit ihren charakteristischen Einrichtungen wie Rat, Volksversammlung, städtischen Strategen und einem Schreiber war; dazu tragen viele der genannten Beamten
griech. Personennamen. Der Text aus Tyriaion hinge-

Abb. 2: Die karisch-griechische Bilingue von Kaunos in
Karien/Kleinasien. Proxeniedekret der Kaunier für
Nikokles und Lysikles aus Athen; oben der karische, unten
der griechische Text. Die Namen der Geehrten stehen
im karischen Text in den Zeilen 2–3, in der griechischen
Fassung in den Zeilen 2 und 4. Aus: KADMOS 37 (1998),
Taf. 1 zw. Seite 4 und 5 (Foto Chr. Marek)

gen enthält Briefe des Königs Eumenes II., von denen
einer dem Ort den Status einer Polis verleiht; der König
weist darin ebenfalls auf die notwendigen Elemente einer griech. Stadt hin: Verfassung, eigene Gesetze, Rat,
Beamte, Gymnasium. In Zusammenhang mit letzterem
trifft er Fürsorge für die Verteilung von Öl und erklärt
sich bereit, Fachleute für die Organisation der städtischen Verwaltung und die Einteilung der Bevölkerung
in Phylen (Stadtviertel) zu entsenden. Als Gegenlei-
stung erwartet er von den Bürgern polit. Loyalität. Auch
der beherrschende Einfluß Roms ist in dem Königsbrief
dokumentiert, indem Eumenes keinen Zweifel daran
läßt, daß er das durch den Frieden von Apameia zuge-
wonnene Land nur den Römern verdankt.

Neue Erkenntnisse zur Organisation der Nemei-
schen Spiele und ihrer Bed. für die Politik der maked.
Könige sowie der Einrichtung der Theorodokia erlaubt

eine Theorodokenliste, die 1978 in Nemea ausgegraben wurde [31].

Die südwestkleinasiatische Landschaft Lykien allein hat in den letzten Jahrzehnten drei histor. höchst aufschlußreiche Dokumente geliefert. In Oinoanda (Nordlykien) wurden die Modalitäten der Stiftung eines Festes in einer langen Inschr. detailliert niedergelegt, und die mehrfache Bezugnahme auf die polit., sozialen und wirtschaftlichen Verhältnisse der Stadt und ihres Umlandes gewährt darüber hinaus Einblicke in Verwaltung und Leben der Region in der mittleren Kaiserzeit [35].

Die bekannte Tatsache, daß in der Ant. Städte und Völker durch die Rückführung auf dieselben oder zumindest verwandte mythische Gründer selbst als verwandt angesehen wurden und auf dieser Grundlage gegenseitige Hilfe beanspruchen konnten, wird mit all ihren möglichen Konsequenzen und Begleiterscheinungen durch eine im lykischen Xanthos gefundene aufschlußreiche Inschr. aus der Zeit kurz vor 200 v. Chr. verdeutlicht [20]: Das Städtchen Kytenion in der Doris (Mittelgriechenland) wandte sich an Xanthos, um Hilfestellung bei dem Wiederaufbau seiner durch Erdbeben und Kriegseinwirkungen zerstörten Mauern zu erlangen und begründete das Gesuch durch die Verwandtschaft der beiden Städte. Der Text ist ein lehrreiches Beispiel dafür, wie einerseits der Mythos durch den Bittsteller »zurechtgebogen« wird, um eine möglichst enge Verbindung zwischen beiden Parteien herzustellen, wie andererseits aber auch die Gegenseite sich nicht zu großzügiger Hilfe entschließen will und sich nur durch Ausflüchte der finanziellen Belastung durch die erwartete – und moralisch durchaus berechtigte – Hilfestellung entziehen kann.

Einer der jüngsten aufsehenerregenden Funde (1993) ist der *Stadiasmus Lyciae* aus Patara, eine bei der Übernahme Lykiens als Prov. ins Röm. Reich erstellte Liste aller lykischen Orte mit Verbindungswegen und Entfernungsangaben. Durch dieses Monument werden nicht nur viele Fragen der histor. Top. des Landes geklärt, sondern auch die Vorgänge bei der Umgestaltung einer Region zu einer röm. Provinz erhellt (Vorbericht SEG 44, 1994, 1205).

Neue Einsichten in den Herrscherkult und die Geschichte Athens in hell. Zeit bietet eine Inschr. aus Rhamnus (Attika, Mitte 3. Jh. v. Chr.), aus der hervorgeht, daß der Demos die vom athenischen Gesamtvolk beschlossene kultische Verehrung des Makedonenkönigs Antigonos Gonatas übernahm. Durch die weiteren Angaben des Textes wird zudem die Ansicht bestärkt, daß kult. Ehren stets von zuvor erlangten Wohltätigkeiten seitens des Geehrten abhängen und nicht etwa ein Zeichen von Unterwürfigkeit sind (SEG 41, 1991, 75).

Die Folgen des in der hell. Epoche grassierenden Piratenwesens treten in deutlicher Form in einer über 100 Zeilen langen, leider stark beschädigten Inschr. aus Teos (Ionien) entgegen [32]. Die Stadt war in der 2. H. des 3. Jh. v. Chr. von Piraten besetzt worden, die ein so hohes Lösegeld erpreßten, daß die Einwohner von Teos offenbar zu einer Art Zwangsanleihe verpflichtet wurden; die so gesammelten Gelder sind in der Inschr. dokumentiert worden.

Eine Inschr. aus Karien bietet ein aufschlußreiches Beispiel für eine nicht freiwillige, sondern offensichtlich auf Anordnung des Satrapen Asandros (323–313 v. Chr.) zurückgehende Sympolitie zw. den Orten Latmos (später »Herakleia am Latmos«) und Pidasa (Ob diese Maßnahme je Wirklichkeit wurde, ist allerdings unbekannt). Ein ungewöhnliches Element des Vertrages ist die auf ein schnelleres Zusammenwachsen der Orte abzielende Vorschrift, über einen Zeitraum von sechs J. nur Mischehen zw. den Bürgern der beiden Gemeinden zu schließen [2].

Ebenfalls aus Karien, aus → Halikarnassos, stammt ein langes hell. Gedicht aus dreißig Distichen, welches von der Herausgeberin mit *The Pride of Halikarnassos* überschrieben wurde [23]. Sein Inhalt ist im ersten Teil die Gründung der Stadt durch eine ganze Reihe göttl. und mythischer Vorfahren verschiedener Herkunft, die in einem komplexen Textgebäude, verbunden mit top. Andeutungen und Anspielungen auf Lokalsagen, vereint werden; u.a. wird die Geburt des Zeus nach Halikarnassos verlegt, womit die Stadt sich in die große Zahl der Geburtsorte des Göttervaters einreiht. Der zweite Teil des Epigramms zählt stolz berühmte angeblich oder tatsächlich aus Halikarnassos stammende Schriftsteller auf, wie z.B. Herodot.

Aus Athen stammt ein hochinteressantes, die Besteuerung und den Verkauf von Getreide betreffendes Gesetz aus dem Jahre 374/3 v. Chr. [33]. Um die Bevölkerung der Stadt während des Winters mit ausreichend Lebensmitteln zu versorgen, wurde eine 12–prozentige Naturalsteuer auf Getreide von den athenischen Kleruchien Lemnos, Imbros und Skyros eingeführt; das so gewonnene Korn sollte an einem von der Volksversammlung bestimmten Tag zu einem von ihr festgesetzten Preis auf der Agora verkauft werden. Des weiteren wird mit großer Genauigkeit das Verfahren zu Anlieferung, Lagerung, Wiegen usw. des Getreides festgelegt, und es werden die Verantwortlichen sowie die zu beachtenden Termine genannt.

QU **1** A. BERNAND, La prose sur pierre, 1992 **2** W. BLÜMEL, Vertrag zw. Latmos und Pidasa, in: EA 29, 1997, 135–142 **3** R. CHANDLER, Inscriptiones antiquae pleraeque nondum editae, in Asia Minori et Graecia, praesertim Athenis collectae, Oxford 1774 **4** E. CHISHULL, Antiquitates Asiaticae christianam aeram antecedentes ..., London 1728 **5** H. ENGELMANN, D. KNIBBE, Das Zollgesetz der Provinz Asia, in: EA 14, 1989 **6** FdD III, Épigraphie, 1909 ff. **7** M. GUARDUCCI, Inscriptiones Creticae, 4 Bde., 1935–1950 **8** Inschr. griech. Städte aus Kleinasien, 1972 ff. **9** I. Délos, 1926 ff. **10** IGLS, 1929 ff. **11** R. KOERNER, Inschriftliche Gesetzestexte der frühen griech. Polis, 1993 **12** R. POCOCKE, Inscriptionum antiquarum Graecarum et Latinarum liber, London 1752 **13** TH. SMITH, Notitiae VII Asiae ecclesiarum, Utrecht 1694 **14** J. SPON, Itinerarium in

Italiam, Illyricum, Graeciam et Orientem, Lyon 1678
**15** Ders., G. WHELER, Voyage d'Italie, de Dalmatie, de
Grèce et du Levant fait aux années 1675 et 1676, Lyon 1678
**16** C. Vidua, Inscriptiones antiquae a comite C. V. in itinere
Turcico collectae, Paris 1826 **17** G. WHELER, Journey into
Dalmatia, Greece and Levant, London 1682

LIT **18** W. BLÜMEL, P. FREI, CHR. MAREK, Colloquium
Caricum, in: Kadmos 37, 1998 **19** E. W. BODNAR, Cyriacus
of Ancona and Athens, 1960 **20** J. BOUSQUET, La stèle des
Kyténiens au Létôon de Xanthos, in: REG 101, 1988, 12–53
**21** PH. GAUTHIER, M. B. Hatzopoulos, La loi
gymnasiarchique de Beroia, 1993 **22** D. A. HARDY,
J. TOURATSOGLOU, The Harpalos Decree at Beroia, in:
Tekmeria 3, 1997, 46–54 **23** S. ISAGER, The Pride of
Halikarnassos, in: ZPE 123, 1998, 1–23 **24** F. JACOBY, Das
Marmor Parium, 1904 **25** L. JONNES, M. RICL, A New
Royal Letter from Phrygia Paroreios: Eumenes II grants
Tyriaion the Status of a Polis, in: EA 29, 1997, 1–30 **26** R. A.
KEARSLEY, The Milyas and the Attalids: A Decree of the
City of Olbasa and a New Royal Letter of the Second
Century B. C., in: AS 44, 1994, 47–57 **27** W. LARFELD, Hdb.
der griech. Epigraphik I, 1907 **28** S. LAUFFER, Diokletians
Preisedikt, 1971 **29** B. D. MERRITT, H. T. WADE-GERY,
M. F. MACGREGOR, The Athenian Tribute Lists, 1939–1953
**30** H. METZGER, E. LAROCHE, A. DUPONT-SOMMER,
M. MAYRHOFER, La stèle trilingue du Letôon, 1979
**31** ST. G. MILLER, The Theorodokoi of the Nemean Games,
in: Hesperia 57, 1988, 147–163 **32** S. ŞAHIN, Piratenüberfall
auf Teos, in: EA 23, 1994, 1–36 **33** R. STROUD, The
Athenian Grain-Tax Law of 374/3 B. C., Hesperia Suppl.
29, 1998 **34** E. WEBER, Augustus. Meine Taten (lat., griech.,
dt.), ³1975 **35** M. WÖRRLE, Stadt und Fest im kaiserzeitlichen
Kleinasien, 1988 **36** ST. YERASIMOS, Les voyageurs dans
l'empire ottoman, 1991.                    THOMAS CORSTEN

## II. WISSENSCHAFTSGESCHICHTE
## A. EINLEITUNG  B. GESCHICHTE
## C. AUFGABEN UND LEISTUNGEN

### A. EINLEITUNG

Die I. (Epigraphik) ist der Zweig der Klass. Alt.-
Wiss., der sich mit auf Stein (freistehenden Monumenten, Mauern, Felswänden) und Metall geschriebenen
Texten beschäftigt, daneben auch mit solchen auf Holz
und Keramik. Der Wert der Inschr. für die Forsch. beruht darauf, daß sie (wie Mz. und Pap.) unmittelbare
Zeugnisse der Ant. darstellen, die nicht einer jahrhun-
dertelangen, oft verfälschenden Textüberlieferung unterliegen.

### B. GESCHICHTE

Schon ant. Autoren benutzten Inschr. als Quellen für
ihre Werke, wobei sie sie entweder vom Stein abschrieben oder den im Archiv aufbewahrten Text kopierten.
So hat z. B. Herodot (5,77,4) ein Siegesepigramm der
Athener über die Boioter und Chalkidier auf der Akropolis zitiert [53. 35]. Thukydides verwertete neun
Inschr. [50], und auch bei Pausanias finden wir deren
viele, die im Original meist verloren, aber für das Verständnis myth. Erzählungen und histor. Ereignisse unabdingbar sind [37. 64–94]. Arrian überliefert zwar keine Inschr., ist aber ein früher Zeuge des auch von

heutigen Epigraphikern in weiten Gegenden der hellenisierten Welt beoabachteten Unvermögens, Inschr.
in korrektem Griech. zu verfassen [4] (Trapezus am
Pontos).

Neben diese Benutzung einzelner Inschr. treten
schon früh systematischere Sammlungen in Stein ge-
hauener Texte; sie sind allesamt verloren und höchstens
in wenigen isolierten Zitaten faßbar. So ist von dem
Athener Philochoros, dem Makedonen Krateros und
von Polemon aus dem kleinasiatischen Ilion bekannt,
daß sie Inschr. abschrieben (aus Archiven oder vom
Stein) und publizierten, während andere Werke ohne
Autorennamen überliefert sind; sie trugen allg. Titel wie
περὶ ἐπιγραμμάτων oder spezielle wie περὶ τῶν ἐν Δελ-
φοῖς ἀναθημάτων [39. 12–13].

Das Interesse an Inschr. erwacht erst wieder im ausgehenden MA (zum folgenden [39. 13–20]); auf Reisen
werden Inschr. abgeschrieben, es entstehen Sammlungen beschrifteter Steine in den Häusern, Schlössern und
Palästen der reichen Oberschicht. Der (Wieder-)Be-
ginn der Inschriftenkunde ist bei dem Kaufmann Cyriacus von Ancona anzusetzen, der im 15. Jh. ausgedehnte Reisen im Mittelmeerraum unternahm und
zahllose Texte abschrieb, aber nie veröffentlichte; nur
Auszüge aus seinen Tagebüchern sind uns erhalten und
bilden eine nicht zu vernachlässigende Quelle bes. für h.
verlorene Inschriften. Das gilt umso mehr für die große
Zahl anderer Reisender, unter ihnen v. a. Diplomaten,
die in der Folgezeit ihre Funde publizierten, und denen
wir die oft einzige Kenntnis vieler inschriftlicher Dokumente verdanken. Dabei änderte sich der Aufbau der
Sammlungen von einer rein geograph. Anordnung nach
Fundorten zu einer Abfolge der nach Inschriftengattun-
gen geordneten Texte. Hier ist der Holländer M. Smetius (16. Jh.) hervorzuheben, der auch auf eine genaue
Kopie der Inschr. Wert legte, weil er erkannt hatte, daß
die Buchstabenform ein wichtiges Datierungskriterium
sein kann. Das erste Korpus aller bis dahin bekannten
Inschr. legte der in Heidelberg wirkende J. Gruter vor
(*Inscriptiones antiquae totius orbis romani in corpus absolutis-
simum redactae cum indicibus XXV, ingenio ac cura Iani Gru-
teri, auspiciis Ios. Scaliger ac M. Velseri*, Heidelberg,
1603; Ndr. 1616 unter anderem Titel, Amsterdam
²1707), welches lange ein Standardwerk blieb.

Da das Material durch verstärkte Reisetätigkeit von
Angehörigen verschiedener Nationen (allen voran Engländer und Franzosen) schon zu E. des 17., aber v. a. im
18. Jh. stetig wuchs, war Gruters Korpus bald veraltet,
und schon in der ersten H. des 18. Jh. plante F. S. di
Maffei eine neue Publikation aller Inschr., wobei erstmals eine Trennung von griech. und lat. Inschr. vorgenommen wurde, indem er die damals bekannten ca.
2000 griech. Texte in einem ersten Band gesondert her-
ausgeben wollte. Maffei konnte seinen Plan allerdings
nicht ausführen, und die Inschriftensammlungen, die
fertiggestellt wurden (u. a. von Muratori, Donatus)
[42. 40–66], enthalten im Vergleich mit den lat. nur wenige griech. Texte und konnten Gruters Korpus nicht
ersetzen.

Im J. 1828 erschien Band I des *C(orpus) I(nscriptionum) G(raecarum)* (II 1843, III 1853, IV 1859, Indices 1877), das, auf Initiative von A. Böckh durch die *Königlich Preussische Akad. der Wiss.* 1815 ins Leben gerufen, alle derzeit bekannten griech. Inschr. in geogr. Anordnung enthielt. Während die I. in der Neuzeit mit der Autopsie der Steine eingesetzt hatte, wurden die im CIG abgedruckten Texte hingegen keiner Kontrolle am Stein unterzogen, was auch (selbst bei den noch vorhandenen) gar nicht möglich war; wichtiger war in diesem Moment, vor der weiteren Behandlung des Materials Ordnung in die unübersichtliche Menge des damals bekannten Inschriftenbestandes zu bringen. Noch vor der Fertigstellung des zweiten Bandes hatten sich jedoch die Reisebedingungen in Griechenland selbst durch die Unabhängigkeit von den Osmanen wieder verbessert, so daß gleichzeitig ein erneuter Zuwachs an Material zu verzeichnen war. Der anfangs erwogene Weg, das CIG durch Ergänzungsbände auf den jeweils neuesten Stand zu bringen, wurde daher nicht eingeschlagen, sondern durch ein regionales Konzept ersetzt, nach dem zunächst die att. Inschr. in einer neuen Bearbeitung herausgegeben wurden (*C(orpus) I(nscriptionum) A(tticarum)*, 1873–1888), denen dann andere Landschaften Griechenlands folgten; ein wichtiger methodischer Grundsatz dieser Arbeit war auch wieder die Autopsie.

Während das CIG entstand, hat in Frankreich J. A. Letronne Grundlegendes für die Methodik der I. geleistet, indem er die Auswertung der Inschr. in einen größeren histor. Rahmen stellte [45].

Zu E. des 19. Jh. begann die *Österreichische Akad.* mit einer korpus-mäßigen Bearbeitung aller in Kleinasien gefundenen (einheimischen, griech. und lat.) Inschr. unter dem Titel *T(ituli) A(siae) M(inoris)* [31. 9–13]. Dadurch beschränkte sich die Arbeit des seit 1902 unter der Leitung von U. v. Wilamowitz-Moellendorff stehenden Berliner Inschriftenunternehmens auf das griech. Festland und die Inseln (genannt *I(nscriptiones) G(raecae)*), wobei zusätzlich auch solche Gebiete ausgenommen wurden, deren Inschr. von dort tätigen Ausgräbern veröffentlicht werden sollten (z. B. Delphi, Olympia). Das Konzept wurde zudem dahingehend abgeändert, daß man numerierte geogr. Einzelbände (I–XV) herausgab, in die die in der Zwischenzeit erschienenen Nachfolgebände des CIG aufgenommen wurden (das CIA wurde so zu IG I–III), und daß man sie um histor. Einleitungen und ausführlichere Indizes bereicherte. Daneben trat von Anfang an die Absicht, etwaige Neuauflagen dieser Korpora unter dem Titel *IG Editio minor* in einer veränderten, leichter zugänglichen Form zu publizieren, die jedoch bald für alle Bände verbindlich wurde. In dieser Zeit hat die I. auch in Griechenland Fuß gefaßt, wohingegen erst das 20. Jh. türk. Epigraphiker hervorbrachte.

Während die genannten Korpora Inschr. jeder Art geogr. geordnet zugänglich machen, verfolgen zahlreiche thematische Sammlungen den Zweck, den meist nicht epigraphisch ausgebildeten Spezialisten das ihr Gebiet betreffende Material vollständig oder in Auswahl aufbereitet zur Verfügung zu stellen; genannt seien stellvertretend nur Sammlungen von Epigrammen [5; 6; 10; 13], »historischen« Inschr., z. B. [11; 20], in griech. Dialekten verfaßten Texten [2], Inschr. zur Kunstgeschichte [8], zur Religion [16–18].

Stellvertretend für die große Zahl griech. Epigraphiker der neueren Zeit seien nur A. Wilhelm (1864–1950) genannt (Werke: Österreichische Akad. der Wiss. (Hrsg.), Adolf Wilhelm. Zum Gedenken an die 100. Wiederkehr seines Geburtstages am 10. September 1964, 1964) und v. a. L. Robert (1904–1985), dessen immenser Schaffenskraft erfolgreich nachzueifern ebensowenig möglich ist wie dem von ihm gesetzten Maßstab für die Publikation und Besprechung von Inschr. (Werke: L. Robert, *Opera minora* IV 1–52, V 11–23).

Über Neufunde und neue Behandlungen publ. Inschr. informieren zwei jährlich erscheinende, teilweise komm. Überblicke: *Supplementum Epigraphicum Graecum* und *Bulletin épigraphique* (in *Revue des Études grecques*).

C. Aufgaben und Leistungen

Die I. bietet für fast alle Zweige der Alt.-Wiss. grundlegendes Material, ohne das viele Erkenntnisse nicht möglich wären [56, bes. 18–31], und ihr fällt die Aufgabe zu, das vorhandene Material zu sichern, zu publizieren und zu vermehren. Die Sicherung von Inschr. besteht v. a. darin, der Nachwelt den Text, das Aussehen des Inschriftträgers und den Fundzusammenhang durch Notizen, Abschriften, Photographien, Abklatsche zu erhalten und der Forsch. zugänglich zu machen. Abklatsche sind Abdrücke vom Original aus Papier oder Latex: ein Bogen saugfähigen Papiers wird angefeuchtet und auf den Stein gelegt, die Papiermasse mit einer Bürste auf die Oberfläche und in die vertieften Buchstaben geschlagen, so daß man im getrockneten Zustand einen spiegelbildlichen Abdruck erhält, der sich leicht transportieren und lesen läßt. Einen Latexabklatsch erhält man, indem man eine flüssige Gummimasse mit einem Pinsel oder einer Rolle in mehreren Schichten auf den Stein aufträgt. Die so dokumentierten Inschr. sollten (wenn möglich, durch Beigabe von Photos überprüfbar) in einer auch für Nicht-Spezialisten verständlichen Weise veröffentlicht werden, d. h. mit Übers. sowie Komm. in einer mod. Sprache; bei größeren Sammlungen sind Indices und Konkordanzen zur Erschließung des Materials unerläßlich. Die isolierte Betrachtung von Inschr. verspricht allerdings kaum Erkenntnisgewinn, denn die gegenseitige Abhängigkeit der verschiedenen Quellengattungen (Literatur, Papyri, Münzen, Objekte arch. Forsch.) bringt es mit sich, daß man sie stets in einen interpretatorischen Zusammenhang stellen muß.

Der Auswertung von Inschr. muß bisweilen zunächst noch die Bestimmung des ursprünglichen Aufstellungsortes vorangehen, denn Steine können schon in der Ant. zum Zwecke einer Zweitverwendung, z. B. Mauerbau, von ihrem ersten Standort entfernt worden sein; so findet man unzählige ältere Denkmäler in Stadtmauern verbaut, die in Kleinasien zum Schutz gegen die im 3. Jh. n. Chr. einfallenden Goten errichtet wurden. In der Neuzeit sind in nicht wenigen Fällen selbst größere Steine, auch über weite Strecken, verschleppt worden, v. a. als Schiffsballast. Es ist die Aufgabe des Epigraphikers, in solchen Fällen, wenn möglich, z. B. anhand des Formulars, einer mit dem Text verbundenen Reliefdarstellung, Erwähnung bestimmter Termini (z. B. Beamtentitel) und weiterer Anhaltspunkte den ursprünglichen Aufstellungsort der jeweiligen Inschrift herauszufinden.

Unverzichtbar sind griech. Inschr. v. a. für die histor. Forsch. (polit., Wirtschafts- und Sozialgeschichte), und zwar nicht nur für die griech., sondern auch für die röm. Geschichte, da sich in den östl. Provinzen des Röm. Reiches die lat. Sprache nie durchgesetzt hat und es dort aus diesem Grund nur verhältnismäßig wenige in ihr verfaßte Inschr. gibt, die sich zu einem großen Teil auf die von röm. Amtsträgern ausgeübte Verwaltung beschränken. Inschriftlich erhaltene Texte sind dabei für alle Gebiete der ant. Welt umso bedeutender, als sich die gebräuchlichsten Schreibmaterialien, Pap. und Pergament, außer in Ägypten nicht erhalten haben. Denn die Dokumente wurden im allg. im Archiv aufbewahrt und ggf. auf geweißten Holztafeln (leukomata) veröffentlicht; weniger häufig hingegen kam es zu einer (kostspieligen) Aufzeichnung auf dauerhafterem Stein – das sind die Texte, die uns h. zur Verfügung stehen und einen Einblick in die Fülle der offiziellen Schriftstücke geben, die sich einmal in priesterlichen, städtischen und staatlichen Archiven befunden haben müssen. Es ist dabei zu beachten, daß die in den Archiven hinterlegten Schriftstücke die amtlich gültigen Originale waren, während die Fassungen auf Stein, die nicht unbedingt den vollständigen Text des Dokuments wiedergeben müssen, lediglich Kopien sind. Aber auch Inschr. nicht offiziellen Charakters, selbst die scheinbar »unergiebigen« Grabinschr., bieten wertvolle Informationen, bes. weil es das reichhaltige Material oft erlaubt, durch die Reihung einer großen Anzahl gleichartiger Texte zu weiterreichenden Interpretationen zu gelangen, als sie ein einzelner Text in der Regel ermöglicht.

Über den Abschluß von Staatsverträgen zw. Städten, Bünden und Königreichen bieten die Autoren zwar Nachrichten, zitieren auch bisweilen wichtige Passagen, aber sie überliefern meist nicht den vollständigen Wortlaut der Verträge; dieser ist uns in zahlreichen Fällen nur durch Inschriftenfunde bekannt, die erst histor. Schlüsse zulassen [1]. Andere Inschr. gewähren Einsicht in weitere Sparten des ant. Rechts: schon aus ältester Zeit sind uns Gesetzessammlungen z. B. durch das Stadtrecht der kretischen Stadt Gortyn (5. Jh. v. Chr.) bekannt [7. Nr. 163–181].

Die Organisation verschiedener Staatsformen sowie Einrichtungen staatlicher Verwaltung, Regierung und Herrschaft werden in den auf Stein erhaltenen Dekreten sowie anderen Dokumenten deutlich und in vielen Fällen erst verständlich bzw. rekonstruierbar [15]. So ist z. B. das Funktionieren der (att.) Demokratie durch die sich in den Inschr. spiegelnden Vorgänge bei der Beschlußfassung besser nachzuvollziehen; dort werden die verantwortlichen Beamten und die an der Entscheidungsfindung beteiligten Körperschaften aufgeführt sowie Beweggründe und Absichten der Beschlüsse genannt. Durch die Erwähnung demokratischer bzw. oligarchischer Einrichtungen spiegelt sich auch die Übernahme von Staats- und Regierungsformen in Inschriften. Zur Unterscheidung zw. verschiedenen Staaten hinsichtlich ihres organisatorischen Aufbaus bieten epigraphische Zeugnisse wichtige Hinweise; so läßt sich z. B. die Organisation von Bündnissen wie des Delisch-Att. Seebundes durch Inschr. erhellen [48], der Aufbau griech. Bundesstaaten und ihre Abgrenzung von anderen Staatsformen durch bestimmte in Inschr. benutzte Formulare feststellen [29]. In diesen Zusammenhang gehören auch Erlasse von Herrschern, die zur Gründung einer Stadt, z. B. durch die Zusammenfassung mehrerer Siedlungen (Synoikismos), führen [27], sowie Verträge von Städten untereinander, die sich zu einem Gemeinwesen zusammenschließen (z. B. Melitaia und Peraia in Aitolien, IG IX I² 1, 188).

Dokumente von höchstem histor. Interesse und für die Erforsch. von Selbstdarstellung und Herrschaftsideologie bedeutend sind Tatenberichte von Herrschern, die an zahllosen Stellen für jeden sichtbar aufgestellt waren; der sicherlich wichtigste, in teilweise sich ergänzenden Fragmenten erhaltene sind die »Taten« (Res gestae) des Augustus [21], aber auch derjenige des sassanidischen Herrschers Shapur in der Persis sei hier genannt, der neben einer mittelpersischen auch eine griech. Fassung einmeißeln ließ [47]. Zahlreiche Briefe hell. Könige und röm. Kaiser sind auf Stein erhalten, wodurch nicht nur deren Titulatur mit immer wieder neuen Varianten und Ehrennamen überliefert ist, sondern es wurden v. a. auch Briefe überliefert, die Bezug nehmen auf histor. Ereignisse, wirtschaftliche und soziale Verhältnisse sowie die Beziehungen zw. der Zentralregierung und den Städten [12; 22]. Die Prosopographie der führenden Schichten der hell. Welt und des Röm. Reiches sowie die Chronologie der röm. Statthalter und ihre Namen wären ohne Inschr. fast unbekannt [60].

Für die wirtschaftlichen und sozialen Verhältnisse, die Beziehung zw. Stadt und Land sind die Inschr. eine der wichtigsten Quellengattungen [40. 54–62]. Sie informieren über die Wirtschaftskraft der Staaten, wie z. B. die schon erwähnten Tributlisten des Att. Seebundes; sie betreffen den Handel in seinen verschiedenen Aspekten, u. a. durch Gesetze, wozu auch der Versuch Athens gehört, das System von Maßen, Münzen und Gewichten im Gebiet des Seebundes zu vereinheitlichen [9. Nr. 45]; andere Gesetze regeln die Höhe der Zollabgaben und das Verfahren ihrer Eintreibung, z. B. das Zollgesetz aus Ephesos [3], oder die Versorgung mit Getreide (Samos, 2. Jh. v. Chr., Syll.³ 976); Bauinschr. geben u. a. Hinweise auf Löhne und Preise [46]. Dazu kommen private Urkunden, z. B. über Stiftungen an die

Abb. 1: Grabstele des aus einer Bauernfamilie stammenden Saturninus, errichtet von seinem Vater Dion, aus der Nähe der Stadt Prusa in Bithynien. Spätes 2. Jh. n. Chr.
Bursa, Archäologisches Museum, Depot, Inv. 8887

Heimatstadt [44], beschriftete Hypothekensteine [33], Pachturkunden [23] (vgl. Inschr. v. Mylasa II 801–854); Grabinschr. vermögen durch die Angabe des Berufs des Verstorbenen und/oder durch die Abbildung seiner Arbeitsinstrumente Einblicke in die Berufswelt einfacher Leute zu geben (Abb. 1).

Zur Verwaltung von Landgütern im Osten des Röm. Reiches steht uns eine große Zahl von Inschr. zur Verfügung. In ihnen werden Titel von Männern genannt, die mit Verwaltungsaufgaben betraut waren, die Namen der Gutsbesitzer, Sklaven sowie Freigelassene mit Aufgaben und Status; es werden Dörfer auf dem Territorium von Domänen erwähnt (für Kleinasien z. B. [25]). Über die Freilassung von Sklaven berichten in Heiligtümern gefundene »Freilassungsurkunden« [54]. Ein weiterer Aspekt des täglichen Lebens, der durch Inschr. erhellt wird, betrifft das Warenangebot: die Organisation von Markttagen, deren Abhaltung mit einem Privileg verbunden war, hing von übergeordneten Stellen der Verwaltung ab, und diesbezügliche Regelungen sind auf großen Stelen erhalten [51]; die Krisenzeit des 3. Jh. n. Chr. hatte zur Folge, daß Kaiser Diokletian Höchstpreise verordnete und in einem »Preisedikt« niederlegen ließ, welches zu großen Teilen aus an vielen Orten gefundenen Fragmenten, darunter auch griech., rekonstruiert werden konnte [43].

Aus der Vielzahl weiterer Gegenstände der histor. Forsch. seien die Einrichtung der »Fremden Richter«, das Festwesen und die Hellenisierung bzw. Romanisierung herausgegriffen. Die Sitte, zur Schlichtung von innerstädtischen Streitigkeiten Richter aus anderen Städten zu berufen, ist nur durch diesbezügliche Ehrendekrete bekannt [57. 137–154], und für das Festwesen bieten die Inschr. zahlreiche Informationen, z. B. durch Texte zur Einrichtung, Organisation und Finanzierung von Festen [64], durch Sieger- und Theorodokenlisten [52], durch die Erwähnung von Wettkampfpreisen usw. Vorgänge und Fortschritte bei der Hellenisierung und Romanisierung bzw. »Akkulturation« im östl. Mittelmeerraum und darüber hinaus lassen sich mit Hilfe inschriftlich erhaltener Zeugnisse verfolgen, die gegenseitige Beeinflussung z. B. in den Bereichen Kult, Philos., Verwaltung, Namengebung und ganz allg. Lebensart erkennen lassen. So ließ einerseits z. B. ein reicher Privatmann der Stadt Oinoanda im kleinasiatischen Lykien Texte der epikureischen Philos. auf die Wände einer Stoa einmeißeln [59], und andererseits hat der indische König Aşoka in Kandahar (Afghanistan) lange Inschr., auch in Griech., auf Felswänden anbringen lassen, die u. a. von seinen Bemühungen zeugen, die buddhistische Philos. zu verbreiten [24].

Für die Religionsgeschichte bietet die I. reiches Material und verhilft zur Klärung vieler Fragen, die sowohl die griech. als auch v. a. einheimische Religionen in den von Griechen besiedelten Gebieten betreffen. Viele Beinamen von Göttern sind nur durch Inschr. bekannt; Weihungen nennen nicht nur die Gottheit(en), sondern auch die Gründe für ihre Aufstellung und die Namen des Weihenden; zahlreiche Kultgesetze sind auf Stein erhalten [16–18]; Hymnen, Aretalogien und Heilungsberichte aus Heiligtümern (bes. des Asklepios, z. B. Syll.³ 1168–1173) vervollständigen unser Bild von den Vorstellungen der ant. Menschen über die Götter und ihr Wirken, und der »Volksglaube« wird z. B. in Orakeln, in Fluchformeln auf Grabsteinen [19] und in den sog. Beichtinschr. Kleinasiens offenbar (Abb. 3), in denen Sünder ihre Verfehlungen beichten [14] – dies alles sind Gattungen, von denen wir allein durch die Lit. und andere Quellen nichts wüßten.

Die Klass. Philol. profitiert auf vielfache Weise von der epigraphischen Forsch., angefangen bei der Herstellung von Texten bis hin zu deren Verständnis [63]. Neben lit. überlieferte Dichtung und Kunstprosa treten auch (oft nicht minder kunstvolle) inschr. Beispiele in auf Stein gemeißelten Epigrammen [5; 6; 10; 13], und König Antiochos von Kommagene hat in seiner Grabanlage Inschr. in Kunstprosa anbringen lassen [32]. Trostdekrete ergänzen die ant. Konsolationslit. [35], und in der Form von Siegerlisten, Fasten- und Didaskalieninschr. enthält die epigraphische Überlieferung wertvolle Testimonia zu den Aufführungen von Komödien und Tragödien [49].

Die Sprachwiss. zieht entscheidende Erkenntnisse aus den inschriftlich überlieferten Zeugnissen sowohl

Die Entwicklung der griechischen Schrift,
verdeutlicht an ausgewählten Beispielen aus Attika:

Abb. 2a:
Graffito auf Stein. 8. Jh. v. Chr. (?)

Abb. 2c:
Fragment einer Tributliste
des Delisch-Attischen Seebundes.
440/39 v. Chr.

Abb. 2b:
Basis eines Grabdenkmals.
Ca. 560 v. Chr. (?)

Abb. 2e:
Weihung für Augustus.
4 n. Chr. (?)

Abb. 2d:
Fragment eines Ehrendekrets.
IG II² 1309b. 208/7 v. Chr. (?)

Abb. 2f:
Ephebenkatalog. 145/6 n. Chr.

Abb. 3: Beichtinschrift aus Lydien/Kleinasien, aufgestellt zur Buße des Meineids einer Minderjährigen. Dargestellt ist der Gott Men mit Szepter und Pinienzapfen. 166/7 n. Chr.

des Griech. [30; 61], bes. was die Entwicklung der Dialekte angeht [2], als auch vieler einheimischer Sprachen der im Laufe der Zeit immer gründlicher hellenisierten Gebiete des Mittelmeerraumes, sei es durch Bilinguen, sei es durch den Einfluß fremder Sprachen auf das Griech. [26]. Zu den Nutznießern der I. zählt in diesem Zusammenhang auch die Namenkunde [34]. Durch die an Inschr. ablesbare fortschreitende Veränderung der Orthographie wird der Wandel in der Aussprache der einzelnen Laute erkennbar, der von der ant. zur heutigen Aussprache des Griech. überleitet [58. 169–289]. In ähnlicher Weise läßt sich die Entstehung und Entwicklung der griech. Schrift von den Anfängen her verfolgen [38] (Abb. 2).

Selbst die Erforsch. der ant. Philos. wird durch Inschriftenfunde gefördert [62]. So weiß man durch Inschr. von der Rolle der Philos. bei der Ausbildung der athenischen Jugend (IG II² 1006). Für die Existenz von Philosophenschulen auch in kleinen Städten sind Inschr. die einzigen Quellen (z. B. Inschr. v. Prusa ad Olympum 17–18), und umfangreiche Texte philos. Inhalts sind z. B. in der lykischen Stadt Oinoanda (s.o.) in Stein gemeißelt gefunden worden; Sprüche der »Sieben Weisen« sind nicht nur innerhalb der griech. Welt belegt, nämlich in der Kleinstadt Miletupolis bei dem kleinasiatischen Kyzikos und auf der Ägäisinsel Thera (Inschr. v. Miletupolis 2; IG XII 3 Nr. 1020), sondern wurden sogar nach Baktrien (h. Afghanistan) überbracht [57. 510–551].

Ein gegenseitiges, fruchtbares Abhängigkeitsverhältnis besteht ebenfalls mit der Archäologie. So helfen Inschr. bei der Bestimmung von in Reliefs dargestellten Personen und Gegenständen (Abb. 4); Bauinschr. benennen das Bauwerk, auf dem sie angebracht waren; Grabinschr. machen in Beschreibungen der Grabanlage detaillierte Angaben zum Aufbau und zur Bestimmung der einzelnen Elemente [41]; viele Künstler sind uns nur durch ihre Signaturen bekannt [8]. Auch im Fundkontext können Inschr. u. a. bei Fragen der Datierung, der Objekt- und Funktionsbestimmung helfen. Allerdings dürfen die Schwierigkeiten bei der Datierung eines Kunstwerkes durch eine zugehörige Inschr. nicht übersehen werden: ein aus den Buchstabenformen gewonnenes Datum ist genauso unsicher wie dasjenige nach dem Faltenwurf einer Statue, und selbst eine in der Inschrift enthaltene Datierung durch Anspielung auf ein histor. Ereignis oder nach einer Ära bringt oft noch keine Klarheit [28].

Das gleiche gilt für den Zusammenhang zw. der I. und der Münzkunde: Neben den Namen von Kaisern und Königen sind auch die Namen und Ämter leitender Persönlichkeiten von Städten und Provinzen sowie Titel von Städten sowohl auf Inschr. als auch auf Münzen genannt; Feste und Wettkämpfe werden auf Exemplaren beider Gattungen erwähnt, Anspielungen auf mythische wie histor. Ereignisse ergänzen sich gegenseitig, Münz- und Währungsangaben finden sich in zahlreichen Inschr. [55].

Der Bereich der ant. Medizin ist z. B. durch die oben schon erwähnten Heilungsberichte (Syll.³ 1168–1173) und durch zahlreiche Ehren- und Grabinschr. für Ärzte vertreten [36].

QU 1 H. BENGTSON, H. H. SCHMITT , Die Staatsverträge des Alt., 1962–1969 2 H. COLLITZ, F. BECHTEL, Slg. der griech. Dial.-Inschr., 1884–1915 3 H. ENGELMANN, D. KNIBBE, Das Zollgesetz der Provinz Asia. EA 14, 1989 4 GGM I,370 (Periplus Ponti Euxini 2) 5 P. A. HANSEN, Carmina epigraphica Graeca, 1983–1989 6 G. KAIBEL, Epigrammata Graeca ex lapidibus conlecta, 1878 7 R. KOERNER, Inschriftliche Gesetzestexte der frühen griech. Polis, 1993 8 E. LOEWY, Inschr. griech. Bildhauer, 1885 9 R. MEIGGS, D. LEWIS, A Selection of Greek Historical Inscriptions I,

Abb. 4: Grabstele der Menophila aus Sardeis in Lydien/Kleinasien. Der symbolische Gehalt der im Relief abgebildeten Gegenstände wird in dem darunter anschließenden Epigramm erklärt.

²1988 **10** R. MERKELBACH, J. STAUBER, Steinepigramme aus dem griech. Osten, 1998 ff. **11** L. MORETTI, Iscrizioni storiche ellenistiche, 1967–1976 **12** J. H. Oliver, Greek Constitutions of Early Roman Emperors from Inscriptions and Pap., 1989 **13** W. PEEK, Griech. Vers-Inschr. I, 1955 **14** G. PETZL, Die Beichtinschr. Westkleinasiens, 1994 **15** P. J. RHODES, D. M. LEWIS, The Decrees of the Greek States, 1997 **16** F. SOKOLOWSKI, Lois sacrées de l'Asie Mineure, 1955 **17** Ders., Lois sacrées des cités grecques, Suppl., 1962 **18** Ders., Lois sacrées des cités grecques, 1969 **19** J. STRUBBE, ΑΡΑΙ ΕΠΙΤΥΜΒΙΟΙ, 1997 **20** M. N. TOD, A Selection of Greek Historical Inscriptions, 1933–1948 **21** E. WEBER, Augustus. Meine Taten (lat., griech., dt.), ³1975 **22** C. B. Welles, Royal Correspondence in the Hellenistic Period, 1934

LIT **23** D. BEHREND, Att. Pachturkunden, 1970 **24** É. BENVENISTE, Édits d'Asoka en traduction grecque, in: Journal asiatique 252, 1964, 137–157 **25** H. BRANDT, Ges. und Wirtschaft Pamphyliens und Pisidiens im Alt., 1992 **26** CL. BRIXHE, Essai sur le grec anatolien au début de notre ère, ²1987 **27** G. M. COHEN, The Hellenistic Settlements in Europe, the Islands, and Asia Minor, 1995 **28** TH. CORSTEN, Über die Schwierigkeit, Reliefs nach Inschr. zu datieren, in: Istanbuler Mitt. 37, 1987, 187–199 **29** Ders., Vom Stamm zum Bund, 1999 **30** K. DIETERICH, Unt. zur Gesch. der griech. Sprache, Leipzig 1898 **31** G. DOBESCH, Hundert J. Kleinasiatische Kommission – Rückblick und Ausblick, in: 100 J. Kleinasiatische Kommission der Österreichischen Akad. der Wiss., Hrsg. Ders., G. REHRENBÖCK, 1993 **32** H. DÖRRIE, Der Königskult des Antiochos von Kommagene im Lichte neuer Inschr.-Funde, 1964 **33** M. I. FINLEY, Stud. in Land and Credit in Ancient Athens, 500–200 B. C. The Horos-Inscriptions, 1952 **34** P. M. FRASER, E. MATTHEWS (Hrsg.), A Lexicon of Greek Personal Names, 1987 ff. **35** E. GRIESSMAIR, Das Motiv der mors immatura in den griech. metr. Grabinschr., 1966 **36** H. GUMMERUS, Der Ärztestand im Röm. Reich nach den Inschr., 1932 **37** CHR. HABICHT, Pausanias' Guide to Ancient Greece, 1985 **38** L. H. JEFFERY, The Local Scripts of Archaic Greece, ²1990 **39** G. KLAFFENBACH, Griech. Epigraphik, ²1966 **40** H. KLOFT, Die Wirtschaft der griech.-röm. Welt, 1992 **41** J. KUBINSKA, Les monuments funéraires dans les inscriptions grecques de l'Asie Mineure, 1968 **42** W. LARFELD, Hdb. der griech. Epigraphik I, 1907 **43** S. LAUFFER, Diokletians Preisedikt, 1971 **44** B. LAUM, Stiftungen in der griech. und röm. Ant., 1914 **45** J. A. LETRONNE, Recueil des inscriptions grecques et latines de l'Égypte, étudiées dans leur rapport avec l'histoire politique, l'administration intérieure, les institutions civiles et religieuses de ce pays depuis la conquête d'Alexandre jusqu'à celle des Arabes, Paris 1842 und 1848 **46** F. G. MAIER, Griech. Mauerbauinschr., 1959–1961 **47** A. MARICQ, Syria 35, 1958, 295–360 **48** B. D. MERRITT, H. T. WADE-GERY, M. F. MACGREGOR, The Athenian Tribute Lists, 1939–1953 **49** H. J. METTE, Urkunden dramatischer Aufführungen in Griechenland, 1977 **50** F. L. Müller, Das Problem der Urkunden bei Thukydides, 1997 **51** J. NOLLÉ, Nundinas instituere et habere, 1982 **52** P. PERLMAN, City and Sanctuary in Ancient Greece (in Druck) **53** G. PETZL, Vom Wert alter Inschr.-Kopien, in: ΕΝΕΡΓΕΙΑ (Festschrift H. W. Pleket, Hrsg. J. H. M. STRUBBE, R. A. TYBOUT, H. S. VERSNEL), 1996 **54** H. RÄDLE, Unt. zum griech. Freilassungswesen, 1969 **55** L. ROBERT, Études de numismatique grecque, 1951 **56** Ders., L'épigraphie in: Encyclopédie de la Pléiade. L'histoire et ses méthodes, 1961, 453–497; dt. von H. Engelmann, Die Epigraphik der klass. Welt, 1970 **57** Ders., Opera minora V **58** E. SCHWYZER, Griech. Gramm. I, ³1959 **59** M. F. SMITH, Diogenes of Oinoanda: The Epicurean Inscription, 1993 **60** B. E. THOMASSON, Laterculi Praesidum, 1972–1980 **61** L. THREATTE, The Grammar of Attic Inscriptions, 1980 ff. **62** M. N. TOD, Sidelights on Greek Philosophers, in: JHS 77, 1957, 132–141 **63** H. WANKEL, Die Rolle der griech. und lat. Epigraphik bei der Erklärung lit. Texte, in: ZPE 15, 1974, 79–97 **64** M. WÖRRLE, Stadt und Fest im kaiserzeitlichen Kleinasien, 1988 **65** F. BÉRARD, D. FEISSEL, P. PETITMENGIN, M. SÈVE, Guide de l'épigraphiste, ²1989.

THOMAS CORSTEN

## Inschriftenkunde, lateinische   s. Lateinische Inschriftenkunde

## Internationalismen   A. Definition
B. Herkunft   C. Verbreitung
D. Wörter und Wortbildungselemente
griechischen und lateinischen Ursprungs
in den neueren Sprachen

### A. Definition
I. sind Wörter, die in gleicher oder ähnlicher Form mit gleicher oder ähnlicher Bed. in mehreren Sprachen vorkommen. Die I. kongruieren ausdrucksseitig in der Schreibung, Lautung und/oder auf struktureller Ebene: Lat. *definitio* »Abgrenzung, (Begriffs)bestimmung« erscheint im Dt. als *Definition* und hat in weiteren Sprachen die lexikalischen Konvergenzen frz. *définition*, engl. *definition*, niederländisch *definitie*, dänisch/schwedisch *definition*, norwegisch *definisjon*, it. *definizione*, span. *definición*, portugiesisch *definição*, tschechisch *definice*, polnisch *definicja*, kroatisch *definicija*, rumänisch *definiție*, ungarisch *definíció* oder auch indonesisch *definisi* (etc.) neben sich. Die Identifikation von I. erfolgt über die Wortkerne. Sie bleiben bei komplexen I. deutlich stabiler als die Wortbildungselemente, die in den meisten Fällen den graphematischen und morphematischen Bedingungen der jeweiligen Sprache angepaßt sind (vgl. z. B. das griech. Suffix *-ισμός* mit lat. *-ismus*, dt. *-ismus*, it./span. *-ismo*, frz. *-isme*, engl. *-ism*, rumänisch *-izm*, polnisch *-yzm*, kroatisch *-izam* oder finnisch *-ismi* etc.). Durch die (geringere oder stärkere) Integration in die einzelnen Teilsysteme der jeweiligen Sprachen unterscheiden sich I. von internationalen Zit. (Zitatwörtern oder auch -syntagmen wie z. B. *cum grano salis*), die unverändert aus der Herkunftssprache übernommen werden. Betrachtet man die Inhaltsseite, so sind nur diejenigen I. semantisch vollständig äquivalent, die als Termini in Wiss., Technik und Handel gebraucht werden. Die in die Gemeinsprache aufgenommenen I. stimmen in der Regel in einer oder mehreren Teilbed. überein: Engl. *concept*, frz. *concept*, span. *concepto* und it. *concetto* (zu lat. *conceptus*) haben mit dt. *Konzept* zwar die Bed. »Begriff, Idee«, nicht aber die Bed. »Entwurf, Skizze« (z. B. engl. *draft* etc.) gemein. Da die Inhalte nicht selten nur unscharf voneinander zu trennen sind (vgl. dt. *ökonomisch* »kostengünstig, kraftsparend« (aus lat. *oeconomicus* zu griech. οἰκονομικός) und engl. *economical* »wirtschaftlich, konjunkturell«), ist die Grenze zu den sog. »falschen Freunden« (»false friends«, »faux amis«; formale Kongruenz bei unterschiedlichen Inhalten) fließend [1]. Zu den I. im weitesten Sinne zählen auch komplexe Wörter ohne ausdrucksseitige Entsprechung, aber mit semantischer Übereinstimmung und äquivalenter Wortbildungsstruktur, worunter v. a. die »Lehnübersetzungen« fallen (vgl. lat. *influere – influentia*, dt. *Einfluß*, polnisch *wpływ*, tschechisch *vliv* und russ. *vlijanie* mit Übers. der Präposition und des Stamms). Eine Ausweitung des Begriffs auf nahezu alle sprachlichen Ebenen mit der Unterscheidung von »Intermorphemen« und »Interlexemen« auf der Wortebene, »Intersyntagmen« bzw. »-syntagmemen« und »Interphraseologismen« auf der Ebene der Syntagmen bzw. phraseologisch verfestigter Einheiten sowie »Intersentenzen« bzw. »Intertexten« auf Satz- bzw. Textebene nimmt Volmert vor [2]. Angesichts der starken Gewichtung des Kriteriums der ausdrucksseitigen Kongruenz und inhaltsseitigen Äquivalenz bilden die Morphemebene mit der Wortbildung und die Lexemebene den zentralen Gegenstandsbereich der I.-forschung.

### B. Herkunft
Nach Hausmann/Seibicke gehen I. zum einen ›auf etymologisch verwandte Wörter (*cognates*) im Rahmen der indoeurop. Sprachverwandtschaft‹ sowie auf ›lat. Kultursuperstrat‹ und zum anderen ›auf Entlehnung, namentlich aus dem Engl.‹ zurück [5. 1179]. Dennoch handelt es sich in erster Linie nicht um Übereinstimmungen auf der Basis ererbter Wörter (vgl. z. B. engl. *ship*, dt. *Schiff*), sondern um Gemeinsamkeiten auf der Basis von Entlehnung oder Neubildung: Die auf griech. oder lat. Wurzeln zurückgehenden I. stellen einerseits Entlehnungen dar, die aus der Ant., dem Mittel- oder Neulat. stammen, andererseits aber auch Wörter, die in den neueren Sprachen nach griech. oder lat. Muster gebildet wurden. Herkunft und Entlehnungswege über mod. Vermittlersprachen bleiben in vielen Fällen unklar. Erschwerend kommt die mangelhafte Erforsch. mittel- und neulat. Wortschätze v. a. auch hinsichtlich der Fachsprachen hinzu.

### C. Verbreitung
Die Angaben zu Anzahl und Art der Sprachen, in denen ein I. verbreitet sein soll, schwanken erheblich: Dabei ist von mindestens zwei und mehr, meist genetisch verwandten bzw. europ. Sprachen die Rede; außereurop. Sprachen gerieten nur vereinzelt ins Blickfeld. Wegen der Verbreitung in mehreren europ. bzw. aus Europa stammenden Sprachen findet sich auch der Terminus »Europäismus« als Hyponym zu Internationalismen. Die Spannweite der I. reicht vom Vorkommen in mehr als einer Sprache bis zur Verbreitung in Sprachen verschiedener Erdteile [1].

### D. Wörter und Wortbildungselemente griechischen und lateinischen Ursprungs in den neueren Sprachen
Die meisten I. aus griech. und lat. Wurzeln weisen die Bildungs- und Fachwortschätze auf. Hinzu kommen zahlreiche aus dem gemeinsamen griech.-lat. Fundus geschöpfte »Kulturbegriffe« wie *Demokratie* (griech. δημοκρατία), *Imagination* (lat. *imaginatio*) oder *Humor* (zu lat. *humor* »Feuchtigkeit«), an deren Bedeutungsentwicklung über verschiedene Epochen hinweg oft mehrere Sprachgemeinschaften beteiligt waren. Zur Schaffung bildungs- und fachsprachlicher Wortneubildungen auf neoklass. Basis sind z. B. im Dt. und Engl. bei Subst. mehrere griech. (*-ía*, *-ική*, *-ισμός*, *-ιστής*) und lat. Suffixe (*-and-/-end-*, *-ant/-ent*, *-antia/-entia*, *-atus*, *-ia*, *-ion*, *-mentum*, *-tat-*, *-tor*, *-ura*) produktiv. Sie werden übertroffen durch die Vielzahl an reihenbildenden Präfixen griech.

(ἀ-, ἀνα-, ἀντ(ι)-, ἀπ(ο)-, δι-, δι(α)-, δυς-, ἐκτο-, ἐν-, ἐνδο-/ἐντο-, ἐπ(ι)-, ἐξ-, ὑπερ-, ὑπο-, κατ(α)-, μετ(α)-, παρ(α)-, περι-, συν-) und lat. Herkunft (*ab-, ad-, con-, de-, dis-, ex-, in-* »in — hinein«, *in-* (verneinend), *inter-, ob-, per-, prae-, pro-, re-, sub-, trans-*) [3]. Als zentrale Bausteine zur Bildung von Neologismen gelten aber v. a. die »Konfixe« oder »Kombineme«, die im Griech. oder Lat. den Status freier oder auch unfreier Stämme haben und in den neueren Sprachen nur noch als gebundene Morpheme mit lexikalisch-begrifflicher Bed. auftreten (vgl. *therm-* zu griech. θερμ-ός »warm, heiß« bzw. *loc-* zu lat. *loc-us* »Ort, Stelle«). Mehr als 2000 derartige griech. bzw. lat. Stämme liegen allein der internationalen Fachterminologie der Anatomie, Botanik und Zoologie zugrunde [7]. Konfixe begegnen in Ableitungen und/oder Zusammensetzungen, wobei *therm-* z. B. in *Therm-ik, therm-o-phil, Therm-o-stat* oder *idio-therm* auftritt, aber auch in gemeinsprachlichen Hybridbildungen (z. B. *Therm-o-decke*). Hybride Neubildungen, die aus einer Kombination klass. Bestandteile mit (meist produktiven Wortbildungs)elementen neuerer Sprachen bestehen, werden v. a. dann zu I., wenn sie ihren Ausgangspunkt in Sprachen mit hohem Mischcharakter (wie etwa dem Engl. oder Frz.) haben (vgl. lat. *tranquillus* — mittellat. *tranquillisare* — engl. *tranquillize* — engl. *tranquillizer*) [8].

Im Rahmen internationaler Kommunikation stellen ererbte, neugebildete und zukünftig neuzubildende I. ein Gefüge dar, das neben der dominierenden Weltsprache Engl. als eine Art zweiter Koine aufgefaßt werden kann.

→ Germanische Sprachen; Romanische Sprachen

1 R. BERGMANN, »Europäismus« und »Internationalismus«. Zur lexikologischen Terminologie, in: Sprachwissenschaft 20, 1995, 239–277   2 P. BRAUN, B. SCHAEDER, J. VOLMERT (Hrsg.), Internationalismen. Stud. zur interlingualen Lexikologie und Lexikographie, 1990 (Reihe Germanistische Linguistik 102)   3 K. EHLICH, Greek and Latin as a permanent source of scientific terminology: the German case, in: F. COULMAS (ed.), Language Adaptation, 1989, 135–157   4 R. GEYSEN, Dictionnaire des formes analogues en 7 langues, 1985   5 F. J. HAUSMANN, W. SEIBICKE, Das Internationalismenwörterbuch, in: F. J. HAUSMANN, O. REICHMANN, H. E. WIEGAND, L. ZGUSTA (Hrsg.), Wörterbücher. Ein internationales Hdb. zur Lexikographie, Bd. 2, 1990 (Hdb. zur Sprach- und Kommunikationswiss. 5.2), 1179–1184   6 H. H. MUNSKE, A. KIRKNESS (Hrsg.), Eurolat. Das griech. und lat. Erbe in den europ. Sprachen, 1996 (Reihe Germanistische Linguistik 169)   7 F. CL. WERNER, Wortelemente lat.-griech. Fachausdrücke in den biologischen Wiss., 1972 (suhrkamp-taschenbuch-wiss. 64)   8 F. WOLFF, O. WITTSTOCK, Lat. und Griech. im dt. Wortschatz. Lehn- und Fremdwörter, 6. Aufl. 1990.     MECHTHILD HABERMANN

## Interpolationsforschung   A. BEGRIFF
## B. ENTWICKLUNG   C. STAND   D. METHODEN

### A. BEGRIFF

Interpolationen sind nachträgliche, absichtliche und nicht kenntlich gemachte Veränderungen einer Quelle durch Hinzufügen oder Streichen von Text. Ziel der rechtshistor. I. ist es, solche Änderungen in den Quellen nachzuweisen. Im Mittelpunkt des Interesses stehen dabei die im *Corpus Iuris* Justinians überlieferten Juristenschriften der Vorklassik und Klassik (1. Jh. v. Chr. bis ca. 240 n. Chr).

### B. ENTWICKLUNG

Sieht man von human. Vorläufern ab (Cujaz, Faber), so setzte die I. gegen Ende des 19. Jh. ein, als durch die mod. Kodifikationen das *Corpus Iuris* seinen Stellenwert als Rechtsquelle einbüßte und damit einer histor. Betrachtung zugänglich wurde. Auf der Grundlage der palingenetischen Arbeiten O. Lenels (zu ihrer Bedeutung [1. 170–182]) erarbeitete die erste Generation der Textforscher (zu ihr [11. 856f.]) eine Methodik der I. In der ersten H. des 20. Jh. nahm die Zahl der Interpolationsannahmen lawinenartig zu (vgl. nur die Indizes [3] und [9]). Diese radikale Textkritik (paradigmatisch: G. Beseler [2]) postulierte unter Vernachlässigung der Individualität der klass. Juristen (dazu etwa [14. 181]) einen einheitlichen, streng fachbezogenen Klassikerstil. In der Sache forderte sie vom klass. Recht eine Prinzipienreinheit, die von dieser problemorientierten, durch kontroverse Kasuistik geprägten Rechtsordnung nicht erwartet werden kann (vgl. [8. 150]); zudem wurden die philos. Einflüsse, denen die Rechtsordnung in der späten Republik ausgesetzt war, vernachlässigt (hierzu und zum Zusammenhang mit der nationalromantischen Grundhaltung der radikal-kritischen Phase treffend [1. 203ff.]). Texte, die diesen Idealen nicht entsprachen, wurden als interpoliert angesehen. Insbesondere nach dem zweiten Weltkrieg wurde die radikale Textkritik von einer vorurteilsfreieren Quellenschau abgelöst, die den überlieferten Texten größeren Glauben schenkte (dazu näher C, D).

### C. STAND

Die → Textstufenforschung hat gezeigt, daß die Klassikerschriften schon vor Justinian Veränderungen unterzogen worden sind (dazu grundlegend [12]); sie gleichen einem ›mehrfach übermalten Bild‹ [14. 165]. Dabei werden freilich Einflüsse des weström. Vulgarrechts (4. und 5. Jh. n. Chr.) sowie unmittelbare Texteingriffe durch die oström. Rechtsschulen (5. Jh. n. Chr.) nur selten anzunehmen sein ([7. 71ff.; 14. 170 Anm. 72] zu abweichenden Ansichten). Das Schwergewicht der vorjustinianischen Textänderungen wird zunehmend der Zeit zwischen 250 und 300 n. Chr. zugeschrieben, wobei freilich über Art (Aufschwellung durch Glossen oder eher Verkürzung durch Vereinfachung?), Ausmaß und Planmäßigkeit (bewußte Verkürzung oder unabsichtlicher Textverlust?) Unklarheit besteht (vgl. dazu [7. 60ff.; 13. 10f.; 14. 169f. mit Nachweisen Fußnote 68]). Etwas festeren Boden betreten wir bei den Interpolationen Justinians. Daß er überholte Rechtsinstitute (etwa: *mancipatio, fiducia*) getilgt, dem Wandel der Verfahrensordnung Rechnung getragen und die Juristenschriften an das neue Kaiserrecht angepaßt hat (etwa: die Angleichung des Textes von D.19.2.25 pr. an C.4.38.15.1), daß er ferner durch Umstellung Texten einen allgemeineren Sinn verliehen hat (etwa: die Verallgemeinerung des Satzes ›princeps legibus solutus‹ in D.1.3.31) und daß er die unzähligen Kontroversen in den Klassikerschriften radikal zusammengestrichen hat (instruktiv der Vergleich zwischen Vat. 75.3/5 und D.7.2.1.2 [dazu 12. 294ff.]), darf als unstreitig gelten [7. 31, 80ff.; 8. 134ff.; 14. 157f.]. Ob Justinian darüber hinausgehend klass. Lösungen in nennenswertem Umfang abgeändert hat, wird zunehmend bezweifelt ([7. 30f.; 13. 5] vgl. aber auch [6. 485ff.]). Inwieweit er oström. Schultraktate in die *Digesten* übernommen hat, wird unterschiedlich beurteilt (bejahend [7. 93f.]; anders [14. 171f.]).

### D. METHODEN

Durch Berichte in Basilikenschol., versehentlich nicht getilgte Redaktionsvermerke, Widersprüche und v.a. durch Parallelüberlieferungen sind justinianische Interpolationen gelegentlich direkt nachzuweisen [14. 159]. Soweit solche unmittelbaren Beweise fehlen, ist die I. auf Indizien angewiesen, die stets nur Wahrscheinlichkeit vermitteln. Hierbei knüpft sie zum einen an formale Kriterien wie syntaktische oder logische Unstimmigkeiten des Textes und stilistische Auffälligkeiten an [14. 160ff.]. Bei letzteren ist jedoch Vorsicht geboten; Gräzismen, didaktische und rhetorische Stilelemente sind auch den klass. Juristen zuzutrauen [14. 161; 7. 53ff.]. Nur breit angelegte Unt. zu den Stileigentümlichkeiten klass. Juristen einerseits und Justinians andererseits versprechen hier aussagekräftige Ergebnisse [4; 5]. Sachliches Interpolationsindiz kann – neben der Palingenesie der Stelle – namentlich ihr Widerspruch zum klass. Rechtszustand sein. Doch ist angesichts der klassizistischen Haltung Justinians [7. 16ff.; anders 6. 486ff.] stets zu erwägen, ob es sich nicht um ein Relikt einer gestrichenen Klassikerkontroverse [7. 27; 8. 140] oder doch um eine Anlehnung Justinians an klass. Gedankengut handeln könnte [7. 31].

1 O. BEHRENDS, Das Werk Otto Lenels und die Kontinuität der romanistischen Fragestellungen. Zugleich ein Beitr. zur Überwindung der interpolationistischen Methode, in: Index 19, 1991, 169–213 2 G. v. BESELER, Beitr. zur Kritik der röm. Rechtsquellen, Bde. 1–5, 1910–1931 3 G. BROGGINI, Index Interpolationum, quae in Iustiniani Codice inesse dicuntur, 1969 4 T. HONORÉ, Tribonian, 1978 5 Ders., Ulpian, 1982 6 A. GUARINO, Sulla credibilità della scienza romanistica moderna, in: Studi in memoria di Guido Donatuti, Bd.1, 1973, 479–502 7 M. KASER, Zur Methodologie der röm. Rechtsquellenforschung, 1972 8 Ders., Ein Jh. Interpolationenforsch. an den röm. Rechtsquellen, in: Röm. Rechtsquellen und angewandte Juristenmethode, 1986, 112–154 9 E. LEVY, E. RABEL, Index Interpolationum, quae in Iustiniani Digestis inesse dicuntur, 1929 10 K.-H. SCHINDLER, Justinians Haltung zur Klassik, 1966 11 L. WENGER, Die Quellen des röm. Rechts, 1953, 853–877 12 F. WIEACKER, Textstufen klass. Juristen, 1960 13 Ders., Textkritik und Sachforsch., in: SZ 91, 1974, 1–40 14 Ders., Röm. Rechtsgesch., Erster Abschnitt, 1988, 154–182.                    RALPH BACKHAUS

### Interpretatio Christiana  A. EINLEITUNG
**B. VORGESCHICHTE  C. SPÄTANTIKE
D. KEMPS THESE  E. MITTELALTER
F. NEUZEITLICHE ÄSTHETIK
G. HEIDEGGER UND NACHFOLGER**

### A. EINLEITUNG

Unter I. C. wird im allgemeinsten Sinn das Aufgreifen eines nichtchristl. kulturellen Elements oder geschichtlichen Tatbestands zwecks Adaption an das Christentum mittels entsprechender Deutung verstanden. Da eine solche Methode philos.-philol. Grundlagen voraussetzt, wie sie auf seiten der neuen Religion nicht vor dem E. des 2. Jh. zu erwarten sind, ist der Gedanke der I. C. in eine komplexe geistesgeschichtliche Situation eingebettet, deren Voraussetzungen und Komponenten berücksichtigt werden müssen [1].

### B. VORGESCHICHTE

Grundlage der I. C. ist der Gedanke der Deutung als solcher, der seit dem 6. Jh. v. Chr. faßbar ist. Theagenes von Rhegion (E. 6. Jh. v. Chr.) gilt als der erste, der die homer. Epen durch seine Deutung vor den Angriffen der Mythenkritik retten wollte. Ähnliche Bestrebungen sind für die Orphik überliefert. Der Mechanismus von semantischer Verschlüsselung und Auflösung war naturgemäß den Mysterienreligionen vertraut; zu nennen sind hier neben Eleusis und Delphi vor allem die Pythagoreer [7]. Die Homerapologetik setzte den Glauben an eine tiefere Wahrheit hinter dem Schleier der Dichtung voraus, eine Unterscheidung zweier Ebenen, die am besten mit der platonischen Ideenlehre harmonierte. Platon selbst stand der Deutung von Dichtungen allerdings genauso kritisch gegenüber wie diesen selbst. Die Interpreten unverständlich oder anstößig gewordener Stellen benutzten vor allem physikalische oder ethisch-moralische Lösungsmuster (nach [31. 35] auch psychologische). Ab dem 4. Jh. geriet die Deutung über die Verbindung mit der jeweils eigenen Philos. ihres Urhebers zu einer Form der Selbst-Apologetik. Die Dichterallegorese wurde von den Stoikern unter Bevorzugung der etymologischen Deutungsmethode fortgeführt, ebenso vom Neoplatonismus, dessen Ansatz metaphysisch ausgerichtet war ([4]:»substitutive« und »dihairetische« Allegorese). Am E. des Hellen. hatte sich eine geradezu schulmäßige Interpretationspraxis mit pädagogischer Ausrichtung etabliert, die nicht ohne Wirkung auf die jüd. und schließlich die christl. Theologie bleiben sollte. Nicht zu übergehen ist die ant. Traumdeutung, deren Wurzeln vielleicht noch vor die Homerallegorese zurückreichen und die ihren festen Platz neben der Deutung von Dichtung innehatte. Ihre Erbin wurde die mod. Psychologie [19, 84–66].

Zur Bezeichnung des interpretierenden Vorgehens unter dem Begriff der Allegorese kam es spät. *Allegoria* ist als rhet. Terminus zuerst bei Philodem von Gadara (1. Jh. v. Chr.) nachzuweisen, wo er (wie *metaphora*) eine sprachliche Ausdrucksform bezeichnet, deren Gehalt über den Wortsinn hinausreicht. So wird *allegoria* von Ps.-Heraklit (1. Jh. n. Chr.) in seinen Homerdeutungen gebraucht. Plutarch (ca. 45–125) liefert die Erklärung, daß das Wort das ältere *hyponoia* abgelöst habe. Hinter diesem Wechsel kann man einen Perspektivenwandel vermuten, den von der Sicht des Interpreten zu der des Autors, wodurch *allegoria* erst zu dem kommunikationstheoretischen Begriff wurde, der in der lit.-künstlerischen Rezeption des Abendlandes bis h. wirksam ist [19].

Die ant. Dichtungs-Allegorese wurde vom Judentum in zunächst ebenfalls apologetischer Absicht für die Deutung des AT übernommen. Die ersten Zeugen sind Aristobulos (um 150 v. Chr.) und Ps.-Aristeas (Brief des A. zw. 127–118). Der wichtigste Vertreter dieser Richtung wurde jedoch Philon von Alexandria (Philo Judaeus; 15/10 v. Chr. – um 45/50). Philon, der Platoniker war, versuchte mittels Anwendung der Dichter-Allegorese auf die Bibel diese den Heiden nahezubringen und die Vereinbarkeit des Pentateuchs mit der heidnischen Religionsphilos. zu erweisen. Er benutzte dabei die Begriffe *allegoria* und *allegorein*; seine Deutungswege waren die herkömmlichen der physikalischen und ethischen Allegorese. Da er davon überzeugt war, daß Moses eine göttl. Inspiration empfing, daß daher die Hl. Schrift Offenbarungscharakter habe, theologisierte er seine Deutungen und brachte sie in eine hierarchische Ordnung. Er stellte als erster die Schrift unter vier nebeneinander vorkommende Aspekte, den histor., legislativen, liturgischen und prophetischen [5].

Philon hatte größten Einfluß auf das frühe Christentum, insbes. auf Klemens, Origenes, Ambrosius und Augustin. Im NT selbst stehen jedoch weniger die Reflexe der jüd. Bibelallegorese als der Gedanke der Typologie im Mittelpunkt. Der seit dem 18. Jh. gebräuchliche Terminus Typologie, abgeleitet von lat. *typologia*, hat seine sprachliche Voraussetzung im griech. *typos* von *typto* = schlagen oder *typoo* = prägen. Gemeint ist damit die Prägung im aktiven wie passiven Sinn, also das Bild (*eikon* und *mimema*) im Sinne von Vorbild und Abbild, so wie der Münzhammer des Münzmeisters mit seinem Schlag der Münze ihre Prägung verleiht. Ein verwandter Begriff ist *paradeigma*, in nachklass. Zeit wurden statt *typos* eher *archetypos* oder *prototypos* gebraucht [2]. Mit Typologie wird das Deutungsmuster bezeichnet, wonach der Vorformulierung einer christl. Heilstatsache im AT, die dort unter einem bestimmten Bild oder Ereignis, dem Typos, verborgen ist, deren Offenbarung und Erfüllung im Neuen als Antitypus gegenübersteht. Dieses System hat seine Ausgangsbasis in der jüd. Religion. Schon im AT findet sich die Beschreibung des endzeitlichen Gottesreiches mit paradiesischen Zügen (Am 9, 13; Jes 11, 6–8), die Wiederholung von Ereignissen aus der Wüstenzeit (Hos 2, 16; Jes 40, 3) und die Vorstellungen eines neuen Bundes (Jer 31, 31) oder einer neuen Schöpfung (Jes 65, 17). Entsprechend werden in den Fresken der Synagoge von Dura Europos Bundeszelt und Tempel, also Alter und Neuer Bund, parallelisiert. Im Neuen Testament wurde die Typologie von Christus

selbst installiert, der die Typen Jonas (Mt 12, 40) und Eherne Schlange (Jo 3, 14) auf die Auferstehung und das Kreuz und also auf sich selbst bezog. Mit der Ehernen Schlange von Nm 21 war dabei ein plastisches Symbol des AT, also ein Werk der Kunst, Gegenstand der Auslegung, ein wichtiger Schritt über die lit. Deutungsobjekte hinaus. Paulus deutete Adam als Christus (Röm 5, 14) und den Durchzug durch das Rote Meer als Typus der Taufe (I Kor 10. 1ff.). Im 1. Petrusbrief wird die Sintflut mit der Taufe verglichen (I Petr 3, 21). Die wichtigste Stelle findet sich im Brief an die Galater (4, 24), wo Paulus zwei weit ausgreifende Vergleichsreihen, eine aus dem AT und eine aus dem NT, einander typologisch gegenüberstellt. Paulus benutzt dafür allerdings den im NT sonst nicht belegten Begriff *allegorein* – vielleicht zur Widerlegung von bestimmten Gegnern [19, 121].

Die paulinische Allegorese ist von der Auffassung bestimmt, daß mit Christus das eschatologische Zeitalter angebrochen ist und daß das AT Aussagen über diese Realität enthält, die nun erkennbar sind, so wie das Lamm von Apk 5 das Buch mit den sieben Siegeln öffnet. Aber was auf der urspr. Sinnebene als Gegenüberstellung unter histor.-faktischem Aspekt gemeint war, bot auch die Möglichkeit für den Übergang zu einer wertenden Differenzierung. Der zeitliche Ablauf von Typos zu Antitypos und die Voraussetzung, daß in einer Art Zirkelschluß [s. 141] erst der Glaube an Christus zur Erkenntnis des Zusammenhangs befähigt, schieben die Deutungshoheit automatisch dem Christentum zu. Aus dem wertungsfreien Zusammenhang mit der jüd. Überlieferung wurde ein Mechanismus, der jener die sekundäre Rolle zuwies. Die künftige antijüd. Konnotation ist ebenfalls im NT vorgegeben. Für Paulus liegt über dem AT ein Schleier, angezeigt schon mit der Verhüllung des Antlitzes Mosis (Ex 34, 33–35), der erst für die Christen beseitigt wurde (vgl. II Kor 3, 13 u. 15). Wie im Galaterbrief werden in Eph 1 die Erfüllung und Offenbarung der Wahrheit des AT den Christen zuerkannt. Im Hebräerbrief wird die Vorhangöffnung beim Kreuzestod Christi als Symbol der neuen Erkenntnismöglichkeit gedeutet. Der apokryphe Barnabas-Brief verschärft die antijüd. Richtung; ähnlich wie dort (vgl. 6, 11) sieht Justin (gest. um 165) in der beanspruchten Erkenntnismöglichkeit des Christentums eine Rechtfertigung des christl. Glaubens und eine neue Qualität seiner Anhänger. Damit waren die Voraussetzungen gegeben, von denen aus auch das Heidentum der Deutungshoheit des Christentums unterworfen werden konnte.

Die Typologie spielt in der bildenden Kunst zunächst eine eher geringe Rolle. Die Übertragung wurde sicher durch die im Schrifttum festzustellende stetige Ausweitung des Typenreservoirs begünstigt. Nach dem Barnabas-Brief waren auch das Isaaksopfer und Josua Vorbilder Christi. Durch das Meßgebet wurden Abel, Abraham und Melchisedech zu Typen des Priesters bei der Eucharistie. Auch Sakramente wie die Taufe oder die Eucharistie wurden als Antitypen aufgefaßt. In der Reliefkunst traten zu Jonas als Auferstehungssymbole Daniel, die drei Jünglinge im Feuerofen und die Arche Noah. Die Ausweitung der Typologie weg von der strikten AT-NT-Koppelung des Urchristentums ließ die Grenze zur ant. Allegorese unscharf werden. Das zeichnet sich in der bildenden Kunst ab: Jonas, an sich typologisch eindeutig bestimmt (s.o.), erscheint auf spätant. Sarkophagreliefs als Einzelfigur wie die heidnischen allegorischen Gestalten der Ariadne oder Proserpina. Eine Gestalt wie der Schafträger kann keinem methodischen oder inhaltlichen Bereich mehr ausschließlich zugeordnet werden. Mit solchen Themen wurde nicht nur die Grenze zwischen lit. und bildlichen Deutungsobjekten aufgehoben, es verwischte sich auch die zwischen Allegorese als dem Akt eines Deuters und dem zu allegorisierenden Element. Die Darstellung selbst konnte bereits Deutung sein. Die Methode der Interpretation in Bildern scheint eine derartige Leitfunktion eingenommen zu haben, daß sie lit. in tituli-Sammlungen reflektiert wurde, die gar nicht mehr als Kunstwerke realisiert wurden (Prudentius).

## C. Spätantike

Die christl. Autoren schlossen sich der heidnischen Mythenallegorese allerdings nur zögernd an, weil diese eine Stütze des Polytheismus zu sein schien. Homerdeutungen wurden übernommen, wenn sie paradigmatisch verwendet werden konnten. Eine Basis für die christl. Umdeutung paganer kultureller oder histor. Elemente gab Röm 1, 19 f., wonach auch im Heidentum Spuren der Wahrheit Gottes zu finden sind. Befördernd wirkte auch der Streit um die Priorität der Religionen bzw. Kulturen, der ausgehend von den Protagonisten Moses und Homer geführt wurde. So wurde die Allegorese in Form der I. C. schließlich zum Mittel der Auseinandersetzung mit der übermächtigen heidnischen Kultur, die bei entsprechenden Ansatzpunkten – wie in der Typologie das AT – als Trägerin apokrypher christl. Botschaften gelesen werden konnte. Der histor. Schritt für diese Form der Einbeziehung des paganen Erbes in die christl. Gedankenwelt wurde von Klemens vollzogen.

Klemens von Alexandria (Titus Flavius Clemens Alexandrinus, um 150 bis vor 215) stand unter dem Einfluß Philons, dessen Allegorese er übernahm und verchristlichte [5. 152]. Seine Deutung der Sara-Hagar-Episode stimmt z.B. mit der Philons überein, nicht mit der des Paulus in Gal 4, 24. Wie Philon nahm er einen vierfachen, nicht verschmolzenen Schriftsinn an, indem er histor., legale, liturgische und theologische Abschnitte der Bibel unterschied. Klemens verband nicht nur die Allegorese mit der Typologie [5. 269], sondern wandte sie auch sowohl auf die heidnischen Philosophen wie auf die Bibel an. Die I.C. war für ihn ein Mittel, die heidnische Kultur mit dem Christentum zu versöhnen. Er deutete z.B. den an den Mastbaum gefesselten Odysseus als Präfiguration des gekreuzigten Christus (Protrepticus 12,118,4) [23. 395f.]. Im *Paidagogos* empfahl er den Christen Siegelringe mit gängigen zeitgenössischen Motiven, die christl. deutbar waren (Paidagogos 3, 11). Damit war ein Weg gewiesen, auf dem viele folgten. Origenes (um 185–254) löste sich stärker als Klemens vom Vorbild Philons. Er nahm die Möglichkeit des dreifachen Schriftsinns einer Bibelstelle an, die er in die Ebenen somatische (buchstäbliche, histor.-gramm.), psychische (moralische) und pneumatische (allegorisch-mystische) Bedeutung unterteilte. Eusebius (um 260–339) überliefert neben einer umfangreichen typologischen Allegorese eines Kirchenneubaus (Hist. eccl. X, 44 und 66–68) die berühmteste aller christl. Umdeutungen: die Auslegung des neugeborenen Kindes der 4. Ekloge Vergils, mit dem der Dichter die Geburt der röm. Republik unter Augustus feierte, auf Christus, eine I.C., die angeblich von Konstantin selbst in einer Rede an die Versammlung der Heiligen im Jahr 313 vorgenommen wurde. Eusebius überliefert sie im Anhang seiner *Vita Constantini* auf griech. (Oratio ad Sanctorum coetum XIX). In dieser Weise wurden viele Gottheiten und Ereignisse der ant. Kultur, die z. T. nur dadurch erhalten blieben, christl. umgedeutet, eine Aneignungsmechanik, die innerhalb der spätant. Konkurrenz der Religionen und Kulturen [12] nicht ohne Reflexe beim Heidentum blieb, das z. B. in manchen Bildern eine eigene Moralität betonte. Eine praktische Sonderform der I. C. war die Substitution heidnischer Gottheiten durch christl. Widmungen etwa in der Kirchenbaukunst (Minerva – Maria). Über Ambrosius (um 340–397), der seine Deutungen selbst in allegorische Form kleidete [16], Augustin (354–430), der sich gegen eine Allegorese paganer Texte wandte und der jüd. Textauslegung nahestand, und Orosius (A. 5. Jh.), der die christl. Deutung seiner Weltgeschichte zugrundelegte, ging die Entwicklung schließlich zu Gregor dem Gr. (Papst 590–604), der eine allegorische Denkweise für das MA fixierte, in der die bisher besprochenen Deutungsansätze verschmolzen [14]. Er institutionalisierte auch die bis h. gültige Parallelität von Wort und Bild als Offenbarungsträgern [9]. All das trug zur Romanisierung des Christentums bei, die dann im Karolingerreich zu einem polit. Ziel wurde.

Eine Klärung des Begriffs I. C. steht also vor dem Problem, daß mit ihm die grundsätzliche Intention der christl. Deutung berührt wird, daß sich aber in der wiss. Praxis zwecks genauerer Unterscheidung folgende Einschränkungen eingebürgert haben: Allegorese für die Deutung vorgegebener, insbes. schriftlicher Zeugnisse der Vergangenheit, Typologie für die schriftliche wie bildliche Entgegensetzung eines alttestamentarischen Typus und eines neutestamentarischen Antitypus, der dessen christl. Erfüllung bedeutet, und I. C. für die christl. Umdeutung paganer Elemente. Wenn im Hoch-MA der typologische Gedanke in strenger Rückführung auf die Gegenüberstellung der verschiedenen Zeiten des AT und NT erscheint, bietet sich die Bezeichnung *concordantia veteris et novi testamenti* an. Bereits die bisherige Skizze zeigte, daß es sich bei der Methode der I. C. um den Bestandteil eines ideologischen Komplexes handelt, mit dem die christl. Weltsicht als solche berührt ist. Besonders die wiss. Interpretation der frühen christl. Kunst muß sich mit diesem Problemkreis auseinandersetzen. Den bedeutendsten Entwurf zu diesem Thema hat in jüngster Zeit Kemp vorgelegt [17].

### D. KEMPS THESE

Kemp versucht, die relationalen Darstellungselemente der ant. christl. Kunst, also die bis hin zu Mustern verfestigten Bezüge zwischen Themen und einzelnen Bildmotiven vom Standpunkt einer an Methoden der Sprachwiss. orientierten »Narrativik« als christl. Erzählstil zu lesen. Lieferant der Erzählmuster war nach Kemp die Bibel, deren Verbreitung ab dem 2./3. Jh. auch von der bildenden Kunst gestützt wurde, die daher deren Berichtsstruktur übernahm. Das Sequentielle als Ausdruck der zeitlich-histor. Gerichtetheit der Bibel wurde zum zentralen formalen Unterscheidungsmerkmal von den heidnischen Vorstellungen über Wiederkehr und Kreislauf des Daseins. Die Sprunghaftigkeit der biblischen Erzählung minderte für die Gläubigen den Wert der Botschaft nicht, sondern wurde gerade zum Charakteristikum des »großen Codes« (W. Blake). Zur Bewältigung der gleichwohl auftretenden Rezeptionsprobleme des biblischen Berichts bildeten sich Adaptionsstrategien heraus: die Typologie, die dem Einzelmoment einen tieferen Sinn gab, und die auffüllende Erzählung der jüd. und christl. Apokryphen, die inhaltliche Präzisierungen vornahmen und dabei das unregelmäßige Erzählmuster fortsetzten. In dieser Orientierung an Typologien und sprachlichen Ergänzungen bestand von Beginn an eine Parallele zw. Judentum und Christentum, ebenso im zögernden Gebrauch des Bildes. Die jüd. Kunst von Dura Europos sieht Kemp, hierin Kessler folgend [34. 157], bereits als Reflex des Christentums innerhalb der spätant. Konkurrenz der Religionen, wobei er, über Kessler hinausgehend, bezweifelt, ob es überhaupt eine eigenständige jüd. Kunst gab. Das angesprochene Strukturprinzip ist für ihn ein Spezifikum der christl. Kunst, das auch etwa in den Mithräen nicht anzutreffen sei und das erst in der Auseinandersetzung mit der röm. Kunst seit Konstantin voll ausgebildet worden sei. I. C. ist für ihn daher auch immer *interpretatio romana*. Die aktuelle Erzählung durch die bildende Kunst in röm. Formen liest er als Ausstattung mit einer histor. Dimension, die über die Entjudaisierung zur Christianisierung führte. Insgesamt ist er davon überzeugt, daß die künstlerischen Mittel, grundsätzlich geschieden in den erzählenden Modus mit den Historien und den thematischen Modus mit dem Einzelbild, dem ›geschichtlichen Credo‹ [17. 256] der großen Erzählung folgten. Daher werden die Motive erst durch ihre Anordnung in die Sinngebung einbezogen: ›Das Bildschema ist also das Primäre, die Füllung das Sekundäre – zuerst kommt der Beziehungssinn, dann der geistige Sinn, erst die Relation, dann die Identifikation. Der identifikatorische Modus, der die Textexegese beherrscht, lebt davon, Entitäten ineinander aufgehen zu lassen; der relationale Modus, der die Kunst regiert, hält

sie auseinander, um ihren relativen und ihren phänomenalen Wert auszubauen.‹ [17. 256]. Verändert und schließlich beendet werde diese Tendenz durch die Theologen, die die Allegorese einführten, an deren Beginn Kemp Origenes setzt, im Westen dann Hilarius von Poitiers (um 315–um 367). Die damit in der 2. H. des 4. Jh. einsetzende Entwicklung führte schließlich nach Kemp um 1150 zur Ausbildung der großen Zyklen, in denen zwei oder mehr Einzelbilder typologisch aufeinander bezogen sind [18].

Kemps Auffassung richtet sich unausgesprochen gegen die kunstwiss. Methode der Ikonologie, die zuerst Bildinhalte ins Auge faßt und sie unter Nutzung schriftlicher Quellen interpretiert. Er verschiebt dagegen gewissermaßen den Inhalt vom Bild auf die Rahmung und sieht auch eine sachliche Determinierung wie die der Typologie als formales Strukturprinzip, das musterartig die Bücher der Bibel verklammert. Die künftige Diskussion wird zeigen, ob die These zu akzeptieren ist, daß die bedenklichen Momente der biblischen Erzählung, zu deren Ausgleich nach Kemp Typologie und Allegorese dienten, von der bildenden Kunst bewußt reproduziert sein sollen. Was den konstruierten Gegensatz zw. narrativem und thematischem Modus betrifft, so kann man auch wohl mit Pochat, der dieselben Werke in seinem Entwurf einer Kunstgeschichte unter dem Aspekt der Zeit behandelt hat, fragen, ob die narrative Belebung der thematisch verdichteten Bilder zu diesen tatsächlich in einem Kontrast stehen muß [25. 188]. Die regulierende Rolle der Theologen, die nach Kemp die Widerspiegelung des biblischen Erzählstils beendeten, wurde von Eberlein in einen Zusammenhang mit der Adaptions-Problematik des Motivreservoirs der ant. Kunst an die neue Religion gebracht [11]. Ein noch zu diskutierendes Problem liegt auch darin, daß Kemps Postulat einer sinnvoll determinierten Darstellungsweise die Frage der Anschaubarkeit der Werke und eines entsprechenden Rezipienten berührt, der nur schwer nachzuweisen ist.

### E. MITTELALTER

Die weitere histor. Entwicklung wird dadurch bestimmt, daß im Gebrauch des Christentums die allegorische Deutung, sei sie als Typologie am Judentum oder als I. C. am Heidentum orientiert, sich als eine alles in ihren Bann ziehende Methode der Weltsicht überhaupt institutionalisierte. Wahrheit wurde in diesem Bereich zum Ergebnis von Erkenntnissen aus einer fixierten Historie, wobei die vom Christentum beanspruchte Fähigkeit zu ihrer Aufdeckung die Art und Richtung der Ergebnisse mindestens insofern vorherbestimmte, als das System, in das sie eingefügt werden sollten, schon vorher bestand. Gewißheit konnte so durch ein Verfahren erlangt werden, das vom rationalen Denken unabhängig ist. Die Klarheit der Erkenntnis wurde zum Mittel ihres Wahrheitsbeweises. Ikonologisch faßbar wird der ideologische Anspruch an der Entwicklung des Vorhangmotivs. Ausgebildet wurde es in Gestalt des symmetrisch in zwei geöffnete Hälften geteilten Vorhangs im Hofzeremoniell nach Konstantin. Von dort ging die Form auf den Vorhang über, der in der jüd. Kunst den Thora-Schrein auszeichnete (vgl. den Titel des sog. Ashburnham-Pentateuchs: Paris, Bibl. Nat. Nouv. acq. lat. 2334, f. 2r, wohl 7. Jh.). Das Motiv geht in vor- und frühkarolingischer Zeit auf das Bild des Evangelisten über, der den Platz des Pentateuchs einnimmt. Inhaltliche Grundlage des Wechsels ist die erwähnte Parallelisierung der Vorhänge im Hebräerbrief mit dem beim Tod Christi zerrissenen Tempelvorhang, der in der Deutung der Patristik das Symbol der Überwindung der Erkenntnisblindheit des Judentums durch das Christentum und damit zum Sinnbild der Allegorese überhaupt wurde. Diese Grundbed. ist auch bei den Evangelistenbildern anzunehmen, auf denen statt der geöffneten Vorhanghälften überhaupt kein Vorhang mehr erscheint [8]. An dieser Stelle wird der Offenbarungscharakter des Bildes im Abendland und seine theologische Grundlage faßbar: Seither ist das Bild Botschaft, seither kann es die Qualität der Wahrheitsverkündung haben: ›Hoc visibile imaginatum figurat illud invisibile verum, cuius splendor penetrat mundum‹, wie auf der Seite gegenüber der Majestas-Miniatur im sog. Hitda-Codex steht (Darmstadt, HLB Cod. 1640, f. 6v; Anf. 11. Jh.).

In der spätant. Kunst gibt es keine Bildpaarungen, in denen Typos-Antitypos allein aufeinander bezogen wären. Am häufigsten wird der antitypische Gehalt durch Verdeutlichungen im Typos angezeigt. Erst seit dem 7. Jh. gibt es in den Quellen Hinweise auf typologische Bildpaare [28]. Die schematische Verfestigung geht einher mit einer Ausweitung der Typoi, die derart weit über das AT hinaus aus der Ant. (vgl. Sulpicius Severus, Vita des Hl. Martin: alttest. Könige = Julian [23, 393]) und Naturkunde (Physiologus) geholt werden können, daß Typologie und I. C. schließlich völlig verschmelzen [18. 107]. Gleichzeitig wurde die vierfache Differenzierung der Schriftdeutung die übliche, nach der die über den historisch-literarischen Sinn hinausweisende eigentliche Allegorese dreifach unterteilt ist (allegorisch, moralisch, anagogisch). Die typologische Deutungsmechanik prägte sich in den angesprochenen großen Bildfolgen aus, deren bekanntestes Beispiel mit der klass. Aufteilung (vgl. Ambrosius, Expos. in Psalm 38, 25) *ante legem, sub lege, sub gratia* der Klosterneuburger Altar ist. Notwendigerweise wurden im Lauf der Entwicklung die Adressaten der Distanzierungen aktualisiert. Eine Verfestigung der antijüd. Tendenz ist seit dem E. der Spätant. zu beobachten. Ecclesia und Synagoge können bis dahin als Heidenkirche und Judenkirche gedeutet werden und treten erst ab der Karolingerzeit mit der im MA geläufigen Bed. des blinden Judentums und sehenden Christentums unter dem Kreuz auf. Die typologischen Zyklen seit dem 12. Jh. rechnen mit den gleichzeitig auftretenden Ketzern.

Im Gefolge der I. C. kam es in der Kunst des MA zur formalen Depravierung der ant. Vorbilder. Da die Christen in den ant. Statuen heidnische Götter sahen, brach in der Spätant. die größte Zerstörungsaktion von pla-

stischer Kunst in der Geschichte der Zivilisation aus. Wenn danach im MA ant. Götter in plastischer Form dargestellt wurden, dann in teuflischer Verzerrung oder an Plätzen, wo sie keinen Schaden anrichten konnten, also an Kapitellen, Dachtraufen, Wasserspeiern usw. Die negative Interpretation gründete sich nicht nur auf theologische, sondern auch moralische Bedenken, z.B. beim sog. Dornauszieher wegen seiner ungenierten Beinhaltung. Die Denunziation heidnischer Gottheiten geschah im Hoch- und Spätmittelalter gemäß dem von Panofsky formulierten Disjunktions-Prinzip: Die ant. Formen wurden christianisiert, d. h. auf christl. Themen angewandt, und die ant. Themen anachronistisch, d. h. modern dargestellt, also Maria in klass. Formen und Venus in mittelalterlichen. Die Bed. der Ren. liegt unter diesem Aspekt darin, daß sie die Trennung aufhob und auch die ant. Themen in ant. Formen wiedergab, damit also letztere allg. verbindlich machte [24].

Mit dieser Wendung, die gleichsam der I. C. innerhalb der bildenden Kunst ihren offensiven Charakter nahm, war jedoch die Geschichte des Gedankens nicht beendet. Die Reformation wirkte sich selbstverständlich für die Praxis der theologischen Allegorese hinderlich aus [22]. Nach Melanchthon waren auf dieser Basis keine dogmatischen Entscheidungen möglich, die Allegorien aber als *picturae* noch zu akzeptieren. Die Kritik der Reformatoren stimmte hierin mit der des Judentums überein. In der Folgezeit kam es zu Versuchen, die »christliche« Typologie von der »jüd.« oder »alexandrinischen« Allegorese zu trennen und damit die Methode zu retten. Daneben traten immer wieder Vergleiche zw. Protestanten und dem Volk Israel als AT auf, in denen das Judentum positiv bewertet wurde. Die protestantischen Provinzen der Niederlande verglichen sich mit dem von Gott bewahrten Volk Israel, die Pilgrimfathers sahen ihre Auswanderung als Exodus und im »Dritten Reich« wurde von protestantischen Theologen der typologische Gedanke in Absetzung von den regimetreuen »Dt. Christen« als Beweis für die Zugehörigkeit des AT zum Christentum benutzt [2].

### F. NEUZEITLICHE ÄSTHETIK

Die wichtigsten Folgen hatte das skizzierte Gedankengut jedoch auf dem Gebiet der Kunstbetrachtung. Die Gleichung AT/Juden = Schatten, Christen = Bild schien für Jh. durch die Tatsache gesichert, daß es keine jüd. Kunst gab. Daraus resultiert die Bed. der in den 20er Jahren des letzten Jh. ausgegrabenen Synagoge von Dura Europos bzw. ihrer Einschätzung. An der prominentesten Stelle in der Geschichte der abendländischen Ästhetik überhaupt werden die alten Argumente der Typologie und I. C. wieder als Begründungen für die Superiorität der christl. Kunst eingesetzt: in Hegels Vorlesungen über Ästhetik (1820–1829). Die Forderung, daß der Inhalt der höchsten Kunst kein »Abstraktum« sein darf, sieht Hegel allein durch die Kunst des Christentums, die »romantische Kunstform«, erfüllt. Das beweist er über die herkömmliche Abgrenzung von Judentum und Heidentum, für das hier die »Türken« stehen: ›Sagen wir z. B. von Gott, er sei der einfach Eine, das höchste Wesen als solches, so haben wir damit nur eine tote Abstraktion des unvernünftigen Verstandes ausgesprochen. Solch ein Gott, wie er selbst nicht in seiner konkreten Wahrheit gefaßt ist, wird auch für die Kunst, bes. für die bildende, keinen Inhalt abgeben. Die Juden und Türken haben deshalb ihren Gott, der nicht einmal nur solche Verstandesabstraktion ist, nicht durch die Kunst in der positiven Weise darstellen können wie die Christen. Denn im Christentum ist Gott in seiner Wahrheit und deshalb als in sich durchaus konkret, als Person, als Subjekt und in näherer Bestimmtheit als Geist vorgestellt. Was er als Geist ist, expliziert sich für die religiöse Auffassung als Dreiheit der Personen, die für sich zugleich als Eine ist. Hier ist Wesenheit, Allgemeinheit und Besonderung sowie deren versöhnte Einheit, und solche Einheit erst ist das Konkrete.‹ (Hegel, Werke (Moldenhauer-Ausgabe), Bd. 13, 100f.). Bei der Erörterung der »Erhabenheit« geht Hegel auf das Argument ein, daß das Judentum ein unübersehbares Zeugnis zum Ruhm Gottes hinterlassen hat. Doch da es das Bild nicht kennt, muß es die ganze Welt als Bild nehmen, die dadurch in eine dienstbare Rolle gedrängt wird: ›Das negative Verhältnis dagegen der eigentlichen Erhabenheit müssen wir in der hebräischen Poesie aufsuchen, in dieser Poesie des Herrlichen, welche den bildlosen Herrn des Himmels und der Erden nur dadurch zu feiern und zu erheben weiß, daß sie seine gesamte Schöpfung nur als Akzidens seiner Macht, als Boten seiner Herrlichkeit, als Preis und Schmuck seiner Größe verwendet und in diesem Dienste das Prächtigste selbst als negativ setzt, weil sie keinen für die Gewalt und Herrschaft des Höchsten adäquaten und affirmativ zureichenden Ausdruck zu finden imstande ist und eine positive Befriedigung nur durch die Dienstbarkeit der Kreatur erlangt, die im Gefühl und Gesetztsein der Unwürdigkeit allein sich selbst und ihrer Bedeutung gemäß wird.‹ (Hegel, Werke (Moldenhauer-Ausgabe), Bd. 13, 416). Durch Hegel wurde der alte Begründungszusammenhang der abendländischen Kunst mit der Offenbarung von Wahrheit, die für ihn nichts anderes als die christliche Wahrheit sein konnte, fortgeschrieben. Nur im europäischen Kulturkreis kam es daher zur Ausbildung von »Kunstgeschichte« als einer Deutungswiss., die mit den verborgenen Sinnschichten die »Wahrheit« eines Bildes erfassen will, ein Vorhaben, das mit dem Begriff der »Tiefe« [30] zusätzlich legitimiert wurde.

Alexander Gottlieb Baumgarten (1714–62) begründete in seiner Ästhetik (*Meditationes* 1735; *Aesthetica 1–2* 1750–58) den Gedanken der »ästhetischen Rationalität« (Martin Seel), d. h. er stellte neben die logisch-vernünftige Methode als gleichberechtigten Weg die Erkenntnis der Sinneswahrnehmungen mit dem Ziel der »ästhetischen Wahrheit« statt der wie bisher rational begründeten. Beide sind nicht als widersprüchlich gedacht, sondern repräsentieren gleichwertig die eine, objektive Wahrheit. Als deren axiomatischen Bezugspunkt sieht Baumgarten, nicht anders als alle Vorgänger, Gott. Er übernimmt auch das traditionelle Kriterium der »Klarheit« als Maßstab der ästhetischen Wahrheitserkenntnis [33]. Vom vorliegenden Thema aus bedeutet Baumgartens Ästhetik eher eine Rückbewegung weg vom seinerzeit allein bestimmenden Rationalismus hin zu Erkenntnisgrundlagen, die Religion und Metaphysik wieder leichter zugänglich sind.

## G. Heidegger und Nachfolger

Die ungeheuere Radikalität des Vorschlags von Martin Heidegger (1889–1976), den er in seinem zuerst 1935 in Freiburg gehaltenen und später öfters wiederholten Vortrag *Der Ursprung des Kunstwerks* machte, wird vor diesem Hintergrund deutlich. Heidegger eliminierte alle theologischen Bezüge und verschmolz Kunst und Wahrheit derart, daß letztere zur selbstevidenten Qualität der ersteren wurde: Kunst ist Offenbarung von Wahrheit. Die Macht dieses Gedankens, mit dem Heidegger die Metaphysik aus der Trad. verbannte, wurde allerdings dadurch beeinträchtigt, daß der Autor zur sachlichen Verdeutlichung ästhetischer Erkenntnismöglichkeiten Kunstbetrachtungen im Stil des Nationalsozialismus einflocht. Vollends in die Zeitgebundenheit zurückgeführt wurde die These dann durch die Ergänzungen im Nachwort der Veröffentlichung von 1950. Zu diesem Zeitpunkt beeilte sich Heidegger, den vorher zu Recht als nicht grundsätzlich behandelbar der Schönheit einzufügen und Kunst einen ›metaphysischen Begriff‹ zu nennen. Dieser Wink wurde von einer Gruppe von Anhängern aufgegriffen und führte zur Identifikation der von Heidegger ontologisch gemeinten Wahrheit mit konservativen Zentralbegriffen wie »Gott«, »Mitte«, »Ganzheit« (Sedlmayr [29]) oder »Fest« (Kuhn [20]).

Es bedarf keiner Ausführung, daß sich die marxistische Ästhetik mit ihrem gesellschaftlich determinierten Wahrheitsbegriff von diesen Definitionen absetzte [21]. Zur größten Gegenbewegung wurde jedoch die »Ikonologie«, jene von Warburg und Panofsky begründete und seither weltweit verbreitete kunsthistor. Methode, die ihre Arbeit statt auf die Autorität des Deuters auf eine histor.-kritisch überprüfte Quellenbasis zu stellen versucht. Die von den Nationalsozialisten vertriebenen Anhänger der Warburg-Schule errichteten in den USA so etwas wie einen human. Gegenentwurf gegen die Barbarei des Nazi-Deutschlands [10]. Der Kontrast läßt sich weniger mit Äußerungen ihrerseits belegen als mit den Angriffen ihrer Gegner, die den Topos der Blindheit des Judentums auf die »jüd.« Ikonologie übertrugen. 1935 erschien im Völkischen Beobachter eine Rezension der *Kulturwissenschaftlichen Bibliographie zum Nachleben der Ant.*, herausgegeben 1934 von der Bibliothek Warburg. Nach der – oft willkürlichen – Bezeichnung der meisten Mitarbeiter als »jüd.« folgt unter der Deklaration ›Wir aber sind sehend geworden ...‹ die Ablehnung der Sammlung als eines dem neuen Deutschtum feindlichen Unternehmens [26]. Nach dem Zweiten Weltkrieg wandelte sich die I. C. zu einem weltanschaulichen Modell, in dem die Ikonologen an die Stelle der Juden treten konnten, die Protestanten an die Stelle der Heiden und der Katholizismus an die Stelle des Christentums. 1949 veröffentlichte der Maler und Publizist Schlichter, der nicht ohne Einfluß auf die Münchener Schule der Kunstgeschichte blieb, eine Polemik gegen die abstrakte Kunst, in der er diese auf das jüd. Bilderverbot und die protestantische Bilderfeindschaft zurückführte [27], eine These, die seither in modalisierter Form immer wieder, etwa von Sedlmayr, vertreten wurde. So wird verständlich, daß in der *Kunsthistorik* des Sedlmayr-Schülers Bauer Ikonologen mit Ikonoklasten verglichen werden [3. 99]. Grundsatz der Kritik ist: ›Kunstgeschichte als Symbolgeschichte (= Ikonologie, d. Autor) verstellt den Zugang zur Wahrheit der Kunst und verdeckt zugleich damit die Wahrheit der Kunst.‹ (Dittmann [6. 139]). Die Lebenskraft dieser Trad. wird von Versuchen bestätigt, eine von Beginn an bestehende Trennung zw. Kirche/Bild und Ketzer/Bilderfeindschaft zu behaupten [13]. Zuletzt wurde in einer Art von »I. C.« der Ren. diese für ein katholisches Zeitalter erklärt, das nur von Protestanten und Juden (damit sind die »Ikonologen« gemeint) wegen des von ihnen beachteten alttestamentarischen Bilderverbots fälschlicherweise als pagane Epoche bezeichnet worden sei [32. 23–24]. Die Sprengkraft des ikonologischen Konzepts, in dem auf die Orientierung am traditionellen Wahrheitsbegriff der Kunstdeutung verzichtet wird, kann indirekt an solchen Reaktionen abgelesen werden. Der Verzicht auf die Stützung der Deutungsautorität durch die Tiefe der Deutung, also im Grunde der Versuch der Entallegorisierung der Interpretation und die Entauratisierung des Deuters, muß im Bereich der kritischen Kulturwiss. allerdings nicht mit dem Verlust der Kategorie der »Tiefe« als eines Qualitätsmerkmals der künstlerischen Produkte erkauft werden, wie die Scheidung der Erzeugnisse der Kulturindustrie von den eigentlichen Kunstwerken durch die »Frankfurter Schule« belegt [15]. Das Auftauchen des Begriffs »Wahrheit« in hermeneutischen Konzepten (Sedlmayr, Gadamer) wird immer auf den Zusammenhang mit der geschilderten Trad. hin zu prüfen sein. Letztlich geht es um die Grundform der abendländischen Weltsicht, also auch um das Problem des Eurozentrismus. Es ist Sache der mit dem kulturellen Erbe befaßten Wiss., wieweit sie erreichen wollen oder können, daß sich ihre Deutungen vom histor. Ausgangspunkt der I. C. lösen oder nicht.

QU 1 J. K. EBERLEIN, C. MIRWALD-JAKOBI, Grundlagen der ma. Kunst. Eine Quellenkunde, Berlin 1996 2 B. STRENGE, H.-U. LESSING, s. v. Typos; Typologie, HWdPh 10, 1587–1607

LIT 3 H. BAUER, Kunsthistorik. Eine kritische Einführung in das Studium der Kunstgesch., ²1979 4 W. BERNARD, Spätant. Dichtungstheorien. Unt. zu Proklos, Herakleitos und Plutarch, 1990 (Beiträge zur Altertumskunde Bd. 3) 5 C. BLÖNNINGEN, Der griech. Ursprung der jüd.-hell. Allegorese und ihre Rezeption in der alexandrinischen Patristik, 1992 (Europäische Hochschulschriften Reihe XV Klass. Sprachen und Lit. Bd. 59)(= Diss. phil. Gießen 1992)

6 L. DITTMANN, Stil, Symbol, Struktur. Studien zu Kategorien der Kunstgesch., 1967 (= Habil. Aachen) 7 H. DÖRRIE, Spätant. Symbolik und Allegorese, in: Frühma. Studien 3, 1969, 1–12 8 J. K. EBERLEIN, Apparitio regis – revelatio veritatis. Studien zur Darstellung des Vorhangs in der bildenden Kunst von der Spätant. bis zum E. des MA, 1982 (= Diss. phil. Würzburg 1978) 9 Ders., Die Selbstreferenzialität der abendländischen Kunst (Hans Belting zum 60. Geburtstag), in: Diskurs der Systeme (z. B.): Kunst als Schnittstellenmultiplikator; Dokumentation der gleichlautenden Ausstellungs- und Vortragsreihe an der Geisteswiss. Fakultät Univ. Innsbruck 1995/96, CHRISTOPH BERTSCH u. a.(Hrsg.), 1997 (Ausstellungskatalog/Institut für Kunstgesch. der Univ. Innsbruck; Nr. 9), 54–63 10 Ders., Inhalt und Gehalt: Die ikonographisch-ikonologische Methode, in: H. BELTING u. a. (Hrsg.), Kunstgesch. Eine Einführung, 1985, 164–186 (²1986, vermehrte A. ³1988, ⁴1991, vermehrte A. ⁵1996) 11 Ders., Miniatur und Arbeit. Das Medium Buchmalerei, 1995 12 M. FUHRMANN, Die ant. Mythen im christl.-heidnischen Weltanschauungskampf der Spätant., in: A&A 36, 1990, 138–151 13 C. HECHT, Katholische Bildertheologie im Zeitalter von Gegenreformation und Barock. Studien zu Traktaten von Johannes Molanus, Gabriele Paleotti und anderen Autoren, 1997 (= Diss. phil. Passau 1994) 14 D. HOFMANN, Die geistige Auslegung der Schrift bei Gregor d. Gr., 1968 (Münsterschwarzacher Studien. 6) 15 M. HORKHEIMER, T. W. ADORNO, Dialektik der Aufklärung, 1947 16 C. JACOB, »Arkandisziplin«, Allegorese, Mystagogie. Ein neuer Zugang zur Theologie des Ambrosius von Mailand, 1991 (athenäum monografien.Theologie. Theophaneia. Beiträge zur Religions- und Kirchengesch. des Alt. Bd. 32) (= Diss. phil. Bonn 1988) 17 W. KEMP, Christl. Kunst. Ihre Anfänge. Ihre Strukturen, 1994 18 Ders., Sermo corporeus. Die Erzählung der ma. Glasfenster, 1987 19 H.-J. KLAUCK, Allegorie und Allegorese in synoptischen Gleichnistexten, ²1986 (¹1978) (Neutestamentliche Abhandlungen NF Bd. 13) (= Diss. theol. München 1977) 20 H. KUHN, Die Ontogenese der Kunst, in: FS für H. Sedlmayr, 1962, 13–55 21 G. LUKACS, Kunst und objektive Wahrheit. Essays zur Literaturtheorie u. -geschichte, W. MITTENZWEI (Hrsg.), 1977 22 F. OHLY, Gesetz und Evangelium. Zur Typologie bei Luther und Lucas Cranach. Zum Blutstrahl der Gnade in der Kunst, 1985 (Schriftenreihe der Westfälischen Wilhems-Universität Münster NF Heft 1) 23 Ders., Schriften zur ma. Bedeutungsforschung, 1977 24 E. PANOFSKY, Die Ren. der europ. Kunst, dt. v. H. Günther, 1979 25 G. POCHAT, Bild – Zeit. Zeitgestalt und Erzählstruktur in der bildenden Kunst von den Anf. bis zur frühen Neuzeit, 1996 (Ars viva. 3) 26 M. RASCH, Juden und Emigranten machen dt. Wiss., in: Völkischer Beobachter Nr. 5, Jan. 1935, S. 5 u. Nr. 23, 23. Jan. 1935, S. 6, wieder abgedruckt in: D. WUTTKE, (Hrsg.), Kosmopolis der Wissenschaft. E. R. Curtius und das Warburg Institute. Briefe 1928 bis 1952 und andere Dokumente, 1989, 295–299 (Saecula Spiritalia. 20) 27 R. SCHLICHTER, Das Abenteuer der Kunst und andere Texte, DIRK HEISSERER (Hrsg.), 1998 (erw. Neuausgabe der 1949 erschienen Erstausgabe: Das Abenteuer der Kunst) 28 S. SCHRENK, Typos und Antitypos in der frühchristl. Kunst, 1995 (Jahrbuch für Antike und Christentum Ergänzungsbd. 21) (= Diss. phil. Bonn 1992) 29 H. SEDLMAYR, Kunst und Wahrheit. Zur Theorie und Methode der Kunstgesch., 1958 30 Red., s. v. Tiefe, HWdPh 10, 1102–1194 31 S. TOCHTERMANN, Der

allegorisch gedeutete Kirke-Mythos. Studien zur Entwicklungs- und Rezeptionsgesch., 1992 (Studien zur klass. Philol. Bd. 74) (= Diss. phil. Heidelberg) **32** J. TRAEGER, Ren. und Religion. Die Kunst des Glaubens im Zeitalter Raphaels, 1997 **33** T. TRUMMER, Die Herausbildung der Ästhetik im histor. Rationalismus. Studien zum metaphysischen und epistemologischen Begründungshorizont des Schönen und der Kunst bei Leibniz, Wolff, Gottsched, Bodmer und Breitinger und Baumgarten, Diplomarbeit Graz 1993 (masch.-schr.) **34** K. WEITZMANN, H. L. KESSLER, The Frescoes of the Dura Synagogue and Christian Art, 1990 (Dumbarton Oaks Studies 28). JOHANN KONRAD EBERLEIN

**Intertextualität** s. AWI Bd. 5, s.v.

**Iranistik** A. NAME, BEGRIFF UND GEGENSTAND
B. DIE »WIEDERENTDECKUNG« PERSIENS
C. DIE WISSENSCHAFTLICHEN PIONIERE
D. DIE ERSTEN ARCHÄOLOGISCHEN MISSIONEN UND DER GRUNDRISS
E. IRANISTIK IM 20. JAHRHUNDERT
F. DIE TURFANFORSCHUNG UND IHRE FOLGEN

### A. NAME, BEGRIFF UND GEGENSTAND

Während die I. im deutschsprachigen Raum – histor. bedingt wegen ihrer Vorreiterrolle auf diesen Gebieten – vorwiegend sprachwiss. und philol. ausgerichtet ist, wird anderswo der Terminus »Iranian studies«/»études iraniennes« (etwa »Irankunde« oder »Iranforschung«) viel großzügiger als das geistes- und (teilweise) sozialwiss. Studium des von einer iranischsprachigen Bevölkerung besiedelten Kulturraumes von der Vorgeschichte bis zur Gegenwart aufgefaßt. In der Erforsch. des islamischen Zeitalters berührt die I. die Islamwiss., während es für die neueste Zeit auch Überschneidungen mit sozialwiss. Fächern wie Ethnologie, Geographie, Politologie, Soziologie usw. gibt. Im vorliegenden Zusammenhang ist in erster Linie das sprachwiss.-philol., histor. (im breitesten Sinne) und arch. Studium der vorislamischen Periode von Bed., da es natürlich v.a. hier engere Beziehungen zur Indogermanistik, Altorientalistik, Alten Geschichte und Byzantinistik gibt. Der iranische Kulturraum geht selbstverständlich weit über die Grenzen der heutigen islamischen Republik namens Iran (bis 1934: Persien) hinaus. Ethnien iranischer Sprache sind ebenfalls in Afghanistan, Pakistan, einigen mittlerweile von der ehemaligen Sowjetunion unabhängig gewordenen transkaukasischen und zentralasiatischen Republiken sowie einigen anderen Staaten des Orients ansässig. Vor den großen Wanderungen der Turkstämme traf man sie sogar in einem noch weitaus größeren Gebiet an, da in der Ant. iranische Skythen und Sarmaten entlang der Nord- und Westküste des Schwarzen Meeres siedelten. Im Osten ist die Anwesenheit der Saken und Sogder in Ostturkestan, bis hin zur Mongolei und zu China, etwa bis um 1000 n. Chr. gesichert. Zahlreiche in einem frühen Stadium des Uriranischen entlehnte Wörter in den slavischen und

→ finno-ugrischen Sprachen lassen außerdem vermuten, daß iranische Stämme einst in vor-achaimenid. Zeit bis nach Europa vorgedrungen sind. Innerhalb der indogerman. Sprachfamilie bilden die »iranischen« Sprachen – der Begriff wurde zum erstenmal um 1840 von August Friedrich Pott und Christian Lassen verwendet – eine engere Einheit mit den indo-arischen Sprachen, die man als »indo-iranisch« bezeichnet. Es wird gemeinhin angenommen, daß die indischen und iranischen Völker etwa zu Beginn des 2. Jt. v. Chr. getrennte Wege gegangen sind: vermutlich haben zuerst die Inder das gemeinsame Heimatgebiet in den zentralasiatischen Steppen am Unterlauf des Wolga in Kazachstan (Sogdien, Choresmien und Baktrien) verlassen, um die Pässe des Hindukusch zu überqueren; dagegen sollen die Iraner erst um die Wende des 2. zum 1. Jt. v. Chr. in mehreren aufeinanderfolgenden Wellen in das iranische Hochland eingewandert sein.

### B. DIE »WIEDERENTDECKUNG« PERSIENS

War das Interesse des Abendlandes während der Zeit der Kreuzzüge noch auf die Levante beschränkt, so boten die Eroberungen der Mongolen zu Beginn des 13. Jh. wieder die Möglichkeit zur Kontaktaufnahme zw. dem Okzident und Persien. Denn die Europäer entschlossen sich, Gesandtschaften von vornehmlich Kaufleuten – stellvertretend sei hier der Venezianer Marco Polo (1254–1324) genannt – sowie franziskanischen und dominikanischen Missionaren zu den Mongolen zu schicken, die auf dem Weg dorthin natürlich auch Persien bereisten. In diesem Kontext entstand etwa der *Codex Cumanicus* (datiert 1303, aber auf ein Original aus dem 13. Jh. zurückgehend), der in einem ersten Teil eine spätlat.-pers.-türk. (d. h. komanische) Wörterliste enthält; die pers. Sprache dürfte nämlich von den türk. Informanten der it. Kaufleute als lingua franca für den Handel im Osten verwendet worden sein. Es dürfte deshalb ebenfalls kaum Zufall sein, daß wir die wohl älteste – sehr knappe – Nachricht über Persepolis (»Comerun«) in der europ. Lit. dem Franziskanermönch Odoric de Pordenone (ca. 1325) verdanken, der sich dort auf dem Weg nach China 1318 kurz aufgehalten hatte. Der erste Deutsche, der als Augenzeuge über Persien berichtete, war der bayerische Landsknecht Hans Schiltberger (der Bericht seiner Orientreise zu Beginn des 15. Jh. wurde erst 1473 publiziert). Es sollten dann noch fast zwei Jh. vergehen, bis der schlesische Adlige Heinrich von Poser (1599–1661) als erster Deutscher über Persepolis referieren würde. Zu den bedeutendsten europ. Reisenden (Jahreszahlen beziehen sich auf ihre Reisen) dieser frühen Phase gehören der venezianische Botschafter Iosafat Barbaro (1474), dessen Reisebericht in die älteste – zwölfbändige – »Gesamtdarstellung« der iranischen Geschichte des umbrischen Historikers Petrus Bizarus (1525–nach 1586), *Rerum Persicarum Historia, initia gentis, mores, instituta, resque gestas ad haec usque tempora complectens* (1583, ²1601), aufgenommen wurde, Don Garcias de Silva y Figueroa (1618), der röm. Patrizier Pietro della Valle (1616–23), der die erste Abbildung eines

Keilschriftfragmentes nach Europa mitbrachte, Adam Olearius (1637–38) und Johann Albrecht von Mandelslo (1638–40), Sir Thomas Herbert (1627–28), Jean Baptiste Tavernier (1629–75), Jean de Thévenot (1664–67) und Jean Chardin (1665–77), dessen Bericht eine ausführliche Beschreibung der »Guèbres«, d. h. der zoroastrischen Parsen, enthält; schließlich der westfälische Arzt und Sekretär einer schwedischen königlichen Gesandtschaft Engelbert Kaempfer (1684–88). Informant der letzten vier war im übrigen der frz. Kapuzinerpater Raphael du Mans, der fast vier Jahrzehnte (1656–96) in Isfahān gelebt hat. Keiner dieser frühen Reisenden hat aber das, was er in Persepolis zu sehen bekam, mit den Achaimeniden in Verbindung gebracht. Zwar hatten sie sich bei den Einheimischen erkundigt, denen aber das Wissen um ihre eigene Geschichte völlig abhanden gekommen war: So erzählte man ihnen, daß Persepolis (oder: Čihilminār »mit 40 Säulen« wie es in den Reiseberichten genannt wird) von Jamšīd, dem Großvater mütterlicherseits Alexanders d. Gr., erbaut worden war (Taxt-i Jamšīd »Thron des Jamšīd«), das Kyrosgrab in Pasargadai hielten sie für das *qabr-i mādar-i Sulaimān* (»Grab der Mutter Salomons«) und das sasanidischen Felsreliefs in Naqš-i Rustam für die Abbildung des kayānidischen Helden Rustam. Bis zum Anfang des 17. Jh. beschränkte sich die »Kenntnis« der iranischen Sprachen im Westen noch auf vereinzelte Bemerkungen zum Neupersischen, sowie auf ein paar pers.-lat. Glossarien (z. B. von Jacob Golius, 1596–1667) und – seit dem Ende des 16. Jh. – die Aufstellung von Listen mit Wortgleichungen zwischen dem Niederländischen und dem Deutschen einerseits und dem (Lat. und) Pers. andererseits. Die ersten knappen neupers. Grammatiken von Ludovicus (Lodewijk) de Dieu (1628), Johannes (John) Greaves (1649) und Ignazio di Gesù (1661) erschienen in kurzen Abständen um die Mitte des 17. Jh. Sie orientieren sich noch sehr stark an den lat. Vorbildern von Donatus (4. Jh. n. Chr.) und Priscianus (5./6. Jh.); in geringerem Maße sind sie auch von der zeitgenössischen Terminologie der hebr. und arab. Grammatiken beeinflußt worden.

## C. Die wissenschaftlichen Pioniere

Zu Beginn des 18. Jh. ging die Wiederentdeckung Persiens durch die europ. Reisenden weiter. Die Erforsch. Persiens war nun auch zum eigentlichen Zweck der Reisen geworden und nicht länger ein zufälliges Nebenprodukt. Nach dem Fall der Safawiden (1500–1736) nahm der Strom der Entdeckungsreisenden zwar etwas ab, aber sie waren nun besser vorinformiert und wurden zugleich genauer in der zeichnerischen Wiedergabe. So besitzen etwa die Bilder des holländischen Künstlers Cornelis de Bruijn (1652–1626/27) einen hohen Genauigkeitswert. Seine *Reizen over Moskovie, door Persie en Indie . . .* (1711) enthalten des weiteren eine detaillierte Geschichte Persiens eines sonst unbekannten Gelehrten namens Praetorius auf der Grundlage der Nachrichten ant. Autoren. Die genaue Beschreibung von Persepolis durch Carsten Niebuhr (1733–1815),

Vater des Althistorikers Barthold Georg Niebuhr (1776–1831), in seiner Beschreibung von Arabien aus eigenen Beobachtungen und im Lande selbst gesammelten Nachrichten (1772) gilt allg. als die erste wiss. Abhandlung über Persepolis (s. u.). Weitere Reisende (Jahreszahlen beziehen sich auf ihre Reisen) dieser Periode sind u. a. Robert Ker Porter (1818–20), James Justinian Morier (1808, 1811–15), William Ouseley (1811–12), James B. Fraser (1821–34), Charles Texier (1839–40), der die ersten Farbabbildungen pers. Denkmäler besorgte, der britische Offizier und Diplomat Henry Creswikke Rawlinson (1834–60), der die dreisprachige Bīsutūn-Inschrift des Dareios I. (522/1) unter Einsatz seines Lebens kopierte und erschloß, der Maler Eugène Flandin und sein Reisegefährte, der Architekt Pascal Coste (1839–41), die eine zweibändige Monumentalarbeit mit genauen Zeichnungen von hervorragender Qualität publizierten. Bis dahin hatte das Interesse der Reisenden vor allem Persepolis (und Pasargadai) gegolten. In dem Wunsch, den Palast der biblischen Esther in Shushan zu finden, begannen jedoch die Engländer, und insbes. William Kennett Loftus (1820–58), die ersten »Ausgrabungen« in Susa (1849–52); diese waren allerdings kaum mehr als eben das und lassen sich keineswegs an heutigen wiss. Maßstäben messen. Loftus' Bemühungen bedeuteten aber den Beginn der arch. Tätigkeit in Persien. Aber auch in Afghanistan hatte die arch. Forsch. mit der Kampagne von Charles Masson begonnen, der von 1833 bis 1836 mehrere in der Hauptsache buddhistische Siten um Kabul vermessen ließ und Kapisa, die Hauptstadt der Kušān in der Zeit vom 1. bis zum 3. Jh. n. Chr., untersuchte. Überhaupt schienen die kultivierten Kreise gegen Ende des 17. Jh. und in der Aufklärungszeit des 18. Jh. sehr offen für pers. Themen zu sein: 1674 schrieb Pierre Corneille (1606–84) seine letzte Trag. *Suréna*; 1721 publizierte Montesquieu (1699–1755) einen philos. Roman in Gestalt der *Lettres persanes*; Niebuhrs obengenannte Arbeit war für den Kulturphilosophen Johann Gottfried von Herder (1744–1803) der direkte Anlaß für seine Schrift *Persepolis. Eine Muthmaßung* (1787). In England waren die Oper *Xerxes* (1738) von Georg Friedrich Händel und *Artaxerxes* (1762) von Thomas Arne achaimenid. Persönlichkeiten gewidmet. So nimmt es nicht wunder, daß gerade zu dieser Zeit mehrere histor. Arbeiten veröffentlicht werden, wie Thomas Hydes *Veterum Persarum et Parthorum et Medorum religionis historia* (²1790) und Arnold Hermann Ludwig Heerens (1760–1842) *Ideen über die Politik, den Verkehr und den Handel der vornehmsten Völker der alten Welt 1. Theil. Asiatische Völker 1. Abt. Einleitung. Perser* (¹1793–1812; ⁴1824). Kurz danach erschien auch die stark hellenozentrisch ausgerichtete Alexander-Biographie von Johann Gustav Droysen (1808–84), die *Geschichte Alexanders des Großen* (1833). Auch die Kenntnis iranischer Sprachen machte in dieser Periode gewaltige Fortschritte: 1762 hatte Abraham Hyacinthe Anquetil-Duperron (1731–1805) 180 avestische Manuskripte aus Indien mitgebracht, die er in der Bibliothèque Nationale zu Paris hinterlegte (seine *Zend Avesta* mit Übers. erschien 1771). Sir William Jones (1746–94), der aufgrund einer berühmten Rede vor der Asiatic Society in London am 2. Februar 1786 als Vorläufer der vergleichenden Indogerman. Sprachwiss. betrachtet wird, legte mit *A Grammar of the Persian Language* (1771) erstmals eine nicht in lat. Sprache geschriebene Gramm. des Neupers. vor. Außerdem gelang innerhalb weniger Jahre zunächst 1787 Antoine Isaac Silvestre de Sacy (1758–1838), Inhaber des Lehrstuhls für Pers. und Arab. am Collège de France und Begründer der Arabistik, die Entzifferung des inschr. Mittelpers. und Parthischen und danach 1802 dem noch-Studenten Georg Friedrich Grotefend (1775–1853) – nach Vorarbeiten der dänischen Forscher Olaf Gerhard Tychsen und Fredrik Münter – die → Entzifferung der altpers. Keilschrift, beides hauptsächlich auf der Grundlage der Niebuhrschen Zeichnungen (s. oben). Der Mainzer Franz Bopp (1791–1867) gilt als der eigentliche Begründer der Indogermanistik. Nur wenige Jahre nach der Veröffentlichung seiner *Vergleichende(n) Grammatik ...* (1833) erschien von der Hand von Johann August Vullers die *Institutiones linguae Persicae cum Sanscrita et Zendica lingua comparata* (1840–50; ²1870), die erste detaillierte histor.-vergleichende Grammatik des Pers; von ihm stammt auch das erste etym. Wörterbuch des Pers., das *Lexicon Persico-Latinum etymologicum* (1855–64). In der ersten Hälfte des 19. Jh. erschienen ebenfalls die ersten Beschreibungen des Paštō von M. Elphinstone (1815) und dem russ. Staatsrat Boris Andreevich Dorn (1805–81). Bis in die zweite Hälfte des 19. Jh. hinein sollte diese ostiranische, in Afghanistan beheimatete Sprache allerdings noch irrtümlicherweise zu den indo-arischen Sprachen gerechnet werden (etwa von Ernst Trumpp, 1828–1885, dem Vater der neuindischen Philologie in Deutschland).

### D. Die ersten archäologischen Missionen und der Grundriss

Auch in der zweiten Hälfte des 19. Jh. gibt es Reiseberichte, die jetzt aber weniger darauf zielten, das bisherige Wissen über Persien zu vermehren, sondern eher persönliche Stimmungen und Erfahrungen vermitteln wollten. Unter den Reisenden dieses Zeitabschnittes bes. hervorzuheben sind Friedrich Stolze und Friedrich Carl Andreas (1846–1930), die nach einer längeren Persienreise (1874–1881) zwei imposante Bände mit den ersten photographischen Aufnahmen von Persepolis und Pasargadai veröffentlichten (1882; die Zeichnungen von E. Flandin, vgl. oben, waren allerdings schärfer!). Andreas nutzte die Zeit in Persien auch für dialektologische Aufzeichnungen aus. Seine wertvollen Notizen wurden nach seinem Tod von Schülern (etwa von Arthur Christensen, s.u.) und Freunden veröffentlicht. Nachdem das Ehepaar Jane (1851–1916) und Marcel-Auguste Dieulafoy (1844–1920) auf ihrer Persienreise 1881–82 v. a. von Susa beeindruckt worden war, beantragten und erhielten sie 1884 von der pers. Regierung die Genehmigung, unter den Auspizien des Louvre dort Grabungen durchzuführen. Den ausgebildeten Bauingenieur Dieulafoy interessierten dabei weniger schöne »Museumsobjekte« als Bauweise und Architektur. Dank des großen Erfolges der arch. Mission, die dem Louvre eine reiche Sammlung von Kunstgegenständen bescherte, erhielten die Franzosen 1897 für längere Zeit (bis 1927) das Monopol für Ausgrabungen in Persien. Erster Grabungsleiter (1897–1912) der frz. »Délégation Archéologique Scientifique en Perse« in Susa wurde Jacques de Morgan (1857–1924). Eine Wende in der histor. Forsch. des vorislamischen Persien wird durch das monumentale Werk von George Rawlinson, dem Bruder des oben genannten Henry Creswicke, eingeleitet: *The Five Great Monarchies of the Ancient Eastern World ...*, 4 Bde. (¹1862–67), später um zwei weitere Kapitel über die Parther und Sasaniden zu *The Seven ...*, 3 Bde. (1889) ergänzt. Es werden hier nämlich erstmals neben den griech. und lat. Texten auch oriental. Quellen herangezogen, wie etwa die armen. und arab. Schriftsteller in dem Abschnitt zum sasanid. (oder: »neupers.«) Reich. Um Karl Brugmann (1849–1919) und Hermann Osthoff (1847–1909) hatte sich in Deutschland in den 70er Jahren die »Schule« der Junggrammatiker entwickelt, die gewissermaßen die histor.-vergleichende indogerman. Sprachwiss. des 19. Jh. durch ihre strenge Methodologie (»Ausnahmslosigkeit der Lautgesetze«) zur Vollendung gebracht hat. In der I. gipfelte diese Bewegung in der Realisierung von Wilhelm Geigers und Ernst Kuhns *Grundriß der iranischen Philol.* (2 Bde., 1895–1904), mit Abschnitten zur »Sprachgeschichte« [I. Bd. 1], »Litteratur« [I. Bd. 2], und »Geschichte und Kultur« [II] sowie wichtigen Beiträgen von Friedrich Carl Andreas, Christian Bartholomae, Karl Friedrich Geldner, Paul Horn, Heinrich Hübschmann, Ferdinand Justi, Carl Salemann, Theodor Nöldeke und verschiedenen anderen. Unabhängig davon arbeitete in Paris James Darmesteter (1849–1894), der eine engl. (1879–82, 3 Bde.) und frz. (1892–93, 3 Bde.) Übers. des Avesta-Textes besorgt hat. Die grundlegende wiss. Edition des Textes ist bis heute die von K. F. Geldner, *Avesta. The Sacred Books of the Parsis* (3 Bde., 1886–96); auch Chr. Bartholomae, *Altiranisches Wörterbuch* (1904) ist bis heute unersetzt. Eine wichtige Etappe in der iranischen Sprachwiss. bildeten im übrigen Darmesteters *Études iraniennes* (2 Bde., 1883) und seine *Chants populaires des Afghans* (2 Bde., 1888–90), in deren Einleitung das Paštō erstmals unter den iranischen Sprachen klassifiziert wurde. Ebenfalls im 19. Jh. erschien die lange Zeit maßgebliche Textausgabe (mit frz. Übers.) des *šanamā* – auf dessen Existenz zuerst W. Jones hingewiesen hatte – von Julius Mohl, *Le livre des rois ...*, 7 Bde. (1838–78), die wie Geldners Avesta-Ausgabe auf reichem handschriftlichen Material beruhte.

### E. Iranistik im 20. Jahrhundert

Als 1927 das Monopol der Franzosen für arch. Aktivitäten in Persien aufgehoben wurde, war der Weg frei für andere. Der erste, der von der Abschaffung dieses Vorrechts profitierte, war Ernst Herzfeld (1879–1948), der bereits 1928 sechs Monate lang in Pasargadai arbeitete und danach von 1931 bis 1934 die Ausgrabungen in Persepolis für das Oriental Institute Chicago leitete, bis er von Erich Friedrich Schmidt abgelöst wurde; nach der Rückkehr auf seine Professorenstelle in Berlin Anfang 1935 wurde Ernst Herzfeld ein Opfer der Judenverfolgung unter dem zunehmenden → Nationalsozialismus. Auch die Deutschen hatten bereits in den 30er Jahren (bis 1941) eine in Isfahān stationierte Vertretung unter der Leitung von Wilhelm Eilers (1906–89); es dauerte allerdings noch bis 1961, bis das → Deutsche Archäologische Institut die – inzwischen wieder geschlossene – Abteilung Teheran gründete. Weitere ausländische (u. a. belgische, britische, it., japanische) und inländische Expeditionen folgten im Laufe der Jahre. Seit der islamischen Revolution 1979 kam die arch. Aktivität in Iran fast völlig zum Erliegen, nicht zuletzt wegen des Abzugs der einst so zahlreichen ausländischen arch. Institute. In Afghanistan wurde 1922 die »Délégation Archéologique Française en Afghanistan« (DAFA) errichtet, deren erster Direktor Alfred Foucher war. Noch vor dem Ausbruch des zweiten Weltkrieges waren die Amerikaner die zweite Nation, die in Afghanistan Ausgrabungen durchführte; Briten, Deutsche, Italiener, Inder und Sowjets folgten. Kurz nach dem Beginn der sowjet.-russ. Militärintervention 1979 wurde auch hier die Feldforsch. unterbrochen und ruht seitdem. Ausgrabungen in Zentralasien wurden erst seit dem Ende der 20er Jahre des 20. Jh. ernsthaft betrieben und waren bis vor wenigen Jahrzehnten (1980er Jahre) fast ausschließlich eine russ. Angelegenheit.

In der ersten Hälfte des 20. Jh. entstanden umfassende Darstellungen einzelner vorislamischer Epochen: Albert TenEyck Olmstead, *History of the Persian Empire* (1948), Neilson C. Debevoise, *A Political History of Parthia* (1938), Arthur Christensen, *L'Iran sous les Sassanides* (1936, ²1944). Alle sind sie inzwischen jedoch überholt und – bis auf die Sassaniden – ersetzt. Was die Qualität der drei Werke stark beeinträchtigt, ist die Tatsache, daß sie den westl. Quellen verhältnismäßig zu großes Gewicht beimessen. In der nationalsozialistischen Terminologie wurde der Begriff »arisch« mit den bekannten Folgen mißbraucht und zunächst mit »indogerman.« gleichgesetzt. Noch verstärkt durch die Tendenz der damaligen Indogermanistik, die »Urheimat« der Indogermanen im Norden Europas zu suchen, wurden »arisch« und »jüdisch« für die NS-Ideologen schon rasch zu Antonymen. Zu den schlimmsten Auswüchsen gehört die Schrift *Indogermanisches Bekenntnis* (1941, ²1943) des Münchener Ordinarius für »Arische Kultur- und Sprachwissenschaft« Walther Wüst, der als Leiter des u. a. von Heinrich Himmler, dem Reichsführer der SS, 1935 gegr. Vereins des »Deutsche(n) Ahnenerbe(s)«, bald zu einem der mächtigsten Sprachwissenschaftler während der NS-Zeit aufgestiegen war.

### F. Die Turfanforschung und ihre Folgen

Was aber das Bild der iranischen Philol. und Sprachwiss. im positiven Sinne am nachhaltigsten verändern sollte, war die Konkurrenz mehrerer Nationen (Großbritannien, Deutschland, Japan, Frankreich, Rußland usw.) im ersten Viertel des 20. Jh. um die Oasen am Rande der riesigen Taklamakan-Wüste von Kāšγar im Westen bis Tun-huang und Karachoto im Osten. Der arch. Wettlauf um die Kunstschätze in diesen Orten hatte bereits wenige Jahre vorher mit dem Schweden Sven Hedin (1865–1952) und dem Briten ungarischer Herkunft Sir Mark Aurel Stein (1862–1943) begonnen. Die zahlreichen iranischen Textfunde (ca. 40 000 Stück), die insbes. – aber nicht nur – in der Turfan-Oase (Chinesisch-Turkestan) von den vier preußischen Expeditionen unter der Leitung von Albert Grünwedel (1856–1935), dem Direktor des Ethnologischen Mus. in Berlin, und seinem »Hilfsarbeiter« Albert von Le Coq (1860–1930) in der Zeit von 1902 bis 1914 gemacht wurden, haben v. a. unser Wissen um die mitteliranischen Sprachen entscheidend vermehren, wenn nicht gar revolutionieren können. Mit einem Schlag wurde die I. um einen neuen Zweig, die Turfanforschung, bereichert; die »erbeuteten« (oder: »geretteten«?) Manuskripte werden jetzt in der ehemaligen Preußischen – heute: Berlin-Brandenburgischen – Akad. der Wiss. in Berlin aufbewahrt und bearbeitet. Sie bilden aber nur einen Bruchteil dessen, was entlang der Seidenstraße an Manuskripten gefunden wurde; weiteres Material befindet sich in der British Library in London und anderenorts.

Waren zu Beginn des Jh. nur das inschriftl. Parthische und Mittelpers. sowie das Mittelpers. (»Pahlavī«) der zoroastrischen Bücher bekannt, so traten nun auf einmal durch die Entdeckungen in den Oasen von Turfan, Khotan und Tumšuq ein halbes Dutzend neue iranische Schriften und Sprachen (manichäisch Parthisch und Mittelpers.; buddhistische, manichäische und christl.-nestorianische Sogdiana; Hephtaliteratur; Khotansakisch und Tumšuqsakisch) zutage. Bereits 1904 war es dem Sprachgenie Friedrich Wilhelm Karl Müller gelungen, die ersten Handschriften-Reste in Estrangelo-Schrift aus Turfan, Chinesisch-Turkestan (I. SPrAW 1904, 348–52; II. Anhang zu Abhandlungen der Preußischen Akad. der Wiss., 1904) zu entziffern. Seine Leistungen sind vielleicht weniger bekannt als die von A. I. Silvestre de Sacy und G. F. Grotefend, stehen jedoch keineswegs hinter ihnen zurück. Eine weitere mitteliranische Sprache, das Baktrische, ist erst Anfang der 1950er Jahre bekannt geworden, und zahlreiche weitere Dokumente dieser Sprache kamen sogar erst im Laufe der 1990er Jahre ans Licht; ihre unmittelbar bevorstehende Publikation wird bereits mit großer Spannung erwartet. Insgesamt wurden in dem Vierteljahrhundert der Expeditionen entlang den Nord- und Südrouten der Seidenstraße (bis die Chinesen 1925 dem stetigen Ausfuhr von Kunstschätzen und Manuskripten endgültig Einhalt geboten) 17 neue Sprachen und 13 neue Schriften entdeckt. Auch für die Religionsgeschichte kann die Bed. der Seidenstraße, an der so viele verschiedene Glaubensgemeinschaften (Buddhisten, Manichäer, christl. Nestorianer, Zoroastrier und Muslime) zusammenlebten, kaum unterschätzt werden.

→ Altorientalische Philologie und Geschichte; Byzantinistik; Geschichtswissenschaft; Sprachwissenschaft; Zoroastrismus

→ AWI Ai Chānum; Persepolis; Sakai; Sarmatae; Skythai

1 T. BENFEY, Gesch. der Sprachwiss und oriental. Philol. in Deutschland seit dem Anfange des 19. Jh. mit einem Rückblick auf die früheren Zeiten, München 1869 2 R. N. FRYE, The History of Ancient Iran, 1984 3 A. GABRIEL, Die Erforsch. Persiens, 1952 4 P. HOPKIRK, Foreign Devils on the Silk Road. 1980 5 D. METZLER, Die Achämeniden im Geschichtsbewusstsein des 15. und 16. Jh. Kunst, Kultur und Gesch. der Achämenidenzeit und ihr Fortleben, 1983, 289–303 6 H. SANCISI-WEERDENBURG, Introduction. Through Travellers' Eyes: the Persian Monuments as Seen by European Travellers, in: Achaemenid History 7, 1991, 1–35 7 D. STRONACH, W. BALL, B. A. LITVINSKII, Excavations i.-iv., EncIr 9, 88–113 8 R. SCHMITT (Hrsg.), Compendium Linguarum Iranicarum, 1989 9 U. WEBER, J. WIESEHÖFER, Das Reich der Achaimeniden: eine Bibliographie, 1996 10 J. WIESEHÖFER, Das ant. Persien, 1994

BIBLIOGRAPHIEN UND HAUPTWERKE: 11 Abstracta Iranica, 1978 ff. 12 Archäologische Bibliographie, in: AMI, 1973 ff. 13 Bibliographie Linguistique, 1939 ff. 14 The Cambridge History of Iran. Bde. 2–3, 1983–85 15 The Cambridge Ancient History. Bde. 4–10 und 13, 1984–87 16 Encyclopaedia Iranica. 1982 ff.      PHILIP HUYSE

## Irland A. FRÜHE KONTAKTE MIT DEM RÖMISCHEN REICH B. MITTELALTER C. RENAISSANCE UND NEUZEIT

*Gens igitur Hibernica, a primo aduentus sui tempore (. . .), usque ad Gurmundi et Turgesii tempora (. . .), iterumque ab eorum obitu usque ad hec nostra tempora, ab omni alienarum gentium incursu libera mansit et inconcussa.* Giraldus Cambrensis, *Topographia Hibernie* (ca. 1188).

### A. FRÜHE KONTAKTE MIT DEM RÖMISCHEN REICH

Zu einer Eroberung I. durch die Römer kam es nicht. Diese Tatsache ist weniger für die kulturgeschichtliche Entwicklung I. als für das Selbst- und Fremdverständnis wichtig, denn die materielle und intellektuelle Kultur der Ant. und Spätant. wirkte prägend auch auf I. Archäologische Funde belegen seit dem 1. Jh. n. Chr. (mit einer Fundlücke im 3. Jh.) den frühen Kontakt mit dem Röm. Reich, speziell der britischen Provinz, durch Händler und heimkehrende irische Söldner und Plünderer. Auf eher isolierten, längeren romano-britischen Einfluß auf Kultpraktiken deuten Votivgaben im Ganggrab von Newgrange. Die Christianisierung im 5. Jh., die mit der Gestalt des Hl. Patrick, der britischer Herkunft war, assoziiert ist, wird ihren Ausgang in Zentren königlicher Macht, die Langzeitkontakte mit romano-britischen Gebieten hatten, genommen haben. Ogam, ein wohl im späten 4. Jh. entwickeltes Schriftsystem, wurde durch eine Kenntnis des lat. Alphabets und, im Hinblick auf seine interne Organisation, durch die Klassifikation der Sprachlaute durch spätant. Grammatiker angeregt. Die Verwendung von Ogam-Steinen als Gedenksteine über Gräbern wird mit zeitgleicher christl. Praxis auf dem Kontinent und in Britannien zusammengestellt.

### B. MITTELALTER

#### I. LATEINGELEHRSAMKEIT

Der Umfang von Griechischkenntnissen irischer Gelehrter vor 900 – für die spätere Zeit werden keine Griechischkenntnisse mehr vermutet – ist umstritten. Verfügbar waren wohl lat.-griech. Glossarien und elementare Lehrwerke. Das griech. Alphabet wurde für bes. Zwecke verwendet, z. B. für ein lat. Vaterunser im *Buch von Armagh* (ca. 807). Als eine der hl. drei Sprachen stand Griech., wie auch Hebräisch, bei den Gelehrten in hohem Ansehen. Ein weiteres Indiz ist die für sie charakteristische Vorliebe, einzelne Wörter in den hl. drei Sprachen anzugeben.

Die Blütezeit der lat. Gelehrsamkeit in I. war das 7. und 8. Jh. Die bedeutenden hiberno-lat. Autoren des 9. Jh., z. B. Sedulius und Eriugena, wirkten bereits auf dem Kontinent. Aus der Zeit von 850 bis 1050 sind in I. keine lat. verfaßten Heiligenleben überliefert. Erst ab dem späten 11. Jh. erstarkt die lat. Gelehrsamkeit wieder im Kontext der Kirchenreform. Die hiberno-lat. Textkultur umfaßt alle Gattungen, die für christl. Bildung und Kultur relevant sind, d. h. Grundlagentexte (Gramm., Glossarien, Komputistik), Theologie (Bibelkomm., Exegese, spekulative Theologie), Hagiographie, Liturgie, Rechtstexte und -dokumente, Inschr., Dichtung. Das spätklass.-ma. Konzept von *grammatica*, das sich zur Aufgabe setzt, die Gesamtheit einer Textkultur erschließen zu helfen, prägte entscheidend die Herangehensweise hiberno-lat. wie auch volkssprachiger Autoren. Einen Eindruck von den didaktischen Methoden und inhaltlichen Zielsetzungen der früh-ma. Klosterschulen, die lat. wie volkssprachige Bildung vermittelten, geben die Glossen, die z. T. in Frage-Antwort-Folgen gehaltenen Komm. sowie die graphischen Konstruktionshilfen in lat. Handschriften.

Die beiden überlieferten Werke des hl. Patrick zeugen von guter Kenntnis der Bibel und patristischer Autoren. Herausragende, namentlich bekannte Hagiographen sind z. B. Tírechán (um 670), Cogitosus (um 680) und Adomnán (gest. 704), die Lebensbeschreibungen der Klostergründer Patrick, Brigit bzw. Columba (Colum Cille) schrieben. Zwei hoch-ma. Kat. der Bibl. von Gerald FitzGerald, 9. Earl von Kildare (gest. 1534), sind Zeugnisse dafür, daß sich lat. Texte auch im 16. Jh. im Privatbesitz des Adels befanden; im älteren Kat. sind 21 lat. Werke genannt (gegenüber 11 frz., sieben engl. und 20 irischen), im jüngeren 34 lat. (gegenüber 36 frz. und 22 engl., die Seite für die irischen Einträge blieb unausgefüllt).

Historiographisch-annalistische Werke werden zunächst auf Lat. verfaßt, spätestens seit ca. 820 auch volkssprachlich weitergeführt. Auch in anderen Textsorten werden Lat. und Volkssprache nebeneinander gebraucht. Die lat. Rechtsdokumente stammen aus dem 11. und 12. Jh., ältere volkssprachige Reflexe lassen auf eine längere, verlorene Trad. schließen. Eine intensive Aneignung der lat. Textkultur erfolgte durch volkssprachige Glossierung, Übers. und Paraphrase. Zw. dem 9. und 11. Jh. verdrängte der intensive Gebrauch der Volkssprache das Latein. Herausragende Dokumente der gemischtsprachigen irisch-lat. Glossierungsaktivitäten und zugleich die wichtigsten Zeugnisse für die altirische Sprachstufe sind die Würzburger Glossen zu den Briefen des Hl. Paulus und dem Brief an die Hebräer (bis Kap. 12) (drei Glossatoren, sog. *prima manus* ca. 700, Hauptglossator 8. Jh.), die Mailänder Glossen zu einem Psalmenkomm. (l. Viertel 9. Jh.) und die St. Gallener Glossen zu den ersten 16 B. von Priscians *Institutiones Grammaticae* (9. Jh., insgesamt 9412 Glossen, davon ca. 37% Altirisch). Die Erläuterungen betreffen Lexik, Syntax sowie Interpretation der Ausgangstexte. In den Würzburger Glossen finden sich kompetente, wenn auch recht kurze Übers. lat. Bibelexegese (Ambrosiaster, Pelagius), die zeigen, daß irische Exegeten sich vielleicht schon im 7. Jh. nicht nur des Lat. bedienten. Auch in ma. Rechtstexten, deren genaue Datierung wegen der unterschiedlichen Textschichten schwierig bleibt, finden sich lat. Zitate aus Bibel und kanonischem Recht mit begleitenden irischen Übersetzungen. Bes. instruktiv ist der Fall des Rechtstexts *Bretha Nemed toísech* (»Die ersten Urteile bezüglich privilegierter/qualifizierter Personen«, 2. Viertel 8. Jh.), der Paraphrasen einer Passage aus der *Collectio canonum Hibernensis* in altirischer Prosa und *rosc* sowie einer weiteren Passage nur in *rosc* enthält. *Rosc* ist eine hochstilisierte, durch Rhythmus, Kadenz und Alliteration gekennzeichnete Spruchdichtung, wahrscheinlich eine irische Weiterentwicklung spätant. Kunstformen. Eine enge und produktive Verflechtung besteht auch zw. den hiberno-lat. Gramm. und der irischen Abhandlung *Auraicept na nÉces* (»Fibel der Gelehrten«) sowie zw. spätant. metr. Analysen und den einheimischen Kategorisierungen poetischer Formen in den sog. Mittelirischen Verslehren.

Die St. Gallener Glossen erlauben auch einigen Aufschluß über die Bekanntheit (spät-)ant. Autoren im 9. Jh.: benutzt werden Vergil als einziger ant. Dichter, spätant. Vergilkommentatoren, spätant. Gelehrte wie Boethius und Martianus Capella, christl. Autoren wie Orosius, Augustinus, Ambrosius, Cassian und Cassiodor. Andere Texte lassen auf eine Bekanntheit mit Horaz schließen; die hiberno-lat. Hymnen enthalten eine Anzahl von Anspielungen auf die klass. Mythologie. Als Quellen von Adomnáns exegetischem Werk *De locis sanctis* sind neben Bibel und Liturgie Schriften von Hieronymus, Sulpicius Severus, Gregor, Juvencus, Josephus, Augustinus, Cassiodor, Isidor und Ps.-Eucherius bestimmt worden. Eine Zusammenstellung der den ma. irischen Gelehrten bekannten (spät-)ant. Autoren bleibt ein Desiderat. Umstritten ist das Ausmaß des Einflusses lat. Vorbilder auf die muttersprachliche Literatur. So werden als mögliche Indizien aus der *Táin Bó Cú-*

*ailnge* (»Der Rinderraub von Cooley«) neben der narrativen Großform selbst z.B. die Identifikation der Kriegsgöttin Mórrígan mit der Furie Allechtu/Allecto, der Hinweis auf den Mantel, den Simeon der Magier Darius gab, und die Zuschreibung einer der Heldentaten von Herkules an Cú Chulainn, den Helden der *Táin*, angeführt. In mittelirischen Gedichten werden Helden der einheimischen Trad. mit den Helden Trojas und herausragende irische Orte, Cruachán bzw. Emain Macha, mit Troja verglichen. Es wird auch überlegt, ob die volkssprachigen narrativen Großformen im Bereich der Historiographie und der pseudo-nationalhistor. Trad. um 1000 u.a. durch die spätant. Geschichtsromane und ihre irischen Adaptionen angeregt wurden. Die älteste irische Fassung von Dares Phrygius' *Historia de excidio Troiae* (*Togail Troí*), von der noch zwei spätere Prosa- und eine Versrezension überliefert sind, sowie die Alexander-Biographie auf der Basis von Orosius' Darstellung in *Historia adversus paganos* sowie der *Epistola ad Aristotelem* und der *Collatio Alexandri* stammen wohl aus dem 10./11. Jh., aus dem 12. Jh. die Adaptionen von Lucans *Bellum Civile* (*In Cath Catharda*), von Statius' *Thebais* (*Togail na Tebe*) und *Achilleis*, in einer Prosafassung als Teil der dritten Rezension von *Togail Troí* und einer selbständigen Prosafassung, sowie von Vergils *Aeneis*. Daneben gibt es einige Texte, deren Quellen nicht geklärt und die keine Bearbeitungen überlieferter Vorlagen sind, z.B. zu Odysseus, mit eigentümlicher Verbindung homerischer und international-folkloristischer Motive (*Merugud Uilix Maicc Leirtis*), zu Atreus, Ödipus und dem Minotaurus. Die irischen Fassungen der (spät-)ant. Stoffe sind freie Adaptionen, die sich eng an einheimische stilistische Konventionen anschließen. Das Interesse der Bearbeiter war, ähnlich wie bei den Stoffen aus der eigenen Geschichte, handlungsorientiert, synthetisierend und historiographisch. *Togail Troí* ist u.a. auch in einer Hs. klösterlicher Herkunft aus dem 12. Jh. überliefert; ansonsten finden sich die genannten Texte in späteren Hss. weltlicher gelehrter Familien, die die Trad. der Klostergelehrsamkeit fortsetzten und deren Patrone Angehörige des Adels waren. Diese Adaptionen wirkten auch auf die einheimische Lit.: So war *In Cath Catharda* Vorbild für die Darstellungen in *Cogad Gáededel re Gallaib* (12. Jh.) und *Caithréim Thoirdhealbhaigh* (14. Jh.), den Beschreibungen der Auseinandersetzungen zw. Iren und Skandinaviern bzw. innerhalb der Familie O'Brien. Klass. Anspielungen und Vergleiche finden sich auch in der frühneuirischen bardischen Dichtung.

## 2. Handwerk und Architektur

Die irischen Schreiber verwendeten, auch nach der normannischen Eroberung (1169) und der Kirchenreform des 12. Jh, charakteristische insulare Adaptionen spätant. Schriftformen, wohl nach provinzial-britischen Vorbildern des 5./6. Jh. In der Kunst wirkt der griech-röm. Naturalismus nicht. Liturgische Gefäße wie der *Kelch von Ardagh* (8. Jh.) übernehmen eine byz. Formensprache in die einheimische kunsthandwerkliche

Trad.; aus byz. Vorbildern, über ital., griech. oder koptische Vermittlung, stammen wohl auch ikonographische Elemente im *Evangeliar von Kells*. Metall- und Steinbearbeitung des 9./10. Jh. schöpft z. T. aus karolingischen und ottonischen Quellen, engl. Einflüße bleiben bis in das 15. Jh. wichtig. Das erste und einzige rein romanische Bauwerk ist *Cormac's Chapel* in Cashel (geweiht 1134), eine große Anzahl von Klöstern entstand im 12. Jh. nach kontinental-regelmäßigem Bauplan. Im 13. Jh. wurden in den normannisch beherrschten Städten wie Dublin, Kilkenny und Waterford Kathedralen im gotischen Stil von Baumeistern aus dem Westen Englands errichtet; erst im 15. Jh. entwickelte sich ein einheimischer spätgotischer Stil.

## C. Renaissance und Neuzeit

### 1. Institutionen

Durch private Stiftungen finanzierte *grammar schools* bestanden seit 1538. Der Unterrichtsschwerpunkt lag bei den klass. Sprachen. Den nach der Erlassung der *penal laws* (1695) und dem Verbot katholischer Schulen von der offiziellen Sekundarbildung ausgeschlossenen Katholiken standen die sog. *hedge schools* zur Verfügung, in denen auch das Lat. gepflegt wurde, so daß bis ins frühe 19. Jh. Reisende immer wieder erstaunt über die klass. Bildung der ländlichen Bevölkerung berichteten: ›they speake Latine like a vulgar language‹ (Campion 1571, [6. 562]). Auch die nach dem *Relief Act* von 1782 im späten 18. und im 19. Jh. gegründeten katholischen und nonkonformistischen Sekundarschulen stellten die klass. Sprachen, neben der engl. Sprache und Lit., in den Vordergrund. Die erste Univ., Trinity College in Dublin, wurde 1592 gegründet; vermittelt über Cambridge war sie zunächst ramistisch orientiert, ab 1633 konservativ-aristotelisch. Nicht-protestantische Studierende konnten von 1637 bis 1793 keine Examina ablegen, sie besuchten deshalb schottische und kontinentale Universitäten. Die Gründung einer Universitätsdruckerei 1734 war ein Anstoß zur Herausgabe und Publikation klass. Texte. Zur Ausbildung katholischer Priester wurde 1795 St. Patrick's College Maynooth eingerichtet, auch hier bestand die Möglichkeit eines Studiums der klass. Sprachen und Literaturen. Drei konfessionsfreie Colleges wurden 1845 in Cork, Galway und Belfast gegr., die 1850 zur Queen's Univ. und dann 1879 mit der Catholic Univ. in Dublin (gegr. 1854) und dem presbyterianischen Magee College in Londonderry (gegr. 1865) zur Royal Univ. of Ireland vereint wurden. Sie wurde 1908 aufgelöst und durch die staatlich finanzierten National Univ. of Ireland (mit Colleges in Dublin, Cork und Galway) bzw. Queen's College, Belfast, ersetzt. Im Laufe des 20. Jh. nahm das institutionelle Interesse an den klass. Sprachen deutlich ab. 1974 wurde nur noch an acht Schulen der Republik I. Altgriech. angeboten. Lat. ist keine Voraussetzung mehr zur Immatrikulation an den Univ., entsprechend verringert sich seine Bed. als Schulfach.

Die Werke Ovids wurden in den dreißiger J. von der irischen Zensurbehörde auf den Index gesetzt, worauf der Dichter Austin Clarke mit einem ironisch-bissigen Vierzeiler *Penal Laws* reagierte.

### 2. Klassische Bildung

Lat. blieb zw. 1550 und 1700 ein wichtiges Medium der Schriftkultur und der aktuellen Auseinandersetzung. Autoren in I. bzw. katholische Exilanten auf dem Kontinent verfaßten eine große Anzahl lat. Werke, v. a. theologischen, historiographischen und, im weitesten Sinne, polit. Inhalts, die aus der durch Reformation und Gegenreformation und den Gegensätzen zw. den verschiedenen Bevölkerungsgruppen geprägten kulturellen und polit. Situation erwuchsen. Übers. sind ein direkter Reflex der Beschäftigung mit der lat. Literatur. Ein frühes Beispiel für die seltenen Übers. ins Irische ist Riocard do Búrcs Gedicht *Fir na Fódla ar ndul d'éag* (»Sind die Männer I. tot«), eine freie Übers. von Ovids *Amores* II.4, wohl vermittelt durch John Harringtons engl. Übers. von 1618. Zw. 1707 und 1721 übers. dann Lucas Smyth eine Auswahl griech. und lat. Dichter. Der erste irische Übersetzer ins Engl. ist Richard Stanihurst (1547–1618), der die ersten vier Bücher der *Aeneis* in einer sehr eigenwilligen Sprachform wiedergab (1582) und nach Ausbleiben eines Erfolgs historiographische Werke auf Lat. verfaßte. Die Kontroverse um die Bewertung der mod. gegenüber der ant. Lit., z. T. mit Einbeziehung der Frage der Authentizität der sog. Phalaris-Briefe, wurde in I. um 1700 geführt. Jonathan Swift beteiligte sich daran mit seinem *Battle of the Books* (1704).

Der erste klass. Philologe, dessen Ed. auch außerhalb I. wirkten, war Thomas Leland mit seinen Ausgaben von Demosthenes' *Philippischen* und *Olynthischen* Reden (1754). Ein wichtiger früher Beitrag zur Homerforsch. ist Robert Woods *Essay on the Original Genius and Writing of Homer* (1769), der Homer gegen den Hintergrund seiner Zeit als oralen Dichter zu interpretieren suchte und z. B. von Goethe, Heyne und Wolf positiv rezipiert wurde. Die wiss. Auseinandersetzung mit ant. Lit. und Geschichte erlebte einen Höhepunkt am Trinity College Dublin in der zweiten H. des 19. Jh., der mit Namen wie J. P. Mahaffy, A. Palmer, R. Y. Tyrrell, L. C. Purser und J. B. Bury verbunden ist. Eine herausragende Gelehrtenpersönlichkeit des 20. Jh. war W. B. Stanford (1910–1984), der grundlegende Beiträge zur Antikenrezeption in I. vorgelegt hat. In diesem Jh. sind die hiberno-lat. Texte des MA ein Schwerpunkt der irischen Forsch. geworden.

### 3. Literarische Antikenrezeption

Ein wichtiges Medium der Antikenrezeption ist die anglo-irische Literatur. Wurden bis ins 19. Jh. klass. Themen und Motive eher traditionell und dem Zeitgeschmack entsprechend verarbeitet (z. B. Nahum Tates klassizistisches Libretto für Henry Purcells *Dido and Aeneas* (1689), Aubrey de Veres *Search after Proserpine* (1843) im Stil neohell. engl. Dichter wie Shelley), so gestaltete sich die intellektuelle und emotionale Auseinandersetzung mit der Ant. bei Autoren wie Oscar Wilde (1854–1900), William Butler Yeats (1865–1939) und James Joyce (1882–1941) eigengeprägter. Wilde erfuhr eine gute klass. Ausbildung an Schule und Univ. und arbeitete mit Mahaffy an dessen *Social Life in Greece* (1874), worin Mahaffy auch die griech. Einstellung zur Homosexualität ausführlich darstellte. Wilde übersetzte aus dem Griech. und verarbeitete in seinen Gedichten griech. Themen und Figuren, um den Widerspruch zw. sinnenfrohem Hell. und asketischem Christentum zu gestalten. Griech. Lit. und Philos., speziell Platon und der Neuplatonismus, beeinflußten neben Okkultismus und der volkssprachigen irischen Überlieferung das Werk von Yeats, der in seinen *Autobiographies* von den klass. Autoren als den ›builders of my soul‹ [10. 59] spricht. Yeats sah zw. der griech. und der irischen Lit. eine bes. Affinität hinsichtlich ihrer emotionalen Ausgangssituationen. *King Oedipus* (1926) und *Oedipus in Colonus* (1927) sind freie Übertragungen nach Sophokles. Griech. und lat. Autoren prägen in hohem Umfang Ästhetik und Struktur der Werke von Joyce: Dies zeigt sich beispielsweise in dem autobiographischen Roman *Portrait of the Artist as a Young Man* (1916) an der Namenswahl Stephen Dedalus für den Helden, dem Bezug auf Ovids Behandlung des Daedalus-Themas sowie dem Einfluß von Aristoteles und Thomas von Aquin auf die hier vertretene Theorie der ästhetischen Wahrnehmung, in *Finnegans Wake* (1939) durch viele klass. Anspielungen. *Ulysses* (1922) beschreibt die Erlebnisse der Hauptgestalten während eines Tages in Dublin in vielfältiger und komplexer Brechung auf Homers *Odyssee*. Auch neuere Autoren nehmen in unterschiedlichem Umfang klass. Motive in ihren Werken auf. So stellt Patrick Kavanagh (1904–1967) in seinem Gedicht *Epic* irische Lokalereignisse neben die *Ilias* – ›I am inclined / To lose my faith in Ballyrush and Gortin / Till Homer's ghost came whispering to my mind / He said: I made the Iliad from such / A local row‹ [3. 136] – und vergewissert sich so der Bed. der eigenen Erfahrungen. Ovids *Metamorphosen* sind die motivischen Quellen für die späten Gedichtbände von Austin Clarke (1896–1974), *The Dilemma of Iphis* (1970) und *Tiresias* (1971). Seamus Heaney (*1939) bezieht sich auf klass. Mythen z. B. in *The Haw Lantern* (1987) und *Seeing Things* (1991). Letztgenannter Band beginnt bzw. endet mit Übers. aus Vergils und Dantes Beschreibungen des Abstiegs in die Unterwelt; der Götterbote Hermes ist in dem Gedicht *Crossings xxvii* zentrale Figur.

### 4. KUNST UND ARCHITEKTUR

Malerei gewinnt in I. erst ab 1660 an Bedeutung. Die beiden herausragenden irischen Maler im klassizistischen Stil, der die Wirkung ant. Skulpturen bildkünstlerisch nachzuahmen suchte, waren James Barry (1741–1806) und Hugh Douglas Hamilton (1739–1808), die beide längere Zeit in It. verbrachten. An befestigten Herrenhäusern werden klass. Einflüsse in Details seit dem Anf. des 17. Jh. feststellbar; entsprechend wurden auch ornamentale Gärten im Ren.-Stil mit Brunnen und Terrassen angelegt (z. B. Portumna Castle, County Galway, vor 1618). In größerem Umfang wirkten klassizistische Vorbilder in den Entwürfen von Sir William

Robinson (c. 1643–1712), dessen Royal Hospital Kilmainham, Dublin (1680–87), das erste große klassizistische Bauwerk I. ist. Die wichtigsten Architekten in der Nachfolge Palladios waren Sir Edward Lovett Pearce (ca. 1699–1733), der It. zu Studienzwecken bereiste und Parliament House Dublin (jetzt Bank of Ireland) entwarf, und Richard Castle (ca. 1690–1751), der u. a. die Pläne für eine Anzahl großzügiger Herrenhäuser zeichnete. Bedeutende klassizistische Bauwerke wurden E. des 18. Jh. in Dublin nach Entwürfen von James Gandon (1743–1823) errichtet (Custom House, Four Courts, King's Inns).

1 A. AHLQVIST, Notes on the Greek Materials in the St. Gall Priscian (Codex 904), in: M. W. HERREN, S. A. BROWN (Hrsg.), The Sacred Nectar of the Greeks, 1988, 195–214 2 R. HOFMAN, The Sankt Gall Priscian Commentary, 1996 3 P. KAVANAGH, Collected Poems, 1964 4 M. LAPIDGE, R. SHARPE, Celtic-Latin Literature 400–1200, 1985 5 M. MAC CRAITH, Gaelic Ireland and the Ren., in: G. WILLIAMS, R. O. JONES (Hrsg.), The Celts and the Ren., 1990, 57–89 6 B. MILLET, Irish Literature in Latin, 1550–1700, in: T. W. MOODY, F. X. MARTIN, F. J. BYRNE (Hrsg), A New History of Ireland, Bd. 3, Early Modern Ireland 1534–1691, 1991, 561–586 7 W. B. STANFORD, Towards a History of Classical Influences in Ireland, Proceedings of the Royal Irish Academy 70 C 3, 1970 8 W. B. STANFORD, Ireland and the Classical Trad., 1976 9 H. L. C. TRISTRAM, Der insulare Alexander, in: W. ERZGRÄBER (Hrsg), Kontinuität und Transformation der Ant. im MA, 1989, 129–155 10 W. B. YEATS, Autobiographies, 1955.                    ERICH POPPE

**Ironie** A. EINLEITUNG B. ROMANTIK C. NACHROMANTISCHE REZEPTION

### A. EINLEITUNG

Die I. (lat., von griech. *eironeia* »erheuchelte Unwissenheit«) wird traditionell als eine dem Euphemismus verwandte Redefigur verstanden, mit der man das Gegenteil von dem zu verstehen gibt, was man sagt, wobei der im ironischen Sprachgestus inkarnierte Schein von Adressatenseite her noch erkennbar sein muß. Dieses als *dissimulatio* bezeichnete I.-Verständnis, das die bewußte Verstellung des ironischen Sprechers in den Vordergrund stellt, wurde dann insbes. in der klass. Rhet. (etwa bei Quintilian) prägend. Ihre Referenz findet diese Art der I. in der praktizierten I. des Sokrates, dessen maieutisches Verfahren ironischer Dialogizität – rezeptionsgeschichtlich ebenso bedeutsam wie die *dissimulatio*-Lehre – bereits die funktionale Inanspruchnahme der I. in bezug auf erkenntnistheoretische Fragen dokumentiert. Die ironische Verstellung bekundet sich bei Sokrates in der performativ widersprüchlichen Vorgabe des als solchen gewußten Nichtwissens, demgegenüber sich das Scheinwissen des jeweiligen Gesprächspartners wiederum als Schein entlarvt. Insofern reglementiert die I. im sokratischen Modell der Maieutik gleichsam *ex negativo* den Prozeß der Wahrheitsfindung, der kraft der bewußten Verstellung des *eiron* ins Werk gesetzt wird.

Das Verständnis der I. als *dissimulatio* blieb dann bis ins 18. Jh. vorherrschend.

## B. ROMANTIK

In den frühromantischen I.-Entwürfen um 1800, insbes. der Konzeption »romantischer I.« durch F. Schlegel, erfuhr der I.-Begriff eine ungemeine semantische Erweiterung. Das Fundament der frühromantischen Neukonzeption der I. blieb jedoch die alte *dissimulatio*-Lehre, die Schlegel in den Lyceums-Fragmenten (1797) am Grundtypus »Sokratischer Ironie« zu entwickeln suchte [1. 160]. Zugleich aber wird der Typus durch Schlegels dezidiert philos. Interesse am Begriff der I. an entscheidender Stelle gesprengt: I. meint mehr als eine bloße »uneigentliche« Redeweise; sie wird in Schlegels Konzeption (Sokratischer I.) erfahrbar als eine antagonistische Stimmung, die als solche auf das grundsätzlich antagonistische Wechselverhältnis unserer epistemischen Selbst-Gewahrung verweist. Im gleichen Fragment über Sokrates heißt es weiter: ›sie [die Ironie] enthält und erregt ein Gefühl von dem unauflöslichen Widerstreit des Unbedingten und des Bedingten‹ [1. 160] – mit dem Resultat, daß ›wir uns zugleich endlich und unendlich fühlen‹ [2. 333]. Solcherart wird die romantische I. explizit als eine ästhetische Antwort auf ein erkenntnistheoretisches Problem sichtbar. Während der Antagonismus im Medium philos. Reflexion stets nur diskursiv zu bezeichnen ist, vermag die I. als Gestaltungsmittel poetischer Texte die Spannung als Spannung sichtbar zu machen und damit den Vollzug unserer insuffizienten Selbstvermittlung als solchen darzustellen. Geleistet wird dies dadurch, daß die I. das in endlicher Form Dargestellte zugleich positiv setzt und allegorisch als das nicht Gemeinte erweist (die »endliche« Konkretationsform also wieder dementiert), womit das der epistemologischen Reflexion wie dem konkreten Darstellungsakt gleichermaßen unzugängliche »Unendliche« dem Darstellungsverfahren als undarstellbar strukturell eingeschrieben werden kann. Auf diese Weise manifestiert sich die I. bei Schlegel im repetitiven Wechsel zweier widerstreitender Darstellungsweisen, deren darstellungsimmanent geleistete Synthesis stets nur vorläufig gelingt, so daß das dialektische Progressionsverfahren ironischer Konkretion strukturell ins Unendliche führt. Im Kontext dieser Konzeption stehen auch Schlegels Überlegungen zum »transzendentalpoetischen« Charakter ironischer Kunst: Die divergenten Darstellungsweisen werden synthetisch zusammengeführt, insofern der Autor die Bedingung der Möglichkeit der ironischen Rücknahme des bereits Gesagten im Vollzug der Darstellung mitreflektiert und damit die künstlerische Kompositionsweise selbst zum Gegenstand der Poesie in der Poesie macht – ein Verfahren, das vor Schlegel im dt. Sprachraum bereits C. M. Wieland, Jean Paul und L. Tieck praktiziert hatten. Um eine Systematisierung der rhapsodisch im Gesamtwerk Schlegels verstreuten Äußerungen zur I. hat sich dann v.a. K. W. F. Solger bemüht. Insofern auch in Solgers später Theorie romantischer I. die I. als mögliche ästhetische

Lösung eines erkenntnistheoretischen Problems fungiert, ist die Ablösung vom ant. und ma. I.-Verständnis um 1815 endgültig vollzogen.

## C. NACHROMANTISCHE REZEPTION

Die bereits von L. Tieck virtuos gehandhabte Technik der ironischen Desillusionierung wurde dann von H. Heine sowohl theoretisch (in der literaturgeschichtlichen Schrift *Die romantische Schule* von 1835) als auch praktisch (in den eigenen Dichtungen) weiterentwickelt. Demgegenüber griff S. Kierkegaard in seiner Dissertation von 1841 in kritischer Distanz zur Romantik auf den Begriff sokratischer I. zurück, der apologetisch als Sieg über das Selbst, als eine existentielle Weise der Selbstbeherrschung bestimmt wird. Die nachhaltigste, gleichsam indirekte Rezeption der I. findet sich aber im Schaffen der mod. Dichter. So ließe sich der auf F. Schlegel zurückgehende »transzendentalpoetische« Charakter ironischer Kunst als ein Gattungsmerkmal des mod. Romans klassifizieren. Das ironische Spiel mit der Darstellung, die die immanenten Strukturbedingungen ihrer Entstehung explizit offenlegt und somit die Grenze zw. Fiktionalität und Wirklichkeit ästhetisch unterhöhlt, haben dann so unterschiedliche Autoren wie J. Cortazar, F. O'Brien, G. Perec oder I. Calvino zum Formprinzip ihres Schreibens erhoben.

→ AWI Maieutik; Rhetorik; Sokrates
→ Allegorie; Figurenlehre

QU 1 F. SCHLEGEL, Kritische Ausgabe (KA) Bd. 2, hrsg. von ERNST BEHLER, 1967 2 Ders., Kritische Ausgabe (KA) Bd. 12, hrsg. von ERNST BEHLER, 1964

LIT 3 E. BEHLER, I. und lit. Mod., 1997 4 M. FRANK, Einführung in die frühromantische Ästhetik, 1989 5 U. JAPP, Theorie der I., 1983 6 M. MÜLLER, Die I., Kulturgeschichte und Textgestalt, 1995 7 I. STROHSCHNEIDER-KOHRS, Die romantische I. in Theorie und Gestaltung, 1960.     ANDREAS BARTH

**Island.** Erst seit seiner relativ späten Christianisierung im J. 1000, der Gründung von Bischofssitzen (Skálholt 1056, Hólar 1106) und Klöstern (Þingeyrar 1112, Munkaþverá 1155 usw.) [7] suchte und fand I. Anschluß an die ant.-christl. Bildungstrad. mit ihrer lat.-sprachigen Schriftkultur, wie sie durch Kirche und Wiss. vermittelt wurde [8; 13]. So wurden auch in I. die ersten originalen Werke (v.a. historiographischen und hagiographischen Inhalts) in lat. Sprache verfaßt; jedoch entstanden hier meist schon unmittelbar nach ihrer Entstehung Übers. in die Volkssprache, die als eine dem Lat. gleichberechtigte Schrift- und Literatursprache in I. schneller Fuß faßte als in den Ländern des Kontinents. Dies und die Anf. des 12. Jh. einsetzende Aufzeichnung und Bearbeitung einheimischer Stoffe auf der Basis älterer mündlicher Überlieferungen (v.a. Rechtstexte, Sagas, Edda- und Skaldendichtung) drängten den Anteil des Lat. stark zurück. Dennoch dürfte die sehr geringe Zahl aus dem MA erhaltener lat. oder lat. glossierter altnordischer Hss. den Buchbestand der katholischen Zeit nur unvollkommen widerspiegeln, da die rel. lat. Werke nach der Reformation ihr Interesse verloren hatten und andere durch Übers. entbehrlich geworden waren. Auch in I. existierte lange Zeit lat. und volkssprachliche Lit. nebeneinander, wobei das Lat. seine Funktion als Sprache der Geistlichkeit und der Gelehrten zu erfüllen hatte, aber auch als Unterrichtssprache für alle, welche die Kathedralschulen, die Klosterschulen (die im Schulwesen bis zum 13. Jh. freilich eine geringe Rolle spielten) und die Privatschulen (v. a. Haukadalr und Oddi) besuchten – neben zukünftigen Geistlichen auch andere Angehörige der Oberschicht. Neben der Ausbildung an den isländischen Schulen belegen die Quellen schon früh Studienaufenthalte isländischer Geistlicher und Gelehrter im Ausland [3].

Auch wenn wir keine unmittelbaren Quellen über den Buchbesitz der ersten christl. Jh. auf I. haben, erlauben spätere und indirekte Zeugnisse den Schluß, daß die wichtigsten im MA bekannten oder entstandenen lat. Werke (griech. Kultur wurde nur über lat. Vermittlung rezipiert) entweder ganz oder in Teilen nach I. gelangt waren: Donat und Priscian als Lehrbücher, Sallust (*Catilina* und *Bellum Iugurthinum*) und Lukan (*Pharsalia*), die eine große Bed. für die einheimische Geschichtsschreibung hatten, Werke von Ovid [11], Augustinus und Gregor d. Gr., die *Etymologiae* des Isidor von Sevilla, die *Historia scholastica* des Petrus Comestor, das *Speculum historiale* des Vincenz von Beauvais u. a. Der *Physiologus*, Prospers *Epigramme* und der *Elucidarius* des Honorius Augustodunensis wurden schon um 1200 ins Altisländische übersetzt. Die patristische Lit. war offenbar gut bekannt, die Scholastik dagegen wenig.

Bei der Übers. lat. Lit. (z. B. Dares Phrygius: *De excidio belli Troiani*) gingen die Isländer recht selbständig mit ihren Vorlagen um und paßten sie sprachlich der einheimischen oralen Erzähltrad. an, wobei regelmäßig Verse in Prosa übertragen wurden [14].

Mit der Reformation wurden die Klöster als traditionelle Bildungsstätten geschlossen; für neue Institutionen fehlten die wirtschaftlichen und sozialen Voraussetzungen. Der dänische König, auf den nun das Bildungsmonopol übergegangen war, bestimmte zwar im J. 1552 die Einrichtung von Lateinschulen an den beiden Bischofssitzen in I.; diese konnten wegen ihrer geringen materiellen und personellen Ausstattung aber den Bedarf an Pfarrern nicht decken, so daß auch Männer geweiht werden mußten, die nur ihre isländische Muttersprache beherrschten [6]. Dennoch ging aus den Lateinschulen eine Reihe von Absolventen hervor, die mit ihren guten Griech.- und Lateinkenntnissen alle Voraussetzungen für ein erfolgreiches Studium im Ausland (v. a. in Kopenhagen und Rostock) mitbrachten [1]. Arngrímur Jónsson inn lærði (der Gelehrte, 1568–1648), Rektor der Lateinschule von Hólar und bedeutendster isländischer Humanist, übersetzte Auszüge aus der altnordischen historiographischen Lit. ins Lat. und verfaßte eine Reihe lat. landeskundlicher Werke. Seit dem 17. Jh. wurden zahlreiche ant. Werke aus dem Lat. (Ovid, Horaz, Vergil u. a.) und einige aus dem Griech.

ins Isländische und altisländische Werke ins Lat. übertragen. Wiss. Abhandlungen und Wörterbücher bedienten sich des Lat., und vereinzelt entstanden in I. auch lat. Versdichtungen [4; 5; 9; 10].

Nach der Vereinigung der beiden Bistümer im J. 1801 wurden die Lateinschulen von Skálholt und Hólar zu einer einzigen Lateinschule in Reykjavík verschmolzen, die noch h. als Menntaskóli (Gymnasium) weiterlebt. An der Univ. I. ist z. Z. das Studium des Lat. und Griech. als Neben- oder Hauptfach für den B. A.-Abschluß (1 bzw. 2 Jahre) möglich.

1 S. BAGGE, Nordic Students at Foreign Universities until 1660, in: Scandinavian Journal of History 9, 1984, 1–29 2 J. BENEDIKTSSON, Skole, in: Kulturhistorisk Leksikon for Nordisk Middelalder 17, 1970, 341–342 3 Ders., Studieresor, Island, in: ebd. 341–374 4 H. HERMANNSSON (ed.), The Hólar Cato. An Icelandic Schoolbook of the Seventeenth Century, 1958 5 G. Á. HARDARSON, Latin philosophy in 17th century Iceland, in: M. S. JENSEN (ed.), A history of Nordic neo-Latin literature, 1995, 302–308 6 V. A. ÍSLEIFSDÓTTIR-BICKEL, Die Einführung der Reformation in I. 1537–1565, 1996 7 M. L. LÁRUSSON, Kloster, in: Kulturhistorisk Leksikon for Nordisk Middelalder 8, 1963, 544–546 8 P. LEHMANN, Skandinaviens Anteil an der lat. Lit. und Wiss. des MA, 2. Stück, 1937 9 S. PÉTURSSON, Iceland, in: M. S. JENSEN (ed.), A history of Nordic Neo-Latin Literature, 1995, 96–128 10 Ders., Latin Teaching in Iceland after the Reformation, in: I. EKREM u. a. (eds.), Reformation and Latin Literature in Northern Europe, 1996 11 Ders., Ovid in Iceland, in: Cultura classica e cultura germanica settentrionale. Atti del Convegno internazionale di studi, Università di Macerata, 1988, 53–63 12 S. H. SVAVARSSON, Að hugsa á latínu, in: Skírnir 171, 1997, 518–525 13 E. WALTER, Die lat. Sprache und Lit. auf I. und in Norwegen bis zum Beginn des 13. Jh. Ein Orientierungsversuch, in: Nordeuropa Studien 4, 1971, 195–229 14 S. WÜRTH (Hrsg.), Isländische Antikensagas, 1996.                                    GERT KREUTZER

## Istituto (Nazionale) di Studi Romani

A. GRÜNDUNG (1923–25)
B. BLÜTEZEIT (1925–44)
C. PROGRAMM UND ZIEL
D. ENTWICKLUNG NACH 1944

### A. GRÜNDUNG (1923–25)

Die Gründung des *Istituto di Studi Romani* (ISR) im Jahre 1925 ist unlösbar mit der damaligen faschistischen Kulturpolitik verbunden. Der Gründer und spätere Präsident (1934–44) des ISR, C. Galassi-Paluzzi (1893–1972), schloß sich mit seiner Initiative den Auffassungen des Philosophen G. Gentile an, Minister für *Pubblica Istruzione* (1922–24) und führender Intellektueller des faschistischen Italien. Dessen Politik kann als »Nationalisierung« von Unterricht, Kultur und Wiss. umschrieben werden. Gentile strebte nach weitgehender Modernisierung und Zentralisierung des it. Systems auf diesen Gebieten, allerdings geschah dies auf Kosten der regionalen kulturellen Trad. und der Autonomie lokaler akademischer und kultureller Einrichtungen. Gleichzeitig wurde ein neuer kultureller Elan des faschistischen It. propagiert, das auf den unterschiedlichsten Gebieten eine Vorläuferstellung innerhalb der westl. Kultur für sich beanspruchte. Dieser Anspruch war mit dem Glauben an die Unverwechselbarkeit und Kontinuität der röm.-it. Geschichte und Kultur innerhalb der abendländischen Kultur verknüpft, wesentlich basierend auf dem Fortleben der röm. Antike, der *Romanità* (repräsentiert v. a. von der Epoche Caesars und Augustus' sowie der »Goldenen Latinität«). Geschichte und Kultur der *Romanità* mußten auf »typisch it. Weise« studiert und unterrichtet werden: nur Italiener, als moderne »Römer«, verfügten über eine »eingeborene« Intuition der *Romanità* und ihrer aktuelle Bedeutung innerhalb der faschistischen Revolution.

Der Plan für das ISR ist eng mit der 1923 von Galassi-Paluzzi gegründeten Zeitschrift *Roma* verbunden, in der die »typisch it.« Anschauungsweise der *Romanità* propagiert wurde. An dieser Zeitschrift waren die folgenden klerikal-nationalistischen Intellektuellen beteiligt, die das kulturelle Klima innerhalb des späteren ISR fundamental bestimmten: der Journalist G. Ceccarelli (alias Ceccarius), der Archäologe des frühchristl. Rom C. Cecchelli, der Stadtplaner und Architekturhistoriker G. Giovannoni, der Mediävist P. Fedele und der Jesuit P. Tacchi Venturi. Sie formulierten die Zielsetzung des ISR: die Förderung aller erdenklichen Formen der Erforschung von und der Reflexion über die Geschichte der Stadt Rom a. u. c. und ihres Einflusses auf die westl. Zivilisationsgeschichte. Diese Zielsetzung wurde durch drei verschiedene Aktivitäten verfolgt: Forsch. und wiss. Produktion; methodische Organisation der röm. Studien; die Popularisierung dieser Wissenschaft.

### B. Blütezeit (1924–44)

In der Periode 1925–44 hatte das ISR folgende Präsidenten: P. Fedele, L. Federzoni, V. Scialoja und, nach dessen Tod 1933, C. Galassi-Paluzzi (der *ad vitam* ernannt wurde). Unterstützt von O. Morra, der bis zu seiner Pensionierung im Jahre 1974 nacheinander die Positionen von Sekretär (1925), Generalsekretär (1938) und Direktor (1952) innehatte, bestimmte Galassi-Paluzzi den Kurs des ISR. Das ISR verfügte über einen Vorstand, die *Giunta direttiva*, in dem neben den bereits genannten Personen einflußreiche Fachwissenschaftler und (faschistische) Vorstandsmitglieder, wie E. Bodrero, G. Bottai, P. de Francisci, G. Q. Giglioli und R. Paribeni, einen Sitz erhielten. Das gute Verhältnis zum Regime wurde 1929 dadurch unterstrichen, daß König Victor Emanuel III. die Schirmherrschaft (*alto patronato*) und Mussolini die Ehrenpräsidentschaft annahmen.

Das ISR war eine selbstständige Stiftung (*ente morale*), entwickelte sich jedoch zu Beginn des akademischen Jahres 1933–34 mit einem jährlichen Zuschuß des *Ministero della Educazione Nazionale* (MEN) zu einer halbbehördlichen Organisation. Als solche fungierte das ISR als vollwertiger Partner innerhalb der (inter)nationalen Wiss.- und Kulturinstit. Roms. So war Galassi-Paluzzi

Mitglied der *Giunta centrale per gli studi storici*, und es wurde erwogen, dem ISR neben den verschiedenen nationalen Forschungsinstit. für Arch. und (Kunst)geschichte einen offiziellen Status zu geben. Mussolini selbst unterstützte Galassi-Paluzzis Plan, ein Forschungsinst. aufzubauen, die *Scuola Storica di Studi Romani* (SSSR). Obwohl das ISR aufgrund dieses Vorhabens Subventionen des MEN erhielt, ist diese SSSR nie gegründet worden. Die bereits existierenden Forschungsinstit. fürchteten, daß Galassi-Paluzzis Pläne ihre eigene Position schwächen würden. Galassi-Paluzzi gelang es jedoch, ab 1935 in den wichtigsten Kulturzentren It. lokale Abteilungen des ISR zu eröffnen. Hierbei schwebte ihm vor, dem erfolgreichen Modell der *Società Dante Alighieri* nacheifern zu können. Obwohl auch einige Abteilungen des ISR im Ausland eröffnet wurden – z. B. in Stockholm und Paris – gelang es Galassi-Paluzzi nicht, denselben internationalen Erfolg wie die *Società Dante Alighieri* zu erreichen.

Mussolini erkannte den Nutzen des von Galassi-Paluzzi entworfenen Programms und dessen ideologischen Potentials für die imperialistische Politik des Regimes, die ab 1931 die polit. Propaganda bestimmte. Galassi-Paluzzis Pläne hingen eng mit den Ambitionen militanter Altertumsforscher wie De Francisci und Giglioli zusammen, die unter anderem in der nationalen Gedenkfeier des *bimillenario augusteo* (1937–38) zum Ausdruck kamen, sowie in der daran gekoppelten *Mostra Augustea della Romanità* und dem vom ISR organisierten internationalen Augustuskongreß im Jahre 1938 (*Convegno Augusteo*), an dem tonangebende Fachleute aus dem In- und Ausland teilnahmen. Der Kultus der *Romanità*, wie er vom ISR verkündet wurde, erlangte in diesem Kontext seinen Höhepunkt: das *bimillenario augusteo* fiel mit der ersten Gedenkfeier für die Gründung des Zweiten Imperiums 1936 zusammen, was als ein Beweis der vitalen Bedeutung der *Romanità* für das mod. It. propagiert wurde.

Nationale Gedenkfeiern für Vergil, Horaz, Augustus und Livius sowie eine Vielzahl von Kongressen und Ausstellungen über das päpstliche und das durch die Einigung Italiens von 1870 »wiedergeborene« Rom brachten ein eindrucksvolles Corpus von Publikationen hervor. Daneben verwendete das Inst. viel Energie auf die *Corsi superiori di studi romani*. Diese Vorlesungsreihen, die seit 1926 im Oratorium von Borromini in der Chiesa Nuova abgehalten wurden, fungierten als ein »Salon«, in der die kulturelle Elite der Stadt mit hohen Vertretern des Regimes, des Adels und des Klerus zusammentraf. Die Vorlesungen wurden immer in der Zeitschrift *Roma* publ. und außerdem in separaten Broschüren, wenn sie für ideologisch wichtig gehalten wurden.

Das ISR organisierte ab 1928 auch alle zwei Jahre die nationalen Kongresse für die *Studi Romani*, zu denen, abhängig vom Diskussionsthema, prominente Fachleute eingeladen wurden. Der Erfolg dieser unterschiedlichen Aktivitäten auf populärwiss. Gebiet wurde in hohem Maße vom stark ausgeprägten Imperialismus der 30er Jahre und dem vom ISR propagierten Kultus der *Romanità* bestimmt. Hierdurch entstand der Eindruck, daß sich das ISR zu einem halbbehördlichen Propagandabüro im Dienste des Regimes entwickelte. Dieser Eindruck wird den wiss. Ambitionen, die Galassi-Paluzzi mit dem ISR hatte, allerdings nicht gerecht.

### C. PROGRAMM UND ZIEL

Das Programm des ISR richtete sich auf die Förderung der it. Forsch. auf folgenden Gebieten: Arch. und Topographie Roms im Laufe der Jahrhunderte, alte Geschichte und lat. Philol., die Geschichte und Arch. des christl. Rom, die Kultur und Geschichte des päpstlichen Rom, Sittengeschichte, Wiss. und Kultur Roms im Laufe der Jahrhunderte und die Architektur und den Städtebau des zeitgenössischen Rom. Das ISR war stark an städtebaulichen Maßnahmen im Auftrag des *Governatorato di Roma* beteiligt, welches das ISR auch finanziell unterstützte. Die integrale Vorgehensweise der *Studi Romani* äußerte sich nicht nur im systematischen Aufbau der *Corsi superiori*, sondern auch in der monumentalen Reihe *Storia di Roma*. Die ersten Teile dieser Reihe erschienen 1938; sie entwickelten sich zu einer eindrucksvollen Serie von Handbüchern in it. Sprache über die Geschichte und Kultur der Stadt Rom, an der prominente it. Fachleute mitarbeiteten. Dieses ehrgeizige Projekt überlebte den Sturz des Faschismus.

Wegen des propagandistischen Erfolgs des *bimillenario augusteo* und der *Mostra Augustea della Romanità* (1937–38), zu dem das ISR viel beigetragen hatte, bekam Galassi-Paluzzis wiss. Ambitionen wieder Aufschwung. 1940 zwang Mussolini das MEN, die Subventionen an das ISR im Hinblick auf das beabsichtigte *Centro Internazionale di Studi Romani* (CISR) und die Rolle des ISR bei der Organisation der Manifestation *Roma nel Ventennale* und die Weltausstellung von 1942 (beide Veranstaltungen wurden wegen des Krieges abgesagt) drastisch zu erhöhen. Obwohl das CISR, eine internationale Version des SSSR-Projektes, den Sturz Mussolinis nicht überlebte, kamen in ihm die wiss. Ambitionen des ISR zur vollen Entfaltung: die (inter)nationale Koordination, Förderung und Popularisierung der Forsch. nach Geschichte und Kultur der Stadt Rom a.u.c. und deren Einfluß auf die westl. Zivilisation sowie die Ausbildung (inter)nationaler Forscher, die auf diesem Gebiet tätig waren. Daß diese Ambitionen vom Regime anerkannt wurden, zeigte sich außer durch die geplante Erhöhung der Subventionen unter anderem durch die Verleihung des königlichen Prädikats, der Zuteilung eines passenden Unterkommens auf dem Aventin im Jahre 1941 und durch die Tatsache, daß Galassi-Paluzzi in dieser Periode nominiert war, um zum Staatsminister ernannt zu werden. Es war vorgesehen, daß das CISR und sein Stab innerhalb des zu gründenden faschistischen Systems in Europa eine tonangebende Rolle auf dem Gebiet der röm. Studien spielen sollte.

Um dieses Ziel zu erreichen, konzipierte Galassi-Paluzzi seine Projekte als prominente Ausdrucksformen der faschistischen Kulturpolitik. Er sah ein, daß die führende Position des CISR nur erreicht werden konnte, wenn diese in (inter)nationalem Rahmen durchgesetzt würde. Da die beabsichtigte Position des CISR auf Kosten der etablierten nationalen Wissenschaftsinstit. des MEN zu gehen drohte, zeigte sich der damalige Minister G. Bottai (1936–43) zurückhaltend bei seiner Unterstützung von Galassi-Paluzzis Ambitionen. Obwohl Bottai kraft seines Amtes Mitglied der *Giunta direttiva* war und Vorlesungen vor dem ISR hielt, unterstützte er Galassi-Paluzzis Pläne nur unter der Bedingung, daß diese nicht auf Kosten des regulären Etats des MEN und seiner eigenen kulturpolit. Ambitionen, wodurch er ab 1940 mit dem Duce in Konflikt geriet, gehen würden. Obwohl Galassi-Paluzzi mit Bottai gute Beziehungen unterhielt, pflegte er ein inniges Verhältnis zu Mussolini, weil er einsah, daß dessen persönliches Patronat für den Erfolg des CISR unentbehrlich war. Diese Loyalität dem Duce gegenüber kam den ISR und Paluzzi nach 1944 teuer zu stehen.

### D. ENTWICKLUNG NACH 1944

Der Sturz des Regimes im Jahre 1943 und die Besetzung Roms durch die Alliierten führten 1944 zum vorläufigen Ende des ISR; für die Präsidentschaft Galassi-Paluzzis bedeuteten sie das endgültige Aus. 1944 wurde Q. Tossati als Verwalter angestellt, mit der Absicht, das ISR wiederherzustellen. Obwohl das ISR 1945 wiedereröffnet wurde, waren die Aktivitäten des ISR bis 1950 gering. In jenem Jahr wurde Tossati zum Präsidenten ernannt und es wurde eine neue *Giunta direttiva* angestellt, die die Aufgabe hatte, die Satzung anzupassen. 1953 durfte die 1944 verbotene Zeitschrift *Roma* unter dem neuen Namen *Studi Romani* wieder erscheinen und das ISR konnte faktisch als lokale histor. Gesellschaft mit einer bescheidenen (inter)nationalen Ausstrahlung funktionieren.

Obwohl nach 1944 auf Vorstandsebene viele (personelle) Änderungen durchgeführt wurden und die militantesten, wegen ihrer Zusammenarbeit mit dem faschistischen Regime beschmutzten Ziele gestrichen wurden, war die Rede von einer großen Kontinuität der Ideen und Aktivitäten. Diese Kontinuität wurde in hohem Maße von O. Morra getragen, der 1952 formell zum Direktor ernannt wurde, der bis zu diesem Zeitpunkt jedoch hinter den Kulissen in enger Zusammenarbeit mit Galassi-Paluzzi über das intellektuelle Erbe des ISR aus der faschistischen Periode gewacht hatte.

Obwohl prominente Politiker der *Democrazia Cristiana* – wie G. Andreotti und die nachfolgenden Präsidenten der Republik – die Aktivitäten des Inst. mit Interesse verfolgten und möglicherweise auch unterstützten, konnte das ISR nicht mehr mit den großzügigen Mittel rechnen, über die es zw. 1934 und 1944 verfügen konnte. Zum Teil wurde dies durch den Einsatz prominenter Kulturwissenschaftler kompensiert, die – oft mit der *Sapienza* liiert – schon während der faschistischen Periode rege an den Aktivitäten des ISR teilgenommen hatten und nach dem Zweiten Weltkrieg an die Spitze ihrer jeweiligen Disziplin durchgedrungen waren. Ein Exponent dieser Generation, der Archäologe P. Romanelli, trat die Nachfolge von Tossati nach dessen Tod als Präsident des ISR an – eine Funktion, die er bis 1980 innehatte.

1955 wurde der *Premio Cultore di Roma* gestiftet, der jährlich an einen Wissenschaftler, der einen großen Beitrag zur Erforschung der *Romanità* geliefert hat, verliehen wurde. Unter den Preisträgern befinden sich viele (inter)nationale Prominente, wodurch das ISR en passant auch versucht, seinen eigenen wiss. Status zu unterstreichen. Preisträger sind u. a.: G. De Sanctis, S. Riccobono, P. de Francisci, V. Arangio-Ruiz, M. Pallottino, J. Carcopino, R. Syme und R. Krautheimer. Obwohl der Preis anfänglich überwiegend Altertumsforschern verliehen wurde, was den Mißverstand nährte, daß das ISR sich vorzugsweise auf die klass. röm. Ant. richtete, spiegelt die Ehrenliste den allumfassenden Charakter des Kultus der *Romanità* wider.

Obwohl das ISR ab 1983 das Prädikat »national« trägt und der Mitgliedschaft von Rom-Spezialisten aus In- und Ausland versichert ist, fristet es gegenwärtig aufgrund von Geldmangel ein mühsames Dasein. Neben den Veröffentlichungen, die unter den Auspizien des ISR erscheinen, und der Verwaltung der Bibliothek, der Archiv- und Dokumentationssysteme konzentriert sich das Inst. nun primär auf die Organisation der *Corsi superiori di studi romani*, mit denen das ISR einst seine ersten Erfolge verzeichnete. Auch organisiert das ISR jährlich einen hochangesehenen Übersetzungswettbewerb, das *Certamen Capitoleum*. Darüber hinaus bleibt das ISR in enger Zusammenarbeit mit dem *Centro di Studi Ciceroniani* und der *Academia Latinitati Fovendae* an der Förderung des Lateinstudiums beteiligt.

Der Rücktritt von Romanelli im Jahre 1980 symbolisiert das Erlöschen der Generation militanter *cultori della romanità*, die dem ISR zw. 1925 und 1944 ein faschistisches Gesicht gab und sich danach für die Kontinuität der klerikal-nationalistischen Perspektive auf die Geschichte von Rom verbürgte. Trotz des großen Anspruchs während der ersten fünfzehn Jahre seines Bestehens hat das ISR nie einen unangefochtenen wiss. Status erworben, und sein Erfolg beschränkte sich auf die Popularisierung der Geschichte der *Aeterna Urbs*. Die heutige Bedeutung des ISR kann nicht unabhängig von seiner Position innerhalb der *Unione Internazionale degli Istituti d'Archeleogia, Storia e Storia dell'Arte in Roma* gesehen werden. Das ISR fungiert in diesem Zusammenhang als eins der it. Inst. auf diesem Gebiet, das sich zwar wegen seines primär auf die röm. Stadtgeschichte gerichteten Brennpunktes unterscheidet, in wiss. Hinsicht aber nicht mit den (inter)nationalen Forschungsinstit. für Arch. und (Kunst)geschichte konkurriert.

1 P. BREZZI, L'Istituto Nazionale di Studi Romani, in: Speculum Mundi. Roma centro internazionale di ricerche umanistiche, 1992, 708–728 2 F. SCRIBA, Augustus im Schwarzhemd? Die *Mostra Augustea della Romanità* in Rom 1937/38, 1995 3 R. VISSER, Storia di un progetto mai realizzato: il Centro Internazionale di Studi Romani, in: Mededelingen van het Nederlands Instituut te Rome, Historical Studies 53, 1994, 44–80.

ROMKE VISSER/Ü: BIRGITTE HALSCH

**Italien** I. SPÄTANTIKE BIS 12. JAHRHUNDERT II. 13. UND 14. JAHRHUNDERT III. 15. UND 16. JAHRHUNDERT IV. 17. UND 18. JAHRHUNDERT V. 1800 BIS GEGENWART VI. MUSEEN

I. SPÄTANTIKE BIS 12. JAHRHUNDERT
A. GOTENHERRSCHAFT
B. LANGOBARDENHERRSCHAFT
C. KAROLINGISCHES UND OTTONISCHES ITALIEN
D. 11. JAHRHUNDERT E. 12. JAHRHUNDERT

A. GOTENHERRSCHAFT

· In It. hatte der Fall des röm. Westreiches keinen merklichen »Niedergang« des kulturellen Niveaus im Verhältnis zu den vorangehenden Jahrzehnten zur Folge; dennoch trat eine entscheidende Veränderung in der Staatsordnung und in der Geltung und der Funktion des Staates im öffentlichen Bewußtsein ein. Nach einem Kontinuitätsbruch während Odoakers Regierung (476–493) folgte das got. Königreich von Theoderich der spätant. Trad., die durch die Bewahrung und vielleicht sogar Verstärkung der Schule und des Bildungswesens weiter bestand. Zunächst wurde eine polit. und kulturelle Integration von röm. Bevölkerung und »barbarischem« Adel angestrebt, deren Umsetzung sich jedoch als utopisch erwies. Herausragende Gelehrte jener Zeit, insbes. Boethius (480–524) und Cassiodorus (ca. 490–580), bemühten sich einerseits, das ant. kulturelle Erbe zu bewahren, waren aber andererseits davon überzeugt, daß der neue polit. Kontext ebenfalls eine neue Auseinandersetzung mit der Vergangenheit erforderte. Auf Boethius, der als letzter Vertreter der ant. philos. Trad. im Westen angesehen werden kann, geht das anspruchsvolle, nur zum Teil durchgeführte Vorhaben zurück, Platons und Aristoteles' Werke ins Lat. zu übersetzen. Die Intellektuellen in It., die noch Griech. verstehen konnten, dürften allerdings dünn gesät gewesen sein. Die Übers. geschahen nicht so sehr um der röm. Adligen willen, als vielmehr wegen der aufstrebenden Kircheneliten; anscheinend konnte nur die Existenz von Texten in lat. Sprache ihre Legitimation stärken. Derselben Notwendigkeit, das Erbe der röm. Vergangenheit zu bewahren und es in der gegenwärtigen, veränderten Lage zugänglich zu machen, kam Cassiodors Tätigkeit in den letzten Jahrzehnten seines Lebens entgegen, als er in dem von ihm gegr. Kloster von Vivarium in Kalabrien tätig war. Hier sammelte Cassiodor eine wertvolle, an ein Scriptorium angeschlossene → Bibliothek und empfahl einen Lektürekanon, den er in den *Institutiones* ausführlich begründete. In diesem Kanon fanden, eingeteilt nach den verschiedenen Disziplinen, neben der Bibel und den Werken der Kirchenväter die wichtigsten, in der spätant. Schule gelesenen Texte Eingang, von den Handbüchern bis zu den poet. Lesebüchern. Die *Institutiones* stellen eines der bedeutendsten Zeugnisse für die kulturellen Interessen und Ansprüche in It. im 6. Jh. n. Chr. dar, insbes. für die Entscheidungen, die in der Auswahl der ant. Texte getroffen wurden. Neben Boethius und Cassiodor, den bedeutendsten Persönlichkeiten, wiesen auch andere Schriftsteller, die ihre → Bildung in den Schulen dieser Zeit erworben hatten, eine vorzügliche Ausbildung und fundierte Kenntnisse der ant. Klassiker auf. Dies zeigt sich insbes. in der poetischen Tätigkeit von Autoren wie Arator, Maximianus und Venantius Fortunatus, aber auch in der rhet. Ausbildung von Papst Gregor dem Gr., die sich aus seiner lit. Produktion erschließen läßt.

B. LANGOBARDENHERRSCHAFT

Die Krise der ant. Schulbildung in It. ist vielerlei Ereignissen zuzuschreiben: dem verheerenden Krieg zwischen Goten und Byzantinern (535–553), der darauf folgenden allg. Verarmung, die auch die Zeit der kaiserlichen Wiedereroberung prägte, und zuletzt der langobardischen Wanderung (568), die zum Verlust der geopolit. Einheit It. führte. Im Unterschied zu den Goten versuchten die neuen langobardischen Herrscher keine Integration mit den Resten der alten lateinischsprachigen Adelsschichten zu erreichen. Sie bemühten sich außerdem nicht, sich die sprachlichen und lit. Trad. dieser Schichten anzueignen. Das Ergebnis dieser Entwicklung war eine Zeit des kulturellen Niedergangs, der bis in die erste H. des 8. Jh. anhielt. Mit Ausnahme Roms, wo eine sich an spätant. rhet. Vorbildern orientierende lit. Produktion kontinuierlich für die Bedürfnisse der päpstlichen Kanzlei fortbestand, erscheint das Interesse für das Alt. in It. in diesen Jh. auf ein Minimum reduziert. Äußerst spärlich sind die Informationen über den Schulbetrieb, der auf irgendeine Weise weiter existiert haben muß: Neben Rom gibt es zuverlässige, wenn auch sporadische Belege für Pavia, wo Gramm. und vielleicht Recht unterrichtet wurde. Möglicherweise gab es weitere Schulen in Verona, Ravenna, Neapel und vielleicht auch in Mailand, wo eine der renommiertesten it. Schulen im 6. Jh. ihren Sitz hatte. Die Entvölkerung der Städte mag letztes Endes eine Rolle in der Erhaltung der Baudenkmäler gespielt haben, welche trotz aller Vernachlässigung nicht systematisch zerstört wurden; es gab sogar Fälle von Wiederverwendung bzw. Umwidmung paganer Bauten, wie im Falle des Pantheon, das im J. 609 auf Veranlassung des Papstes Bonifatius VIII. zur Kirche Sancta Maria ad Martyres geweiht wurde. Die Bibl. hingegen wurden massiv zerstört. Die einzige, deren Bestand von der Spätant. bis zur karolingischen Zeit belegt ist, ist die röm. Bibl. des Laterans, die allerdings beträchtliche Verluste auch deshalb erlitt, weil viele ihrer Bände über die Alpen, insbes. nach England, entweder im Zuge der Evangelisierungsmission als geistige Unterstützung oder als Geschenke für Äbte, Bischöfe oder Herrscher, geschafft wurden. Wenig oder nichts ist von den anderen Bibl. übriggeblieben; die berühmteste, die Bibl. von Vivarium, wurde wahrscheinlich kurz nach Cassiodors Tod in alle Welt zerstreut. Es wird vermutet, daß einige Bände nach Bobbio oder in den Lateran geschafft wurden. Reste spätant. Bibl. tauchten später in Verona und in Kampanien auf, während weiteres Material, meistens padanischer Herkunft, nach Bobbio gebracht wurde, das im J. 612 von dem Iren Colombanus im emilianischen Appennin gegr. Kloster, wo die Bücher zwar erhalten geblieben waren, aber nur selten gelesen wurden. Trotz der Reduktion von Anzahl und Wirksamkeit der Schulen kann nicht a priori davon gesprochen werden, daß die ant. Trad. in der langobardischen Zeit vollkommen verschwunden sei. Die zwar oft konflikthaften, aber nie abgebrochenen Beziehungen zw. Rom und Ravenna hielten einen Weg zum kulturellen Austausch offen; dies ist bis zum Beginn des 8. Jh. v. a. Verdienst byz. Fachkräfte, die für eine sich an der Ant. orientierende Ausprägung in der langobardischen Kunst It. sorgten (Fresken von Castelseprio, Liutprands Palast in Corteolona, Kapelle von Cividale). Das wenige, das von der lit. Produktion der Zeit bekannt ist, sind Inschriften, die sich offensichtlich an spätant. Vorbildern orientieren. Eine Kontinuität der röm. Trad. zeigt sich deutlich im Rechtswesen, bes. in seinen protokollarischen bzw. formalen Aspekten, die sowohl in Rothars Edikt als auch in der Struktur der durch die langobardische Kanzlei erlassenen Dokumente feststellbar ist.

C. KAROLINGISCHES UND
OTTONISCHES ITALIEN

Mit der Eroberung des langobardischen Reichs durch Karl den Gr. (774) wird Mittel- und Nord-It. Teil des karolingischen Staatswesens. Die kulturelle Umbildung, die sich zw. E. des 8. und der ersten H. des 9. Jh. nördl. der Alpen vollzog, fand in It. nur schwachen Widerhall. Lediglich in der Schule von Pavia sollen die gramm. Studien klass. Herkunft fortgedauert haben. Die durch diese Schule vermittelte Bildung war in der Mitte des 8. Jh. von unbestreitbarer Qualität, wie die lit. Produktion von Gelehrten wie Petrus von Pisa, Paulus Diaconus, Paulinus von Aquileia belegt. Sie wurden an den Hof Karls berufen und leisteten einen entscheidenden Beitrag zur Erarbeitung eines karolingischen kulturellen Reformprojekts, das jedoch nicht in It., sondern in Frankreich und Deutschland verwirklicht wurde. Wir besitzen nur wenige Nachrichten über die Arbeitsweise der öffentlichen Schulen in It. (vgl. das Kapitular der Stadt Olona, von Lothar im J. 825 aufgezeichnet). Neben öffentlichen Schulen hatten die → Klosterschulen und die lokalen Kirchen einen enormen Einfluß auf die Bildung. Nach und nach wurden sie immer bedeutender in den Zentren, in denen sich wieder ein städtisches Leben entwickelte. Ein Zuwachs an Schulen kann hauptsächlich in jenen Städten als sicher gelten, die unmittelbarer mit dem Frankenreich und den kulturellen bzw. polit. Zentren jenseits der Alpen (Pavia und Verona) verbunden waren. Dies war die wichtigste Voraussetzung für die Wiederaufnahme der Tätigkeit der Kopisten. Die Werke, die in Nord-It. im

9. Jh. kopiert wurden, sind zum größten Teil christl.-rel. Inhalts.

Rom und Süd-It. wurden nicht Bestandteil des karolingischen Staatswesens. Die europ. Kulturentwicklung fand in diesen Gebieten einen noch schwächeren Reflex als in Nord-It. Doch bestand dank der polit. Kontinuität, die diese Regionen in den vorangehenden Jh. hatten, und dem besseren Erhaltungszustand der spätant. Bibl. in diesen Regionen eine nie gänzlich unterbrochene Kulturtrad. fort. Auf dem Gebiet von Benevent-Cassino, wo zahlreiche Texte ant. Autoren noch zur Verfügung standen, fand Paulus Diaconus den Stoff für die Zusammenstellung seiner *Historia Romana* und Festus für seine *Epitome*. In Montecassino verfaßte sein Schüler Hilderich eine an klass. Beispielen reiche Grammatik. In Rom war um das J. 870 Anastasius Bibliothecarius tätig, ein Rechtsgelehrter und Übersetzer aus dem Griech., der sich u.a. im Auftrag Karls des Kahlen für die Werke des Ps.-Dionysius interessierte und die Komm. von Maximus Confessor und Johannes Scythopolitanus übersetzte. Die Trad. der Kirchenväter ist in seinen Schriften immer vorhanden. In Neapel finden wir gegen E. des Jh. Eugenius Vulgarius, einen Verf. von Schriften über die formosianische Kontroverse, vermutlich den einzigen unter den it. Schriftstellern, der sich ausdrücklich auf klass. Vorbilder berief (nicht nur Vergil und Horaz, sondern auch die damals selten zitierten Tragödien Senecas); sein Schaffen sowie die zeitgenössische neapolitanische hagiographische Lit. zeigen die Präsenz eines funktionierenden Schulbetriebs, in der die rhet. Bildung eine große Rolle spielte. Auch die Bed. der Scriptorien und der Bibl. in den griech. Klöstern darf nicht unterschätzt werden: Sie waren entscheidend für die Erhaltung verschiedener Werke der Kirchenväter.

Zu den Ursachen für die Verspätung in der Entwicklung der it. Kultur im 9. Jh. zählen der Mangel an polit. Stabilität und die räumliche Distanz zu den zeitgenössischen Machtzentren. Ferner verschlechterte sich die allg. Situation mit dem E. der karolingischen Dynastie, das It. in die Anarchie stürzte, vor der sich auch das Papsttum nicht retten konnte. Im 10. Jh. blieben die Zentren der Buchkultur und der Erhaltung des Buchbestandes meistens isoliert. Ebenso isoliert waren die zeitgenössischen Intellektuellen, von denen sich die bedeutendsten ihre teilweise nördl. der Alpen erworbene Bildung zunutze machten. Dies ist der Fall bei Ratherius (887–974), Bischof von Verona, der aus Lüttich stammte und dort seine Ausbildung erhalten hatte, oder von Liutprand (ca. 920–972), Diakon zu Pavia und dann Bischof zu Cremona, der mindestens zehn Jahre als Verbannter in Deutschland gelebt hatte. Diese Persönlichkeiten brachten die kulturellen Strömungen, die sich im übrigen Europa entwickelt hatten, nach Norditalien. Im Zug dieser Entwicklung zeigten auch die it. Intellektuellen des 10. Jh. eine größere Aufmerksamkeit für die Klassiker als vorhergehende Gelehrtengenerationen. So begann man auch in Nord-It. Werke ant. Schriftsteller

(u.a. Terenz, Quintilian, Livius) zu kopieren. Insbesondere Verona, die Stadt, die am engsten mit den dt. Kulturzentren verbunden war, zeigt eine klassizistisch ausgerichtete lit. Produktion, die in den *Gesta Berengarii* ihren Höhepunkt erreicht, einem epischen Enkomion auf den it. König Berengarius I., das eine breite Kenntnis der ant. Dichter (v.a. Vergil, Statius, Lukan) belegt. Großes Interesse an ant. Klassikern ist auch in der westl. Poebene nachweisbar, vielleicht dank des Einflusses der Schule von Pavia. In dieser Region traten neben Liutprand, der u.a. Vergil und Horaz kennt und mit bes. Vorliebe Juvenal, Persius und v.a. Terenz verwendet, Schriftsteller wie Gunzone auf; letzterer begab sich mit Teilen seiner Bibl., zu denen Martianus Capella und einige spätant. Platon- und Aristoteles-Übers. zählten, nach Deutschland. Stefan von Novara war durch seine Gelehrsamkeit so berühmt, daß die sächsischen Kaiser ihn als Lehrer an ihren Hof beriefen. Generell verstärken sich die Bezugnahmen auf die ant. Klassiker sowohl in der lit. Produktion als auch in den bildenden Künsten erst am E. des 10. Jh. Diese Entwicklung wurde begünstigt durch die wiedergewonnene zentrale Rolle It. im Rahmen der ottonischen Politik sowie durch die neue kaiserliche Ideologie, die Rom aufwertete.

Ein Sonderfall ist Süd-It., wo sich die Trad. der klass. Studien, die durch die Bewahrung und das Kopieren alter Hss. begünstigt war, offensichtlich ununterbrochen fortgesetzt hatte. Um die Mitte des 10. Jh. besaß der Herzog Neapels Giovanni eine Bibl., zu der Autoren wie Ps.-Dionysius und Livius zählten; in diesem kulturellen Milieu wurde die *Historia Alexandri* des Ps.-Kallisthenes ins Lat. übersetzt. Das Werk sollte zu einem der erfolgreichsten Texte des gesamten MA werden. Bereits am E. des Jh. ist die medizinische Schule von Salerno bezeugt, welche auf klass. Trad. – vielleicht durch arab. Vermittlung – zurückgeht und im folgenden Jh. einen großen Aufschwung haben sollte.

### D. 11. JAHRHUNDERT

Die bes. Aufmerksamkeit, die die sächsischen Kaiser It. schenkten, gipfelte im Vorhaben der Restauration des Röm. Reichs; es wurde von Otto III. initiiert, der seine Residenz in Rom nahm und sich zu ideologischen und propagandistischen Zwecken der ant. Lit. und Symbolik ausgiebig bediente. Mit Otto III. sind auch zwei große Gelehrte eng verbunden: Gerbert von Aurillac und Johannes Philagathus. Gerbert, ein großer Liebhaber ant. Autoren, wurde, nachdem er Abt zu Bobbio und Erzbischof von Reims und Ravenna gewesen war, zum Papst mit dem Namen Silvester II. ernannt. Philagathus stammte aus Kalabrien und hatte dort eine griech. Ausbildung genossen; er wurde Abt von Nonantola und Bischof von Piacenza und beschenkte den Kaiser mit einer wichtigen Sammlung von Hss. klass. Autoren. Die geistige Einstellung und das Werk von Gerbert und Philagathus zeigen, daß It., obwohl es im 9. und im 10. Jh. eher am Rand der großen Entwicklungen der europ. Kultur stand, die Funktion des Vermittlers zwischen Ant. und MA behalten hatte und immer noch der wichtigste Aufbewahrungsort für Hss. ant. Autoren geblieben war. Das anachronistische ottonische Restaurationsprojekt erwies sich zwar als nicht von langer Dauer, hinterließ aber deutliche Spuren v. a. in Rom, wo es die Wiederaufnahme von klass. Vorbildern in den bildenden Künsten begünstigte, die auch in der darauffolgenden Epoche nicht aufgegeben wurden (Fresken von S. Clemente; Gemälde in S. Maria in Cosmedin; Architektur von S. Maria in Trastevere).

Die auf den Tod Ottos III. (1002) folgende dynastische Krise und die neuerliche Verlegung des Zentrums der kaiserlichen Macht in die Reichsgebiete nördl. der Alpen hatten erhebliche Folgen in It., weil dadurch die selbständige Entwicklung der padanischen Städte beschleunigt wurde, in denen die Bischöfe, die in den vorherigen Jahrzehnten von den Ottonen stark unterstützt worden waren, den Einfluß des Adels verdrängten. Der Aufschwung, den die Städte in dieser Zeit nahmen, und der aufkommende Streit zw. dem Papsttum und dem Reich (Investiturstreit), der das polit. Hauptproblem der zweiten H. des 11. Jh. bildete, waren die Voraussetzungen für die Erneuerung der Jurisprudenz, welche von dem Zeitpunkt an für lange Zeit zum bes. Merkmal der it. Schulen wurde. Zunächst nahm man die kanonischen Studien verstärkt wieder auf, die seit der Spätant. ohnehin nie vollständig aufgegeben, aber in It. zwischen dem 9. und 11. Jh. u. a. infolge der Glaubwürdigkeitskrise des Papsttums nur wenig betrieben worden waren. Die von Papst Gregor VII. (1073–1085) durchaus auch mit polit. Absichten initiierten Reformen führten zu einer neuen Anordnung der Materie, bei der Bischof Anselm von Lucca eine große Rolle spielte. Gegen E. des Jh. traten neben die kanonischen gleichberechtigt die zivilrechtlichen Studien. Die bedeutendste Schule war jene in Bologna, deren Gründung mit der Person von Irnerius, der zw. dem E. des 11. und den ersten Jahrzehnten des 12. Jh. tätig war, verbunden gewesen sein soll; die Gründung ist aber mehreren Gelehrten zuzuschreiben, die an die schon früher an anderen Orten gepflegte Beschäftigung mit dem röm. Recht anknüpften.

Eine wichtige Voraussetzung für die Entwicklung des Rechtswesens in It. war die Verbesserung des Ausbildungssystems im Rahmen der → Artes liberales; dabei fielen → Rhetorik und Dialektik, die auf ant. Stoffen beruhten, zunehmend eine größere Bed. zu. Unter den wichtigsten Werken, die aus diesen Schulen stammen, sind die *Rhetorimachia* von Anselm aus Besate, eine moralisierende Lobpreisung der Rhet. gegen einen Cousin namens Rotilandus, in der vieles Cicero und der *Rhetorica ad Herennium* entnommen ist, und das *Elementarium* von Papia, Prototyp und Vorbild für zahlreiche spätere WB, das den Wortschatz der klass. und christl. Schriftsteller bereitzustellen versucht und ein grundlegendes Nachschlagewerk für die zeitgenöss. Gelehrten bot.

In Süd-It. ist das bedeutendste, zur Erhaltung der ant. Klassiker beitragende Ereignis die Wiederaufnahme der kulturellen Tätigkeit in Montecassino, einer Abtei, die

von den Sarazenen 883 zerstört und 950 wiederaufgebaut worden war. Im Laufe des Jh. wurde Montecassino zu einem Kulturzentrum von herausragender Bed., hauptsächlich unter Abt Desiderius (1058–1086; der spätere Papst Victor III.), der die Bibl. beträchtlich bereicherte: Er ließ auch zahlreiche klass. Autoren aus zum Teil noch aus der Spätant. stammenden, lokal vorhandenen Texten abschreiben. In der Bibl. der Abtei standen sowohl bekannte, zum Lektürekanon zählende Schriftsteller wie Cicero, Ovid, Terenz, Vergil, Horaz, Seneca als auch seltene Werke wie jene des Apuleius, Varro und Tacitus. In Verbindung mit Montecassino standen auch Literaten wie Guaiferio, Giovanni aus Gaeta und insbes. Alfano aus Salerno, der Schriftsteller, der mehr als andere Autoren dieses Jh. für ant. Einflüsse empfänglich war. In seinen ausgefeilten poet. Werken zeigt er eine gründliche Kenntnis von Juvenal, Sedulius, Ovid und v. a. Horaz, von dem er zahlreiche metr. Formen übernahm und zugleich meisterhaft beherrschte. Im Laufe des Jh. und v. a. seit der durch Desiderius eingeleiteten Ren. wurde Montecassino zum Mittelpunkt für Lektüre, Studium und Rezeption ant. Schriftsteller, wie dies in jener Zeit auch viele andere Klöster Europas waren, die hierin über eine rein bewahrende Funktion des klass. Erbes hinausgingen. Unter dem Einfluß dieser Entwicklung stand auch die medizinische Schule von Salerno, die mit Montecassino eng verbunden war und ihre größte Bed. im Laufe des Jh. erreichte. Herausragende Persönlichkeiten waren Guarimpoto (oder Garioponto), der Autor eines *Passionarius* (medizinisches Handbuch), der auf hell. und röm. Medizin zurückgriff. Die Entwicklung der medizinischen Schule von Salerno steht wohl auch mit den ersten Übers. medizinischer und philos. Texte aus dem Arab. und dem Griech. in Verbindung, die nach allg. Auffassung mit dem Namen von Constantinus Africanus in Zusammenhang gebracht wurden.

### E. 12. Jahrhundert

Die Übersetzungstätigkeit aus dem Griech. und Arab. wurde in It. im 12. Jh. allmählich intensiver. Im arab.-normannischen Süd-It. wurden Ptolemaios und Aristoteles von Gelehrten wie Eugenio aus Palermo und Enrico Aristippo übersetzt; in Konstantinopel arbeiteten Übersetzer wie Mosé aus Bergamo, Giacomo Veneto, Burgundione aus Pisa, die Aristoteles, aber auch medizinische und theologische Traktate übertrugen. Weitere Italiener wie Gherardo aus Cremona und Platone aus Tivoli waren als Übersetzer aus dem Arab. in Spanien und in den von den Kreuzrittern gegr. Königreichen tätig. Die Übers., die dazu bestimmt waren, das Studium ant. Denker und Wissenschaftler, an erster Stelle Aristoteles, zu fördern, ist mit der Entwicklung der → Schulen und dem Aufkommen der ersten → Universitäten verbunden. Die erste it. Univ. ist Bologna, die seit 1158 nachweisbar ist und die bis zum E. des Jh. eine streng juristische Ausrichtung hatte. In diesen Institutionen spielte das Studium der auf Aristoteles beruhenden Dialektik eine wichtige Rolle. Die Entstehung der Univ.

förderte die Mobilität der Intellektuellen beträchtlich, und die it. Kultur fand sich dadurch innerhalb kurzer Zeit in wiss. Austausch mit Europa verbunden. V. a. die Übersetzungstätigkeit im Süden verlieh It. eine herausragende Rolle als Vermittler zw. Ant. und MA.

Neben der Wiederentdeckung der griech. philos. und wiss. Trad., die sich in den Übers. zeigt, ist ein weiterer bedeutender Beitrag It. für die Bewahrung der klass. Trad. im 12. Jh. mit der Entwicklung der Rechtsschule zu Bologna verbunden. Die Art und Weise, wie das röm. Recht zugunsten der kaiserlichen Ansprüche während der Streitigkeiten zw. Friedrich Barbarossa und den it. Kommunen eingesetzt wurde, ist ein gutes Beispiel dafür, wie das ant. Material mittels der Dialektik studiert und interpretiert und damit auch zu rein praktischen Zwecken verwendet wurde. Bologna wurde zum europ. Mittelpunkt für das Studium des kanonischen und röm. Rechts. Die Univ. wurde von zahlreichen Studenten von jenseits der Alpen besucht, von hier aus wurden berühmte Lehrer nach ganz Europa berufen, wo sie ihrerseits neue Schulen gründeten. Die parallel verlaufenden Studien des röm. und kanonischen Rechts führten zur Anwendung neuer, größtenteils analoger Vertiefungsmethoden, wie es die Verwendung der Dialektik in der wichtigsten und systematischsten kanonischen Sammlung zeigt, die von dem Mönch Graziano aus Bologna zusammengestellt worden war.

Die Verbindung zwischen It. und Europa wurde auch aus polit. Gründen enger, v. a. aufgrund des erneuerten Interesses, das die staufischen Kaiser für It. hegten. In unterschiedlicher Dichte ist die Wiederaufnahme und Wiederverwendung ant. Vorbilder sowohl im lit. Schaffen nachweisbar – sei es in Nord-It. in den *Gesta Friderici imperatoris* (»Taten Kaiser Friedrichs«) oder im Gedicht *De destructione Mediolani* (»Die Zerstörung Mailands«), sei es in Mittel- und Süd-It. in den Werken Goffredos aus Viterbo, Arrigos aus Settimello und Pietros aus Eboli – als auch in den bildenden Künsten, wo sich nun das Romanische nachdrücklich durchsetzt. In der Kunst und Architektur ist der Rückgriff auf spätant. Vorbilder in It. durch einen ausgesprochen klassizistischen Einschlag gekennzeichnet, der auf den starken Einfluß der byz. Kunst zurückzuführen ist. Ebenso ist die Verbreitung der ant. Lit. nicht mehr nur sporadisch zu nennen. Viele Bezeugungen – zu den wichtigsten zählt der gegen E. des Jh. zusammengestellte Kat. der Abtei-Bibl. zu Pomposa – weisen darauf hin, daß nun das ant. Erbe zu einem wesentlichen Bestandteil der zeitgenössischen Kultur – der Mönche und Kleriker ebenso wie der Laien – geworden war.

→ Arabisch-Islamisches Kulturgebiet; Karolingische Renaissance

→ AWI Boethius; Cassiodorus

1 G. BERTELLI, Traccia allo studio delle fondazioni medievali dell'arte italiana, in: Storia dell'arte italiana V: Dal Medioevo al Quattrocento, 1983, 3–163 2 F. BERTINI, Letteratura latina medievale in Italia, 1988 3 G. BILLANOVICH, M.

FERRARI, La trasmissione di testi nell'Italia nord-occidentale, in: La cultura antica nell'Occidente latino dal VII all'XI secolo, 1975, 303–352 4 G. CAVALLO, La trasmissione dei testi nell'area beneventano-cassinese, in: La cultura antica nell'Occidente latino dal VII all'XI secolo, 1975, 357–424 5 La cultura in Italia fra tardo antico e alto medioevo, 1981 (ohne Hrsg.) 6 H. BLOCH, Monte Cassino's Teachers and Library in the High Middle Ages, in: La scuola nell'Occidente latino nell'Alto Medioevo, 1972, 563–605 7 J. IRIGOIN, L'Italie méridionale et la tradition des textes antiques, in: Jb. der Österreichischen Byzantinistik 18, 1969, 37–55 8 C. LEONARDI, L'eredità medievale, in: Storia della letteratura italiana I, 1995, 45–136 9 A. M. ROMANINI, Il concetto di classico e l'Alto Medioevo, in: Magistra Barbaritas. I barbari in Italia, 1984, 665–678 10 C. VILLA, Die Horazüberlieferung und die Bibl. Karls des Großen. Zum Werkverzeichnis der Hs. Berlin Diez B. 66, in: Dt. Archiv für die Erforsch. des MA 51, 1995, 29–52.

PAOLO CHIESA / Ü: ANDREAS BAGORDO

## II. 13. UND 14. JAHRHUNDERT

### A. DUECENTO (13. JAHRHUNDERT)
### B. TRECENTO (14. JAHRHUNDERT)

### A. DUECENTO (13. JAHRHUNDERT)

Das Erscheinen Vergils im 1. Gesang des *Inferno*, der den Wanderer Dante durch den dunklen Wald hin zum Gipfel des Läuterungsberges führen soll, stellt für die Rezeption der Ant. im ma. It. einen herausragenden Moment dar. Der Frühling des J. 1300, Zeitpunkt der in der *Commedia* erzählten Reise ins Jenseits, scheint tatsächlich den Bruch zw. zwei Jh. und den Beginn einer neuen Ära zu markieren. Das 13. Jh., eine Epoche scheinbaren Verfalls der klass. Kultur, in der Vergil zum Schweigen verurteilt war, ist zu Ende, es beginnt das 14. Jh., in dem die Werte der Klassik gerade dank Dantes Dichtung wieder aufblühen sollten. Indem sich Dante der *auctoritas* Vergils unterstellt, leitet er eine Zeit der kulturellen Erneuerung ein. Er gibt sich als der neue Vergil der mod. Welt, als Autor der neuen christl. Epik zu erkennen. Genaugenommen wird im ersten, als Prolog fungierenden Gesang von Dantes Meisterwerk aber etwas Präziseres gesagt: Schon in seinen jungen Jahren, als er die *Vita Nova* (»Das erneuerte Leben«) und die allegorischen *Kanzonen* verfaßte, die später Eingang in die philos. Enzyklopädie des *Convivio* (»Gastmahl«) fanden, hatte Dante das ›volume‹ (Buch) Vergils, d. h. die *Aeneis*, studiert. Den ›bello stile‹, den schönen Stil, der ihm ›onore‹ (Ehre) eingebracht hatte und der jetzt sein Privileg, die heilbringende Reise ins Jenseits, rechtfertigt, hatte Dante einzig und allein von Vergil abgeleitet: Vergil ist sein ›maestro‹, sein Lehrer, und sein ›autore‹, sein lit. Vorbild. Dies enstpricht aber offensichtlich einer Verdrehung seiner lit. Karriere, steht doch die *Vita Nova* unter dem Einfluß Ovids, während das *Convivio* sich ausdrücklich auf Ciceros *De amicitia* (»Über die Freundschaft«) und Boethius' *Consolatio Philosophiae* (»Trost der Philosophie«) beruft. Der Grund dieser Manipulation ist in der neuen Ausrichtung, die Dante seiner Dichtung geben will, im Wechsel der lit. Gattungen zu suchen.

Mit der Niederschrift seines ›poema sacro‹, seines ep. Gedichts, geht er von der didaktischen und autobiographischen Dichtung zur Heldenepik über und dementsprechend vom ovidianischen Modell, dem er in der *Vita Nova* gefolgt war, zum vergilianischen, das sich in der *Commedia* durchsetzt; die *aetas Ovidiana* ist untergegangen und am Horizont zeichnet sich deutlich die *aetas Virgiliana* ab.

In diesem Zusammenhang muß die v. a. in Amerika zu Beginn des 20. Jh. herrschende Auseinandersetzung erwähnt werden zw. den Verfechtern der These des Untergangs der ant. Klassiker im 13. Jh. (insbes. Ch. H. Haskins [9]) und der Gegenrichtung, die eine Kontinuität zw. dem Wiederaufleben der Klassik im 12. Jh. und dem Human. vertritt (E. K. Rand [17], H. Wieruszowski [20]). In It. stellte sich bes. G. Toffanin [18] auf die Seite der Diskontinuität, indem er das Duecento (13. Jh.) als das ›secolo senza Roma‹, das Jh. ohne Rom, charakterisierte. Die These der Kontinuität wird von der Mehrheit der Wissenschaftler vertreten, von F. Novati [13] bis G. Billanovich [2]. Zur Zeit dominiert die zweite These, allerdings nicht ohne Abschwächungen und Korrekturen. Während alle die Bed. der ant. klass. Autoren für die Herausbildung einer it. lit. Tradition akzeptieren, wird gleichzeitig untersucht, wie die klass. Autoren im 13. Jh. gelesen und welchen Adaptierungs- und Änderungsprozessen sie unterzogen wurden. Auf diese Art konnten die Elemente herausgearbeitet werden, die zwar nicht gerade von einem Bruch, sicher aber von einer Differenzierung zw. der klass. ant. und der neuen Lit. zeugen. Die philol. Untersuchung, die sich um den Nachweis der Präsenz der ant. Klassiker bemüht, wird durch die hermeneutische Analyse ergänzt, die die Funktion dieser Präsenz und den daraus resultierenden neuen kulturellen Wert bestimmt.

Das it. Duecento wird von einer den kulturellen Einschnitt herausstreichenden Aussage des Boncompagno da Signa, Professor für Rhet. an der Univ. von Bologna während der ersten Jahrzehnte des Jh., eröffnet: In seinem Traktat *Palma* rühmt er sich, »Tullius« nie gelesen zu haben, d. h. seine Lehre nicht auf Ciceros rhet. Schriften aufgebaut zu haben, auch wenn er kurz darauf behauptet, Tullius nicht »verschlechtert« und seine Schüler nicht an der Imitation Ciceros gehindert zu haben. Die Polemik richtet sich gegen die absolute Autorität, die in den Rhet.-Schulen Ciceros *De inventione* (»Über die Auffindung des Stoffes«) und die *Rhetorica ad Herennium*, die im MA als echt galt, genossen. Es geht nicht um die Beseitigung der ant. Rhet., sondern um deren Erneuerung. Boncompagno beabsichtigt, die *rhetorica vetus*, die alte Rhetorik, durch seine *Rhetorica Nova* – so auch der Titel eines seiner Traktate, der auch als *Boncompagnus* bekannt ist – und die *Novissima*, die letzte Version seines rhetor. Traktats, zu ersetzen. Die gleiche Haltung zeigt Boncompagno auch in einem seiner anderen Werke, das im MA großen Anklang fand, in der *Rota Veneris* (»Rad der Venus«), in dem er in erneuerter Form eine Reihe von erotischen Themen und Situationen durchspielt, die eindeutig Ovids Liebesdichtungen entstammen.

Die Lehre an Schulen und Univ. beruht im Duecento auf der ant. und neuen Rhet., der Gramm. (der Lektüre und Kommentierung der ant. und ma. *auctores* von Ovids *Remedia amoris* bis zur *Elegia* des Arrigo da Settimello) und auf der Dialektik, die praktisch in der von Boethius übersetzten *Logik* des Aristoteles besteht. Das Studium dieser drei → Artes liberales, die zum Trivium gehören, erlaubte den Zugang zu den höheren und lukrativeren Disziplinen wie Jurisprudenz, Medizin und Theologie, die zusammen mit den das Trivium bildenden Disziplinen die vier Fakultäten der ma. Univ.-Ordnung bilden. Während sich die Theologie auf die Bibel und patristische Exegese stützt, gründen Jurisprudenz und Medizin auf der ant. Kultur, auf dem *Corpus iuris* Justinians und auf den wiss. Traktaten von Aristoteles und Galen, die mit ma. Glossen und Komm. versehen waren.

Bezeichnenderweise bildete sich die erste ital. Dichterschule am Hof Friedrichs II., der seinen Staat nicht nur in juristischer und administrativer Hinsicht nach dem Modell des ant. Roms neu organisierte (erst das Königreich Sizilien und ab 1220 das Kaiserreich), sondern außerdem in Neapel eine Univ. gründete, die eine weltliche, nicht rel. Bildung bieten sollte, an der die Beamten, die sein Programm der polit. und kulturellen Erneuerung vorantreiben sollten, ausgebildet wurden [11]. Tatsächlich sind die Dichter der Sizilianischen Schule selbst auch Beamte und Ratgeber Friedrichs II., d. h. also Notare (wie Giacomo da Lentini, *protonotarius*, oberster Notar, des Kaiserreichs) und Richter (wie Guido delle Colonne, *iudex*, Richter, von Messina), die in ihrer künstlerischen Tätigkeit dasselbe kulturelle Wissensgut umsetzen, das sie bei der Ausübung ihres Berufs brauchen: So dichten sie ihre Kanzonen und Sonette in der Volkssprache mit derselben stilistischen Technik, die sie auch bei der Abfassung ihrer Akten und ihrer sich mit Verwaltungsangelegenheiten befassenden Briefe in der lat. Sprache verwenden. Gerade ihre rhet. Kompetenz und Argumentationsgewandtheit erlaubt ihnen, die traditionelle Liebesthematik, die schon von den provenzalischen Troubadours und den frz. Roman-Schriftstellern behandelt wurde, in künstlerisch bewußterer und auch gedanklich überzeugenderer Weise weiterzuentwickeln.

Die herausragendste Persönlichkeit am Hof Friedrichs II. ist zweifellos Petrus de Vinea, *logoteta* (Schatzmeister) des Reichs und ein äußerst raffinierter Schriftsteller sowohl auf Lat. in seinen zahlreichen *Epistole* (»Briefen«), eines der lit. Meisterwerke des Jh., als auch in der Volkssprache in seiner knappen, aber wertvollen Gedichtsammlung. Eine vergleichende Analyse seiner beiden Produktionsstränge zeigt, daß, von einer gewissen thematischen Nähe abgesehen, die lat. Episteln von einer höheren lit. Experimentierfreude und größeren kulturellen Offenheit geprägt sind. In der berühmtesten, der sogenannten *epistola amatoria* (»Liebesbrief«), beweist Petrus seine eingehende Kenntnis nicht nur der ma. (insbes. des *Pamphilus*) und der provenzalischen

(v. a. der Gattung des *salut* – ein Liebesgruß, Minnebrief in Versen), sondern auch der klass. ant. lit. Tradition. Jeder Prosa-Abschnitt dieses Briefes, den der Schriftsteller in seiner Vorstellung der von ihm geliebten Frau schickt, endet mit dem Zitat eines Verses, der meistens Ovids Liebesdichtungen, teilweise aber auch dessen *Metamorphosen* und den *Tristia* entstammt [10]

Nach dem Tod Friedrichs II. (1250) und dem Untergang des Staufergeschlechts verschiebt sich das kulturelle Zentrum vom Süden nach Mittelitalien (Toskana) und in den Norden (Venetien). Während die Toskana die poetische Trad. in der Volkssprache und die rhet. Studien weiterführt, konzentriert sich Venetien auf das philol. Studium der Klassiker und auf die lit. Produktion in lat. Sprache, womit der erste Schritt zum it. Humanismus vollzogen ist. Schlüsselfigur dieser Vermittlungstätigkeit, der *translatio studii*, ist in der Toskana zweifellos Brunetto Latini, der Lehrer Dantes. Ihm ist die Wiederentdeckung der klass. Rhet. zu verdanken (er kommentierte und übers. Ciceros *De inventione* in die Volkssprache), einer Disziplin, die er bereits in human. und nicht mehr utilitaristischem Sinne versteht, nämlich als Instrument einer zivilen Bildung und guter polit. Führung und nicht als Mittel, um ›piatora‹ (Prozesse) zu gewinnen. Brunetto schrieb auch ein allegorisches Gedicht mit dem Titel *Tesoretto* (»Schatzkästchen«), das nicht nur von Bed. ist, weil es auf Dantes *Commedia* vorausweist, sondern v. a. weil es eine neue Beziehung zum *dictator* der vorangegangenen poetischen Trad., Ovid, stiftet. So trifft der Protagonist im Reich der Liebe den ›Ovidio maggiore‹, d. h. den Ovid der *Metamorphosen*, die von den Kommentatoren des 12. Jh. (z. B. Arnulf d'Orléans) moralisch ausgelegt worden waren. Dank dem Eingreifen Ovids entgeht der Protagonist der Liebesfalle und kann den Weg der *penitenza* (Buße) einschlagen, der Wandlung der weltlichen Liebe zur tugendhaften Liebe. Hier ist ein klarer Wandel in der Rezeption Ovids erkennbar: Er ist nun nicht mehr der Meister des Eros, sondern des Ethos, und somit ist er auch nicht mehr der spielerische, leichtfertige Verfasser der *Ars amandi*, sondern der ernsthafte Autor der *Metamorphosen*, die als die Dichtung der geistigen Änderungen (*mutationes*) des Menschen verstanden werden. Dies hatte eine entscheidende Auswirkung auf die folgende poetische Produktion. Eine der auffälligsten Konsequenzen sind zweigeteilte Liederbücher (*canzonieri*) in der Art von Guittone d'Arezzo (aufgeteilt nach höfischen und moralisierenden Gedichten) oder später von Petrarca.

Die Dichter des *Stilnuovo* (von Guido Guinizelli bis zu Dante und Cino da Pistoia) versuchten eine Vereinigung dieser Dichotomie. Ihr Hauptanliegen war, gerade den Eros in den Bildungsprozeß einzubeziehen, der den Menschen von der Erde zum Himmel, von der Frau zu Gott bringt. Auf diese Weise entsteht das lit. Meisterwerk des it. Duecento: Die *Vita Nova* des jungen Dante; ein Werk, das nicht zufällig Ovid und *il libro di Remedio d'Amore* (das Buch der Heilmittel gegen die

Liebe) als Modell anführt, und dies nicht nur in ideologischer, sondern auch in formaler Hinsicht. In der Tat inspiriert sich Dantes Prosimetrum nicht an Boethius' *Consolatio*, wie die angesehensten Interpreten meinen, sondern am *Liber Ovidii* wie es zu jener Zeit zirkulierte: an einem Buch, das jeweils in der Mitte der Seite den lit. Text des ant. Autors wiedergab, um den herum aber auch die Auslegung in Prosa des christl. *commentator* angeordnet war. In Kap. 25 seines *libello* (Büchleins) nennt Dante neben Ovid die anderen *auctores* des klass. Kanons, den Vergil der *Aeneis*, den Lukan des *Bellum civile* und den Horaz der *Ars poetica* (welcher seinerseits Homer zitiert, indem er den ersten Vers der *Odyssee* lat. übersetzt). Denselben Kanon finden wir mit leichten Variationen (Horaz erscheint hier z. B. als satirischer Dichter) im 4. Gesang des *Inferno* in dem Moment wieder, wo der Wanderer Dante die Dichter trifft, die im edlen Schloß des *Limbus*, am Rand des tiefen Abgrunds, die ›bella scuola‹ (schöne Schule) der Dichter unter der Führung von Homer bilden. Dante schließt sich sogar den fünf ant. Dichtern an, um ›sesto fra cotanto senno‹, der Sechste unter soviel Geist zu werden. Allerdings sieht die *Commedia* eine wichtige Erweiterung des Kanons der fünf *auctores* vor: Statius, den Dante fast auf dem Gipfel des Läuterungsberges trifft, wird miteingeschlossen (Purgatorio 21 f.). Der Autor der *Thebais* wird somit der einzige ant. Dichter, der sich retten konnte, der sogar in den heidnischen Dichtungen (genauer gesagt in der Lektüre der 4. *Ekloge* Vergils) das Licht der christl. Wahrheit gefunden hat. Deshalb bekommt Statius die Rolle als zusätzlicher Führer auf der Reise ins Jenseits. Er begleitet den Wanderer Dante dorthin, wohin Vergil es nicht tun kann, nämlich in das irdische Paradies, an den Ort der ursprünglichen Seligkeit des Menschen, aus dem kategorisch all diejenigen, die das Evangelium nicht kennen, ausgeschlossen sind (wie es der exemplarische Fall des Odysseus in Inferno 26 zeigt).

Die Bekehrung des Statius stellt ein entscheidendes Ereignis in der Ökonomie des *poema sacro* dar. Dante stellt auf diese Weise eine sehr enge Bindung zw. der ant. und der ma. Kultur her. Statius fungiert als Bindeglied, der den alten heidnischen *auctor* (Vergil) an den neuen christl. *auctor* (Dante selbst) kettet. Indem Dante Statius erlöst, verstößt er allerdings klar gegen die ma. Rezeption der ant. Welt, kursierten doch in den vorangegangenen Jahrhunderten Legenden über das Christentum Vergils [7] oder Ovids (gemäß der Erzählung in *De vetula* (»Über die Alte«), einer apokryphen Autobiographie Ovids, die das MA und Dante für authentisch hielten), nicht aber des Erzählers des thebanischen Krieges. Der strategische Wert einer solchen Vereinnahmung des Statius muß auf makrostruktureller Ebene gesucht werden: Dante imitiert in der *Commedia* sowohl Vergils *Aeneis* – der Wanderer ist ein neuer Aeneas auf der Reise in das himmlische Rom – als auch Ovids *Metamorphosen*, da das Jenseits als das Reich der geistigen Umwandlung des Menschen zu sehen ist. Gleichzeitig jedoch will Dante mit diesen absoluten Paradigmen des poetischen Kanons wetteifern und sie gar übertreffen (vgl. Inferno 25, 97–102). Um diese Idee der tatsächlichen Überwindung der ant. Poesie zu vermitteln, erfindet Dante die Figur des bekehrten Statius, dem die Aufgabe anvertraut ist, Vergil, aber auch Ovid und den anderen *auctores* den Weg der christl. Erlösung zu zeigen – einen Weg, den diese geahnt, aber nicht eingeschlagen haben [15].

Die Kultur der staufischen Zeit hinterläßt auch außerhalb der toskanischen Städte in der Po-Ebene und bes. in Padua ihre Spuren, wo die Juristen, die von Petrus de Vinea ausgebildet wurden, tätig sind und wo sich gegen E. des 12. Jh. und in den ersten Jahrzehnten des 13. Jh. eine vorhuman. Bewegung bildet, angeführt von dem Notar Lovato Lovati, der es sich vorgenommen hatte, die ant. Autoren ernsthaft zu studieren und die lit. Gattungen der Ant. wiederaufleben zu lassen [4]. So öffnet die Entdeckung der Tragödien Senecas durch Lovato (im Cod. *Etruscus* der Abtei von Pomposa) seinem Schüler Albertino Mussato den Weg, die erste mod. Tragödie in Hexametern, die *Ecerinis*, zu verfassen. Seneca imitierend kann nun Albertino die blutige Realität der histor. Ereignisse der jüngsten Zeit, den ungezügelten Angriff der Städte Venetiens durch den Tyrannen Ezzelino da Romano, und die gegenwärtige polit. Situation verarbeiten, die Expansionsabsichten von Cangrande della Scala auf Padua – ein Thema, das in der Dichtung *De obsidione ... paduane civitatis* (»Über die Belagerung ... der Stadt Padua«) behandelt wird. In gleicher Weise bringt die der Trad. der lat. Elegie (von Catull bis zu Properz und Statius) entgegengebrachte philol. Aufmerksamkeit Lovati und Albertino dazu, mit den für diese Gattung typischen Tonlagen und Themen in ihren eigenen *Epistole metrice* (»Versepisteln«) zu experimentieren. Lovato versucht später sogar, die ergreifende Geschichte von Liebe und Tod von Tristan und Isolde in lat. Verse zu übersetzen; von diesem Versuch ist uns h. ein kurzes Fragment von sechs Hexametern in einem *Zibaldone* (»Vermischte Beiträge«) Boccaccios erhalten geblieben.

In direkter Verbindung mit diesem kulturellen Ambiente in Padua steht der Briefwechsel in lat. Hexametern zwischen Dante, der sich im Exil in Ravenna befindet, und dem Bologneser Grammatiker Giovanni del Virgilio, der diesen Namen aufgrund seiner Verehrung des klass. Autors angenommen hat. Giovanni beginnt den Briefwechsel, indem er Dante vorwirft, die *Commedia* in der it. Volkssprache geschrieben zu haben, einer Sprache, die sich nicht für einen solch erhabenen philos. Stoff von hohem Bildungswert eigne. Außerdem fordert er Dante auf, ein episches lat. Gedicht in der Art Mussatos zu einem zeitgenössichen histor. Thema zu schreiben. Dies würde ihn unter den Gelehrten bekannt machen und ihm die Ernennung zum *poeta laureatus* der Stadt Bologna einbringen. Dante antwortet mit zwei Eklogen in perfektem vergilianischem Stil, in denen er sich als der Hirte Titiro ausgibt, der aus seiner Heimat verbannt wurde, aber zufrieden ist über den Schutz, den ihm der neue Augustus, Guido Novello, Herr von Ravenna, zusichert. Indem er seinen Aufenthalt in Ravenna mit idyllischen Wendungen beschreibt und sich weigert, nach Bologna umzusiedeln, um mit dem versprochenen Lorbeer gekrönt zu werden, bekräftigt er nicht nur die Gültigkeit seiner sprachlichen und stilistischen Wahl, sondern bietet außerdem ein brillantes Zeugnis seiner dichterischen Ausdruckskraft auch in lat. Sprache, und zwar nicht etwa im hohen Stil der Epik, wie es Giovanni gewünscht hatte, sondern im niederen Stil der Bukolik. Auf diese Weise initiiert Dante eine neue lit. Tradition – eben die bukolische –, die sofort von Petrarca (Schüler des Giovanni del Virgilio in Bologna) und von Boccaccio (der in einem seiner *Zibaldoni* den gesamten Briefwechsel zw. Giovanni und Dante wiedergibt) aufgenommen, perfektioniert und durch den it. Human. in ganz Europa der Ren. und Mod. verbreitet werden wird [8].

## B. Trecento (14. Jahrhundert)

Dem Streben der humanistischen Kreise Norditaliens nach einer Wiedergeburt der klass. Epik wird teilweise von Francesco Petrarca entsprochen, der zwischen 1338 und 1341 an einem hexametrischen Gedicht mit dem Titel *Africa* arbeitet, ohne es aber je zu vollenden. Gegenstand ist nicht die aktuelle, sondern die ant. Geschichte (es wird der Held des 2. Punischen Krieges, Scipio Africanus, gefeiert), und die *imitatio* orientiert sich nicht nur an Vergils *Aeneis*, sondern dehnt sich auch auf Ciceros *Somnium Scipionis* (»Traum des Scipio«, das einzige, was von *De re publica* bekannt war), Ovids Elegien und vor allem auf das Geschichtswerk des Titus Livius aus, von dem Petrarca die komplette und philol. zuverlässigste Ausgabe seiner Zeit erstellt hat [1]. Für dieses Werk erhielt Petrarca die Dichterkrone, auf die Dante gehofft hatte ohne sie je zu erlangen: 1341 wird er auf dem Kapitol durch den König von Neapel, Robert d'Anjou, mit dem Lorbeer gekrönt. Petrarca hat den größten Teil seiner Werke in Lat. geschrieben, der Sprache seiner geliebten klass. *auctores* und seiner verehrten christl. *patres* (Kirchenväter). Lat. ist auch die offizielle Sprache des päpstlichen Hofes in Avignon, wo Petrarca in den wichtigsten Jahren seiner intellektuellen Ausbildung tätig war. Es handelt sich hierbei um eine Produktion, die parallel zu den philol. Interessen des Schriftstellers läuft [3]. So entsteht aus dem dem Text des Livius gewidmeten Studium *De viris illustribus* (»Berühmte Männer«), eine Reihe von Biographien der herausragenden Gestalten der röm. Geschichte, der sich Portraits myth. und biblischer Figuren anschließen), während die Valerius Maximus erteilte Aufmerksamkeit die *Rerum memorandarum* inspiriert (eine Sammlung von ant. und mod. *exempla*, die die Kardinaltugenden illustrieren). Wenn andererseits die Entdeckung von Ciceros Briefsammlung Petrarca dazu anregt, die alte *ars dictaminis* (Regeln zur Abfassung von Prosaschriften) der ma. Rhetoriker zu erneuern und eine neue, persönlichere Brief-Gattung zu kreieren, wie dies seine verschiedenen, Jahre auseinanderliegenden Briefsammlungen von den *Familiares* bis zu den *Seniles* zeigen, so führt ihn die Lektüre Senecas in Verbindung mit der Lehre des Augustinus zu seinen anspruchsvollen philos. Schöpfungen (*De remediis utriusque fortunae*, »Heilmittel gegen beiderlei Schicksal«, und die anderen asketischen und moralischen Traktate). Auch die beiden in der Volkssprache geschriebenen Werke Petrarcas (die Gedichtsammlung mit dem Titel *Rerum vulgarium fragmenta*, »Bruchstücke volkstümlicher Dinge«, und das allegorische Gedicht *Triumphi*) sind von der tiefergehenden Präsenz der ant. Welt gekennzeichnet. Besonders im Liederbuch hallen durchgehend Echos aus der klass. Myth. und aus seinem *auctor* Ovid wider, und zwar in einem Ausmaß, wie nie zuvor in der lyr. Trad., sondern nur in Dantes Epik. Die Geschichte der Liebe des lyr. Ich zu Laura wird in der Tat durch eine Reihe von Verwandlungsmythen erzählt und analysiert, die vom Mythos von Apollon und Daphne, in dem die Poesie eine Form des sublimierten Eros darstellt, bis zum Mythos von Aktaion und Diana reichen, in dem Eros ein tragisches Ende findet [14]. Der Mythos und die *Metamorphosen* Ovids dienen dazu, die dunkle Seite der Liebe zu schildern, den menschlichen Pol eines *iter amoris* (Weg der Liebe), der versucht, sich zum göttl. Pol zu erheben, ohne ihn je endgültig erreichen zu können. Zwischen Eros und *caritas* (christl. Nächstenliebe), zw. klass. Mythos und christl. Wahrheit zeigt sich wieder jener Riß, den die Dichter des *Stilnuovo*, des Neuen Stils, und Dante zu schließen versucht hatten.

Die lit. Karriere von Giovanni Boccaccio, des letzten der drei »Kronen«, ist von der Spannung geprägt, die im 14. Jh. zw. dem von Dante verfolgten Klassizismus und demjenigen Petrarcas herrschte. Wenn die hauptsächlich in der Volkssprache gehaltene Produktion seiner jungen Jahre unter dem Einfluß Dantes stand, so folgen seine reifen, meistens lat. Werke Petrarca. Tatsächlich kennzeichnet das Treffen mit Petrarca in Florenz im J. 1350 den Übergang in Boccaccios Leben von einer Periode, die sich an einer vielseitigen lit. Tätigkeit orientierte, zu einer neuen Periode, die von philol. Interessen und einer gelehrten, enzyklopädischen Forschungstätigkeit dominiert wird. Natürlich ist dieser Kontrast nicht immer eindeutig: Analysieren wir im Detail das Schaffen Boccaccios, so fehlen weder die enzyklopädischen Ansätze in den früheren Werken, noch versiegt später seine erzählerische Ader. Jedoch ist die Richtung, die dieser Schriftsteller seinem eigenen künstlerischen *curriculum* auferlegt, klar erkennbar die zuvor beschriebene. Es ist also nicht allein Petrarca, der die große Epoche des florentinischen und it. Human. ankündigt, sondern auch Boccaccio: Ersterer wirkt auf höherer Ebene, letzterer hingegen auf der Ebene einer *mittleren Kultur*, die allerdings tiefere Spuren hinterläßt und länger anhält.

Der junge Boccaccio, der seine Ausbildung am prächtigen Hof der Anjou und im armen kaufmännischen Bürgertum von Florenz erfahren hat, macht sich zum Ziel, den von der romanischen, vor allem aber frz. und it. Erzähltrad. geerbten Gattungen klass. Geltung zu verschaffen. Wir sehen jedoch, daß die Werke der neapolitanischen Periode den Stoff der frz. *romans antiques* wiederaufnehmen: Sein Erstlingswerk, der abenteuerliche Prosaroman *Filocolo* greift die Liebesgeschichte von Floire et Blancheflor auf, die in Rom zur Zeit des Übergangs vom Heidentum zum Christentum spielt, *Filostrato* entwickelt eine Episode des *Roman de Troie* und *Teseida* knüpft an den *Roman de Thèbes* an. Gleichzeitig versucht Boccaccio jedoch, diesen Erzählungen die verlorengegangene urspr. rhet. und stilistische Dimension wiederzugeben; hier liegt der Grund für die griech. gefärbten Titel, die die Wiedergewinnung der klass. *auctoritas* hervorheben sollen: Den ant. Roman im Fall des *Filocolo*, Ovids Elegie für den *Filostrato* und die Epik des Statius für die *Teseida*. Die Werke der florentinischen Periode versuchen ihrerseits, die weit zurückliegende Klassik der lat. Modelle (Ovid, aber auch Seneca) mit der erst kurze Zeit zurückliegenden Klassik des neuen it. *auctor* (Dante) zu vereinigen. Es entstehen sowohl die *Comedia delle ninfe fiorentine* (»Komödie von den Florentiner Nymphen«), ein Prosimetrum myth. Gehalts, das sich eindeutig an der *Vita Nova* inspiriert, als auch die *Elegia di madonna Fiammetta* (»Elegie von Frau Fiametta«), in der die mod. Heroine ihre Liebesenttäuschung in einer langen romanhaften Prosa erzählt. Auch das Meisterwerk dieser Periode, das *Decamerone*, folgt demselben Bedürfnis nach mod. Klassik. Boccaccio konstruiert sein Buch der hundert Novellen nach dem Muster der hundert Gesänge der *Commedia*, um das künstlerische Äquivalent für das, was das Gedicht Dantes im Gebiet der Epik gewesen war, im Bereich der Erzählung zu bieten. Natürlich schöpft Boccaccio für diese lit. Operation zum größten Teil aus romanischen und mittellat. Quellen, doch fehlen auch die klass. Vorgänger nicht. Neben dem gewohnten Ovid (Inspirationsquelle des 4. Tages, der tragischen Liebesgeschichten) finden wir den ant. Roman als Quelle der Themen und Handlungen für die Novellen des 2. und 5. Tages, die Liebesverwicklungen und verschiedenen Glücksfällen gewidmet sind, und Apuleius. Zwei Novellen des *Decamerone*, 5, 10 und die 7, 2 gründen direkt auf zwei *fabulae* der *Metamorphosen* des Apuleius[16].

Der andere Boccaccio, der Humanist, benutzt nicht die Volkssprache, sondern greift vorzugsweise auf das Lat. zurück, dank dessen er mit den Gelehrten aller Zeiten und Breitengrade kommunizieren kann; er frequentiert weder Höfe noch städtische Kreise, sondern zieht ihnen die Einsamkeit und Ruhe seines Hauses in Certaldo vor, das sich so gut für Meditation und Studium eignet; er schreibt keine Bücher mit unterhaltsamen Erzählungen, dafür Sammlungen von erzieherischen *exempla*, von *De casibus virorum illustrium* (»Über den Sturz berühmter Männer«) bis zu *De claris mulieribus* (»Über berühmte Frauen«), Werke, die nicht der Unterhaltung, sondern der moralischen Bildung der Leser dienen sollen; er stellt sich nicht unter Dantes Schutz, sondern sucht die Anerkennung Petrarcas, seines neuen *praeceptor*, Vorbilds und Meisters [19; 5]. Indem Petrarca die letzte Novelle des *Decamerone*, *Griseldis*, ins Lat. überträgt, öffnet er diesem Meisterwerk die Tore zur Fortwirkung in ganz Europa; Boccaccio seinerseits vergißt den Autor seiner Jugend nicht und bereitet dessen zukünftige Rezeption vor, indem er (in diesem Fall in der Volkssprache) dessen Biographie schreibt und öffentlich die *Commedia* kommentiert, wobei er die Tiefe des philos. und moralischen Gehalts eines in der Volkssprache geschriebenen Werkes aufdeckt. Das wichtigste Werk dieser Periode ist sicherlich die *Genealogia deorum gentilium* (»Genealogie der heidnischen Götter«), ein wahrhaftes kulturelles Testament, das Boccaccio und das gesamte MA der europ. Kultur hinterläßt. Boccaccio sammelt und vergleicht hier nicht nur die klass. Versionen der Mythen, sondern auch die ma. allegorischen Interpretationen. Für ihn ist der Mythos die Verschmelzung der menschl. Erfindung mit der histor. Wahrheit und der moralisch-rel. Lehre. So werden ganze Künstlergenerationen (Literaten und Philosophen, Dichter und Erzähler, aber auch Maler, Bildhauer, Musiker usw.) diese kommentierte Enzyklopädie der Mythen konsultieren, um ihren eigenen Schöpfungen ein sicheres Fundament zu geben und ihre eigene kulturelle Genealogie besser kennenzulernen.

→ AWI Prosimetrum

1 G. BILLANOVICH, La tradizione del testo di Livio e le origini dell' Umanesimo, 1981 2 Ders., Lo scrittoio di Petrarca, 1947 3 Ders., Petrarca e il primo Umanesimo, 1996 4 Ders., Il preumanesimo padovano, in: Storia della cultura veneta, Bd. 2, 1976, 19–110 5 F. BRUNI, Boccaccio, 1990 6 Ders., Boncompagno da Signa, Guido delle Colonne, Jean de Meung: metamorfosi dei classici nel Duecento, in: Medioevo romanzo, 1987 7 D. COMPARETTI, Virgilio nel Medioevo, ²1946 8 M. FEO, Tradizione latina, in: A. ASOR ROSA (Hrsg.), Letteratura italiana, Bd. 5, 1986, 311–378 9 CH. HASKINS, The Renaissance of the 12th Century, 1958 10 Ders., Studies in Medieval Culture, 1965, 124–147 11 E. KANTOROWICZ, Kaiser Friedrich der Zweite, 1938 12 P. O. KRISTELLER, The Classics and Renaissance Thought, 1955 13 F. NOVATI, L' influsso del pensiero latino sopra la civiltà italiana del Medioevo, 1897 14 A. NOYER-WEIDNER, Umgang mit Texten, Bd. 1, 1986, 221–242 15 M. PICONE, Dante and the Classics, in: A. A. IANNUCCI (Hrsg.), Dante, 1995, 51–73 16 Ders., B. ZIMMERMANN (Hrsg.), Der ant. Roman und seine ma. Rezeption, 1997 17 E. RAND, The Classics in the 13th Century, in: Speculum 1929 18 G. TOFFANIN, Il secolo senza Roma, 1942 19 G. VELLI, Petrarca e Boccaccio, 1979, 61–211 20 H. WIERUSZOWSKI, Politics and Culture in Medieval Spain and Italy, 1971, 589–627.

MICHELANGELO PICONE / Ü: SUSANNE BERGIUS

## III. 15. UND 16. JAHRHUNDERT
A. BEGRIFFSBESTIMMUNG  B. DAS 15. JAHRHUNDERT  C. DAS 16. JAHRHUNDERT

### A. BEGRIFFSBESTIMMUNG

Der im 19. Jh. als Epochenbezeichnung geprägte Begriff »Renaissance« (Burckhardt [12]; Michelet [29]) beinhaltet die Erneuerung des geistigen und kulturellen Lebens auf der Basis eines Rückgriffs auf die Ant. Die Antikerezeption betrifft nahezu alle Bereiche: von der Dichtung in Lat. und in der Volkssprache über Geschichtsschreibung, Philos., Malerei, Skulptur, Architektur und dekorative Künste bis zu Theater, Musik und Festkultur.

Entscheidend für das neue Verhältnis zur Ant., deren Rezeption während des MA nicht unterbrochen war, ist ein verändertes Geschichtsbild. Die Humanisten gehen nicht mehr von einer Kontinuität zw. der Ant. und der eigenen Epoche aus (*translatio studii et imperii*), sondern messen dem Ende des röm. Imperiums (bzw. dem Ende der röm. Republik) epochale Bed. zu, da es das »dunkle« MA einleitet. Erst sieben bis acht Jh. später beginnt mit Petrarca die »Wiedergeburt« des geistigen und kulturellen Lebens, eine These, die beispielsweise der Florentiner Humanist Leonardo Bruni in seinen Lebensbeschreibungen Dantes und Petrarcas (1436) vertritt. Dieses von den Humanisten vertretene Modell entspringt dem Bedürfnis nach polemischer Abgrenzung von der vorausgehenden Epoche. Die mod. Forsch. hat jedoch gezeigt, daß die kulturelle Blüte der it. Ren. ohne den polit. und wirtschaftlichen Aufschwung und die großen kulturellen Leistungen der vorausgehenden Jh. nicht denkbar wäre.

### B. DAS 15. JAHRHUNDERT
#### 1. HISTORISCHER ÜBERBLICK

Um 1400 ist der Übergang vom Zeitalter der Kommunen (der freien Städte des MA) zu dem der *Signorie* (unter der Herrschaft eines Einzelnen stehende Kleinstaaten, die später zu erblichen Herzog- oder Fürstentümern erhoben werden) weitgehend vollzogen. Nur wenige Städte haben ihre Freiheit behaupten können, darunter Florenz, das jedoch durch die Expansionsbestrebungen des Herzogtums Mailand bedroht wird. Angesichts der Gefährdung der kommunalen Freiheit durch den »Tyrannen« Gian Galeazzo Visconti besinnen sich Florentiner Gelehrte auf die im republikanischen Rom vorgeprägten Bürgertugenden und Werte. Das Bewußtsein von der bes. polit. Situation trägt mit zur Entwicklung eines neuen Geschichtsdenkens bei [2]. Träger des »Bürgerhumanismus« sind nicht Kleriker, sondern im polit. Leben der Kommune aktiv tätige Laien, d. h. Notare, Sekretäre oder Kanzler wie Coluccio Salutati (1331–1406), Leonardo Bruni (ca. 1370–1444), Matteo Palmieri (1406–75). Fragt man nach den Gründen für die Entstehung der Ren. und für die Vorreiterrolle, die Florenz in dieser Hinsicht spielte, so ist der Hinweis auf die bes. histor. Erfahrung der Jahre um 1400 zur Erklärung sicher notwendig, aber nicht ausreichend. Hinzu kommen gesellschaftliche, wirtschaftliche und künstlerische Faktoren.

Die gesellschaftliche und polit. Situation im I. des 15. Jh. ist geprägt vom Nebeneinander unterschiedlicher Staatsformen. Es gibt die Republiken Florenz und Venedig (erstere entwickelt sich mit den Medici unter weitgehender Beibehaltung der kommunalen Strukturen zu einem den *Signorie* vergleichbaren Staat, letztere dehnt im 15. Jh. ihr Herrschaftsgebiet weit auf das Festland aus), Fürsten- und Herzogtümer (die wichtigsten, aber bei weitem nicht die einzigen sind Mailand mit den Visconti und dann den Sforza, Ferrara mit den Este, Mantua mit den Gonzaga, Urbino mit den Montefeltro, Rimini mit den Malatesta), eine Monarchie (das von den Aragonesen beherrschte Königreich Neapel) und den Kirchenstaat, der ebenfalls zu einem bedeutenden territorialen und polit. Machtfaktor wird. Die in häufige Konflikte verwickelten wichtigsten it. Mächte finden im Frieden von Lodi (9. 4. 1454) zu einem Gleichgewicht, das die zweite H. des 15. Jh. zu einer relativ friedlichen Epoche macht.

Die Rivalität zw. den Kleinstaaten, die alle nach größtmöglicher Macht- und Prachtentfaltung streben, die Verbindungen, die durch eine ausgeklügelte Heiratspolitik geschaffen und bestätigt werden, das starke Bedürfnis nach fürstlicher Selbstdarstellung, all das begünstigt den Austausch und die Verbreitung neuer Ideen und trägt zur Schaffung weiter Tätigkeitsfelder für Gelehrte und Künstler bei. Doch nicht nur Fürstenhöfe, auch Republiken, städtische Korporationen und Institutionen, Päpste, Kardinäle, Geschäftsleute und Bankiers spielen eine wichtige Rolle als Auftraggeber von Kunstwerken.

### 2. Grundlagen der Bildung

Die neue human. Kultur ist in erster Linie eine Laienkultur. Der Umgang mit ant. Wissen verlagert sich von den Klosterbibliotheken, Kirchen, Universitäten hinaus ins polit. und kulturelle Leben der Kommunen und v. a. der Höfe. Die Päpste der zweiten Jahrhunderthälfte haben oft selbst human. Interessen und sind wichtige Auftraggeber und Förderer der Künste (bes. Nikolaus V., 1447–55 und Pius II., 1458–64). Der Rückgriff auf die Ant., der den Plänen für die architektonische Neugestaltung Roms (die im großen Stil erst in den folgenden Jh. in Angriff genommen werden wird) ebenso wie Aufträgen an Maler und Bildhauer zugrunde liegt, dient mit dazu, Rom nach Beendigung des großen abendländischen Schisma wieder zur Hauptstadt der Christenheit zu machen.

Schwerpunkte der human. Kultur sind nicht die noch vom scholastischen Bildungssystem geprägten Univ., sondern neugegründete Schulen, die an die Höfe gebunden sind (Mantua: Vittorino da Feltre; Ferrara: Guarino Veronese) oder der Ausbildung der städtischen Elite dienen. Auf der Grundlage ant. Autoren konzentriert sich die Tätigkeit der Humanisten auf die Bereiche der Gramm., → Rhetorik, Poetik, Geschichte und Moralphilosophie, die fünf Fächer der *studia humanitatis* (davon abgeleitet im 15. Jh. die Bezeichnung *umanista*: der die *studia humanitatis* lehrt oder betreibt). Die neuen Bildungsziele orientieren sich an den praktischen Bedürfnissen der Humanisten als Lehrer, Fürstenerzieher, Kanzler, Sekretäre oder Historiographen und zielen ab auf die Vervollkommnung des Menschen im diesseitigen Leben.

Neben den Schulen spielen Vorformen der → Akademien für die Rezeption und Verbreitung ant. Wissens eine große Rolle (die platonische Akad. in Florenz, die röm. Akad. des Pomponio Leto, 1428–97, die des Panormita, Antonio Beccadelli, 1394–1471, in Neapel). Zu den Klosterbibliotheken und den zum Teil beachtliche Ausmaße annehmenden Privatsammlungen von Gelehrten und Fürsten kommen erste öffentliche → Bibliotheken wie die Biblioteca di San Marco in Florenz und die von Nikolaus V. begründete Biblioteca Vaticana. Die Schenkung der Handschriftensammlung des Kardinals Bessarion schafft 1468 den Grundstock für die erst Jahrzehnte später verwirklichte Biblioteca Marciana in Venedig. Anstöße für das Studium und die Verbreitung ant. Autoren liefern »Entdeckungen« von bisher nicht zugänglichen oder wenig verbreiteten ant. Mss. aus it. und nördl. der Alpen liegenden Klosterbibliotheken. Griech. Mss. gelangen vermehrt durch die traditionell engen Beziehungen verschiedener it. Städte zum Osten, durch Bildungsreisen it. Humanisten sowie durch byz. Gelehrte nach It. Die Bed., die dieser Zuwachs ant. Wissens durch Handschriftenfunde hatte, ist sicher nicht unerheblich (so lieferte die Entdeckung von zwölf »neuen« Plautus-Komödien durch Nikolaus von Kues, 1429, entscheidende Anstöße für die Entwicklung des human. und später des volkssprachlichen Theaters), darf allerdings auch nicht überbewertet werden, wie es, ausgehend von begeisterten Berichten human. Reisender über ihre Bücherfunde, häufig geschehen ist. Es handelt sich nur um einen Aspekt von vielen, die zur Antikerezeption der it. Ren. beigetragen haben.

Einen wichtigen Beitrag leisten neue Formen der Vervielfältigung und Verbreitung von Texten. Sie geschieht zum einen durch eine »industriell« organisierte hsl. Vervielfältigung, mit der z. B. Vespasiano da Bisticci die Bibliothek des Federico da Montefeltro in Urbino beliefert, zum anderen und in schnell wachsendem Ausmaß durch den Buchdruck, der 1465 in Subiaco bei Rom von zwei dt. Druckern eingeführt wird und dann in den Städten rasch zu einer bedeutenden Buchproduktion führt.

### 3. Sprache und Literatur

Grundlage der human. Bildung ist die Pflege der lat. Sprache, die, ausgehend von ant. Modellautoren, zu ihrer im MA verlorenen Reinheit zurückgeführt werden soll (Lorenzo Valla, 1405–57, *Elegantiarum latinae linguae libri VI*). Der korrekte, gepflegte Ausdruck ist untrennbar mit dem Inhalt verbunden. Aus der Beschäftigung mit Sprache und Textüberlieferung gehen Ansätze zu einer kritischen textphilol. Methode hervor, die mit Valla (der mit philol. Methoden die Urkunde der → Konstantinischen Schenkung als → Fälschung entlarvt) und Angelo Poliziano (1454–94) schon im 15. Jh. zwei bedeutende Vertreter findet. Rückführung der Texte zu einer möglichst authentischen Form (in Verbindung mit Studien zu Orthographie, Gramm., Rhet., Metrik der Ant.) und erläuternder Komm. (Beschäftigung mit ant. Geschichte, Kultur, Myth.) bilden die

Grundlage für die Nutzbarmachung ant. Wissens und für die eigene lit. Produktion auf der Basis ant. Musterautoren.

Das Griech. hat für die it. Ren. eine geringere Bed. als das Lat., das sich auf die Kontinuität der lat. Studien während des MA stützen kann und in vielen Bereichen des Lebens einen aktiven Gebrauchswert hat; trotzdem leisten die Humanisten auch für das Studium des Griech. einen entscheidenden Beitrag. Schon vor dem Fall Konstantinopels (1453), der einen verstärkten Zustrom byz. Gelehrter nach It. zur Folge hat, gibt es Ansätze, mit denen die Bemühungen von Petrarca und Boccaccio um eine Institutionalisierung des Griechischunterrichts fortgesetzt werden. Das Konzil von Ferrara und Florenz (1438–45) fördert die west-östl. Kontakte und spiegelt sich in den bildenden Künsten in zahlreichen Darstellungen griech. Würdenträger und Gelehrter wider. Auch die Texte griech. Wissenschaftler, Philosophen, Redner, Geschichtsschreiber und Dichter werden zum Gegenstand philol. und histor. Studien und finden durch Neuausgaben Eingang in die Bibliotheken. Der geringen Zahl ngriech. Dichtungen steht eine Flut von lat. Übers. aus dem Griech. gegenüber (Neuübers. von im MA bekannten Texten und erstmalige Übers.), die der Philos., den Wiss. und der Lit. entscheidende Anstöße liefern.

In Anlehnung an die Ant. entsteht im 15. Jh. eine reiche Produktion an nlat. Dichtung. Im Bemühen um Nachahmung ant. Gattungen und um sprachliche und stilistische Vollendung entstehen verschiedene Formen der Gelegenheits- und Gebrauchslit. (Epithalamium, Epicedium, Lob und diplomatische Reden u.a.), lyrische Werke wie Elegien, → Epigramme, bukolische Dichtung; dramatische Texte, Viten, Centonen, loci communes-Bücher (→ Loci communes) und, als typische human. Genera, → Dialoge, Briefe (Epistel) und Abhandlungen.

Die *imitatio* (→ Imitatio) der nlat. Dichter ist nicht als sklavische Nachahmung zu verstehen; an ihrer Seite steht die *aemulatio*, der schöpferische Wettstreit mit dem ant. Modell. Die Diskussion um die richtige Art der Imitation findet im 15. Jh. eifrige Vertreter. Ein restriktives *imitatio*-Konzept vertritt im 15. Jh. der Ciceronianer Paolo Cortese, während sich Poliziano gegen die Beschränkung auf Cicero als alleingültiges Sprach- und Stilmodell (bzw. Cicero für die Prosa, Vergil für die Poesie) und für eine eklektische Auswahl und Neuschöpfung auf der Basis vieler Musterautoren, auch aus der »Silbernen Latinität«, ausspricht. Im 16. Jh. werden Giovan Francesco Pico und, als Vertreter des → Ciceronianismus, Pietro Bembo (1470–1547) diesen Streit fortsetzen.

Angesichts der beherrschenden Stellung des Humanismus mit seiner Konzentration auf die lat. Sprache und die nlat. Dichtung scheint die volkssprachliche Lit. des 15. Jh. geringes Gewicht zu haben. In enger Verbindung mit der eigenständigen Literaturproduktion steht die Übersetzungstätigkeit, die sich, nach der gro-

ßen Zeit der *volgarizzamenti* (Übers. vom Lat. ins it. *volgare*) im 14. Jh. nun v.a. auf die Übertragung griech. Texte ins Lat. konzentriert. Doch zeigen sich im 15. Jh. v.a. in Florenz Ansätze zu einer Aufwertung der Volkssprache, die an die große Trad. der »drei Kronen« Dante, Petrarca und Boccaccio anknüpfen kann. Der Universalgelehrte Leon Battista Alberti (1404–72) spielt in diesem Prozeß ebenso eine wichtige Rolle wie der Staatsmann und Dichter Lorenzo de' Medici (1449–92), bei dem die Förderung des Florentinischen mit polit. Machtansprüchen Hand in Hand geht. Der Lorenzo nahestehende große Humanist und Philologe Poliziano ist auch Verfasser eines epischen myth. Gedichts in it. Sprache (*Stanze per la giostra*, 1475–78), das bis ins 16. Jh. hinein Nachahmer finden wird, und des wichtigsten Beispiels der Gattung des myth. Festspiels, der *Fabula di Orfeo* (um 1480?).

In der Rezeption myth. Themen und Motive kommt bes. deutlich zum Ausdruck, daß auch die volkssprachliche Dichtung auf die Ant. rekurriert. Als Beispiel für die Aktualisierung und Nutzbarmachung der Ant. sei kurz auf die Entwicklung des Theaters eingegangen. An die Seite des lat. Humanistendramas, das sowohl in Schulen und Akad. als auch an den Höfen eine große Rolle spielt, treten gegen Ende des Jh. Übers. ant., v.a. plautinischer Komödien (beginnend mit der Aufführung der *Menaechmi* (→ Lateinische Komödie) in ital. Übers. am Hof von Ferrara, 1486) sowie die Aufführung myth. oder myth.-allegorischer Festspiele in der Volkssprache. Neben dem gesprochenen Text spielen hier, wie auch in den myth. Intermedien der Komödienaufführungen, visuelle Elemente (Pantomime, Kostüme, Requisiten, usw.) eine große Rolle. Bestimmend wird der visuelle Aspekt im vorwiegend pantomimischen Genus der venezianischen *mumaria*, die ebenfalls aus dem Motivreservoir der (ovidischen) Mythen schöpft.

Im höfischen Fest des 15. und v.a. des 16. Jh. verschmelzen human. Gelehrsamkeit (Humanisten sind tätig als Verfasser von Programmentwürfen, Texten für Rezitation und Inschriften, Festbeschreibungen), volkssprachliche Kultur und bildende Künste zu einem Gesamtkunstwerk, für das die Veranstalter keine Kosten scheuen. Aus der Ant. entlehnte Themen finden sich im Einzug, der sich am ant. Triumphzug ebenso wie an den allegorischen *Trionfi* Petrarcas inspiriert, in Gesängen, Lobreden und Tanzvorführungen, in Banketten mit aus Zucker geformten myth. Figuren oder myth. *Entrements*, in Turnieren mit antikisierenden Kostümen und gelehrten Devisen und nicht zuletzt in szenisch-dramatischen Vorführungen verschiedener Art. Im Fest der Höfe wie dem der Stadtrepubliken werden aus der Ant. abgeleitete Formen und Inhalte in den Dienst der aktuellen polit. und kulturellen Erfordernisse gestellt und entfalten eine Wirkung, die weit über den kleinen Kreis der human. Gebildeten hinausgeht.

## 4. Musik (15. und 16. Jahrhundert)

Die Bestrebungen der Humanisten, ant. Quellen neu herauszugeben, zu übersetzen, zu kommentieren und für die Praxis nutzbar zu machen, erstrecken sich im 15. Jh. auch auf ant., v. a. griech. musiktheoretische Texte. Bis zum Ende des 16. Jh. sind nur indirekte Quellen bekannt. In der Ren. einflußreiche Elemente ant. Musiktheorie sind u. a. die Idee der → Sphärenharmonie und die Überzeugung, daß Musik menschliche Gefühle und Verhaltensweisen beeinflussen kann. Bei Ficino tritt Musik in Verbindung mit magischen Praktiken, seine »orphischen Gesänge« sollen einen günstigen Einfluß der Planeten bewirken. Ein bedeutender Sammler und Übersetzer griech. musiktheoretischer Schriften ist der Humanist Giorgio Valla. Seine 1501 herausgegebene Enzyklopädie *De expetendis et fugiendis rebus opus* stellt eine Zusammenfassung der griech. Musiktheorie auf Basis der Originaltexte dar. Mit dem Musiker Franchino Gaffurio (1451–1522), der für seine Studien zahlreiche griech. Quellen übersetzen läßt und sich um die Rekonstruktion ant. Musik bemüht, beginnt die sich im 16. Jh. verstärkende Tendenz, die Kenntnisse über ant. Musik in der Praxis umzusetzen. Zentren einschlägiger Diskussionen und Forsch. sind die Akad. oder vergleichbare Treffpunkte von Gelehrten wie die *Camerata* des Giovanni Bardi (1534–ca. 1614) in Florenz.

Von Überlegungen zur ant. Musiktheorie und entsprechenden Rekonstruktionsversuchen gehen v. a. in der zweiten H. des 16. Jh. Impulse zur Reform der musikalischen Praxis aus. Die Forsch. des Girolamo Mei (1519–94) werden von Bardi und dem Venezianer Gioseffo Zarlino aufgegriffen, die eher gemäßigte Positionen vertreten, während Vincenzo Galilei (ca. 1520–91) eine konsequente Reform der Musikpraxis in enger Anlehnung an die Ant. anstrebt (*Dialogo della musica antica e moderna*, 1581). Die von der ant. Musiktheorie angeregten Überlegungen, v. a. zu der Frage, wie die in den Quellen belegten affektiven Wirkungen der Musik zu erzielen seien, sowie die Auffassung, die ant. Tragödien seien durchgehend gesungen vorgetragen worden, gehen mit ein in die Entwicklung der Theorie des Rezitativs. Seine erste Umsetzung findet dieser neue Stil in der am 6.10.1600 in Florenz aufgeführten *Euridice* von Jacopo Peri/Ottavio Rinuccini, mit der die große Geschichte der → Oper beginnt.

## 5. Bildende Künste und Architektur

Im Bereich der bildenden Künste und der Architektur ist der Einfluß der Ant. im Übergang vom gotischen Stil (den Theoretiker des 15. und 16. Jh. abschätzig als »barbarische Manier« bezeichnen) zum Stil- und Formenrepertoire der Ren. offensichtlich. Im 15. Jh. wird, in Verbindung mit der beginnenden (aber im 16. Jh. noch nicht abgeschlossenen) Emanzipation der mechanischen Künste das Bestreben sichtbar, Malerei, Bildhauerei und Architektur auf eine neue theoretische Grundlage zu stellen. Das kann nur unter Rückgriff auf ant. Schriften und Modelle geschehen, da im Zuge des

Human. die Vorbildhaftigkeit der Ant. allg. anerkannt wird. Die Verbindung von Human. und bildenden Künsten verwirklicht sich in dem Universalgelehrten Leon Battista Alberti, der u. a. Traktate über Malerei, Skulptur und Architektur schreibt (*De pictura*, 1435, von Alberti selbst ins It. übersetzt; *De statua*; *De re aedificatoria*, 1455) und selbst als Architekt tätig ist. Auch der Tanz wird in die durch die Ant. legitimierte Neuordnung einbezogen (Traktate von Domenico da Piacenza, Guglielmo Ebreo, Antonio Cornazzaro).

### 5.1 Architektur

Den Architekten steht mit den Überresten röm. Bauten, die vermessen und gezeichnet werden, reiches Anschauungsmaterial zur Verfügung, ebenso in zunehmendem Maß den Bildhauern. Filippo Brunelleschi (1377–1446) und Donatello (1382/83–1466) können stellvertretend für das Antikestudium der Frührenaissance in diesen beiden Bereichen stehen. Im Zusammenhang mit dem Interesse für ant. Architektur entsteht langsam die Einsicht in die Notwendigkeit, die ant. Ruinen, die auch im 15. Jh. noch als Baugrube benutzt wurden, zu erhalten und zu schützen. In Architekturzeichnungen läßt sich das Bestreben erkennen, die meist unvollständig erhaltenen oder nur teilweise sichtbaren ant. Überreste zu ergänzen, daraus etwas Neues, Eigenes zu schaffen.

Die Auseinandersetzung mit der Architektur der Ant. geschieht in der Ren. zu einem wesentlichen Teil über die Rezeption von Vitruvs *De architectura*. Ein zentrales Thema, für dessen Bearbeitung im 15. Jh. die ant. Trad. fruchtbar gemacht wird, ist die Hierarchie der Baugattungen, an deren Spitze der Sakralbau steht. Die ideale Form des »Tempels«, wie er bei Vitruv und in theoretischen Schriften der Ren. beschrieben wird, ist der überkuppelte Zentralbau nach dem Modell des Pantheon; Beispiele für die Umsetzung dieses Typs finden sich nicht nur in realer Architektur, sondern auch in der Malerei (Idealstadtansichten, Bühnenbildprospekte). Ein zweites wesentliches Thema ist das der Proportionen. Pythagoreisch-platonische und ma. Zahlensymbolik gehen ein in Entwürfe für Kirchenbauten, die in der Klarheit und Harmonie ihrer Teile die göttl. Weltharmonie widerspiegeln. Da sich die vollkommenen mathematischen Verhältnisse auch in der Musik finden, ist es möglich, musikalische Proportionen einem Bauwerk zugrundezulegen (wie in dem Gutachten von Fra Francesco Zorzi, 1535, zu Jacopo Sansovinos Entwurf für San Francesco della Vigna in Venedig oder in der Architektur Palladios). Der Harmonie und der perfekten Proportion des Universums entspricht auch der ideale menschliche Körper, der so zum Grundmaß baulicher Gestaltung werden kann, wie es, nach Auffassung der Renaissancetheoretiker, in der Ant. bereits geschah.

Bedeutenden Einfluß üben ant. Schriften und Ideen nicht nur auf Einzelbauten, sondern auch auf die Stadtplanung aus. Der Humanistenpapst Pius II. (1458–64) initiiert die (nur teilweise verwirklichte) Umgestaltung seines Heimatortes und tauft ihn in »Pienza« um; in Ferrara läßt Herzog Ercole I d'Este die nach ihm benannte Stadterweiterung auf der Basis human. Planung durchführen. Die Umsetzung einer nach zeitgenössischen Erkenntnissen erstellten städtebaulichen Gesamtplanung wird allerdings erst im 16. Jh. geschehen (Sabbioneta).

### 5.2 SKULPTUR

In der Bildhauerkunst führen Antikestudium und Naturbeobachtung zu einer Weiterentwicklung der ma. Trad. und v. a. zu neuen Formen der Darstellung des menschlichen Körpers (Proportionen, Kontrapost, Nacktheit). Auch zahlreiche dekorative Elemente werden aus der Ant. abgeleitet. Dazu kommen wiederbelebte Techniken (Bronzeguß: Donatellos *David*, um 1435) und Typen (wie die Portraitmedaille und die freistehende Monumentalskulptur).

### 5.3 MALEREI

Die Malerei steht im Gegensatz zu Architektur und Bildhauerei vor dem Problem, daß ant. Beispiele zur Nachahmung weitgehend fehlen. Nur wenige Fresken, Mosaiken und Dekorationen (wie die Grotesken der *Domus aurea*) sind bekannt. So orientieren sich die Maler einerseits an ant. Reliefs, Skulpturen und Bauten, andererseits an schriftlichen Quellen. Nach dem von Horaz übernommenen Motto → Ut pictura poesis (nun so verstanden, daß die Malerei die Dichtung imitiert, mit ihr wetteifert) gehen Malerei und Dichtung in der Ren. eine enge Verbindung ein, z. B. in der malerischen Umsetzung berühmter ant. Bildbeschreibungen (Botticelli: *Verleumdung des Apelles*, 1495). Auch die Entlehnung von Kategorien und Begriffen aus der ant. Rhet. zeugt von der neuen Annäherung von Malerei (bzw. Malereitheorie) und Dichtung.

Die Profanmalerei und damit die myth. Sujets gewinnen in der Ren. zunehmend an Bed. Zwar wurden die ovidischen Mythen auch das MA hindurch z. B. in Buchillustrationen vielfach dargestellt, doch erhielten sie ein zeitgenössisches Gewand. An Stelle der höfischen Ritter und Damen, die ma. Mythendarstellungen bevölkerten, treten nackte oder *all'antica* gekleidete Figuren.

Trotz des für die Ren. charakteristischen Rückbezuges auf die Ant. reißt der Faden der ma. Überlieferung nicht ab. Die meist nicht lateinkundigen Maler bedienen sich häufig nicht der Originaltexte, sondern greifen auf ma. oder in ma. Trad. stehende Schriften, Paraphrasen, Kompendien oder Übers. zurück. So dient z. B. die auf einer ma. Universitätsvorlesung basierende Übers. der *Metamorphosen* Ovids von Giovanni de' Bonsignori, 1497 erstmals in Venedig gedruckt, noch weit bis ins 16. Jh. hinein als Quelle für myth. Darstellungen (nachzuweisen z. B. in Giulio Romanos *Sala dei Giganti* im Palazzo del Te in Mantua). Zuweilen sind es gerade die durch die Überlieferungstradition bedingten Abweichungen von den ant. Quellen, die zu scheinbar neuen Bilderfindungen führen.

### 6. PHILOSOPHIE

Außerhalb des universitären, aristotelisch geprägten Lehrbetriebs entwickelt sich der Ren.-Platonismus. Hauptvertreter ist Marsilio Ficino (1433–99), der 1462 die platonische Akad. gründet und die platonischen Dialoge erstmals in ihrer Gesamtheit ins Lat. übersetzt. Zentrale Themen von Ficinos Philos. sind die Stellung der menschlichen Seele im Universum, das kontemplative Leben, die Unsterblichkeit der Seele, die neuplatonische Konzeption der Liebe, die die Elemente des Universums verbindet und dem Menschen den Aufstieg zum Göttlichen ermöglicht, sowie die fundamentale Übereinstimmung von Platonismus und Christentum. Ficino, Priester, Arzt und Gelehrter, gründet seine Theorien außer auf die platonischen Schriften auf ihre ant., spätant. und ma. Kommentatoren sowie auf das Korpus der hermetischen Schriften (Hermes Trismegistos, Zoroaster, Orpheus, Pythagoras), eine Gruppe spätant. Texte, die nach dem Verständnis der Ren. eine vorant., universelle Weisheit widerspiegelten.

Der platonischen Akad. nahe steht Giovanni Pico della Mirandola (1463–94), der, mehr noch als Ficino, auf der Basis seiner umfassenden Stud. (Platon und die zugehörigen griech., lat., arabischen Texte, Aristoteles, die hermetischen Schriften, die → Kabbala, ma. Philosophen) eine synkretistische Vereinigung aller bekannten philos. Lehren und Religionen anstrebt. In seiner Rede *De hominis dignitate* vertritt er die für die Philos. der Früh-Ren. charakteristische Auffassung von der Würde und Freiheit des Menschen, der sein Schicksal aus eigener Kraft gestaltet.

An zwei herausragenden Figuren wie Ficino und Pico wird bes. deutlich, daß die Ren. in ihrem Wunsch nach Rückkehr zu den Quellen nicht bei der röm.-griech. Ant. haltmacht. Altjüdische und ägypt. Weisheit (oder was man dafür hielt) diente ebenfalls als Studienobjekt und als Inspirationsquelle für Gelehrte und Künstler. Die hermetische Trad. läßt sich bis zum Ende der hier vorgestellten Epoche verfolgen (Giordano Bruno, 1548–1600) und hat ihren Beitrag zur Erneuerung des wiss. Denkens im 17. Jh. geleistet.

### 7. WISSENSCHAFTEN

Das Interesse der Humanisten richtet sich nicht nur auf die Schriftquellen der Ant., auch ant. Münzen, Inschr., Bauwerke und Skulpturen werden erforscht, dokumentiert und als Quellen verwendet. So entstehen die Grundlagen der → Numismatik, Epigraphik und Arch. (Ciriaco d'Ancona, 1391–1452). Nur zwei Beispiele für die schöpferische Fruchtbarmachung arch. Stud. seien hier genannt: die Malerei Andrea Mantegnas (1431–1506) und die *Hypnerotomachia Poliphili*, ein 1499 in Venedig erschienener allegorischer Liebesroman, der mit seiner aus it., lat. und griech. Elementen komponierten Sprache und seinen meisterhaften antikisierenden Illustrationen einen der rätselhaftesten Texte der Ren. darstellt. Sammlungen ant. Münzen, Medaillen, Gemmen, Vasen, Kleinbronzen und ihrer Nachbildungen schmücken die Gelehrtenstuben (*Studioli* des Federico da Montefeltro in Urbino und der Isabella d'Este in Mantua) und fürstlichen Bibliotheken und werden zur Keimzelle der mod. Museen.

### 8. Religion

Die intensive Beschäftigung mit Sprache und Kultur der Ant. und die Verehrung, die viele Humanisten allem Ant. entgegenbringen, bedeuten keine Abkehr vom Christentum. Der Human. trägt vielmehr zur Vertiefung und Reform der Theologie bei. Humanisten wie Valla und Manetti dehnen ihre philol. Arbeit und Übersetzungstätigkeit auch auf die Bibel, auf lat. Kirchenväter und auf griech. patristische Texte aus und bereiten insofern die reformatorischen Textstudien und Übers. vor.

## C. Das 16. Jahrhundert

### 1. Historischer Überblick

Seit den Italienfeldzügen der frz. Könige Karl VIII. (1494) und Ludwig XII. (1499) wird It. zum »Spielball« europ. Großmächte. Die erste H. des 16. Jh. ist bestimmt von wiederholten Kriegen um die Vorherrschaft zw. dem frz. König und Kaiser Karl V. Einen einschneidenden Wendepunkt, der v. a. in der Kunstgeschichte häufig als Ende der Ren. aufgefaßt wird, bedeutet der *Sacco di Roma*, die Plünderung Roms durch habsburgische Truppen im Mai 1527. Der Frieden von Cateau-Cambrésis (3.4.1559) sanktioniert die habsburgisch-spanische Vorherrschaft in It. Damit beginnt eine Epoche des Friedens, in vieler Hinsicht aber auch der Stagnation. Von einem allg. Niedergang kann jedoch für das 16. Jh. keine Rede sein. Nach 1530 erholt sich die wirtschaftliche Lage wieder; neben der Republik Venedig bestehen wichtige Fürstentümer fort (Ferrara, Mantua, Urbino, das Herzogtum Savoyen). Florenz kann als Zentrum des Herzog- bzw. Großherzogtums Toskana eine Rolle als eigenständiger Machtfaktor spielen. Genua und Livorno profitieren von neuen Handelsbeziehungen. Es entstehen neue Fürstentümer wie das der Farnese in Parma und Piacenza.

Nach den Päpsten der ersten beiden Jahrzehnte des 16. Jh., die als Mäzene und Auftraggeber von Kunst- und Bauwerken enorme Bed. haben, wendet sich Paul III. (1534–49) vermehrt den kirchlichen Reformen zu (Konzil von Trient: 1545–63). In der zweiten H. des Jh. hemmen Index, Zensur und Inquisition den wiss. und geistigen Fortschritt. Dennoch gehen von It. entscheidende neue Impulse für die europ. Kunst und Kultur des folgenden Jh. aus (man denke nur an den Barockstil, an die Entstehung der Oper oder an die in der frz. Klassik weitergeführte Rezeption der Aristotelischen *Poetik*).

### 2. Bildung

Eine führende Rolle in der kulturellen und künstlerischen Entwicklung spielen die Akad., die im 16. Jh. in zahlreichen Städten aufblühen. Neben der klass. Bildung widmen sie sich v. a. der Pflege der it. Sprache und Lit. (z. B. die Florentiner Accademia della Crusca). Andere Akademien spezialisieren sich auf bildende Künste (Accademia del Disegno in Florenz), Musik oder Theateraufführungen (die Accademia Olimpica in Vicenza).

Eine tragende Rolle für die Rezeption und Verbreitung ant. Texte spielt seit dem E. des 15. Jh. der Buchdruck, mit Venedig als seinem bedeutendsten it. Zentrum. Der venezianische Verleger Aldo Manuzio (um 1450–1515) ist auf Ausgaben griech. Texte spezialisiert, hat aber auch grundlegende lat. und volkssprachliche Werke in seinem Programm. Mit der Editionstätigkeit verbunden sind die philol. Bearbeitung der Texte, das Erstellen von Übers., Vorreden und Komm. So entstehen im Umkreis der Verlagshäuser Zentren gelehrter Diskussion und neue Arbeitsfelder für Intellektuelle, die zum Teil auch eigene Werke für das wachsende Lesepublikum verfassen (Ludovico Dolce, 1508–68). Die Buchproduktion muß sich auf die Erfordernisse des Marktes einstellen, der nun nicht mehr von einer kleinen Elite von Gelehrten mit gediegener human. Bildung bestimmt wird, sondern in wachsendem Maße auch von Personen, die Lat. nicht beherrschen (wie Frauen, Geschäftsleute oder Handwerker).

### 3. Sprache und Literatur

Errungenschaften des Human. (Methoden der Textkritik, *imitatio*-Konzept), die polit. Situation und Faktoren, die mit der Ausweitung des Lesepublikums und mit den Erfordernissen der Verlagshäuser zusammenhängen, tragen zur Verschärfung und schließlich zur Lösung eines Problems bei, das seit Dante immer wieder diskutiert wird: der sog. *Questione della lingua*, der Suche nach einer einheitlichen, kulturelle Identität stiftenden it. Literatursprache. Pietro Bembo, Humanist und Mitglied des Kreises um Manuzio, für den er u. a. Ausgaben von Dante und Petrarca besorgt, ist es, der in Anlehnung an den lat. Ciceronianismus die schließlich erfolgreiche Regel formuliert (*Prose della volgar lingua*, 1525), indem er die Imitation von Petrarca für die Lyrik, von Boccaccio für die Prosa fordert. Die Durchsetzung des Toskanischen des 14. Jh. als Literatursprache vollzieht sich langsam. Bis um die Mitte des 16. Jh. bleibt die Frage, ob man in dieser archaisierenden Sprache, im modernen Toskanisch oder auf Lat. schreiben soll, prinzipiell offen. Auch danach bleibt das Lat. die Sprache der Univ., des Rechtswesens und der Kirche. Das neugewonnene Selbstbewußtsein der volkssprachlichen Lit. ab etwa 1540 kommt u. a. in Theorie und Praxis der Übers. zum Ausdruck. Die it. Übers. tritt in Wettstreit mit den lat. Vorlagen, die ant. Autoritäten werden durch die »Klassiker« der Nationalliteratur ersetzt. Der Respekt vor dem ant. Original weicht einer Freiheit, die in vielfacher Hinsicht die *belles infidèles* des 17. Jh. vorbereitet.

Die Lit. des 16. Jh. nimmt sowohl die volkssprachliche Trad. des 14. Jh. (und, in geringerem Maße, des 15. Jh.) als auch Tendenzen der Antikerezeption des Human. auf. Petrarcas Lyrik und Elemente aus Ficinos Neuplatonismus gehen in die petrarkistische Lyrik des 16. Jh. ein (Bembo, *Rime*, 1530). Wie schon sein Vorgänger Boiardo (*Orlando Innamorato*, 1506) bedient sich Ludovico Ariosto in seinem *Orlando Furioso* (1532) zahlreicher myth. Themen und Motive, um den der ma. Karlsepik (→ Chanson de geste) entlehnten Stoff seinen höfischen Adressaten und dem Lesepublikum in ebenso anspruchsvoller wie ansprechender Weise zu präsentieren. Daß Kenntnisse ant. Lit. und Geschichte zu dieser Zeit schon Teil eines allg. Bildungskanons geworden sind, zeigt die Forderung Castigliones, der vollendete Hofmann solle eine ›mehr als mittelmäßige‹ Ausbildung in den human. Fächern sowie Griechischkenntnisse erwerben, um dadurch seine Redegewandtheit zu verbessern, eigene lit. Werke (in it. Sprache) verfassen und in der Konversation kompetente Urteile über Lit. abgeben zu können (*Il libro del Cortegiano*, 1528, I, 44). Übertriebenes Spezialistentum ist in der tonangebenden höfischen Kultur des 16. Jh. nicht gefragt. Eine nur reproduzierende, zum Selbstzweck heruntergekommene human. Gelehrsamkeit wird in der Figur des Pedanten aufs Korn genommen, die mit ihrem latinisierenden Kauderwelsch in zahlreichen Renaissancekomödien anzutreffen ist.

Der Verwendung der ant. Myth. in Ariosts und Tassos (*La Gerusalemme liberata*, 1581) christl. Epen war ein weit größerer Erfolg beschieden als Versuchen h. kaum noch bekannter Autoren (Battista Caracini, Andrea Stagi, Giovanni Filoteo Achillini), myth. epische Gedichte zu schreiben. Größeren Anklang als solche gelehrten Werke fanden die myth. *Cantari*, auf Straßen und Plätzen vorgetragene und in anspruchslosen Drucken verbreitete volkstümliche Adaptionen. Daß ant. Stoffe längst nicht mehr mit human. Hochachtung behandelt werden, davon zeugen auch um die Mitte des Jh. entstandene volkssprachliche Mythenburlesken (→ Burleske).

Im Bereich des Theaters entstehen, auf der Basis der Klassikerübers. und der Aufführungspraxis des 15. Jh., nach ant. Muster gebildete volkssprachliche → Komödien. Eine Vorreiterrolle spielt hier wieder der Hof von Ferrara (Ariost, *La Cassaria*, 1508). 1524 folgt mit Giangiorgio Trissinos *Sofonisba* die erste in Anlehnung an die Aristotelische *Poetik* verfaßte → Tragödie. Dazu kommt das v.a an den Höfen beliebte Pastoraldrama (Tasso, *Aminta*, 1573), das auf die lat. Eklogendichtung ebenso wie auf Vorläufer in Volgare (Polizians *Orfeo*, Sannazaros *Arcadia*, 1504, aber bereits 1481–86 geschrieben) zurückgreift. Das ant. → Arkadien wird in diesen Stücken zum Ort der Evasion, aber auch der Selbstdarstellung der höfischen Gesellschaft. Im Hinblick auf die Entwicklung des Musiktheaters ist die Pastorale insofern von Bed., als hier zum ersten Mal gesungene Dialoge eingeführt werden. Dies widersprach nach zeitgenössischer Ansicht nicht der aristotelischen Forderung nach Wahrscheinlichkeit, da das Singen gewissermaßen die natürliche Ausdrucksform der arkadischen Hirten und Nymphen war.

Die Lit. des fortgeschrittenen 16. Jh. ist von einem zunehmenden Bedürfnis nach normativer Festlegung, Einteilung und theoretischer Reflexion gekennzeichnet. Dies geschieht in engem Zusammenhang mit der Rezeption der Aristotelischen *Poetik* (lat. Übers. von Giorgio Valla, 1498 und Alessandro Pazzi, 1536; 1548 lat. Komm. von F. Robortello; 1570 it. Komm. von L.

Castelvetro). Man kommentiert und interpretiert den ant. Text in einer Weise, die es ermöglicht, daraus ein festes Regelsystem abzuleiten. So kommt es z. B. zur Formulierung der Regel der drei Einheiten des Dramas (→ Tragödientheorie), die bis ins 19. Jh. hinein Anlaß angeregter Diskussionen sein sollte. Wie wichtig das aus der Ant. abgeleitete System war, zeigt sich an Versuchen der Ren.-Theoretiker, mit seiner Hilfe auch nicht-ant. Gattungen wie den *romanzo* einzuordnen und zu bewerten.

#### 4. BILDENDE KUNST UND ARCHITEKTUR

Die Architektur des 16. Jh. steht im Zeichen einer strengeren Vitruv-Rezeption, als es im 15. Jh. der Fall war. Einen entscheidenden Beitrag dazu liefern die Ausgaben, Übers., Komm. und Illustrationen des ant. Traktats (illustrierte Ausgaben u. a. 1511 von Fra Giocondo und 1521 von Cesariano). Mod. Abhandlungen (Serlio, Palladio, Vignola) setzen die vitruvianische Trad. fort.

Das Zentrum der Künste verlagert sich in der Hochren. nach Rom. Die Päpste Julius II. (1503–13), Leo X. (1513–21), Klemens VII. (1523–34) holen bedeutende Künstler an ihren Hof und geben Projekte in Auftrag, die der wiedergewonnenen Größe und Macht Roms als Hauptstadt der Christenheit entsprechen sollen. Der Rückbezug auf das ant. Rom ist dabei obligatorisch. In der von Raffael ausgemalten *Stanza della Segnatura* im Vatikan (1509–11) gehen realer Raum und Bildraum ineinander über. Ant. und biblische Themen stehen gleichberechtigt nebeneinander, Kontinuität von ant. Philos. (*Die Schule von Athen*) und Christentum (*La Disputa*) wird dokumentiert. Die von Bramante und dann von Michelangelo entworfene immense Kuppel des Petersdomes zitiert das Pantheon und wird zum Sinnbild der Versöhnung von Ant. und Christentum.

Parallel zur Weiterentwicklung des Renaissancestils in der Architektur des → Manierismus und des beginnenden → Barock besteht ein eher streng klassizistischer Stil fort. Sein wichtigster Vertreter ist Andrea Palladio (1508–80), der in seiner durch intensives Antikestudium und theoretische Reflexion geprägten Architektur zu ihrerseits modellbildenden Lösungen findet (die Kolossalordnung, die Villa mit vorgesetzter Tempelfassade, die Kirchenfassaden von Il Redentore und San Giorgio Maggiore in Venedig mit zwei übereinandergelegten Tempelfronten). Auf der Rekonstruktion des röm. Theaters basiert Palladios im Auftrag der Accademia Olimpica erbautes *Teatro Olimpico* in Vicenza (Eröffnung 1585). Der Bau, von Palladios Schüler Scamozzi (1522–1616) fertiggestellt, weist eine feststehende *frons scaenae* mit illusionistischen Durchblicken auf (→ Griechische Tragödie).

Myth. Themen und Motive finden Eingang in alle Bereiche der Künste und des Kunsthandwerks, vom architektonischen Ornament und der in die Architektur integrierten Plastik über Tafelbilder, Freskenzyklen, Klein- und Monumentalskulptur, Druckgraphik, Goldschmiedekunst, Fayencen, Wappen und Embleme bis hin zu Intarsien und Möbeldekor, Festdekorationen,

Gartengestaltung, Waffen, Harnischen und Ofenkacheln.

Bildhauerkunst und Malerei erhalten neue Anstöße durch wichtige Funde ant. Skulpturen (→ Apoll vom Belvedere; → Laokoongruppe). Skulpturensammlungen und Antikengärten dienen ästhetischen ebenso wie didaktischen und repräsentativ-polit. Zwecken.

Die seit dem 15. Jh. u. a. aus der Begegnung mit der Ant. entstandene »klass.« Formensprache der Ren. wird ab den späten 20er J. des 16. Jh. vom Stil des Manierismus und dann des Barock abgelöst. Dabei behalten ant. Geschichte und Myth. uneingeschränkte Gültigkeit als Stoff- und Motivreservoir für Künste, Lit. und Festkultur. Sie dienen als Mittel der Dekoration und der Unterhaltung, als Ausgangspunkt gelehrter Diskussionen, als Träger philos., wiss., kunsttheoretischer oder polit. Aussagen. Die Verbreitung ant. und speziell myth. Stoffe und Motive nimmt im 16. Jh. entscheidend zu durch den Buchdruck, speziell durch Emblembücher und mythographische Handbücher (Lilio Gregorio Giraldi, 1548; Natale Conti, 1551; Vincenzo Cartari, 1556), die u. a. als Vorlagen für Künstler gedacht sind. Wie ihr Vorläufer, Boccaccios *Genealogia deorum*, verzichten die Handbücher nicht auf die allegorische Deutung der ant. Mythen. Das Konzil von Trient verbietet zwar die christl.-typologische Mythendeutung, die Auslegung im moralischen, physischen oder euhemeristischen Sinn wird davon aber nicht angetastet.

### 5. PHILOSOPHIE

Der Neuplatonismus des 15. Jh. erfährt im 16. Jh. eine große Verbreitung, dabei aber auch Verflachung. Bes. einflußreich ist Ficinos Liebeskonzeption, die in der petrarkistischen Lyrik sowie in zahlreichen Schriften zur Liebestheorie (Bembo, *Gli Asolani*, 1505) rezipiert wird.

Ein Vertreter des mit der universitären Trad. (Bologna, Padua) verbundenen → Aristotelismus ist Pietro Pomponazzi (1462–1525; *De immortalitate animae*, 1516). In den Schriften bed. Naturphilosophen der zweiten H. des 16. Jh. (Bernardino Telesio, 1509–88; Francesco Patrizi, 1529–97; Giordano Bruno, 1548–1600) kündigt sich die im 17. Jh. stattfindende Ablösung der aristotelisch geprägten Naturphilos. durch die »modernen« Wiss. an.

### 6. ANTICHI E MODERNI

Von zentraler Bed. für das Verständnis der Antikenrezeption einer Epoche ist die Frage, wie diese selbst ihr Verhältnis zur Ant. definiert. Zu Beginn des hier vorgestellten Zeitraums lassen sich in Äußerungen von Humanisten Beispiele für ein Unterlegenheitsgefühl finden: die ant. Modelle werden in ihrer Perfektion als unerreichbar angesehen. Mit der Zeit läßt sich ein wachsendes Selbstbewußtsein der *moderni* beobachten, wobei sich Architektur, bildende Künste und Wiss., die sich auf den technischen Fortschritt und neue Entdeckungen berufen können, offenbar eher vom Übergewicht der ant. Trad. befreien als Philol. und Literatur. Alberti nennt bereits in der Widmung zu seinem Ma-

lereitraktat (1435) die von Brunelleschi erbaute Kuppel des Florentiner Doms als Beispiel dafür, daß die Modernen die Alten übertreffen. Eine einheitliche Entwicklung im Verhältnis zur Ant. läßt sich jedoch nicht ausmachen. Im 15. wie im 16. Jh. bestehen verschiedene Positionen und Geschichtsmodelle nebeneinander. Der Streit um die Überlegenheit der Alten oder der eigenen Zeit wird in der am E. der frz. Klassik stehenden → Querelle des Anciens et des Modernes fortgesetzt werden.

→ AWI Corpus Hermeticum; Hermetische Schriften → Allegorese; Archäologische Methoden; Architekturtheorie/Vitruvianismus; Bildung; Emblematik; Festkultur/Trionfi; Fürstenschule; Gelegenheitsdichtung; Musik und Architektur; Philologische Methoden; Platonismus; Scholastik; Überlieferungsgeschichte

**1** Antiquarische Gelehrsamkeit und Bildende Kunst. Die Gegenwart der Ant. in der Ren., 1996 **2** H. BARON, In Search of Florentine Civic Humanism, 2 Bde., 1988 **3** H. BECK, P. C. BOL (Hrsg.), Natur und Ant. in der Ren., 1985 **4** Bibliographie internationale de l'Humanisme et de la Renaissance, I, 1965 ff. **5** P. BOBER, R. RUBINSTEIN, Ren. Artists and Antique Sculpture. A Handbook of Visual Sources, 1986 **6** E. R. BOLGAR, Classical Influences on European Culture AD 1500–1700, 1976 **7** A. BUCK (Hrsg.), Zu Begriff und Problem der Ren., 1969 **8** Ders. (Hrsg.), Ren. und Barock (1. Teil), 1972 (Neues Handbuch der Literaturwissenschaft, 9) **9** Ders., Die Rezeption der Ant. in den romanischen Literaturen der Ren., 1976 **10** Ders., Zum Selbstverständnis der Ren., in: Wolfenbütteler Ren. Mitt. 21, 1997, 49–57 **11** A. BUCK, K. HEITMANN (Hrsg.), Die Antike-Rezeption in den Wiss. während der Ren., 1983 **12** J. BURCKHARDT, Die Cultur der Ren. in It., Basel 1860 **13** P. BURKE, Die Ren. in It. Sozialgesch. einer Kultur zw. Trad. und Erfindung, 1985 (engl. 1972) **14** D. R. COFFIN (Hrsg.), The Italian Garden, 1972 **15** M. DE PANIZZA LORCH (Hrsg.), Il teatro italiano del Rinascimento, 1980 **16** F. A. GALLO, R. GROTH, C. V. PALISCA, F. REMPP, It. Musiktheorie im 16. und 17. Jh., 1989 **17** E. GARIN, Die Kultur der Ren., in: Propyläen Weltgeschichte, 6, 1991 (1. Ausg. 1960–64), 429–534 **18** Ders., La Cultura filosofica del Rinascimento italiano, 1961 **19** E. H. GOMBRICH, Norm and Form. Stud. in the Art of the Ren., 1966 **20** E. GRASSI, Einführung in die human. Philos., ²1991 **21** P. F. GRENDLER, Schooling in Ren. Italy: Literacy and Learning, 1300–1600, 1989 **22** H. GÜNTHER, Das Studium der ant. Architektur in den Zeichnungen der Hochren., 1988 **23** B. GUTHMÜLLER, Ovidio Metamorphoseos Vulgare. Formen und Funktionen der volkssprachlichen Wiedergabe klass. Dichtung in der it. Ren., 1981 **24** Ders., Stud. zur ant. Myth. in der it. Ren., 1986 **25** J. HALE, Die Kultur der Ren. in Europa, 1994 **26** P. O. KRISTELLER, Human. und Ren., 2 Bde., 1974 **27** L. LÜTTEKEN, s. v. Ren., MGG, Sachteil, Bd. 8, ²1998, Sp. 143–156 **28** C. LAZZARO, The Italian Ren. Garden, 1990 **29** J. MICHELET, Histoire de France, 7 (Ren.), Paris 1855 **30** CH. G. NAUERT, Humanism and the Culture of Ren. Europe, 1995 **31** E. PANOFSKY, Stud. in Iconology. Humanistic Themes in the Art of the Ren., 1939 **32** Ders., Ren. and Renascences in Western Art, 2 Bde., 1960 **33** N. PIRROTTA, Li due Orfei. Da Poliziano a Monteverdi, 1975 **34** J. POESCHKEM, Die Skulptur der Ren. in It., 1990

**35** A. RABIL JR (Hrsg.), Renaissance Humanism. Foundations, Forms and Legacy, 1: Humanism in Italy, 1988 **36** R. SCHUMANN, Gesch. It., 1983 **37** S. SETTIS (Hrsg.), Memoria dell'antico nell'arte italiana, 3 Bde., 1984–86 **38** J. SEZNEC, La survivance des dieux antiques. Essai sur le rôle de la tradition mythologique dans l'Humanisme et dans l'art de la Renaissance, 1980 (engl. 1940) **39** R. STILLERS, Human. Deutung. Stud. zu Kommentar und Literaturtheorie in der it. Ren., 1988 **40** Ders., Drama und Dramentheorie der Ant. in der Poetik des it. Human., in: B. ZIMMERMANN (Hrsg.), Ant. Dramentheorien und ihre Rezeption, 1992 **41** L. THORNDIKE, Science and Thought in the fifteenth Century, 1963 **42** W. TOTOK, Hdb. der Gesch. der Philos., 3 (Ren.), 1980 **43** CH. TRINKAUS, In our Image and Likeness. Humanity and Divinity in Italian Humanist Thought, 2 Bde., 1970 **44** C. VASOLI, Umanesimo e Rinascimento, 1976 **45** G. VOIGT, Die Wiederbelebung des classischen Alt. oder das erste Jh. des Human., 2 Bde., Berlin ³1859 **46** A. WARBURG, Sandro Botticellis »Geburt der Venus« und »Frühling«. Eine Unt. über die Vorstellungen von der Ant. in der it. Frühren., 1893, in: Gesammelte Schriften, 1, 1969, 1–60 **47** R. WEISS, The Renaissance Discovery of Classical Antiquity, 1969 **48** N. G. WILSON, From Byzantium to Italy: Greek Stud. in the It. Ren., 1992 **49** E. WIND, Heidnische Mysterien in der Ren., 1987 (engl. 1958) **50** R. WITTKOWER, Grundlagen der Architektur im Zeitalter des Human., ²1990. (engl. 1949) **51** F. A. YATES, Giordano Bruno and the Hermetic Tradition, 1964.

SUSANNE TICHY

## IV. 17. UND 18. JAHRHUNDERT
## A. 17. JAHRHUNDERT   B. 18. JAHRHUNDERT

### A. 17. JAHRHUNDERT

Die gesamte lit. Produktion im It. des 17. Jh. ist durch die Rezeption der klass. Ant. geprägt; der Zugang zur Ant. schwankt zwischen der Modernität des Barocks und einer klassizistischen Strenge. Für die Poetik der Imitation bei Giambattista Marino (1569–1625) stellt das klass. Erbe eine Fundgrube von Topoi dar, die gemäß den rhet. Kategorien des Scharfsinns (argutia), der Übertreibung (Hyperbel, superlatio) und der Dunkelheit (obscurum) frei zu gestalten sind. Für die Gegenseite – insbes. für den röm. Kreis um Maffeo Barberini (1568–1644, 1623 Papst Urban VIII.) – ist die Ant. eine Fundgrube von Weisheit, Würde, heroischem Schwung – Werte, auf denen man ein moralisches und rationalistisches lit. Programm aufbauen konnte.

Die klassizistische Richtung, deren bekannteste Vertreter Gabriello Chiabrera (1552–1638) und Fulvio Testi (1593–1646) sind, zeichnet sich auch durch lit. Experimente aus, wie z. B. durch die eklektische Aufnahme von Metren, Stilistika und poetischen Normen griech. und lat. Autoren (bes. Anakreon, Pindar, Horaz, Properz); dabei wird oftmals versucht, sich den klass. Vorbildern anzunähern, wenngleich diese Annäherung häufig in offenem Widerspruch zum klassizistischen Programm steht. Die gewaltige lyr. Produktion Chiabreras, der auch epische Gedichte und Tragödien verfaßte, in denen Hinweise auf den klass. Mythos mit Bezugnahmen auf Ariosts und Tassos Werk abwechseln,

fließt in der Sammlung von Poesie (»Gedichte«, 1605–6) zusammen, mit denen er eine Trad. stiftet, die bis ins »arkadische« 18. Jh. reichen wird. In den Canzoni (»Gesänge«), unterteilt in Eroiche (»Heldengesänge«), Sacre (»Hl. Gesänge«), Lugubri (»Trauergesänge«), Morali (»Moralische Gesänge«), finden sich Anklänge an Pindar und Horaz. Die Canzonette (»Liedchen«), unterteilt in Amorose (»Liebesliedchen«), Morali und Sacre, setzen sich mit den griech. Lyrikern, hauptsächlich Anakreon, auseinander – oft werden sie auf einen einfachen Tonfall reduziert und durch affektierte Spielereien verdünnt, wobei Rhythmus und Form stets zentral sind. Die Sermoni (»Gespräche«) in freien Elfsilblern, die bis ins 18. Jh. nicht ediert wurden, sind Horaz' Episteln nachgebildet. In den Poesie liriche (»Lyrische Dichtungen«, endgültige Ausgabe 1645–46) und in den Carlo Emanuele I. von Savoia gewidmeten, als Il pianto d'Italia (»Klage Italiens«, 1617) bekannten Stanzen enkomiastischen Inhalts entwirft Fulvio Testi, indem er sich auf Pindar und Horaz beruft, ein Modell der Erhabenheit für sein Zeitalter. Der rhet. Schwung, der auch in den gnomischen Teilen zum horazischen Ideal der Mäßigung (medietas) hinzukommt, zeigt die Sehnsucht nach einer heroischen Vergangenheit. Erwähnenswert ist, daß Chiabreras Beschäftigung mit der griech. → Musik zu einem neuen Verständnis des Verhältnisses Musik – Dichtung und dadurch wesentlich zur »Geburt der → Oper« im Florentiner Kreis beigetragen hat.

Während der Bezug auf die ant. Klassiker in der lyr. Dichtung v. a. eine Wiederbelebung des Stils im Zusammenhang der gegen Marino gerichteten Polemik zum Ziel hatte, stellt das eigentliche Feld der Auseinandersetzung mit der ant. Lit. bes. die → Tragödie und das Epos dar, die von den durch Aristoteles beeinflußten Poetiken des 16. Jh. als die Gattungen schlechthin anerkannt und im kulturellen Bewußtsein als lit. Ideal zwar präsent waren, aber aus unterschiedlichen Gründen eine Krisenphase durchliefen. Die strenge Form der Tragödie erkämpfte sich mit Schwierigkeit einen Raum zwischen den Extremen der commedia dell'arte und des Melodrams (melodramma), das übrigens aus dem griech. Mythos mit der das Barock kennzeichnenden Unbefangenheit schöpft; so wird im Libretto Giasone 1649 von Giacinto Andrea Cicognini der Tragödienstoff der Medea in eine burleske Verwicklung umgesetzt. Die Ersetzung des klass. Schicksalsmotivs durch die Problematik der Staatsraison bestimmte die Wahl polit.-mil. Stoffe, während die Hegemonie des Katholizismus und das Jesuitentheater eine christl. Deutung und Akzentuierung des Schlusses eines Stücks verlangten. Der in dieser Zeit übliche Eklektizismus begünstigte den Übergang von histor. zu myth., von biblischen zu aktuellen Themen. Prospero Bonarelli verfaßt das histor. Trauerspiel Solimano (1620), während bei Giovanni Delfino in den Stücken Cleopatra, Lucrezia, Creso, Medoro die Bezugnahme auf die alte Geschichte mit der höfischen Trad. wechselt.

In den Werken der beiden größten Tragiker des it. 17. Jh., Federico Della Valle (1560–1628) und Carlo De' Dottori (1618–1688), zeigen die Darstellung der negativen Machtausübung und der unabwendbare Gang des Schicksals den starken Einfluß von Senecas Tragödien. Della Valle ist Autor von *Adelonda di Frigia* (1595), einem Drama mit musikalischen Intermezzi, einer mod. Fassung der euripideischen *Iphigenie bei den Tauern*; daneben verfaßte er zwei Trag. mit glücklichem Ausgang und biblischer Thematik, *Ester* und *Iudit* (1627), und eine, deren Stoff der zeitgenössischen Geschichte entnommen ist, *Reina di Scotia* (»Die Königin von Schottland«, 1595, zweite Auflage 1628). Im Gegensatz zu einem Intrigenstück traditioneller Prägung liegt der Schwerpunkt dieser Werke in der emphatischen Gegenüberstellung des korrupten Hofs und einer heroischen weiblichen Figur, wobei diese Gegenüberstellung durch die Einheit von Ort und Zeit betont wird. Carlo De' Dottoris *Aristodemo* (1657) ist hingegen nach dem Muster eines normalen Intrigenstücks aufgebaut, das durch eine verwickelte Handlung und durch Spannung gekennzeichnet ist. In einem Brief an Ciro di Pers vom 16. März 1624 führt er als Vorbilder Euripides und vor allem Seneca an, von denen er das Mißtrauen gegenüber der Erhabenheit des menschlichen Opfers und die Wahrnehmung der Irrationalität des Schicksals sowie der Sinnlosigkeit des Leids in pathetischer Übersteigerung übernimmt. Senecas *Oedipus* ist Vorlage für Emanuele Tesauros (1592–1675) *Edipo* (1661). Tesauro, ein äußerst vielseitiger Autor, übernimmt die Kernaussage von Senecas Stück und verstärkt sie, indem er das Thema der unbewußten Sünde und des irrationalen Schuldgefühls herausstreicht, das mit der Macht als Quelle des Bösen verbunden ist. Darüber hinaus weicht er vom Original in auffälliger Weise ab, indem er vor der Enthüllung des wirklichen Inzests von Ödipus und Iokaste eine versteckte Leidenschaft Antigones für Ödipus andeutet. Er legt damit die für den → Barock typische Tendenz der Motivverdoppelung und der Ansiedlung desselben Motivs in unterschiedlichen Zusammenhängen an den Tag.

Im Epos ist die Bezugnahme auf die ant. Gattungsparadigmen mehr ein ambitionierter Anspruch denn eine tatsächliche Inspirationsquelle. Nach dem gescheiterten Versuch des 16. Jh., programmatisch an Homer anzuknüpfen, in Giangiorgio Trissinos (1478–1550) *Italia liberata dai Goti* (»Das von den Goten befreite Italien«), neigen die Gedichte des 17. Jh., nachdem in den Proömien pädagogisch-moralische Absichten und die skrupulöse Einhaltung der aristotelischen Vorschriften zur Einheit der Handlung verkündet worden sind, zu bunten und nicht den Regeln folgenden Handlungsabläufen, die aus einer Mischung von Hinweisen auf die ant. Klassiker und auf das Repertoire des zwar durchaus umstrittenen, aber immer noch präsenten höfischen Romans stammen. Im Vergleich mit den griech. bzw. lat. Vorbildern gewinnt die Liebesthematik eine größere Geltung. Während in der *Ilias* Helena und Briseis eher

am Rande der Erzählung vorkommen und selbst der ehelichen Liebe Hektors und Andromaches nur geringer Raum eingeräumt wird und in der *Äneis* Vergils die Dido-Episode eher eine geschlossene Trag. als eine Entwicklungsstufe der gesamten Geschichte darstellt, wird im Epos des 16.–17. Jh. die Verflechtung von Liebesbeziehungen und Kriegsthematik zu einer inhaltlichen Konstante. So spielen z. B. die Verführung des Helden durch heidnische Zauberinnen oder die Liebe zwischen den Mitgliedern verfeindeter Parteien oder sogar der gleichzeitige Heldentod eines Liebespaars auf dem Schlachtfeld eine Rolle.

Neben der Berufung auf die ant. Klassiker finden sich auch mod. Elemente: Das Verhalten der Personen richtet sich nach den moralischen Vorstellungen der Zeit und nach den Regeln der Wahrscheinlichkeit, d. h. das homerische »Übermaß« wird in jeder Hinsicht zurückgestutzt. Zeitgenössische polit. Themen, mod. Militärtechnologie und geogr. Entdeckungen finden Raum, wodurch das klassizistische Programm der Ernsthaftigkeit sich mit dem Stolz auf die Errungenschaften der Neuzeit verbindet. Das Übernatürliche der paganen Myth. wird durch das christl. ersetzt. Die heidnischen Götter, die, von Emotionen geleitet, in die Handlung eingreifen und Partei nehmen, weichen einer zwar weniger offensichtlichen, aber dauerhaften und unfehlbaren Überwachung durch Gott als Symbol der katholischen Weltordnung und christl. Vorsehung. Die Betonung der Streit- und Todesszenen, die an Lukan anknüpfen, kann als Zeichen für die Instabilität der zeitgenössischen Werte angesehen werden. Die Vermischung von Quellen und Vorbildern ist nahezu zwangsläufig: Auch in Gedichten wie *La croce riacquistata* (»Das zurückeroberte Kreuz«, 1611) von Francesco Bracciolini, *L'Enrico o Bisanzio acquistato* (»Heinrich oder das eroberte Byzanz«, 1635) von Lucrezia Marinella und *La Fiorenza difesa* (»Das verteidigte Florenz«, 1641) von Nicola Villani, in denen die Kontamination mit Romanmotiven abgelehnt, die adlige Kriegstat gepriesen und ein hochklingender Stil beibehalten wird, findet sich dem zeitgenössischen Geschmack entsprechend, wenn auch in geringerem Ausmaß, ein Abgleiten ins Lyrisch-Pathetische oder ins Außergewöhnlich-Bizarre. Ihre Homer- und Vergilzitate, selbst wenn sie bisweilen eine wörtliche Wiederaufnahme darstellen, werden dadurch kompliziert, daß ständig das Modell des mod. Epos, *La Gerusalemme liberata* (»Das befreite Jerusalem«) von Torquato Tasso (1544–1595), mitgelesen werden muß.

Die Schwächung der epischen Trad., die durch diese Interferenz der lit. Modelle zustandekommt, zeitigt jedoch auch einige Neuerungen, so z. B. einen exzentrischen Text wie Giambattista Marinos *Adone* und sogar die Entstehung einer neuen Gattung, des komischen Heldengedichts, das auf der Demontage des Epos basiert. Aber auch diese Neuheiten knüpfen teilweise an das klass. Erbe mit dem Beweisziel an, daß sich die Mod. gegen die Ant. behaupten kann und daß sie nicht unbedingt sich unermüdlich mit ihr vergleichen, sie nachahmen und sich aneignen muß. Dies bewirkt eine zu Recht als ödipal bezeichnete Unduldsamkeit, die auf eine Überwindung der Ant. drängt und zugleich auf eine Unabhängigkeit von dieser pocht. Marinos *Adone* (1623), ein nicht nur antiheroisches, sondern auch antinarratives Gedicht, zeigt, daß es sich nicht auf die kanonischen Autoren in seiner neuen Beziehung zu der Ant. zurückführen läßt. Es bereichert die einzelnen Gesänge mit schwierigen Zitateinfügungen, die eine Herausforderung für den Leser darstellen; v. a. greift es auf Autoren zurück, die nicht als Klassiker der Gattung Epos gelten können: Nonnos und Ovid werden Homer oder Vergil vorgezogen. Das gesamte Werk ist durch Ovids *Metamorphosen* beeinflußt, insbes. stammen die myth. Erzählungen aus Ovid, die die Handlung unterbrechen und eine trag. Metamorphose, eine Peripetie von Freude zu Leid zum Inhalt haben. Die komischen Heldengedichte, die an ein ant. Vorbild anknüpfen, an die ps.-homerische *Batrachomyomachia*, beziehen sich gerade auf die von der Gattung Epos gewählten Vorlagen und setzen die Topoi und Formeln ihrem Spott aus. *Lo scherno degli dei* (»Die Verhöhnung der Götter«, 1618) von Francesco Bracciolini (1566–1645) verspottet nicht so sehr die Klassiker als vielmehr den übermäßigen Rekurs auf die ant. Mythologie. Wenn die heroischen Werte in Alessandro Tassonis (1556–1635) *Secchia rapita* (»Der gestohlene Eimer«, 1622) spöttisch als nicht mehr aktuell bezeichnet werden, stellt das epische Vorbild jedoch immer noch eine solide und strukturelle Basis des Werkes dar; zu Beginn wird auf die *Ilias* angespielt, wobei Helena durch den Eimer ersetzt wird. Neben dem komischen Heldengedicht steht die Travestie, eine mehr oder weniger spielerische Bearbeitung der Klassiker: Das berühmteste it. Beispiel, *L'Eneide travestita* (»Die verkleidete Aeneis«, 1634, die der Travestie den Namen gab) von Giovan Battista Lalli (1572–1637), schwächt die Feierlichkeit von Vergils Epos durch Anachronismen und Sprachverdrehung, bringt aber, ohne sich zu aggressivem Spott zu versteigen, die witzigen Änderungen in eine Balance mit der unbestrittenen Geltung des Klassikers.

Der barocke Roman, der oft dazu neigt, durch die Erzählung von Heldentaten und die Erklärung, erhabene Absichten zu verfolgen, das Epos zu ersetzen, greift insbes. auf den ant., kaiserzeitlichen Roman zurück, indem er die verschiedenen Vorbilder miteinander kreuzt. *L'Eromena* (1624), *La donzella desterrada* (1627), *Il Coralbo* (1632) von Giovan Francesco Biondi (1572–1644) und *Il Calloandro fedele* (1653) von Giovanni Ambrosio Marini (1594–1650) bearbeiten in einer komplizierteren und verworreneren Version das sentimental-abenteuerliche Vorbild von Achilleus Tatios' *Leukippe und Kleitophon* und Heliodors *Aithiopika*. Es ist interessant – um die immer häufigeren Gattungsmischungen zu belegen, die deutlich von den poetologischen Normen abweichen –, daß Marinis Roman auch in Verse umgeschrieben wurde, *Il Teagene* (1637) von Giambat-

tista Basile, der sich zwar die Äußerlichkeiten des Epos anzueignen scheint, aber trotzdem die polyphone Form des Originals bewahrt.

### B. 18. JAHRHUNDERT

Die Bezugnahme auf die Klassik bleibt eine Konstante des gesamten 18. Jh. in It., die in verschiedenen Formen existent ist. Die 1690 gegr. lit. → Akademie der Arcadia, deren erklärtes Ziel darin besteht, eine an der griech. → Bukolik und der lat. → Elegie sich orientierende Dichtung zu betreiben, propagiert als Reaktion auf die experimentelle Kühnheit und den Erfindungsreichtum des Barocks eine Wiederherstellung der klassisch formalen und intellektuellen Klarheit, und zwar in unterschiedlicher Ausprägung wie z. B. in dem gemäßigten Programm von Giovan Mario Crescimbeni (1663–1728) und in der Regelstrenge von Gian Vincenzo Gravina (1664–1718). Dieser hatte zunächst versucht, den *favole antiche* eine hohe ethisch-bürgerliche Funktion zu verleihen, sich dann aber in einen die eigene Zeit verachtenden Klassizismus zurückgezogen. Die allegorische Hirtendichtung von Giovan Battista Zappi (1667–1719), Faustina Maratti Zappi (1680–1745) und Carlo Innocenzo Frugoni (1692–1786), der ein Vertreter der → Anakreontik war und in verschiedenen Variationen die von Chiabrera festgesetzten Modelle wiederaufnahm, spiegelt in ihrer glanzvollen Form und der Flucht in fiktive idyllische Landschaften die Stabilität der Hofgesellschaft der Zeit wider. Das aufklärerische Denken, das sich danach durchsetzte und in den meisten Fällen sich als eine Spaltung zwischen Dialektik und Rhetorik bzw. praktischer Beredsamkeit äußert, neigt zu einem vorsichtigen Kompromiß zwischen der Begeisterung für neue Inhalte und der Eleganz erhabener und gelehrter Formen. Der Neoklassizismus, der sich in der zweiten Hälfte des 18. Jh., ausgehend von Winckelmanns arch. Entdeckungen und Überlegungen, durchsetzt, tendiert mehr als zu einer strikten Nachahmung der Ant. zu einer Wiederherstellung einer erhabenen und überlegenen Kultur und wird durch moralische Ideale angereichert, die oft mit der Planung sozialer Reformen verbunden sind.

Die *Sermoni* (»Gespräche«, 1763) von Gasparo Gozzi (1720–1806) folgen in ihrem moralisierenden Ton den *Satiren* (*Sermones*) des Horaz. Der bei Saverio Bettinelli (1718–1808) und Francesco Algarotti (1712–1764) feststellbare Ausgleich zw. klass. Bildung und dem Interesse für die Naturwiss. und nutzbringende Informationen führt zu einer gemeinsamen, zusammen mit Carlo Innocenzo Frugoni unternommenen Veröffentlichung, den *Versi sciolti di tre moderni eccellenti autori* (»Ungebundene Verse von drei hervorragenden modernen Dichtern«, 1757). Der Verzicht auf den Reim ist Ausdruck dafür, daß der künstliche, musikalische Charakter von Dichtung zu Gunsten einer größeren kommunikativen Möglichkeit aufgegeben wird, die allerdings durch ihren pädagogischen Anspruch an Würde gewinnt. Von der Poetik des *utile dulci*, Nützliches in angenehmer Form zu vermitteln, wendet sich hingegen

Ludovico Savioli Fontana (1729–1804) ab, der den Klassizismus nach Art des Rokoko variiert: In seinen *Amori* (1758), einer mit einem myth. Glossar versehenen Odensammlung, greift er auf Ovids *Amores* zurück. Im Drama *Achille* (1761) verleiht er dem ant. Mythos eine zarte, humane Dimension, indem er Achilleus' Liebe zu Polyxena durch ein verborgenes, scheues Verlangen des Mädchens erwidert sein läßt. Das bekannteste Beispiel für das Bestreben, einen Ausgleich zwischen der Begeisterung für aktuelle Themen und einer ausgefeilten poetischen Sprache zu schaffen, wird in den Werken Giuseppe Parinis (1729–1799) deutlich, insbes. in den beiden von seinem Epos *Il Giorno* (»Der Tag«) publizierten Teilen, *Il Mattino* (»Der Morgen«, 1763) und *Il Mezzogiorno* (»Der Mittag«, 1765), in denen Vergil in zweifacher Weise deutliches Vorbild ist. Das Gedicht basiert hauptsächlich auf dem durch Vergils *Georgica* begründeten Typ des Lehrgedichts, das er zwar parodistisch verändert, aber dennoch deutlich anklingen läßt, v. a. durch die gelehrte, an Anastrophen und Hyperbata reiche Syntax und durch die myth. Periphrasen, die aitiologischen Mythen, die Apostrophen und Paränesen. Neben dem lat. Paradigma wird auch auf mod. Ausformungen des → Lehrgedichts angespielt, auf die Dichtungen des 16. Jh. von Alamanni und Rucellai bis zu Werken des 18. Jh. wie *Il baco da seta* (»Die Seidenraupe«, 1756) von Zaccaria Betti und *La coltivazione del riso* (»Der Reisanbau«, 1758) von Gian Battista Spolverini, wobei auch das Metrum, der freie Elfsilber, den Gattungsnormen entspricht. Darüber hinaus finden sich Elemente, die dem komischen Heldengedicht entnommen sind und die antiaristokratische Satire in witzigen und paradoxen Entstellungen der feierlichen Iterata, Anaphern und Anreden der *Aeneis* Vergils anklingen lassen – häufig unter dem Einfluß von Antonio Contis Übers. von Alexander Popes (1688–1744) *Rape of the Lock*, »Raub der Locke«, 1712.

Obwohl das Erfordernis neuer Inhalte und Fächer oft zur Schaffung neuer Richtungen beiträgt, besteht trotzdem die Trad. wiss. Traktate fort – zu nennen sind die umfangreichen Abhandlungen von Crescimbeni, Gravina und Quadrio –, die sich in ihrer Aufteilung der Gattungen nach strengen Rangordnungen an das aristotelische System halten. Viele Schriftsteller der Zeit halten sich an die durch die Trad. legitimierten Gattungen. Die Lücke, die die nunmehr endgültige Kraftlosigkeit der epischen Dichtung aufreißt, füllen die wiederentdeckten großen Klassiker, v. a. Homer, der in den Mittelpunkt des Interesses rückt: Giambattista Vico (1668–1744), macht aus ihm in der *Scienza nuova* (»Neue Wissenschaft«, 1725) ein Symbol der heroischen, urtümlichen Frühzeit; außerdem erfolgen verschiedene Übers., von denen bes. die zwei Fassungen der *Ilias*-Übers. Melchiorre Cesarottis (1730–1808) zu nennen sind, die erste wörtlich und in Prosa, die zweite mit dem Titel *La morte di Ettore* (»Der Tod Hektors«, 1795) frei und in Versen.

Da das Epos keine poetische Herausforderung mehr darstellt, wird die Tragödie der Bereich, in dem sich am ehesten der von der Poetologie der Arcadia vertretene Wille, sich auf die Ant. zurückzubesinnen, Wirkung zeigt: Die Imitation des frz. Theaters des 17. Jh. weicht einer direkten Anknüpfung an die griech. Vorbilder. Die Absicht, die trag. Emphase, das trag. Pathos und den trag. Absolutheitsanspruch wiederzubeleben, steht jedoch in deutlichem Widerspruch zu der zunehmenden Neigung zur *medietas*, zu mildern, gemäßigten Tönen, zum sentimental-larmoyanten Pathetischen, das schließlich dem bürgerlichen Drama zum Durchbruch verhelfen wird. Die immer größer werdende Schwierigkeit, die der griech. Tragödie innewohnende Vorstellung der Unabwendbarkeit des Schicksals plausibel zu aktualisieren, läuft Gefahr, die Katastrophe nicht als logische Konsequenz des Handlungsablaufes erscheinen zu lassen und somit die kanonische Struktur der Trag. zu zerstören. Die Spannung zwischen Verehrung der Ant. und dem allmählichen Entstehen der Mod. verursacht unterschiedliche Reaktionen, die von einem völligen Rückzug auf die Trad. bis zu Kompromißversuchen reichen. Gian Vincenzo Gravinas (1664–1718) fünf Trag. aus dem J. 1712 (*Palamede, Andromeda, Appio Claudio, Papiniano, Servio Tullio*) bezeugen, ohne großen Erfolg gehabt zu haben, die Phase seines strengsten Klassizismus. Die voraufklärerischen Inhalte – u. a. die Bloßstellung der klerikalen Heuchelei – sind in einen archaisierenden, würdevollen Stil gekleidet, der sich durch eine Fülle an Latinismen auszeichnet. Nicht nur erfolglos, sondern geradezu lächerlich erweisen sich die Wiederbelebungsversuche der Ant. durch die extremen Aristoteliker, die die fehlende logische Notwendigkeit der Katastrophe durch eine Vervielfältigung der Auswirkungen und starke Betonung der Grausamkeit auszugleichen versuchen. *L'Ulisse il Giovane* (»Der junge Odysseus«, 1720) von Domenico Lazzarini (1668–1734), einem Professor für Griech. und Lat., gestaltet den Ödipus-Stoff völlig um: Der Held tötet seinen Sohn und heiratet seine eigene Tochter. Die seltsame Bearbeitung des Mythos, die bereits von seinen Zeitgenossen mißbilligt wurde, regte Zaccaria Valaresso zu einer witzigen Parodie an, *Rutzvanscad il Giovine* (»Der junge Rutzvanscad«, 1724), deren paradoxe Handlung – der Held heiratet seine Großmutter – die Gefahr herausstellt, die eine alleinige Fixierung auf die bekannten Stoffe in sich birgt. Innovativer ist Pier Jacopo Martello (1665–1727). Er ersetzt zunächst den Elfsilber durch ein aus vier Septenaren bestehendes Distichon mit Paarreim, eine Imitation des Alexandriners, der nach ihm *martelliano* genannt wird. Seiner Meinung nach ist es unmöglich, ausschließlich auf die Vorschriften der aristotelischen *Poetik* zurückzugreifen. Die myth. Sujets gleicht er den Kriterien von Logik und Wahrscheinlichkeit an. Bezeichnend ist seine Vorliebe für die seltenen trag. Stoffe, die ein glückliches Ende aufweisen: *Ifigenia in Tauris* (»Iphigenie in Tauris«) und *Elena casta* (»Die keusche Helena«) schwanken – wie bereits die euripideischen Vorlagen – zwischen Trag. und Tragikomödie; die Nüchternheit der dargestellten Ereignisse erlaubt die Konzentration auf die psychologische Ausdeutung, ermöglicht einen verständnisvollen und zugleich ernüchternden Blick auf die menschlichen Verhaltensweisen und gibt schließlich einem bescheidenen komischen Realismus Raum. In *L'Edipo tiranno* (»König Ödipus«, 1720) steht neben der Betonung eines gerechten und würdevollen Königtums, die sich auf Sophokles zurückführen läßt, gleichberechtigt das Interesse für die emotionale Dimension, die Leidenschaft, die Ödipus mit Iokaste verbindet, und die Schuldgefühle, die sie von Anfang an quälen, aber erst am Schluß ihre Begründung erhalten. Martellos Versuch, die lit. Trag. wiederzubeleben und seiner Zeit zugänglich zu machen, findet seinen Ausdruck in umgangssprachlichen Eskapaden und steht letzten Endes in krassem Gegensatz zu dem Anspruch, die klass. Feierlichkeit und Erhabenheit wiederzugewinnen.

Einen deutlich größeren Erfolg errang Scipione Maffei (1675–1755) mit *Merope* (1713), die von dem Stoff des nur fragmentarisch erhaltenen euripideischen *Kresphontes* angeregt ist und lange Zeit als das Meisterwerk des trag. Theaters des 18. Jh. galt; unter anderem wurde sie von Voltaire imitiert. Das Stück ist eine gelungene Versöhnung zwischen dem Anspruch, den erhabenen Charakter des ant. Dramas zu bewahren und dem mod. Gefühl Rechnung zu tragen.

Vittorio Alfieri (1749–1803) ist der it. Bühnendichter des 18. Jh., der sich durch die originellste Auseinandersetzung mit den ant. Klassikern auszeichnet, die er durch die frz. Übers. von Brumoy, Théâtre des Grecs, von Rotrous und durch Voltaires Stücke und Senecas Trag. kannte; eine unmittelbare Beschäftigung mit dem griech. Theater erfolgte erst sehr spät. Außer einer neuen *Merope* (1782) verfaßte er auch zwei, von bekannten ant. Mythen inspirierte Diptycha, *Polinice* und *Antigone* (1775/76) sowie *Agamennone* und *Oreste* (1778/1781). Aus dem Lat., wobei er sich seine inzwischen erworbene Kenntnis der griech. Texte zunutze machte, übersetzte Alfieri die euripideische *Alkestis* (*Alceste prima*) und bearbeitete sie dann in der *Alceste seconda* (1797/98), die zu seinen schwächeren Werken zählt. Seine bekannteste Trag., *Mirra* (1784–1786) basiert auf der in Ovids *Metamorphosen* (10, 298–514) erzählten Geschichte. Alfieri kommt es nicht so sehr auf eine verschlungene Handlungsführung an; vielmehr stellt er in unterschiedlicher Weise in den aus den Mythen bekannten Konstellationen die Spannung zwischen einem Individuum und dem es beherrschenden äußeren Druck in den Mittelpunkt. Der Konflikt kann sich in einer Liebesleidenschaft oder in einem unstillbaren Machttrieb äußern, wobei der Tyrann und der Rebell derselben qualvollen Logik der Macht unterworfen sind. Diese Spannung, die durch die Wirklichkeit überwältigt wird, die sie doch ihrerseits zu überwältigen versucht, wird vom trag. Helden verinnerlicht und vernichtet ihn letztendlich und trägt dadurch wenigstens zum Teil zu einer Wie-

derherstellung des Absolutheitsanspruchs der alten griech. Tragödie bei. Das Gefühl der Auswegloigkeit und des Ausgeliefertseins, das in der griech. Tragödie aus dem Verhältnis der Menschen zur Gottheit hervorgeht, wird bei Alfieri auf die dunkelsten und tiefsten Wurzeln der Seele zurückgeführt. Die Gedanken und Eindrücke nehmen bisweilen die psychoanalytischen Entdeckungen und Neuinterpretationen der griech. Mythen des 20. Jh. vorweg. Im *Agamennone* sind sowohl Klytaimnestra als auch Aigisthos von dem in der Vergangenheit erlittenen Unrecht besessen und überwältigt. Ihr Verbrechen kann diese Gefühle nicht aus der Welt schaffen, wie es am Schluß der Tragödie die sie peinigende Ratlosigkeit und Angst zeigen, die das düstere Ende des *Oreste* ankündigen. In *Polinice* und *Antigone* verbirgt die übliche Gegenüberstellung von einem Tyrannen und einem heroischen Freiheitsmärtyrer geheimere Triebkräfte: Eteokles' abgrundtiefer Haß auf den Bruder scheint der Wahrnehmung zu entspringen, in Polyneikes einen beunruhigenden Doppelgänger zu haben. Antigones beharrliches Bestehen auf dem Recht, ihren Bruder zu beerdigen, enthält erotische Untertöne; nicht zufällig steht neben der Heldin – statt Ismene wie in Sophokles' Stück – Polyneikes' Witwe Argia, eine aus Statius' *Thebais* bekannte Gestalt. In seiner *Mirra* übernimmt Alfieri aus Ovids *Metamorphosen* nur das Thema des Inzestes, ohne es tatsächlich soweit kommen zu lassen, und konzentriert die Handlung auf den verzehrenden und erfolglosen Versuch der Heldin, ihre Gefühle zu unterdrücken, was Vergleiche mit Racines *Phèdre* hervorgerufen hat. Man kann dies als einen starken Beweis für Alfieris Neigung anführen, seine trag. Welt durch dieselbe Abgeschlossenheit und Unabwendbarkeit zu charakterisieren, wie sie die griech. Tragödie aufweist. Das Schicksal ersetzt er durch die Unausweichlichkeit eines psychischen Triebs.

Die geradezu zwanghaft zu nennende Verwendung des myth. Repertoires, aus dem auch das Melodram schöpft, indem es – der in der Gattung dominanten erotischen Thematik entsprechend – Neuinterpretationen der ant. Mythen vornimmt wie z.B. Pietro Metastasio in *Didone abbandonata* (1724) und *Orfeo ed Euridice* (1762) oder Ranieri Calzabigi in *Alceste* (1767) und *Paride ed Elena* (1770), reicht bis ans E. des Jahrhunderts. Die letzten Bearbeitungen ant. Trag. umfassen neben farblosen Werken wie *Edipo* von Carlo Alberghetti Forciroli (1797) die frühen Werke Ugo Foscolos (1778–1827) aus dem J. 1796, *Tieste* und *Edippo*, eine bisher unedierte, erst kürzlich Foscolo zugeschriebene Fassung des sophokleischen *Oidipus auf Kolonos*, wo innerhalb des klass. Rahmens sich bereits das romantische histor. Drama abzuzeichnen beginnt.

Die neoklassizistische Mode steckt auch die keinen festen poetologischen Regeln folgende Gattung des Romans an, dessen Entwicklung in It. im 18. Jh. nur langsam voran- und nicht ohne Anleihen bei anderen Gattungen auskommt. Alessandro Verri (1741–1816), der sich nach einer jugendlichen, unter aufklärerischem

Gedankengut stehenden Phase eines kompromißlosen Nonkonformismus der klass. Trad. zuwendet, u. a. mit einer Prosafassung der *Ilias* (1770/71), setzt den zeitgenössischen, ungeschickten Nachahmungen neuer engl. und frz. Erfolgsromane seine in der Ant. verwurzelten Romane entgegen: *Le avventure di Saffo, poetessa di Mitilene* (»Die Abenteuer Sapphos, der Dichterin aus Mytilene«, 1782), *Le notti romane al sepolcro degli Scipioni* (»Römische Nächte am Scipionengrabmal«, 1792–1804) und *La vita di Erostrato* (»Das Leben des Herostratos«, 1815). *Le avventure di Saffo* ist durch eine Kreuzung mit vorromantischen Ideen gekennzeichnet, wie sie für den Neoklassizismus bezeichnend ist. Die Handlung basiert auf der Geschichte der aussichtslosen, unerfüllten Liebe der Dichterin Sappho für Phaon; lit. Modell ist der 15. Brief von Ovids *Heroides*. Die Thematik der enttäuschten Leidenschaft, der Sympathie zw. der Heldin und der Landschaft sowie des Selbstmords findet sich in ähnlicher Weise in anderen zeitgenössischen Werken, hauptsächlich in der *Nouvelle Héloïse* Rousseaus und in Goethes *Werther*. Dies kann als ein weiterer Beweis dafür genommen werden, daß sich die Verbindung mit der Ant. von den restriktiven Zügeln eines Regelwerks und von Gattungsvorschriften emanzipiert hat und nun nicht mehr als ein Bildungsprogramm der gelehrten Imitation, sondern als Kombination heterogener Ansätze und als eine freie Suche nach einer »urspr.« Schönheit, Klarheit und Größe verstanden wurde.

→ Arkadismus; Epos; Imitatio
→ AWI Lucanus; Nonnos; Seneca

1 A. BUCK, Forsch. zur romanischen Barocklit., 1980
2 M. HARDT, Gesch. der it. Lit., 1996  3 V. KAPP (Hrsg.), It. Literaturgesch., 1992  4 K. D. SCHREIBER, Unt. zur it. Lit.- und Kulturgeschichtsschreibung in der zweiten H. des Settecento, 1968.               CLOTILDE BERTONI/Ü:
                                           ANDREAS BAGORDO

## V. 1800 BIS GEGENWART
## A. 19. JAHRHUNDERT  B. 20. JAHRHUNDERT

### A. 19. JAHRHUNDERT

Zu Beginn des 19. Jh. ist die it. Kultur von einem strengen Klassizismus mit antiquarischen Tendenzen beherrscht, dem sich eine gemäßigte und wenig ausgeprägte romantische Bewegung widersetzt. Die Polemik zwischen Klassikern und Romantikern, die das akad. und intellektuelle Leben auf allen Ebenen bewegte, drehte sich v. a. um die Geltung der aristotelischen poetologischen Regeln und um die Verwendung der ant. Myth., die den Romantikern als überflüssig, irreligiös und irrational galt; diese Polemik ist im Kontext der europ. → Romantik, für die gerade die Erforsch. des ant. → Mythos eine wesentliche Rolle spielt, kaum nachvollziehbar. Der Neoklassizismus als Kult des poetischen Wortes und des myth. Schmucks wird bes. von Vincenzo Monti (1754–1828) vertreten, der u. a. *Sermone sulla mitologia* (»Gespräch über die Mythologie«, 1825) verfaßte. Von seinen umfangreichen, vielseitigen Gelegenheitsschriften ist heute noch die *Ilias*-Übers. in freien Elfsilbern (*Iliade*, 1810, mehrmals bearbeitet) bekannt, die mit der *Odyssee*-Übers. von Ippolito Pindemonte (*Odissea*, 1822) bis vor einigen Jahrzehnten ein fester Bestandteil in der it. Schulbildung war.

Die bedeutendste Gestalt dieser Übergangsepoche ist Ugo Foscolo (1778–1827). Er nahm eine unmittelbarere Beziehung zur klass. Ant. für sich in Anspruch mit der von ihm immer wieder ins Spiel gebrachten biographischen Angabe, er sei von einer griech. Mutter auf der griech. Insel Zankle, die damals in venezianischem Besitz war, geboren worden. In einem seiner ersten kritischen Werke, dem *Commento alla Chioma di Berenice* (»Kommentar zur Locke der Berenike«, 1803), erklärt Foscolo Dichtung als das Zusammentreffen von zeitgenössischen Leidenschaften und mythischen Dimensionen. Sein ganzes Werk oszilliert auch tatsächlich zwischen einer starken autobiographischen Ausrichtung und der Transfiguration in das Ideal klass. Schönheit. Seit den ersten poetischen Versuchen entwickelt sich Foscolos Dichtung aus einem dichten, kreativen intertextuellen Zwiegespräch mit den ant. Vorbildern. Der lyr. Ton der Sonette ist mit Anspielungen auf Vergil, Tibull und Properz durchsetzt, während die Neufassungen griech. Gedichte (z. B. des Kallimachos im *Inno alla nave delle Muse*, »Hymnus auf das Musenschiff«) noch offensichtlicher ihren Vorlagen verpflichtet sind. In seinem bekanntesten Werk, dem Gedicht *Dei sepolcri* (»Von den Gräbern«, 1807), nimmt Foscolo die tieferen, der Kriegsthematik entgegenlaufenden Töne der *Ilias* auf: Unterschiedslose Gleichheit von Siegern und Verlierern gegenüber dem allen gemeinsamen Todesschicksal. Wenn der Versuch einer polit. Wiederbelebung der griech. Trag. auch scheiterte – bekannt ist das Fiasko seines *Aiace* an der Mailänder Scala im J. 1811 –, bezeichnet hingegen sein letztes, nicht vollendetes Werk, die Hymnen *Le Grazie* (»Die Grazien«, 1803–1822, publiziert 1848), den Höhepunkt einer alexandrinischen Poetik, die der poetischen Erinnerung, dem lit. Gedächtnis eine Unsterblichkeit verleihende Funktion zuweist. Der fragmentarische und unsystematische Ablauf läßt zugleich Kallimachos und L. Sterne anklingen. Auch in den *Sepolcri* findet sich ein auffallender, gelehrter Hinweis auf den hell. Dichter und Philologen Lykophron von Chalkis.

Antonio Canova (1757–1822), dem Foscolos *Grazie* gewidmet sind, ist der bedeutendste Vertreter des Neoklassizismus im Bereich der bildenden Künste. Nach Anfängen mit einer der ant. Mythologie und Bernini verpflichteten Bildhauerei strebte er immer mehr eine geom. und symmetrische Vereinfachung der Formen an, indem er sich auf Trauerthemen spezialisierte, die ihrerseits durch Foscolo beeinflußt sind. Höhepunkt seines Neoklassizismus sind die Statuen Napoleons als *Marte pacificatore* (1803–1806) und von Paolina Borghese Bonaparte als *Venere vincitrice* (1804–1808) sowie v. a. die sinnliche und raffinierte Arabeske der Gruppe der Grazien (1812–1816). Die Begegnung mit den Marmorwerken des Pheidias im → Parthenon im J. 1815 gab den Anstoß zu einer Revision und Umorientierung seiner eigenen Poetik in eine archaisierende Richtung. Erwähnenswert ist auch sein Einsatz für die Bewahrung der it. Kulturgüter, u.a. als Inspektor für »Altertümer und Schöne Künste« (1802). Im Umfeld des röm. Neoklassizismus sind noch der Maler Vincenzo Camuccini und der Architekt, Städteplaner und Archäologe Giuseppe Valadier zu nennen, während aus dem Bereich des Mailänder Neoklassizismus die umfangreiche städtebauliche Tätigkeit des Architekten Luigi Cagnola hervorzuheben ist.

Die Beziehung zur klass. Skulptur läßt sich in der Poetik des bedeutendsten it. Schriftstellers des 19. Jh., Giacomo Leopardi (1798–1837), durchweg nachweisen. Seine Zuordnung zu einer lit. Bewegung ist noch schwieriger als bei Foscolo, obwohl er eine deutlich antiromantische Position bezogen hatte. Einer Forschungsrichtung zufolge gehört seine Dichtung tatsächlich zur genuinen europ. Romantik, während andere sein Werk durch einen aufklärerischen bzw. materialistischen Klassizismus geprägt sehen, wie er in der gesamten it. Kultur des 19. Jh. immer lebendig blieb. Aufgewachsen im provinziellen Milieu der kleinen mittel-it., zum Kirchenstaat gehörenden Stadt Recanati und in der ansehnlichen, an gelehrten Werken reichen Bibl. seines Vaters Monaldo ausgebildet, befaßte sich Leopardi bereits in den ersten dichterischen Versuchen seiner Kindheit – etwa in derselben Zeit, als er Hesiod, Moschos, den ersten Gesang der *Odyssee* und die *Batrachomyomachia* übersetzte –, mit der Nachahmung der griech. und lat. Klassiker, v.a. Vergils. Recht bald entwickelten sich diese spielerischen Versuche zu einer komplexen, intertextuellen Beschäftigung mit der ant. Lit., die parallel zu seiner philol., gelehrten Tätigkeit und zu den theoretischen Überlegungen des Werkes *Zibaldone*, einer unsystematischen Gedankensammlung, abläuft. Leopardis Ästhetik ist durch das 18. Jh., v.a. Rousseau, geprägt. Er hat eine bes. Vorliebe für Homers Ursprünglichkeit, die vollkommen natürlich sei und vor jeder poetischen Regel liege; die alexandrinische Dichtung schätzt er wegen ihrer Pointiertheit und Ausdrucksfeinheit. Dieselben Eigenschaften bewundert er auch an den augusteischen Dichtern, obwohl er ihre Verstrickung mit der Macht kritisiert. Unter ihnen ist sein Lieblingsdichter Vergil. An Horaz bewundert er die poetische Technik, der es allerdings an echter Inspiration mangele, den allzu analytischen und deskriptiven Stil Ovids lehnt er ab. In seiner eigenen Dichtung finden diese Urteile ihren Niederschlag in einer Vorliebe für all die lit. Techniken, die den Eindruck des Unbestimmten und Unendlichen erreichen: schwierige Junkturen, Enjambements, Polysemie, die oft direkt den ant. und mod. Klassikern entnommen sind. Nach einer ersten, unter dem Einfluß Rousseaus stehenden Phase, in der er die Ant. als glückliche Kindheit einer noch ihrem Naturzustand nahen Menschheit preist und dem mod. Unheil gegenüberstellt, wandelt sich Leopardis Anschauung zu einem radikalen Nihilismus, der die Natur, die dem Menschen feindlich und stiefmütterlich gegenüberstehe, als negativen Faktor betrachtet. Die zweite, gewöhnlich als »kosmischer Pessimismus« bezeichnete Phase ist lit. vertreten durch die satirischen Dialoge, *Operette morali* (»Moralische Werkchen«), die ihr unmittelbares Vorbild im Werk des Lukian von Samosata haben. Leopardi hatte übrigens schon immer eine satirische und parodische Ader, die sich in den drei Übers. der *Batrachomyomachia* und in den *Paralipomeni alla Batracomiomachia* (»Nachbemerkungen zur Batracomiomachie«), einem heroisch-komischen, an polit. Satire reichen Gedicht, deutlich zum Vorschein kommt.

Die it. Romantik findet ihren vollständigsten und populärsten Ausdruck in der → Musik, in den → Opern Donizettis, Bellinis und v.a. Verdis. Das romantische Melodrama bearbeitete nur biblische oder histor. Themen (bes. des MA). Unter den letzten neoklassizistischen myth. Werken sind *Medea in Corinto* (1813) und *Fedra* (1820) von Simone Mayr (italo-dt. Lehrer Donizettis) hervorzuheben. Eine antiklassizistische und antimyth. Themenwahl findet sich in den beiden blühendsten lit. Gattungen im 19. Jh., der → Tragödie und dem histor. Roman, mit denen sich die zweite große lit. Persönlichkeit des 19. Jh. neben Leopardi, Alessandro Manzoni (1785–1873), theoretisch und praktisch beschäftigte. Hinter seinem Meisterwerk, *I promessi sposi* (»Die Verlobten«, 1825/26), läßt sich noch die Handlungsstruktur des griech. Romans erkennen, wenn auch durch die Vermittlung des Romans des Barock. Das histor. Ambiente schließt jedoch keineswegs von vornherein die griech.-röm. Ant. aus. Zu verweisen wäre z.B. auf den homoerotischen Roman *I neoplatonici* (»Die Neuplatoniker«, postum, 1977) von Luigi Settembrini (1813–1876), einem Literaten und Patrioten, der ebenfalls eine lit. gelungene Übers. Lukians verfaßte (1861), oder auf die Trag. Pietro Cossas (*Nerone*, 1871; *Messalina*, 1876).

Paralleles kann an der romantischen Malerei beobachtet werden, die in It. eine im Vergleich zur Lit. verspätete und bescheidene Verbreitung hatte. Die Laufbahn von Francesco Hayez (1791–1882) ist in dieser Hinsicht bezeichnend: Von einem späten Neoklassizismus unter Canovas Ägide ausgehend (*Ulisse alla corte di Alcinoo*, »Odysseus am Hofe des Alkinoos«, 1816), wird er zum bedeutendsten Vertreter der histor. romantischen Malerei, und zwar in starker Übereinstimmung mit Manzonis Welt.

Die zweite Generation von romantischen Schriftstellern ließ von jeglicher Polemik gegen den Klassizismus ab. Sie widmete sich nun einer schmachtenden und süßlichen Dichtung, in der auch myth. Figuren als Ausdruck eines puren Eskapismus wieder in Erscheinung treten konnten wie z.B. in den Sammlungen *Psiche* (»Psyche«, 1876) und *Iside* (»Isis«, 1878) von Giovanni Prati (1814–1884). Gerade gegen eine solche süßliche, entwürdigende Betrachtungsweise der Romantik wettert der wichtigste Dichter des jungen, vereinigten It., Giosuè Carducci (1835–1907). Die erste Phase seiner lit.

Produktion, die betont jakobinisch und republikanisch ist, greift auf das durch Tyrtaios geprägte Vorbild des Dichters als Seher zurück und fließt hauptsächlich in der an Horaz erinnernden Sammlung *Giambi ed Epodi* (»Iamben und Epoden«) zusammen, in der die klass. Ant. als Medium im Kampf gegen Tyrannei instrumentalisiert wird. Nach seinem Bekenntnis zur Monarchie und seiner vollen Integration in das polit. System als Senator im It. Crispis folgt eine auf Winckelmann zurückgehende Auffassung → Griechenlands als eines Ortes beschwingter und vollkommener Schönheit, die in den *Primavere elleniche* (»Griechische Frühlinge«, in *Rime nuove*, 1887) kulminiert. Das Werk ist reich an Anklängen an die dt. Dichtung (Goethe, Schiller, Heine und auch Hölderlin, dessen *Griechenland* er 1874 übers.) und an die ant. Lyrik. Carducci möchte auf das ant. Griechenland (Sappho und Alkaios) zurückgreifen, steht jedoch freilich unter dem vermittelnden Einfluß des Horaz und der lat. Dichtung. Beachtenswert sind ebenfalls die beiden Sammlungen der *Odi barbare* (»Barbarische Lieder«, 1877 und 1889), in denen er versucht, den Rhythmus der ant. Lyrik wiederherzustellen.

Carducci, der fast sein ganzes Leben it. Rhetorik und Lit. an der Univ. Bologna unterrichtete, war auch als Kritiker und Verbreiter klass. Autoren zu einer Zeit tätig, als dank der Reform Casatis im J. 1859 die klass. Bildung zu einem der Schwerpunkte des staatlichen Bildungssystems geworden war. Von der klass. Philol. als einer histor. und einheitlichen Wiss. in It., die sich auf den Spuren der dt. Altertumswiss. mit einem beträchtlichen Interesse für die griech. Lit zu entwickeln beginnt, kann man erst in der zweiten Hälfte des 19. Jh. sprechen. Es genüge, an die vielfältige Tätigkeit von Domenico Comparetti zu erinnern; für den Beginn des 19. Jh. kann nur Amedeo Peyron, ein Papyrologe und Thukydides-Forscher, angeführt werden. Nach Jh. der Verherrlichung der lat.-röm. Kultur setzt nun auch in It. eine Tendenz ein, die vorröm. Zivilisationen, v.a. die etruskische (z.B. in den Studien Giuseppe Micalis), anzuerkennen und zu erforschen.

Zwischen dem Ende des 19. und dem Beginn des 20. Jh. wird durch die Ästhetik der → Décadence eine pagane Annäherungsweise an die ant. Welt eröffnet, in der die griech. Kultur eine herausragende Rolle einnimmt. Unter dem starken Einfluß von Nietzsches Idee des Dionysischen und seines Übermenschentums ist die gewaltige lit. Produktion Gabriele D'Annunzios (1863–1938) von Hinweisen auf die klass. Myth. und Lit. durchdrungen. Bes. Pan spielt als Symbol einer umfassenden Sinnlichkeit eine herausragende Rolle, außerdem Odysseus als Symbol einer vollkommenen Vitalität. Mit intertextuellen Bezugnahmen auf die Ant. sind insbesondere die Gedichtsammlungen *Maia*, *Elettra* und *Alcyone* (1903) sowie die Trag. *Fedra* (1909) durchwoben. In *Fedra* wird die »barbarische«, wilde Leidenschaft der Heldin mit anderen mythischen, ebenfalls den euripideischen Trag. entlehnten Figuren in einen komplexen dramatischen Zusammenhang gebracht. D'An-

nunzio arbeitete auch an Giovanni Pastrones Film *Cabiria* (1914) mit, einem der ersten histor. Filme über Rom, in dem Geschichte mit fantastischen Elementen vermischt und die Sprache prunkvoll und reich an Neologismen ist.

Gerade der Odysseus-Mythos ermöglicht, die deutlichen Unterschiede zwischen der Poetik D'Annunzios und der eines anderen großen Schriftstellers der it. Décadence, Giovanni Pascolis (1855–1912), aufzuzeigen. In den *Poemi conviviali* (»Tischgedichte«, 1904) stellt Pascoli eben diese mythische Figur in negativer Weise dar, als die Versinnbildlichung der quälenden Unmöglichkeit einer vollkommenen Erfahrung. Nach einer Gedichtsammlung, die den vergilischen Titel *Myricae* (1891) trägt und sich um Natur und Landschaft dreht, experimentiert Pascoli später mit verschiedenen Tonlagen, die durch eine Regression bis in die Kindheit (z.B. in dem bekannten Gedicht *Fanciullino*, »Junge«) und einen spielerischen Umgang mit der Sprache gekennzeichnet ist, die ihrerseits zahlreiche Lautfiguren, Fachtermini und Latinismen enthält. In eine vergleichbare Richtung gehen seine ausgefeilten, von der spätant. Welt inspirierten, auf Lat. verfaßten Werke (u.a. *Centurio*, 1901; *Pomponia Graecina*, 1909; *Thalussa*, 1911). Der lat. Dichtung sind auch zwei kommentierte Anthologien gewidmet (*Lyra*, 1895; *Epos*, 1897), in denen ein kritisches, geradezu impressionistisch zu nennendes Feingefühl für die Texte hervortritt.

### B. 20. Jahrhundert

Die it. Dichtung des beginnenden 20. Jh. steht im deutlichen Gegensatz zur Ästhetik der Décadence, mit der sie jedoch eine zweifache Verbindung beibehält. In der Suche nach dem Wesentlichen und dem Fragment, die die Hermetik und die damit verwandten Richtungen beherrscht, kann der Rückgriff auf die klass. Trad. nur in Anspielungen und auf kryptische Weise erfolgen. Bei Eugenio Montale (1896–1981), dem bedeutendsten it. Dichter dieses Jh., lassen sich klass. Topoi feststellen wie die *recusatio* und Anklänge an Horaz – so an die Ode an Leukonoe 1,11 in *La casa dei doganieri* (»Das Haus der Zöllner«, 1930) –, die jedoch stets in umgekehrter Bed. als Hinweis auf Montales Poetik der Unwiederbringlichkeit des Gedächtnisses zu deuten sind. In der späten Phase seiner Lyrik bedient sich Montale hingegen – von *Satura* (1971) an – satirischer, geradezu an die Diatribe erinnernder Tonlagen. Ähnliches gilt für die andere große lit. Persönlichkeit dieser Zeit, Giuseppe Ungaretti (1888–1970), der über den Umweg der Erforsch. der emotionalen Ausdruckskraft des Wortes in *Terra promessa* (»Gelobtes Land«, 1950) vergilische Themen aufgreift. Vergil wird auch von Autoren der folgenden Generationen wieder aufgenommen, so etwa Andrea Zanzotto (*1921), der bemerkenswerte sprachliche Experimente wagt (*IX Ecloghe*, 1962). Griechenland ist hingegen wichtig im lit. Schaffen Salvatore Quasimodos (1901–1968), sowohl im Verhältnis zur Myth. seiner Geburtsinsel Sizilien als auch bes. in seinem Meisterwerk, der Übers. der griech. Lyriker aus dem J. 1940; daneben übers. er auch Homer, die Tragiker und Vergil.

Nach der romantischen und naturalistischen Malerei, die klass. Sujets ablehnte, und nach der futuristischen Avantgarde, die selbst den Begriff der Trad. leugnete, beginnt ein vertiefter Dialog mit der klass. Ant. in der it. Kunst erst wieder mit der Phase der »Rückkehr zur Ordnung«, die durch die von Mario Broglio herausgegebene Zeitschrift *Valori plastici* vertreten wird, an der auch Giorgio De Chirico (1888–1978) mitarbeitete. Bezugnahmen auf den ant. Mythos finden sich bereits in den ersten, noch von Böcklin beeinflußten Werken und später v. a. in der metaphysischen Phase (*Le Muse inquietanti*, »Die beunruhigenden Musen«, 1916; *Ettore e Andromaca*, »Hektor und Andromache«, 1917). Der ant. Mythos ist ebenfalls im Werk von De Chiricos Bruder, Alberto Savinio, der in Griechenland geboren und in München ausgebildet wurde, sehr präsent. Er zeigt eine klare Vorliebe für die spielerische und groteske Verarbeitung mythischer Stoffe, die in seiner Bühnen- (*Il capitan Ulisse*, 1934; *Alcesti di Samuele*; *Emma B. vedova*; *Giocasta*, 1949) und Musikproduktion (*Orfeo vedovo*, 1950) erkennbar ist.

Mag in der Aufbruchsstimmung der Avantgardisten in den 70er und 80er Jahren (*conceptual art, body art, arte povera*) die Berufung auf die ant. Trad. auch nur marginal sein – gleichsam wie eine archetypische Gedächtnisspur – steht sie wieder mehr im Mittelpunkt im Rahmen der verfremdeten Rückkehr zur Figürlichkeit der 80er und 90er Jahre, hauptsächlich der Transavanguardia (Enzo Cucchi, Sandro Chia, Mimmo Palladino), die auf archa. Stilelemente zurückgreift.

Die it. Musik des 20. Jh. ist in ihren verschiedenen Phasen und Tendenzen von Wiederaufnahmen der Ant. durchsetzt. Der Beginn ist in der Generation der 80er J. des 19. Jh. zu sehen, die sich zum Ziel gesetzt hatte, die it. Musik im europ. Kontext zu reetablieren, indem sie in einen Dialog mit Strawinskys Neoklassizismus eintrat und auf Renaissance- und gregorianische Stilelemente zurückgriff. Einige der wichtigsten Namen in diesem Zusammenhang sind Ildebrando Pizzetti, ein Freund von D'Annunzio, der für ihn *Fedra* (1915) musikalisch bearbeitete und eine *Clitennestra* (1965) komponierte; außerdem vertonte er Sappho Fr. 94 DIEHL in Leopardis Fassung. Gian Francesco Malipiero nimmt in der Trilogie *Orfeide* (1923) deutlich auf die Ant. Bezug und komponierte eine *Ecuba* (1941). Giorgio Federico Ghedini ist Verf. von *Le Baccanti* (1948). Hinzu kommen weitere Komponisten, die sich mehr für Instrumentalmusik interessierten, wie Alfredo Casella (*La favola di Orfeo*, 1932) oder Ottorino Respighi, der an die dt. Romantik anknüpfte (*I Persiani*, 1900; *La fiamma*, 1934, die in einem byz. Szenario spielt). Der ant. Mythos, der dank S. Freud in diesem Jh. in das allg. öffentliche Bewußtsein rückte, kehrt im letzten, postum veröffentlichten Werk eines Protagonisten der Epoche des Verismo wieder (*Edipo re* von Ruggero Leoncavallo, 1916), während Vittorio Gnecchis *Cassandra* (1905) v. a. wegen des Plagiatstreits mit Hofmannsthal – Strauss in Erinnerung ist.

Die auf Webern folgende, zu Experimenten neigende Musik der zweiten Hälfte des 20. Jh. zeigt eine starke intertextuelle Verbindung mit der Klassik. Der Meister der it. Zwölftonmusik, Luigi Dallapiccola, vertonte zwischen 1942 und 1945 Sapphos, Alkaios' und Anakreons Gedichte und widmete eine seiner Opern einem bedeutenden Mythos dieses Jh. (*Odyssee*, 1968, mit Texten von Homer, Aischylos, Ovid, Dante, Pascoli, Th. Mann und anderen), indem er aus Odysseus eine Symbolfigur für den menschlichen Freiheitsdrang und die Rebellion der Menschen gegen das Göttliche machte. Denselben Mythos verarbeitete auch kürzlich Luciano Berio zu einer Oper mit einer allerdings ganz anderen Bed. (*Outis*, 1996, nach einem Libretto des Mailänder Gräzisten Dario del Corno). Sie weist einen metatheatralischen Charakter und eine durch J. Joyce geprägte Handlungsführung auf, der Aufbau bezieht Odysseus' Tod durch die Hand seines Sohnes ein. Eine spielerische, polyphone Struktur mit einem Text, der ständig auf Zitaten aus der *Cena Trimalchionis* basiert, liegt Bruno Madernas *Satyricon* zugrunde (1973). Eine völlig andere, spekulative Annäherung an die Ant. ist bei einem weiteren Protagonisten der it. Avantgarde zu finden, bei Luigi Nono, dessen *Prometeo* (1978, aus Texten zusammengestellt von Massimo Cacciari) sich als Trag. des Zuhörens und des Schweigens bezeichnen läßt. In dieses Spektrum gehören auch Vetreter der jüngeren Generation wie z. B. Salvatore Sciarrino (*Amore e Psiche*, 1972; *Perseo e Andromeda*, 1991) und Adriano Guarnieri (Filmoper *Medea*, 1988).

In der zweiten Hälfte des 20. Jh. gewinnt die Beschäftigung mit der Ant. ein schwerwiegenderes poetisches und ideologisches Gewicht. Dies ist einerseits dem Einfluß der Wiss. zu verdanken, die sich in den Jahren des → Faschismus nicht entfalten konnten (Psychologie, Anthropologie, → Marxismus), andererseits der Entwicklung neuerer Ansätze wie des Strukturalismus und der Zeichentheorie. Das Theater befaßt sich mit Freuds Ödipus-Mythos in unterschiedlichen Ausformungen und mit einem unterschiedlichen kritischen Zugriff: Dieser reicht vom neorealistischen *Edipo* Roberto Zerbonis (1946) bis zur verfremdenden Verlagerung des Ödipus-Stoffes in ein KZ in Alberto Moravias *Il dio Kurt* (»Der Gott Kurt«, 1968), vom erregten und dionysischen, sprachlich prunkvollen *Edipus* Giovanni Testoris (1977) bis zu *Edipo. Ambigui paesaggi disadorni e senza profumo* Renzo Rossos (»Ödipus. Doppeldeutige Landschaften ohne Schmuck und Duft«, 1990). Der Medea-Mythos wird einer anthropologischen Interpretation in Corrado Alvaros *La lunga notte di Medea* (»Die lange Nacht Medeas«, 1949) unterzogen: Die Heldin verkörpert die südländische, magische Kultur, der Kindermord wird als ein Verteidigungsakt gegen die drohende Lynchjustiz durch die rassistische Masse dargestellt. Damit gibt Alvaro eine Neuinterpretation des Mythos, der Christa Wolfs revolutionäre Umdeutung vorwegnimmt. Zur gleichen Zeit mehren sich innovative Inszenierungen griech. Trag.: unter vielen sind die

*Orestee* von Luca Ronconi (1972) und der Societas Raffaello Sanzio (1995) zu erwähnen.

In It. ist Pier Paolo Pasolini (1922–1975) der Künstler gewesen, der am meisten den Dialog mit der Ant. gesucht hat: zunächst als Übersetzer der *Orestie*, die er als Konflikt zwischen der magisch-sakralen, archa. und der rationalistisch-pragmatischen, mod. Zivilisation interpretiert hat, später als Filmregisseur. Pasolinis *Orestie*-Interpretation wird sich in *Orestea di Gibellina* (1983–1985) von Emilio Isgrò wiederholen, einem Protagonisten der visuellen Dichtung. Das Bild der Ant., das in Pasolinis mythischen, wenig lit. und sehr bildhaften Filmen entsteht (*Edipo re*, 1967; *Medea*, 1969; *Appunti per un'Orestiade africana*, »Anmerkungen zu einer afrikan. Orestie«, 1970), ist antiklassizistisch und barbarisch, einer in denselben Jahren von Elsa Morante entwickelte Poetik zufolge, die in einer Pasolini vergleichbaren Weise eine Bearbeitung des sophokleischen *Oidipus auf Kolonos* (*La serata a Colono*, »Der Abend auf Kolonos«, 1968) verfaßt hat. Griechenland wird zur Metapher einer ländlichen Zivilisation, zum Sinnbild einer jahrtausendealten Lebensweise, die durch die wilde Modernisierung des Neukapitalismus zertrümmert wurde, während doch eine ausgeglichenere Entwicklung nach einer harmonischen Assimilierung hätte streben müssen. Pasolinis Theaterstücke, die im Unterschied zu seinen Filmen deutlich ideologisch und didaktisch ausgerichtet sind, richten sich in ihrer Struktur nach der griech. Trag. und übernehmen von ihr verschiedene Themen, die er direkt in den zeitgenössischen Kontext einbezieht (*Affabulazione*, eine Neubearbeitung des Ödipus-Mythos aus der Sicht von Ödipus' Vater Laios, 1966; *Pilade*, eine fiktive Fortsetzung der Orestie im zeitgenössischen It.; 1967). In den letzten Jahren seines Lebens beschäftigt sich Pasolini wieder mit dem Roman: In *Petronio* (die unvollständigen Fragmente sind erst 1992 veröffentlicht worden), den er selbst als ein mod. *Satyricon* bezeichnete, übernimmt er aus Petron die fließende Form, die polyphone Mischung der Stil- und Sprachebenen und die Form des Prosimetrum. Er hatte zudem die Absicht, von Apollonios Rhodios inspirierte *Argonautiche* auf Neugriech. in das Werk einzufügen; die Argonautenfahrt nach Osten sollte den Kolonialismus und die Ausbeutung der Dritten Welt durch den Westen symbolisieren.

Petrons Roman hat in It. eine vielfältige Rezeption erfahren, wenn man an die Übers. und Bearbeitung durch einen Protagonisten der Neoavantgarde des Gruppo '63, Edoardo Sanguineti (*Il gioco del Satyricon*, 1968) oder den durch C. G. Jung beeinflußten Film von Federico Fellini (1969) denkt. Petron hat auf eine allgemeinere Weise die Rolle eines Vorbilds für eine freie, spielerische, »menippeische« Erzählkunst gespielt, wie etwa in Alberto Arbasinos umfangreichen Werken (*Fratelli d'Italia*, 1963; *Super-Eliogabalo*, 1969). Die mod. Neufassungen des Odysseus-Mythos, der mit der archetypischen Vorstellung von → Reise verbunden ist, verweisen hingegen auf die Rückkehr zu einer traditionelleren Erzähltechnik: In *L'olivo e l'olivastro* (»Der kultivierte und der wilde Ölbaum«, 1994) von Vincenzo Consolo bildet Odysseus' Heimkehr das Modell für die Erzählung einer Reise in das zeitgenössische Sizilien. In *Itaca per sempre* (»Ithaka für immer«, 1997) von Luigi Malerba wird der ant. Mythos völlig aus der Sicht Penelopes gesehen wie auch in *Penelope* von Silvana de Santi (1998).

Außer Pasolini und Fellini haben auch andere Vertreter des modernen it. → Films in ihren Werken ant. Themen aufgegriffen: Liliana Cavani in *I cannibali* (1969), einer zeitgenössischen polit. Bearbeitung des Antigone-Mythos, oder Paolo Benvennuti in *Medea* (1973), der eine populäre Inszenierung des Stückes von Niccolini (1816) durch das Theater *Maggio di Buti* (1816) verfilmt, oder jüngst in *Teatro di guerra* von Mario Martone (1998), der Geschichte einer neapolitanischen Theatergruppe, die Aischylos' *Sieben gegen Theben* in Sarajevo inszenieren möchte, um in ritueller und emotionaler Form die Konflikte unserer Zeit darzustellen.

→ Altsprachlicher Unterricht (Italien)
→ AWI Diatribe; Kallimachos; Lukian von Samosata; Lykophron von Chalkis; Pheidias; Tyrtaios

1 V. Di Benedetto, Lo scrittoio di Foscolo, 1990
2 R. Bertazzoli, Ulisse in D'Annunzio e Pascoli, in: Humanitas, 1996 3 A. Bierl, Die Orestie auf der mod. Bühne, 1997 4 M. Fusillo, La Grecia secondo Pasolini, 1996 5 A. La Penna, La tradizione classica nella cultura italiana, in Storia d'Italia 5.2, 1973 6 Ders., Tersite censurato, 1991 7 Leopardi e il mondo antico, 1987 8 G. Paduano, Lunga storia di Edipo re, 1994 9 S. Timpanaro, Classicismo e illuminismo nell'Ottocento italiano, 1969 10 Ders., La filologia di Giacomo Leopardi, 1977. MASSIMO FUSILLO/Ü: ANDREAS BAGORDO

## VI. Museen

### A. Übersicht B. Architektur C. Geschichte D. Daten zu ausgewählten Museen

### A. Übersicht

Wohl jeder it. Ort mit einer größeren arch. Grabung besitzt eine Antikenslg. (Slg./slg.=Sammlung). Eine Gesamtdarstellung für die öffentlichen Mus. und bes. deren jüngere Gesch. fehlt bisher völlig. Der vorliegende Artikel berücksichtigt Antikenmus. bzw. Mus. mit einer wichtigen Antikenabteilung, die ital., etr., griech. und röm. Altertümer, seltener ägypt., pun.-phöniz. oder didaktische Slg. besitzen.

### B. Architektur

Mit der Aufbewahrung der Antiken im Studierzimmer (*studiolo*) wandelte sich dieses im 15. Jh. zum Antikenkabinett, vergleichbar etwa der später häufig zu findenden Nutzung von Bibl. zur Ausstellung von Funden. Gleichzeitig wurde großformatige Steinplastik in Villa und Antikengarten aufgestellt (z. B. 1438 Poggio Bracciolini in der »Academia Valdarnina« bei Terranuova; 1444–92 Pal. (Pal.=Palazzo/Palazzi) Medici, Florenz). Spielarten sind die Porticus und die Loggia als Lapida-

rium (z. B. 1471 Konservatorenpal., Rom, für Großbronzen), der Antikenhof (z. B. ab 1506 Cortile delle
Statue, Vatikan und 1532/39 Pal. Capranica della Valle,
Rom) und etwas später die Antikenfassade (z. B. im
16. Jh. Villa Medici, im 17. Jh. Villa Borghese, Pal. Mat-
tei, Villa Pamphilj, alle Rom, und noch ca. 1715 Pal.
Riccardi, Florenz). Die 1588 gegr. Galleria degli Uffizi
in Florenz kann als Prototyp der später beliebten Mu-
seumsgalerien angesehen werden (vgl. z. B. die Galerien
der Gonzaga: 1580–84 Sabbioneta, 1595–1612 Pal. Ducale in Mantua). Der geschlossene Bautyp eignete sich
besser für die geschützte Aufstellung von Antiken als die
offene Loggia; die Loggia des Pal. Farnese in Rom wurde 1568/93 zu einer Galerie umgebaut. Im 17. Jh. wird
die Bezeichnung »Galerie« zum Synonym für
Kunstslgg. (Slgg./slgg.=Sammlungen). Alle diese Gebäude waren jedoch urspr. nicht als Mus. geplant. Spezielle Museumsarchitektur, und damit die entscheidenden Schritte fort von der Villenausstattung, entstand seit
der 2. H. des 18. Jh. (z. B. 1760 → Rom, Villa Albani;
1770–1822 Mus. Pio Clementino und Braccio Nuovo,
Vatikan; 1787 Ausbau der → Uffizien, Florenz). Die
zahlreichen Museumsgründungen des 19. Jh. ließen,
anders als im übrigen Europa, kaum Neubauten entstehen: Für den neuen Zweck wurden fast ausschließlich ältere Gebäude entsprechend hergerichtet. Erst aus
dem 20. Jh. stammen mehrere Neubauten (1904 Cagliari u. Mus. Barracco, Rom; 1912 Fiesole; 1932 Reg-
gio/C.; 1952 Paestum; 1951–55 Mus. della Civiltà Romana, EUR; 1961 Adria; 1963 Mus. Paolino, Vatikan;
1967–69 Agrigento, Syrakus und Policoro).

C. Geschichte

1. Privatsammlungen

Die Geschichte der it. Mus. ist untrennbar mit der
der frühen Privatslgg. verwoben. Hier liegen die Ursprünge vieler öffentlicher Mus., bzw. ältere private
Slgg. wurden in ein Mus. aufgenommen. Die meisten
Privatslgg. entstanden in Rom; als Sammler betätigten
sich seit dem 15. Jh. Päpste, Kardinäle, Fürsten, Humanisten und Künstler. Die Bed. der Privatslgg. wird
aus den Beschreibungen Aldrovandis von 1550 und Bel-
loris von 1665 deutlich, der allein in Rom 150 Slgg.
zählte; als die größte und wichtigste kann, bis zu ihrer
Auflösung 1720, die Slg. Vincenzo Giustinianis gelten.
Wegweisend für die Museumsarchitektur war die 1734
angelegte Slg. Albani, die letzte große Privatslg. alten
Stils. Die Öffnung dieser Slgg. für Besucher war der
Wohltätigkeit oder Freizügigkeit des Besitzers überlassen. Neue Forsch. und Publikationen zum *collezionismo*
geben h. einen guten Überblick über die Geschichte der
Privatslgg.

2. Erste Museumsgründungen

Als erstes öffentliches Mus. der Welt ist die 1471 von
Papst Sixtus IV. gestiftete und im Konservatorenpalast in
Rom eingerichtete Slg. ant. Großbronzen anzusehen,
der Vorläufer der Kapitolinischen Museen. Slgg. der für
die Stadtgeschichte interessanten Inschr. und Statuen,
d. h. von histor.-polit. Bed. wie auf dem Kapitol in

Rom, wurden auch in anderen Städten in den Pal. Co-
munali oder Pubblici eingerichtet (z. B. 1480/85 Brescia; 2. H. 15. Jh. Pesaro; 1542/45 Rimini). Auch der ab
1506 auf Betreiben Papst Julius' II. angelegte und wegen
der Qualität seiner Kunstwerke sofort berühmte Statu-
enhof im Vatikan diente der päpstlichen Selbstdarstellung. Wie schon 1523/96 die Stiftung der Grimani-
Slgg. das Statuario Pubblico in Venedig ins Leben
gerufen hatte, wurden mehrere im 17. Jh. entstandene
Privatslgg., oft nach dem Tode des Besitzers durch
Erbschaft, zu öffentlichen Einrichtungen. Für diese ist
nun mehrfach die Bezeichnung *Musaeum* oder *Museo* belegt (z. B. 1603/48 Musaeum Aldrovandi im Pal. Pubblico, Bologna; 1664 Musaeum Septalianum, Mailand;
1667/77 Mus. Cospiano, Bologna u. 1678 Mus. Kir-
cheriano im Collegio Romano, Rom). Man vergleiche
die häufiger unter diesem Titel erschienenen, katalog-
artigen Publikationen (z. B. nach 1618 f. Borromeo,
Kat. Pinacoteca Ambrosiana, Mailand: Musaeum; 1648
U. Aldrovandi, Bologna: Musaeum Metallicum; vor
1657 Cassiano dal Pozzo, Rom: Museum Chartaceum;
1736–43 A. F. Gori, Florenz: Museum Etruscum; 1749
S. Maffei, Kat. Verona: Museum Veronensis).

3. Museen seit dem 18. Jh.

Im 18. Jh. kommt es zur Gründung staatlicher und
städt. Mus., die nun als öffentliche Institutionen mit
Direktor, Kustoden, geregelten Öffnungszeiten und
Kat. versehen wurden. Hervorzuheben sind die päpst-
lich geförderten Mus. in Rom (1703–16 Mus. Ecclesia-
stico, Vatikan; 1734/1838 Kapitolinische Museen;
1769/84 Mus. Pio Clementino) und die Uffizien in Florenz (1737/89); für die Slgg. der Bourbonen in Neapel
(1738 Capodimonte, 1750 Portici) gilt einschränkend,
daß man interessierten Besuchern den Zugang möglichst zu verwehren suchte. Im übrigen Europa kann erst
im 19. Jh. von einem »Museum Age« gesprochen werden. Durch das im Ausland wachsende Interesse an Antiken und unter dem Eindruck des napoleonischen
Kunstraubes nach dem Vertrag von Tolentino 1797 vermehrten sich in It. die Bemühungen, die Ausfuhr zu
kontrollieren; richtungweisend für die Antikengesetz-
gebung war der von Papst Pius VII. herausgegebene und
wahrscheinlich von Antonio Canova erarbeitete *Chi-
rografo* von 1802. Die Funde aus den zahlreichen neuen
Ausgrabungen und die Rückkehr vieler Kunstwerke aus
dem Louvre 1815 bewirkten in It. die Gründung bzw.
Erweiterung vieler Mus. Nach der it. Einigung 1870
entstanden die großen Nationalmus. in Rom (Ther-
menmus., Villa Giulia, Mus. Paletnologico) und Florenz
(Arch. Mus.). Die staatliche Sorge fand außerdem seit
1874 Ausdruck in der Bildung von Aufsichtsorganen,
vom *Consiglio centrale* und der *Direzione generale* unter
Giuseppe Fiorelli bis hin zur Bildung der einzelnen
Soprintendenzen 1907. Durch die in ganz It. weiter zunehmende Ausgrabungsaktivität häuften sich gegen E.
des 19./Anf. 20. Jh. Neugründungen von Mus. Die
Grabungsfunde wanderten nicht mehr in die zentralen
Mus., sondern seit dem 20. Jh. ist bes. in Etrurien und in

Süditalien mit dem Verbleib in den neuen lokalen Mus. eine Dezentralisierung eingeleitet worden. Im Unterschied zu anderen europ. Mus. erhielten die it. Mus. im 20. Jh. unverändert Zugang aus Grabungen, was zur Gründung zahlreicher Antiquarien am Fundort geführt hat.

## 4. Sammlungs- und Ausstellungskonzept

Bis in das 16. Jh. wurde v. a. Kleinkunst gesammelt, daneben gab es Lapidarien und auch Gemäldeslgg. Das enzyklopäd., die Naturgeschichte umfassende Interesse des 16. Jh. drückt sich in den bes. in Nordeuropa verbreiteten »Wunderkammern« aus (*guardaroba, camerino, studiolo*; z. B. 2. H. 16. Jh. Slg. Aldrovandi, Mitte 17. Jh. Slg. Cospi, beide Bologna; 17. Jh. Slg. Kircher, Rom). Im 18. Jh. erfolgte die Trennung, Ordnung und Aufstellung des Materials nach chronologischen oder ästhetischen (nach Winckelmann) Kriterien. Im 19. Jh. versuchte man oft, die Funde in einem historisierenden Ambiente zu präsentieren (pompejanisch-rote Wände, ägyptisierender Dekor). Seit dem E. des 19. Jh. wurden top. geordnete Aufstellungen angestrebt (Villa Giulia, Rom; Arch. Mus., Florenz), und schließlich wurden didaktische Mus. eingerichtet (1892 Abgußslg./Mus. dei Gessi, E. Löwy; 1911 Ausstellung ant. Rom, R. Lanciani; beide Rom). Die aktuelle Situation spiegelt die jeweilige Entstehungszeit der Mus. wider, auf die h. bei allen Renovierungen Rücksicht genommen wird, so daß nebeneinander histor. Slg./dekorative Villenausstattung, chronolog. Anordnung, ästhetische Aufstellung, top. Mus. bestehen. Außer in den erwähnten Neubauten sind in jüngster Zeit in Rom einige vollständige Neuaufstellungen vorgenommen worden (z. B. 1995–97 Pal. Massimo, Pal. Altemps).

1 M. Barbanera, L'archeologia degli Italiani, 1998
2 H. Beck u. a. (Hrsg.), Antikenslgg. im 18. Jh., 1981
3 D. Boschung, H. v. Hesberg (Hrsg.), Antikenslgg. des europ. Adels im 18. Jh., Kongreß Düsseldorf 1996, 1999
4 Capire l'Italia. I musei. Touring Club Italiano, 1980
5 Documenti inediti per servire alla storia dei musei italiani pubblicati per cura del Ministero della pubblica istruzione 1–4, Florenz und Rom 1878–80 6 H. Dütschke, Ant. Bildwerke in Oberit. 1–5, Leipzig 1874–82 7 A. Emiliani, Leggi, bandi e provvedimenti per la tutela dei beni artistici e culturali negli antichi stati italiani 1571–1860, 1978
8 Enciclopedia Italiana 5. App. 1979–92, 1993, 589–597 s. v. Mus. 9 Enciclopedia Universale dell'Arte 9, 1963, 738–772 s. v. Musei e collezioni 10 C. Gasparri, s. v. Collezioni archeologiche, in: EAA 2. Suppl. II, 1994, 192–225
11 W. Liebenwein, in: H. Beck, P. C. Bol (Hrsg.), Forsch. zur Villa Albani. Ant. Kunst und die Epoche der Aufklärung, 1982, 464–496 12 Musei e Gallerie d'Italia 1–25, 1956–80. N. S. 1–10, 1982–86 13 F. Nuvolari, V. Pavan (Hrsg.), Archeologia, Mus., Architettura, 1987
14 F. Pellati, I musei e le gallerie d'Italia, 1922
15 C. Pietrangeli, in: Mus. perchè – Mus. come, 1980, 11–20 16 N. Thompson de Grummond (Hrsg.), An Encyclopedia of the History of Classical Archaeology, 1996, bes. s. v. Collecting, Museum.

## D. Daten zu ausgewählten Museen

Der folgende Kat. strebt keine Vollständigkeit an; er versucht, einen Querschnitt der vielfältigen it. Museumslandschaft zu bieten und dabei einige der wichtigsten Mus. vorzustellen. Die »großen« Mus. werden in eigenen Stichwörtern behandelt.

### 1. Bologna, Museo Civico Archeologico

Die Slg. Aldrovandi wurde 1603 der Stadt vererbt und 1617 als Mus. Aldrovandi im Pal. Pubblico eröffnet; 1660 kam die Slg. Cospi hinzu. Auf der Grundlage der Slg. Marsili wurde 1711 das Universitätsmus. gegr., dem 1743 die Slgg. Aldrovandi und Cospi überlassen wurden und das 1740–58 Förderung durch Papst Benedikt XIV. erfuhr; im 19. Jh. erfolgten Zugänge aus Grabungen (z. B. 1869 Certosa), 1857 die Münzslg. und 1860 die Stiftung der Slg. Palagi (Athena-Lemnia-Kopf). 1871 wurde das Mus. Civico gegr., das 1878/81 die bestehenden Mus. im Pal. Galvani, dem aktuellen Sitz, vereinte. Neben ital.-etr. Antiken (Felsinastelen, Bronzesitula) röm. und ägypt. Abteilungen.

17 A. M. Brizzolara, Le sculture del Mus. Civico Archeologico di Bologna. La Collezione Marsili, 1986 18 Dies., Ocnus 1, 1993, 53–61 19 P. Ducati, Guida del Mus. Civico di Bologna, 1923 20 G. Gualandi, Carrobbio 5, 1979, 243–260; 14, 1988, 309–321 21 C. Morigi Govi, D. Vitali, Il Mus. Civico Archeologico di Bologna, 1982/²1988 22 C. Morigi Govi, G. Sassatelli, Dalla Stanza delle Antichità al Mus. Civico, 1984

### 2. Brescia, Museo Civico Romano

Mit Dekret von 1480 wurde bereits 1485 an der Piazza della Loggia ein öffentliches Lapidarium eingerichtet. Nach den Grabungen am röm. Kapitol 1823–26 wurde 1830 das Mus. Patrio eröffnet, das seit der Trennung der ma. Slg. 1882 Mus. dell'Età Romana hieß. 1939–43 erfolgte die Anastylose des Kapitols, 1948–56 die Renovierung des darin untergebrachten Mus. Unter der Slg. röm. Antiken ragen die brn. (brn.=bronzen) Victoria und brn. Portraits heraus. Pläne zur Neuausstellung der Antiken mündeten in die 1999 eingeleitete Eröffnung des Mus. della Città im Kloster S. Giulia.

23 Brescia romana. Materiali per un Mus. II, 1979 24 M. Mirabella Roberti, Il Civico Mus. Romano di Brescia, 1959/²1981 25 G. Panazza, La Pinacoteca e i Musei di Brescia, 1961/²1968, 7–42 26 C. Stella, Guida del Mus. Romano di Brescia, 1987 27 C. Stella, F. Morandini, Quaderni di Archeologia del Veneto 14, 1998, 164–167

### 3. Ferrara, Museo Archeologico Nazionale

Schon 1598 wurde die Slg. Este im Pal. dei Diamanti zerstreut (z. T. nach Modena). Nach der Gründung des Mus. Atestiniano durch Andrea Vico und Pirro Ligorio entstand 1735 im Pal. dell'Università ein Lapidarium, das mit mehreren Slgg. (1750 Slg. Riminaldi; 1758 Slg. Bellini; 1846 Vasenslg. Ugolini) 1898 zum Mus. Civico di Schifanoia vereinigt wurde. 1935 wurde das Mus.

Archeologico Nazionale im Pal. Ludovico il Moro gegr., um die reichen Funde aus den etr. Nekropolen von Spina aufzunehmen (griech. Vasen, bes. attisch-rotfigurige des 5.–3. Jh. v. Chr., Schmuck, Bronzen). In Spina wurden 1922–35 und wieder seit 1954 Grabungen durchgeführt.
→ Uffizien, Florenz

> **28** N. ALFIERI, Spina. Mus. Archeologico Nazionale di Ferrara 1, 1979 **29** N. ALFIERI, P. E. ARIAS, Guida al Mus. Archeologico di Ferrara, 1960 **30** S. AURIGEMMA, Il R. Mus. di Spina, 1935/²1936 **31** F. BERTI, P. G. GUZZO (Hrsg.), Spina. Storia di una città tra Greci ed Etruschi, Ausstellung Ferrara, 1993

## 4. FLORENZ, MUSEO ARCHEOLOGICO

Den Grundstock des Mus. bildet Material aus den Slgg. der Medici und der Lorena; einige Stücke stammen aus den frühesten Slgg. von Cosimo d. Ä. und Lorenzo il Magnifico (brn. Pferdekopf), viele aus dem Pal. Vecchio und den Uffizien. Die Trennung von den Uffizien und Aufbewahrung im Cenacolo di Foligno betraf 1824 die ägypt. Slg. Nizzoli und 1832 die etr. Antiken. 1870 folgte die Gründung des Mus. Etrusco, seit 1881 im Pal. della Crocetta, dem aktuellen Sitz. 1897/98 ordnete L. A. Milani das Material neu, das Mus. hieß fortan Mus. Topografico Centrale dell'Etruria; 1928 richtete man eine Abteilung für etr. Malerei ein. Die Überschwemmung von 1966 machte umfassende Renovierungen erforderlich. Das Mus. besitzt die größte ital.-etr. Slg. neben der Villa Giulia (Bronzen: Chimäre, Arringatore, Idolino, Minerva; François-Vase u. a. griech. Vasen; Kouroi Milani; wichtigste ägypt. Slg. nach Turin).

> **32** A. DE AGOSTINO, Il Mus. Archeologico centrale dell'Etruria, 1959/68 **33** P. BOCCI PACINI, Bollettino d'arte 68, 6. Ser. 17, 1983, 93–108 **34** Dies., in: C. MORIGI GOVI, G. SASSATELLI, Dalla Stanza delle Antichità al Mus. Civico, 1984, 565–570 **35** G. CAPUTO, Il Mus. Archeologico di Firenze, 1967 **36** L. A. MILANI, Il Mus. Topografico dell'Etruria, Florenz und Rom 1898 **37** Ders., Il R. Mus. Archeologico di Firenze, 1912/²1923 **38** Ders., Origine e sviluppo. Studi e materiali N. S. 5, 1982, 35–175 **39** A. MINTO, Il Mus. Archeologico dell'Etruria, 1950

## 5. MOZIA, MUSEO WHITAKER

Giuseppe Whitaker gründete zur Aufnahme der Funde aus seinen 1906–29 durchgeführten Grabungen auf der vor Marsala gelegenen Insel Mozia ein kleines Mus., das neben Cagliari die einzige Slg. pun.-phöniz. Antiken in It. besitzt. Das in mehreren Kampagnen seit 1960 in Heiligtum und Nekropolen gefundene Material (Stelen, Inschr., Keramik, Schmuck) machte den Anbau eines neuen Flügels notwendig. Bekanntestes Stück ist der 1979 gefundene Mozia-Jüngling.
→ Neapel, Archäologisches Nationalmuseum

> **40** M. DENTI, RA 1997, 107–128 **41** EAA 2. Suppl. 1971–1994, 1995, 827–832 s. v. Mozia, 1989, 62–92 **42** C. O. PAVESE, L'auriga di Mozia, 1996 **43** J. I S. WHITAKER, Motya, a Phoenician Colony in Sicily, 1921 (It. 1991)

## 6. PALESTRINA, MUSEO ARCHEOLOGICO NAZIONALE PRENESTINO

Die Antiken der Slg. Barberini aus Praeneste gelangten nach Rom und dort zu großen Teilen 1908 in die Villa Giulia. In Palestrina richtete man 1905/13 eine kleine Slg. in einem Saal des bischöfl. Seminars ein. 1956 wurde im auf dem röm. Fortunaheiligtum errichteten Pal. Barberini das Mus. Nazionale eröffnet, in dem das aus Rom zurückgeführte Nilmosaik (gefunden vor 1588), eine fragmentarische Fortunastatue, die 1994 von den Carabinieri beschlagnahmte Kapitolin. Trias u. a. Funde aus dem Heiligtum und dem Umland ausgestellt sind.

> **44** S. GATTI, Il Mus. Archeologico di Palestrina, 1996 **45** G. JACOPI, Il Santuario della Fortuna Primigenia e il Mus. Archeologico Prenestino, 1959/⁴1973 **46** P. G. P. MEYBOOM, The Nile Mosaic of Palestrina, 1995 **47** J. F. MOFFITT, Zeitschrift für Kunstgeschichte 60, 1997, 227–247 **48** G. QUATTROCCHI, Il Mus. Archeologico Prenestino, 1956 **49** P. ROMANELLI, Palestrina, 1967, 83–93

## 7. PARMA, MUSEO NAZIONALE DI ANTICHITÀ

Die Slg. Farnese wurde 1734/36 auf Betreiben Karls III. von Bourbon von Parma nach Neapel überführt; nur wenige Antiken dieser Slg. verblieben im Pal. del Giardino bzw. seit 1752 in der *Accademia delle Belle Arti* (kolossaler Zeuskopf, praxitelischer Eros, Basalttorso). Dagegen gelangten Antiken der Slg. Gonzaga 1587 von Mantua nach Parma. Filippo I. von Bourbon gründete 1760 für die Funde aus seinen Grabungen in Velleia (seit 1760–63; Statuenzyklus der iulisch-claudischen Kaiserfamilie; schon 1747 Fund der *tabula alimentaria*) das Reale Mus. di Antichità. Es wurde bis 1828/33 um mehrere Slgg. erweitert (1768 Slg. Canonici, 1773 Slg. Cattaneo; Vasen, ägypt.). Luigi Pigorini förderte als Direktor 1867–70/75 bes. die prähistor. Slg.

> **50** A. FROVA, R. SCARANI, Parma. Mus. Nazionale di Antichità, 1965 **51** H. JUCKER, JDAI 92, 1977, 204–240 **52** M. MARINI CALVANI, Veleia, 1975 **53** Dies., in: C. MORIGI GOVI, G. SASSATELLI, Dalla Stanza delle Antichità al Mus. Civico, 1984, 483–492 **54** Dies., Ocnus 3, 1995, 125–153

## 8. REGGIO CALABRIA, MUSEO NAZIONALE

1882 wurde im Bischofspalast das Mus. Civico eingerichtet, das durch das Erdbeben von 1908 schwere Schäden erlitt. Auf Betreiben der 1907 geschaffenen Soprintendenz, Direktor Paolo Orsi, sollten die kommunalen und staatlichen Slgg. vereinigt werden; 1932 begann man mit dem Neubau für das Mus. Nazionale di Reggio Calabria. Das für die Funde aus ganz Kalabrien vorgesehene Mus. konnte erst 1958 eröffnet werden; 1967–1971 entstanden mehrere Zweigmus. Die 1972 aus dem Meer vor Riace geborgenen Bronzestatuen befinden sich nach ihrer Restaurierung in Florenz seit 1981 im Mus.; hervorzuheben auch ein bronzenes Philosophenportrait, Grabungsfunde aus Lokri, prähistor. Slg.

**55** D. Da Empoli, Klearchos 4, 1962, 99–105 **56** A. De Franciscis, Il Mus. Nazionale di Reggio Calabria, 1959 **57** G. Foti, Il Mus. Nazionale di Reggio Calabria, 1972 **58** E. Lattanzi, Il Mus. Nazionale di Reggio Calabria, 1987 **59** Dies., in: F. Mazza (Hrsg.), Reggio Calabria. Storia, cultura, economia, 1993, 65–90 **60** V. Spinazzola, Delle antichità e dell'ordinamento del Mus. di Reggio, 1905/1907

## 9. Rom, Museo Barracco

Die seit 1860 mit Beratung W. Helbigs angelegte Slg. Giovanni Barracco wurde 1902 der Stadt geschenkt. Das 1904 in einem eigens errichteten Gebäude eröffnete Mus. di Scultura Antica, Direktor L. Pollak, verzeichnete noch bis 1914 Zugänge, wurde jedoch schon 1938 abgerissen und 1948 als Mus. Barracco im Pal. Farnesina dei Baullari wiedereröffnet. Die ca. 380 Stücke bieten einen Überblick über alle ant. Mittelmeerkulturen; hervorzuheben sind griech. Originale und gute röm. Kopien (Marsyaskopf, Perikleskopf, Diadumenosfragment, Caesar Barracco).

**61** G. Barracco, W. Helbig, La Collection Barracco, 1893/1907 it. **62** G. Barracco, L. Pollak, Catalogo del Mus. di Scultura Antica, 1910 **63** M. Nota Santi, M. G. Cimino, Mus. Barracco, 1991 **64** Il »Nuovo« Mus. Barracco. Mostra storica e documentaria, 1982 **65** C. Pietrangeli, Mus. Barracco di scultura antica, [4]1973

## 10. Rom, Museo e Galleria Borghese

Ab 1605 entstand die Slg. Scipione Borghese mit ant. und zeitgenöss. Skulpturen und Gemälden. 1612–15 wurde die Villa Pinciana erbaut, wo bis 1628 die Antiken in Villa und Garten Aufstellung fanden. Die Skulpturenslg. wurde gleichzeitig rasch vergrößert (schon 1607 Slg. Ceoli; 1609 Slg. della Porta über Scipiones Onkel Giovanni Battista). Marcantonio Borghese vermehrte bis ins späte 18. Jh. die Slg. (1792 Funde aus Grabungen in Gabii). Mit dem Verkauf beinahe des gesamten Bestands (523 Stücke) durch Camillo Borghese und Paolina Bonaparte an Napoleon/Louvre 1807 verlor die Slg. ihre Bedeutung, die auch durch die teilweise Rückgabe unbezahlter Stücke und den bis 1828/1832 versuchten Wiederaufbau durch Francesco Borghese nicht zurückerlangt werden konnte. Das seit 1902 staatl. Mus. wurde bis 1997 vollständig renoviert, die Antiken restauriert (traian. Fries, Schlachtsarkophag, Reiterrelief).

**66** H. Herdejürgen, AA 1997, 479–503 **67** K. Kalveram, Die Antikenslg. des Kardinals Scipione Borghese, 1995 **68** L. de Lachenal, Xenia 4, 1982, 49–117 **69** P. Moreno, Mus. e Galleria Borghese. La collezione archeologica, 1980 **70** P. Moreno, C. Sforzini, Scienze dell'Antichità 1, 1987, 339–371

## 11. Rom, Museo della Civiltà Romana

Die Objekte der von Rodolfo Lanciani organisierten *Mostra Archeologica* von 1911, die ab 1927 im Mus. dell'Impero Romano aufbewahrt wurden, und der *Mostra Augustea della Romanità* von 1937 sollten in der – durch den 2. Weltkrieg nicht zustande gekommenen –

Weltausstellung 1942 präsentiert werden. Erst seit 1951 wurde an dem neuen Gebäude auf dem Gelände der *Esposizione Universale di Roma* (EUR) gebaut; das didaktische Mus. mit ca. 50 Abteilungen konnte 1955 eröffnet werden (Gipsabgüsse, Modelle, Stadtmodell des konstantin. Rom von I. Gismondi; röm. Alltagskultur; Bautechnik, Verkehr, Industrie, Religion).

→ Rom, Kapitolinische Museen; Rom, Nationalmuseum; Rom, Villa Albani; Rom, Villa Giulia; Rom, Vatikanische Museen

**71** A. M. Colini, G. Q. Giglioli, Il Mus. della Civiltà Romana, 1955 **72** Dalla Mostra al Museo. Dalla mostra archeologica del 1911 al Mus. della Civiltà Romana, 1983 **73** Esposizione internazionale di Roma. Catalogo della Mostra Archeologica nelle Terme di Diocleziano, 1911 **74** A. M. Liberati Silverio (Hrsg.), Mus. della Civiltà Romana. Guida, 1987 **75** Mostra Augustea della Romanità. Catalogo, [4]1938 **76** Mus. della Civiltà Romana. Catalogo, 1976/[2]1982

## 12. Sperlonga, Museo Archeologico Nazionale

Bei der Ausgrabung der Tiberiusgrotte 1957 wurden ca. 7000 Fragmente von Marmorskulpturen gefunden. Für die großen Statuengruppen, die Abenteuer aus *Ilias* und *Odyssee* darstellen (Skylla, Polyphem; Restaurierungen 1967–71), und für die kleineren Funde wurde 1963 direkt am Fundort ein Museumsneubau eröffnet.

**77** B. Andreae, Praetorium Speluncae, 1994/[2]1995 it. **78** Ders., Odysseus. Mythos und Erinnerung, Ausstellungskat., 1999/[2]2000, 177–223 **79** N. Cassieri, Il Mus. Archeologico di Sperlonga, 1996 **80** B. Conticello, B. Andreae, Die Skulpturen von Sperlonga, AntPl 14, 1974 **81** G. Jacopi, L'Antro di Tiberio a Sperlonga. I Monumenti Romani, 1963

## 13. Syrakus, Museo Archeologico Regionale Paolo Orsi

Nach der E. des 18. Jh. in der Bibl. untergebrachten bischöfl. Slg. Alagona kam es mit den Slgg. Trigona, Landolina und Iudica 1804/1811 zur Gründung des Mus. Civico. 1886 wurde im Konvent an der Piazza del Duomo das Nationalmus. gegr., Direktor war ab 1891 Paolo Orsi. Im 1968 errichteten Neubau im Park der Villa Landolina konnte 1988 das Mus. eröffnet werden, das v. a. Grabungsfunde aus Ost- und Zentralsizilien besitzt (prähistor., griech., Terrakotta-Architektur: Megara Hyblaia, Kamarina, Gela; hell. Keramik aus Centuripe; Aphrodite Landolina).

**82** G. Agnello, Siculorum Gymnasium 21, 1968, 38–53 **83** B. Daix Wescoat (Hrsg.), Syracuse, the Fairest Greek City. Ausstellung Atlanta, 1989 **84** B. de Martinez La Restia, Archivio Storico per la Sicilia Orientale 4. Ser. 8–9, 1955–56, 94–111 **85** G. Libertini, Il Regio Mus. Archeologico, 1929 **86** G. Voza, Mus. Archeologico Regionale Paolo Orsi, 1987

## 14. TARENT, MUSEO ARCHEOLOGICO NAZIONALE

Nach den reichen Funden der ersten Grabungen L. Violas seit 1881 wurde 1887 die Gründung eines Mus. beschlossen. Mit dem Ausbau des Konvents S. Pasquale entstand aus dem bestehenden Antikendepot erst 1906 ein Mus., das sich durch die gewaltigen Fundmengen aus den Nekropolen Tarents (Vasen, Terrakotten, Goldschmuck; bes. 4. Jh. v. Chr. und hell.) und Antiken aus ganz Apulien zum wichtigsten Mus. im Süden neben Neapel entwickelte. Trotz des 1939–52 angebauten neuen Flügels fehlte für das bes. nach dem 2. Weltkrieg schnell anwachsende arch. Material der Platz, ein auch nach der Einrichtung eines unterird. Magazins 1972 andauerndes Problem. Die 1954–63 neugeschaffene kunsthistor. Anordnung der Ausstellung löste viele der h. wieder geschätzten Grabkontexte auf.

87 Catalogo del Mus. Nazionale Archeologico di Taranto I–IV, 1990–95 88 D. GRAEPLER, Tonfiguren im Grab, 1997, 23–30 89 E. DE JULIIS, D. LOIACONO, Taranto. Il Mus. Archeologico, 1985 90 E. LIPPOLIS (Hrsg.), Arte e artigianato in Magna Grecia, Ausstellung Tarent, 1996 91 Il Mus. di Taranto. Cento anni di archeologia, Ausstellung Tarent 1987, 1988 92 Il Mus. Nazionale di Taranto e i suoi protagonisti, 1992

## 15. TURIN, MUSEO EGIZIO

Schon das 1724 mit der Slg. der Könige von Savoyen aus dem 16./17. Jh. gegr. Mus. d'Antichità enthielt ägypt. Antiken (Mensa Isiaca aus Rom ca. 1630, Statuen von V. Donati 1760). Der Zugang von ca. 5300 ägypt. Antiken der Slg. Drovetti (Neues Reich und später, bes. aus Theben) führte 1824 zur Gründung des Mus. Egizio durch Carlo Felice von Savoyen und 1831 zur Vereinigung der Mus. im Pal. dell'Accademia delle Scienze, seit 1880 unter staatlicher Leitung. 1882 nahm man die Scheidung ägypt. und ägyptisierender Antiken vor. Die griech.-röm. Abteilung wurde 1939/40 von der ägypt. getrennt und erhielt 1982 einen neuen Sitz. Die Bestände des Mus. Egizio wurden durch die Grabungen Ernesto Schiaparellis und Giulio Farinas, Direktoren 1894–1928 bzw. 1928–47, erheblich erweitert; 1965 schenkte der ägypt. Staat dem Mus. den Felsentempel des Thutmosis III. aus Nubien.

93 S. CURTO, Storia del Mus. Egizio di Torino, 1976 94 Ders., L'antico Egitto nel Mus. Egizio di Torino, 1984 95 A. M. DONADONI ROVERI u. a., Il Mus. Egizio di Torino, 1988 96 S. DONADONI u. a., L'Egitto dal mito all'Egittologia, 1990 97 A. ROCCATI, Mus. Egizio Torino, 1988

## 16. VENEDIG, MUSEO ARCHEOLOGICO

Schon um 1460 besaß Kardinal Pietro Barbo (später Papst Paul II.) eine bald darauf zerstreute Slg. ant. Kleinkunst. Die ca. 1505 von Kardinal Domenico Grimani in Rom angelegte Slg. (Statuen, Bibl. Grimani) wurde 1523 der Stadt Venedig vererbt. Die Stiftung der Slg. seines Neffen Giovanni (130 Skulpturen, Gemmenslg.) 1586/93 führte 1596 zur Einrichtung des Statuario Pubblico der Republik Venedig in der Libreria del Sansovino. Über den Umfang informieren 1528 und 1593 angefertigte Inventare. Das 1811 in den Pal. Ducale überführte Mus. wuchs beständig durch die Aufnahme von Slgg. an (vor 1713 Contarini, 1795 Zulian, 1816 Molin, 1900 Cernazai aus Udine). Nach der kriegsbedingten Auslagerung wurde 1926 das Mus. im Pal. Reale, seinem aktuellen Sitz, eröffnet. 1939 kamen Antiken des Mus. Correr hinzu. Unter den zahlreichen Marmorskulpturen (Ara Grimani, Agrippa) befinden sich auch einige griech. Originale.

98 C. ANTI, Il R. Mus. Archeologico nel Palazzo Reale di Venezia, 1930 99 I. FAVORETTO, G. TRAVERSARI, Tesori di scultura greca a Venezia. Raccolte private del '500, 1993 100 I. FAVORETTO, G. L. RAVAGNAN (Hrsg.), Lo Statuario Pubblico della Serenissima. Due secoli di collezionismo, Ausstellung Venedig, 1997 101 B. FORLATI TAMARO, Il Mus. Archeologico del Palazzo Reale di Venezia, 1953/²1969

## 17. VERONA, MUSEO LAPIDARIO MAFFEIANO

Die 1536–93 entstandene Skulpturenslg. Bevilacqua wurde früh zerstreut (1811 nach München). Scipione Maffei sammelte für die 1714 von ihm gegr. Mus. ca. 200 Antiken, darunter 30 aus der röm. Slg. Nichesola. Das überwiegend aus röm. Inschr. bestehende Lapidarium im Vorhof des Teatro Filarmonico wuchs schnell an (ca. 600 Inschr., auch griech. Reliefs). 1744–49 errichtete man zur Aufnahme der Slg. eine Porticus. 1749 erschien Maffeis nach Abteilungen gegliederte Publikation »Museum Veronense«. Die urspr. Ausstellung ist auch nach der 1982 abgeschlossenen Renovierung nicht grundlegend verändert worden. Das 1920 im Konvent S. Gerolamo eingerichtete Mus. Archeologico des Teatro geht auf das Mus. Civico von 1812 zurück (Ausstattungsfunde aus dem röm. Theater).

102 L. FRANZONI, A. RUDI, in: F. NUVOLARI, V. PAVAN (Hrsg.), Archeologia, Mus., Architettura, 1987, 26–34; 56–59; 96–103 103 D. MODONESI, Mus. Maffeiano. Iscrizioni e rilievi sacri latini, 1995 104 Il Mus. Maffeiano riaperto al pubblico, 1982/²1986 105 Nuovi Studi Maffeiani, Kongreß Verona 1983, 1985 106 G. ROMANELLI, in: L. PUPPI (Hrsg.), Ritratto di Verona, 1978, 397–427.

JENS KÖHLER

**Ius commune** s. Kodifikation

**Japan.** Bald nachdem Portugiesen J. »entdeckt« hatten (1542/43), begann die christl. Missionierung; deren bekannteste Repräsentanten sind Francisco De Xavier und Luís Fróis. Die Erfolge des für die Ausbildung japanischen Priesternachwuchses erforderlichen Unterrichts in Lat. zeigen sich z. B. an der *Oratio* des Martinus Harada, der an der Gesandtschaft südjapanischer Potentaten nach Rom teilnahm (1582–90; Empfang beim Papst 1585). Diese Mission – ihr gehörte auch Constantin Durado an, der dabei das Druckerhandwerk erlernt hatte – brachte eine Presse mit heim: Sie arbeitete seit 1591 in Kazusa, danach in Amakusa und schließlich, bis 1614, in Nagasaki. Unter den hier gedruckten ca. 30 bekannten bzw. erhaltenen Titeln (japanisch *Kirishitan-ban*) sind die Gramm. von Alvarez (*De institutione Grammatica*, Amakusa 1594) und ein WB (*Dictionarium Latino-Lusitanicum ac Iaponicum*, Amakusa 1595); die genannte Gramm. soll nach 1868 zunächst als Lehrbuch benutzt worden sein. Man glaubt zwar, Spuren der *Fabeln* Aesops (eine Übers. erschien 1593 in Amakusa) in der japanischen Lit. der folgenden zwei Jh. feststellen zu können, aber grundsätzlich gerieten diese Anf. der lat. Philol. in J. nach dem Verbot des Christentums und der Abschließung des Landes (definitiv ca. 1640) in Vergessenheit. Erst durch den Hartmann-Schüler Raphael von Köber (1848–1923), der seit 1893 an der Univ. von Tōkyō länger als zwanzig Jahre Philos. lehrte, wurden lat. und griech. Sprache und Lit. wieder in J. bekannt. Sein Schüler Tanaka Hidenaka (1886–1974) erhielt 1939 den ersten japanischen Lehrstuhl für Klass. Sprach- und Lit.-Wiss. in Kyōto (japanisch *Seiyō-koten gogaku seiyō-koten bungaku*). Das Fach soll in *Seiyō-koten gaku* (»Klass. Altertumswiss.«) umbenannt werden, wie es in Tōkyō seit seiner Einführung 1953 heißt. Es gibt h. viele Institutionen, auch an Univ., die diese Gebiete pflegen, aber nur die beiden genannten führen zu akad. Abschlüssen; zum offiziellen Lehrstoff höherer Schulen zählen sie nicht. Zahlreiche Kurse werden angeboten; die Sprachen sind für manche Fächer obligatorisch. Übers. aus der klass. Lit. sind seit 1960 häufig. Überall ist jedoch das Griech. stärker vertreten. Das Univ.-Jb. 1992 meldet für das *daigaku-in* in Tōkyō sechs Studierende der Altertumswiss., die sich auf das Magister-Examen, und drei, die sich auf die Promotion vorbereiten (von 221 Postgraduierten der Kulturwiss. und 1534 bzw. 1026 insgesamt). Die seit 1950 bestehende *Nihon Seiyō-koten gakkai* (*The Classical Society of Japan*) publ. 1995 den 43. Band ihrer Zeitschrift *Seiyō-koten gaku kenkyū* (*Journal of Classical Studies*); Gründungspräsident war Kure Shigeichi (1897–1977), erster Ordinarius für Klass. Altertumswiss. am *daigaku-in* der Univ. Tōkyō. Zu den frühesten Mitgliedern der Gesellschaft gehörten Tanaka Michitarō (1902–1985), Kōzu Harushige (1908–1973) u. a. Die Gesellschaft zählt h. ca. 550 Mitglieder; sie gehört seit 1958 der Fédération Internationale des Études Classiques (FIEC) an. Die

Sprache der zahlreichen wiss. Publikationen auf diesem Gebiet ist zwar überwiegend das Japanische, sehr oft aber auch eine der europ. Sprachen. Bibliogr. publ. das *Nihon gakujutsu kaigi* (*Science Council of Japan*); Jahresbibliogr. zu diesen Themen erscheinen in *Kodai* (*Journal of Ancient History*).        HANS A. DETTMER

**Jerusalem**   A. EINLEITUNG
B. RÖMISCHES JERUSALEM (132–325 N. CHR.)
C. FRÜHBYZANTINISCHES JERUSALEM (325–635)
D. MUSLIMISCHES JERUSALEM VOR DEN
KREUZZÜGEN (635–1099)   E. DAS JERUSALEM DER
KREUZFAHRER (1099–1187)   F. DAS MUSLIMISCHE
JERUSALEM ZWISCHEN KREUZFAHRERN UND
NATIONALISMUS (1187–1800)   G. DAS VOM
NATIONALISMUS GEPRÄGTE JERUSALEM (SEIT 1800)

A. EINLEITUNG

Charakteristisches Merkmal der Rezeptionsgeschichte J. ist ihre Mehrdimensionalität. Christl., jüd. und seit dem 7. Jh. muslimische Diskurse laufen parallel und entwickeln die Vorstellung von J. als Ort des jüd. Tempels; im 19. Jh. werden sie zusätzlich durch Nationalismen überlagert. Im folgenden soll der Fundus gemeinsamer Vorstellungen in seiner chronologischen Entwicklung dargestellt werden. Dabei stehen Christentum, Judentum und Islam ständig in Berührung, übernehmen Konzepte über die Bedeutung J. voneinander und grenzen sich gerade durch die Ausgestaltung solcher – paralleler – Konzepte voneinander ab. Ältere Vorstellungen werden weitergetragen und zu ganzen Schichten akkumuliert; besprochen sind die einzelnen Vorstellungen hier jeweils in ihrer Entstehungszeit. Wichtige Epochendaten sowohl für die Geschichte der Stadt wie für die Entwicklung des Jerusalembildes sind: die Zerstörung des Tempels durch die Römer (70/132 n. Chr.), die Konstruktion des christl. »Hl. Landes« durch Kaiser Konstantin, der Aufbau eines muslimischen Tempels durch die Kalifen 'Abd al-Malik und al-Walīd (685–715), die Eroberung durch die Kreuzfahrer (1099), die Eroberung durch Saladin (1187) und schließlich die Einflußnahme durch die europ. Nationalstaaten bes. seit dem Anf. des 19. Jh. Grundlegend sind die Bibliogr. von Bieberstein/Bloedhorn [1] und Purvis [2]. Kurze Einführungen in die Epochen finden sich bei Bieberstein/Bloedhorn [1] und Asali [4]. Eine wertvolle Zusammenstellung der wichtigsten Quellentexte in Übers. bietet Peters [24]. Anhand der arab. Inschr. legt van Berchem die Basis für jede Forsch. zur muslimischen Geschichte der Stadt [98].

1 K. BIEBERSTEIN , H. BLOEDHORN, J. Grundzüge der Baugeschichte, 1994 (TAVO Beihefte B 100) 2 J. D. PURVIS, J. the Holy City. A bibliography, 2 Bde., 1988–1991 (American Theological Library Association, Bibliography Series 20)

B. Römisches Jerusalem (132–325 n. Chr.)

[1 Bd. 1. 142–153; 13. 65–71; 24. 88–130, 593–596; 34]. Die mit J. und dem Tempel verbundenen jüd. Vorstellungen werden von Rom in zwei Schritten überschrieben. Titus zerstört die Stadt und den von Herodes massiv erweiterten Tempel, tötet und vertreibt 70 n. Chr. ihre Bevölkerung, die größtenteils jüd. ist. Die hier entstehende röm. Stadt wird von Hadrian 132 zur Kolonie *Aelia Capitolina* erhoben, erhält auf dem Westhügel ein Kapitol, auf dem Osthügel in den Ruinen des Tempels weitere Statuen [21; 29; 30].

### 1. Judentum

In der jüd. Welt führt die Zerstörung des Tempels im Jahr 70 n. Chr. in einer radikalen Umorientierung zur Aufwertung der Synagogen und zur Entstehung neuer Zentren um die rabbinischen Rechtsschulen in Mesopotamien und Palästina [18. 29–48; 20; 32. 37–45]. Juden dürfen J. nicht betreten. Auch wenn einzelne J. trotzdem besuchen, wird die Stadt nicht Teil des Netzes jüd. hl. Orte Palästinas [11]. Das liturgische Gebet bleibt aber auf J. ausgerichtet. In den Synagogen ist die Richtung, in der J. liegt, mit dem Vorläufer der Thoranische markiert, bes. mit zwei Säulen und einem Baldachin als visueller Chiffre für das Allerheiligste (Abb. 1) [9]. Gebet und Synagogen-Gottesdienst übernehmen Elemente des erloschenen Tempel-Gottesdienstes. Das reale J. der Gegenwart verliert an Bedeutung. Im Blickpunkt des Interesses stehen das unzerstörte frühere J. und das wiederaufgebaute endzeitliche J., Ort der Sammlung Israels, der Auferstehung der Toten und des »Neuen Tempels« [15], während die gegenwärtige Stadt nur Mahnmal an die Sünden Israels als Grund der Zerstörung ist, Erinnerung an und Unterpfand für den Bund Gottes mit Israel. Gegenwart ist damit Übergangszeit zw. Vergangenheit und Zukunft. Gleichzeitig wird J. transzendiert in ein ideales, himmlisches J., das häufig mit der endzeitlichen Stadt gleichgesetzt wird [6; 14. 66–76; 23].

### 2. Christentum

Für die Christen führt die Zerstörung des Tempels 70 n. Chr. [10] in einer ähnlich radikalen Umorientierung zur Aufwertung des Gemeindegottesdienstes und der Zentren Antiochien, Alexandrien und Rom. Die Stadt ist für Heidenchristen ohne weiteres zugänglich und wird Teil des Netzes christl. Gedächtnisorte Palästinas [17. 62–77; 33; 35]. Die Zerstörung J. ist integraler Bestandteil des Heilsplans. Tod und Auferstehung Christi geben dem Bund Gottes mit der Gemeinde eine neue Dimension, Nachfolger des realen J. ist die (christl.) Gemeinde als das »Neue J.«. Gegenwart ist dabei nicht Zwischenzeit, sondern Anfang der Endzeit. Die Vorstellung von der Gemeinde als J. prägt die christl. Theologie grundlegend und wird im 4. Jh. intensiv diskutiert [31; 32]. Ihre Ausgestaltung im ersten Jt. [18; 19], in Westeuropa im MA und in der Frühen Neuzeit [7; 12; 26. 312–323; 27] sowie im 19./20. Jh. [8] ist von der Forsch. eingehend untersucht worden.

3 A. ABECASSIS et al. (Hrsg.), J. dans les traditions juives et chrétiennes, 1982 (Publications de l' Inst. Iudaicum) 4 K. J. ASALI (Hrsg.), J. in history 3000 B. C. to the present day, 1997 5 H. BUSSE, G. KRETSCHMAR, Jerusalemer Heiligtums-Trad. in altkirchlicher und frühislamischer Zeit, 1987 (Abh. des Dt. Palästinavereins 8) 6 I. CHERNUS, The pilgrimage to the merkavah, in: J. DAN (Hrsg.), Proc. of the First International Congress on the History of Jewish Mysticism. Early Jewish mysticism, 1987 (Jerusalem Stud. in Jewish Thought 6), 1–35 7 N. COHN, The pursuit of the millenium. Revolutionary millenarians and mystical anarchists of the Middle Ages, 1970, 261–271 8 M. DAVIS, Y. BEN-ARIEH (Hrsg.), With eyes towards Zion, 5 Bde., 1977–1997 9 L. DEQUEKER, L' iconographie du Temple de J. dans les synagogues de l' antiquité en Palestine et en Syrie, in: [3. 33–55] 10 H.-M. DÖPP, Die Deutungen der Zerstörungen J. und des Zweiten Tempels im Jahre 70 in den ersten drei Jh. n. Chr., 1998 (Texte und Arbeiten zum nt. Zeitalter 24) 11 M. FRIEDMAN, Jewish pilgrimage after the destruction of the Second Temple, in: [28. 136–146, 499–502] 12 M. L. GATTI PERER (Hrsg.), ›La dimora di Dio con gli uomini‹ (Apk 21,3). Immagine della Gerusalemme celeste dal III al XIV secolo, 1983 13 SH. GIBSON, J. E. TAYLOR, Beneath the Church of the Holy Sepulchre of J., 1994 (Palestine Exploration Fund Monographs. Series Maior 1) 14 R. GOETSCHEL, J. dans le vécu, l' imaginaire et le symbolisme des Juifs du Moyen-Age, in: [3. 63–80] 15 A. GROSSMAN, J. in Jewish apocalyptic literature, in: [25. 295–310] 16 B. Z. KEDAR, R. J. Z. WERBLOWSKY (Hrsg.), Sacred space. Shrine, city, land, 1998 17 G. KRETSCHMAR, Festkalender und Memorialstätten J. in altkirchlicher Zeit, in: [5. 29–115] 18 B. KÜHNEL, From the Earthly to the Heavenly Jerusalem. Representations of the Holy City in Christian art of the first millennium, 1987 (Röm. Quartalschrift für Christl. Altertumskunde und Kirchengeschichte. Suppl. 42) 19 Dies., Geography and geometry of J., in: [28. 288–332, 516–526] 20 L. I. LEVINE, The Rabbinic class of Roman Palestine in Late Antiquity, 1989 21 J. MURPHY-O'CONNOR, The location of the capitol in Aelia Capitolina, RB 101, 1994, 407–415 22 R. OUSTERHOUT (Hrsg.), The blessings of pilgrimage, 1990 (Illinois Byzantine Stud. 1) 23 H. PEDAYA, The divinity as place and time and the holy place in Jewish mysticism, in: [16. 84–111] 24 F. E. PETERS, Jerusalem. The Holy City in the eyes of chroniclers, visitors, pilgrims, and prophets, 1985 25 J. PRAWER, H. BEN-SHAMMAI (Hrsg.), The history of Jerusalem. The Early Muslim Period 638–1099, 1996 26 J. PRAWER, Christian attitudes towards J. in the Early Middle Ages, in: [25. 311–348] 27 M. REEVES, Joachim of Fiore and the prophetic future, 1977 (Harpers Torchbooks 1924) 28 N. ROSOVSKY (Hrsg.), City of the Great King. J. from David to the present, 1996 29 P. SCHÄFER, Der Bar Kokhba-Aufstand, 1981 (Texte und Stud. zum Ant. Judentum 1) 30 Ders., Hadrian's policy in Judaea and the Bar Kokhbar revolt, in: PH. R. DAVIES, R. T. WHITE (Hrsg.), A tribute to Geza Vermes, 1990 (Journ. for the Study of the Old Testament Suppl. Ser. 100), 281–303 31 P. L. WALKER, Holy cities, holy places? Christian attitudes to J. and the Holy Land in the fourth century, 1990 (Oxford Early Christian Stud.) 32 R. L. WILKEN, The Land called Holy. Palestine in Christian history and thought, 1992 33 J. WILKINSON, Jewish holy places and the origins of Christian pilgrimage, in: [22. 41–53] 34 Ders., J. under Rome and Byzantium 63 BC–637 AD, in: [4. 75–104,

286–287] **35** H. WINDISCH, Die ältesten christl. Palästinapilger, Zschr. des Dt. Palästina-Vereins 48, 1925, 145–158

## C. FRÜHBYZANTINISCHES JERUSALEM (325–635)

[1 Bd. 1. 153–182; 24. 131–175, 597–599; 34]. Die Verbindung von Christentum und röm. Staat macht J. zu einer der zentralen Städte der spätant. Welt.

### 1. CHRISTENTUM

Die entstehenden christl. hl. Orte in J. wie in ganz Palästina, konzeptuell nun ant. hl. Orten vergleichbar, werden von Kaiser Konstantin, seinen Nachfolgern und anderen Vornehmen mit Kirchen markiert [13. 73–85; 17; 31. 131–308; 32. 82–100; 41. 6–14]. Die Grabeskirche auf dem Westhügel steht als »Neuer Tempel« den Ruinen des »Alten Tempels« auf dem Osthügel gegenüber [31. 315–325; 32. 93–97; 41. 6–14; 62; 63], übernimmt seine Trad. [26. 326–331; 53] und wird ihm in Liturgie und Festkalender gegenübergesetzt [17; 52. 107–127; 68; 75. 54–88, 298–310]. In Auseinandersetzung mit dem älteren Konzept von der christl. Gemeinde als »Neuem Tempel« wird jetzt auch die reale Stadt J. zum »Neuen J.«. Dementsprechend wird J. Zentrum einer stark anwachsenden Pilgerfahrt. Christl. Pilgerfahrt nach J. gibt es seit dem 4. Jh. [31; 32. 100–125; 52; 68; 72; 74] und ohne Unterbrechung bis ins 11. Jh. [38; 39; 47; 50. 482–489; 58; 73]. Eine eigene Färbung hat die Pilgerfahrt aus Byzanz [56; 65], Rußland [45; 70] und aus dem Orient [48; 58; 64]. Nach der Kreuzfahrerzeit [26. 317–323, 326–331; 46; 54. 129–131; 75] nehmen Pilgerfahrten aus West- [36; 44; 45; 49] und Nordeuropa [55] stark zu. Andenken und Bilder geben Heimgekehrten und Zuhausegebliebenen Anteil an der Heiligkeit der Stadt und dienen der Vergegenwärtigung des Heilsgeschehens [51]. Visuelle Chiffre für J. ist auf Pilgerandenken und Bildern das Grab Christi in der Grabeskirche (Abb. 2). Elemente der J. Liturgie werden Allgemeingut der Kirche. Der Bischof von J. wird auf dem Konzil von Nikaia 325 allen Bischöfen des Reiches vorangestellt und erhält auf dem Konzil von Chalkedon 451 den Patriarchentitel [31. 334–340]. Parallel dazu erscheint auch das Röm. Reich als »Neues Israel«, Konstantinopel als »Neues J.«, die Hagia Sophia als »Neuer Tempel« und der Kaiser als »Neuer David« [43. 293–303; 56. 131–138; 65; 71]. Auf dem Ölberg und in der nahegelegenen Judäischen Wüste verstehen sich die neu entstehenden monastischen Gemeinschaften als »Neues J.« [66; 32. 149–172; 65. 114–115]; auch sie werden in der ganzen christl. Ökumene nachgeahmt. Schließlich ist das endzeitliche J. der Ort der Sammlung der Gläubigen, der Auferstehung der Toten und der Wiederkunft Christi [26. 323–325, 336–338; 59; 65. 113–114]. Nicht zuletzt sind auch die Kirchengebäude Abbild des »Neuen J.« [69].

### 2. JUDENTUM

Für das Verhältnis der Juden zu J. bringt die Christianisierung des Röm. Reiches kaum eine Änderung. Das Zutrittsverbot wird teilweise weniger streng gehand-

habt. J. wird zumindest am Jahrestag der Zerstörung besucht und ist de facto Teil des Netzes jüd. hl. Orte Palästinas. Nicht zuletzt in Reaktion auf den Bau der Grabeskirche wird unter Kaiser Julian 363 [37] und während der sāsānidischen Besatzung 614–628 [57] der Wiederaufbau des Tempels versucht.

### 3. ISLAM

Das muslimische Konzept nicht nur J., sondern auch Mekkas, wie wir es um 600 im *Koran* fassen, steht in jüd. Tradition. Auch hier bleibt die reale Stadt ganz blaß. Das Ritualgebet ist zuerst auf J. ausgerichtet, wird von Mohammed aber bald auf Mekka umorientiert [61]. Die Gebetsnische in der gegen Mekka ausgerichteten Wand der Moscheen ist auch Erbe der Thoranische in der gegen J. gerichteten Wand der Synagogen. Das gegenwärtige J. wird zeitlich ausgeblendet zugunsten des J. vor der Zerstörung, der Stadt des Tempels und der Propheten bis zu Mohammed, und zugunsten des endzeitlichen J., Ort der Sammlung der Gläubigen und des Jüngsten Gerichts. Den Platz J. in der Gegenwart nimmt zunehmend Mekka ein, eng mit Mohammed verbunden und durch Übertragung der Abraham-Trad. zur hl. Stadt erklärt [40; 61. 102–107]. Mit zunehmendem Erfolg des frühen Islam tritt die Parallele J. – Mekka in den Hintergrund, verschwindet aber nicht völlig. Ganz in der Trad. früherer Propheten besucht auch Mohammed auf einer Nachtreise die »Fernste Gebetsstätte« (al-Masǧid al-Aqṣā), das reale oder das himmlische J. [42; 60].

**36** A. BETSCHART, Zw. zwei Welten. Illustrationen in Berichten westeurop. Jerusalemreisender des 15. und 16. Jh., 1996 (Würzburger Beitr. zur Dt. Philol. 15)
**37** F. BLANCHETIÈRE, Julian philhellène, philosémite, antichrétien. L' affaire du Temple de Jérusalem (363), Journal of Jewish Stud. 31, 1980, 61–81 **38** G. BOWMAN, Pilgrim narratives of J. and the Holy Land: a study in ideological distortion, in: A. MORINIS (Hrsg.), Sacred journeys, 1992 (Contributions to the Study of Anthropology 7), 149–168 **39** P. BROWN, The cult of the saints, 1981 (The Haskell Lectures on History of Religions. N. S. 2) **40** H. BUSSE, J. and Mecca, the Temple and the Kaaba. An account of their interrelation in Islamic times, in: M. SHARON (Hrsg.), The Holy Land in history and thought, 1988 (Publications of the Eric Samson Chair in Jewish Civilization 1), 236–246 **41** Ders., Tempel, Grabeskirche und Ḥaram aš-šarīf. Drei Heiligtümer und ihre gegenseitigen Beziehungen in Legende und Wirklichkeit, in: [5. 1–27] **42** Ders., J. in the story of Muhammad's Night Journey and Ascension, Jerusalem Stud. in Arabic and Islam 14, 1991, 1–40 **43** G. DAGRON, Constantinople imaginaire, 1984 (Bibliothèque Byzantine. Ét. 8) **44** B. DANSETTE, Les pèlerinages occidentaux en Terre Sainte, Archivum Franciscanum Historicum 72, 1979, 106–133, 330–428 **45** B. DE KHITROWO, Itinéraires russes en Orient, 1889. Ndr. 1966 **46** S. DE SANDOLI, Itinera Hierosolymitana Crucesignatorum (saec. XII–XIII), 4 Bde., 1978–1984 (Studium Biblicum Franciscanum. Collectio Maior 24) **47** H. DONNER, Pilgerfahrt ins Hl. Land. Die ältesten Ber. christl. Palästinapilger (4.–7. Jh.), 1979 **48** J. M. FIEY, Le pèlerinage des Nestoriens et Jacobites à Jérusalem, Cahiers de civilisation médiévale Xe–XIIe siècles 12, 1969, 113–126 **49** U. GANZ-BLÄTTLER, Andacht und Abenteuer. Ber.

europ. J.- und Santiago-Pilger (1320–1520), 1990 (Jakobus-Stud. 4) **50** M. GIL, A history of Palestine, 634–1099, 1992 **51** C. HAHN, Loca sancta souvenirs. Sealing the pilgrims experience, in: [22. 85–96] **52** E. D. HUNT, Holy Land pilgrimage in the Later Roman Empire AD 312–460, 1982 **53** J. JEREMIAS, Golgotha, 1926 (Angelos Beih. 1) **54** B. Z. KEDAR, Intellectual activities in a Holy City. J. in the twelfth century, in: [16. 127–139] **55** CHR. KRÖTZL, Pilger, Mirakel und Alltag. Formen des Verhaltens im skandinavischen MA (12.–15.Jh.), 1994 (Studia Historica 46) **56** A. KÜLZER, Peregrinatio graeca in Terram Sanctam, 1994 (Stud. und Texte zur Byzantinistik 2) **57** C. MANGO, The Temple Mount AD 614–638, in: [67. 1–16] **58** P. MARAVAL, Lieux saints et pèlerinages d' Orient. Histoire et géographie des origines à la conquête arabe, 1985 **59** C. MAZZUCCO, La Gerusalemme celeste dell' »Apocalissi« nei Padri, in: [12. 49–75] **60** A. NEUWIRTH, Erste Qibla – Fernstes Masǧid? J. im Horizont des histor. Muḥammad, in: F. HAHN et al. (Hrsg.), Zion Ort der Begegnung. FS für Laurentius Klein, 1993 (Bonner Biblische Beitr. 90), 227–270 **61** Dies., The spiritual meaning of J. in Islam, in: [28. 93–116, 483–495] **62** R. OUSTERHOUT, Rebuilding the Temple. Constantine Monomachus and the Holy Sepulchre, Journ. of the Soc. of Architectural Historians 48, 1989, 66–78 **63** Ders., The Temple, the Sepulchre, and the Martyrion of the Saviour, Gesta 29, 1990, 44–53 **64** J. PAHLITZSCH, St. Maria Magdalena, St. Thomas und St. Markus. Trad. und Gesch. dreier syrisch-orthodoxer Kirchen in J., Oriens Christianus 81, 1997, 82–106 **65** E. PATLAGEAN, Byzantium's dual Holy Land, in: [16. 112–126] **66** J. PATRICH, Sabas leader of Palestinian monasticism. A comparative study in eastern monasticism fourth to seventh centuries, 1995 (Dumbarton Oaks Studies 32) **67** J. RABY, J. JOHNS (Hrsg.), Bayt al-Maqdis. ʿAbd al-Malik's J. Bd. 1, 1992 (Oxford Stud. in Islamic Art 9,1) **68** A. RENOUX, Le codex arménien Jérusalem 121, 2 Bde. (Patrologia Orientalis 35,1; 36,2 = Nrn. 163, 168) **69** M. ROSSI, A. ROVETTA, Indagini sullo spazio ecclesiale immagine della Gerusalemme celeste, in: [12. 77–118] **70** K.-D. SEEMANN, Die altruss. Wallfahrtslit., 1976 (Theorie und Gesch. der Lit. und der Schönen Künste. Texte und Abh. 24) **71** M. SIMON, Verus Israël. Ét. sur les relations entre Chrétiens et Juifs sous l' empire romain (135–425), 1948 (Bibliothèque des Ecoles Françaises d' Athènes et de Rome 166) **72** H. S. SIVAN, Pilgrimage, monasticism, and the emergence of Christian Palestine in the 4th century, in: [22. 54–65] **73** J. WILKINSON, J. pilgrims before the crusades, 1977 **74** Ders., Egeria's travels to the Holy Land, 1981 **75** J. WILKINSON, J. HILL, W. F. RYAN, J. pilgrimage 1099–1185, 1988 (Works issued by the Hakluyt Society. Second Ser. 167).

## D. MUSLIMISCHES JERUSALEM VOR DEN KREUZZÜGEN (635–1099)

Mit der muslimischen Eroberung J. wird die Stadt Teil der islamischen Welt [1 Bd. 1. 183–201; 24. 176–282, 599–605; 25; 50; 82; 85; 98 Bd. 1. 17–85; 98 Bd. 2. 223–305, 379–392].

### 1. JUDENTUM

Für die Juden wird J. mit dem E. der christl.-röm. Kontrolle frei zugänglich und als reale Stadt überhaupt erst Teil der jüd. Ökumene. Zu den jüd. hl. Orten Palästinas gehören für eine Weile die Ruinen des ehema-ligen Tempels mit dem zentralen Felsen. Mit dem Wiederaufbau des Tempels und der Errichtung des Felsendomes durch die Muslime 685–715 können nur noch Außenmauer und Tore besucht werden. Die Juden haben hier keine Gebäude, abgesehen von der »Höhle«, einem alten Tor der Westmauer, das im 10.–11. Jh. u. a. als Synagoge dient [50. 646–650]. J. wird Zentrum einer stark anwachsenden Pilgerfahrt. Mit der Zeit entwickelt sich ein fester Gebetsparcours entlang der Tore und hinauf auf den Ölberg [50. 622–631; 77; 94. 128–168]. J. wird Sitz der palästinischen Rechtsschule, zu deren Vorrechten die Festsetzung des Jahresanfangs für die gesamte jüd. Welt gehört. Die Jerusalemer Rechtsschule und die Armen der Stadt werden von Stiftungen und Privatleuten der ganzen jüd. Welt, bes. aber Ägyptens finanziell unterstützt [50. 490–776, 790–794; 86]. Im Hinblick auf die endzeitliche Bedeutung der Stadt nimmt die Niederlassung von Auswärtigen, bes. von Karaiten [50. 609–622], und das Begräbnis [50. 631–635; 80] in J. zu.

### 2. ISLAM

Für die Muslime führt die Inbesitznahme J. zur zweiten Übernahme jüd. Konzepte [88; 101]. Sie bauen vor 685 im Südteil der Ruinen des Tempels eine Freitagsmoschee, die Kalifen ʿAbd al-Malik und al-Walīd beanspruchen dann 685–715 aber das ganze Gelände als Freitagsmoschee und bauen es mit dem Felsendom über dem zentralen Felsen wieder auf [50. 90–104; 83. 23–50, 147–163; 67; 95]. In Architektur und Liturgie errichten sie hier den muslimischen »Neuen Tempel«, Vorläufer des heutigen Ḥaram, proklamieren dem byz. Kaiser gegenüber den polit. und rel. Erfolg des Islam [41. 14–23; 78; 83; 84; 92; 101]. Die Vorstellung vom muslimischen »Neuen Tempel« wird mit zunehmender Emanzipation vom byz. polit. Diskurs dann wieder bedeutungslos. Die Kontrolle muslimischer Gesamtherrscher über die Stadt wird durch die Bebauung und Renovation J. betont und dient der Legitimation, auch gegenüber anderen muslimischen Herrschern [97]. Die »Fernste Gebetsstätte« (al-Masǧid al-Aqṣā), das Ziel von Mohammeds Nachtreise, wird mit dem Ḥaram gleichgesetzt [42; 60. 246–251; 100 Bd. 4. 387–391], später teilweise auf den Vorgänger der heutigen Aqṣā-Moschee beschränkt. J. wird als dritte Stadt des Islam nach Mekka und Medina betrachtet [90] und sowohl in das Netz der alljährlichen Pilgerfahrt nach Mekka wie in das Netz der Pilgerfahrt an hl. Orte Palästinas integriert, wobei bes. der Ḥaram in einem festen Gebetsparcours besucht wird [79; 83. 51–77]. Im Hinblick auf die endzeitliche Bedeutung der Stadt nehmen Niederlassung und Begräbnis von Auswärtigen in J. zu, etwa von Mystikern wie Ibn Karrām im Jahr 869 und seinen Anhängern [100 Bd. 2. 609–610; 100 Bd. 4. 421]. Die Bedeutung J. für die schiitischen Fāṭimiden und die Hintergründe der Zerstörung der Grabeskirche durch al-Ḥākim 1009 [50. 370–381; 87. 47–56; 99. 15, 49–50, 85] sind noch ungeklärt.

Abb. 1: Das Allerheiligste als Kennzeichnung der Richtung gegen Jerusalem auf dem Bodenmosaik einer Synagoge, 4.Jh. (Hammath Tiberias, Untere Synagoge, Hauptschiff, Südmosaik). Rom, Bibliotheca Archaeologica

### 3. CHRISTENTUM

Für die Christen bedeutet die muslimische Eroberung das E. der Kontrolle der Orthodoxen (und Lateiner) über Jakobiten, Armenier, Kopten und Nestorianer. Die muslimische Inanspruchnahme der Ruinen des Tempels 685–715 und die Zerstörung der Grabeskirche durch al-Ḥākim 1009 führten zum E. der christl. Prägung der Stadt und zum Rückzug in ein eigenes christl. Quartier. Die Christen werden den muslimischen Behörden gegenüber von den byz., selten auch von den westl. Kaisern diplomatisch und finanziell unterstützt. Diese Schutzherrschaft spielt bes. beim Unterhalt der Grabeskirche und bei ihrem Neubau 1033–1048 eine Rolle [50. 285–289, 478–482; 62; 65. 114; 76]. Für die Pilger aus Byzanz und Westeuropa verstärkt das Reisen im nicht-christl. Umfeld die geistliche Erfahrung. In und bei Kirchen geben Nachbauten bes. der Grabeskirche (Abb. 3) Heimgekehrten und Zuhausegebliebenen Anteil an der Heiligkeit J. und dienen als Kulisse von Osterspielen der Vergegenwärtigung des Heilsgeschehens [81; 89; 91; 93; 96].

Abb. 2: Das Grab Christi auf einem Metall-Ölfläschchen, dem Andenken eines christlichen Pilgers, 6.Jh. Washington, Dumbarton Oaks Collection, ampulla 48.18

**76** K. BIEBERSTEIN, Der Gesandtenaustausch zw. Karl d. Gr. und Hārūn ar-Rašīd und seine Bedeutung für die Kirchen J., Zschr. des Dt. Palästina-Vereins 109, 1993, 152–173
**77** J. BRASLAVI, S.-J. ALOBAIDI, Y. GOLDMAN, M. KÜCHLER, Der älteste jüd. J.-Führer, in: M. KÜCHLER, CHR. UEHLINGER (Hrsg.), J. Texte – Bilder – Steine ... zum 100. Geburtstag von Hildi und Othmar Keel-Leu, 1987 (Novum Testamentum et Orbis Antiquus 6), 37–81 **78** H. BUSSE, The Temple of J. and its restitution by ʿAbd al-Malik b. Marwān, Jewish Art 23–24, 1997–1998, 23–33 **79** T. CANAAN, Mohammedan saints and sanctuaries in Palestine, 1927 (Luzac's Oriental Religions Ser. 5) **80** A. CARMEL, P. SCHÄFER, Y. BEN-ARTZI (Hrsg.), The Jewish settlement in Palestine 634–1881, 1990 (TAVO Beihefte B 88) **81** G. DALMAN, Das Grab Christi in Deutschland, 1922 (Stud. über christl. Denkmäler 14) (Schriften der

Abb. 3: Eine Kopie des Grabes Christi, 1160
(Eichstätt, Kapuzinerkirche)

Schwedischen Religionswiss. Ges.) **82** A. DURI, J. in the Early Islamic period 7th–11th centuries AD, in: [4. 105–125, 287–289] **83** A. ELAD, Medieval J. and Islamic worship, 1994 (Islamic History and Civilization) **84** Ders., Why did ʿAbd al-Malik build the Dome of the Rock?, in: [67. 33–58] **85** O. GRABAR, The shape of the holy. Early Islamic J., 1996 **86** A. GROSSMAN, The Yeshiva of Eretz Israel. Its literary output and relationship with the Diaspora, in: [25. 225–269] **87** H. HALM, Der Treuhänder Gottes. Die Edikte des Kalifen al-Ḥākim, Islam 63, 1986, 11–72 **88** J. W. HIRSCHBERG, The sources of Moslem traditions concerning J., Rocznik Orientalistyczny 17, 1951–1952, 314–350 **89** R. IGEL, The Holy Land in popular Brazilian culture, in: [8 Bd. 5. 75–88] **90** M. J. KISTER, ›You shall only set out for three mosques‹, in: Ders., Stud. in Jāhiliyya and Early Islam, 1980 (Collected Stud. 123) Aufsatz 13 **91** G. KUBLER, Sacred mountains in Europe and America, in: T. VERDON, J. HENDERSON (Hrsg.), Christianity and ren., 1990, 413–441 **92** M. MEINECKE, Die Erneuerung von al-Quds/ J. durch den Osmanensultan Sulaimān Qānūnī, in: Stud. in the history and archaeology of Palestine, 1988 Bd. 3, 257–283, 338–360 **93** R. OUSTERHOUT, Loca sancta and the architectural response to pilgrimage, in: [22. 108–124] **94** J. PRAWER, The history of the Jews in the Latin Kingdom of J., 1988 **95** M. ROSEN-AYALON, The Early Islamic monuments of al-Ḥaram al-Sharīf, 1989 (Qedem 28) **96** P. SHEINGORN, The Easter Sepulchre in England, 1987 (Medieval Publications. Early Drama, Art and Music Reference Series 5) **97** B. ST.LAURENT, A. RIEDLMAYER, Restorations of J. and the Dome of the Rock and their political significance, 1537–1928, Muqarnas 10, 1993, 76–84

**98** M. VAN BERCHEM, Matériaux pour un Corpus Inscriptionum Arabicarum. II. b. Jérusalem, 3 Bde., 1922–1949 (Mémoires de l' Institut Français d' Archéologie Orientale du Caire 43–45) **99** J. VAN ESS, Chiliastische Erwartungen und die Versuchung der Göttlichkeit. Der Kalif al-Ḥākim (386–411 H.), 1977 (Abh. der Heidelberger Akad. der Wissenschaften. Philos.-histor. Klasse 1977,2) **100** Ders., Theologie und Ges. im 2. und 3. Jh. Hidschra. Eine Gesch. des rel. Denkens im frühen Islam, 6 Bde., 1991–1997 **101** Ders., ʿAbd al-Malik and the Dome of the Rock, in: [67. 89–103]

## E. DAS JERUSALEM DER KREUZFAHRER (1099–1187)

[1 Bd. 1. 202–216; 24. 283–332, 605–607]. Die Eroberung durch die Kreuzfahrer macht J. vordergründig zu einer christl. westeurop. Stadt.

### 1. CHRISTENTUM

Die Kreuzfahrer Westeuropas verstehen sich als bewaffnete Pilger, die J. befreien und damit eine ungehinderte Pilgerfahrt ermöglichen [26. 339; 103. 190–192]. Die Eroberung J. 1099 ist der Anbruch von Gottes Herrschaft, das Reich der Kreuzfahrer das »Neue Reich Davids«, die reale Stadt J. das »Neue J.« [19. 317–319; 26. 339–346; 104; 105; 106; 108. 179–180]; in diesem Reich stehen die nicht-lat. Christen (Orthodoxe, Jakobiten und Armenier, Nestorianer) unter der Dominanz der Lateiner [64; 107]. Die Bevölkerung J. besteht grundsätzlich nur aus Christen, während im übrigen Palästina auch Juden und Muslime wohnen. Der Ḥaram wird in seiner muslimischen Ausgestaltung in das Netz christl. hl. Orte integriert, der Felsendom ist der »Tempel des Herrn«, die Aqṣā-Moschee der »Tempel Salomos« oder »Palast Salomos«. Verschiedene Trad. werden von der Grabeskirche auf den Felsendom übertragen. J. hat damit in Davidsturm, Grabeskirche und dem Ḥaram (mit Felsendom und Aqṣā-Moschee) drei Pole [54. 128–129; 102; 103. 195–212; 106. 208–211; 108] und wird auf Karten und Mz. mit der Kombination Davidsturm, Grabeskirche und Felsendom dargestellt (Abb. 4). Im Konflikt mit dem Papst betonen die byz. Kaiser den Vorrang von J. und von Konstantinopel als »Neuem J.« vor Rom [65].

### 2. ISLAM

Die muslimischen Bewohner J. werden bei der Eroberung getötet oder vertrieben. Muslime dürfen sich nicht in der Stadt ansiedeln. Einzelne muslimische Pilger besuchen die jetzt christl. hl. Orte J., dürfen aber nicht über sie verfügen und sie nicht muslimisch überbauen. Im Glaubenskampf (ǧihād) Saladins und seiner Vorgänger gegen Schiiten und Kreuzfahrer ist die Kontrolle der muslimischen hl. Orte J. erklärtes Ziel und dient als starke Legitimation [109].

### 3. JUDENTUM

Die jüd. Bewohner J. werden bei der Eroberung ebenfalls getötet oder verschleppt. Juden dürfen sich in der Stadt nicht ansiedeln [94. 19–45]. Einzelne jüd. Pilger können die Stadt zwar besuchen, errichten aber ebenfalls keine eigenen Gebäude [94. 128–168]. Das

Konzept des himmlischen J. wird in das System der jüd. Mystik integriert [14. 76–80; 23. 90–101].

102 H. BUSSE, Vom Felsendom zum Templum Domini, in: W. FISCHER, J. SCHNEIDER (Hrsg.), Das Hl. Land im MA, 1982 (Schriften des Zentral-Inst. für Fränkische Landeskunde und Allgemeine Regionalforsch. an der Univ. Erlangen-Nürnberg 22), 19–32 103 Y. FRIEDMAN, The city of the King of Kings. J. in the Crusader Period, in: M. POORTHUIS, CH. SAFRAI (Hrsg.), The centrality of J., 1996, 190–216 104 N. HOUSLEY, J. and the development of the Crusader idea, 1099–1128, in: B. Z. KEDAR (Hrsg.), The Horns of Ḥaṭṭīn, 1992, 27–40 105 M. LEVY-RUBIN, R. RUBIN, The image of the Holy City in maps and mapping, in: [28. 352–379, 530–536] 106 J. PRAWER, The Latin Kingdom of J., 1972 107 Ders., Social classes in the crusader states: the »minorities«, in: N. P. ZACOUR, H. W. HAZARD (Hrsg.), The impact of the crusades on the Near East, 1985 (A History of the Crusades 5), 59–115 108 S. SCHEIN, Between Mount Moriah and the Holy Sepulchre. The changing traditions of the Temple Mount in the Central Middle Ages, Traditio 40, 1984, 175–195 109 E. SIVAN, L'Islam et la croisade. Idéologie et propagande dans les réactions musulmanes aux croisades, 1968

## F. DAS MUSLIMISCHE JERUSALEM ZWISCHEN KREUZFAHRERN UND NATIONALISMUS (1187–1800)

[1 Bd. 1. 202, 216–239; 24. 333–586, 607–622; 98 Bd. 1. 87–461; 98 Bd. 2. 23–198, 307–348, 393–441; 111; 121]. Mit der Eroberung durch Saladin wird J. erneut Teil der Islamischen Welt und nimmt sämtliche Funktionen der fāṭimidischen Stadt wieder auf. Die polit. und wirtschaftliche Einbettung der Stadt in ihr Umland ist gut bekannt. [114; 116].

### 1. ISLAM

Für Muslime ist J. nun ohne Mühe zugänglich. Die muslimischen hl. Orte werden grundsätzlich wiederhergestellt, teilweise aber an neuen Plätzen. Beispielsweise behalten die meisten Ḥaram-Tore ihre vorkreuzfahrerzeitlichen Namen, während einige die Namen untereinander tauschen. Visuell prägend ist der ganze Ḥaram mit Felsendom und Aqṣā-Moschee [124] (Abb. 5). Entlang der Nord- und Westmauer des Ḥaram und ihrer Zugangsstraßen bauen mamlūkische Sultane und Beamte prächtige Komplexe mit Medresen, Koranschulen, Mystiker-Konventen und Hospizen, belehnen diese mit Einkünften aus Stiftungen und nehmen so auch über ihren Tod hinaus Anteil an der Heiligkeit des Ḥaram. Diese Stiftungen machen J. zu einem Zentrum islamischer Wissensvermittlung, bieten den Pilgern Infrastruktur und binden J. ein in ein Netz finanzieller Unterstützung aus Ägypten und der ganzen Islamischen Welt [113; 119; 120; 123]. Die Mausoleen von Saladin [85. 73] und Qalāʾūn [123 Bd. 1. 29–36, 44–46] sind Nachbauten des Felsendomes und erinnern an die Kontrolle der in ihnen bestatteten Toten über Jerusalem. Der historisierende Aufbau bes. der Stadtmauer J. durch Sulaymān (Salomon!) den Prächtigen 1537–1540 betont das Alter der Stadt und der mit ihr verbundenen Traditionen [92].

### 2. CHRISTENTUM

Bei der Eroberung werden die nicht-lat. Christen, also Orthodoxe, Monophysiten (Armenier, Jakobiten, Kopten) und Nestorianer in die muslimische Stadt integriert, während die lat. Christen getötet oder vertrieben werden und sich erst nach einer Weile wieder in der Stadt niederlassen dürfen. Die muslimische Übernahme des Ḥaram und mehrerer Kirchen beendet die christl. Prägung der Stadt. Die Christen ziehen sich in eigene Quartiere zurück. Auch dort betonen aber die Minarette der Moscheen und muslimischen Mystiker-Konvente den Führungsanspruch der Muslime [127]. Die muslimischen Behörden nutzen das Nebeneinander der Konfessionen an den christl. hl. Orten zur Kontrolle und lassen sich Vorrechte und Unterhaltserlaubnisse bis zur Festschreibung im *Status quo* 1856/1878 teuer bezahlen [117; 125]. Die nach einer Weile stark zunehmende Pilgerfahrt der lat. Christen wird von der Kustodie der Franziskaner betreut und über diese von den muslimischen Behörden kontrolliert [44. 107–122; 117]. Eine Anzahl christl. hl. Orte wird als *Via Dolorosa* in einer festen Reihenfolge besucht [1 Bd. 1. 208–209; 44. 113–114]. Der Felsendom wird weiterhin als »Tempel Salomos« betrachtet, auch wenn der Ḥaram von Christen nicht betreten werden darf [108. 191–194]. Visuelle Chiffre für J. ist neben der Fassade der Grabeskirche die Ansicht der Stadt mit dem Felsendom (Abb. 6). Kulissenartige Nachbauten der *Via Dolorosa* [81. 106–139; 91] und die stark anwachsende Pilgerlit. [36; 49; 55; 56] erlauben Heimgekehrten und Zuhausegebliebenen den Nachvollzug der Pilgerfahrt. Rekonstruktionen J. und des Tempels zur Zeit Jesu berufen sich nun neben der Bibel auf Flavius Josephus und kommen damit zu einem neuen Bild [105. 369–371]. Innerhalb des Osmanischen Reichs entsteht ein Netz von Bruderschaften, das das orthodoxe Patriarchat von J. unterstützt; bes. wichtig sind die Erträge rumänischer Stiftungen.

### 3. JUDENTUM

Das reale J. wird mit dem E. der Kreuzfahrerherrschaft wieder voll Teil der Jüdischen Welt [115]. Wichtigster hl. Ort in J. ist die Klagemauer, ein kurzes und schwer zugängliches Stück des Westmauer des Ḥaram. Auch hier nützen die muslimischen Behörden die Kontrolle des Zuganges als Einnahmequelle [1 Bd. 3. 403–404; 110; 112 Bd. 1. 308–314, 371–375; 122]. Mit den Verfolgungen in Westeuropa und der Ausweisung aus Spanien nimmt die Niederlassung in Palästina stark zu, wobei Safed als Zentrum spanisch-jüd. Mystik im Vordergrund steht. Die Gemeinde J. wird von Spannungen zw. sephardischen (orientalischen) und aschkenasischen (europ.) Einwanderern geprägt, den muslimischen Behörden gegenüber von sephardischen Juden vertreten [115. 36–58; 112 Bd. 1. 280–296]. J. ist in ein Netz finanzieller Unterstützung eingebunden, in dem Geldboten als Bindeglied zur Diaspora eine wichtige Rolle spielen. Visuelle Chiffre für J. ist auf Wandbildern in Synagogen, auf Eheverträgen, Tischtüchern und

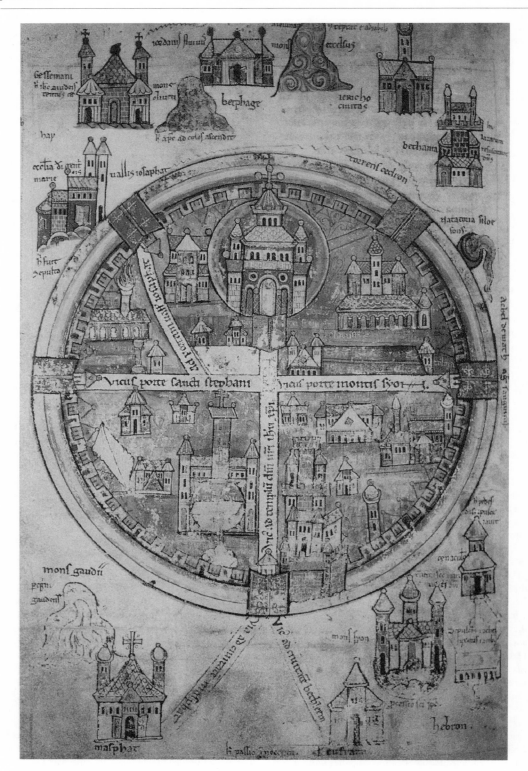

Abb. 4: Die Stadt Jerusalem mit Davidsturm (unten rechts), Grabeskirche (unten links) und Felsendom (oben) auf einer Karte zur *Historia Hierosolymitana* von Robertus Monachus, 12. Jh. Uppsala, University Library, ms. C 691 fol.

Abb. 5: Der Haram von Jerusalem mit Felsendom (Mitte) und Aqṣā-Moschee (oben)
auf einer Karte einer osmanischen Handschrift
der Naturgeschichte Ḫarīdat al-ʿaǧāʾib von Ibn al-Wardī.
München, Bayerische Staatsbibliothek, Cod. arab. 461, um 1590

Andenken die Ansicht der Stadt mit dem Felsendom (Abb. 7) [19. 326; 118]. J. ist ein Zentrum jüd. Wissens-vermittlung.

**110** E. N. Adler, Jewish travellers, 1930 (The Broadway Travellers). Ndr.: Jewish travellers in the Middle Ages. 19 firsthand accounts, 1987 **111** K. J. Asali, J. under the Ottomans 1516–1831 AD, in: [4. 200–227b, 291–293 **112** Y. Ben-Arieh, J. in the 19th century, 2 Bde., 1984–1986 **113** M. H. Burgoyne, Mamluk J., 1987 (British School of Archaeology in J.) (World of Islam Festival Trust) **114** A. Cohen, Palestine in the 18th century, 1973 (Uriel Heyd Memorial Series) **115** Ders., Jewish life under Islam. J.

Abb. 6: Die Stadt Jerusalem mit den Kuppeln von Felsendom (rechts hinten), Grabeskirche (links hinten) und weiteren Gebäuden auf einem Bild von Jean de Tavernier (?) zu einer Sammlung christlicher Pilgerberichte, 1455. Paris, Bibliothèque Nationale mss. Fr. 9087

Abb. 7: Die Stadt Jerusalem mit
dem Felsendom auf einem
jüdischen Ehevertrag aus Livorno,
1728.
Jerusalem, Museo U. Nahon
di Arte Ebraica Italiana 279/11

in the sixteenth century, 1984 **116** Ders., Economic life in
Ottoman J., 1989 (Cambridge Studies in Islamic
Civilization) **117** S. DE SANDOLI, The peaceful liberation of
the Holy Places in the XIVth century, 1990 (Studia
Orientalia Christiana. Monographiae 3) **118** I. FISHOF, J.
above my chief joy. Depictions of J. in Italian ketubot,
Journ. of Jewish Art 9, 1982, 61–75 **119** R. HILLENBRAND,
S. AULD, Y. NATSHEH, Ottoman J., (im Druck) (World of
Islam Festival Trust) **120** D. P. LITTLE, Relations between J.
and Egypt during the Mamluk period according to literary
and documentary sources, in: A. COHEN, G. BAER (Hrsg.),
Egypt and Palestine. A millenium of association (868–1948),
1984, 73–93 **121** Ders., J. under the Ayyūbids and Mamlūks
1187–1516 AD, in: [4. 177–199, 290–291] **122** J. R.
MAGDALENA NOM DE DÉU, Relatos de viajes y epístolas de
peregrinos judíos a Jerusalén (1481–1523), 1987 (Orientalia
Barcinonensia 3) **123** M. MEINECKE, Die mamlukische
Architektur in Ägypten und Syrien (648/1250 bis
923/1517), 2 Bde., 1992 (Abh. des Deutschen
Archäologischen Instituts Kairo. Islamische Reihe 5)
**124** R. MILSTEIN, Drawings of the Ḥaram in J. in Ottoman
manuscripts, in: [126. 62–69] **125** S. SAYEGH, Le statu quo
des lieux-saints, 1971 (Corona Lateranensis 22)
**126** A. SINGER, A. COHEN (Hrsg.), Aspects of Ottoman
history. Papers from CIEPO IX Jerusalem, 1994 (Scripta
Hierosolymitana 35) **127** A. G. WALLS, Two minarets
flanking the Church of the Holy Sepulchre, Levant 8, 1976,
159–161

## G. DAS VOM NATIONALISMUS GEPRÄGTE JERUSALEM (SEIT 1800)

[1 Bd. 1. 231–239; 24. 535–586, 618–622; 98 Bd.
2. 198–221, 348–371, 441–450; 144; 160; 161]. Das
Gesicht J. wird maßgeblich dadurch geprägt, daß die

Konkurrenz der europ. Nationalstaaten (bes. Großbri-
tanniens, Frankreichs, Preußens und Rußlands) die
Konkurrenz der christl. Konfessionen überlagert. Ein
anschauliches Bild der Stadt in dieser Epoche vermittelt
Ben-Arieh [112].

### 1. CHRISTENTUM, EUROPÄISCHER NATIONALISMUS

Die europ. Nationalstaaten sehen sich selbst als
»friedliche Kreuzfahrer« [160. 30–34], den Osmanen
gegenüber als Beschützer der Pilger und einheimischen
Angehörigen ihrer Konfession. Die Stadt zerfällt in eine
Vielzahl konfessionell und national geprägter Viertel.
Diese umfassen zahlreiche neue Kirchen und Klöster,
Hospize zur Unterbringung der jeweiligen Pilger,
Schulen und Spitäler zur Ausbildung, medizinischen
Versorgung und Missionierung der Einheimischen sowie biblisch-arch. Instit. [112 Bd. 1. 184–264; 112 Bd.
2. 276–366; 136; 137; 143; 147; 151; 152; 160]. Die arch.
Forsch. konzentriert sich auf die Zeit Jesu. Ihre Belastung mit konfessionellen und nationalen Interessen
führt dazu, daß J. selbst überraschend schlecht ausgegraben ist [162]. Die Stadt wird bald kartographisch erschlossen [1 Bd. 1. 45–46; 105. 376–379]. Das Geschäftsleben der Stadt richtet sich auf die stark zunehmende Pilgerfahrt westl. und orthodoxer Gruppen aus,
denen gegenüber die orientalischen Pilger in den Hintergrund treten. Unter jordanischer Herrschaft 1948–
1967 ist die Altstadt für Christen aus Israel (bes. aus Ga-
liläa) kaum erreichbar, mit der israelischen Eroberung
1967 für Christen aus der Westbank (etwa Bethlehem)
und Gaza schwer erreichbar, für Christen aus der übri-

gen Islamischen Welt so gut wie unerreichbar. Bildungsreisen sind Pilgerfahrten häufig sehr ähnlich. Sie stützen sich auf die für Pilger gebaute einfache Infrastruktur, leben stark von der Erfahrung des Orients, des einfachen Reisens und dem Reiz der Landschaft und gehen häufig von der Gleichsetzung des modernen Orients mit dem Orient zur Zeit Jesu aus. Eine lawinenartig anschwellende Reiseliteratur [8 Bd. 5; 131; 133; 159] und eine Vielzahl von Gemälden [132; 166] erlauben Heimgekehrten und Daheimgebliebenen Wiederholung und Nachvollzug des Erlebnisses. Besonders häufig dargestellt wird die Ansicht der Stadt vom Ölberg mit dem Felsendom in biblisch-ländlicher Landschaft (Abb. 8). Die Stadtplanung zur Zeit des britischen Mandats konserviert dieses Bild mit strengen Bauvorschriften und der Anlage eines Grüngürtels um die Altstadt [165. 432–436]. Im Hinblick auf die endzeitliche Bedeutung der Stadt nimmt die Niederlassung westl. Christen in J. [112 Bd. 2. 62–74, 276–366; 134; 135; 160. 34–38] und die Förderung der Niederlassung westl. Juden in J. [138; 145; 160. 18, 26–30] stark zu, vorübergehend von der Vorstellung gefördert, daß die christl. Mission unter Juden von J. auszugehen habe [112 Bd. 1. 261–263, 333–336; 112 Bd. 2 319–324; 146; 160. 16–18].

### 2. TRADITIONELLES JUDENTUM, ZIONISMUS

Für die Juden wird mit der Emanzipation in Westeuropa der freie Zugang zur Klagemauer zentrale Forderung [112 Bd. 1. 308–314, 371–375; 150. 33–49; 157 Bd. 1. 258–273; 157 Bd. 2. 1–2, 6–8]. Unter britischer Verwaltung 1917–1948 wird die Klagemauer zum jüd. hl. Ort erklärt. Klagemauer und Altstadt werden unter jordanischer Herrschaft 1948–1967 für Juden unzugänglich. Mit der israelischen Eroberung 1967 wird sie wieder erreichbar, der Platz vor ihr unter Zerstörung des Magrebinischen Quartiers mit der Afḍalīya-Medrese massiv erweitert, sowohl für traditionell-jüd. Gebete wie für zionistische Zeremonien genutzt und damit Zeichen jüd. Einigkeit. Auf Bildern wird J. bes. mit der Klagemauer dargestellt (Abb. 9). Beeinflußt vom Kampf um die Zugänglichkeit der Klagemauer sind die Annektion Ost-J. und die Proklamation der Unteilbarkeit J. durch Israel. Der von den Briten zum muslimischen hl. Ort erklärte Ḥaram behält nach der israelischen Eroberung seinen Rechtsstatus und wird vom Oberrabbinat als für Juden nicht betretbar erklärt. Splittergruppen reklamieren ihn als jüdisch. Das Geschäftsleben richtet sich auf die stark zunehmende Pilgerfahrt westl. und griech. Gruppen aus, während die orientalischen Pilger in den Hintergrund treten. Da der Massenmord der Nationalsozialisten 1933–1945 die europ. Gemeinden zum großen Teil auslöscht, spielen Pilger aus Europa in J. so gut wie keine Rolle mehr und amerikanische Pilger gewinnen an Gewicht. Mit der Einwanderung aschkenasischer, bes. aber sephardischer Juden nach Israel wird jüd. Pilgerfahrt stark lokal geprägt und benötigt weniger In-

Abb. 8: Die Stadt Jerusalem mit dem Felsendom in biblisch-ländlicher Landschaft auf dem Gemälde *Jerusalem from Mount of Olives* von Edward Lear, 1858–1859. Jerusalem, Israel Museum

frastruktur. Jüdische Bildungsreisen orientieren sich an den jüd. Pilgerreisen [159]. Zahlreiche Reisebeschreibungen stützen die spätere Erinnerung und geben den Zuhausegebliebenen Anteil am Erlebten. Die Niederlassung in J. nimmt unterstützt von Stiftungen und Sammlungen sehr stark zu, überflügelt die Niederlassung in Safed und führt schließlich zur massiven Erweiterung der Stadt [112 Bd. 2. 74–79, 101–126, 152–274]. In Reaktion auf Spannungen innerhalb der jüd. Gemeinde setzen die britischen Behörden 1921 in J. ein doppeltes Oberrabbinat mit einem sephardischen und einem aschkenasischen Oberrabbiner ein [142. 161].

Zionismus hat als utopische Bewegung den Aufbau von »Zion« zum Ziel, des »Neuen J.« als einer idealen säkularen Gesellschaft. Als nationalistische Bewegung bezweckt sie die Gründung eines jüd. Staates. Zionistische Niederlassung in Palästina, stark unterstützt durch Stiftungen und Sammlungen, konzentriert sich anfänglich auf ländliche Gemeinschaften (Abb. 10) und das neugegr. Tel Aviv, während sie J. (bes. die Altstadt) als von der alten rel. Form des Judentums geprägt ablehnt. Die Anziehungskraft der Stadt ist aber so stark, daß in der Neustadt von J. neu organisierte säkulare Quartiere entstehen. Auf dem Skopus-Berg entsteht 1925 die Hebräische Univ. als zionistische Entsprechung des Tempels. J. wird 1949 Hauptstadt des Staates Israel [141; 142; 149; 153; 160. 38–46]. In bewußter Absetzung von den visuellen Chiffren des traditionellen Judentums wird J. auf Bildern, bes. auch auf Andenken zionistischer Geldsammler, nicht mit der Klagemauer, sondern mit dem Davidsturm dargestellt (Abb. 11). Die Niederlassung wird unter anderem mit einem Netz zionistischer Gedächtnisorte legitimiert. Es handelt sich bes. um Orte der Erinnerung an jüd. Märtyrer, arch. Parks und zunehmend auch um hl. Orte des traditionellen Judentums wie die Klagemauer. Der Besuch dieser Orte ist für die Bevölkerung Israels staatlich organisiert, wird mit einem Jerusalem-Tag alljährlich gefeiert und ist für jüd., zunehmend auch für nicht-jüd. Touristen ein Muß. Arch. dient damit auch hier dem Aufbau nationaler Identität [163].

### 3. Islam, palästinensischer Nationalismus

Der palästinensische Nationalismus der arabisch sprechenden Christen und Muslime J. entwickelt sich in Auseinandersetzung mit der osmanischen Reichsverwaltung, den die Vertretung der einheimischen Christen beanspruchenden europ. Nationalstaaten und den verschiedenen jüd. Gruppen [154; 155; 156]. Dieser Nationalismus ist mehrfach mit dem muslimischen Anspruch auf J. verbunden. J. wird 1887 Hauptstadt eines direkt dem osmanischen Sultan unterstellten, Zentral- und Süd-Palästina umfassenden Sanğak, 1920 Hauptstadt Palästinas unter britischer Verwaltung. Die vornehmen Familien J. kontrollieren Stadt und abhängiges Gebiet wirtschaftlich und polit., legitimieren sich einerseits als Vertreter J. gegenüber der osmanischen und britischen Verwaltung, andererseits als Förderer des palästinensischen Nationalismus [128; 130; 154. 218–219;

156; 167]. Zentrales Thema ist die Verteidigung des Ḥaram als muslimischem hl. Ort gegenüber den jüd. Ansprüchen auf die Klagemauer [112 Bd. 1. 308–314, 371–375; 140. 108; 150. 33–49; 157 Bd. 1. 194–195, 258–273; 157 Bd. 2. 1–2, 6–8, 272–273], vorsorglich erklären die britischen Behörden den Ḥaram auch rechtlich zum muslimischen hl. Ort. (Dies wird von den israelischen Behörden nach der Eroberung 1967 beibehalten und das Gelände nicht als jüd. reklamiert.) Unter jordanischer Herrschaft 1948–1967 wird die Pilgerfahrt zum Ḥaram mit dem alljährlichen »Tag der Nachtreise und Himmelfahrt Mohammeds« staatlich gefördert. Gleichzeitig sind Altstadt wie Ḥaram für Muslime aus Israel unerreichbar. Mit der israelischen Eroberung 1967 wird J. für Muslime aus der Westbank und Gaza schwer erreichbar, für Muslime aus der übrigen islamischen Welt unerreichbar. Im Glaubenskampf (ğihād) gegen europ. Kolonialismus und Zionismus, häufig parallel gesetzt zum Glaubenskampf Saladins, ist die Befreiung J. ein Standardthema [164]. Dabei ist der Felsendom Chiffre für J. auf Gemälden [129], Bildern, volkstümlichen Wandmalereien [158] und in Nachbauten (Abb. 12).

→ Judentum; Kabbala

**128** B. Abu-Manneh, The Ḥusaynīs. The rise of a notable family in 18th century Palestine, in: [148. 93–108]
**129** G. Ankori, The other Jerusalem. Images of the Holy City in contemporary Palestinian painting, Jewish Art 14, 1988, 74–92 **130** G. Baer, Jerusalem's families of notables and the wakf in the early 19th century, in: [148. 109–122]
**131** Y. Ben-Arieh, The rediscovery of the Holy Land in the nineteenth century, 1979 **132** Ders., Painting the Holy Land in the nineteenth century, 1997 **133** Ders., Holy Land views in nineteenth century Western travel literature, in: [8 Bd. 3. 10–29] **134** A. Carmel, Christen als Pioniere im Hl. Land. Ein Beitr. zur Gesch. der Pilgermission und des Wiederaufbaus Palästinas im 19. Jh., 1981 (Theologische Zschr. Sonderband 10) **135** Ders., Die Siedlungen der württembergischen Templer in Palästina 1868–1918, 1997 (Veröffentlichungen der Kommission für geschichtliche Landeskunde in Baden-Württemberg B 77)
**136** V. Cramer, Ein Jahrhundert dt. katholische Palästinamission 1855 bis 1955, 1980 **137** E. Farhat (Hrsg.), Gerusalemme nei documenti pontifici, 1987 (Studi Giuridici 13) **138** I. Finestein, Early and middle 19th-century British opinion on the restoration of the Jews, in: [8 Bd. 2. 72–101] **139** H. Mejcher, A. Schölch (Hrsg.), Die Palästina-Frage 1917–1948, 1981 (Slg. Schöningh zur Gesch. und Gegenwart) **140** A. Flores, Die Entwicklung der palästinensischen Nationalbewegung bis 1939, in: [139. 89–118] **141** A. Freimark, Zum Selbstverständnis jüd. Nationalität und Staatlichkeit in Palästina, in: [139, 47–72] **142** A. Hertzberg, J. and Zionism, in: [28. 149–177, 502–504] **143** D. Hopwood, The Russian presence in Syria and Palestine 1843–1914, 1969 **144** M. C. Hudson, The transformation of J. 1917–1987 AD, in: [4. 249–283, 295–297] **145** L. E. Kochan, Jewish restoration to Zion. Christian attitudes in Britain in the late 19th and early 20th centuries – comparative approach, in: [8 Bd. 2. 102–124] **146** S. Kochav, »Beginning at Jerusalem«. The mission to the Jews and English evangelical eschatology, in: [8 Bd. 5. 91–107] **147** J. Krüger, Rom und Jerusalem.

Abb. 9: Die Klagemauer mit Bäumen zwischen Felsendom und Aqṣā-Moschee auf einer Sabbatdecke, wohl von Simche Janiver (1846–1910). Jerusalem, Israel Museum, Dept. of Judaica, OS 360. 84, Dept. No. 161/513

Abb. 11: Die Stadt Jerusalem, dargestellt mit dem Davidsturm, als Ziel der zionistischen Auswanderung, im Vordergrund Theodor Herzl, auf einer Marke des Jüdischen Nationalfonds, Anfang des 20. Jh.

Abb. 10: Bauernleben als Ziel der zionistischen Auswanderung auf dem Plakatentwurf zum 5. Zionistischen Kongress von Ephraim Moses Lilien, 1901. Jerusalem, Israel Museum M 2917-11-55

Abb. 12: Das ferne Jerusalem mit dem Felsendom als ungeborenem Kind einer schwangeren Palästinenserin auf dem Gemälde *The Flower Cities* vonTaleb Dweik, 1986 (Sammlung Taleb Dweik)

Kirchenbauvorstellungen der Hohenzollern im 19. Jh., 1995 (Acta Humaniora) **148** D. KUSHNER (Hrsg.), Palestine in the Late Ottoman period, 1986 **149** W. LEHN, The Jewish National Fund, 1988 **150** PH. MATTAR, The Mufti of Jerusalem. al-Hajj Amin al-Husayni and the Palestinian national movement, 1988 **151** P. MÉDEBIELLE, Le Diocèse Patriarcal Latin de Jérusalem, 1963 **152** H. MEJCHER, Palästina in der Nahostpolitik europ. Mächte und der Vereinigten Staaten von Amerika 1918–1948, in: [139. 163–216] **153** D. MIRON, Depictions (of J.) in modern Hebrew literature, in: [28. 241–287, 515–516] **154** M. Y. MUSLIH, Origins of Palestinian nationalism, 1988 (Inst. for Palestine Studies Series) **155** M. MUSLIH, Palestinian images of J., in: [28. 178–201, 504–507] **156** I. PAPPÉ, From the »politics of notables« to the »politics of nationalism«. The Husayni family, 1840–1922, in: I. PAPPÉ, M. MA'OZ (Hrsg.), Middle Eastern politics and ideas, 1997, 163–207 **157** Y. PORATH, The emergence of the Palestinian-Arab national movement, 2 Bde., 1974–1977 **158** M. ROSEN-AYALON, Murals in the Moslem Quarter of J., Ariel 31, 1972, 11–17 **159** N. A. ROSOVSKY, Nineteenth-century portraits (of J.) through Western eyes, in: [28. 218–240, 509–515] **160** A. Schölch, Europa und Palästina 1838–1917, in: [139. 11–46] **161** Ders., J. in the 19th century (1831–1917 AD), in: [4. 228–248, 293–295] **162** N. A. SILBERMAN, Digging for God and country. Exploration, archaeology and the secret struggle for the Holy Land, 1799–1917, 1982 **163** N. A. SILBERMAN, D. SMALL (Hrsg.), The archaeology of Israel, 1997 (Journ. for the Study of the Old Testament. Suppl. Series 237) **164** E. SIVAN, Mythes politiques arabes, 1995, 67–69 und 98–106 **165** Z. STERNHELL, Architecture of the city (of J.) outside the walls, in: [28. 417–457, 549–552] **166** M. A. STEVENS (Hrsg.), The Orientalists: Delacroix to Matisse. European painters in North Africa and the Near East, 1984 **167** D. ZE'EVI, The Sufi connection. J. notables in the seventeenth century, in: [126. 126–142].

ANDREAS KAPLONY

## Jesuitenschulen   A. ALLGEMEINES
### B. DIE DOMINANZ DES LATEIN BIS 1773
### C. DAS GRIECHISCHE BIS 1773   D. GEGENWART
### E. AKZENTE IM DEUTSCHSPRACHIGEN RAUM

### A. ALLGEMEINES

Die von Papst Paul III. 1541 zugelassene *Societas Jesu* (SJ) ist von ihrem Gründungsideal her, das sich an den Wanderaposteln orientiert, kein Schulorden, entwickelte aber im Laufe ihrer Geschichte ein umfangreiches Netz an Schulen. Geregelt wurde die Schulorganisation seit 1599 durch die *Ratio studiorum* (RS), die bis zur Aufhebung der SJ 1773 ohne wesentliche Änderungen blieb und für alle Schulen verbindlich war. 1832 wurde eine überarbeitete Fassung der RS veröffentlicht, die jedoch nicht im gleichen Maße Gesetzescharakter hatte. Definitiv wurde die Idee einer weltweit verbindlichen Ordnung 1966 aufgegeben. So beschränken sich *The Characteristics of Jesuit Education* (1986) und *Ignatian Pedagogy* (1993), die an die Stelle der RS getreten sind, auf allg. Prinzipien.

### B. DIE DOMINANZ DES LATEIN BIS 1773

Grundlegend für diese Phase waren sowohl die Vorherrschaft des Lat. im Bildungsbereich als auch die Entscheidung der SJ für das human. Bildungsmodell. Die aktive Beherrschung eines an den Klassikern orientierten Lat. sowohl in Schrift als auch in Rede war das Ziel des Unterrichts. Dementsprechend war der Stil ein wichtiges Kriterium bei der Auswahl von Autoren, d. h. nur die Autoren der Klassik wurden behandelt. Daneben galt auch die Vereinbarkeit mit den katholischen Glaubens- und Moralvorstellungen. So war die Lektüre von Terenz ausdrücklich verboten. Andere Autoren wurden in purgierten Fassungen gelesen. Ständiger Begleiter im Laufe der fünfjährigen *studia inferiora* war Cicero: In den beiden unteren Grammatikklassen wurden ausgewählte Stücke und einfache Briefe gelesen; in der oberen Grammatikklasse kamen u. a. *De amicitia, De senectute*, die wichtigsten Briefe und die leichteren Reden; in der Humanitasklasse wurden weitere Reden gelesen und in der Rhetorikklasse seine rhet. Schriften. Einen wichtigen Platz im → Lehrplan nahmen die Geschichtswerke ein. Hier hatten die Werke Caesars eine herausragende Stellung. Daneben wurden vor allem Sallust, Livius, Cornelius Nepos und Curtius Rufus gelesen. Aus der Poetik, die insgesamt eine untergeordnete Rolle spielte, sind als Beispiele zu nennen: Gedichte und Elegien Ovids in purgierter Fassung, eine Auswahl der Oden des Horaz, von Vergil die *Aeneis* mit Ausnahme des vierten Buches. Entsprechend der Zielsetzung traten neben das Erlernen der Regeln und das Verstehen der Texte auch praktische Übungen, z. B. das Verfassen von Gedichten oder Reden.

### C. DAS GRIECHISCHE BIS 1773

Griech. genoß auch bei den großen Jesuitenpädagogen eine hohe Wertschätzung. Man empfahl es zum besseren Verständnis der Bibel und der Philosophen, aber auch zum Ausweis der eigenen Bildung und um gegen die Protestanten bestehen zu können. Dem entsprach aber nicht die Stellung des Griech. in den J., das hinter dem Lat. deutlich zurücktreten mußte. Kirchliche Texte waren im Unterschied zum Lat. stark vertreten; z. B. nahmen bei der Lektüre die Kirchenväter, vor allem Gregor von Nazianz, Johannes Chrysostomos und Basilius, einen breiten Raum ein. Im Rahmen der Prosa wurden u. a. Briefe von Platon und Synesios sowie ausgewählte Ausschnitte von Plutarch gelesen, im Rahmen der Rhet. Demosthenes, Platon, Thukydides, Homer, Hesiod und Pindar. In der Poetik finden wir Homer, Phokylides, Theognis und Synesios. Philos. Schriften wurden während der *studia inferiora* nicht gelesen. Sie gehörten in den Philos. Kurs der *studia superiora*, in denen bes. Aristoteles gelesen wurde, v. a. περὶ ἐλέγχου, φυσικὴ ἀκρόασις und μετὰ τὰ φυσικά (diese allerdings ohne die Gotteslehre). Die Philos. war also auf die Theologie hingeordnet. Die außerordentliche Stellung des Thomas von Aquin in der Theologie erklärt die starke Dominanz des Aristoteles in der Philosophie.

### D. GEGENWART

Im 19. und 20. Jh. ging die Bed. des Lat. in der europ. Kultur und auch an den J. kontinuierlich zurück. Dieser Prozeß wurde in der zweiten H. des 20. Jh. dadurch verstärkt, daß die katholische Kirche ihre Eurozentrierung verlor. Angesichts der Entwicklung staatlicher Schulsysteme mit unterschiedlichen Lehrplänen kann es kein weltweites Curriculum mehr geben. Im Rahmen der vorgegebenen Lehrpläne ist aber eine Akzentsetzung möglich.

### E. AKZENTE IM DEUTSCHSPRACHIGEN RAUM

Die Beschäftigung mit den Klassikern der Ant. führt an die Wurzeln sowohl der europ. als auch der christl. Kultur. Griech. und Lat. sind die Sprache der Bibel und der Kirche. Das Studium der Wurzeln hat seinen eigenen Wert, hilft aber auch einem besseren Verständnis des Christentums. Dies betrifft unterschiedliche Gebiete. Im Bereich der Bibeltheologie hilft z. B. ein Vergleich mit der ant. Geschichtsschreibung, den lit. Charakter der Evangelien besser zu bestimmen. Eine Auseinandersetzung mit den Tugendkatalogen oder Haustafeln (z. B. Kol 3,18–4,1) in den paulinischen Briefen verlangt einen Vergleich mit der stoischen Ethik. Der Begriff des Mythos trägt zum Verständnis der Schöpfungsgeschichte (Gen. 1 f.) bei. In der Dogmatik gilt v. a., daß die Entwicklung der kirchlichen Lehre von der Gottessohnschaft Jesu in Auseinandersetzung mit dem Neuplatonismus geschieht. Auch im Bereich der Sakramentenlehre können Querverbindungen zwischen den alten Sprachen und der Religion über die Begriffe σύμβολον und *sacramentum* gezogen werden. Im Unterschied zur RS ist aber die Beschäftigung mit ma. Texten nicht mehr verpönt, sondern wird als ein Stück Sprach- und Traditionsgeschichte betrachtet.

→ AWI Aristoteles; Cicero

QU **1** Ratio atque Institutio Studiorum Societatis Jesu, hrsg. von L. LOKÁCS (Monumenta Historica Societatis Jesu 129), Rom 1986

LIT **2** L. KOCH, Jesuiten-Lex., 1934 **3** J. O'MALLEY, Die ersten Jesuiten, 1995 **4** J. SCHRÖTELER, Die Erziehung in den Jesuiteninternaten des 16. Jh., 1940.          RALF KLEIN SJ

## Judentum  I. ANTISEMITISMUS
II. WISSENSCHAFTSGESCHICHTE
III. INNERJÜDISCHE ANTIKENREZEPTION

### I. ANTISEMITISMUS
A. GEGENSTANDSBEREICH B. FRÜHES CHRISTENTUM C. AUFKLÄRUNG UND NEUHUMANISMUS D. NATIONALISMUS UND MODERNER ANTISEMITISMUS E. NATIONALSOZIALISMUS F. AUSBLICK

#### A. GEGENSTANDSBEREICH

Die Übertragung des 1879 zur ideologischen Selbstbezeichnung einer polit.-sozialen Bewegung geprägten Begriffes Antisemitismus (A.) auf das Alt. ist problematisch, da sie eine falsche Identität zw. ant. und mod. Judenfeindschaft suggeriert. Der Terminus hat sich jedoch als Sammelbegriff zur Kennzeichnung ›alle(r) judenfeindlichen Äußerungen, Strömungen und Bewegungen in der Geschichte‹ [40. 152] durchgesetzt und wird als solcher hier zugrundegelegt. A. manifestiert sich in der vorchristl. Ant. v. a. in zweifacher Weise: 1. als lit. Trad. mit einer sich verfestigenden antijüd. Schmähtopik (Vorwürfe der Gottlosigkeit, Menschenfeindlichkeit, Kulturlosigkeit; Verspottung jüd. Religionspraxis (v. a. Sabbatverehrung, Beschneidung, Enthaltsamkeit vom Schweinefleisch) und Trad. (Exodusgeschichte). 2. in gewaltsamen Auseinandersetzungen, bes. in pogromartigen Ausschreitungen gegen Juden in der Diaspora (wie z. B. in Alexandria 38 n. Chr. oder während des jüd. Aufstandes 66–70 n. Chr.). Das Nachleben des ant. A. wird entsprechend in der Rezeptionsgeschichte judenfeindlicher Schriften (wie z.B. denen des Apion oder des Tacitus) und in der Deutungsgeschichte der Konflikte zw. Juden und griech.-röm. Umwelt sichtbar.

## B. Frühes Christentum

Die christl. Wertung des J. ist durch die Spannung zw. identifizierender Nähe und polemischer Distanz charakterisiert: einerseits werden die Juden bis zum Kommen Christi als Träger der göttl. Heilsgeschichte und als solche gegenüber den Heiden als das auserwählte Volk angesehen; andererseits gelten sie wegen der Ablehnung des Messias als verworfen, aus dem göttl. Heilsplan enterbt und durch die Kirche als dem wahren Israel abgelöst. Dieser Widerspruch zeigt sich auch in der christl. Beurteilung des ant. Antisemitismus. In ihrer Polemik gegen das Heidentum griffen christl. Autoren wie Origines, Tertullian oder Eusebius auf die Trad. jüd. Apologetik, insbesondere auf Ios. c. Ap., zurück [35]. Tertullian z. B. entlarvte die taciteische Behauptung, die Juden verehrten einen Eselskopf (Tac. hist. 5,4,2), als widersinnig und verspottete Tacitus als geschwätzigen Lügner (Tert. apol. 16,1–3). Da die pagane Polemik nicht zw. Juden und Christen differenzierte, sahen christl. Apologeten sich gezwungen, auch gegen das J. gerichtete Verleumdungen zu widerlegen. Diese Konstellation hat es für das frühe Christentum wesentlich erschwert, in affirmativer Weise an die Trad. der ant. Judenfeindschaft anzuknüpfen. Selbst wo einzelne Topoi und Motive des vorchristl. A. aufgegriffen wurden, standen diese in einem neuen, theologisch fundierten Begründungszusammenhang [41]. Das Wertungsmuster, das die Gemeinsamkeit des jüd.-christl. Monotheismus gegenüber dem heidnischen Polytheismus akzentuierte, erwies sich bis in die Neuzeit hinein als wirkungsvoll. Noch für Ranke stellte sich die Differenz zw. J. und Hell. als Kampf zw. Monotheismus und Idololatrie dar [22. 154].

Auf der anderen Seite erhöhte die gemeinsame Frontstellung gegen das Heidentum die Notwendigkeit zur Abgrenzung gegenüber dem Judentum. Diese vollzog sich in Form einer Geschichtskonstruktion, die den Erwählungsverlust der Juden beglaubigen sollte: Christl. Autoren deuteten die kriegerischen Auseinandersetzungen zw. Juden und griech.-röm. Umwelt im 1. Jh. n. Chr. als Strafgericht Gottes an seinem ungehorsamen Volk und als sichtbares Zeugnis für die Verwerfung der Juden (zu den alexandrinischen Pogromen 38 n. Chr.: Euseb. hist. eccl. 2,5,6; Oros. hist. adv. pag 7,5,6; zur Tempelzerstörung 70 n. Chr.: Euseb. hist. eccl. 2,6,8; zusammenfassend: [34]).

## C. Aufklärung und Neuhumanismus

Eine Wiederaufnahme zentraler Argumente des ant. A. findet sich, vorbereitet durch die Bibelkritik des 17. Jh. (v. a. Spinozas [32]), in der Religionspolemik der Aufklärung. Da das AT als Grundlage kirchlicher Deutungs- und Machtansprüche fungierte, wurde das J. zum Hauptangriffsziel im Kampf gegen Klerikalismus, Of-

fenbarungsreligion und providentielles Geschichtsverständnis. Die deistische Polemik gegen das AT kritisierte die biblische Überlieferung als unzuverlässig und unglaubwürdig; die Bestimmungen der jüd. Religion als abergläubisch, fanatisch und menschenfeindlich, die at. Helden als unmoralisch und grausam; die Juden im Vergleich zu anderen Völkern (wie z.B. den Chinesen, Ägyptern, Griechen oder Römern) als ungebildet und kulturell minderwertig. Hauptvertreter dieser antijudaistisch akzentuierten Religionskritik ist Voltaire, der in seinem Werk häufig auf einzelne Topoi des ant. A. (Misanthropie, kultureller Plagiarismus) zurückgriff, um die jüd. Religion herabzusetzen [36. 303–306]. Eine bes. Bed. hat dieses Wertungsmuster in seiner neuhuman. Ausprägung gewonnen, in der das J. als negatives Gegenbild zum klass. Ideal der Griechen und Römer erschien. Gibbon schilderte die ant. Juden als Störenfriede, die die rel. Harmonie der alten Welt mißachten, indem sie sich weigern, andere Religionen als grundsätzlich gleichberechtigt zu respektieren. Entsprechend erregen sie im Alt. nur ›Ekel‹ und ›Abneigung‹ ([10. 2,3–7] mit Berufung auf Tac. hist. 5). Gibbons kritische Darstellung des ant. J. zielte letztlich gegen die »Intoleranz« und den »Fanatismus« des Christentums und deren negative Auswirkungen auf die abendländische Geschichte. Bildete dabei das Ideal der weltlichpolit. Kultur Roms den Beurteilungsmaßstab, so stand im dt. Neuhuman. das Vorbild der Griechen im Mittelpunkt. Die antithetische Gegenüberstellung von griech. und jüd. Geist prägte die Religionsphilos. des jungen Hegel: Während bei den Griechen eine harmonische Einheit zw. Mensch, Welt/Natur und Religion besteht, ist das J. durch Trennung und Absonderung charakterisiert. Es entwertet die Natur zugunsten eines abstrakten Gottes, mit dessen Hilfe es Natur und Welt zu beherrschen sucht. Notwendige Konsequenz dieser Absonderung ist eine durch Haß und Feindschaft geprägte Umweltbeziehung: Die ›Seele der jüdischen Nationalität‹ ist das ›odium generis humani‹ ([13. 293] mit Bezug auf Tac. ann. 15,44). Hegels Kritik richtete sich vorrangig gegen das J. als Mutterreligion des Christentums, als eigentliche Wurzel für die Entfremdung, Partikularität und Transzendenz des mod. Menschen [39. 30–33; 44. 35–45].

Die Beurteilung des Antijudaismus der Aufklärung ist in der Forsch. umstritten. Während Hertzberg in der Wiederaufnahme von Argumenten des ant. A. eine folgenreiche Transformation und Säkularisierung der trad. rel. Judenfeindschaft erkennt und Voltaire die einflußreiche Rolle als Vermittler zw. paganem und mod. A. zuschreibt [36. 10], betonen andere Autoren den in erster Linie gegen das Christentum – und nicht etwa gegen die zeitgenössischen Juden – zielenden Charakter der antijudaistischen Argumentation [39. 7–13; 42]. Übereinstimmung besteht darüber, daß das aufklärerische und neuhuman. Wertungsmuster einen bestimmenden Einfluß sowohl auf die philos. → Religionskritik als auch auf die liberale Historiographie des 19. Jh.

ausgeübt hat. Die judenfeindlichen Urteile ant. Autoren fanden bes. bei solchen Schriftstellern und Philosophen eine positive Aufnahme, die J. und Christentum zugunsten der klass. Welt der Griechen und Römer radikal abwerteten. Friedrich Nietzsche z. B. berief sich in *Jenseits von Gut und Böse* [20. Nr. 195] auf Tacitus' (in Wirklichkeit: Ciceros) Ausspruch, die Juden seien zur Sklaverei geboren (Cic. prov. 5,10), um seine These, daß die Juden den Sklaven-Aufstand der Moral in der abendländischen Geschichte begonnen haben, zu beglaubigen [33; 44. 139–166].

In der liberalen Geschichtsschreibung des 19. Jh. erschien das ant. J. als Paradigma einer Fehlentwicklung, die in dem Primat der Religion über Staat und Politik begründet lag [37. 281]. Die Konflikte zw. Juden und griech.-röm. Umwelt wurden entsprechend auf den ›Fanatismus‹ der jüd. Theokratie zurückgeführt [17], durch den Gegensatz zw. ›jüd. Kirchenstaat‹ und röm. ›weltlichem Großstaat‹ [19. V, 542] erklärt, oder aus dem Partikularismus einer ›exklusiven Sekte‹ [18. II, 32] abgeleitet. Der ant. A. erschien dabei als notwendige Folge jüd. Religionsausübung und der mit ihr vermeintlich substantiell verbundenen Provokation gegenüber Andersgläubigen (Absonderung, Hochmut, Verweigerung der Tischgemeinschaft) [18. II, 26–35]. Eine solche einseitige Interpretation, die die jüd. Missionserfolge im Alt. völlig vernachlässigte, zielte häufig gegen kirchliche Einflüsse in der zeitgenössischen Gesellschaft des 19. Jh. (z. B. im antikatholischen Kulturkampf) und bezog aus diesen Auseinandersetzungen ihre polemische Schärfe [37. 155–159].

### D. NATIONALISMUS UND MODERNER ANTISEMITISMUS

Im 19. Jh. wurde die Rezeption des ant. A. in Deutschland zunehmend durch die polit. Debatte zur »Judenfrage«, d. h. zur Stellung der jüd. Minderheit in der mod. Gesellschaft, bestimmt. Gegen die These der liberalen Emanzipationsbefürworter, der Judenhaß sei nichts weiter als ein zu überwindendes christl. Religionsvorurteil, führten die nationalistischen Gegner jüd. Gleichstellung (wie Friedrich Rühs) und die intellektuellen Sympathisanten des sich in den 1870er J. formierenden mod. A. (wie Heinrich v. Treitschke) den vermeintlich universal verbreiteten ant. A. ins Feld. In der von ihm 1879 ausgelösten Debatte (»Berliner Antisemitismusstreit«) berief Treitschke sich auf Tacitus und andere ant. Schriftsteller, um zu demonstrieren, daß der abendländische Judenhaß viel älter sei als der christl. Antijudaismus, daß er sozusagen essentiell zum okzidentalen Selbstverständnis gehöre und nicht einfach als rel. Vorurteil abgetan werden könne [5. 14, 39]. Damit versuchte Treitschke, der neuen säkularen Judenfeindschaft im human. gebildeten Bürgertum eine histor. Legitimation zu verschaffen. Andere Autoren sind ihm darin gefolgt. Der ant. A. wurde nach 1880 zu einem Thema, das in zahlreichen wiss. und populären Abhandlungen Verbreitung fand. Dabei wurden häufig die Motive und Wertungsmuster der Gegenwart zuerst in die ant. Geschichte zurückprojiziert, um dieser dann als schlagender Beweis für eine »ewige Judenfrage« wieder entnommen zu werden [38. 233–236; 43. 326–332]. Die modernistische Deutung ist in den Darstellungen zur Judenhetze in Alexandria (38 n. Chr.) bes. ausgeprägt: Obwohl es dafür keine Belege in den Quellen gab, gingen die meisten Autoren wie selbstverständlich davon aus, daß die Juden Alexandrias durch ihren Reichtum und ihr unredliches Geschäftsgebaren allg. verhaßt waren [4. 28 f., 45 f.; 25. 37]. Auch der Widerspruch zwischen jüd. Gleichberechtigungsansprüchen und fortdauernder nationaler Sonderstellung (»Staat im Staate«) wurde akzentuiert [4. 46 f.]. Der ant. A. wurde dabei auf nationale, ethnische oder rassische Spannungen zurückgeführt. Er war, wie es ein Autor in direkter Übernahme einer Treitschkeschen Wendung formulierte, eine brutale und gehässige, aber ›natürliche Reaction‹ des hell. Volksgefühls gegen ein fremdes Element‹, das in seinem Leben einen allzu breiten Raum eingenommen hatte [4. 79]. Die persuasive Funktion dieser Interpretation in der zeitgenössischen Diskussion zur »Judenfrage« ist klar ersichtlich: Wenn die Juden überall dort, wo sie in der Weltgeschichte auftraten, zum Gegenstand von Verachtung, Haß und Verfolgung geworden sind, dann muß die Ursache dafür bei ihnen selbst – und nicht in einem christl. Religionsvorurteil – liegen. Der Judenhaß wurde entsprechend pauschal aus der (negativen) Eigenart des J. abgeleitet (›substantieller Erklärungstypus‹ des ant. A. [37. 224–227]). In Einzelfällen konnte diese Interpretation direkt zur polit. Unterstützung des mod. A. propagandistisch instrumentalisiert werden [5. 39; 29]. In der dt. Altertumswiss. bildete eine offene Parteinahme für den A. vor 1933 jedoch die Ausnahme [37. 197, 222–228]. Bestimmend für die Vorherrschaft des substantiellen Erklärungsmusters war vielmehr eine ethnozentrische Weltsicht, die den Konflikt zw. nationalen Gruppen als unvermeidlich ansah, die judenfeindlichen Äußerungen einzelner ant. Autoren als pars pro toto nahm und als authentischen Ausdruck des griech. bzw. röm. Volksgefühls wertete [18. II, 353 f.]. Daß eine solche Interpretation nicht notwendigerweise antisemitisch akzentuiert sein mußte, zeigt ihre spätere Übernahme durch zionistische Historiker, die den A. als notwendige Konsequenz jüd. Fremdheit in der Diaspora erklärten [27. 358].

Diesem suggestiven nationalistischen Deutungsschema gegenüber waren differenzierende Darstellungen, die die Wirkungsmacht des ant. A. unter Hinweis auf den jüd. Proselytismus im Alt. (»Philosemitismus«) relativierten [31], deutlich in der Minderzahl. Eine ›funktionale Erklärung‹ [37. 224–226], die den ant. Judenhaß nicht einfach aus dem »Wesen« oder der »Fremdheit« des J. deduzierte, sondern auf konkrete – polit., wirtschaftliche, soziale und kulturelle – Faktoren zurückführte, findet sich vor 1945 v. a. bei jüd. Altertumswissenschaftlern. Isaak Heinemann unterschied drei Konfliktherde (den syr., den ägypt., den röm.), in denen es im klass. Alt. zu polit. Kämpfen zw. Juden und Nichtjuden kam, und ordnete die Ausformung des lit. A. diesen Auseinandersetzungen zu [14; 15]. Dabei kam er zu dem Ergebnis, daß die machtpolit. Konflikte das Primäre, die judenfeindlichen Urteile aber eine Funktion dieser Kämpfe waren. In seiner Sicht lag in der bloßen Gruppendifferenz zw. Juden und Nichtjuden noch kein hinreichender Grund für die Entstehung von Konflikten. Erst durch reale (polit. oder wirtschaftliche) Machtkämpfe und Interessengegensätze wurde die rel.-kulturelle Differenz der Juden bedeutsam, weil sie nun propagandistisch instrumentalisiert werden konnte [14. 85]. In ähnlicher Weise interpretierte Elias Bickermann die Entstehung der antisemitischen Topoi vom Ritualmord und vom Eselskult als Maßnahme seleukidischer Propaganda zur ideologischen Rechtfertigung der Verfolgung des Antiochos IV. Epiphanes gegen die Juden [2]. Der ant. A. erschien dabei als ein in konkreten histor. Situationen entstandenes und durch spezifische Interessen genährtes Vorurteil. Die gängige These, derzufolge A. im Alt. als natürlicher Ausdruck von Nationalgegensätzen universal verbreitet und gleichbleibend virulent war, sollte durch Historisierung des A. widerlegt bzw. relativiert werden.

E. NATIONALSOZIALISMUS

Da der rassistische A. eine der tragenden Säulen nationalsozialistischer Ideologie darstellte, wurde die ant. »Judenfrage« in der dt. Altertumswiss. zw. 1933 und 1945 unter antisemitischen Vorzeichen thematisiert [37. 246–279]. In Fortführung und Radikalisierung des substantiell-nationalistischen Deutungsmusters erschienen die Auseinandersetzungen zw. Juden und griech.-röm. Umwelt nun als erste Phase eines bis in die Gegenwart reichenden »Rassenkonfliktes«. Dabei wurde die Artverwandtschaft zw. klass. Alt. und dt. Kultur beschworen [6. 82 f.]. Die Darstellungen zum ant. J. verbanden die judenfeindlichen Topoi ant. Autoren mit den Klischees antisemitischer nationalsozialistischer Hetzpropaganda. Ein Beispiel dafür ist der Band zum ant. Welt-J., den der Neutestamentler Gerhard Kittel und der Rassenforscher Eugen Fischer 1943 in der Reihe *Forschungen zur Judenfrage* publizierten [8]. Unter Überschriften wie *Die jüd. Ausbreitung über die ant. Welt, Rassenreinheit und Rassenmischung, Der Assimilationsjude, Der Geschäftsjude – Einfluß und Beziehungen, Die Menschenfeinde* präsentierten sie – häufig aus dem Zusammenhang gerissene – ant. Quellentexte und akzentuierten so die vermeintliche jüd. Minderwertigkeit (»Degeneration durch Rassenmischung«), Schädlichkeit (»parasitäre Existenz«) und Gefährlichkeit (»Streben nach Weltherrschaft«, »rassische Zersetzung des fremden Volkskörpers«). In der rassistischen Weltsicht erschien der ant. A. als zu schwach, um die rassische Durchsetzung des röm. Reichs aufhalten zu können. Der Untergang Roms wurde entsprechend auf die mangelnde ›rassische Abwehrkraft‹ gegenüber der ›Verjudung der alten Welt‹ zurückgeführt [8; 21. 6]. Eine solche Interpretation, die das Ende des Alt. als warnendes Exempel anführte, konnte der radikalen Judenpolitik des »Dritten Reiches« als histor. Legitimation dienen.

F. AUSBLICK

Der Überblick über die Deutungsgeschichte zeigt, daß das Judenbild des vorchristl. Alt. in der Neuzeit v. a. in zwei Diskurszusammenhängen aufgegriffen wurde: religionskritisch als Beleg für die Menschenfeindlichkeit und Kulturlosigkeit der jüd. Religion (und damit indirekt des Christentums), polit. zur Legitimation des mod., nicht rel. sondern ethnisch-rassistisch argumentierenden Antisemitismus. In beiden Fällen war das Bild der ant. Judenfeindschaft durch die spezifischen Argumentationsabsichten der Gegenwart bestimmt und entsprechend undifferenziert. Die Beziehungen des klass. Alt. gegenüber den Juden wurden einfach mit A. gleichgesetzt. Diese pauschale Sichtweise ist von der Forsch. bes. seit 1945 auf verschiedene Weise dekonstruiert worden: Die kritische Aufarbeitung der Deutungsgeschichte des ant. A. führte zu einer größeren Distanz gegenüber mod. Anschauungskategorien und Beurteilungsmustern [3. 36–48; 16. 263 ff.]. Die wiss. Edition aller vorchristl. Zeugnisse zu Juden und J. [26] erlaubte einen neuen Blick auf das breite Spektrum der ant. Urteile und relativierte die Bed. des ant. A. [7; 9]. Hinzu kam die quellenkritisch fundierte Erkenntnis, daß viele der ant. Zeugnisse zu Juden und J. sich einer eindeutigen Klassifikation als philo- bzw. antisemitisch entziehen und die diesbezügliche Rubrizierung durch Iosephos Flavios in *contra Apionem* nicht immer zuverlässig ist ([11. 41–72] mit Bezug auf die Exodusgeschichte). Schließlich wurde der funktionale Interpretationsansatz Heinemanns, der die Ursprünge des ant. A. in den polit.-sozialen Konflikten zw. Juden und Umwelt verortet hatte, aufgegriffen und in Detailstudien angewandt [1; 9; 24]. Während die Anfänge des ant. A. in diesen Studien relativ spät angesetzt (seleukidisch bzw. röm. Herrschaft) und seine Auswirkungen eher zeitlich und lokal begrenzt gesehen werden, hält die kulturalistisch argumentierende Gegenposition an der Kontinuitätsthese fest und rekonstruiert eine wirkungsmächtige Traditionskette des ant. A. von seinen ägypt. Ursprüngen im 3. vorchristl. Jh. (Manetho) über die seleukidische Propaganda des 2. Jh. v. Chr. bis hin zu röm. Autoren wie Tacitus [23]. Es ist zu erwarten, daß die wiss. Diskussion über Ursprung, Stärke, Verbreitung und Eigenart des ant. A. (im Unterschied zum ma. und mod. A.) weiter anhalten wird, zumal außerwiss. Vorannahmen bei diesem strittigen Thema nicht auszuschließen und definitive Antworten aufgrund der begrenzten Quellenlage nicht zu erwarten sind.

→ Faschismus; Kabbala; Nationalsozialismus

→ AWI Alexandreia; Antiochos [6] IV. Epiphanes; Antisemitismus; Iosephos [4] Flavios; Judentum; Literatur (IV. jüdisch-hellenistisch); Philon; Tacitus

QU 1 W. BERGMANN, C. HOFFMANN, Kalkül oder »Massenwahn«? Eine soziologische Interpretation der antijüd. Unruhen in Alexandria 38 n. Chr., in: R. ERB, M. SCHMIDT (Hrsg.), A. und jüd. Gesch. Stud. zu Ehren von

Herbert A. Strauss, 1987, 15–46 **2** E. J. BICKERMANN, Ritualmord und Eselskult. Ein Beitr. zur Gesch. ant. Publizistik, MGWJ 71, 1927, 171–187; 255–264 **3** Ders., Der Gott der Makkabäer, 1937 **4** A. BLUDAU, Juden und Judenverfolgungen im alten Alexandria, 1906 **5** W. BOEHLICH (Hrsg.), Der Berliner A.-Streit, 1965 **6** H. BOGNER, Die Judenfrage in der griech.-röm. Welt, in: Forsch. zur Judenfrage 1, 1937, 81–91 **7** L. H. FELDMAN, Jew and Gentile in the Ancient World, 1993 **8** E. FISCHER, G. KITTEL, Das ant. Weltjudentum, 1943 **9** J. G. GAGER, The Origins of Anti-Semitism. Attitudes towards Judaism in Pagan and Christian Antiquity, 1983 **10** E. GIBBON, The History of the Decline and Fall of the Roman Empire (1776ff.), 7 Bde., 1909–1914 **11** E. GRUEN, Heritage and Hellenism. The Reinvention of Jewish Trad., 1998 **12** A. HAUSRATH, Neutestamentliche Zeitgesch., 3 Bde., Heidelberg 1868–74 **13** G. W. F. HEGEL, Der Geist des J. (1798–1800) in: Werke in 20 Bden., Bd. 1, 1971, 274–297 **14** I. HEINEMANN, Ursprung und Wesen des A. im Alt., in: Festgabe zum zehnjährigen Bestehen der Akad. für die Wiss. des J. 1919–1929, 1929, 76–91 **15** Ders., A., RE-Suppl. 5, 1931, 3–43 **16** A. KASHER, The Jews in Hellenistic and Roman Egypt: The Struggle for Equal Rights, 1985 **17** H. LEO, Vorlesungen über die Geschichte des jüd. Staates, Berlin 1828 **18** E. MEYER, Ursprung und Anf. des Christentums, 3 Bde., 1921–23 **19** T. MOMMSEN, Röm. Gesch., Bd. 1–3, Berlin 1854–56, Bd. 5, Berlin 1885 **20** F. NIETZSCHE, Jenseits von Gut und Böse, Leipzig 1886 **21** H. OPPERMANN, Der Jude im griech.-röm. Alt., 1943 **22** L. v. RANKE, Weltgeschichte, Bd. 2, Leipzig 1882 **23** P. SCHÄFER, Judeophobia. Attitudes toward the Jews in the Ancient World, 1997 **24** D. SCHWARTZ, Antisemitism and Other -isms in the Greco-Roman World, in: R. WISTRICH (Hrsg.), Demonizing the Other: A., Racism, and Xenophobia, 1999, 73–87 **25** F. STAEHELIN, Der A. des Alt. in seiner Entstehung und Entwicklung, 1905 **26** M. STERN (Hrsg.), Greek and Latin Authors on Jews and Judaism, 3 Bde., 1974–1984 **27** V. TCHERIKOVER, Hellenistic Civilization and the Jews, 1959 **28** VOLTAIRE, Œuvres complètes, 52 Bde., hrsg. v. L. MALLON, Paris 1877–85 **29** H. WILLRICH, Die Entstehung des A., in: Deutschlands Erneuerung 5, 1921, 472–483 **30** Z. YAVETZ, Judeophobia in Classical Antiquity: A Different Approach, JJS 44, 1993, 1–22 **31** K. ZACHER, A. und Philosemitismus im klass. Alt. in: Preussische Jb. 94, 1898, 1–24

LIT **32** R. BLOCH, Der Judenexkurs des Tacitus im Rahmen der ant. Ethnographie. Lit. Form, histor. Kontext, Rezeptionsgesch., 2000/2001 **33** H. CANCIK, H. CANCIK-LINDEMAIER, Phillhellénisme et antisémitisme en Allemagne. Le cas Nietzsche, in: D. BOUREL, J. LE RIDER (Hrsg.), De Sils-Maria à Jérusalem. Nietzsche et le judaïsme – Les intellectuels juifs et Nietzsche, 1991, 21–46 **34** H. M. DÖPP, Die Deutung der Zerstörung Jerusalems und des zweiten Tempels im J. 70 in den ersten drei Jh. n. Chr., 1998 **35** H. E. HARDWICK, Contra Apionem and Christian Apologetics, in: L. H. FELDMANN, J. R. LEVISON (Hrsg.), Josephus' Contra Apionem, 1996, 369–402 **36** A. HERTZBERG, The French Enlightenment and the Jews, 1968 **37** C. HOFFMANN, Juden und J. im Werk dt. Althistoriker des 19. und 20. Jh., 1988 **38** Ders., Gesch. und Ideologie: Der Berliner A.-Streit 1879/81, in: W. BENZ, W. BERGMANN (Hrsg.), Vorurteil und Völkermord. Entwicklungslinien des A., 1997, 219–251 **39** H. LIEBESCHÜTZ, Das J. im dt. Geschichtsbild von Hegel bis Max Weber, 1967 **40** T. NIPPERDEY, R. RÜRUP, A., in: Geschichtliche Grundbegriffe 1, 1972, 129–153 **41** H. SCHRECKENBERG, Die christl. Adversus-Judaeos-Texte und ihr lit. und histor. Umfeld (1.–11. Jh.), 1982 **42** B. E. SCHWARZBACH, The Jews and the Enlightenment Anew, in: Diderot Studies 16, 1973, 361–374 **43** H.-G. WAUBKE, Die Pharisäer in der protestantischen Bibelwiss. des 19. Jh., 1998 **44** Y. YOVEL, Dark Riddle: Hegel, Nietzsche, and the Jews, 1998.       CHRISTHARD HOFFMANN

## II. WISSENSCHAFTSGESCHICHTE

A. GEGENSTANDSBEREICH
B. PROTESTANTISCHE BIBELWISSENSCHAFT
C. KLASSISCHE ALTERTUMSWISSENSCHAFT
D. WISSENSCHAFT DES JUDENTUMS
E. AUSBLICK NACH 1945

### A. GEGENSTANDSBEREICH

Die wiss. Erforsch. des ant. J. und seiner Quellen geht in Ansätzen bis zur → Renaissance und zum Humanismus zurück, als einzelne christl. und jüd. Gelehrte, wie z. B. Johannes Reuchlin, Azarja dei Rossi oder Baruch Spinoza, damit begannen, hebräische Texte zu edieren bzw. die jüd. Trad. gegen den Widerstand der Glaubensorthodoxie zum Gegenstand quellenkritischer Studien zu machen [19; 39]. Doch erst zu Beginn des 19. Jh., mit dem Aufschwung des Historismus und der Verankerung des histor.-kritischen Paradigmas als verbindlicher Basis wiss. Erkenntnis, entstand die mod. jüd. Wissenschaft. Trotz der Gemeinsamkeit der angewandten Methoden institutionalisierte sich die Forsch. zum ant. J. in verschiedenen akad. Disziplinen, die jeweils eigene Erkenntnisinteressen verfolgten. Diese verschiedenen Ansatzpunkte und Wertungsmuster sollen im folgenden in ihren Grundzügen skizziert werden.

### B. PROTESTANTISCHE BIBELWISSENSCHAFT

Die kritische Forsch. zum ant. J. war im 19. Jh. weitgehend eine Domäne der dt. protestantischen Bibelwissenschaft. Einflußreich für das Bild und die Bewertung des ant. J. wurden v. a. die Ergebnisse der Pentateuchkritik, die Julius Wellhausen im letzten Drittel des 19. Jh. nach Vorarbeiten von anderen wiss. untermauerte und gegen seine Kritiker durchsetzte. Der quellenkritische Befund, daß wesentliche Teile des Pentateuchs erst kurz vor dem babylonischen Exil bzw. in nachexilischer Zeit im Sinne der jüd. Theokratie bearbeitet worden waren (Priesterkodex), führte zu einem neuen Bild der israelitischen Frühzeit und zu einer deutlichen Trennung zw. »Israel« und dem »J.«, die mit einer Wertung verbunden war: der Hochschätzung der Königszeit und der Propheten stand die Abwertung des J. als »Gesetzesreligion« gegenüber [19. 255–274; 20; 21. 245–268]. In der sich zu einer eigenen Teildisziplin entwickelnden nt. Zeitgeschichte wurden J. und Hell. in ihrem Einfluß auf das entstehende Christentum in den Blick genommen. Emil Schürers zuerst 1874, dann 1886–1890 dreibändig publizierte *Geschichte des jüd. Volkes im Zeitalter Jesu Christi* kann aufgrund ihrer Vollständigkeit,

Sachlichkeit und gelungenen Disposition noch heute als Standardwerk gelten und hat in den 1970er Jahren eine englischsprachige Neubearbeitung erfahren [28]. Trotz der unbestreitbaren Forschungsleistungen der dt. Bibelwiss. hat sie – im Unterschied zur angloamerikanischen Forsch. (George Foot Moore, Robert Travers Herford) – eine Tendenz zu einseitiger Wahrnehmung und grundsätzlich negativer Bewertung des ant. J. nur selten überwinden können. Bes. das Klischee eines in Gesetzlichkeit erstarrten »Spät-J.« und das pointiert negative Pharisäerbild, vor denen sich das Christentum positiv abheben konnte, sind bis weit in das 20. Jh. hinein wirksam geblieben [10; 17; 35]. Es war nicht zuletzt diese antijudaistische Trad., die eine prominente Beteiligung protestantischer Bibelwissenschaftler (v. a. Georg Bertram, Walter Grundmann, Gerhard Kittel, Karl Georg Kuhn) an antisemitischen Forschungsprojekten während des »Dritten Reiches« begünstigt hat [12; 16. 246–279; 33; 36]

Die christl. geprägten, durchweg negativen Beurteilungsmuster gegenüber dem ant. J. finden sich auch bei solchen Gelehrten, die nicht eigentlich der Bibelwiss. zugehörten, sondern einen religionsgeschichtlichen (Wilhelm Bousset, Eduard Meyer) bzw. religionssoziologischen (Max Weber) Ansatz vertraten [21; 25; 30; 35].

## C. KLASSISCHE ALTERTUMSWISSENSCHAFT

In der sich Anf. des 19. Jh. formierenden klass. Altertumswiss. nahm die Erforsch. des ant. J. nur eine Randstellung ein. Mit Berufung auf die Vorbildlichkeit der griech.-röm. Kultur und die erstrebte Einheitlichkeit des Gegenstandsbereichs hatte Friedrich August Wolf das J. als Untersuchungsgegenstand ausdrücklich ausgeschlossen: ›Die Hebräer haben sich nie so ausgebildet, daß man sie für eine gelehrte Nation halten könnte, daher sind sie so verschieden von den Griechen und Römern‹ [2. 8f.]. Ein solches Urteil über den geringen Bildungswert jüd. Kultur entsprach dem neuhuman. Selbstverständnis der Altertumswiss. und zielte gegen das traditionelle christl. Bildungskonzept, in dem das AT eine Vorrangstellung einnahm. Diese Abgrenzung wurde auch für die Althistorie bestimmend: Barthold Georg Niebuhr unterschied zw. einer ›theologischen‹ und einer ›philol.‹ Disposition der Alten Geschichte. Während erstere der Ordnung des AT folgt und die ›Geschichte aller Völker in Beziehung auf die Geschichte des jüd. Volks‹ setzt, stellt die letztere, der Niebuhr sich als Philologe verpflichtet fühlt, das griech. und röm. Alt. in den Mittelpunkt und berührt die jüd. Geschichte nur insofern, als sie in Beziehung zu diesem steht [1. 5f.]. Diese Schwerpunktsetzung ist für die Altertumswiss. charakteristisch geblieben. Von einer Ausnahme wie Eduard Meyer abgesehen, der in seiner universalhistor. Perspektive auch die orientalische und israelitisch-jüd. Geschichte in seine althistor. Forsch. einbezog [16. 133–189; 21. 269–301], beschränkte sich die altertumswiss. Beschäftigung mit dem ant. J. auf die Beziehungen und Konflikte zw. Juden und hell.-röm. Umwelt (3. Jh. v. Chr. – 2. Jh. n. Chr.). Das Gebiet des jüd. Hell. und seiner Lit. sowie des Judenbildes in der griech.-röm. Lit. wurde dabei überwiegend von jüd. Altertumswissenschaftlern bearbeitet (Jacob Bernays, Elias Bickermann, Theodore Reinach, Isaak Heinemann, Hans Lewy, Arnaldo Momigliano).

## D. WISSENSCHAFT DES JUDENTUMS

Die Anf. des 19. Jh. in Deutschland begründete Wiss. des J. (1819: Verein für Cultur und Wiss. der Juden) verband histor.-kritische Forsch. mit innerjüd. Reformbestrebungen und dem Anspruch auf jüd. Gleichberechtigung: ›[Die Juden] müssen sich und ihr Princip auf den Standpunkt der Wiss. erheben, denn dies ist der Standpunkt des Europ. Lebens. Auf diesem Standpunkte muß das Verhältniß der Fremdheit, in welchem Juden und J. bisher zur Außenwelt gestanden, – verschwinden‹ [3. 24]. Konzeptuell prägend war Leopold Zunz, der 1818 in seinem programmatischen Werk *Etwas über die rabbinische Litteratur* [4] den Ansatz und die Methodik der klass. Altertumswiss. auf das J. übertragen und damit die Philol. zur Basiswiss. gemacht hatte: Wie in der Altertumswiss. die klass. Quellen sollte in der Wiss. des J. die hebr. Lit. nach mod. philol.-kritischen Methoden bearbeitet werden. Die Unterscheidung nach hl. und profanen Quellen wurde aufgehoben, die gesamte Trad. als säkulare Nationallit. aufgefaßt. Zunz wollte die ausschließlich rel. Interpretation der hebräische Trad. durch eine umfassende wiss. Herangehensweise erweitern und ersetzen, um auf diese Weise den bisher unbekannten Beitr. des J. zur Menschheitskultur sichtbar zu machen [29]. Die Realisierung dieser weitreichenden Forschungspläne scheiterte jedoch daran, daß es nicht gelang, die Wiss. des J. an einer Univ. zu verankern oder ihr überhaupt einen festen institutionellen Rahmen zu geben. Zwar kam es in der zweiten H. des 19. Jh. zur privaten Gründung von akad. Rabbinerlehranstalten (Padua, Breslau, Paris, London, Berlin, Budapest, Wien, Cincinnati, New York), aber die von Zunz intendierte säkulare Orientierung der jüd. Wiss. und die angestrebte Verflechtung mit anderen akad. Disziplinen konnten in diesen theologischen Ausbildungsstätten, die jeweils einer konfessionellen Richtung (liberal, konservativ, orthodox) innerhalb des J. verpflichtet waren, nur in eingeschränktem Maße realisiert werden. Erst mit der Gründung der *Akad. für die Wiss. des J.* in Berlin (1919) [23] und des *Instituts für jüd. Studien* an der Hebräischen Univ. Jerusalem (1924) [24. 55–108] entstanden erstmals konfessionell ungebundene Forschungseinrichtungen.

Der Beitr. der jüd. Wiss. zur Erforsch. des ant. J. lag v. a. auf dem Gebiet rabbinischer Studien, bes. der Talmudforsch., die von Zacharias Frankel auf eine histor.-kritische Grundlage gestellt worden war [29. 255–265]. Daneben entwickelte sich auch der jüd. Hell. zu einem wichtigen Arbeitsgebiet, das in der Dozentur für Klass. Philol. am Jüd.-Theologischen Seminar in Breslau einen institutionellen Rückhalt hatte [27]. Eigenständige Arbeiten zur Bibelwiss. und insbesondere zum Pentateuch fehlten hingegen lange Zeit fast völlig, so daß die Wiss. des J. zwar die Einseitigkeiten der protestantischen

Forsch. auf diesem Gebiet kritisieren, ihnen aber kaum eigene Ergebnisse entgegensetzen konnte [5; 21. 128; 38. I, 25]. Die kritische Auswertung und Edition der 1896 in Kairo entdeckten Geniza-Texte, die u.a. auch für das spätant. J. wertvolle Erkenntnisse bereithielten, wurde zu einem Schwerpunkt der anglo-amerikanischen Wiss. des J. (Solomon Schechter). Unter nationalsozialistischer Herrschaft wurde die über 100jährige Trad. der Wiss. der Juden in Deutschland und Österreich durch die zwangsweise Auflösung der jüd. Rabbinerlehranstalten und durch die Verfolgung und Vertreibung jüd. Gelehrter vollständig zerstört. Der Schwerpunkt der jüd. Wiss. verlagerte sich nach Palästina/Israel und in die USA [18].

### E. AUSBLICK NACH 1945

Die Wissenschaftsentwicklung nach 1945 führte zu einer Verankerung des Faches Judaistik/Jüd. Studien als Universitätsdisziplin im Rahmen der philos.-histor. Fakultäten. Anders als ihre christl. und jüd. geprägten Vorläufer versteht sich die wiss. Judaistik heute als unabhängig von weltanschaulich-theologischen Prämissen. Ausgehend von Israel und den USA führte die universitäre Institutionalisierung der jüd. Wiss. in den 1960er J. auch zur Neugründung von judaistischen Instituten an deutschsprachigen Univ. (Köln, Wien, Frankfurt/M., Berlin). Seither sind v.a. in Nordamerika und Europa eine Fülle von universitären Forschungs- und Lehrzentren entstanden [7; 9; 34]. Fast zwei Jh. nachdem Zunz sein kühnes Konzept einer umfassenden Wiss. des J. erstmals formulierte, hat die Erforsch. des J. heute ihren festen Platz an den Univ. gefunden.

Die zweite Tendenz der gegenwärtigen Entwicklung liegt in der wachsenden interdisziplinären und internationalen Forschungszusammenarbeit. Waren die Beziehungen der protestantischen Bibelwiss. zur Wiss. des J. um 1900 noch durch arrogante Gesprächsverweigerung und polemische Abgrenzung charakterisiert [37], so haben sich die grundlegenden ideologischen Konflikte mit zunehmender Wissenschaftsorientierung, aber auch durch eine selbstkritische Aufarbeitung der christl. antijudaistischen Trad., wesentlich entschärft. Wiss. Großprojekte, wie z.B. die Auswertung der 1947 aufgefundenen Qumran-Texte, werden heute in internationaler und interdisziplinärer Arbeitsteilung durchgeführt. Auch innerhalb der klass. Altertumswiss. und der Althistorie findet das ant. J. größere Berücksichtigung als zuvor. Die Grenzen des Verständnisses liegen dabei weniger an ideologischen Prämissen als an der zunehmenden Spezialisierung und den Sprachvoraussetzungen, die eine engere Verbindung von klass. und rabbinischen Studien erschweren.

→ Faschismus; Nationalsozialismus

QU 1 B.G. NIEBUHR, Vorträge über Alte Gesch., Bd. 1, Berlin 1847 2 F.A. WOLF, Encyclopädie der Philol. (1798/99), Leipzig 1831 3 I. WOLFF, Ueber den Begriff einer Wiss. des J., in: Zschr. für die Wiss. des J. 1, 1822, 1–24 4 L. ZUNZ, Etwas über die rabbinische Lit. (1818), in: Ders., Gesammelte Schriften Bd. 1, Berlin 1875, 1–31

LIT 5 H.-J. BECHTOLDT, Die jüd. Bibelkritik im 19. Jh., 1995 6 J. BOLLACK, Jacob Bernays. Un homme entre deux mondes, 1998 7 M. BRENNER, S. ROHRBACHER (Hrsg.), Wiss. vom J. Annäherungen nach dem Holocaust, 2000 8 J. CARLEBACH (Hrsg.), Wiss. des J.: Anf. der Judaistik in Europa, 1992 9 S.J.D. COHEN (Hrsg.), The State of Jewish Studies, 1990 10 R. DEINES, Die Pharisäer. Ihr Verständnis im Spiegel der christl. und jüd. Forsch. seit Wellhausen und Graetz, 1997 11 B.Z. DINUR, s.v. Wiss. des J., Encyclopedia Judaica 16, 570–584 12 R.P. ERICKSEN, Theologians under Hitler, 1985 13 L.H. FELDMAN, Josephus and Modern Scholarship (1937–1980), 1984 14 A. FUNKENSTEIN, Perceptions of Jewish History, 1993 15 S. HESCHEL, Abraham Geiger and the Jewish Jesus, 1998 16 C. HOFFMANN, Juden und J. im Werk dt. Althistoriker des 19. und 20. Jh., 1988 17 K. HOHEISEL, Das ant. J. in christl. Sicht. Ein Beitr. zur neueren Forschungsgesch., 1978 18 R. JÜTTE, Die Emigration der deutschsprachigen »Wiss. des J.«. Die Auswanderung jüd. Historiker nach Palästina 1933–1945, 1991 19 H.-J. KRAUS, Gesch. der histor.-kritischen Erforsch. des AT, ³1982 20 U. KUSCHE, Die unterlegene Religion. Zur Kritik theologischer Geschichtsschreibung, 1991 21 H. LIEBESCHÜTZ, Das J. im dt. Geschichtsbild von Hegel bis Max Weber, 1967 22 A. MOMIGLIANO, Pagine ebraiche, 1987 23 D.N. MYERS, The Fall and Rise of Jewish Historicism: The Evolution of the Akademie für die Wiss. des J., in: Hebrew Union College Annual 63, 1992, 107–144 24 Ders., Re-Inventing the Jewish Past. European Jewish Intellectuals and the Zionist Return to History, 1995 25 K. MÜLLER, Das J. in der religionsgesch. Arbeit am NT, 1983 26 E. NICHOLSON, The Pentateuch in the twentieth century: the legacy of Julius Wellhausen, 1998 27 M.R. NIEHOFF, Alexandrian Judaism in 19th Century Wiss. des J.: Between Christianity and Modernization, in: [28. 9–28] 28 A. OPPENHEIMER (Hrsg.), Jüdische Gesch. in hell.-röm. Zeit, 1999 29 I. SCHORSCH, From Text to Context: The Turn to History in Mod. Judaism, 1994 30 W. SCHLUCHTER (Hrsg.), Max Webers Stud. über das ant. J. Interpretation und Kritik, 1981 31 E. SCHULIN, »Das geschichtlichste Volk«. Die Historisierung des J. in der dt. Geschichtswiss. des 19. Jh., in: Ders., Arbeit an der Gesch. Etappen der Historisierung auf dem Weg zur Moderne, 1997, 114–163 32 Y. SHAVIT, Athens in Jerusalem. Classical Antiquity and Hellenism in the Making of the Modern Secular Jew, 1997 33 L. SIEGELE-WENSCHKEWITZ, Christl. Antijudaismus und Antisemitismus: theologische und kirchliche Programme dt. Christen, 1994 34 G. STEMBERGER, s.v. Judaistik, TRE 7, 290–296 35 H.-G. WAUBKE, Die Pharisäer in der protestantischen Bibelwiss. des 19. Jh., 1999 36 F. WERNER, Das Judentumsbild der Spätjudentumsforsch. im Dritten Reich, in: Kairos 13, 1971, 161–194 37 C. WIESE, Wiss. des J. und protestantische Theologie im wilhelminischen Deutschland, 1999 38 K. WILHELM (Hrsg.), Wiss. des J. im dt. Sprachbereich, 2 Bde., 1967 39 Y.H. YERUSHALMI, Zakhor. Jewish History and Jewish Memory, 1982.

CHRISTHARD HOFFMANN

### III. INNERJÜDISCHE ANTIKENREZEPTION

Die Rezeption der klass. Ant. bzw. der klass. Kultur im J. bis zur Vollendung des Talmuds ist exemplarisch im Bereich der griech. Sprache zu erkennen. Das Griech. wurde bereits in der frühen hell. Epoche von Juden in der Diaspora, in gewissem Maße aber auch im Lande Israel (Erez Israel, Palästina), verwendet. In der jüd. Diaspora des griech. Sprachraums wurden sämtliche Dokumente offenbar in griech. Sprache abgefaßt. Selbst die Hl. Schriften wurden hier ins Griech. übertragen (*Septuaginta*). Lat. wurde von Juden in den westl. Gebieten des röm. Imperiums benutzt, in der späten Ant. in geringerem Umfang dann auch von Juden im Lande Israel [5]. In der Diaspora außerhalb der röm. Welt war die aramäische Sprache vorherrschend (Babylonischer Talmud). Aber auch im Lande Israel wurde der größere Teil der Lit. während der gesamten hier zugrundeliegenden Epoche in Hebräisch oder Aramäisch abgefaßt, wie z. B. die Qumran-Texte, Midraschim oder der Talmud Yerushalmi (»Palästinischer« oder »Jerusalemer« Talmud), etc. In hohem Maße von der griech. Umwelt und Kultur beeinflußt waren allerdings die materiellen Lebenswelten und der gewöhnliche Alltag im Judentum (Technologie, Architektur, Gebrauchsgegenstände).

Die wiss. Meinungen zur Rezeption griech. Kultur im J. reichen von maximalistischen Positionen, die ein rigoroses Vordringen griech. Kultur im J. betonen [3], bis zu einer minimalistischen Haltung, nach der die griech.-klass. und hell. Kultur nur wenige Spuren im Gesamtkorpus jüd. Lit. hinterlassen hat [9].

Im Hinblick auf die Inhalte beider Kulturen ist nach dem jetzigen Stand des Wissens davon auszugehen, daß nur wenige lit. Kompositionen im J. offensichtliche Spuren griech. und hell. Einflusses aufweisen (Philo Judaeus; Josephus Flavius, *Antiquitates I-II*). Das Hauptkorpus jüd. Lit. von der Mischna bis hin zu den Talmudim hat nur wenige Elemente aus dem gewaltigen Reichtum der griech. Kultur rezipiert.

Lit. Formen und Gattungen lassen allerdings eine rege Aufgeschlossenheit des J. gegenüber seiner Umwelt erkennen – jüd. Autoren der Ant. machen von klass. und hell. Gattungen durchaus umfassenden Gebrauch [9]. Diese Aufgeschlossenheit findet ihren Ausdruck jedoch häufig eher indirekt. So gestaltet der jüd. Tragödiendichter Ezechiel in der *Exagoge*, der Trag.

über den Auszug der Israeliten aus Ägypten, seinen Helden Moses in einer Traumvision in Anlehnung an die Figur Alexanders des Gr.: Wie Alexander vom Gott Ammon in der Oase Siwa Segen und Verheißung empfängt, so wird Mose auf dem Sinai einer entsprechenden Offenbarung gewürdigt. Hier soll offensichtlich eine kulturelle Symmetrie mit griechischen Kultursymbolen hergestellt werden, eine Symmetrie, die auf einer charakteristischen Gestalt der jüd. Myth. mit Wurzeln in Ägypten – Moses – basiert, das wiederum eine enge Beziehung zu Alexander und der Dynastie der Ptolemäer aufweist. Intention dieser Funktionalisierung myth. Typologien aber ist der verborgene Hinweis auf die jüd. Einwohner Ägyptens und ihre Integration in die hell. Kultur des Landes [10. 39–40].

→ AWI Diaspora; Septuaginta; Qumran; Rabbinische Literatur; Ezechiel; Iosephos [4] Flavios

1 G. ALON, Jews, Judaism and the Classical World. Stud. in Jewish History in the Times of the Second Temple and Talmud, 1977 2 G. DELLING, Die Begegnung zw. Hell. und J., in: ANRW II 20.1, 1987, 3–39 3 M. HENGEL, J. und Hell. Stud. zu ihrer Begegnung unter bes. Berücksichtigung Palästinas bis zur Mitte des 2. Jh. v. Chr., ³1988 4 J. GEIGER, Form and Content in Jewish-Hellenistic Historiography, in: Scripta Classica Israelica 8–9, 1985–86, 120–129 5 Ders., How much Latin in Greek Palestine?, in: H. ROSÈN (Hrsg.), Aspects of Latin. Papers from the Seventh International Colloquium on Latin Linguistics, Jerusalem, April 1993 (Innsbruck 1996), 39–57 6 S. LIEBERMAN, Greek in Jewish Palestine. Stud. in the Life and Manners of Jewish Palestine in the II-IV Centuries C. E., 1942 7 Ders., Hellenism in Jewish Palestine. Stud. in the Literary Transmission, Beliefs and Manners of Palestine in the Ist Century B. C. E.-IV Century C. E., 1950 8 Ders., How Much Greek in Jewish Palestine?, in: Ders., Texts and Stud., 1974, 216–234 9 D. MENDELS, Einl. zu Hermeneia 1 Makk (in Vorbereitung) 10 Ders., Jewish Identity in the Hellenistic Period (hebräisch), 1995.

DORON MENDELS/Ü: MATTHIAS SCHMIDT

**Jugendliteratur**  s. Kinder- und Jugendliteratur

# K

**Kabbala**  A. Einleitung  B. Kabbala als
Tradition und der Rekurs auf antike
Autoritäten  C. Die zweite Rezeption
jüdischer Mystik im Christentum
D. Die Fortführung im
19. und 20. Jahrhundert

## A. Einleitung

Mit K. (hebräisch: »Trad., Überlieferung«) wird eine
Strömung der jüd. Mystik bezeichnet, die im 12. Jh.
n. Chr. von Südfrankreich ihren Ausgang nahm und
bald das ganze Judentum beeinflußte. Die sich konservativ gebenden und auf die uralte Trad. rekurrierenden
Kabbalisten formten ältere Elemente vorwiegend platonischer, aber auch pythagoräischer Philos. in ein ko-
härentes System rel.-theosophischer Weltbetrachtung
um und griffen dabei auch Trad. der spätant. und ma.
Hekhalot-Mystik auf (zur Gesch. vgl. v. a. [23; 24; 19;
21]). In die Rezeptionsgeschichte der Ant. gehört die K.
nur indirekt hinein, da es sich in erster Linie um spekulative Bibelhermeneutik und eine pseudepigraphi-
sche Zurückdatierung jüngerer Schriften handelt, denen damit ein hohes Ansehen zukommen konnte.
Wichtig ist freilich die Wirkungsgeschichte der K. selber, die gleichsam als zweite Rezeption die europ. Geistesgeschichte – auch und bes. im Christentum – bis h.
wesentlich geprägt hat und im Kontext von Esoterik
und Mystik eine überragende Rolle spielt.

## B. Kabbala als Tradition und der Rekurs auf antike Autoritäten

Die ersten Kabbalisten, die im 12. Jh. in Südfrankreich zunächst geheim, später auch offen, bestimmte
mystische Geheimlehren verbreiteten, deren Inhalt aus
uranfänglichen Zeiten, letztlich von Adam her, durch
Auserwählte des Judentums trad. worden seien, nannten
sich *m'qûbbalîm*, d. h. »Angenommene, Adepten« bzw.
»jene, die die Trad. empfangen haben«. Der Inhalt ihrer
Lehre, die *qabbalah*, legte demnach von vornherein den
Schwerpunkt auf Trad. und alte geheime Weisheit sowie auf die Erhaltung der traditionellen Torah-Fröm-
migkeit. Dieser Zug war so stark, daß (teilweise bis h.)
kaum erkannt wurde, wie sehr die K. dem spätant.-ma.
Platonismus verbunden war, der bis in die Volksfröm-
migkeit hinein Gültigkeit besaß, wenn er auch zuvor nie
in dieser systematischen Weise in hebräischer Sprache
ausgestaltet gewesen war [25; 27]. Dies gilt für alle Werke der frühen und »klass. K.«, angefangen mit dem Buch
*Bahîr* (»Hellscheinendes Buch«), das gegen 1180 redigiert und Grundlage der zunehmend verschriftlichten
Lehre der K. wurde, über die Schriften des Joseph ben
Abraham Gikatilla (1248 – ca. 1325) aus Segovia (*Scha'arê
tsädäq* »Gerechtigkeitspforten«; *Scha'arê 'ôrah* »Licht-
pforten«, beide ca. 1293; *Ginnat 'ägôz* »Nussgarten«),
Abraham ben Samuel Abulafia (1240 – nach 1291) und
seine prophetische bzw. ekstatische K. bis hin zum kanonischen Werk *Sefär ha-Sôhar* (»Buch des Glanzes«).

Dieses komplexe Werk gibt sich formal als Pentateuch-
kommentar des Simon bar Jochai (2. Jh. n. Chr.), tatsächlich wurde es aber in weiten Teilen von Mose ben
Schemtov de Léon (gest. 1305) in Spanien verfasst. Die
Entstehungsgeschichte des Sohar, dessen erste Versionen gegen E. des 13. Jh. in künstlich-archaisierendem
Aram. in Umlauf kamen, ist kompliziert, die Anfänge –
auch mögliche Verbindungen zur provenzalischen Ka-
tharer- und Albigenserbewegung (→ Gnosis) – liegen
bislang im Dunkeln. Der Sohar besteht neben dem ersten Hauptteil zum Pentateuch aus einem zweiten Teil
(*Tiqqûnê ha-sôhar*) und einem dritten (*Sôhar ha-chadasch*),
der nach ersten Drucken aus Zit. zusammengestellt
wurde. Die Wirkung des Sohar war enorm, auch im
Christentum, wo das Buch v. a. durch die lat. Teilübers.
in Knorr von Rosenroths *Kabbala denudata* (1677/84)
bekannt wurde (Abb. 1).

Nach der Vertreibung der Juden aus Spanien, Portugal und Südfrankreich (ab 1492) verlagerte sich der
Schwerpunkt kabbalistischer Spekulation nach Palästina, wo in Safed ein bis h. aktives Zentrum etabliert wurde. Isaak Luria (1534–72) und seine Schule führten dort
u. a. die Kosmogenese, den sog. »Bruch der Gefäße« und
die (auch heilsgeschichtlich relevante) »Restauration«
der göttl. Bestandteile (*Tikkûn*) ins Lehrsystem ein. In
popularisierter Form wurde die lurianische K. später
vom osteurop. Chassidismus aufgegriffen [17].

## C. Die zweite Rezeption jüdischer Mystik im Christentum

Schon früh begann die K. auf christl. Denker aus-
zustrahlen, wobei die Florentiner Akademie des Marsilio Ficino ein wichtiger Knotenpunkt war. Hier studierte Pico della Mirandola (1463–94), der von einem
sizilianischen Konvertiten namens Flavius Mithridates
lat. Übers. der wichtigsten kabbalistischen Schriften erhielt und sie in ein grandioses Gesamtwerk einzuordnen
suchte [22]. In seinem Werk *De hominis dignitate* ( »Über
die Würde des Menschen«, 1486) stellt er die K. nicht
nur in eine Reihe mit den Vorsokratikern, den Pytha-
goräern, den »Mysterien des Orpheus und Zoroasters«
sowie der Ägypter, sondern er sieht in der jüd. Mystik
die eigentliche Wurzel des Katholizismus. Die kabbalistische Hermeneutik beweise nicht das Judentum, sondern das Christentum. Ähnliche Übertragungen finden
sich bei Johannes Reuchlin (1455–1522) und seinen
Werken *De verbo mirifico* (1494) und *De arte cabbalistica*
(1514/17), später bei Jakob Böhme (1575–1624) [26]
und – über die Luria-Kritik Henry Mores [11. 220–240]
– auch bei G. W. Leibniz [13; 10; 11. 308–329]. Für diesen Personenkreis und für das 17. Jh. insgesamt war die
Sohar-Übers. Knorr von Rosenroths (1639–89) ein entscheidender Stimulus, doch auch die Werke des Franciscus Mercurius van Helmont (1614–98), Sohn des berühmten Alchemisten und Paracelsusfreundes Johannes
Baptista van Helmont, prägten nachfolgende Genera-

Abb. 1: Frontispiz der Kabbala denudata von 1667 (Sulzbach)

tionen und sind ein zentraler Kristallisationspunkt von Esoterik und Aufklärung im 18. Jh. [11].

D. DIE FORTFÜHRUNG

IM 19. UND 20. JAHRHUNDERT

Der Sachverhalt, daß die K. im Westen fast ausschließlich über die christl. geprägten Übers. rezipiert wurde, trifft auch auf die Moderne zu. Darüber hinaus ist bemerkenswert, wie stark die K. auf Philos. und

christl. Theologie des 19. Jh. einwirkte, während ›die Welt der K. . . . der jüd. Aufklärung des 19. Jh. in der Tat verschlossen‹ war [23. 2]. In jenen emanzipierten Kreisen – auch und gerade in der sich etablierenden »Wiss. des Judentums« – wurde weniger der esoterisch-spekulative Charakter betont; K. stand hier für Häresie, für Sabbatianismus (etwa in Moses Mendelssohns *Jerusalem*, 1783) oder für die Rückständigkeit und geistige Vormoderne des Stetl (etwa in Salomon Maimons *Lebensgeschichte*, zwei Teile, 1792f.). Ganz anders bei christl. Romantikern: Ob Schelling das kabbalistische *Zimzum* als »Contraktion« Gottes von sich selbst in sich selbst zum Fundament seiner Philos. des lebendigen Gottes macht oder das »immanente Ensoph« in den Spinozismus Jacobis, Herders und Schellings Eingang findet [15; 16], stets zeigt sich die K. als geeignetes Instrument naturphilos., magischer, myth. oder pantheistischer Weltentwürfe.

Eine Rezeption der Ant. findet auch hier nur oberflächlich statt, nämlich erneut in der Einordnung der K. in die Entfaltungsgeschichte esoterischer Urwahrheiten der Pythagoräer, Ägypter und Zoroastrier, selbst bei wiss. Vertretern wie Adolphe Franck [14]. Im Grenzbereich von Philol., Philos. und Esoterik entwickelte sich diese Position weiter und bestimmte in großen Teilen das Bild der K. in Kreisen der Freimaurer, Rosenkreuzer, in der Theosophischen Gesellschaft, in der → Magie und den jeweiligen Nachfolgern im 20. Jh. [1; 2; 3; 6].

→ Judentum; Jerusalem

→ Okkultismus; Gnosis

QU **1** W.E. BUTLER, Practical Magic and the Western Mystical Tradition, 1986 **2** D.FORTUNE (V. FIRTH), Die mystische K. Ein praktisches System der spirituellen Entfaltung, ³1993 (engl. 1957) **3** S.L. MACGREGOR MATHERS, The Kabbalah Unveiled, 1926, Neuauflage 1991 **4** D.C. MATT, Das Herz der K. Jüd. Mystik aus zwei Jt., 1996 (engl. 1995) **5** A.RICHARDSON, Die Myst. K., Geheimnisse des Baums des Lebens, ³1987 **6** A.E. WAITE, The Holy Kabbalah, ⁴1965

LIT **7** E.BENZ, Die christl. K. Ein Stiefkind der Theologie, 1958 **8** PH.BEITCHMAN, Alchemy of the Word. Cabala of the Renaissance, 1998 **9** E.BISCHOFF, Die Elemente der K., 1913 **10** A.P. COUDERT, Leibniz und die Kabbalah, 1995 **11** Dies., The Impact of the Kabbalah in the Seventeenth Century. The Life and Thought of Francis Mercury van Helmont (1614–1698), 1999 **12** J.DAN, Jewish Mysticism and Jewish Ethics, ²1996 **13** S.EDEL, Die individuelle Substanz bei Böhme und Leibniz. Die K. als Tertium Comparationis für eine rezeptionsgesch. Unt., 1995 **14** A.FRANCK, Die K. oder die Religionsphilos. der Hebräer (1843), übers. von A. Jellinek, 1844, Neuauflage 1990 **15** E.GOODMAN-THAU U.A. (Hrsg.), K. und Romantik, 1994 **16** Dies. (Hrsg.), K. und die Lit. der Romantik. Zw. Magie u. Trope, 1999 **17** K.E. GRÖZINGER, J. DAN (Hrsg.), Mysticism, Magic and Kabbalah in Ashkenazi Judaism (Int. Symposium Frankfurt 1991), 1995 **18** S.HUTIN, La kabbale chrétienne de l'Ère baroque, in: A.FAIVRE, R.CHR. ZIMMERMANN (Hrsg.), Epochen der Naturmystik. Hermetische Trad. im wiss. Fortschritt, 1979, 157–168 **19** M.IDEL, Kabbalah. New Perspectives, 1988 **20** R.M. LESSES, Ritual Practices to Gain Power. Angels, Incantations, and Revelation in Early Jewish Mysticism, 1998 **21** J.MAIER, Die Kabbalah. Einf. – Klass. Texte – Erläuterungen, 1995 **22** K.REICHERT, Pico della Mirandola and the Beginnings of Christian K., in: [17. 195–207] **23** G.SCHOLEM, Die jüd. Mystik in ihren Hauptströmungen, 1957 **24** Ders., Zur K. und ihrer Symbolik, 1960 **25** Ders., Ursprung und Anf. der Kabbalah, 1962 **26** J.SCHULITZ, Jakob Böhme und die Kabbalah.

Eine vergleichende Werkanalyse, 1993 **27** M.D. SWARTZ, Scholastic Magic. Ritual and Revelation in Early Jewish Mysticism, 1996 **28** R.J. ZWI WERBLOWSKY, Magie, Mystik, Messianismus. Vergl. Stud. zur Religionsgesch. des Judentums und des Christentums, 1997.

KOCKU VON STUCKRAD

## Kairo, Ägyptisches Museum

A. GESCHICHTE
B. GEGENWÄRTIGE AUSSTELLUNG
C. PLÄNE FÜR EIN NEUES MUSEUM

### A. GESCHICHTE

Im J. 1835 wurde erstmals in Ägypten ein Firman (Dekret) für den Denkmalschutz erlassen, nachdem die Monumente des Landes über viele J. hinweg von einheimischen und ausländischen Schatzjägern geplündert und nach Europa verschickt worden waren. Der Gelehrte Refaa el Tahtawi wurde gleichzeitig von dem Wali (Gouverneur) Mohamed Ali beauftragt, ein Mus. für ägypt. Denkmäler unter seiner Aufsicht zu gründen und zwar im Ezbakiah Garden im Zentrum von Kairo. Nachdem das Mus. etwa 1850 vollständig mit Monumenten gefüllt war, fand der Staat einen anderen, größeren Bau für diese Schätze in der Zitadelle Saladins. Fünf J. später schenkte der Khedewi (Vizekönig) Abbas Pasha die ägypt. Sammlung Erzherzog Maximilian von Österreich.

Der frz. Archäologe Auguste Mariette, der seit 1850 in Ägypten Ausgrabungen durchgeführt hatte, wurde 1858 zum ersten Direktor der Ägypt. Altertumsverwaltung ernannt. Im J. 1863 errichtete Mariette ein neues Mus. im ehemaligen Hafen-Gebäude am Nilufer in Boulaq. Dieses Mus. war ständig durch Brände der Scheunen und Werkstätten im Hafen von Boulaq gefährdet. Im J. 1878 wurde es sogar bei einer bes. hohen Nilüberschwemmung überflutet, so daß viele Kleinfunde zerstört wurden oder verlorengingen. Als Mariette im J. 1881 starb, setzte man Gaston Maspero als seinen Nachfolger ein.

Im J. 1890 fand der Staat einen vorläufigen Aufbewahrungsort für die Denkmäler in einem Schuppen neben dem Palast des Vizekönigs Ismail Pascha in Giza, bis ein neues Mus. fertiggestellt werden konnte.

Im J. 1896 wurde ein weltweiter Wettbewerb für den Neubau des Mus. ausgeschrieben, für den mehr als 70 Entwürfe eingereicht wurden. Als geeignet wurde der des frz. Architekten Marcel Dourgnon ausgewählt. Bereits am 1.4.1897 konnte die Grundsteinlegung gefeiert werden. Der Grundriß des Mus. lehnt sich an die Grundrisse ägypt. Tempel des Neuen Reiches bzw. der Ptolemäer-Zeit an. Die Fassade aber und die inneren Galerien waren im neoklass. Stil gehalten. Während die Fassade mit Statuen, Verzierungen und Inschr. geschmückt ist, wurde die Empfangshalle mit einer großen Kuppel überdacht. Die aus 1,20 m dicken Wänden gebildeten Galerien sind untereinander verbunden und erlauben bequeme Rundgänge. Natürliches Licht und ausreichende Lüftung erhielten die Galerien durch die

Dachfenster im Obergeschoß und große Fenster im Erdgeschoß. Im Gebäude kam neben den traditionellen Baustoffen wie Marmor, Quarzit, Kalkstein, Eisen und Backstein erstmals für Ägypten auch Beton zum Einsatz. Bei seiner Einweihung am 15.11.1902 durch den Vizekönig Abbas Helmi enthielt es bereits fast 40 000 Exponate. Heute beherbergt das Ä. M. mehr als 160 000 Exponate, von denen etwa 10 Prozent gut ausgestellt sind, während der Rest in geschlossenen Schränken oder Magazinen lagert.

B. GEGENWÄRTIGE AUSSTELLUNG

Im Erdgeschoß befinden sich große Sarkophage, Skulpturen und Wandreliefs chronologisch im Uhrzeigersinn aufgestellt:

1) Die Skulpturen des Königs Chephren (4. Dyn.), die von Mariette im Taltempel des Königs in Giza im J. 1860 gefunden worden waren. Die eindrucksvollste ist eine Diorit-Statue, die den König auf einem Thronsessel zeigt, wobei der Horus-Falke, der Sonnen- und Himmelsgott, sich in seinem Nacken befindet und mit ausgebreiteten Schwingen den König beschützt. Die Modellierung der Skulptur reflektiert die starke Persönlichkeit des Königs und symbolisiert die Beziehung zw. Gott und Mensch (oder König).

2) Drei Triaden des Königs Mykerinos (4. Dyn.) aus Grauwacke, die 1908 ebenfalls im Taltempel der Pyramide des Königs gefunden wurden (Abb. 3). Die Triaden stellen jeweils den König zw. zwei anderen Figuren dar, von denen die eine die Göttin Hathor ist, während die andere die Personifikation eines Gaues oder einer Stadt mit ihrem Emblem auf den Häuptern symbolisiert. Diese Skulpturen zeigen die enorme Fähigkeit der Bildhauer des Alten Reiches, die die menschlichen Körper so überaus eindrucksvoll modellierten und das harte Gestein perfekt polierten.

3) Die wunderbaren Statuen des Prinzen Rahotep, Sohn des Snofru, und seiner Gemahlin Nofret (4. Dyn.). Diese beiden Statuen aus bemaltem Kalkstein

sehen mit ihren eingelegten Augen so lebendig aus, daß Mariettes Arbeiter bei der Entdeckung heftig erschraken (Abb. 2).

4) Die hölzerne Statue des Vorlesepriesters Ka-aper (bekannter als Scheich el Beled) aus der 5. Dyn., die in Saqqara im J. 1860 gefunden wurde. Die Skulptur ist vielleicht das beste Beispiel privater Rundplastik des Alten Reiches. Hier erreicht die Perfektion des Bildhauers höchste Vollendung, wobei es ihm gelang, die eigentliche Physiognomie und den Individualismus des Ka-aper wiederzugeben (Abb. 1).

5) Die Statuengruppe aus Kalkstein des Vorstehers aller Palastzwerge Seneb, seiner Frau Senetites und ihrer zwei Kinder aus der Zeit der 4./5. Dyn., die in Giza 1926–27 entdeckt worden waren (Abb. 4). Diese Gruppe zeigt den engen Familienzusammenhalt, wobei die Frau ihren Mann liebevoll umarmt und die Kinder die Figur ihres Vaters vervollständigen.

6) Das Grabmobiliar der Königin Hetep-heres, der Frau des Snofru (4. Dyn.), das 1924–25 östl. der großen Pyramide ihres Sohnes Cheops in Giza gefunden wurde. Diese Objekte sind neuerdings in einer eigenen Galerie zw. den Räumen des Alten Reiches untergebracht. Hier befinden sich ein kostbarer, bes. kostbarer Baldachin (u. a. vergoldete Holzsäulen) und eine Sänfte.

7) Die Statue des Mentuhotep-Nebhepetre aus der 11. Dyn. (um 2061–2010 v. Chr.) ist von bes. histor. und künstlerischer Bed., weil sie den König repäsentiert, der den Staat nach vielen J. der Auseinandersetzung zw. dem Norden und dem Süden neu organisiert und wiedervereinigt hat. Künstlerisch ist diese Statue, die von Howard Carter im J. 1900 durch Zufall gefunden worden war, in ihrer hervorragenden Bemalung und sehr guten Erhaltung durch ihren noch provinziellen Stil bes. wertvoll.

8) Aus der 12. Dyn. besitzt das Mus. mehrere Skulp-

Abb. 1: Der Ägyptische Schreiber.
Kalkstein, V. Dynastie.
Kairo, Ägyptisches Museum

Abb. 2: Prinz Rahotep und seine Frau Nofret.
Kalkstein, IV. Dynastie.
Kairo, Ägyptisches Museum

turen der Könige Sesostris III. (um 1878–1842 v. Chr.) und Amenemhet III. (um 1842–1798 v. Chr.), die nicht mehr die idealisierten und feinen Gesichtsmerkmale der Herrscher des Alten Reiches wiedergeben, sondern einen neuen Stil bezeugen, der sich durch harte und übertriebene Strenge in den Zügen auszeichnet.

9) Aus der 18. Dyn. finden sich im Ä. M. zahlreiche herausragende Statuen der Königin Hatschepsut (1490–1470 v. Chr.) und von Thutmosis III. (1490–1439 v. Chr.). Hier kehrten die Künstler zu den idealistischen und gleichzeitig realistischen Formen der Rundplastik zurück. Die Portraits der beiden Herrscher sind mit schönen Gesichtsmerkmalen wiedergegeben.

10) Aus der Amarna-Zeit (um 1365–1349 v. Chr.) besitzt das Mus. einige wichtige Skulpturen Echnatons und Nofretetes und ihrer Töchter, die die neue künstlerische Tendenz und Konzeption des Königs zum Ausdruck bringen. Es sei in diesem Zusammenhang auf die charakteristischen und fast realistischen, manchmal auch übertrieben dargestellten körperlichen Merkmale des Echnaton und seiner Töchter verwiesen.

11) Zahlreiche Skulpturen Ramses II. (1290–1224 v. Chr.) zeigen den König in kolossalen Figuren mit seinen individuellen Zügen. Bes. hervorzuheben ist die große Statue des falkenköpfigen Hauron: Der König ist als ein hockendes Kind darstellt, dessen Rücken durch die Brust und dessen Kopf vom Schnabel des Hauron geschützt wird (abgebildet in [2. Nr. 203]). Der Künstler wollte den abstrahierten Namen von Ramses (Ra-mes-

su) bildlich umsetzen, wobei er die Sonnenscheibe (für Ra), das Kind (für mes) und die Pflanzenrispe (für su) benutzte.

12) Die griech. und lat. Manuskripte des Mus. werden in zwei Räumen im Erdgeschoß aufbewahrt.

Im Obergeschoß befinden sich geschlossene Funde und thematische Sammlungen: a) Denkmäler des Hemaka, eines hohen Beamten aus der Zeit des Königs Udimu (oder Den, 1. Dyn., etwa 2900 v. Chr.), von der Ägypt. Antikenverwaltung in den J. 1931 und 1936 in Saqqara-Nord gefunden. Zu diesem Fund gehören viele interessante Stücke wie z. B. verzierte runde Scheiben aus Stein und Metall, landwirtschaftliche Geräte aus Holz mit Schneiden aus Kupfer und Feuerstein, ein hölzerner Kasten, der mit anderen Materialien eingelegt ist, beschriftete Etiketten aus Ebenholz und Zeichnungen von Tierfiguren auf Kalksteinfragmenten. b) Die Grabausstattung des Meketre, des Kanzlers und Oberverwalters aus der 11. Dyn. (etwa 2000 v. Chr.), die vom Metropolitan Mus. of Art (New York) 1919–1920 in Theben gefunden worden war. Während die eine H. im Rahmen einer Fundteilung nach New York gelangte, blieb die andere in Kairo. Der Fund besteht aus kunstvoll bemalten Holzmodellen. Sie zeigen in Miniaturen die irdische Umgebung des Meketre, die ihm als Grabbeigabe im Jenseits hilfreich sein sollte. Zu ihnen zählen

Abb. 3: Die Triade von Neukaure (?).
Grauwacke, IV. Dynastie.
Kairo, Ägyptisches Museum

Abb. 4: Die Familie des Zwerges Seneb.
Kalkstein, IV.–V. Dynastie.
Kairo, Ägyptisches Museum

Abb. 5: Parfümbehälter des Tutenchamun.
Gold, Silber und Halbedelstein. XVIII. Dynastie.
Kairo, Ägyptisches Museum

Abb. 6: Parfümbehälter mit Nilgottheiten
von Tutenchamun. Alabaster, XVIII. Dynastie.
Kairo, Ägyptisches Museum

eine Opferträgerin, sein Garten, Werkstätten (Schreinerei und Weberei), Boote für Transporte und Fischfang sowie eine umfassende und lebendige Darstellung der Viehzählung. c) Die überaus wichtigen und prachtvollen Schmuckstücke der Prinzessinnen Chnumit, Sat-Hathor, Sat-Hathor-Junit, Ita, Neferuptah, Mereret, Wereret aus der 12. Dyn. (etwa 1930–1800 v. Chr.), die in Dahschur, Lahun und Hawara 1894, 1914, 1920, 1956 und 1994 gefunden wurden. d) Der Schatz der Königin Ahhotep, der Gemahlin von Seqenenre-Taa, Anfang der 18. Dyn. (um 1554–1529 v. Chr.), gefunden in Theben-West im J. 1858. e) Die Funde aus dem thebanischen Grab des Wedelträgers Maiherperi, die das persönliche Zubehör und die Särge eines höheren Beamten repräsentieren (Zeit von Hatschepsut und Thutmosis III.), in der 18. Dyn. (um 1450 v. Chr.). f) Die Grabausstattung von Juja und Tuja, den Eltern der Königin Teje, Gemahlin Amenhoteps III., 18. Dyn. (um 1400 v. Chr.), 1905 im Tal der Könige (Theben) entdeckt. Dazu zählen Sarkophage, Mumien, Papyri, Möbelstücke, Zubehör, Statuen, Gefäße und ein Wagen. g) Die einmalige und fast vollständig erhaltene Sammlung aus dem Grab des Tutenchamun, 18. Dyn. (um 1349–1339 v. Chr.), 1922 im Tal der Könige entdeckt, repräsentiert eindrucksvoll den Reichtum der Grabausstattung eines Königs im pharaonischen Ägypten (Abb. 5 und 6). Sie

besteht aus mehr als 4000 Objekten. Dazu gehören zahlreiche Statuen, Möbel für das tägliche Leben, für das Jenseits, Schmuck und Zubehör, Sarkophage, sechs Prunk- und Streitwagen, Gefäße, Spielzeug, Kleider, Waffen und vieles andere mehr. Bes. hervorzuheben sind die goldene Maske und der massiv-goldene Innensarg. h) Das Grabmobiliar des Handwerkers Sennedjem und seiner Familie, aus der Zeit Ramses II. (1250 v. Chr.). Es wurde 1886 in Deir el-Medinah (westl. von Theben) gefunden. Die eine H. dieser Sammlung verblieb in Kairo, während die andere im *Metropolitan Mus.* (New York) ausgestellt ist. i) Die Mumiensammlung der Könige des Neuen Reiches aus dem Königsversteck von Deir el Bahri (1881), und aus dem Grab Amenhoteps II. im Tal der Könige (1898). Elf königliche Mumien sind im Rahmen einer neuen Präsentation bereits in einem klimatisierten Raum zu sehen (Seqenenra-taa, Amenhotep I., seine Frau Königin Meritamun, Thutmosis II., Thutmosis IV., Setos I., Ramses II., Merenptah, Ramses V., Königin Mutnedjemet und Königin Henut-tawi). Für weitere sechzehn Mumien soll eine neue Galerie geschaffen werden. j) Die Sarkophage der Amunre- und Chonsu-Priester, 21.–22. Dyn., aus Deir el Bahri (1891). k) Schmuckstücke und andere Gegenstände der Gräber der Könige und Würdenträger der 21.–22. Dyn. aus Tanis (um 1054–970 v. Chr.): Psusennes, Scheschonq, Heqa-Cheper-re, Undjebau-enDjed, Hornacht und Amunemopet, gefunden 1939. l) Die hölzernen Särge aus verschiedenen Epochen, die

in Deir el Bahri (Theben-West) gefunden worden sind.
m) Die Statuen aus verschiedenen Epochen und Materialien, die in dem berühmten »Karnak-Versteck« gefunden worden waren. Sie sind im Mus. verstreut aufbewahrt oder ausgestellt, (urspr. waren es mehr als 700 Statuen aus Stein und 16000 Statuen aus Bronze).
n) Gegenstände des täglichen Lebens aus vorgeschichtlichen und dynastischen Epochen.

Das Mus. besitzt eine umfangreiche wiss. Bibl. sowie Werkstätten für Restaurierung und Photographie. Die Sammlung ist in Datenbanken erfaßt, geschützt durch ein elektronisches Sicherheitssystem.

Anfang des 20. Jh. betrug die Besucherzahl nicht mehr als 500 Personen täglich. Gegenwärtig, mit täglich 5000–7000 Besuchern sowie mit den Problemen der Umweltverschmutzung konfrontiert, benötigt das Ä. M. dringend nach neuestem Standard ausgerüstete klimatisierte Räume und ein modernsten Anforderungen genügendes Beleuchtungssystem.

### C. Pläne für ein neues Museum

Ein neues Mus. für die ägypt. Denkmäler wird demnächst in Giza am Anfang der Wüstenstraße nach Alexandria gebaut. Hier wird der größte Teil der Sammlung des Kairoer Mus. untergebracht, zu denen auch die Schätze des Tutenchamun und Denkmäler aus den verschiedenen Stätten und Magazinen Ägyptens zählen. Das Mus. wird die neuesten Verfahren und Technologien nutzen und eine Nutzfläche von etwa 48000 m² haben. Zu ihm werden auch eine große Bibl., ein Forschungszentrum und ein Auditorium gehören.

→ AWI Amarna; Echnaton; Mykerinos; Sesostris; Thutmosis; Tutenchamun

1 H. GRIMM, Kunst der Ptolemäer- u. Römerzeit im Ä. M. Kairo, 1975 2 M. SALEH, H. SOUROUZIAN, Das Ä. M. Kairo, 1987. MOHAMED SALEH

**Kalender** A. TRADITIONSLINIEN
B. DER JULIANISCHE KALENDER ALS ZEITRECHNUNGSSYSTEM
C. GRAPHISCHE GESTALT
D. KALENDER ALS MEDIUM

### A. TRADITIONSLINIEN

Von den vielen Kalendersystemen der hell.-röm. Ant. sind nur der jüd. und der Julianische K. über die Spätant. hinaus praktiziert worden; für viele andere Systeme, so gallische K. wie der von Coligny oder die konventionellen Lunisolar-K. des östl. Mittelmeerraums, ist mit Traditionsabbrüchen nach dem 4. Jh. n. Chr. zu rechnen. Der Julianische K. als das System der röm. Verwaltung wurde von den christl. Kirchen bis zum 4. Jh. als alleiniger K. übernommen und damit breit als lebendige Institution ins MA fortgeführt. Unt. zur Ausbreitung und Parallelnutzung des jüd. Lunisolar-K. fehlen; er wurde in den rel. Zentren Palästinas sicher kontinuierlich gepflegt und propagiert. Die wiss. Beschäftigung mit dem jüd. K. hat sich um Rekonstruktion aller Details und die Popularisierung bemüht (z. B.

[1; 22]). Mit der Ausbreitung des Islams im Mittelmeerraum tritt seit dem 7. Jh. ein weiterer, rein lunarer K. (der allerdings um ein am tropischen J. orientiertes System von Stern-Aufgängen und -Untergängen, anwāʾ, ergänzt wird, das auch in Almanach-Form Verschriftlichung findet) in die europ. K.-Geschichte. Darüber hinaus blieb durch die Tradierung ant. astronomischen wie antiquarischen Wissens die Kenntnis alternativer (histor.) K.-Systeme bei Spezialisten erhalten.

Der folgende Art. konzentriert sich auf die Wirkungsgeschichte des Julianischen K.; neben der technischen Geschichte, die in histor. Darstellungen des K. typischerweise im Vordergrund steht, ist auch die graphische Gestalt des K. und seine mediale Einbettung zu berücksichtigen.

### B. DER JULIANISCHE KALENDER ALS ZEITRECHNUNGSSYSTEM

#### 1. MITTELALTER

Mit seiner durchschnittlichen Jahreslänge von 365,25 Tagen und einer automatisierten Schaltung von nur einem Tag alle vier J. stellte der Julianische K. (J. K.) ein ziemlich präzises und einfach zu handhabendes Zeitrechnungssystem dar, das seit Augusteischer Zeit ohne Störungen benutzt worden zu sein scheint. Der durchschnittliche Überschuß von 0,0078 Tagen pro J. führte erst im Spät-MA, seit dem 13. Jh., zu einer Abweichung (Vorrücken des kalendarischen Frühlingspunktes), die einzelne Reformvorschläge provozierte. Das Hauptproblem bildete das Osterfest, das auf dem Konzil von Nicaea (im Anschluß an die stadtröm. und alexandrinische Praxis) als Sonntag nach dem ersten Vollmond im Frühling definiert worden war. Diese Definition war mit den Daten, innerhalb derer sich das Fest bewegen sollte (22. März und 25. April als »Ostergrenzen«), zunehmend nicht mehr in Übereinstimmung zu bringen. Die intensivierte Debatte der Konzilien von Rom (1412), Konstanz (1415) und Basel (1434), zuletzt der Reformvorschlag von Nicolaus von Kues (Cusanus), führte angesichts gravierenderer Probleme der Zeit nicht zu einer organisierten Reform [6. 253]. Erst der Auftrag des Konzils von Trient und die Arbeit einer K.-Kommission (1576) führten zu jenem Reformdekret, das Papst Gregor XIII. Ende 1581 promulgierte (umfassend zur Vorgeschichte und Durchführung der Reform [3]).

#### 2. DIE GREGORIANISCHE REFORM

Die Reform selbst besaß mehrere Elemente. Zum einen wurde, um die traditionellen Frühlingsdaten zu erhalten, durch den Datumssprung vom 4. auf den 15. Oktober 1582 das aufgelaufene »Defizit« des Sonnenjahres gegenüber dem K.-Jahr beseitigt: ein Reformschritt, der langfristig die unangenehmsten Folgen hatte, führte er doch augenblicklich zu ständigen Datumsdifferenzen mit all jenen Staaten, die die Reform nicht nachvollzogen – auch die Korrektur des christl.-orthodoxen K. auf eine präzisere Jahreslänge vollzog diesen Schritt nicht nach.

Das zweite Element bestand in der Modifizierung der Schaltvorschriften: In den nicht restlos durch vier teilbaren Jahrhundert-Jahren (1700, 18.., 19..) sollte keine Schaltung mehr erfolgen – die drohende Ausweitung der Differenz aufgrund dieser Regel führte in vielen europ. Staaten zu einer Annahme der Reform mit dem Jahr 1700. Schließlich ergab sich weiterer Regelungsbedarf für die Osterfestberechnung. Hier war es der Vorschlag des Arztes Aloisi Giglio (A. Lilius), der in Form neuer Epakten-Tafeln angenommen wurde: Grundüberlegung dieser traditionellen Berechnungsform war, aus dem Fortschritt der Mondphase zu Jahresbeginn den Vollmondtermin des Frühlings berechnen zu können: Aus einer langfristigen Zyklenberechnung ergaben sich so Jahrhunderte im voraus angebbare Kennziffern für jedes Jahr, die unter Zuhilfenahme weniger Regeln eine Angabe des Ostertermins erlaubten. Für die Tafeln waren daneben noch einige »Tricks« bedeutsam, die durch eine faktisch falsche Vorverlegung des wahren Vollmondtermins (der seinerseits das jüd. Passahfest, den 14. Nisan, steuerte) Ostern auf den 14. Nisan fallen ließ, ohne daß diese – mit Nicaea verpönte – »quartodezimanische«, also (wie der polemische Vorwurf lautete) »judaisierende« Osterdatierung als solche in den Tafeln deutlich wurde. Eine empirische Alternative – Mondbeobachtung – konnte aufgrund ihrer Probleme in Beobachtung wie Kommunikation überhaupt nicht erwogen werden.

### 3. Übernahme und Kritik

Der Blick in die Details läßt erkennen, wie angreifbar das Reformschema war. Im Jh. der Konfessionalisierung war eine solche Reform, in deren Beratung die protestantischen Staaten zudem nicht einbezogen waren, nicht flächendeckend durchzusetzen. Zeitgleich zur Verkündigung des Reform-K. setzte die protestantische, primär immer astronomisch-kalendertechnisch argumentierende Polemik ein (z.B. Michael Eychler, *Was von dem newen Bäpstischen Gregorischen Calender zu halten sey*, Lemgo 1584; Lucas Osiander, *Bedencken Ob der newe Päpstische Kalender ein Notturfft bey der Christenheit seie / unnd wie trewlich diser Papst Gregorius XIII. die Sachen darmit meine ...*, Tübingen 1583; Michael Maestlin, *Ausführlicher und gründlicher Bericht ... Sambt erklärung der newen Reformation / welche jetziger Bapst zum Rom Gergorius XIII. in demselben Kalender hat angestellet / und an vilen Orten eyngeführet / Und was darvon zuhalten seye*, Heidelberg 1583). Daraus resultierte eine stark verzögerte Rezeption. Während die katholischen Staaten Europas den Kalender zumeist sofort übernahmen (Spanien, Portugal, weitgehend Italien und Polen; 1583 das katholische Deutschland, erst 1584 Österreich, Böhmen und einige Schweizer Kantone, Ungarn 1587), folgten viele protestantische Staaten (mit unterschiedlichen Sprungdaten) erst 1700 (bes. in Deutschland, Dänemark und den Niederlanden), England 1752, Schweden nach Versuchen seit 1700 erst 1753; die Versuche, im Rahmen eines »verbesserten Kalenders« die (ungenaue) zyklische Schaltung durch eine astronomisch-empirische zu er-

setzen (die trotz Annahme des Gregorianischen Kalenders gelegentlich zu abweichenden Osterdaten führten!), wurden E. des 18. Jh. eingestellt. Die von der Orthodoxie geprägten Länder schlossen sich der Reform, z.T. ohne Datumssprung, erst um 1920 an (Albanien 1913, Rußland 1918, Griechenland 1923, die griech.-orthodoxe Kirche 1924) [6. 266–277; 7. 26–28]. 1924 stabilisierte die technisch noch präzisere orthodoxe Kalenderreform den Gleichlauf der Schaltjahre bis 2700. Außerhalb Europas wurde der Gregorianische Kalender 1606 von den unierten Maroniten in Syrien angenommen (die weiteren Verhandlungsversuche mit dem Patriarchen von Konstantinopel waren gescheitert), Japan führte ihn 1873 ein, in China griff die Benutzung seit Anfang des 20. Jh. um sich; die Türkei begann am 1.1.1926.

### 4. Weitere Reformversuche

Die zunächst reformatorische Kritik des Gregorianischen Kalenders, die nicht zuletzt auf den diplomatischen Ungeschicklichkeiten der Einführung beruhte, begleitet ihn bis heute. 1702 listet Quidus Ubaldus in seiner *Remonstratio fundamentalis & succincta errorum quibus tam Novum quam Vetus Calendarium graviter laborat. Nec non Remediorum ...* ältere Reformvorschläge auf, darunter auch den Vorschlag, feste Ostertermine (den 5. April oder den Sonntag danach) zu verwenden. Die stärksten Anstöße bilden neben der Osterrechnung das instabile Verhältnis von Wochentagen und Monatsdaten sowie die ungleiche Länge der Quartale (s. etwa das *Journal of Calendar Reform*, 1 ff., 1931 ff.); die Umstellungsprobleme werden als größte Hindernisse jeglicher Reform gewertet.

Der einzige Kritikvorschlag, der in größerem Umfang praktisch geworden ist, besteht im frz. Revolutions-K., der durch Beschluß der Nationalversammlung am 24. Oktober 1793 (= 3. Brumaire des Jahres 2 der Republik) eingeführt wurde. Hier verband sich rationalistische Kritik am Kalender – gegebenenfalls zugunsten technisch schwächerer Systeme, so mit einem anfänglichen Jahresdurchschnitt von 365 Tagen – mit der kalendarischen Organisation ideologischer Alternativen zum christl. Kult: der Ersatz des Sonntags durch den *décadi*, des Gottesdienstes durch den Kult der Vernunft und die Revolutionsfeiern. Der Anspruch des K. zeigte sich nicht nur in seinen durchgängig 30tägigen Monaten, sondern auch in den in Wurzel und Suffix systematisierten Namen dieser Monate:

Vendémiaire, Brumaire, Frimaire (Herbst)
Nivôse, Pluviôse, Ventôse (Winter)
Germinal, Floréal, Prairial (Frühling)
Messidor, Thermidor, Fructidor (Sommer).

In der Struktur sind hier Parallelen zu den dt. Monatsnamen, die Karl der Gr. eingeführt hatte, zu beobachten (beginnend nun aber mit Januar, Einhard, Vita Caroli Magni 29):

uuintarmanoth, hornung, lenzinmanoth,
ostarmanoth, uuinnemanoth, brachmanoth,
heuuimanoth, aranmanoth, uuitumanoth
uuindumemanoth, herbistmanoth, heilagmanoth.

Diese Monatsnamen besaßen im MA in Deutschland große Verbreitung. – Der frz. Revolutions-K. wurde durch das Konkordat mit der Katholischen Kirche von 1802 aufgeweicht, 1805 wurde er trotz bleibender Vorbehalte gegen den Gregorianischen K. zum 31.12.1805 abgeschafft.

Das frz. K.-Experiment zeigt deutlich, daß sich die größten Eingriffe in das Privatleben mit den Wochenrhythmen verbinden [13]. Hier schlossen sich auch die sowjetischen Versuche an, durch die Einführung kontinuierlicher 5- oder 6-Tage-Wochen, die nur noch individuelle Rhythmen und keine gesamtgesellschaftlichen Ruhetage mehr vorsahen, die Produktivität zu vergrößern und zugleich die christl. Trad. zurückzudrängen, die über den Sonntag vermittelt wurden. Im Zuge der massiven Industrialisierung der späten 1920er J. begonnen, wurden die Experimente mit Beginn des Krieges gegen Deutschland abgebrochen. – Anders als die noch weitaus zahlreicheren Einführungen neuer Ärenrechnungen (z.B. durch Mussolini 1922, auch in Nazi-Deutschland), die eine weitgehend symbolische Ebene betreffen, griffen weitergehende Kalenderreformen so weit in die zeitliche Struktur von Gesellschaften ein, daß die Übergangsprobleme den (möglichen) Rationalitätsgewinn kaum zu rechtfertigen schienen.

## C. GRAPHISCHE GESTALT

Im Unterschied zu allen anderen K.-Systemen des ant. Mittelmeerraums hatte Rom für seine konventionalisierten Monate eine Darstellungsform entwickelt, die (nach der Julianischen Reform) in zwölf ähnlich organisierten Spalten einen Jahresüberblick bot (→ AWI 6, 163–166). Diese Darstellungsform wurde über die Ant. hinaus in den traditionellen Formen der Wandmalerei und monumentaler Inschr. fortgeführt: Das etwa 5,5 m breite »Kalendarium marmoreum« aus Neapel, das Mitte des 9. Jh. geschaffen worden sein dürfte, belegt diese Fortführung. Inhaltlich faßt es mehrere regionale Listen von Heiligenfesten, bes. Martyriumsdaten, zusammen. In den sakralen Texten des Hoch- und Spät-MA weist diese K.-Form zumeist folgende Spalten auf: »Goldene Zahl« (zur Osterfestbestimmung), Sonntagsbuchstabe (A-G; der am Jahresanfang wechselnde Buchstabe markierte in den prinzipiell »ewigen K.« dann alle Sonntage des Jahres), numerischer Monatstag (diese Datierungsform tritt seit dem Früh-MA auf und ist im Spät-MA bereits dominierend), röm. Datumsform, Heiligenfeste; in Breviarien kann zusätzlich die Tonhöhe für das Stundengebet angegeben werden (*III., IX. tonus*). Diese Darstellungsform konnte wie schon in der Ant. um astronomische (Eintritt in Tierkreiszeichen) und prognostische Informationen (Wettervoraussagen) ergänzt werden: zum Tragen kam dies mit dem enormen Aufstieg der Astrologie seit der Renaissance. In Deutschland findet man seit dem 15. Jh. in großem Umfang zunächst handschriftliche »Praktiken« oder »Allmanache« in Buchform, die die Monatsspalte zur Doppelseite ausbauen, die in zahlreichen Spalten über Mond- und Sonnenaufgänge und -untergänge so-

wie Planetenbewegungen informiert; die *Practica* des Johann Schindel sind für eine Nutzung über einen neunzehnjährigen (Mond-) Zyklus hinweg bestimmt (1410, 1439 ...; [9. 180]); das bleibt für Buch-K. zunächst die Norm [23. 365]. Daneben finden sich Einblattdrucke (noch länger im Holzblock-Verfahren gedruckt), die allerdings typischerweise nur einzelne Daten, nicht das gesamte Jahreskalendarium enthalten.

Die Anordnung »Monat je Seite« ist nicht zwingend, häufig finden sich auch durchlaufende, den Seitenumbruch auf einen beliebigen Tag setzende Gestaltungen. Wo die Monatsseiten durchgehalten werden, findet sich – in aufwendigeren Hss. – mehrfach die Fortsetzung der ant. Trad. der Monatsdarstellungen. Als Wandgemälde (Fasti unter Santa Maria Maggiore, Rom) und Mosaiken auch älter oder unabhängig von schriftlichen K., bildet der K. im Chronographen von 354 das älteste bekannte Exemplar der Kombination in Buchform. Die handschriftliche Trad. dieses illustrierten K. (zuletzt [18. 249–268]) mit einzelnen Abschriften zw. dem 6. und 10. Jh. sowie etlichen Kopien zw. dem späten 15. und dem Beginn des 17. Jh. ist charakteristisch für das Interesse am K.; Breviarien, Stundenbücher, tragen die Darstellungen (neben monumentalen Formen) durch das MA [4; 23. 364, Anm. 64]; mit dem Beginn des 15. Jh. breitet sich das Schema in zahlreiche andere, profane Gattungen aus [14. 378] und besitzt im 17. Jh. hohe Popularität [23. 426f.]. Als Wand-K. ist die Kombination eines Bildes mit dem K.-Schema eines Monats h. eine der beliebtesten K.-Formen; dabei gehen die Darstellungen freilich häufig über Monatsbilder im engeren Sinn hinaus.

## D. KALENDER ALS MEDIUM

Als organisierender Träger von Informationen ging der K. bereits in der Ant. weit über Monatsbilder hinaus. Listen von Magistraten (röm. Konsuln, aber auch städtische Beamte oder Vereinsfunktionäre), die bis hin zu Chroniken ausgebaut werden konnten, stellten regelmäßige Begleiter röm. Fasti dar [17]. Im Chronographen von 354 findet sich bereits eine Fülle verschiedener Materialien. Die Charakteristika (Witterung, Feste) einzelner Monate wurden – auch das findet sich im Chronographen von 354 und ebenso bei Ausonius (14,1ff.: *Eclogae*) – in Ein-, Zwei- oder Vierzeilern poetisch behandelt. Diese Trad. setzt sich durch das MA hindurch [8] bis in die Verse der Renaissance-K. fort (z.B. bei Heinrich Rantzovius' *Ranzovianum Calendarium ad elevationem poli 55. Grad.* ..., Hamburg 1590). Als Merkvers für die Feste und Gedenktage des Kirchenjahres übernimmt der – nach den Anfangsworten so benannte – Cisio Ianus (*Circumcisio* ...) in unterschiedlichen Fassungen (etwa von Ph. Melanchthon) eine ähnliche, wenn auch fast kanonische Funktion: Er fehlt in wenigen K. der frühen Drucke; das Verständnis für den Ersatz des Speichers Gedächtnis durch den medialen Speicher Schrift tritt hier noch zugunsten der Funktion der Schrift als Hilfsmittel der Mnemotechnik zurück (zu solchen Umstellungsproblemen s. [5]).

Trotz der vielfachen Variationen ant. K. zeichnen sich die ma. K. durch große Uniformität aus, wenn sie auch als liturgisches Hilfsmittel Texte unterschiedlichen Typs bis hin zu Bibel-Hss. begleiten (z. B. Gotha Memb. II 65, fol. 1r–2v). Einen Ansatz zur Ausweitung des kalendarischen Schemas bietet insbes. die Astrologie (→ Naturwissenschaft), die vom 15. bis 17. Jh. eine Blütezeit in Europa erreicht. Nach schon deutlich älteren Hss. (z. B. das Calendarium vom 1305 [9. 179 f.]) nehmen astrologische Prognostica wie bereits erwähnt einen wichtigen Anteil der K.-Produktion ein ([23. 358, Anm. 50]: ca. 392 Inkunabeldrucke nach 1462). Der von Johannes Regiomontanus 1475 (und wiederholt) aufgelegte K. bildet für Deutschland den Anfang einer überreichen Produktion. K. diesen Typs verbinden die erwähnten astronomischen Daten mit den verschiedensten Prognostiken und insbes. medizinischen Ratschlägen, so schon in einem 84 Blatt umfassenden Calender (der Titel fehlt) aus Straßburg von 1483 (Gotha, Mon.typ. 1483, 4deg.,2 = HAIN 9734), der umfangreiche systematische Abhandlungen und monatsbezogene Ratschläge bietet. Die Verbindung der Materialien ist hier über die astrologische Bestimmung der Aderlaßtage gegeben (daher auch »Laßzettel« für entsprechende K. oder einseitige Datenzusammenstellungen [11. 15]; dort auch zu weiteren K.-Formen). Bis ins 19. Jh. bleiben vergleichbare »Praktiken« ein Teil der Massenliteratur.

Für die Ant.-Rezeption ist eine zweite Linie wichtiger, die auf Ovids *Libri fastorum* zurückzuführen ist. Ovids poetischer K.-Komm. bot in einem von Datum zu Datum springenden, keineswegs alle Tage des J. darstellenden Text histor. Erläuterungen und myth. Geschichten zu den röm. *fasti*. Das Werk war überaus beliebt und weist mehr als 170 Hss. auf, von denen zahlreiche der Ren. angehören. Im J. 1516 dichtete Iohannes Baptista Mantuanus (G. B. Spagnoli) *Fastorum libri XII* – nicht nur eine Ergänzung, sondern auch ein *aggiornamento* des Ovid. Unter dem (bisher nicht registrierten) Einfluß Ovids – so läßt die Praefatio vermuten (S. 4: ›Sic cernimus in fastis Ouidianis‹; s. auch die abschließende Elegie mit ihrer Ovid-Imitation und die Bemerkung am Ende ›Cumque tuis forsan Naso mea scripta legentur‹ – und der 1548 in Rom gefundenen *Fasti triumphales* (aus denen häufig, beginnend mit dem 1. Januar, Material genommen wird) verfaßte der Wittenberger Professor der Grammatik und spätere Reformationstheologe Paul Eber [21] 1550 ein *Calendarium historicum* von immerhin 482 S., das nach mehreren Aufl. 1582, von seinen Söhnen Johannes und Martin Eber noch einmal erweitert, ins Dt. übers. und veröffentlicht wurde. Dieser Text gilt als Beginn der Gattung histor. K. ([23. 369 f.; 10. 47 f.] gegen [3]), die wiederum mit der Aufnahme nicht nur einzelnen J. zugeordneter Daten, sondern zunehmend auch kurzer Erzählungen histor. wie legendenhaften Charakters eine direkte Linie zur klass. K.-Geschichte Johann Jakob Christoffel von Grimmelshausens, Johann Peter Hebels und schließlich, nun losgelöst von der Rahmengattung

»K.«, Oskar Maria Grafs und Bertolt Brechts erlaubt (zur späteren Linie [15; 10]). Das große Interesse an der aus der Ovid-Rezeption gewonnenen Gattung des histor. K. erhellt aus der dichten Folge von Neuaufl. und Nachahmungen, unter denen an erster Stelle Caspar Goltwurm zu nennen ist, der auf seinen profan-histor. K. wenig später, 1570, einen *Kirchen-K.* folgen läßt, der nach Tagen geordnete Heiligenviten bietet – ein Jh. vor den Bollandisten. Schon 1551 erschien in Wittenberg der *Cisio Ianus, hoc est, Kalendarium syllabicum* des Lucas Lossius, der, für die Schule bestimmt, Erklärungen in Frage-Antwort-Form zum zeitgenössischen und röm. K. bot sowie Auszüge (*historiae*) aus dem K. Paul Ebers. Der massive Bezug auf die ant. Gesch., der den K. Ebers prägt, geht in der Folgezeit (z. B. Michael Beuthers von Carlstatt *Calendarium Historicum*, Frankfurt a. M. 1557) rasch verloren, frühneuzeitliche und Daten der Reformationszeit überwiegen schnell.

→ AWI Ärenrechnung; Chronograph von 354; Fasti; Ovid

1 L. BASNIZKI, Der jüd. K., 1938 (Ndr. 1989) 2 A. BORST, Computus, 1990 3 G. V. COYNE, M. A. HOSKIN, O. PEDERSEN, Gregorian Reform of the Calendar, 1983 4 H. DORMEIER, Bildersprache zwischen Trad. und Originalität. Das Sujet der Monatsbilder im MA, in: »Kurzweil viel ohn' Maß und Ziel«, 1994, 102–127 5 M. GIESECKE, Der Buchdruck in der frühen Neuzeit, 1991 6 F. K. GINZEL, Hb. der mathematischen und technischen Chronologie, Bd. 3, 1914 7 H. GROTEFEND, Taschenbuch der Zeitrechnung des dt. MA und der Neuzeit, [13]1991 8 J. HENNIG, Kalendar und Martyrologium als Literaturformen, in: Ders., Lit. und Existenz, 1980, 37–80 9 W. KNAPPICH, Gesch. der Astrologie, [2]1988 10 J. KNOPF, Die dt. K.-Geschichte, 1983 11 K. MASEL, K. und Volksaufklärung in Bayern, 1997 12 K. MATTHÄUS, Zur Gesch. des Nürnberger K.-Wesens (Archiv für Gesch. des Buchwesens 64/65), 1968 13 M. MEINZER, Der frz. Revolutions-K., 1992 14 M. OHM, Die zwölf Monate, in: Geburt der Zeit, Katalog Kassel, 1999, 378–381 15 L. ROHNER, K.-Gesch. und K., 1978 16 J. RÜPKE, K. und Öffentlichkeit, 1995 17 Ders., Geschichtsschreibung in Listenform, in: Philologus 141, 1997, 65–85 18 M. R. SALZMAN, On Roman Time, 1990 19 R. SCHENDA, Die Lesestoffe der Kleinen Leute, 1976 20 T. SCHMIDT, K. und Gedächtnis, 2000 21 C. H. SIXT, Dr. Paul Eber, der Schüler, Freund und Amtsgenosse der Reformatoren, 1843 22 A. SPIER, The Comprehensive Hebrew Calendar, 1952 23 H. SÜHRIG, Die Entwicklung der niedersächsischen K. im 17. Jh., 1979 24 H. ZEMANEK, K. und Chronologie, [5]1990.

JÖRG RÜPKE

## Kampanien A. EINLEITUNG B. MITTELALTER C. RENAISSANCE-HUMANISMUS D. GEOGRAPHISCHE UND REISELITERATUR E. BELLETRISTIK

### A. EINLEITUNG

Das Land zw. dem Volturnus im Norden und der Halbinsel von Sorrent im Süden hat in röm. Zeit eine über die geogr.-polit. Geltung hinausgehende ideelle

Bed. gewonnen. Begünstigende Faktoren hierfür waren: das Fortleben griech. Kultur in den Siedlungszentren der Küste (Neapel als *Graeca urbs*: Tac. ann. 15,33,2; vgl. Strab. 5,4,7), seit dem 2. Jh. v. Chr. der Zuzug stadtröm. Gäste aus Gründen der Gesundheit (Thermalquellen) und des guten Lebens (sehr anschaulich Strab. l. c.), infolgedessen eine ununterbrochene Bebauung des Küstensaums mit Luxusvillen und Parks (Strab. 5,4,8) [3]. Hinzu kamen die reichtumschaffende Fruchtbarkeit des Hinterlands (›felix illa Campania‹: Plin. nat. 3,60) und nicht zuletzt die Schönheit der gesamten Region (Pol. 3,91). Das Land als Ganzes, einzelne Orte (Capua, Baiae) oder ihre Produkte (Falerner Wein, Lucriner Austern) wurden zu Chiffren einer bes. Gesinnung und Lebensform, meist des süßen Lebens (z. B. Sen. dial. 9,2,13). Diese Chiffren überlebten den materiellen Niedergang der Landschaft seit dem 3. Jh. n. Chr. (SHA Tac. 7,5–7; 19,5; Symm. epist. 2,17,2). Sie gestatteten ferner die lit. Übertragung Kampaniens auf andere Orte und Gegenden, nach Nomentum (Mart. 6,43), an die Mosel (Auson. Mos. 345–347; 208–219), in die Auvergne (Sidon. carm. 18), nach Istrien (Cassiod. var. 12,22). Das Tertium der Übertragung war nicht die stoffliche Vergleichbarkeit der Orte, sondern der geistige Zustand, den sie verkörperten. Das elegante Modebad Baiae wurde tropisch verwendet, als Antonomasie für beliebige Badeorte (Sidon. carm. 23,13; epist. 5,14,1) oder Badeanstalten (Anth. Lantina, hrsg. von D. R. Shackleton Bailey 99; 108; 112; 169; 202; 372; CLE 1910; 2039). Zur Chiffre wurde das Land als Schauplatz mythischen und histor. Geschehens. Zur Chiffre geworden, bestimmte es aber auch die dichterische, rednerische oder geschichtliche Darstellung dieser Geschehnisse. Als Reminiszenzen hefteten sie sich an die Orte, zumal in bestimmter lit. Formung. Cumae und Averner See konnten nicht anders als mit Vergils Augen (*Aeneis* VI) gesehen werden (Ov. met. 14,85 ff.; Sil. 12,113 ff.; 13,395 ff.; Stat. silv. 4,3,114 ff.), das Bild der kampanischen Villenkultur prägten dagegen verschiedene Autoren: Cicero, Varro, Horaz, Seneca, Statius. In jedem Fall war es nicht die wirkliche Landschaft, sondern lit. Landschaftsbilder, mit denen sich die Lit. über kampanische Begebenheiten auseinandersetzte [15].

## B. MITTELALTER

Cassiodor war der letzte, der, ohne die Orte je gesehen zu haben, das Lob K. aus der Lit. anstimmte (var. 9,6). Danach sank der Ruhm zugleich mit der Landschaft. Ein Tiefpunkt ist erreicht, wenn in einer im 9. Jh. entstandenen Fassung der *Acta Petri et Pauli* das vielgepriesene Baiae als ›ein Ort namens Baiae‹ (12) erscheint [5]. Der Badebetrieb an den Thermalquellen der Phlegräischen Felder dauerte freilich während des ganzen MA an [11; 12]. Eine poetische Frucht dessen ist die wohl Friedrich II. vor 1220 gewidmete Dichtung *De balneis Puteolanis* des Pietro da Eboli, 35 Epigramme über die heilende Wirkung der einzelnen Bäder [7; 19]. Das Werk (20 Hss. des 13.–15. Jh., davon 10 illuminiert) ist der Ausgangspunkt einer eigenen, reichen balneologi-

schen Trad., die bis ins 19. Jh. fortbestand und an den Ruhm der phlegräischen Orte im Alt. anknüpfte [10; 4]. Die Dichtung selbst hingegen ist praktisch orientiert und mit klass. Reminiszenzen sparsam.

## C. RENAISSANCE-HUMANISMUS

Die Idee einer erinnerungsträchtigen Reise, die dem Geist mehr als dem Auge bietet, formulierte erstmals Petrarca im *Itinerarium ad sepulcrum domini nostri Iesu Christi* von 1358. Mehr Raum als das Heilige Land nimmt dort die Westküste It. ein, mit dem Golf von Neapel als zentralem Berichtspunkt. In der Vorrede begründet Petrarca die imaginäre Reise durch geistige Landschaften aus der Unmöglichkeit, an der Reise im stofflichen Sinn selbst teilzunehmen (7–9). Das Detail der Beschreibung geht auf einen Ausflug in die Phlegräischen Felder vom 23. Nov. 1343 zurück, den er in den *Familiares* (5,4) lebhaft und zitatenfest schildert. Dabei spielt die Erinnerung an Vergil eine Hauptrolle. Für Boccaccio (1327–1339 in Neapel) ist es die röm. Liebesdichtung, die durch die Landschaft heraufgerufen wird [11. 398–400]. Zum beherrschenden Thema einer ganzen Gedichtsammlung wird dies in der Blütezeit aragonesischer Herrschaft über Neapel, in Giovanni Pontanos (1426–1503) *Hendecasyllaborum seu Baiarum libri duo* (begonnen 1490). Zweifellos vertritt Baiae hier einen geistigen Zustand, etwas einseitig denjenigen der Liebe und Tändelei. Aber auch an Vergil ist gedacht. Er hat hier gesungen – und gebadet (1,31; 2,6). In der *Arcadia* (1. Fassung begonnen 1480) von Pontanos Freund Sannazaro (1457–1530) ist dem geistigen Arkadien ein geistiges K. gegenübergestellt (Prosa XII und XII).

## D. GEOGRAPHISCHE UND REISELITERATUR

Petrarcas *Itinerarium* (s. oben) setzt bereits die Gewichte für die geogr. und touristische Erschließung der kampanischen Erinnerungslandschaft. Den Schwerpunkt bilden die Phlegräischen Felder, zum einen als Land Homers und v. a. Vergils, zum andern als Schauplatz röm. Geschichte. Es kommen hinzu: das reiche, müßige und gebildete Neapel, zuweilen, wegen Hannibals Winterlager, das einst üppige Capua, ferner das selten besuchte, aber ganz von der Erinnerung an Kaiser Tiberius durchdrungene Capri, schließlich der feuerspeiende Vesuv, der zusammen mit den geothermischen Phänomenen der Phlegräischen Felder das physikalische Interesse der Gegend ausmacht. Die Fahrt von Rom nach Neapel war eine Einstimmung, mehr für den Besucher als für den Geographen. Hier begleitete ihn neben den histor. Erinnerungen diejenige an Horaz' *Iter Brundisinum* (sat. 1,5) [16]. Die Nennung von drei Aspekten, unter denen das Land zum Geist spricht, poetisch, histor. und physikalisch, gehört zu den Topoi der betreffenden Literatur. Die Gegenden sind ›interessant durch die Geschichte, reitzend als Gefilde der Poesie, interessanter noch und reitzender durch die Natur‹, schreibt Friedrich Leopold Graf zu Stolberg in seiner *Reise in Deutschland, der Schweiz, Italien und Sicilien in den Jahren 1791–92* (²1822, Bd. 2, 367). Die Anteilnahme wurde allerdings weniger durch die zusammenhängende Lektüre der ant. Texte genährt als durch einige Werke der histor. Geogr. und die in großer Zahl erscheinenden lokalen Führer, welche die ant. Stellen ansprechend präsentierten. Eine Pioniertat war in diesem Sinn die 1449–1453 entstandene und 1474 gedr. *Italia illustrata* des Flavio Biondo. Ihr folgten die *Descrittione di tutta Italia* von Leandro Alberti (1550) und, mit ganz neuem kritischem Anspruch, Philipp Clüvers *Italia antiqua* (1624). Der erste Führer zum ideellen Hauptstück des Landes, den Phlegräischen Feldern, stammt von 1570: Ferrante Loffredos *Le antichità di Pozzuolo et luoghi convicini*. Diesem knappen und zuverlässigen Werk folgten Scipione Mazzellas *Sito, et antichita della citta di Pozzuolo, e del suo amenissimo distretto* (1591), Giuseppe Mormiles *Descrittione dell' amenissimo distretto della citta di Napoli, et dell' antichita della citta di Pozzuolo* (1617), Giulio Cesare Capaccios *Il Forastiero* (1630), Pompeo Sarnellis *Guida de' forestieri* (1685) und viele andere [6; 15]. Von diesen – und auch untereinander – wurden die Reisehandbücher und Reiseberichte der Fremden beeinflußt, so daß eine Trad. des Sehens und Schreibens entstand, die von erstaunlicher Gleichförmigkeit war und die Überlieferung von Irrtümern und Phantomen begünstigte [17]. Die Führung im *Itinerarium Italiae Nov-Antiquae* von Martin Zeiller (1640), der nie in Neapel war, unterscheidet sich nicht wesentlich von anderen ›Warhafften und curiösen Reiß-Beschreibungen‹ der gleichen Zeit.

Trotz des allmählichen Zerfalls war Biondo, der die Phlegräischen Felder 1452 besuchte, von der Menge und der vorzüglichen Erhaltung der Monumente entzückt (fol. L7r.), ebenso Alberti, dessen Besuche in die Jahre 1526 und 1536 fallen. Er sah und beschrieb noch vieles, was spätere Reisende nicht mehr sahen und trotzdem beschrieben. Doch bereits in Petrarcas Schilderungen tauchen Erwägungen auf zur Trümmerhaftigkeit der Objekte. Der einstigen Pracht entgegengesetzt, vereinigten sich diese allmählich zu einer mächtigen Klage über die Zeitlichkeit. Hieronymus Turler (*De peregrinatione et agro Neapolitano Libri II*, 1574, 80) empfand den Zerfall als ›evidens argumentum fragilitatis humanae, & quam nihil stabile aut perpetuum sit in vita‹. Eine Schicksalsstunde war die vulkanische Eruption vom 29. Sept. 1538, die zw. Averner See und Monte Barbaro den fast 140 Meter hohen Monte Nuovo aufwarf und den größten Teil der an Stelle des Lucriner Sees entstandenen Meeresbucht unter sich begrub [9]. Dies traf das Herzstück der *regio Baiana*. Ein großer Teil ihres Ruhms ging für das äußere Auge verloren. Doch erhöhte der materielle Verlust die Geistigkeit der Landschaft sehr. Das Verhältnis zw. Objekt und Erinnerung hatte sich zugunsten der letzteren verschoben. Um so mehr konnte der schon in der Ant. lit. geführte Dialog über K. von der Wirklichkeit absehen. Richard Lassels (*The Voyage of Italy*, 1670) nannte dies ›Travelers losse‹ und ›mans comfort‹ (266). Obwohl die meisten Besucher die ant. Stellen unverdrossen ausschrieben und die Phantome von Buch zu Buch fortschleppten, begann sich seit der Wende vom 17. zum 18. Jh. eine Minder-

heit durch das irdische Paradies, welches K. vorstellen sollte, betrogen zu fühlen. Die Altertümer von Pozzuoli ›ne sont que de vieux bâtimens‹, schrieb Charles Bourdin in seinem *Voyage d'Italie* (1699, 224). Einsichtige, wie der Präsident de Brosses (1709–1777, in Neapel 1739), erkannten trefflich das zugrundeliegende Verhältnis. Von seinem Ausflug in die Phlegräischen Felder zurückgekehrt, stellte er fest, ›que tous les grands plaisirs que j'avais goûtés étaient beaucoup plus en idée qu'en réalité‹; die behandelten Gegenstände seien ›délicieux par réminiscence et tirent un agrément infini des gens qui n'y sont pas‹ (*Lettres d'Italie*, ed. Y. Bezard, 1931, Bd. 1, 457). Als Katalysator für diese Erkenntnis wirkte die Wiederentdeckung der Vesuvstädte (offizielle Grabung in → Herculaneum seit 1738). Denn dort stellte sich dem grandiosen Reich der Erinnerung die bescheidene, aber unmittelbare und anschauliche Präsenz der Ant. in einer röm. Landstadt entgegen [18]. Von den Altertümern der Phlegräischen Felder, schrieb später Lady Morgan, ›there are few sufficiently perfect to interest the general inquirer, by their power of illustrating the internal œconomy of civil life, like those of Pompeii‹ (*Italy*, 1821, Bd. 2, 354). In → Pompeji hingegen konnte Mark Twain im Vestibül eines Hauses die Stelle entdecken, ›wo vermutlich der Hutständer stand‹ (*The Innocents Abroad*, dt. v. A. M. Brock, 1966, 298).

Der Eindruck abgewirtschafteter Ruinen mit dem maßlosen Anspruch einer geistigen Landschaft löste seit E. des 18. Jh. drei unterschiedliche Reaktionen aus: 1. blinden Gehorsam gegenüber der Trad.: ›jeder Blick regt ein classisches Gefühl auf‹ (J. I. v. Gerning, *Reise durch Östreich und Italien*, 1802, Bd. 2, 181), 2. Verweigerung: August von Kotzebue brach seinen Ausflug aus ›Ueberdruß‹ ab, ›Steinhaufen anzugaffen, die nichts mehr ähnlich sehen‹ und ›Fabeln und Mährchen anzuhören, die nichts bedeuten‹ (*Erinnerungen von einer Reise aus Liefland nach Rom und Neapel*, 1805, Bd. 1, 357f.), 3. Sublimierung: William Beckford hat in *Dreams, Waking Thoughts, and Incidents: in a series of Letters, from various parts of Europe* (1783) die Trad. des Besehens und Erinnerns gegen den Strich gekämmt und das Geistige der Landschaft in eine schwer greifbare Gesamtstimmung gelegt; ähnlich und fast gleichzeitig der Präsident Dupaty [14]. Diese Versuche blieben jedoch ohne Nachfolge. Es setzte sich der Überdruß durch. Die zum Geist nicht mehr sprechende Landschaft war mangelnder Anschaulichkeit überführt. In einigen Stereotypen freilich hat das Bild K. bis in die jüngsten Reiseführer und bis in die zeitgenössische Essayistik überlebt (L. De Crescenzo u. a.).

### E. Belletristik

Der Geogr. und dem Reiseschrifttum hat die neuzeitliche fiktionale Lit. keinen eigenen Wahrnehmungsmodus entgegenzusetzen. Sie hat in K. die Rolle des Nehmenden inne. Man kann dies bekannten Werken wie Wilhelm Heinses *Ardinghello* (1787), Jean Pauls *Titan*, Hans Christian Andersens *Improvisatoren* (1835) und vielen anderen entnehmen; leicht nachweisen läßt es sich an *Corinne ou l'Italie* von Mme. de Staël (1807), dem Prosaepos *Les Martyrs* Chateaubriands (1809) oder der *Histoire de Juliette* des Marquis de Sade (1796), da hier die Autoren ihren eigenen Reiseaufzeichnungen folgen. Für die Guiden und Reiseberichte legt sich die mod. Dichtung als eine zweite Erinnerungsschicht über die ant. Reminiszenzen. Benedetto di Falco stellt Pontano und Sannazaro den ant. Lobrednern des Golfs von Neapel zur Seite (*Descrittione dei luoghi antiqui di Napoli e del suo amenissimo distretto*, 1535, passim); für Anna Jameson hat Corinne ›superadded romantic and charming associations quite as delightful, and quite as true‹ wie die *Aeneis* und die *Odyssee* (*The Diary of an Ennuyée*, 1836, 91); Felix Mendelssohn will bei der Frau aus Goethes *Wandrer* ›zu Mittag gegessen‹ haben (Brief vom 7. 5. 1831, hrsg. v. P. Sutermeister, 1979, 148).

**1** R.J. CLARK, Giles of Viterbo on the Phlegraean Fields: A Vergilian View?, in: Phoenix 49, 1995, 150–162 **2** Ders., The Avernian Sibyl's Cave: From Military Tunnel to Mediaeval Spa, in: CeM 47, 1996, 217–243 **3** J.H. D'ARMS, Romans on the Bay of Naples. A Social and Cultural Study of the Villas and Their Owners from 150 B.C. to A.D. 400, 1970 **4** R. DI BONITO, R. GIAMMINELLI, Le Terme dei Campi Flegrei. Topografia storica, 1992 **5** M. FREDERIKSEN, Una fonte trascurata sul bradisismo puteolano, in: I Campi Flegrei nell'archeologia e nella storia, 1977, 117–129 **6** A. HORN-ONCKEN, Ausflug in elysische Gefilde. Das europ. Campanienbild des 16. und 17. Jh. und die Aufzeichnungen J.F.A. von Uffenbachs (AAWG 111), 1978 **7** C.M. KAUFFMANN, The Baths of Pozzuoli. A Study of the Medieval Illustrations of Peter of Eboli's Poem, 1959 **8** S. MASTELLONE, L'Umanesimo napoletano e la zona flegrea, in: ASNP 30, 1945–46, 5–36 **9** A. PARASCANDOLA, Il Monte Nuovo ed il Lago Lucrino, in: Bollettino della Società dei Naturalisti in Napoli 55, 1944–46, 151–312 **10** L. PETRUCCI, Le fonti per la conoscenza della topografia delle terme flegree dal XII al XV secolo, in: ASPN 97, 1979, 99–129 **11** E. PONTIERI, Baia nel Medioevo, in: I Campi Flegrei nell'archeologia e nella storia, 1977, 377–411 **12** C. RUSSO MAILLER, La tradizione medioevale dei Bagni Flegrei, in: Puteoli 3, 1979, 141–153 **13** L. SCHUDT, Italienreisen im 17. und 18. Jh., 1959 **14** E. STÄRK, Die Überwindung der Phlegräischen Felder. Vom träumerischen Umgang mit der Ant. am Ausgang des 18. Jh., in: A&A 40, 1994, 137–152 **15** Ders., Kampanien als geistige Landschaft. Interpretationen zum ant. Bild des Golfs von Neapel, 1995 **16** Ders., Wallfahrten auf der Appischen Straße – Das *Iter Brundisinum* und der Tourismus, in: H. KRASSER, E.A. SCHMIDT (Hrsg.), Zeitgenosse Horaz, 1996, 371–391 **17** Ders., Antrum Sibyllae Cumanae und Campi Elysii. Zwei vergilische Lokale in den Phlegräischen Feldern, 1998 **18** G. VALLET, Les ›antiquités des Champs‹ Phlégréens dans les récits des voyageurs du XVIIIe siècle, in: Il destino della Sibilla, a cura di P. AMALFITANO, 1986, 43–57 **19** F. K. YEGÜL, The Thermo-Mineral Complex at Baiae and *De Balneis Puteolanis*, in: The art bulletin 78, 1996, 137–161. EKKEHARD STÄRK

**Kanada** s. USA und Kanada

**Kanon.** In der poetologischen Bedeutung »Richtmaß«, »Regel«, »Modell« ist der Terminus bis zur Schwelle der Moderne (Erstverwendung für ein lit. Textkorpus durch D. Ruhnken 1768) ungebräuchl., während der Kontrast des »inspirierten« biblischen oder kirchenrechtlichen K. und »apokrypher« Schriften als Denkmuster zum Transfer auf säkulare Zusammenhänge bereitsteht.

Dichte und Streuung der Überlieferung indizieren Kanonizität. Schon die hsl. Trad. etwa der griech. Tragiker erzeugt eine Selektion des jeweiligen Gesamtwerks (Euripides: 17 von 75 bei Varro belegten Tragödien). An den frühesten, aus Alexandria bzw. Byzanz überlieferten K. von fünf (später: drei) Tragikern, neun Lyrikern oder zehn Rhetoren fällt die oft symbolische Zahl sowie die Fixierung auf Autorpersönlichkeiten (nicht: Werke) auf. Analog wird etwa von den Meistersingern des 16. Jh. die apostolische Zwölfzahl der »alten Meister« höfischer Lyrik verehrt und später durch dieselbe Zahl eigener Meister ersetzt.

K. markiert den Widerstreit und das Ineinander von Kontinuität und Innovation, die Spannung von *imitatio* und *aemulatio* (bzw. Übers., [11. 104–126]), wobei zw. Spätant. und Hoch-MA der Schwerpunkt auf der Beispielhaftigkeit der *auctoritates* liegt. K. wird verbalisiert; seine Vermittlung prägt Textformen aus [13. 21–39] wie Sentenzenbücher, Accessus, Florilegien, Bibliothekskataloge, Dichterlisten und sogar Katalogdichtung, die seit Hieronymus, Cassiodor, Beda, intensiv aber seit der Karolingischen Ren. (z.B. Alkuin) als Vorform einer stets empfehlend gemeinten Lit.-Historiographie (Konrad von Hirsau, Hugo von Trimberg) verbreitet sind. So floriert in der ma. Schullektüre vom 9. bis zum 12. Jh. die Pflege weniger *auctores*, und der Grammatikunterricht im Rahmen der *Artes liberales* stützt sich auf eine Auswahl sprachlich-poetologisch vorbildlicher lat. Klassiker (Epiker, Satiriker, Komödienautoren; Cicero, die *Ilias latina*; [5. 253–276]). Unter der lehrhaften Lit. spielen die Fabeln Avians, später Äsops, sowie die *Disticha Catonis* eine bes. Rolle. Nach der genuin christl.-lat. Hymnik und Epik setzt sich seit dem 12./13. Jh. in größerem Umfang zeitgenössische Lit. gegen die ant. durch, deren K. durch die *interpretatio christiana* (Vergil, Ovid, Lucan, Statius) überlebt. Dantes Aufzählungen (Inf. IV u.ö.) sind zugleich Festschreibung des Lat. und Übergang zur Emanzipation volkssprachlicher Dichtung. Neu an der Schwelle zur Ren. sind die gerade bei Dante zu beobachtende Selbstkanonisierung [13. 139–152] sowie das wiederum nicht text-, sondern autorbezogene Ritual der Dichterkrönung (z.B. Petrarcas 1341). Der Human. revidiert die Entkanonisierung der paganen sowie die geringe Achtung der griech. Lit., die über Byzanz und arab. Übers. separate Rezeptionsstränge ausbildet. Gleichwohl formiert sich gerade über Indizierung, Zensur und Inquisition ein negativer K. auf der Basis einer theologischen Leitdifferenz. Dieser Maßstab rel. bzw. konfessioneller Orthodoxie wird erst im Rahmen der »romantischen« Bewegung zugunsten der Autonomisierung des ästhetischen Diskurses abgelöst, nachdem schon der Buchdruck die Diffusion des K. von einer reinen Existenzsicherung des Tradierten abgekoppelt hat.

Das Kriterium des »zeitlosen« Wertes steht im Zentrum jeder K.-Problematisierung. Im 16./17. Jh. führt die *Querelle des anciens et des modernes* [17] zu einer historistisch-relativierenden Sicht, die den Paradigmawechsel der Romantiker erst ermöglichte, welche sich selbst durch ihren K. ma. und mod. Autoren (Dante, Cervantes, Shakespeare, Goethe – als Ergänzung zur bis h. nie prinzipiell umstrittenen ant. Lit.) strategisch gegen die Aufklärung definieren. Dieses Eindringen ma., v. a. aber neuzeitlicher Texte in die ant. Domäne wirft die K.-Frage im mod. Sinn erst auf. So korrespondiert der Möglichkeit, Neues zu kanonisieren, die Genese der neueren Philologien im 18./19. Jh. Als Referenzrahmen im Gegensatz zur abendländischen Ant. fungieren Goethes Idee und Begriff der »Weltlit.« mit ihren diversen Konnotationen und polit. Kompensationsfunktionen.

In pluralistischen Gesellschaften ist ein uniformer universell-menschheitlicher K. schon theoretisch schwer zu konzipieren. Als Produkt lit. Wertung und mehrfacher Filterung wird er erstellt, empirisiert, systematisiert und revidiert von den Aktantengruppen des Lit.-Betriebs [2. 3–32] und bildet eine mikrokosmische Abb. des kulturellen Gedächtnisses. Unter der Grundannahme einer Differenz von normativer und deskriptiver Poetik gehört er wesenhaft zu ersterer, doch basieren auch allg.-literaturwiss. Aussagen auf Textkorpora; so wird nomothetisch, mindestens aber konservierend im K. die Zukunft der Lit. mitprojektiert. Entspricht dem semantischen Hintergrund von K. seit der europ. Romantik eine mindestens metaphorische »Heiligung« [1. 114–121] von Werk und Künstler bis hin zum Geniekult, so reagiert darauf etwa seit dem Ersten Weltkrieg die Tendenz, solche Aura zu destruieren, was die auf akad. Schichten begrenzte Stabilität des ant. K. (vgl. die 2000. Geburts- bzw. Todestage Vergils [19]) nicht mindert. Polit. Demokratisierung und philos. Infragestellen von Autoritäten, Hierarchien, Zentren unterlaufen v. a. im späteren 20. Jh. traditionelle K. Der in Schule und Univ. gepflegte, zudem westl. Kulturhegemonie zementierende K. des Bildungsbürgertums wird im europ.-amerikanischen Kontext massiv in Frage gestellt, aus feministischer oder minderheitlicher Perspektive, aber auch aus prinzipieller Normskepsis bis zur Dekonstruktion (ob auch Interpretationsmuster als K. bezeichnet werden sollten, ist umstritten). Gegen diese Dekanonisierung wird immer häufiger die Unterstützungsfunktion hervorgehoben, die der K. – sofern nicht restriktiv oder gar repressiv verstanden – gerade für Unterprivilegierte haben kann. Ferner steht der K. für eine integrative Wiss. wie die Komparatistik, die auf die Erhaltung einer Diskussionsplattform angewiesen ist (auf anderer Hierarchieebene gilt diese Funktion auch für alle ausdifferenzierten Philologien), geradezu im Mittelpunkt. Die provozierende [10. 47–59] Gegenbewegung mit H. Bloom [3], für den K. auf dem ewigen Wettstreit der Autoren basiert, erscheint denn auch geschichtsphilos. als automatische, wenngleich stets wieder nur vorläufige Konsequenz. Im Horizont universeller Verfügbarkeit (Postmod., Digitalisierung, Globalisierung) einer sich akkumulierenden Texttrad. reduzieren sich die üblichen K.-Kriterien Exemplarizität, Innovativität, Singularität, Klassizität, literarhistor. Relevanz (in jüngerer Konzeption: möglichst universelle Anschlußfähigkeit) in der Logik einer potentiell unbegrenzten Bibliothek weitgehend auf eine Auswahl unter ökonomischen Zwängen, in der Logik des Individuums aber auf die verfügbare Lebenslesezeit [12. 9f.]. Diese Erkenntnisse fördern aktuell die Rekanonisierung von »Klassikern« im Ganzen und die Liberalisierung des K. im Einzelnen.

→ Artes liberales; Karolingische Renaissance; Querelle des anciens et des modernes; Zensur

1 J. ASSMANN, Das kulturelle Gedächtnis: Schrift, Erinnerung u. polit. Identität in frühen Hochkulturen, ²1997 2 G. BERGER, H.-J. LÜSEBRINK (Hrsg.), Lit. K.-Bildung in der Romania, 1987 3 H. BLOOM, The Western Canon. The Books and School of the Ages, 1994 4 G. BUCK, Lit. K. und Geschichtlichkeit, in: DVjS 57, 1983, 351–365 5 E. R. CURTIUS, Europ. Lit. und lat. MA, 1948 6 Gesch. der Textüberlieferung der ant. und ma. Lit., Bd. I, 1961 7 G. GLAUCHE, Schullektüre im MA, 1970 8 J. GORAK, The Making of the Modern Canon, 1991 9 J. GUILLORY, Cultural Capital. The Problems of Literary Canon Formation, 1993 10 R. v. HEYDEBRAND (Hrsg.), K. Macht Kultur. Theoretische, histor. und soziale Aspekte ästhetischer K.-Bildungen, 1998 11 G. HIGHET, The Classical Tradition, 1949 12 H.-W. LUDWIG (Hrsg.), Kriterien der K.-Bildung, 1988 13 M. MOOG-GRÜNEWALD (Hrsg.), K. und Theorie, 1997 14 B. MUNK OLSEN, L'étude des auteurs classiques latins aux XIe et XIIe siècles, 1982–1989 15 Ders., I classici nel canone scolastico altomedievale, 1991 16 L. D. REYNOLDS, N. G. WILSON, Scribes and Scholars. A Guide to the Transmission of Greek and Latin Lit., ²1974 17 H. G. RÖTZER, Traditionalität u. Modernität in der europ. Lit., 1979 18 H. RÜDIGER, Lit. ohne Klassiker? Trad. und K.-Bildung, in: Wort u. Wahrheit 14 (1959) 19 W. TAEGERT (Hrsg.), Vergil 2000 J. Rezeption in Lit., Musik u. Kunst, 1982. 20 J. WERNER, Zur Überlieferung der ant. Lit., in: Symbolae Philologorum Posnaniensium 4 (1979). ACHIM HÖLTER

**Kanonisten.** Als K. werden Kenner des Kirchenrechts, also des »kanonischen« Rechts bezeichnet, nach griech. *kanon* = »Regel«, insbesondere kirchliche Regel. Die Bezeichnung K. kam im 12. Jh. auf, zur Unterscheidung von »Zivilisten«, Kennern des röm. *Corpus iuris civilis*, die ab jener Zeit konkurrierend zu K. bei den Kirchengerichten auftraten.

Das Wort »*canon*« bezog man im ma. Lat. hauptsächlich auf Textausschnitte juristischen Inhalts aus autoritativen Schriften. Canones exzerpierte man aus der Bibel, aus Konzilsbeschlüssen, aus Schriften der ant. Kirchenväter, aus frühma. Bußb. (*libri poenitentiales*) und aus

Gesetzen der fränkischen Könige (*capitularia*). Zusätzlich berief man sich auf Briefe von Päpsten in Rechtsangelegenheiten (*litterae decretales*). Sie wurden ab dem späten 12. Jh. die wichtigste Rechtsquelle.

Kirchenrechtliche Regeln waren zwar spätestens seit dem 2. Jh. gesammelt worden, aber erst ab 1210 wurden Sammlungen offiziell promulgiert. Aus den zahlreichen Sammlungen seien folgende hervorgehoben, weil sie weit verbreitet waren und viele jüngere beeinflußten: das griech. *Syntagma Canonum* (2. H. des 4. Jh.), *Statuta Ecclesiae antiqua* (ca. 450), *Collectio Dionysiana* (um 500), *Concordia Canonum Cresconii* (Umordnung der *Dionysiana*), die große griech. *Nomokanones*-Sammlung (ca. 629, überarbeitet 883 und 1080), *Collectio Hispana* (um 633, mehrmals überarbeitet), *Collectio vetus Gallica* (um 600), *Collectio Hibernensis* (um 700), *Dionysio-Hadriana* (774 durch Papst Hadrian I. an Karl d. Gr. übersandt), *Dacheriana* (1. H. des 9. Jh.). Zw. 847 und 857 entstanden im Frankenreich, vielleicht in Reims, vier Sammlungen mit teils verfälschten, teils frei erfundenen Materialien. Man bezeichnet sie heute zusammenfassend als »ps.-isidorische«, denn eine von ihnen war dem Isidor v. Sevilla († 636) untergeschoben worden. Spätere Sammlungen kopierten viele dieser Fälschungen und teilweise auch die bedenkliche Arbeitsweise: so die *Collectio Anselmo dedicata* (um 882, Norddit.) und der *Liber Decretorum* des Burchard, Bischof von Worms (1000–1025). Um 1075 entstand als Handbuch für die gregorianische Reform eine *Sammlung in 74 Titeln*. Auf ihr fußten die vielbenutzte *Sammlung des Anselm*, Bischof von Lucca (um 1083) und mindestens fünf weitere, die Reform verfechtende Sammlungen. Hingegen beschritten die drei Sammlungen des Bischofs Ivo von Chartres (E. des 11. Jh.) einen Mittelweg zw. Reform und altem Kirchenrecht: *Tripartita*, *Decretum* und *Panormia*. Der *Polycarpus* des Kardinals Gegorius de Sancto Chrysogono (ca. 1109–1113) stand wiederum der gregorianischen Reform nahe.

Die Sammlung des Gratianus (über dessen Leben wir nichts Zuverlässiges wissen) hatte so durchschlagenden Erfolg, daß danach keine weiteren Canones-Sammlungen mehr geschaffen wurden. Die erste Fassung entstand in den 1120er J. Die Endfassung wurde unmittelbar nach dem Laterankonzil 1139 veröffentlicht. Schon bald verwendeten K. überall das *Decretum Gratiani* als Textbasis.

Später im 12. Jh. entstanden Sammlungen von autoritativem Material »extra Decretum«. Diese Sammlungen enthielten hauptsächlich neue päpstliche Dekretalen. Als *Liber Extra* diente ab 1234 eine durch Papst Gregor IX promulgierte Dekretalensammlung in fünf Büchern. Sie schöpfte aus fünf älteren Dekretalensammlungen, welche nunmehr außer Kraft gesetzt wurden (*Compilationes antiquae*). Im Jahre 1298 veröffentlichte Papst Bonifatius VIII als Nachtrag einen *Liber Sextus Decretalium*. Er wurde ergänzt durch eine Sammlung von Dekretalen des Papstes Clemens V († 1314) (*Clementinae*) und durch *Extravagantes* bis zur Mitte des

14. Jh. Das Textcorpus insgesamt, gebildet aus *Decretum Gratiani* und Dekretalensammlungen, bezeichnete man als *Corpus iuris canonici*.

Spätere Verlautbarungen der Konzilien und der Päpste wurden nur privat gesammelt (*Bullarium*). 1917 wurde das kanonische Recht kodifiziert. Der *Cod. iuris canonici* von 1917 wurde 1983 durch einen neuen ersetzt.

Über das juristische Literaturschaffen der kanonistischen → Glossatoren des 12. und frühen 13. Jh. wurde bereits bei jenem Stichwort berichtet. Bis zum frühen 16. Jh. übertrafen kanonistische Schriften stets mengenmäßig die »zivilistischen« um ein Vielfaches und waren auch zahlreicher verbreitet. Besonders einflußreich waren ab der Mitte des 13. Jh. die Summen und Komm. von Innocentius IV. (Sinibaldus Fliscus), Hostiensis (Henricus de Segusio), Goffredus de Trano, Raimundus de Pennaforte, abbas antiquus (Bernardus de Montemirato), archidiaconus (Guido de Baysio), Guilielmus de Montelauduno, Zenzelinus de Cassanhis, Iohannes Monachus, Iohannes Andreae, Antonius de Butrio, Iohannes de Imola, Iohannes de Lignano, Petrus de Ancharano, Baldus de Ubaldis, Dominicus de Sancto Geminiano, Iohannes Calderinus, abbas Panormitanus (Nicolaus de Tudeschis), Franciscus Zabarella, Felinus Sandeus. Zum Prozeßrecht war das Kurzlehrb. von Aegidius de Fuscarariis am weitesten verbreitet. Die Prozeßrechts-Enzyklopädie des *Speculator* (Guilielmus Durantis, E. des 13. Jh.) galt bis ins 17. Jh. als Standardwerk.

Viele K. dienten als Richter (*officialis*) bei einem archidiakonalen oder bischöflichen Gericht (*officialatus*). Diese Gerichte waren – bis in die frühe Neuzeit und vielerorts sogar noch länger – konkurrenzlos zuständig für Klagen gegen Geistliche und kirchliche juristische Personen, weiterhin für Eheprozesse, für die Vollstrekung von Testamenten und allg. in allen Angelegenheiten, wo die Kirche meinte, offen sichtbare Sündhaftigkeit zügeln zu müssen, weil die jeweilige weltliche Obrigkeit nicht genügend dagegen einschritt.

Gegen Entscheidungen eines bischöflichen oder erzbischöflichen Gerichts konnte man Appellation zum Papst einlegen. Auch gegen außergerichtliche Entscheidungen konnte man appellieren – z.B. in verwaltungsrechtlichen Angelegenheiten (*appellatio extraiudicialis*). Da der Papst nur wenige, ganz bes. wichtige Angelegenheiten persönlich bearbeiten konnte, wurden weitaus die meisten Prozesse an beauftragte Richter (*iudices delegati*) verwiesen, die stellvertretend für den Papst das Berufungsverfahren durchführten. Meist wurden vertrauenswürdige Persönlichkeiten im Umkreis des Wohnortes der Parteien ausgewählt. Hingegen wurden Prozesse, die für den Hl. Stuhl bedeutsam waren, jeweils einem rechtsgelehrten *Auditor* am päpstlichen Hof zugeteilt. Dies betraf v. a. Streitigkeiten im Gefolge von päpstlichen Eingriffen in örtliche Angelegenheiten, insbes. Zuweisung von kirchlichen Präbenden.

Mit der Zahl der päpstlichen Präbendenzuweisungen stieg und fiel die Zahl der daraus entstehenden Prozesse. Die Zahl der *Auditores sacri palatii apostolici* stieg seit dem

12. Jh. allmählich bis auf über dreißig um 1335 und fiel dann wieder ab bis auf zwölf. Jeder Auditor betreute selbständig die ihm zugewiesenen Prozesse, war also Einzelrichter. Weil aber nach kanonischem Recht niemand Entscheidungen fällen soll, ohne zuvor sachverständigen Rat gesucht zu haben, erbaten die *Auditores* Rat bei ihren Kollegen und trafen sich zu diesem Zweck regelmäßig, zwei- bis dreimal pro Woche. Im 14. Jh. in Avignon berieten sie in einem radförmigen Saal (*rota*). Der Name des Saales wurde übertragen auf die *Auditores*, die dort tagten. Auch heute noch heißt das päpstliche Gericht *Sacra Rota Romana*

Gegen E. des 14. Jh. wurden Sammlungen von Rota-Entscheidungen veröffentlicht. Sie verbreiteten sich außerordentlich stark und wurden sehr viel benutzt und zitiert. Ab der Mitte des 16. Jh. wurden zahlreiche weitere Sammlungen von Rota-Entscheidungen gedruckt. Oft wurden juristische Theorien zur herrschenden Meinung, wenn die *Rota* ihnen beitrat.

Die heutige *Rota* entscheidet fast ausschließlich Ehenichtigkeitsprozesse, weil ihre sonstigen früheren Tätigkeitsfelder inzwischen anderen päpstlichen Institutionen zugewiesen worden sind, nämlich v. a. der *Signatura Apostolica* und den *Sacrae Congregationes*

Bis zum frühen 16. Jh. gab es weit mehr K. als »Zivilisten«. V. a. an den Univ. außerhalb It. wurde vorwiegend nicht röm., sondern kanonisches Recht studiert. Es gab dort nur wenige »zivilistische« Lehrstühle, und auch diese dienten v. a. der Ausbildung von Kirchenjuristen; denn das röm. Recht war im MA hauptsächlich als Bestandteil des Kirchenrechts bedeutsam. Die Kirche lebte nämlich, soweit sie sich nicht durch kirchliche Rechtsetzung eigene Regeln gegeben hatte, nach röm. Recht. *Canones* und *decretales* ergänzten und interpretierten das röm. Recht. Deshalb lernten alle K. mindestens die Grundzüge des Rechts des *Corpus iuris civilis*. Es gab weit mehr kanonistisches Schrifttum als zivilistisches, und mehr Werke davon waren weit verbreitet. Das röm. Recht wurde in Europa hauptsächlich durch K. verbreitet – und zwar nicht nur durch die verhältnismäßig wenigen voll ausgebildeten K., sondern zudem durch große Scharen von Halbgebildeten und Viertelgebildeten.

Nicht nur die K., sondern auch die Zivilisten lebten bis zum 16. Jh. großteils von Einkünften aus kirchlichen Präbenden. Auch weltliche Fürsten oder Städte verließen sich darauf, daß ihre juristischen Berater und Amtsträger durch die Kirche alimentiert wurden. Für Präbenden ohne Seelsorgepflichten (*sine cura*), z. B. Domherren-Präbenden (*canonicatus*), brauchte man nicht die Priesterweihe.

Auch h. noch kann man an vielen Hochschulen der Welt kanonisches Recht studieren. Aber nur noch wenige Studenten werden K. Seit 1500 hat das kanonische Recht allmählich seine frühere Wichtigkeit eingebüßt. Dies lag erstens daran, daß die kirchlichen Gerichte nach und nach immer mehr Zuständigkeiten den weltlichen Gerichten und Behörden überlassen mußten. Zweitens

wurde allmählich immer seltener über kirchliche Güter und Präbenden gestritten. Kirchenbesitz wurde verstaatlicht. Kirchenfürsten hörten auf, gleichzeitig Landesfürsten zu sein. Und sowohl bei der Kirche wie auch beim Staat wurden die Amtsträger nicht mehr durch Kirchenpräbenden, sondern durch feste Gehälter alimentiert. Die heutigen K. beschäftigen sich fast nur noch mit innerkirchlichen Angelegenheiten und mit Ehenichtigkeitsprozessen.

Die K. des 12.–18. Jh. haben einige juristische Fachgebiete stark beeinflußt, die h. zum weltlichen Recht gerechnet werden – nämlich insbes. Prozeßrecht, Disziplinarrecht, Eherecht, Testamentsrecht, Versicherungsrecht, Scheck- und Wechselrecht, »ungerechtfertigte Bereicherung«.

→ AWI Apostolische Konstitutionen; Didache

1 Altera continuatio, vol. 1–9, Romae 1840–1856 2 A. BARBERI (Hrsg.) u. a., Prima Bullarii Romani continuatio, vol. 1–19, Romae 1835–1857 3 G. LE BRAS et al. (Hrsg.), Histoire du droit et des institutions de l'église en occident, seit 1955 bis 1996 10 Bde. 4 CH. CHENEY, Church and government in the middle ages, vol. 1–2, 1976–1978 5 ST. CHODOROW, W. HOLTZMANN (Hrsg.), Decretales ineditae saec. 12, 1982 6 Cod. iuris canonici, 1917 7 Cod. iuris canonici, 1983 8 G. DOLEZALEK, Die hsl. Verbreitung von Rechtsprechungslgg. der Rota, in: Zschr. der Savigny-Stiftung für Rechtsgesch. 89, kanonistische Abteilung, 58, 1972, 1–106 9 Ders., Bernardus de Bosqueto, seine Quaestiones motae in Rota (1360–1365) und ihr Anteil in den Decisiones Antiquae, in: Zschr. der Savigny-Stiftung für Rechtsgesch. 93, kanonistische Abteilung 62, 1976, 106–172 10 Ders., Quaestiones motae in Rota: Richterliche Beratungsnotizen aus dem 14 Jh., 99–114, in: Proceedings of the Fifth International Congress of Medieval Canon Law Salamanca 1976 (Monumenta iuris canonici, series C: Subsidia, 5), 1980 11 Ders., Litigation at the Rota Romana, particularly around 1700, vol. 1, 339–373 und vol. 2, 457–485, in: Case law in the making. The techniques and methods of judicial records and law reports, hrsg. von A. WIJFFELS, 1997 12 Ders., Reports of the »Rota« (14th – 19th centuries), 69–99, in: Judicial records, law reports, and the growth of case law, J. H. BAKER (Hrsg.), 1989 13 CH. DUGGAN, W. HOLTZMANN (Hrsg.), Decretales ineditae saec. 12, 1982 14 G. ERLER (Hrsg.), Dietrich v. Nieheim. Der Liber Cancellariae Apostolicae vom J. 1380 und der Stilus Palatii abbreviatus, 1887, Ndr. 1977 15 AE. FRIEDBERG (Hrsg.), Corpus juris canonici, vol. 1–2, 1879–1882, Ndr. 1959 16 Ders. (Hrsg.), Quinque compilationes antiquae, Leipzig 1882 (Ndr. 1956) 17 CH. UND M. CHENEY, W. HOLTZMANN, Studies in the collections of 12th century decretals, 1979 18 O. HEGGELBACHER, Gesch. des frühchristl. Kirchenrechts bis zum Konzil von Nizäa 325, 1974 19 S. KUTTNER, Gratian and the schools of law 1140–1234, 1983 20 Ders., Studies in the history of medieval canon law, 1990 21 P. LANDAU, Kanones und Dekretalen, 1997 22 FR. MAASSEN, Gesch. der Quellen und Lit. des kanonischen Rechts im Abendlande, vol. 1 (mehr nicht erschienen), Die Rechtsslgg. bis zur Mitte des 9. Jh., Graz 1870, Ndr. 1956 23 Magnum Bullarium Romanum, vol. 1–32, 1727–1762 24 I. D. MANSI (Hrsg.), Amplissima collectio conciliorum, vol. 1–53, Paris 1901–1927 (Ndr. Graz 1960–61) 25 G. MAY,

Kirchenrechtsquellen I, Theologische Realenzyklopädie 19 (1990), 1–44 **26** P. MICHAUD-QUENTIN, Sommes de casuistique et manuels de confession au moyen âge (12–16 siècles), 1962 **27** X. OCHOA (Hrsg.), Leges Ecclesiae post Codicem iuris canonici editae, seit 1966 bis 1987 6 Bde. **28** E. v. OTTENTHAL (Hrsg.), Regulae Cancellariae Apostolicae. Die päpstlichen Kanzleiregeln von Johannes XXII bis Nicolaus V, Innsbruck 1888, Ndr. 1968 **29** W. PLOECHL, Gesch. des Kirchenrechts, vol. 1–6, 1959–1969 **30** B. SCHILLING, C. F. F. SINTENIS, Das Corpus iuris canonici ... ins Dt. übers., Leipzig 1834–1837 **31** J. FR. v. SCHULTE, Die Gesch. der Quellen und Lit. des kanonischen Rechts von Gratian bis auf die Gegenwart, vol. 1–3, Stuttgart 1875–1880, Ndr. Graz 1956 **32** Supplementum ... : Collectio conciliorum recentiorum ..., vol. 1–20, 1901–1927 **33** J. TARRANT (Hrsg.), Extravagantes Iohannis XXII, 1983 **34** W. ULLMANN, The church and the law in the earlier middle ages. Selected essays, 1975 **35** Ders., The papacy and the law in the middle ages, 1976 **36** Ders., Jurisprudence in the middle ages, 1980 **37** Ders., Law and jurisdiction in the middle ages, 1988.

GERO DOLEZALEK

**Kapitolinische Museen** s. Rom

**Karikatur** A. DEFINITION B. FRÜHE NEUZEIT C. BAROCK D. 18. JAHRHUNDERT E. 19. JAHRHUNDERT F. 20. JAHRHUNDERT

A. DEFINITION

Der gegen 1600 in It. entstandene Begriff der K. meint zunächst beladene oder übertriebene, humoristische Porträtzeichnungen [7. 346]. Bereits in der Grafik des späten MA finden sich jedoch die Verfahren des Zuspitzens, Verzerrens und Kontrastierens [7. 13–17], die h. als Kennzeichen der K. gelten. Gegenstand der Antiken-K. sind ant. Kunstwerke und Stoffe der klass. Myth., aber auch die Antikenstudien zeitgenössischer Künstler, Liebhaber und Archäologen. Worauf der verletzende Zug der K. zielt, bedarf der Betrachtung im histor. Kontext.

B. FRÜHE NEUZEIT

Nachgezeichnete Münzbildnisse des Galba (68–69) treten um 1490 im Zusammenhang eines bes. in antithetischen Gegenüberstellungen (Abb. 1) variierten Typs der grotesken Köpfe Leonardos auf [6]. Vorläufer dieses physiognomischen Experimentes sind ma. Drolerien, deren Motive vorwiegend auf die Ant. zurückgehen [15]. Drastisch verfuhr Tizian um 1550 mit der → Laokoongruppe [11] (Abb. 2). Der Eintausch der Menschen gegen Affen kontrastiert die moralische und ästhetische Aufladung des christianisierten Vorbildes mit einer lächerlichen Szene. Beschriftungen und Attribute präparieren die grotesken Köpfe auf Martino Rotas Kupferstich *Heidnische Götter* (vor 1583) für die Verspottung der Olympier [7. 95].

C. BAROCK

Antikenparodien wurden im 17. Jh. Stoff für Theater und Malerei [5. 113]. In Rembrandts Gemälde *Entführung des Ganymed* (1631) widersetzt sich die sichtliche

Abb. 1: Leonardo da Vinci, *Zwei alte Männer*. Federzeichnung, um 1490. Windsor, Royal Library

Erdenschwere des angstvoll weinenden und urinierenden Kindes der Idealisierung [1. Bd. 1, 192–95]. Damit emotionalisiert Rembrandt den Mythos und trivialisiert seine neoplatonischen sowie astrologischen Konnotationen [vgl. 2. 107 f.]. Riberas Zeichnung eines grimassierenden Togatus (um 1625) ist als K. republikanischer Bildnisse unzureichend gedeutet [16. 215]. Für einen zeitgenössischen Anlaß spricht bes. der überspitzte Redegestus, der die Archäologen-K. [17] Pier Leone Ghezzis (1674–1755) vorwegnimmt.

D. 18. JAHRHUNDERT

Seit Winckelmann (*Von der Nachahmung der griech. Werke*, 1756) wurde K. als eine ästhetische Ausschlußkategorie definiert, die nicht zuletzt dem Kampf gegen Barock und Absolutismus diente. Daher konnte der Begriff nun auf alle Gattungen bildender Kunst und auf Lit. übertragen werden [14. 696]. Im Sinne eines »negativen Ideals« nur ironisch gerechtfertigt, waren K. der hohen Kunst untergeordnet und in den Privatbereich klassizistischer Künstler verbannt [4. 22]. Dort korrigierten Zeichnungen Füßlis und Sergels das offizielle Bild einer beruhigten Ant., indem sie die Wollust bei Homer aufdeckten [4. 148] und klass. Pathosformeln für private Leidensberichte verzerrten [4. 102 ff.]. An die Öffentlichkeit adressiert war dagegen Hogarths Radierung *Boys Peeping at Nature* (Abb. 3), die das akad. Naturstudium in Gestalt von Putti und Satyrknaben beim Beobachten der → Diana von Ephesus vorführt [8. 142]. Die Fragwürdigkeit der Ausbildung nach ant. Vorlagen ist bereits an der biederen zeitgenössischen Einkleidung der Statue abzulesen. Nur der Satyrknabe versucht unter die Röcke zu blicken, um die ganze Wahrheit zu sehen, wird aber behindert. Weder die getreue Imitation des linken Putto, noch die Imagination des rechten kann also die wahre Natur enthüllen, sondern nur die Satire. Das Blatt war 1731 Zahlungsbeleg für den Zyklus *A Harlot's Progress*, mit dem Hogarth den mod. Alltag ins Bild setzen und die K. zu einer mittleren Gattung aufwerten wollte [4. 23–25]. Diese Mischung von Alltag und Historie leitete eine neue Ära der K. ein,

Abb. 2: Niccolò Boldrini, *Affenlaokoon*, nach Tizian. Holzschnitt, um 1550

die hier erstmals die moralische Autorität der Ant. für sich beanspruchte. Der lit. Travestie der griech. Götterwelt folgte 1790 mit Chodowieckis *Aeneis* die bildliche Persiflage [8. 150]. Auf zweierlei Weise nahm Koch 1791 im *Selbstbildnis als Herkules am Scheideweg* auf die Ant. Bezug (Abb. 4). Einerseits wendet er sich der mit *imitatio* beschrifteten Muse zu, die einem klass. Athena-Typus folgt. Andererseits ist er an eine Chimäre in verdrehter Rokoko-Pose gekettet, deren Körper aus Arabesken, barocken Architekturelementen und den Brüsten der Diana von Ephesus besteht. Koch nahm in den bedrückenden feudalen Verhältnissen an der Stuttgarter Akad. bei Winckelmanns Griechenlandbild Zuflucht [12. 8]. Gleichzeitig veranschaulicht er zwei gegensätzliche künstlerische Distanzierungen von der Natur und weist auf die Stilkämpfe des 19. Jh. zw. Klassik und Romantik voraus.

### E. 19. JAHRHUNDERT

Im Zuge der entstehenden Massenmedien und durch neue Reproduktionstechniken begünstigt, stieg die K. im 19. Jh. zu einer Gattung mit hoher Signifikanz für die Mod. auf. Während das histor. Bewußtsein im nachrevolutionären Frankreich die Vorbildlichkeit der schon vom *Ancien Régime* benutzten Ant. in Frage stellte, nahmen dt. und engl. K. ant. Denkmäler und Mythen zu Hilfe, um bürgerliche Rechte zu legitimieren. So wurde Marx, Redakteur der 1843 verbotenen Rheinischen Zeitung, als gefesselter Prometheus gezeigt [7. 415]. Bei der Ankunft im mod. Alltag war ein Würdeverlust der Ant. jedoch unvermeidlich. Sichtbar wird dies am dt. Michel, der 1848 als Laokoon gegen die erwürgende Fürstendiplomatie kämpft [9. Abb. 1]. Rambergs am → Parthenonfries orientierter, seriös und komisch gegeneinander ausspielender *Ilias-Zyklus* macht 1827/28

den klassizistischen Ordnungs- und Hierarchieeifer lächerlich [5. 121ff; 9. 146ff.]. In Frankreich verknüpfte sich klass. Bildung nach der gescheiterten 1848er Revolution mit reaktionären Kräften, auch in Deutschland wurde sie Inbegriff für Zucht und Ordnung [9. 138f.]. Daraus folgte eine Hochkonjunktur für gezeichnete Persiflagen auf die Taten homer. Helden. Anders als das 1778 vor der Größe ant. Trümmer noch verzweifelnde Füßli [13. 265] machte Moritz von Schwind 1848 das Fragment zum Emblem einer lebensfernen Wiss. (Abb. 5). Im Kreis andächtiger Dilettanten und unter den Blikken einer überlebensgroßen Sokrates-Büste doziert ein Archäologe über den vollkommenen Körper, zu dem das Kniefragment einst gehörte. Hier geht es nicht nur um den positivistischen Anspruch und die Motive einer Disziplin, die sich durch penible Rekonstruktionen rechtfertigt. Im Hintergrund steht auch die Debatte um den Nutzwert klass. Bildung, den Daumier bereits 1842/43 innerhalb seiner *Histoire ancienne* untersucht hatte [10]. Daumiers Lithographie *A l'Exposition Universelle. – Section égyptienne* (Abb. 6) konfrontiert 1867 die perspektivisch vermittelte Flüchtigkeit der Zeitgenossen mit der Dauerhaftigkeit und Größe des Monumentes. Indem keineswegs schönere Besucher über die häßlichen tierköpfigen Ägypter staunen, werden Bildungswert und Ästhetik des Alt. befragt. Weiterhin weist Daumier die Legitimationsfunktion der altägyptischen Kunst zurück, die in Frankreich zur imperialen Repräsentation beitrug. Der Herkules Farnese, [12. 29], Merkur [9. Abb. 14], die drei Grazien [4. Abb. 111] und die Venus Medici wurden im 19. Jh. vom Sockel gestürzt, letztere bei Wilhelm Busch wörtlich [12. 74]. Daumier ersetzte sie durch Zeitgenossen.

Abb. 3: William Hogarth, *Knaben bei genauer Naturbeobachtung.* Radierung 1730/31, II. Zustand. Windsor, Royal Library (Inschrift: ›necesse est Indiciis monstrare recentibus abdita rerum dabiturque Licentia Sumpta pudenter. Hor.‹)

Abb. 4: Joseph Anton Koch, *Selbstbildnis als Herkules am Scheideweg.* Federzeichnung, aquarelliert 1791. Stuttgart, Staatsgalerie, Franziska Adriani und Heinz Vogelmann

Das antike Knie oder das Vorrecht der Wiſſenſchaft.

Wie mit Recht behauptet werden kann, daß Raphael auch ohne Hände geboren, der größte Maler geweſen wäre, ſo wage ich kühnlich aufzuſtellen, daß auch leider ohne Hand dies göttliche Fragment der vollendetſte Arm genannt zu werden verdient. O herrliches Vorrecht der Wiſſenſchaft, wie Goethe ſagt: „aus dem Bekannten das Unbekannte zu entwickeln."

Abb. 5: *Das antike Knie oder das Vorrecht der Wissenschaft.* Holzschnitt nach Moritz von Schwind. Aus: Fliegende Blätter Nr. 285, Bd. XIII, 1850/51. (Inschrift: ›Wie mit Recht behauptet werden kann, daß Raphael auch ohne Hände geboren, der größte Maler gewesen wäre, so wage ich kühnlich aufzustellen, daß auch leider ohne Hand dies göttliche Fragment der vollendetste Arm genannt zu werden verdient. O herrliches Vorrecht der Wissenschaft, wie Goethe sagt: ›aus dem Bekannten das Unbekannte zu entwickeln‹.)

Abb. 6: Honoré Daumier, *Auf der Weltausstellung – Die ägyptische Abteilung.* Lithographie, 1867

## F. 20. Jahrhundert

Obwohl mit der Verbindlichkeit des Human. auch die Antikenkritik an Relevanz verloren hat, bleiben Antiken-K. aktuell [12], doch eher zur Verhöhnung des Privilegs human. Bildung. Vom Schulunterricht in Alter Geschichte und Lat. entlasten inzwischen → Comics. → Groteske

→ AWI Grylloi; Karikatur

1 C. Brown u. a., Rembrandt. Der Meister und seine Werkstatt, 2 Bde., 1991 2 W. Busch, Nachahmung als bürgerliches Kunstprinzip, 1977 3 H. M. Champfleury, Histoire de la Caricature antique, Paris 1865 4 B. Collenberg-Plotnikov, Klassizismus und K., 1998 5 F. Forster-Hahn, Johann Heinrich Ramberg als Karikaturist und Satiriker, 1963 6 E. Gombrich, Leonardo's grotesque heads, in: The Heritage of Apelles, 1976, 57–75 7 H. Guratzsch u. a. (Hrsg.), Bild als Waffe, 1984 8 K. Herding, Die Schönheit wandelt auf den Straßen – Lichtenberg zur Bildsatire seiner Zeit, in: Im Zeichen der Aufklärung, 1989, 127–162 9 Ders., Inversionen. Antikenkritik in der K. des 19. Jh, in: Ders., G. Otto (Hrsg.), K., 1980, 131–171 10 K. Herding, Kritik der Moderne im Gewand der Ant. Daumiers Histoire Ancienne, in: Hephaistos 9, 1988, 111–142 11 H. W. Janson, Apes and Ape lore in the Middle Ages and the Renaissance, 1952, 355–368 12 M. Kunze (Hrsg.), Antike(n) – Auf die Schippe genommen, 1999 13 G. Lammel, K. der Goethezeit, 1992 14 G. und I. Oesterle, s. v. Karikatur, HWdPh 4, 696–701 15 R. Schilling, s. v. Drolerien, RDK 4, 567–588 16 N. Spinosa, A. di Pérez Sánchez, Jusepe de Ribera (1591–1652), 1992 17 L. M. Tentori, Scoperte Archeologiche del Secolo 18 nella Vigna di San Cesario, in: Rivista di Reale Istituto d'Archeologia e Storia dell'Arte 6, 1937/38, 289–308.                    ULRICH PFARR

## Karlsruhe, Badisches Landesmuseum, Antikensammlungen A. Einleitung
### B. Abgusssammlung
### C. Erwerbungsgeschichte der Antikensammlung D. Kunsthalle
### E. Museum am Friedrichsplatz
### F. Badisches Landesmuseum im Schloss

### A. Einleitung

Die Karlsruher Antikensammlung war, von der älteren Abgußsammlung abgesehen, eine Gründung des 19. Jh. Sie ging nicht aus älterem landesherrlichem Besitz hervor. Diese Ausgangssituation spiegelt sich insofern im Bestand, als ihm »repräsentative« Galerien von Bildnisbüsten oder »dekorative« Statuen fehlen. Dagegen verfügt die seit ihrem Beginn mit einem Bildungsauftrag verbundene und am intensivsten während der Gründerzeit ausgebaute Kollektion über eine Vielfalt materieller Zeugnisse, die in ihrer aktuellen Präsentation der übergeordneten Konzeption des Badischen Landesmus. folgen, ›eigene und fremde Kulturen in Geschichte und Gegenwart in Dialog zu bringen, zu »vernetzen« und Grundlagen für das Verständnis der Kontinuitäten und Brüche der uns prägenden kulturgeschichtlichen Entwicklung zu schaffen‹ [2. 6].

Die museale Geschichte der Karlsruher Antikensammlung läßt sich nach der Abfolge ihrer Aufbewahrungsorte periodisieren: Kunsthalle, Mus. am Friedrichplatz und schließlich das Schloß. Dabei bedeutete an der letztgenannten Stätte der II. Weltkrieg einen tiefgreifenden Einschnitt in die Kontinuität der Ausstellung.

### B. Abgusssammlung

Seit 1786 erfolgte, wohl unter dem Eindruck des Antikensaals in → Mannheim, der Aufbau einer Abgußsammlung, die zunächst in der Karlsruher Kunst-Akad. Platz fand. Den größten Zuwachs erfuhr sie zu Beginn des 19. Jh., doch schloß sich während der folgenden Jahrzehnte eine systematische Erweiterung unter Einschluß von Gipsen nach Giebelskulpturen aus Olympia und Aigina an. Die Abgußsammlung blieb, von einer kurzen Unterbrechung (1921–1930) abgesehen, an wechselndem Standort bis 1935 der Öffentlichkeit zugänglich. Nach dem II. Weltkrieg wurde der – durch Beschädigungen dezimierte – Bestand an das Arch. Inst. der Univ. Heidelberg abgegeben. Die Gipse, Nachbildungen ant. wie neuerer Werke, fungierten im 19. Jh. primär als Studienobjekte für künstlerische Ausbildung, rückten aber zum Bezugspunkt und essentiellen Bestandteil der Kunsthalle auf und gaben gegen E. des 19. Jh. zusammen mit der vermehrten Zahl anderer Objekte sogar Anlaß zu einem Erweiterungsbau (Abb. 1).

### C. Erwerbungsgeschichte der Antikensammlung

Auf Landtagsbeschluß erhielt Friedrich Maler, badischer Geschäftsträger in Rom und Neapel, 1837 Mittel für den Ankauf griech. Werke. Mit der von ihm zusammengetragenen Vasenkollektion nahm die Sammlung ant.. Originale ihren Anfang. Daß man sich auf Denkmäler jener Gattung statt auf Skulpturen verlegte, dürfte neben dem begrenzten Etat mehrere Gründe gehabt haben: nicht zuletzt die hohe Wertschätzung, die Vasen als Zeugnisse griech. Malerei genossen (vgl. zeitgleiche Ankäufe für → Berlin und → München). Ebenso konnten die Vasen als Ergänzung zur Gemäldegalerie verstanden werden.

Die weitere Entwicklung des Sammlungsbestandes vollzog sich in zeitlich unterschiedlichen Stufen mit deutlicher Konzentration im späten 19. Jh. Die wichtigsten Stationen der Erwerbungsgeschichte bildeten: 1853 frühe griech., ital. und etruskische Bronzen sowie kykladische Objekte aus dem Besitz von Friedrich Maler, 1859 Kleinkunst der Sammlung Carl Gustav Schüler, 1860 die nachgelassene Sammlung Friedrich Thierschs (teilweise an die Heidelberger Univ. abgegeben), 1885 hell.-kleinasiatische Terrakotten, die George Dennis in Smyrna zusammengetragen hatte, 1886 kaiserzeitliche Skulpturen aus einer Villa bei Marino und im selben J. eine Gruppe archa. ostgriech. Vasen (ersteigert bei C. Smith in London), 1887 kyprische Kalksteinstatuetten und weitere Funde aus Idalion (Grabung von Max Ohnefalsch-Richter), 1898 ägypt. Werke, darunter bed.

Abb. 1: Großer Skulpturensaal im Erweiterungsbau der Karlsruher Kunsthalle von 1894/1897 mit Statuen der Abgußsammlung (Aufnahme 1899)

Reliefs (Abb. 2) aus der Sammlung Carl August Reinhardt, und ebenfalls 1898 geom. und früharcha. Bronzen aus Lousoi in Arkadien. Diese umfangreiche Ankaufstätigkeit konnte erst in den 50er J. des 20. Jh., zudem nur in zurückhaltenderem Maß, wieder aufgenommen werden. Hinzu kamen aber schon ab dem 19. Jh. zahlreiche Einzelerwerbungen und Schenkungen, die teilweise zu den Hauptwerken der Ausstellung zählen, so ein dädalischer, wohl aus Olympia stammender Bronzekopf (Abb. 3). Im Ergebnis bietet sich h. eine Sammlung von außergewöhnlicher Breite, die von frühen Zeugnissen (4./3. Jt. v. Chr.) aus Ägypten, Vorderasien, Anatolien und von den Kykladen bis zu byz. Metallarbeiten und koptischen Stoffen (5./6. Jh. n. Chr.) reicht.

### D. Kunsthalle

Der Badische Landtag ermöglichte 1837 nicht nur den Erwerb von Kunstwerken, sondern stellte zugleich die Finanzierung eines Sammlungsgebäudes sicher. Als Architekt wurde Heinrich Hübsch beauftragt [6]. In mehrfacher Hinsicht zeugt das (im späteren 20. Jh. restaurierte) Bauwerk von zeittypischem Verständnis: Allein schon die bei der Fertigstellung 1846 gewählte Bezeichnung »Kunsthalle« erscheint insofern bezeichnend, als einerseits der Begriff Mus. absichtlich durch ein dt. Äquivalent ersetzt wurde und andererseits – wie wenige J. zuvor beim (Alten) Mus. in Berlin und der Glyptho-

thek in München – eine Reverenz an den Landesherren oder einen seiner Vorfahren unterblieb; u. a. hatte Friedrich Maler den Namen »Mus. Leopoldinum« vorgeschlagen. Die Außengestaltung löste sich von einem strengen Klassizismus, nahm vielmehr in der Verbindung verschiedener Stilzitate (bei dominanter Orientierung an der Ren.) Bezug auf die aus unterschiedlichen Epochen stammenden Bildwerke im Innern und wies zugleich mit dem Eklektizismus der Formen auf historische Architektur voraus. Die dezidierte Auswahl der Baumaterialien einschließlich unverputzter Ziegel und der Einsatz konstruktiver Innovationen besitzen in Bauten Karl Friedrich Schinkels ihre bekannteste zeitliche Parallele. An der Front ist das herkömmliche Tempelmotiv durch Arkaden variiert, der Giebel vereinfacht. Dem in seinem Anspruch reduzierten Eingang steht eine reiche Dekoration des zweigeschossigen Innenbaus gegenüber (Abb. 4). Die Thematik der von Moritz von Schwind entworfenen Wandmalereien unterteilt sich in den Antikensälen in »Philostratische Gemälde« (unter dem Einfluß von Goethes Beschäftigung mit den *Eikones*) und Darstellungen der Olympischen Spiele. Ungeachtet ihres Umfangs fielen die Malereien entschieden weniger prachtvoll aus als diejenigen der Münchner Glyptothek und spiegeln wie das Bauwerk als Ganzes bürgerliche Bildungsideale.

Abb. 3: Weiblicher Bronzekopf,
wohl aus Olympia, um 640 v. Chr.
Karlsruhe, Badisches Landesmuseum,
Inv. F 1890

Abb. 2: Altägyptisches Relief aus dem Grab des Pyramidenvorstehers Ii-nefret, ca. 2488–2470 v. Chr.
Karlsruhe, Badisches Landesmuseum, Inv. H 532

Während das obere Stockwerk von der Gemäldegalerie bezogen wurde, fanden die Antiken 1846 im
Erdgeschoß Platz. Dort dominierte die Abgußsammlung, wobei die Gipse nach ant. Skulpturen drei der
insgesamt vier Säle beanspruchten. Die von Friedrich
Maler vermittelten Vasen (und Terrakotten) waren vergleichsweise unauffällig in einem Korridor aufgestellt,
ebenso die 1853 aus dem Besitz Malers erworbenen
Bronzen, die dem Obergeschoß zugewiesen wurden.
Neuzugänge veränderten diese Konzeption anscheinend nicht grundsätzlich.

Zielpublikum der Kunsthalle waren angehende
Künstler und das gebildete Bürgertum. Einerseits sollten
in Fortführung der Akad., des früheren Besitzers der
Gipse, Kunst und Gewerbe durch mustergültige Vorbilder gefördert werden, andererseits war den Werken
die Funktion der »Geschmacksbildung« zugedacht.

### E. MUSEUM AM FRIEDRICHSPLATZ

Der Planung eines neuen Mus. ab 1862 lag das Ziel
zugrunde, kulturelle und wiss. Einrichtungen (die Hof-
Bibl., fast alle Sammlungen und – wenn auch nicht realisiert – das Landesarchiv) zu zentralisieren. Jenseits der
Nutzungsbestimmung für die »Vereinigten Großherzoglichen Sammlungen« bezeugt das 1872 fertiggestellte
Gebäude mit seiner mächtigen, von einem Mittelrisali-

ten und einer Kuppel betonten Front den Wunsch nach
repräsentativer Wirkung. Hinter der an Schloßarchitektur gemahnenden Fassade wurden der Antikensammlung 1875 gleichwohl nur Räumlichkeiten zugeteilt, die
das schon in der Kunsthalle virulente Problem mangelnden Platzes nicht lösten. Zu der beengten Aufstellung
trug ferner die Integration der »vaterländischen« (provinzialröm.) Denkmäler bei, die zuvor – nach ihrer
Überführung aus Sinsheim und Baden-Baden – teilweise in der Kunsthalle, teilweise in einer sog. Alter-
tumshalle (ehemaliges Lusthaus im Erbprinzengarten)
untergebracht worden waren und dort eine eher provisorische Heimstatt gefunden hatten. Das Raumpro-
blem verstärkte sich desweiteren durch die erwähnten
zahlreichen Neuerwerbungen. Verschiedene Ideen zur
Abhilfe wurden diskutiert, gelangten aber nicht zur
Ausführung. Losgelöst von den äußeren Bedingungen
zeichnete sich die Museumsarbeit neben den erfolgreichen Sammlungserweiterungen durch eine intensivierte
Publikationstätigkeit aus, die erst nach dem II. Weltkrieg eine adäquate Fortsetzung fand. Parallel traten um
1900 Überlegungen in den Vordergrund, wie eine breitere Öffentlichkeit erreicht werden könne; programmatische Schriften des Museumsdirektors Ernst Wagner
nahmen über den herkömmlichen Interessentenkreis
hinaus neue Ansprechpartner, z. B. Arbeiter-Bildungs-
Vereine, in den Blick.

### F. BADISCHES LANDESMUSEUM IM SCHLOSS

Zwiespältig stellt sich die museale Entwicklung nach
dem I. Weltkrieg dar. Einerseits setzten die polit. Veränderungen das Schloß als angemessene Ambiente der
Kunstsammlungen frei, was seitens der Antikensammlung mit einem raschen, 1921 abgeschlossenen Umzug

Abb. 4: Vorentwurf für die Karlsruher Kunsthalle von Heinrich Hübsch, 1837.
Federzeichnung. Karlsruhe, Generallandesarchiv, G/Karlsruhe Nr. 510

realisiert wurde, andererseits brachte der neue Standort doch keine Verbesserung für die Exposition mit sich. Zugleich wurden im Rahmen der Gesamtkonzeption des Hauses insofern veränderte Wertigkeiten des Antikenbestandes sichtbar, als nur noch eine Auswahl zur Aufstellung gelangen konnte. Die Ant. verlor ihre führende Rolle, war nur noch ein Glied in der Reihe europ. Kulturperioden. Eine ähnliche, der Ant. dann allerdings doch größeres Gewicht beimessende Konzeption hatte einige J. zuvor schon dem Liebieghaus in → Frankfurt am Main zugrunde gelegen. Mit der geringeren Funktion innerhalb der Gesamtpräsentation korrespondierend gingen die wiss. und didaktischen Aktivitäten stark zurück. Ebenso erfolgten nur sehr wenige Neuankäufe, was wohl zu gleichen Teilen mangelndem Engagement wie der allg. wirtschaftlichen Situation geschuldet war. Entschieden mehr fachliche Aufmerksamkeit erfuhren nach dem I. Weltkrieg die ur- und frühgeschichtlichen und provinzialröm. Objekte, die

weiterhin im Mus. am Friedrichsplatz gezeigt wurden. Fast ein Schattendasein führte die Abgußsammlung, die bis zu ihrer Auflösung im Erweiterungsbau der Kunsthalle verblieb, nachdem sie zwischenzeitlich sogar aus den Schauräumen entfernt worden war.

Das Schloß brannte 1944 infolge eines Luftangriffs aus. Die im Keller deponierten Skulpturen nahmen starken Schaden, während die ausgelagerten Werke der Kleinkunst den Krieg besser überstanden. Längere Zeit wurde über einen neuen Aufbewahrungsort diskutiert. Die Entscheidung zugunsten des Wiederaufbaus des Schlosses fiel 1954; dessen erneute Nutzung durch das Badische Landesmus. stand endgültig 1961 fest. 1966 fand die Eröffnung statt. Rekonstruiert wurde allein der Außenbau. Innen war das einstige kleinteilige Raumgefüge durch Säle ersetzt worden. Stereometrische, aber leichte Formen bestimmten die Einrichtung (Abb. 5). Eine seit den 90er J. des 20. Jh. erneuerte Präsentation sucht stärker noch geschichtliche Zusammenhänge und

Abb. 5: Karlsruhe, Badisches Landesmuseum, Antikensaal in der Einrichtung von 1966

Kontexte der Denkmäler zu veranschaulichen. Die Disposition der Objekte folgt primär einer chronologischen Abfolge der Kulturen; v. a. innerhalb des griech. Abschnitts kommen thematische Gruppierungen zur Geltung. Zu den Beständen des Landesmus. zählt seit dem II. Weltkrieg auch die provinzialröm. Sammlung.

Von 1974 an veranstaltete die Antikenabteilung eine Reihe bemerkenswerter Sonderausstellungen, die internationale Beachtung fanden. Die wohl spektakulärsten waren »Kunst und Kultur der Kykladeninseln« (1976) und »Kunst und Kultur Sardiniens« (1980).
→ AWI Aigina

1 Badisches Landesmus. (Hrsg.), 150 J. Antikenslgg. in Karlsruhe, 1988 2 Badisches Landesmus. Karlsruhe (Hrsg.), Ant. Kulturen. Orient, Ägypten, Griechenland, Etrurien, Rom und Byzanz. Führer durch die Antikenslgg., 1995 3 W. Fröhner, Die griech. Vasen und Terrakotten der Großherzoglichen Kunsthalle zu Karlsruhe, Heidelberg 1860 4 C. Frommel, Verzeichnis der Kunstgegenstände in der Großherzoglichen Kunsthalle zu Carlsruhe, Karlsruhe ¹1847, ⁵1867 5 I. Gamer-Wallert, R. Grieshammer, Ägypt. Kunst. Bildhefte des Badischen Landesmus., Neue Folge 1, 1992 6 Heinrich Hübsch 1795–1863. Der große badische Baumeister der Romantik, Ausstellungs-Kat. Karlsruhe, 1983 7 K. Kölitz, Kat. der Gypsabgüsse, Karlsruhe 1882 8 M. Maass, Wege zur Klassik. Führer durch die Antikenabteilung des Badischen Landesmus., 1985 9 Ders., Griech. Kunst aus Unteritalien und Sizilien, 1987 10 Neuerwerbungen 1952–1965. Badisches Landesmus., 1966 11 E. Petrasch, Die Neugestaltung des Badischen Landesmus. im Karlsruher Schloß, in: Museumskunde 1, 1967, 15–37 12 E. Rehm, Siegelkunst im Alten Orient. Rollsiegel aus dem 3. bis 1. Jt. v. Chr., Ausstellungs-Kat. Karlsruhe, 1993 13 W. Schürmann, Die Reliefs aus dem Grab des Pyramidenvorstehers Ii-nefret, 1983 14 Ders., Kat. der kyprischen Antiken im Badischen Landesmus. Karlsruhe (Corpus of Cypriote Antiquities, 9), 1984 15 Ders., Kat. der ant. Terrakotten im Badischen Landesmus. Karlsruhe, 1989 16 J. Thimme, Altsardische Kunst, 1980 17 Ders., Ant. Meisterwerke im Karlsruher Schloß, 1986 18 A. Wiedemann, The Monuments of Ancient and Middle Empire in the Museum of Karlsruhe, in: Proceedings of the Society of Biblical Research 8, 1886, 96–101 19 H. Winnefeld, Beschreibung der Vasenslg. Großherzogliche Vereinigte Slgg. zu Karlsruhe, Karlsruhe 1887.      Detlev Kreikenbom

## Karolingische Renaissance
I. Politisch   II. Kunst
III. Althochdeutsche Bibeldichtung

### I. Politisch
A. Begriff  B. Anfänge  C. Politischer Rahmen  D. Instrumentarien
E. Intentionen  F. Antikenrezeption

#### A. Begriff
Die unübersehbare Erneuerung der Latinität nach ant. Vorbildern und die um 780 einsetzende und weit in

das 9. Jh. reichende immense Vervielfältigung ant. Schriften und nicht zuletzt die scheinbar aus dem Nichts am Hof Karls d. Gr. einsetzenden wiss. und dichterischen Bemühungen zahlreicher Gelehrter ließen die in Anlehnung an die »It. Ren.« gewählte Bezeichnung Ren. angemessen erscheinen. Allerdings wurde der Begriff der Ren. schon früh als unangemessen angesehen. So wies schon 1923 E. Patzelt zahlreiche Grundlagen und Voraussetzungen der K. R. im Reich der Merowinger nach, so daß sie aus der Perspektive der Kontinuität den Begriff K. R. für widerlegt hielt. Auch von kunsthistor. Seite wurde der Begriff Ren. in Frage gestellt. So zeigte R. Krautheimer 1942, daß die entscheidenden Vorbilder der »Karolingischen Erneuerung« nicht in der klass. Ant., sondern in der Spätant. zu suchen und vorwiegend rel. Natur sind. J. Fleckenstein gab bereits 1953 ein umfassendes Bild von der »Bildungsreform Karls d. Gr.«, das dieser Betrachtungsweise gerecht wurde. Gegen die Ablehnung des Begriffes K. R. wandte sich P. Lehmann 1954, der in Kenntnis der wesentlichen Unterschiede zur It. Ren. an dem Begriff K. R. festzuhalten vorschlug. P. E. Schramm hob dann 1964 die rel. bestimmte Seite der K. R. hervor und schlug vor, nunmehr in Kenntnis der rel. und der lit. Aspekte von *correctio* zu sprechen. Wenn von einer K. R. gesprochen werden darf, dann nicht als von einer der It. Ren. entsprechenden Bewegung, sondern in voller Kenntnis der Andersartigkeit als von Erneuerung (*renovatio*) unter Zuhilfenahme ant. Formen und Kenntnisse. Die große Bed., die im Rahmen der karolingischen Erneuerung von Anf. an der Liturgie und der Theologie beigemessen wurde, läßt den Vorrang der Antikenrezeption für die K. R. fraglich erscheinen. Die Ant. wurde nicht als reines Vorbild begriffen, das zu erreichen man sich bemüht hätte, sondern ihre kulturellen Vorgaben oft als ein zu übertreffender Standard betrachtet, der in den Dienst der christl. (also höherwertigen) Gesellschaft zu stellen war. W. Ullmann (1969) sieht den Begriff der K. R. daher auch als eine Bezeichnung für die Erneuerung der fränkischen Gesellschaft und ihrer Ordnung als *Populus Dei*, wozu die kulturellen Bemühungen der Karolinger und damit die intensive Rezeption der Ant. ein wesentliches Mittel darstellten.

## B. Anfänge

Schon Pippin d. J. hatte die Bed. der Kirche und ihrer Organisation für die monarchische Herrschaft erkannt und sich auch daher um die Erneuerung der Kirche bemüht. Er hatte v. a. im Bereich der Liturgie und der Mission, mit der zunächst bes. Iren und Angelsachsen betraut wurden, Anstrengungen zu einer Verbreiterung und Vereinheitlichung christl. Gottesdienstes unternommen. Seine Erhebung zum fränkischen König (751) erleichterte diese Aufgabe. Aber erst das Erstarken der Monarchie unter Karl d. Gr. führte zu größeren Erfolgen, zunächst mit der Liturgiereform und dem Bemühen um eine einheitliche Mönchsregel (fortgeführt unter Ludwig dem Frommen unter Leitung Benedikts

von Aniane), dann auch mit Unternehmungen wie der Überarbeitung und Verbreitung der *Lex Salica* und anderer Germanenrechte.

## C. Politischer Rahmen

Als Haupt der Erneuerungsbewegung kann Karl d. Gr. selbst gelten, dem sein Biograph Einhard ein bes. Interesse an Bildung und Verständnis von wiss. Fragen der verschiedensten Art attestiert (Vita Caroli 25), was sich auch in Karls brieflichen Anfragen an verschiedene Gelehrte niederschlägt. Aus diesem persönlichen und einem herrscherlichen Interesse an der Förderung der Bildung heraus zog Karl seit dem Ende der 70er Jahre des 8. Jh. ausgewiesene Gelehrte aus all den europ. Ländern, in denen ant. Kenntnisse besser gepflegt worden waren als im Frankenreich, an seinen Hof, unter ihnen v. a. den Angelsachsen Alkuin aus York (bald nach 781), der bald die zentrale Aufgabe bei der Erneuerung der Bildung übernahm, ferner z. B. die Langobarden Paulus Diaconus und Paulinus, die Iren Jonas und Dungal, den Westgoten Theodulf (um 780). Es entstand damit ein Gelehrtenkreis, von dem auch die Hofschule profitierte. Seine Mitglieder gehörten nicht selten zeitweise der Hofkapelle an, die auch zu einem polit. Instrument wurde, indem sie u. a. für die Kanzlei Karls zuständig war. Eine ganze Reihe der Gelehrten erhielt im Anschluß an ihren Dienst am Hof einen Bischofssitz oder die Führung eines Klosters (z. B. war Modoin seit 804 am Hof Karls und wurde 815 Bischof von Autun, Paulinus wurde später Patriarch von Aquileia, Theodulf wurde 798 Bischof von Orléans und Abt von Fleury).

## D. Instrumentarien

Wichtigstes Instrument bei der Durchsetzung der Reformbemühungen waren die Kapitularien, in denen die verschiedensten Angelegenheiten allgemeinverbindlich geregelt wurden. Hervorzuheben sind die beiden von Alkuin verfaßten, die *Admonitio generalis* von 789 (MGH Cap. I, Nr. 22, 52–62), die noch vorwiegend rein kirchenpolit. Themen zum Inhalt hat, und die *Epistola de litteris colendis* von 784/85 (MGH, Cap. I, Nr. 29, 78 f.), deren vorrangiges Anliegen die Erneuerung der fränkischen Gesellschaft mit den Mitteln der Bildungsreform ist. Für die K. R. als Bildungsreform ist der Austausch von Büchern und Briefen v. a. unter den Protagonisten, führenden Bischöfen und Äbten, eine wesentliche Voraussetzung. Da die Klöster und Domschulen mit ihren Bibl. und Lehrern die eigentlichen Träger der Bildungsreform waren, nicht zuletzt, weil sie über die nötige Kontinuität verfügten, also alte Buchbestände besaßen und den erworbenen Bildungsstand über längere Zeit zu bewahren in der Lage waren, war es von einiger Bed., daß die Bischofs- und Abtwürde in vielen Fällen an Personen aus dem engeren oder weiteren Gelehrtenkreis um Karl d. Gr. und seine Nachfolger vergeben wurde. Deren Bemühen um den Austausch und die Vervielfältigung von Büchern wurde erheblich erleichtert durch die Ablösung des Gebrauches insularer Schrift von röm. Schriften, allen voran durch die karolingische Minuskel, die karolingische Buchschrift.

## E. Intentionen

Mit der Erneuerung der fränkischen Kirche, die in der *Admonitio generalis* programmatisch als *Populus Dei* bezeichnet wird, ist die Erneuerung der monarchischen Herrschaft und der Ausbau der Staatlichkeit eng verbunden. Die Erneuerung der Wiss. sollte auch zur Hebung des Bildungsstandes der einfachen Geistlichen beitragen und somit Einfluß auf die Bildung und christl. Frömmigkeit einfacher Leute ausüben. Die Zahl der Pfarreien im Frankenreich wurde zur Zeit der Karolinger auch aus solchen Gründen erheblich erhöht. Besonderes Anliegen war es, die *Bibel* in ihrer Gesamtheit und möglichst reinen Form zu verbreiten. Sie war Grundlage nicht nur der rel. Auffassungen der Karolinger, sondern auch polit. Leitfaden. Von der starken Betonung kaum beschränkter monarchischer Herrschaft in den Büchern des AT konnte auch die Herrschaft der Frankenkönige profitieren. Zu diesem Zweck haben v. a. Alkuin und Theodulf von Orléans ältere Abschreibefehler mit Hilfe ihrer umfassenden philol. (v. a. gramm.) Kenntnisse zu bereinigen unternommen. Im wesentlichen war die karolingische Kultur eine lat. Kultur, die als Gegenpol zur griech. Kultur von Byzanz gesehen werden kann. Hier liegt auch der Kern einer Wiedergeburt, nämlich der Latinität.

## F. Antikenrezeption

Zur K. R. gehörte wesentlich, die lat. Lit. zu den verschiedensten kulturellen und zivilisatorischen Fragen zu sammeln, allen voran wurden dabei die Schriften der Kirchenväter abgeschrieben, die selbst dem kulturellen Erbe der heidnischen Schriftsteller verpflichtet waren, was dazu beitrug (mit leichter Verzögerung) auch deren Schriften in größerem Umfang zu verbreiten. Die heute vorliegenden ant. lat. Texte gehen im wesentlichen auf Abschriften des 9. Jh. zurück, bevorzugt kopiert wurden die Werke von Vergil, Horaz, Lucan, Juvenal, Terenz (Abb. 1), Statius, Cicero, Sallust, Plinius den Älteren, Justin und Vitruv, seltener dagegen waren solche von Plautus, Lukrez, Livius, Ovid, Tacitus, Columella und Ammian. Nicht zuletzt gab es umfangreiche Bemühungen um die Erneuerung der *Septem Artes* (→ Artes liberales). Neben den philol. Fertigkeiten, die v. a. für die Verbesserung überlieferter Texte und die Ausdrucksfähigkeit eigener v. a. theologischer Lit. gefördert wurden, fanden auch Mathematik, Geometrie, Astronomie, Zeitrechnung und Baukunst bes. Pflege. Alle diese Wiss. und damit verbunden die Rezeption ant. Schriften wurden für die Erkenntnis und Herstellung der rechten göttl. Ordnung benötigt, z. B. für die Osterfestberechnung. Im Gelehrtenkreis am Hof gab man sich neben biblischen Namen (Karl selbst galt als David) auch solche, die auf berühmte Dichter der Ant. verweisen; wie Homer (Angilbert) und Naso (Modoin); Alkuin selbst hatte den Namen Flaccus. Die Dichtung, die im Gelehrtenkreis um Karl d. Gr. und seine Nachfolger (v. a. Ludwig den Frommen und Karl den Kahlen) entstand, orientierte sich in Form und Wortwahl v. a. an den Werken Vergils, wobei eine Schlüsselrolle für die Dichtung Venantius Fortunatus (6. Jh.) zukam und daneben die Bukoliker Calpurnius Siculus (1. Jh.) und Nemesianus (3. Jh.) von einiger Bedeutung waren. Dabei ist über die Übernahme dichterischer Formen hinaus bes. in der → Panegyrik eine Orientierung der karolingischen Dichtung und Dichter an einem möglichen Vorbild im augusteischen Hof nicht auszuschließen, wobei aber vielmehr der Hof des Königs David als Vorbild betont wurde (→ Herrscher).

1 W. Braunfels, P. E. Schramm (Hrsg.), Karl d. Gr., 4 Bde, 1965 2 G. Brown, The Carolingian Renaissance, in: R. McKitterick (Hrsg.), Carolingian Culture, 1994, 1–51

Abb. 1: Terenzhandschrift (vermutlich Aachen, um 825), BAV Vat. Lat. 3868, Autorenportrait fol. 2r

3 F. BRUNHÖLZL, Ren., Karolingische, in: LMA 7, 1995, 718–720 4 P. BUTZER, M. KERNER, W. OBERSCHELP (Hrsg.), Karl d. Gr. und sein Nachwirken, Bd. 1, 1997 5 J. J. CONTRENI, The Carolingian Renaissance, in: W. TREADGOLD (Hrsg.), Renaissances before the Renaissance, 1984, 59–74 6 J. FLECKENSTEIN, Die Bildungsreform Karls d. Gr., 1953 7 Ders., Bildungsreform Karls d. Gr., in: LMA 2, 1983, 187–189 8 P. GODMAN, The poetry of the Carolingian Renaissance, 1985 9 Ders., Louis the Pious and his Poets, in: Früh-ma. Studien 19, 1985, 239–289 10 H.-W. GOETZ, Vergangenheitswahrnehmung, Vergangenheitsgebrauch und Geschichtssymbolismus in der Geschichtsschreibung der Karolingerzeit, in: Settimane di Studio 46, 1999, 177–225 11 R. KRAUTHEIMER, The Carolingian Revival of Early Christian Architecture, in: Art Bulletin 24, 1942, 1–38 12 P. LEHMANN, Das Problem der K. R., in: Settimane di Studi di Spoleto 1 (1954), 309–358 13 R. MCKITTERICK (Hrsg.), Carolingian Culture, 1994 14 A. MONTEVERDI, Il problema del Rinascimento Carolino, in: Settimane di Studi di Spoleto 1, 1954, 359–377 15 E. PATZELT, Die K. R., 1923, Ndr. 1965 16 P. RICHÉ, École et enseignement dans le haut moyen âge, ²1989 17 CH. STIEGEMANN, M. WEMHOFF (Hrsg.), Kunst und Kultur in der Karolingerzeit, 3 Bde., 1999 18 P. E. SCHRAMM, Karl d. Gr., in: HZ 198, 1964, 306–345 19 N. STAUBACH, Rex Christianus, 1993 20 W. M. STEVENS, Karolingische Renovatio in Wiss. und Lit., in: [17. Bd. 3, 662–680] 21 G. W. TROMPF, The Concept of the Carolingian Renaissance, in: Journal of the History of Ideas 34, 1973, 3–26 22 W. ULLMANN, The Carolingian Renaissance and the Idea of Kingship, 1969.　　　　　JÜRGEN STROTHMANN

## II. KUNST

Auch für die bildenden Künste der Karolingerzeit gilt, daß weniger die klass. Ant. als vielmehr die christl. Spätant. vorbildhaft wirkten; den durch die starke ästhetische Attraktion bedingten Versuchungen der klass.-ant. Kunstwerke stand man durchaus kritisch gegenüber [6]. Die *renovatio* der Ant. war nicht Selbstzweck, sondern polit. und theologisch begründet, ein der Kunst unterstellter selbstgenügsamer und allein ästhetisch legitimierter Antikenbezug würde gerade die Differenz zur Reform aufzeigen [8]. Der Rekurs auf ant. Vorlagen in der Kunst kann nur als eines von mehreren Mitteln zur Durchsetzung der Regulierung gelten, daneben wurden geometrische und numerische Gliederungsschemata eingesetzt [7; 8]. Auch die Ant.-Rezeption in der Buchmalerei hatte offenbar hauptsächlich die Aufgabe, die Vorrangstellung der Heiligen Schrift zu kennzeichnen [3].

Daß sich die K. R. nicht auf die Zeit Karls d. Gr. beschränkt, erhellt auch daraus, daß die meisten karolingischen Kunstwerke erst dem 9. Jh. entstammen, so wie auch die Reform erst durch ihre Verbreitung im Reich, bes. im Westfrankenreich unter Karl d. Kahlen († 877), wirksam wurde. Der Typus der (konstantinischen) Basilika wird erstmals von Fulrad v. St. Denis in seinem dortigen Kirchenneubau (Weihe 755) aufgegriffen; hier wie in Fulda (Weihe 819) wurde St. Peter in Rom kopiert. Für das bedeutendste erhaltene karolingische Bauwerk, die Aachener Pfalzkapelle Karls d. Gr., war nicht nur die Architektur der Kirche San Vitale in Ravenna (6. Jh.) ein Vorbild. Aus derselben Stadt stammen auch die für den Bau verwandten Säulen und andere Spolien. Die Übernahme röm. Bezeichnungen für einzelne Bauteile der Aachener Pfalz (»Lateran«) rekurriert auf das christl. Rom. Die Palastaula, in Aachen in überbauter Form noch erhalten, folgt dem Typus spätant. Aulen wie der in Trier. Ein weiterer früher Zentralbau ist Theodulfs Kapelle in Germigny-des-Prés (Weihe 806). Nicht erhalten ist dagegen Angilberts Kirche in Centula/St. Riquier (Weihe 799), wo das karolingische Westwerk erstmals auftritt. Den Typus der Doppelchorkirche vertreten der karolingische Vorgängerbau des Kölner Doms sowie der St. Galler Klosterplan (um 820). Einen Triumphbogen wie den Konstantinsbogen imitiert die Lorscher Torhalle (um 790).

Werke der Wandmalerei sind selten und fragmentarisch erhalten. Daß große biblische und histor. Zyklen existiert haben, belegen Beschreibungen und v. a. Tituli. Erhaltene Beispiele stammen aus der 2. H. des 9. Jh. und sind vorwiegend abseits gelegen: Naturns und Mals (Tirol), Müstair (Graubünden; am vollständigsten erhalten) und Auxerre. Das Mosaik in der Apsis von Theodulfs Kapelle in Germigny-des-Prés zeigt die Bundeslade und Seraphim. In Rom sind karolingische Mosaiken (Triklinium Leos III., Apsismosaik von S. Susanna mit Leo III. und Karl d. Gr.) fast nur in Kopien erhalten. Ein ungewöhnliches Motiv zeigt ein Fragment aus Corvey: Odysseus und Skylla, um 885.

Viele bildnerische Werke in Karls Aachener Pfalz waren ant. Importstücke aus It., z. B. das nicht mehr erhaltene Reiterstandbild des Theoderich aus Ravenna (kritisch bewertet von Walafrid Strabo: MGH Poet II, 370–378), die ant. Bärin (2. Jh.) und evtl. der Pinienzapfen (ant. oder karolingisch) sowie der Proserpinasarkophag (2. Jh.) als Karls Grablege. Es wurde versucht, anhand umstrittener Stücke eine eigenständige karolingische Großplastik zu rekonstruieren, zu der außer den schon genannten Werken die Stuckplastik Karls d. Gr. in Müstair, die weiblichen Heiligen-Stuckplastiken in Cividale und die Skulptur eines Klerikers in Seligenstadt gehören würden [2]. In jedem Falle ist spätant. Einfluß deutlich. Ein weiteres erhaltenes Bildnis Karls d. Gr. ist in der an spätant. Reiterstandbildern orientierten Bronzestatuette im Louvre erhalten (um 860). Sehr hohes Niveau erreichte die Hofwerkstatt um 800 mit den antikisierenden Bronzegittern und -türen des Aachener Münsters.

Nach spätant. Vorlagen wurden die Künste des Steinschnitts (z. B. der sog. Lotharkristall in London, um die Mitte des 9. Jh., eine Gemme mit Susanna-Szenen) und der Elfenbeinschnitzerei ausgeübt, wobei man für letztere oft ant. Stücke wiederverwendete. Zusammen mit Werken der Buchmalerei gehören Elfenbeinarbeiten zu den am besten erhaltenen Kunstwerken der Zeit. Beispiele aus der Hofschule Karls d. Gr. sind etwa die Dekkel des *Lorscher Evangeliars* (London, Victoria and Albert Mus., sowie Alba Julia/Rumänien), aus späterer Zeit die

Abb. 1: Aachener Evangeliar, Evangelistenbild,
Buchmalerei um 800. Aachen, Domschatz, fol. 14v

Platten mit Heraklesszenen auf der sog. Kathedra Petri in Rom (um 870), sowie die Elfenbeine der sog. Liuthard-Gruppe (3. Viertel des 9. Jh.). Mz., Gemmen und Edelsteine finden schließlich auch in der Buchkunst als prunkvolle und nobilitierende Versatzstücke Verwendung, v. a. in den Hof-Hss. Karls d. Gr. (z. B. Evangeliar in Aachen, Domschatz, Abb. 1), in Tours und der Hofschule Karls d. Kahlen.

Zahlreiche Objekte, wie z. B. drei goldene verzierte Tische Karls d. Gr., sind schließlich nur in Beschreibungen, und der als Einhardsbogen bekannte Kreuzfuß in Form eines → Triumphbogens nur in einer Nachzeichnung erhalten.

Der überragende Rang des Buches und der Hl. Schrift, der sich auch im Erhaltungszustand der Werke der Buchkunst spiegelt, ist ein zentraler Punkt der ka-

rolingischen *renovatio;* die Verwendung ant. Vorlagen etwa im Evangelistenbild dient nur dem Zweck, diesen Rang zu unterstreichen [3; 8]. Karls d. Gr. Hof-Hss. haben einen Vorläufer im *Gundohinus-Evangeliar* (Autun, Bibl. mun. 3, Burgund, nach Mitte 8. Jh.), das ungeachtet seines regional beschränkten Charakters und der bescheidenen Qualität mit seiner Evangelistenreihe eine ähnliche spätant. Vorlage wie jene erkennen läßt. Unter Karl d. Gr. entstanden dann seit den 780er J. etwa gleichzeitig zwei Hss.-Gruppen von höchstem Ausstattungsaufwand (Gold- und Silbertinten, Purpurpergament, ganzseitige Miniaturen). Die Hofschule Karls d. Gr. oder »Adagruppe« brachte mit einer Ausnahme (*Dagulfpsalter,* Wien, Österr. Nat. Bibl. 1861) nur Evangelienbücher hervor, z. B. das *Godescalc-Evangelistar* (Paris, Bibl. Nat. nouv. acq. lat. 1203), das *Harley-Evangeliar*

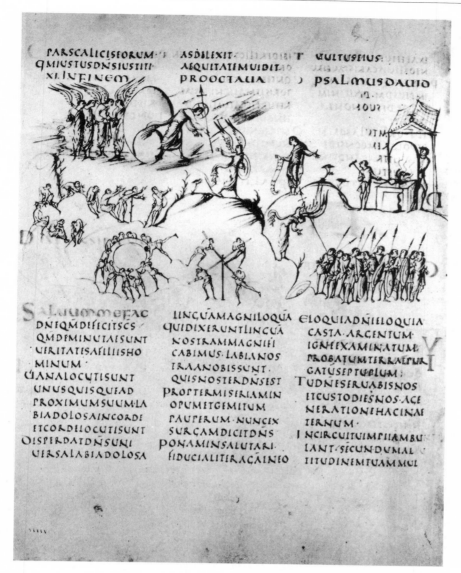

Abb. 2: Utrecht-Psalter, Abbildung zu Psalm 11, Buchmalerei um 830.
Utrecht, Bibliothek der Rijksuniversiteit, 484, fol. 6v

(London, Brit. Libr. Harl. 2788) und das *Evangeliar aus Soissons* (Paris, Bibl. Nat. lat. 8850). Als Vorlagen ließen sich v.a. ravennatische Cod. des 6. Jh. bestimmen. Einen völlig anderen Stil vertritt die Gruppe um das *Wiener Krönungsevangeliar* (Wien, Schatzkammer), ein Werk eines italobyz. Künstlers; der nervöse, impressionistische Duktus und die atmosphärischen Landschaftsdarstellungen sind den Wandmalereien in Castelseprio verwandt und zeigen große Vertrautheit mit spätant. Werken des 4. Jh. (z.B. Quedlinburger Itala-Frg., Berlin SBPK theol. lat. fol. 485).

Am Hof Ludwigs d. Frommen entstanden einige sehr genaue Kopien spätant. Hss., z.B. die *Leidener Aratea* (Leiden, Bibl. der Rijksuniv. Voss. Lat. Q 79) Als erster karolingischer Herrscher wird Ludwig in den Bildergedichten *De laudibus sanctae crucis* des Hrabanus Maurus († 856) porträtiert. Vorbilder für solche *carmina figurata* stammen v.a. von Konstantins Hofpoeten Porphyrius; auch das Herrscherbildnis mit Schild, Nimbus und Kreuzstab weist auf spätant. Vorlagen (Kopie um 840: Vatikan, Bibl. Apost. Vat. Reg. lat. 124, fol. 4v).

Hinter den nichthöfischen Hss. stehen zunächst einzelne vom Hof stammende Persönlichkeiten als Auftraggeber. An Orten wie Tours oder Reims etablierten sich Skriptorien. In Reims/Hautvillers wurde unter Erzbischof Ebo († 851) eine Reihe antikisch-illusionistischer Cod. geschrieben, die unter anderem die Kenntnis des *Wiener Krönungsevangeliars* verraten. Die wichtigsten sind das *Ebo-Evangeliar* (Epernay, Bibl. mun. 1) und der *Utrechtpsalter* (Utrecht, Bibl. der Rijksuniv. 484, Abb. 2), der auch in seinem fast quadratischen Format und der Textschrift *Capitalis Rustica* spätant. Hss. imitiert. Dagegen erarbeiten Künstler im Auftrag Drogos von Metz († 855) ausgehend von ant. Formengut geradezu klass. Lösungen der völlig unant. historisierten Initialen (*Drogo-Sakramentar* Paris Bibl. Nat. lat. 9428, Evangeliar Paris Bibl. Nat. lat. 9388) (Abb. 3). In Tours wurden unter Alkuins Nachfolgern Fridugis († 834), Adalhard und Vivian insgesamt fast 100 illustrierte Bibelpandekten mit ausgereiftem Layout, einer hierarchischen Abfolge von als Auszeichnungsschriften verwendeten ant. Schrifttypen (*Capitalis Quadrata, Rustica, Unziale, Halbunziale*), Initialen und Titelseiten hergestellt. Die Ikonographie der darin wiedergegebenen biblischen Szenen läßt sich auf spätant. Vorlagen zurückführen. Die Karl d. Kahlen gewidmete *Vivianbibel* (Paris Bibl. Nat. lat. 1, Abb. 4) enthält eins der häufigen Bildnisse Karls, die auch in den prachtvoll ausgestatteten Cod. seiner nicht lokalisierbaren Hofschule auftreten; z. B. im *Cod. Aureus von St. Emmeram* (München, Bayer. Staatsbibl. Clm 14000) und dem *Metzer Sakramentarfragment* (Paris, Bibl. Nat. lat. 1141). Den Höhepunkt bildet die *Bibel von S. Paolo fuori le mura* (Reims(?), um 870).

Gegen Ende des 9. Jh. übernehmen klösterliche Buchwerkstätten die Vorherrschaft. Die sog. frankosächsische Schule bevorzugt anikonische, unant. Ornamentik insularer Herkunft. Zur ottonischen Buchkunst leiten die Skriptorien von St. Gallen und v. a. der Reichenau über (→ Ottonische Renaissance I).

1 A. ANGENENDT, Das Früh-MA. Die abendländische Christenheit von 400 bis 900, 1990. 2 C. BEUTLER, Statua. Die Entstehung der nachant. Statue und der europ. Individualismus, 1982. 3 B. BRENK, Schriftlichkeit und Bildlichkeit in der Hofschule Karls d. Gr., in: Testo e immagine nell' alto medioevo, Bd. 2, 1994, 631–691 4 R. MCKITTERICK (Hrsg.), Carolingian Culture: Emulation and Innovation, 1994 5 F. MÜTHERICH, J. Gaehde, Karolingische Buchmalerei, 1976 6 L. NEES, A Tainted Mantle. Hercules and the Classical Trad. at the Carolingian Court, 1991, bes. 3–17 7 B. REUDENBACH, Das Godescalc-Evangelistar. Ein Buch für die Reformpolitik Karls d. Gr., 1998 8 Ders., Rectitudo als Projekt: Bildpolitik und Bildungsreform Karls d. Gr., in: U. SCHAEFER (Hrsg.), Artes im MA, 1999, 283–308 9 C. STIEGEMANN, M. WEMHOFF (Hrsg.), 799. Karl d. Gr. und Papst Leo III. in Paderborn. Kunst und Kultur der Karolingerzeit, Ausstellung Paderborn, 2 Bde. und Beitragsband, 1999 (mit Bibliographie zur älteren Lit.) 10 W. TREADGOLD (Hrsg.), Renaissances before the Renaissance: Cultural Revivals of Late Antiquity and the Middle Ages, 1984.

CHRISTINE JAKOBI-MIRWALD

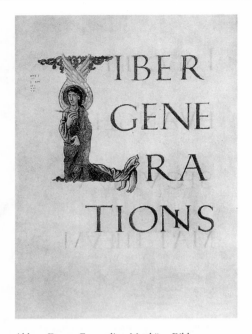

Abb. 3: Drogo-Evangeliar, Matthäus-Bild, Buchmalerei um 850. Paris, Bibliothèque Nationale lat. 9388, fol. 17v

### III. ALTHOCHDEUTSCHE BIBELDICHTUNG
Antikenrezeption wird in der dt. Lit. der Karolingerzeit mit der Bibeldichtung virulent.

Die ersten beiden Werke dieser Art sind das *Evangelienbuch* des Otfrid von Weißenburg und der altsächsische *Heliand*. Beide gehören nicht mehr in die Zeit Karls des Gr., sondern der *Heliand* wahrscheinlich in die Ludwigs des Frommen und Otfrid in die Ludwigs des Deutschen. Durch die poetische Behandlung des Bibeltextes in der Trad. der spätant. Bibeldichtung kann Otfrid als volkssprachiger Ausläufer der K. R. angesehen werden.

Das Werk Otfrids von Weißenburg, Mönch und Lehrer im Kloster Weißenburg im Speyergau, h. Frankreich, Dep. Bas-Rhin., ist durch Widmungsschreiben an Erzbischof Liutbert von Mainz, den für ihn zuständigen Metropoliten, und Widmungsgedichte an König Ludwig den Deutschen und Bischof Salomo I. von Konstanz auf die Zeit zw. 863 und 871 [23] festzulegen. Es stellt die umfangreichste Großdichtung in der frühen dt. Lit. dar. Das Approbationsschreiben an den Erzbischof Liutbert von Mainz begleitet es poetologisch und beschäftigt sich auch mit den Problemen der dt. Gramm., Phonetik und Orthographie, mit denen sich der Autor konfrontiert sieht. Seinen Stoff bildet das Leben Jesu; obwohl es nur vier Evangelien gibt, teilt Otfrid es entsprechend der Fünfzahl unserer Sinne in fünf Bücher ein, weil die hl. Geradheit der Evangelien (*quadrata aequalitas sancta*) die Ungeradheit unserer fünf Sinne schmückt (*quinque sensuum inaequalitatem ornat*) und

Abb. 4: Vivian-Bibel, Widmungsseite, Buchmalerei 845/46.
Paris, Bibliothèque Nationale, lat. 1, fol 423r

Werke und Gedanken zum Himmel hebt (Z. 51–55, Zeilenangaben nach [3]). Das Werk ist auch eine Evangelienharmonie, die allerdings nicht, wie man bei dem Fuldaer Schüler des Hrabanus Maurus vermuten könnte, das *Diatessaron* des Tatian als Vorlage hat, sondern von Otfrid selbst zusammengestellt wurde. Des öfteren sind in die erzählenden Kapitel deutende Abschnitte, *Spiritaliter*, *Moraliter* und *Mystice* überschrieben, eingereiht. Der Titel *Liber evangeliorum* umfaßt also unterschiedliche Textsorten, neben der evangelischen Erzählung die Deutung, aber auch Gebete, Hymnisches und predigthafte Anrede des Publikums.

Die Tatsache, daß eine Bibeldichtung in der Volkssprache entsteht, bedeutet einen Neueinsatz, den man nicht ohne weiteres mit dem Begriff einer Ren. erfassen kann. Daß der *Heliand* eine Generation älter sein könnte, verfängt hier nicht. Wenn Otfrid von ihm gewußt hat, so zog er jedenfalls seine Existenz nicht zu einer doch als notwendig erachteten Legitimation heran [11; 15]. Die karolingische Lateinlit. hatte keine Bibelepik hervorgebracht, die epische Großform blieb auf Gesta, Viten und Lehrdichtungen beschränkt. Wenn sich Otfrid also irgendwo anschließen wollte, brauchte es andere Paradigmen. Unter Berufung auf solche wird Otfrid, wie er selber an Liutbert schreibt, auf das Desiderat seiner Zeit hingewiesen, nämlich das Evangelium in der Muttersprache aufnehmen zu können: ›Mit dieser Bitte verbanden sie, [d. h. seine Mitbrüder und die Matrona Judith] auch die Klage darüber, daß die Dichter der Heiden, etwa ein Vergil, Ovid, Lukan und sehr viele andere die Taten der Ihren in ihrer Muttersprache poetisch gestaltet hätten (...). Sie lobten auch die Leistungen ganz ausgezeichneter Männer unseres Glaubens, eines Juvencus, Arator, Prudentius und vieler anderer, die in ihrer Sprache die Worte und Wunder Christi in angemessener Weise dichterisch gestaltet hätten‹ (Z. 14–21) [Übers. nach 3]. Die Auswahl stellt nicht in allen Fällen klar, welche Werke Otfrid meint und wie gut er sie kannte, jedenfalls ergeben sich durch sie keine Hinweise auf formale Vorbilder oder Quellen [22]. Ihre Kenntnis hat Otfrid wohl schon aus dem Lit.-Unterricht bei seinem Lehrer Hraban [5. 396]. Sie stellen keinen gattungspoetologischen festen Komplex der »Bibelepik« dar [16], weswegen Otfrid sich leicht diffus ausdrücken konnte. Immerhin erfüllen sie die Aufgabe, die er ihnen zuspricht, nämlich – für die christl. Dichter –, Christi Worte und Taten poetisch darzustellen, so jedenfalls der span. Priester Juvencus (Mitte 4. Jh.) in seinem Epos *Evangeliorum libri IIII* und der röm. Subdiakon Arator (6. Jh.) in einer episch-allegorischen Apostelgeschichte.

Für die Frage nach den in die Volkssprache mündenden Studien in der Karolingerzeit ist nun die Herkunft und Verwendung verschiedener Komponenten von Belang. Die Quellen sind in einer langen Forsch. im wesentlichen herausgearbeitet: die üblichen Bibelkomm., wie sie die Karolingerzeit benützte (Beda zu Lukas, Alkuin zu Johannes und Hraban zu Matthäus). Otfrid stellte solche Komm. selbst zu einem Katenenkomm. (Wolfenbüttel, Cod. Weißenburg 26) zusammen [17], der auch das Evangelienbuch prägte, wenn auch nicht alles damit erklärt werden kann [13]. Geht man davon aus, daß Otfrid die von ihm genannten lat. Werke gelesen und bei seinem Ausbau der Weißenburger Bibl. ihre Kodizes in der Hand gehabt hat, so stellt sich die Überlieferungslage des Juvencuswerkes als durchaus signifikant heraus. Aus dem 7. Jh. existiert nur eine einzige Hs. (C, h. im Collegium Corporis Christi, Cambridge). Die Provenienz ist unbekannt, einiges weist auf Spanien. Das 8. Jh. hat drei Hss. hinterlassen (von der Reichenau und aus Freising und Canterbury: Huemer in [6. 27]). Aus dem 9. Jh. stammen schließlich fünf. Dazu wären noch Bibl.-Kataloge mit ihren Erwähnungen anzuführen, St. Gallen, Reichenau, Murbach (alle 9. Jh.) [20. Bd. 1, 81 Z. 1, und 252, Z. 9, 11 und 14f.], in Bobbio finden sich Hss. des 10. Jh. (Huemer in [6. 13]). Fast dasselbe gilt für die Arator-Überlieferung: Einer einzigen Hs. des 7. Jh. (B) folgen zahlreiche Hss. und Katalognennungen vom 9. Jh. an [20. Bd. 1, 81, Z. 3; Bd. 4.1, 26, Z. 6]. Das bestätigt das von Lehmann für die K. R. entworfene Bild, daß allenfalls ein dünnes Rinnsal spätant. Überlieferung in die Karolingerzeit kam, sich dort wesentlich verbreitete und so auch der Legitima-

tion von Otfrids Dichtung dienen konnte. Anzeichen für den Gebrauch wären auch die Glossierungen, solche enthalten etwa die (ehemals) Reichenauer Hs. A und die (ehemals) Freisinger (Clm 6402). Die Einrichtung der alten Juvencuscodices C und R (Huemer in [6. 13]) läßt sich Otfrid im schriftästhetischen Anspruch zur Seite stellen. In dem anspruchsvollen Wiener Codex Vindobonensis 2687 (aus Weißenburg), der die ersten Bilder zur dt. Lit. enthält, ist Otfrids Hand nachgewiesen [17], die auch in ehemals Weißenburger Hss. Glossen zu Priscian und Prudentius eintrug.

In weitere Bereiche der Antikenrezeption führt die Frage, warum eigentlich Otfrid, dem es doch darum ging, die Evangelien in der Muttersprache zu verankern, dazu die Versform wählte. Auch hier steht er in einer gelehrten Trad., obwohl die Autoren unterschiedliche Gründe angegeben haben, vom Willen, Homer und Vergil zu übertreffen, bis zur Feststellung (des Sedulius), daß die Leute Verse aufmerksamer lesen [16. 39, 67]. Auch der *Heliand*-Dichter steht vor Otfrid und, unter anderen Voraussetzungen, die frühmhdt. Teilbearbeitungen der Bibel nach ihm, etwa die Wien/Millstätter Genesis- und die Exodus-Bearbeitung, wählen einen Vers, wobei man bei den letzteren nicht ausschließen kann, daß das Vorbild Otfrids noch wirksam war, wenn sein Werk selbst auch nicht mehr gelesen wurde. Zunächst freilich ist Otfrids Selbstaussage zu berücksichtigen, die seine Dichtung ja (auch) als Konkurrenz zu einer vorhandenen weltlichen ausweist und diese verdrängen wollte. Das gelang ihr offenbar so gründlich, daß wir uns von diesem *laicorum cantus obscenus* keinen rechten Begriff mehr machen können. Ob deswegen Otfrids Verse auch sangbar gewesen sein müssen, ist nicht zu erweisen, auch wenn man es zunächst annehmen möchte. Die Vorstellung, daß ›wer das Evangelium in seiner eigenen Sprache lesen kann und so Christi Taten memoria behält, (...) in seinem Leben keinen Raum mehr für die weltliche Dichtung (hat)‹ [9. 143], scheint in diesem Falle viel für sich zu haben.

Sangbarkeit kann nicht aus den beiden neumierten Versen im Heidelberger Cod. Pal. Lat. 52 [1, 1. Bd. Buch I., Kap. 5, v. 3f., fol. 7v] geschlossen werden, denn dessen Neumen sind später hinzugefügt und können sowohl als Kompositions- oder Schreibversuch wie auch als privater Eintrag eines Sängers gesehen werden [9. 58ff.]. Auch in der Hexameterüberlieferung gibt es gelegentlich Neumen, wie z.B. in der (oben erwähnten) ältesten Juvencus-Handschrift. Jedenfalls wird man Otfrid formal weniger an den *cantus obscenus* anschließen dürfen als an die Hexameterdichtung [22. 136–139], karolingische Rithmi oder die Strophe des Ambrosianischen Hymnus. Vorbildlich für Otfrid mag auch gewesen sein, daß man in der Spätant. versuchte, auch Prosaschriften, denen jegliches poetische Moment fehlt, in Hexametern oder jambischen Trimetern zu versifizieren, etwa um ihnen als Lehrgedichten höhere Würde oder geneigtere Leser zu verschaffen [10. 514–522].

Die noch von Hraban rezipierte Vorstellung des Hieronymus (Ep. 58), daß gewisse Bücher des AT in ihrer Ursprache Dichtungen sind, wird man für die Evangelien nicht bemühen dürfen; noch weniger gälte sie für die Apostelgeschichte des Arator. Aber auch wenn die Form sich aus dem Sitz im Leben als nicht-liturgische *lectio* erklärt – die Ant. stand in der Rhet. doch wieder Pate. Unabhängig davon, wie man Otfrids Vers verstehen und ableiten will – die *series scriptionis* (offenbar die auf dem Pergament niedergeschriebene Zeile), die nicht metrisch gemessen (*metrica subtilitate constricta*) ist (Z. 83 f.), hat als konstitutives Moment den Otfridschen Endreim, den er als ›schema omoeoteleuton‹ (Z. 84) bezeichnet. Allein mit dieser Beschreibung ist das metrische System Otfrids, das dem »freien Knittel« ähnelt, jedoch nicht rekonstruierbar. Seine Theorie bleibt hinter der Praxis zurück. Otfrid muß noch andere Vorstellungen von seiner Metrik gehabt haben, als er dokumentiert. So spricht viel für die Möglichkeit, daß die »Otfridstrophe«, aus zwei binnengereimten Langzeilen bestehend, die die Handschriften optisch ausweisen, eine Affinität zur (rhythmischen) Ambrosianischen Hymnenstrophe hat [21].

Auch wenn er in seinem dt. Werk die lit.-geschichtlichen Spuren nicht deutlich erkennen läßt, führt die Reihe der aufgezählten christl. und heidnischen Autoren in das geistige Zentrum der K. R., nämlich zur Bildung des überaus einflußreichen Alkuin. Dieser war in Tours Lehrer Hrabans, den seinerseits Otfrid in stolzer Selbstverkleinerung seinen Lehrer nennt (›a Rhabano venerandae memoriae (...) educata parum mea parvitas est‹, Z. 135 ff.) Denn fast alle diese Werke der Kirchenlehrer, Geschichtsschreiber und Grammatiker, die christl. und heidnischen Dichter, nennt Alkuin für seine Klosterheimat York. Alkuins Text ist ein versifizierter Bibl.-Katalog und ein poetisch-rhet. Prunkstück, erinnerte Bildungsheimat des Einzelnen [8. V. 1525–1561] und Programm einer Epoche [18. 128 f.]. So ist es auch ganz natürlich, daß Hraban für den Grammatikunterricht nicht nur die christl. Autoren und unter ihnen die beiden Bibeldichter Juvencus und Arator aufzählt, sondern auch die alten Heiden [5. 395]. Die alten Texte werden nicht verdrängt, sondern für den Gebrauch gerechtfertigt.

Otfrid hat durch Wiederaufnahme fremder Autoren, wo nötig in christl. Anverwandlung, Neues in die Lit.-Geschichte gebracht, das nicht geringer Legitimation bedurfte. Diese entnahm er, ebenso wie die poetische Technik, der ant., bes. auch der spätant. Lit. und Rhet. (das wird deutlich im Akrostichon). Unter Umständen ist sie durch den Gebrauch in klosterähnlichen Gemeinschaften auf deren Bedürfnisse hin modifiziert worden. (Die leider nicht identifizierbare ›veneranda matrona nomine Judith‹ (Z. 9 f.) wird kaum innerhalb der Mauern des Klosters Weißenburg, aber möglicherweise im Einzugsbereich gelebt haben.) Die Vorarbeit durch Karl und seinen Kreis greift hier verzögert auf die Volkslit. über, obwohl man in diesem Bildungsaufschwung den

lit. Kontext sehen muß. Otfrid kann beinahe als lat. Dichter fränkischer Zunge bezeichnet werden. Ihn trägt das stolze Gefühl des Angehörigen eines Neuen Volkes der Franken, die den Römern gleichwertig sind und von Alexander abstammen. Das sagt er in Kap. 1,1, wo er die Verwendung der Volkssprache begründet (›Cur scriptor hunc librum theodisce dictaverit‹). Warum sollen die Franken allein sich enthalten, auf Fränkisch Gottes Lob zu singen? (V. 33 f.) Gottes Predigt bringt dann auch die poetische Form mit sich (V. 41 f.). Sind doch die Franken ebenso tapfer wie die Römer und die Griechen ihnen keineswegs gewachsen. Sie sind von gleichen Geistesgaben und Waffengewalt, ihr Land ist mit allen Gaben gesegnet, und ihre Nachbarn müssen ihnen dienen. Sie stammen von den Makedonen ab (V. 91). Nur ein heimischer König kann über sie herrschen (V. 93), den verteidigen sie auch gegen alle mit ihrer Reiterei. Deswegen sollen die Franken nicht als einzige darauf verzichten müssen, Gottes Lob in ihrer Sprache zu singen, er hat sie ja auch in seinem Glauben versammelt. Gedanken des Aufbruchs wie unter Karl dem Gr. – wenn auch Otfrids König Ludwig *orientalium regnorum rex* ist und wenn auch die aktuellen Verhältnisse (Vater- und Bruderkampf) weniger ideal gewesen sein mögen.

Fast alles dieses gilt nicht von der anderen großen Bibeldichtung, dem *Heliand*. Auch dieser freilich hat eine lat. Praefatio, ja deren zwei, die sich etwas widersprechen; auch er hängt von einem karolingischen König Ludwig ab; auch ihm geht es um die Übertragung des Evangeliums in die *lingua theodisca*, aber dieses Vorwort evoziert einen ganz bestimmten, anders gearteten Kontext. Der königliche Befehl im Teil A an den Sachsen, der bei den Seinen als berühmter Dichter galt (›vir de gente Saxonum, qui apud suos non ignobilis vates habebatur‹), ergeht jedenfalls nicht an einen, den man sich wie Otfrid im Skriptorium vorstellen sollte. Der in der Prosapraefatio genannte *Ludovicus piissimus Augustus* ist wahrscheinlich Ludwig der Fromme (814–840). Der dem bis dahin seiner Gabe unkundigen Sänger (›vates dum adhuc artis huius penitus esset ignarus‹, Praefatio B) im Schlaf erteilte Auftrag wie auch die Form der stabreimenden Langzeile repräsentieren als realen oder fiktiven Lebenszusammenhang die mündliche sächsische Dichtung, ohne daß der *Heliand* selbst als eine orale Dichtung zu gelten braucht. Die pseudomündliche Diktion erlaubt der Dichtung, die kaum weniger gelehrt ist als die Otfrids, ihre Buchgelehrsamkeit in den gattungsüblichen Variationen zu verbergen [12. 121–126, 148 f., 203–207]. Das einzige Stück in diesem altsächsischen Kontext, das auf gelehrte Trad. verweist, sind die bukolischen ›versus de poeta et interprete huius codicis‹. Ihre ländliche Staffage, das »bukolische Lagerungsmotiv«, das Ideal des bescheidenen Bauern und Viehhirten, der dann durch göttl. Inspiration (wie der angelsächsische Dichter Caedmon) zum Künder Christi und der Erlösung wird, ist wohl ohne den bukolischen Neuansatz der Karolingerdichter Petrus von Pisa, Alkuin und Modoin (Naso) nicht zu denken [24. 93–97]. Mit dem altsächsischen Heliand zusammengesehen, bilden die *Versus* jedenfalls einen Fremdkörper und sagen weniger über den Dichter als über eine bestimmte Auffassung vom Dichter aus, die mit der Vorstellung einer K. R. als Wiederbelebung klass. Gattungen durchaus kompatibel ist. Schwieriger ist die Frage zu beantworten, was der indirekte Verweis auf Caedmon mit der Erzählung vom göttl. Auftrag, die ursprünglich von Beda (Hist. eccl. 5, 24) stammt, für die Entstehung des *Heliand* bedeutet. Offenbar ist hier keine liturgische Gebrauchsweise intendiert, sondern eine Rechtfertigung, hl. Geschehen in einer bis dahin unheiligen Sprache zu fassen. Quelle ist die Evangelienharmonie des Tatian, die in Fulda verdeutscht wurde.

QU **1** Otfrids von Weissenburg Evangelienbuch. Text, Einl., Gramm., Metr., Glossar, 3 Bde., hrsg. von J. KELLE, 1856–1881 (Ndr. 1963) **2** Otfrids Evangelienbuch, hrsg. von O. ERDMANN, [6]1973, besorgt von L. WOLFF **3** Otfrid von Weißenburg, Evangelienbuch. Auswahl, hrsg., übers. und komm. von G. VOLLMANN-PROFE, 1987 **4** Heliand und Genesis, hrsg. von B. TAEGER, [10]1996 **5** Hrabanus Maurus, De clericorum institutione, PL 107, 293–419 **6** Juvencus, Evangeliorum libri quattuor, hrsg. v. J. Huemer, 1891 (CSEL 24) 24 **7** Arator, De actibus apostolorum, hrsg. v. A. P. McKinlay (CSEL 72) 72 **8** Alkuin, Versus de patribus regibus et sanctis euboricensis ecclesiae, in: Poetae latini 1, hrsg. von E. DUEMMLER, 1891, 169–206

LIT **9** M. BIELITZ, Die Neumen in Otfrids Evangelienharmonie, 1989 **10** L. J. ENGELS, H. HOFMANN (Hrsg.), Spätant., 1997 (= Neues Hdb. der Literaturwiss., Bd. 4) **11** W. FOERSTE, Otfrids lit. Verhältnis zum Heliand, in: NdJb. 71/73, 1948/50, 40–67 **12** K. GANTERT, Akkomodation und eingeschriebener Kommentar. Unt. zur Übertragungsstrategie des Helianddichters, 1998 **13** E. HELLGARDT, Die exegetischen Quellen von Otfrids Evangelienbuch, 1981 **14** R. HERZOG, Bibelepik 1, 1975 **15** D. KARTSCHOKE, Alt-dt. Bibeldichtung, 1975 **16** Ders., Bibeldichtung. Stud. zur Gesch. der epischen Bibelparaphrase von Juvencus bis Otfrid von Weißenburg, 1975 **17** W. KLEIBER, Otfrid von Weißenburg. Unt. zur hs. Überlieferung und Stud. zum Aufbau des Evangelienbuches, 1971 **18** P. LEHMANN, Das Problem der K. R., in: Ders., Erforsch. des MA, Bd. 2, 1959, 109–138 **19** W. MILDE, Der Bibl.-Kat. des Klosters Murbach aus dem 9. Jh., 1968 **20** Ma. Bibl.-Kat. Deutschlands und der Schweiz, Bd. 1, 1918/1969, Bd. 4,1, 1977 **21** R. PATZLAFF, Otfrid von Weißenburg und die ma. versus-Trad., 1975 **22** H. RUPP, Otfrid von Weißenburg und die spätant. Bibeldichtung, in: Wirkendes Wort 7, 1956/57, 334–343 **23** H. D. SCHLOSSER, Zur Datierung von Otfrids Evangelienbuch, in: Zschr. für dt. Alt. 125, 1996, 386–391 **24** V. SCHUPP, Stud. zu Williram von Ebersberg, 1978

VOLKER SCHUPP

## Karthago I. AUSGRABUNGEN
## II. GESCHICHTE UND KULTURELLES GEDÄCHTNIS

### I. AUSGRABUNGEN
A. VON DEN ANFÄNGEN BIS ZUR NIEDERLASSUNG DER »WEISSEN VÄTER« 1875
B. VON 1875 BIS ZUM BEGINN DER UNESCO-KAMPAGNE 1973
C. DIE UNESCO-KAMPAGNE »POUR SAUVER CARTHAGE« UND DIE ARCHÄOLOGISCHEN FORSCHUNGEN BIS ZUM ENDE DES JAHRHUNDERTS; AUSBLICK

### A. VON DEN ANFÄNGEN BIS ZUR NIEDERLASSUNG DER »WEISSEN VÄTER« 1875
Legenden von unermeßlichen Reichtümern der punischen Metropole haben zu allen Zeiten Schatzsucher fasziniert, angefangen von den Soldaten des Scipio, die im Jahre 146 v. Chr. die niedergebrannte Stadt geplündert, und den Legionären des Pompejus, die zwei Generationen später nach dem Sieg über den numidischen König Hiarbas bei Utica (83 v. Chr.) die nahegelegene Wüstung nach Beute durchwühlt haben (Plut. Pompejus 12,6). Als frühestes Beispiel einer gezielten Ausgrabung aber muß wohl die in das J. 65 n. Chr. datierte Unternehmung des Kaisers Nero gelten, der eine Militärexpedition nach K. entsandte, um den »Schatz der Dido« zu bergen: leichtgläubig hatte er dem Bericht eines gewissen Bassus vertraut, offenbar eines Bürgers der von Caesar neu gegr., von Augustus eingerichteten *Colonia Julia Concordia K.* und von pun. Abstammung, der behauptet hatte, auf seinem Grundstück befinde sich in großer Tiefe eine Höhle, schwere Platten lägen da, auf der anderen Seite stünden Säulen (Tac. ann. 16,1–3). Was immer man von dieser Nachricht halten mag [7. 143], beschrieben wird eine plausible Situation, wie sie sich in der für die Gründung großflächig und meterhoch überplanierten Stadt allenthalben ergeben konnte, wenn man bei Fundamentierungsarbeiten für einen Neubau etwa auf die zugeschüttete Ruine eines punischen Peristyl-Hauses stieß.

Die glanzvollen Großbauten aus der röm. Kaiserzeit beeindruckten noch im 11. Jh. den andalusisch-arab. Chronisten und Geographen El-Bekri (1094), der u. a. Stadtmauer, Amphitheater und Antoninsthermen ausführlich beschreibt, sowie kaum ein halbes Jh. später den am Hof Rogers II. von Sizilien tätigen Geographen El-Idrisi (1099–1164), der allerdings schon von der Verwandlung der Stadt in einen »Steinbruch« zu berichten weiß: ›Der Marmor wird in aller Herren Länder gebracht, und alle auslaufenden Schiffe sind voll beladen‹ [1. 42; 17]. Steinmaterial aus K. ist in den Moscheen von Tunis und Kairouan, aber auch in den Kathedralen von Genua und Pisa verbaut worden; trotzdem stand 1270 für das von Ludwig IX. geführte Heer des siebten Kreuzzuges noch genügend Bausubstanz an, um sich nach dem fehlgeschlagenen Versuch, Tunis zu erobern, auf dem Byrsa-Hügel in K. hinter festen Mauern zu

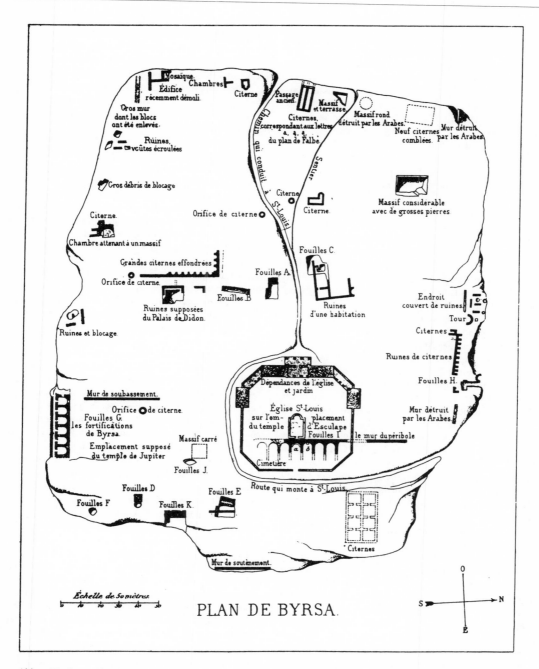

Abb. 1: Karthago: Plan des Byrsa-Hügels von Ch.-E. Beulé (1859)

verschanzen. Nach dem Tode des Königs im August desselben J. und dem Abzug der Kreuzfahrer aber gab der Hafsidenfürst El Moustancir den Befehl, alles dem Erdboden gleichzumachen, um jede Wiederholung eines solchen Unternehmens auszuschließen. Die Stadt wurde in eine Wüste verwandelt und ließ nicht einmal mehr die Spuren einer Ruine erkennen, versichert der Chronist Ibn Khaldoun (1332–1406) [6. II 77f.; 23. 8f.].

Als »Vater« der arch. Erforschung K. wird übereinstimmend Chr. T. Falbe angesehen, der als dänischer Konsul am Hof des Bey von Tunis in den J. 1822–1830 von K. und seiner näheren Umgebung, einschließlich des mod. Hafens von La Goulette, von Sidi Bou Said und Gamart, eine erste, sehr präzise arch. Karte aufnahm und mit Erl. 1833 in Paris publizierte [10]. Unterdessen wurden erste Grabungsfunde und Sammlungen ins Ausland verbracht, so zw. 1825 und 1827 vom holländischen Wasserbauingenieur J. L. Humbert zusammengetragene punische Grabstelen nach Leiden (h. im Rijksmuseum van Oudheden) [13], oder röm. und spätant. Mosaiken aus Villen an der Küste und in den Vororten K. in das Britische Museum nach London (→ London, British Museum). Die 1837 unter Beteiligung des frz. Adels gegr. *Société pour l'exploration de Carthage* wollte sich über den Verkauf von Antiken finanzieren. Noch die 1874/75 vom »Obersten Dragoman« des frz. Konsulats in Tunis, E. de Sainte-Marie, offenbar in einem bei den frühkaiserzeitlichen Planierungsarbeiten angelegten Steindepot aufgefundenen mehr als 2000(!) Grab- und Weihestelen sollten allesamt nach Paris verschifft werden (die H. der Ladung sank mit dem Schiff Magenta im Hafen von Toulon, wo bei Taucharbeiten vor wenigen Jahren anscheinend Reste davon wiedergefunden wurden).

Bereits 1859 hatte auf Geheiß des *Institut de France* dessen Mitglied Ch.-E. Beulé, durch seine erfolgreichen Arbeiten an der Akropolis von → Athen bekannt, mit Ausgrabungen auf dem Byrsa-Hügel begonnen (Abb. 1). Zu seiner Zeit konnte er nicht erkennen, daß die große Platzanlage, die h. von der ehemaligen Kathedrale bekrönt wird, erst in der frühen röm. Kaiserzeit für ein zentrales Repräsentations-Forum geschaffen wurde, und suchte, in den erh. Substruktionen Reste des Palastes der Dido und der von Appian im Ber. über die Eroberung der Zitadelle im J. 146 v. Chr. beschriebenen Festungsmauern wiederzuerkennen. Der begrenzte Erfolg des Unternehmens war mit der Grund dafür, daß sich die arch. Feldarbeit alsbald auf andere Ziele konzentrierte: die Nekropolen des punischen Karthago.

## B. Von 1875 bis zum Beginn der UNESCO-Kampagne 1973

Die kommenden knapp hundert J. waren maßgeblich von zwei Institutionen geprägt: zum einen vom Orden der »Weißen Väter«, der von Papst Pius IX. mit der Kustodie des Kenotaphs des Hl. Ludwig beauftragt worden war. 1875 berief der damalige Erzbischof von Algier und spätere Kardinal Lavigérie den aus Amerika gebürtigen Pater Alfred-Louis Delattre zum »Kaplan« der hl. Stätte, die schon 1841 auf Geheiß des frz. Königs Louis-Philippe durch eine Kapelle auf dem Byrsa-Plateau markiert worden war, verbunden mit dem ausdrücklichen Auftrag, die ant. Vergangenheit der Stadt zu erforschen. Dieser gigantischen Aufgabe über ein halbes Jh. bis zu seinem Tode (1932) verpflichtet, konzentrierte Delattre seine trotz mangelnder Professionalität [12. 15] verdienstvolle Arbeit auf die Nekropolen der punischen Stadt und die großen Coemeterialkirchen im Norden von K., die neunschiffige(!) »Damous el-Karita « (nicht: *domus caritatis* [7. 207]) und die Basilika des Hl. Cyprian

(1915 ausgegraben). Das Wirken der »Weissen Väter« war allerdings nach den Kriterien mod. Denkmalpflege keineswegs nur segensreich: So zerstörten die an beherrschender Stelle auf dem Byrsa-Plateau errichteten Monumentalbauten – Ludwigs-Kathedrale (1890), Musée Lavigérie (h. Musée National de Carthage) sowie die Ordensgebäude mehr oder weniger vollständig das Zentrum des röm. Repräsentationsforums der frühen und mittleren Kaiserzeit.

Durch den Bardo-Vertrag von 1881 wurde Tunesien zum frz. Protektorat. Der im Rahmen der verbliebenen Autonomie vom Bey von Tunis geschaffene *Service des Antiquités* war die zweite, die Erforschung K. wesentlich prägende Institution. Sie stand unter Aufsicht der Akad. und des Unterrichtsministeriums in Paris und blieb damit den jeweiligen Zielen europ. Alt.-Wiss. verpflichtet. Einer der ersten Direktoren war der begabte Ausgräber Paul Gauckler (geb. 1866), der, wegen sittlicher Verfehlungen 1906 »unehrenhaft« entlassen, 1911 in Rom durch Freitod starb [24]. Von Hunderten von ihm zw. 1895 und 1905 freigelegten intakten(!) Gräbern unterrichten h. nur noch seine in Rechenheften festgehaltenen Skizzen und Notizen, die 1915 von seinem ehemaligen Mitarbeiter D. Anziani in Facsimile herausgegeben wurden [11].

1921 führte ein Zufallsfund zur Entdeckung des westl. des Hafens gelegenen »Tophet«, des in der Forsch. nach wie vor kontrovers diskutierten Friedhofs für geopferte erstgeborene bzw. für totgeborene und frühverstorbene Kinder [12. 170–197; 2. 330–333]. Seine Erforschung stand von Anf. an unter einem unglücklichen Stern. Neben unkontrollierten und in z. T. erbitterter Gegnerschaft untereinander konkurrierenden Grabungen von unprofessionellen Entdeckern und eifersüchtigen Geländebesitzern standen offizielle Ausgrabungen der Denkmalbehörde [25] sowie schließlich die von Graf Byron Khun de Prorock, einem reichen US-Bürger ungarischer Abkunft finanzierte, aber schon nach wenigen Jahren aufgegebene Unternehmung der Univ. von Michigan, unter Leitung von F. Kelsey [14; 16; 19. 248–264]. Das allermeiste davon blieb unveröffentlicht und ist h. verloren bzw. nur unter erheblichen Schwierigkeiten zu rekonstruieren. Dies gilt zumal für das von P. Cintas, einem aus der Zollverwaltung in den Antikendienst übergewechselten, begeisterten und begabten Laien-Archäologen mit außergewöhnlicher Schaffenskraft [5; 6], bei Grabungen im »Tophet« von 1944–1947 zuunterst gefundene, vorgebliche »Gründungsdepot« der Stadt K. (sog. »chapelle Cintas«). Hier ermöglichte erst die erneute sorgfältige Analyse der keramischen Fundstücke die eher zutreffende Deutung als reich ausgestattetes Grab – mit nach griech. Vorbildern der zweiten H. des 8. Jh. v. Chr. imitierten Beigaben lokaler Machart [3].

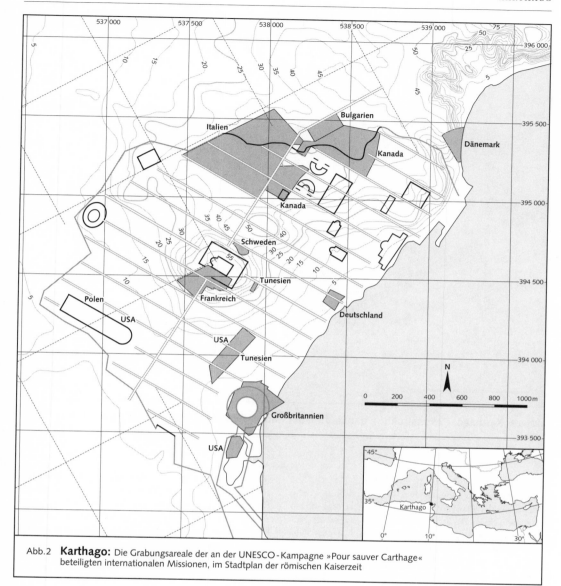

Abb.2 **Karthago:** Die Grabungsareale der an der UNESCO-Kampagne »Pour sauver Carthage«
beteiligten internationalen Missionen, im Stadtplan der römischen Kaiserzeit

C. Die UNESCO-Kampagne »Pour sauver
Carthage« und die archäologischen
Forschungen bis zum Ende des
Jahrhunderts; Ausblick

Nach der Unabhängigkeitserklärung Tunesiens im J.
1956 fiel die arch. Forsch. in K. zunächst zurück. Die
Hauptakzente lagen nun auf der Unt. des Umlandes.
Noch der Ber., den Mh. H. Fantar 1969 auf dem Kolloquium des von S. Moscati in Rom begründeten *Centro di Studio per la Civiltà Fenicia e Punica* über die Forsch.
in Tunesien vorlegte, bezog sich hinsichtlich K. vornehmlich auf Arbeiten, die aus der Protektoratszeit
stammten [22. 75–89]. Gleichzeitig aber war die immer
noch weiträumige Ruinenstätte als Villenvorort des

prosperierenden und rasch wachsenden Tunis zunehmend von mod. Bebauung bedroht. In dieser Situation
gelang es den verantwortlichen Archäologen des Landes, die UNESCO zur Aufnahme K. in den Bestand des
Weltkulturerbes zu bewegen: Der am 19. Mai 1972 er-
gangene Aufruf des Generaldirektos R. Maheu an die
Staatengemeinschaft, sich an der Aktion »Pour sauver
Carthage« zu beteiligen [9. 231–234], und die beispiel-
hafte Gastlichkeit der tunesischen Behörden führten zu
einem Engagement von zwölf »Missionen« verschiedener Nationen (Abb. 2: u.a. Deutschland, Kanada,
Frankreich, Großbritannien, USA), innerhalb derer zw.
1973 und 1984 zeitweise mehrere hundert Wissenschaftler und Studierende der verschiedensten alter-

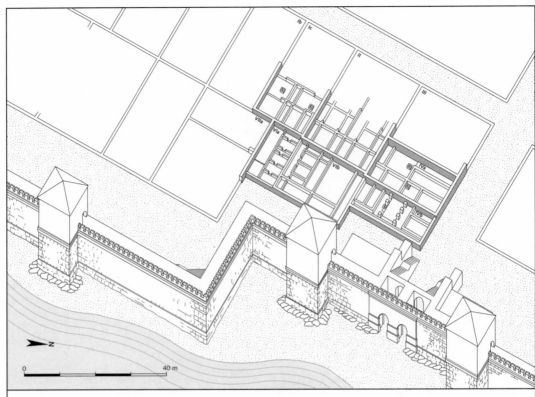

Abb. 3 **Karthago: Rekonstruktion der Stadtmauer und Wohnhäuser an der Küste im 5.–3. Jh. v. Chr.**

tumswiss. Disziplinen in K. tätig waren [8; 26]. Das chronologische, thematische und methodologische Spektrum der Projekte war weit gefächert und schloß interdisziplinäre Ansätze (z. B. lokale Geologie, ant. Küstenverlauf, Surveys im Hinterland) ein. Einzelne Projekte wurden bis in die 90er J. fortgeführt [9].

Zu den herausragenden Ergebnissen dieser in der Arch. durchaus einmaligen internationalen Zusammenarbeit gehört es u. a., daß h. Sicherheit besteht hinsichtlich der Lage der ersten Stadtgründung um die Mitte des 8. Jh. v. Chr. am Fuß des Osthanges des Byrsa-Hügels, daß weiterhin die städtebauliche Entwicklung der großen pun. Metropole in ihrer Bed. im mediterranen Kontext von der archa. Zeit bis zur Zerstörung von 146 v. Chr. (Abb. 3) wenigstens umrißhaft erkennbar wird und, schließlich, daß auch die monumentale Stadtgestalt der *splendidissima urbs* der röm. Kaiserzeit (Abb. 4) und der Spätant. in begründeter Rekonstruktion annähernd beschrieben werden kann. Damit hat am E. des 20. Jh. die Stadt, die als eine der führenden Kräfte mediterraner Geschichte und Kultur im europ. Gedächtnis durch Erziehung und Bildung tief verankert ist, auch im Bewußtsein der Gegenwart einen dinglich abgesicherten Platz erhalten, der sich, zeitgemäß, erstmals in hinrei-

chender Vollständigkeit als anschaulich und faßbar darstellt. Es ist gewiß kein Zufall, daß die 1995 unter gemeinsamer franco-tunesischer Ägide in Paris realisierte Ausstellung über Geschichte und Wirkung K. [4] der bes. rezeptionsgeschichtlichen Dimension des Themas breiten Raum gewidmet hat.

→ AWI Karthago; Kerkouane

1 A. BESCHAOUCH, K., 1994  2 C. BONNET, P. XELLA, La religion, in: [15. 316–333]  3 CHR. BRIESE, Die Chapelle Cintas – das Gründungsdepot K. oder eine Bestattung der Gründergeneration? in: R. ROLLE, K. SCHMIDT, R. F. DOCTER (Hrsg.), Arch. Stud. in Kontaktzonen der ant. Welt. Veröffentlichungen der J. Jungius-Ges. Nr. 87, 1998, 419–452  4 Carthage. L'histoire, sa trace et son écho. Kat. der Ausst. Paris, Musée du Petit Palais, 1995  5 P. CINTAS, Céramique Punique, 1950  6 Ders., Manuel d'archéologie punique I, 1970; II, 1976  7 W. ELLIGER, K. Stadt der Punier, Römer, Christen, 1990  8 A. ENNABLI, La campagne internationale de sauvegarde de Carthage (1973–1984). Resultats et enseignements, in: Carthage VI. Actes du Congrès international sur Carthage, Québec Trois-Rivières 10–13 octobre 1984, Bd. 3., 1985, 21–35  9 Ders., Pour sauver Carthage. Exploration et conservation de la cité punique, romaine et byzantine, 1992  10 C. T. FALBE, Recherches sur l'emplacement de Carthage,

Abb. 4: Karthago
in der römischen Kaiserzeit,
Rekonstruktion von
J. C. Golvin.
Musée National de Carthage

suivies de renseignements sur plusieurs inscriptions puniques inédites, de notices historiques, géographiques etc., 1833 **11** P. GAUCKLER, Nécropoles Puniques de Carthage, 1915 **12** M. GRAS, P. ROUILLARD, J. TEIXIDOR, L'Univers Phénicien, 1989 **13** R. B. HALBERTSMA, Benefit and honour. The archaeological travels of Jean Emile Humbert (1771–1839) in North-Africa and Italy in the service of the Kingdom of The Netherlands. MededRom 50, 1991, 301–316 **14** F. KELSEY, A Preliminary Report on the Excavations at Carthage 1925. AJA Suppl., 1926 **15** V. KRINGS (Hrsg.), La civilisation Phénicienne et Punique. Manuel de recherche. HbdOr I Bd. 20, 1995 **16** B. KUHN DE PROROCK, Digging for Lost African Gods, 1926 **17** Z. VAN LAER, La ville de Carthage dans les sources arabes des XIe-XIIIe siècles, in: E. LIPIŃSKI (Hrsg.), Studia Phoenicia VI. Carthago. Orientalia Lovanensia Analecta 26, 1988, 245–248 **18** S. LANCEL, J. DENEAUVE, Un siècle de fouilles sur la colline de Byrsa. Historique des recherches, in: S. LANCEL (Hrsg.), Byrsa I. Rapports préliminaires des fouilles 1974–1976 (1979), 11–55 **19** Ders., Carthage, 1992

(engl. Carthago. A History, 1995) **20** A. LÉZINE, Les thermes d'Antonin à Carthage, 1969 **21** J. LUND, The Archaeological Activities of Christian Tuxen Falbe in Carthage in 1838, in: Carthage VIII. Actes du Congrès international sur Carthage, 3. Québec Trois-Rivières 10–13 octobre 1984 (1986), 9–24 **22** S. MOSCATI (Hrsg.), Ricerche puniche nel Mediterraneo centrale. Studi Semitici, 36, 1970 **23** H. G. NIEMEYER, Das frühe K. und die phönizische Expansion im Mittelmeerraum, 1989 **24** G.-CH. PICARD, La recherche archéologique en Tunisie des origines à l'indépendance, in: Carthage VI. Actes du Congrès international sur Carthage, Québec Trois-Rivières 10–13 octobre 1984, Bd. 3 (1985), 11–20 **25** L. POINSSOT, R. LANTIER, Un sanctuaire de Tanit à Carthage, RHR 1923, 31–68 **26** F. RAKOB, Die internationalen Ausgrabungen in K., Gymnasium 92, 1985, 489–513 (abgedr. in: W. Huss (Hrsg.), K. Wege der Forschung, Bd. 654, 1992, 46–75).

HANS GEORG NIEMEYER

II. Geschichte und kulturelles Gedächtnis
A. Geschichte B. Kenntnisse und
Forschungen über die Vergangenheit
Karthagos (Mittelalter bis 19. Jahrhundert)
C. Karthago im kulturellen Gedächtnis

## A. Geschichte

In einem kontinuierlichen Prozess der Integration in das Gefüge des Imperium Romanum hatte sich K. seit der cäsarischen Neugründung 44 v. Chr., insbesondere jedoch unter den Severern, wirtschaftlich, polit. und kulturell zu einer der bedeutenden Metropolen der ant. Welt entwickelt. Noch bis in die Spätant. konnte dieser Status aufrechterhalten werden – eine Entwicklung, die in starkem Kontrast zu der seit dem 3. Jh. in den übrigen Westprovinzen einsetzenden polit. und wirtschaftlichen Krise stand. Spätant. Städtelob zufolge wetteiferte K. um den zweiten Rang innerhalb des Reiches nach Rom (Auson. urb. 2 und schon Herodian. 7,6,1). Sie galt neben Alexandria, Mailand und Antiochia als eine der größten Städte der Zeit (Liban. or. 15,59; 20,40). Hatte die severische Epoche ganz im Zeichen der Assimilation an röm. Kultur gestanden, so prägte seit dem 3. Jh. die Christianisierung das weitere Schicksal der Stadt. Sie war nach Rom eine der ältesten und am frühesten organisierten christl. Gemeinden des ant. Westens. Rasch entwickelte sie sich zum Zentrum des nordafrikan. Christentums. Als Hauptstadt in spätröm. Zeit erlebte K. die Streitigkeiten mit den schismatischen Donatisten und war Schauplatz wichtiger Kirchenversammlungen. Das Wirken der Kirchenväter Tertullian, Cyprian und Augustin im Umfeld der traditionsreichen Bildungsmetropole K. gab zahlreiche, für das gesamte Christentum richtungsweisende Impulse. Als die Vandalen, welche bereits 429 in Nordafrika eingefallen waren, 439 K. eroberten, ging es ihnen v. a. um wirtschaftliche und polit.-strategische Belange. In vielen Bereichen blieb deshalb die *romanitas* prägend. Die Eroberer beschränkten sich auf Installation und Versorgung einer Führungsschicht und die Einführung des Arianismus. Das Eingreifen Justinians beendete 533 das vandalische Interregnum. Im Sinne der nun initiierten Neustrukturierung des zurückgewonnenen Territoriums, als dessen Hauptstadt K. unter dem Namen Carthago Iustiniana eingesetzt wurde, versuchte man durch bauliche Maßnahmen und die Verleihung von Privilegien den neuen Status der Stadt als Verwaltungssitz und seit dem 6. Jh. als Residenz des Exarchen zu festigen. Die intendierte Ren. K. wurde durch kriegerische Auseinandersetzungen mit feindlichen Berberstämmen und Unstimmigkeiten innerhalb der eigenen Armee jedoch behindert. Nach einer kurzen Phase der Regeneration folgten wirtschaftlicher Niedergang und Ausklang der *romanitas*. Die Pläne des Exarchen Heraklios, K. zur Reichshauptstadt zu machen, waren zum Scheitern verurteilt. Den Untergang K. besiegelte die Eroberung der Stadt durch die Araber: 698 wurde K. zerstört. Seine Nachfolge traten Kairouan und v. a. Tunis an. Seit dem 7. Jh.

dienten die Ruinen der Stadt dann über viele Epochen hinweg als Marmorsteinbruch – für arab. Bauten wie ebenso unter anderem die Kathedralen von Genua und Pisa.

### B. Kenntnisse und Forschungen über die Vergangenheit Karthagos (Mittelalter bis 19. Jahrhundert)

Rühmten noch im MA arab. Hofchronisten und Dichter die ant. Vergangenheit K. (11. Jh. El Bekri; 12. Jh. El Idrissi; 13. Jh. El Abdery), so verlor sich unter der osmanischen Herrschaft, unter der sich nun Tunis zum arab.-islamischen Zentrum Nordafrikas entwickelte, zunehmend die Erinnerung an die ant. Wurzeln der Region. Nicht zuletzt trug dazu der sich im 18. Jh. immer ausgeprägter manifestierende Konflikt zwischen Islam und Christentum bei. Die wiss. Annäherung an K. erfolgte deshalb zunächst von Seiten des maßgeblich durch die Ansätze der human. Ren. geprägten Europa. Bis zur arch. Erforsch. K. in der Mitte des 19. Jh. basierten die Erkenntnisse über die Stadt beinahe ausschließlich auf griech. und röm. Quellenmaterial, welches über die frühe phönikische Phase nur wenig Aufschluß zu vermitteln vermochte, in den zahlreichen Ber. über die kriegerischen Konflikte K. mit Griechenland und Rom jedoch stark der einseitigen Optik der röm. Geschichtsschreibung verhaftet war. Dennoch wurde K. bereits frühzeitig zum Objekt histor. und philol. Detailanalysen. Erstmalig Gegenstand wiss. Betrachtung wurde K. jedoch erst bei A.H.L. Heeren (1760–1842). Aufbauend auf dessen Werk verfaßte W. Bötticher eine erste Gesamtdarstellung der karthagischen Geschichte (*Geschichte der Carthager*, 1827). Mit den Namen von W. Gesenius und E. Renan ist ein erster Höhepunkt der nordwest-semitischen Epigraphik zu Beginn des 19. Jh. verbunden. Durch den präzisen Einbezug der neu entdeckten epigraphischen und arch. Quellen und einen ausgeprägten Sinn für das Politische zeichnet sich der *Geschichte der Karthager* O. Meltzers aus, ein Werk, das freilich erst U. Kahrstedt zu Ende führte (1879–1913).

### C. Karthago im kulturellen Gedächtnis

#### 1. Die Identität Karthagos und die Quellen der späteren Erinnerung

Im Laufe seiner Geschichte durchlebte K. höchst unterschiedliche histor. Phasen, in welchen sehr verschiedene Kulturen dominierten. Erhalten blieb aber die Bed. der Stadt. Im kulturellen Gedächtnis hat das pun. K. bes. Faszination ausgeübt. Dessen Verfassung interessierte schon früh, wie etwa Aristoteles (pol. 1272 b 24ff.) belegt. V. a. als gefürchtete *aemula imperii*, als Rivalin Roms im mittelmeerischen Machtkampf, wurde K. sodann in der Ant. ein wichtiger Gegenstand der Historiographie wie auch künstlerisch-lit. Bearbeitungen. Auf Grund des Fehlens oder Verschwindens karthagisch-pun. Lit. basiert das Wissen über K. wesentlich auf griech.-röm. Quellen. Wenn der Name K. bis in unsere Gegenwart hinein im kulturellen Gedächtnis des Abendlandes wirksam geblieben ist, so hängt dies wesentlich ab von den Schriften eines Polybios, eines Livius oder eines Silius Italicus sowie von den an deren Vorlage anknüpfenden Autoren wie Appian, Plutarch oder Valerius Maximus. Es kann deshalb nicht verwundern, wenn die Entdeckung K. als Objekt der Rezeption mit der Wiedererschließung ant. Quellen einsetzte: Vergils in der karolingischen Zeit, der Historiker hauptsächlich in der Renaissance. Vor dem Hintergrund dieser lit. Trad. evoziert der Name K. im kulturellen Gedächtnis im allg. das Bild von Macht, Größe und Prestige, v. a. aber die Erinnerung an die aus Mythos, Legende und Historie bekannten großen karthagischen Frauen- und Männergestalten wie Dido, Sophonisba sowie Hannibal, dessen Figur in allen Epochen der europ. Lit. reiche Beachtung fand. Auch der röm. Gegenspieler Hannibals, der (Ältere) Scipio Africanus, hat in diesem Kontext seinen festen Platz. Die vorröm. pun. Quellen rückten erst wieder mit der arch. Erforsch. des ant. Terrains in das Bewußtsein. Die Wirkungsgeschichte K. ist reich: Der im Folgenden entworfene rezeptionsgeschichtliche Überblick kann in Anbetracht der Materialfülle nur wesentliche Linien skizzieren.

### 2. MITTELALTER BIS FRÜHE NEUZEIT

Die Würdigung K. in seiner polit.-histor. Dimension unterblieb im MA weitestgehend. Doch als Motiv und Symbol lebte es in der lit. Trad. des MA und der frühen Neuzeit durchaus fort. Begründet wurde diese Trad. durch die Ubiquität der vergilischen *Aeneis*, welche wie kein anderes lit. Werk der röm. Ant. kontinuierlich in den abendländischen Bildungskanon eingebunden war. Der geistige Bezug zu K. ergibt sich hier durch die in *Aeneis* B. 4 dargestellte »karthagische Episode«, die Begegnung zw. Aeneas und der karthagischen Herrscherin Dido-Elissa. Bereits in der spätant. Rezeption hatte diese Episode der *Aeneis* zu großer Popularität verholfen und den Namen Didos untrennbar mit demjenigen K. verbunden. So prägte Silius Italicus das aus dem Beinamen gebildete Adjektiv *elissaeus* in syn. Bed. zu *punicus* – karthagisch. Auch in der nachant. Zeit wurde kein weiteres Buch der *Aeneis* ebenso häufig zitiert und imitiert. So emanzipierte sich die *historia Didonis*, die auf Grund ihrer erotisch-tragischen Komponente für die höfische Dichtung (*Roman de la Rose*, 13. Jh.) von bes. Interesse war, in den seit dem 12. Jh. in den romanischen, angelsächsischen und german. Literaturen auftretenden Aeneas- bzw. K.-Romanen (*Roman d'Aeneas*, 1160; H. von Veldeke, *Eneid*, 1170/1190) zu einem vom Gesamtzusammenhang der Aeneaserzählung unabhängigen Sujet. Die psychologisch-moralisierende Bewertung der Hauptcharaktere, die in diesen Bearbeitungen stets erfolgt, basiert auf spätant. Trad. (Tert. apol. 50,5; Aug. civ.; Hier.) und adaptiert aus dieser einen positiven K.-Begriff, welcher aus einer positiven Bewertung des Handelns Didos hervorging und Karthago mit *castitas* (Keuschheit) assoziierte. Eher ma.-christl. Anschauung entspricht der ganz im Zeichen der Vergil-Allegorese stehende K.-Begriff der frühen Renaissance. Die Humanisten Christoforo Landino und Bernardus Silvestris zeigten sich in ihrem Werk stark beeinflusst durch die Vergil-Komm. des Servius und Fulgentius, welche Dido und K. zum Inbegriff der Libido stilisierten. In der Deutung Landinos symbolisiert K. weltliches Machtstreben und wurde zum Sinnbild der *vita activa*.

### 3. 17. UND 18. JAHRHUNDERT

Die hohe Affinität zur Darstellung tragischer Affekte in Lit., Musik und Malerei prägte das Erscheinungsbild der K.-Rezeption des Barock. So wurde die Geschichte der Punischen Kriege eher in ihren episch-tragischen Einzelkomponenten wahrgenommen, das Schicksal K. zum Sinnbild der Vergänglichkeit. Insbesondere in Frankreich wurde die K.-Thematik in vielen Tragödienversionen adaptiert, zu deren beliebten Sujets Darstellungen des Dido-, Sophonisba- und erstmalig auch des Hannibal-Stoffes zählten (Montreux, *Sophonisbe*, 1601; Mayret, *Sophonisbe*, 1629; Desmarets, *Scipion*, 1629; P. Corneille, *Sophonisbe*, 1663; Th. Corneille, *La Mort d'Hannibal*, 1669; Marivaux, *Annibal*, 1720 etc.). Dabei ist eine hochgradige Reduktion der histor. Inhalte auf das Tragisch-Menschliche zu beobachten, vor dessen Hintergrund K. häufig zum fast beliebigen antikisierend-orientalisierenden Szenario wurde. Eine ähnliche Zusammendrängung des Stoffes erfuhr die K.-Thematik auch in der Malerei, die die Protagonisten des karthagischen »Epos« als Prototypen epischer, durch ihr E. tragischer Heroen entdeckte, wie G. de Lairesse in seinem Malereitraktat (Mitte 17. Jh.) ausführt. Der Tod Didos oder Sophonisbas gehörten zu den beliebten Themen der barocken → Historienmalerei (vgl. Simon Vouet, *La Mort de Didon*; 1642–43; Mattia Preti, *La Morte di Sofonisba*, um 1660). Szenen aus der vergilischen Dido-Erzählung hingegen beherrschen die kunsthandwerkliche Ikonographie (Emaillen P. Reymonds und J. Pénicauds, bereits Mitte des 16. Jh.; weitere Darstellungen auf Fayencen und Tapisserien). Doch hauptsächlich im Bühnenwerk der Barockoper mit ihrer Präferenz exotischer Elemente fand das 17./18. Jh. ein beliebtes Medium zur Wiedergabe des K.-Stoffes (Purcell, *Dido and Aeneas*, 1689; Steffani, *Il trionfo del Fato*, 1695; Albinoni, *Didone*, 1726; Metastasio, *Didone abbandonnata*, 1724).

### 4. 18. JAHRHUNDERT

Im Zusammenhang mit der Entstehung zahlreicher Liviusausgaben der Ren. (durch Petrarca, Bersuire, Bruni), in deren Appendix häufig auch Polybios ediert wurde, erfolgte schließlich auch die Wahrnehmung K. unter histor.-polit. Aspekten. Ganz in der Trad. der staatsphilos. reflektierten Antikenrezeption Machiavellis hatte bereits die frühe Neuzeit die karthagische Geschichte als Medium der polit. Argumentation entdeckt, wobei zunächst eine unkritische Übernahme der durch die röm. Geschichtsschreibung vermittelten antikarthagischen Perspektive erfolgte. Vor deren Hintergrund hatte seit dem 16. Jh. die Ikonographie der offiziellen Kunst Darstellungen von Episoden der Scipio-Erzählung (Schlacht von Zama, Continentia Scipionis, Triumphzug Scipios) zur Fürstenpanegyrik und zum Ausdruck der Herrschaftslegitimation benutzt (z. B. der

Bilderzyklus der Wandteppiche nach Jules Romain, Brüssel, 16. Jh.). Seit der Wende zum 18. Jh. läßt sich jedoch ein tiefgreifender Wandel des K.-Bildes konstatieren. Die nun eher positive Konnotation K. und speziell Hannibals als dessen berühmtestem Exponenten war nicht zuletzt Konsequenz verstärkten Quellenstudiums. Ein erster Anklang dieser neuen Sichtweise fand sich bereits in Machiavellis Lob der mil. Leistung Hannibals (Principe, c. 16). Die 1728 in Paris erschienene Edition der Universalgeschichte des Polybios mit frz. Übers. und mil. Komm., gab einen weiteren Impuls zur Würdigung der strategischen Fähigkeiten Hannibals. In typologischen Vergleichen betonte nun die verfassungstheoretische und staatsphilos. Lit. des 18. Jh. die für die Gegenwart paradigmatische Aussagekraft der karthagischen Geschichte. Montesquieu (*Considérations sur les causes de la grandeur des Romains et de leur décadence*, 1734) und Chateaubriand (*Essai sur les révolutions*, 1791) verglichen die Rivalität zw. Frankreich und England mit dem Konflikt zwischen Rom und K., Marlborough mit Hannibal. Einen Widerhall finden diese geschichtsphilos. Betrachtungen in der Malerei des → Klassizismus, die in assoziativem Rekurs auf die karthagische Geschichte Blüte und Dekadenz zeitgenössischen Regimes, namentlich des engl. Empires, thematisiert (vgl. W. Turner, *Die Gründung Karthagos*, 1815; *Der Niedergang des karthagischen Imperium*, 1817). Auch im Zusammenhang mit der Frz. Revolution werden K. und Hannibal zu positiven Leitbildern erhoben. Von programmatischer Bed. ist die Identifikation Napoleons mit Hannibal, in dessen Nachfolge er sich insbesondere auf seinen it. Feldzügen sieht (*Mémorial de Sainte Hélène*). Als Anhänger der Frz. Revolution rühmt Vicenzo Monti (*Prometeo*, 1797) Napoleon als »zweiten Hannibal«.

Auch die Malerei des 18. Jh. greift diese Assoziation auf. Eine ikonographische Transposition dieses Vergleichs findet sich in Davids Reiterportrait *Bonaparte franchissant les Alpes au Grand Saint Bernard* (1801), das als polit. Leitfigur Napoleons neben Karl dem Gr. Hannibal zitiert.

### 5. 19. JAHRHUNDERT

Im Rahmen der überaus hohen Faszination der Romantik für orientalische Sujets und vor dem Hintergrund der polit. Vision einer *troisième Carthage* unter frz. Vorherrschaft nach der Eingliederung Tunesiens unter frz. Protektorat trat K. verstärkt in das Bewußtsein der frz. Belle Époque. So entsprach der 1862 erschienene Roman Flauberts, *Salammbô*, der eine Episode aus den pun. Söldnerkriegen schildert, durchaus dem Zeitgeist. Innovativ war die Wahl eines dem zeitgenössischen Publikum zwar geläufigen, in seinen Details aber unbekannten Ausschnittes der ant. Geschichte und die Einnahme der für das lit. Genre des histor. Romans durchaus ungewöhnlichen Perspektive der »Besiegten«. Trotz der Bemühung Flauberts um Kenntnis der histor. Realität durch Reisen und Quellenstudium blieb der Roman der Fiktionalität verhaftet, trat dessen histor. Rahmen vor dem orientalisierenden Gepränge eines »*orient*

*du Bédouin*« zurück. Auf diese Weise wurde stilistisch eine rigorose Adaption des Ästhetizismus des 19. Jh. möglich, im Inhaltlichen die allegorisch verschlüsselte Bezugsetzung auf die (nach)revolutionäre Gegenwart. Ein Paradoxon bleibt, daß dieser fiktive Roman, trotz der in seiner Entstehungszeit einsetzenden wiss. Objektivierung des Kenntnisstandes, in ganz entscheidender Weise das K.-Bild des 19. und 20. Jh. geprägt hat. So inaugurierte der Erfolg *Salammbôs* eine Ren. der K.-Thematik in allen Kunstgattungen (Plastische Kunst: Skulpturen Th. Rivières und D. Ferrarys, Oper: E. Reyer, *Salammbô*, 1890; S. Casavoel, E. Mucci, *Salammbô*, 1948).

### 6. 20. JAHRHUNDERT

Vor dem Hintergrund des I. Weltkrieges wurde zu Beginn des 20. Jh. K. v. a. im Zusammenhang mit dem zweiten Punischen Krieg wieder zum Gegenstand polit. und geschichtsphilos. Reflexionen. Die Abhandlung General von Schlieffens über die Schlacht von Cannae hatte Hannibal nicht nur zum Idol der mod. Kriegsführung erhoben, sondern K. zum Symbol der trotz zahlenmäßiger Unterlegenheit siegreichen Kriegspartei stilisiert. Nach E. des Krieges erfolgte dann eine Diskussion des zweiten Punischen Krieges unter dem Aspekt der Kriegsschuldfrage, innerhalb der man Parallelen zwischen der Situation Deutschlands und derjenigen K. nach dem E. des Krieges sowie zw. den Versailler Verträgen und dem Frieden von 201 konstatierte. Ebenfalls beeinflußt durch die vorausgegangene (polit.-mil.) Heroisierung Hannibals war die Beurteilung K. in der Zeit des »Dritten Reiches«, das K. v. a. in seiner Prägung durch die hell. Kultur wahrnahm und in Hannibal ein Vorbild der mod. Kriegsführung sah.

War die Sicht K. lange Zeit ausschließlich von der ant. romanozentrischen Perspektive dominiert, so gelang im 19. Jh. durch die in den wiss. Disziplinen erzielten Ergebnisse erstmals eine zunehmende Objektivierung des K.-Bildes und dessen Befreiung von ideologischen Bezugnahmen. Erst dadurch war die objektive Einordnung der pun. Randkulturen in einen universalhistor. Zusammenhang möglich. Dennoch zeichnete sich die K.-Rezeption des 20. Jh. eher durch eine subjektiv-verklärende Sicht der karthagischen Geschichte und insbesondere der Figur Hannibals (als deren bekanntester Anhänger dieses Jh. wohl S. Freud gilt) als durch wiss. Durchdringung des histor. Hintergrundes aus. Ausgehend von Flauberts Roman *Salammbô* erfolgte seit dem E. des 19. Jh. der Durchbruch des K.-Stoffes im Sinne einer zunehmenden Popularisierung. Als vorherrschende Medien traten hier sowohl Film (V. Jacet, *Dans les Ruines de Carthage*, 1910; L. Maggi, *Didone abandonnata*, 1910; L. Maggi, *Delenda Carthago*, 1910; Pastrone, *Cabiria*, 1912–1914; G. Sidney, *Jupiter's Darling*, 1955) als auch Belletristik (histor. Romane: M. Jelusich, *Hannibal*, 1934; M. Dolan, *Hannibal of Carthage*, 1956; G. Haefs *Hannibal*, 1989; Ross Leckie, *Ich, Hannibal*, 1995) in Erscheinung, die aber v. a. ein sich aus stereotypen Allgemeinplätzen konstituierendes K.-Bild etablieren.

→ AWI Karthago

**1** Carthage. L'histoire, sa trace et son écho, 1995 (Ausstellungskat.) **2** A. Aziza, Carthage, le rêve en flammes, 1993 **3** A. Beschaouch, La légende de Carthage, 1993 **4** F. Decret, De Carthage à Kairouan, 1982 **5** A. Ennabli, Carthage retrouvée, 1995 **6** M. H. Fantar, Carthage, la cité punique, 1995. ALEXANDRA KOPKA

**Kartographie.** Karten – im weiteren Sinne von Graphiken, die ein räumliches Verstehen erleichtern – wurden von Griechen und Römern seit früher Zeit in vielerlei Arten erstellt. Weit verbreitet (und noch immer in Romanen und Filmen nachweisbar) ist die Annahme, daß Karten in jenen Kulturen eine Rolle spielten, die mit ihrer Funktion in unserer heutigen Welt vergleichbar ist. Die neuere Forsch. ist jedoch skeptischer; sie nimmt an, daß die von Griechen und Römern benutzten Karten nur selten von Bed. für die Organisation und Aufzeichnung räumlicher Umweltgegebenheiten gedient haben; ernsthafte Zweifel sind sogar bezüglich der Frage angemeldet worden, ob die vielbesprochene *Karte des Agrippa* überhaupt die Gestalt einer Karte hatte. Auch wenn die Diskussion zu vielen Aspekten noch nicht abgeschlossen ist, steht außer Frage, daß sich in der Ant. kein gemeinsamer Begriff von »Karte« entwickelte, geschweige denn einer von »K.« (dieses Wort wurde erst im 19. Jh. entwickelt). Es gab keine »Allzweck«-Karten, erst recht keine Atlanten und keine Großproduktion.

Da fast alle Originalkarten aus der Ant. verloren sind, ist es unmöglich festzustellen, wie weit röm. Vorläufer die Darstellungen auf ma. *mappae mundi* (Hereford, Ebstorf u. a.) beeinflußten, auch wenn ein gewisser Einfluß wahrscheinlich ist (vgl. [4], bes. Kap. 1).

Im Gegensatz dazu sind viele geogr. Schriften (meist in griech. Sprache) erhalten. Die ausführlichste und einflußreichste dieser Schriften, die *Geogr.* des Claudius Ptolemaios, fand offenbar bei arabischen Gelehrten Interesse, lange bevor Maximus Planudes im 13. Jh. das Interesse an ihr in Konstantinopel wiederbelebte und die Anfertigung von Karten zur Illustration des Textes in Auftrag gab.

Während des späten 15. Jh. entwickelte sich aus einer Vielzahl möglicher Gründe in ganz Europa rasch eine außerordentliche Begeisterung für die Herstellung und den Gebrauch von Karten; zugleich ermöglichte die fortgeschrittene Drucktechnik (im Holzschnitt- oder Kupfertiefdruck-Verfahren) eine weite Verbreitung. Der nun aufstrebende Stand der Landvermesser belebte die Techniken, die im lat. *Corpus Agrimensorum* dargelegt waren, einem Corpus, von dem während des MA weiterhin Abschriften hergestellt worden waren. Es mag die Hinzufügung von Illustrationen gewesen sein, die jene schwierigen Texte erstaunlich beliebt machte [6; 7; 12]. Die *Geogr.* des Ptolemaios wurde erstmals im frühen 15. Jh. ins Lat. übersetzt (von Jacopo d'Angelo) und erschien erstmals 1475 im Druck. Für Kartographen waren die Behandlung der Projektion und der Kartenerstellung in diesem Werk, dazu auch die umfangreichen topographischen Daten, unentbehrlich. Bis 1600 waren mehr als 30 Ausgaben mit neu gezeichneten Karten erschienen.

In jenem Zeitalter der Entdeckungen wurde freilich auch schrittweise deutlich, daß Ptolemaios in vielerlei Hinsicht entweder ungenau oder schlicht unwissend war, insbes. bezüglich des Bestehens einer Neuen Welt jenseits des Atlantik. Schließlich verlieh im späten 16. Jh. Gerhardus Mercator der sich verbreitenden Auffassung Ausdruck, daß Ptolemaios' *Geographie* als histor. Werk betrachtet werden müsse, nicht als wiss., und daß es unangemessen sei, an der bisher geübten Praxis einer einfachen Ergänzung des Werkes im Lichte neuer Entdeckungen festzuhalten. Vielmehr solle man das Vertrauen auf Ptolemaios' *Geographie* aufgeben und das mod. Wissen gesondert in neuen Werken präsentieren. Dafür war das neuartige Konzept des »Atlas« bes. gut geeignet; benannt war es nach der Gestalt der griech. Mythologie, die ›die Tiefe des ganzen Meeres kennt und die hohen Pfeiler hält, die Erde und Himmel getrennt halten‹ (Hom. Od. 1,52–54) [5; 1].

Seit dem 16. Jh. haben die gewachsene Bed. des klass. Alt. für die europ. Kultur und Bildung, das neue kartographische Bewußtsein und die Entwicklung des Buchdrucks eine Nachfrage nach histor. Karten der Welt der Griechen und Römer hervorgerufen. Ein weiterer Stimulus war die Nachfrage nach Karten zu biblischen Themen, die man zwar bereits in früheren Zeiten beobachten kann, die aber nun im frühen 16. Jh. ebenfalls in doppelter Weise angeregt wurde: von der Reformation und von der Entwicklung des Buchdrucks. Mit Karten illustrierte Bibeln und Bibelkommentare erschienen erstmals in den Jahren ab 1520. In Kartensammlungen traten die biblischen Länder und die Welt der Ant. gemeinhin als Paar auf, so im späten 16. Jh. in dem *Parergon* zu dem neuartigen und ehrgeizigen Atlas des Abraham Ortelius, *Theatrum Orbis Terrarum* [2. 4–21, 27–37]. Nicht der geringste der bemerkenswerten Bestandteile des *Parergon* war eine Karte der Irrfahrten des Odysseus (»Ulyssis Errores«), eine phantasievolle Anwendung zeitgenössischen kartographischen Wissens auf die Deutung ant. Literatur. Derartige Deutungsversuche sind seither immer wieder unternommen worden (Abb. 1) [13. 143–206].

Im Jahr 1598 brachte Ortelius erstmals ein Faksimile der *Tabula Peutingeriana* heraus (sie war 1512 »entdeckt« worden und später in den Besitz von C. Peutinger gelangt), das dann in mehrere Ausgaben des *Parergon* (it.) mitaufgenommen wurde. Bereits 1563 war die Entdeckung von Fragmenten der *Forma Urbis* in Rom auf lebhaftes Interesse gestoßen; sie sollte einen prägenden Einfluß auf die *Pianta Grande di Roma* von G. B. Nolli (1748, Ndr. mit einer Einführung von A. Ceen 1991) und auf *Le Antichità Romane* von G. B. Piranesi (1756) ausüben.

Eine eindrucksvolle Reihe von Atlanten der Alten Welt wurde vom 17. bis ins 19. Jh. erstellt; hervorgehoben seien die Werke von Philip Kluver (Leiden 1629) und Jean-Baptiste Bourguignon d'Anville (Paris 1738–

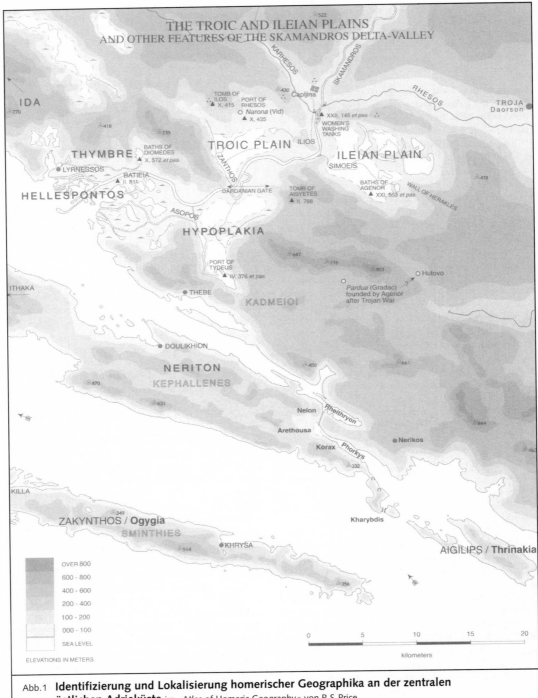

**Abb.1** **Identifizierung und Lokalisierung homerischer Geographika an der zentralen östlichen Adriaküste** im »Atlas of Homeric Geography« von R.S. Price

1740). Die Wiedergabe der natürlichen Landschaft profitierte von der allmählichen Ausweitung von Entdeckungen und Vermessungen. Zudem wurde die K. seit dem späten 17. Jh. dadurch genauer, daß es nunmehr möglich war, neben der geogr. Breite auch die Länge zu bestimmen. Seit dem frühen 19. Jh. vereinfachte die Lithographie die Herstellung von Karten, auch wenn bis

zum Beginn des 20. Jh. viele Autoritäten am Kupfertiefdruck als der qualitativ hochwertigeren Methode zur kartographischen Dokumentation festhielten [8].

Diese lange Trad. der Erstellung umfassender Atlanten der Alten Welt für Forsch. und Lehre erreichte im späten 19. Jh. ihren Höhepunkt mit drei Werken: William Smith und George Grove (1872–1874; die meisten

**Abb.2 Ausschnitt aus der Karte 26 »Peloponnesus«, Region Epidaurus und Hermione,**
von C. Müller aus dem »Atlas of Ancient Geography« von Willian Smith und George Grove

Karten zur Ant. hierin waren von Carl Müller kompiliert worden, die zur biblischen Welt von Trelawny Saunders); Wilhelm Sieglin (1893–1909); Heinrich und Richard Kiepert (1894–1914). Nur das erstgenannte Werk wurde vollendet (Abb. 2) [9; 10; 11; 14].

Diese heroischen, meist auf wenigen Schultern ruhenden Projekte wurden zugleich von der Entstehung der Arch. als wiss. Disziplin überholt, ebenso von einer nie zuvor in dieser Weise durchgeführten systematischen Erfassung und Erforsch. der Alten Welt, deren Folge eine riesige Ausweitung des Wissens war. Diese spiegelte sich in regionalen kartographischen Initiativen wie den *Karten von Attika* (1881–1900), im *Atlas Archéologique de l'Algérie* (1911) und in den beiden Ausgaben des unvollendeten *Atlas Archéologique de Tunisie* (1893–1932).

Seit dem I. Weltkrieg haben die Bemühungen um eine Kartierung der Welt der Ant. weder mit der fortwährenden Ausweitung der diesbezüglichen Erkenntnisse (insbes. durch die → Luftbildarchäologie) noch mit den enormen Fortschritten in der Kompilation und Produktion von Karten (durch die Computertechnik) Schritt gehalten. Die erfolgreichsten Werke waren auf Regionen beschränkt und relativ großmaßstäbig, so die *Forma Italiae* und die *Edizione Archeologica della Carta d'Italia*. Die Vision eines O. G. S. Crawford von einer *Tabula Imperii Romani* mit einer umfassenden Darstellung des Röm. Reiches in 56 Blättern im Maßstab 1:1 000 000 auf der Grundlage der *International Map of the World* war genial und wurde mit beachtlichem Erfolg in den 1930er J. verfolgt. Nach dem II. Weltkrieg jedoch traf das Projekt auf immer größere Schwierigkeiten, nicht zuletzt wegen des Prinzips, daß jedes heutige Land die kartographische Erfassung seines Gebietes selbst zu verantworten hat. Dieses Prinzip war natürlich von der *Union Académique Internationale* vertreten worden, die seit 1957 als Schirmherr der *Tabula Imperii Romani* fungiert. Mehrere wertvolle Blätter sind für Britannien, Nordfrankreich, Osteuropa und Norditalien erschienen, seit 1991 weiter für Nordgriechenland, die Iberische Halbinsel und Israel. Die Karten dieser letztgenannten Gruppe sind freilich noch weniger einheitlich in ihrer Darstellung als die früheren, und die Aussichten für eine Vollendung des Werkes sind düsterer denn je.

Bed. Beiträge stammen zudem von zwei Projekten, deren Hauptzielrichtung freilich anders geartet ist: Von der *Tabula Imperii Byzantini* (seit 1966) und vom *Tübinger Atlas des Vorderen Orients* (1969–1993). Der dringende Bedarf nach einer neuen Initiative zur klass. Ant. veranlaßte schließlich in den 1980er J. die *American Philological Association*, die Schirmherrschaft über den *Barrington Atlas of the Greek and Roman World* zu übernehmen, der 2000 in Princeton erscheinen wird. Dieser Atlas gibt das in den letzten gut 100 J. gesammelte neue Wissen vollständig wieder und nutzt mod. kartographische und produktionstechnische Methoden. Seine 180 großen Kartenblätter werden durch einen Index ergänzt, der nicht nur eine umfassende Aufstellung ant. Toponymika und Stätten bietet, sondern jeweils auch die entsprechenden Nachweise bietet. Die digitale Herstellung erleichtert künftige Revisionen und Anpassungen der Karten. An der *Univ. of North Carolina* in Chapel Hill (USA) ist ein *Ancient World Mapping Center* eingerichtet worden, um diese Arbeit zu koordinieren und jeden zu unterstützen, dem – zu welchem Zweck auch immer – an der Nutzung oder Erstellung von Karten der ant. Welt gelegen ist.

→ Atlantis

→ AWI Kartographie

1 J. R. AKERMAN, From books with maps to books as maps. The editor in the creation of an atlas idea, in: J. WINEARLS (Hrsg.), Editing Early and Historical Atlases, 1995, 3–48 2 J. BLACK, Maps and History. Constructing Images of the Past, 1997 3 K. BRODERSEN, Terra Cognita, 1995, 12 4 E. EDSON, Mapping Time and Space. How Medieval Mapmakers Viewed their World, 1997 5 A. GRAFTON et al., New Worlds, Ancient Texts. The Power of Trad. and the Shock of Discovery, 1992, Register s. v. Ptolemy 6 F. T. HINRICHS, Die *agri per extremitatem mensura comprehensi*. Diskussion eines Frontintextes und der Gesch. seines Verständnisses, in: O. BEHRENDS, L. CAPOGROSSI COLOGNESI (Hrsg.), Die röm. Feldmeßkunst. Interdisziplinäre Beiträge zu ihrer Bed. für die Zivilisationsgeschichte Roms, 1992, 348–374 7 R. J. P. KAIN, E. BAIGENT, The Cadastral Map in the Service of the State. A History of Property Mapping, 1992 8 I. KRETSCHMER et al. (Hrsg.), Lex. zur Gesch. der K. von den Anfängen bis zum Ersten Weltkrieg, 2 Bde., 1986 9 R. TALBERT, Mapping the classical world. Major atlases and map series 1872–1990, Journal of Roman Archaeology 5, 1992, 5–38 10 Ders., Carl Müller (1813–1894), S. Jacobs, and the making of classical maps in Paris for John Murray, Imago Mundi 46, 1994, 128–150 11 Ders., Introduction, in: H. (UND R.) KIEPERT, Formae Orbis Antiqui, Ndr. 1996, V–VIII 12 L. TONEATTO, Codices Artis Mensoriae: I Manoscritti degli Antichi Opuscoli Latini d'Agrimensura (V–XIX sec.), 3 Bde., 1994–95 13 A. WOLF, H.-H. WOLF, Die wirkliche Reise des Odysseus, 1983 14 L. ZÖGNER (Hrsg.), Ant. Welten, Neue Regionen: Heinrich Kiepert, 1999. RICHARD TALBERT/Ü: KAI BRODERSEN

**Karyatiden** s. Stützfiguren

**Kassel, Staatliche Kunstsammlungen – Antikenabteilung** A. EINLEITUNG B. VORGESCHICHTE C. SAMMLUNGSTÄTIGKEIT FRIEDRICHS II. UND DAS MUSEUM FRIDERICIANUM D. DIE SAMMLUNG SEIT DEM 18. JH. E. AUFSTELLUNG IN SCHLOSS WILHELMSHÖHE

A. EINLEITUNG

Unter den dt. Antikensammlungen gebührt der Kasseler ein wichtiger Platz, auch wenn sie sich in ihrem Umfang nicht mit → Berlin, Staatliche Museen, → Dresden, Staatliche Kunstsammlungen, und → München, Glyptothek und Antikensammlung, messen kann. Nach einer Blütezeit im 18. Jh. blieb ihr weitere Zuwendung durch die Landgrafen von Hessen versagt; ebenso nahm sie an der Entwicklung des »bürgerlichen«,

von Mäzenatentum gekennzeichneten Mus. nur in geringem Umfang teil. Immerhin traten ab dem späten
19. Jh. einige Förderer hervor. Wesentliche Erweiterungen des Bestands sind wieder seit 1961 zu verzeichnen.

Ihre Bed. verdankt die Sammlung aber vornehmlich
dem Landgrafen Friedrich II. von Hessen-Cassel (Regierungszeit 1760–1785), der sich persönlich den Ankauf von Werken angelegen sein ließ und der ein öffentliches Mus. errichtete, in dem ant. Skulpturen eine führende Rolle beanspruchten. Welche Anerkennung
Friedrich II. der ant. Kunst zollte, wird sowohl durch
seinen Versuch deutlich, Winckelmann nach K. zu verpflichten, als auch durch die 1777 von ihm ins Leben
gerufene *Société des Antiquités*, die die wiss. Beschäftigung mit der ant. Hinterlassenschaft – nicht zuletzt mit derjenigen im landgräflichen Besitz – gewährleisten sollte.

### B. Vorgeschichte

Die Anfänge des Kasseler Antikenbesitzes lassen sich
bis in das 17. Jh. zurückverfolgen. Schon für 1603 ist die
Existenz einer »Antiquitätenkammer« gesichert, für deren Ausstattung der gelehrte und musisch gebildete
Landgraf Moritz von Hessen (Regierungszeit 1592–
1627) Sorge trug. 1688 brachten hessische Söldner, die
in venezianischen Diensten gestanden hatten, von einem gegen die Türken gerichteten Feldzug aus Griechenland einige Reliefs und Inschriften mit; hinzu kamen Bronzestatuetten, die der an Antiquitäten interessierte Landgraf Carl (Regierungszeit 1670–1730) von
Johann Balthasar Klaute, einem Begleiter des hessischen
Truppenkontingents, erhielt. Unter Carl von Hessen
setzten auch gezielte Ankäufe für die landgräfliche
Kunstkammer ein. Auf seiner Italienreise 1699/1700 erwarb er wiederum Kleinbronzen, vor allem aber in
Venedig bei Antonio Capello neben diversen Münzen
eine Reihe von Gemmen, die zumindest teilweise wohl
aus paduanischem Besitz stammten; als Berater fungierte
Bernard de Montfaucon. 1710 verkaufte Capello noch
weitere Gemmen nach K. Zur Zeit Carls muß des weiteren eine Gipssammlung existiert haben.

Landgraf Wilhelm VIII. (Regierungszeit 1750–1760)
machte sich primär um die Gemäldegalerie verdient, die
er zu einer Kollektion von europ. Rang aufbaute (vgl.
die etwa gleichzeitigen Aktivitäten Augusts III. in Dresden); er kaufte aber auch einige ant. Bronzen ital. Provenienz an (Sammlung Wassenaer d'Obdam in Den
Haag – zusammen mit der Ersteigerung von Gemälden;
Sammlung von Hahn in Würzburg). Von einem systematischen, großformatige Werke einschließenden und
auf repräsentative Außenwirkung angelegten Antiken-
erwerb, wie er in Ansätzen um 1700 in Berlin und intensiv seit den 20er Jahren des 18. Jh. in Dresden wie
auch ab 1742 für Potsdam betrieben wurde, kann aber in
K. bis dahin nur bedingt die Rede sein. Immerhin beauftragte Wilhelm VIII. 1754 den jungen Architekten
Simon Louis du Ry, in Rom einige Skulpturen zu be-
schaffen, und ließ durch Johann August Nahl sechs
Bronzeabgüsse nach Antiken der Sammlung Medici be-
sorgen.

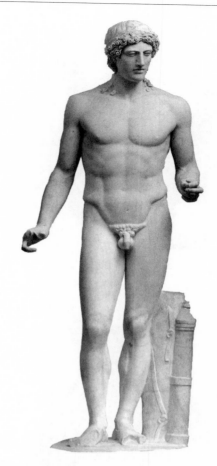

Abb. 1: Kassel, Staatliche Kunstsammlungen,
Antikenabteilung Inv. Sk 3. Statue des Apollon;
sog. *Kasseler Apoll*. Kopie des 2. Jh. n. Chr.
Nach Vorbild um 450 v. Chr. (Zustand seit 1974)

### C. Sammlungstätigkeit Friedrichs II. und das Museum Fridericianum

Die Wertschätzung, die Landgraf Friedrich II. dem
Alt. entgegenbrachte, war wesentlich von Winckelmanns Idealen geprägt. Friedrichs Hauptinteresse galt der
ant. Plastik. Im Winter 1776/77 trug er in Rom eine
Anzahl von Statuen, Büsten und Reliefs zusammen, die
bis heute den Mittelpunkt der Kasseler Kollektion bilden. Es fällt auf, daß die Auswahl der Skulpturen zu einem guten Teil mit Winckelmanns Begriff vom »Hohen«
und »Schönen Stil« der griech. Kunst korreliert (und
noch immer arch. Periodisierung von Klassik bis Frühhellenismus genügt: Körperreplik der Athena Lemnia des
Phidias, Kopf und Körper des Doryphoros des Polyklet,
frühhell. Körper der Artemis und der Athena), so daß die
Konstellation der Kasseler Standbilder zugleich als ein
außergewöhnlich früher Reflex auf Winckelmanns Geschichte der Kunst gelesen werden kann. Prominentestes
Werk ist der *Kasseler Apoll* (Abb. 1), den Winckelmann

weit in das 19. Jh. mehrfach rezipierten Bronzestatuette der *Victoria aus Fossombrone* (Abb. 2). Als kundiger Berater stand Friedrich in Rom v. a. Johann Friedrich Reiffenstein zur Seite.

Während der Regierung Friedrichs II. gelangten auch erste Beispiele griech., ital. und röm. Keramik nach K. Die Sammlungtätigkeit erstreckte sich ferner auf provinzialröm. Altertümer (Kleinbronzen, Geräte, Gläser u. a.), die von der ant. Trad. des eigenen Herrschaftsgebietes und benachbarter Regionen, bes. des Rheinlands, zeugten. Als Vermittler trat der Legationsrat Schmidt von Rossau hervor, indem dieser einerseits Ankäufe tätigte, andererseits im Frankfurter Raum selber Grabungen durchführte. Eine weniger glückliche Hand bewies Friedrich II. mit der Erweiterung der Gemmenkollektion, da es sich vornehmlich um neuzeitliche Schöpfungen und Nacharbeitungen handelte.

Für seine Naturalien- und Kunstsammlungen (mit Ausnahme der Gemälde) sowie die Bibliothek ließ Friedrich II. durch den Architekten Simon Louis du Ry von 1769 bis 1776 ein eigenständiges, 1779 im Hauptgeschoß eröffnetes Gebäude errichten, das »Museum Fridericianum« (Abb. 3) benannt wurde (Vollendung 1785). Dem wenige Jahre nach dem Schloß in → Wörlitz in frühklassizistischen Formen errichteten Bau kommt sowohl in der Architekturgeschichte als auch in der europ. Museumsgeschichte eine herausragende Stellung zu. Die Gründung war nur eine von zahlreichen kulturpolit. Maßnahmen, mit denen der hessische Landgraf als Vertreter des aufgeklärten Absolutismus seiner Residenzstadt ein neues Gepräge gab. Der Auftraggeber, der vordem in preußischen Diensten gestanden hatte, orientierte sich in mehrfacher Hinsicht, so auch mit seiner Hinwendung zur ant. Kunst, an Friedrich dem Gr., entsprach aber darüber hinaus mit der freien Zugänglichkeit der Sammlung allg. Bestrebungen seiner Zeit und nahm mit der Realisierung des Mus. sogar eine Vorreiterrolle ein. Die den Kunstwerken zugedachte doppelte Funktion als Mittel der Erziehung und als Gegenstand des Genusses propagierte die 1777 geprägte Gründungsmedaille der *Société des Antiquités* (Abb. 4): Unter der Legende ›docent et oblectant‹ (»sie lehren und erfreuen«) führt Minerva vor der Front des Museum Fridericianum ein freudig bewegtes Kind ant. Denkmälern zu.

Der dreiflügelige Komplex des Museum Fridericianum steht bautypologisch in der Trad. der Schloßarchitektur. Den mit einer Balustrade abgeschlossenen Außenbau gliedert eine kolossale ionische Pilasterordnung. Der Eingang ist durch einen sechssäuligen Portikus mit Giebel und Attika hervorgehoben. Die Innenräume sind dagegen auf die museale Funktion abgestimmt, indem im Haupttrakt an die Eingangshalle beiderseits dreischiffige Säle anbinden; der rechte Saal nahm die ant. Skulpturen auf (Abb. 5), der linke die neuzeitlichen und auch Abgüsse ant. Werke, darunter die sehr geschätzten Bronzen nach Werken der Medici-Sammlung (s.o.). Ant. Kleinkunst wurde im kabinettar-

Abb. 2: Kassel, Staatliche Kunstsammlungen, Antikenabteilung Inv. Br 121. Bronzestatuette der *Victoria aus Fossombrone*. Um 150 n. Chr.

dem »altgriech. Stil« zugewiesen hatte und der später als die vollständigste kaiserzeitliche Replik eines Typus erkannt wurde, dessen Vorbild gewöhnlich Phidias zugeschrieben wird. Daneben erweiterte Friedrich II. den Bestand an ital. Kleinkunst, beispielsweise mit der bis

Abb. 3: Ansicht des Museums Fridericianum in Kassel. Kupferstich von 1784

tigen rechten Eckraum und im anstoßenden Saal des
Seitenflügels präsentiert. Hier fanden auch von Antonio
Chichi gefertigte Korkmodelle ant. röm. Bauten Platz,
die aber 1797 in den Hauptsaal der Antiken wechselten.
Im wesentlichen blieb dieses Aufstellungskonzept bis
1913 gewahrt, unterbrochen nur durch den napoleonischen Kunstraub (1807 bzw. 1813 bis 1815).

D. DIE SAMMLUNG SEIT DEM 18. JAHRHUNDERT

Die Aktivitäten des Landgrafen Friedrich II. zugunsten des Ausbaus und der Präsentation der Sammlung
fanden für lange Zeit keine Nachfolge. Zwischen 1828
und 1868 – bis zur Unterstellung unter die Verwaltung
der preußischen Prov. Hessen-Nassau – war nicht einmal ein wiss. Betreuer der arch. Objekte am Mus. beschäftigt. Entsprechend kamen bis zum späten 19. Jh.
kaum Neuerwerbungen oder Stiftungen hinzu; auch
danach hielten sich Schenkungen und selbst Leihgaben
in Grenzen. Die insgesamt stagnierende Entwicklung
mündete erst ab 1961 in eine Belebung. Kennzeichnend
ist die Verbindung von Objekten, die aus öffentlichen
Mitteln finanziert sind, und solchen, die Privatsammler
gestiftet oder für die Dauerausstellung zur Verfügung
gestellt haben. Die Kombination weist Parallelen zu
→ Basel, Antikenmus. und Sammlung Ludwig auf.

In der Ankaufspolitik der letzten Jahrzehnte läßt sich
ein tendenzieller Wandel beobachten. Stand zunächst
das Ziel im Vordergrund, den überkommenen Bestand
mit qualitativ hochwertigen Arbeiten zu erweitern und
dabei fehlende Gattungen und Perioden zu berücksichtigen, so dokumentieren die 28 arch. Neuzugänge zwischen 1995 und 1999 primär ein histor. Interesse an
verschiedenen Facetten ant. Kultur. Dabei wurde
ausdrücklich der Zusammenhang mit dem aktuellen
Wissenschaftsverständnis der → Klassischen Archäologie
reklamiert.

Abb. 4: Gründungsmedaille der Kasseler Société
des Antiquités von J. U. Samson, 1777.
Marburg, Hessisches Staatsarchiv

E. AUFSTELLUNG IN SCHLOSS WILHELMSHÖHE

Nachdem die Antiken 1913 in das von Theodor Fischer errichtete Hessische Landesmus. überführt worden waren, wo sie bis 1935 verblieben und nach dem II.
Weltkrieg noch einmal eine Heimstatt fanden, dient ihnen – wie der alten Gemäldegalerie – seit 1974 Schloß
Wilhelmshöhe am heutigen westl. Stadtrand von K. als
Aufbewahrungsort (1998–2000 wegen Sanierungsmaß-
nahmen geschlossen; ein Teil der Antikensammlung
war in der documenta-Halle ausgestellt). Bei der Aufteilung der Exponate im Erdgeschoß des Schlosses wurde eine Synthese verschiedener konzeptioneller Ansätze
gesucht: Es dominiert eine Gruppierung nach Kulturen
und Perioden, die sich, soweit unter den räumlichen

Abb. 5: Kassel, Museum Fridericianum, Saal der antiken Skulpturen (Aufnahme vor 1913)

Bedingungen möglich, auf einem Rundgang erschließt. Der Bed. einzelner Gattungen sowie der funktionalen und thematischen Kontexte von Werken oder Darstellungen gehen schriftliche Informationen (Tafeln, Führungsblätter) nach. Einen Schwerpunkt bildet auch in der Präsentation seit 1974 die griech. Plastik, wobei kaiserzeitliche Kopien aus dem landgräflichen Besitz mit Erwerbungen ab 1961, zumal originalen Arbeiten (Bärtiger Hermenkopf, um 450 v. Chr.; Jünglingskopf, um 430 v. Chr.; Kolossalporträt der Ptolemäerin Berenike II., aus Alexandria, 2. Hälfte 3. Jh. v. Chr.), kombiniert sind. In unmittelbarer Nachbarschaft befinden sich Vitrinen mit Denkmälern der griech. Kleinkunst.

Weitere Akzente mit jeweils eigenen Teilräumen liegen auf der ägypt. Kunst, den materiellen Zeugnissen früher Kulturen im Mittelmeergebiet und der geom. sowie der archa. griech. (in Gegenüberstellung mit der etr.) Produktion. Aus einem dem Hell. gewidmeten Abschnitt gelangt man in den flächenmäßig größten, aber in einem Zwischentrakt gesondert zusammengefaßten röm. Bereich.

Seit dem Frühjahr 2000 ist die Antikenabteilung zu größeren Teilen wieder im Schloß zugänglich. Bei ihrer erneuten Einrichtung wurde das Grundkonzept von 1974 aufgegriffen, aber durch Reduzierung der didaktischen Elemente modifiziert. Die Exponate treten stär-

ker in ihrem Eigenwert hervor. Den Zugewinn an ästhetischer Wirkung unterstützen eine schlichte, helle Raumgestaltung und die Verlegung der Treppenhäuser, die vordem den Gesamteindruck des Hauptsaales beeinträchtigten und überdies Stellflächen kosteten. Im Untergeschoß teilen sich die Korkmodelle den Raum mit einer Cafeteria und einem Museumsladen. – Der röm. Abschnitt im Zwischenflügel wird voraussichtlich im Herbst 2000 fertiggestellt sein.

Die bis in das 18. Jh. zurückreichende Geschichte ant. Skulpturen in K. ist zugleich eine Geschichte der Restaurierung. Gemäß damaliger Praxis wurden die unvollständig erhaltenen Werke gereinigt, partiell auch überarbeitet und v. a. komplettiert. Erste »Nachbesserungen« ihres Zustands erfuhren sie im Zusammenhang des napoleonischen Kunstraubs (s. o.). Ging es hierbei um die Behebung von Transportschäden, so galt eine »Entrestaurierung« im frühen 20. Jh. der Wiedergewinnung der urspr. Erscheinung, und sei es in der Reduktion auf einen fragmentarischen Zustand; kleinere Ergänzungen wurden nur dann hingenommen, wenn sie damaligem arch. Kenntnisstand nicht widersprachen. Der Gedanke, daß mit der Abnahme der Ergänzungen gleichsam eine Enthistorisierung der Werke einherging, war einer puristischen Auffassung fremd, die die Beseitigung neuzeitlicher Teile als Akt der Befreiung verstand. Schäden im II. Weltkrieg machten dann eine Reihe von Eingriffen notwendig. Anläßlich der Aufstellung in Schloß Wilhelmshöhe wurden ab 1973 einerseits konservatorisch notwendige Maßnahmen vorgenommen (Entfernung rostender Eisendübel), andererseits machte sich wiederum ein puristischer Begriff vom Original geltend. Im Einzelfall führte dies zu zwitterhaften Lösungen, so beim *Kasseler Apoll* (Abb. 1): Ihm fehlen Partien der Hände und Füße, die Assoziationen an Verstümmelungen wecken, zumal der (tatsächlich stellenweise ausgebesserte) Körper Unversehrtheit suggeriert. Als Gewinn der erneuten Zusammensetzung der Statuenteile ist eine Korrektur des Aufbaus zugunsten der ant. Körperhaltung festzuhalten.

→ Antikensammlung; Epochenbegriffe; Museum

1 Aufklärung und Klassizismus in Hessen-K. unter Landgraf Friedrich II. 1760–1785, Ausstellungs-Kat. K., 1979 2 E. BERGER, Ant. Kunstwerke. Neuerwerbungen der Antikenabteilung der Staatlichen Kunstsammlungen K. 1961, 1962 3 M. BIEBER, Die ant. Skulpturen und Bronzen in Cassel, 1915 4 P. GERCKE, Funde aus der Ant. Slg. Paul Dierichs K., 1981 5 Ders., Die Antikensammlung, in: 75 Jahre Hessisches Landesmus. K. (= Kunst in Hessen und am Mittelrhein 28), 1988 6 Ders., in: Geschenkt & Gekauft. Die Neuerwerbungen der Staatlichen Museen K. 1995–1999, hrsg. von S. THÜMMLER, H. OTTOMEYER, 1999, 27–42 7 Ders. et al., Apollon und Athena. Klass. Götterstatuen in Abgüssen und Rekonstruktion, Ausstellungs-Kat. K., 1991 8 CH. HÖCKER, Ant. Gemmen. Eine Auswahl, ²1987/88 9 U. HÖCKMANN, Ant. Bronzen. Eine Auswahl, 1973 10 K. YFANTIDIS, Ant. Gefäße. Eine Auswahl, 1990 11 P. ZAZOFF, Die ant. Gemmen, 1983.

DETLEV KREIKENBOM

**Katasterwesen** s. Metrologie

## Keltisch-Germanische Archäologie

A. DEFINITION  B. MITTELALTER
C. FRÜHE NEUZEIT (16.–18. JAHRHUNDERT)
D. VERWISSENSCHAFTLICHUNG (19. JAHRHUNDERT – ZWEITER WELTKRIEG)
E. INTERNATIONALISIERUNG (BIS ZUR GEGENWART)

### A. DEFINITION

Die KGA ist ein Ausschnitt der prähistor. Arch. (= Vorgeschichte, Urgeschichte, Frühgeschichte). Sie untersucht an Hand von arch. Quellen (Fundstücken, Monumenten) mit arch. Methoden (→ Archäologische Methoden) die weitgehend schriftlose Geschichte und Kultur der Kelten und Germanen. Ihre Entwicklung zur Wiss. und ihre jeweilige Rezeption läßt sich in mehrere Abschnitte gliedern. Hauptkriterien sind einerseits die Schritte, die zum Erkennen arch. Funde als histor. Quellen führen, und andererseits die allmähliche Herausarbeitung eines der Auswertung dieser Quellen adäquaten Methodenapparates.

### B. MITTELALTER

Die vorwiss. Phase des MA wird fast ausnahmslos durch die Vorgaben der Bibel bezüglich Herkunft und Entstehungsgeschichte der Menschen geprägt. Darüber hinausreichende Fragen, die sich v. a. aus den zahlreich überlieferten Heldensagen der Germanen oder aus Orts- oder Landschaftsnamen (z. B. Alamannen, Helvetier, Chatten) hätten ergeben können, spielen keine Rolle. Auch Monumente (keltische oder german. Grabhügel oder der schon 1417 als »Pfahl« überlieferte keltische Ringwall von Manching) führten damals nicht zu Versuchen, darin Vorfahren o. ä. zu sehen. Normalerweise werden sie als Bauten von Riesen bezeichnet, bzw. von Bestattungsurnen meinte man, daß sie in der Erde gewachsen seien.

### C. FRÜHE NEUZEIT (16.–18. JAHRHUNDERT)

Mit dem aufkommenden Humanismus und v. a. im Zuge der → Renaissance setzt ein allmählicher Prozeß der Lösung vom theologischen Diktat zur Welt- und Menschheitsgeschichte ein. V. a. die Wiederentdeckung der ant. Autoren zu den Kelten und Germanen (bes. Tacitus und Caesar) regt immer wieder zu Überlegungen an, die Wurzeln der jeweiligen Bevölkerungen auch dort zu suchen. Zunächst sind dies Einzelfälle, denen jeweils auch eine wiss. oder gar arch. Begründung mangelt. Arch. Funde finden zwar vielfach Beachtung, doch mehr als Kuriosa, die dann dementsprechend auch in den aufblühenden Raritätenkabinetten der Landesherren oder Bischöfe aufbewahrt werden, denn als Relikte frühen menschlichen Lebens. Vom 17. Jh. an und verstärkt im 18. Jh. ist aber auch auf diesem Gebiet ein Wandel spürbar, indem den Funden jetzt auch ein direkter Bezug zum ant. Menschen zugebilligt wird, so sei es z. B. bei dem Dänen Ole Worm (1588–1654), dem Engländer E. Lhwyd (1660–1708) oder dem Norddeutschen A. A. Rhode (1682–1724). Bei ihnen und manchen anderen Zeitgenossen wird spürbar, daß ihre Beschäftigung mit »Alterthümern« ihrer Heimat bereits von gezielten Fragen nach Identität und Lebensweise der urspr. Benutzer geprägt ist. Sie entwickeln erste Ansätze methodischen Umgangs mit den Funden in Form von genauen Beschreibungen, Fundortangaben, Fundberichten, Ausgrabungstechniken usw.

### D. VERWISSENSCHAFTLICHUNG (19. JAHRHUNDERT – ZWEITER WELTKRIEG)

Erst gegen E. des 18. Jh. setzt die eigentliche Verwissenschaftlichung der KGA ein; geologische und auch anthropologische Unt. widerlegen endgültig die bis dahin durchaus noch weit verbreitete Vorstellung vom »biblischen Alter« der Menschheit, und der Quellencharakter der arch. Funde setzt sich durch. Ein wesentlicher Faktor auf dem Weg zu Wissenschaftlichkeit ist die Schaffung verläßlicher Zeitbestimmungsverfahren, um histor. Dimensionen mit den Funden verbinden zu können. Die Schaffung des Dreiperiodensystems um 1830, das, neben vielen Vorläufern und gleichzeitigen Ansätzen, eng mit dem Namen des dänischen Antiquars Chr. Thomsen (1788–1865) verbunden ist, wurde zur

Grundlage jeglicher Epochengliederung. Erstmals ist damit ein aus dem arch. Quellbestand entwickeltes System gegeben, dessen letzte Periode der Eisenzeit bis h. den zeitlichen Rahmen der KGA bildet. Zugleich erfolgt im Zuge der volkstumsbetonenden → Romantik eine deutliche Intensivierung der Beschäftigung mit den arch. Funden. Im In- und Ausland bilden sich wiss. Gesellschaften und Vereine, deren Hauptziel die heimischen (in Deutschland oft »vaterländischen«) Altertümer und deren Zeugnischarakter für die jeweiligen Vorfahren darstellen (Kelten bzw. Gallier in Frankreich und der Schweiz, Germanen in Deutschland oder Skandinavien und England). Die z. T. beachtlichen Mitgliederzahlen, eigene Altertümersammlungen und die vielfach erscheinenden Vereinsschriften bringen erstmals arch. Funde breiterer Bevölkerungsschichten zur Kenntnis. Der national orientierte Grundgedanke dieser Entwicklungen liefert etwa in der Errichtung des Hermanns-Denkmals im Teutoburger Wald (1830–1875) und den Vercingetorix-Denkmälern in Frankreich (z. B. in Alesia 1865) bes. imposante Beispiele. Einen weiteren wichtigen Schritt bildet um die Mitte des 19. Jh. in Deutschland der Zusammenschluß der zahllosen Vereine zu einem *Gesamtverein der dt. Geschichts- und Altertumsvereine* im J. 1852 und der gleichzeitigen Schaffung eines zentralen (Forschungs-) Mus., dem Röm.-German. Zentralmus. in Mainz. In Frankreich wurde die Entwicklung v. a. durch Napoleon III. vorangetrieben, der in den späten 1850er und 1860er J. die caesarischen Stätten der Gallier (Alesia usw.) durch Ausgrabungen identifizieren und untersuchen ließ. Zuvor waren bereits mehrere umfangreiche Grabungsprojekte z. T. mit öffentlichen Mitteln erfolgt, wie z. B. an dem Gräberfeld in Hallstatt (seit 1846) oder der Fundstelle von La Tène (1858), die für die Keltische Arch. von zentraler Bedeutung waren und die auch die Grundlage bildeten für die Scheidung arch. Hinterlassenschaften der Kelten und Germanen und anderer Völkerschaften. Insgesamt fand diese Entwicklung sowohl in Deutschland wie auch im Ausland ihren Niederschlag in Lit. (z. B. H. v. Kleist, *Hermannsschlacht*, 1808; W. Raabe, *Keltische Knochen*, 1869; G. Freytag, *Die Ahnen*, 1872; F. T. Vischer, *Auch Einer*, 1879), Malerei (mit unzähligen Germanen- oder Gallier-Bildern) und Musik (R. Wagner, *Ring des Nibelungen*, 1876, mit großer Wirkung auf das allg. Germanenbild).

Die zweite H. des 19. Jh. bringt weitere methodische Fortschritte. So legt 1885 der Schwede O. Montelius (1843–1921) zur relativen Zeitbestimmung eine Kombination der typologischen und anderer Methoden (Stratigraphie usw.) vor. Das Dreiperiodensystem wird für die Eisenzeit u. a. von O. Tischler (1893–1891) ebenfalls in den 80er J. in mehrere Abschnitte aufgeteilt und sowohl für keltische wie auch german. Funde nutzbar gemacht. Das Ausgrabungswesen erfährt methodische Verfeinerungen bes. auch für die in Mitteleuropa wesentlichen Erdbefunde (Grabenspuren, Pfostenlöcher). In England ist dies v. a. mit H. Lane-Fox Pitt Rivers (1827–1900) verbunden, in Deutschland mit der 1892 durch die neugegr. *Reichslimeskommission* beginnende systematische Erforschung des röm. Limes und seines Umlandes. In diesem Zusammenhang verbessert sich auch das Verhältnis zur klass. → Altertumskunde, die bis dahin der prähistor. Arch. weitgehend ablehnend gegenüberstand. So erklärt es sich auch, daß bis in die zweite H. des 19. Jh. neben klass. Bildungsidealen in Schulbüchern und Bildungsschriften die heimischen Altertümer kaum vertreten waren. Die in dieser Zeit zunehmenden nationalbetonten Geschichtsdarstellungen griffen dann jedoch immer stärker darauf zurück.

Mit Beginn des 20. Jh. erfolgt ein weiterer Schritt zur organisatorischen Konstituierung auch der KGA. 1902 wird die *Röm.-German. Kommission* des → Deutschen Archäologischen Instituts gegr. als zentrale Forschungseinrichtung bes. auch für die Bereiche der KGA. In vielen Ländern bemüht man sich um die Schaffung von gesetzlichen Schutzbestimmungen für arch. Denkmäler. Die prähistor. Arch. wird, von Nachbarfächern getragen, verstärkt in die Universitätslehre eingebunden; z. B. durch J. Heierli in der Schweiz oder G. Kossinna in Berlin, dort im Rahmen der Philol. Es gab aber grundsätzlich noch keine Fachausbildung für Prähistoriker, zumal auch noch kein eigentlicher Stellenmarkt existierte. Alle mit der KGA befaßten Wissenschaftler kamen aus anderen Fachgebieten (Geologie, Anthropologie, Germanistik, Ethnologie, weniger den altertumskundlichen Fächern s.o.). 1927 wird das erste Fachinstitut in Marburg gegründet. In der Zeit zw. den Weltkriegen verstärkt sich im Rahmen der Diskussion um territoriale Neuordnungen in Europa der Zugriff auf Hinweise zu frühen, möglichst weit gefaßten Siedlungsräumen der verschiedenen Völker erheblich. G. Kossinna (1858–1931) für den german. Bereich, aber auch frz. Kollegen, die für ein Gallien bis zum Rhein plädieren, und andere Wissenschaftler, darunter auch »Rassenkundler«, liefern entsprechende Ergebnisse. Extremfall und Höhepunkt einer solchen polit. und ideologischen Vereinnahmung der prähistor. Arch. ist das Dritte Reich. Die german. Arch. wird zwar bes. intensiv, aber völlig einseitig vom Dritten Reich und seinen Hauptinstitutionen »Amt Rosenberg« und »Ahnenerbe« gefördert, und es können viele wichtige Forschungsprojekte großzügig durchgeführt werden, bes. wenn sie den Zielvorstellungen vom Germanentum und seiner langen Geschichte (Bronzezeit, Neolithikum) entsprechen. Insgesamt jedoch wird das Fach als ganzes, sowie ein Großteil der Wissenschaftler und ihre Forschungsergebnisse für eine menschenverachtende, chauvinistische und faschistische Ideologie mit all ihren Folgen eingesetzt bzw. mißbraucht. Die Bevölkerung wird in vielen Lebensbereichen mit z. T. extrem von den Forschungsergebnissen gelösten Germanenbildern überhäuft (z. B. Schulbücher, Romane, Reklame wie Erdal-Sammelbilder, Anstecknadeln verschiedenster Organisationen und Zwecke usw.). Auch das gesamte Kulturleben (Theater, Film, Lit.) wird entsprechend erfaßt. In den Kriegsjahren kommt dann in weiten Teilen Europas die arch. Forsch. zeitweise zum Erliegen.

### E. Internationalisierung
### (bis zur Gegenwart)

Arch. Germanenforsch. wird nach dem Krieg zunächst kaum und später dann nur in recht neutraler Form (»Kulturen der vorröm. und röm. Eisenzeit«) betrieben. Lediglich in der DDR findet eine intensive arch. Forsch. zu den Germanen statt, die in dem zweibändigen Handbuch *Die Germanen – Geschichte und Kultur der german. Stämme in Mitteleuropa* in den 80er J. ein beachtliches Ergebnis vorlegen kann. In den skandinavischen Ländern und auch in England spielt die Wikinger-Forsch. eine große Rolle. Die bundesrepublikanische Forsch. wendet sich mehr der keltischen Arch. zu. Die zweite H. des 20 Jh. ist dabei durch zwei Entwicklungen vorrangig geprägt. Einmal eine Vielfalt neuer Methoden v. a. aus dem Bereich der Naturwiss. zur Prospektion (Luftbildauswertung, Geophysik), Datierung (Dendrochronologie, Radiocarbondatierung) und Materialkunde (Metallanalysen) aufzunehmen und deren Ergebnisse zu integrieren. Zum anderen wird schon frühzeitig eine intensive Öffnung und Zusammenarbeit mit der internationalen Forsch. gesucht, sei es in gemeinsamen Projekten (z. B. Ausgrabungen in Manching, auf der Heuneburg, in Zavíst bei Prag, in Alesia und Bibracte), oder sei es in internationalen Organisationen und auf Tagungen verschiedenster Art ( *oppida*-Fragen, keltische Kunst usw.). Zusammenfassend muß man für diese Aktivitäten einen enormen Zugewinn an Wissen und Fakten zur keltischen Arch. im europ. Rahmen konstatieren. In den letzten Jahrzehnten entwickelte sich eine regelrechte »Kelteneuphorie«, die v. a. auch in mehreren Großausstellungen ( *Die Hallstattkultur – Frühform europ. Einheit* in Steyr/Österreich 1980, *Die Kelten in Mitteleuropa* in Hallein/Österreich 1980, *I Celti* in Venedig 1991, *Das keltische Jahrtausend* in Rosenheim 1993 u. a.) mit großer Resonanz in die Öffentlichkeit getragen wird. Mehrfach wird bei diesen Ausstellungen auch der Europa-Gedanke mit den Kelten verbunden. Auf das geweckte öffentliche Interesse wird auch mit mehreren Sachfilm-Folgen im Fernsehen reagiert. Eine völlig neue Dimension, was Umfang, Zielgruppen, Medien, Themen, usw. betrifft, erreicht in den letzten Jahrzehnten die Rezeption bes. der KGA in der Öffentlichkeit. Es ist gleichsam die alltägliche Welt, der im Unterhaltungsbereich z. B. Kriminalromane zuzurechnen sind (nach Vorläufern etwa bei Sir Conan Doyle 1917 bis Nick Carter in den 70/80er J. liegen viele Beispiele, z. T. auch von Archäologen – G. Daniel – geschrieben, vor) und histor. Romane, in denen immer mehr Druiden-Themen und Wikingerfiguren Symbiosen eingehen, die meist in den Fantasy-Bereich überleiten. Ähnlich geprägt ist auch eine ganze Gruppe von TV-Spielfilm-Serien und Computerspielen. Ein bes. Bereich sind die → Comics, aus denen natürlich die seit 1959 weltweit bekannten Asterix-Figuren, in denen alle gängigen Elemente inklusive des Megalithwesens

(Obelix) vereinigt vorkommen, und die sicher das Bild von Kelten (Galliern) in der Öffentlichkeit bis h. ganz bes. prägen. Tourismus, Freizeitverhalten und allg. Kommerzialisierung haben arch. Erlebnisparks (z. B. Archéodrôme/Isère in Frankreich) und entsprechende Hotels usw. entstehen lassen und beziehen auch KGA-Elemente auf breiter Front in die Werbung ein (die berühmte Gauloises-Packung mit dem Vercingetorix-Denkmal ist nur ein früher und dezenter Vorläufer). Welche Anziehungskraft gerade das Keltentum ausübt, läßt sich mittlerweile im Internet erfahren, wo keltische Brauchtumspflege und Lebensweise, Druiden-Religionen usw. weit verbreitet sind. Sicherlich spielen Rückgriffe auf Trad., die Suche nach eigenen Wurzeln usw. bei dieser Entwicklung nur eine untergeordnete Rolle. Es ist bisher jedoch noch kaum untersucht, was die treibenden Kriterien sind; ist es das Mystisch-Mythische? Das Besondere? Das Alte und Unbekannte? Das Ursprüngliche? Oder sind es andere Züge, die dem zugrunde liegen? Rückgriffe auf alte Trad. und auch Ideologien sind keineswegs völlig verschwunden. Zum einen leben nationalistische Germanenvorstellungen auf nationaler und internationaler Ebene im polit. und mystischen Rahmen weiter. Auch das Keltentum wird nicht nur im folkloristischen Rahmen etwa in der Bretagne oder Irland gepflegt, sondern es wird dort auch in polit. Unabhängigkeitsbewegungen teilweise ideologisierend einbezogen.

→ Druiden

→ AWI Alesia; Caesar; Gallia; Germani, Germania; Germanische Archäologie; Hallstatt-Kultur; Heuneburg; Kelten; Keltische Archäologie; Latène-Kultur; Manching; Tacitus; Vercingetorix

1 H. BECK (Hrsg.), Germanenprobleme in heutiger Sicht, 1986 2 R. BOLLMUS, Das Amt Rosenberg und seine Gegner, 1970 3 B. CUNLIFFE, The Ancient Celts, 1997 4 G. DANIEL, A Short History of Archaeology, 1981 5 M. DIETLER, Our Ancestors the Gauls? Archaeology, Ethnic Nationalism, and the Manipulation of Celtic Identity in Modern Europe, in: American Anthropologist 96, 1994, 584–605 6 E. GRAN-AYMERICH, Naissance de l'archéologie moderne (1798–1945), 1998 7 H. GUMMEL, Forschungsgesch. Deutschland, 1938 8 M. H. KATER, Das »Ahnenerbe« der SS 1935–1945, 1974 9 B. KRÜGER (Hrsg.), Die Germanen, Bd. 1, 1988, bes. 13–30 10 V. KRUTA, Die Kelten, 1978 11 E. WAHLE, Gesch. der prähistor. Forsch., in: Anthropos 45, 1950, 499–538 und 46, 1951, 49–112.

VOLKER PINGEL

**Keltische Sprachen** A. Politische und geographische Situation B. Literarische Tradition und Verschriftlichung C. Einflüsse des Griechischen und Lateinischen

### A. Politische und geographische Situation

Von den K. S. haben bis h. nur die sog. inselkeltischen Sprachen Irisch (auch irisches Gälisch), Schottisch (auch schottisches Gälisch), Kymrisch (auch Welsh) und Bretonisch überlebt. Das Irische [13; 15; 16] in der Republik Irland hat – neben dem Engl. – den Status als offizielle Amtssprache seit 1937, wird aber immer mehr vom Engl. verdrängt [17]. In der Volkszählung von 1981 gaben zwar ca. 58 000 Iren an, Irisch sprechen und verstehen zu können, aber nur noch ca. 10 000 verwenden diese Sprache als Muttersprache [8. 248 f.]. Bretonisch (Bretagne, Frankreich) [9; 18; 20], Schottisch (nordwestl. Schottland und Hebriden, Großbritannien) [5; 14] und v. a. Kymrisch (v. a. westl. Wales, Großbritannien) [11; 12; 22] werden noch gesprochen, haben aber keinen formalen Status als Amtssprachen. Ein – leider erst in diesem Jh. erfolgtes – Umdenken im Hinblick auf Minoritätensprachen und die Notwendigkeit ihrer Erhaltung führte immerhin dazu, daß in Großbritannien die jeweiligen K. S. als Unterrichtssprachen verwendet werden dürfen. Dem Kymrischen in Wales wurde zwar schon 1907 – zuerst nur auf Schulen beschränkt – das Recht eingeräumt, daß ›any of the subjects of the curriculum may (. . .) be taught in Welsh‹ [11. 563]; aber erst die *Education Reform Bill* von 1988 garantiert dem Kymrischen in Wales eine weitgehende Gleichberechtigung neben dem Engl. (Engländer im walisischen Erziehungswesen sind zum Erlernen des Kymrischen verpflichtet), so daß die Sprecherzahlen des Kymrischen wieder ansteigen [11. 571 f.]. Durch den *Education Act* von 1918 wurde dem schottischen Gälisch zwar zugestanden ›to be taught in Gaelic-speaking areas‹, aber dies war eben nur eine Möglichkeit und keine Vorschrift [14. 514], die zu einer offiziellen Anerkennung als Nationalsprache geführt hätte. Die Situation des Bretonischen ist schlechter. 1951 entstand das *Comité d'Étude et de Liaison des Intérêts Bretons*, das aufgrund finanzieller Ausstattung durch die frz. Regierung zwar die Erhaltung und Verbreitung der bretonischen Sprache und Kultur unterstützen kann [9. 612 f.], aber als Schulsprache oder gar als Amtssprache konnte sich das Bretonische nicht etablieren. Außer im Kymrischen geht in den K. S. die Zahl der Muttersprachler drastisch zurück [3; 8]. Vom Engl. verdrängt, ausgestorben und inzwischen in Sprachpflegevereinen wiederbelebt sind die inselkeltischen Sprachen Kornisch ([4]; ehemals Cornwall, bis etwa Ende 17. Jh. gesprochen, eng mit dem Kymrischen verwandt) und Manx ([2]; Insel Man, letzter Muttersprachler starb 1974; eng mit dem Irischen verwandt [19. 61–68]).

## B. Literarische Tradition und Verschriftlichung

Die lit. Trad. der inselkeltischen Sprachen setzt zu verschiedenen Zeiten in unterschiedlicher Menge ein: Irisch ist ab dem 8. Jh. n. Chr. (5.–8. Jh. nur in Ogam) in umfangreicher Lit. bis h. kontinuierlich bezeugt [1; 15], zuerst in gälischer Schrift (urspr. lat. Halbunzialschrift), h. zumeist in der mod. lat. Schrift. Die neuirische Sprache zeigt eine ausgeprägte histor. Orthographie: Die alte, aus dem Alt- und Mittelirischen stammende Orthographie wurde auch nach einschneidenden Ausspracheveränderungen weitgehend beibehalten (alt-

irisch *lebar*, mittelirisch *lebhar*, ausgesprochen etwa [l'evar], aber neuirisch *leabhar* [l'aur] »Buch«; mittelirisch *abainn*, etwa [avan'], aber neuirisch *abhainn* ['əun'] »Fluß«). Lw. aus alter Zeit wurden durch diese Ausspracheveränderungen ebenfalls betroffen (*unga* »Unze« < lat. *uncia*; *dúr* »hart« < lat. *durus*, siehe unten ). Moderne Lw. werden nach den h. gültigen Orthographieregeln wiedergegeben. Schottisch wurde durch irische Siedler ab dem 5./6. Jh. nach Schottland und auf die Hebriden gebracht; Schottisch ist also ein irischer Dialekt. Einheimische Lit. entstand ab dem 12. Jh., in größerer Menge erst ab dem 17. Jh. in lat. Schrift. Die Orthographie ist wie im Irischen histor., da die Verbindung zum und die Orientierung am Irischen bis in die frühe Neuzeit ununterbrochen anhielt (daher ist im folgenden unter Irisch auch immer Schottisch mitverstanden). Kymrisch ist ab dem 6. Jh. spärlich, ab dem 11. Jh. in umfangreicher Lit. in lat. Schrift bis h. kontinuierlich bezeugt. Bretonisch, eigentlich eine Schwestersprache des Kymrischen (Auswanderung britannischer Kelten im 5./6./7. Jh., u. a. wegen Invasion der Angelsachsen), ist zuerst spärlich, dann ab dem 12. Jh. kontinuierlich bezeugt. Die Orthographie ist zum Teil vom Frz. beeinflußt (<ch> für [š], <j> für [ž], aber einheimisches <c'h> für [χ], <z> für [θ]). Die Schrift des Kymrischen und Bretonischen ist (im Gegensatz zum Irischen und Schottischen) weitgehend phonematisch.

## C. Einflüsse des Griechischen und Lateinischen

Griech. und lat. Wortgut wurde zu verschiedenen Zeiten und über verschiedene Wege in die K. S. entlehnt. Für die in alter Zeit (1.–7. Jh. n. Chr.) entlehnten Wörter ist v. a. der Schwund der Endsilben typisch (kymrisch *dur*, bretonisch *dir* »Stahl« < lat. *(ferrum) durum*; irisch *dúr* »hart« < lat. *durus*; bretonisch *ster*, irisch *stair* über britannisch-lat. *stória* < lat. *história* aus griech. ἱστορία »Geschichte«); mod. Lw. werden weitgehend unverändert übernommen. Der Akzent wird meist den K. S. angepaßt (Irisch und Schottisch haben festen Akzent, in der Regel auf der ersten Silbe; Kymrisch und Bretonisch auf der Paenultima). Infolge der Eroberung und Besetzung Britanniens durch die Römer (1.–5. Jh. n. Chr.) wurden zahlreiche Lw. aus verschiedenen Wortfeldern in die K. S. übernommen [6; 7; 10. 78 f.; 12. 71 f.; 16. 439 f.; 21]: lat. *calamus* zu kymrisch *calaf* »Rohr«; *molina* zu bretonisch *milin*, irisch. *muileann* »Mühle«; *fructus* zu kymrisch *ffrwyth*, bretonisch *frouezh* »Frucht«; lat. *piscis* zu kymrisch *pysg*, bretonisch *pesk* »Fisch« (Agrikultur und Tiere); lat. *fenestra* zu kymrisch *ffenestr*, bretonisch *fenestr*, *prenestr*, irisch *seinistir* (mit altirischer Lautsubstitution des *f* als *s*; jetzt eher üblich irisch *fuinneog* < engl. *window*) »Fenster«; lat. *(ferrum) durum* zu kymrisch *dur*, bretonisch *dir* »Stahl« (Bauwesen, Technik); lat. *cingula* zu kymrisch *cengl* »Gürtel«; lat. *oleum* zu kymrisch *olew*, bretonisch *olev*, irisch *ola* »Öl«; »Ölung«; lat. *coquina* (über vlat. *cocina*) zu kymrisch *cegin*, bretonisch *kegin* »Küche«, irisch *cuigeann* »Butterfaß« (Alltag und Ernährung); griech. γραμματική über lat.

*grammatica* zu kymrisch, bretonisch *gramadeg*, irisch *gramadach* »Grammatik«; griech. ἱστορία über lat. *historia* zu bretonisch *ster*, irisch *stoir, stair* »Geschichte«; griech. σχολή über lat. *schola* zu kymrisch *ysgol*, irisch *scoil* »Schule«; griech.-lat. *discipulus* zu kymrisch *disgybl*, bretonisch *diskibl*, irisch *deisceabal* »Schüler« (Erziehung); lat. *imperator* zu kymrisch *ymherawdr* »Herrscher«; lat. *populus* (über britannisch-lat. *poplus*) zu kymrisch, bretonisch *pobl*, irisch *pobal* »Volk, Leute«; lat. *civitas* zu kymrisch *ciwed* »Volk«, bretonisch *keoded* »Altstadt«, »Innenstadt« (Militär und Verwaltung); lat. *Aprilis* zu kymrisch *Ebrill*, bretonisch *Ebril* (später nochmals aus dem Frz. entlehnt als *Avril*) »April«; lat. *Ianuarius* zu kymrisch *Ionawr, Ionor*, bretonisch *Genver*, irisch *Eánair* »Januar«; lat. *(dies) Solis* zu kymrisch *(Dydd) Sul*, bretonisch *Sul* »Sonntag« (Kalender). Im Rahmen der Christianisierung (5.–7. Jh. n. Chr.) wurden Wörter v. a. aus dem rel. Bereich entlehnt; das Irische hat diese Wörter teilweise über das Kymrische übernommen und zeigt daher sprachliche Erscheinungen, die für diese Sprache typisch sind [10. 122 f.]: griech. ἄγγελος über lat. *angelus* zu kymrisch *engyl, angel*, irisch *aingeal* »Engel«; lat. *divinus* zu kymrisch *dewin* »göttl.«; griech. ἐπίσκοπος über lat. *episcopus* (mit britannisch-lat. Betonung und Synkope des i: *ep(i)scópus*) zu kymrisch *esgob*, bretonisch *eskob*, irisch *easpag* (mit Metathese von p und g) »Bischof«; lat. *benedictio* zu kymrisch *bendith*, bretonisch *bennaz*, irisch *beannacht* »Segen«. Der lat. Wortschatz gelangte im MA und der frühen Neuzeit durch die Vermittlung des Engl. ins Kymrische und Irische (genauso wie ererbtes engl. Sprachmaterial) und durch die Vermittlung des Frz. ins Bretonische (genauso wie ererbtes frz. Sprachmaterial, daher hat das Bretonische den höchsten Anteil an urspr. lat. Wortschatz). Irisch *fabhar* »favour« (vlat. *favorem*); *páiste* »page« (lat. *pagina*). Kymrisch *cwc* »Koch« , *cwcio* »kochen« (mit kymrischem Morphem *-io*) aus engl. *(to) cook* (britannisch-lat. *cocere*); *actio* »to act« (lat. *agere, actum*; mit kymrischem Morphem *-io*); *biff-io* aus engl. »beef« (aus frz. *boeuf*, lat. *bos, bovis*); aber kymrisch *ffortun* (sprich: [fortyn]) wohl direkt aus frz. *fortune*. Bretonisch: *pôd* < frz. *pot* »Topf«; *sich, sij* [siš], [siž] < frz. *siège* »Stuhl« (Ableitung von vlat. *sedicare*). Mod., mit griech. oder lat. Wortbildungselementen gebildete Lw. (v. a. Fachbegriffe aus den Bereichen Technik, Naturwiss. und Geisteswiss.) sind über das Engl. ins Kymrische, Irische, Schottische und über das Frz. ins Bretonische entlehnt worden. Sie werden in der Regel der jeweiligen Orthographie angepaßt und können mit einheimischen Affixen versehen werden: Irisch: engl. *hydrosphere* zu irisch *hidrisféar* [hidrəsfˈər]; *hydraulic* zu irisch *hiodrálach* [hidraləx] (irisches Morphem *-ach*); *policy* zu irisch *polasaí* [poləsi], aber engl. *political party* zu irisch *páirtí polaitíochta* [polit'ichtə] (irisches Morphem *-íochta*); engl. *plant* zu irisch *planda* (irisches Nominalsuffix *-a*); *gráimear* »Grammatikbuch« aus engl. *grammar* [13; 16. 439 f.]. Kymrisch und Bretonisch: kymrisch *sinema* < engl. *cinema*; *hidroleissio* [hidrolisio] < engl. *(to) hydrolyse*; bretonisch *hiperbol* < frz. *hyperbole* »Hyperbel«; *politikel* und

*histeriel* (bretonisches Suffix *-el*) < frz. *politique, hystérique.*

→ AWI Keltische Sprachen

1 M. J. Ball, J. Fife (Hrsg.), The Celtic Languages, 1993 2 G. Broderick, Manx, in: [1. 228–285] 3 V. E. Durkacz, The Decline of the Celtic Languages, 1983 4 K. George, Cornish, in: [1. 410–468] 5 W. Gillies, Scottish Gaelic, in: [1. 145–227] 6 H. B. Haarmann, Der lat. Lw.-Schatz im Kymrischen, 1970 7 Ders., Der lat. Lw.-Schatz im Bretonischen, 1973 8 R. Hindley, The Death of the Irish Language, 1990 9 H. L. Humphreys, The Breton language: its present position and historical background, in: [1. 606–643] 10 K. H. Jackson, Language and History in Early Britain, 1953 11 R. O. Jones, The sociolinguistics of Welsh, in: [1. 536–605] 12 H. Lewis, Die kymrische Sprache (dt. Bearb. von W. Meid), 1989 13 G. MacEoin, Irish, in: [1. 101–144] 14 K. MacKinnon, Scottish Gaelic today: Social history and contemporary status, in: [1. 491–535] 15 K. McCone (Hrsg.), Stair na Gaeilge (Gesch. des Gälischen), 1994 16 D. McManus, An Nua-Ghaeilge Chlasaiceach (Klass. Neugälisch), in: [15. 335–445] 17 M. Ómurchú, Aspects of the social status in Modern Irish, in: [1. 471–490] 18 I. Press, A Grammar of Modern Breton, 1986 19 P. Russell, Celtic languages, 1995 20 J. Stephens, Breton, in: [1. 349–409] 21 J. Vendryes, De hibernicis vocabulis quae a Latina lingua originem duxerunt, 1902 22 T. A. Watkins, Welsh, in: [1. 289–348]     SABINE ZIEGLER

## Kinder- und Jugendliteratur    A. EINLEITUNG
B. ANTIKE FABELN ALS KINDERLEKTÜRE
C. ADAPTION ANTIKER MYTHEN UND EPEN
D. HISTORISCHE DARSTELLUNGEN
E. PAN UND PUER AETERNUS

### A. EINLEITUNG

In Anlehnung an neuere Begriffsbestimmungen umfaßt Kinder- und Jugendliteratur (KJL) die gesamte Produktion von fiktionalen und nichtfiktionalen Werken für Kinder und Jugendliche. Es handelt sich dabei sowohl um eigens für Kinder verfaßte Texte (spezifische KJL) als auch um ausdrücklich für Kinder und Jugendliche als Lektüre empfohlene Texte (intentionale KJL). Folglich wird auch diejenige Schrifttum berücksichtigt, das urspr. nicht für die kindliche Zielgruppe verfaßt worden ist (kinderlit. Bearbeitungen von Erwachsenenlit.); ferner zählen hierzu die schulischen Lehr- und Leseb., die bis zur Mitte des 19. Jh. nicht strikt von der KJL zu trennen sind.

### B. ANTIKE FABELN ALS KINDERLEKTÜRE

Seit der Ant. wurden die *Fabeln* (*Mythōn Synagōgē*, 6. Jh. v. Chr.) des Aesop als Schullektüre verwendet und gehörten dadurch zum frühen kanonischen Lesestoff für Kinder. Im 12. Jh. setzte sie Konrad von Hirsau als Pflichtlektüre für Klosterschüler durch. Die Fabeln dienten dabei vier Zwecken: sie waren Leselernmaterial, Übungsstoff für den Grammatikunterricht, Einweisung in gültige Lebensweisheiten und Elementarwerk zur Kenntnis der ant. Sprache und Kultur [5]. Die Aesop-Rezeption nahm neuen Aufschwung in den auch als Jugendlektüre bestimmten Fabelsammlungen *Fables* (Paris 1668–1694) von Jean de La Fontaine, *Fabeln und Erzählungen* (Leipzig 1746–1748) von Christian Fürchtegott Gellert und *Basni* (Petersburg 1809) von Ivan Krylov. Illustrierte und für Kinder bestimmte Ausgaben der Aesopischen Fabeln sind bis h. verbreitet.

### C. Adaption antiker Mythen und Epen

Ant. Stoffe der Weltlit. erschienen seit dem 16. Jh. in kinderlit. Bearbeitungen, wobei die Epen Homers und die Göttersagen bevorzugt wurden. Die Humanisten setzten sich aus bildungstheoretischen Gründen für die schulische Lektüre ant. Mythen ein. Aus theologischer und moralischer Sicht wurde dies jedoch immer wieder angefochten. Gulielmus Gnaphaeus' Drama *Acolastus. De filio prodigo* (Köln 1530), das die ant. Palliata-Trad. mit einem biblischen Stoff verbindet, wurde als *comoedia sacra* zum Vorbild zahlreicher jesuitischer Schuldramen, die sich vom ma. Mysterienspiel und dem volkstümlichen Theater durch die Integration ant. Stoffe unterscheiden. Das der Jugend gewidmete komische Epos *Froschmeuseler* (Magdeburg 1595) von Georg Rollenhagen, eine Umbildung der fälschlich Homer zugeschriebenen *Batrachomyomachia*, zeichnet sich durch seine enzyklopädische Ausrichtung aus.

Im 17. Jh. und zu Beginn des 18. Jh. wurden ant. Mythen dazu verwendet, die Einzigartigkeit des Christentums gegenüber dem heidnischen Götterglauben hervorzuheben. So enthält der *Orbis sensualium pictus* (Nürnberg 1658) von Johann Amos Comenius einen Abschnitt über die wichtigsten Götter der Griechen und Römer. Das bedeutendste Werk im 17. Jh. war jedoch François de Salignac de la Mothe Fénelons für den frz. Thronfolger bestimmter Erziehungsroman *Suite du quatrième livre de l'Odyssée d'Homère, ou les aventures de Télémaque, fils d'Ulysse* (Paris 1699), in dem christl. und ant. Ethik verbunden werden. In mehrere europ. Sprachen übersetzt, entwickelte sich Fénelons Roman zu einem der Hauptwerke der älteren KJL, das noch bis zum Beginn des 20. Jh. im Frz.-Unterricht Verwendung fand [5].

Die von Joachim Heinrich Winckelmann ausgehende klass. Auffassung der Ant. markiert einen Wendepunkt in der KJL. Die ant. Mythen wurden nun als poetische Werke gedeutet, die der Einbildungskraft eines Dichters entsprungen waren, und dadurch der theologischen Kritik entzogen. Man sah fortan das Wissen über die Ant. als wesentlichen Bestandteil der ästhetischen Erziehung Jugendlicher an [2]. Ihren Ausdruck fand diese geänderte Einstellung u. a. in Friedrich Justin Bertuchs *Bilderbuch für Kinder* (Weimar 1790) und Friedrich Wilhelm Hempels *Mythologie für die Jugend oder Götter- und Heldengeschichte zum Gebrauch für Schulen* (Leipzig 1802). Seit Mitte des 18. Jh. erlebten Nacherzählungen ant. Mythen und Sagen zunehmende Verbreitung als populärer Lesestoff für die Jugend. Im deutschsprachigen Raum trug Gustav Schwabs *Die schönsten Sagen des klass. Alt.* (Stuttgart 1838–1840) zur

Etablierung der Heldensage als Genre der KJL bei [3]. Schwabs Verdienste bestanden darin, die verstreut überlieferten griech. Sagen zu einer Einheit zusammengefügt und einen eigenen narrativen Stil entwickelt zu haben, der sich an den Volksbüchern orientierte [4]. Charles Kingsley (*The Heroes, or Greek Fairy Tales for My Children*, London 1856) und Nathaniel Hawthorne (*A Wonder Book for Girls and Boys*, Boston 1852) wandelten die ant. Mythen in Märchen um und paßten diese dem romantischen Kindheitsbild an. Hawthorne ebnete mit seinem Werk zugleich der phantastischen Kinderlit. in den USA den Weg [6]. Unter dem Einfluß der Romantik und des Biedermeier setzten sich wieder sittliche Normen durch. Dennoch gehörte die Beschäftigung mit ant. Mythen und Epen bis zu Beginn des 20. Jh. zum Bildungskanon der höheren Schulen.

Auch im 20. Jh. erschienen modernisierte kinderlit. Adaptionen ant. Mythen (z. B. Padraic Colum, *The Adventures of Odysseus and the Tale of Troy*, 1918; Leon Garfield, *The God beneath the Sea*, 1970). Eine bes. Rolle nimmt die DDR-Kinderlit. ein. Gemäß der Doktrin von der »Demokratisierung des Erbes« wurden ant. Mythen in sozial-polit. Lehrstücke (Franz Fühmann, *Das hölzerne Pferd*, 1968; *Prometheus*, 1972) oder kulturhistor. Darstellungen für Kinder (Gerhard Holtz-Baumert, *Daidalos und Ikaros*, 1984) umgewandelt [8].

Seit Mitte des 19. Jh. ist eine zunehmende Differenzierung hinsichtlich der Inanspruchnahme ant. Mythen und Epen in der KJL zu verzeichnen. Eine auffallende Tendenz ist die intertextuelle Anspielung auf Motive, Stoffe und Figuren der Ant., deren Kenntnis vorausgesetzt oder durch Andeutungen vermittelt wird: so etwa der Mythos von Persephone in George MacDonalds *The Princess and the Goblin* (London 1872) und Ted Hughes' *Season Songs* (1975), die Heraklessagen in James Krüss' *Mein Urgroßvater, die Helden und ich* (1967), die aesopische Fabel von der Grille und der Ameise in Rogelio Sináns *Chiquilinga o la gloria de ser hormiga* (1961), die Odyssee in Richard Adams' *Watership Down* (1972), Francisco Espínolas *Saltoncito* (1930), C. S. Lewis' *The Chronicles of Narnia* (1950–1956) und Lisa Tetzners *Die Kinder aus Nr. 67 – Odyssee einer Jugend* (1933–1949). Pamela Travers' phantastischer Roman *Mary Poppins* (1934) weist bes. viele Allusionen zur ant. Mythologie auf [1]. In der KJL trifft man auch Parodien ant. Mythen und Epen an: z. B. auf Aristophanes' *Batrachomyomachia* in *Pessi ja Illusia* (1944) von Yrjö Kokko oder auf den Kampf des Odysseus mit den Freiern in Kenneth Grahames *The Wind in the Willows* (1908). Eine Satire auf Fénelons Erziehungsroman verfaßte Peter Hacks mit *Prinz Telemach und sein Lehrer Mentor* (1997).

### D. Historische Darstellungen

Seit dem Humanismus nahm die Vermittlung der ant. Geschichte in der schulischen Erziehung einen bedeutenden Platz ein. Zunächst in der Trad. der Artesliteratur stehend, wurde Wissen über die ant. Geschichte auch in der Civilitas-, Offizien- und Virtusliteratur verbreitet. Diese Gruppe umfaßt Bücher, die nach der rhet.

Standardformel *praecepta-exempla-imitatio* strukturiert waren und für den Geschichts- und Ethikunterricht verwendet wurden. Die Philanthropisten hoben den Exempelcharakter der ant. Geschichte hervor: Joachim Heinrich Campe in *Histor. Bilderbüchlein* (Braunschweig 1801) oder Karl Christoph Reiche in *Die Geschichte Roms* (Leipzig 1778). Neben der Vermittlung von Wissen und Weltkenntnis trat ab Mitte des 19. Jh. die nationale Erziehung in den Vordergrund, wobei die Entwicklung der eigenen Nation mit derjenigen des ant. Rom verglichen wurde. Neben diesen histor. Darstellungen erschienen seit Beginn des 20. Jh. histor. Romane über die Antike. Rudyard Kipling nahm mit *Puck of Pook's Hill* (1906) eine Vorreiterrolle ein. Als eine der bedeutendsten Autorinnen histor. Romane für Kinder wird Rosemary Sutcliff angesehen, die sich bevorzugt mit den polit. und kulturellen Konflikten der röm. Weltmacht in England befaßte (*The Eagle of the Ninth*, 1954). Der Einfluß der ant. Geschichte auf die Gegenwart steht in Alan Garners *Red Shift* (1973) im Mittelpunkt. Zwei Sonderformen sind die phantastische Zeitreise in die Ant. (Edith Nesbit, *The Story of the Amulet*, 1906) und der im ant. Rom spielende Kriminalroman für Kinder (Henry Winterfeld, *Caius ist ein Dummkopf*, 1953).

### E. PAN UND PUER AETERNUS

Die ästhetischen Reflexionen Robert Louis Stevensons in *Virginibus Puerisque* (London 1881, engl.) und Kenneth Grahames in *The Golden Age* (London 1895) über die gleichsam urspr. Kommunikation des Kindes mit der Natur und seine Affinität zur Musik führten dazu, das Kind als Vertreter des Hirtengottes Pan anzusehen [7]. Diese Konnotation ist in mehreren bedeutenden Kinderbüchern anzutreffen: u. a. in Luigi Capuanas *Scurpiddu* (Turin 1898), Frances Hodgson Burnetts *The Secret Garden* (1911) und Cecil Bødkers *Silas og den sorte hoppe* (1967). Das von James Matthew Barrie zunächst als Drama (*Peter Pan, or the Boy Who Would Not Grow Up*, Uraufführung London 1904) und später als Prosafassung konzipierte Werk *Peter and Wendy* (1911) verband die Figur Pans mit dem Motiv des *puer aeternus*, einer Vorstellung vom Kind, das nicht erwachsen werden kann/will, und inspirierte in der Folgezeit zahlreiche Werke der internationalen KJL, z.B. Natalie Babbitts *Tuck Everlasting* (1975) oder Ana María Matutes *El polizón del »Ulisses«* (1965).

→ AWI Aisopos; Aristophanes; Homeros

1 S. BERGSTEN, Mary Poppins and Myth, 1978
2 T. BRÜGGEMANN, Zur Rezeption ant. Myth. in der KJL der Goethezeit, in: Imprimatur N. F. 12, 1987, 93–115
3 M. HALUB, Das lit. Werk Gustav Schwabs, 1993
4 S. JENTGENS, Gustav Schwab. Die schönsten Sagen des klass. Alt., in: O. BRUNKEN, B. HURRELMANN, K. U. PECH (Hrsg.), Hdb zur KJL 1800–1850, 1997, 721–734
5 B. KÜMMERLING-MEIBAUER, Klassiker der KJL. Ein internationales Lex., 1999 6 L. LAFFRADO, Hawthorne's Literature for Children, 1992 7 J. PERROT, Pan and *Puer Aeternus*. Aestheticism and the Spirit of the Age, in: Poetics

Today 13, 1992, 155–167 8 S. WARNECKE, Neu- und Nacherzählungen ant. Mythen, Sagen und Epen für Kinder und Jugendliche in der DDR, in: M. DAHRENDORF (Hrsg.), KJL, 1995, 185–191.
BETTINA KÜMMERLING-MEIBAUER

**Kirche** s. Theologie und Kirche des Christentums

**Kirchengeschichte** s. Patristische Theologie

**Kitsch** A. EINLEITUNG B. TRADITIONELLER KITSCH C. POLITISCHER KITSCH D. POSTKARTENKITSCH E. KINOKITSCH F. KITSCH UND POSTMODERNE

### A. EINLEITUNG

Was K. sei, darüber gehen die Meinungen weit auseinander. Eine verbindliche Definition kann daher an dieser Stelle nicht gegeben werden. Er wird entweder – generell – als Symptom einer Zeit des Wertverfalls charakterisiert (etwa in Form von Neros gigantischem Spektakel, das brennende Rom als Kulisse für seine Selbstinszenierung als Lautenspieler zu benutzen [1]) oder – für die Neuzeit – als Produkt des 19. Jh. interpretiert, d. h. als Begleiterscheinung der späteren Romantik, da diese, nach den Sternen strebend, keine Mittelwerte mehr kenne und so, falls ihre Aspirationen fehlschlagen, im K. enden müsse (H. Broch, C. Greenberg, etc.). Die K.-Konsumenten, das (Klein-) Bürgertum des 19./20. Jh., beschreibt Broch als ›K.-Menschen‹, den Erzeuger von K. möchte er im übrigen nicht nach ästhetischen Maßstäben messen, sondern nach ethischen, die er sehr zugespitzt vorträgt: Er ist für ihn kein ›Nichts- oder Wenigkönner‹, sondern ein ›Verbrecher‹, der das radikal Böse will‹ [1. 154]. Broch argumentiert überzeugenderweise, daß der K. vergangener Jh., falls er existiert habe, heute nicht mehr auszumachen sei, da die Maßstäbe zu einer Beurteilung fehlten [1]. Es scheint daher sinnvoll, sich auf das 19./20.Jh. zu beschränken. Der K. und das kritische, essayistisch-wiss. Interesse an ihm wird von der Forsch. als Charakteristikum speziell der dt. Kultur eingeschätzt – der Terminus selbst ist in vielen westeurop. Sprachen sowie der amerikanischen ein dt. Fremdwort. Die frühen grundlegenden Texte wie das schmale Standardwerk von G. E. Pazaurek *Guter und schlechter Geschmack im Kunstgewerbe von 1912* sind denn auch in dieser Sprache verfaßt. Die mod. Ansätze zu seiner Interpretation sind dagegen international und kommen aus unterschiedlichen Disziplinen: Neben Literaten wie H. Broch sind es Philosophen (L. Giesz), Soziologen (R. König), Psychologen (A. Moles), Spezialisten der Ästhetik (G. Dorfles, U. Eco), Kunstwissenschaftler (J. Baudrillard, U. Eco), Kunstkritiker (C. Greenberg, H. Rosenberg), Literaturwissenschaftler (W. Killy) etc., die sich mit dem Thema befassen. Die Lit. betont immer wieder die Verlogenheit des K. und seine falsche Sentimentalität. Im Folgenden möchte ich mich auf vier Untergruppen des Phänomens K. beschränken, die als exemplarisch für das Phänomen K. gelten können.

Abb. 1: Imitationen von
Meisterwerken für Gärten
oder Vorzimmer.
Italienischer Statuenmarkt

## B. Traditioneller Kitsch

Die einfachste (und unumstrittenste) Gattung des K. stellen die zahllosen Repliken ant. Statuen für (Vor-) Gärten dar, speziell der verschiedenen Typen der Venus; sie sind gewissermaßen ein Pendant zum Gartenzwerg, das jedoch Trad. und Bildung im Gegensatz zu letzterem betont (Abb. 1): Die massenhafte, industrielle Vervielfältigung ant. Statuen imitiert in billigerem Material berühmte Werke der Antike. Der Begriff K. ist in diesem Fall an ein »falsches« Material, die nichtkünstlerische Produktion und damit an den Verlust der Authentizität eines Originals sowie seiner Aura durch Reproduktion – etwa im Sinne Walter Benjamins – gebunden.

## C. Politischer Kitsch

Viele autoritäre Systeme und Diktaturen beschworen und beschwören eine glanzvolle Vergangenheit, die sie wiederherzustellen versprechen. So bezieht sich die polit. Propaganda etwa im Irak auf das ant. Mesopotamien, Sadam Hussein geriert sich als ein wiedergeborener Nebukadnezar, während sich in Italien Mussolini auf die röm. Ant. beruft. Der Rekurs des faschistischen Diktators auf Cäsar ist daher unausweichlich (Abb. 2): Laut Bildunterschrift empfiehlt Mussolini seinem ant. Vorgänger, jetzt zu gehen, da er ihn ersetze, ja übertreffe, da er realisiere, was Cäsar nur träumen konnte. Daß es sich in diesem Fall um K. handelt, liegt nicht so sehr an der weiten Verbreitung der Propaganda, als vielmehr an der Unangemessenheit und Eigennützigkeit des Vergleichs. Hier greifen Brochs Beschreibungen des K. als mit ästhetischen Kriterien nicht faßbar, sondern als ethisch/moralisch zweifelhaft.

## D. Postkartenkitsch

Ein Medium, das quasi zum Inbegriff von K. geworden ist, stellt die Postkarte dar. Hier ist der Rückgriff auf die Ant. eher die Ausnahme als die Regel. Das Kriterium, sie unter K. zu subsumieren, ist ausreichend durch ästhetische Faktoren abgedeckt, da das Medium

**LA VITA DEI POPOLI SI MISURA A SECOLI QUELLA DELL'ITALIA A MILLENNI**

Abb. 2: Cäsar/Mussolini.
Fotomontage aus: Rosavita, Reincarnazione di Cesare – il predestinato, 1936

Abb. 3:
*Die Liebenden.*
Postkarte,
Anfang 20. Jh.

Abb. 4: E. Baj/M. Kostabi, *Crimson Secret*. Öl und Collage auf Leinwand, 180×200 cm, 1998. Besitz Kostabi

selbst (fast immer) anspruchslose Klischees reproduziert. Das ant. Liebespaar (Abb. 3) bedient sich nostalgischer, regressiver Wünsche der ›K.-Menschen‹ nach einer paganen Vergangenheit und einer Kultur, die für klass. Schönheit, ewiges Glück und unbeschwerte Liebe stehen sollte.

### E. KINOKITSCH

Auch der Film, speziell der Hollywoods, bedient sich häufig des K. in Form von Klischees. *Die letzten Tage von Pompeji* von C. Gallone und A. Palermi (1926), einer der vielen Verfilmungen des gleichnamigen populären Historienromans von E. G. Bulwer-Lytton (1834), spekuliert zunächst auf den Wunsch der Zeitgenossen des 20. Jh. nach Evasion. Anders als in der erwähnten Postkarte ist es aber nicht die Flucht in eine zeitlose Situation, sondern die Flucht in ein konkretes histor. Ereignis, den dramatischen Ausbruch des Vesuv. Filme stellen ökonomisch gesehen einen bedeutenden Faktor dar, sie erreichen oft ein immenses Publikum: Die Kopien der Kulissen der ant. Stadt in Ersatzmaterialien sind nicht nach Regeln arch. Wissenschaftlichkeit erstellt, sondern geprägt von dem Wunsch nach einer spektakulären Ant. und wollen doch den Eindruck von Authentizität erzeugen: Geschichte verwandelt sich so in eine *story*, in der außerdem die Musik darauf abgestimmt ist, das emotionale Rezeptionsverhalten des Publikums zu steuern – ein patriotisches Gefühlsbad für die Masse, das zur Zeit der Diktatur Mussolinis die Aufmerksamkeit auf die eigene Vergangenheit und Kultur wach halten sollte und mit den eingangs erwähnten Mitteln einer falschen Sentimentalität arbeitet.

### F. KITSCH UND POSTMODERNE

Die zeitgenössische Kunst spielt mit dem Zitat, explizit und implizit. Ein Beispiel stellt der junge amerikanische Künstler Mark Kostabi (*1960) dar. Er wurde von der Kunstkritik als Maler definiert, der den K. als Stilmittel einsetzt. In Zusammenarbeit mit dem it. Künstler Enrico Baj entstanden ab 1992 gemeinsame Werke. Eines von ihnen zeigt vor einem neutral gefleckten Hintergrund eine Kopie eines Details nach Michelangelos sterbendem Sklaven, eine Statue, die beim Betrachter vermittels des Meisterwerkes der Ren. die Ant. evoziert (Abb. 4). In diesem Werk ist also eine Synthese vollzogen, die sich so selten findet: Ein Künstler zitiert durch ein hochberühmtes (und als solches – wie etwa die Mona Lisa – schon fast zu K. gewordenes) Werk einen an die Ant. erinnernden Formenschatz und erzeugt damit gleichzeitig ein kitschiges Werk, da dieser »Stil«, wie der Künstler behauptet, der heutigen Gesellschaft am besten entspräche. Nicht der, der K. erzeugt, ist ein Verbrecher, sondern durch den K. werden die bestehenden Verhältnisse ins Bild gesetzt. Damit werden Brochs Überlegungen zum ›K.-Verbrecher‹ von einer jungen Künstlergeneration ad acta gelegt und durch eine neue sog. Ästhetik der Kontamination ersetzt.

→ Faschismus; Film; Souvenirs; Tourismus

1 H. BROCH, Das Böse im Wertsystem der Kunst (1933) in: Schriften zur Lit. 2, Theorie, Ndr. 1975, 119–157 2 Ders., Einige Bemerkungen zum Problem des K. (1950), in: Schriften zur Lit. 2, Theorie, Ndr. 1975, 158–173 3 C. GREENBERG, Avantgarde and K. (1939), in: Art and Culture. Critical Essays, Ndr. 1961, 3–21 4 G. DORFLES, Il K. Antologia del cattivo gusto, 1968 5 U. ECO, La struttura del cattivo gusto, in: Apocalittici e integrati. Comunicazione di massa e teoria della cultura di massa, 1964, 65–129 6 L. GIESZ, Phänomenologie des K. Ein Beitr. zur Anthropologischen Ästhetik, 1960 7 D. MACDONALD, Against the American Grain. Essays on the Effects of Mass Culture, 1952 8 E. SHANES, Chairman of the Board. Mark Kostabi and Art as an Industrial Process, in: Apollo, Jan. 1992, 35–39. GABRIELE HUBER

## Klassik als Klassizismus
A. BEGRIFFSPROBLEME UND ALLGEMEINES
B. DER KLASSIZISMUS ALS STRATEGIE LITERARISCHER MODERNISIERUNG IM FRANKREICH DES 17. JAHRHUNDERTS
C. DER KLASSIZISMUS ALS MÖGLICHKEIT EINER GESCHICHTSPHILOSOPHISCH BEGRÜNDETEN FUNKTIONSBESTIMMUNG DER LITERATUR IN DEUTSCHLAND GEGEN ENDE DES 18. JAHRHUNDERTS

### A. BEGRIFFSPROBLEME UND ALLGEMEINES

In seiner Verwendung als Bezeichnung für lit., danach dann auch musik- und gelegentlich kunstgeschichtliche Blütezeiten ist der Begriff K. eine späte Neuschöpfung. Erst seit dem Ende des 19. Jh. erscheint er vermehrt in der dt. Literaturgeschichtsschreibung, um sich dort dann nach dem ersten Weltkrieg (anders als in der ausländischen Germanistik, wo er bis h. wenig verwendet wird), mit den gängigen Präzisierungen »dt.« oder »Weimarer« K., als Bezeichnung für als bestimmend angesehene Aspekte der lit. Entwicklung um die Wende vom 18. zum 19. Jh. rasch durchzusetzen. Im Zuge dieser Konjunktur wird er neben der Musikgeschichte (»Wiener« K.) dann auch auf andere Nationallit. übertragen, insbes. die frz., deren Klassizismus im 17. Jh. seit den 20er J. unseres Jh. in der dt. Romanistik

gängig als »frz. K.« bezeichnet wird – eine von nationallit. Legitimationsproblemen beeinflußte Anverwandlung des frz. Terminus classicisme an die dt. Begrifflichkeit. Zwar findet der Begriff K. sich in Deutschland als Ableitung aus dem v. a. aus den frz. Diskussionen des 18. Jh. übernommenen Adjektiv und Substantiv classique (und neben dessen alternativer Substantivierung »Klassizität«) vereinzelt bereits in literaturkritischen und -theoretischen Schriften seit dem E. des 18. Jh. und im 19. Jh. auch in einigen literaturgeschichtlichen Abhandlungen, doch zunächst allein als ein Terminus lit. Wertung. Der Umstand, daß der h. zumindest aus dt. Sicht so selbstverständliche Gebrauch des Begriffs als Epochenbezeichnung Resultat einer späten Sonderentwicklung ist, macht es gerade im Hinblick auf die Darstellung einer Beziehung der als K. bezeichneten lit. Perioden in Deutschland und Frankreich zur Ant. erforderlich, das histor. Wortfeld in die Begriffsgeschichte mit einzubeziehen, aus dem sich der Begriff der K. entwickelt hat und von dem er mit seiner spezifischen Bedeutung abgegrenzt wird (vgl. zur allg. Begriffsgeschichte [18. 253 ff.; 37]; zu den spezifischen Problemen der dt. und frz. Trad. der Begriffe »K.« bzw. classicisme als Epochenbezeichnung [14; 23; 29; 27; 32. 1–44] sowie verschiedene Beiträge in [15]).

Ausgangspunkt dieses Wortfelds ist lat. classicus, dessen (neben der mil.) vorherrschende soziale Bedeutung im lat. Schrifttum nur ganz vereinzelt auf lit. Wertungsfragen übertragen wird. Eine viel zitierte einschlägige Stelle findet sich in der Formulierung ›classicus adsiduusque aliquis scriptor, non proletarius‹ bei Aulus Gellius (19,8,15), wo die soziale Hierarchie in dem verdoppelten Attribut classicus adsiduusque deutlich als Vorbild einer lit. verwendet wird. V. a. seit der Ren. entwickelt sich eine auf die zunächst unbestrittene Geltung ant. Lit. bezogene Bed. des Wortfelds, die sich zugleich auch aus deren Bed. für den Unterricht erklärt. Classique als Bezeichnung vorbildlicher, v. a. der schulischen Lektüre dienender ant. Autoren (›auteurs qu'on lit dans les classes‹ – »Autoren, die man im Unterricht liest«) ist etwa noch eine Definition im Dictionnaire universel Furetières von 1690, die zugleich deutlich macht, daß im Frankreich des 17. Jh. eine Bewertung der Gegenwartslit. selbst als »klass.« undenkbar ist. Erst nach der → Querelle des Anciens et des Modernes wird es möglich, das Wortfeld classique/»klass.« auch ohne Bezug auf die Ant. mit der Bedeutung »lit. vorbildlich« bzw. »vollkommen« zu verwenden und die Idee der Vollkommenheit damit auf Autoren der jeweiligen nationalen Lit. zu übertragen. In diesem Sinn findet sich classique in Frankreich zwar erstmals schon 1548 in Th. Sebillets Art poétique françois (›bons et classiques poètes français‹, »vortreffliche und klass. frz. Dichter«), aber erst im 18. Jh. wird dieses Attribut gängig als Bezeichnung und Wertung von Autoren der jüngeren Vergangenheit oder gar der Gegenwart verwendet. Mit ›bons auteurs du siècle de Louis XIV et de celui-ci‹ (»vortreffliche Autoren des Zeitalters von Ludwig XIV. und des gegenwärtigen«) bestimmt etwa der Art. *classique* der *Encyclopédie* (1754) eine Bed. des Begriffs, entsprechend ähnlichen Tendenzen in Voltaires *Le Siècle de Louis XIV* (1752/53). In Deutschland findet etwa zw. 1795 und 1797 eine Debatte über die Existenz von klass. Werken und Autoren in der Gegenwart statt, in der bezeichnenderweise Goethe gegen Vertreter der Aufklärung wie der Romantik deren Möglichkeit unter Verweis auf die fehlenden nationalstaatlichen und -kulturellen Voraussetzungen noch verneint [6. Bd. 40. 196–203]. Trotz seiner Mahnung, ›die Ausdrücke: classischer Autor, classisches Werk höchst selten (zu) gebrauchen‹ [6. Bd. 40. 198], werden etwa seit der Jh.-Wende auch in Deutschland in Textsammlungen und Abhandlungen Termini wie »klass. Schriftsteller« oder »dt. Klassiker« als Qualifikation von nationallit. als überragend angesehenen Autoren wie auch von deren Werken zunehmend gebräuchlich (Nachweise in [14. 350f.]), und dies – ähnlich wie in Frankreich – lange bevor solche Bewertungen als Grundlage epochaler Zusammenhänge fungieren.

Die Konkretisierung der Vorstellung von lit. Blütezeiten in Epochen der Nationallit. ist in allen europ. Ländern ein Werk der im 19. Jh. florierenden Konstruktionen der Literaturgeschichte, wobei gängig der histor. früheste, schon seit dem E. des 17. Jh. einsetzende Prozeß einer Überhöhung des »Siècle de Louis XIV« als Vorbild und Anstoß fungiert. Als Bezeichnung für die als Blütezeit gedachte Periode der frz. Lit. des 17. Jh. wird in den 20er J. des 19. Jh. in Frankreich der (erst später gängig als Epochenbegriff verwendete) Neologismus *classicisme* gebildet, der zunächst v. a. deren Gegensatz zur Lit. der Romantik bezeichnen sollte und gegen die positive Wertung der Romantik in der v. a. von den Brüdern Schlegel begründeten Dichotomie »klass./romantisch« gerichtet ist, die Mme. de Staël in Frankreich verbreitet hatte. Die bes. Bed. der Beziehung dieser nationallit. Blütezeit zur Ant. spielt bei dieser Begriffsentwicklung zunächst ebensowenig eine tragende Rolle wie bei der parallel – und in Konkurrenz – zu Frankreich sich anbahnenden Epochenkonstruktion in Deutschland. Neben einer Abwertung der Romantik stehen hier wie dort nationalistische Motive im Vordergrund. Dies zeigt sich an dem in der zweiten Jh.-Hälfte gebräuchlichen, dem frz. Vorbild nachgebildeten Epochenbegriff vom »Zeitalter Friedrichs des Gr.« (vgl. z. B. [33. 436ff.]) ebenso wie an dem später dafür eintretenden Begriff »K.« selbst, dank dessen Durchsetzung, wie Trübners »Dt. Wörterbuch« noch 1943 nicht ohne leises nationales Pathos vermerkt, ›geschraubte Neubildungen‹ aus dem Frz. ›zum Glück für unsere Sprache außer Gebrauch‹ gekommen seien. So bezeichnen die Epochenbegriffe *classicisme* und »K.« selbst wie das gesamte Wortfeld zunächst konkurrierende nationallit. Blütezeiten, deren Konstruktion eine Beziehung zur Ant. v. a. insofern zu eigen ist, als der ursprünglich die Bed. des Wortfeldes konstituierende Vorbildcharakter der ant. Lit. mit ihnen auf Perioden der mod. Nationallit. übertragen wird. Erst in einer nachfolgenden dif-ferenzierteren Begründung der mit den Epochenbegriffen intendierten Abgrenzungen und nicht zuletzt auch im wertenden Vergleich von Genese und Geltung der frz. wie der deutschen Blütezeit kommt die jeweilige Beziehung beider K. zur Ant. als wesentlicher Bestandteil ihrer bes. Geltung wieder ins Spiel.

Allerdings können solche nationallit. Differenzierungsbemühungen darauf zurückgreifen, daß die Auseinandersetzung mit dem frz. Vorbild bereits ein Bestandteil jener Prozesse ist, in deren Kontext sich in Deutschland gegen E. des 18. Jh. eine später als K. bezeichnete lit. Konstellation bildet. Zumindest seit Lessings *Hamburgischer Dramaturgie* (1767–1769) spielt auch die Frage der Aneignung und Weiterentwicklung ant. Prätexte dabei bereits eine Rolle, und die von Lessing gegen die Tragödie des frz. Klassizismus gewendete Neudeutung zentraler aristotelischer Begriffe begründet eine Sicht, in der diese bis dahin (etwa in den Reformbestrebungen Gottscheds) vorbildlich erscheinende Literaturperiode als aus oberflächlicher Aneignung der Ant. entstandene Fehlorientierung abgewertet wird. So heißt es in Friedrich Schlegels *Gespräch über die Poesie* (1800), es sei ›aus den mißverstandenen Alt. und dem mittelmäßigen Talent … in Frankreich ein umfassendes und zusammenhängendes System von falscher Poesie, welches auf einer gleich falschen Theorie der Dichtkunst ruhete‹ entstanden [12. Bd. 2. 302]. Im Vergleich der beiden als K. verbuchten Epochen sind wertende Gegensätze wie die zw. Oberflächlichkeit und Tiefgang oder äußerlicher Ordnung und existentieller Reflexion v. a. von Seiten der Germanistik immer wieder ausgespielt worden, auch um aus der Eigenart der jeweiligen Antikenrezeption die Überlegenheit der dt. K. zu erweisen (vgl. [22. Bd. 1. 23ff., 146ff.; 24. 11ff.; 28. 18ff.]). Solche Wertungen führen zu einer Perspektive, in der – aus den nationallit. vereinheitlichenden Prämissen des K.-Begriffs heraus – die frz. wie die dt. K. als in sich geschlossene Epochen erscheinen, zu einer Perspektive, die dann auch in Hinblick auf die jeweilige Aneignung und Umdeutung ant. Vorbilder nach der spezifischen Kohärenz dieser Epochenkonstruktionen fragt. Eine solche den dt. und den frz. Fall entgegensetzende Betrachtung kann dadurch gerechtfertigt erscheinen, daß ihre ant. Bezugspunkte deutlich voneinander unterschieden sind (röm. Republik und Lit. des augusteischen Zeitalters in der frz., homerische Epik und griech. Polis in der dt. K.). Vergleichbar sind beide Perioden dennoch grundsätzlich im Hinblick auf ihre Selbstlegitimation aus einem Anknüpfen an ant. Prätexte und deren Funktionalisierung für die Konstitutions- und Orientierungsprobleme bei der Entwicklung lit. Modernität in der jeweiligen Nationalliteratur.

Ohne auf die allg. Probleme des Epochenbegriffs der K. näher einzugehen, über den, bezogen auf die dt. K., eine neuere zusammenfassende Darstellung klagt, er habe trotz der ›scharfsinnigsten Einwände‹ gegen seine Beibehaltung ›eine scheinbar unwiderlegliche Geltung‹ erlangt [23. 1] (vgl. dazu auch [31]), wird man jedenfalls davon ausgehen können, daß er – wenn überhaupt – v. a. darin seine Berechtigung hat, daß er ein bes. Verhältnis zwischen legitimatorischer Neudeutung ant. Bezugspunkte und lit. Modernisierung faßt. Auch wenn man der Möglichkeit skeptisch gegenübersteht, mit dem Begriff K. epochale Kohärenzen zu erfassen, weisen die als K. bezeichneten Perioden im dt. wie im frz. Fall zumindest Tendenzen einer poetologischen Reflexion sowie Schreibweisen auf, deren Besonderheit auch durch die Konstellation begründet wird, in der diese sich zur Ant. setzen – und dies sowohl im Unterschied zu als Blütezeiten kanonisierten Perioden anderer Nationallit. (wie etwa dem spanischen *siglo de oro* oder dem engl. *Elizabethan Age*) als auch im Vergleich mit anderen Perioden der jeweiligen Nationallit. (wie etwa der Aufklärung oder der Romantik), in denen eine Aneignung ant. Prätexte keine vergleichbar tragende Rolle spielt. Gegenüber anderen Phasen klassizistischer Orientierung der Lit. wie etwa der Ren. oder auch den Neoklassizismen des 18. Jh. etwa in Spanien, Italien und England hingegen wären die frz. wie die dt. K. insofern abzugrenzen, als sie – sozusagen als »intensive« Klassizismen – ihre ant. Bezugspunkte nicht nur als Vorbild oder Inspirationsquelle, sondern als Gegenstand einer ästhetischen (insbes. im frz.) und geschichtsphilos. (insbes. im dt. Fall) Konstruktion setzen, in der sowohl die Legitimität der Lit. als auch das Verhältnis zw. Ant. und Mod. neu konzipiert werden (vgl. zu diesen Fragen aus sehr unterschiedlicher Perspektive die Beiträge zu [15; 21; 36]). Jenseits der traditionellen Wertungsparadigmen sind beide K. v. a. in Hinblick darauf vergleichbar, daß sie ihre Konzeptualisierung der Ant. als eine Legitimation lit. Modernisierung entwerfen.

## B. DER KLASSIZISMUS ALS STRATEGIE LITERARISCHER MODERNISIERUNG IM FRANKREICH DES 17. JAHRHUNDERTS

Nur ein scheinbares Paradox ist es, daß man als Ausgangspunkt des frz. Klassizismus den Geltungsverlust der human. Trad. seit dem E. des 16. Jh. ansetzen kann. Der im human. Optimismus der Ren. wiederentdeckte, noch uneingeschränkt geltende Vorbildcharakter, der dort der Ant. zugeschrieben wurde, erscheint mentalitätsgeschichtlich (im Zeichen der Religionskriege im letzten Drittel des 16. Jh.) wie lit. (im Zuge der Entwicklung von Tendenzen des lit. Barock) zunehmend als nicht mehr tragfähig und verliert in dem gesellschaftlichen und ideologischen Modernisierungsschub nach dem Religionsfrieden 1594/1598 zunehmend an Bedeutung. Die lit. Entwicklung zu Beginn des 17. Jh. wird deutlich beeinflußt von einem Modernitätswillen, der sich zunächst im Zeichen barocker Schreibweisen deutlich von den poetologischen und rhet. Trad. der Ant. abwendet. Ein grundsätzliches Problem dieser lit. Modernisierung besteht allerdings darin, daß sie sich v. a. in dieser Negation konstituiert, daß es keine konsensfähigen Perspektiven dafür gibt, aus welchen verallgemeinerbaren Voraussetzungen oder nach welchen Prinzipien diese entworfen werden könnte (vgl. dazu

Kap. 4 in [32]). Darin liegt ein grundsätzliches Legitimationsproblem um so mehr, als die Autoren sich zunehmend mit Funktionsanforderungen konfrontiert sehen, die aus der Literaturpolitik der absolutistischen Monarchie resultieren und auf eine polit. Einbindung und Regulierung der Lit. zielen. Seit etwa 1630 intensiviert Richelieu solche Bestrebungen, die in der Gründung der *Académie française* (1635) wie auch in von ihm angeregten poetologischen Normierungsversuchen ihren Ausdruck finden und die später beispielsweise durch die von Colbert betriebene Gratifikationspolitik fortgeführt werden (seit 1663). In dem Spannungsfeld zw. solchen Versuchen polit. Funktionalisierung und einem auf Autonomie drängenden Selbstbewußtsein eröffnet eine jenseits der human. Aneignung der Ant. angesiedelte legitimatorische Anverwandlung und Umdeutung von ant. Bezugspunkten der lit. Entwicklung Möglichkeiten einer Legitimation und Affirmation ihrer eigenständigen Geltung. Damit entwickelt sich eine Konstellation, aus deren Widersprüchen und innerer Dynamik Grundprobleme des frz. Klassizismus gerade auch im Hinblick auf sein Verhältnis zur Ant. sinnvoller umrissen werden können als durch die Aufzählung ohnehin umstrittener und problematischer epochaler Grenzen und Dominanten. Ohne auf diesbezügliche Debatten näher einzugehen und auch ohne das lit. Feld näher darzustellen, in dem die klassizistische Orientierung in etwa zw. 1630 und 1680, wenn auch immer nur als eine von mehreren konkurrierenden teilweise bestimmend ist, kann man ihre Bed. v. a. im Kontext eines Modernisierungsprozesses ansetzen, der zur Entstehung eines relativ autonomen lit. Feldes beiträgt (vgl. dazu [32; 35]).

Wenn auch aus der Aneignung der Ant. durch den Human. dem frz. Klassizismus ein breites Beispielinventar zur Verfügung steht, so ist für seinen Umgang mit dieser Trad. doch bezeichnend, daß aus dieser Bandbreite v. a. lit.-philos. und polit. Elemente aus der Endzeit der röm. Republik und den Anfängen der Kaiserzeit aufgegriffen werden – ganz bes. aus dem nach den Problemen der Gegenwart umgedeuteten Zeitalter des Augustus. Diese Auswahl folgt zwar Tendenzen des Ren.-Klassizismus, etwa der in dessen Horizont auch in Frankreich lange als maßgeblich geltenden Dichtungslehre, Julius Scaligers *Poetices libri septem* (1561 in Lyon gedruckt), die trotz ihrer neoaristotelischen Orientierung nicht nur das Epos zur höchsten Form der Dichtung erklärt, sondern auch Vergil gegenüber dem harsch abgewerteten Homer zum unerreichbaren Meister der Gattung stilisiert und in einem breit ausgeführten Vergleich die lat. Lit. wegen ihrer rhet.-stilistischen Qualitäten weit über die griech. stellt. Diese Wertung behält in Frankreich im gesamten 17. Jh. ihre Gültigkeit (noch in Nicolas Boileaus *Art poétique*, dem bekanntesten poetologischen Text des frz. Klassizismus, und selbst noch in Charles Perraults *Parallèle des Anciens et des Modernes*, der umfassendsten antiklassizistischen Abhandlung im Rahmen der *Querelle des Anciens et des Modernes*, hat sie uneingeschränkt Bestand), aber sie führt weg von einer gelehrt-human. Diskussion über die Geltung der ant. Trad. und hin zu deren ästhetisch-kritischer Umdeutung. Im Prisma des Selbstverständnisses der Epoche und des Geltungsanspruchs der Lit. wird insbes. die augusteische Blütezeit zu einer idealisierten Projektion der Literaturverhältnisse im Spannungsfeld von Autonomieanspruch und polit. Regulierung.

Aufschlußreiche Anhaltspunkte hierfür finden sich in verschiedenen in den 1630er J. verfaßten Abhandlungen von Guez de Balzac über Politik und Kultur des augusteischen Zeitalters. Balzac, nicht nur ein maßgeblicher Repräsentant der lit. Modernisierungsbestrebungen, sondern, nachdem er nach verschiedenen Annäherungsversuchen bei Richelieu in Ungnade gefallen war, auch der bedeutendste Vertreter des Klassizismus in der ersten H. des 17. Jh., entwirft darin ein Bild Roms, in dem die kriegerische *virtus* hinter die *urbanitas* geselliger Gesprächskreise zurücktritt und gerade eine herrschaftsfreie Form der Kommunikation die idealisierte Geltung des ant. Bezugspunktes ausmacht (vgl. dazu [1. 92 f.]). Diese Deutung wird in Umwertung der an der Republik orientierten human. Perspektivierung der röm. Geschichte mit einer Verlagerung der Bezugspunkte von der Republik auf das Kaiserreich begründet: ›Denn die Republik mag es mir einzugestehen gestatten, daß das Zeitalter des Augustus ... das goldene Zeitalter der Kunst, der Wiss. und allg. aller schönen Erkenntnisse gewesen ist. Unter dieser Regierungszeit hat sich alles geglättet und verfeinert, jedermann war gelehrt und erfindungsreich an diesem Hof, von Augustus bis hin zu seinen Knechten‹ [1. 94]. Im Licht einer universellen kulturellen Blüte wird das Zeitalter des Augustus zugleich zum utopischen Ort einer Egalität des Geistes stilisiert, an dem Bildung soziale Schranken überwindet und darüber hinaus, so die Peripetie von *Cinna*, einer einen Aufstandsversuch gegen Augustus entwerfenden Tragödie Pierre Corneilles (1643), Humanität zur Grundlage von Herrschaft wird. Mit dem berühmten ›werden wir Freunde, Cinna‹ (V, 3, V. 1701), mit dem Augustus dort die Versöhnung mit den gegen ihn angetretenen Verschwörern besiegelt, bewahrt er den Herrschaftsanspruch als Imperator, indem er in der Privatsphäre seine Kontrahenten als gleichberechtigt akzeptiert. Balzac hebt genau dieses Moment utopischer Idealisierung röm. Verhältnisse im Licht der Gegenwart hervor, wenn er an Corneille über dessen Drama schreibt: ›Sie zeigen uns Rom ganz so, wie es in Paris existieren kann und haben es nicht zerstört, indem Sie es verändert haben. (...) Da, wo Rom aus Backsteinen besteht, bauen Sie es in Marmor wieder auf‹ [2. Bd. 1. 675 f.].

Diese utopische Modellierung der augusteischen Zeit erlaubt es – und hierin liegt die entscheidende Leistung des frz. Klassizismus – einen relativ autonomen Ort der Lit. zu denken. In der Bedeutungsverschiebung, in der für das Zeitalter des Augustus die Privatsphäre zu dessen eigentlich bedeutendem und überliefernswertem Zentrum erklärt wird, erhalten die darauf reduzierten lit. Diskurse eine eigenständige Dignität, die auch in den öffentlichen Raum zurückstrahlt – wie denn in der oben zitierten Perspektivenumkehr Balzacs der geistige Rang von Augustus' Hof dessen eigentliche Bedeutung konstituiert. Im Horizont solcher Deutungen wird es möglich, lit. Diskurse als zwar aus dem polit. Feld ausgeschlossen, aber damit auch einer eigenständigen Dignität verpflichtet zu denken. Dies stellt eine wesentliche Voraussetzung für die Konstitution ihrer relativen diskursiven Autonomie in dem seit der Jh.-Mitte sich herausbildenden lit. Feld dar.

Diese Entwicklung wird letztlich auch gefördert durch die viel diskutierte Hinwendung der frz. Lit. zu einer Regelpoetik in der Trad. des ausgehend von der italienischen Ren. europaweit sich verbreitenden Neoaristotelismus. Seit dem E. der 20er J. in Frankreich intensiv diskutiert, ist diese präskriptive Dichtungslehre trotz ihrer Förderung durch Richelieu außer im Bereich des Theaters kaum von praktischer Bedeutung. Wenn auch der mächtige Kardinal vermutlich die Vorstellung hatte, die Regelpoetik stelle eine Möglichkeit zur Kontrolle der lit. *inventio* bereit, so konstituiert sie doch zugleich die Möglichkeit einer autonomen Diskussion über Texte, indem sie mit der Geltung einer poetologischen Logik (eben der der Regeln) einen literaturimmanenten Diskurs über Lit. legitimiert (vgl. dazu allg. [32, 196 ff.]). Diese funktionale Ambivalenz kommt mit aller Deutlichkeit in der *Querelle du Cid* (1637) zum Vorschein, einem heftigen Literaturstreit über Corneilles Erfolgsstück, den die Académie française auf Betreiben Richelieus durch ihren Urteilsspruch beenden sollte. Einerseits bewirkt hier das Eingreifen der polit. geförderten Institution die Beendigung einer lit. Debatte, andererseits aber muß die Akad. in ihren *Sentimens de l'Académie françoise sur la tragicomédie du Cid* eingestehen, daß eine auf die Regeln gestützte Bewertung kein eindeutiges Urteil über ein lit. Werk erlaube und daß dem *Cid* trotz seiner Verstöße gegen die Regeln ›ein beachtlicher Rang in der frz. Dichtung‹ zukomme [5. 417]. Balzac faßt die Ambivalenz dieses Urteils sarkastisch in dem Zitat ›maior ille est qui iudicium abstulit quam qui meruit‹ [5. 457] und führt damit bereits die Instanz des Publikumsgeschmacks als ein mod. Kriterium des lit. Urteils ein, das den Geltungsanspruch der Regeln außer Kraft setzt.

So dient auch hier der Rekurs auf eine durch die Ant. beglaubigte Orientierung (als die die Regelpoetik in der Überzeugung der Zeitgenossen galt, obwohl sie *de facto* eher eine Erfindung des Neoaristotelismus ist und in der frz. Diskussion v. a. cartesianischen Prinzipien verpflichtet erscheint) und deren ambivalente Funktion v. a. den Autonomietendenzen der lit. Modernisierung. Sie trägt zur Formulierung einer eigenständigen Legitimation der lit. Entwicklung auf theoretischer Ebene bei, ohne wirklich normierende Bed. für die lit. Produktion gerade jener Autoren zu erlangen, die zu den bedeutendsten des frz. Klassizismus zählen. Dem bereits genannten Corneille wie auch einem Molière, in dessen

*Malade imaginaire* einem lächerlichen, dogmatisch an der ant. Schultradition festhaltenden Arzt entgegengehalten wird: ›Die Alten, mein Herr, sind die Alten, und wir leben in der Gegenwart‹ (Akt II, Szene 6) oder La Fontaine ist ein äußerst laxer, teilweise geradezu ironisch-spielerischer Umgang mit den Regeln zu eigen und da, wo sie mehr oder weniger beachtet werden (wie etwa in einigen Komödien Molières und insbes. in den Tragödien Racines), geschieht dies in erster Linie nicht aus Respekt vor dem (pseudo-)ant. Dogma, sondern weil die für diese Werke charakteristische Verinnerlichung dramatischer Konflikte Handlungsstrukturen erfordert, die den Anforderungen der berühmten drei Einheiten sich fügen können. Eine sog. *doctrine classique*, die dem frz. Klassizismus als regelpoetische Form der Normierung der Werke zugeschrieben worden ist (grundlegend hierfür [16]), ist daraus jedenfalls kaum zu begründen. Gerade der oben bereits erwähnte *Art poétique* Boileaus, dem traditionell eine normierende Funktion zugesprochen wird, taugt kaum als Beleg dafür, und zwar nicht nur deshalb, weil er erst in der letzten Phase des Klassizismus im 17. Jh. (1674) verfaßt worden ist, sondern weil er den Vorbildcharakter der Ant. selbst ästhetizistisch wendet. So erscheint dort an poetologisch zentraler Stelle, im Abschnitt über das Epos, zwar das zu erwartende hyperbolische Lob Vergils – aber Boileau unterstreicht die ästhetischen Qualitäten dichterischer Evokation der ant. Mythologie v. a., um sie gegen die epischen Produkte religiös-monarchistischer Observanz seiner Zeitgenossen zu wenden (*L'Art poétique*, III. Gesang, insbesondere V. 173 ff. [3]). Das aus der Geltung des ant. Prätextes begründete Urteil ermöglicht die Ausgrenzung von ideologisch heteronom strukturierten Texten aus dem Feld der Lit., dessen Autonomie damit zugleich stabilisiert werden kann.

Wie diese wenigen Beispiele zeigen, trägt die gegenwartsorientierte Umdeutung ant. Bezugspunkte im frz. Klassizismus dazu bei, eine Legitimationsfassade für einen jenseits polit. und ideologischer Restriktionen angesiedelten Freiraum zu entwerfen, in dem für die Lit. eine relative diskursive Autonomie begründet werden kann. Zweifellos ist die damit errichtete Diskursordnung alles andere als kohärent, und ebensowenig können die durch die Funktionalisierung ant. Prätexte ermöglichten Grenzziehungen als Voraussetzung einer in sich konsistenten lit. Blüte gedacht werden. Was die klassizistische Orientierung der Literaturverhältnisse im Frankreich des 17. Jh. jedoch ermöglicht, ist ein in mannigfaltiger Weise nutzbarer und genutzter Spielraum, den lit. Diskurse sehr unterschiedlicher Orientierung und Tragweite erproben.

## C. Der Klassizismus als Möglichkeit einer geschichtsphilosophisch begründeten Funktionsbestimmung der Literatur in Deutschland gegen Ende des 18. Jahrhunderts

Der im frz. Klassizismus entworfene und in der lit. Entwicklung des 18. Jh. gefestigte Autonomieaspekt rückt im dt. Klassizismus in das Zentrum einer lit. Orientierung, die aus einer geschichtsphilos. Rekonstruktion des Verhältnisses von Ant. und Gegenwart ihre Legitimität und Funktion begründen will. Zwar geschieht dies, wie bereits erwähnt, in kritischer Distanz zu dem frz. Vorbild, doch zumindest der dort als gefestigt erscheinende gesellschaftliche Ort der Lit. übt eine unleugbare Faszinationskraft aus. Auch wenn Goethe wie Schiller nicht zuletzt angesichts der unmittelbar präsenten Folgen der Revolution eine Übertragung des frz. Vorbilds auf die dt. Verhältnisse ablehnen, ist es doch in ihren Bestrebungen, um die Jh.-Wende mit einem klassizistischen Literaturprogramm einen Prozeß national-lit. Vereinheitlichung zu befördern, zumindest implizit präsent, insofern es die Möglichkeit einer Stabilität und hierarchischen Ordnung der Literaturverhältnisse zu repräsentieren scheint (vgl. hierzu allg. [25; 30]). Nicht zuletzt das Bestreben, eine solche wo nicht polit., so doch vielleicht lit. verwirklichbare Einheit herzustellen, trägt in der kurzen Zeit (mehr oder weniger) gemeinsamer programmatischer und praktischer Bestrebungen Goethes und Schillers um die Jh.-Wende in dem gleichermaßen lit. wie polit. fragmentarisierten dt. Kontext, im Feld zwischen Spätaufklärung und Frühromantik, zu jener Konjunktur der Ant. bei, die als wesentlicher Bestandteil der dt. K. angesehen werden kann.

Auf den Legitimationsbedarf, dem die Ant. hier Genüge tun muß, verweisen Zeitschriftentitel wie die *Horen* oder die *Propyläen* und nicht zuletzt auch die gemeinsame Sammlung von Distichen, die *Xenien*, mit denen die beiden »Weimarer« unter dem von Goethe in einem Brief an Schiller (23.12.1795) explizit angeführten Patronat Martials ihre Position im wenig einheitlichen lit. Feld zur Geltung zu bringen versuchen. Neben einer Reihe mehr oder weniger treffender Invektiven gegen lit. Konkurrenten finden sich dort auch Reflexionen, die die angestrebte Orientierung der Lit. gegen die polit. Situation positionieren und legitimieren sollen, so insbes. die berühmte 85. Xenie *Das deutsche Reich*: ›Deutschland? aber wo liegt es? Ich weiß das Land nicht zu finden. / Wo das gelehrte beginnt, hört das politische auf.‹ Aus dieser Perspektivierung, in der die geistige Nation der polit. gegenüber als deterritorialisiert erscheint, entwirft die nachfolgende Xenie (*Deutscher Nationalcharakter*) ein autonomes human. Projekt: ›Zur Nation euch zu bilden, ihr hoffet es, Deutsche, vergebens. / Bildet, ihr könnt es, dafür freier zu Menschen euch aus.‹ Derartige Reflexionen verweisen auf eine Perspektive radikaler Autonomie, mit der Goethe und Schiller ihre Position im lit. Feld begründen wollen, indem sie ihr Selbstverständnis jenseits von Geschichte und Gesellschaft ansiedeln. Konstitutiv erscheint hierfür die Abwendung vom ›beschränkte[n] Interesse der Gegenwart‹, gegen das sie ›ein allg. und höheres Interesse an dem, was rein menschlich und über allen Einfluß der Zeiten erhaben ist‹, stellen (Ankündigung der *Horen*, 8, Bd. 22, 107). Dieses Zeitschriftenprojekt beschwört ausdrücklich die unter anderem von Hesiod überlieferten titelgebenden Göttinnen als Garantinnen einer ›welterhaltende[n] Ordnung, aus der alles Gute fließt‹, um mit dieser myth. Referenz eine ästhetisch-philos. konturierte neue Ordnung zu propagieren. ›Die polit. geteilte Welt unter der Fahne der Wahrheit und der Schönheit wieder vereinigen‹ (ebd.) – dieser Anspruch setzt die Idee eines durch die Ant. beglaubigten autonomen Kunstschönen gegen die Wirren der Geschichte, um damit eine lit. Diskursordnung zu propagieren, die durch eine von den »Weimarern« dominierte klassizistische Orientierung strukturiert werden soll (zum lit.-polit. Aspekt der »Weimarer« Konstellation vgl. [17; 19]).

Die lit. Bewegung der Jh.-Wende geht in solchen Positionskämpfen im lit. Feld und in dem Hierarchiestreben Goethes und Schillers sicherlich nicht auf, auch wenn die spätere Epochenkonstruktion recht exklusiv auf die beiden Weimarer Klassiker zugeschnitten ist und bisweilen gar auf die Dekade ihrer – mit Texten wie den zuvor zitierten beginnenden – Zusammenarbeit eingegrenzt wird. Doch ist die Reduktion dieser Periode auf ihre »Leitfiguren« ebensowenig wie im frz. Fall zu unterschätzen, sind es doch nicht zuletzt literaturstrategische Intentionen, die zur Intensität dieser klassizistischen Orientierung beitragen und ihr jenen Schein von Dauer und Kohärenz verleihen, der ihre epochale Kodifikation als K. ermöglicht. Allerdings war es Goethe und Schiller nur deshalb möglich, sich derart mit einem an der Ant. geschulten symbolischen Kapital programmatisch zu positionieren, weil sie dabei auf eine Konjunktur der – in erster Linie griech. – Ant. zurückgreifen konnten, die sich bereits seit der Mitte des Jh. abgezeichnet hatte und deren Ausgangspunkt in vieler Hinsicht Winckelmanns Schrift *Gedancken über die Nachahmung der griech. Wercke in der Malerey und der Bildhauerkunst* (1755) ist. Diese bis weit ins 19. Jh. hinein als exemplarisch rezipierte Abhandlung nimmt geistesgeschichtlich eine ambivalente Position ein, indem sie einerseits an eine aufklärerische Entwicklungsperspektive anknüpft (›Der gute Geschmack, welcher sich mehr und mehr durch die Welt ausbreitet, hat sich angefangen zuerst unter dem griech. Himmel zu bilden‹ [13. 29]) und den der griech. Kunst zugeschriebenen überragenden Rang aus Klima und Lebensverhältnissen zu begründen und damit zu historisieren versucht, andererseits aber die Idee von deren Unnachahmlichkeit und Unüberbietbarkeit (etwa in der berühmten Formulierung ›eine edle Einfalt, und eine stille Größe‹ [13. 43]) zu entwerfen versucht. Entscheidend für die Rezeption Winckelmanns ist die kunst- und zugleich geschichtsphilos. Perspektive, in die er – vergleichbar dem Ansatzpunkt

des frz. Klassizismus über eine gelehrt-human. (›antiquarische‹) Position hinausgehend – die griech. Kunst rückt, indem er ›die Begriffe des Ganzen, des Vollkommenen in der Natur des Althertums‹ als einen Bezugspunkt entwirft, der im Künstler ›die Begriffe des Getheilten in unserer Natur‹ läutern soll [13. 38].

Darin deutet sich die Denkfigur an, die für den dt. Klassizismus bestimmend wird: die Konstruktion der griech. Kunst als eines idealisierten Bezugspunktes, von dem her die Probleme der Gegenwart gedacht werden können. Gegen E. des Jh. wird in programmatischen Schriften Schillers (*Über naive und sentimentalische Dichtung*, 1795) und Schlegels (*Über das Studium der griech. Poesie*, 1795/1797) die Ant. im Sinne Winckelmanns als idealisierter Ort einer Einheit entworfen, an dem das Kunstschöne, so Schlegel, als ›ursprüngliche Natur‹ [12. Bd. 1. 276], als vollkommen und harmonisch gedacht werden kann. Ausgangs- wie Bezugspunkt dieser Konstruktion ist ein Gegenwartsbewußtsein, in dem eine solche Einheit und Vollkommenheit in der Moderne zwar als bewundertes Ideal, zugleich aber auch als unmöglich erscheint. Schlegel charakterisiert die Situation des Kunstschönen in der Gegenwart, die Unmöglichkeit seiner Harmonie mit dem Begriff des ›Interessanten‹, der einen ›Mangel an Allgemeingültigkeit‹, die ›Herrschaft des Manirierten, Charakteristischen und Individuellen‹ als Kennzeichen ›der ganzen ästhetischen Bildung der Modernen‹ bezeichnen soll [12. Bd. 1. 252], Schiller tut dies mit dem Begriff des ›Sentimentalischen‹, der eine Orientierung der Dichtung meint, in der die verlorene Einheit mit der Natur als unerreichbares Ideal gestaltet wird [8. Bd. 20/1. 437 ff.]. Hatte Winckelmann noch die Tendenz, die ant. Kunst selbst als wenn schon nicht erreichbare, so doch anzustrebende Norm anzusetzen, so steht bei Schlegel und zum Teil auch bei Schiller die Möglichkeit einer Selbstreflexion und Selbstfindung der Gegenwart vermittels der idealisierenden Konstruktion der ant. Kunst im Vordergrund. V. a. Schlegel geht es nicht um ein (im Schillerschen Sinne) »naives« Wiederholen ant. Idealität, sondern um einen geschichtsphilos. Prozeß mod. Selbstreflexion der Kunst, in dessen Fortschreiten er als perspektivische Synthesefigur zumindest zeitweise Goethe ansetzt, der sich zu einer ›Höhe der Kunst heraufgearbeitet‹ habe, ›welche zum erstenmal die ganze Poesie der Alten und Modernen umfaßt, und den Keim ewigen Fortschreitens enthält‹ [12. Bd. 2. 347].

In dieser Entwicklung, in der sich der dt. Klassizismus konstituiert, ist der Aspekt der Projektion und Konstruktion im Bild der Ant. sehr viel deutlicher und bewußter als im frz. Klassizismus. Lessing oder Herder hatten noch histor.-kritische Einwände gegen die vereinheitlichende Reduktion von Winckelmanns Bild der Ant. geltend gemacht, Lessing nicht nur in seinem Insistieren auf der Differenz von bildender Kunst und Lit., sondern etwa auch in der Problematisierung der rel. Funktionalisierung der griech. Kunst und Lit. [10. Bd. 6. 414 ff.], Herder v. a. aus einer an der → Querelle des

Anciens et des Modernes geschulten Skepsis gegenüber der Vorstellung, es sei überhaupt eine Wiederholung des Antiken möglich, indem etwa die Repräsentanten der mod. dt. Lit. durch Analogien zur griech. Ant. gedeutet werden [9. 285–356]. Der Klassizismus der Jh.-Wende gewinnt dagegen darin Kohärenz, daß der fiktive Charakter der Konstruktion der griech. Ant. bewußt vertreten wird. Die Übergänge dazu gewinnen in der Abwendung von den offenen Formen und den widersprüchlichen Gehalten der Werke des Sturm und Drang Konturen, wie sie sich etwa im Prozeß der Überhöhung einer in die ant. Myth. eingeschriebenen utopisch-humanitären Perspektive in Goethes *Iphigenie auf Tauris* (1779–1787) abzeichnet (vgl. dazu [17. 177 ff.; 20], und sie zeigen sich deutlich in Schillers berühmtem Gedicht *Die Götter Griechenlands* (1788), wo die idealische Schönheit verbürgenden Gestalten der Myth. von Anfang an als ›Schöne Wesen aus dem Fabelland‹ erscheinen [8. Bd. 2/1. 336]. In den *Athenäums-Fragmenten* (1797/98) insistiert dann F. Schlegel entschieden darauf, daß Winckelmann, ›der alle Alten gleichsam wie Einen Autor las‹, gerade mit dieser Reduktion ›die Wahrnehmung der absoluten Verschiedenheit des Antiken und des Modernen‹ ermöglicht habe, und kurz darauf vermerkt er: ›Jeder hat noch in den Alten gefunden, was er brauchte, oder wünschte; vorzüglich sich selbst‹ [12. Bd. 2. 188 f.]. Goethe schließlich, der 1805 mit dem Sammelband *Winckelmann und sein Jh.* eine Art Bilanz der neuen Antikenrezeption ziehen wollte, charakterisiert dort in seinem einleitenden Aufsatz Winckelmanns Anschauung der Ant. mit den Worten W. von Humboldts als ›ein gewaltsames Hinreißen in eine von uns nun einmal, sei es auch durch notwendige Täuschung, als edler und erhabener angesehene Vergangenheit‹. Und in dem Brief Humboldts, aus dem Goethe zitiert, bilanziert dieser: ›Nur aus der Ferne, nur von allem Gemeinen getrennt, nur als vergangen muß uns das Altertum erscheinen‹ [6. Bd. 46. 38 f.].

Die idealisierende Distanz, in die die griech. Ant. derart im dt. Klassizismus aus lit.-polit. Gründen wie angesichts des geschichtsphilos. problematischen Ortes der Lit. in der Gegenwart gerückt wird, sollte nicht darüber hinwegtäuschen, daß – im übrigen ganz analog zur frz. Entwicklung – eine derart konturierte Konstruktion der Ant. im 19. Jh. zugleich eine eminent prägende bildungspolit. Bed. erlangt, die sich nicht zuletzt mit den Maßnahmen des eben zitierten W. von Humboldt verbindet. Schon Goethe hatte zumindest zeitweise die Absicht, aus der idealisierenden Überhöhung der Ant. orientierende und erzieherische Münze zu schlagen, etwa in den Preisaufgaben für bildende Künstler, die er um die Jh.-Wende in den kurzlebigen *Propyläen* stellte und die als Vorlage für die Preisarbeiten sämtlich Szenen der homerischen Epik vorschlagen, da dort eine Welt geschaffen sei, ›wohin sich jeder echte mod. Künstler so gern versetzt, wo alle seine Muster, seine höchsten Ziele sich befinden‹ [6. Bd. 48. 4]. Unter Preisgabe der geschichtsphilos. Differenzen erhält die Ant. in diesem

Sinn im Unterrichtswesen eine bildungsbürgerliche Normativität, die als eine zäh verteidigte Gegenwelt zu den desorientierenden und fragmentarisierenden Tendenzen gesellschaftlicher Modernisierung über das 19. Jh. hinaus Geltung behalten sollte (vgl. dazu [26]). Vergleichbare Tendenzen waren schon am Werk in dem Erziehungsroman *Les aventures de Télémaque* (1699), in dem Fénelon am E. des frz. Klassizismus eine bunte Mixtur von Elementen der homerischen und vergilschen Epik gegen die unüberschaubare Vielfalt der Gegenwartserfahrungen zu moralisch belehrenden Zwecken bündelt. Die Ambivalenz beider als K. kodifizierten Klassizismen in Frankreich und Deutschland, ihre widersprüchliche Funktionalisierung als Instrument ästhetischer Modernisierung und zugleich als Ort der Konstruktion einer ästhetisch-moralischen Norm, ist ein weiterer Beleg für ihre strukturellen Gemeinsamkeiten.

→ Barock; Humanismus; Renaissance

QU **1** J.-L. GUEZ DE BALZAC, Oeuvres diverses, hrsg. von R. ZUBER, 1995 **2** Ders., Oeuvres, 2 Bde., Paris 1665 (Ndr. 1971) **3** N. BOILEAU, Oeuvres complètes, hrsg. von F. ESCAL, 1966 **4** P. CORNEILLE, Oeuvres complètes, hrsg. von G. COUTON, 3 Bde., 1980–1988 **5** A. GASTÉ (Hrsg.), La Querelle du Cid, Paris 1898 (Ndr. 1970) **6** Goethes Werke. Weimarer Ausgabe, Weimar 1887 ff. (Ndr. 1987) **7** MOLIÈRE, Oeuvres complètes, hrsg. von G. COUTON, 2 Bde., 1971/72 **8** Schillers Werke. Nationalausgabe, 1943 ff. **9** J. G. HERDER, Sämtliche Werke, hrsg. von B. SUPHAN, Berlin 1892 (Ndr. 1967) **10** G. E. Lessings sämtliche Schriften, hrsg. von K. LACHMANN, Berlin 1953 ff. **11** CH. PERRAULT, Parallèle des Anciens et des Modernes, 3 Bde., Paris 1688 ff. (Ndr. hrsg. von H.-R. JAUSS, 1964) **12** F. SCHLEGEL, Sämtliche Werke. Kritische Ausgabe von E. BEHLER et al., 1958 ff. **13** J. J. WINCKELMANN, Kleinere Schriften, Vorreden, Entwürfe, hrsg. von W. REHM, 1968

LIT **14** E. BECKER, Klassiker in der dt. Literaturgeschichtsschreibung zw. 1780 und 1860, in: J. HERMAND, M. WINDFUHR (Hrsg.), Zur Lit. der Restaurationsepoche 1815–1845, 1970, 349–370 **15** R. BOCKHOLDT (Hrsg.), Über das Klassische, 1987 **16** R. BRAY, La Formation de la doctrine classique, 1927 **17** CHR. BÜRGER, Der Ursprung der bürgerlichen Institution Kunst. Unt. zum klass. Goethe, 1977 **18** E. R. CURTIUS, Europ. Lit. und lat. MA, ⁶1967 **19** H.-D. DAHNKE, B. LEISTNER (Hrsg.), Debatten und Kontroversen. Lit. Auseinandersetzungen in Deutschland am E. des 18. Jh., 2 Bde., 1989 **20** E. FISCHER-LICHTE, Probleme der Rezeption klass. Werke am Beispiel von Goethes Iphigenie, in: K. O. CONRADY (Hrsg.), Dt. Lit. zur Zeit der K., 1977, 114–140 **21** G. FORESTIER, J.-P. NÉRAUDEAU (Hrsg.), Un classicisme ou des classicismes?, 1995 **22** H. A. KORFF, Geist der Goethezeit, 4 Bde., ⁴1957 **23** K. R. MANDELKOW, Dt. Lit. zw. Klassik und Romantik aus rezeptionsgeschichtlicher Sicht, in: Ders. (Hrsg.), Europ. Romantik I, 1982 (Neues Hdb. der Lit.-Wiss., Bd. 14), 1–26 **24** F. NEUBERT, Die frz. K. und Europa, 1941 **25** G. OESTERLE, Kulturelle Identität und Klassizismus, in: B. Giesen (Hrsg.), Nationale und kulturelle Identität, 1991, 304–349 **26** L. O'BOYLE, Klass. Bildung und soziale Struktur in Deutschland zw. 1800 und 1848, in: HZ 207, 1968, 584–608 **27** H. PEYRE, Qu'est-ce que le Classicisme?, ²1964 **28** W. REHM, Griechentum und Goethezeit, ⁴1969 **29** H. SCHLAFFER, Rezension von W. Voßkamp (Hrsg.), K. im Vergleich, 1993, in: Poetica 25, 1993, 441–446 **30** H. STENZEL, Gesch. auf Distanz oder sublimiert? Vergleichende Überlegungen zur dt. und frz. K., in: Romanistische Zschr. für Lit.-Gesch. 17, 1993, 56–73 **31** Ders., Ein obskures Objekt lit.-wiss. Begierde Romanistische Zschr. für Lit.-Gesch. 18, 1994, 402–414 **32** Ders., Die frz. »K.« Lit. Modernisierung und absolutistischer Staat, 1995 **33** W. SCHERER, Gesch. der dt. Lit. (ohne Ort), 1893 **34** P. SZONDI, Poetik und Geschichtsphilos., hrsg. von S. Metz und H. H. Hildebrandt, 1974 **35** A. VIALA, La naissance de l'écrivain, 1985 **36** W. VOSSKAMP (Hrsg.), K. im Vergleich, 1993 **37** R. WELLEK, The Term and Concept of Classicism in Literary History, in: Ders., Discriminations. Further Concepts of Criticism, 1970, 55–90.    HARTMUT STENZEL

## Klassik, antike   s. Epochenbegriffe

## Klassische Archäologie

I. ALLGEMEIN

II. NEUE FUNDE

III. KONTEXTUELLE ARCHÄOLOGIE

### I. ALLGEMEIN

A. BEGRIFF  B. VON DEN ANFÄNGEN BIS ZUR MITTE DES 18. JAHRHUNDERTS

C. J. J. WINCKELMANN ALS BEGRÜNDER DER KLASS. ARCH., ZEITGENOSSEN UND NACHFOLGER

D. DAS 19. JAHRHUNDERT UND DAS ZEITALTER DER GROSSEN AUSGRABUNGEN

E. 20. JAHRHUNDERT  F. PERSPEKTIVEN

### A. BEGRIFF

Zu den bes. Eigenheiten der Disziplin gehört das Fehlen eines allg. akzeptierten Begriffs der Kl.A., die an gut einem Drittel der deutschsprachigen Univ. in selbstverständlicher Vereinfachung – oder im Sinne einer Erweiterung des Themenspektrums unter Verzicht auf die Komponente des »klass.« Anspruchs – schlicht Arch. genannt wird. Die bedeutendste Forschungsanstalt des Faches, das → Deutsche Archäologische Institut [20; 55; 89], wurde 1829 in Rom als *Istituto di corrispondenza archeologica* gegründet, unter damals selbstverständlicher synonymer Verwendung des Begriffs »Arch.« für Kl.A., ebenso wie F. A. Wolf 1807 [112] die ›Arch. der Kunst und Technik ... der Alten‹ im Rahmen einer Wiss. begriff, die ›sogar den Namen Alterthum ... auf die beiden ... Völker (d.h. der Griechen und Römer) einzuschränken‹ sich nicht scheute.

Immerhin besteht bis in die Gegenwart Einigkeit darüber, daß sich Kl.A. als Wissenschaftsdisziplin mit den materiellen Überresten der griech. und röm. Kultur befasst [101. 9–12], genauer: mit demjenigen Teil der Ant., ›der materielle Substanz aufweist und von Menschenhand geformt oder geordnet ist und dessen Sinngebung sich in Form und Ordnung erfüllt‹ [82. 8]. ›Sie umfasst die gesamte kulturelle Lebenswelt, soweit sie materieller Natur und darum visuell erfahrbar ist‹

[3. 198]. In welchem Maße das Attribut »klass.« dabei als Wertbegriff verstanden wird oder nur als konventionelle Bezeichnung einer bestimmten vergangenen Kultur, und inwieweit aus der vielgestaltigen Hinterlassenschaft nur die klass. Kunst bzw. die bildende Kunst der Griechen und Römer zum eigentlichen Thema bzw. als ihre höchste Aufgabe erklärt werden [7. 17; 91. 4], oder aber ob der Blick auf die gesamte kulturelle Komplexität [3. 199] gelenkt wird, ist Sache des individuellen Forschungsansatzes oder der Zugehörigkeit des Autors zu einer bestimmten Generation oder Trad. in der Wiss.: ›Each period has its own view of history (or archaeology)‹, »Jede Epoche hat ihre eigene Auffassung von Geschichte oder Archäologie« [10. 796].

Die Erforsch. der eigenen Geschichte ist folglich seit jeher als legitime, ja notwendige Aufgabe der Kl.A. wahrgenommen worden. Tatsächlich werden Ziele und Methoden des Faches in hohem Maße auch durch seinen Werdegang bestimmt. Wie alle auf das Erkennen von Geschichte ausgerichteten geisteswiss. Disziplinen hat sich auch die Kl.A. außer am Gegenstand ihrer Forsch. stets an den in der Vergangenheit erarbeiteten Erkenntnissen, Denkmodellen und Methoden der Interpretation orientiert, zumindest aber diese nicht außer acht gelassen. Die Forschungsergebnisse der vergangenen Generationen sind, anders als etwa in den Naturwiss., keineswegs immer absolut meßbare und dadurch exakt festgelegte Werte, die entweder noch gültig oder eben überholt sind und je nachdem als Versatzstücke in den Forschungsansatz eingebaut werden können oder nicht. Vielmehr sind sie auch ihrerseits durch eine bestimmte geistes- und wissenschaftsgeschichtliche Situation bedingt und werden erst nach entsprechender Wertung verständlich. Der kritische Nachvollzug des durch die vergangenen 500 J. nicht abgerissenen Gesprächs über Denkmäler, ihre Deutung und ihre Stellung im größeren Zusammenhang vergegenwärtigt die Ergebnisse voraufgegangener Forsch. und läßt sie wirksam werden. Daneben gibt es allerdings – z.B. auf den Gebieten der Chronologie oder der Denkmälerkunde – auch immer wieder neue Erkenntnisse, die an Aktualität und Verbindlichkeit solchen aus dem Bereich der exakten Naturwiss. nicht nachstehen und älteres schlicht obsolet machen. Aber sobald das Bestreben über die Gewinnung solcher Fakten hinausgeht, ist es geschichtlicher Bedingtheit unterworfen.

### B. VON DEN ANFÄNGEN BIS ZUR MITTE DES 18. JAHRHUNDERTS

Bei fast allen Bemühungen um eine Darstellung der Kl.A. ist ein Überblick über die histor. Entwicklung als unverzichtbar empfunden und meist vor allen anderen Aufgaben gelöst worden. Für die Entwicklung der wiss. Behandlung der ant. Denkmäler, von den ersten Anf. in der Ant. und im MA (bes. in Rom selbst) über die Antikenbegeisterung der Ren. bis zur Gelehrsamkeit des 17. und 18. Jh., für die Geschichte der frühen Reisen und für die Entstehung der ersten europ. Museen existiert h. eine reiche Lit. [19; 60; 63; 65; 92; 95; 115].

Gleich, ob der Wunsch nach »arch.« Erkenntnis sich auf Selbstvergewisserung kultureller Identität richtet oder auf ästhetische Paradigmen der bildenden Kunst, kann man die Anf. der Arch. schon im Alt. selbst ausmachen: Über Jahre ließ der letzte König von Babylon, Nabonid (556–539 v. Chr.) erfolgreich Ausgrabungen durchführen, um Urkunden aus der Zeit des Reichsgründers von Akkad zu finden [27]. Ähnliche Absichten verfolgte Kimon mit der vorgeblich erfolgreichen Wiederauffindung des Theseus-Grabes auf Skyros, von der Plutarch (Kimon, Kap. 8) berichtet. Die Bewunderung der röm. Aristokratie für die bildende Kunst des klass. Griechenland und die im Rahmen der hell. Gelehrsamkeit schon weit ausgebildete Kunstgeschichtsschreibung sind gut untersuchte Themen der Kl.A. selbst und unentbehrliche Voraussetzung für unser Verständnis aller nach-»klass.« Kunst [54; 68].

Die Anf. der Kl.A. sind bereits im MA zu erkennen, etwa in den im 12. Jh. entstandenen *Mirabilia urbis Romae* des Chorherrn Benedikt von St. Peter, der ältesten topographisch geordneten Darstellung der Bau- und Kunstwerke dieser Stadt. Rom stand auch für die folgenden Jh. stets im Zentrum des seit der Ren. sich regenden antiquarischen und bald auch wiss. Interesses. Als früheste Vertreter werden meist Cola di Rienzo (1314–54) und Flavio Biondo (1392–1463) genannt. Einzelne Reisende wie der Kaufmann Kyriakos von Ancona (1391–1455) haben auch in Griechenland und der Ägäis unmittelbare Anschauung erworben.

Am 27. August 1515 ernannte Papst Leo X. den namhaftesten Künstler seiner Zeit zum Präfekten aller röm. Altertümer: Raffaello Santi [31. 482]. 1506 war in der Domus Aurea die → Laokoongruppe gefunden worden, die von Giuliano da Sangallo und Michelangelo sogleich als das von Plinius d. Ä. erwähnte Werk (nat. XXXVI 37–38) erkannt und alsbald von Papst Julius II. in den zum Mus. ausgebauten Cortile del Belvedere im Vatikan überführt wurde. 1511 konnte Fra Giocondo in Venedig eine emendierte Ausgabe des Vitruv herausbringen. 1540 schickte der frz. König Franz I. den Maler Primaticcio nach Rom, um Antiken und Abgüsse zu kaufen. In derselben Zeit beauftragte Philipp II. von Spanien seinen Hofmaler Velázquez, die Statuen im Belvedere in Rom zu zeichnen. Schon die wenigen ausgewählten Namen machen deutlich, wie in jenen Jahrzehnten vor und nach dem *sacco di Roma* von 1527 (der Plünderung Roms durch die Truppen Franz' I. von Frankreich) geniale Künstler und begeisterte Humanisten, gelehrte Antiquare und hochgebildete geistliche wie weltliche Fürsten in ständigem Wettstreit und zugleich engster Verbindung untereinander das Klima der Wiederbelebung der ant. Welt zu befördern wußten. Doch war dies kaum das geeignete Fundament für eine Kl.A. im Sinne einer histor. Wiss. Auch war der gegenständliche Teil dieser Ant., im wesentlichen vom Geschmack des Späthell. und der röm. Kaiserzeit bestimmte Plastik und monumentale Architektur, dazu Mz. und Glyptik, nur ein Ausschnitt des Ganzen.

Erst im Barock beginnt die Trennung von bildender Kunst und forschender Wiss. sich deutlicher abzuzeichnen. ›Die erste schäumende Leidenschaft für das wiederentdeckte Alt. ist verflogen‹ [88. 46]. Das Bemühen um eine gewisse Systematik und eine profunde, enzyklopädische Denkmälerkenntnis tritt an ihre Stelle. Anf. dazu sind schon um die Mitte des 16. Jh. auszumachen, etwa in einem nach kunstmyth. Kriterien geordneten Codex von Antikenzeichnungen in Coburg [33]. Im 17. Jh. taucht dann das Wort »Arch.« als Name der Wiss. auf. In Anlehnung an ant. Sprachgebrauch gewählt, geht es auf die 1685 erschienenen *Miscellanea eruditae antiquitatis* des Arztes und Humanisten Jacques Spon zurück [22]. Fast am E. der Epoche erscheint im Jahre 1719 *L'antiquité expliquée et représentée en figures* (»Das Altertum, erklärt und abgebildet«) von Bernard de Montfaucon (1655–1741), in zehn Bänden mit etwa 40000 Abbildungen auf 1200 Tafeln (!), ein Standardwerk für viele Generationen. Gleichwohl bleibt das Interesse im Grunde ein antiquarisches und enzyklopädisches. Die begründete histor. oder stilistische Differenzierung in den Gattungen und in der Betrachtung der Werke der bildenden Kunst fehlt noch.

Dies gilt auch noch für die im 18. Jh. zu einer europ. Reise- und Sammelleidenschaft sich entfaltende Kunstliebhaberei, insoweit sie sich auf Italien und die Ant. richtet. Sie hat in der »Grand Tour« der britischen Aristokratie, die als oft mehrjährige Bildungsreise nach Italien die höhere Erziehung abschloß und in England in privater Hand eindrucksvolle Skulpturenmuseen entstehen ließ (z. B. Holkham Hall 1734 [108]), einen bes. Schwerpunkt [109]; freilich gewinnt auch in den kontinentaleurop. Ländern die »Kavalierstour« nach Italien hohen Stellenwert, und bes. die Antikensammlungen in Rom erlangen neue Bedeutung [63].

In diesem Klima einer allg. Begeisterung für die Ant. wächst ein spezifisch britisches Philhellenentum heran, das 1732 in der Gründung der → Society of Dilettanti einen Höhepunkt erlebt. Mit Unterstützung dieser Gesellschaft konnte 1762 der erste Band der auf einer dreijährigen Reise (1751–53) entstandenen monumentalen und z. T. bis h. nicht ersetzten Denkmäler-Ed. *The Antiquities of Athens* des Architekten Nicholas Revett und des Malers James Stuart erscheinen (der zweite Band folgte erst 1787!). Ebenfalls 1751 bereiste in ihrem Auftrag Robert Wood die bedeutendsten Ruinenstätten Syriens (*The Ruins of Palmyra*, 1753; *The Ruins of Balbec otherwise Heliopolis*, 1757). 1766 begann die Expedition von Richard Chandler, Nicholas Revett und William Pars in das westl. Kleinasien, deren Ergebnisse im großformatigen Tafelwerk *Ionian Antiquities* schon 1769 veröffentlicht wurden.

### C. J. J. WINCKELMANN ALS BEGRÜNDER DER KLASS. ARCH., ZEITGENOSSEN UND NACHFOLGER

Für die Entstehung der Kl.A. als Wiss. von griech. und röm. Kunst ist der → Klassizismus des späteren 18. Jh. verantwortlich. Seine Anf. in Deutschland sind durch Lessing und v. a. durch Winckelmann geprägt, dessen lit. Werk von entscheidender Bedeutung war. Johann Joachim Winckelmann, als Sohn eines Schuhmachers am 9. Dezember 1717 in Stendal geboren und am 8. Juni 1768 in Triest ermordet, konnte sich schon in seiner Jugend durch mannigfache Förderung und die außerordentliche Energie des sozialen Aufsteigers eine große Kenntnis der ant. Schriftquellen erwerben. Nach anfänglichem Theologiestudium in Halle und einer längeren Zeit als Hauslehrer trat er 1748 als Bibliothekar in den Dienst des Grafen Bünau in Nöthnitz bei Dresden. In der nahen Hauptstadt lernte er die zeitgenössische Kunst und ihre Künstler kennen und, wie es scheint, verachten. 1755 ging er, 1754 zum katholischen Glauben übergetreten, nach Rom und wurde dort im Jahre 1763 als »Antiquario della camera apostolica« oberster Aufseher über die Altertümer in und um Rom [56; 62].

Noch vor dem Aufbruch nach Rom veröffentlichte er 1755 die *Gedanken über die Nachahmung der griech. Werke in der Malerei und Bildhauerkunst*, eine Schrift, die hauptsächlich, wenn nicht ausschließlich der Erneuerung der zeitgenössischen Kunst dienen sollte und die Kunst des griech. Alt. zum absoluten Wertmaßstab erhob. Diese Schrift und das J. ihres Erscheinens sind zu Recht als epochemachend in der dt. Geistesgeschichte herausgestellt worden; sie hat eine der wesentlichen Trad. der dt. Kl.A. geformt. Seit dem Anfang des 19. Jh. sieht sie in Winckelmann ihren Begründer [16].

Die 1840 von Otto Jahn in Kiel geschaffene Trad. jährlicher Winckelmann-Feiern, die seither an fast allen bedeutenderen Zentren der Kl.A. in kaum unterbrochener Folge an dessen Geburtstag abgehalten werden, sind ein lebendiges Zeichen für die Verbundenheit, die man mit dem »Heros Ktistes« empfand und nach wie vor empfindet. Bezeichnend ist die Tatsache, daß selbst im damals ganz am Überseehandel orientierten Hamburg, wo man erst 1919 eine Univ. errichtete, der dortige Bibliotheksdirektor und Professor am Akad. Gymnasium, Christian Petersen, schon zwei Jahre nach Kiel mit seiner 1842 öffentlich vorgetragenen *Erinnerung an J. J. Winckelmanns Einfluß auf Lit., Wiss. und Kunst* für einige Jahrzehnte denselben Brauch einführen konnte.

Den urspr. »Ansatz« Winckelmanns machen zwei Zitate aus der Erstlingsschrift deutlich: Nach einer längeren Passage über die *Laokoongruppe* im Belvedere des Vatikan heißt es: ›das wahre Gegenteil ist der gemeinste Geschmack der heutigen, sonderlich angehenden Künstler‹. Wenige Absätze vorher finden sich die Worte: ›das allg. und vorzügliche Kennzeichen der griech. Meisterstücke ist endlich eine edle Einfalt und stille Größe ... so zeigt der Ausdruck in den Figuren der Griechen bei allen Leidenschaften eine große und gesetzte Seele‹. Es sind diese Worte, die immer wieder für das Griechenbild Winckelmanns und der dt. Klassik als charakteristisch angesehen worden sind und die gerade in der dt. Kl.A. bis in unsere Tage wirken. Das Begriffspaar »Einfalt« und »Größe« findet sich nur leicht verändert auch im Hauptwerk Winckelmanns wieder, in der

*Geschichte der Kunst des Alt.*, die, schon 1761 abgeschlossen, 1764 in erster Auflage erschien. Dort heißt es: ›durch die Einheit und Einfalt wird alle Schönheit erhaben...: denn was in sich groß ist, wird, mit Einfalt ausgeführt, erhaben‹. Und obwohl Winckelmann sich schon durch die Wahl des Titels nun eindeutig auch die Aufgabe gestellt hatte, die »Geschichte« der Kunst des Alt. zu schreiben, wollte er diese doch unter jenem höheren, im Titel der Erstlingsschrift programmatisch ausgesprochenen Zweck verstanden wissen: ›meine Absicht ist, einen Versuch eines Lehrgebäudes zu liefern... Das Wesen der Kunst ist... der vornehmste Endzweck‹.

Fritz Blättner hat in seiner Studie über *Das Griechenbild J. J. Winckelmanns* darlegen können, daß in der geistigen Begegnung Winckelmanns mit dem Griechentum dieses als Schöpfung des Betrachters entstanden ist, die die Wiss. in ungeahntem Maße befruchtete, aber doch mehr sein sollte und war als sie: ›Leben bedeutendes Bild, also Religion‹ [9]. Der ebenso hellsichtige wie spöttische Egon Friedell (1878–1938) schrieb: ›auch er hat etwas erfunden: nämlich den Griechen‹, bezeichnenderweise in dem mit »Die Erfindung der Ant.« überschriebenen Kapitel [28 Bd. II. 376] seiner *Kulturgeschichte der Neuzeit*.

In Winckelmann gingen die beiden auseinanderdriftenden Tendenzen der Beschäftigung mit der Ant., die wiss. Auseinandersetzung auf der einen und das ästhetisch-dogmatische Interesse auf der anderen Seite, eine fruchtbare Verbindung ein, ›er war, wie es R. Pfeiffer ausdrückte, der Schöpfer eines Neohellenismus‹ [58. 19].

Abgesehen vom klassizistischen Impuls, der nicht zuletzt auf die Vorstellungen Winckelmanns zurückzuführen ist, muß eine am Denkmal ausgerichtete Kl.A. von der Frage ausgehen, vor welchen ant. Denkmälern er seine Erkenntnisse gewonnen hatte, auf die sich seine so bereitwillig aufgegriffene »Lehre« gründete. Als er die für ihn und alle seine späteren Werke im Ansatz entscheidende Abh. über die Nachahmung der griech. Werke schrieb, besaß er zwar eine umfassende Kenntnis der ant. Schriftsteller, von ant. Denkmälern aber kannte er sie aus den älteren und zeitgenössischen Kupferstichwerken v. a. röm. Statuen. Für die unmittelbare Anschauung jedoch stand ihm die von den Kurfürsten von Sachsen zw. 1723 und 1736 erworbene Dresdener Skulpturensammlung nur in sehr eingeschränktem Maße zur Verfügung, da sie zu jener Zeit ganz unzulänglich in Gartenpavillons untergebracht war [51].

Erst in den J. in Rom konnte sich Winckelmann die Denkmälerkenntnis erarbeiten, die in der *Geschichte der Kunst des Alt.* ihren Niederschlag gefunden hat. Aber auch diese Kunstwerke stammten mit sehr wenigen Ausnahmen aus der röm. Kaiserzeit, waren Zeugen des röm. Klassizismus; waren zum einen Kopien nach griech. Originalen, zum anderen röm. Eigenschöpfungen, die nur ganz allg. dem Erbe der griech. Klassik des 5. und 4. Jh. v. Chr. verpflichtet waren. Die wenigen kostbaren griech. Originale, die auf röm. Boden gefunden oder über Venedig im 16. und 17. Jh. dorthin gelangt waren, erkannte Winckelmann noch nicht in ihrer Bed.; sie waren ihm etruskische Werke. So konnte Winckelmann die griech. Ant., die in seinem Werk zur »klass.« wurde, nur in der Brechung des röm. Klassizismus erkennen. Die Statuen sah er dazu oft in einer Form, zu der sie im Geschmack der Zeit ergänzt worden waren. Gleichwohl verdankt die Arch. Winckelmann zwei wichtige Erkenntnisse: zum ersten die Feststellung, daß eben die Antiken, die er in Rom kennenlernte, aus der griech. Sage zu deuten seien. Ein Axiom, das sich h. selbst da noch oft bewährt, wo wir in den Statuen nicht mehr wie Winckelmann Kopien nach griech. Originalen, sondern eigenständige röm. Werke sehen [37]. Bedeutender aber ist die Tatsache, daß Winckelmann in die Betrachtung der ant. Kunst und der Kunst überhaupt den Begriff der Entwicklung eingeführt hat und damit eine Abfolge einzelner Stilepochen. In seiner *Geschichte der Kunst* unterschied er den ›alten Styl‹, den ›hohen Styl‹, den ›schönen Styl‹, den ›Styl der Nachahmer‹ und endlich den ›Verfall der Kunst‹. Was hiervon h. Bestand hat, ist die Einführung des Entwicklungsbegriffs überhaupt, der freilich im Laufe von zwei Jh., bes. seit der Wende zum 20. Jh., mannigfache Wandlungen durchgemacht hat, ja h. ein vollkommen anderer geworden ist und nicht mehr jene entelechische Färbung des Klassizismus besitzt.

Ihre zweite Wurzel als Disziplin der Forsch. und Lehre hat die Kl.A. in der klass. Philologie. Winckelmann hatte zwar anregend gewirkt wie kaum ein anderer, doch war er nie akad. Lehrer gewesen noch hatte er Schüler im engeren Sinne. Die Archäologen aber, die seit dem Beginn des 19. Jh. auf den nach und nach für die neue Wiss. an den Univ. errichteten Lehrstühlen die Arch. zu jenem großen Gebäude ausgebaut haben, das wir h. vor uns sehen, begannen alle als Schüler von Altphilologen. Sie waren also in ihrer wiss. Praxis sowohl Archäologen als auch Philologen. Christian Gottlob Heyne (1729–1812), seit 1763 Professor der Eloquenz in Göttingen, gehörte zum Kreis der ersten Wissenschaftler, die die ant. Denkmäler in ihren Vorlesungen ausführlich behandelten (*Arch. der Kunst des Alt., insbes. der Griechen und Römer*, als Buch erschienen 1767). Zu seinen Schülern gehörten der Homer-Übersetzer Johann Heinrich Voß, der klass. Philologe Friedrich August Wolf, die Brüder August Wilhelm und Friedrich Schlegel, die Archäologen Georg Zoega und Karl August Böttiger sowie Wilhelm von Humboldt. Ausgehend von Zoega (1759–1809) ließe sich z.B. über Friedrich Gottlob Welcker (1784–1868), den Zoega in Rom in die Arch. eingeführt hatte, über Heinrich Brunn (1822–1894), Adolf Furtwängler (1853–1907) sowie Ludwig Curtius (1874–1954) und Ernst Buschor (1886–1961) eine ununterbrochene Trad. noch bis zu manchen akad. Lehrern von h. belegen.

## D. Das 19. Jahrhundert und das Zeitalter der grossen Ausgrabungen

Längst getan aber war mittlerweile der Schritt zur Auffächerung und Differenzierung der Alt.-Wiss., die für F. A. Wolf, in seiner vielzitierten *Darstellung der Alterthums-Wiss. nach Begriff, Umfang, Zweck und Werth* von 1807 noch durchaus eine Einheit gewesen war. Wolf hatte seine Darstellung mit einem 24 Punkte umfassenden ›Überblick sämmtlicher Theile der Alterthums-Wiss.‹ [112] beschlossen, wovon vier den arch. Gegenständen im engeren Sinne gewidmet sind: ›XVIII. Einleitung zur Archäologie und Technik oder Notiz von den übriggebliebenen Denkmälern und Kunstwerken der Alten. XIX. Arch. Kunstlehre oder Grundsätze der zeichnenden und bildenden Künste des Alterthums. XX. Allg. Geschichte der Kunst des Alterthums. XXI. Einleitung zur Kenntnis und Geschichte der alterthümlichen Architektur‹ (ebd.). Damit war eine Kunstgeschichte des griech. und röm. Alt. ganz im Sinne Winckelmanns konzipiert, und nur folgerichtig wollte K. O. Müller aus seinem *Handbuch der Arch. der Kunst* noch in der 1835 erschienenen zweiten Auflage ›alles ausschließen, wodurch unsre Kenntniß der bildenden Kunst im Alterthum nicht unmittelbar gefördert wird‹. ([78], Vorrede zur zweiten Ausgabe).

Nun hatte sich zwar schon vorher der Bestand der Denkmäler erheblich verändert, Herkunft und Charakter waren andere als bisher: Neben den röm. Statuen, vor denen Winckelmann seine Ideen konzipiert hatte, waren zum erstenmal auch griech. Originale des 5. Jh. v. Chr. in größerem Umfang der Wiss. bekannt geworden. So die 1812 vom Britischen Mus. angekauften Friese von Phigalia-Bassae, die 1816 aus der Sammlung des Lord Elgin von demselben Mus. erworbenen Parthenon-Skulpturen und die 1828 in die Münchener Glyptothek gelangten spätarcha. Giebelfiguren des Aphaia-Tempels von Aegina. Werke des 6. Jh. v. Chr. folgten bald: 1822 und 1823 wurden die ersten der archa. Metopenreliefs in Selinunt ausgegraben. 1853 kam mit dem 1848 bei Korinth gefundenen, damals noch *Apoll von Tenea* genannten hocharcha. Kuros erstmals ein bedeutenderes Werk der J. um 560 v. Chr. in die Münchener Glyptothek.

Doch entsprachen auch diese neuen Funde ganz den Vorstellungen von arch. Denkmälern, die sich in den Jahrzehnten nach Winckelmanns *Geschichte der Kunst des Altertums* herausgebildet hatten. Auch die bemalten griech. Vasen, die in den ant. Nekropolen zu Tage kamen, zuerst in Unteritalien (v. a. Nola) und in immer reichlicherem Maße in Etrurien, fügten sich in dieses Bild: Sie bezeugten für K. O. Müller ›den Kunstgeist der Griech. Nation, der auch an so geringen Waaren seine Herrlichkeit entfaltet‹ [78. 456] und galten als Illustration der griech. Myth. und des griech. Lebens; Gefäße ohne figürliche Darstellung oder weniger interessante Stücke blieben weitgehend unbeachtet. Und noch Eduard Gerhard, der 1833 als »Archäolog« an die Königlichen Museen in Berlin berufen worden war und seit 1844 auch eine ordentliche Professur an der Berliner Univ. bekleidete, bezeichnete 1850 auf der elften Versammlung der Philologen und Schulmänner in Berlin die Arch. als ›denjenigen Zweig der klass. Philol. welcher, im Gegensatz litterarischer Quellen und Gegenstände, auf den monumentalen Werken und Spuren ant. Technik beruht‹ [90. 55]. Immerhin, in einer weiteren, bei derselben Gelegenheit formulierten These war nach seiner Meinung ›Aufgabe der Arch. ... nicht nur eine Auswahl von Kunstdenkmälern, sondern die Gesammtheit des monumentalen Stoffes, ... der Gesammtanschauung des ant. Lebens zu überliefern‹ (ebd.). Tatsächlich hatten in diesen J. bereits Entwicklungen eingesetzt, durch die auch der allg. Begriff der A. entscheidende Veränderungen erfahren sollte: zum ersten ist die gewaltige Vermehrung des Denkmälerbestandes nach Beginn der großen Ausgrabungen hervorzuheben, die in neuem Maßstab zunächst im Vorderen Orient und in Ägypten unternommen wurden und, wie im Jh. zuvor die Grabungen in Rom und den Vesuvstädten, auf den Gewinn neuer Kunstwerke abzielten. A. H. Layard, der Ausgräber von Ninive, formulierte exemplarisch: ›I determined ... to economize as far as it was in my power – that the nation might possess as extensive and complete a collection of Assyrian antiquities as ... it was possible to collect‹ ([67. Bd. I. 327]; vgl. [72. 17]).

So hatten schon 1711 Raubgrabungen im Theater von Herkulaneum die beiden berühmten weiblichen Gewandstatuen der sog. großen und kleinen Herkulanenserin zutage gefördert, die zunächst nach Wien in den Besitz des Prinzen Eugen von Savoyen, nach dessen Tod 1736 in die Sammlung des sächsischen Kurfürsten in Dresden gelangten. 1748 war auf Veranlassung des Vizekönigs von Neapel, Don Carlos III. von Bourbon, in Pompeji gegraben worden [34], und in den J. von 1806 bis 1832 wurden das Zentrum dieser Stadt und einige große Privathäuser praktisch vollständig freigelegt. Das ungeheure öffentliche Echo auf die hier erstmals auch für die Laienwelt möglichen Einblicke in tägliche Lebensverhältnisse der Ant. spiegelt einer der frühesten histor. Romane, Edward Bulwers »Die letzten Tage von Pompeji« (The Last Days of Pompeii, 1834). Zur seriös abgesicherten Unterrichtung des interessierten Publikums hatte der mit bes. Organisationstalent begabte Eduard Gerhard 1833 das Archäologische Intelligenzblatt der Hallischen Literatur-Zeitung (bis 1838) begründet und fungierte als dessen Herausgeber [15. 27].

Einen außerordentlichen Aufschwung erlebten in derselben Zeit die Aus- bzw. Raubgrabungen in den Nekropolen Südetruriens (bes. Vulci), deren Funde, v. a. wiederum bemalte griech. Vasen, rasch in den aufblühenden Kunsthandel gelangten und in manchen großen Mus. außerhalb Italiens den Grundstock umfangreicher Sammlungsbestände bilden. Protagonist war Luciano Bonaparte, jüngster Bruder Napoleons, den Papst Pius VII. zum Fürsten von Canino gemacht hatte. Gleichsam zur wiss. Beobachtung und Begleitung der rasant ansteigenden Ausgrabungstätigkeit war 1829 in

Rom im Kreise von Gelehrten, gebildeten Diplomaten und kunstverständigen Laien als internationale Einrichtung das Istituto di Corrispondenza Archeologica gegr. worden, auf Betreiben Eduard Gerhards (1795–1867), eines Schülers des Berliner Philologen und Epigraphikers August Boeckh (1785–1867).

Einen nicht unbeträchtlichen Einfluß auf die Entwicklung der Kl.A. in Deutschland hat schließlich auch das v. a. im 19. Jh. immer stärker spürbare Interesse gebildeter Laien an den Denkmälern der heimischen Vorzeit und der röm. Vergangenheit gehabt. Ihr Zusammenschluß erfolgte weitgehend nach dem Vorbild der schon im 18. Jh. in England erfolgreichen Society of Antiquaries (gegr. 1751). Während die 1841 in Berlin ins Leben gerufene Arch. Gesellschaft (wiederum von Eduard Gerhard!) schon durch ihren Namen und die jährlich von ihr herausgegebenen Berliner Winckelmannsprogramme ihre Verbundenheit mit der ant. Vergangenheit Italiens und Griechenlands bekundete, stand für den im gleichen Jahr gegr. Verein von Altertumsfreunden im Rheinlande mehr die Hinterlassenschaft der Römer in Deutschland im Vordergrund [29. 92], nicht anders als für andere Vereine dieser Art, z. B. die schon 1821 gegründete Nassauische Gesellschaft für Alterthumskunde und Geschichtsforsch. Das in erster Linie histor.-antiquarische Interesse dieser gebildeten Welt reichte über Winckelmann zurück: Schon 1723 hatte der Weißenburger Schulrektor J. A. Döderlein in einer Monographie den Obergermanischen Limes beschrieben.

Nur zögerlich hat die Kl.A. erkannt bzw. akzeptiert, daß ihre Aufgaben auch in der Arch. der Prov. des Röm. Reiches liegen sollten. Von der auf Betreiben Theodor Mommsens 1892 erfolgten Gründung der Reichs-Limeskommission – als Nachfolgerin der bereits 1852 gleichzeitig mit dem Röm.-German. Central-Mus. gegr. Commission zur Erforschung des limes imperii Romani – blieb die führende Institution der Kl.A., das Arch. Inst. des Dt. Reiches, zunächst unberührt, obschon hier de facto ein arch. Großforschungsprojekt des Reiches geschaffen worden war. Das 1829 in Rom gegründete Istituto di corrispondenza archeologica hatte seinen internationalen Organisations-Status verloren, nachdem es 1859 vom preußischen Staat übernommen und 1874 zu einer Reichsanstalt umgeformt worden war, unter Erweiterung um eine Zweiganstalt in Athen. Die im J. 1902 erfolgte Gründung der Röm.-German. Kommission in Frankfurt am Main [61] als teilweise selbständige Zweiganstalt des → Deutschen Archäologischen Instituts bezeichnete einen bedeutenden Schritt innerhalb der neuen Entwicklung zur Integration, obschon diese vorher nicht unumstritten war und auch in der Folgezeit nicht von allen gebilligt wurde. Die in der neuen Kommission repräsentierte Vorgeschichtsforsch., in der man schon früh gelernt hatte, vergängliche Holz- und Erdarchitektur durch sorgfältigste Beachtung der geringsten Einzelheiten des Ausgrabungsbefundes aus Bodenverfärbungen und organischen Resten zu erschließen und die histor. Sedimente stratigraphisch zu ordnen, steuerte für die in den Mittelmeerländern auch »praktisch« in Ausgrabungen engagierte Kl.A. wichtige methodische Grundlagen bei.

Ein Einzelgänger, der zu großem Reichtum gelangte Kaufmann Heinrich Schliemann [35; 72], hatte 1871 das Zeitalter der großen Ausgrabungen im Mittelmeer eingeleitet, durch die freilich noch nicht immer systematische Aufdeckung des Burghügels von Troja, der er schon 1876 die Ausgrabung von Mykene folgen ließ. Schon diese Ausgrabungen aber waren eindeutig nicht mehr allein auf die Gewinnung von Funden ausgerichtet. Es ging ihm vielmehr darum, ›die über die Prähistorie der hellenischen Welt dunkelnde Nacht aufzuklären‹ [64. 91]. Ebenso galten die 1873 auf Samothrake und 1875 in Olympia begonnenen »offiziellen« Ausgrabungen der Kl.A. v. a. der Mehrung wiss. Erkenntnis, wie seitdem alle systematischen Ausgrabungen. Spätestens seit dieser Zeit läßt sich von einer gewissen Eigenentwicklung und »Verwissenschaftlichung« des Ausgrabungswesens sprechen, das im Prinzip als technische »Hilfs«-Methode einer ganzen Reihe histor. orientierter Disziplinen zugeordnet werden kann. Hundert J. nach Schliemann ist für dieses Arbeitsgebiet im Rahmen der → Archäologischen Methoden schließlich ein eigenes Publikationsorgan geschaffen worden, das *Journal of Field Archaeology* (Bd. 1 ff., 1974 ff.), und es stehen umfassende systematische Darstellungen zur Verfügung [30; 80]. Eine Fülle von fruchtbaren Ansätzen zur interdisziplinären Zusammenarbeit mit den exakten Naturwiss. (Archäobotanik, -metallurgie, -zoologie usw.) ist von hier aus entwickelt und erfolgreich erprobt worden.

Die ersten großen Grabungen der 70er J. des 19. Jh. änderten jedoch zunächst nichts an den grundsätzlichen Prioritäten in der Kl.A., und erst allmählich begann die Wiss. zu realisieren, daß sich durch sie der Denkmälerbestand in seiner Zusammensetzung entscheidend gewandelt, das Spektrum zur Erforsch. ant. Kultur eine neue Breite gewonnen hatte. Auch später noch wurde auf manchen Ausgrabungen alles unverzierte Geschirr undokumentiert wieder fortgeworfen. Unvoreingenommene Forscher jedoch mußten sich eingestehen, daß neben die Statuen, neben Architektur und Malerei, Zeugnisse hoher griech. und röm. Kunstübung, nun die vorher vernachlässigten prosaischen Erzeugnisse des Handwerks und Einrichtungen des einfachen täglichen Lebens getreten waren: unverziertes Küchengeschirr, Nägel, Klammern und Werkzeug, Stallgebäude und Entwässerungsrinnen und vieles andere mehr, Dinge also, die in das Raster der Klassizität nicht ohne weiteres hineinpassen wollten. Daneben wurde gerade durch die Ausgrabungen auch die innige Verflechtung mit den Nachbarwiss. deutlich, wenn an den einzelnen Plätzen eine Fülle verschiedener Kulturkreise im Nach- und Nebeneinander der Fundstücke sich manifestierte oder Pflanzenreste und Tier- und Menschenknochen zu analysieren und zu interpretieren waren.

Der Wandel, den diese Entwicklung auslöste, läßt sich gut an den Definitionen der Arch. ablesen, die je nach der Zeit, aus der sie stammen, vom gewandelten Selbstverständnis der Wissenschaft Zeugnis ablegen. Noch für Eduard Gerhard (1795–1867) war 1833 in seinen *Grundzügen der Arch.* diese ›die auf monumentales Wissen begründete Hälfte allg. Wiss. des klass. Altertums‹. Eine Generation später, unter dem Einfluß beginnender Kunstwiss., definierte Alexander Conze (1831–1914) in seiner Wiener Antrittsvorlesung: ›Wo der Querschnitt der klass. Philol. und der Längendurchschnitt der Kunstwiss. sich kreuzen, da und genau da liegt das Gebiet der klass. Arch.‹ Für sein 1880 postum erschienenes Handbuch konnte C. B. Stark (1824–1879) die Arch. als die ›wiss. Beschäftigung mit der bildenden Kunst des Alt.‹ bezeichnen; autoritär dagegen formulierte Adolf Furtwängler (1853–1907): ›Arch. ist nichts anderes als ant. Kunstgeschichte und somit ein Teil der gesamten Kunsthistorie‹ [82. 27].

### E. 20. JAHRHUNDERT

#### 1. DIE ENTWICKLUNG BIS 1945

Schon wenig später aber wollte H. Bulle (1867–1945) in seiner Einleitung zur 1913 erschienenen ersten Lieferung des neuen *Handbuchs der Arch.* diese ›nicht nur als Kunstgeschichte, sondern als Denkmälerkunde im weitesten Sinne‹ verstehen. Nicht ohne Grund hat er deswegen aus dem Titel des von ihm herausgegebenen Handbuches das Wort »klass.« herausgelöst. ›Die Abgeschlossenheit der ›klass.‹ Arch.‹, so schrieb er, ›ist im Schwinden begriffen‹. Noch deutlicher hatte schon 1883 der engl. Archäologe A. Evans in einem Brief an E. Freeman geäußert: ›Einen Lehrstuhl für Arch. auf die klass. Zeiten zu beschränken, scheint mir so sinnvoll zu sein wie die Schaffung eines Lehrstuhls für »Insulare Geographie« oder »Mesozoische Geologie«‹ [82. 27–28].

Das anspruchsvolle Attribut »klass.« hatte zuerst F. Schlegel 1797 mit dem Begriff »Altertum« verbunden und damit den Gebrauch von »Antike« und »Die Antiken« abgelöst, unter welchem Namen man im frühen Klassizismus dieselben als vorbildlich empfundenen Inhalte verstand wie nun unter »klass. Altertum«. Das Vorbildliche in der ant. Kunst und Lit. wurde durch das ganze 19. Jh. vornehmlich mit dieser Wortverbindung ausgezeichnet und damit zugleich ausdrücklich – ganz im Sinne Wolfs – auf die Kultur der Griechen und Römer beschränkt. Die der »klass.« Philol. und der Geschichte der »klass.« Alt.-Wiss. beigesellte Disziplin der Arch. erhielt erst später die nähere Bezeichnung »klass.« und wurde zur selbständigen »Kl.A.«; zu ihrer Charakterisierung hatte bis dahin die Einordnung als Arch. der Kunst in den »Rahmen der klass. Alt.-Wiss.« genügt.

Die Rückkehr zu einer erneuten Verklärung der klass. Kunst Griechenlands erfolgte rasch, hervorgerufen nicht zuletzt durch die Erschütterung Europas im Ersten Weltkrieg, der auch die Ausgrabungstätigkeit und damit den stetigen Prozeß der »Denkmälervermehrung« vorerst zum Erliegen gebracht hatte. Von den weltanschaulichen Strömungen, die der als dringend empfundenen Selbstbesinnung dienen wollten, war der im Rahmen der Klass. Philol. entstandene sog. Dritte Humanismus [52; 88] von erheblichem Einfluß auf die Kl.A. Für viele Vertreter des Faches war er eine Herausforderung zu intensiver Mitarbeit an der von W. Jaeger 1925 begründeten, an ein gebildetes, für den normativen Gehalt der Klassik wieder zu begeisterndes Publikum gerichteten Zeitschrift *Die Antike* [101. 377]. Nicht zufällig wurde im selben J. für die eigentliche Fachwelt, unter Beibehaltung des herkömmlichen, von F. A. Wolf geschaffenen Namens, der *Gnomon. Kritische Zeitschrift für die gesamte Alt.-Wiss.* ins Leben gerufen.

Im Mittelpunkt dieser »klass.« Ant. standen im Bereich der griech. Kunst nun Phidias und der Parthenon; neu einbezogen wurde die Kunst der Archaik und die des »Strengen Stils«, für dessen Beurteilung das 1924 erschienene Tafelwerk über die Skulpturen des Zeustempels von Olympia, von E. Buschor und R. Hamann, eine ebenso dem wiss. Standard wie dem künstlerischen Zeitgeschmack angemessene Grundlage bereitstellte. In den engeren Kreis des »Klass.« neu einbezogen wurde auch die klassizistische Kunst der frühen Kaiserzeit [45. 4f.]. Diese positive Bewertung der bis dahin im Hinblick auf ihren künstlerischen Rang eher als gering eingeschätzten röm. Kunst war dadurch mitbefördert worden, daß zwei um die Jh.-Wende geschriebene und für die neue Sicht grundlegende Arbeiten, die Einleitung zur Ed. der Wiener Genesis-Handschrift von F. Wickhoff (1853–1909) und insbes. die Untersuchung der »spätröm. Kunstindustrie« des Wiener Kunsthistorikers A. Riegl (1858–1905), erst jetzt ihre Wirkung entfalteten. Dasselbe gilt für die 1915 in erster Auflage erschienenen *Kunstgeschichtlichen Grundbegriffe* H. Wölfflins (1864–1945). Die von ihm für die allg. Kunstgeschichte als ›unbestrittene Tatsache‹ herausgestellte Beobachtung, ›daß sich, mit engerer oder weiterer Wellenlänge, gewisse gleichlautende Entwicklungen schon mehrfach im Abendland abgespielt haben‹ [110. 268], führte in der Übertragung auf die Kl.A. auch hier zur Ausbildung eines »relativistischen« Entwicklungsbegriffs. Mit seiner Hilfe wurde es möglich, das ›großartige Ordnungsgebäude‹ [36. 17] eines geschichtlichen Ablaufs von Kunst und Kunstgewerbe zu schaffen, in dem auch der anonyme Denkmälerbestand seinen festen Platz zugewiesen erhielt – in den besser erforschten Teilbereichen oft mit der Genauigkeit eines Jahrzehnts [81. 229–232].

Die auch theoretisch anspruchsvolle Schrift Riegls wurde 1927 in handlichem Format neu aufgelegt und im *Gnomon* von G. Kaschnitz von Weinberg ›als Wendepunkt der histor. Betrachtung der bildenden Kunst‹ ausführlich gewürdigt. In dieser Besprechung manifestierte sich zum ersten Mal explizit das, was bald als Formgeschichte, bald als Strukturforschung, h. zutreffend als »arch. Strukturalismus« bezeichnet wird [4]. Es waren u. a. der von Riegl eingeführte Begriff des überindividuellen ›Kunstwollens‹ und Beobachtungen Wickhoffs wie die einer für die röm. Kunst charakte-

ristischen ›continuierenden Erzählweise‹, die sich zur Bestimmung einer ›italischen Struktur‹ anboten. ›Das Prinzip der inneren Organisation der Form‹, wie G. Kaschnitz von Weinberg die Struktur definierte, blieb der Summe der schöpferischen Kräfte einer Epoche oder eines geschichtlichen Raumes verpflichtet und mußte auch dem einzelnen Werk abzulesen sein. Dieser Begriff ließ sich als eine Funktion von *Ethnos* (»Rasse«), Landschaft und Zeit verstehen und innerhalb dieser Faktoren auf kleinere ebenso wie auf größere Einheiten beziehen. So wurde z. B. eine »vorderasiatische« Struktur beschrieben, deren Uneinheitlichkeit mit ›der komplizierten und ständig wechselnden und sich verändernden ethnischen Unterlage begründet‹ war [57. 89]. Oder eine »ägäische« Struktur, mit welchem Begriff formsprachliche Gemeinsamkeiten eines geogr. Raumes – der Ägäis im weitesten Sinne – , eines gewaltigen zeitlichen Rahmens – Neolithikum und Bronzezeit – und schließlich eines mehr oder weniger einheitlichen ethnischen Substrats – eine altmediterrane Bevölkerung – angesprochen sein sollten [75].

Ein solches Theoriengebäude – das im übrigen in der Disziplin der Vorgeschichte seine Parallelen fand – mußte auf die Ideologen des nationalsozialistischen Regimes von 1933–1945 attraktiv wirken. Eine nüchterne [z. B. 53. 47–56] und zusammenfassende Bewältigung der Verstrickungen – und auch der Gefahren, die sich daraus für die Wiss. und ihre Institutionen ergaben, steht aus [5. 23]. Auf der anderen Seite ist deutlich erkennbar, daß die Denkmodelle der arch. Strukturforsch., der die Kl.A. bedeutende Leistungen verdankt, bis in jüngste Zeit mit Erfolg verwendet werden (vgl. z. B. [12. 532]). Bes. deutlich wird dies in der mit guten Gründen konsequent auf philos. Grundlage argumentierenden Darstellung der *Strukturalistischen Artefakt- und Kunstanalyse* von M. Bachmann [4]. Von gewissem Einfluß war – über seinen Tod hinaus – schließlich Stefan George (1868–1933), von dessen Freundeskreis sich manche aus der Generation der um und nach der Jh.-Wende geborenen Archäologen angezogen fühlten [74; 94], und dies, obwohl George selbst zur Ant. und zur ant. Kunst ein eher allg. verklärendes Verhältnis hatte. Bei alledem blieb die Vorrangstellung des »Kunstwerks« in Forsch. und Lehre ungeschmälert erhalten. Auch wenn die ›sichtbare Hinterlassenschaft des vergangenen Menschen‹ als Forschungsgegenstand der Wiss. einen weiten Rahmen ließ, stand für den Furtwängler-Schüler E. Buschor (1886–1961) weiterhin ›die bildende Kunst ... als kostbarstes Vermächtnis des vergangenen Menschen im Mittelpunkt der Betrachtung‹ [16. 3] und konnte für den aus der philol.-altertumskundlichen Schule F. Studniczkas (1860–1929) hervorgegangenen A. Rumpf (1890–1966) ›die Kunst, die man mit Recht als die klass. bezeichnet, ihr altes Königsrecht‹ behaupten [91. 4].

Ebenso blieb es bei der generellen Ablehnung H. Schliemanns und der von ihm eröffneten neuen Arbeitsfelder einer den vergangenen Kulturen des Mittelmeerraums allg. verpflichteten Archäologie. Die Bedeutung Schliemanns für eine Entwicklung in diesem Sinne und als Begründer der Teildisziplin der »myk. Arch.« wurde wohl von einzelnen anerkannt und gewürdigt [83], ist aber zusammenfassend erst aus Anlaß seines 100. Todestages 1990 herausgestellt und kritisch reflektiert worden. A. Rumpf sah noch 1953 die Wiss. in Gefahr ›in immer steigendem Maße von ihrem eigentlichen Zweck abgelenkt zu werden. Fast zwei Menschenalter hindurch hat sie viele ihrer besten Kräfte an die Prähistorie verschwendet‹ [91. 94], bei welcher ›Ablehnung oder doch Geringschätzung gerade durch die Kl.A.‹ es in Deutschland überwiegend geblieben ist [101. 250]: Eine kritische Bilanzierung der Situation am E. des 20. Jh. mußte die minoische und myk. Arch., international in einer eindrucksvollen Entwicklung begriffen, in Deutschland unter diejenigen Bereiche der Forsch. zählen, die weitgehend abgestorben sind [46; 83].

## 2. Die letzten Jahrzehnte des 20. Jahrhunderts

Für die Situation der Kl.A. nach 1945 und bis in die 60er J. war die Rückkehr zu positivistischen, unverfänglichen Forschungsansätzen bezeichnend (werkimmanente Interpretation, stilgeschichtliche und ikonographische Unt., Ed. von Denkmälern). Im ersten Band des – diesmal unter Leitung von U. Hausmann – abermals neu begonnenen *Handbuches der Archäologie*, der unter dem Titel *Allg. Grundlagen der Arch.* 1969 erschien, wurden die von E. Buschor und B. Schweitzer für die Ausgabe von 1939 verfaßten Beiträge zu *Begriff und Methode der Arch.* (1932 geschrieben) und zum *Problem der Form in der Kunst des Alt.* (1931 geschrieben) unverändert abgedruckt. Das offenbare Theoriedefizit wurde als gravierend empfunden, deutlicher als zuvor wurde bemerkt, daß in der zeitgenössischen Praxis ›die Fragestellungen, die hinter den sichtbaren Fortschritten stehen, im allg. ziemlich gleichartig und monoton sind. Wie vordergründig diese Fortschritte in geistiger Hinsicht sind, zeigt sich sogleich, wenn über die Bestimmung und Klassifizierung hinaus die Frage nach der Bedeutung gestellt und das Problem des Verstehens aufgeworfen werden‹ [38. 189].

Auf der anderen Seite war das Bemühen, die Beurteilung der ant. Denkmäler von einer breiteren Grundlage aus anzugehen, bereits unverkennbar. Für ikonologische, d. h. auf Gehalt, Absicht und Botschaft gerichtete Unt. schien sich zunächst, in Anlehnung an den in der it. Forsch. v. a. von R. Bianchi Bandinelli und seiner Schule verfochtenen sozialgeschichtlichen Ansatz, im Bereich der polit. Kunst des röm. Kaiserreichs ein geeignetes Feld abzuzeichnen [18]. Daß die röm. Kunst, lange Zeit ein ungeliebter Gegenstand der Kl.A., in diesen Jahrzehnten so in den Brennpunkt der Forsch. rückte, war auch durch das Wirken von G. Rodenwaldt (1886–1945) vorbereitet worden [13]. Der weite Bereich der öffentlichen, von polit. Absicht bestimmten Architektur mußte sich für solche Forsch. anbieten. Die

Berücksichtigung aller ›Formen der sozialen Begegnung, soweit sie sich zu Bildeindrücken verdichteten‹, wurde in diesem Sinne als Aufgabe formuliert [119].

Die Konzentration auf bestimmte Denkmälergruppen lag nahe; so z. B. auf das Politiker- bzw. Herrscherporträt [32; 117; 118], den Bildschmuck an Staatsdenkmälern und Repräsentationsbauten als Träger polit. Botschaften [25; 41; 42] und auf einzelne gesellschaftliche Gruppen und deren klassentypische Zeugnisse [113; 114]. Daneben wurde die Frage nach der Funktion der zur Ausstattung von Bauten und Plätzen verwendeten Skulpturen und Malereien und nach ihrem »Botschafts«-Charakter in der ant. Lebenswelt neu gestellt [73; 106; 114; 122] und dieser Ansatz auch auf die Epochen der griech. Kunst projiziert [39; 40; 96] oder, umgekehrt, die Rolle der griech. Mythenbilder im röm. Kontext befragt [105]. Hier sind, ausgehend von in den 70er J. entwickelten Fragen, mentalitätsgeschichtliche Einblicke z. B. in die bürgerliche Kultur der frühen röm. Kaiserzeit gewonnen worden [116; 117].

Für die Einschätzung der komplexen Bezüge zw. geistes- und formgeschichtlichen Tendenzen einer Epoche [11; 69] war die Definition der künstlerischen Formensprache in der röm. Kunst als semantisches System von bes. Bed. [43], wobei die Beobachtung, daß in der röm. Kunst ›für verschiedene Themenkreise jeweils verschiedene Muster aus verschiedenen Epochen der griech. Kunst aufgegriffen‹ worden seien, auf das methodische Axiom vom »Gattungsstil« aus dem Anfang des Jh. zurückgreifen konnte. Im Sinne dieser »Semantisierung der Stile« stellte sich heraus, daß sich spätestens in augusteischer Zeit ein gewisser Kanon von Darstellungsmodi und Bildtypen, d. h. eine mehr oder weniger festgefügte Bildsprache herausgebildet hatte und daß das semantische System zwar einen Wandel des Stils nicht ausschloß, doch im ersten und zweiten Jh. n. Chr. keine wesentlichen Veränderungen mehr erfuhr. Die systematisierte, statische Bildsprache für die Vermittlung von Botschaften und die allg. Verständigung im röm. Imperium und der im Bereich der Kunst offenkundige Zug zur Norm waren damit als Charakteristikum der röm. Reichskultur bestimmt und auch die bekannte Problematik der ›Gleichzeitigkeit des Ungleichzeitigen‹ [70] gelöst.

Mehr und mehr sieht sich die Kl.A. vor der Aufgabe, alle geformten, visuell erfahrbaren kulturellen Äußerungen und nicht nur Kunstwerke als Anhaltspunkte für Formen der ant. Lebenswirklichkeit zu begreifen. Zur Erfüllung des Wunsches, ›die gemeinsame anthropologische Dimension von Kunst und Lebenskultur in den Blick zu bekommen‹, ist der Begriff des Kunstwerks als Teil eines größeren Ganzen an materiellen Hinterlassenschaften der Ant. unerläßliche Voraussetzung. In diesem Ansatz kann die ant. Welt nicht mehr als Vorbild, ›auch nicht als verpflichtende oder unentrinnbare Trad.‹ gelten, sondern dient vielmehr als ›Erfahrungsraum und Experimentierfeld für andere und doch nicht ganz fremde Möglichkeiten kultureller Existenz‹ [47. 11].

Das Bemühen um eine verstärkt ganzheitliche Sicht liegt auch den mannigfachen Ansätzen zur Erforsch. des ant. Städtewesens zugrunde. Wenn zunächst die Problematik als eine rein städtebauliche gesehen und die Aufgabe der positiven Bauforsch. zugewiesen wurde, so ließen sich die soziologischen und kulturwiss. Dimensionen dieses Ansatzes doch rasch erkennen. Tatsächlich bietet die Stadt in ihren vielfältigen Erscheinungs- und Funktionsformen als Mittelpunkt des ant. gesellschaftlichen und polit. Lebens einen weiten Rahmen, um Ergebnisse arch. Forsch. in eine kulturanthropologische Fragestellung einzubringen [21; 48; 49; 50; 93; 107; 111].

Im Hinblick auf die angedeutete Entwicklung sind die Vorwürfe zu relativieren, mit denen seit der Bewegung von 1968 eine Theorie- und Methodendiskussion eingefordert wird [1; 5]. In der Tat sind die Defizite in der deutschsprachigen Kl.A. offenkundig und werden im Fach zunehmend wahrgenommen. Sie sind bisher allerdings auch von denen nicht hinreichend ausgeglichen worden, die sie so vehement beklagen.

Der Versuch der sog. *Hamburger Schule*, die Welt der Denkmäler als Teilfaktoren im Rahmen eines »Zeichensystems« zu begreifen und nach Kriterien der Kommunikations- und Interaktionstheorie neu zu definieren [24; 97; 99;], blieb ein eher isoliertes Phänomen innerhalb der Kl.A. Daß die Theoriediskussion im Vorfeld und im Rahmen des in den späten 90er J. gegründeten Mainzer Sonderforschungsbereichs »Kulturelle und sprachliche Kontakte: Zentren und Peripherien im histor. Raum Nordostafrika/Westasien« in diesem Sinne neue und über die Grenzen von Linguistik und Sprachwiss. hinaus auch für die Kl.A. fruchtbare Ansätze entwickeln kann, steht noch zu hoffen [2; 3; 86].

Die Diskussion ist gegenwärtig zumeist auf Vorträge, Kolloquien und Feuilletonartikel beschränkt und darum schwer zu überblicken. Ein grundsätzlicheres Dilemma ist jüngst explizit benannt worden: ›Histor. Lebenswirklichkeit zu rekonstruieren bedeutet nicht nur, umfassender zu fragen, sondern zugleich, detaillierter zu forschen. Die Praxis zerbricht oft an diesem Widerspruch‹ [44]. Weiter wird nur zu leicht übersehen, daß die in den USA und im europ. Ausland weit vorangeschrittene Diskussion in den meisten Fällen von einem grundverschiedenen Zuschnitt der altertums- und kulturwiss. Fächer ausgeht und von einem durchaus anderen Selbstverständnis der Arch. geprägt ist. Der engagiert geführte Disput pro und contra *New Archaeology* in den 70er und 80er J. etwa ist deswegen nur innerhalb der Disziplin der Vor- und Frühgeschichte aufgenommen worden [5. 38–84]. Die Kl.A. in Deutschland hat ihn auch deshalb nicht rezipiert, weil sich ihr immenses, heterogenes und komplexes Quellenmaterial in der Verbindung mit einer ebensolchen schriftlichen Überlieferung zumindest auf den ersten Blick der Anwendung von kulturtheoretischen Modellen und Systemen zu widersetzen scheint. Vor der Gefahr, daß die arch. Evidenz zugunsten der theoretischen Konstrukte in den Hintergrund geschoben wird, ist darum mehrfach und nicht nur »von der

anderen Seite« gewarnt worden, mit der deutlichen Ermahnung, die Augen offen zu halten für ›the full power of the archaeological record‹ [102. 174].

## F. PERSPEKTIVEN

Aus der Fülle der hier angedeuteten Aufgaben, vor die sich die Kl.A. gestellt sieht, zeichnen sich drei von übergreifendem Charakter ab: Da ist zum ersten die Verpflichtung, den interdisziplinären Diskurs im Rahmen der Alt.-Wiss. lebendig zu halten und, wo nötig, mit neuem Leben zu füllen. Das Bemühen, Wege einer Re-Integration zu finden, wird deutlich sichtbar. Schon 1949 war die *Mommsen-Gesellschaft* als Verband der dt. Forscher auf dem Gebiete des griech.-röm. Alt. gegründet worden, nicht nur, um die Einheit einer Wiss. in einem damals gerade getrennten Land zu dokumentieren, sondern auch, um ungeachtet der notwendigen Spezialisierung der Disziplinen die Gemeinsamkeit des Forschungsgegenstandes deutlich zu machen. Von der *Dt. Forschungsgemeinschaft* geförderte alt.-wiss. Sonderforschungsbereiche und Graduiertenkollegs sind auch mit dem Ziel eingerichtet worden, hierfür eine neue Basis zu schaffen. Die Intentionen werden in ersten Berichten über die Arbeit deutlich, etwa im Graduiertenkolleg »Vergangenheitsbezug ant. Gegenwarten« der Univ. Freiburg [26. 9–16].

Zum zweiten ist es die Herausforderung, angesichts der grenzüberschreitenden Dimension des eigenen, an der dinglichen Überlieferung orientierten Forschungsansatzes die fachspezifischen Ergebnisse in ein allg. Wissen von Vergangenheit einzubringen. Dies erfordert in einem ersten Schritt die größere Akzeptanz der engen kulturräumlichen Vernetzung des klass. Alt. der Griechen und Römer mit dem alten Vorderen Orient, mit dem Mittelmeerraum in seiner Ganzheit und mit den sog. Randkulturen Europas von den Iberern und Kelten bis zu den nomadischen Kulturen Osteuropas und der eurasischen Steppen. Auch die 1996 im *Dt. Arch. Instit.* neu errichtete Eurasien-Abteilung steht in der Konzeption unter diesem Vorzeichen. Darüber hinaus aber gilt es auch, den Standort der Kl.A. im weitesten Rahmen einer »Allg. und vergleichenden Archäologie« – so der Name einer 1979 gegründeten Kommission des *Dt. Arch. Instituts* [79]– als Wiss. von vergangener Lebenskultur des Menschen zu bestimmen. Und gerade unter diesem Aspekt wird die dt. Kl.A. sich auch nicht der Auseinandersetzung mit den im Ausland entstandenen Theoriegebäuden entziehen können, von denen die frz. Historikerschule der *Annales* [8; 59], ebenso wie andere »Schulen«, bedenkenswerte Strukturmodelle bereitgestellt haben.

Schließlich ist der Kl.A. im Laufe der letzten Generation eine bes. Verantwortung zugewachsen, die von der Wiss. erst sehr allmählich realisiert wird, zumal sie den scheinbar sekundären Bereich der »Vermittlung« an die sog. interessierte Öffentlichkeit und der entsprechenden Didaktik sowie die Aufgaben der staatlichen Bodendenkmalpflege und der musealen Präsentation betrifft. Hier hat die Kl.A. Versäumnisse wettzumachen.

Denn es kann h. fast als ausgemacht gelten, daß künftige Generationen weniger als je zuvor seit dem E. der Ant. in ihrer Erziehung von klass. und human., ja auch nur geschichtlicher Bildung geprägt sein werden. In dieser Zukunft trägt die Kl.A. als Wiss. vom Anschaulichen mehr denn je die Verantwortung dafür, daß das Erbe der alten Welt des Mittelmeerraumes nicht nur mit seinen Kunstwerken sondern ebenso mit seinen vielfältigen Zeugnissen der allg., täglichen Lebenskultur durch unmittelbare Anschauung und als »Vergangenheit zum Anfassen« erfahren werden kann und so lebendig bleibt.

→ Abguß/Abgußsammlung; Antikensammlung; Archäologische Methoden; Museum; Stil/Stilanalyse

1 S. ALTEKAMP et al. (Hrsg.), Posthuman. Klass. Arch. Historizität und Wissenschaftlichkeit von Interessen und Methoden. Akten des Kolloquiums Berlin (18.–21.2. 1999), 2000 2 J. ASSMANN, Die Macht der Bilder. Rahmenbedingungen ikonischen Handelns im Alten Ägypten, in: VisRel VII, Genre in Visual Representation, 1990, 1–20 3 Ders., Probleme der Erfassung von Zeichenkonzeptionen im Abendland, in: R. POSNER et al. (Hrsg.), Semiotik. Ein Hdb. zu den zeichentheoretischen Grundlagen von Natur und Kultur 1, 1997, 710–729 4 M. BACHMANN, Die strukturalistische Artefakt- und Kunstanalyse. Exposition der Grundlagen anhand der vorderorientalischen, ägypt. und griech. Kunst, OBO 148, 1996 5 R. BERNBECK, Theorien in der Arch., 1997 6 R. BIANCHI-BANDINELLI, Röm. Kunst, zwei Generationen nach Wickhoff, in: Klio 38, 1960, 267–283 7 Ders., Klass. Arch. Eine kritische Einführung, 1978 8 J. BINTLIFF (Hrsg.), The Annales School and Archaeology, 1991 9 F. BLÄTTNER, Das Griechenbild J. J. Winckelmanns, A&A 1, 1944, 121–132 10 J. BOARDMAN, Rezension zu A. M. Snodgrass, An archaeology of Greece. The present state and future scope of a discipline, in: Antiquity 62, 1988, 795–797 11 A. H. BORBEIN, Die griech. Statue des 4. Jh. v. Chr., in: JDAI 88, 1973, 43–212 12 Ders., Rezension zu W. Fuchs, J. Floren, Die griech. Plastik I: J. Floren, Die geom. und archa. Plastik. HdArch, 1987, in: Gnomon 63, 1991, 529–538 13 Ders., Gerhart Rodenwaldts Bild der röm. Kunst, in: Röm. Gesch. und Zeitgesch. in der dt. und it. Alt.-Wiss., 2, 1991, 175–200 14 Ders., Die Klassik-Diskussion in der Kl.A., in: H. FLASHAR (Hrsg.), Alt.-Wiss. in den 20er J. Neue Fragen und Impulse, 1995, 205–245 15 Ders., Eduard Gerhard als Organisator, in: H. WREDE (Hrsg.), Winckelmann-Inst. der Humboldt-Univ. zu Berlin 2, 1997, 25–30 16 S. G. BRUER, Die Wirkung Winckelmanns in der dt. Kl.A. des 19. Jh., 1994 17 E. BUSCHOR, HdArch I (1939), 3 18 F. COARELLI, Classe dirigente romana e arti figurative, in: Dialoghi di Archeologia 4–5, 1970–71, 241–265 19 G. DALTROP, Antikenslgg. und Mäzenatentum um 1600 in Rom, in: Antikenrezeption im Hochbarock, 1989, 37–58 20 Dt. Arch. Instit. (Hrsg.), Das Dt. Arch. Instit. Gesch. und Dokumente, Bd. 1–10, 1979–1986 21 W. ECK, H. GALSTERER (Hrsg.), Die Stadt in Oberitalien und in den nordwestl. Provinzen des röm. Reiches, Kolloquium Köln 1991 22 R. ÉTIENNE, J.-C. MOSSIÈRE (Hrsg.), Jacob Spon. Un humaniste Lyonnais du XVIIIe siècle, 1993 23 J. EVANS, Time and Chance: The story of A. Evans and his Forebears, 1934, 261 f. 24 B. FEHR, Bewegungsweisen und Verhaltensideale, 1979 25 K. FITTSCHEN, Das Bildprogramm des Traiansbogens von Benevent, in: AA 1972, 742–788 26 M. FLASHAR, H. J. GEHRKE, E. HEINRICH (Hrsg.), Retrospektive. Konzepte von Vergangenheit in der griech.-röm. Ant. 1. Bericht über die Arbeit des Graduiertenkollegs »Vergangenheitsbezug ant. Gegenwarten« der Univ. Freiburg, 1996 27 G. FRAME, Nabonidus and the history of the Eulma-temple of Akkad. Mesopotamia 28, 1993, 21–50 28 E. FRIEDELL, Kulturgesch. der Neuzeit, Bd. I-III, 1931 29 R. FUCHS, Zur Gesch. der Slgg. des Rheinischen Landesmus. Bonn, in: Rheinisches Landesmus. Bonn. 150 J. Slgg. 1820–1970 (= Führer des Rheinischen Landesmus. Bonn Nr.38), 1971, 1–158 30 E. GERSBACH, J. HAHN, Ausgrabung heute. Methoden und Techniken der Feldgrabung, 1989 31 L. GIULIANI, Bildnis und Botschaft. Hermeneutische Unt. zur Bildniskunst der röm. Republik, 1986 32 G. GRIMM, Von der Liebe Raffaels zur Ant., in: Ant. Welt 29, 1998, 481–496 33 R. HARPRATH, H. WREDE (Hrsg.), Antikenzeichnung und Antikenstudium in Ren. und Frühbarock, 1989 34 R. HERBIG, Don Carlos von Bourbon als Ausgräber von Herculaneum und Pompeji, in: MDAI(Madrid) 1, 1960, 11–19 35 J. HERRMANN (Hrsg.), Heinrich Schliemann. Grundlagen und Ergebnisse mod. Arch. 100 J. nach Schliemanns Tod, 1992 36 N. HIMMELMANN-WILDSCHÜTZ, Der Entwicklungsbegriff der mod. Arch., in: Marburger Winckelmann-Programm 1960, 13–40 37 Ders., Winckelmanns Hermeneutik, 1971 38 Ders., Utopische Vergangenheit. Arch. und mod. Kultur, 1976 39 T. HÖLSCHER, Ideal und Wirklichkeit in den Bildnissen Alexanders des Gr., 1971 40 Ders., Die Nike der Messenier und Naupaktier in Olympia, in: JDAI 89, 1974, 70–111 41 Ders., Die Geschichtsauffassung in der röm. Repräsentationskunst, in: JDAI 95, 1980, 265–321 42 Ders., Staatsdenkmal und Publikum vom Untergang der Republik bis zur Festigung des Kaisertums in Rom, 1984 43 Ders., Röm. Bildsprache als semantisches System, 1987 44 Ders., Fremdgewordener Kanon. Kl.A. in unklass. Umgebung, in: Frankfurter Allg. Ztg., 23.11.1988 45 Ders., Die unheimliche Klassik der Griechen. Thyssen-Vorträge: Auseinandersetzungen mit der Ant., hrsg. von H. FLASHAR, 1995 46 Ders., Kl.A. am E. des 20. Jh.: Tendenzen, Defizite, Illusionen, in: E.-R. SCHWINGE (Hrsg.), Die Wiss. vom Alt. am E. des 2. Jahrtausends n. Chr., 1995, 197–228 47 Ders., R. LAUTER (Hrsg.), Formen der Kunst und Formen des Lebens. Ästhetische Betrachtungen als Dialog. Von der Ant. bis zur Gegenwart und wieder zurück, 1995 48 W. HOEPFNER, L. SCHWANDNER (Hrsg.), Demokratie und Architektur. Der hippodamische Städtebau und die Entstehung der Demokratie. Konstanzer Symposion vom 17. bis 19. Juli 1987. Wohnen in der klass. Polis, 2, 1989 49 Dies., Haus und Stadt im klass. Griechenland, ²1994 50 W. HOEPFNER, G. ZIMMER (Hrsg.), Die griech. Polis. Architektur und Politik, 1993 51 J. IRMSCHER, K. ZIMMERMANN, H. PROTZMANN, Die Dresdner Antiken und Winckelmann. Schriften der Winckelmann-Ges. 4, 1977 52 W. JAEGER (Hrsg.), Das Problem des Klass. und die Ant. Acht Vorträge Naumburg 1930, 1933 (²1961) 53 U. JANTZEN, Einhundert J. Athener Institut 1874–1974. Das Dt. Arch. Instit. Geschichte und Dokumente, 10, 1986 54 H. JUCKER, Vom Verhältnis der Römer zur bildenden Kunst der Griechen, 1950 55 K. JUNKER, Das Arch. Instit. des Dt. Reiches zw. Forsch. und Politik 1929–1945, 1997 56 C. JUSTI, Winckelmann und sein Jh., ³1923

57 G. KASCHNITZ VON WEINBERG, Kleine Schriften zur Struktur. Ausgewählte Schriften I, hrsg. von H. v. HEINTZE, 1965 58 H. KLOFT, Antikenrezeption und Klassizismus, Jb. der Wittheit zu Bremen 1993/94, 17–23 59 A. B. KNAPP (Hrsg.), Archaeology, Annales, and Ethnohistory, 1992 60 F. KOEPP, Gesch. der Arch., in: W. OTTO (Hrsg.), HdArch I, 1939, 11–66 61 W. KRÄMER et al., FS zum 75-jährigen Bestehen der Röm.-German. Kommission, BRGK 58, 1977, Beih. 1979 62 M. KUNZE (Hrsg.), Johann Joachim Winckelmann. Neue Forsch. Schriften der Winckelmann-Gesellschaft 11, 1990 63 Ders. (Hrsg.), Röm. Antikenmus. im 18. Jh., 1998 64 H. KYRIELEIS, Schliemann in Griechenland. JRGZ 25, 1978, 74–91 65 H. LADENDORF, Antikenstudium und Antikenkopie. Vorarbeiten zu einer Darstellung ihrer Bed. in der ma. und neueren Zeit, ²1958 66 E. LANGLOTZ, Klass. Ant. in heutiger Sicht. Vortrag im Freien Dt. Hochstift, 1956 67 A. H. LAYARD, Niniveh and its Remains, London 1849 68 Foundation Hardt pour l'étude de l'antiquité classique (Hrsg.), Le classicisme à Rome aux 1ers siècles avant et après J. C. Entretiens sur l'antiquité classique Vandoeuvres – Genève 21–26 août 1978. Entretiens 25, 1979 69 A. LEIBUNDGUT, Künstlerische Form und konservative Tendenzen nach Perikles. Ein Stilpluralismus im 5. Jh. v. Chr.? Trierer Winckelmannprogramme 10, 1989 70 A. LEIBUNDGUT-MAYE, Gleichzeitigkeit des Ungleichzeitigen. Die Stilebenen in der trajanischen Kunst und ihre Botschaft, in: Johannes Gutenberg-Univ. Mainz, Antrittsvorlesungen Bd. 5, 1989, 15–29 71 R. LULLIES, W. SCHIERING (Hrsg.), Archäologenbildnisse, 1988 72 F. G. MAIER, Von Winckelmann zu Schliemann – Arch. als Eroberungswiss. des 19. Jh., 1992 73 H. MANDERSCHEID, Die Skulpturenausstattung der kaiserzeitlichen Thermenanlagen, 1981 74 H. MARWITZ, Stefan George und die Ant., WJA 1, 1946, 226–257 75 F. MATZ, Strukturforsch. und Arch., Studium generale 17, 1964, 203–219 76 A. MICHAELIS, Ein Jh. kunstarch. Entdeckungen, 1908 77 C. MOATTI, Rom. Wiederentdeckung einer ant. Stadt, 1995 78 K. O. MÜLLER, Hdb. der Arch. der Kunst, ³1848 79 H. MÜLLER-KARPE, Die Gründung der Kommission für Allg. und Vergleichende Arch., in: Beitr. zur all. und vergleichenden Arch. 2 , 1980, 1–22 80 W. MÜLLER-WIENER, Arch. Ausgrabungsmethodik, in: Enzyklopädie der geisteswiss. Arbeitsmethoden, Lfg. 10, Methoden der Geschichtswiss. und der Arch., 1974, 253–287 81 H. G. NIEMEYER, Methodik der Arch., ebd., 217–252 82 Ders., Einführung in die Arch., ³1983 83 Ders., Heinrich Schliemann, die Klass. Arch. und die Entdeckung der Vorgesch. Griechenlands, in: Das Alt. 43 (Heft 2), 1997, 85–91 84 H. OEHLER, Foto+Skulptur. Röm. Ant. in engl. Schlössern. Katalog der Ausstellung Köln, 1980 85 E. PÖHLMANN, W. GAUER (Hrsg.), Griech. Klassik, Erlanger Beitr. zur Sprache, Lit. und Kunst 75, 1994 86 R. POSNER, Kultur als Zeichensystem. Zur semiotischen Explikation kulturwiss. Grundbegriffe, in: A. ASSMANN, D. HARTH (Hrsg.), Kultur als Lebenswelt und Monument, 1991, 37–71 87 W. REHM, J. J. Winckelmann, Briefe, Bd. I-IV, 1952–1957 88 K. REINHARDT, Die klass. Philol. und das Klass., in: Von Werken und Formen, 1948, 419–457 (mit Lit. zum Dritten Human.) 89 G. RODENWALDT, Arch. Instit. des Dt. Reiches 1829–1929, 1929 90 D. RÖSSLER, Eduard Gerhards »Monumentale Philol.«, in: H. WREDE (Hrsg.), Winckelmann-Instit. der Humboldt-Univ. zu Berlin 2, 1997, 55–61 91 A. RUMPF, Arch. I. Einleitung. Histor. Überblick, 1953 92 B. SAUER, Gesch. der Arch., in: H. BULLE (Hrsg.), HdArch, Bd. I, 1913, 80–141. Im Rahmen des Hdb. der klass. Alt.-Wiss., Bd. VI, hrsg. von W. OTTO 93 H.-J. SCHALLES, H. v. HESBERG, P. ZANKER (Hrsg.), Die röm. Stadt im 2. Jh. n. Chr. Der Funktionswandel des öffentlichen Raumes. Kolloquium Xanten 1990, 1992 94 K. SCHEFOLD, Wirkung Stefan Georges, Castrum Peregrini 35, 1986 (Heft 173/74), 72–97 95 W. SCHIERING, Zur Gesch. der Arch., in U. HAUSMANN (Hrsg.), Allg. Grundlagen der Arch., HdArch VI, 1, 1969, 11–161 96 L. A. SCHNEIDER, Zur sozialen Bed. der archa. Korenstatuen, 1975 97 Ders., B. FEHR, K.-H. MEYER, Zeichen-Kommunikation-Interaktion. Zur Bed. von Zeichen-, Kommunikations- und Interaktionstheorie für die Kl.A., Hephaistos 1, 1979, 7–41 98 Ders., Die Domäne als Weltbild. Wirkungsstrukturen der spätant. Bildersprache, 1983 99 Ders., P. ZAZOFF, Konstruktion und Rekonstruktion. Zur Lesung thrakischer und skythischer Bilder. JDAI 109, 1994, 143–216 100 A. SHERRATT, What can Archaeologists learn from Annalists? in: A. B. KNAPP (Hrsg.), Archaeology, Annales, and Ethnohistory, 1992, 135–142 101 H. SICHTERMANN, Kulturgesch. der Kl.A., 1996 102 D. B. SMALL, Monuments, Laws and Analysis: Combining Archaeology and Text in Ancient Athens, in: D. B. SMALL (Hrsg.), Methods in the Mediterranean. Historical and Archaeological Views on Texts and Archaeology, Mnemosyne 135, 1995, Suppl., 143–174 103 C. B. STARK, Hdb. der Arch. der Kunst I, Systematik und Gesch. der Arch. der Kunst, 1880, 80–400 104 V. M. STROCKA, Das Bildprogramm des Epigrammzimmers in Pompeji, MDAI(R) 102, 1995, 269–290 105 E. THOMAS, Griech. Mythenbild und augusteische »Propaganda«, in: E. G. SCHMIDT (Hrsg.), Griechenland und Rom. Vergleichende Unt. zu Entwicklungstendenzen und -Höhepunkten der ant. Gesch., Kunst und Lit., 1996, 252–263 106 M. TORELLI, Typology and structure of Roman historical reliefs, 1982 107 W. TRILLMICH, P. ZANKER (Hrsg.), Stadtbild und Ideologie. Die Monumentalisierung hispanischer Städte zw. Republik und Kaiserzeit. Kolloquium Madrid 1987, 1990 108 G. B. WAYWELL, Hand-guide to the Classical Sculptures of Holkham Hall, Houghton Hall, Chatsworth, Castle Howard, Duncombe Park and Newby Hall. Classical Sculpture in English Country Houses. 11th International Congress of Classical Archaeology London, 1978 109 A. WILTON, I. BIGNAMINI (Hrsg.), Grand Tour. The Lure of Italy in the Eighteenth Century. Katalog der Ausstellung London, 1996/97 110 H. WÖLFFLIN, Kunstgeschichtliche Grundbegriffe, 1915 (¹⁸1991) 111 M. WÖRRLE, P. ZANKER (Hrsg.), Stadtbild und Bürgerbild im Hell., Kolloquium München 1993, 1995 112 F. A. WOLF, Darstellung der Alterthums-Wiss. nach Begriff, Umfang, Zweck und Werth, Berlin 1807 (Ndr. Acta Humaniora, 1986, mit einem Nachwort von J. Irmscher) 113 H. WREDE, Das Mausoleum der Claudia Semne und die bürgerliche Plastik der Kaiserzeit. MDAI(R) 78, 1971, 125–166 114 Ders., Die spätant. Hermengalerie von Welschbillig, 1972 115 Ders., Die Entstehung der Arch. und das Einsetzen der neuzeitlichen Geschichtsbetrachtung, in: W. KÜTTLER, J. RÜSEN, E. SCHULIN (Hrsg.), Geschichtsdiskurs Bd. 2, 1994, 95–119 116 P. ZANKER, Grabreliefs röm. Freigelassener, JDAI 90, 1975, 267–315 117 Ders., Die Bildnisse des Augustus. Herrscherbild und

Politik im kaiserlichen Rom, 1978 **118** Ders., Provinzielle Kaiserporträts. Zur Rezeption der Selbstdarstellung des Kaisers, 1983 **119** Ders., Augustus und die Macht der Bilder, ²1990 **120** Ders., Pompeji. Stadtbild und Wohngeschmack, 1995 **121** Ders., Mythenbilder im Haus, in: Acts of the 15th internat. Congress of Classical Archaeology Amsterdam 1998 (im Druck) **122** G. ZIMMER, Locus datus decreto decurionum. Zur Statuenaufstellung zweier Forumsanlagen im röm. Afrika, 1989.                    HANS GEORG NIEMEYER

## II. NEUE FUNDE
A. EINLEITUNG   B. 19. JAHRHUNDERT
C. 20. JAHRHUNDERT

### A. EINLEITUNG

Die Kl. A. ist, wie alle Archäologien, geradezu spezifisch auf den Zuwachs neuen Materials und auf N. F. ausgerichtet und dies nicht erst seit jüngster Zeit. Zugleich ist die Menge der Neuen Funde (N. F.) längst zum Problem des Fachs geworden. Deshalb wollen die folgenden Zeilen fragen, was denn N. F. für die Befindlichkeit der Disziplin beitragen und ob sie nicht besser daran täte, die bekannten Quellen neu und ausdauernder auszuschöpfen. Wie geht die Fachdisziplin der Kl. A. mit ihren Neufunden um? Wie steht es um die Rezeption der Neufunde innerhalb dieser Fachdisziplin und darüber hinaus? Warum gilt die Aufgabenstellung eigentlich dem Neufund? Haben diejenigen Wissenschaftler Recht, die argumentieren, daß überhaupt nur mit neuem Material aus dokumentierten neuen Befunden Fragestellungen und Antworten zu entwickeln seien? Suggeriert nicht die Suche nach dem N. F. die alte, in der Arch. lange wirkkräftige, aber längst ungültige Vorstellung vom »schönen Fund«? Ist nicht der *Befund* längst viel wichtiger als der *Fund*? Was ist denn der Grund dafür, daß eine neue Grabung begonnen wird oder eine bestehende Grabung fortgeführt wird? Eine neuere Geschichte der Arch., die das Ganze des Faches und nicht nur einzelne Institutionen oder Aspekte in den Blick nähme, ist noch nicht geschrieben, so daß auch hier nur Ausschnitte berührt werden können.

### B. 19. JAHRHUNDERT

Die Frage nach der Wirkung und den Folgen von N. F. hat Tradition. Dabei wird die frühe Rezeption der großen Entdeckungen des 18. Jh. etwa in → Herculaneum [1], → Pompeji [25; 17], Paestum [30] und → Athen [37] nicht weiter verfolgt, weil sie, so sehr diese Ausgrabungen und Publikationen auch zeitgenössische Folgen hatten, vor der Etablierung einer Fachwiss. in der ersten Hälfte des 19. Jh. liegen. Lehrreich ist, wie der Rückblick auf das vergangene Jh. auf der Wende vom 19. zum 20. Jh. in zwei Publikationen praktiziert wird, die sich nicht nur im Umfang, sondern auch im methodischen Ansatz unterscheiden.

Reinhard Kekule von Stradonitz [2] macht in seiner Berliner Rektoratsrede von 1901 [23] durchaus unter der Voraussetzung ›Der Wechsel der Vorstellung von griech. Kunst ist hervorgerufen worden in erster Linie

und vor allem anderen durch das Bekanntwerden von Zeugen dieser Kunst, die vorher nicht vorhanden waren‹ [23.4] allein die Skulptur zum Thema. Kekule sah vier Höhepunkte in der Entdeckung der Skulpturen des → Parthenon, des Aphaiatempels auf → Aigina, des Zeustempels in → Olympia und des Großen Altars von → Pergamon, doch resümierend bleibt als der bedeutendste Zugewinn des 19. Jh. ›das gesteigerte Verständnis und die bessere Würdigung der arch. und der hell. Kunst‹ [23. 27]. Den Olympia-Skulpturen bleibt vorerst nur der Platz zw. den Aegineten und den Parthenonskulpturen [23. 19], die Eigenart des »Strengen Stils« aus sich zu würdigen, war die Zeit noch nicht reif. Auch daß die Aegineten nach Jahrzehnten der Fremdheit durch das 19. Jh. hindurch erst durch die neuen arch. Funde der Athener Akropolis ab 1885 verständlicher geworden waren, bleibt als Einschränkung gegenüber Kekules Rückblick bestehen. Vor allem aber: es ist nur von den Fundstücken und Kunstwerken die Rede, die eigentlichen Ausgrabungen und Befunde bleiben außer Betracht, obwohl die Grabungen von Olympia zum ersten Mal in der Kl. A. Stratigraphie methodisch vorangetrieben hatten [26. 121–129] und obwohl Kekule zuvor als Berliner Museumsdirektor Ausgrabungen in Kleinasien und auf Samos in Gang gebracht und gefördert hatte. Seine Rede versucht noch einmal, die N. F. im Lichte des Idealismus zu sehen. Die N. F. werden aus dem Erkenntnisinteresse der Kunstarch. als Einzelkunstwerke gesucht und verstanden. Der Wunsch nach dem »Bekanntwerden von neuen Zeugen« erweist sich als ein unspezifisches Interesse an einem Zustrom von »hoher« Kunst.

In anderem Habitus kommt Adolf Michaelis' [13] fünf Jahre später erschienenes Buch [26] daher, wenn er die ›Arch. zu den Eroberungswiss. des 19. Jh.‹ zählt [26. 1]; die ›Arch. des Spatens‹ [26. VII] ist dem Fach als populärer Jargon geblieben. Michaelis stand damals (wie eigentlich auch Kekule) mitten in dem Prozeß der Verwandlung des Faches von seinem philol.-kunsthistor. Ursprung hin zu einer komplexen methodenreichen und methodenbewußten histor. Disziplin und speziell zu einer Grabungswiss., und davon v. a. handeln die Kapitel seines Buches: ›Überall strebt die Grabung, ohne das Einzelne und Kleine zu vernachlässigen, dem Ganzen zu. Die urspr. Gestaltung sowohl der Gesamtanlage wie aller einzelnen Teile zu ermitteln, die allmählichen Umgestaltungen durch den Lauf der Zeiten zu verfolgen, jeder Einzelheit ihren festen Platz in dieser Entwickelung anzuweisen und so die Ausgrabung zugleich zu einer Rekonstruktion des verlorenen Ganzen zu machen‹ [26. 152].

Eingesetzt hatte das veränderte Verhältnis zu N. F. früh im 19. Jh., wie an der *Denkschrift über Notwendigkeit und Zweck der Hyperboreisch-Römischen Gesellschaft* aus den 20er Jahren des 19. Jh. [33. 5–20, bes. 18 ff.] zur Gründung des *Istituto di Corrispondenza Archeologica* und an der Frühgeschichte dieses Instituts und dem Umgang mit Neufunden in seinen regelmäßigen Adunanzen abzulesen ist [28. 9–12]. Aber die eigentliche Umkehr in den Erkenntnisinteressen hin zur Ausgrabungswiss. erfolgt erst in der zweiten Hälfte des Jh.

Nach der Mitte des 19. Jh. führte einerseits die Einsicht, daß die Evolutionstheorie des Charles Darwin den Menschen einschloß [10], zu dem Schluß, daß auch der Homo sapiens eine lange Geschichte hinter sich habe, eine längere, als die alten Berechnungen von der Schöpfung der Welt einst vorsahen. Das machte den Weg frei, menschliche Artefakte früherer Zeiten neu und unbefangener zu beurteilen. Zugleich aber beginnt in diesen Jahren, daß nationale Interessen auch in der Arch. sichtbar werden und Folgen haben (»Arch. als Eroberungswiss.«). Das *Istituto di Corrispondenza Archeologica* wird zu einer preußischen Staatsanstalt (1859), die → École Française d'Athènes wird in Griechenland gegr. (1846). Die anderen nationalen Forschungsanstalten in den Mutterländern der griech. und der röm. Kultur folgen mit dem Abstand, der der polit. Entwicklung entspricht, d.h. für Deutschland nach der Reichsgründung. Mit der Gründung der nationalen Forschungsanstalten verdichtete sich der Zusammenhang zwischen Politik und arch. Wiss. allerorten. Forschungsprojekte wurden durchaus auch mit nationalem Prestigedenken projektiert, und so setzten an vielen Plätzen des Mittelmeergebiets Ausgrabungen ein. Dieser Bereich, der in das größere Kapitel über »Arch. und Gesellschaft« gehört, muß eines der wichtigen Kapitel einer künftigen Geschichte der Arch. werden. In unserem Zusammenhang ist von Bed., daß sich auf diese Weise die arch. Denkmäler, Grabungen und Befunde in sehr kurzer Zeit ganz außerordentlich vermehrten und daß die Forsch. viele Möglichkeiten erhielt, ihre neuen Grabungsmethoden zu entwickeln und zu verfeinern. Die Arch. wurde endgültig zur »Wiss. des Spatens«. Delos und Delphi, Olympia und Pergamon, → Mykene und → Knossos, das sind Stichworte, die einem die Pionierzeit jener Jahrzehnte sofort und deutlich vor Augen rufen. Man könnte und müßte die Liste um die großen Grabungsplätze Ägyptens und des Zweistromlandes erweitern. Ohne die technischen und maschinellen Hilfen, die h. zur Verfügung stehen, wurden in der 2. H. des 19. Jh. gewaltige Schwierigkeiten arch. Feldarbeit angepackt (und bewältigt!) und nun zunehmend im Sinn einer systematischen Grabungswissenschaft durchgeführt. Daß Feldarch. als Schatzgräberei daneben lange überlebte, ist eines der dunklen Kapitel der Klass. Arch. und ihrer Schwesterdisziplinen.

Am Anfang des Weges zu einer systematischen Grabungswiss. stehen übrigens nicht die Ausgräber im Mittelmeergebiet und im Orient, sondern Leute wie der Däne J. K. Worsaae mit seinen Ausgrabungen in Jütland oder Pitt Rivers mit seinen Ausgrabungen in England [24. 36–39]. Giuseppe Fiorelli in Pompeji [15; 16], Alexander Conze in Samothrake [9], Ernst Curtius und Wilhelm Dörpfeld in Olympia [10], Heinrich Schliemann in → Troja und → Mykene (zuerst [34; 35]) oder Flinders Petrie in Ägypten [29; 30] folgten mit zeitli-

chem Abstand. Doch damit war der Weg nicht mehr umkehrbar. Die Arch. wird zu einer Disziplin von eigener Struktur und eigenem Typus.

Die Weiterentwicklung der grabungswiss. Methoden hat seit ihren ersten Anfängen nicht aufgehört. Zugewinn der technischen Entwicklung und Entdeckungen der Naturwiss. haben kontinuierlich Einfluß auf die arch. Methode ausgeübt. Nebenbei: die Verfeinerung der grabungswiss. Methode hat natürlich auch ihren Preis. Die Grabung verlangsamt sich notwendig in einer Weise, die sie in permanente mehrfache Konflikte bringt gegenüber dem Geldgeber, der die Kostensteigerung bald einmal nicht mehr gewillt ist hinzunehmen, gegenüber der Öffentlichkeit, die sich bald einmal um ihr Recht betrogen sieht, informiert zu werden, und gegenüber dem Grabungsplatz selbst, auf dem die Risiken unwillkürlicher oder willkürlicher, aber eben nicht dokumentierter Zerstörungen zunehmen. Die »große Grabung« muß sich schließlich auch den Vorwurf gefallen lassen, daß das große Geld, das auf sie konzentriert wird, indirekt am Auslöschen der vielen kleinen Fundplätze mitschuldig ist, die vernachlässigt werden. Immerhin: neuerdings vermögen die jungen Mittel der arch. Prospektion hier teilweise Abhilfe zu schaffen (z. B. [19]).

Das Ziel grabungswiss. Methode ist in der Klass. Arch. eindeutig histor. oder wieder histor. (s.u.), aber ihre Verfahren nähern sich an naturwiss. Verfahren an und haben Anteil an der Weiterentwicklung der technisch-naturwiss. Methoden und Apparate. Hauptziel der Grabung und der Grabungspublikation sind auch nicht mehr Fundgruppen, es geht nicht mehr um die Funde von Materialklassen (die natürlich weiter ihr Recht verlangen), sondern um die Ensembles von Funden, die an die soziale Wirklichkeit der »Erblasser« dieser Funde heranführen. Die *New Archaeology* der 1960er Jahre spitzte das seinerzeit zu auf ›archaeology is anthropology or nothing‹ [14. 9]. Die Bodenforsch. liefert zunächst Fakten, Tatbestände, die meßbar sind, die gemessen und dokumentiert werden müssen. Das weckt die Hoffnung, die arch. Wiss. seien nicht mehr auf die geisteswiss. hermeneutische Methode angewiesen, und gelegentlich hat die Forsch. diesen Anspruch auch mit Stolz formuliert. Die *New Archaeology* sah die Arch. insgesamt als eine Naturwiss. und zog daraus ihre Berechtigung zu gesetzähnlichen Verallgemeinerungen, woraus sich dann auch das Interesse an Quantifizierung und ähnlichen Fragerichtungen ergab, aber auch der Konflikt mit der Unwiederholbarkeit und Einmaligkeit von Geschichte [14; 4. 35 ff.]. Außerdem: Ohne den zweiten Fragendurchgang hermeneutischer Art geben die Befunde und Bodenfunde nur die erste Hälfte ihrer Informationen preis, was im Ansatz bereits in den ebenso unterhaltsamen wie programmatischen Kontradiktionen des sehr systematischen Ausgräbers Flinders Petrie enthalten ist: ›the only rule that may be called general is, that digging must be systematic‹, und zwei Sätze weiter: ›the main acquirement always needed is plenty of imagination. Imagination is the fire of discoverment‹ [30. 156]. Der damaligen arch. Feldarbeit wird der entscheidende Paradigmenwechsel verdankt, der Wandel der Leitinteressen hin auf histor. Fragestellungen. Geschichte und Arch. näherten sich gegenseitig an, aber die Archäologie hat das mehr verändert als die Alte Geschichte. Nunmehr wurde es eindeutig das Ziel aller → Archäologischen Methoden und Verfahren, Lebensformen und Gesellschaften der Vergangenheit zu rekonstruieren, den ant. Menschen als sozial handelndes Individuum oder als Gruppe verstehen zu lernen. Natürlich geschah dieser Paradigmenwechsel nicht schlagartig und nicht überall gleich bereitwillig. Der Zuwachs an ganz neuen, bisher unbekannten Denkmälergruppen erschloß histor. Zeitabschnitte, die nach der bisherigen Quellenlage kaum zugänglich waren, was aber nur teilweise zögerlich und mit Verspätung wahrgenommen wurde. Triumph und Niederlage der neuen arch. Methode lagen dabei dicht nebeneinander.

Als folgenreiche Niederlage steht die Ausgrabung der Akropolis von Athen [7]. Nachdem der junge griech. Staat den Burgberg von Bewohnern und Besatzung hatte räumen lassen und nachdem Schinkels Gedanke, hier die Residenz des Königs zu etablieren, gescheitert war, überließ der Herrscher die Burg den Archäologen. Daß dann bei den ersten Arbeiten vor der Jahrhundertmitte grabungswiss. Methoden noch keine Rolle spielten, erklärt sich aus der wiss. Situation der Zeit. Die große Grabungskampagne, die ab 1882 und in vollem Umfang ab 1885 von griech. und dt. Archäologen gemeinsam ins Werk gesetzt wurde, füllte einerseits vorab den verhängnisvollen Entscheid, es sei die Akropolis des 5. Jh. v. Chr., der Burgberg der Zeit des Perikles wiederherzustellen. Damit wurde alles andere dem Untergang preisgegeben und so gut wie nichts dokumentiert. Andererseits ging man durchaus mit dem neuen Wissen um Stratigraphie und ihre Bed. ans Werk. Da die Schichten der Jt. auf der Akropolis gar nicht ungestört sein konnten, gerieten die Ausgräber bald ans E. ihres Lateins. Sie zogen in dieser unerwarteten Situation nicht den Schluß, erst einmal abzuwarten, sondern man ließ das ganze bereits erworbene methodische Rüstzeug fahren und kippte alles »Erdreich« einfach von der Akropolis herunter. Die Stratigraphie der Akropolis ist damit endgültig verloren. Statt dessen konzentrierte man sich auf die Funde, und so kamen die vielfältigen Skulpturen archa. Zeit, die die Akropolis vor der Zerstörung des J. 480 v. Chr. so prächtig geschmückt hatten, zutage. Jetzt wurden Denkmäler einer Zeit sichtbar, aus der auch nur Splitter der archa. Lyrik überliefert waren, freilich auch von ihr deutlich weniger bekannt als heute. Die archa. Skulptur der Votivstatuen und der Schmuck der archa. Bauten war so neuartig und fremd, daß die Generation der Ausgräber ihn kaum zu würdigen wußte.

Die Ausgrabung Olympias stellt sich demgegenüber als Erfolgsgeschichte dar, allerdings auf der Grundlage einfacherer Voraussetzungen [10; 20. 203–207]. Nach-

dem der Alpheios in früh- und mittelbyz. Zeit die Reste des halbwegs zerstörten Heiligtums und die Spuren der letzten frühbyz. Besiedlung innerhalb des ehemaligen Heiligtums vollends unter seinem Schwemmsand begraben hatte, blieb der Platz für Jh. so gut wie unberührt. Der frühe Versuch, die stratigraphische Methode zu verfolgen, mißachtete zwar auch die letzte Besiedlungsphase des Platzes, fand darunter aber vielfach ungestörte Schichten vor. Deshalb ist heute Olympia der einzig verläßliche Ausgangspunkt für die Arch. der Religion der griech. Frühzeit, wenn es um das Heiligtum geht, und kann es nicht → Delphi sein, wo man ohne jede Stratigraphie begann. Hier in Olympia begegnete die Forsch. in tausenden von kleinen und großen Bronzewerken erstmalig der Opfer- und Stiftungsleidenschaft griech. Frömmigkeit in der Zeit Homers. In Olympia hatten die Forsch. und ihr allg. Publikum erstmalig Gelegenheit, Einblick in die rel. Erfahrungen, aber auch in die rel. Zwänge der frühen Heiligtumsbesucher zu nehmen. Von den Skulpturen des Zeustempels wanderte weniges durch unsystematische Grabungen früher Expeditionen ab, aber in der Hauptsache fanden die beginnenden dt. Grabungen ab 1875 die Fragmente neben einzelnen weiten Verschleppungen in der Nähe des Baus. Deshalb war die Verteilung der Fragmente auf die beiden Giebelseiten von Anfang an weitgehend klar und konnten die Ausgräber bereits eine Rekonstruktion vorlegen, die zwar später in Details zu korrigieren war, die jedoch eine angemessene Begegnung mit jener eigentümlichen ebenso nach-archa. wie vor-klass. Formenwelt erlaubte, der später die Bezeichnung »Strenger Stil« gegeben wurde [8]. Die Generation der Ausgräber erkannte zwar das Fremdartige und ganz Neue dieser Kunst [5], mußte es aber bei diesem Befremden belassen. Erst die nachfolgende Generation konnte sich ganz auf sie einlassen und sie als eine eigene Stufe der griech. Kulturgeschichte erkennen [8]. Kennzeichnend ist, daß der zugleich gefundene Hermes des Praxiteles sogleich in verkleinerten Ausschnittkopien in Marmor und Ton als → Souvenir in die Salons der Bürgerhäuser Einlaß fand, der gleiche Hermes, auf den eine Generation später (1909) Aristide Maillol mit Degout reagierte (‹sculpté comme dans du savon de Marseille‹) [5. 59f., 69]. Bis die Skulpturen des Zeustempels der Souvenirindustrie anheimfielen, brauchte es erheblich länger. Die Zeit ihrer Entdeckung war gleichsam noch nicht reif für sie.

### C. 20. JAHRHUNDERT

In der Aussage, der Schritt zur Grabungswiss. sei ein unumkehrbarer geworden, ist wesentlich auch die Erfahrung des heutigen Alltags enthalten. Angesichts des jungen Alters des Faches als einer methodenbewußten histor. Disziplin kann es um die Quellenlage des arch. Arbeitens nur schlecht stehen. Entweder sind die Altbestände nicht hinreichend aufgearbeitet und publiziert, oder es mangelt überhaupt an hinreichendem Quellenmaterial für die Antwort auf Fragen, die den Forscher bewegen. Also steht ein jeder immer wieder vor dem

Abb. 1: Delphi, Ausschnitt aus dem Nordfries des Siphnierschatzhauses: Athena und Achilleus (?) im Gigantenkampf. Der Einbezug neuer photographischer Methoden (UV-, Streiflicht-Photographie usw.) ermöglichte seit der Mitte der 60er Jahre einen Zugewinn an Beobachtungen und Dokumentation, der Neufunden gleichkommt. Die Entschlüsselung der farbigen Fassung griechisch-archaischer Skulptur hat begonnen und wird ihre Bewertung erheblich verändern.

Entscheid, sich hinreichend aussagekräftiger Quellen innerhalb seines Arbeitsbereichs zu vergewissern. Ein Entscheid kann der für eine gezielte Ausgrabung sein, die die gesuchten Quellen liefern soll. Dies dann mit der Implikation und dem »Risiko«, daß der Ausgräber damit auch die Verantwortung für die nicht gesuchten und unerwarteten Quellen übernimmt. Als im Nachkriegs-Pergamon die Unt. der Wohnstadt begonnen wurde, ging es darum, zu den Palästen der Oberstadt die hell. und frühröm. bürgerlichen Quartiere hinzu zu finden und ihre Interaktion zu klären. Gefunden wurde in Wahrheit das frühbyz. Pergamon, und nirgendwo im östl. Mittelmeer erfährt man mehr über den kulturellen Habitus frühbyz. städtischen Lebens als in Pergamon [31]. Alte Funde werden als Grabungsergebnis gar nicht mehr wahrgenommen, so daß eine aktuelle Dissertation über Häuser von Pompeji einleitend behaupten kann, ihre Ideen basierten ›nicht auf Grabungen, sondern allein auf oberirdisch sichtbaren Befunden‹, aber zugleich treuherzig zu bedenken gibt, die Erfahrung zeige, ›daß gezielte Nachgrabungen zur Überprüfung von Vorstellungen selten das erwünschte Ergebnis erbringen, ja stets das Risiko bergen, die Zahl der ungelösten Probleme noch zu vermehren‹ [12. 16f.]. Für die Quellenbeschaffung ist heute nicht nur die »Archäologie des Spatens« zuständig, sondern faszinierende neue Prospektionsmethoden bewähren sich immer mehr (z.B. [18]), wie neue Techniken die Lesemöglichkeiten altbekannter Denkmäler verfeinern (vgl. z.B. Abb. 1) .

Eine ganze Disziplin ist mittlerweile auf den Zuwachs durch neue Grabungen und den Neufund eingestellt. Wo immer möglich, führt ein jedes Universitätsinstitut »seine« Grabung durch oder beteiligt sich an einem Unternehmen anderer. Dennoch verselbständigt sich der Zuwachs an Neufunden und neuen Befunden gleichzeitig und entfernt sich von uns. Der gewaltige Modernisierungsschub der letzten 50 J. in den Mittelmeerländern veränderte die Besiedlung der klass. Länder stärker als ganze Jh. zuvor, so daß Neufunde von weniger einschneidender Bed., als sie die Großgrabungen (big digs unter amerikanischen Kollegen) lieferten, nunmehr zur massenhaften Alltagserscheinung wurden. Die lokalen arch. Dienste dokumentieren unablässig Zufallsbefunde und bergen die Funde. In allen heutigen Mittelmeerländern im Bereich des einstigen Imperium Romanum gibt es eigene Periodica, die nur Grabungen und Neufunde publizieren, und zwar zumeist mehrere in den einzelnen Ländern. Als die NSA an ihren Publikationspflichten zu ersticken begannen, übernahm BA zeitweise die Neuvorlage von Grabungsmaterial und Grabungsergebnissen. Als diese Zeitschrift der Aufgabe nicht mehr gewachsen war, kam das Boll. di Arch. (1, 1990ff.) hinzu. In Nord-It. edieren darüber hinaus die Soprintendenzen der einzelnen Regionen zusätzlich Fundperiodica (pars pro compluribus: Soprintendenza Archeologica della Lombardia. Notiziario 1981ff.; Notizie Archeologiche Bergomensi 1, 1993ff.). In Griechenland stehen neben den Akten der Archäologischen Gesellschaft in Athen *Praktika* und ihrer Kurzfassung im Jahreswerkbericht *To ergon* die staatlichen voluminösen Bände oder Doppelbände der Jahreschronik des Bulletin AD. Ergänzt wird das wiederum von regionalen Berichterstattungen wie den rasch anschwellenden Jahresberichten aus Makedonien *To archeologikó érgo sti Makedonía ke Thráki* 1, 1987ff., in der Türkei stehen ebenfalls für die Grabungsberichte und N.F. mehrere neuere Periodika neben den alten zur Verfügung usw. usw.

Abb. 2: Porträtherme des Themistokles,
Kopie nach einem verlorenen Original um 470 v. Chr.
Ostia, Museo.
Als das Bildnis 1940 gefunden wurde, waren die
»Porträthaltigkeit« und der Realismus des Werks so neuartig,
daß die Forschung anfänglich nicht bereit war, umzulernen
und zu akzeptieren, daß das griechische Porträt im engeren
Sinn bereits im Strengen Stil einsetzt.
Deutsches Archäologisches Institut Rom

Abb. 3: Jünglingsstatue, 1979 auf der Insel Motya
vor der sizilischen Westküste in punischer Siedlung
gefunden.
Mozia, Museo Whitaker.
Die ikonographische Einzigartigkeit, der scheinbare
Gegensatz von Strengem Stil des Kopfes und
»viel späteren« Elementen im Körper und die
überraschenden Realismen in Einzelzügen lassen die
Forschung seit 20 Jahren wenn nicht ratlos so doch
uneins. Eine allgemein akzeptierte Bestimmung und
Deutung der Statue ist nicht erreicht.

Abb. 4: Bronzebildnis, 1969 aus dem Meer von Porticello (Calabria) geborgen.
Reggio C., Museo Nazionale.
Die Beifunde datieren den Untergang des Schiffes in das späte 5. bis frühe 4. Jh. v. Chr. Wegen der realistischen, ausdrucksstarken Physiognomie wurde das Bildnis gleichwohl zuerst als Arbeit hellenistischer Zeit publiziert, wobei man sich über die Aussage des Befundes hinwegsetzte, weil der Neufund in die bisher bekannte Geschichte des griechischen Porträts sich nicht fügen mochte. Immer wieder überrascht bei Neufunden klassisch-griechischer Zeit – seien es nun Porträts oder Idealstatuen – der packende und kraftvolle Realismus im Detail, der so weit von der Glätte der späteren Kopien entfernt ist.
Deutsches Archäologisches Institut Rom

Abb. 5: Heroenstatue aus dem Meer von Riace (Calabrien).
Reggio C., Museo Nazionale.
Mit dem Fund der beiden Statuen 1972 wurde der Bestand originaler klassischer Skulptur aus Bronze auf einen Schlag verdoppelt. Die überaus präsente Körperlichkeit, die Exaktheit der Einzelform, der so nicht erwartete Realismus innerhalb einer groß gesehenen Idealität, das alles übertrifft, was zuvor von den kaiserzeitlichen Kopien der klassischen Skulptur bekannt war.
Die Korrektur des Bildes von der klassischen Plastik ist immer noch nicht allerorten rezipiert, und die Publikation von 1984 (L. V. Borelli, P. Pelagatti (Hrsg.), Due Bronzi di Riace I–II) mit gewitzten Meß- und Zeichenmethoden ist wider Erwarten nicht zum Standard für die Neupublikation von Skulptur geworden.
Hirmer Photoarchiv

Abb. 6a: Königliche Jagd, Fresko über dem Eingang von »Grab II« des Großen Tumulus von Vergina (Makedonien). Rekonstruktion nach M. Andronicos, Vergina. The Royal Tombs, 1984, 102f.

Abb. 6b: Ergänzende Umzeichnung nach L. Baumer.

Die Ausgrabungen der Königsgräber von Vergina begann 1977, doch die wissenschaftliche Publikation ist noch längst nicht abgeschlossen. Die Autorität des Ausgräbers vermochte es, daß die Zuweisung des Hauptgrabes an Philipp II. lange unbestritten blieb. Die Neuinterpretation beginnt, das nunmehr in Zweifel zu ziehen und einen späteren Grabinhaber (Kassander, Philipp III.) zu erwägen. Jedenfalls sind die von Leidenschaft erfüllten Darstellungen die ersten originalen Zeugnisse großer Malerei aus dem späten 4. Jh. v. Chr. und lassen die Nähe zu den Meistern erkennen, die uns bisher nur Namen aus der antiken Kunstkritik waren. Außerdem entscheidet der Neufund von Vergina in der lange kontroversen Streitfrage über den Beginn der Landschaftsdarstellung in der Antike zugunsten eines frühen Beginns im Frühhellenismus.

Dem einzelnen Forscher ist es nicht mehr möglich, die Materialfülle, die alljährlich in diesen Bänden hinzuwächst, auch nur zur Kenntnis zu nehmen. Vielfach lebt die Forsch. neben der Vielzahl neuer Befunde und ihren Funden her, ohne sie noch konkret wahrzunehmen, und wenn in diesem Materialstrom gelegentlich Spektakuläres von genereller kulturgeschichtlicher Bed. auftaucht, dann trifft es auf mißgünstige Skepsis. Oder die Fremdheit des Neuen gerade bedeutender Einzelwerke sperrt sich gegen die Vereinnahmung in die vorhandenen Kategorien und läßt die Forsch. erst einmal stumm werden bzw. mit Unverständnis reagieren. Die Abb. 2–5 illustrieren einige Beispiele aus dem Bereich der griech. Skulptur, deren Rezeption der Forsch. eigentümliche Mühe machte und noch macht. Doch gelegentlich eröffnen N. F. den Zugang zu Bereichen ant. Kunst, die man endgültig verloren glaubte, wie die griech. Malerei (vgl. Abb. 6a-b). Für die einzelnen Regionen des Mittelmeergebiets versuchten und versuchen einzelne Publikationsorgane, über neue Grabungen und Funde zusammenfassend zu orientieren. Für Kleinasien informierte Mechthild Mellink über Jahrzehnte im AJA über *Archaeology in Asia Minor*. Nach ihrem Tod wurde für eine Weile versucht, die Trad. aufrecht zu halten, jetzt scheint sie abzubrechen. Das → Deutsche Archäologische Institut Rom hat über lange Jahrzehnte hin über Forsch. in It. und Nordafrika in resümierenden Fundberichten im AA orientiert. Doch inzwischen setzt Resignation diesen Berichten ein Ende. Es bleiben vorerst die Chronik des BCH und die Resümees der Archaeological Reports. Die Pflicht zur Dokumentation von N. F. und Befunden steht außer Frage. Und es steht zu erwarten, daß hierfür neben und statt der gedruckten Publikation demnächst auch andere, in der neueren Informatik entwickelte Medien genützt werden. Aber die Resignation gegenüber der Überflutung ist unübersehbar.

Dennoch bleibt die Erwartungshaltung gegenüber dem Neufund bestehen, die Ausrichtung auf das Neue, was das auch immer sei. Daß aber die alten Fragen vielfach immer noch auf Antwort warten, daß die alten Antworten überprüft werden müssen oder offensichtlich nicht mehr gelten können, daß vielleicht gar alte Antworten und Einsichten, die Bestand behalten haben, auch die jetzige Generation angehen und ihre zustimmende Überprüfung bei uns Standortveränderungen bewirken könnte, das wird unscharf und verschwommen durch die Fokussierung des Blicks auf den Neufund. Dozenten können dies in ihrer Vorlesung erleben, wenn sie einerseits bewegt und erregt erfahren, wie wenig noch zu einem Thema gelten kann von dem, was sie sich zwei Jahrzehnte zuvor dazu gedacht haben, doch andererseits mitten hinein in diese angespannte und angeregte Entdeckungsreise Studierende des ersten Studienjahrs ihr Herz ausschütten und klagen, sie hätten erwartet, mehr über neue Keramik etc. hinzu zu lernen usw. und müßten jetzt alte Sachen durchnehmen. Das ist dann nicht nur die immer wiederkehrende didaktische Niederlage des Dozenten, der es nicht geschafft hat, sein Erkenntnisinteresse hinreichend zu vermitteln, sondern auch die generelle Disposition, daß es das Neue ist, was zählt. Berge an gelehrtem Wissen und Fundmaterial drohen den Zugang zur »eigentlichen« Ant. zu versperren, wie schon mehrfach in der Geschichte der Altertumswiss., zuletzt in größerer Deutlichkeit im späten 19. Jahrhundert.

Es sei also abschließend zugespitzt. Die aktuelle arch. Forsch. steckt in einem doppelten Paradoxon. Ihr repräsentativtypisches Erkenntnisinteresse ist am Neufund orientiert und sucht ihn, muß ihn auch suchen. Zugleich ist sie nicht und nicht mehr in der Lage, den kontinuierlichen und massiven Zustrom an neuen Daten, Befunden und Funden zu rezipieren und so aufzuarbeiten, daß sich die Splitter der Einzelbeobachtungen und Zufallsergebnisse in hinreichender Weise und angemessener Zeit zu Geschichte verdichten. Zugleich aber sind die altbekannten Denkmäler in ein halb abgedunkeltes Zwielicht geraten, das sie für uns unwichtig werden läßt. Die Forsch. hat nicht mehr den Mut, die altbekannten sog. Meisterwerke auf ihre Aussage für die heutigen Zeitgenossen hin ganz ernst zu nehmen. Der sozialgeschichtliche Zugriff auf große Materialmengen erschließt bestimmte Aspekte ant. Gesellschaften. Aber die Gräberwelt nachklass. Nekropolen Athens und Apuliens, um nur ein Beispiel herauszugreifen, gibt, sozialgeschichtlich befragt (z. B. [3; 18]), nur eine Teilauskunft zur Gesellschaft um diese Gräber. Die hermeneutische Deutung der Grabreliefs und der apulischen Vasenbilder erschließt Realitäten, die der kontextuellen Betrachtung des Grabensembles nicht zugänglich sind (z. B. [22; 36]).

Wie schließlich sähe der Weg aus, die skizzierten Paradoxien zu überwinden? Eine einfache Lösung gibt es natürlich nicht, aber die Suche müßte wohl damit beginnen, sich der laufenden Diskussion zwischen der *New Archaeology* und der postmod. Archäologie, die sich selbst lieber »postprozessuale Archäologie« nennt, zu stellen und in sie einzugreifen. Der postmod. Zugriff etwa eines Michael Shanks [37], der in seiner Forderung nach einer ›prehistory of classical Greece‹ sich zum Fürsprecher eines Pluralismus histor. Wahrheiten macht, ist es wert, daß man sich darauf einläßt und gründlich widerspricht [27]. Wenn Methodenpluralismus einem Pluralismus an Wahrheiten, die alle den gleichen Wert haben, direkt parallel wäre, dann würde Zugewinn an Daten und Funden die Rekonstruktion von Geschichte

allenfalls in die Breite treiben, aber unser Bild ant. Gesellschaft nicht mehr ändern können. Es ist dafür zu plädieren, wieder erneut das alte Geschäft ernst zu nehmen, nämlich zu prüfen, wann Wahrheit verifizierbar, wann falsifizierbar ist. Neues und Altes unter unseren Einsichten und Funden wird in seiner Bed. gleichsam für unser Leben dann durchaus sichtbar werden.

→ Athen (Akropolis); Nationale Forschungsinstitute

1 Antichità di Ercolano, 9 Bde., Neapel 1757–1792
2 G. BAADER, Reinhard Kekule, in: NDB 11, 1971, 424–426
3 J. BERGEMANN, Demos und Thanatos. Unt. zum Wertesystem der Polis im Spiegel der att. Grabreliefs des 4. Jh. v. Chr. und zur Funktion der gleichzeitigen Grabbauten, 1997 4 R. BERNBECK, Theorien in der Arch., 1997 5 C. BLÜMEL, Hermes eines Praxiteles, 1948
6 H. BRUNN, Die Skulpturen von Olympia, in: SBAW 1877, I 1, 128 (wieder abgedruckt in: Ders., KS 2, 1905, 201–217 und gekürzt [19. 203–210]) 7 J. A. BUNDGAARD, The excavation of the Athenian Acropolis 1882–1890, 1974
8 E. BUSCHOR, R. HAMANN, Die Skulpturen des Zeustempels von Olympia, 1924 (Text E. BUSCHOR; wieder abgedruckt [19. 221–235]) 9 A. CONZE et al., Arch. Unt. auf Samothrake, 2 Bde. Wien 1875–1880 10 E. CURTIUS et al. (Hrsg.), Ausgrabungen zu Olympia, 5 Bde., Berlin 1876–1881 11 CH. DARWIN, The Origin of Species, London 1859 12 J. A. DICKMANN, domus frequentata. Anspruchsvolles Wohnen im pompejanischen Stadthaus, 1999 13 H. DÖHL, Adolf Michaelis, in: NDB 17, 1994, 429 f.
14 ST. L. DYSON, A Classical Archaeologist's Response to the New Archaeology, in: BASO 242, 1981, 7–14
15 G. FIORELLI, Appunti autobiografici (Hrsg. und Einführung ST. DE CARO), 1994 16 G. FIORELLI, Giornale degli scavi di Pompei 1, 1850 ff. 17 L. GARCIA Y GARCIA, Nova Bibliotheca Pompeiana 1–2, 1998 18 D. GRÄPLER, Tonfiguren im Grab. Fundkontexte hell. Terrakotten aus der Nekropole von Tarent, 1997 19 M. HEINZELMANN, Arbeitsbericht zu einer zweiten geophysikalischen Prospektionskampagne in Ostia Antica, in: MDAI(R) 105, 1998, 425–429 20 H. V. HERRMANN, Olympia. Heiligtum und Wettkampfstätte, 1972 21 Ders. (Hrsg.), Die Olympia-Skulpturen, 1987 22 N. HIMMELMANN, Att. Grabreliefs, 1999 23 R. KEKULE VON STRADONITZ, Die Vorstellungen griech. Kunst und ihre Wandlung im 19 Jh. Rede bei Antritt des Rectorats, 1901 24 F. G. MAIER, Neue Wege in die alte Welt. Methoden der mod. Arch., 1977
25 F. MAZOIS, Les ruines de Pompéi, 4 Bde. Paris 1812–1838
26 A. MICHAELIS, Die arch. Entdeckungen des 19. Jh., 1906 (in der 2. Aufl. unter dem Titel *Ein Jh. kunstarch. Entdeckungen*, 1908, hier zit. nach der 2. Aufl.)
27 N. MÜLLER-SCHEESSEL, »Archaeology is nothing if it is not critique«. Zum Archäologieverständnis von Michael Shanks und Christopher Tilley, in: M. K. H. EGGERT, U. VEIT (Hrsg.), Theorie in der Arch.: Zur englischsprachigen Diskussion, 1998, 243–271 28 R. NEUDECKER, M. G. GRANINO CECERE, Ant. Skulpturen und Inschr. im Institutum Archeologicum Germanicum, 1997 29 W. M. FLINDERS PETRIE, Seventy years in archaeology, 1931
30 Ders., Ten Years Digging in Egypt, Oxford 1892 (hier zit. nach der 2. Aufl., 1893) 31 J. RASPI SERRA (Hrsg.), Paestum – idea e immagine. Antologia di testi critici e di immagini di Paestum 1750–1836, 1990 32 K. RHEIDT, Die byz. Wohnstadt. Altertümer von Pergamon 15.2, 1991
33 A. RIECHE (Hrsg.), Die Satzungen des Dt. Arch. Inst.

1828 bis 1972, 1979 **34** H. SCHLIEMANN, Ithaka, der
Peloponnes und Troja, 1869 **35** Schliemann und Troja.
Ausstellungskatalog München, Prähistor. Staatssammlung,
1992 **36** M. SCHMIDT, Aufbruch oder Verharren in der
Unterwelt? Nochmals zu den apulischen Vasenbildern mit
Darstellungen des Hades, in: AK 43, 2000 (im Druck)
**37** M. SHANKS, Classical archaeology of Greece: experiences
of the discipline, 1996 **38** J. STUART, N. REVETT, Antiquities
of Athens, 3 Bde., London ²1762–1794.

DIETRICH WILLERS

### III. KONTEXTUELLE ARCHÄOLOGIE
A. BEGRIFF  B. VON KUNST IM KONTEXT ZU
KONTEXTUELLER ARCHÄOLOGIE
C. POMPEJI ALS »IDEALFALL«
D. PROBLEME KONTEXTUELLER ARCHÄOLOGIE

#### A. BEGRIFF

Mit Kont. A. soll eine Arch. bezeichnet werden, in
der der Kontext materieller Überreste als Basis der Er-
forsch. ant. Lebenswelt [50] dient, mit dem Ziel einer
Kulturgeschichte des Altertums [58; 54]. Kont. A. berücksichtigt sprachliche bzw. lit. Überlieferung, betont
jedoch die Eigenständigkeit der visuell zu erfassenden
Quellen (für die Bildwelt: [38; 83]). Grundlage der
Kont. A. ist eine synchron-räumliche Konzeption des
Kontextes, unter Beachtung der Befundkategorien
Grab, Heiligtum und Siedlung [25. 264–268], jedoch
ohne strenge Ausrichtung der Interpretation an diesen
Kontexttypen. Kont. A. wird hier also anders gefaßt als
in der durch Hodder propagierten »Contextual Archaeology« [35. 118–146], da Hodder Kontext nicht nur
räumlich, von der kleinsten erkennbaren arch. Einheit
bis zur arch. Kultur [36. 85], faßt, sondern darunter auch
Forschungskonstrukte wie typologische oder stilistische
Reihungen und Gruppierungen oder Systemzusam-
menhänge (Kritik: [8]) versteht. Es wird vorausgesetzt,
daß über arch. Kontexte Aussagen zur Lebenswelt auch
über die lit. Überlieferung hinaus möglich sind. Der
kontextuelle Ansatz ist dabei mit Whitley ›the sine qua
non of any attempt to write cultural history from archaeological evidence‹ [78. 52]. Grundlage dafür ist, daß
arch. Kontexte – ganz abgesehen von post-depositio-
nalen Aspekten – nicht als Widerspiegelung ant., auch
nicht der materiellen, Verhältnisse gelten können, sondern als Zeugnisse einer zeitlich und räumlich fixierten
Auswahl, die durch spezifische menschliche Handlungen und Vorstellungen bestimmt ist [69. 356–358;
38.151].

#### B. VON KUNST IM KONTEXT ZU
KONTEXTUELLER ARCHÄOLOGIE

Obwohl der Befundkontext spätestens seit Beginn
der auf größere Zusammenhänge ant. Orte ausgerichteten wiss. Ausgrabungen des späten 19. Jh. zu den Konnotationen mod. Arch. gehört, ist die Arch. de facto bis
weit ins 20. Jh. durch die Einbindung dekontextualisierter Funde und Bilder bzw. Bildmotive in typologische, stilistische oder ikonographische Reihungen und
Gruppierungen gekennzeichnet, zu deren Interpreta-

tion dann aktualistische Anleihen in der lit. Überlieferung
vorgenommen wurden. Daher wurde sowohl in der
Kunstgeschichtskonzeption Panofskys als auch in der
kunstgeschichtlichen Arch. Bianchi Bandinellis der
Zwischenkriegszeit Arch. geradezu als Rekonstruktion
des Kontextes der Kunstdenkmäler und damit zugleich
nur als Vorarbeit der ikonologischen bzw. formalen Interpretation aufgefaßt [59. 19–28; 15. 362].

Seit den 1960er J. gilt Kontext jedoch als Schlüssel
zur Überwindung des – letztendlich polit. [44; 9. 100–
102] motivierten – Gegensatzes zwischen Ikonologie
und Hermeneutik der Form. Mit den von Gombrich
bzw. Belting vorgeschlagenen Konzepten Genre und
Decorum [29] bzw. Funktion, Gattung und Medium
[10] ist über die Betonung des Kontextes für die Interpretation der Kunstwerke aber auch der Zugang auf
eine Sicht der Denkmäler im Kontext menschlicher
Handlungen bzw. der Weg zu einer Rezeptionsforsch.
eröffnet. Insofern ist über den Kontext auch die Möglichkeit einer reflexiven Methode gegeben, mit der die
vom Forscher implizit an die Quellen herangetragenen
Vorstellungen (interpretativ: die ›contextual conditions
of knowledge‹ [36. 68]) aufzubrechen sind. Auch in
der Kl. A. findet sich seit den 1960er J. die Rekonstruktion des Kontextes der Kunstdenkmäler unter einem sozialgeschichtlichen Ansatz, in der dt. Arch. in
erster Linie in Bezug auf repräsentative Denkmäler
(Überblick: [14]), in der it., marxistisch ausgerichteten
Arch. [7. 181–184] auch in Richtung auf die unteren
Klassen, zunächst in Bezug auf die Kunstdenkmäler,
dann aber auch auf die ›cultura materiale‹ [16; 19]. Zeichen dieser sozialgeschichtlichen Orientierung ist der
Anteil arch. Beitr. in mod. histor. Übersichtswerken
(vgl. für die it. Forsch.: *Storia di Roma* [51], dagegen
international, auch mit rezeptionsgeschichtlichen
Beitr.: *I Greci* [67]).

Im Gegensatz zur Kunstgeschichte, in der der Kontext der Denkmäler fast immer eine Rekonstruktion
darstellt – daher einerseits in Anlehnung an Derrida
auch kritische Bemerkungen zum Kontext als Grundlage der Interpretation [6. 176–180], andererseits auch
die Forderung nach einer interdisziplinär angelegten,
kontextuellen Kunstgeschichte [40] –, hat die Arch. den
Kontext materieller Überreste als Quellenbasis. Auch
wenn die Gewinnung arch. Kontexte den Bedingungen
arch. Forsch. unterliegt, ist die Kont. A. in der Lage,
Einblicke in den Umgang mit materieller Kultur und
Bildern, in Bildwelten und damit auch in Konzeptionen
bzw. Repräsentationen von Raum, Religion [18] und
Politik zu gewähren. Als Voraussetzung Kont. A. erweist sich ein handlungstheoretischer bzw. poststruk-
turalistischer, kulturanthropologischer Ansatz – in semiotischer Sicht die Betonung der pragmatischen oder
der Signifikanten-Ebene [63] bzw. der Materialität der
Kommunikation [33] –, der in die Kl. A. über die New
Archaeology [68. 132–143; 69] und Post-Processual Archaeology [21; 68], über die ethnologische Ausrichtung
in der frz. Altertumswiss. ([47. 376–381; 75] vgl. [61])

oder im Rahmen der zunehmenden Anthropologisie-
rung geisteswiss. Fächer (New Cultural History) in direkter Anleihe von kulturanthropologischer Forsch.
aufgenommen wurde.

### C. Pompeji als »Idealfall«

Auch wenn → Pompeji (Grabungsgeschichte:
[57. 16–19]) den Nimbus einer quasi eingefrorenen, nur
noch auszugrabenden Lebenswelt mit Objekten in situ
längst verloren hat [3], erweist es sich durch die Erweiterung des auf bürgerliche Repräsentation ausgerichteten sozialgeschichtlichen Ansatzes auf die Erforsch. des
Lebens im städtischen Raum (vgl. [24. 7; 81. 7–32])
jüngst als Experimentierfeld Kont. A. im Rahmen mod.
Haus- und Stadtforsch. (Überblick: [49]; Beitr. [4]). Dabei sind aber auch für die röm. Zeit, v. a. die hohe und
späte Kaiserzeit, andere Fundorte nicht zu vernachlässigen. Kont. A. mit Bezug auf Bildwelt und Architektur
ist, ohne daß aufgehende Wände erhalten sind, im Rahmen der Mosaikforsch. möglich ([55. 19–47]: Überblick). Und der Betonung des häuslichen Bereiches [23]
mit der Aufwertung der Begriffe *privatus* und *domesticus*
[27; 43] bzw. der Neubewertung des Verhältnisses von
privatem und öffentlichem Raum [79], stehen auch
weiterhin Arbeiten zu zentralen Staatsdenkmälern
Roms wie der Trajanssäule [67] und den Kaiserforen [82]
gegenüber, wenn auch mit rezeptionsgeschichtlichem
Ansatz (dazu: [26; 80]).

Charakteristisch für die jüngste Forsch. zu Pompeji
ist die Ausrichtung auf die Wechselwirkungen zw. sozial
gebundenen Handlungen und materieller Kultur und
damit auf der Ebene der Forsch. eine sich wechselseitig
beeinflussende Neubewertung von materiellen und lit.
Quellen. Dazu gehört die Analyse des Hauses als Lebensraum und Repräsentationsort der *familia* [28; 76],
auf der Basis der Verbindung von Raum, Raumfolgen
und Ausstattung sowie der Einbindung des Hauses im
städtischen Raum. Dazu gehört ferner die Interpretation der Häuser, Straßen und öffentlichen Anlagen im
Rahmen der Stadtstruktur, nicht nur auf formaler Basis,
sondern auch durch Rekonstruktion der Nutzung. So
werden Straßen nicht nur nach Führung und Breite und
durch den Bezug auf Tore und öffentliche Gebäude differenziert, sondern auch durch Graffiti (Abb. 1) und
Hauseingänge [42], durch Abnutzungsspuren und Sper-
rung der Straßen, durch die Lage der Geschäfte und
Etablissements [42; 77]. Die Analyse der Häuser ist nicht
mehr auf eine Festschreibung von Haus- und funktional
gebundenen Raumtypen ausgerichtet, sondern auf den
Kontext architektonischer Anlage und dekorativer Ausstattung. Ergebnis dieser auch die histor. Entwicklung
der Bauten miteinbeziehenden Unt. ist eine äußerst flexible, d. h. nicht funktional gebundene Raumnutzung
in durchaus nicht typischen, sondern den jeweiligen
Erfordernissen angepaßten Gebäuden [23; 24; 56], in
denen repräsentative Häuser und öffentliche Gebäude
mit kleineren Privat- und Geschäftsräumen in derselben
*insula*, d. h. im Bauverbund verbunden sind [60]. In bezug auf die Mythenbilder verschiebt sich das Interesse

von der Rekonstruktion der Originale, der Ikonographie einzelner Mythen, der Bildprogramme aus der
Kombination dekontextualisierter Mythen im Rahmen
allg. gefaßter röm. Wertvorstellungen zu einer Analyse
der Mythendarstellungen im architektonischen Kontext
und damit zu einer inhaltlichen Neuinterpretation aufgrund der, auch formalen, Bezüge, die sich aus der
Kombination bzw. Gegenüberstellung der Bilder im
selben Raum ergeben [13; 14] (Abb. 2).

Exemplarisch kann für Kont. A. aufgrund des Alex-
andermosaiks, der Größe des eine ganze *insula* umfassenden Hauses, aber auch wegen der Ausstattung im sog.
ersten pompejanischen Stil bzw. mit einer Prunkfassade
aus Tuffblöcken auf die schon immer im Zentrum der
Forsch. stehende Casa del Fauno (Regio VI, Insula 12)
verwiesen werden. Im Gegensatz zur früheren Forsch.,
in der das Alexandermosaik als autonomes Denkmal, als
Reflex griech. Malerei betrachtet wurde, die Dekoration des Hauses im Rahmen der Typologie pompeja-
nischer Wandmalerei, die Hausarchitektur als Beispiel
der Entwicklung des pompejanischen repräsentativen
Hauses in hell. Zeit, steht jetzt die Analyse des Hauses als
Struktur unterschiedlich ausgestatteter Räume im Zusammenhang des sozialen Lebens der frühen Kaiserzeit
im Vordergrund. Erst hieraus ergibt sich die Bed. eines
im 2. Jh. v. Chr. angelegten, um die Wende zum 1. Jh.
v. Chr. grundlegend erweiterten und luxuriös neu ausgestatteten Hauses im Kontext einer Stadt des 3. Viertels
des 1. Jh. n. Chr. [24; 30; 81. 40–49; 84; 85].

### D. Probleme kontextueller Archäologie

Der für Pompeji neue Forschungsansatz der 90er J.
des 20. Jh. findet sich aufgrund handlungstheoretischer
bzw. strukturalistischer Ansätze in anderen Bereichen
der Arch. schon früher. Probleme der Akzeptanz ergeben sich hier aber daraus, daß einerseits die Erhaltung
bzw. Dokumentation der materiellen Überlieferung es
selten erlaubt, die Ebene der Mikroanalyse zu überstei-
gen, andererseits die zeitgleiche, zum Teil kontextbe-
zogene lit. Überlieferung fehlt. Günstig für eine Interpretation sind kleine überschaubare Befundkontexte
wie das Heroon über der Nekropole am Westtor von
Eretria (Abb. 3), wo sich der Anschluß der Kultgebäude
an die kleine Nekropole aus der Stratigraphie bzw. der
räumlichen Nähe ergibt [11], oder ein einzelnes Grab
wie Pontecagnano, Grab 928 (Abb. 4), an dem der Bezug zwischen räumlicher Differenzierung des Grabbaus
und der Verteilung der unterschiedlichen Grabbeigaben
leicht abzulesen ist [1]. Größere Nekropolen erfordern
dagegen eine statistische Analyse, deren Ergebnisse,
etwa zur Gliederung der Bevölkerung, dann nicht mehr
analog zu repräsentieren sind. Das trifft für die mod.
ausgegrabenen Nekropolen von Pithekoussai [65] und
Osteria dell'Osa [17] ebenso zu wie für den archa. Kerameikos von → Athen, dessen Interpretation durch
Morris [52] genau aus diesem Grund zum Gegenstand
heftiger Kontroversen wurde (vgl. [53; 41. 9–19]), weshalb neuere Arbeiten von kleineren Einheiten, etwa eines Grabhügels, ausgehen [39; 41].

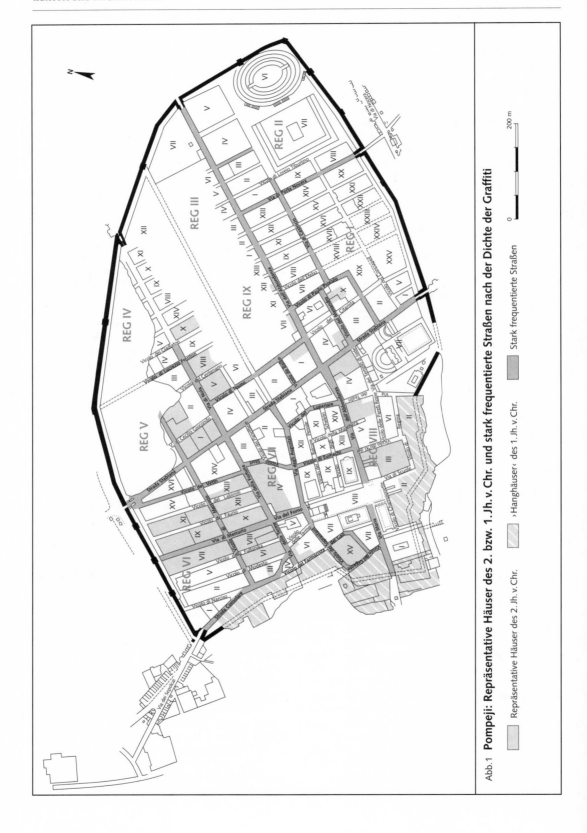

Abb. 1 **Pompeji: Repräsentative Häuser des 2. bzw. 1. Jh. v. Chr. und stark frequentierte Straßen nach der Dichte der Graffiti**

Repräsentative Häuser des 2. Jh. v. Chr.

Repräsentative Häuser des 2. bzw. 1. Jh. v. Chr.

›Hanghäuser‹ des 1. Jh. v. Chr.

Stark frequentierte Straßen

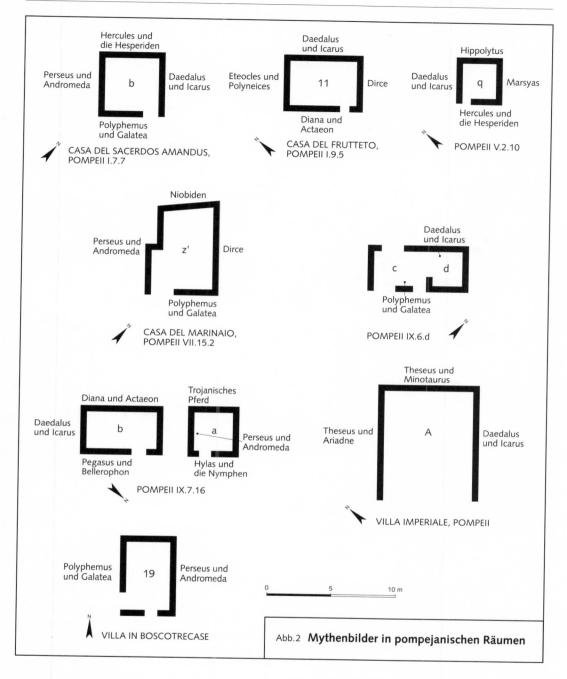

Abb.2 **Mythenbilder in pompejanischen Räumen**

Ähnliche Probleme ergeben sich in der Forsch. zum extraurbanen Heiligtum (vgl. [5; 45]), weil sich hier die aus arch. Quellen, in diesem Fall der geogr. Lage von Heiligtümern bzw. den damit zu verbindenden Funden und Befunden, entwickelte Konzeption nicht einer lit. Überlieferung gegenüberstellen läßt. Wie viele Diskurse der Arch. läßt sich auch der über das extraurbane Heiligtum bis an den Anf. des 20. Jh. zurückführen, als

die zunehmende Ausgrabungstätigkeit dazu führte, daß aus der lit. Überlieferung bekannte Namen wie die der großen Heiligtümer der Magna Graecia durch die Verbindung mit Fundobjekten und auch der top. Situation mit völlig neuen Konnotationen versehen wurden. Im speziellen Fall führten einige unbekleidet dargestellte Frauenstatuetten aus dem knapp außerhalb der Stadtmauer von Lokroi Epizephirioi liegenden Heiligtum

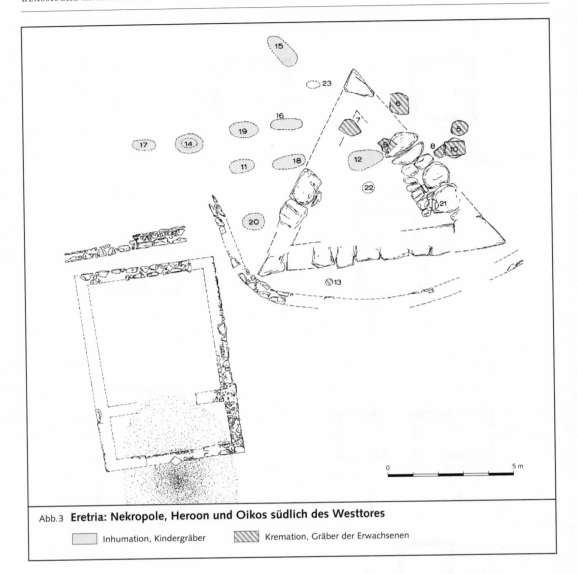

Abb.3 **Eretria: Nekropole, Heroon und Oikos südlich des Westtores**

Inhumation, Kindergräber        Kremation, Gräber der Erwachsenen

der Persephone zu der These eines »indigenen« Hintergrundes des Heiligtums und damit der Funktion eines Interaktionsortes zwischen neusiedelnden Griechen und lokaler Bevölkerung unter rel. Schutz. Die dann insbes. von it. Historikern vertretene Erklärung der Lage eines griech. Heiligtums außerhalb des geschlossenen Siedlungsgebietes durch »indigenen« Ursprung führte dazu, daß das extraurbane Heiligtum im Diskurs der it. Arch. seit den 1920er J. fest verankert war. Entscheidend für die Entwicklung des Konzepts des extraurbanen Heiligtums war jedoch ein 1967 von Vallet vorgestellter Beitr. [74] mit der Differenzierung großgriech. Heiligtümer in urbane, suburbane und extraurbane Heiligtümer, die sich (heute) am deutlichsten anhand von Stadt und Chora von Poseidonia darstellen läßt (Abb. 5). Das extraurbane Heiligtum wurde von

Vallet jedoch nicht als Interaktionsort aufgefaßt, sondern als Zeichen der Territorialisierung mit der Gründung der griech. Ansiedlungen verbunden. Grundlegend für diese Interpretation ist die v.a. durch den Historiker Lepore (vgl. [46]) vermittelte strukturale Konzeption der griech. Polis, die jedoch der »Kolonisationssituation« der Magna Graecia insofern angepaßt wurde, als das Verhältnis zwischen Stadt und Land analog zu dem zwischen Griechen und »Indigenen« gefaßt wurde. Diese Konzeption, die die Verteilung materieller Kultur zur Erklärung histor. Vorgänge heranzieht und zugleich die Art der Aneignung der Umwelt durch die griech. Siedler und damit auch deren Lebenswelt rekonstruiert, ist in der it. Forsch. weitgehend durchgesetzt. Verschiedene schon durch Vallet angelegte Aspekte sind in der Folge weiter entwickelt worden: der ter-

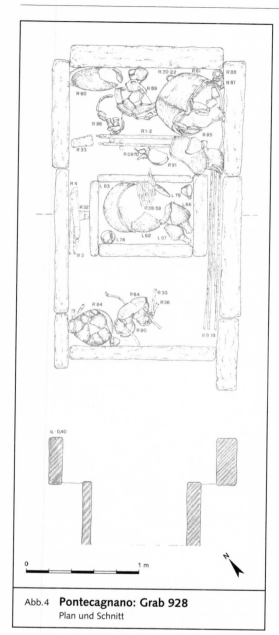

**Abb.4**   **Pontecagnano: Grab 928**
Plan und Schnitt

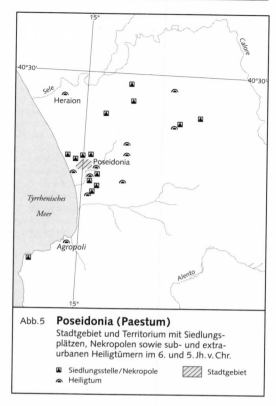

**Abb.5**   **Poseidonia (Paestum)**
Stadtgebiet und Territorium mit Siedlungs-
plätzen, Nekropolen sowie sub- und extraurbanen Heiligtümern im 6. und 5. Jh. v. Chr.

  ▣ Siedlungsstelle/Nekropole      ▨ Stadtgebiet
  ⌂ Heiligtum

ritoriale in Richtung auf ›santuari di frontiera‹ [20; 34; 70], der Aspekt des Handels durch die Verbindung mit dem Konzept des *emporion* ([71; 72] vgl. [46]), der liminale Aspekt in Richtung auf initiatorische Riten [32]. In diesem Rahmen wurden dann auch die Funde selbst wieder in den Vordergrund gestellt. Etwa wird die Ikonographie der Metopen des Heraions an der Sele-Mündung, des großen extraurbanen Heiligtums von Poseidonia, mit der Funktion des Heiligtums als Ort der Interaktion [62] oder der Territorialisierung [73] in Verbindung gebracht. Eine Ausweitung dieses Diskurses über die it. Arch. hinaus ist aber erst durch die Übertragung des Konzepts auf das griech. Mutterland durch De Polignac erfolgt ([22], vgl. [37]), wobei, wie auch bei der Arbeit von Morris, der Anspruch, damit einen Beitrag zur Entstehung der Polis zu leisten, sehr umstritten ist (zur Diskussion die Kongresse: [2; 39; 48]). Von histor. Seite wird die Anwendung des arch. Konzepts abgelehnt, da eine Bed. des extraurbanen Heiligtums durch Schriftquellen nicht explizit belegt ist und dieses auch aufgrund des hohen Generalisierungsgrades als nicht histor. betrachtet wird [48]. Andererseits ist dies gerade die Grundlage für eine Übertragung des Konzepts auf die Städte Etruriens und Latiums [72] und damit für eine komparative Archäologie.

→ Archäologische Methoden; Kulturanthropologie; Rekonstruktion – Konstruktion; Strukturalismus

**1** B. D'AGOSTINO, Tombe »principesche« dell'orientalizzante antico da Pontecagnano, in: Mon. Ant. ined. 49, Ser. Misc. 2, 1977, 1–110 **2** S. ALCOCK, R. OSBORNE (Hrsg.), Placing the Gods. Sanctuaries and Sacred Space in Ancient Greece, 1994 **3** P. ALLISON, Artefact assemblages. Not »the Pompeii premise«, in: E. HERRING, R. WHITEHOUSE, J. WILKINS (Hrsg.), Papers of the Fourth Conference of Italian Archaeology 3, 1992, 49–56 **4** Dies., Lables for ladles. Interpreting the material culture of Roman households, in: Dies. (Hrsg.), The Archaeology of

Household Activities, 1999, 57–77 **5** D. Asheri, A propos des sanctuaires extraurbains en Sicile et Grand-Grèce. Théories et témoignages, in: Mélanges P. Lévêque Bd. 1., Religion, 1988, 1–15 **6** M. Bal, N. Bryson, Semiotics and art history, in: Art Bulletin 73, 1991, 174–208 **7** M. Barbanera, L'archeologia degli Italiani. Storia, metodi e orientamenti dell'archeologia classica in Italia. Con un contributo di Nicola Terrenato (175–192), 1998 **8** J. C. Barrett, Contextual archaeology, in: Antiquity 61, 1987, 468–473 **9** M. Baumgartner, Einführung in das Stud. der Kunstgesch., 1998 **10** H. Belting, Das Werk im Kontext, in: Ders., H. Dilly, W. Kemp, W. Sauerländer, M. Warnke, Kunstgesch. Eine Einführung, 1985, 186–202 **11** C. Bérard, L'Héroon à la porte de l'ouest, (= Eretria 3) 1970 **12** B. Bergmann, The Roman house as memory theater. The house of the tragic poet in Pompeii, in: ArtBulletin 76, 1994, 225–256 **13** Dies., Rhythms of recognition. Mythological encounters in Roman landscape painting, in: F. de Angelis, S. Muth (Hrsg.), Im Spiegel des Mythos. Bilderwelt und Lebenswelt, Symposium 19.–20. Februar 1998 (= Palilia 6), 1999, 81–107 **14** M. Bergmann, Repräsentation, in: A. H. Borbein, T. Hölscher, P. Zanker (Hrsg.), Klass. Arch., Eine Einführung, 2000, 166–188 **15** R. Bianchi Bandinelli, Archeologia e critica d'arte, in: La Nuova Italia 1, 1930, 360–364 **16** Ders., Arte plebea, in: Dialoghi di Archeologia 1, 1967, 7–19 **17** A. M. Bietti Sestieri, The Iron Age Community of Osteria dell'Osa. A Study of Sociopolitical Development in Central Tyrrhenian Italy, 1992 **18** H. Cancik, H. Mohr, s. v. Religionsästhetik, in: HrwG 1, 1988, 121–156 **19** A. Carandini, A. Ricci, Settefinestre. Una villa schiavistica nell'Etruria romana, 1985 **20** Confini e frontiera nella grecità d'Occidente, Atti del 37. convegno di studi sulla Magna Grecia, Taranto 1997, 1999 **21** M. Cuozzo, Prospettive teoriche e metodologiche nell'interpretazione delle necropoli. La Post-Processual Archaeology, in: Annali di Archelogia e storia antica dell'Istituto Orientale di Napoli 3, 1996, 1–37 **22** F. De Polignac, La naissance de la cité grecque. Culte, espace et société, 1984, ²1995 **23** J.-A. Dickmann, Der Fall Pompeji. Wohnen in einer ant. Kleinstadt, in: W. Hoepfner (Hrsg.), Gesch. des Wohnens Bd. 1, 5000 v. Chr.–500 n. Chr., Vorgesch., Frühgesch., Ant., 1999, 611–678 **24** Ders., domus frequentata. Anspruchsvolles Wohnen im pompejanischen Stadthaus, 1999 **25** H. J. Eggers, Einführung in die Vorgesch., 1959 **26** J. R. Elsner, Art and the Roman Viewer, 1995 **27** E. Gazda (Hrsg.), Roman Art in a Private Sphere. New Perspectives on the Architecture and Decor of the Domus, Villa, and Insula, 1991 **28** M. George, Repopulating the Roman house, in: B. Rawson, P. Weaver (Hrsg.), The Roman Family in Italy. Status, Sentiment, Space, 1997, 299–319 **29** E. H. Gombrich, Ziel und Grenzen der Ikonologie, in: E. Kaemmerling (Hrsg.), Ikonographie und Ikonologie. Theorien, Entwicklungen, Probleme, Bildende Kunst als Zeichensystem 1, 1979, 377–433 (engl.: Symbolic Images, Studies in the Art of the Renaissance, 1972, 1–25) **30** M. Grahame, Public and private in the Roman House. The spatial order of the Casa del Fauno, in: [43. 137–164] **31** Ders., Material culture and Roman identity, in: R. Laurence, J. Berry (Hrsg.), Cultural Identity in the Roman Empire, 1998, 156–178 **32** G. Greco, Santuari extraurbani tra periferia cittadina e periferia indigena, in: La colonisation grecque en Méditerranée occidentale, Actes de la rencontre scientifique en hommage à Georges Vallet,

1999, 231–247 **33** H. U. Gumbrecht, K. L. Pfeiffer (Hrsg.), Materialität der Kommunikation, 1988 **34** P. G. Guzzo, Schema per la categoria interpretativa del »santuario di frontiera«, in: Scienze di Antichità 1, 1987, 373–379 **35** I. Hodder, Reading the Past. Current Approaches to Interpretation in Archaeology, 1986 **36** Ders., The Archaeological Process. An Introduction, 1999 **37** T. Hölscher, Öffentliche Räume in frühen griech. Städten, Schriften Heidelberg 7, 1998 **38** Ders., Bildwerke. Darstellungen, Funktionen, Botschaften, in: Klass. Arch. (wie [14.]), 147–165 **39** S. Houby-Nielsen, The archaeology of ideology in the Kerameikos. New interpretations of the »Opferrinnen«, in: R. Hägg (Hrsg.), The Role of Religion in the Early Greek Polis. Proceedings of the Third International Seminar on Ancient Greek Cult, 1996, 41–54 **40** W. Kemp, Kontexte. Für eine Kunstgesch. der Komplexität, in: Texte zur Kunst 1, 1991.2, 89–101 **41** E. Kistler, Die »Opferrinne-Zeremonie«. Bankettideologie am Grab, Orientalisierung und Formierung einer Adelsgesellschaft in Athen, 1998 **42** R. Laurence, Roman Pompeii. Space and Society, 1994 **43** Ders., A. Wallace-Hadrill (Hrsg.), Domestic Space in the Roman World, JRA Suppl. 22, 1997 **44** I. Lavin, Ikonographie als geisteswiss. Disziplin, in: A. Beyer (Hrsg.), Die Lesbarkeit der Kunst. Zur Geistes-Gegenwart der Ikonologie, 1992, 11–22 **45** R. Leone, Luoghi di culto extraurbani d'età arcaica in Magna Grecia, 1998 **46** E. Lepore, Colonie greche dell'Occidente antico, 1989 **47** F. Lissarrague, A. Schnapp, Trad. und Erneuerung in der Klass. Arch. in Frankreich, in: Klass. Arch. (wie [14]), 365–382 **48** I. Malkin, Territorial domination and the Greek sanctuary, in: P. Hellström, B. Alroth (Hrsg.), Religion and Power in the Ancient Greek World, Proceedings of the Uppsala Symposium 1993, 1996, 75–81 **49** G. P. R. Metreaux, Ancient Housing. Oikos and Domus in Greece and Rome, in: JSAH 58, 1999, 392–404 **50** A. Möller, »Die Gegenwart töten«, in: H.-J. Gehrke, A. Möller (Hrsg.), Vergangenheit und Lebenswelt. Soziale Kommunikation, Traditionsbildung und histor. Bewußtsein, 1996, 1–8 **51** A. Momigliano, A. Schiavone (Hrsg.), Storia di Roma I, II 1–3, III 1/2, IV, 1988–1993 **52** I. Morris, Burial and Ancient Soc. The Rise of the Greek City-State, 1987 **53** Ders., Burial and Ancient Soc. after ten years, in: S. Marchegay, M.-T. Le Dinahet, J.-F. Salles (Hrsg.), Nécropoles et pouvoir. Idéologies, pratiques et interprétations, 1998, 21–36 **54** Ders., Archaeology as Cultural History. Words and Things in Iron Age Greece, 2000 **55** S. Muth, Erleben von Raum – Leben im Raum. Zur Funktion myth. Mosaikbilder in der röm.-kaiserzeitlichen Wohnarchitektur, 1998 **56** S. C. Nappo, Urban transformation at Pompeii in the late 3rd and early 2nd century B. C., in: [43. 92–120] **57** Ders., Pompeji. Die versunkene Stadt, 1999 (it. 1998) **58** O. G. Oexle, Gesch. als histor. Kulturwiss., in: W. Hardtwig, H.-U. Wehler (Hrsg.), Kulturgesch. heute, 1996, 14–40 **59** E. Panofsky, Kunstgesch. als geisteswiss. Disziplin (1940), in: Ders., Sinn und Deutung in der bildenden Kunst, 1975 (engl. 1955), 7–35 **60** F. Pirson, Mietwohnungen in Pompeji und Herkulaneum. Unt. zur Architektur, zum Wohnen und zur Sozial- und Wirtschaftsgesch. der Vesuvstädte, 1999 **61** K. Pomian, Zwischen Sichtbarem und Unsichtbarem. Die Sammlung, in: Ders., Der Ursprung des Mus. Vom Sammeln, 1988, 13–72 (frz.: Ders., Collectionneurs, amateurs et curieux. Paris, Venise

XVIᵉ-XVIIIᵉ siècle, 1987, 15–58) **62** A. PONTRANDOLFO, Poseidonia e le comunità miste del golfo di Salerno, in: M. CIPRIANI, F. LONGO (Hrsg.), I Greci in Occidente. Poseidonia e i Lucani, Paestum, Museo Archeologico Nazionale, 1996, 37–39 **63** R. POSNER, Semiotik diesseits und jenseits des Strukturalismus. Zum Verhältnis von Mod. und Postmod., Strukturalismus und Poststrukturalismus, in: Zschr. für Semiotik 15, 1993, 211–233 **64** L. RICHARDSON, Pompeii, An Architectural History, 1988 **65** D. RIDGWAY, The First Western Greeks, 1992 **66** S. SETTIS, Die Trajanssäule. Der Kaiser und sein Publikum, in: Lesbarkeit der Kunst (wie [44]) 40–52 (frz. in: RA 1991, 186–98) **67** Ders. (Hrsg.), I Greci. Storia, cultura, arte, società 1–2.3, 1996–98 **68** M. SHANKS, Classical Archaeology of Greece. Experiences of the Discipline, 1996 **69** A. SNODGRASS, Arch. in den angelsächsischen Ländern. Im Westen was Neues ?, in: Klass. Arch. (wie [14].), 347–364 **70** M. TORELLI, Greci e indigeni in Magna Grecia. Ideologia religiosa e rapporti di classe, in: StudStorici 18.4, 1977, 45–61 **71** Ders., Il santuario greco di Gravisca, in: PdP 32, 1977, 398–458 **72** Ders., Riflessione a margine dell'emporion di Gravisca, in: T. HACKENS (Hrsg.), Navies and Commerce of the Greeks, the Carthaginians and the Etruscans in the Tyrrhenian Sea, PACT (Rev. du groupe européen d'études pour les techniques physiques, chimiques, biologiques et mathématiques appliquées à l'archéologie) 20, 1988 (1993), 181–188 **73** Ders., Per un'archeologia dell'Oinotría, in: S. BIANCO et al. (Hrsg.), I Greci in Occidente. Greci, Enotri e Lucani nella Basilicata meridionale, Policoro, Museo Nazionale della Siritide, 1996, 123–131 **74** G. VALLET, La cité et son territoire dans les colonies grecques d'occident, in: La città e il suo territorio, Atti del 7. convegno di studi sulla Magna Grecia, Taranto 1967, 1970, 67–142 **75** J.-P. VERNANT, Zwischen Mythos und Politik. Eine intellektuelle Autobiographie, 1997 (frz. 1996) **76** A. WALLACE-HADRILL, Houses and Society in Pompeii and Herculaneum, 1994 **77** Ders., Public Honour and Private Shame. The Urban Texture of Pompeii, in: T. J. CORNELL, K. LOMAS (Hrsg.), Urban Soc. in Roman Italy, 1995, 39–62 **78** J. WHITLEY, Protoattic pottery. A contextual approach, in: I. MORRIS (Hrsg.), Classical Greece. Ancient Histories and Modern Approaches, 1994, 51–70 **79** A. ZACCARIA RUGGIO, Spazio privato e spazio pubblico nella città romana, 1995 **80** P. ZANKER, Nouvelles orientations de la recherche en iconographie. Commanditaires et spectateurs, in: RA 1994, 281–293 **81** Ders., Pompeji. Stadtbild und Wohngeschmack, 1995 **82** Ders., In search of the Roman viewer, in: D. BUITRON-OLIVER (Hrsg.), The Interpretation of Architectural Sculpture in Greece and Rome, 1997, 179–191 **83** Ders., Bild-Räume und Betrachter im kaiserzeitlichen Rom, in: Klass. Arch. (wie [14].), 205–226 **84** F. ZEVI, La casa del Fauno, in: M. BORRIELLO, A. D'AMBROSIO, S. DE CARO, P. G. GUZZO (Hrsg.), Pompei, Abitare sotto il Vesuvio, Ferrara, Palazzo dei Diamanti, 29 settembre 1996–19 gennaio 1997, 1996, 37–57 **85** Ders., Die Casa del Fauno in Pompeji und das Alexandermosaik, in: RM 105, 1998, 21–65.

BEAT SCHWEIZER

# Klassizismus I. KUNST II. LITERATUR

## I. KUNST

Die Epochenbegriffe »Klassik« und »K.« sind das Resultat der Herausbildung histor. Denkens. Sulzer kennt zwar das Adjektiv »klassisch«, das ein Streben nach Vollendung kundtun soll [10. 541 ff.], doch erst mit der Hegelschen Charakterisierung der Zeitalterabfolge als »symbolisch, klassisch, romantisch« in seiner Ästhetik beginnt der Begriff zum Epochenbegriff zu werden. Jeitteles spricht dann 1839 vom ›classischen Zeitalter‹ [6. 150], und insofern ist es richtig, wenn festgestellt wurde: ›In der Auseinandersetzung mit dem Begriff Romantik wurde jener des K. geboren‹ [3. 102]. 1876 in Franz Rebers *Geschichte der Neueren Deutschen Kunst* erscheint dann »Classicismus« als Epochenbegriff zum erstenmal. Die Begriffe »K.« und »Historismus« haben eine zeitlich parallel verlaufende Karriere gehabt.

Der K. als Epochenbegriff, bei dem man besser nach engl. und it. Sprachgebrauch von Neok. spricht, um ihn von allen anderen Klassizismen zu unterscheiden, ist ein internationaler Stil, und sein Geburtsort ist Rom. Seine entscheidende Voraussetzung ist die Entstehung histor.-arch. Forsch., die die bloß antiquarischen Studien überbietet, u. a. durch eine Systematisierung der Verfahrensweisen der Erforsch., wie sie zuerst in Paläographie, Epigraphik, Quellenkritik oder Genealogie erfolgt ist. Zugleich führten diese neuen Herangehensweisen zur Musealisierung der Kunst, zu neuen Inventarisierungs- und Ordnungsformen und zur Gründung akad. Erforschungsinstitutionen, die in großem Stil für histor. Korrektur sorgten: 1727 etwa wurde in Cortona die »Accademia Etrusca« gegr., die »Accademia delle Romane Antichità« 1740 in Rom, 1748 wurde die ägypt. Sektion im Kapitolinischen Museum in Rom eingerichtet. Die Londoner »Society of Dilettanti«, 1732 als »Dining Club« für Gentlemen gegr., die It. gereist waren und sich der it. Oper verschrieben hatten, wandelte sich mehr und mehr zu einem Förderklub für zeitgenössische Kunst, vor allem aber für arch. Forschung. Die Society finanzierte Publikationen, Ausgrabungen, systematische Erfassungsreisen bis hin zu James Stuart und Nicholas Revetts *The Antiquities of Athens*, deren erster Band 1762 erschien. Was die griech. Ant. anging, so hatten sie ihren Vorläufer in David LeRoys *Les Ruines des plus beaux monuments de la Grèce* 1758, für den ferneren Osten in Robert Woods *Ruins of Palmyra* von 1753 und seinen *Ruins of Balbec* von 1757.

Den Anstoß zu dieser europ. Manie hatten die Entdeckungen und nachfolgenden Ausgrabungen von Herkulaneum 1738 und Pompeji 1748 gegeben. Die Kenntnis und Publikation v. a. der pompejanischen Wandmalereien – unter dem Titel *Le Antichità di Ercolano esposte* erschienen zw. 1757 und 1765 die ersten vier allein der Malerei gewidmeten Bände, die trotz luxuriöser Ausstattung und entsprechend hohem Preis in mehr als zweitausend Exemplaren in ganz Europa verbreitet wurden – löste vor allem einen gesamteurop.

Dekorationsstil aus: zuerst in Form des engl. Adamstiles. Robert Adam wurde als Architekt und Archäologe einerseits von Charles Louis Clérisseau beeinflußt, der von 1749–1753 an der frz. Akad. in Rom war und mit Adam nach Dalmatien reiste, um den Palast des Diokletian in Spalato aufzunehmen (publiziert 1764), andererseits von Giovanni Battista Piranesi und seiner Vermessung und graphischen Erfassung der röm. Altertümer. Adam trat nach seiner Rückkehr nach England 1758 mit seinem zarten arabesken Dekorationsstil einen Siegeszug in England an, der die barocke, aber auch neopalladianische Architekturauffassung verdrängte. In Frankreich gipfelt die neoklassizistisch-pompejanische Innendekorationsmode im Entwurfsstil von Napoleons Hauptarchitekten Charles Percier und Pierre-François-Léonard Fontaine, in Deutschland etwa im Weimarer K. oder dem Münchner K. Klenzes. Schinkels preußischer K. war nur die eine Seite seines historistischen Konzeptes, dem auf der anderen ein ausgeprägter Gotizismus entsprach.

Die → Historienmalerei erhielt ihren arch. Anstoß ebenfalls durch die Publikationen zu den Ausgrabungen der Vesuvstädte. Entscheidend hierfür war die Publikation der Vasenbilder, v.a. in zwei Editionen der → Vasensammlungen des engl. neapolitanischen Gesandten Sir William Hamilton (publ. zw. 1767 und 1776). Für die zweite Folge in reiner Umrißwiedergabe war Johann Heinrich Wilhelm Tischbein verantwortlich. Die Umrißstichwiedergabe der Vasenbilder förderte die neoklassizistische Konzentration auf den röm. Reliefstil. Hier gebührt der engl. Historienmalerei in Rom der Vorrang. Gavin Hamilton begann 1759 mit seinem Zyklus zu Historien auf Homers *Ilias*, der zwar noch barocke Reste aufweist, aber zugleich auf die Ant. und Poussin reflektiert. Hamiltons zentrale Rolle als Initiator des neuen K. ist auch deswegen gar nicht zu überschätzen, weil er zudem als einer der Hauptausgräber und als Kunstagent fungierte. Schiffsladungenweise vermittelte er Antiken nach England, zugleich aber auch klass. Ren.- und Barockbilder, deren kanonische Vorbildhaftigkeit er etwa in seinem Reproduktionswerk *Schola italica* von 1773 festschrieb. Nur sehr geringfügig verzögert setzt die frz. Historienmalerei neoklassizistisch in Rom ein: mit Viens 1761 im Salon ausgestellten *Liebesgöttern*, die sehr direkt der pompejanischen Wandmalerei folgen, bei allem Linien- und Reliefkult jedoch auch einen ausgeprägten Ton von Rokokoerotik nicht unterschlagen können. David, ab 1765 in Viens Studio, war selbst zuerst 1775–1781 in Rom, dann eigens für seinen *Horatierschwur* 1784 noch einmal nach Rom zurückgekehrt. Diese Inkunabel frz. klassizistischer Revolutionskunst wurde 1785 mit großem internationalen Erfolg in Rom und Paris ausgestellt. Die dt. Kunst meldete sich mit Mengs *Parnaß* in der Villa Albani ebenfalls 1761 zuerst zu Wort.

Hier ist der Austausch mit Winckelmann offensichtlich, der ab 1755 in Rom weilte und zuerst als Bibliothekar der Albani in der gleichnamigen Villa residierte,

Abb. 1: Tommaso Piroli nach John Flaxman, *Die Nacht, den Schlaf vor dem Zorn des Zeus bergend.* Kupferstich. Illustration zu Alexander Popes Übersetzung von Homers *Ilias*, Buch 14, 294, 1805, Taf. 23. London, British Museum

später für die päpstlichen Antiken verantwortlich war. Nach seiner Erstlingsschrift von 1755 erschien hier v.a. 1764 seine *Geschichte der Kunst des Altertums*. Wenn die erste Phase des Neok. vorrangig antiquarisch-arch. geprägt ist, so ist die zweite Phase, die sich deutlich auf die 1790er J. konzentriert, unter dem Einfluß des Vasenstils einerseits darauf bedacht, Volumen und Perspektive zugunsten flächenornamentaler Linearität und Abstraktion zu unterdrücken, andererseits gewinnt der Neok. eine Dimension, die man unter Nutzung des Schillerschen Begriffs der Mitte der 1790er J. »sentimentalisch« nennen sollte. Für Schiller ist das Sentimentalische die einzig denkbare Form, unter den Bedingungen der Moderne, Anteil am Klass.-Ant., das als naiv gedacht wird, zu nehmen – im Bewußtsein eines unaufhebbaren Bruchs mit der Vergangenheit. So ist das Sentimentalische einerseits eine Reflexionsform des Vergangenen und somit historisch und andererseits durch die vom überstarken Sentiment der Darstellung ausgelöste überwältigende Involvierung des Betrachters die einzige Möglichkeit natürlicher und damit naiver Selbsterfahrung. Damit soll der Kunst eine utopische Dimension zuwachsen, sie soll einen Vorschein unentfremdeter Naturerfahrung ermöglichen [9. 149–183]. Diese Konzeption, die der Kunst nach dem polit. Scheitern der Revolution die Verwirklichung der Freiheit aufbürdet, hat in Varianten eine ganze Generation von Neoklassizisten geprägt und wieder ihren Ausgang in Rom genommen, v.a. so gut wie gleichzeitig durch den

Abb. 2: Asmus Jakob Carstens, *Der schwermütige Ajax und Tekmessa.* Zeichnung, 1789. Weimar, Kunstsammlungen

Abb. 3: Jacques-Louis David, *Brutus.* Öl auf Leinwand, Salon von 1789. Paris, Louvre

Italiener Canova, den Franzosen David, den Engländer Flaxman, den Deutschen Carstens und – fernab von Rom, aber nicht ohne Einfluß etwa von Flaxman – in gewissem Sinne auch den Spanier Goya. In der Folge von Tischbeins Vasenwerk ab 1791 waren vor allem Flaxmans Umrißstichillustrationen zu Homers *Ilias* und *Odyssee* von 1793 von größtem gesamteurop. Einfluß, Illustrationen zu Aischylos und Sophokles folgten (Abb. 1). Bei allem klass. Vorbehalt berufen sich etwa Goethes Weimarer Preisaufgaben (1799–1805) beständig auf dieses Vorbild, aber auch die frühromantische Kunst wird über August Wilhelm Schlegels Besprechung von Flaxmans Publikationen genauso mit diesem Idiom vertraut. Sentimentalisch ist dieser Stil insofern, als in der extremen Stilisierungsform sowohl die abstrakte Flächenstrukturierung in der Rezeption Wirkung und Bedeutung des Wahrgenommenen unmittelbar steuert, als auch die dieser Form eingeschriebene antikische oder auch altit. Stilstufe Anlaß zur Reflexion des vergangenen Idioms gibt. Es wird in verbrämter

Form ein Ideal aufgerufen, dessen man sich sehnsüchtig, vor den Erfahrungen der Gegenwart aber auch vergeblich entsinnt. Sentimentalisch ist zudem die Auffassung von Historienmalerei. Im Zentrum der Bilder – in extremer Form bei Asmus Jakob Carstens, der 1795 seine entscheidenden Entwürfe in Rom ausstellte (Abb. 2), aber auch bei David etwa im *Brutus* von 1789 (Abb. 3) – steht nicht ein beherrschender handelnder, sondern eher ein handlungsunfähiger, gebrochener Held, der darüber nachsinnt, daß offizielle Bestimmung und private Empfindung bei ihm nicht mehr zur Deckung kommen. Es entstehen Bilder von Kommunikationsstörung, deren Zusammenhalt allein durch die abstrakte künstlerische Form gewährleistet wird. Form und Inhalt finden nicht mehr zusammen – das trennt die neoklassizistische Kunst der zweiten Stufe von aller klass. Kunst und der mit ihr verbundenen charakterisierenden Begrifflichkeit.

Eher dieser zweiten Stufe ist auch die Architekturrichtung zuzurechnen, für die sich der Begriff Revolutionsarchitektur eingebürgert hat, obwohl alle wichtigen Entwürfe – und das meiste dieser Architektur ist Entwurf geblieben – vor der Frz. Revolution entstanden sind und sie ihre moralischen Ansprüche ausschließlich der Aufklärung verdankt. Klassizistisch im Sinne der zitierten Charakteristika ist diese Kunst insofern, als sie entschieden antibarock ist, Reduktion und Klarheit auf ihre Fahnen schreibt. Doch weit über traditionell klass. oder klassizistische Strukturen geht sie insofern hinaus, als sie die klass. (und auch barocke) Einheits- und Ganzheitsvorstellung aufhebt, keinen lebendigen Verbund der Teile mehr pflegt, vielmehr für seine bewußte Zertrümmerung sorgt und in der extremen Bevorzugung der reinen Stereometrie die antikisierende Haut ablegt. Säulenordnung, Proportionsverhältnisse, ornamentale Rahmungen und Gliederungen werden verzichtbar, die Teile verselbständigen sich. So sehr man von einer Suche nach den Grundelementen der Architektur sprechen kann, sie fügen sich nicht mehr zu einer übergreifenden Ordnung. Was bei der neoklassizistischen Malerei und Zeichnung ihre extreme doppelwertige Stilisierung zu nennen wäre, ist in der Architektur die Reduktion auf stereometrische Körper, die einerseits aber die Ursprache von Architektur freilegen, andererseits aber auch den Zweck und die Funktion des Gebäudes unmittelbar zur Anschauung bringen wollen (*architecture parlante*). In beiden Fällen sollen Reflexion und sinnliche Präsenz eins sein. Das ist eine endgültige Überbietung aller klass. Form und das Hauptcharakteristikum historistisch fundierter neoklassizistischer Kunst.

**1** W. BUSCH, Das sentimentalische Bild. Die Krise der Kunst im 18. Jh. und die Geburt der Moderne, 1993 **2** E. BATTISTI, E. LANGLOTZ, s. v. Classicism, Encyclopedia of World Art 3, 1960, 674–698 **3** G. HAJÓS, K. und Historismus – Epochen oder Gesinnungen?, in: Österreichische Zschr. für Kunst und Denkmalpflege 32, 1978, 102 **4** H. HONOUR, Neo-Classicism, 1968 **5** D. IRWIN, English Neoclassical Art: Studies in Inspiration and Taste, 1966 **6** I. JEITTELES, Ästhetisches Lex., Bd. 1, 150 **7** Ausstellungskat. The Age of Neo-Classicism, The Royal Academy und The Victoria & Albert Mus., London 1972 **8** M. PRAZ, Gusto neoclassico, ²1959 (zuerst 1940, engl.: On Neoclassicism, 1969) **9** J. G. SULZER, Allg. Theorie der Schönen Künste, ²1798, 1,514ff. **10** P. SZONDI, Poetik und Geschichtsphilos. I, Studienausgabe der Vorlesungen, 2, 1974 **11** D. FRIEDBERG (Hrsg.), The Problem of Classicism: Ideology an Power, in: Art Journal, 47, 1988, 7–41 **12** R. ZEITLER, K. und Utopia, 1954.   WERNER BUSCH

## II. LITERATUR (GROSSBRITANNIEN)
A. EINLEITUNG   B. VORGESCHICHTE, RENAISSANCE   C. KLASSIZISMUS

### A. EINLEITUNG
#### 1. PERIODISIERUNG, BEGRIFFE, ALLGEMEINES
Die hier zugrunde gelegte Periodisierung folgt einem in der Anglistik verbreiteten Gebrauch, den eine neuere kommentierte Anthologie so wiedergibt: ›Das 18. Jh. wird in Darstellungen der engl. Literaturgeschichte vielfach mit der (vorhergehenden) Restaurationszeit zu einer Epoche zusammengefaßt, die dann auch häufig ein gemeinsames Etikett wie »(Neo)K.« oder *Augustan Age* erhält‹ [46. 9]. Die Restauration, d. h. die Rückkehr des Stuart-Monarchen aus dem kontinentalen Exil auf den engl. Königsthron im J. 1660, bedeutete nach den Bürgerkriegen und dem Commonwealth einen deutlichen Einschnitt im kulturellen und lit. Leben des Landes. Von jetzt an spielten kontinentale und v. a. frz. Vorstellungen eine maßgeblichere Rolle, und, teilweise im Zusammenhang damit, gewannen Leitbilder der Ant. eine weithin bestimmende Bedeutung. Dies änderte sich auch nicht durch die gravierenden Veränderungen, die sich in der Folgezeit auf polit. Gebiet ereigneten: die *Glorious Revolution* von 1688 und die Übernahme der Macht durch das Haus Hannover mit der Thronbesteigung Georgs I. im J. 1714. Ihren Abschluß fand die Periode E. des 18. Jh. mit der Romantik, als sich u. a. deutlich andere Einstellungen zum ant. Erbe durchsetzten. Bes. intensiv war der Einfluß der Ant. kurz vor und nach Beginn des 18. Jh., wie eine neue Unt. feststellt: ›... the British century from 1688 must rank as outstanding in the degree to which its cultural and political elite appropriated and assimilated classical, and particularly Roman, habits of mind.‹ [14. 165]. Oder auf einen noch kürzeren Zeitraum konzentriert: ›In Britain, the appropriation of Roman models was at its strongest in the first half-century following the Glorious Revolution‹ [14. 166].

In seiner eingehenden Erörterung des Begriffs *classicism* hebt R. Wellek die späte Etablierung des Terminus hervor: ›The English classicists or neoclassicists did not, of course, call themselves by that name; they spoke, at most, of the imitation of the ancients, of the observance of the rules, or similarly‹ [57. 1049]. Nachdem im 19. Jh. noch Begriffe wie *classicism* oder *classicality* oder *pseudo-classicality* erprobt wurden, setzte sich erst Anfang des 20. Jh. der Sprachgebrauch *classicism* (dt. »Klassizismus«) mit der Adjektivform *classical* durch. J. W. Johnson zitiert in diesem Zusammenhang den um die Jh.-Wende tonangebenden Literaten Sir Edmund Gosse: ›The school of writers who cultivated this order … have commonly been described as the classical, because their early leaders claimed to emulate and restore the grace and precision of the poets of antiquity, to write in English as Horace and Ovid were supposed to have written in Latin, – that is to say, with a polished and eclectic elegance‹ [35. 13]. Der eigentlich früher (1863, vgl. [57. 1050]) belegte Terminus *neo-classicism* wurde erst später, in den 20er J. unseres Jh., bes. in den USA [35. 15] etabliert, um den Klassizismus des späten 17. und 18. Jh. von anderen klassizistisch geprägten Perioden, wie etwa der Ren., abzugrenzen. Während er gern meist syn. für *classicism* verwandt wird [35. 46], wird er zum Teil auch als tautologisch abgelehnt [18. 5]. Der in der dt. und anderen europ. Lit. gebräuchliche Begriff »Klassik« hat für die engl. Lit. keine Gültigkeit, wie T. S. Eliot in seiner vielbeachteten Studie *What is a Classic?* konstatiert: ›we have no classic age, and no classic poet, in English‹ [57. 1066].

Umstrittener ist der ebenfalls sehr verbreitete Begriff *Augustan Age*, der eine Parallelität zw. der Zeit des ausgehenden 17. und frühen 18. Jh. in England und der Regierungszeit des Kaisers Augustus im ant. Rom, der *aetas aurea* von Vergil, Horaz und Ovid, herstellen will. Dieser Vergleich wurde bereits von den Zeitgenossen bemüht. Schon im J. 1690 findet sich ›the first application of the word »Augustan« to English culture‹ [28. 236]. V. a. war es immer wieder beliebt, den jeweiligen Herrscher als einen neuen Augustus zu preisen, wobei sich freilich nach J. Sambrook auf die Dauer die Taciteische Sicht des grausamen Gewaltherrschers stärker durchsetzte: ›By the beginning of the eighteenth century an idea of Augustan Rome had maintained a strong presence in English cultural life for over a century: Jonson praised James I, Waller praised Cromwell, and Dryden praised Charles II, under the name of Augustus; but after 1688 the hostile, Tacitean attitude to Augustus is more evident in England‹ [48. 169]. Zweifel an der positiven Bed. des Augusteischen Vorbildes meldete in unserer Zeit bes. dezidiert der einflußreiche amerikanische Kritiker H. D. Weinbrot an. Für ihn führt ein beschönigendes Verständnis dessen, was Augustus für das 18. Jh. bedeutete, zu ›an erroneous »vision« of the past‹ [55. 7]. In einer späteren Monographie verstärkt er diese Bedenken noch und meint allg.: ›Many of the best eighteenth-century authors … were deeply ambivalent or negative towards classical achievement‹ [56. 20]. Er muß jedoch auf der anderen Seite selbst einräumen: ›There was indeed much deserved and continuing respect for classical literature and values‹ [56. 74]. Es ist sicher richtig, daß die Aneignung der Ant. sich – gerade bei den führenden Dichtern – nicht in einer einfachen Übernahme vollzog, sondern in einer lebendigen Auseinandersetzung; aber dies darf nicht über die eminente Wichtigkeit der ant. Vorbilder in die-

ser Epoche hinwegtäuschen. H. Erskine-Hill gibt davon (wie auch [31. 29 f.] bestätigt) ein wesentlich ausgewogeneres Bild, indem er mit Recht geltend macht: › … the eighteenth century and the very end of the seventeenth stand out through their reiterated attempts to claim or to deny an English Augustan Age‹ und: ›the positive sense of the word »Augustan« was used all through the century from … 1690 to … 1802‹. Während er durchaus das immer stärkere Vorherrschen der Taciteischen Sichtweise im geschichtlichen Bereich anerkennt, verweist er auf ›the emergence of a largely literary sense of »Augustan«‹ [28. 265]. Darauf soll hier der Nachdruck liegen.

Die Bezeichnung »Augustan Age« für die Lit. und Kultur der Epoche bringt zugleich eine entscheidende Schwerpunktsetzung zum Ausdruck, wie ein Kritiker treffend anmerkt: › … the Neo-Classical emphasis after 1700 came to be put more strongly on Roman culture than Greek so that eighteenth century England was led to call itself »Augustan« rather than »Periclean« or »Alexandrian«‹ [35. 91]. Der Klassizismus dieser Zeit ist durch eine eindeutige Priorität des röm. Vorbildes geprägt: ›One says »classical«, but in fact Greek literature had never much effect upon the age. The eighteenth was a Latin century‹ [52. 210; 14. 4]. Bestimmend für den Primat des Lateinischen war möglicherweise nicht nur eine mentale Affinität der Zeitgenossen mit dem ant. Rom, sondern auch die damaligen Bildungsvoraussetzungen.

## 2. KONTEXTE

### BILDUNG UND GELEHRSAMKEIT

Der Unterricht an den *grammar schools* der Zeit, die sich seit dem 16. Jh. kaum verändert hatten, wurde einseitig durch die alten Sprachen bestimmt. Dazu eine einschlägige Darstellung: ›The school education of the eighteenth century was based entirely on the classics. … Other languages and other subjects were scarcely taught at all‹ [23. 10]. Dabei hatte Lat. nicht nur in der Sprachenfolge einen ausgeprägten Vorrang. Griech. wurde nach dem Lat. und durch das Lat. gelernt. Die gebräuchlichen griech. Gramm. waren auf lat. abgefaßt, und die griech. Lex. gaben lat., nicht engl. Worterklärungen [23. 15]. So muß man davon ausgehen, daß die meisten Absolventen dieser Schulen wesentlich besser Lat. als Griech. konnten und zu lat. Texten einen viel besseren Zugang hatten (was auch durch zeitgenössische Biographien bestätigt wird). Der Philosoph J. Locke hält Lat. für unbedingt nötig für jeden Gentleman, Griech. aber nur für den Gelehrten (*Some Thoughts Concerning Education*, 1693). In einem berühmten Brief an seinen Sohn empfiehlt Lord Chesterfield diesem die klass. Bildung als ›a most useful and necessary ornament‹ und rät ihm, bes. Griech. zu lernen, während die Beherrschung des Lat. fast als selbstverständlich gilt: ›there is no credit in knowing Latin for everybody knows it‹ [23. 11]. Diese Äußerung muß allerdings substantiell relativiert werden, wie J. W. Johnson überzeugend ausführt: ›Lord Chesterfield's »everybody« meant »everybody who was anybody« or ›the elite«‹ [36. 4]. Fast alle Frauen und die

Angehörigen der unteren Schichten waren von diesen Sprachen ausgeschlossen. Hier liegt sicher u. a. ein wichtiger Grund, warum Übers. ant. Autoren in dieser Zeit so erfolgreich waren. Zugleich war dies auch die Ära R. Bentleys – wie es später der Dichter und Philologe Housman sagte – ›our great age of scholarship‹, und dabei war gerade eine bes. Konzentration auf das Griech. zu beobachten [23. 1]. Für das lit. Leben galt dagegen eine andere Ausrichtung: ›a gentleman should know his Horace and perhaps his Virgil. Authors assumed this knowledge in their readers. An educated man was a man who knew Latin‹ [52. 201].

B. VORGESCHICHTE, RENAISSANCE

Die Epoche, die dem Zeitalter des K. in England vorausgeht, wird oft mit »Ren.« bezeichnet. (Der Terminus »Barock«, den gerade dt. Anglisten einzuführen versuchten, hat sich in der engl. Lit.-Wiss. nicht behaupten können.) Auch in dieser Zeit, als ähnliche Bildungsvoraussetzungen wie im K. galten, standen die ant. Autoren in hohem Ansehen. Shakespeare (1564–1616) bekam zwar von seinem Dichterkollegen Ben Jonson im Widmungsgedicht der ersten Folio-Gesamtausgabe (1623) bescheinigt: ›thou hadst small Latine, and lesse Greeke‹; doch er beweist nicht nur in den sog. Römerdramen – Titus Andronicus, Julius Caesar, Antony and Cleopatra und Coriolanus – sondern z. B. auch durch die Nachfolge Senecas in seinen Historien und Trag., daß er mit ant. Texten, Stoffen und Vorstellungen sehr gut vertraut war [17. 305 ff.]. Ben Jonson (1572–1637) selbst, dem viele gebildete Zeitgenossen den Vorrang vor Shakespeare gaben und der die Stellung eines poet laureate bekleidete, hatte ein noch engeres Verhältnis zur Ant. In seinem lit. Notizbuch Timber, or Discoveries schrieb er: ›Nothing can conduce more to letters, than to examine the writings of the Ancients‹; zugleich mahnte er freilich auch: ›not to rest in their sole Authority, or take all upon trust from them‹ [51. 40]. Klass. Themen behandelte er bes. in der satirischen Kom. Poetaster (1601), wo es u. a. um die Verbannung des Dichters Ovid geht und der Autor sich selbst in der Figur des Horaz auf die Bühne bringt, sowie in den Trag. Sejanus, His Fall (1603) und Catiline, His Conspiracy (1611). In seinen Kom., die sehr erfolgreich waren und die weitere Entwicklung der Gattung in England nachhaltig beeinflußten, stand er deutlich unter dem Einfluß von Plautus, von dem er immer wieder komische Figuren und Situationen übernahm. Bes. hoch schätzte er Horaz; auf ihn nahm er häufig Bezug und übers. die Ars poetica. Dies trug ihm den Ehrentitel English Horace ein [28. 231]. J. Dryden bezichtigte Jonson später des gelehrten Plagiats an allen ant. Autoren: ›you track him everywhere in their snow‹ [39. 24]; doch muß man hier sicher C. H. Herford und P. Simpson, den Herausgebern der großen Jonson-Ausgabe, Recht geben: ›We have to do, in Jonson, almost always with reinterpretation or adaptation of classical trad., not with either blank acceptance or out-and-out revolt‹ [33 I. 123; 45. 19].

Herausragende Bed. bei der Rezeption der Ant. in der engl. Ren. hatte John Milton (1608–74). Obwohl Milton zuallererst Christ und die großen Dichter der Ant. zwangsläufig Heiden waren, sah er sie doch nicht – wie H. D. Weinbrot mit einem Zit. suggeriert – als ›Vain wisdom all, and false Philosophie!‹ [56. 48]. Vielmehr bemühte er sich gerade in seinem Hauptwerk Paradise Lost (1667), das ein nationales Epos werden sollte, um eine enge und lebendige Verbindung von christl. und ant. Trad. Für dieses Werk und auch für die Fortsetzung Paradise Regained (1671) waren die Epen von Vergil und Homer, sowie daneben das griech. Drama, unübersehbar die Hauptvorbilder und bestimmten Struktur, Inhalt und Stil der Darstellung (vgl. z. B. [32. 248 f.]). Wichtigste Quellen für Miltons Myth. sind Homer, Hesiod, Vergil und Ovid [42. xlii]. Milton war, sogar nach den Vorstellungen der Zeit, ein Universalgelehrter: auf etwa 1500 Autoren nimmt er in seinen Texten Bezug [24. 51]. Trotzdem bestand für ihn kein Zweifel, daß Lat. die Grundlage der Bildung darstellen mußte, und in seiner Schrift Of Education (1644) sorgte er sich nur um die richtige (d. h. dem It. möglichst nahe) Aussprache: ›For we Englishmen, being far northerly, do not open our mouths in the cold air wide enough‹ [8. 633]. Er selbst schrieb auf Lat. international beachtete Flugschriften und eine größere Anzahl lat. Gedichte, darunter sieben durchnumerierte Elegien und, am berühmtesten, das Epitaphium Damonis (1640). Dr. Johnson, seinerseits ein vorzüglicher Latinist, zollte ihm dafür später hohes Lob: ›In Latin his skill was such as places him in the first rank of writers and criticks‹ [5 I. 107]; andererseits meint er auch kritisch: ›The Latin pieces are lusciously elegant; but the delight which they afford is rather by the exquisite imitation of the ancient writers, by the purity of the diction, and the harmony of the numbers, than by any power of invention, or vigour of sentiment‹ [5 I. 111]. Die engl. Dichtungen sind demgegenüber ungleich bedeutender. Insbes. war nach der im frühen 18. Jh. von J. Addison herbeigeführten Aufwertung Miltons seine durch Latinismen bestimmte Diktion im Engl. lange Zeit der Inbegriff des hohen poetischen Stils. Im ganzen ist zweifellos die Bewertung zutreffend: ›Milton . . . owed much to the Classics, but always ended by turning his borrowings into something quite contemporary as well as quite his own‹ [54. 63]. Bes. mit seinen großen epischen Dichtungen wirkte Milton noch in die Epoche des Klassizismus hinein und fand in dieser Zeit seine größte Anerkennung als Dichter.

C. KLASSIZISMUS

1. THEORIE: ANCIENTS AND MODERNS – THE BATTLE OF THE BOOKS

Der bereits in Frankreich hitzig ausgetragene Streit zw. Traditionalisten und Modernisten, die → Querelle des Anciens et du Modernes, erlebte auch in England gegen E. des 17. Jh. ein akutes Stadium als The Battle of the Books. Es fing an, als der Staatsmann Sir William Temple 1690 eine kleine Schrift mit dem Titel An Essay upon the Ancient and Modern Learning herausbrachte, eine dezidierte Parteinahme für die Alten oder, negativ gesehen, nach G. Highet ›a ridiculously exaggerated assertion of the primacy of the classics‹ [34. 282]. Darin pries er u. a. wegen ihres großen Alters die Phalaris-Briefe (›I think the Epistles of Phalaris to have more grace, more spirit, more force of wit and genius than any others I have ever seen.‹ [34. 283]). Dies führte 1695 zu einer Neu-Ed. des griech. Textes durch C. Boyle in Oxford. Vorher hatte W. Wotton in *Reflections upon Ancient and Modern Learning* (1694) die Gegenseite vertreten bzw. für eine mittlere Position plädiert, nach R. Pfeiffer, ›that the ancients were superior in eloquence and poetry, the moderns in science‹ [44. 151]. Dies dürfte nach R. F. Jones eine damals weithin konsensfähige Einstellung gewesen sein: ›The influence of Ben Jonson and the French critics succeeded in establishing the ancients as literary arbiters, so that Aristotle, who had suffered badly at the hands of the scientists, maintained his prestige in criticism‹ [37. 282]. Zu einer Neuauflage der *Reflections* steuerte 1697 der mit Wotton befreundete und über kritische Bemerkungen hinsichtlich seiner Amtsausübung als Bibliothekar in der Einleitung von Boyles Ausgabe verärgerte Bentley einen Anhang bei, ›A dissertation upon the Epistles of Phalaris‹, in dem er die Briefe als grobe Fälschung entlarvte. Zwei J. später erweiterte Bentley seine ursprünglich 98 Seiten umfassenden Ausführungen zu einem stattlichen Bd. von über 600 Seiten, der einige Zeitgenossen wegen seiner aggressiven Polemik schockierte [44. 151]. U. a. fühlte sich J. Swift aufgerufen, für seinen Patron Temple in die Kontroverse einzugreifen. Gegen Bentley und für die Sache der *Ancients* brachte er 1704 zwei seiner frühesten Satiren, *A Tale of a Tub* sowie bes. *The Battle of the Books*, heraus. In letzterem wird der Streit in einer Prosa-Parodie des ant. Epos dargestellt. Swifts Parteinahme für die *Ancients* kommt nicht zuletzt prägnant in der von dem ant. »Krieger« Aesop vorgetragenen Fabel über die Spinne und die Biene zur Geltung: Die arrogante und giftige Spinne steht für die *Moderns*; sie ist zwar, wie die Biene zugibt, mehr oder weniger selbständig; aber ihr Radius ist begrenzt, und sie kann nur ›Dirt and Poison‹ hervorbringen. Demgegenüber verfügt die emsige Biene als Repräsentant der *Ancients* über ein sozusagen unbegrenztes Aktionsfeld (›by infinite Labor, and search, … ranging thro' every Corner of Nature‹), und sie erreicht mit ihrer Arbeit das Schönste und Nützlichste: ›furnishing Mankind with the two Noblest of Things, which are *Sweetness* and *Light*‹ [121. 149 ff.]. Abgesehen von der weithin persönlich bestimmten Parteinahme im engl. Stadium der *Querelle* fällt v. a. die schon in einer frühen Dissertation erkannte paradoxe Tatsache auf, ›daß gerade die besten Kenner des Alt. (Wotton und Bentley) als Moderne, die weniger mit dem Alt. vertrauten (Temple und Boyle) aber als Vertreter der Alten erscheinen‹ [25. 139]. Auf jeden Fall zeigt der Streit die herausragende Bed., die dieser Frage von den Zeitgenossen beigemessen wurde.

## 2. DICHTUNG UND ÜBERSETZUNG

In der Dichtung, die im Klassizismus nicht nur hohes Ansehen, sondern auch große Beliebtheit beim Lesepublikum genoß, waren J. Dryden (1631–1700) und nach ihm A. Pope (1688–1744) führend, so daß die Zeit auch häufig *The Age of Dryden and Pope* genannt wird. Für beide hatten die Autoren der Ant. einen eminenten Stellenwert, und ein Kritiker stellt zu Recht fest: ›With them (Dryden and Pope), antiquity was more than roots, it was the continuing basis of their careers, and they remained the spokesmen of its values all their lives‹ [30. 270]. Bei ihnen und anderen Dichtern der Zeit vollzog sich die Aneignung ant. Vorbilder auf unterschiedlichen Ebenen: von der Übers. über die Imitation bis zu einer allg. Orientierung an ant. Modellen und der Übernahme einzelner Elemente. Da ant. Autoren hoch geschätzt wurden, viele interessierte Leser (und bes. Leserinnen) aufgrund der Bildungsvoraussetzungen jedoch nicht in der Lage waren, die originalen Texte problemlos zu lesen, war der Klassizismus in England u. a. eine große Zeit der Übersetzungen. Schon vorher hatte es engl. Fassungen ant. Autoren gegeben, doch E. des 17. Jh. zeichnete sich eine bes. Blütezeit der Versübers. ab; in einer Darstellung heißt es: ›The art of translation was steadily improving as the classics in English dress were read by more and more people. Roscommon's, Creech's, and Oldham's translations of Horace, Lucretius, Ovid, and others were triumphantly peaked by Dryden's *Sylvae* in 1685‹ [36. 21]. Sowohl für Dryden als auch für Pope brachte die Übers. des als höchste lit. Gattung geschätzten ant. Epos ein Höchstmaß an Anerkennung – und Einkünften. Dryden, der 1693 bereits Persius und Juvenal übers. hatte, gab 1697 seine *Works of Virgil* in *heroic couplets* (d. h. paarweise gereimten jambischen Fünfhebern) heraus. Pope folgte diesem Beispiel, indem er Homers Epen, 1715–1720 *The Iliad* und 1725– 26 *The Odyssey*, im gleichen Versmaß übers. publizierte. Die damit erzielten Einkünfte machten Pope zum ersten Dichter in der engl. Literaturgeschichte, der durch seine dichterische Arbeit unabhängig von adligen Patronen und wohlhabend wurde – trotz Bentleys negativem Urteil, ›a very pretty poem …, but he must not call it Homer‹ [44. 157]. Bei seinen eigenständigen Dichtungen folgte Dryden, der auch als Kritiker und Dramenautor ein umfangreiches Œuvre hervorbrachte, v. a. in den Satiren deutlich lat. Vorbildern. Eine Studie kommt zu dem Ergebnis: ›Dryden … did not take much from his English precursors, but went direct to the Latin models, above all to Juvenal, who suited him better than Horace. … Dryden has got the invective force of Juvenal, his inexhaustible variety and resource, his moral superiority, real or assumed, to the men he assails‹ [52. 203]. Es erscheint kennzeichnend für Drydens enge Beziehung zur Ant., wenn Dr. Johnson später im 18. Jh. in seiner Dryden-Vita das erfolgreiche Wirken des Dichters durch einen Vergleich mit Augustus illustriert: ›What was said of Rome, adorned by Augustus, may be applied by an easy metaphor to English poetry embellished by Dryden, *lateritiam invenit, marmoream reliquit*, he found it brick, and he left it marble‹ [5 I. 332].

A. Pope, der als Dichter das Erbe Drydens antrat und weiterentwickelte und der in der engl. Lit. möglicherweise am ehesten die Qualitäten eines Klassikers erreichte [26. 16f.], hielt sich noch enger als sein Vorgänger an ant. Muster. In seinem gesamten Wirken beachtete er die Devise – die orthodoxe Meinung der Zeit –, die ihm sein Dichterfreund Garth früh mit auf den Weg gab: ›The best of the modern poets in all languages are those that have the nearest copied the ancients‹ [52. 205]. In diese Richtung geht auch die Maxime *correctness*, welche Pope von seinem poetischen Mentor Walsh als maßgebliche Orientierung empfohlen wurde [15. 154], und Pope schrieb diesem dementsprechend in einem Brief (vom 22.10.1706), der wahre ›style of sound‹ sei ›evident everywhere in Homer and Virgil, and nowhere else‹ [15. 39].

Popes dichterisches Schaffen folgt erkennbar der *rota Vergilii*, welche für den Dichter die Abfolge Pastoraldichtung, Lehrgedicht, Epos als Norm vorsah. Für seine *Pastorals* (1709) erhebt Pope in seinem Vorwort den Anspruch, daß sie ein Konzentrat dessen darstellten, was die klass. *exempla* an wirklich gattungsgemäßen Elementen enthielten: ›Of the following Eclogues I shall only say, that these four comprehend all the subjects which the Critics upon *Theocritus* and *Virgil* will allow to be fit for pastoral‹ [16. 50]. Wichtigstes Vorbild ist zweifellos Vergil, und es kann sich der Eindruck ergeben, ›(Pope) out-Vergils Vergil‹ oder ›their (the Pastorals') originality ... consists mainly in Pope's cunning selection of themes from the old eclogues‹, was jedoch Popes eigenen Beitrag übersieht [16. 57]. Popes lit. Freunden und Gönnern drängte sich der Vergleich des vielversprechenden jungen Dichters mit dem röm. Meister auf, und einer von ihnen, Granville, äußerte in einem Brief die hoch gespannte Erwartung: ›If he goes on as he has begun, in the pastoral way, as *Virgil* first try'd his Strength, we may hope to see *English* Poetry vie with the *Roman*‹ [16. 49].

Ähnlich wie Vergil seine *Georgica* mit der Anfangszeile der *Bucolica* abschloß, beendete Pope sein Landschaftsgedicht *Windsor Forest* (1713) mit einer variierten Wiederaufnahme des Anfangs der *Pastorals*, dem Motiv des πρῶτος εὑρετής: ›First in these Fields I sung the Sylvan Strains.‹ Damit wird unmißverständlich ›the poet's georgic phase‹ markiert [19. 48]. Auch wenn *Windsor Forest* (1713) kein Lehrgedicht im strengen Sinne ist, weist doch v.a. die Mythologisierung der heimischen Landschaft und die Darstellung der *Pax Britannica* in der Analogie zur *Pax Augustana* klar auf das röm. Vorbild.

Ein regelrechtes Lehrgedicht ist dagegen *An Essay on Criticism* (1711). Daß hier freilich nicht Vergil, sondern Horaz das Modell bildet, macht schon J. Addison in einer zeitgenössischen Rezension deutlich: ›The Observations follow one another like those in *Horace's Art of Poetry*, without that methodical Regularity which would have been requisite in a Prose Author‹ [2. Nr. 253]. Vergil oder ›young Maro‹ (Z. 130) wird hier jedoch als

Beispiel für die Übereinstimmung der überlieferten Regeln mit der Natur präsentiert; denn als dieser das Werk seines griech. Vorgängers untersucht, kommt er nach Pope zu dem überraschenden Ergebnis: ›*Nature* and *Homer* were, he found, the *same*‹ (Z. 135). So folgert Pope daraus die zentrale Maxime: ›Learn hence for Ancient *Rules* a just Esteem;/ To copy *Nature* is to copy *Them*‹ (Z. 139f.).

Entsprechend den klass. Vorstellungen war für Pope und seine Zeitgenossen das Epos die höchste Form von Dichtung überhaupt, und Pope hegte schon früh den Plan, ein eigenes Epos, und zwar über den röm. Brutus, zu schreiben. Dazu kam es aber nie, denn für ein ernstes Epos fehlten in dieser Zeit offenbar die weltanschaulichen Voraussetzungen. So wich Pope auf benachbarte Felder aus und verfaßte – außer der Homer-Übers. – ein satirisches Versepos, *The Rape of the Lock* (erweiterte Fassung 1714), in dem er die Gattungselemente des klass. Epos parodiert, um ein ironisches Bild der zeitgenössischen höfischen Gesellschaft zu zeichnen. Statt des epischen Helden steht im Mittelpunkt die schöne Belinda: nicht Kampfesmut oder *pietas* sind in der Welt der vornehmen Salons entscheidend, sondern äußerer Glanz und der schöne Schein. Der Bezugsrahmen des ant. Epos manifestiert sich durchgehend: nach der traditionellen Eröffnung mit Themennennung und Musenanruf werden in den fünf Cantos u.a. das Anlegen der Waffen (Morgentoilette der Schönen), Schlachtenbeschreibung (Kartenspiel bzw. Abschneiden der Locke), der Gang in die Unterwelt (die Höhle des *Spleen*) und bes. die epische »Maschinerie« (hier bestehend aus Sylphen und Gnomen) ironisch ins Spiel gebracht. Ähnliches gilt für die spätere Dichtung *Dunciad* (1727). Auch hier zeigt sich ›Pope's total immersion in the great epic poems of the past‹ [21. 242].

In Popes späterem Schaffen wird Horaz sein Hauptvorbild. Dazu N. Callan: ›As it affects almost all his mature poetry this relationship is by far the most important.‹ [21. 242] Wie Horaz in seinen Satiren und Episteln geht Pope in urban-kolloquialem Stil auf zeitgenössische Personen und Verhältnisse ein. Bes. die *Imitations of Horace* (1733–1738) stehen dem röm. Dichter sehr nahe. Pope, der seine Texte als Parallelausgabe zusammen mit der klass. Vorlage herausbrachte und so seine Leser zu einem direkten Vergleich einlud, reagiert höchst flexibel auf das lat. Original, indem er es zum Teil frei übersetzt, zum Teil aber auch souverän in analoge Verhältnisse seiner eigenen Gegenwart transponiert [50. 23ff.; 47. 61ff.].

Horaz war in dieser Epoche allg. der meistgeschätzte ant. Autor, was z.B. aus der Tatsache hervorgeht, daß von ihm die meisten engl. Übers. erschienen: in der Epoche von 1660 bis 1800 waren es im ganzen 37 unterschiedliche Fassungen (von Homer 22, Vergil 21 und Ovid 19) [14. 182]. Selbst ein so radikaler Neuerer wie J. Swift (1667–1745) folgte gern diesem Vorbild, indem er etwa in seinem Gedicht *To the Earl of Oxford, Late Lord Treasurer. Sent to him when he was in the Tower, before his*

*Tryal* (1716) mit dem Untertitel ›Out of Horace‹ als Eröffnung die Horaz-Zeile ›Dulce et decorum est pro patria mori‹ mit ›How blest is he, who for his Country dies‹ wiedergab [11. I,210]. Swifts zeitgenössischer Biograph J. Orrery berichtete, daß der Dean auf seine lat. Gedichte *Ad Amicum Eruditum Thomam Sheridan* und *Carberiae Rupes* bes. stolz war: ›he assumed to himself more vanity upon these two Latin poems, than upon many of his best English performances‹ [11. 316; 14. 32]. Zu einer solchen Einstellung paßt es auch gut, wenn Swift später in seinen *Gulliver's Travels* den Weltreisenden auf der Insel Glubbdubdrib den Senat von Rom zusammen mit einem mod. Parlament aus der Unterwelt herzitieren läßt und er diesen als ›eine Versammlung von Heroen und Halbgöttern‹, jenes jedoch als ›eine Zusammenrottung von Hausierern, Taschendieben, Straßenräubern und Maulhelden‹ anspricht.

In der Dichtergeneration nach Pope und Swift führte Samuel Johnson (1709–1784) – meist als Dr. Johnson bezeichnet – die klassizistische Trad. fort. Seine Lateinkenntnisse waren hervorragend, und er gilt als ›one of the great modern masters of the Latin Tongue‹ [13. 286]. Bereits als Student in Oxford übers. er Popes *Messiah*, das seinerseits auf Vergils 4. Ekloge zurückgeht, in lat. Hexameter [6. 29ff.]. Ähnlich wie Milton vor ihm sprach Johnson fließend Lat., und er führte ein lat. Tagebuch. Von ihm heißt es: ›Johnson loved Horace – at school, where he translated *Integer vitae* and *Nec semper imbres*, at Oxford, ... and all his life‹ [13. 299]. Doch seinen größten poetischen Erfolg erzielte er in der Nachfolge eines anderen lat. Autors: *London* (1738), mit dem er als Dichter seinen Durchbruch erreichte, ist eine freie Bearbeitung der 3. Satire Juvenals, und *The Vanity of Human Wishes* (1749), sein längstes und vielfach als bestes angesehenes Gedicht, basiert auf Juvenals 10. Satire. Johnsons zeitgenössischer Biograph J. Boswell überliefert von ihm den Ausspruch: ›modern writers are the moons of literature; they shine with reflected light, with light borrowed from the ancients. Greece appears to me to be the fountain of knowledge; Rome of Elegance‹ [13. 285]. Diese Einstellung sollte sich für die Dichter der Romantik zu Beginn des 19. Jh. fundamental ändern. Für sie, wie beispielsweise für John Keats (1795–1821) mit seiner *Ode on a Grecian Urn*, zählt nur das ant. Griechenland, dessen Myth. und Kunst in einer lebendigen Begegnung erfahren werden sollen.

### 3. Drama

Klass. Einfluß erreichte das engl. Drama der Zeit v. a. auf dem Weg über frz. Theorien und Beispiele. Diese waren nach der Restauration tonangebend, wobei freilich britische Eigenständigkeit oft betont wurde. Das tritt in der wichtigsten dramentheoretischen Schrift der Epoche, Drydens *Essay on Dramatic Poesy* (1668), deutlich zutage. In dem Ciceronianischen Dialog der vier Freunde Crites, Eugenius, Lisideius und Neander geht es neben der beliebten Frage der Überlegenheit der *Ancients* oder *Moderns* auch um den Begriff der Mimesis und bes. um das Thema der drei Einheiten.

Dryden selbst, der ebenfalls als Dramenautor sehr erfolgreich war, beachtet in seiner meist als sein bestes Stück angesehenen Trag. *All for Love, or, The World Well Lost* (1678) unübersehbar das neoklass. Dekorum und die drei Einheiten. Bei seiner Bearbeitung des Antonius-und-Cleopatra-Stoffes konzentriert sich Dryden im Gegensatz zu Shakespeare, den er auf dem Titelblatt als Vorbild in Anspruch nimmt (›Written in Imitation of Shakespeare's Stile‹), auf die Schlußphase der Handlung mit dem tragischen Höhepunkt und bringt viel edlere Hauptfiguren in ihrem tödlichen Konflikt zw. Liebe und Ehre auf die Bühne.

Auch das meistdiskutierte Stück der Zeit [14. 24] behandelt einen röm. Stoff, Addisons Trag. *Cato* (1713). Wie Pope in seinem Prolog den Zuschauern nahebringt, intendiert der Autor hier eine Verbindung von ant. Rom und mod. England: ›He bids your breast with ancient ardour rise,/ And calls forth Roman drops from British eyes.‹ Cato Uticensis als Vorkämpfer der republikanischen Freiheit faszinierte die Zeitgenossen nicht nur in England, und es ist bekannt, daß George Washington aus keinem anderen lit. Werk so häufig zitierte wie aus diesem und daß er eine Aufführung des Stücks für seine Truppen förderte [58. 77]. Neben Cato gehört zu den Figuren der röm. Geschichte, die gerne als *exempla virtutis* im Theater der Zeit dargestellt werden, v. a. der republikanische Brutus. Nathaniel Lee schrieb darüber sein von der Zensur unterdrücktes Stück (1680); William Hunts *The Fall of Tarquin: or, The Distress'd Lovers* (1713) ist eine apolit. Version des Stoffes; in der Nachahmung Voltaires steht William Duncombe mit *Junius Brutus* (1735); spät im 18. Jh. schließlich betonte Richard Cumberland in *The Sybil* übernatürliche Elemente der Geschichte um Brutus. Andere beliebte röm. Themen in den Trag. sind Selbstaufopferung des Regulus, Christenverfolgung und Freiheitskampf [58. 79ff.]. In den Kom. der Zeit, denen Kritiker und Publikum meist gegenüber den Trag. klar den Vorzug geben, sind dagegen ant. Vorbilder nur sehr indirekt wirksam geworden.

### 4. Prosa

Die wichtigsten lit. Innovationen in der Ära des Klassizismus finden auf dem Gebiet der Prosa statt. Insofern ist es wohl berechtigt, wenn Matthew Arnold später im 19. Jh. die Zeit Drydens und Popes als ›an age of prose and reason‹ apostrophiert [15. 252]. Insbes. wurde jetzt allmählich ein neuer, eigenständiger Kanon etabliert. Die auf die Dauer bedeutendste Veränderung ereignete sich in der Epik: der Roman trat die Funktionsnachfolge des Epos als führende lit. Gattung an, und die fundamentalen Werte der zeitgenössischen Gesellschaft, wie sie in Vergils *Aeneis* zum Ausdruck kommen sollten, wurden nun immer mehr in der narrativen Prosa-Langform lit. artikuliert. Erstaunlich – aber angesichts der verbreiteten Wertschätzung der Ant. in dieser Zeit vielleicht doch nicht völlig verwunderlich – ist es, daß auch bei diesen substantiellen Umwälzungen und Erneuerungen, die unausweichlich am E. die Bed. klass. Normen und Vorbilder reduzieren mußten, doch das ant. Erbe vielfach eine wichtige Rolle spielte.

In den ersten beiden Jahrzehnten des 18. Jh. bildete sich eine neue Form von Zeitschriften heraus, ›die im dt. meist »moralische Wochenschriften« genannt werden, obgleich die meisten von ihnen weder wöchentlich erschienen noch im heutigen Sinn moralisch waren‹ [41. 34]. Sie bestanden hauptsächlich aus Essays, zum Teil in Form von Briefen, die in urban-unterhaltsamem, geistreich aufgelockerten Stil verschiedenartige Themen des zeitgenössischen Lebens und der Welt behandelten. Im lit. Leben kam den moralischen Wochenschriften nicht zuletzt die Funktion zu, das nach heutigen Vorstellungen sehr begrenzte zeitgenössische Lesepublikum zu erweitern und zu erziehen. Als Fortführung von *The Tatler* (1709–11) steht hier an zentraler Stelle *The Spectator* (1711–14), der, neben Richard Steele, in erster Linie von Joseph Addison (1672–1719) besorgt wurde. Wie auch an seinem Dramenschaffen sichtbar, ist Addison maßgeblich durch klass. Bildung geprägt, und es wird zu Recht von ihm gesagt: ›Addison must be counted among those English writers who have a prevailingly classical or rather Latin Background. There is not much of exaggeration … in calling him a classical don who took to writing English essays‹. An der gleichen Stelle heißt es über Addisons Prosastil, er sei ›perhaps the most Attic in the language‹ [52. 215].

Schon in Addisons Programmatik wird sein klass. Hintergrund deutlich erkennbar. Wenn er ankündigt, ›I shall spare no Pains to make their (my readers') Instruction agreeable, and their Diversion useful‹ [2. Nr. 10], manifestiert sich dahinter unzweifelhaft das horazische *prodesse et delectare*. Und es ist kein Zufall, daß Addison seine Mission entschieden durch den Hinweis auf ein ant. Analogon illustriert: ›It was said of *Socrates*, that he brought Philosophy down from Heaven, to inhabit among Men; and I shall be ambitious to have it said of me, that I have brought Philosophy out of Closets and Libraries, Schools and Colleges, to dwell in Clubs and Assemblies, at Tea-Tables and in Coffee-Houses‹ [2. Nr. 10].

Immer wieder kommt Addison in seinen Essays auf Gegenstände und Themen aus der Ant. zu sprechen und zitiert oft mit Sachverstand Passagen aus lat. (seltener griech.) Texten im Original. In erster Linie möchte er Verbindungen zur Ant. herstellen. So formuliert er die These von einer engen wesensmäßigen Verbundenheit zw. engl. und lat. Autoren: ›if we look into the Writings of the old *Italians*, such as *Cicero* and *Virgil*, we shall find that the *English* Writers, in their way of thinking and expressing themselves, resemble those Authors much more than the modern *Italians* pretend to do‹ [2. Nr. 5]. Unter Berufung auf Longinus sieht er *imitatio* als positives Verfahren (›one great Genius often catches the Flame from another, and writes in his Spirit without copying servilely after him‹) und durch das Verhältnis von Vergil zu Homer legitimiert [2. Nr. 339]. Die ant. Autoren setzen für Addison die verbindlichen Maßstäbe,

beispielsweise hinsichtlich *imagination*: ›the most perfect in their several kinds … are perhaps *Homer*, *Virgil*, and *Ovid*‹ [2. Nr. 417]. Selbst bei der von ihm propagierten Aufwertung heimischer Autoren – dies betrifft v.a. Milton und die britischen Volksballaden – werden ant. Autoren als Vergleich und Gewährsleute bemüht [43. 419].

Fast naiv nimmt Addison an, daß seine eigene Begeisterung für die alten Sprachen und ihre Kultur von seinem Lesepublikum im allg. geteilt wird, und er spricht z.B. von ›The natural Love to Latin which is so prevalent in our common People‹. In diesem Sinne erzählt er die Anekdote von dem Landpfarrer, der durch lat. Zitate aus den Kirchenvätern seine Predigten attraktiv macht und immer mehr Zuhörer anlockt, während sein Amtskollege in der Nachbarkirche zunehmend vor leeren Bänken predigen muß; als dieser das Problem erkennt, beschließt er, seiner Gemeinde gleichfalls Lat. zu bieten, und zitiert, da er die Kirchenväter nicht kennt, Merkverse aus Lily, der verbreiteten Schul-Gramm. – und hat Erfolg [2. Nr. 221].

Bes. interessant in diesem Zusammenhang sind die lat. (und gelegentlich griech.) Motti, die jede Nummer des *Spectator* einleiten. Sie bleiben, im Gegensatz zu der Praxis, die Dr. Johnson später in seiner Zeitschrift *The Rambler* (1750–1752) befolgte, ohne Übers. Wie Addison selbstironisch meint, sollen sie sicherstellen, daß in jeder Nummer wenigstens *eine* gute Zeile zu finden ist, und bilden für den Leser ›a Hint that awakens in his Memory some beautiful Passage of a Classick Author‹ [2. Nr. 221]. Die Häufigkeit des Vorkommens ist vielleicht als Barometer für die Wertschätzung der einzelnen ant. Autoren bei Addison und seiner Zeit zu verstehen. Mit Abstand an der Spitze steht Horaz, der in 215 von insgesamt 635 Nummern gewählt ist. Er wird gefolgt von Vergil (123) und Ovid (56). Nach den augusteischen Dichtern kommt Juvenal (48). Erst an fünfter Stelle findet sich ein Prosaautor, Cicero (37), der aber immer noch häufiger vorkommt als alle griech. Autoren zusammen (28). Terenz (22), Persius (19), Martial (19) und Lukrez (9) schließen sich an. Seneca (5), Sallust (2) und Tacitus (1) sind überraschend wenig vertreten; ebenso die Liebesdichter Tibull (2), Catull (1) und Properz (1).

Als Vorbereitung des Romans sind die moralischen Wochenschriften auch wichtig, indem sie, in der Nachfolge von Theophrast, im Engl. durch Joseph Hall (1574–1656) und John Earle (c. 1601–1655) weitergeführt, fiktionale Charaktere in kurzen Handlungszusammenhängen präsentieren [52. 215].

Die Entwicklung des mod. Romans im frühen 18. Jh., die bedeutendste lit. Umwälzung dieser Zeit, verlief zunächst eher ohne Bezug zur ant. Lit. Daniel Defoe (1660–1731), der gern als »father of the English novel« apostrophiert wird, genoß als Dissenter eine nicht-human. Erziehung, die ihm merkantile Kenntnisse und mod. Fremdsprachen, nicht aber eine Vertrautheit mit der Ant. vermittelte. Ähnliches gilt naturgemäß für die »mothers of the novel«, die seit neuem von einer feministischen Literarhistorie ins Feld geführt werden. Auch Samuel Richardson (1689–1761), der durch seine Briefromane mit ihren eingehenden Darstellungen der Psyche ein einflußreicher Pionier der neuen Gattung wurde, mußte wegen der finanziellen Situation seines Vaters auf eine klass. Bildung (sowie eine geistliche Laufbahn) verzichten und konnte sich statt dessen durch praktische Erfahrungen mit Texten als Drucker auf seine spätere lit. Tätigkeit vorbereiten.

Demgegenüber erhielt Henry Fielding (1707–1754) als Sohn einer adligen Familie eine human. Erziehung, zunächst durch private Tutoren, dann an der renommierten *public school* Eton und schließlich an der Univ. Leyden, wo er klass. Lit. und Rechte studierte. Aufgrund seiner Bildung hatte Fielding einen guten Überblick über die lit. Großlandschaft und sah richtig, daß der mod. Roman als Gattung in der Funktionsnachfolge des ant. Epos steht. So bezeichnete Fielding bereits seinen Roman *Joseph Andrews* (1742), dessen einer Protagonist, der Geistliche Abraham Adams, übrigens über eine fundierte klass. Gelehrsamkeit verfügt, im Vorwort als ›a comic epic-poem in prose‹ [3. 25]. V. a. Fieldings stattliches Hauptwerk *Tom Jones* (1749) nimmt vielfältig auf das ant. Epos sowie die sonstige Lit. des alten Rom und Griechenland Bezug. Schon das Motto auf dem ursprünglichen Titelblatt weist den sachkundigen Leser in diese Richtung: *Mores hominum multorum vidit*. Dies bezieht sich unverkennbar auf den Anfang der Odyssee: wie ein mod. Odysseus lernt der Titelheld auf seiner Reise die verschiedenen Bereiche der Welt und der zeitgenössischen Gesellschaft kennen. Wenn Fielding seinen Roman in 18 B. einteilt, möchte er damit die Mitte zw. Homers 24 und Vergils 12 B. einnehmen. Immer wieder erinnert der Autor seine Leser an die Analogie zum klass. Epos, indem er seine ant. Vorlagen parodiert, wie es z. B. in der Überschrift von Kap. IV, 8 zum Ausdruck kommt: ›A Battle sung by the Muse in the Homerican Stile, and which none but the classical Reader can taste.‹ Hier wird eine Dorfprügelei wie eine epische Schlacht dargestellt, und der klass. gebildete Leser findet u. a. Musenanrufungen, episches Gleichnis, Nekrolog und Fortuna als kampfentscheidende Macht. Selbst in der Entschuldigung des Erzählers, ›All things are not in the power of all‹ [4. IV,8], kann man Vergils *Non omnia possumus omnes* wiedererkennen. Wie Homer oder Vergil, die Fielding als ›masters of all the learning of their times‹ [4. XIV,1] anspricht, gibt er sich als *poeta doctus*. In diesem Sinne begegnen uns nicht wenige lat. und griech. Zitate, die freilich meist auch übersetzt werden, um dem ›mere English reader‹ [3. 25] die Orientierung zu erleichtern. Zwar bezeichnet Fielding in einem seiner Vorworte die Musenanrufung durch einen mod. Autor als ›absurd‹ [4. VIII,1] (wobei er sich auch auf den Rat des Horaz an den Dichter beruft, übernatürliche Akteure nur äußerst selten zu verwenden); aber er hält sich nicht daran und ruft (neben den Musen) auch die allegorische Macht *Learning* zu Hilfe: ›Open thy Mæ-

onian and thy Mantuan coffers, with whatever else includes thy philosophic, thy poetic, and thy historical treasures, whether with Greek or Roman characters thou hast chosen to inscribe the ponderous chests‹ [4. XIII,1]. Am Schluß beklagt der Erzähler, daß dem mod. Autor, anders als dem der Ant., keine Myth. mehr zur Verfügung stehe [vgl. XVII,1]; aber er schafft es auch ohne *deus ex machina*, seinen Protagonisten noch zu retten. Letzten Endes dient das ant. Erbe Fielding dazu, sich von ihm zu emanzipieren. Bei den Romanciers Tobias Smollett (1721–1771), Laurence Sterne (1713–1768) und Oliver Goldsmith (1730–1774), die alle über eine gute klass. Bildung verfügten, bietet sich, weniger ausgeprägt, ein ähnliches Bild.

Stärker und unmittelbarer als auf dem Gebiet des Romans wirkte sich der Einfluß der Ant. in der Historiographie der Zeit aus. Die Vorstellung Ciceros von der Historie als *magistra vitae* und die Annahme, daß v. a. die Alte Geschichte eine unerschöpfliche Fundgrube für polit. Erfahrung darstellte und daß sich hier nachahmenswerte Beispiele für *civic virtue* boten, war allg. verbreitet. Zugleich wurde jedoch die Analogie zw. der röm. und der britischen Geschichte nicht nur positiv gesehen, und es gilt die Einschränkung: ›English historians, social critics, and moralists used the analogy to raise apprehensions and self-doubts. As Cato served for an example and warning to the individual, Rome became the model and threat to England‹ [35. 105].

Schon der Philosoph und Historiker David Hume (1711–1776), dessen *History of Great Britain* (1754–1757) und *History of England* (1759–1763) als erste große nationale Geschichte und lange als das Standardwerk überhaupt angesehen wurde, war entscheidend durch die Begegnung mit ant. Autoren geprägt. Anstatt Jura zu studieren, so berichtet er von sich selbst, verbrachte er seine Zeit damit, Cicero und Vergil zu verschlingen, und er schreibt in einem Brief über die Bildung seiner Persönlichkeit nach klass. Vorbildern: ›Having read many Books of Morality, such as Cicero, Seneca & Plutarch, & being smit with their beautiful Representations of Virtue & Philosophy, I undertook the Improvement of my Temper & Will, along with my Reason & Understanding‹ [14. 59].

Hume sah Geschichte mit den Augen eines Philosophen. Er war überzeugt, daß sich in geschichtlichen Ereignissen und Prozessen Grundkonstanten der menschlichen Natur offenbaren. So konnte der Blick in die Vergangenheit wertvolle Erklärungsmuster für die Gegenwart liefern. Da ihn bes. Fragen der Verfassung, also des polit. Systems, interessierten, begann Hume sein nationales Geschichtswerk mit der Regierungszeit Jakobs I., als zum ersten Mal das Parlament mit Erfolg eigene Rechte gegenüber dem Monarchen geltend machte. Der zweite Band, der bis zur Glorious Revolution von 1688 reichte, brachte Hume breite Anerkennung, so daß er das Projekt fortsetzte. In zwei Stufen arbeitete er sich zurück und schrieb je zwei Bände zunächst über die Tudorzeit und dann über die gesamte

Periode von der Invasion des Julius Caesar bis zur Thronbesteigung Heinrichs VII. Hume bemühte sich um Ausgewogenheit und Unparteilichkeit und betonte den zivilisatorischen Fortschritt seit dem MA. Auch wenn er noch keine Quellenkritik übte, verfügte er über eine exzellente Stoffbeherrschung und erhielt v. a. viel Beifall für seine stilistische Meisterschaft. Bei Hume wie bei seinen Zeitgenossen galt die Historiographie als ein Teilbereich der Schönen Lit. Für seinen Nachfolger Gibbon war Hume der ›Tacitus of Scotland‹ [48. 96].

Das wohl bekannteste Werk der englischsprachigen Historiographie, *The History of the Decline and Fall of the Roman Empire* (1776–1788) in sechs Bänden, von Edward Gibbon (1737–1794), ist nicht ohne Grund einem Gegenstand aus der Ant. gewidmet. Wie vor ihm Hume, schulte Gibbon bewußt seinen (später vielgepriesenen) Stil an ant. Vorbildern. Als frühes Vorbild gibt er Nepos an: ›The *lives* of Cornelius Nepos, the friend of Atticus and Cicero, are composed in the style of the purest age: his simplicity is elegant, his brevity copious; he exhibits a series of men and manners; and with such illustrations, as every pedant is not indeed qualified to give, this Classic biographer may initiate a young Student in the history of Greece and Rome‹ [14. 60]. Später las Gibbon über Cicero ›all the Epistles, *all* the Orations, and the most important treatises of Rhetoric and Philosophy‹ und leitete daraus die bezeichnende Empfehlung ab: ›Cicero in Latin and Xenophon in Greek are indeed the two ancients whom I would first propose to a liberal scholar, not only for the merit of their style and sentiments but for the admirable lessons which may be applied almost to every situation of public and private life‹ [14. 60f.].

Berühmt ist der Anlaß, den Gibbon selbst für das monumentale Werk angibt: ›It was at Rome, on the 15th of October 1764, as I sat musing admidst the ruins of the Capitol, while the barefooted friars were singing vespers in the temple of Jupiter, that the idea of writing the decline and fall of the city first started to my mind‹ [48. 96]. Gibbon behandelt die Geschichte des Imperium Romanum vom Tod Mark Aurels (180 n. Chr.) bis zum Zusammenbruch des Byz. Reiches (1453) in drei großen Abschnitten, die er im Vorwort umreißt: vom Zeitalter des Trajan und der Antoninen bis zum Zerfall des Westreichs in den Hunnen- und Gotenstürmen; von der Regierungszeit des Justinian im Osten bis zur Errichtung eines Zweiten oder Dt. Reichs im Westen unter Karl dem Gr.; und schließlich vom Wiedererstarken des Westreichs bis zur Eroberung Konstantinopels durch die Türken. Gibbons Sympathien gehören Diokletian, dem hart arbeitenden Emporkömmling, der einem erschütterten Reich Ordnung und Stabilität zurückgebracht hat, mehr als dessen Nachfolger Konstantin, dessen berechnendes Taktieren, gerade im Umgang mit der Religion, er verächtlich fand.

Gibbon stellt die Entwicklung des Röm. Reichs als einen fortlaufenden Niedergang dar. Er betont die paradoxe Tatsache, daß Rom zwar den Höhepunkt seiner Zivilisation unter dem aufgeklärten Despotismus der Antoninenkaiser erreichte, zugleich aber schon die Samen des Verfalls gesät waren, als die ausgewogene, freie Verfassung der Republik aufgegeben war und ›uniform government ... introduced a slow and secret poison into the vitals of the empire‹. Auch in dem Christentum mit seinen ›doctrines of patience and pusillanimity‹ [48. 79] sah Gibbon eine entscheidende Ursache des Niedergangs. In den bes. von Seiten des Anglikanischen Klerus stark angegriffenen Kap. 15 und 16 des ersten Buches geht Gibbon kritisch auf den Aufstieg des Christentums, den wachsenden rel. Fanatismus, den Aberglauben und die Behandlung der Christen durch das Röm. Reich bis zur Zeit Konstantins ein. Die negative Beurteilung der Rolle der Kirche teilte Gibbon mit zeitgenössischen Intellektuellen, die er in Frankreich und der Schweiz kennengelernt hatte.

Noch während seiner Arbeit an dem großen Werk gründete Gibbon 1765 den *Roman Club*, um eine Gruppe von Gleichgesinnten um sich zu scharen. Wie vorher die *Society of Roman Knights* (gegr. 1722) oder die → Society of Dilettanti (gegr. 1732) (die ihr Hauptinteresse später von Rom auf Griechenland verlagerte) war diese Gesellschaft aktiv um die Pflege ant. Kulturgutes bemüht [14. 61].

Sehr engagiert in diesem Sinne war ebenfalls Anthony Ashley Cooper, Dritter Earl of Shaftesbury (1671–1713), der zu seiner Zeit einflußreichste Philosoph. Er konnte sich schon im Alter von elf J. fließend auf griech. und lat. unterhalten, und ein früher Biograph weist auf seine lebenslange intensive Beschäftigung mit der Ant. hin: ›(Shaftesbury's) principal study was of the writings of antiquity, from which he formed to himself the plan of his philosophy‹. Dazu führt er weiter aus: ›Among these writings those which he most admired, and carried always with him, were the moral works of Xenophon, Horace, the Commentaries and Enchiridion of Epictetus as published by Arrian, and Marcus Antoninus‹ [14. 57].

Im Gegensatz zu John Locke (1632–1704), dem Begründer des engl. Empirismus, den er persönlich sehr schätzte, betonte Shaftesbury in seinem philos. Denken v. a. die Ethik. Er war ein Bewunderer dessen, was er als griech. Ideal der Ausgewogenheit und Harmonie ansah, und in seinen Augen hätten Lockes moral- und staatsphilos. Lehren durch eine stärkere Berücksichtigung der griech. Philos. entschieden gewonnen. Für Shaftesbury war Aristoteles' Sicht des Menschen als ξῷον πολιτικόν grundlegend. In seinem unsystematischen (›the most ingenious way of becoming foolish is by a system‹) Hauptwerk *Characteristics of Men, Manners, Opinions, Times* (1711, überarbeitete Fassung 1714), bes. in der darin enthaltenen Abhandlung *Enquiry concerning Virtue* (1699), vertritt er die Überzeugung, daß der Mensch die angeborene Unterscheidung zw. richtig und falsch, zw. der Schönheit oder Häßlichkeit seiner Handlungen und Empfindungen besitzt. Diese Fähigkeit nennt er *moral sense*. Auch wenn Shaftesburys dezidierte Wertschätzung der griech. Ant. zu seiner Zeit, als allg. Rom im Mittelpunkt der Aufmerksamkeit stand, eher ungewöhnlich war, schlug sich sein Gedankengut doch in vielen Romanen, ästhetischen und philos. Schriften des 18. Jh. nieder [vgl. 41. 38].

QU 1 J. ADDISON, Miscellaneous Works, hrsg. von A. C. GUTHKELCH, 2 Bde., 1914 2 J. ADDISON, R. STEELE et al., Spectator, hrsg. von G. SMITH, 4 Bde., 1907, revidierte Ausgabe 1945 3 H. FIELDING, Joseph Andrews, hrsg. von R. F. BRISSENDEN, 1977 4 Ders., Tom Jones, hrsg. von R. P. C. MUTTER, 1966 5 S. JOHNSON, Lives of the English Poets, 2 Bde., 1906 (Ndr. 1952) 6 Ders., Poems, hrsg. von E. L. McADAM, JR., 1964 7 B. JONSON, Works, hrsg. von C. H. HERFORD, P. UND E. SIMPSON, 11 Bde., 1925–1952 8 J. MILTON, Complete Poems and Major Prose, hrsg. von M. Y. HUGHES, 1957 9 A. POPE, Poems, hrsg. von J. Butt, 1963 10 W. SHAKESPEARE, The Riverside Shakespeare, hrsg. von G. BLAKEMORE EVANS, 1974 11 J. SWIFT, Poems, hrsg. von H. WILLIAMS, 3 Bde., 1958 12 J. SWIFT, Prose Works, hrsg. von H. Davis, 14 Bde., 1939–1968

LIT 13 M. N. AUSTIN, Classical Learning of Samuel Johnson, in: Stud. in the EIGHTEENTH CENTURY, hrsg. von R. F. Brissenden, 1968 14 P. AYRES, Classical Culture and the Idea of Rome in 18th Century England, 1997 15 F. W. BATESON, N. A. JOUKOVSKY (Hrsg.), Alexander Pope. A Critical Anthology, 1971 16 R. BORGMEIER, The Dying Shepherd. Die Trad. der engl. Ekloge von Pope bis Wordsworth, 1976 17 Ders., Die engl. Lit., in: Einfluß Senecas auf das europ. Drama, hrsg. von E. Lefèvre, 1978, 276–323 18 B. H. BRONSON, Facets of the Enlightenment, 1968 19 R. A. BROWER, Alexander Pope. Poetry of Allusion, 1959 20 H. BROWN, Classical Trad. in Engl. Lit.: A Bibliography, in: Harvard Stud. and Notes in Phil. and Lit. 18 (1935), 7–46 21 N. CALLAN, Pope and the Classics, in: P. DIXON (Hrsg.), Alexander Pope, 1975, 230–249 22 M. L. CLARKE, Classical Education in Britain. 1500–1900, 1959 23 Ders., Greek Studies in England. 1700–1830, 1986 24 D. DANIELSON, Cambridge Companion to Milton, 1989 25 O. DIEDE, Streit der Alten und Modernen in der engl. Literaturgesch. des 16. und 17. Jh., 1912 26 T. S. ELIOT, What is a Classic?, 1974 (1945) 27 H. ERSKINE-HILL, Augustans on Augustanism, 1655–1759, in: Ren. & Modern Stud. 2 (1967), 55–83 28 Ders., Augustan Idea in Engl. Lit., 1983 29 D. M. FOERSTER, Homer in Engl. Criticism, 1947 30 W. FROST, Dryden and the Classics: With a Look at his Aeneis, in: E. MINER (Hrsg.), John Dryden, 267–296 31 J. FUCHS, Reading Pope's Imitations of Horace, 1989 32 J. H. HANFORD, Milton Handbook, ⁴1961 33 C. H. HERFORD, P. SIMPSON, Ben Jonson. The Man and His Work, 2 Bde., 1925 34 G. HIGHET, Classical Tradition. Greek and Roman Influences on Western Lit., 1949 35 J. W. JOHNSON, Formation of Engl. Neo-Classical Thought, 1967 36 Ders., Classics and John Bull, in: H. T. SWEDENBERG (Hrsg.), England in the Restoration and Early 18th Century, 1972, 1–26 37 R. F. JONES, Ancients and Moderns. A Study of the Background of the Battle of the Books, 1936 38 C. KALLENDORF, Latin Influences on Engl. Lit. from the Middle Ages to the 18th Century, Annotated Bibliography of Scholarship, 1945–1979 39 L. C. KNIGHTS, Trad. and Ben Jonson, in: J. A. BARISH (Hrsg.), Ben Jonson, 1963, 24–39 40 H. LEVIN, Contexts of the Classical, in: Contexts of Criticism, 1957, 38–54 41 V. NÜNNING, A. NÜNNING, Engl. Lit. des 18. Jh.,

1998 42 C. G. OSGOOD, Classical Mythology of Milton's Poems, 1964 (1900) 43 H. PAPAJEWSKI, Die Bed. der »Ars Poetica« für den engl. Neoklassizismus, in: Anglia 79 (1961), 405–439 44 R. PFEIFFER, History of Classical Scholarship. From 1300 to 1850, 1976 45 K. A. PREUSCHEN, Ben Jonson als human. Dramatiker, 1989 46 D. ROLLE (Hrsg.), 18. Jh. I (Die engl. Lit. in Text und Darstellung), 1982 47 N. RUDD, Classical Trad. in Operation, 1994 48 J. SAMBROOK, The 18th Century. The Intellectual and Cultural Context of Lit., 1700–1789, 1986 49 B. N. SCHILLING (Hrsg.), Essential Articles: for the Study of Engl. Augustan Backgrounds, 1961 50 F. STACK, Pope and Horace: Stud. in Imitation, 1985 51 C. J. SUMMERS, T.-L. PEBWORTH, Ben Jonson, 1979 52 J. A. K. THOMSON, Classical Background of Engl. Lit., 1948 53 Ders., Classical Influences of Engl. Poetry, 1951 54 E. M. W. TILLYARD, Milton and the Classics, in: Essay by Divers Hands 26 (1953), 59–72 55 H. D. WEINBROT, Augustus Caesar in »Augustan« England, 1978 56 Ders., Britannia's Issue. The Rise of Brit. Lit. from Dryden to Ossian, 1993 57 R. WELLEK, Term and Concept of »Classicism«, in: Proceedings of the International Comparative Literatures Association, 1966, 1049–1067 58 C. WINTON, The Roman Play in the 18th Century, in: Stud. in the Lit. Imagination 10 (1977), 77–90.

RAIMUND BORGMEIER

II. LITERATUR/DEUTSCH UND ROMANISCH s. Klassik als Klassizismus

**Kleidung** s. Mode

**Klosterschule** A. DEFINITION B. SYSTEMATISCHE CHRONOLOGIE

A. DEFINITION

Zu unterscheiden ist die K. im weiten Sinne (»Kloster als Schule«) von der K. im engeren Sinne. Das Differenzkriterium besteht in der Art und Weise, wie und mit welchen Zielsetzungen jeweils Lernen inszeniert wurde. Im weiten Sinne kann die gesamte Institution des Klosters als Schule bezeichnet werden, in der das Lernen durch soziale, zeitliche und räumliche Regeln gesteuert wird. Dem steht die K. im engeren Sinne gegenüber, in der das Lernen primär durch eine separate Unterrichtung mit der Intention der Kulturtradierung organisiert wurde.

B. SYSTEMATISCHE CHRONOLOGIE

Die Entwicklung der Institution kann in der Formel zusammengefaßt werden: *vom Kloster als Schule zur Klosterschule (im engeren Sinne).* Dabei muß beachtet werden, daß die Dimension des Klosters als Schule mit der Zeit keineswegs verschwunden ist. Vielmehr drückt sich gerade im Mit- bzw. Gegeneinander beider Inszenierungsweisen von Lernen jene bleibende Spannung aus, die zu Kontroversen über die Berechtigung und Bed. unterrichtlichen Lehrens und Lernens im Raum des Klosters Anlaß gegeben hat. Die Initiativen zur Klosterreform (v. a. des 10. und 11. Jh.) müssen auch von dem pädagogischen Problem her interpretiert werden, welcher Stellenwert, welche Gestalt und welche Inhalte dem Lernen zugeschrieben werden sollten.

Bereits in den Anf. des ägypt. Mönchtums bei Pachomius und schließlich auch in dem nach Rom orientierten Mönchtum bei Benedict war dem Kloster durch den Auftrag zum Einleben in eine regelgeleitete Alltagsstruktur ein pädagogisches Grundanliegen eigen. Leitend war das Bild vom Kloster als »Schule der Heiligung«, in der die Mönche vor dem Hintergrund des Taufversprechens einen Prozeß der Einübung in die *imitatio Christi* durchlaufen sollten. Von den in jeweiligen Klosterregeln formulierten Selbstverständlichkeiten des Zusammenlebens ging ein pädagogischer Appell zum lebenslangen Lernen aus. Hierzu zählte auch der Erwerb elementarer Sprachkompetenzen, vornehmlich des Lesens. Diese Kompetenzen sollten aber – im Unterschied zur späteren K. im engeren Sinne – nicht (primär) der Kulturtradierung dienen, sondern als fromme Übung verstanden werden. Eingebettet war die Beschränkung des Lernens auf Alltagsgestaltung und Frömmigkeitsübung im 5. und 6. Jh. in die soziale Stellung des Klosters als einer weitgehend selbstreferentiellen Institution, der noch keine weitergehenden Funktionen für die früh-ma. Reichsstrukturen zukam. Eine Ausnahme bildete lediglich das »Kloster« Vivarium des Cassiodor im 6. Jh., dessen institutionelle Eigenheit jedoch sowohl histor. als auch pädagogisch schwer zu bestimmen ist.

Die Eigenheit des Klosters änderte sich v. a. im und durch den Prozeß der irofränkischen und angelsächsischen Mission im 7. und 8. Jh. In diesem Prozeß wurde die im Hinblick auf die allg. Sozialstruktur abgeschiedene Stellung des Klosters weitgehend aufgelöst. Das unter den Merowingern entstehende und unter den Karolingern ausgebaute System des Feudalismus sorgte im Hinblick auf die Klöster für einen grundlegenden Funktionswandel. Dieser Wandel ist u. a. durch den Aspekt gekennzeichnet, daß nun der Adel als Eigenkirchenherr entsprechende Einrichtungen zum künftigen Seelenheil und nicht zuletzt zur Versorgung seiner Familie mit einer z. T. weitreichenden Macht- und Grundbesitzausstattung stiftete. Damit war die pädagogische Dimension des Klosters als Schule zwar nicht aufgehoben, doch rückten jetzt im Zuge einer kontextbezogenen Auslegung der immer stärker zur Norm gewordenen Benedictregel pädagogische Dienstleistungen für die allg. Sozialstruktur des frühen MA in den Vordergrund. Die zu erwerbende Sprachkompetenz war nicht länger nur eine fromme Übung, sondern bekam insbes. unter Karl dem Gr. und seinem komplexen Reichsgebilde eine weitreichende polit. Bed.: zum einen durch die Sprachpflege als solche, zum anderen durch die Ausbildung kompetenter Persönlichkeiten, die an den königlichen Kanzleien für die Frömmigkeits- und Rechtspflege zuständig waren oder als Diplomaten die Kommunikation mit anderen Herrschaftshäusern gewährleisten sollten. Insbes. der Pflege des Lat. maß Karl der Gr. in verschiedenen Erlassen (vgl. Brief Karls des Gr. an Abt Bangulf, *Admonitio generalis*, von 789) eine grundlegende Bed. bei, da durch diese nicht nur die

durch Bonifatius röm. ausgerichtete Frömmigkeit und deren Liturgie, sondern auch die künstliche Spracheinheit des Reiches aufrechterhalten werden sollte. Die lat. Sprach- und Schriftkultur diente innerhalb des karolingischen Großreiches als Integrationsinstrument, zu dem die Klöster nun durch systematische Unterrichtung ihren Beitrag zu leisten hatten. Die K. im engeren Sinne wie Tours, Fulda oder St. Gallen steuerten als Dienst am karolingischen »Reich Gottes« die Produktion von Texten in den Skriptorien und die Ausbildung gelehrter Mönche bei. Karl der Gr. formulierte letztlich eine Bildungspflicht für die Mönche in den K. – wie auch für die Geistlichen an den Domen. Lernen wurde dabei inszeniert über gesteuertes Üben und eine explizit kulturellen Zwecken dienende Unterrichtung; damit näherte sich die K. (mit anderen Inhalten versehen) funktional den spät-ant. Grammatik- und Rhetorikschulen an.

Die Geschichte der K. und wohl auch des Klosters an sich ist ab dem 8. Jh. geprägt durch die letztlich auch pädagogisch zu interpretierende Spannung zw. regelgeleiteter Alltagsfrömmigkeit einerseits und den sozialen Verpflichtungen (und Neigungen) zur Kulturgestaltung andererseits. Die Konflikte, die v. a. unter der Regentschaft Ludwigs des Frommen ausbrachen (vgl. die Beschlüsse der Reformsynode von 817) und letztlich mit zu den von Cluny ausgehenden Reformbestrebungen führten, kulminierten in der Frage: was soll wozu auf welche Art und Weise gelernt werden? Vor diesem Hintergrund muß auch die Differenzierung in eine der kulturellen Ausbildungsverpflichtung dienende *schola exterior* und eine *schola interior*, die dem Gemeinschaftsleben des klösterlichen Nachwuchses vorbehalten bleiben sollte, verstanden werden. Im Hinblick auf die Lehrinhalte war damit v. a. die Kontroverse verbunden, inwieweit über die Lektüre der biblischen Schriften hinaus eine Beschäftigung mit ant. Autoren sinnvoll bzw. unerläßlich war. Entsprechende Diskussionen spiegeln sich u. a. in den unterschiedlichen Beständen der Kloster-Bibliotheken. Für das Kloster als Schule benötigte man auf der Basis elementarer Lesekenntnisse lediglich die Bibel und die jeweils verbindliche Regel, zumeist die des Benedict, als Grundlage der Frömmigkeitsübung. Für die K. im engeren Sinne war es jedoch zwingend, die bereits von Augustinus legitimierte Beschäftigung mit ant. Schriften zur Gramm., Rhet. und Dialektik und auch zum Quadrivium mit einzubeziehen – wenn auch im Licht des inhaltlich normierenden Maßstabs der biblischen Lehre, wie es exemplarisch Hrabanus Maurus in seiner Schrift *De institutione clericorum* dargestellt hat. Die Konflikte um den Status von Lernen und Bildung im Rahmen des Klosters mußten in jenem Zeitraum zurücktreten, in dem die Versorgung mit kulturell notwendigen Ausbildungsangeboten durch andere Institutionen (neben den → Domschulen) gewährleistet werden konnte. Dies vollzog sich nach den massiven Kontroversen um die Eigenheit und Aufgabe des Klosters im 10. und 11. Jh. durch das Entstehen der städtischen Schulen auf der einen und der → Universitäten auf der anderen Seite im 12. Jh.

→ Mittelalter; Karolingische Renaissance

→ AWI Augustinus, Aurelius; Benedictus von Nursia

1 J. DOLCH, Lehrplan des Abendlandes, 1962 2 P. HAWEL, Das Mönchtum im Abendland, 1993 3 K. HELMER, Bildungswelten des MA, 1997 4 D. ILLMER, Formen der Erziehung und Wissensvermittlung im frühen MA, 1971 5 R. KOTTJE, Art. Klosterschulen, in: LMA, V, 1991, Sp. 1226–1228 6 L. MAITRE, Les écoles épiscopales et monastiques en Occident avant les universités (768–1180), 1924 7 E. PAUL, Gesch. der christl. Erziehung, Bd. 1, Ant. und MA, 1993.            RALF KOERRENZ

**Knidische Aphrodite.** Die K. A. wurde gegen 340 v. Chr. von Praxiteles für den Tempel der Aphrodite Euploia in Knidos geschaffen. Sie galt als das erste und zugleich vollkommenste Standbild einer gänzlich nackten Göttin und Frau: Laut Plinius d. Älteren die berühmteste Marmorskulptur der Welt, um derentwillen Knidos ein bedeutendes touristisches Ziel war (nat. 36,20). Vom Ruhm der spätklass., überlebensgroßen Statue zeugen ferner zahlreiche Erwähnungen und Epigramme [3], sowie der Umstand, das am meisten kopierte griech. Bildwerk zu sein: Man zählt mehr als 50 großformatige Kopien [2] und ungezählte Kleinplastiken. Ein spekulatives Zugeständnis an ein bes. Besucher-Interesse tritt zutage in der ungewöhnlichen – sekundären – Aufstellung des Kultbilds, das offenbar von vorn wie von hinten betrachtet werden konnte (in einem Rundtempel?). Und *a tergo* spielte sich die bizarre Liebesattacke eines von der Schönheit und »Lebendigkeit« der Statue betörten Mannes ab, von der Plinius, die pseudolukianischen *Erotes*, Philostrat, Valerius Maximus

u. a. berichten. Zwar läßt sich die Legende dieser Statuenliebe einreihen unter die Fabeleien über famose Sinnestäuschungen von Mensch und Tier im Angesicht naturgetreuer Kunstwerke in Malerei und Plastik (vgl. die *Trauben des Zeuxis*) und zählt somit zum festen Bestand des populären Kunstlobs der Ant. Dennoch war es ein Skandalon eigener Art, das mündlich und schriftlich sein marmornes Urbild überlebte und bis h. unvergessen ist: Das gab den Stoff zu einer einzigartigen Rezeption, einer Affektgeschichte, die nicht anhand von materialisierten Resultaten beschrieben werden kann, sondern eine Spurenlese im sozusagen kollektiven Psychogramm des christl. Alt. und MA voraussetzt.

Abb. 2: Venus Colonna. Römische Kopie nach Praxiteles, Aphrodite von Knidos.
Rom, Vatikanische Museen

Abb. 1: Knidische Münze der Caracalla-Zeit, Umrißzeichnung

Die Statue selbst ging verloren, ihr mutmaßlicher Tempel (eine Tholos) wurde um 1970 ausgegraben. Die Ikonographie der K. A., die zur Inkunabel der hell. Aphrodite-Statuen wurde, konnte erst im 18. Jh. anhand knidischer Mz. identifiziert werden (durch Jonathan Richardson senior und junior, Amsterdam 1728) (Abb. 1). Als zuverlässigste, wenn auch z. T. falsch ergänzte Kopie gilt die sog. *Venus Colonna* aus hadrianisch-antoninischer Zeit (Rom, Vatikanische Sammlungen) (Abb. 2). Die schon in der Ant. geschiedenen Wege der verbalen und der künstlerisch-materiellen Überlieferung trennten sich endgültig in frühchristl. Zeit. Denn bereits in der apologetischen Patristik wurde der knidische Anschlag aufgrund seiner Popularität und seines die Schamgrenze verletzenden Odiums zu einem Hauptargument gegen die heidnischen Götterbilder (und Kunstwerke): ›In solchem Maße vermochte Kunst zu täuschen, daß sie lüsternen Menschen zum Abgrund wurde‹, so Clemens Alexandrinus über diesen Fall [5. 97]. Statuen galten nun als Idole, Sitz von Dämonen, waren durch ihre künstlerische Qualität und ihren Liebreiz infektiös geworden. So stürzten sie die Menschen in Idolatrie, damit in Sünde und Verderben (Arnobius, Athenagoras, Tatian) [5. 96–106]. Die pikante → Mimesislegende war zum pathologischen Fall dämonischer Statuenliebe geworden. Der in der knidischen Legende begründete sexuelle Charakter des heidnischen Bilderkults war in der Spätant. und dem frühen MA auf sämtliche Venusstatuen und überhaupt auf anthropomorphe Skulpturen übergegangen. Davon zeugen zahlreiche Berichte von sexuell motivierten Idolenstürzen und Exorzismen frühchristl. Zeit, sowie noch die spätma. Illustrationen zu den dämonologischen Kapiteln der *Civitas Dei* des Augustinus.

Im hohen MA, als die heidnischen Statuen längst vom Tageslicht verschwunden waren, erneuerte und verwandelte sich die Rede von der dämonischen Kraft der Venus-Statuen: Man erzählte, daß ein Jüngling einer zufällig angetroffenen Statue arglos seinen Trauring (zur Ablage) aufgesteckt und ihr damit ein verbindliches Eheversprechen gegeben habe: Es war Venus, die daraufhin den Anspruch auf die Hochzeitsnacht erhob (›mecum concumbe!‹) und tatkräftig den legitimen Verkehr des jungen Paares verhinderte. Mit einem schaurigen Exorzismus konnte das Problem am Ende gelöst und der Ring wiedergewonnen werden (William v. Malmesbury, *Gesta regum Anglorum*, um 1125, MGH SS X, II, 205). In der Version der mhdt. Kaiserchronik (um 1150, MGH Dt CC I., 13103–13392) wird die Statue sogar initiativ, was psychologisch als Projektion zu deuten ist.

Dieses, von der K. A. inspirierte, aber vom Bild in die Einbildung mutierte Motiv läßt gleichermaßen anhaltende Sehnsucht nach Bildern der Schönheit und Sexualität wie die Angst vor ihnen erkennen. Doch schon bald wurde die teuflische Passion für die Heidengöttin konvertiert in wahre Marien-Liebe. Gautier de Coincy ersetzt (um 1200) in einem seiner Marien-Mirakel das

fatale Bildwerk durch eine liebreizende Madonnen-Statue: mit vergleichbarem Resultat: der Mann geht eine lebenslange zölibatäre Verbindung mit der himmlischen Braut ein. In einem anderen Werk dieser Zeit interveniert die Madonna selbst: ›Die Teufel erhalten Bilder, warum nicht ich?‹ [5. 149 f.; 153 ff.]. Mittlerweile, in der Gotik, waren »schöne« Statuen wieder an der Tagesordnung (wenn auch keine nackten) und mußten, rückwirkend, mit den alten bilderfeindlichen Dogmen in Einklang gebracht werden.

Die zauberische Ringverlobung wurde indes weiter und weiter kolportiert und geriet endlich, wenn auch viel später, zu einem aparten »Stoff der Weltlit.« [4], die wichtigsten Titel: J. Cazotte, *Le Diable amoureux* (1772), J. W. Goethe, *Die Braut von Korinth* (1798), Cl. Brentano, *Godwi* (1802), *Romanzen vom Rosenkranz* (1803–1818), J. A. Apel, *Der Brautring* (1812), A. v. Arnim, *Päpstin Jutta* (1813), W. v. Eichendorff, *Die zauberische Venus* (1816), J. v. Eichendorff, *Das Marmorbild* (1819), E. T. A. Hoffmann, *Die Geschichte vom verlorenen Spiegelbilde* (1815), W. Alexis, *Venus in Rom* (1828), P. Merimée, *La Vénus d'Ille* (1837), H. Heine, *Florentinische Nächte* (1836), G. d'Annunzio, *La Pisanelle ou la mort parfumée* (1913).

Die Episode der ant. und der ma. Statuenliebe scheint (im Gegensatz zur Pygmalionlegende) kein eigenes Bildmotiv hervorgebracht zu haben; vielleicht reflektiert in Dürers Stich *Traum des Doktors* (um 1498), wo Venus einen Ring trägt [5. 195]. Unausgesprochen scheinen indes etliche Venus-Bilder der Ren. (etwa Cranachs d. Ä.) vor dem Hintergrundwissen der Kenner damit zu kokettieren, so naturecht und schön gemalt zu sein, daß diese davor gewarnt werden, sich in die Bilder zu verlieben. Im übrigen geistert die Story, gleichsam hinter vorgehaltener Hand, durch die Briefe der Kenner und die Kunsttraktate.

Eine künstlerische Rezeption war der K. A. wegen der materiellen Unkenntnis nicht vergönnt. Allerdings waren frühzeitig zwei prominente Varianten im päpstlichen Belvedere aufgestellt: die *Venus felix* von Anfang an (1509), sodann die sog. *Venus vom Belvedere* (ab 1534), die sich Franz I. v. Frankreich mit sicherem Blick für ihre Vorzüge von Primaticcio in Bronze kopieren ließ (Abb. 3; gezeichnet von Fr. da Hollanda und H. Goltzius; gestochen in Charles Perriers Sammlung der berühmtesten ant. Statuen, Rom 1638).

Die Identifikation der K. A. durch die Richardsons, der sich Winckelmann mit seiner Parteinahme für gefälligere Statuen, etwa die Venus de' Medici, nicht anschloß, sorgte im prüden 19. Jh. (unter Papst Gregor XVI.) dafür, daß die *Venus Colonna*, ob der lit. beglaubigten Gemeingefährlichkeit, mit einer Blechschürze verhüllt wurde, wofür man die rechte Hand veränderte (Abb. 4). Dieses Kleid ist zwar 1932 wieder gefallen (die Hand noch immer falsch), aber die Statue ist von hinten und fürs Publikum unzugänglich: im Gabinetto delle Maschere des Belvedere-Traktes.

Abb. 3: Venus vom Belvedere,
Bronzeabformung (ohne Hydria).
Musée de Fontainebleau

Die künstlerische Beschäftigung mit der K. A. in der
neueren Zeit hält sich in Grenzen, ganz anders als bei der
→ *Venus von Milo*, die einen viel modischeren Frauentyp
verkörpert: Hier ist der frühe Versuch Renoirs hervorzuheben, mit den Mitteln seiner Malerei das legendäre
Marmor-Bild suggestiv zu verlebendigen und der rein
maskulinen Betrachtung zu entziehen: *Baigneuse au griffon* (Abb. 5); sodann S. Dalís *Erscheinung des Gesichts der
Aphrodite von Knidos in einer Landschaft* (1981. Figueras,
Fundación Gala-Salvador Dalí), eine mehr allg. Huldi-
gung an klass. Schönheit und Méditerranée. Paul Klees
Einlassungen auf die K. A. während und nach seiner

Abb. 4: Venus Colonna, alte Aufnahme mit Schürze.
Rom, Vatikanische Museen

Rom-Reise 1901 zählen ferner dazu, ohne im einzelnen
erforscht zu sein. Eine Reihe neuerer Gedichte zur
K. A. sind registriert bei G. Kranz (Das Bildgedicht, 1–3,
1981–1987, Bd. 3, 159 f.).

Abb. 5:
Auguste Renoir,
*Baigneuse
au griffon*, 1870.
São Paulo,
Museu de Arte

**1** Fr. v. Bezold, Das Fortleben der ant. Götter im ma. Human., 1922 **2** Chr. Blinkenberg, Knidia. Beitr. zur Kenntnis der praxitelischen Aphrodite, 1933 **3** A. Corso, Prassitele. Fonti epigrafiche e letterarie, I-III, 1988–1991 **4** E. Frenzel, Stoffe der Weltlit., ⁶1983 **5** B. Hinz, Aphrodite. Gesch. einer abendländischen Passion, 1998 **6** Chr. Mitchell Havelock, The Aphrodite of Knidos and Her Successors, 1995 **7** W. Pabst, Venus und die mißverstandene Dido, 1955.

BERTHOLD HINZ

**Knidos.** K., die Stadtanlage an der Spitze der knidischen Halbinsel (Kap Tekir, früher Kap Krio) war aufgrund ihrer prominenten Lage am Seeweg, der die Ägäis mit der Levante verbindet, bereits früh der arch. Forsch. zugänglich gewesen. Dementsprechend erfolgten die ersten Schritte im Gefolge von Expeditionen, die in der ersten H. des 19. Jh. zu Schiff die Ägäisküste Kleinasiens erschlossen. Dabei spielten die bedeutenden europ. Seemächte jener Zeit, v. a. England und Frankreich, eine wichtige Rolle. Reisende, insbes. 1812 der Engländer William Leake im Auftrag der → Society of Dilettanti [23], besuchten K. und gaben eine erste, meist ohne begleitende Ausgrabungen vorgenommene Schilderung der Situation. Das gilt auch für die Unt., die Charles Texier [25] in den 30er J. im Auftrag der frz. Regierung im Stadtgebiet und in den Nekropolen anstellte. Diese frühen Arbeiten sind, da sie h. nicht mehr oder nur teilweise erhaltene Befunde dokumentieren, von nicht geringer Bedeutung.

Anderseits bedeutete die exponierte Lage von K. auch eine Gefahr für den ant. Denkmalbestand. So hat Mehmet Ali, Pascha von Ägypten, in den 30er J. mehrere Schiffsladungen voll Marmor für den Bau seines Palastes aus K. wegschaffen lassen. Später kam der Steinraub für den Bau des Dolmabahçe-Palasts in Istanbul hinzu. 1856 begann für K. das Zeitalter der arch. Ausgrabungen, die von Charles Newton [20] im Auftrag der britischen Regierung unternommen wurden. Newton, der über beträchtliche materielle und personelle Hilfsmittel verfügte, führte die Grabungs- und Bergungsarbeiten über einen Zeitraum von 17 Monaten durch. Wie zuvor in Halikarnassos und Didyma war die Expedition Newtons auch auf die Gewinnung von Museumsstücken ausgerichtet. Zu diesem Zweck unternahm Newton im Stadtgebiet und im Bereich der Nekropolen Ausgrabungen, deren Funde – zumeist Skulpturen und Inschr. – mit dem Schiff abtransportiert wurden. Die Grabungen wurden, wie die meisten Unternehmungen jener Zeit, nicht im Detail dokumentiert. Die Pläne und Zeichnungen, die das Ergebnis festhalten, mischen oft exakte Maßaufnahmen mit der interpretierenden Ergänzung der Befunde. Dennoch verdankt die Forsch. Newton einen detaillierten Plan der Stadt mit einer Beschreibung der wichtigsten Befunde und die Bergung von zahlreichen Monumenten, die sich h. zumeist im British Museum in London befinden.

Auf die Unt. Newtons folgte eine lange Phase der Untätigkeit, auch bedingt durch den I. Weltkrieg. Armin v. Gerkan [14], der in den 20er J. eine systematische Ausgrabung von K. plante, konnte dieses Vorhaben nicht verwirklichen. 1967 begannen die amerikanischen Ausgrabungen unter Leitung von Iris Love [15–19] v. a. im Bereich der Tempelterrasse, wo unter anderem der Tempel und Altar des Apollon Karneios und ein hell. Rundbau freigelegt wurden. Hinzu kamen zahlreiche Sondagen im Stadtareal und Grabungen in der Nekropole. Die Grabungen wurden nach 1973 eingestellt. Eine Publikation der Ergebnisse steht noch aus. Seit den 80er J. werden in Knidos von der Selçuk Üniversitesi in Konya unter Leitung von Ramzan Özgan und mit Beteiligung auswärtiger Forscher erneut Unt. durchgeführt.

Bereits A. v. Gerkan [13. 92] hat darauf aufmerksam gemacht, daß sich für die Stadtanlage von K. keine Befunde aus hochklass. und archa. Zeit (8./7.–5. Jh. v. Chr.) nachweisen ließen und daraus geschlossen, daß die Stadt am Kap in spätklass.-hell. Zeit von einem noch unbekannten Ort an die Spitze der Halbinsel verlegt worden ist. Die Erforschung der knidischen Halbinsel, die George Bean und John Cook [2] seit 1949 durchführten, haben diese Theorie bestätigt. Bean und Cook haben ca. 30 km östl. des Kaps, in der Gemarkung Burgaz bei der Ortschaft Datça, eine umfangreiche Stadtanlage mit befestigter Akropolis und mehreren Hafenanlagen ermittelt, deren hohes Alter durch dort und in den Nekropolen gefundene archa. Keramik erwiesen werden konnte. Inschriftenfunde machten deutlich, daß auch diese Stadt den Namen Knidos trug. Seit 1993 ist die Stadtanlage bei Burgaz Ziel arch. Unt., die von der Ortadoğu Teknik Üniversitesi in Ankara unter Leitung von Numan Tuna [27] durchgeführt werden. Die Grabungen haben eine Bestätigung für die Theorie von der Verlagerung des städtischen Siedlungsplatzes erbracht. Die bislang ermittelten Siedlungsfunde stammen aus dem 8.–5. Jh. v. Chr. Spuren der Wohnbebauung aus hell. Zeit fehlen dagegen. Ein neuer Inschriftenfund mit dem Proxeniebeschluß der Knidier zugunsten Epameinondas v. Theben (ca. 364 v. Chr.) kommt hinzu [8]. Die Stadtanlage bei Burgaz darf demnach als Alt-K., die Stadt am Kap als Neu-K. bezeichnet werden. Fraglich ist bislang das genaue Datum, an dem die Stadtverlagerung in Angriff genommen wurde, und die histor. Situation, in der diese Maßnahme ergriffen wurde. Vieles deutet darauf hin, daß dabei strategische und wirtschaftspolit. Gesichtspunkte im Vordergrund standen [5].

Seit Beginn der arch. Erforschung von K. ist die Suche nach dem Bundesheiligtum der dorischen Hexapolis, dem sog. Triopion, ein wichtiges Anliegen der Forsch. Dieses Heiligtum, das vermutlich seit der dorischen Landnahme existierte, war nach Ausweis der histor. Zeugnisse dem Apollon geweiht und befand sich in der Nähe der Stadt K. Alle Versuche der älteren Forsch., das Heiligtum zu lokalisieren, scheiterten allerdings an der irrigen Annahme, die Stadtanlage an der Spitze der Halbinsel sei dort bereits in archa. Zeit gelegen. Mit der Lokalisierung von Alt-K. bei Burgaz/Datça ergab sich eine neue Ausgangslage. Nicht am Kap, sondern bei Alt-K. muß nach einer für dieses Heiligtum geeigneten Fundstelle Ausschau gehalten werden. Als ein Platz, der dafür alle erforderlichen Voraussetzungen aufweist, erwies sich die Terrassenanlage von Emecik [4; 6], ca. 15 km östl. von Neu-K. gelegen. Ein älterer Inschriftenfund zeigt, daß dort ein Apollonheiligtum gelegen war. Die untere Terrassenmauer wird durch den Baustil und ein Graffito in archa. Zeit (7./6. Jh. v. Chr.) datiert und kann als Ausweis für das hohe Alter der Anlage gewertet werden. Architekturfunde machen die Existenz verschiedener Bauten im Inneren deutlich. Eine 1998 entdeckte Inschr. bestätigt Apollon als Herrn dieses Heiligtums und läßt die Existenz eines Orakelwesen erkennen. Seit 1998 sind im Apollonheiligtum von Emecik Ausgrabungen im Gang, die unter Leitung von Numan Tuna mit Beteiligung auswärtiger Archäologen durchgeführt werden.

→ Halikarnaß; London, British Museum

1 H. Bankel, K. Der hell. Rundbau, in: AA 1997, 51–71
2 G. Bean, J. Cook, The Cnidia, in: ABSA 47, 1952, 171–212
3 Dies., The Carian Coast, in: ABSA 47, 1952, 85–87
4 D. Berges, N. Tuna, Ein archa. Heiligtum bei Alt-K., in: AA, 1990, 19–35 5 Ders., Alt-K. und Neu-K., in: MDAI(Ist) 44, 1994, 5–16 6 Ders., K. und das Heiligtum der dorischen Hexapolis, in: Nürnberger Beitr. zur Arch. 12, 1995/96, 103–120 7 W. Blümel, Die Inschr. von K. I, 1992 8 Ders., in: EA 24, 1994, 157–158 8a A. Bresson, Guide à l'époque classique, in: REA 101, 1999, 83–114 9 Chr. Bruns-Özgan, Fries eines hell. Altares in K., in: JDAI 110, 1995, 239–276 10 H. Cahn, K. Die Mz. des 6. und des 5. Jh. v. Chr., 1970 11 J. Cook, Cnidian Peraea and Spartan coins, in: JHS 81, 1961, 56–72 12 N. Demand, Did Knidos really move, in: Classical Antiquity 8, 1989, 224–237 13 A. v. Gerkan, Griech. Städteanlagen, 1924, 117 14 Ders., Ausgrabung einer ant. Stadt, in: Von ant. Architektur und Topographie 1959, 88–93 15 I. Love, TürkAD 16, 2, 1967, 133–160 16 Dies., in: AJA 74, 1970, 149–155 17 Dies., in: AJA 76, 1972, 393–405 18 Dies., in: AJA 77, 1973, 413–424 19 Dies., A brief summary of excavations at K. 1967–1973, in: Proceedings of the 10th international congress of Classical Archaeology, 1973, 1111–1133 20 Ch. Newton, A history of discoveries at Halikarnassos, Cnidus and Branchidae 2, London 1865, 346 und 366–526 21 J. Nordbø, The coinage of Cnidus after 394 B.C., in: Proceedings of the 10th int. congress of Numismatics 1986, 51–56 22 R. Özgan, Ein neues archa. Sitzbild aus K., in: FS N. Himmelmann 1989, 47–51 23 Society of Dilettanti, Antiquities of Ionia, London 1840, 18–35 24 N. Stampolides, Der Nymphenaltar in K. und der Bildhauer Theon aus Antiochia, in: AA 1984, 113–127 25 Ch. Texier, Description de l'Asie Mineure faite par ordre du gouvernement français de 1833 à 1837, 3, Paris 1849, 171–176 26 N. Tuna, J.-Y. Empereur, Rapport préliminaire de la prospection archéologique turco-française des ateliers d'amphores de Reşadiye-Kiliseyanı sur la péninsule de Datça, in: Anatolia antiqua 1987, 47–52 27 N. Tuna, in: 19. Kazı Sonuçları Toplantısı 2, 1998, 445–464.

DIETRICH BERGES

## Knossos A. Geschichte und Ergebnisse B. Aufgaben

### A. Geschichte und Ergebnisse

Die Anhöhe, auf der Sir Arthur Evans die Ruinen des minoischen Palastes von Knossos freigelegt hat, nannten die Kreter neuerer Zeit »Kopf des Herrn«. Der Hügel ist durch einen vorgelagerten Höhenzug vor Nordwinden geschützt, durch das Bachbett des Kairatos mit dem Meer verbunden, und er überwacht auch heute einen wichtigen Weg nach Süden zum altehrwürdigen Juktasberg hin. Auf diese Anhöhe wurde in den 70er Jahren des 19. Jh. der kretische Kaufmann, Jurist und Heimatforscher Minos Kalokairinos aufmerksam. Bei einer kleinen Grabung mußte er 1878 nur eine etwa 1 m hohe Erdschicht abtragen lassen, um auf die Mauern von zwei schmalen, mit hohen Tongefäßen (Pithoi) gefüllten Räumen zu stoßen. Diese waren eine lange Zeit als Ruinen unberührt geblieben und gehörten einst – wie sich zeigen sollte – zu den Magazinen im Westflügel des Palastes. Die Kunde von dieser Grabung drang auch zu Heinrich Schliemann, der den Platz 1886 besucht und dabei den Plan gefaßt hat, dort mit Hilfe des erfahrenen Bauforschers Wilhelm Dörpfeld Ausgrabungen zu machen. Überhöhte Grundstückspreise und die polit. Situation auf der Insel haben ihn von diesem Vorhaben jedoch abgehalten.

Der endgültige Ausgräber von K., der wohlhabende, in Oxford beheimatete Arthur Evans (1851–1941), dessen Interesse an Kreta von seiner Leidenschaft für frühe Schriften ausging, hat den Ort vor Beginn seiner groß angelegten Grabungen dreimal besucht. 1894 traf er dabei auch M. Kalokairinos, 1895 kaufte er ein Viertel des Hügels und 1898 fand er Kreta zum ersten Mal ohne türk. Besatzung. Am 23. März 1900 begannen dann die Grabungen mit zunächst 80, später mit bis zu 250 Arbeitern dort, wo 22 Jahre zuvor Kalokairinos auf die Magazine gestoßen war. Diese Arbeiten wurden durch fehlende Überbauungen aus den Zeiten nach der Zerstörung des Palastes und durch die schon erwähnte dünne Erddecke so sehr erleichtert, daß bis zum Ende der ersten Kampagne bereits ein Viertel des Erdgeschosses und die Westmagazine freigelegt worden sind. Die Tatsache fehlender Überbauungen der alten Ruinen wurde in jüngerer Zeit zu Spekulationen genutzt, die ihren Ausgang von der indiskutablen Deutung des Palastes als Nekropole (H. G. Wunderlich) genommen haben. Tatsache bleibt, daß der Ort des von den Griechen nachminoischer Zeit »Labyrinth« genannten Palastes etwas Geheimnisvolles und Meidenswertes behalten hat.

Während seiner fünf halbjährigen Kampagnen hat Evans – wie seit Dörpfelds Grabungen in Troja üblich – auch Tiefgrabungen (bis zu ca. 12 m) vorgenommen. Diese Unt. waren die Voraussetzung für eine hauptsächlich an den Keramikfunden ausgerichtete Stratigraphie und damit Grundlage für die von Evans entworfene und bis heute grundsätzlich beibehaltene Zeiteinteilung in neolithisch, früh-, mittel- und spätminoisch. Was nicht erst heute an Evans' Arbeiten in K. in Frage gestellt wird, das sind die Ergänzungen und die Rekonstruktionen der Ruinen (in Beton). Sie verhelfen aber, seit sie um 1935 abgeschlossen worden sind, den Besuchern zu einer gewissen Vorstellung vom einstigen Aussehen des Palastes (Abb. 3). Das war gewiß auch die Absicht von Evans. Der Ursprung der Ergänzungen aber war ein konservatorischer. Georg Karo, ein dt. Archäologe, der die Grabungen erstmals schon gegen Ende der ersten Kampagne kennengelernt hat, schrieb in seinem Buch *Greifen am Thron* (1959), daß die Grabung ohne die Re-

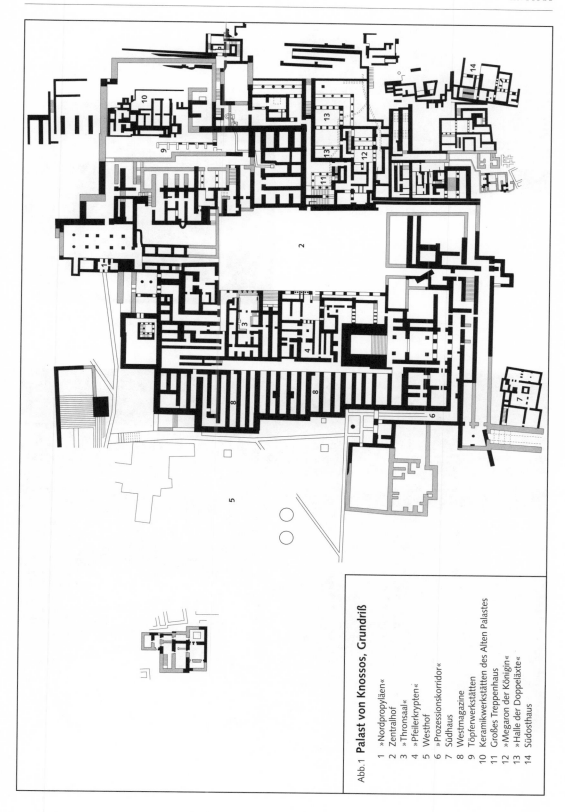

Abb.1 **Palast von Knossos, Grundriß**

1 »Nordpropyläen«
2 Zentralhof
3 »Thronsaal«
4 »Pfeilerkrypten«
5 Westhof
6 »Prozessionskorridor«
7 Südhaus
8 Westmagazine
9 Töpferwerkstätten
10 Keramikwerkstätten des Alten Palastes
11 Großes Treppenhaus
12 »Megaron der Königin«
13 »Halle der Doppeläxte«
14 Südosthaus

Abb. 2: Knossos, Pfeilerhalle und Nordeingang
zum Zentralhof des Palastes

Abb. 3: Knossos, Großes Treppenhaus
im Ostflügel des Palastes

Abb. 4: Knossos, Blick in den restaurierten »Thronraum« (15.–13. Jh. v. Chr.)

konstruktionen zu einem Trümmerhaufen geworden wäre. Von Karo erfährt man auch, daß Evans anstelle der verkohlten minoischen Holzsäulen zunächst Holzstützen verwendet hat, um im Stockwerkbau des Palastes Decken bzw. Böden abzufangen, dieses Verfahren dann aber durch die Verwendung von Betonsäulen und -pfeilern ablösen mußte, weil das Holz nicht standgehalten hat. So ist Beton zum hauptsächlichen Werkstoff der Rekonstruktionen und Ergänzungen geworden. Methode und Vorgehen sind für den Besucher gut im Großen Treppenhaus des Ostflügels (Abb. 3), aber auch im Bereich des Thronraumes (Abb. 4) zu erkennen. Zugegebenermaßen sind nicht alle Ergänzungen allein aus statischen Gründen erfolgt, und manche Restaurierung hält einer Überprüfung nicht mehr stand, weil trotz aller Beachtung auch minoischer Architekturdarstellungen (auf Fresken oder Fayencen) etwas zuviel Phantasie im Spiel war. Was die Rekonstruktionen für den Gesamteindruck der minoischen Architektur positiv geleistet haben, zeigt sich am anschaulichsten bei Vergleichen des heutigen Zustandes mit Photographien aus den ersten Jahren der Grabungen. Die damals gelegentlich noch erhaltenen Farben bestimmter Elemente der Architektur (Säulen, Gebälke usw.) und Freskofunde aus der jüngeren Palastzeit haben auch dazu verlockt, in Beton rekonstruierte Teile des Palastes zu bemalen, bzw. mit ergänzten Kopien originaler Fresken zu bereichern. Altersspuren solcher Bemalungen und Malereien tragen heute ebenso zur allg. Ablehnung alles Rekonstruierten bei.

Mit den zw. 1900 und 1905 von Jahr zu Jahr fortschreitenden Ausgrabungen wuchsen selbstverständlich die Erfahrungen im Umgang mit den minoischen Bautechniken und Raumgestaltungen. Man lernte rasch die Bed. von Stützen kennen: außer bemalten Holzsäulen mächtige Steinpfeiler auch mitten im Raum und tragende Wände, deren Oberseiten Aufschluß über die Gliederung der Räume eines Obergeschosses gaben. Höchst empfindlich waren für Evans und seine Architekten Th. Fyfe und Chr. Doll die verschiedenen Treppen von den schmalen Diensttreppen bis zu den repräsentativen Treppenhausanlagen. Eine Revolution in der Baugeschichte zeigten Wasserleitungen und Abflußkanäle. Von der Verkleidung der rohen Wände aus Lehm, Bruchsteinen und Holzfachwerk fand man große dünne Platten aus dem in Palastnähe anstehenden Gipsstein, aber auch von den Wänden geglittenen, einfach farbig oder mit Bildfriesen bemalten Stuck. Gut waren die mit Steinplatten bedeckten Fußböden erhalten. Schon in der ersten Kampagne stieß man auf die komplizierte Anlage des Thronraumes, der sein heutiges Aussehen – wie andere Räume auch – erst relativ spät (1930) erhalten hat. Wegen der großen technischen und statischen Probleme hat sich seit der zweiten Kampagne auch die Erforsch. und Wiederherstellung des einst vier Geschosse verbindenden »Grand Staircase« (Abb. 3) im Ostflügel des Palastes lang hingezogen. Außergewöhnlich große, repräsentativ erscheinende Räume, durch

raffinierte Falttüren (Polythyra) unterteilbar, mit monumentalen Pfeilerterrassen der Ostfront verbunden und innen durch Lichthöfe erhellt, eine vermutliche Toilettenanlage, die röm. Komfort vorwegzunehmen scheint, und kleine, vielleicht als Badezimmer verwendete Räume trugen dazu bei, diesen Teil des Ostflügels als private Wohnung der Herrscherfamilie anzusprechen. Aufschluß über verschiedene, v. a. handwerkliche Tätigkeiten (Töpfer, Steinkünstler) gaben die mit Magazinen vermischten Räume im Nordosten des Palastes (Abb. 1).

Von den kleinen minoischen Raumanlagen hat die Forsch. seit Evans keine mehr interessiert als die »Lustralbecken«, deren eines schon in der ersten Kampagne im Bereich des Thronraumes aufgedeckt worden ist. Viele andere Beispiele dieses Typus fanden sich auch außerhalb von K. fast überall in minoischen Häusern, Villen und Palästen. Da sich bei keinem der »Lustralbecken« ein Abfluß nachweisen läßt, dürften diese mehr oder weniger tief unter das Fußbodenniveau eingelassenen, meist über wenige Treppen zugänglichen Gelasse wohl kult. Zwecken (etwa Initiationsriten) gedient haben.

»Room of the Throne« (Abb. 4), »Lustral Basin« oder »Grand Staircase« (Abb. 3) greifen nur einige der von Evans geprägten Raumbenennungen heraus, die sich – wie in K. auch die meisten anderen – nicht nur bei den Archäologen als recht praktisch eingebürgert haben. Mit phantasievollen Benennungen war Evans glücklicherweise viel zurückhaltender als manche andere Ausgräber nach ihm. Zurückhaltung zeigen auch Evans' Benennungen von Kulteinrichtungen wie dem dreiteiligen »Shrine« auf der Westseite des Zentralhofes (Abb. 5) oder von vermutlichen Kulträumen wie den hinter dem »Shrine« gelegenen »Pillar Crypts«. Der Thronraum, für den man heute eine in die Zeit der älteren Paläste zurückreichende und – nach einschneidenden Veränderungen – bis in die mykenische Periode des Palastes fortdauernde Benutzung nachweisen kann, war in der Zeit, in der er mit den Greifenfresken geschmückt

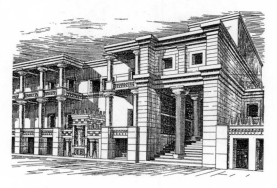

Abb. 5: Knossos, Rekonstruktionszeichnung vom Mittelabschnitt der Westfassade des Zentralhofes. Jüngerer Palast

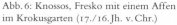

Abb. 6: Knossos, Fresko mit einem Affen
im Krokusgarten (17./16. Jh. v. Chr.)

Abb. 7: Knossos, Fresko der sog. Petite Parisienne
(um 1500 v. Chr.)

wurde, nach neueren Erkenntnissen ein Kultraum und
der Thron nicht für den Herrscher (bzw. Priesterkönig),
sondern für eine Priesterin (in der Rolle der Göttin)
bestimmt [6].

Ähnlich wie mit Geschichte und Verwendung des
Thronraumes hat man sich in jüngerer und jüngster Zeit
auch mit den einstigen Aufgaben anderer Räume und
Teile des Palastes beschäftigt. Manchmal standen solche
Überlegungen im Zusammenhang mit möglichen
Zeremonien bei der Einbringung von Ernten in die
Magazine, manchmal mit der Bed. des Westhofes für
Begegnungen zw. Palast- und Stadtbewohnern und de-
ren Auswirkungen auf die architektonische Gestalt der
Westfront des Palastes. Auch viele andere kritische
Überlegungen zu baulichen Rücksichten auf repräsen-
tative und kult. Ereignisse spielten eine zunehmend
wichtiger werdende Rolle. Außer West- und Zentral-
hof wurden auch Areale vor der Nordfront wie Evans'
»Theatral Area« und kleinere Hofanlagen innerhalb des
Palastes nach ihren Aussagen über Alltag und Feste befragt und bildlichen Zeugnissen (Fresken, Glyptik) gegenübergestellt. Problematisch waren und sind dabei
namentlich die Ergänzungen, die Evans von Vater und
Sohn Gilliéron an Fresken und Stuckreliefs des Palastes
ausführen ließ. Ein bekanntes frühes Beispiel ist der
schließlich nach gründlichem Studium der originalen
Reste richtig in einen Affen umgeänderte Krokuspflük-
ker (Abb. 6). Ein völlig neues Bild kult. Charakters bietet die Neudeutung des »Priest-King Fresco«, mit der

W.-D. Niemeier nachweist, daß die erste Ergänzung Teile von drei nicht zusammengehörigen Figuren im Geschmack der Zeit (Jugendstil) zu einer einzigen Gestalt verschmolzen und ergänzend erweitert hat [7]. Viele der Freskofragmente wurden in bildartig ausgeschnittener Form ergänzt, während die meisten minoischen Wandmalereien friesförmig und auf längere inhaltliche, d. h. in der Regel kult. Bildzusammenhänge angelegt waren (Abb. 7).

## B. Aufgaben

Evans war nach Abschluß der Hauptgrabungen (1905) bis 1935 mit Rekonstruktionen und gezielten kleineren Grabungen (etwa Rundspeicher des Westhofes) beschäftigt. Seine Vorstellungen von Gestalt, Geschichte, Nutzung und von den Funden des Palastes und seiner Umgebung hat er in den vier 1935 abgeschlossenen Bänden seines Werkes *The Palace of Minos* festgehalten. Auch heute noch wird von engl. Archäologen in K. weitergeforscht [9]. Vom Krieg unterbrochen, ist man bei Tiefgrabungen bis ins Neolithikum vorgestoßen. Bei Erweiterungsgrabungen (etwa »Royal Road«) wurden die von Evans und Duncan Mackenzie erarbeiteten Stratigraphien und Chronologien überprüft und verfeinert. Voraussetzung dazu war ein von J. D. S. Pendlebury eingerichtetes Stratigraphisches Museum mit Keramikproben aus allen Schichten, das bis heute allen interessierten Archäologen als zuverlässiges Grabungsarchiv dient. Spätestens seit 1953, als M. Ventris die seit der ersten Kampagne in K. gefundenen Tontäfelchen mit eingeritzten Schriftzeichen (Evans' Linear B) als Zeugnisse eines griech. Idioms erkannt hat, ist das Interesse an den knossischen Ausgrabungen noch einmal gestiegen. Durch Vergleiche mit den alten Tagebüchern stellte sich heraus, daß die bei einem Brand gehärteten Täfelchen stratigraphisch nicht einer Katastrophe des 15. Jh. v. Chr., sondern einer viel späteren Zerstörung des Palastes zuzuweisen sind [3]. So sicher die Datierung einer ersten Katastrophe um 1700 v. Chr. und ein bald darauf erfolgter Wiederaufbau blieb, so fraglich wurde nun, namentlich im Zusammenhang mit den Tontäfelchen, die Zeitbestimmung der zweiten Katastrophe und der nochmals später erfolgten endgültigen Zerstörung des Palastes. Inzwischen ist sich die Forsch. weitgehend einig, daß die nach der großen und langen Blütezeit erfolgte Zerstörung des jüngeren Palastes um 1375 v. Chr. zu datieren ist und daß es trotz Evans' anfänglich allzu leichtfertigem Umgang mit der Keramik aus der jüngsten Zerstörungsschicht möglich ist, diese und die letzte Phase des Thronraumes oder den »Shrine of the Double Axes« im Südosten des Palastes mit den Linear-B-Tontäfelchen von mehreren Fundstellen ans Ende des 13. Jh. v. Chr. zu datieren [2. 6].

Evans' Ausgrabungen haben sich nicht auf den minoischen Palast beschränkt, sondern auch die gleichzeitigen Ruinen in der nächsten und näheren Umgebung des Palastes eingeschlossen. Es waren vornehme minoische Häuser, die Evans nach ihrer Lage zum Palast (»East House« etc.), nach bes. Funden (»House of the Frescoes«) oder aufgrund ihrer Größe und repräsentativen Bauweise (»Little Palace«, »Royal Villa«, »Caravanserai«) benannt hat. Ein großes Gebäude hinter dem Kleinen Palast im Nordwesten des großen Palastes hat Evans nicht mehr ausgegraben. Dieses schon im 15. Jh. v. Chr. aufgegebene »Unexplored Mansion« wurde erst viel später und unter Berücksichtigung aller nach den Hauptgrabungen hinzugewonnenen stratigraphischen Erfahrungen von Mervyn Popham freigelegt [9]. Die Suche nach monumentalen Gräbern in der weiteren Umgebung des Palastes war, wenn man die Situation in → Mykene vergleicht, spärlich. Eine große Anlage im Norden konnte wegen der Zerstörungen nur in Rekonstruktionen wiedergewonnen werden. Als ein bedeutendes Zeugnis minoischen Grabkultes erwies sich 1930 das aufwendig gebaute Tempelgrab im Süden des Palastes. Ein jüngster, Aufsehen erregender knossischer Fund ist die bei Hausgrabungen außerhalb des Palastes von Peter Warren gemachte Entdeckung von Kinderknochen mit Schnittmarken, die – ähnlich wie ein nachgewiesenes Menschenopfer in einem minoischen Heiligtum am Fuße des Juktas – neues Licht auf minoische Kultbräuche geworfen haben.

Auch bei künftigen Auseinandersetzungen mit den knossischen Ruinen und der Geschichte ihrer Ausgrabungen werden sich immer wieder bauhistor., chronologische, naturgeschichtliche, ökonomische sowie kultur- und kultgeschichtliche Fragen stellen und bei einem mehr und mehr erweiterten Kenntnisstand nach passenden Lösungen verlangen. Unter histor. Aspekten wird voraussichtlich das Palastsystem mit seinen engeren kretischen und seinen weiteren, übers Meer gerichteten Beziehungen (Handelspartner, Waren- und Kulturaustausch, kretische Faktoreien im östl. Mittelmeer) auch weiterhin viel Interesse finden.

→ Archäologische Methoden; Bauforschung; Klassische Archäologie (Neue Funde)

1 A. Evans, The Palace of Minos at K., 4 Bde., 1921–1936 2 E. Hallager, The Mycenaean Palace at K., 1977 3 S. Hiller, O. Panagel, Die frühgriech. Texte aus mykenischer Zeit (40–49: Knossosproblem), ²1986 4 M. S. F. Hood, Archaeological Survey at the K. Area, 1958 5 W.-D. Niemeier, Die Palaststilkeramik von K., 1985 6 Ders., Zur Deutung des Thronraumes im Palast von K., in: MDAI(A) 101, 1986, 63–95 7 Ders., Das Stuckrelief des Prinzen mit der Federkrone aus K., in: AM 102, 1987, 65–98 8 J. D. S. Pendlebury, A Handbook to the Palace of Minos at K., 1935 9 M. R. Popham, The Minoan Unexplored Mansion at K., 1984.      WOLFGANG SCHIERING

**Kodifizierung/Kodifikation** A. Einleitung
B. Antike C. Mittelalter und Frühe Neuzeit
D. Ablösung des ›ius commune‹ durch die
Kodifikationen der Aufklärung
E. Kodifikationsstreit
F. Die zweite Kodifikationswelle des
19. und 20. Jahrhunderts
G. Dekodifikation und Rekodifikation

## A. Einleitung

Die Idee einer Rechtsreform durch Zusammenfassung, Bereinigung und Fixierung dessen, was von überkommenem Rechtsstoff zu einem bestimmten Zeitpunkt Gültigkeit haben soll, in einem Cod. oder Corpus, läßt sich seit der Ant. verfolgen. Die unterschiedlichen Bestrebungen, die zu verschiedenen Zeiten im Sinne einer solchen Rechtsreform unternommen wurden und die Vorschläge, die darauf abzielten, sollen hier als solche einer »Kodifizierung« im weitesten Sinne bezeichnet werden. In diesem Zusammenhang wurden verschiedene aus dem Lat. stammende Termini wie *compilatio/Kompilation, consolidatio, reconcinnatio, Incorporation* etc. verwendet. Demgegenüber ist der Gedanke der »Kodifikation« im mod., technischen Sinn aus der human. Kritik am geltenden *ius commune* und aus der Gesetzgebungslehre der Aufklärung hervorgegangen. Dieser Begriff der K. im Sinne einer materiell umfassenden, systematischen, abstrakten und rationalen Regelung eines ganzen Rechtsgebiets in einem Gesetzbuch (cod.) wurde erstmals von J. Bentham definiert. Er sprach in einem Brief an den russischen Zaren Alexander I., 1815 von *codification* und stellte diese pointiert der *ordinary legislation* (›taking for its subjects matters of detail‹) gegenüber [4. 518]. V. a. in den Schriften, die Bentham unter dem Titel *Papers relative to codification* 1817 und *Codification proposal to all Nations professing Liberal Opinions* 1822 publizierte, sind diese Konzeptionen detailliert ausgearbeitet. Der Schöpfer von Neologismen verwendet in diesem Zusammenhang auch den Begriff *pannomion* für den ›complete body of law‹ [4. 506]. Auffallend ist hier der Rückgriff auf ant. Termini. Mit der Geltung der K. in diesem Sinn hört die unmittelbare Anwendbarkeit des gemeinen Rechts auf. Da die mod. K. auch Rechtsvereinheitlichung und -festlegung durch einen (nationalen) Gesetzgeber für ein bestimmtes Staatsgebiet bezweckten, wurde mit ihrem Erlaß die universelle Geltung des *ius commune* durch nationale Rechtsordnungen und Rechtswiss. ersetzt.

## B. Antike

Cod. bedeutet urspr. »Baumstamm«, »gespaltenes Holz« oder »Holzklotz«; dann eine aus diesem oder anderem Material hergestellte Schreibtafel, schließlich ein aus mehreren solcher Tafeln – später auch Pergament – zusammengefaßtes Buch, insbes. Gesetzbuch, Gesetzessammlung. Bedeutende Gesetzessammlungen benutzten diese Cod.form (*Cod. Gregorianus, Cod. Hermogenianus*, Ende 3. Jh.); auch in der Abfassung von Bibelmanuskripten ging man von der urspr. verwendeten Rollen- zur Cod.-Form über. »Cod.« als Begriff für »Buch«, auch für »Gesetzbuch« sowie für Sammlungen von (Quellen)Texten wurde damit gebräuchlich. Bedeutung für die spätant. Rechtspraxis und -lehre erlangten systematisch geordnete Sammlungen von Rechtstexten zwecks Rechtssicherung und -bereinigung (*Codex Theodosianus*, 438) und v. a. das große Gesetzgebungswerk Justinians, das – allerdings erst seit dem 12. bzw. 13. Jh. so bezeichnete – *Corpus iuris civilis* (529–535), bestehend aus *Digesten, Codex Iustinianus, Institutionen* und *Novellen.* Der *Codex Justinianus* (529) als Beginn der justinianischen Gesetzgebung bezweckte die Zusammenfassung der noch geltenden Konstitutionen aus dem *Cod. Gregorianus*, dem *Cod. Hermogenianus* und dem *Cod. Theodosianus* mit späteren kaiserlichen Gesetzen [33. 53 ff.]. Rechtsbereinigung, Auflösung von Widersprüchen und systematische Neuordnung sind wichtige, insbes. auf die Rechtspraxis abzielende Aspekte (wie sie in zahlreichen derartigen Unternehmen der späteren Epochen immer wiederkehren). Auch die *Institutiones* (»Unterweisungen«, 533), bilden in ihrem Typus eines mit amtlicher Kraft ausgestatteten Lehrbuchs ein häufig in der K.geschichte vorkommendes Muster (so z. B. die ersten Entwürfe der preußischen und der österreichischen Privatrechtsk.). Die *Digesten* (oder Pandekten von griech. πανδέκται, »alles umfassend«), 533, sind eine Zusammenstellung von Auszügen aus klass. Juristenschriften, die Modelle für Fallösungen bieten [34. 271]. Novellen (*novellae constitutiones*) sind kaiserliche Gesetze, meist in griech. Sprache, die nach Abschluß des Gesetzgebungswerks publiziert wurden, sie wurden in verschiedenen Sammelwerken überliefert. Der Terminus *corpus iuris* wurde bis in das 19. Jh. häufig im Sinn einer möglichst umfassenden Sammlung von Gesetzen (bzw. Quellen) zu einem umschriebenen Rechtsbereich verwendet (z. B. *Corpus iuris Confoederationis Germanicae* für das Öffentliche Recht des Dt. Bundes). Das Gesetzgebungswerk Justinians, das etliche Charakteristika aufweist, die auch dem mod. K.begriff entsprechen (Systematisierung, ausschließliche Geltung, umfassende Regelung), wurde und wird in der rechtshistor. Lit. teilweise als »K.« bezeichnet, häufiger von »Romanisten« als von »Germanisten«. Die Verwendung des Begriffs »K.« bereits für Rechtssammlung durch Verschriftung in bezug auf archa. Rechte oder für größere offizielle oder private Rechtsaufzeichnungen generell erscheint als mod. Projektion jedenfalls bedenklich [11. xxx; 24, 2].

## C. Mittelalter und Frühe Neuzeit

Auch MA und Frühe Neuzeit kennen – sowohl auf der Ebene des Alten Reichs wie der einzelnen Territorien und in zahlreichen anderen europ. Gebieten – Versuche der Rechtsbereinigung, -sicherung und – aufzeichnung in größerem Rahmen, sowohl was den staatlichen wie den kirchlichen Bereich betrifft. Zu nennen sind etwa für ersteren die ma. Rechtsbücher, die frühneuzeitlichen Stadt- und Landrechtsreformationen sowie auf Reichsebene die *Constitutio Criminalis Carolina* (1532); für letzteren das *Decretum Gratiani* und das *Cor-*

*pus iuris canonici.* Alle diese Unternehmungen können jedoch weder nach Intention, Geltungsanspruch, Struktur noch Umfang unter dem mod. Begriff der K. gefaßt werden.

### D. ABLÖSUNG DES ›IUS COMMUNE‹ DURCH DIE KODIFIKATIONEN DER AUFKLÄRUNG

Vertreter der human. Jurisprudenz richteten im 16. Jh. mehrfach an den Kaiser (als »zweiten Justinian«) die Aufforderung zu einer neuen Redaktion des röm. Rechts. Weiter gehen Reformpostulate frz. Humanisten, die die universelle Geltung des röm. Rechts durch Schaffung eines nationalen Rechtsquellensystems überwinden wollen. Die seit F. Hotmans *Antitribonian* geübte Kritik am geltenden röm. Recht, dem mangelnde Systematik, zu vielfältige Kasuistik, mangelnde Verständlichkeit vorgeworfen werden, wendet sich auch gegen die Rechtspraxis: Zersplitterung, Rechtsunsicherheit, Händel, Zweifelsfragen sind immer wiederkehrende Klagen. Daraus entwickeln sich konkrete Forderungen nach Rechtsreform, in erster Linie durch Sammlung, Neuordnung bestehenden Rechts und Befestigung durch neue Gesetzgebung sowie Klärung von Streitfragen (Kompilation). In dem Maße, in dem Gesetzgebungsmacht als konstitutives Element des Souveränitätsbegriffs aufgefaßt wird, rückt auch das Bemühen um umfassende, zentralisierende und generalisierende Rechtsetzung in den Mittelpunkt. Im 17. und 18. Jh. finden sich in vielen europ. Ländern Gesetzgebungsbestrebungen, die – nach Ziel, Inhalt und Geltungsanspruch sehr unterschiedlich – den Übergang von kompilatorischer zu systematischer Rechtsetzung bilden. Dazu gehören in Frankreich etwa die *Grandes Ordonnances* Ludwigs XIV. (*Ordonnance civile touchant la réformation de la justice*, 1667; *Ordonnance criminelle*, 1670; *Ordonnance du commerce*, 1673, *Ordonnance de la marine*, 1681), die jeweils eine vollständige und methodische Regelung einer bestimmten Rechtsmaterie bezweckten und zwar mit ausschließlichem Geltungsanspruch für das ganze Königreich. Auch die zivilrechtlichen Ordonnances des 18. Jh., redigiert durch den Kanzler d'Aguesseau (*Ordonnance sur les donations*, 1731; *Ordonnance concernant les testaments*, 1735, *Ordonnance concernant les substitutions*, 1747) sind in vielem als Vorstufen zur K. zu sehen. Für das Alte Reich schlug G. W. Leibniz 1672 die Schaffung eines *Corpus iuris reconcinnatum* vor. Gesetzreformbestrebungen, die über punktuelle Verbesserungen hinausgriffen und auf »K.« im Sinne der Schaffung eines Cod. abzielten, gab es auch in etlichen Territorien: Hessen-Darmstadt (F. C. v. Moser, 1762 ff., Vorschlag eines *Cod. Ludovicianus*), Hessen-Kassel (F. B. Rieß, 1805, Auftrag zu einem *Cod. electoralis Hassiacus Wilhelminus*); Baden (J. M. Saltzer, 1754, Reform des Landrechts; J. G. Schlosser, 1787, Auftrag, die ›justinianeischen Gesetze auf ihre Grundsätze zurückzuführen‹ und ›das Röm. Gesetzbuch dem entworfenen Plan zu verfertigen‹); Hannover (F. E. Pufendorf, Entwurf eines Hannoverschen Landrechts, 1772); Mecklenburg (E. A. Rudloff, E. J. F. Mantzel, 1758–1775, Teilent-

würfe zu einem neuen Land- und Lehnrecht); Kursachsen (Chr. G. Gutschmid, 1762 ff., Projekt eines *Cod. iuris civilis et criminalis*). Zu den Zielen der Schaffung eines *ius certum* durch Bereinigung und Systematisierung des trad. Rechtsstoffs traten neue Gesichtspunkte wie »natürliche Billigkeit«, Forderung nach Kürze und Klarheit oder die »wohlgeprüfte Anpassung« an die jeweilige Landesverfassung, aus denen die Ideen der Gesetzgebungslehre der Aufklärung und des Naturrechts, insbesondere auch die Lehren Montesquieus, sprechen. Diese K.-Bestrebungen blieben zunächst ohne Erfolg, wurden in etlichen Fällen aber ab Beginn des 19. Jh. unter anderen Vorzeichen – nunmehr als K. im mod. Sinn – wieder aufgenommen. Die bayerischen Cod. Kreittmayrs werden vielfach als Übergang von der Kompilation zur mod. K. angesehen. Die drei Teile der maximilianeischen Rechtsreform: *Cod. Juris Bavarici Criminalis*, 1751; *Cod. Juris Bavarici Judiciarii*, 1753; *Cod. Maximilianeus Bavaricus Civilis*, 1756, entsprechen zwar etlichen der technischen Anforderungen der Gesetzgebungslehre (Rechtsvereinheitlichung, Rechtssicherheit, Systematisierung), nicht aber den inhaltlichen (grundlegende Reform im Sinn der Aufklärung). Der Durchbruch der K.idee erfolgte in der zweiten H. des Jh., als die formalen Postulate (umfassende, vollständige, systematische Regelung eines großen Rechtsbereichs, klare verständliche Sprache etc.) mit polit. (Rechtseinheit als Teil staatlicher Einheit) und materiell-inhaltlichen Forderungen des jüngeren Naturrechts (Gewähr der bürgerlichen Rechte wie Freiheit und Eigentum) verbunden wurden. Diese Idee wurde dann durch den Gestaltungswillen des aufgeklärt-absolutistischen Herrschers (Preußen, Habsburgermonarchie) bzw. der aus der Revolution hervorgegangenen neuen Macht (Frankreich) realisiert. Während sich in Preußen und Österreich die Gesetzgebungsarbeiten über ein halbes Jh. hinzogen, war die Durchsetzung im revolutionären Frankreich – allerdings auch unter Rückgriff auf Vorarbeiten – die Sache eines Jahrzehnts. Das *Allg. Landrecht für die Preußischen Staaten* (1794), als Gesamtk. konzipiert, umfaßt neben allen Normen, die für die Bürger eines Landes in ihren Rechtsbeziehungen zueinander gelten, auch Verwaltungs-, Straf- und Prozeßrecht, dagegen normieren *Code civil* (1804) und ABGB (1811) nur das »bürgerliche« Recht im engeren Sinne und überlassen die anderen Materien (Strafrecht, Prozeßrechte, Handelsrecht) Einzelk.

Was die Systematik betrifft, greifen die ersten mod. K. auf ein modifiziertes röm. Muster zurück: ABGB wie *Code civil* folgen dem Institutionensystem (*personae, res, actiones*); auch die späteren Entwicklungen zum mod. Zivilrechtssystem nehmen ant. Elemente zum Ausgangspunkt: Auf das von Georg Arnold Heise für seine Göttinger Vorlesungen entworfene fünfteilige Pandektensystem gehen die Gliederungen zahlreicher Privatrechtsgesetzbücher und -entwürfe zurück (so des sächsischen BGB 1863/1865 und des BGB für das Dt. Reich).

ALR wie ABGB spiegeln die noch bestehende ständische Ordnung wider, wobei das ABGB die grundsätzliche individuelle Freiheit und Gleichheit der Bürger formuliert, die traditionalen Standesunterschiede aber durch zahlreiche Verweise auf die »polit. Gesetze« aus dem Gesetzbuch formal ausklammert, materiell aber unberührt läßt. Die *cinq codes* der napoleonischen Zeit (*Code civil* 1804, *Code de procédure civile* 1806, *Code de commerce* 1807, *Code d'instruction criminelle* 1808, *Code pénal* 1810) bilden zusammen mit der neuen Verwaltungs- und Justizorganisation die Grundlage für einen bürgerlichen freiheitlichen Rechtsstaat und werden als die grundlegenden »Institutionen« eines solchen im 19. Jh. europaweit verteidigt bzw. – im vorkonstitutionellen Raum – als Muster und Vorbild für Staats- und Rechtsreform postuliert.

### E. Kodifikationsstreit

Der Gedanke, die nationale Rechtsvereinheitlichung durch eine oder mehrere K. als Mittel oder zumindest unter dem Aspekt der nationalen Einigung zu sehen, liegt der – kurz nach den Befreiungskriegen – durch den Heidelberger Zivilrechtslehrer A. F. J. Thibaut vorgebrachten Forderung *Über die Nothwendigkeit eines allg. bürgerlichen Rechts für Deutschland* (1814) zugrunde (wobei »bürgerliches Recht« als Recht der »bürgerlichen Verhältnisse« aber auch Strafrecht und Prozeßrecht umfassen sollte). F. C. v. Savigny trat diesem in seiner berühmten Schrift *Vom Beruf unsrer Zeit für Gesetzgebung und Rechtswiss.* (1814) entgegen und lehnte – unter anderem durch scharfe Kritik der existierenden Gesetzbücher ALR, ABGB und *Code civil* – jede K. als Eingriff des Gesetzgebers in die »organische« Rechtsbildung und dem »Volksgeist« widersprechend ab. Rückgriff auf die röm.-rechtlichen Quellen, Weiterentwicklung durch die Rechtswiss., die diese systematisch durchdringen sollte, anstelle einer Rechtserneuerung durch Eingriffe des Gesetzgebers – das war sein wiss. Programm, welches die Grundlegung der → Historischen Rechtsschule und der → Pandektistik bedeutete. Es erlangte in der ersten H. des 19. Jh. in Deutschland große Wirksamkeit und verhinderte für längere Zeit die Annäherung an eine nationale K.

### F. Die zweite Kodifikationswelle des 19. und 20. Jahrhunderts

Wenn auch auf nationaler Ebene in Deutschland die Pandektistik zur herrschenden Richtung wurde, gingen auf territorialer Ebene – insbes. unter Einfluß der Vertreter liberaler polit. Theorie und gemäß den Forderungen, die von den Abgeordneten der neu entstehenden Ständeversammlungen vorgebracht wurden – die K.bemühungen weiter. Etliche dt. Bundesstaaten realisierten oder versuchten zumindest, Gesetzbücher für die großen Rechtsbereiche Zivilrecht, Strafrecht und die Prozeßrechte wie auch das Handelsrecht zu schaffen. Nationale K.postulate wurden v. a. von seiten der liberalen Germanisten vorgebracht (Germanistenversammlungen 1846, 1847; Reichsverfassung der Paulskirche). Erst nach der Reichseinigung gelang es, 1873 die zentrale

Kompetenz für das gesamte bürgerliche Recht und in der Folge das Bürgerliche Gesetzbuch für das Dt. Reich (1896/1900) zu realisieren.

Parallele Entwicklungen sind z. B. auch für die it. präunitarischen Staaten und für die Schweizer Kantone zu beobachten, wo neben die einzelstaatlichen bzw. kantonalen K.maßnahmen die Diskussionen um nationale Rechtsvereinheitlichung traten, welche v. a. ab der zweiten H. des Jh. neuen Aufschwung erhielten. Neben rechtswiss. spielten (rechts)polit., v. a. föderale Argumente eine Rolle. In Deutschland wie in der Schweiz war die K. des Handels- und Wirtschaftsrechts Promotor der Zivilrechtseinheit, wenn auch unterschiedliche Modelle (»code unique« versus getrennte Gesetzbücher) gewählt wurden. Das schweizerische ZGB (1907/1912), das versucht ›mit Hilfe des gemeinrechtlichen Systems und gemeinrechtlicher Begriffe die Trad. zu fassen und fortzubilden‹ [8. 920], gilt als das bes. gelungene Resultat der »zweiten K.-Welle«.

Diese erfaßte im 19. und beginnenden 20. Jh. nahezu alle kontinentaleurop. Staaten und brachte K. der wichtigsten Rechtsmaterien, wobei für den romanischen Bereich der *Code civil* (und – wenn auch in geringerem Maße – insgesamt die »cinq codes« Frankreichs) zum bevorzugten Modell wurde. Der span. *Código civil* (1888/89), der portugiesische *Código civil* (1867), der it. *Codice civile* (1865) sind in unterschiedlichem Maße vom frz. Vorbild beeinflußt. Straf- und Prozeßrechtsgesetzbücher wurden im Lauf des Jh. in großer Zahl verabschiedet. Die Entstehung dieser getrennten Rechtssysteme auf nationaler Ebene im 19. Jh. ist charakterisiert durch die Verbindung des Gedankens der K. mit dem des Nationalstaats [13. II, 15].

### G. Dekodifikation und Rekodifikation

Folgte häufig auf die Verabschiedung eines Gesetzbuchs durch Ausdifferenzierung einzelner Rechtsgebiete, durch Entstehung von Sonderrechtsgebieten, wie dies im Privatrecht etwa durch arbeitsrechtliche oder sozialrechtliche Regelungen geschah, eine Phase des Aufweichens der K., seit Irti auch als »Dekodifikation« bezeichnet, so ist in den letzten J. verstärkt die Diskussion um die K. wieder aufgenommen worden, wobei z. T. der Status des Gesetzbuchs im Rechtsquellensystem in Frage gestellt wird. Dies geschieht etwa unter dem Vorzeichen einer Rekodifikation, wie man die formale Neuordnung durch *codification à droit constant* bezeichnen könnte, die derzeit in Frankreich aktuell ist (*Commission supérieure de codification*, seit 1989), sei es als neue K.-Bemühung wie die der Tschechischen Republik [11. 30; 39. 95 ff.]. Neuestens werden auch Möglichkeiten und Grenzen einer Privatrechts-K. für die Europ. Gemeinschaft diskutiert [39. 106; 17], wobei z. T. die Rückbindung an gemeinsame röm.-rechtliche Trad. gesucht wird.

**1** A. J. Arnaud, Les origines doctrinales du Code civil français, 1969 **2** R. Bauer, H. Schlosser (Hrsg.), Freiherr von Kreittmayr. Ein Leben für Recht, Staat und Politik, 1991 **3** J. Bentham, A General View of a complete Code of

Laws (1802), in: Works, hrsg. von J. BOWRING, Bd. 3, 1962, 155–210 **4** Ders., Papers relative to Codification, in: Works, J. BOWRING (Hrsg.), Bd. 4, 1962, 451 ff. **5** Ders., On the Anti-codification, alias the Historical School of Jurisprudence (1830), in: Denkschriften und Briefe zur Charakteristik der Welt und Lit. 4, Berlin 1840, 247–253 **6** R. BONINI, Crisi del diritto romano, consolidazioni e codificazioni nel Settecento europeo, 1985 **7** W. BRAUNEDER, Das ABGB für die gesamten Dt. Erbländer der österreichischen Monarchie von 1811, in: Gutenberg-Jb. 62, 1987, 205–254 **8** P. CARONI, K., in: HRG 2, 907–922 **9** Ders., Privatrecht, – eine sozialhistor. Einführung, 1988, 53–99 **10** Ders., Grundanliegen bürgerlicher Privatrechtsk., in: Gesetz u. Gesetzgebung im Europa der Frühen Neuzeit, 1998, 249–273 **11** Ders., (De)K.: Wenn histor. Begriffe ins Schleudern geraten, in: P. CARONI, H. V. MÁLY (Hrsg.), K. und Dek. des Privatrechts in der heutigen Rechtsentwicklung, 1998, 31–47 **12** H. COING (Hrsg.), Hdb. der Quellen und Lit. der neueren europ. Privatrechtsgesch. III/1–5, 1977–1988 **13** Ders., Europ. Privatrecht, I–II, 1985–1989 **14** B. DÖLEMEYER, K.-Pläne in dt. Territorien des 18. Jh., in: Gesetz u. Gesetzgebung im Europa der Frühen Neuzeit, 1998, 201–223 **15** ST. GAGNÉR, Studien zur Ideengesch. der Gesetzgebung, 1960 **16** J.-L. HALÉPRIN, Le Code civil, 1996 **17** A. S. HARTKAMP, M. W. HESSELINK (Hrsg.), Towards a European Civil Code, 1994 **18** H. HOFMEISTER (Hrsg.), K. als Mittel der Politik, 1986 **19** H. HÜBNER, K. und Entscheidungsfreiheit des Richters in der Gesch. des Privatrechts, 1980 **20** N. IRTI, L'età della decodificazione, ³1989 **21** Ders., Codice civile e società politica, 1995 **22** J. VAN KAN, F. Hotman en de codificatiepolitiek van zijn Tijd, in: TRG 3, 1922 **23** Ders., Les efforts de codification en France, 1929 **24** W. OGRIS, K., in: Ergänzbares Lex. des Rechts I/780, 1991 **25** PH. RÉMY, La recodification civile, in: Droits 26, 1997, 3–18 **26** K. SCHMIDT, Die Zukunft der K.-Idee, 1985 **27** P. STEIN, Röm. Recht und Europa, 1996 **28** M. SUEL, Les premières codifications à droit constant, in: Droits 26, 1997, 19–32 **29** G. TARELLO, Le ideologie della codificazione nel secolo 18, 1971 **30** J. VANDERLINDEN, Le concept de code en Europe occidentale du 13ᵉ au 19ᵉ siècle, 1967 **31** Ders., Code et codification dans la pensée de J. Bentham, in: TRG 32, 1964, 45–78 **32** Ders., A propos de code et de constitution, in: Liber amicorum John Gilissen, 1983, 427–440 **33** W. E. VOSS, Rechtssammlungen, in: Der Neue Pauly 3, 53–55 **34** P. WEIMAR, Corpus iuris civilis, in: Lex. des MA 3, 270–277 **35** F. WIEACKER, Das Sozialmodell der klass. PrRG-Bücher und die Entwicklung der mod. Ges., 1953 **36** Ders., Aufstieg, Blüte und Krisis der K.-Idee, in: FS G. Boehmer, 1954, 34–50 **37** Ders., PrRG der Neuzeit, ²1967, 249–347 **38** W. WILHELM, Gesetzgebung und K. in Frankreich im 17. und 18. Jh., in: Ius Commune 1, 1967, 241–270 **39** R. ZIMMERMANN, Codification: history and present significance of an idea, in: European Review of Private Law 3, 1995, 95–120.

BARBARA DÖLEMEYER

## Kodikologie

A. BEGRIFF  B. GEGENSTÄNDE
C. KONGRESSE UND ALLGEMEINE
PUBLIKATIONSORGANE
D. INTERDISZIPLINARITÄT

### A. BEGRIFF

Alphonse Dain [8. 76] hat für sich in Anspruch genommen, das Wort *codicologie* erfunden und in die frz. Sprache eingeführt zu haben; es wurde 1959 in den *Grand Larousse encyclopédique* aufgenommen und hat sich sehr schnell international durchgesetzt. Es bezeichnet in einem nicht von allen Forschern einheitlich aufgefaßten Sinn die Beschäftigung mit dem spätant. und ma. B., dem Codex. H. unterscheidet man beim Begriff K. eine engere und eine weitere Bedeutung. Im engeren Sinn beschäftigt sich die K. mit der äußeren Beschaffenheit der einzelnen Cod., die sie vergleichbar dem Vorgehen der Arch. als individuelle Fundstücke der materiellen Kultur auffaßt; sie untersucht den Beschreibstoff, die Art seiner Zurichtung, das Layout, den Einband. Im weiteren Sinn (Dain hatte den von ihm geprägten Begriff ausschließlich so gemeint) umfaßt K. darüberhinaus alles, was zur Geschichte des einzelnen Cod. oder einer Gruppe von Cod. gehört, gleichgültig ob die Nachrichten dazu im Cod. selbst oder irgendwo anders zu finden sind. Sie wertet dabei eventuell im Cod. vorhandene Notizen des oder der Kopisten über Auftraggeber und Schreibort aus, sie interessiert sich für spätere Besitzereinträge, sonstige Lesenotizen, ältere Signaturen, und sie forscht auch außerhalb des Cod. etwa in der Korrespondenz von Gelehrten, in alten Bibliotheksverzeichnissen [26; 32] und Textedd. nach den histor. Spuren, welche der Cod. hinterlassen hat. Die eigentliche Paläographie, die Wiss. von der Entwicklung der Schriften, ist nicht Gegenstand der K. Natürlich hat es K. auch vor Erfindung des neuen Namens gegeben; in den älteren Handbüchern der Paläographie werden seit der Entstehung dieser Wiss. um die Wende vom 17. zum 18. Jh. auch Gegenstandsbereiche der K. behandelt. Im Dt. umfaßt der Begriff »Handschriftenkunde« sowohl K. (im engeren oder im weiteren Sinn) als auch die Paläographie der lat. Schrift und die Buchmalerei [22; 25].

### B. GEGENSTÄNDE

Die K. im engeren Sinn untersucht 1. die Eigenschaften des Buchblocks, 2. das Schreibmaterial selbst, 3. das Layout (*Mise en page*) der Seiten, 4. den Einband, 5. die Tinten und Farben. Zu 1: Neben der Feststellung von Maß und Umfang spielen Anordnung und Beschaffenheit der einzelnen Lagen (Quaternionen, Quinionen usw., Lagenzählungen, Unregelmäßigkeiten) die Hauptrolle. Moderne Hss.-Kataloge verwenden dabei feste Notierungssysteme. Zu 2: Die Hauptbeschreibstoffe sind Pergament und Papier (für Papyrus ist die Papyrologie zuständig). Beim Pergament kommt es neben Beobachtungen zu Tierart und Qualität insbes. auf die Feststellung an, wie sich Haar- und Fleischseiten

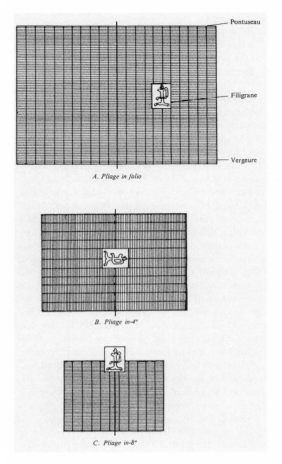

A. Pliage in folio

B. Pliage in-4''

C. Pliage in-8''

Abb. 1: Stellung des Wasserzeichens auf dem Papierbogen sowie auf der Buchseite bei Faltung des Bogens in Folio, in Quarto und in Octavo

der bearbeiteten Tierhaut bei der Bildung der Lagen verteilen (Einhaltung der *Lex Gregory* [12]). Die Pergamentforsch. hat in den letzten Jahrzehnten Auftrieb erhalten [9; 30; 2]. Eine sehr wichtige Rolle für Herkunftsbestimmung und Datierung spielt das Papier, bei welchem die K. zw. orientalisch-arab. (*Bombyzin*), westarab.-span. [7; 16] und europ. (»westl.«) Papier unterscheidet. Das europ. Papier ist durch die seit dem 13. Jh. vorhandenen Wasserzeichen (*filigranes*) (Abb. 1) hervorragend zur Datierung der Cod. geeignet. Bei Beachtung aller notwendigen Variablen (Formenpaare, Anordnung auf dem Blatt, Gegenmarken, Bind- und Kettdrähte) und exakter Wiedergabe durch genaue Zeichnung oder auf photograph. Wege kann im Idealfall eine Genauigkeit von ca. 5 J. erreicht werden [14]. Für vergleichende Analysen stehen große Repertorien zur Verfügung [27; 21; 4; 28; 29; 15 u. a.]. Zu 3: Bei der Behandlung der ästhetischen Seite des Layout arbeiten K. und Paläographie eng zusammen; für die Identifizie-

rung von Kopisten oder Skriptorien ergänzt die K. die mit Hilfe der Paläographie gewonnenen Erkenntnisse [24; 23]. Wesentlich ist bei Pergamenthss. die Bestimmung der verwendeten Linierungsschemata, wobei man zw. dem Typ der Liniierung (Anordnung der Hilfslinien für die Schrift auf den Recto-Seiten) und dem Liniierungssystem (Frage, von welcher Seite auf welchen Folien der Lage die Liniierung eingedrückt wurde) unterscheidet. Eine Übersicht über die verwendeten Schemata geben neuere Spezialstudien [19; 31]. Auch die Behandlung der für die Liniierung verwendeten Instrumente fällt in diesen Bereich [13; 10]. Zu 4: Die Einbandkunde ist eine eigene, nach Regionen und Zeitabschnitten gegliederte Disziplin, die in den Handbüchern der Handschriftenkunde meistens ausführlich abgehandelt wird und dort auch bibliographisch gut erschlossen ist [25. 211–242, 298–300]. In den neueren Studien steht die Technik des Einbandes (Abb. 2) gegenüber seiner Verzierung dabei im Vordergrund; auch hat man versucht, die Dendrochronologie für die Datierung hölzerner Einbanddeckel heranzuziehen [17]. Zu 5: Erst in letzter Zeit erlauben es mod. naturwiss. Methoden, Tinten nicht nur oberflächlich von der Farbe her zu bestimmen, sondern ihre Zusammensetzung exakt zu analysieren [34; 33]. Entsprechendes gilt für die in der Buchmalerei verwendeten Farben.

C. KONGRESSE UND ALLGEMEINE
PUBLIKATIONSORGANE

Seit der Mitte des 20. Jh. hat die K. einen großen Aufschwung genommen, insbes. in Frankreich, Belgien und It., aber auch in einigen anderen europ. Ländern. Es haben sich spezielle Publikationsorgane der K. etabliert. Die wichtigsten sind: *Scriptorium. Revue internationale des études relatives aux manuscrits*, hrsg. vom *Centre d'étude des manuscrits in Bruxelles*, gegr. 1946 von C. Gaspar, F. Lyna und F. Masai, ab 1959 mit *Bulletin codicologique* und einem als *Tables de Scriptorium II* erschienenen *Supplément codicologique* für die Jahre 1946–1976; *Scrittura e civiltà* unter der Redaktion des *Istituto di Paleografia dell'Università di Roma*, erscheint in Turin seit 1977; *Codicologica. Towards a science of handwritten books*; *Vers une science du manuscrit*; *Bausteine zur Handschriftenkunde*. Rédacteur: A. Gruys, Rédacteur adjoint: J. P. Gumbert, Leiden 1976 ff. *Cod. manuscripti. Zeitschrift für Handschriftenkunde*, gegr. 1975 von O. Mazal, Wien. Das *Comité international de paléographie latine* und das *Comité international de paléographie grecque et byzantine* halten regelmäßig stattfindende internationale Kongresse ab, auf denen auch die K. eine größere Rolle spielt. Spezialkongresse in Frankreich und It. waren ganz der K. gewidmet: *Les techniques de laboratoire dans l'étude des manuscrits*, Paris 13–15 septembre 1972, Paris 1974. C. Questa, R. Raffaelli (Hrsg.), *Atti del convegno internazionale »Il libro e il testo«*, Urbino 20–23 settembre 1982, Urbino 1984. M. Maniaci, P. F. Munafò (Hrsg.), *Ancient and Medieval Book Materials and Techniques* (*Erice*, 18–25 september 1992), 2 Bde. (*Studi e Testi*, 357–358), Città del Vaticano 1993 (mit jeweils mehreren Aufsätzen zu Pergament,

Abb. 2: Einband einer lateinischen Handschrift des 12. Jh. Berlin, Deutsche Staatsbibliothek, cod. lat. 4° 651

Papier, Tinten- und Farbunt. mit Hilfe der Spektrophotometrie und zu Einbänden, auch islamischer und hebräischer Cod.).

### D. INTERDISZIPLINARITÄT

Die K. hat sich in letzter Zeit v. a. um eine stärkere Zusammenarbeit mit verschiedenen Naturwiss. bemüht und sich auch quantitativen Fragestellungen geöffnet [3]. Darüberhinaus werden lat. und griech. K. nicht länger in Isolation von K. anderer Schriften betrieben (hebräisch [1], koptisch, syrisch, arab.). Bei aller Selbständigkeit als Disziplin bedarf die K., um K. im weiteren Sinne zu sein, der engen Kooperation mit anderen Disziplinen, insbes. mit Paläographie und Textphilol., mit Kunstgeschichte, polit. Geschichte, Liturgiewiss. und Musikgeschichte [5. 270].

→ Paläographie

→ AWI Buch; Codex

1 M. BEIT-ARIÉ, The making of the medieval Hebrew book: studies in paleography and codicology, 1993 2 F. M. BISCHOFF, M. MANIACI, Pergamentgröße – Handschriftenformate – Lagenkonstruktion. Anm. zur Methodik und zu den Ergebnissen der jüngeren kodikologischen Forsch., in: Scrittura e civiltà 19, 1995, 277–319 3 C. BOZZOLO, E. ORNATO, Pour une histoire du livre manuscrit du moyen âge. Trois essais de codicologie quantitative, 1980 4 C. M. BRIQUET, Les filigranes. Dictionnaire historique des marques du papier, 4 Bde., 1907, ²1968 5 P. CANART, Nouvelles recherches et nouveaux instruments de travail dans le domaine de la codicologie, in: Scrittura e civiltà 3, 1979, 267–307 6 Ders., Paleografia e codicologia greca. Una rassegna bibliografica, 1991 7 Ders., S. DI ZIO, L. POLISTENA, D. SCIALANGA, Une enquête sur le papier de type «arabe occidental» ou «espagnol non filigrané», in: Studi e Testi 357, 1993, 313–392 8 A. DAIN, Les manuscrits, ³1975 9 A. DEROLEZ, Codicologie des manuscrits en écriture humanistique sur

parchemin, 2 Bde, 1984 **10** M. DUKAN, De la difficulté à reconnaître des instruments de réglure: planche à régler (mastara) et cadre-padron, in: Scriptorium 40, 1986, 41–54 **11** Ders., La réglure des manuscrits hébreux au moyen âge, 1988 **12** G. R. GREGORY, Les cahiers des manuscrits grecs, in: Comptes rendus des séances de l'Acad. des Inscript. et Belles-Lettres, 1885, 261–268. **13** J. P. GUMBERT, Ruling by Rake and Board. Notes on Some Late Medieval Ruling Techniques, in: P. GANZ (Hrsg.), The Role of the Book in Medieval Culture, I (Bibliologia, 3), 1986, 41–54 **14** D. HARLFINGER, Zur Datierung von Hss. mit Hilfe von Wasserzeichen, in: Ders., Griech. K. und Textüberlieferung, 1980, 144–169 **15** D. und J. HARLFINGER, Wasserzeichen aus griech. Hss., 2 Bde., 1974–1980 **16** J. IRIGOIN, Les papiers non filigranés. État présent des recherches et perspectives d'avenir, in: Studi e Testi 357, 1993, 265–312 **17** C. LAVIER, Apport de la dendrochronologie à l'étude d'ais de manuscrits: l'exemple de la Bibliothèque Municipale d'Autun (Saône-et-Loire), in: Scriptorium 52, 1998, 380–388 **18** J. LEMAIRE, Introduction à la codicologie, 1989 **19** J. LEROY, Les types de réglure des manuscrits grecs, 1976 **20** Ders., Quelques systèmes de réglure des manuscrits grecs, in: K. TREU (Hrsg.), Studia Codicologica (Texte und Unt., 124), 1977 **21** N. P. LICHAČEV, Paleografičeskoe značenie bumažnych vodjanych znakov, 3 Bde., St. Petersburg 1899 **22** K. LÖFFLER, W. MILDE, Einführung in die Handschriftenkunde, 1997 **23** M. MANIACI, E. ORNATO, Intorno al testo. il ruolo dei margini nell'impaginazione dei manoscritti greci e latini, in: Nuovi annali della Scuola speciale per archivisti e bibliotecari 9, 1995, 175–194 **24** H.-J. MARTIN, J. VEZIN (Hrsg.), Mise en page et mise en texte du livre manuscrit, 1990 **25** O. MAZAL, Lehrbuch der Handschriftenkunde, 1986 **26** W. MILDE, Über Anordnung und Verzeichnung von B. in ma. Bibliothekskat., in: Scriptorium 50, 1996, 269–278 **27** Monumenta charta papyraceae, 15 Bde. **28** V. A. MOŠIN, S. M. TRALJIĆ, Filigranes des XIIIe et XIVe siècles, 2 Bde., 1957 **29** G. PICCARD, Die Wasserzeichenkartei Piccard im Hauptstaatsarchiv Stuttgart, Findbuch I–XVII, 1961–1997 **30** P. RÜCK (Hrsg.), Pergament. Gesch., Struktur, Restaurierung, Herstellung, 1991 **31** J.-H. SAUTEL, Répertoire de réglures dans les manuscrits grecs sur le parchemin (Bibliologia, 13), 1995 **32** R. SHARPE, Accession, classification, location: shelfmarks in medieval libraries, in: Scriptorium 50, 1996, 279–287 **33** V. TROST, Gold- und Silbertinten. Technologische Unt. zur abendländischen Chrysographie und Argyrographie von der Spätant. bis zum hohen MA, 1991 **34** M. ZERDOUN BAT-YEHOUDA, Les encres noires au Moyen Âge (jusqu'à 1600), 1983.

DIETHER R. REINSCH

## Köln I. NACHANTIKE ZEIT
II. AUSGRABUNGSGESCHICHTE
III. RÖMISCH-GERMANISCHES MUSEUM

### I. NACHANTIKE ZEIT
A. GESCHICHTE  B. TOPOGRAPHIE
C. REZEPTION DER ANTIKE

### A. GESCHICHTE

Die röm. Herrschaft in K. endete in der Mitte des 5. Jahrhunderts. 459 war K. auf jeden Fall in fränkischer Hand. Die Schriftquellen belegen, daß der Übergang ohne große Zerstörungen verlief (Amm. 15,8; 16,2–3; Salv. gub. 6,39; Epistolae 1,5–6). Arch. Indizien finden sich z. B. in der durchgehenden Belegung des Gräberfeldes von St. Severin durch Franken und Romanen, sowie in den Besiedlungsspuren im Kastell Deutz (s. u.). K. war die Hauptstadt eines rheinfränkischen Königtums, das Teile der früheren Provinzen *Germania secunda, Belgica prima* und vielleicht den Nordteil der *Germania prima* mit Koblenz und Mainz sowie rechtsrheinische Gebiete umfaßte. (Greg. Tur. Franc. 2,37 ff.). Seit der Herrschaftsübernahme durch Chlodwig Anfang des 6. Jh. bildete die Stadt einen Teil des Merowingerreichs. Aufenthalte der Könige sowie der karolingischen Hausmeier sind verschiedentlich bezeugt. Die Münzprägung lief weiter, die fränkische Oberschicht wurde in der Stadt ansässig (Salvian, Epistolae 1,5–6), d. h. Anarchie oder eine herrschaftsfreie Zeit hat es auch nach dem Fall des röm. Reiches nicht gegeben.

K. war seit der Spätant. Bischofssitz. Die Grenzen der spätant. Civitas bleiben im Bistumssprengel erhalten. Der erste Kölner Bischof, Maternus, ist für die J. 313 und 314 auf den Synoden von Rom und Arles bezeugt. Weiter sind die Namen des Euphrates (342/43) und des Hl. Severin (397) überliefert. Die Lücken in den Bischofslisten bis Carentinus (565) und Ebergisil sind noch kein Indiz für eine tatsächliche Vakanz, sondern sie beruhen sicher auch auf dem Verlust der frühen Kölner Archive. Eine teilweise Repaganisierung im 5. Jh. ist jedoch anzunehmen. Gregor von Tours überliefert, daß der Hl. Gallus um 520 in K. einen heidnischen Tempel zerstörte (Greg. Tur. vit. patr. 6,2).

Die schriftlichen Quellen wie auch die in letzter Zeit ergrabenen arch. Befunde lassen keinen Zweifel daran, daß K. im Früh-MA als Stadt mit zentralörtlicher polit., kultureller und wirtschaftlicher Funktion weiterbestand. Die ant. Bausubstanz blieb zunächst weitgehend erhalten, wenn auch in unterschiedlicher Nutzung. Der Schwerpunkt der Siedlung lag im Bereiche östl. der Hohen Straße. Dort wohnte der wirtschaftlich aktive und wohlhabendere Teil der Bevölkerung. Der Westteil der Stadt war keinesfalls unbewohnt, aber es gab ein deutliches soziales Gefälle von Westen nach Osten. Das röm. Straßensystem wurde auf jeden Fall in den Hauptachsen (Hohe Straße, Breite Straße) beibehalten. Eine adäquate Nutzung des röm. Ver- und Entsorgunssystems kann für das MA nicht belegt werden. Für die Transformation von der noch antik geprägten zur ma. Stadt sind zwei Ereignisse von zentraler Bed.: ein schweres Erdbeben um 770/780, das verschiedene Großbauten so nachhaltig beschädigte, daß sie aufgegeben bzw. abgerissen werden mußten (s. u.), und die Zerstörung und Plünderung durch die Normannen 881.

### B. TOPOGRAPHIE

Die koloniezeitliche röm. Mauer erfüllte ihre Funktion teilweise noch bis zur letzten Stadterweiterung von 1180. Sie blieb auch danach v. a. an der Nord- und Ostseite auf weiten Strecken erhalten. Das mittlere röm.

Abb. 1: Der Römerturm in Köln
von Nordwesten.
Aquarell um 1810.
Kölnisches Stadtmuseum

Abb. 2: S. Schütte, Das Praetorium in der Spätantike (4. Jh.).
Rekonstruktion der Ostfassade, erhaltenes Mauerwerk dunkel dargestellt

Rheintor, die Marspforte, wurde 1545, das Nordtor 1826 abgebrochen, letzte Reste wurden 1897 versetzt. Zahlreiche Teile der Mauer und Türme sind heute noch sichtbar [13; 30] (Abb. 1).

Der Statthalterpalast, das Praetorium, ist als *Regia* in Quellen des 4. und 5. Jh. erwähnt (Amm. 15,8; Greg. Tur. vit. patr. 6,2). Dazu gehörte in christl. Zeit wohl eine Palastkapelle mit dem Patrozinium St. Laurentius. Nach Ausweis der arch. und der Baubefunde bestand der Palast in seiner spätant. Form [24. Phase IV,2] bis zu

einem schweren Erdbeben in der Zeit um 780 [12] (Abb. 2). Danach wurden die Gebäude abgerissen, das Gelände planiert und neu parzelliert. Elemente der Gestaltung übernahm Karl d.Gr. für die Pfalz in Aachen [28]. Einzig in einem kleinen Bereich an der Rheinmauer blieb Platz für den Neubau des königlichen Verwaltungssitzes als Vorläufer des späteren Rathauses.

Die von Precht [24] als *Regia* gedeuteten südl. Teile des Baukomplexes gehörten nach neueren Erkenntnissen nicht zum Praetorium [12]. Die Nutzung für das

1.–3. Jh. ist noch nicht hinreichend geklärt. Der Bau des 4. Jh. ist mit aller Vorsicht als spätant. Synagoge anzusprechen (Erwähnungen der Kölner Judengemeinde unter Constantin 321 und 331, Cod. Theodosianus 16,8,3,4). Der spätant. Bau wurde bis in die zweite H. des 8. Jh. genutzt und fiel dann demselben Erdbeben zum Opfer wie das Praetorium. Der halbrunde Vorhof liegt h. als Befund auf dem Rathausplatz offen.

Wie lange und in welcher Form das riesige Areal des Forums weiterexistierte, ist ebensowenig geklärt wie die Identität mit dem in späteren Quellen zu 887 genannten Forum Iulii. Das Forum wurde nach den Grabungsbefunden im 4. Jh. durch ein Erdbeben beschädigt. Danach wurden Teile des Untergeschoßes der halbrunden Exedra verfüllt, das Obergeschoß aber weiter genutzt. Möglicherweise wurde das Forum bei dem Erdbeben E. des 8. Jh. erneut in Mitleidenschaft gezogen und dann im 10. Jh. endgültig beseitigt.

Von der Ara Ubiorum erhielt sich in der Kölner Lokaltrad. keinerlei Überlieferung. Erst die gelehrte Forsch. ab dem 16.Jh. beschäftigte sich wieder mit der Ara, allerdings ohne konkrete Hinweise auf Standort, Funktion und Bedeutung.

Im röm. Kapitolstempel entstand unter Benutzung der Mauer der mittleren Cella eine christl. Kirche [19]. Die Gründung dürfte auf Plektrudis, die Gattin Pippins von Herstal, zurückgehen. Die Temenosmauer des Tempels ist noch h. in Teilen erhalten. Der gesamte Temenosbezirk zeichnet sich im Parzellar des Urkatasters von 1836/37 deutlich ab.

Der Standort des ant. Marstempels war in K. nur durch die Bezeichnungen »Marspforte« für das röm. Rheintor und »Obenmarspforten« für die darauf zulaufende Straße lebendig geblieben. Der Tempel selbst wurde spätestens in der Merowingerzeit, vielleicht sogar schon in der Spätant. abgerissen.

Verschiedentlich wird ant. Wohnbebauung für christl.-kultische Zwecke umgewandelt, wie bei St. Kolumba. Auch der Vorgängerbau der Pfarrkirche St. Alban erhebt sich direkt über römischen Resten.

Eine kirchliche Nutzung des Komplexes unter dem Dom in der Spätant. ist nach den neuesten Forschungen nicht zu belegen [25]. Erst das Baptisterium Phase III gehört mit Sicherheit zu einem christl. Kultbau. Im letzten Drittel des 6. Jh. sind durch Ambo und Solea Reste einer merowingischen Kathedrale sicher nachgewiesen. Durch diese Ergebnisse muß die ma. Kölner Überlieferung, der älteste Dom habe bei St.Peter/St.Cäcilien gestanden, wieder in die Überlegungen einbezogen werden, zumal die Interpretation der röm. Reste auf dem Stiftsgelände als Thermenanlage auf dem Prüfstand steht.

Schon seit dem 2. Jh. gab es vor der Stadt keine Rheininsel mehr [27]. Durch die Ausgrabungen auf dem Heumarkt ist ununterbrochene Besiedlung und Marktaktivität von der Ant. bis in die Neuzeit nachgewiesen [2; 3; 11]. Der Südflügel der ant. *horrea* wurde zu einer christl. Kirche mit dem Patrozinium St. Martin

umgebaut, die wohl als Kirche für die Marktsiedlung anzusprechen ist. Die röm. Substanz ist h. noch in der Nordwand des Langhauses bis weit in das aufgehende Mauerwerk erhalten [16; 31]. Auf dem Heumarkt wurde ein weiterer röm. Großbau von über 120 m Länge und ca. 8 m Breite ausgegraben, dessen Funktion noch unbekannt ist. Er blieb als Ruine bestehen bis zum Abbruch in der Karolingerzeit [3; 11].

Das constantinische Kastell Deutz war nach dem Abzug der Grenzeinheiten in den ersten Jahrzehnten des 5. Jh. noch bewohnt. Danach ließen sich fränkische Siedlungsspuren nachweisen. Das Kastell blieb Fiskalbesitz, wahrscheinlich mit einer frühen Kirche und wurde namengebend für den Deutzgau. Der Abbruch der röm. Innenbebauung und völlig neue Binnenstrukturen erfolgten in karolingischer Zeit. 1002/1003 gründete Erzbischof Heribert hier eine Benediktinerabtei. Erst 1242 wurden die bis dahin völlig intakten Mauern des Kastells auf Drängen der Kölner Bürger abgebrochen [4; 9]. Das genaue Datum der Zerstörung bzw. des Verfalls der constantinischen Rheinbrücke (die Brücke wird erwähnt von Eumenius, Paneg. 7,13,1–5) ist dagegen unbekannt. Mindestens im 8. Jh., wahrscheinlich aber schon im 6. Jh., war die Brücke nicht mehr begehbar, jedoch blieben Reste bis ins 18. Jh. sichtbar [9].

Aus Coemeterialbauten auf den röm. Gräberfeldern entstanden, wie in anderen gallischen civitates auch, in der Spätant. und der Merowingerzeit Kirchen, die zu Keimzellen bedeutender Stifte und Klöster wurden. An erster Stelle steht St. Gereon (*ad sanctos aureos*) (Abb. 3),

Abb. 3: S. Schütte, St. Gereon. Rekonstruierender Schnitt durch den spätantiken Zentralbau, Ansicht von Norden

errichtet in der Mitte oder in der ersten H. des 4. Jahrhunderts. Die Kölner Lokaltrad. behauptet eine Gründung durch die Hl. Helena, arch. Indizien könnten auf die nachconstantinische Zeit deuten. Die dem Hl. Gereon bzw. den legendenhaften Märtyrern der thebaischen Legion gewidmete Kirche spielte eine bes. Rolle für das fränkische austrasische Königtum (Gregor von Tours, *Liber in Gloria Martyrum*; *Liber Historiae francorum*). Der spätant. Zentralbau wurde bis zur Mitte des 6. Jh. einmal umgebaut, spätestens in der zweiten Bauphase war ein säulenumstandenes Atrium vorgelagert. Am E.

des 8. Jh. übernahm Karl der Gr. die Raumdisposition, vielleicht auch Spolien, für den Bau der Aachener Pfalzkapelle. Im Dekagon der heutigen Kirche ist der ant. Zentralbau bis zu einer Höhe von 16,5 m im aufgehenden Mauerwerk erhalten [10; 26]. Auch die Stifte St. Severin und St. Ursula gehen auf Coemeterialkapellen des 4. Jh. zurück. St. Ursula wurde nach der berühmten Clematiusinschr. zur Erinnerung an jungfräuliche Märtyrerinnen um 400 von Grund auf wiederhergestellt und erweitert. Besondere Bed. gewann diese Kirche als Mittelpunkt des sog. Ager Ursulanus, des röm. Gräberfeldes, aus dem immer wieder Reliquien Hl. Jungfrauen erhoben werden und das K. eine herausragende Stellung als Heilige Stadt im MA sicherte [17]. Röm. Vorgängerbauten sind auch für weitere Kirchen arch. nachgewiesen oder anzunehmen.

C. REZEPTION DER ANTIKE

Das Wissen um die röm. Wurzeln der Stadt ging nie verloren. Die hoch-ma. Gelehrten besaßen darüberhinaus eine ausgezeichnete Kenntnis der ant. Schriftsteller sowie der erhaltenen Monumente und Sachüberreste. Rupert von Deutz berichtet z. B. Anfang des 12. Jh. über die Kontroverse, ob das Kastell Divitia unter Caesar oder unter Constantin gebaut worden sei, und er belegt seine Auffassung mit der unter seiner Regierungszeit als Abt aufgefundenen und wieder zusammengesetzten Bauinschrift des Kastells (CIL XIII 8502) [8; 9]. Abt Rudolf von St. Pantaleon überliefert uns aus dem J. 1121 einen präzisen Bericht von den Ausgrabungen Norberts von Xanten in St. Gereon, die die Kenntnis hochrangiger Bestattungen im Inneren des Zentralbaus voraussetzten [10]. 1333 ließ Petrarca sich mehrere Tage durch die Stadt führen, um die röm. Überreste anzusehen (Epistolae, lib. I, V).

Daneben existierte ein Strang von sagenhaften und legendarischen Überlieferungen, bei denen echter Kern und spätere dichterische Zutaten schwer zu trennen sind. Wichtigstes Anliegen ist die Überhöhung Kölns als Hl. Stadt (*Sancta Colonia*) durch den Rückgriff auf die christl.-ant. Vergangenheit mit den Heiligenviten wie der *Passio Gereonis* (um 1000) und der *Passio Ursulae* (um 970), die aber ältere Auffassungen von spätant. Martyrien wiedergeben. Ein anderer Themenkomplex dient der Legitimierung der Verfassung und der Unabhängigkeit der Stadt. Dazu gehören die Sage von dem Helden Marsilius oder die Überlieferung, Kaiser Trajan habe 15 Geschlechter aus Rom nach K. verpflanzt, von denen namentlich genannte Kölner Patrizierfamilien des 15. Jh. abstammen. Das Gremium der zwei Bürgermeister wird direkt auf die röm. Konsularverfassung zurückgeführt. Die städtische Chronistik des Spät-MA läßt wichtige Kenntnisse über das röm. K. vermissen. Z. B. wird der Name der Stadt von Marcus Agrippa abgeleitet. Als Primärquellen dienen Caesar und Tacitus, während Sueton überhaupt nicht rezipiert wird.

Das ändert sich völlig mit dem Einsetzen der human. Forsch. im 16. Jahrhundert. 1571 stellte Arnold Mercator auf den Randleisten des ersten Vogelschauplans

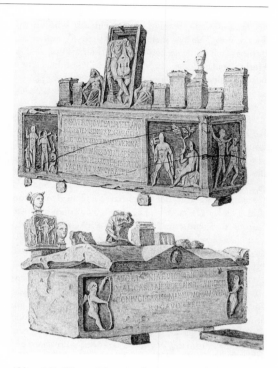

Abb. 4: J. P. Weyer, Westseite des ersten »Antiken-Saales« des Wallrafianums, Sarkophag des C. S. Vitalis (oben) und Sarkophag der Apollonia Victorina Bessula (unten). Aquarell zwischen 1838 und 1841.
Kölner Althertümer Bd. XXX, 12, Kölnisches Stadtmuseum

der Stadt K. röm. Steindenkmäler vor und bezeichnete in der Karte Stellen, an denen röm. Überreste noch deutlich zutage traten. In der Beschriftung gab er einen kurzen Abriß der Stadtgeschichte, in dem er die Coloniegründung richtig unter Claudius ansetzte und als Quellen Caesar, Sueton, Tacitus und Ammianus Marcellinus aufführte.

Der wichtigste Forscher für die Topographie Kölns ist Stephan Broelmann. Sein Werk überragt alle anderen an Gründlichkeit der Forsch., Quellenkenntnis und kritischem Urteil. Professor der Rechte, Syndikus der Stadt, geb. 1551, gest. 1622, widmete er sein Leben der Erforsch. des röm. K. Sein Hauptwerk *Civilium rerum memoria dignarum civitatis Ubiorum et Coloniae Claudiae Augustae Agrippinensis commentarii* wurde allerdings nie gedruckt (Ms. im Histor. Archiv der Stadt K.). Er brachte nur eine Reihe von Ansichten unter dem Titel *Epideigma sive specimen historiae. . .* heraus, die phantasievolle Ansichten des röm. K. zeigen. Danach erstellte er außerordentlich genaue Karten, z. B. zum Verlauf der Eifelwasserleitung nach K. und v. a. eine Karte mit der Einzeichnung der Reste der röm. Rheinbrücke, die er selbst mittels Triangulation vermessen hatte. Erstaunlich ist die genaue Einzeichnung der röm. Rheininsel, die seit der Mitte des 2. Jh. definitiv nicht mehr existierte [27].

Weitaus mehr rezipert als Broelmann wurden die Werke von Aegidius Gelenius (1595–1656). Leider näherte er sich den Quellen oft unkritisch und ohne ihre Herkunft anzugeben. Legenden und Urkunden stehen bei ihm gleichwertig nebeneinander (Hauptwerk: *De admiranda sacra et civili magnitudine Coloniae Claudiae Agrippinensis Augustae Ubiorum Urbis*, K. 1645).

Aus der Beschäftigung mit der ant. Vergangenheit Kölns entstanden schon im 16. Jh. bedeutende Privatsammlungen, so die der Bürgermeister Arnold von Siegen (1484–1579) und Konstantin Liskirchen (†1580), des Ratsherrn Johann Helmann , aus dessen Besitz der größte Teil der auf dem Mercatorplan abgebildeten Denkmäler stammt, der Gelehrten Stephan Broelmann und Georg Cassander. Die weitaus umfangreichste Sammlung rheinischer Funde aber besaß Graf Hermann von Manderscheid-Blankenheim (1534–1604), der Teile der vorher genannten Sammlungen erworben hatte [7].

Die Sammlungen der Aufklärung entstanden zunächst aus pädagogisch-didaktischen Gründen. Das gilt für die Jesuitensammlung, die von der frz. Verwaltung am E. des 18. Jh. nach Frankreich verbracht wurde, wie für die einzige große in K. verbliebene Sammlung, die von Franz Ferdinand Wallraf (1748–1824), Professor der Botanik, Naturgeschichte und Ästhetik an der Kölner Univ. [20]. Seine Antikensammlung umfaßte mehrere Tausend Mz. und über 1000 röm. Kleinaltertümer sowie größere Steindenkmäler (Abb. 4). Sie ging 1818 in den Besitz der Stadt K. über und bildete den Grundstock für die Antikenabteilung des späteren Wallraf-Richartz-Mus. bzw. für das heutige RGM.

QU 1 C. Hegel (Hrsg.), Die Chroniken der dt. Städte XII-XIV (Cöln I-III), 1875–1877

LIT 2 N. Aten, D. Bente, F. Kempken, E. Lotter, M. Merse, Ausgrabungen auf dem Heumarkt in K. Erster Bericht zu den Unters., in: Kölner Jb. 30, 1997, 345–404 3 N. Aten et al., Die Ausgrabungen auf dem Heumarkt in K. 2. Bericht zu den Unters., in: Kölner Jb. 31, 1998, 481–596 4 M. Carroll-Spilleke, Das röm. Militärlager Divitia in Köln-Deutz, in: Kölner Jb. 26, 1993, 321–444 5 O. Doppelfeld, W. Weyres, Die Ausgrabungen im Dom zu K. 1980 6 E. Ewig, Rheinische Gesch. 1,2, 1980 7 O. H. Förster, Kölner Kunstsammler, 1931 8 M. Gechter, Das Kastell Deutz im MA, in: Kölner Jb. 22, 1989, 373–416 9 Dies., Zur Überlieferung der Bauinschr. des Kastells Divitia (Deutz), in: Kölner Jb. 24, 1991, 377–380 10 Dies., Frühe Quellen zur Baugesch. von St. Gereon in K., in: Kölner Jb. 23, 1990, 531–562 11 Dies., S. Schütte, Der Heumarkt in K., in: Gesch. in K. 38, 1995, 129–139 12 Dies., S. Schütte, Ursprung und Voraussetzungen des ma. Rathauses und seiner Umgebung, in: W. Geis, U. Krings (Hrsg.), K. Das gotische Rathaus und seine histor. Umgebung, 2000, 69–195 13 H. G. Horn, Die Römer in Nordrhein-Westfalen, 1987 14 H. Keussen, Top. der Stadt K. im MA, 2 Bde., 1910 15 J. Klinkenberg, Das röm. K., 1906 16 C. Kosch, Neue Überlegungen zu den Ostteilen von Groß St. Martin, in: Colonia Romanica 12, 1997, 35–100 17 W. Levison, Das Werden der Ursulalegende, in: Bonner Jb. 132, 1928, 1–164 18 W. Lung, Zur Top. der früh-ma. Altstadt, in: Kölner Jb. 2, 1956, 54–70 19 S. Neu, St. Maria im Kapitol, Die Ausgrabungen, in: H. Kier, U. Krings, K. Die romanischen Kirchen, 1984, 331–344 20 P. Noelke, Im Banne der Medusa – Die Antikenslg. Ferdinand Franz Wallrafs und ihre Rezeption, in: Kölner Jb. 26, 1993, 133–216 21 B. Päffgen, S. Ristow, Die Römerstadt K. zur Merowingerzeit, in: Die Franken, Ausstellungskat. 1996, Bd. 1, 145–159 22 B. Päffgen, Die Ausgrabungen in St. Severin zu K., 3 Bde., 1992 23 H. v. Petrikovits, Rheinische Gesch. 1,1, 1978 24 G. Precht, Baugeschichtliche Unters. zum röm. Praetorium in K., 1973 25 S. Ristow, Das Baptisterium im Osten des Kölner Domes, in: Kölner Domblatt 58, 1993, 291–312 26 S. Schütte, ›...träumen zwei Kapitel von besseren Zeiten...‹ Baugeschichtliche Anmerkungen zur frühen Gesch. von St. Gereon in K., in: Colonia Romanica XIV, 1999, 53–66 27 Ders., M. Gechter, Stephan Broelmann und die Folgen, in: Kölner Mus.-Bulletin, Heft 1, 1999, 4–26 28 Ders., Überlegungen zu den architektonischen Vorbildern der Pfalzen Ingelheim und Aachen, in: Krönungen, Ausstellungskat. Aachen 2000, 203–211 29 H. Steuer, Die Franken in K., 1980 30 U. Süssenbach, Die Stadtmauer des röm. K., 1981 31 E. Wegner, Die ehemalige Benediktinerabtei Groß St. Martin in K., in: Kölner Jb. 25, 1992, 143–349. MARIANNE GECHTER

## II. Ausgrabungsgeschichte

A. Einführung   B. Mittelalter
C. Renaissance und 17. Jahrhundert
D. 18. und frühes 19. Jahrhundert
E. 19. Jahrhundert bis 1914 F. 20. Jahrhundert

### A. Einführung

Seit der Mitte des ersten Jh. n. Chr. war K., die *Colonia Claudia Ara Agrippinensium*, *CCAA*, die Hauptstadt Niedergermaniens, der *Germania Secunda* nachdem es um Christi Geburt als *Oppidum Ubiorum* gegr. worden war. Der Rang als Provinzhauptstadt, dem nachmaligen Sitz fränkischer Könige des Ostreichs (Austrasien) und Sitz der Hausmeier bis zu den Karolingern, gründete das Selbstbewußtsein der bischöflichen Hoch- und Spät-MA, die die bevölkerungsreichste und wirtschaftlich stärkste Metropole des dt. Sprachraums bis in das 17. Jh. blieb. Noch im 12. Jh. überflügelte K. Paris und London auf einigen Gebieten. Um 1200 war die Stadt von einem ca. neun Kilometer langen Mauerring umzogen, der genau das in der Ant. schon genutzte Gelände einschloß. Ohne die ant. Voraussetzungen wäre der außerordentliche Rang der Stadt im MA nicht denkbar. K. ist die einzige dt. Stadt mit einer durchgängig städtischen Kontinuität, bei der nicht große Teile der Stadt verlassen oder aufgegeben wurden. Bis h. prägen die ant. Straßenzüge den Stadtgrundriß K. Das Wissen um die frühe Vergangenheit der Stadt ging niemals verloren, so daß die Beschäftigung mit der Ant. eigentlich nie aufhörte. In der Ren. war das Bewußtsein, röm. Stadt zu sein, bes. ausgeprägt. Bis h. hat dies in K. seine mentalitätsgeschichtlichen Auswirkungen, wobei die greifbaren Sachzeugnisse stets eine bes. Rolle spielten.

## B. MITTELALTER

Bereits vor 1000 kam es vereinzelt zu gezielten Ausgrabungen von Gräbern vermeintlicher Heiliger. Um 1100 setzte in K. eine rege, rel. motivierte, Ausgrabungstätigkeit ein. Das Gräberfeld bei St. Ursula, der sog. *ager ursulanus*, wurde mit dem Befestigungsbau der nördl. Stadterweiterung Niederich um 1106 die ergiebige Fundstätte der Leiber der sog. 11000 Jungfrauen. Ein erster, fast mod. Ausgrabungsbericht liegt aus dem ant. Zentralbau von St. Gereon vor, in dem Norbert von Xanten 1121 spätant. oder merowingische Sarkophage ergrub. Die Erhebung hl. Leiber stand für die ausgrabenden Kleriker im Vordergrund, auch wenn man schon eine regelrecht »arch.« Arbeitsweise feststellen kann. Demgegenüber ist aber auch schon ein deutliches histor. Interesse an der Stadtgeschichte zu konstatieren. Mitte des 13. Jh. wurden röm. Mosaiken anläßlich des Domneubaus von Albertus Magnus erwähnt [11]. Die Äußerungen Francesco Petrarcas beziehen sich auf sichtbare Reste, die er anläßlich seines Besuches 1333 gesehen hat und bezeugen erstmals das Interesse an der ant. Topographie K. Petrarca war in der Lage, einzuordnen, was er sah, da er direkte Vergleiche zu It. zog.

## C. RENAISSANCE

Mit dem erwachenden histor. Interesse in K. im letzten Drittel des 15. Jh. verstärkte sich die Beschäftigung mit der ant. Geschichte der *CCAA* und des *Oppidum Ubiorum* rasch, wobei das Wissen um ihre Existenz nie verloren gegangen war und richtete sich neben den Schriftquellen zunehmend auch auf Sachzeugnisse aus. Man beobachtete seit E. des 15. Jh. nun auch verstärkt »rudera«, d.h. z.B. die Reste der ant. Brücke (Koehlhoffsche Chronik, 1491), des Kastells Deutz und anderer Baulichkeiten, wie der ant. Stadtmauer. Erste ausgegrabene Inschr. wurden publiziert, so z.B. durch Willibald Pirckheimer und Mariangelus Accursius um 1530. Zugleich begann eine antiquarische Sammeltätigkeit gebildeter Kreise, zu denen z.B. der Kartograph Arnold Mercator gehörte, die auch gezieltes Graben auf den Gräberfeldern zur Gewinnung ant. Inschr., Gläser, Keramik und Mz. voraussetzt (Abb. 1). Bedeutende Sammlungen von Kölner Antiken waren im 16. Jh. die Sammlung der Grafen von Neuenahr, der Familien Rinck, Broich, Liskirchen und von Siegen. Eine erste Beschäftigung mit Funden und Topographie auf der Basis von Geländebeobachtungen und Grabungsfunden des ant. K. ist vor 1574 durch Johann Helmann nachweisbar [11].

Eine arch. Feldforsch. im mod. Sinn wird seit dem E. des 16. Jh. durch den Rechtsprofessor und Stadtsyndikus Stefan Broelmann (1551–1622) begonnen. Broelmann verknüpfte als erster Schriftquellen mit Beobachtungen vor Ort und benutzte modernste Methoden der Zeit, wie die Triangulation mit nautischen Instrumenten. Broelmann verfaßte ein umfangreiches Werk zur Stadtgeschichte, das ungedruckt blieb und von dem lediglich eine Probe 1608 (*Epideigma sive specimen historiae...*) gedruckt wurde [2]. Erst danach standen ihm h.

Abb. 1: Der sog. Marsilstein in Köln (antiker Mauerrest mit Sarkophag). Stammbuchblatt des Olivier de la Court 1595. Wiedergegeben ist auch die Renaissanceinschrift des Kölner Rates.
Kölnisches Stadtmuseum, Graphische Sammlung

verschollene Quellen zur Verfügung, die ihm erlaubten, die ant. Stadttopographie doch soweit zu klären, daß das von ihm entwickelte Grundgerüst erst in der zweiten H. des 20. Jh. überholt wurde, weil sein Wissen zwischenzeitlich wieder verloren ging. Auch seine Forsch. zum röm. Aquädukt nach K. wurden erst kurz vor 1900 übertroffen, seine Aussagen zur Flußinsel erst nach 1994 (Abb. 2). Broelmanns Arbeit stellt für seine Zeit eine hoch zu würdigende Pionierleistung dar [17].

Schon um 1620 waren ihm die genaue Lage der ant. Stadtmauer, des Kastells Deutz, der konstantinischen Rheinbrücke, des Prätoriums, der Marspforte und des Marstempels, des Kapitols, der Flußinsel, einiger Nekropolen, der Wasserleitung nach K. und weitere Details genau bekannt, wenngleich nicht alle ergraben. Die Arbeiten der Brüder Aegidius und Johannes Gelenius 1645 [3] und des Petrus Alexander Bossart 1687 verwendeten zwar auch durch Grabungen gewonnenes Material, wobei die Aussagen des Stefan Broelmann zur Topographie bedeutend ergänzt, aber grundlegend nicht überholt wurde [11].

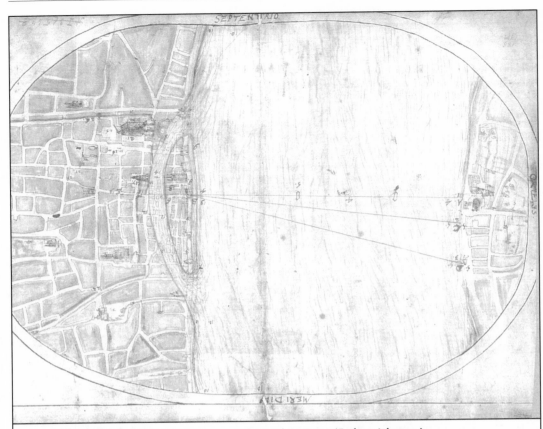

**Abb. 2 Rekonstruktion der antiken Topographie Kölns: Karte (Federzeichnung)**
Stephan Broelmann, vor 1621. Kölnisches Stadtmuseum, graphische Sammlung. Deutlich sind die Triangulationslinien
zur Vermessung der Konstantinischen Rheinbrücke zwischen Römerstadt und Castellum Divitia (rechts), die römische
Stadtmauer und die genaue Rekonstruktion der Insel. Die Ziffern geben präzise die Lage antiker Bauwerke, wie z.B. des
Praetoriums an. Darüber projiziert ist der Stadtplan des 17. Jh.

### D. 18. UND 19. JAHRHUNDERT

Die wirtschaftlich schlechten und in K. geistig stag-
nativen Zeiten der zweiten H. des 18. Jh. bis zur Herrschaft der Franzosen in K. nach 1794 sind einerseits geprägt durch ein histor. Interesse an der Stadt, andererseits durch eine rein antiquarische Sammeltätigkeit. Zu
nennen sind insbes. die Sammlungen Aldenbrück, von
Hartzheim, des Vikars Blasius Alfter, die Sammlungen
und Forsch. Franz Karl Joseph von Hillesheims und des
Baron Hüpsch. Aber lediglich die Beobachtungen der
ant. Rheinbrücke beim Niedrigwasser 1765 durch A.
Aldenbrück beflügelten erneut die Beschäftigung mit
der Topographie, so u. a. durch J. M. de Laporterie, dessen Arbeit vor 1824 unvollendet blieb [11. 15].

Mit dem Abbruch großer kirchlicher Areale in der
Säkularisation begann nicht nur eine intensivierte Phase
der histor. Forschung, sondern auch das arch. Interesse
an der Stadt erwachte, auch wenn es anderenorts deutlich ausgeprägter erschien. So wird erst auf Dorows Betreiben um 1820 in → Bonn das Landesmus. gegr., wäh-

rend in K. offenbar kein derartiges Interesse bestand.
Der bedeutende Sammler und Museumsgründer Ferdinand Franz Wallraf (1818) [21] und bes. Ludwig Ennen (1861 und 1863 ff.) [5], sowie Chr. v. Stramberg
(1863) diskutierten in K. neben den histor. auch topographische und antiquarische Probleme der Römerstadt
neben der reinen Sammeltätigkeit zahlreicher privater
Sammler. Die Stadthistorie wurde dann wesentlich beflügelt durch Arbeiten Franz Ritters (1851), aber bes.
durch Bodenbeobachtungen des Professors Heinrich
Düntzer (1813–1901). Die wirtschaftliche Blüte K. seit
der Mitte des 19. Jh. mit der Verdichtung der Bebauung
der Innenstadt fördert eine Unmenge Funde und Befunde zutage, was sich einerseits in großen Sammlungen
[11] niederschlug (z. B. Mertens-Schaaffhausen, Merlo,
Disch, Herstatt, Wolff, v. Rath, Merkens und Niessen
u. a.), andererseits nur in den wenigsten Fällen zu exakten Beobachtungen oder gar Dokumentationen führte,
ein Umstand der schon um 1860 von Bonner Seite heftig beklagt wurde. Der Kenntnisstand in Bonn und

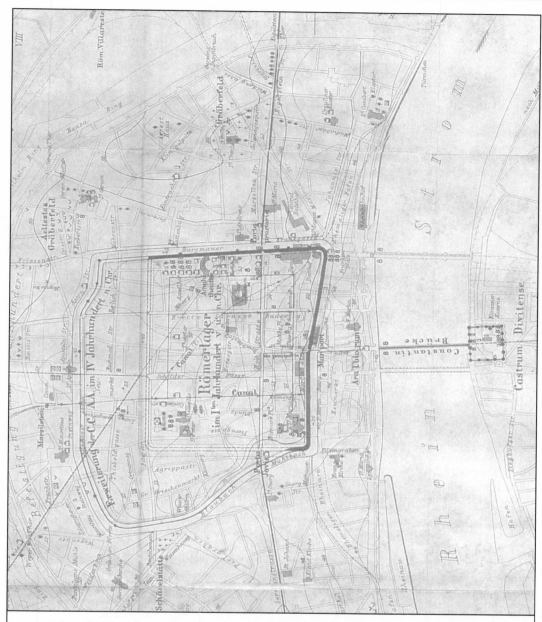

**Abb.3 Rekonstruktion der Topographie des antiken Köln** nach Carl Veith, 1885 (Ausschnitt der Planbeilage), mit Einzeichnungen der antiken Befestigungen, Straßen, Einzelfunde und Gräberfelder

selbst Xanten überflügelte bei weitem das arch. Interesse der Kölner. Auch ging die Masse der Funde in den privaten Sammlungen später für K. verloren. 1843 entdeckte man die berühmte röm. Grabkammer in Weiden, die nicht die Stadt K., sondern der preußische Staat erwarb und restaurierte. Museal war das ant. K. erstmals vor Ort in der röm. Abteilung des 1861 eröffneten Wallraf Richartz Mus. präsent, deren frühester Kat. von Düntzer vorgelegt wurde.

E. ENDE DES 19. JAHRHUNDERTS BIS 1914

Die anhaltende Bautätigkeit und die Expansion der Stadt über die ma. Grenzen hinaus, bes. durch Anlage der Stübbenschen Neustadt und dem Wirtschaftsboom nach 1880 bewirkte einen intensiven Forschungsschub. Eine erste Zusammenfassung der Grabungsergebnisse erfolgte 1885 durch Carl von Veith und 1895 durch die Ingenieure Schultze und Steuernagel [18]. Letztere lei-

Abb. 4: Ausgrabungen auf dem Gräberfeld an der Luxemburger Straße. Foto um 1900.
Kölnisches Stadtmuseum

steten einen bis h. gültigen Beitrag zur Kölner Archäologie. Beide Arbeiten legten topographische Karten mit Einzeichnung der Befunde vor (Abb. 3). Schon zuvor hatten Düntzer (1876) und Mohr (1885) neben anderen Beiträge zur Erforschung der Topographie und Grabungsgeschichte des röm. K. geleistet. Die Phase intensiverer Erforschung dauerte noch bis zum Beginn des I. Weltkriegs an. 1906 erschien das grundlegende Werk von Joseph Klinkenberg [11], der alle bis dahin bekannten Funde und Befunde und den Forschungsstand zum röm. K. zusammenfaßte und durch eigene Forschungen ergänzte. Sein Werk steht bis h. unübertroffen da. Neben den altbekannten Grundzügen der Topographie kannte man nun schon die genauere Ausdehnung der wichtigsten Gräberfelder (Abb. 4), einige wichtige Straßenverläufe innerhalb und außerhalb der Mauern, das genaue Erscheinungsbild der Mauer, der ein Schwerpunkt der Forschung galt [18], insbes. des schon 1836 entdeckten, 1892 ergrabenen und dann 1897 rücksichtslos in den aufrechten Teilen abgebrochenen Nordtors, ansatzweise einen Thermenkomplex (?), das Lager der *Classis Germanica* auf der Alteburg (Grabung 1870/72 und 1899, bis 1905 durch Lehner vom Bonner Provinzialmus.), zahlreiche Mosaike und noch nicht identifizierte Baureste der Antike. 1879–1882 hatte man im Kastell Deutz mit Erfolg gegraben. Man kannte einige Gewerbetriebe und etwas von den Suburbien, wie et-

liche Terrakottatöpfereien, wie z.B. die Werkstatt des *Servandus* am *Forum Hordiarium* und Einrichtungen der Wasserversorgung und -entsorgung (Sammler). Offene Fragen blieben, wie die nach Theater und Zirkus (s.u.), der *Ara Ubiorum* und der Lage des *Oppidum Ubiorum*. Dennoch kann man sagen, daß zu Beginn des 20. Jh. die Grundzüge der röm. Stadtgeschichte, Topographie und deren Ausstattung nebst Inschr. schon bekannt waren [11].

### F. 20. JAHRHUNDERT

Da im II. Weltkrieg fast alle Fundakten verbrannten, basiert die Information über Grabungen vor 1929 auf einer Karte der Befunde, die L.S. Haake 1930 auf der Basis der Karte von Schultze und Steuernagel erstellt hat und auf dem wenigen Publizierten.

Auf der Basis des preußischen Ausgrabungsgesetzes von 1914 gruben in wechselnder Organisationsform die Röm. Abteilung des Wallraf Richartz Mus. (zeitweise der Stadtkonservator) linksrheinisch und im Rechtsrheinischen das Mus. für Ur- und Frühgeschichte, das nur bis 1945 existierte. Dieses Mus. war erst 1907 unter Carl Rademacher eröffnet worden, der bis 1931 Direktor war und von Werner Buttler abgelöst wurde, dem die Ausgrabungen des bandkeramischen Dorfes in K.-Lindenthal gelangen. Nach drei Jahren Vakanz wurde er von Werner von Stokar abgelöst. Das RGM vereinnahmte das alte Prähistor. Mus. nach 1946 [15]. Die

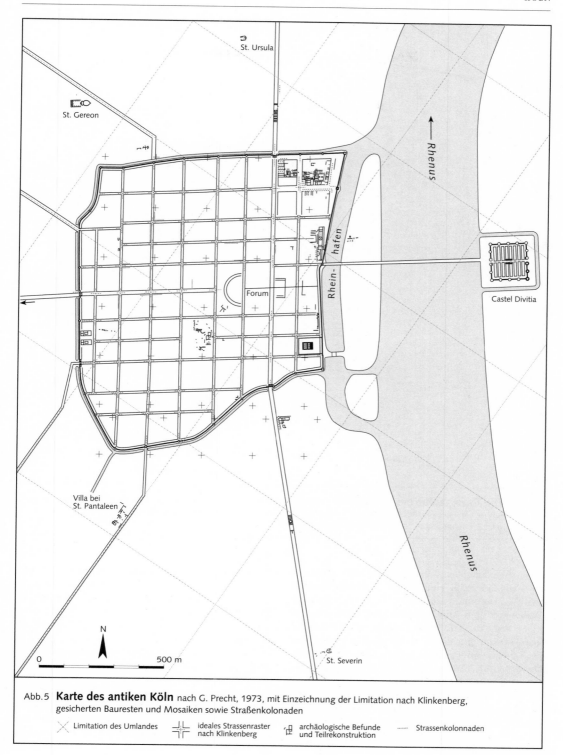

Abb. 5 **Karte des antiken Köln** nach G. Precht, 1973, mit Einzeichnung der Limitation nach Klinkenberg, gesicherten Bauresten und Mosaiken sowie Straßenkolonaden

Limitation des Umlandes     ideales Strassenraster nach Klinkenberg     archäologische Befunde und Teilrekonstruktion     Strassenkolonnaden

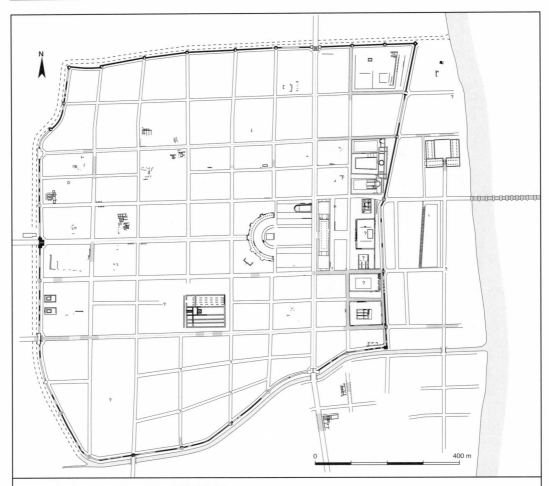

Abb.6 **Die Topographie des spätantiken Köln** nach Schütte, 2000. Dargestellt sind die bekannten Baureste und die inzwischen revidierte Topographie, bei der sich die Insel und Brücke historisch ausschließen. Berücksichtigt sind auch die neueren Befunde zum Forum und zum Heumarkt

Röm. Abteilung des Wallraf Richartz Mus. unterstand zu Beginn des 20. Jh. zunächst Josef Poppelreuther und zwischen 1922 und 1959 war Fritz Fremersdorff für die Grabungen in K. zuständig. Mit der Gründung des RGM 1946, ebenfalls durch Fritz Fremersdorff als erstem Direktor grub dieses im gesamten Stadtgebiet, nun mit verstärktem Personal. Bereits 1939 wurde Otto Doppelfeld als Assistent Fremersdorffs nach K. berufen. Er wurde 1959 sein Nachfolger im Amt des Direktors des RGM und ist mit seinen enormen Leistungen [15] die bedeutendste Gestalt der Kölner Nachkriegsarchäologie. Er wurde 1972 durch Hugo Borger, dem späteren Generaldirektor der Kölner Museen abgelöst, dem seinerseits H. Hellenkemper 1990 ins Amt des Museumsdirektors nachfolgte. Nach dem Inkrafttreten des neuen Denkmalschutzgesetzes Nordrhein-Westfalen 1981 ist die Bodendenkmalpflege in K. wechselnd abhängig von

der Tätigkeit des RGM, zeitweise unter den histor. Museen, und von 1990–1995 als eigenständiges Amt für Arch. Bodendenkmalpflege der Stadt K. unter der Generaldirektorin Hiltrud Kier und Sven Schütte geleitet worden [10]. Danach war wieder das RGM allein zuständig.

Neben der amtlichen Bodendenkmalpflege gab es stets große Privatsammlungen, eine Trad., die auch nach dem Inkrafttreten des preußischen Ausgrabungsgesetzes 1914 mit Billigung der »offiziellen Arch.« aus Kölner Fundstellen gespeist wurde und noch nach dem Inkrafttreten des Denkmalschutzgesetzes Nordrhein-Westfalen 1981 waren »gebilligte« Raubgräber eine ständige Begleiterscheinung der Kölner Archäologie. Der illegale Handel mit Antiken stellt auch im 21. Jh. in K. noch ein gravierendes Problem dar. Wichtige Funde der Museumssammlungen wurden im 20. Jh. von privat erworben, so z. B. das »privat« gegrabene, gewaltige *Poblicius*-Grabmal im RGM, auch die bekannten ant. gläsernen Schuhe [8] und ganze Sammlungskomplexe, wie z. B. die Sammlungen Niessen, Jovi und Lückger, die gänzlich neben der offiziellen Grabungstätigkeit entstanden waren. Noch E. des 20. Jh. führten derartige Ankäufe immer wieder zu heftigen Konflikten.

H. Borger beklagte 1974, die grundlegende Arbeit Klinkenbergs von 1906 sei in Bezug auf die ant. Topographie ›nach fast 80 J. bis h. für K. nicht fortgeschrieben‹ worden [15]. Diese Situationsbeschreibung war generell zwar zutreffend und galt in den weitesten Bereichen der Stadt (Abb. 5) bis ca. 1990, wenngleich insbes. die großen Grabungsprojekte der Ära Fremersdorff und Doppelfeld ganz wesentliche Ergänzungen, bes. in den 50er J. beisteuerten: Bereits 1924–26 fanden unter Fremersdorff ausgedehnte Grabungen unter und bei St. Severin statt, die der ant. und ma. Nekropole galten [12]. Sie wurden bis in die 1950er Jahre hinein fortgesetzt. 1927–1938 wurden die Grabungen im Kastell Deutz fortgeführt (begonnen 1879–1882) und die Grabungen auf dem Kastell der *Classis Germanica* auf der Alteburg 1927/28. Dennoch wurde auch noch in den 30er J. vereinzelt über mangelndes Interesse an der röm. Vergangenheit K. und über unzureichende Forschungsmethodik geklagt.

Der II. Weltkrieg bedeutete den gravierendsten Einschnitt in der Ausgrabungsgeschichte K. Vor dem Krieg bereits kamen durch den Bunkerbau und Schutzmaßnahmen wesentliche Funde zutage, dann während des Krieges, 1941 z. B. das berühmte Dionysosmosaik und Teile eines gewaltigen Peristylhauses beim Bau des sog. Dombunkers. Beim Wiederaufbau der zu über 90% zerstörten Stadt, der in Quantität und Baufortschritt neben vielen Resultaten auch die Vernichtung eines großen Teils der arch. Substanz mit sich brachte und sogar h. noch mit sich bringt, konnten vielfältige Beobachtungen gemacht werden. Im Dombereich waren bereits im 19. Jh. röm. Reste ergraben worden. Unmittelbar nach dem Krieg begann die große Domgrabung, die es Fremersdorff und später Doppelfeld ermöglichte, in kurzer Zeit die Vorgängerbebauung des Dombereichs von der Ant. bis zur ottonischen Zeit zu erkunden [4]. Wenige Meter südl. fand 1953 bis 1956 die große Grabung am Prätorium statt, deren Resultate aber von Gundolf Precht nach einem Vorbericht Doppelfelds von 1956, 1972 vorgelegt wurden und deren Neubearbeitung h. aussteht [7]. Unmittelbar anschließend wurden Teile des jüd. Viertels, der Synagoge und des Ritualbades ergraben und 1959 teilweise vorgelegt. Auch hier hat sich eine Neubearbeitung als dringlich erwiesen [7]. In fast allen zerstörten romanischen Kirchen wurde gegraben und es wurden Erkenntnisse über deren zumeist spätant. und frühma. Wurzeln gesammelt und teilweise vorgelegt (wichtigste Grabungen: St. Alban 1956, 72, 94; St. Andreas 1953, 54, 58; St. Aposteln 1943, 56; St. Cäcilien 1930, 1948–55, 76; St. Georg 1927–31, 56/57; St. Gereon 1949, 50, 79; St. Kolumba 1924,

74/76; St. Kunibert 1978–81, 94; St. Maria im Kapitol 1910, 1957–61, 64, 75, 77; St. Maria Lyskirchen 1968, 72, 88; Groß St. Martin 1965/66, 73; St. Pantaleon 1955–62; St. Peter 1953, 56, 99; St. Severin 1925–43, 1953–55; St. Ursula 1942/43, 60, 67). Dies gehört zu den großen Leistungen der Kölner Arch. [9]. In diesem Zusammenhang sind bes. die Grabungen Armin von Gerkans 1949 in St. Gereon zu nennen, aber auch Arbeiten Peter La Baumes zum röm. und frühchristl. K. (seit 1953). In St. Pantaleon (Mühlberg) wurde der Teil eines ant. Suburbiums unter der Kirche ergraben, die ant. Ursprünge (Kapitolstempel) von St. Maria im Kapitol und die ant. Vorgängerbebauung von St. Georg mit der ant. Benfiziarierstation wurde erkannt. Daneben wurden eine Vielzahl von Privatgrundstücken untersucht, wobei u. a. nach 1970 die Entdeckung der Ringcryptoporticus des zentralen Forums gelang. Zwei Tempel nach gallo-röm. Muster wurden im Westen der Stadt ergraben sowie weitere Tempelpodien erkannt (R. Thomas). Glasöfen, Töpfereien und Werkstätten wurden nicht nur in den Suburbien ergraben. Große Grabungen fanden auch in den Nekropolen statt. In Vorberichten und größeren Veröffentlichungen wurden die Befunde und Funde vorgelegt bzw. anpubliziert [13; 14; 15; 16].

Die enormen Leistungen der Nachkriegsarch. werden teilweise überschattet durch die demgegenüber zu bilanzierenden Verluste und den mangelnden Publikationsstand. Der letzte Jahresbericht der Bodendenkmalpflege erschien 1971 für das J. 1960 [13]. Erst 1992 erschien ein erneuter (einzelner) Jahresbericht (Arch. in K. [10]). Die Masse der Funde und Befunde der letzten vier Jahrzehnte des 20. Jh. ist weiterhin unaufgearbeitet bzw. unpubliziert. Das trifft auch auf Langzeitforschungsprojekte, wie die Domgrabung zu oder die riesige Domumgebungsgrabung 1969–1972 [8]. Daneben wurden hingegen vereinzelt wichtige Befunde, wie das sog. Ubiermonument (Eckturm des Oppidums, um 0/4 n. Chr.) durch J. Bracker vorgelegt (1966/1967), oder die Entdeckung des Atriums von St. Gereon durch Günther Binding und Forsch. von Johannes Deckers (1979).

Museal wurden seit 1974 die wichtigsten ant. Funde erstmals in einem eigenen Museumsbau am Dom (RGM) ausgestellt. Die bis zu Beginn des 21. Jh. fast unveränderte Präsentation war zwar in den J. nach der Eröffnung z. T. heftiger Kritik ausgesetzt. Noch h. ist das RGM eines der größten arch. Museen in Deutschland [15].

Durch die Tagung der dt. Altertumsverbände 1980 in K. ergab sich die Möglichkeit einer kursorischen Zusammenfassung von Funden und Befunden [16], was bereits vorher in Ansätzen von Doppelfeld und La Baume versucht worden war.

Plädierten Fremersdorff und Doppelfeld noch für eine kontinuierliche Entwicklung von der Ant. zum MA, so lehnte die Folgegeneration unter Borger dies vehement ab (Steuer, Hellenkemper) [7]. Inzwischen waren wesentliche neue Erkenntnisse zu privaten Wohnbauten, zur Glasproduktion und Töpferei, zur Numismatik, zu den Gräberfeldern und bes. zum frühchristl. K. und zu den frühma. Gräberfeldern hinzugewonnen worden. Auch zum Umfeld der röm. Stadt mit Villen und Gewerbebezirken war im Gegensatz zum Beginn des Jh. ein wesentlicher Erkenntnisgewinn hinzugewonnen worden. Zwar fanden nach der Ära Doppelfeld zwischen 1971 und 1990 über 900 Grabungen statt, doch wurden die wenigsten vorgelegt. Auch sind sie methodisch oft unzureichend ergraben worden. Darunter waren die wichtigen Grabungen an den sog. *Horrea* in der Rheinvorstadt bei Groß St. Martin und weitere Großprojekte, wie die Baugrube des neuen Wallraf Richartz Mus., von der Stefan Neu immerhin die gerettete Architekturskulptur (1989) publizieren konnte. Vorgelegt wurden daneben ältere Fundkomplexe, wie z. B. die Gräber von St. Severin (Bernd Päffgen 1992 [12]) oder Wandmalerei (Renate Thomas [20]). Gänzlich unbeobachtet blieben die U-Bahnbauten der 1970er J., die gewaltige Schneisen durch die Innenstadt zogen, wie auch das gesamte, der Altstadt vorgelagerte Rheinufertunnel. Damals ging die gesamte ant. Wasserfront der Stadt unbeobachtet zugrunde, wie auch großflächige Bauprojekte oft nicht gegraben wurden.

In der ersten H. der 90er J. des 20. Jh. wurden durch das Amt für Arch. Bodendenkmalpflege erste Grabungen zur Lage und Struktur des *Oppidum Ubiorum* angestellt (M. Carroll / S. Schütte [3]), die zur weitgehenden Lokalisierung der Gräben und Befestigung führten. Neuere Unt. (Leuschner 1995 [7]) datierten den Bau der Holz-Erde Befestigung, die damals nachgewiesen werden konnte, in die Zeit der Varusschlacht um 9 n. Chr. Zum geologischen Untergrund und zur Lage der Insel wurden naturwiss. Unt. durchgeführt [17], ebenso zur Topographie des ant. K. [7] (Abb. 6). Der histor. Ausschluß von Hafeninsel (1. Jh. n. Chr.) und konstantinischer Rheinbrücke (4. Jh. n. Chr.) wurde grundlegend geklärt [7. 17]. Erstmals wurde konsequent auf allen Grabungen die international übliche Verfahrensweise des Grabens in natürlichen Schichten angewendet, was zu einem ungleich vermehrten Fundausstoß und einem ganz unvergleichlichen Erkenntnisgewinn führte. Erstmals wurden nun auch die nachant. Deckschichten konsequent untersucht. Untersuchungen zur Stadtentstehung ergaben das Fehlen aller Funde und Befunde vor Christi Geburt. Forschungen und Grabungen zur Kontinuität erwiesen klar das Weiterleben der Stadt in nachant. Zeit. S. Seiler gelang erstmals der bauliche Nachweis des Marstempels [19].

Nach 1996 trat dann ein erneuter Wandel ein. Der größte Fernhandelsmarkt Mitteleuropas, der Heumarkt, konnte zwar noch mit einer Testgrabung (bis 1995) exploriert werden, wurde dann aber durch private Firmen ergraben. Dabei wurde dann jedoch ca. die Hälfte, bes. der ant. Schichten, großflächig abgebaggert (1997–1999) [1]. Die wohl bedeutendste Entdeckung ist hierbei eine Reihe von über 40 steinernen Kammern des 4. Jh. n. Chr. von über 120 Metern Länge.

Nach wie vor sind wichtige Fragen der Kölner Arch. ungeklärt, wie die Frage nach Lage der *Ara Ubiorum*, des Zirkus und des Theaters [22]. Die Unt. der letzten J. haben viele neue Fragen zur Besiedlung des Stadtareals und seiner Weiterentwicklung in nachant. Zeit aufgeworfen. Die grundlegende Neubearbeitung der Stadtgeschichte K. im ersten Jt. steht in Anbetracht des Forschungsstandes daher noch aus.

1 N. ATEN, G. FRASHERI, F. KEMPKEN, M. MERSE, B. SCHMIDT, P. GROOTES, K.-H. KNÖRZER, B. PÄFFGERN, G. QUARG, Die Ausgrabungen auf dem Heumarkt in K. Zweiter Ber. zu den Unt. von Mai 1997 bis April 1998, in: Kölner Jb. Für Vor- und Frühgesch. 31, 481–596 2 S. BROELMANN, Civilium rerum memoria dignarum civitatis Ubiorum et Coloniae Claudiae Augustae Agrippinensis commentarii. (K., ungedr. Ms. 1608/1622, Histor. Archiv. der Stadt K.) 3 M. CARROLL, Neue vorkoloniezeitliche Siedlungsspuren in K., in: Arch. Informationen 18/2, 1995, 143–152 4 O. DOPPELFELD, W. WEYERS, Die Ausgrabungen im Dom zu K., (= Kölner Forsch. Bd. 1), 1980 5 L. ENNEN, Gesch. der Stadt K., 5 Bde., Köln und Neuss 1863–1880 6 A. GELENIUS, De admiranda sacra, et civili magnitudine Coloniae Claudiae Agrippinensis Augustae Ubiorum Urbis libri IV, Köln 1645 7 M. GECHTER, S. SCHÜTTE, Ursprung und Voraussetzungen des Kölner Rathauses. Stadtspuren Bd. 26, 2000 8 H. G. HORN, Die Römer in Nordrhein-Westfalen, 1987 9 H. KIER, U. KRINGS (Hrsg.), K.: Die Romanischen Kirchen. Stadtspuren Bd. 1, 1984 10 H. KIER, S. SCHÜTTE (Hrsg.), Arch. in K. Bd. 1, 1992 11 J. KLINKENBERG, Das Röm. K. Die Kunstdenkmäler der Stadt K., Abt. II, 1906 (= P. CLEMEN, Hrsg., Die Kunstdenkmäler der Rheinprov. Bd. 6) 12 B. PÄFFGEN, Die Ausgrabungen in St. Severin zu K., 3 Bde., 1992 (= Kölner Forsch. Bd. 5) 13 RGM der Stadt K. (Hrsg.), Kölner Jb. für Vor- und Frühgesch. (später: Kölner Jb.) 14 RGM der Stadt K. (Hrsg.), Kölner Forsch. (7 Bde. bis 1993) 15 RGM der Stadt K. (Hrsg.), Römer Illustrierte Bd. 1, 1974 16 Röm.-German. Zentralmus. MAINZ (Hrsg.), Führer zu Vor- und Frühgesch. Denkmälern, Bd. 37 und 38, 1980 17 S. SCHÜTTE, Stefan Broelmann und die Folgen. Karten K., der konstantinischen Rheinbrücke und der röm. Wasserleitung nach K. aus 380 J., in: Kölner Mus.-Bulletin. Ber. und Forsch. aus den Mus. der Stadt K. 1, 1999, 4–26 18 R. SCHULTZE, C. STEUERNAGEL, Colonia Agrippinensis. FS der XLIII. Versammlung dt. Philologen und Schulmänner gewidmet vom Verein von Altertumsfreunden im Rheinlande, Bonn 1895 19 S. SEILER, Die Ausgrabungen im Kölner Stadtteil St. Alban, in: H. KIER, S. SCHÜTTE (Hrsg.), Arch. in K. Bd. 1, 1992, 46–55 20 R. THOMAS, Röm. Wandmalerei in K. (= Kölner Forsch. Bd. 6), 1993 21 F. F. WALLRAF, Beitr. zur Gesch. der Stadt K. und ihrer Umgebungen, Köln 1818, in: L. ENNEN, Ausgewählte Schriften von F. F. Wallraf, Köln 1861, 1–59 22 G. WOLFF, Das Röm. K. Führer, 2000 (5. überarbeitete Aufl.).

SVEN SCHÜTTE

III. Römisch-Germanisches Museum
A. Vorgeschichte
B. Römisch-Germanisches Museum

A. Vorgeschichte

Das Bewußtsein für die eigene ant. Vergangenheit erwachte in Köln früh. Private Sammlungen örtlicher Denkmäler existierten seit dem 16. Jh. Daß aus dieser Trad. im 19. Jh. eine Museumsgründung hervorging, wird Ferdinand Franz Wallraf (1748–1824) verdankt, da dessen reiche Kollektion röm. und ma. Werke nach seinem Tod in den Besitz der Stadt überging und diese sich veranlaßt sah, ein angemessenes Sammlungsgebäude zu errichten. Aber auch für das Bauvorhaben kam bürgerliches Mäzenatentum zu Hilfe, indem der Kölner Johann Heinrich Richartz einen hohen Betrag stiftete. 1861 fand die Eröffnung des Wallraf-Richartz-Mus. statt. Daneben wurden weiterhin private Kollektionen zusammengetragen; die bedeutendste von ihnen, die C. A. Niessen verdankt wird, gelangte im 20. Jh. ebenfalls in Museumsbesitz.

Die Antiken des Wallraf-Richartz-Mus., deren Kernbestand kaiserzeitliche Steindenkmäler ausmachten, waren im Keller und im Erdgeschoß aufgestellt. Die Werke kontrastierten mit einer historistisch-ma. Architektur, die als sichtbarer Bezugspunkt den Antiken eine vorbereitende Rolle innerhalb der lokalen Geschichte zuwies. Den nachant. Beständen des Mus. wurde gemäß ihrer herausragenden künstlerischen Bed. entschieden größere Beachtung zuteil.

B. Römisch-Germanisches Museum

Die nominelle Geburtsstunde des RGM fiel 1946 zusammen mit dem Moment, als das 1941 neben dem Dom entdeckte Dionysos-Mosaik der Öffentlichkeit zugänglich gemacht wurde. Den Beständen des organisatorisch nunmehr selbständigen Mus. kam zugute, daß in Fortführung bestehender Praxis sowohl Grabungsaktivitäten als auch eine systematische Ankaufspolitik eine konstante Erweiterung gewährleisteten.

Als das Dionysos-Mosaik noch von einem Bunker überfangen wurde und eine Reihe von Objekten in der Alten Wache eine provisorische Heimstatt gefunden hatten, erfolgte 1962 die Ausschreibung für einen eigenen Bau des RGM. Das 1974 fertiggestellte Gebäude löste in der Fachwelt geteilte Reaktionen aus, erfreute sich gleichwohl von Anbeginn eines breiten Zuspruchs durch Besucher. Dicht neben dem Dom errichtet, bildet seine aus Kuben entwickelte Struktur und seine in quadratische Flächen aufgeteilte Außengestaltung einen vehementen Gegensatz zu den filigranen Formen des Kirchenbauwerks, speziell des Chores. Bei seiner Errichtung wurde das Mus. gleichwohl als städtebaulich stimmige Lösung gelobt.

Im Sinne der Architektur der 70er Jahre des 20. Jh. entsprach das Bauwerk aktuellen Maximen. »Leichtigkeit« und »Durchlässigkeit« vermittelt es nach außen durch das eingezogene Untergeschoß, über dem der quergelagerte Oberteil, ungeachtet seiner lastenden Masse, zu schweben scheint. Es erfolgte auch keine Fassadenbildung, da den Wänden primär die Aufgabe zukommt, als »Haut« für das Innere, aber nicht als dessen Abbild zu fungieren. Die auf mehrere Ebenen verteilten, keinen geschlossenen Raumeinheiten zugeordneten Geschoßflächen (»anonyme Raumfolge«) erlaubten ein scheinbar freies Arrangement der großenteils auf Sockeln (»Bühnen«) versammelten Exponate. Besonderer Wert wurde gerade darauf gelegt, daß die Ausstellung keinem »Raumcharakter« subsumiert werden müsse. Dem Besucher wird ein Maximum an individueller Erfahrbarkeit der Denkmäler suggeriert, sei es, daß er sich auf verschiedenen Niveaus am Grabmal des Poblicius vorbei bewegt, sei es, daß er dichtgedrängte Komplexe auf einen Blick erfassen zu können glaubt.

Daß es sich um eine »Inszenierung« handelt, wurde von den für die Ausstellung Verantwortlichen nicht bestritten, sondern geradezu als Vorzug gewertet. Analog der Präsentation suchten Publikationen thematisch und in ihrer Gestaltung die Distanz zum Rezipienten aufzuheben.

1 H. Borger et al., Colonia antiqua, 1977
2 F. Fremersdorf, Die Neuaufstellung der Röm. Abteilung des Wallraf-Richartz-Museums zu Köln, in: Westdeutsche Monatshefte 1, 1925, 43–59 3 Kat. des Mus. Wallraf-Richartz in Köln. Verzeichniss der Gemälde-Slg. Verzeichniss der röm. Alterthümer, Köln 1862 4 Kölner Römer-Illustrierte 1, 1974 5 H. Kier, F. G. Zehnder (Hg.), Lust und Verlust. Kölner Sammler zw. Trikolore und Preußenadler, Ausst.-Kat. Köln, 1995 6 A. Krug, Ant. Gemmen im RGM Köln, 1981 7 I. Linfert-Reich, Röm. Alltagsleben in Köln, ¹1975, ³1977 8 P. Noelke, Im Banne der Medusa. Die Antikenslg. Ferdinand Franz Wallrafs, in: Kölner Jb. 26, 1993, 133–216 9 Ders., Statuen »haben auch ihr Schicksal«. Zwei neuerworbene Togastatuen im RGM zu Köln, in: Kölner Mus.-Bulletin 4, 1998, 42–63 10 G. Precht, Das Grabmal des L. Poblicius. Rekonstruktion und Aufbau, 1975.

DETLEV KREIKENBOM

## Körperkultur A. Begriff B. Geschichte

A. Begriff
1. Definition

K. bezeichnet hier die reflexive Betrachtung des Körpers und den Umgang mit dem Körper mit Bezug auf die griech. und röm. Ant. Mit dieser Definition wird zugleich ein weit gefaßter Kulturbegriff zugrunde gelegt, der Kultur sowohl als soziale Praxis gesellschaftlicher Gruppen – Lebensstile, Interaktionsmodelle, die Formierung von Geschlechterrollen etc. – und deren Grundlegung und Strukturierung durch Normen- und Wertekataloge, Mentalitäten und Weltdeutungen umfaßt [17. 9ff.] als auch die »Hochkultur«, d. h. als solche eingeschätzte künstlerische Werke und deren Rezeption, einschließt [21. 539ff.]. K. soll in der folgenden Darstellung daher sowohl im Kontext gesellschaftlicher und individueller Praxis als auch im Kontext histor. erzeugter Sinnhorizonte beschrieben werden.

## 2. REFERENZDISKURSE

a) Mit der K. korreliert der Diskurs um eine Neubestimmung der Natur des Menschen als individuelles und sozialisierbares, auf die diesseitige Welt bezogenes Wesen.

b) Mit der K. korreliert der Bildungsdiskurs.

c) Mit der K. korreliert der Diskurs um die Rolle und den sozialen Ort der Geschlechter.

d) Im ästhetischen Diskurs korreliert K. seit dem 18. Jh. mit dem Begriff der Gestalt.

e) Im polit.-gesellschaftlichen Diskurs korreliert K. mit der Vorstellung der *Kalokagathia*.

K. muß über die beschriebenen Zusammenhänge hinaus differenziert werden in die jeweiligen Bedeutungsebenen, die der K. zugewiesen werden: Körper als Subjekte und Objekte der Macht (polit. Ebene); Körper als Teilmomente des Zivilisationsprozesses und der sozialen Interaktion (gesellschaftliche Ebene); Körper als Medien personaler Interaktion und als Sinnträger (kulturelle Ebene).

## B. GESCHICHTE

### 1. MITTELALTER: 5.–15. JAHRHUNDERT

Der menschliche Körper ist im Früh-MA zunächst Zeichen der Vergänglichkeit der menschlichen Existenz, Ort des Schmerzes und des Todes, ein verachtenswertes Gefängnis der Seele. Der Körper war ein Zeichen, daß der Mensch sich durch den Sündenfall von Gott entfernt hatte [11. 13]. Das Lebensideal war der asketische Mönch, der sich mit Gleichgesinnten von der Welt zurückzog und in Keuschheit, Armut und Gehorsam für sein Seelenheil körperlich und geistig arbeitete. Ziel war eine Disziplinierung des Körpers, dessen Bedürfnisse dem Seelenheil durch mühsame asketische Arbeit unterzuordnen waren. Auch der König, durch die Salbung *rex et sacerdos*, lebte idealiter wie ein Mönch.

Die Körper der Herrscher waren zugleich Körper der Macht, wie sie die Lehre von den zwei Körpern des Königs, einem natürlichen und einem durch die Gnade Gottes verliehenen Heilskörper, der Anteil hat an der göttl. Natur, darlegt. Zugleich war der menschliche Körper des Königs nicht von dessen unsterblichem, polit. Körper zu trennen. Der Körper des Königs ist daher nicht nur Machtsymbol, er *ist* die Macht. Nach dem Investiturstreit und durch die Rezeption des röm. Rechts verschiebt sich die Vorstellung vom herrscherlichen Heilskörper als Teil der göttl. Sphäre in Hoch-MA und Spät-MA auf die Vorstellung des herrscherlichen Heilskörpers als Teil des Gesetzes und schließlich als Teil des Staates [16].

In der ländlich geprägten Kultur des Früh-MA spielte das asketische, körperverleugnende Mönchsideal für die K. die entscheidende Rolle. Der arbeitende, kämpfende oder im Gebet verharrende Körper war Symbol für die göttl. Weltordnung in hierarchisch gestaffelter Bed. (*oratores, bellatores, laboratores*). In der darstellenden Kunst sind die Körper Zeichenträger, sie verweisen auf die überirdische Welt, sie sind verhüllt und starr.

Im Hoch-MA entstanden neue soziale Räume, der Feudalhof und die Stadt. An den städtischen Bildungseinrichtungen, den Univ., werden neben den überlieferten lat. Autoren jetzt auch die griech. (bes. Aristoteles) und arab. Autoren gelesen, mit den Mitteln der Scholastik neu bearbeitet und in das Christentum überführt [18. 156]. Vernunft wird auf dieser Grundlage u. a. durch A. von Canterbury (1033–1109) und P. Abaelard (1079–1142) eingeführt als Mittel der Gotteserkenntnis, verbunden mit einer Neubewertung des Individuums als denkendem, selbstverantwortlich handelndem Subjekt [12. 191 ff., 211 ff.].

Die Kunst der Gotik als Kunst der neuen Städte befreite sich aus der körperfeindlichen Dogmatik des Früh-MA. Vor dem Hintergrund der geistigen Reformen des Hoch-MA wurden der Mensch und sein Körper neu konnotiert. In den Skulpturen der gotischen Kathedralen und in der Malerei wurden der männliche und weibliche Körper Ausdruck der vollkommenen göttl. Schöpfung, die in der Schönheit der Natur geoffenbart wird. An den idealisierten Körpern der Heiligen zeigt sich die Weltenharmonie und die Stellung des Menschen im Kosmos, der nun als selbstbewußt und erleuchtet von Gottes Gnade gedacht wird [11. 263 ff.]. Diese Neubewertung des menschlichen Körpers vollzieht sich durch die beginnende Rezeption der ant. Plastik. H. von Lavardin (1056–1133) beschrieb die Rezeption der ant. Plastik als Möglichkeit, die ideale Natur des Menschen zu erkennen [14. 117 ff.]. Die Darstellung des schönen Körpers erhält auf diese Weise zugleich eine erzieherische Funktion. Beispiele dieser am ant. Ideal orientierten Körperdarstellungen des Hoch-MA sind der Bamberger Reiter (um 1235) oder die Figur der Maria aus der Heimsuchungsgruppe am Westportal der Kathedrale von Reims (um 1250).

Im Rahmen der höfischen Kultur wird der Körper Objekt eines Zivilisierungs- und Erziehungsprozesses und Träger sozialer Identität. Mit Rückgriff auf das durch Cicero und Augustinus formulierte Ideal des gerechten und friedenstiftenden Herrschers (*rex iustus et pacificus*) wurden Herrschertugenden (Frömmigkeit, Weisheit, Freigebigkeit, Mildtätigkeit) formuliert, die in der visuellen Kultur des MA dem Körper eingeprägt wurden und an ihm durch ritualisierte Gestik und Interaktion glanzvoll zur Darstellung kommen sollten [9. 385 ff.]. Vorbilder dieser Herrschaft waren neben den biblischen Königen die ant. Kaiser Augustus und Trajan sowie Alexander der Große. Als Erziehungsprogramm für die Fürsten und ihre Höfe prägte sich im Feudalsystem im Ideal der *hôvescheit* ein körperbezogener Tugend- und Verhaltenskodex aus [9. 425 ff.]. Höfische K., im Minne-Dienst konkretisiert, schuf ein komplexes, nur durch körperliche Schulung zu realisierendes System der Verhaltensformen, Gesten, Auftritte, Kommunikation und Interaktion, das Männern wie Frauen einen reflektierten Umgang mit ihren Körpern abverlangte. Bes. durch die männlich wie weiblich konnotierte Tugend der *mâze* (Mäßigung, Vermeidung von

Extremen) und *staete* (Beständigkeit, Festhalten am Guten) wurden die Körper für soziale und zwischenmenschliche Beziehungen sensibilisiert und als höfische Körper zugleich von der Umwelt sozialdistinktiv abgesetzt [9. 416 ff.]. Über die höfische K. wurden Männlichkeit und Weiblichkeit neu definiert, die Frau tendenziell aus ihrer negativen Typisierung als Tochter der Eva herausgenommen und als Herrin besungen [9. 451 ff.]. Inwieweit das höfische Lebensideal außerhalb der Feste und der Dichtung die Realität der alltäglichen feudalen Geschlechterbeziehungen beeinflußte, ist schwer zu bestimmen.

## 2. NEUZEIT: 15.–18. JAHRHUNDERT

### 2.1 RENAISSANCE/HUMANISMUS

Ausgehend von den urbanen Lebensformen des Spät-MA und anknüpfend an die philos. Strömungen des Hoch-MA und Spät-MA radikalisierten die Autoren des europ. Human. das in Bewegung geratene ma. Menschenbild und bestimmten im polit. Kontext von Stadtstaat und Republik in Oberit. die Aufgabe des Menschen als die Vollendung seiner selbst und seiner Lebenswelt, wodurch sich der Mensch gleichsam als irdischer Assistent Gott zur Verfügung stellt [20. 44 ff.]. ›Weder haben wir dich himmlisch noch irdisch geschaffen, damit du wie dein eigener, in Ehre frei entscheidender, schöpferischer Bildhauer dich selbst zu der Gestalt ausformst, die du bevorzugst‹ (G. Pico della Mirandola, *Oratio de hominis dignitate*, 1486, [20. 53]). ›At homines, mihi crede, non nascuntur, sed figuntur‹ (E. von Rotterdam, 1529). Im Unterschied zum MA wird die Ant. nicht mehr allein in ein christl. Weltbild transformiert, sondern als wertsetzendes histor. Vorbild in Lebensform, Dichtung und Philos. konstruktiv imitiert [7. 2].

Mittel zur Bildung des Menschen ist für die Humanisten die Sprache, die ihn vom Tier unterscheidet. Sie ist Möglichkeit der Weltaneignung und Vergesellschaftung. Zentrum der Bildung sind die *studia humanitatis* (Cicero), die gelehrten Studien, die alle guten Anlagen des Menschen zur vollen Entfaltung bringen sollen. Ihr wesentlichstes Element sind die ant. Autoren, denen man sich dialogisch annähert wie F. Petrarca (1304–1374) in seinen Briefen an Autoren des klass. Altertums [7. 1 ff.]. Die Rhet. als ein Denken, Sprechen und Handeln verbindendes Erziehungsprogramm nimmt eine beherrschende Stellung im Bildungskanon des Human. ein. Durch rhet. Schulung soll eine individuell-autonomisierende und eine vergesellschaftende Wirkung erzielt werden. Die rhet. Erziehung war nicht nur eine umfassende Spracherziehung, sondern wie in der Ant. auch eine Erziehung des Körpers zur freien, der Persönlichkeit und der Redesituation angemessenen, maßvollen Gebärdensprache. Damit wurde das Gespräch zugleich aus der Form des scholastischen Schulgesprächs zw. Lehrern und Schülern gelöst und an die freie Redeform nach dem Vorbild des Sprechens auf der griech. Agora und dem röm. Forum angenähert. Das kultivierte Einzel- oder Gruppengespräch ist den Humanisten wie

in der Ant. bedingt durch die freie Bewegung des Körpers im Raum, auf der Straße und dem Platz in der Stadt [23. 66 ff.]. Körper und Republik traten für die it. Humanisten in eine ebenso bedeutsame Beziehung wie der Körper des Königs mit der Monarchie im MA. Auch der Körper des Fürsten wurde in den human. Fürstenspiegeln daher einem Erziehungsprogramm unterworfen, das körperliche und geistige Ausbildung zur Voraussetzung gerechter Herrschaft erhob.

Die Idee des selbsttätigen Studiums als Mittel der Bildung schuf zunächst eine neue Disziplinierung des Körpers, den mit Studieneifer still stehenden oder sitzenden, lesenden oder schreibenden Körper, der sich vom ma. Kopisten durch die Selbstbestimmtheit und das (Bildungs-)Ziel seiner Tätigkeit unterschied. Der soziale Ort der Ren., die Stadt, befreite die Körper zugleich aus dem System der Gesten und Rituale des MA, dessen Bed. auch in der Herstellung von wiedererkennbaren Bed. in einer Welt der seltenen Begegnungen gelegen hatte. Beide Körperhaltungen, der stille und der sich bewegende Körper, verweisen zugleich auf die unter den Humanisten kontrovers diskutierte Form des idealen Lebens, die *vita contemplativa* oder die *vita activa*, deren Wahl sie aber dem Individuum anheimstellten, jedoch auch als *vita contemplativa* auf das polit. Gemeinwesen bezogen dachten, für das der Gelehrte nach der Wahrheit forschen sollte [7. 5f.].

Der Tugendkatalog der Ren., ausgerichtet an der Ethik des Aristoteles, orientierte sich am Ideal der griech. *Kalokagathia*, in dem sich ethische und ästhetische Wertmaßstäbe verbanden. Der Mensch war edel und gut, wenn sich in ihm die Bildung von Körper und Geist zu sichtbarer Harmonie verband. Somit war Schönheit auch eine moralische Kategorie, insofern sie den gelungenen Bildungsprozeß beschrieb [13. 278 ff.]. Als *zoon politikon* (Aristoteles) mußte sich der Mensch für die Humanisten vergesellschaften. Er sollte dies nicht mehr nur in einem Netz von Ritualen, sondern zunehmend selbstorganisierend vornehmen, sollte sich aber weiterhin an den Idealen des Maßes, der Nützlichkeit und der Tugend orientieren, die auf die Aufgaben der Mitglieder in einem polit. Gemeinwesen bezogen wurden.

Vor diesem Hintergrund forderte die K. der Ren. dem männlichen und weiblichen Körper differenzierte Aktionen auf der öffentlichen Bühne ab. Verfeinerte Tischsitten, geschliffene Rhet. und gewandtes Auftreten, sicheres Rollenspiel und Machtbewußtsein wurden um so wichtiger, je beweglicher und komplexer die urbane Lebenswelt geworden war. Familien wie die Borgia und die Medici in It., die Fugger in Deutschland, waren Beispiele für die mobil gewordene Gesellschaft. Zugleich blieben Familie und Staat die Bezugsebenen des human. Weltbildes, das Individuum wurde nicht in eine sich selbsttätig regulierende Gesellschaft entlassen.

In der Kunst wird die Wiedergeburt des Menschen im realistischen Porträt und im männlichen und weiblichen Akt als Zeichen einer Rückkehr zur neu entdeckten Natur nach ant. Vorbildern gefeiert. Die menschliche Gestalt wird in Künsten und Wiss. vermessen und ihre vollendet harmonische Entfaltung zum Signum des neuen goldenen Zeitalters erhoben [8. 124 ff.]. Beispiele dieses neuen Körperverständnisses sind Michelangelos *David* in den Uffizien von Florenz und Raffaels *Schule von Athen* in den Vatikanischen Museen.

Obwohl im Zeitalter des »neuen Menschen« dieser noch weitgehend männlich konnotiert wird, erfahren Frauen im Human. eine Neubewertung. Prinzipiell wird ihnen der Zugang zur human. Bildung ebenso eröffnet wie den Männern, weibliche Bildung findet Eingang in die Erziehungstraktate der Humanisten. Die in Künsten und Wiss. unterwiesene Frau ist kein Schreckbild mehr, sondern Teil des neuen Ideals der *humanitas*. Aber männliche und weibliche Lebenssphären bleiben weiterhin getrennt, weibliche Bildung soll sich mit weiblichen Tugenden, mit Sittsamkeit und Fürsorge für die Familie und das Haus verbinden, welche als natürliche weibliche Sphäre entworfen werden [8. 18 f.].

### 2.2 Aufklärung und Neuhumanismus

In der Ständegesellschaft des Ancien Régime war der Körper eingebunden in ein komplexes System von Regeln und Beschränkungen. Der Natur des Menschen, wie sie Th. Hobbes im *Leviathan* (1651) als Selbstsucht und Genußerfüllung beschreibt, sollen Regeln auferlegt werden, die das humane Zusammenleben ermöglichen. Im Körper und am Körper sollten daher Zeichen- und Gebärdensysteme verankert werden, welche die Struktur des polit. Gemeinwesens manifestieren und wiedererkennbar machen sollten. Die Kleider-, Ehe- und Arbeitsordnungen der Zeit spiegeln diese Vorstellung. Dem Körper kam damit eine zentrale Orientierungs- und Definitionsfunktion zu, welche das Individuum zugleich fest an seinen Geburtsstand banden [24. 86 ff.]. In der zunehmenden sozialen Mobilität der Gesellschaft im ausgehenden 17. und 18. Jh. wurden diese Zeichensysteme unleserlicher, neue soziale Gruppen wie die absolutistischen Funktionseliten entstanden, die in das Zeichensystem der Körper schwer integriert werden konnten. Aufklärungsphilos. und -pädagogik entwickelten vor diesem Hintergrund Konzepte des Verhältnisses von Staat und Individuum, welche die Auflösung ständischer Strukturen begünstigten bzw. diesen Rechnung trugen. Für I. Kant (1724–1804) ist die Natur des Menschen durch ›ungesellige Geselligkeit‹ geprägt. Weil der Mensch für sich selbst die bestmögliche Entfaltung seiner Naturanlagen erreichen will, deren Entwicklung er aber nur auf dem Weg der Auseinandersetzung mit den Widerständen anderer Individuen erreichen kann, so ist die Verbindung mit Anderen der einzige Weg zur bestmöglichen Entfaltung seiner selbst (*Ideen zur allgemeinen Geschichte in weltbürgerlicher Absicht*, 1784). Indem Kant jedem Menschen zugleich Entwicklungsfähigkeit und Vernunft zugestand, durchbrach er die absolutistische Vorstellungswelt von der durch Gott unveränderbar eingerichteten Weltordnung (*Beantwor-*tung der Frage: *Was ist Aufklärung?*, 1784). Zugleich bedarf der Mensch auch für die Aufklärer der Herrschaft, durch welche der Egoismus der Individuen reguliert werden kann. Dem Staat kam daher die Funktion der Regulierung des Gemeinwesens zu, auf dessen Erhaltung die Untertanen zugleich hinerzogen werden sollten. So beschrieb Friedrich II. (1712–1786) in den *Lettres sur l'amour de la patrie* (1779) die röm. Republik als Vorbild heldischer Bürgertugenden, welche das polit. Gemeinwesen als höchsten Wert im Leben des Einzelnen verankert hätten. ›Aber das Geschlecht dieser männlichen Seelen, dieser Männer voll Nerv und Tugend, scheint ausgestorben. Weichlichkeit ist an Stelle der Ruhmesliebe getreten. Müßiggang hat die Wachsamkeit ersetzt, und elender Eigennutz zerstört die Vaterlandsliebe‹ [8. 338]. Auch Ch. Montesquieu (1689–1755) hatte 40 J. zuvor in den *Considérations sur les causes de la grandeur des Romains et de leur décadence* (1734) für Frankreich gleiches festgestellt und die Erziehung zur staatsbürgerlichen Gesinnung für die Größe der griech. und röm. Ant. verantwortlich gemacht [8. 336 ff.].

U. a. durch die Rezeption der röm. Ant. entwickelte die Aufklärungsphilos. jedoch zugleich das Postulat der Gleichheit aller (männlichen) Körper im Staat. Der Körper wurde sukzessive demokratisiert und das Vorrecht des adeligen Körpers, der sich durch das adelige Blut legitimiert, in Frage gestellt [10. 74 ff.]. Die Körperhaltung und -sprache des Adeligen, die sich in einem sozialdistinktiven Regelwerk von Schritten, Gesten und Interaktionsformen ausformten, wurde in der Frz. Revolution schließlich der Lächerlichkeit preisgegeben. Die röm. Republik wurde Vorbild eines polit. Gemeinwesens freier Männer, deren Körper sich aus dem Regelwerk des Ancien Régime befreiten. In ausufernder Gestik wird die neue Freiheit des Menschen auf Bildern dargestellt, die Marianne trägt im Lauf dem Volk die Fahne voran.

Durch die ›Expansion der Öffentlichkeit‹ [15. 19] in der Frz. Revolution erhielt auch die Kleidung eine polit. Bedeutung. Die phrygische Mütze, eine kurze Jacke und weite lange Hosen, die Kleidung der Sansculotten, waren die Tracht des wahren Republikaners [15. 22]. Zugleich wurde das Volk in Massenaufmärschen als Volkskörper symbolisch nach röm. Vorbild inszeniert. 1794 forderte der Konvent den Maler Jacques Louis David auf, Vorschläge für eine Nationalkleidung zu zeichnen. David zeichnete Bürgertrachten mit ›kurzer, offener Tunika, die in der Taille von einer Schärpe zusammengehalten wurde, einer engaliegenden Hose, kurzen Stiefeln oder flachen Schuhen, einer Art Barrett und einem dreiviertellangen Mantel‹ [15. 24 f.], die eine phantasievolle Vereinigung von Kleidungsstilen der Ant. und der Ren. darstellten. Sollte der männliche Körper somit zum öffentlichen Träger der neuen Ordnung und damit zugleich die Privatsphäre als Ort möglicher konterrevolutionärer Verbindungen minimiert werden, wurden Frauen und ihre Kleidung sorgsam aus dieser Politisierung ausgenommen, um die »natürliche

Ordnung« der Geschlechter zu bewahren. Die am weiblichen Körper inszenierte Politik beschränkte sich weitgehend auf das Tragen der Kokarde. Der weibliche Körper sollte in Haltung und Kleidung der weiblichen »Natur« entsprechen, die auf die Intimsphäre des Hauses und der Familie bezogen und gegenüber der männlichen Sphäre der Öffentlichkeit auch weitgehend geschichtslos, d. h. als unwandelbar gedacht wurde [15. 24f., 29].

Im Vorfeld der Frz. Revolution beschreibt J.-J. Rousseau (1712–1778) in den *Discours* die histor. Entwicklung der menschlichen Existenz vom Naturzustand zur Gesellschaft als weltlichen Sündenfall. Der Mensch im Naturzustand ist gut, erst die Gesellschaft erzeugt die negativen Eigenschaften im Menschen, daher ist die Rückkehr zur größtmöglichen Annäherung an den Naturzustand Aufgabe eines zukünftigen polit. Gemeinwesens (*Du Contrat social*, 1762). Im Erziehungsroman *Emile* (1762) wird der Mensch durch seine Instinkte zum Glück geführt, das Kind entwickelt ohne Zwang seine geistigen und körperlichen Fähigkeiten. Emile liest mit Gewinn die ant. Autoren: bei ihnen ist es die ›Einfachheit des Geschmacks, die zu Herzen geht‹ [8. 341]. Hier besteht die Attraktivität der Ant. in ihrer Nähe zum Naturzustand.

Aufgegriffen wurde dieser Zusammenhang v. a. im dt. Neuhuman., indem die Rezeption der griech. Ant. inhaltlich mit einer Neubewertung der Natur sowie einer Wiedergeburt der Kunst und Kultur und des polit. Gemeinwesens verbunden wurde. In F. Schillers (1759–1805) *Über die ästhetische Erziehung des Menschen* (1795) wurden die Grundlagen dieses neuen Ideals formuliert: ›Die Griechen beschämen uns nicht bloß durch eine Simplizität, die unserm Zeitalter fremd ist; ... Zugleich voll Form und voll Fülle, zugleich philosophierend und bildend, zugleich zart und energisch sehen wir sie die Jugend der Phantasie mit der Männlichkeit der Vernunft in einer herrlichen Menschheit vereinigen‹ [5. 150]. Der Zentralbegriff des Neuhuman., der Bildungsbegriff, implizierte eine – im Kern des Individuums bereits angelegte – aktive Gestaltung zu einer umfassend gebildeten, reflektierten, einzigartigen Persönlichkeit; Bildung bezog sich immer auf den »ganzen« Menschen, sollte ihm Zielperspektiven vorgeben, regionale und konfessionelle Schranken überwinden und die polit. Durchsetzung der bürgerlichen Gesellschaft fördern. In Kenntnis der Entwicklung der Frz. Revolution wurde die Reform des polit. Gemeinwesens vom Individuum her konzipiert, dessen umfassende, Vernunft, Emotion und Sinnlichkeit einschließende Bildung als Voraussetzung für eine freie Verfassung des Staates gedacht wurde. W. v. Humboldts (1767–1835) anthropologische Fassung der Bildbarkeit des Menschen beschreibt diese Ganzheit: › ... in ihm sind mehrere Fähigkeiten, ihm denselben Gegenstand in verschiedenen Gestalten, bald als Begriff des Verstandes, bald als Bild der Einbildungskraft, bald als Anschauung der Sinne vor seine Betrachtung zu führen‹ (*Theorie der Bildung des*

*Menschen*, etwa 1793, [4. 237]). Um Bildung zu realisieren, mußte ein Gegenstand gefunden werden, der die ›Einheit und Allheit‹ [4. 237] der Welt idealiter einholen konnte. Für die Neuhumanisten war dies die griech. Ant. im Sinne einer umfassenden lebensweltlichen Kulturhöhe der Menschheit, durch deren Aneignung und konstruktive Nachahmung die eigene Epoche ebenfalls zu einer neuen Kulturhöhe geführt werden sollte.

In der Ästhetik der Klassik wurde der Gestalt-Begriff zum Korrelat der »Einheit und Allheit« der griech. Antike. J. G. Herder (1744–1803) entwickelte den Gestalt-Begriff in seiner Abh. über die griech. Plastik an einer Theorie der »Einfühlung«. In einer ›eigentümlichen Zuordnung von Plastik und Tastsinn‹ werden plastische Gestalt und die Gestalt des Betrachters eins, indem die plastische Gestalt quasi durchtastend zur eigenen wird: ›Meine Gestalt schreitet mit Apollo‹ [25. 542]. So ermöglicht die Gestalt über den sinnlichen Genuß das Erlebnis einer höheren Kunstwelt. Für F. Schiller war die Gestalt vornehmlich Ausdruck des Formtriebs als Teil des ästhetischen Bewußtseins. So wie sich der sinnliche Trieb des ästhetischen Bewußtseins auf das Leben beziehe, beziehe sich der Formtrieb auf die Gestalt. Das ästhetische Bewußtsein *insgesamt* bezieht sich für Schiller auf die ›lebende Gestalt‹ [25. 542]. ›Solange wir über seine (eines Menschen) Gestalt bloß denken, ist sie leblos, bloße Abstraktion; solange wir sein Leben bloß fühlen, ist es gestaltlos, bloße Impression. Nur indem seine Form in unsrer Empfindung lebt und sein Leben in unserm Verstande sich formt, ist er lebende Gestalt, und dies wird überall der Fall sein, wo wir ihn als schön beurteilen‹ [25. 542]. So ist für Schiller »Gestalt« als Mensch wie als Kunstwerk denkbar, beide können Gegenstand ganzheitlicher Anschauung werden. Der Gestalt-Begriff der Klassik ist Ausdruck des Ausgleichs widerstrebender Kräfte in der gelungenen Form und damit nicht nur Ausdruck des Autonomieanspruchs der Kunst, sondern auch des gelingenden Bildungsprozesses der Person. Die K. des Neuhuman. und der Klassik verbindet somit Kunstproduktion und -rezeption untrennbar mit dem menschlichen Körper auf der Ebene der Darstellung wie derjenigen der Rezeption im Bildungsprozeß. J. J. Winckelmann (1717–1768) hatte zudem das Studium des nackten Körpers zum Ursprung der Kunst im ant. Griechenland erklärt: › ... da zeigt sich die schöne Natur unverhüllt zum großen Unterricht der Künstler. Die Schule der Künstler war in den Gymnasien, wo die jungen Leute ... ganz nackend ihre Leibesübungen trieben ... Diese häufigen Gelegenheiten zur Beobachtung der Natur veranlaßten die griech. Künstler noch weiter zu gehen: sie fingen an, sich gewisse allg. Begriffe von Schönheiten sowohl einzelner Teile als ganzer Verhältnisse der Körper zu bilden, die sich über die Natur selbst erheben sollten; ihr Urbild war eine bloß im Verstande entworfene geistige Natur‹ (*Gedanken über die Nachahmung der griech. Werke in der Malerei und Bildhauerkunst*, 1755, [8. 347f.]). Natur und Kultur verbinden sich somit in der Gestalt, deren Schönheit zugleich wie in der

Ren. ein moralisches Postulat enthält, wie Schiller in *Über Anmut und Würde* (1793) über die schöne Seele darlegt: ›In einer schönen Seele ist es also, wo Sinnlichkeit und Vernunft, Pflicht und Neigung harmonieren, und Grazie ist ihr Ausdruck in der Erscheinung‹ [5. 75]. Das Schöne und Gute werden nach dem Vorbild der griech. *Kalokagathia* verbunden.

Wurde der schöne Körper somit als Produkt eines Bildungsprozesses verstanden, so wurde er als bürgerlicher Körper auch sozial konnotiert. Gegenüber adeliger K. wurde der bürgerliche (männliche *und* weibliche) Körper als Ergebnis einer inneren Formung des Menschen begriffen, als Bildungsarbeit, der sich das entstehende Wirtschafts- und Bildungsbürgertum unterzieht. Im bürgerlichen Normen- und Wertekatalog werden zu Beginn des 19. Jh. individuelle Leistung und mit ihr verbunden bürgerliche Freiheit zum Maßstab gesellschaftlicher Reform. Die »gute Haltung« als Vermeidung extremer Gestik und als Mittel zur Herstellung gleichberechtigter Interaktion ist nicht mehr Ausdruck des Standes, sondern des Charakters und wird zunächst für Männer und Frauen gleichwertig wichtig [10. 88 ff.; 19. 80 ff.]. Zugleich werden männliche und weibliche Körper verschiedenen Bildungsidealen und Bewegungsregeln unterworfen. ›Im Kreise der (griech.) Göttinnen begegnet uns das Ideal der Weiblichkeit zuerst in *Dionens* Tochter. Der kleine und zarte Gliederbau, welcher jeden schmeichelnden Liebreiz vereint, ... der sehnsuchtsvoll geöffnete Mund, die holde Sittsamkeit ... und die himmlische Anmuth, die, gleich einem Hauche, über ihre ganze Gestalt ausgegossen ist, kündigen ein Geschlecht an, das auf seine Schwäche selbst seine Macht gründet. ... Der eigentliche Geschlechtsausdruck ist in der männlichen Gestalt weniger hervorstechend ... sie (die Natur) verstattet ihr mehr Unabhängigkeit von dem, was nur dem Geschlecht angehört ... Je mehr Kraft und Freiheit auch die Gestalt des Mannes verräth, desto männlicher erklärt ihn selbst das alltägliche Urtheil. ... Daher wird die männliche Schönheit immer in dem Grade erhöht, in welchem die Kraft gestärkt wird, und sinkt immer um so viel herab, als man dem Genuss Uebergewicht über die Thätigkeit verstattet‹ (W. v. Humboldt, *Über die männliche und weibliche Form*, 1795, [4. 298 ff.]). Wurde weibliche Anmut mit Herzensbildung, so wurde männliche Kraft mit der rationalen Zügelung und Formung des Körpers verbunden. Beispiele dieses Körperverständnisses in der Plastik sind das *Doppelstandbild der Prinzessinnen Luise und Friederike von Preußen* (1795–1797) von J. G. Schadow (1764–1850) in der Alten Nationalgalerie Berlin oder in der Malerei K. F. Schinkels (1781–1841) *Blick in Griechenlands Blüte* (1825), Nationalgalerie Berlin, Galerie der Romantik.

### 2.3 19. UND 20. JAHRHUNDERT

Im Verlauf des 19. Jh. führte die bürgerliche »gute Haltung« zu einer zunehmenden Normierung und Disziplinierung des Körpers, dessen Präsentation und Gestik im Zuge der wachsenden gesellschaftlichen Bedeutung des Bürgertums nun sozialdistinktiven und gesellschaftlich vorbildlichen Charakter erhielt. Hatte Humboldt sein Körperideal noch am nackten Körper entwickelt, so unterlag dieser in der K. des Bürgertums im 19. Jh. einer zunehmenden Tabuisierung. Moralische Normen wurden in die bürgerliche Körpersprache eingeschrieben [10. 93 ff.]. Die bürgerliche Kleidung beginnt im 19. Jh. den Körper mehr und mehr zu verhüllen, bis bereits der sichtbare Fußknöchel der Frau zum erotischen Signal werden konnte.

Erst um die Jh.-Wende 1900 wurde im Rahmen der Kulturkritik und Lebensreform der Körper einer Neubewertung unterzogen. Freikörperkultur, Ernährungs- und Kleidungsreformer, Jugendbewegung, Naturheil- und Antialkoholbewegung, Gymnastik und Tanzkultur konvergierten in der Betonung der natürlichen Schönheit des (auch nackten) Körpers. Dieser konnte jedoch nicht einfach der Natur zurückgegeben werden, sondern mußte zu einer neuen Natürlichkeit erzogen werden. Vorbilder dieser durch Erziehung ausgebildeten Schönheit sahen die Reformer wie die Neuhumanisten in den Statuen der griech. Ant., welche als Epoche zugleich aus der wiss. Befassung herausgelöst und als Königsweg zur Bildung erneut an Kunst und Lebenswelt gebunden werden sollte.

Als programmatische Abhandlung erschien 1894 P. Gérardys *Geistige Kunst* in S. Georges (1868–1933) *Blättern für die Kunst*: ›Diese worte sollen für diejenigen gelten die einen abscheu empfanden am tage wo das zwanzigste jahr sie aus dem land der fabel in die lebende wirklichkeit versezte. trotz der schulmässigen umhüllung leerer rednerei hatte der schauer vor der geahnten pracht des Altertumes unsre vor bewunderung bleichen stirnen gebeugt, und als wir kühn den göttl. formen zueilen wollten stiessen wir uns an dem leichnam der jahrhunderte‹ [3. 111]. Gérardy beschreibt zugleich einen lit.-weltanschaulichen Generationenkonflikt. Eine neue Ant., gesehen mit den Augen der Jugend des Fin de Siècle, wurde zum Symbol einer Erneuerung der Kultur: ›denn die werdende jugend wird darüber lächeln und den vom alter tot zurückgelassenen formen in unerwarteter weise neues und glühendes leben einhauchen‹ [1. 19]. Der »neue Mensch« sollte anmutig und schön sein, gegenüber der Zerrissenheit und dem Tempo großstädtischer Lebensformen zu einer neuen Ganzheit finden, seine »Körperseele« entdecken. Die Befreiung des Körpers wurde in einen ideologischen Rahmen eingebunden, in dem eine neue Natürlichkeit mit einem Sittlichkeitsanspruch verbunden wurde, der bis zu Konzeptionen neuer Gesellschafts- und Staatsformen aus einer veränderten Körperwahrnehmung gesteigert werden konnte.

Das Körperkonzept einer neuen natürlichen Weiblichkeit wurde begründet durch die spezifische Naturnähe des weiblichen Körpers, aus welcher neben einer natürlichen biologischen Mütterlichkeit auch das Postulat einer »geistigen Mütterlichkeit« im Sinne einer gesamtgesellschaftlichen Erziehungsaufgabe der Frau abgeleitet wurde. Zugleich sollte aber auch das Wesen der Weiblichkeit selbst ergründet und durch Nacktkultur und neue, an dem Rhythmus der Natur orientierte Tanzformen geformt werden [22].

Rekurrierte das Konzept der neuen Weiblichkeit weitgehend auf ein neu interpretiertes »Deutschtum«, so wurde als Gegenbild und häufig in konkreter Abgrenzung gegen eine »feminisierte« Gesellschaft (H. Blüher, *Die Rolle der Erotik in der männlichen Gesellschaft. Eine Theorie der Staatsbildung nach Wesen und Wert*, 1917) der am ant. Ideal geschulte Männerkörper vorgestellt, der durch körperliche Bewegung in männlichen Gemeinschaften ebenfalls zur geistig-körperlichen Ganzheit zurückfinden sollte. Legitimiert durch die Rezeption der platonischen Dialoge und der Politeia wurde der männliche Körper Träger einer neuen Kulturvorstellung, die in männerbündischen Theorien von der Jugendbewegung, männlichen Freikörperkulturpropagandisten und auch dem George-Kreis formuliert wurden. Im George-Kreis wurde der schöne männliche Körper Träger umfassender Reformvorstellungen. Ausgehend von der griech. Vorstellung der *Kalokagathia* als körperlicher, geistiger und sozialer Vorrangstellung wurde Schönheit als harmonische Verbindung körperlicher Schulung mit geistiger Bildung für die Georgeaner zum anzustrebenden Ideal und zugleich zum Beleg der schöpferischen Kraft und Entwicklungsfähigkeit ausgewählter Jünglinge. Im für die Weltanschauung des Kreises zentralen Gestalt-Theorem wurden Ideale dichterisch-philos. Produktion, Bildungsziele, Körperideale und Vorstellungen gesellschaftlicher Erneuerung zusammengenommen und ausformuliert. In H. Friedemanns (1888–1915) *Platon. Seine Gestalt* (1914) entsteht aus dem »Erlebnis im hohen Augenblick«, dem *kairos*, schließlich das vollendete dichterische oder staatsmännische Werk: ›Der *kairos* aber ist die schöpferische stunde, die das chaos zur gestalt zwingt: ... und die gestalt ist als fuge von maass und chaos des *kairos* bleibendes kind‹ [2. 40f.]. Für die Autoren des George-Kreises ist die »lebendige Gestalt« des ›ganzen menschen‹ der ›begründer des geistigen reiches‹, dessen schöpferischer Impuls die aufnahmebereite männliche Jugend erreichen soll: ›An euch, knaben und jünglinge, ergeht unser ruf, soweit in euch noch die reinen feuer des lebens brennen. ... Die ewige wahrheit erscheint nur als gestalt und nur im sinnenhaft begrenzten zeigt sie ihre gesetze, eben als gesetze der besonderen leiblichen einheit: darum ist der grösste mensch die tiefste wahrheit, ja der held und herrscher allein ist wahr!‹ [6. 151]. Im Gestalt-Theorem des George-Kreises wurde dessen Profilierung durch die dt. Klassik aufgenommen und kulturkritisch gewendet. Freiheit als Voraussetzung der Bildung und deren gesellschaftlicher Verankerung wurde durch Unterordnung des Einzelnen unter die Ansprüche der Gruppe ersetzt, bündische Gemeinschaft als Gegenkonzept der Industriegesellschaft gegenübergestellt.

Während sich im ersten Drittel des 20. Jh. K. nochmals konkret durch den Rekurs auf die Ant. konturiert, scheint sich K. in der Gegenwart nur noch versatzstückhaft der Ant. zu bedienen. So scheinen im männlichen Körperideal der Bodybuilder und in ihren Posen die Statuen ant. Götter und Helden nur noch spielerisch auf, weibliche K. kann sich vormals männl. Körperidealen öffnen. Das Verfließen körperlicher Geschlechterkonturen eröffnet zugleich den spielerischen Umgang mit einst normsetzenden Vorbildern. Parallel unterliegt die K. der Gegenwart einer nicht weniger starken Normierung durch die Gesellschaft und ihre Leitbilder, die im jungen, schlanken und durchtrainierten Körper auch die durchsetzungsfähige, mobile, kreative und zugleich anpassungsfähige Persönlichkeit zu erkennen meint. So schleicht sich das griech. Ideal der *Kalokagathia* unter veränderten Wertsetzungen erneut in die K. der Gegenwart ein.

QU **1** Einleitungen und Merksprüche, 3. Folge, Bd. 4 (1896), in: Blätter für die Kunst. Eine auslese aus den jahren 1892–98, 1899 **2** H. Friedemann, Platon. Seine Gestalt, 1914 **3** P. Gérardy, Geistige Kunst, in: Blätter für die Kunst. Eine auslese aus den jahren 1892–98, 1899, 111–114 **4** W. v. Humboldt, Schriften zur Anthropologie und Gesch. Werke in 5 Bdn., Bd. 1, 1960 **5** F. Schiller, Über das Schöne und die Kunst. Schriften zur Ästhetik, 1975 **6** F. Wolters, Mensch und Gattung, in: F. Gundolf, F. Wolters (Hrsg.), Jb. für die geistige Bewegung, Bd. 3, 1912, 138–154

LIT **7** A. Buck, Der it. Human., in: Hdb. der dt. Bildungsgesch., hrsg. von C. Berg et al., Bd. 1, 15.–17. Jh., 1996, 1–56 **8** Ders., Human. Seine europ. Entwicklung in Dokumenten und Darstellungen, 1987 **9** J. Bumke, Höfische Kultur. Lit. und Ges. im Hoch-MA, Bd. 2, 1986 **10** U. Döcker, Die Ordnung der bürgerlichen Welt. Verhaltensideale und soziale Praktiken im 19. Jh., 1994 **11** G. Duby, Zeit der Kathedralen. Kunst und Ges. 980–1420, ⁵1987 **12** K. Flasch, Das philos. Denken im MA. Von Augustin zu Machiavelli, 1988 **13** A. Heller, Der Mensch der Ren., 1988 **14** K. Helmer, Bildungswelten des MA. Denken und Gedanken, Vorstellungen und Einstellungen, 1997 **15** L. Hunt, Frz. Revolution und privates Leben, in: Ph. Ariès, G. Duby (Hrsg.), Gesch. des privaten Lebens, Bd. 4, Von der Revolution zum Großen Krieg, hrsg. von M. Perrot, 1992 **16** E. Kantorowicz, Die zwei Körper des Königs. Eine Studie zur polit. Theologie des MA (1957), 1990 **17** W. Kaschuba, Dt. Bürgerlichkeit nach 1800. Kultur als symbolische Praxis, in: J. Kocka (Hrsg.), Bürgertum im 19. Jh. Deutschland im europ. Vergleich, Bd. 3, 1988, 9–44 **18** J. Le Goff, Das Hoch-MA, 1965 **19** A. Linke, Bürgertum und Sprachkultur. Zur Mentalitätsgesch. des 19. Jh., 1996 **20** K. Meyer-Drawe, Menschen im Spiegel ihrer Maschinen, 1996 **21** Th. Nipperdey, Dt. Gesch. 1800–1866. Bürgerwelt und starker Staat, 1983 **22** M. de Ras, Körper, Eros und weibliche Kultur. Mädchen im Wandervogel und in der Bündischen Jugend 1900–1933, 1988 **23** R. Sennett, Fleisch und Stein. Der Körper und die Stadt in der westl. Zivilisation, 1995 **24** Ders., Verfall und Ende des öffentlichen Lebens. Die Tyrannei der Intimität, 1983 **25** W. Strube, Art. »Gestalt«, in: Histor. WB der Philos., hrsg. von J. Ritter, Bd. 3, 1974, 540–548.                    CAROLA GROPPE

**Kometen**  s. Naturwissenschaft

## Kommentar

I. ALLGEMEIN  II. LATEINISCHE LITERATUR
III. BYZANTINISCHE LITERATUR

### I. ALLGEMEIN

Der K., die fortlaufende Erl. eines Textes, war bereits
in der Ant. ein verbreitetes Genus. Der früheste vollständig erhaltene ant. K. zu einem lat. Werk ist der des
Grammatikers Servius zu Vergil (frühes 5. Jh. n. Chr.),
der in MA und Ren. nachhaltig gewirkt hat. Der gat-
tungsgeschichtliche Einfluß zeigt sich sowohl in der
sprachlichen und sachlichen Erl. nach Wörtern und
Wortgruppen, in der Angabe von Quellen und Paral-
lelstellen, als auch in der Form der Einleitung mit den
Fragen nach Autorschaft, Titel, Form, Absicht usw., die
zum Modell der ma. *accessus ad auctores* wurde. Bedeutende K. aus dem frühen MA sind u. a. die des Remigius
von Auxerre (nach 841–908), dessen *Commentum in
Martianum Capellam* in über 70 Hss. erh. ist (*Remigii Au-
tissidorensis Commentum in Martianum Capellam, Libri I-II,*
hrsg. v. C. E. Lutz, 1962). Seit dem 12. Jh. wurde der K.
in den verschiedensten Wissensgebieten – gerade auch
im philos. Bereich – angewendet und wurde zur ›wich-
tigste(n) Form der gelehrten Literatur‹ [8. 215]. Ebenfalls in Ansätzen bei Servius – und deutlicher im Vergil-K. des Fulgentius (Ende 5. Jh. n. Chr.) – vorgeprägt
ist die allegorische Auslegung, die im MA bes. Bed. bekommen sollte und im allegorischen K. des Bernardus
Silvestris († nach 1159) zu *Aeneis VI* und in den allegorischen K. zu Ovids *Metamorphosen* ihre systematischste
Ausformung fand. Die Erklärung ant. Werke wurde v. a.
in Schulen und Univ. gepflegt, wo der K. die Form der
fortlaufenden exegetischen Paraphrase annehmen
konnte. Die verwendete Sprache war die Universal-
und Gelehrtensprache, das Lat., jedoch entstanden in It.
schon früh volkssprachliche K. zu den *volgarizzamenti*
ant. Autoren und zur *Commedia* Dantes [2].

In keiner Epoche war der K. so beliebt und hatte so
viele Formen wie in der Zeit des Humanismus und der
→ Renaissance; die zahlreichen Begriffe, die ihn bezeichneten (und die nicht immer klar voneinander ab-
grenzbar sind), legen ein beredtes Zeugnis von seiner
Lebendigkeit ab (*commentarius, interpretatio, enarratio, expositio, explicatio, adnotationes, glossae, scholia* etc.). Stellvertretend für andere sei hier der im 15. und 16. Jh.
unzählige Male gedruckte K. des Raphael Regius zu
den *Metamorphosen* Ovids ( *Ovidii Metamorphosis cum lu-
culentissimis Raphaelis Regii enarrationibus,* Venedig 1493)
als ein typischer human. K. kurz beschrieben [1. 119–
139]. Die Hauptaufgabe sieht Regius, der Professor für
Lat., Griech. und Rhet. an den Univ. von Padua und
Venedig war und außer Ovids *Metamorphosen* die *Rhetorica ad Herennium* und Quintilian kommentiert hat, in
der Erstellung eines einwandfreien Textes sowie in der
Erl. der dem Text eigenen sprachlichen und sachlichen
Schwierigkeiten. Er will das lat. Gedicht so erklären, ›ut

reddita sibi esse Metamorphosis ipsa videatur‹ (Wid-
mungsvorrede), d. h. das Werk soll in seiner urspr. Form
und Aussage wiedererstehen. Regius stellt die sprachlich-stilistischen Kunstmittel heraus, deren sich der
Dichter bedient, und gibt Erl. zum Aufbau des Epos.
Die sachlichen Anm. reichen von den naheliegenden
myth. Erklärungen über philos., histor., geogr. bis hin
zu naturwiss. und astrologischen. Ovids *Metamorphosen*
bieten nach Regius eine Enzyklopädie des gesamten ant.
Wissens, das der K. erschließen will. Ein solcher enzyklopädischer Anspruch ist dem human. K. überhaupt
eigen: er kann im Extrem zu Werken wie dem *Cornu
Copiae* des Niccolò Perotti führen, in dem sich der
urspr. geplante Martial-K. zu einem umfassenden
sprachlich-enzyklopädischen Wörterbuch ausgeweitet
hat (Erstausgabe 1489) [6]. Die *Metamorphosen* bieten
nach Regius freilich nicht nur Sachwissen, sondern
können weitere wichtige Bildungsaufgaben übernehmen: Sie sind aufgrund ihrer stilistischen Vorzüge in bes.
Weise geeignet, den Leser im rechten Reden und
Schreiben zu unterweisen, und bieten aufgrund der im
Gedicht enthaltenen *virtutum vitiorumque exempla* ein
Modell für die rechte Lebensführung. Regius verzichtet
völlig auf das allegorische Verfahren; seine Deutungen
sind wenig spekulativ, sie zielen auf die Vermittlung
praktischer Lebensweisheit.

Eine weitere Eigentümlichkeit vieler human. K., die
uns h. fremd anmutet, kann der etwas spröde K. des
Regius nur ansatzweise sichtbar machen: die enge Verknüpfung der eigenen Erfahrungswelt mit dem erklärten Text, den lebendigen und persönlichen Bezug des
Humanisten zu den kommentierten ant. Autoren. Juan
Luis Vives grenzt in *De ratione dicendi* (1532) den *commentarius simplex* (Aufzeichnungen in der Art der *Commentarii* Caesars) vom *commentarius in aliud* (Erl. zu einem
Autor) ab und unterscheidet innerhalb des letztgenannten den kurzen K. (*brevis, contractus*), der gezielt einen
Text erl., vom langen (*diffusus*), in dem der Erklärer versucht, Eigenes beizutragen (De ratione dicendi 3,11).
Der K. des Regius darf als Beispiel des ersten Typus
gelten; beim zweiten Typus denkt Vives v. a. an K. zu
philos., medizinischen und juristischen Werken. Doch
auch K. zu lit. Werken lassen sich ihm zurechnen. So
verbindet Filippo Beroaldo in den *Commentarii in Asi-
num aureum Lucii Apuleii* (Venedig 1500), seinem bekanntesten und anspruchsvollsten K. [7], die Wort- und
Sacherklärung mit längeren, mit der eigentlichen Text-
erl. in nur losem Zusammenhang stehenden Digressio-
nen zu Themen wie Magie, Mythol., Religionsgeschichte, Geogr., in denen er in einen regen Dialog mit
dem ant. Autor eintritt; des weiteren konfrontiert er den
Text mit der eigenen Lebenserfahrung, führt neben den
antiken moderne *exempla* an und macht Beobachtungen
zur gesellschaftlichen Realität seiner Zeit. In zwei bes.
langen und kunstvoll gestalteten Exkursen beschreibt er
die Villa eines befreundeten Bologneser Patriziers und
hält, aus Anlaß seiner eigenen Hochzeit, eine begeisterte
Rede auf die Ehe. ›Es besteht also in Beroaldos Inter-

pretationen eine lebhafte Wechselwirkung zw. Rezeption und Aktualisierung des Textes‹ [7. 172]. Mit Regius teilt Beroaldo die Skepsis gegenüber der allegorischen Deutung: er will die Allegorie zugunsten der philol.-histor. Methode meiden, damit er nicht eher ein *philosophaster* scheine als ein *commentator* (Ausgabe 1501, f. O6v).

Seit der Ren. gewinnt der volkssprachliche K. zu den großen nationalen Autoren, der sich am human. K. zu den ant. Autoren orientiert, zunehmend an Bedeutung.

1 A. Buck, O. Herding (Hrsg.), Der K. in der Ren., 1975 2 A. Buck (Hrsg.), Die it. Lit. im Zeitalter Dantes und am Übergang vom MA zur Ren. (GRLMA X,1–2), 1987–1989 3 Catalogus Translationum et Commentariorum: Mediaeval and Renaissance Latin Translations and Commentaries, hrsg. v. V. Brown, F. E. Cranz u. P. O. Kristeller, vol. I–VII, 1960–1992 4 J. Céard, Les transformations du genre du commentaire, in: L'Automne de la Renaissance, 1981, 101–115 5 Ders., Les mots et les choses: le commentaire à la Renaissance, in: L'Europe de la Renaissance. Cultures et civilisations, 1988, 25–36 6 M. Furno, Le Cornu Copiae de Niccolò Perotti, 1995 7 K. Krautter, Philol. Methode und human. Existenz. Filippo Beroaldo und sein K. zum *Goldenen Esel* des Apuleius, 1971 8 P. O. Kristeller, Der Gelehrte und sein Publikum im späten MA und in der Ren., in: Medium Aevum vivum, FS für W. Bulst, 1960 9 G. Mathieu-Castellani, M. Plaisance (Hrsg.), Les commentaires et la naissance de la critique littéraire, 1990 10 S. Prete, Die Leistungen der Humanisten auf dem Gebiete der lat. Philol., in: Philologus 109 (1965), 259–269.

BODO GUTHMÜLLER

## II. Lateinische Literatur
### A. Anfänge  B. Die klassische Periode
### C. Von der Spätantike zur Renaissance

### A. Anfänge

Der Fachausdruck *commentarius (liber)* bzw. *commentarium* weist ein breites Spektrum von Bed. auf, von »Traktat« oder »Monographie« bis zur mod. ›Erläuterung eines lit. Textes‹[2]. Diese Bedeutungsvielfalt erschwert eine genaue Datierung der Ursprünge des K. im letztgenannten Sinn, aber sie sind zweifellos mehr oder weniger zeitgleich mit den Anfängen des (zunächst griech.) Schulunterrichts in Rom [6; 9]. Von röm. *Grammatici* des 2. Jh. v. Chr. berichtet Suetonius (gramm. 2,2), sie hätten ihre Arbeit ›carmina parum adhuc diuulgata…legendo commentandoque‹ verrichtet. Obwohl uns der Inhalt unbekannt bleibt, schreibt Suetonius von einem ›opusculum … Annalium Enni elenchorum‹ von M. Pompilius Andronicus (frühe J. des 1. Jh. v. Chr.), welches einer der frühesten veröffentlichten K. im mod. Sinn gewesen sein dürfte. Suetonius (gramm. 8,1) erzählt auch von Lucius Crassicius Pansa von Tarentum, der in den 30er J. des 1. Jh. v. Chr. einen K. dieser Art veröffentlicht zu haben scheint: ›commentario Zmyrnae (d. h. von Cinna) edito‹.

### B. Die klassische Periode

Die ersten vier bis fünf Jh. des Imperiums brachten eine ungeheure Vielfalt von K. über ein umfangreiches Corpus lit. Werke hervor, von denen jedoch nur ein kleiner Prozentsatz überliefert wurde [28]. Das Ausmaß dieses Verlusts läßt sich aus einer berühmten Stelle in Hieronymus' *Apologia Contra Rufinum* 1,16 (CCL 79. 15. 26) abschätzen: ›Puto quod puer legeris Aspri in Vergilium ac Sallustium commentarios, Vulcatii in orationes Ciceronis, Victorini in dialogos eius, et in Terentii comoedias praeceptoris mei Donati, aeque in Vergilium, et aliorum in alios, Plautum uidelicet, Lucretium, Flaccum, Persium atque Lucanum‹. Aus dieser Liste existiert lediglich noch Aelius Donatus' K. zu Terenz, und dieser auch nicht ganz in der ursprünglichen Fassung. Aus den überlieferten K. zu Cicero und Vergil kann man jedoch ein ungefähres Bild des Verschollenen erschließen.

Von all diesen K. ist der früheste noch vorhandene das (fragmentarische und möglicherweise gekürzte) Werk von Q. Pedianus Asconius aus der Zeit 54–57 n. Chr., das die fünf Reden Ciceros *In Pisonem, Pro Scauro, Pro Milone, Pro Cornelio* und *In Toga Candida* behandelt [3]. Diese detaillierte Studie stellt ein *Argumentum* (»Inhaltsangabe«) an den Anfang jeder Rede, gefolgt von einem K., der die betreffende Textstelle jeweils in Form eines Lemmas zitiert. Der Inhalt betont erwartungsgemäß Geschichtliches (darunter auch mehrfach prosopographische Details) sowie juristische und verfassungsrechtliche Informationen. Ähnlich sind die K. von Marius Victorinus (4 Jh.) zu *De Inuentione* [11. 153–304], Grillius (5. Jh.), ebenfalls zu *De Inuentione* [11. 596–606], Macrobius (5. Jh.), *Commentarii in Somnium Scipionis*, Boethius (5. bis 6. Jh.) *In Topica Ciceronis* [27; 23], sowie die *Scholia in Ciceronis Orationes Bobiensia*, ein anonymes Werk, das in einem Palimpsest des 5. Jh. existiert und dessen Autor vermutlich den Asconius als eine seiner Quellen benutzt hat [12].

Vergil mußte schon aufgrund seiner vorrangigen Stellung im Schulunterricht die meisten Kommentatoren beschäftigen. Sein fast genauer Zeitgenosse C. Iulius Hyginus, Bibliothekar des Kaisers Augustus, schrieb ein Werk, dessen Titel entweder mit *Commentaria in Vergilium* oder *Libri de Vergilio* angegeben wird und von dem Fragmente überliefert sind, die die *Eclogen* und die *Aeneis* behandeln. Carvilius Pictor schrieb eine Streitschrift gegen die *Aeneis* unter dem Titel *Aeneomastix*, woraufhin Asconius mit seinem *Liber in obtrectatores Vergilii* konterte. Von der überaus umfangreichen lit. Produktion des Imperiums sind nur drei Werke überliefert. Das früheste sind die *Interpretationes Vergilianae* des Tiberius Claudius Donatus (ca. 350 n. Chr.), eine ausführliche (hauptsächlich moralische und rhet.) Analyse ausschließlich der *Aeneis*, die der Autor für seinen Sohn schrieb, und die sich durch empörte Zurückweisung der traditionellen Kommentatoren auszeichnet (Prooem, 1,5, ed. Georgii: ›cum aduerterem nihil magistros discipulis conferre quod sapiat‹)[26]. Von den überlieferten

Formen des K. übernimmt dieses Werk nur den Gebrauch von Lemmata, um jeweils die zu besprechende Textstelle zu bezeichnen. Abgesehen davon ist der Stil eher weitschweifig; dem Autor geht es v. a. um die »korrekte« Auslegung der vergilianischen Worte, und nicht etwa um die im Klassenunterricht verwendbaren sprachlichen Einzelheiten. An zweiter Stelle sind die einzigartigen *Scholia Veronensia* aus dem 5. Jh. zu nennen, ein fragmentarischer Text der *Eclogen*, der *Georgica* und der *Aeneis* Vergils mit zahlreichen Rand-K. (unbekannter Autorschaft, aber offensichtlich der verlorengegangenen scholiastischen Trad. verpflichtet) [1]. So wie Servius bringt uns auch dieses Werk nur zu sehr zu Bewußtsein, welche Unmengen von gelehrten K. verschollen sind: Wir erfahren hier von Vergil-K. aus der Feder von Asper (18 Zitate), Cornutus (5), Haterianus (5), Longus (8), Probus (3), Scaurus (3) und Sulpicius (1). An dritter Stelle sind die weitausgreifenden *Commentarii* des M. Servius Honoratus zu nennen. Es ist nicht unangebracht, auch die *Saturnalia* des Macrobius (frühes 5. Jh.) anzuführen, welche, wenn auch in Dialogform, viel Material aus Vergil-K. enthalten und dazu noch den berühmten Servius als einen der Gesprächsteilnehmer auftreten lassen. Aus ihnen läßt sich darüberhinaus auch ein Großteil des höchst einflußreichen (aber inzwischen verschollenen) Werkes von Aelius Donatus (ca. 350 n. Chr.) rekonstruieren.

Weitaus das beste Beispiel eines vollausgeformten K. ist der des Servius zu Vergil, der, wie aus innertextlichen Kreuzverweisen ersichtlich, in der Reihenfolge *Aeneis*, *Eclogen*, *Georgica* erstellt wurde [29; 13; 20]. Er enthält eine ausführliche Einleitung zu jedem Werk des Vergil, worunter die zu der *Aeneis* die vollständigste ist, mit zahlreichen (nicht immer zuverlässigen) Einzelheiten zum Leben des Dichters und mit Hinweisen zum lit. Hintergrund eines jeden Werkes (z.B. Ausführungen über Homer, Theokrit und Hesiod als entsprechende Vorlagen für die *Aeneis*, die *Eclogen* und die *Georgica*). Der K. selbst führt den Leser Zeile für Zeile, mitunter sogar Wort für Wort, durch den jeweiligen Vergil-Text, mit häufigen Rückverweisen auf vorangegangene Erl. (durch Bemerkungen wie *ut supra diximus*). Immer wieder hebt Servius bestimmte Fragenkomplexe hervor, auf die er auf Grund seiner langen Erfahrung als Schullehrer aufmerksam geworden war. So versucht er, seine Ausführungen durch Hinweise auf sowohl griech. wie auch lat. Quellen zu veranschaulichen. Unter den zahlreichen Schwerpunkten seines Interesses finden sich: Gramm. und lat. Sprache, Textkritik, Metrik, Lit., Geschichte, Myth., Philos., Religion und Geogr., dies alles mit häufigen Hinweisen auf frühere *Grammatici*, wie er selbst einer war (oft in herablassendem, abweisendem Ton und mit bes. Schärfe, wenn er auf seinen großen Vorgänger Aelius Donatus zu sprechen kommt). Dennoch bleibt er in vielen seiner Urteile gerecht; wo er selber nicht genau weiß, welche Interpretation vorzuziehen ist, läßt er die Wahl zw. verschiedenen Auslegungen offen – gerade so, als habe er sich die eindring-

liche Ermahnung des Hieronymus in der *Apologia contra Rufinum* 1,16 (CCL 79,14,15) zu Herzen genommen: ›Commentarii quid operis habent? Alterius dicta ediserunt, quae obscure scripta sunt plano sermone manifestant, multorum sententias replicant, et dicunt: Hunc locum quidam sic edisserunt, alii sic interpretantur‹.

Das Werk des Servius ist in vielen Hunderten von Hss. erhalten, vom frühen 8. Jh. (darunter die früheste: Marburg, Hessisches Staatsarchiv, Fragment 319, Pfarrarchiv Spangenberg (Depositum) Hr Nr. 1, eine Sammlung von Auszügen mit gelegentlichen angelsächsischen Glossen, in Südwestengland geschrieben und eindeutig zum Schulgebrauch bestimmt) bis zum späten 15. Jh. Einige der überlieferten Textversionen sind dabei in ihrer (anzunehmenden) ursprünglichen Gestalt erhalten, d. h. als einheitliches Werk (ein Prachtexemplar befindet sich in Leiden, Bibliotheek der Rijksuniversiteit B. P. L. 52 [15]), oder aber als Rand-K. zum Vergiltext. Zwei eindrucksvolle Beispiele hierfür sind zum einen die Sammel-Hs. aus dem 9. Jh., Bern, Bürgerbibliothek 363 [10], sowie die zweibändige Holkham Hall 311 aus dem späten 15. Jh., die nicht nur den Vergil-Text in voller Länge umfaßt, sondern am Rand sowohl den vollständigen Servius-Text als auch den des Tiberius Claudius Donatus zur *Aeneis* wiedergibt. Am anderen E. des Spektrums finden wir Hunderte von Texten, die Randglossen oder interlineare Anmerkungen enthalten, die sich ihrerseits von Servius ableiten – entweder als wörtliche Auszüge aus seinen K. oder in abgeänderter Form von ihm übernommen. Tatsächlich stößt man nur sehr selten auf Vergil-Hss., die keinerlei derartige Anmerkung enthalten. So trifft man z. B. auf zahlreiche Vergiltexte mit der interlinearen Anmerkung *bella* über *arma*, dem ersten Wort der *Aeneis*.

## C. Von der Spätantike zur Renaissance

Die Geschichte der folgenden 1000 J. ist zugleich eine der Kontinuität und der Innovation. Insofern sie erhalten blieben (z. B. Servius zu Vergil, Grillius und Victorinus zu Cicero, Lactantius Placidus zur *Thebais* des Statius), wurden die früheren K. kopiert und weiterhin benutzt; es erschienen auch neue K., die auf ältere zurückgriffen, und schließlich kamen nach Bedarf auch gänzlich selbständige K. zustande [24; 21; 14].

Unmittelbar nach Abschluß seines Werkes wurde noch kein K. zu Martianus Capella verfaßt. Doch zumindest vom 9. Jh. an begann man, sich nach den Bedürfnissen der Pädagogen zu richten, und es erscheinen zwei K., von denen einer (wie es schient zu Unrecht) dem Dunchad zugeschrieben wird, der andere dem Iohannes Scottus Eriugena [18; 19].

Cicero hat immer wieder das Interesse der Kommentatoren angeregt, insbes. durch seine rhet. und philos. Schriften. Ein faszinierendes Beispiel bietet ein Exemplar seines *De Inuentione* aus dem frühen 9. Jh. (codex Parisinus, Bibliothèque Nationale, latinus 7774), in dem der lückenhafte Text teilweise in der Hs. des bedeutenden Gelehrten Servatus Lupus von Ferrières ergänzt wurde; außerdem ist der Text durchzogen von interlinearen und marginalen Anmerkungen, wiederum teilweise in der Hs. des Lupus. Während des äußerst produktiven 12. Jh. hat der berühmte Thierry von Chartres neben seiner Studie zu Boethius auch K. zu *De Inuentione* und zum pseudociceronischen *Ad Herennium* verfaßt, was noch einmal die fortdauernde Relevanz dieser Werke für den Schulunterricht unterstreicht [5; 7]. Auch die Reden Ciceros haben fortdauernd das Interesse der Gelehrten auf sich gezogen. Veröffentlicht sind Pseudo-Asconius (unbekannten Datums, zu den *Reden gegen Verres*); die Scholia Gronoviana (enthalten in einer Hs. aus dem frühen 9. Jh., geschrieben in Tours), die Scholia Cluniacensia (Hs. aus dem 9. Jh.); die Scholia Ambrosiana ac Vaticana (Hs. 10. Jh), jeweils zu einer Auswahl der *Orationes*. Die Ren. bezeugte stets ein Interesse an solchen Erl., die umso notwendiger wurden, je mehr sich die Kenntnis von Hss. ausbreitete, die von den frz. und it. Humanisten entdeckt wurden [25].

Wie zu erwarten, wurde Vergil häufiger komm. als jeder andere klass. Autor. Im frühen MA orientierte sich eine Reihe von K. am Vorbild des Servius, insbes. der des Iunius Philargyrius zu den *Eclogen* (in zwei verschiedenen Versionen, die beide den Einfluß des Christentums und irischer Glossen aufweisen) und die Scholia Bernensia [8]. In der Hs. Laon, Bibliothèque Municipale 468, kopiert von Martin Hiberniensis [4], gewinnen wir einen guten Einblick in die Art und Weise, wie Vergil im 9. Jh. im Unterricht behandelt wurde. Neben vielen ähnlichen Werken brachte das 12. Jh. auch den umfangreichen K. hervor, den man mit Anselm von Laon in Zusammenhang bringt, obwohl er anscheinend nicht von ihm selbst stammt. In der Form und auch weitgehend im Detail dem des Servius nachgebildet, bringt dieser K. manches neue Material aus anderen Quellen zur Geltung; er liefert zudem auch ein sehr klares Bild des Schulunterrichts der damaligen Zeit. Natürlich wurden dem Servius-Text dabei christl. Elemente regelrecht »aufgepfropft«, und die Betonung, die Servius auf griech. Vorbilder legte, ist im »Anselm« stark abgeschwächt. Im 13. Jh. hat der engl. Dominikaner Nicholas Trevet einen K. zu den *Eclogen* verfaßt [22; 17], während im 14. Jh. Ciones (oder Zono) de Magnali(s) von Florenz [16] einen K. zu den *Eclogen*, den *Georgica* und der *Aeneis* herausbrachte. Im gleichen Jh. hat später Benvenuto da Imola die *Eclogen* und die *Georgica* kommentiert. Im 15. Jh. spielt It. wieder die Hauptrolle, und die Werke von Pomponio Leto, Cristoforo Landino, Domizio Calderini und Antonio Mancinelli ragen bes. hervor. Der K. von Landino wurde bereits 1487/88 in Florenz gedruckt, und in einer venezianischen Ausgabe von 1491–92 erschien auch der K. des Mancinelli (neben Servius, Donatus und Landino) im Buchdruck.

Man sollte schließlich auch anerkennen, daß schon die Übers. eines lit. Werkes in eine andere Sprache eine Form des K. darstellt. Es ließe sich sogar behaupten, daß im 10. Jh. König Alfred mit seinen angelsächsischen Übertragungen von Autoren wie Augustinus und Boe-

thius die Anfänge eines Genres schuf, das sich im 14. und 15. Jh. erheblich ausweitete. Es gibt z.B. Übers. des Valerius Maximus in sizilianische und toskanische Mundarten, ins Dt., ins Frz. und ins Katalanische.

1 C. BASCHERA, Gli Scolii Veronesi a Virgilio. Introduzione, edizione critica e indici, 1999 2 F. BÖMER, Der Commentarius, in: Hermes 81, 1953, 210–250 3 A. C. CLARK, Q. Asconii Pediani Orationum Ciceronis quinque enarratio, 1907 4 J. J. CONTRENI, Codex Laudensis 468. A Ninth-Century Guide to Vergil, Sedulius, and the Liberal Arts, 1984 5 M. DICKEY, Some Commentaries on the De Inventione and Ad Herennium in the Eleventh and Early Twelfth Centuries, in: Mediaeval and Ren. Studies 6, 1968, 1–41 6 R. A. KASTER, C. Suetonius Tranquillus De Grammaticis et Rhetoribus, 1995 7 K. FREDBORG, The Latin Rhetorical Commentaries by Thierry of Chartres, 1971 8 G. FUNAIOLI, Esegesi Virgiliana Antica, 1930 9 Ders., Grammaticae Romanae Fragmenta, 1907 (Ndr. 1964) 10 H. HAGEN, Augustinus, Beda, Horatius, Servius, alii. Codex Bernensis 363 phototypice editus, Leiden 1897 11 C. HALM, Rhetores Latini Minores, Leipzig 1863 12 P. HILDEBRANDT, Scholia in Ciceronis Orationes Bobiensia, 1907 13 R. A. KASTER, Guardians of Language. The Grammarian and Society in Late Antiquity, 1988 14 P. O. KRISTELLER et al., Catalogus Translationum et Commentariorum: Mediaeval and Ren. Latin Translations and Commentaries (7 Bde.), 1960–1992 15 G. I. LIEFTINCK, Servii Grammatici in Vergilii Carmina Commentarii. Codex Leidensis B. P. L. 52, 1960 16 M. L. LORD, A Commentary on Aeneid 6, Ciones de Magnali, not Nicholas Trevet, in: Medievalia et Humanistica 15, 1987, 147–160 17 Dies., Virgil's Eclogues, Nicholas Trevet, and the Harmony of the Spheres, in: Mediaeval Studies 54, 1991, 186–273 18 C. E. LUTZ, Iohannis Scotti Annotationes in Marcianum, 1939 19 Dies., Dunchad Glossae in Martianum, 1944 20 P. K. MARSHALL, Servius and Commentary on Virgil, 1997 21 B. MUNK OLSEN, L'étude des auteurs classiques latins aux XIe et XIIe siècles (3 Bde.), 1982–1985 22 A. A. NASCIMENTO, J. Manuel Díaz de Bustamante, Nicolas Trivet Anglico. Comentario a las Bucolicas de Vergilio, 1984 23 J. C. ORELLI, J. G. BAITER, Ciceronis Opera, Bd. 5, Zürich 1834 24 L. D. REYNOLDS, Texts and Transmission. A Survey of the Classics, 1983 25 R. SABBADINI, Le Scoperte dei Codici Latini e Greci nei Secoli XIV e XV, 1905–1914 26 M. SQUILLANTE SACCONE, Le Interpretationes Vergilianae di Tiberio Claudio Donato, 1985 27 T. STANGL, Ciceronis Orationum Scholiastae, 1912 28 W. H. D. SURINGAR, Historia Critica Scholiastarum Latinorum (2 Bde.), Leiden 1834 29 G. THILO, H. HAGEN, Servii Grammatici qui feruntur in Vergilii Carmina Commentarii (3 Bde.), Leipzig 1881–1987.

PETER K. MARSHALL / Ü: DONALD O. WHITE

## III. BYZANTINISCHE LITERATUR

Die Byz. Lit. ist eine ständige Reflexion des Alt. und über das Alt., und das Kommentieren von Texten aus dem klass. Alt. zählt zu ihren bedeutendsten Tätigkeiten – eine Praxis, die oftmals aus der mündlichen Erklärung in der Schule abgeleitet wird. Daher kann der Begriff »K.« in einem weiten Sinn verstanden werden; er umfaßt auch Scholien, Paraphrasen, Allegorien, Epimerismen (gramm. und linguistische K. zu profanen Autoren, darunter bes. umfangreich die zu Homer, aber auch zu biblischen und rel. Texten) und Schedographien (ab dem 11. Jh.: kurze Übungstexte in Prosa, manchmal von Versen eröffnet).

Diese knappe und beinahe stichwortartige Übersicht, die sich notwendigerweise auf profane Autoren beschränkt, läßt sich mit den ant. und spätant. Aristoteles- und Plato-K. beginnen, die von Aspasios und Alexander von Aphrodisias (2.–3. Jh. n. Chr.) bis Stephanos und David (7. Jh. n. Chr.) reichen; ebenfalls in die Spätant. gehört noch der K. des Hierokles von Alexandria († 431/2) zum pseudo-pythagoreischen *Carmen aureum*. Die K. erlauben nicht nur einen Blick auf das Denken der ant. neuplatonischen und aristotelischen Schulen, sondern haben, da die griech. K. bzw. ihre arab. Versionen im 12.–13. Jh. ins Lat. übersetzt wurden, einen bed. Beitrag zur Aristoteles-Überlieferung geleistet. Das lat. MA hat so Aristoteles kennengelernt und damit den Weg für die europ. Philos. der Ren. und frühen Neuzeit bereitet. In der Wende vom 8. zum 9. Jh. wird die Tätigkeit des Grammatikers Georgios Choiroboskos angesiedelt, der u. a. die Κανόνες περὶ κλίσεως (»Regeln der Deklination und Konjugation«) des Theodosios von Alexandria und das *Encheiridion* (»Handbüchlein zur Metrik«) des Hephaistion kommentiert hat. Sein Werk zeigt exemplarisch jenen Prozeß der Wiedergabe und des Kommentierens ant. grammatikalischer Texte (z. B. Dionysios Thrax und Apollonios Dyskolos), der das gesamte byz. Jahrtausend charakterisiert. Photios (ca. 810–893), Patriarch von Konstantinopel, hat außer den Kap. über die Kategorien (Kap. 77; 137–147) der *Amphilochia* (Abh. in Form von Frage und Antwort zu theolog. und philos. Themen), die jedoch nicht als eigentliche K. anzusehen sind, Scholien zur *Eisagoge* des Porphyrios und zu den Kategorien des Aristoteles verfaßt. Etwa in der Mitte des 9. Jh. oder etwas später ist die Entstehung der sog. Philos. Sammlung anzusetzen, einer homogenen Gruppe von mindestens zwölf Mss., die v. a. platonische Kommentatoren (Proklos, Damaskios und Olympiodoros) enthalten. Arethas, Erzbischof von Caesarea (ca. 850–944), war Verfasser von K. zu klass. und kirchlichen Texten sowie zu Texten aus dem AT und dem NT (Johannes-Apokalypse). Wahrscheinlich von seiner eigenen Hand sind die Scholien zum *Organon* des Aristoteles im cod. Urbinas graecus 35 (um 900), während noch zweifelhaft ist, ob ihm auch das Scholiencorpus zu platonischen Texten im cod. Vindobonensis phil. graecus 314 (datiert auf 925), zuzuschreiben ist. Zw. dem 10. und 11. Jh. kommentiert der Redner Johannes Sikeliotes die Rhetoren Hermogenes und Aelius Aristides, während der Redner Johannes Doxopatres (nicht mit dem Vorgänger zu verwechseln) in die erste H. des 11. Jh. gehört; er verfaßte Homilien (Vorlesungen) zu den *Progymnasmata* des Rhetors Aphthonios und einen K. zu Hermogenes. Gegen E. der makedonischen Dynastie (867–1056) wurde der imposante K. der Gesetzessammlung der *Basilika* (vollendet wohl 888) angefer-

tigt, für den auch das Material der *Antecessores* des 6. Jh. benutzt wurde. Michael Psellos (1018–1078) verfaßte einen K. zur *Physik* des Aristoteles, der in der Darbietung konventionell ist, jedoch eine bewußte Selbständigkeit im Urteil zeigt, darüber hinaus eine Paraphrase von *De interpretatione* des Aristoteles und eine Prosa-Paraphrase der *Ilias*. Aus polit.-rel. Gründen war den Werken des Johannes Italos (1023–ca. 1085) kein großer Erfolg beschieden; trotzdem hat ein Palimpsest-Codex (Marcianus graecus 265) als obere Schrift u. a. seinen K. zu den B. II-IV der *Topik* des Aristoteles erhalten, der sich an den K. des Alexander von Aphrodisias anlehnt.

Innerhalb des philos. Kreises um die Prinzessin Anna Komnene treten u. a. die Persönlichkeiten des Eustratios von Nikaia (ca. 1050– kurz nach 1117) und des Michael von Ephesos (11.–12. Jh.) hervor. Ersterem verdanken wir die K. zum B. I der *Zweiten Analytiken* des Aristoteles (ganz im Stil des Johannes Italos) und zu den B. I und VI der *Nikomachischen Ethik* (mit einer starken platonisierenden Tendenz gegen die aristotelische Kritik). Michael zeigt dagegen ein breiteres Interesse an der aristotelischen Philosophie: Über das *Organon* hinaus komm. er außer der nüchterne und klare Weise auch die *Metaphysik* (B. 6–14), die *Nikomachische Ethik* (B. 5, 9 und 10), die biologischen und zoologischen Schriften und – als einziger Byzantiner – die *Politik* und die Schrift *De coloribus*. Verloren sind hingegen seine K. zur *Topik* und *Rhetorik*. Wenig später wirkt Gregorios Pardos (ca. 1070–1156), Metropolit von Korinth, der außer den liturgischen *Kanones* des Kosmas von Jerusalem und des Johannes von Damaskos die Schrift Περὶ μεθόδου δεινότητος (»Über den Erwerb der Redefähigkeit«) des Hermogenes kommentierte. Unter der mannigfaltigen Tätigkeit des Theodoros Prodromos (ca. 1100–kurz vor 1158) findet sich auch ein K. logisch-pädagogischer Natur zu den *Analytica posterior*, Buch 2. Die bedeutendsten Persönlichkeiten der Komnenenzeit (1081–1185) sind Johannes Tzetzes († nach 1180) und Eustathios von Thessalonike († 1192/4). Ersterer verfaßte zahlreiche K. zu ant. Autoren, insbes. zu Dichtern: Hesiod, Pindar, den Tragikern, Aristophanes (die sog. byz. Trias: *Wolken, Frösche, Plutus*), Lykophron (auch seinem Bruder Isaak zugeschrieben), den *Halieutika* des Oppianos, Nikandros; außerdem widmete er dem *Corpus Hermogenianum* Fünfzehnsilber (nur zum Teil herausgegeben) und der *Eisagoge* des Porphyrios 1700 paraphrasierende Zwölfsilber; zudem verfaßte Tzetzes eine Allegorese der *Ilias* und der *Odyssee* in 9741 Versen. Das enzyklopädische Wissen des Eustathios zeigt sich in seinen umfangreichen homerischen K., die als Autographa erhalten sind; er ist außerdem Verfasser einer erläuternden Paraphrase und eines K. zum geogr. Lehrgedicht des Dionysios Periegetes und eines K. zu Pindar, von dem lediglich das Proöm erhalten ist. In die Komnenenzeit gehören die zwei Kanonisten Alexios Aristenos und Theodoros Balsamon, beide Verfasser eines beliebten K. zum *Nomocanon XIV titulorum*.

Nach der kulturellen und polit. Zäsur der Lateinerherrschaft von 1204–1261, einer Periode, in der dennoch der – bisher nur teilweise veröffentlichte – K. zu Homer des Michael Senacherim und wahrscheinlich auch die Organon-K. Leon Margentinos' entstanden, zeigt die Palaiologenzeit (1259–1453) eine erstaunliche kulturelle Wiederbelebung. So wurden z. B. in bemerkenswertem Umfang erneut Mss. klass. Autoren kopiert. Zur ersten Phase dieser Epoche gehören vier überragende Persönlichkeiten: 1) Manuel/Maximos Planudes (1255–1305), Übersetzer lat. Autoren ins Griech., Philologe, aber auch Hrsg. und Kommentator ant. Texte. Zu seinem reichen Œuvre gehören komm. Ausgaben des Äsop und der ersten beiden B. der Arithmetik des Diophantos sowie Scholien zu Hesiod (Erga), Sophokles, Euripides, Aristophanes, Thukydides, Euklid und Epimerismen zum ersten B. der Eikones des Philostrat. 2) Von Manuel Moschopulos (ca. 1265– ca. 1316) lassen sich, wenn auch mühevoll, Scholien überwiegend paraphrastisch-grammatikalischer Art zu Hesiod, Pindar (Olympische Epinikien), Sophokles und Euripides (jeweils die »byz. Trias«), Theokrit (die ersten acht Gedichte), Aristophanes (Plutos), sowie auch »Technologien« (gramm. Einführungen) zur Ilias und zu Philostrat rekonstruieren. 3) Thomas Magistros († kurz nach 1346), Verfasser eines einflußreichen attizistischen Lex., war Hrsg. und Kommentator der Tragiker, des Aristophanes (drei Komödien), des Pindar (paraphrastische Scholien überwiegend grammatikalischer und stilistischer Art) und der Briefe des Synesios. 4) Sein Schüler Demetrios Triklinios (ca. 1280– ca. 1340) war zweifellos der wichtigste Philologe und Textkritiker seiner Zeit. Unter seiner mannigfaltigen Tätigkeit sind bes. zu nennen die Ausgaben und K. (mit zahlreichen Auszügen aus den scholia vetera) des Hesiod, Pindar (insbes. metr. Scholien), Aischylos (fünf Tragödien), Sophokles (insbes. die ersten vier Tragödien), Euripides (Autographon), Aristophanes (die »Trias«, Autographon), Theokrit und Aratos (für welchen er auch das von Planudes ausgearbeitete Material gebraucht).

Neben diesen Gelehrten treten weitere Gestalten hervor, wie der Historiker Georgios Pachymeres (1242– ca. 1310), der eine exegetische Paraphrase beinahe des gesamten aristotelischen Corpus verfaßte (in zwei Autographa erhalten), der Mönch Sophonias († vor 1351), Verfasser zumindest einer Paraphrase zu den aristotelischen Schriften De anima und Sophistikoi Elenchoi; ferner der Chartophylax und Megas sakellarios (Leiter des Archivs und der Finanzverwaltung) Johannes Pediasimos (ca. 1240–1310/1314), von dem eine allegorische Paraphrase zur Ilias 1–4 sowie Scholien zu den Ersten Analytiken und zu einem Teil der Zweiten Analytiken (seine Hauptquelle ist Johannes Philoponos), zu Hesiod (Theogonie und Aspis), Theokrit (Syrinx) und Kleomedes erhalten sind; weiterhin der Politiker Theodoros Metochites (1270–1332), der paraphrasierende K. zu einem großen Teil der Schriften des Aristoteles verfaßte (ausgenommen das Organon und die Metaphysik), Georgios

Lakapenos (13.–14. Jh.) mit seinem Schul-K. zu Epiktet, und schließlich die numerologische Erklärung eines nicht näher bestimmbaren Johannes Protospatharios (13.–14. Jh.) zu den Werken und Tagen (Hemerai) des Hesiod sowie die Allegorien des mit Protospatharios überlieferungsgeschichtlich eng verbundenen Diakonos Johannes Galenos zur Theogonie. Ins 14. Jh. gehören der große Polyhistor Nikephoros Gregoras (ca. 1293–ca. 1359/1361), der u. a. Verfasser eines K. zur Schrift Περὶ ἐνυπνίων (»Über die Träume«) des Synesios war und dem auch (elementare) Scholien zur Geographie des Ptolemaios zugeschrieben werden (zweifelhaft); desweiteren eine anonyme Paraphrase zur Nikomachischen Ethik, die irrtümlich dem Kaiser Johannes VI. Kantakuzenos zugeordnet worden war, und die K. zu den logischen Schriften des Aristoteles von dem »Antipalamiter« (d. h. Gegner des byz. Theologen Gregorios Palamas) Isaak Argyros (ca. 1300– ca. 1375) und dem Mönch Joseph Philagres/Philagrios (verfaßt auf Kreta zw. 1392 und 1395). Ins 15. Jh. reicht bereits der Metropolit von Selymbria Johannes Chortasmenos (ca. 1370–1436/7), ein Hss.-Sammler und Schreiber, dem Paraphrasen zu den logischen Werken des Aristoteles und Erklärungen zu den Progymnasmata des Aphthonios zu verdanken sind. Im 15. Jh. dann verfaßte der Patriarch von Konstantinopel Georgios Gennadeios Scholarios (1400/1405– ca. 1472) zahlreiche klare und knappe K. zu Aristoteles und Porphyrios, in denen er sowohl ant. als auch arab. und ma.-lat. Quellen (z. B. Thomas von Aquin) benutzte.

Die byz. exegetische Tätigkeit endete nicht mit dem Fall Konstantinopels (1453), sondern erhielt noch einmal einen neuen Impuls aus dem Zusammentreffen mit den it. Humanisten und der Art und Weise des neuen westl. Kommentierens.

1 J. ASSMANN, B. GLADIGOW (Hrsg.), Text und K., 1995
2 A. BUCK, O. HERDING (Hrsg.), Der K. in der Ren., 1975
3 F. E. CRANZ et al. (Hrsg.), Catalogus translationum et commentariorum, 1960 ff. 4 H.-CHR. GÜNTHER, The Manuscripts and the Transmission of the Palaeologan Scholia on the Euripidean Triad, 1995 5 H. HUNGER, Die hochsprachliche profane Lit. der Byzantiner, 1–2, 1978
6 R. SORABJI (Hrsg.), Aristotle transformed. The ancient commentators and their influence, 1990 7 N. G. WILSON, Scholars of Byzantium, ²1996.

       PAOLO ELEUTERI/Ü: THOMAS GAISER

**Kommunismus** s. Sozialismus

**Komödie**    A. METHODIK
B. SYSTEMATIK   C. GESCHICHTE

### A. METHODIK

Die neuzeitliche europ. K. entstand aus der Aneignung und Umbildung der ant. K., wozu – vereinzelt – der Einfluß autochthoner Formen und Einrichtungen »karnevalistischen« Spiels hinzutrat. Sie bildete sich nicht unwesentlich in immer neuen Rückgriffen auf Formen und Konzepte der ant. K. weiter. Neben markanten Aneignungen stehen indirekte Wirkungen, wenn bestimmte Formen und Typen der K., die auf ant. Muster rekurrieren, wie z. B. die Commedia dell'arte, eine eigene Wirkung entfalten und mit dieser ihr ant. Erbe weitergeben. Schon die röm. K. ist ein Beispiel indirekter Rezeption, wobei das vermittelnde Glied, die K. Menanders, fehlt; erst zur Mitte des 20. Jh., 1959, wurde die aufgefundene K. *Dyskolos* veröffentlicht, Fragmente anderer Stücke Menanders sind hinzugekommen. Generell ist bei der Bestimmung wirkungsgeschichtlicher Zusammenhänge zu beachten, daß das Auftauchen analoger Phänomene einen Rezeptionszusammenhang nicht notwendig beweist. Bestimmte Formen der K. (z. B. Illusionsdurchbrechung, Außer-Kraft-Setzen etablierter Hierarchien, Spiel-im-Spiel-Strukturen), bestimmte Handlungsmuster (z. B. des Erzeugens von Verlachkomik), bestimmte Figurentypen (z. B. der komische Alte, der schlaue Sklave/Diener) oder bestimmte Figurenkonstellationen (z. B. die jugendlichen Verliebten im Streit mit der Elterngeneration) finden sich in ant. wie neuzeitlichen Komödien. Eine Rezeption ant. Muster muß darum noch nicht vorliegen, da diese Muster und Formen auf anthropologisch oder sozial konstante Bedingungen oder Bedürfnisse zurückgehen oder zum Wesen der K. generell gehören. Von einer Rezeption der ant. K. kann mit größerer Sicherheit gesprochen werden, wenn nicht nur ein einzelnes Element, sondern ein Ensemble von Elementen, ebenso ein ausgearbeiteter Stoff, nicht nur ein einzelnes Motiv angeeignet werden.

B. SYSTEMATIK

Nach Art und Umfang der Felder, in denen auf die ant. K. referiert wird, lassen sich verschiedene Rezeptionstypen unterscheiden. Integrative Rezeption liegt vor, wenn ein Ensemble von Elementen der ant. K. in einer spezifischen Zuordnung adaptiert oder ein in der Ant. geformter Stoff fortgebildet oder zeitgenössische Handlungs-, Figuren- oder Sprachformen im Rückgriff auf konstitutive Momente der ant. K. zusammengeführt werden. Solche konstitutiven Momente sind: zu allererst der orgiastische, das Prinzip der Unterscheidung aufhebende Aspekt, der im »Komos« gründet, dem festlich-ekstatischen, von Gesang begleiteten Umzug einer im Dienste des Rauschgottes Dionysos umherschweifenden Menge als dem Ursprung der K., dem diese in ihrer institutionellen wie dramaturgischen und allg. poetischen Organisiertheit einen strukturellen Halt gibt. Weiter gehört zur K. das Verweigern des Allg., des Begriffs. Ihr Prinzip ist die Singularisierung, bezogen auf Personen oder Dinge, bis hin zur Verweigerung gegenüber jeder Art von »Fassung«. Der Singularisierung entspricht auf der Ebene der Handlung das Prinzip der Episode, die Zentrierung im isolierten Fall, der erst im Rekurs auf eine jenseits dieser Komik situierte Ordnung (z. B. eine Ordnung des Erzählens oder die festgelegte Zusammensetzung und Abfolge von Sprachformen in der alten att. K.) zu einer »Handlung« gebildet zu werden vermag. Mit Blick auf die Handlung ist als weiteres konstitutives Moment der K. Selbstreflexivität (mani-

fest in Spiel-im-Spiel-Strukturen) zu nennen: der jeweilige Konflikt wird gelöst, indem der Konfliktverursacher mit sich selbst konfrontiert wird, was besagt, daß die K.-Handlung sich selbst beobachtet. In pragmatischer Hinsicht ist als konstitutiv für die K. seit der Ant. nicht nur der Akt der Heraufsetzung des Unterdrückten zu nennen, das Freisetzen des in Ordnungen gebannten Lustanspruchs, sondern auch der Akt der Herabsetzung: die Aggression des Verlachens, die allerdings nicht »tödlich« ist. Der geschlagene Körper, der in irgendeiner Abwandlung in jeder K. vorkommt, erhebt sich wieder, er ist unsterblich. Der Akt der Umkehrung – als Komik des Verlachens, Kontrastkomik – hat schon immer zu pädagogischer Funktionalisierung eingeladen (sozial- oder individualpädagogisch).

Selektive Rezeption liegt vor, wenn Elemente der K. isoliert angeeignet werden, z. B. die Parabase, das Prinzip der Übertretung (in der alten att. K. der Part des Chors, worin sich dieser an die realen Zuschauer richtet, mithin aus der Illusion der vorgestellten Welt heraustritt). Hiervon leiten sich die K.-Verfahren der Improvisation (das in der Commedia dell'arte strukturbestimmend wird) wie des Extemporierens ab (letzteres wurde als anarchisches Moment der K. insbesondere im 19. Jh. durch Verbote zu zügeln gesucht). Mit der Parabase ist der Ereignischarakter des Theaterspiels akzentuiert: die körperliche Wirklichkeit der Spieler hier und jetzt (gegenüber dem Vorgestellten), damit zugleich ein für die K. charakteristischer Widerstand gegen die Vorherrschaft des Textes auf dem Theater. Als weiteres isoliert rezipierbares Element der K. ist die Gründung der Handlung im (phantastischen) Einfall zu nennen (insbesondere in der Trad. des Aristophanes). Aus dem Prinzip des Einfalls leiten sich die K.-Momente des Phantastischen, des Witzes wie der Überraschung ab. Einen paradoxen Gehalt hat die Maske bzw. das Masken-Spiel. Die Maske distanziert, so steht sie für das Prinzip der Unterscheidung; zugleich staut sie etwas auf, das in ihr andrängt, so steht sie ebenso für das Prinzip der Verwandlung. Ein weiteres isoliert rezipierbares Element der ant. K. ist – auf der Ebene der Handlung – das E. mit dem Ausblick auf Hochzeit, dem Gehalt nach das Bejahen des Körpers, der seine feste Grenze aufbricht, der bereit ist zur Berührung/Vereinigung mit anderen Körpern. Ein weiteres isoliert rezipierbares Element der ant. K. ist auch die mediale Vielfalt: zum vorstellenden Spiel tritt der Tanz und der Gesang als konstitutive Momente des »Komos«.

Derivative Rezeption liegt vor, wenn Momente der ant. K. auf dem Umweg über Formen angeeignet werden, die selbst in der Trad. der ant. K. stehen, sich jedoch gegenüber dieser Herkunft verselbständigt und eine eigene Wirkungsgeschichte haben. Das markanteste Beispiel solchen Rezeptionsverlaufs ist die Weitergabe der Trad. der ant. K. durch die Commedia dell'arte. Zu nennen ist ferner die »Posse mit Gesang« des Wiener Volkstheaters, aus der sich die Operette und das Musical entwickelt haben als Fortwirken der »Cantica«, des durchaus bedeutenden Anteils von Gesangpartien in der K. des Plautus. Ein weiteres Beispiel geben die Figurationen des Melancholikers und des Narren als die Ermöglichungsfiguren der Komödienwelt Shakespeares, worin sowohl die Prinzipien des Einfalls und der Übertretung der ant. K. (im Hinblick auf den Narren) fortwirken, neben dessen Herkunft aus biblischer Trad., als auch die Grenzfigur des stets mitzugestaltenden Verweigerers gegenüber der Komödienwelt (im Hinblick auf den Melancholiker).

## C. Geschichte

### 1. Spätantike

Plautus und Terenz werden kommentiert. Der Terenzkomm. des Grammatikers Aelius Donatus (4. Jh. n. Chr.) enthält auch Bemerkungen zur szenischen Darbietung der Stücke. Beide Autoren sind, als Vermittler eines »eleganten« Lat., Schulautoren.

### 2. Mittelalter

Terenz bleibt ein lit. Vorbild. Terenz-Hss. der karolingischen Zeit sind z. T. mit Szenen-Darstellungen (wahrscheinlich nach spätant. Vorlagen) versehen. Im 10. Jh. verfaßt die Kanonisse Hroswith von Gandersheim (935–973) sechs K., lat. Lesedramen (Dramatisierungen von Legenden oder Märtyrergeschichten) als christl. Ersatz für die Stücke der Terenz: eine singuläre Aneignung des ant. Dramas im MA, das das Drama nur als kirchliches Mirakel- und Mysterienspiel kennt. Im 12. Jh. bearbeitet Vitalis von Blois Stücke des Plautus (u. a. den *Amphitruo* in der lat. K. *Geta*).

### 3. 14. bis 16. Jahrhundert/Entwicklung der neuzeitlichen Komödie in Italien

Röm. K. (insbesondere des Terenz) werden in den Schulen gelesen, als sprachliche Vorbilder und um der dort formulierten ethischen Haltung (Ideal der »humanitas«) willen. In Orientierung an den Stücken und an Aufführungen einzelner Stücke des Plautus und Terenz, wie des Seneca (für die Trag.), erfolgt die Wiedergeburt des Dramas und die Neubegründung der Institution Theater. Die Prädominanz des Terenz für die K. schwindet, seit Nicolaus von Cues 1429 zwölf weitere Stücke des Plautus aufgefunden hat, die nun zu den acht hinzutreten, die durch das MA hindurch bekannt geblieben waren.

Im Quattrocento werden nach dem Vorbild der röm. K., das durch Lektüre wie durch Aufführung einzelner Stücke des Plautus und des Terenz in Rom, Venedig und Ferrara vermittelt ist, neue K. in lat. Sprache geschrieben: der Typus der »Commedia umanistica«. Vertreter sind: Pier Paolo Vergerio, Ugolino Pisani, Pietro Aretino und Aeneas Silvius Piccolomini (Papst Pius II). In der Ren. ist Plautus bes. beliebt. Plautus wie Terenz werden zahlreich ins Italienische übers., wobei in die Stücke zunehmend Intermezzi eingefügt werden, die sich dann verselbständigen. Aus der Commedia umanistica und den Intermezzi entwickelt sich im Cinquecento in Ferrara und Mantua die nun in it. Sprache verfaßte »Commedia erudita«. Hauptvertreter sind Publio Filippo Mantovano, Ariost, Bernardo Dovizi da Bibbiena, Benedetto Varchi, Angelo Beolco und Machiavelli. Dessen K. *La Clizia* (1525) hat Plautus' *Casina* zum Vorbild, seine K. *La Mandragola* (um 1518) kann als erste gegenüber den ant. Mustern selbständige it. Renaissance-K. angesehen werden.

Das bedeutendste Bindeglied zw. der ant. (lat.) K., der it. K. der Ren. und der europ. barocken bürgerlichen K. ist die Commedia dell'arte. Als Stegreiftheater gründet sie nicht in ausgearbeiteten Texten, sondern in Handlungsmustern, betont die Körperlichkeit des Spielens (Körperakrobatik als schaustellerisches Element), akzentuiert so das Moment der Präsenz, also das dionysisch-karnevalistische Moment der K., wie das Moment der Parabase; in den Lazzi kehrt das aristophanische Moment des Einfalls wieder, im pointenreichen Dialog, den Concetti, der Sprachwitz des Aristophanes wie des Plautus. Die ersten Zeugnisse für Darbietungen der Commedia dell'arte datieren auf 1545 [25. 10], um 1750 verschwindet sie von den Bühnen, d. h. in der histor. Situation, da sich das Bürgertum auf dem Theater durchsetzt. Die Schauspieltruppen der Commedia dell'arte haben in Europa Verständnis und Erfahrung von »K.« geschaffen und vermittelt. Der Ursprung bzw. die Quellen der Commedia dell'arte sind nicht eindeutig zu klären (ohne Zweifel die Commedia erudita, aber auch die röm. K., z. B. in der Umbildung von Figurentypen wie dem *miles gloriosus* zum »Capitano«, den *senex*-Typen zu Pantalone und Graziano, der Sklavenfigur zum Harlekin; eventuell kommen noch Momente der röm. Stegreif-K., der »Atellana« hinzu). Die Ursprungstheorien hängen davon ab, was jeweils als zum Wesen der Commedia dell'arte gehörig definiert wird. Die Commedia dell'arte steht Plautus näher als Terenz, seiner Theatralität und Musikalität, seinem Sprachwitz wie seiner Lust an der Posse. Im Akzentuieren des sinnlichen und d. h. zugleich des präsentischen Körpers steht sie zugleich der Parabase und generell dem dionysischen Grundzug der K. des Aristophanes nahe. Für all dies können aber auch zeitgenössische Erscheinungen benannt werden: Karnevalsbräuche, Sujets der Commedia erudita, die Scherze, die Lazzi, die Körperakrobatik und das Moment der unkünstlerischen Improvisation können auch die zeitgenössischen Quacksalber, Narren und Schausteller der Jahrmärkte eingebracht haben.

Aristophanes' Nachruhm gründet in Lektüre, das gilt für die hell. Philologen wie für die byz. Zeit. Die bis ins 18. Jh. bevorzugten Stücke sind *Plutos*, da leicht lesbar und pädagogisch zu funktionalisieren, die *Wolken*, wegen des dort auftretenden Sokrates, die *Frösche*, weil dort die drei großen Tragiker auftreten. In It. wird Aristophanes im 15. Jh. ins Lat. übersetzt. Der erste Druck seiner Stücke (neun der elf überlieferten, es fehlen *Lysistrate* und die *Thesmophoriazusen*) erfolgt 1498 in Venedig durch Aldus Manutius.

### 4. Deutschland vom 15. bis 17. Jahrhundert

In den Schulen werden lat. und griech. K. gelesen. Terenz wird viel übersetzt. Wie in It. entsteht nach ant.

Vorbildern die lat. Humanisten-K., aus der sich dann eine eigenständige dt. K. entwickelt, z.B. Jakob Wimphelings *Stylpho* (1480) und Johannes Reuchlins *Henno* (1497), beide an Terenz orientiert. Melanchthon schrieb Prologe zu vier Lustspielen des Terenz und zu einem des Plautus. Das Aristophanes-Studium beginnt in Deutschland mit einer Ausgabe des *Plutos* (Hagenau 1517). Erasmus von Rotterdam stellt Aristophanes an die oberste Stelle der im Unterricht zu lesenden griech. Dichter, noch über Homer und Euripides (aber nur, weil man den Menander nicht mehr habe). Reuchlin hält 1520 eine Vorlesung über Aristophanes' *Plutos*, Melanchthon ediert das Stück 1528 zusammen mit den *Wolken*. Ein wichtiger Vermittler der ant. K. und Anreger der dt. K. ist Nikodemus Frischlin (1547–1590). 1586 erscheint eine von ihm besorgte griech. Ausgabe des Aristophanes (*Plutos, Die Wolken, Die Frösche, Die Acharner, Die Ritter*) mit lat. Übers., die eine genaue metrische Wiedergabe versuchen. Bemerkenswert im Vorwort ist die Bestimmung des Chors als Teil *inter actum et actum*. Entsprechend werden die Stücke in Akte gegliedert, die Chorlieder markieren die Aktgrenzen. Frischlin verteidigt Aristophanes gegen die Kritik Plutarchs; seine eigenen K. (*Frau Wendelgard* 1579, *Phasma* 1580, lat., *Julius redivivus* 1582, lat.) nehmen in ihrer karikaturistischen Schärfe und ihrem Verfahren, Figuren durch eine idiomatische Sprache zu charakterisieren, Züge der aristophanischen K. auf. Die Stücke waren erfolgreich, da sie gelehrtes Humanistendrama mit volkstümlichem Schauspiel verbinden. Hans Sachs, für den die Trad. des Fastnachtsspiels maßgeblich ist, bearbeitet auch ant. Trag. und bezieht generell viele stoffliche Anregungen von ant. Autoren. Die große Distanz zu den Originalen (Vermittlungen durch Übers. oder nur indirekt) erregte bei den Zeitgenossen (z.B. Jonas Bitner) auch Kritik.

Mit Andreas Gryphius' Stücken hat die deutschsprachige K. Eigenständigkeit erreicht. Der gelehrte Gryphius kannte die ant. Komödienautoren, sein eigenes Komödienschaffen ist jedoch stärker noch als von diesen von der Commedia dell'arte geprägt. Seine frühe K. *Horribilicribrifax* (entstanden zw. 1647 und 1650) zeigt eine gelungene Aneignung beider Komödientrad. in den Denkhorizont der eigenen Zeit. Die Figur des Capitano bzw. des *miles gloriosus* wird zur Reflexionsfigur barocker Repräsentation.

## 5. FRANKREICH IM 16. UND 17. JAHRHUNDERT

Die frz. K. entsteht in Aneignung der ant. und zugleich der it. K. (Ariost, Bibiena, Firenzuola). Terenz- und Plautusstücke werden im 16. Jh. viel übers., aber auch K. des Aristophanes. 1549 fordert Du Bellay in der Programmschrift der → Pléiade eine Aneignung der ant. Werke, die diese ins Frz. transformiere. Als bewußter Nachahmer der griech., lat. und mod. it. K. bekennt sich Pierre de Larivey (1550–1612), der herausragendste Autor dieser Periode, von dem Molière wie Regnard Anregungen bezogen haben. Im frühen 17. Jh. tritt zum it. Einfluß eine verstärkte Wirkung der komplexer an-

gelegten span. K., z.B. bei Corneille. Jean Rotrou (1609–1650) schuf Bearbeitungen von Plautus-Stücken (*Menaechmi, Captivi, Amphitruo*). Mit Boileaus *L'Art poétique* (1674) erreicht die (Theorie der) Aneignung der Ant. eine neue Stufe, die in der an ihm sich entzündende → Querelle des anciens et des modernes umfassend und eindringlich reflektiert wurde. Die Ant. wird verstanden als Verwirklichung des Kunstideals der eigenen Zeit, der »grâce« in den Grenzen der »moralité« und des »bon sens«. Entsprechend werden jede Art »niederer« Komik verworfen, Aristophanes und Plautus abgewertet, Menander virtuell, faktisch Terenz zum Vorbild der K. erhoben, eine Einschätzung, die theoretisch und praktisch bis ins 18. Jh. wirksam blieb. Erstaunlicherweise hat aber Racine, der Zeitgenosse Boileaus und wie dieser Parteigänger der »anciens«, für seine einzige K. (*Les Plaideurs*, 1668) ein Stück des Aristophanes (*Die Wespen*) zur Vorlage genommen. Die Bearbeitung ist jedoch keine Nachfolge, will vielmehr zeigen, daß selbst eine aristophanische K. ohne Verletzung der Forderungen von »moralité« und »bon sens« angeeignet werden kann. Racine betont dies explizit im Vorwort der K., was auch als Abgrenzung zu Molières K. aufzufassen ist, die für das entgrenzende, dionysische Moment der ant. Kom. und damit auch der Farce offen blieb. Molière gewann der K. das Verfahren, die Komik diskursiv zu verankern; darin ist auch die Art ihrer Bezugnahme zur ant. K. beschlossen. Zwar hat die Komik der Stücke Molières ihren Ort durchaus in den unmittelbar in die Augen springenden Konstellationen des Verlachens oder in der bereitwilligen Öffnung für Lachen, das Unterdrücktes freisetzt (Komik des Mitlachens), maßgebliches Feld der Komik ist aber die diskursive Struktur, daß die jeweils ausschließende Macht (seien dies die extremen Forderungen des herausgehobenen einzelnen, seien es die der Geselligkeit) stets als verwiesen auf das gezeigt wird, was sie ausschließt. In dieser Balance gelingt der K. der stellvertretende Vollzug des Ideals geselliger Verwirklichung ethischer Forderungen. Die Rezeption von Plautus und Terenz ist gegenständlich nachweisbar; am bekanntesten ist die Bearbeitung des *Amphitruo*, weitere markante Bezüge weisen auf: *L'Avare* zu Plautus' *Aulularia* und Ariosts *I Suppositi*, *Les Fourberies de Scapin* zu Terenz' *Phormio*, *L'École des Maris* zu Terenz' *Adelphoe*. Stärker als die röm. K. ist in Molières Stücken aber die Commedia dell'arte gegenwärtig (Figurentypen, Handlungsmuster und Auffassung des Komischen). Die Nähe bestand auch räumlich. Molières Truppe spielte zeitweise alternierend im gleichen Theatersaal wie die Comédie italienne. Neben und nach Molière wie der Comédie italienne findet in Frankreich keine vergleichbare produktive Rezeption der ant. K. statt, vielmehr sind Molières K. und die Commedia dell'arte Bezugspunkte des Komödienschaffens. Aristophanes steht in geringem Kurs, die einzige bedeutsame Gegenstimme bildet Anne Le Fèvre (Dacier), die nicht nur Ausgaben des Plautus und des Terenz vorgelegt, sondern auch die *Wolken* und den *Plutos* übers. und kommentiert und dabei Aristophanes nachdrücklich verteidigt hat. In Brumoys *Théâtre des Grecs* (zuerst 1730, kontinuierlich erweitert und Neuauflagen) erscheinen Übers. mit Kommentierungen aller Stücke des Aristophanes, die für die Verbreitung der Kenntnis des Autors bedeutsam geworden sind; so haben etwa Lessing, Wieland und Goethe Aristophanes über diese Ausgabe kennengelernt. Größere Wirkung (u. a. auf Gottsched und Lessing) haben Plautus-Bearbeitungen von Jean François Regnard erreicht. Das empfindsame und rührende Lustspiel des ausgehenden 17. und frühen 18. Jh. steht zur ant. K. denkbar fern. Allenfalls kann man in Marivaux' Feier des Spielens, der Welt des Scheins, durch die die Helden hindurchzugehen haben, einen Nachklang der Spiellust und des Prinzips der Parabase der ant. K. erkennen.

### 6. England im 16. und 17. Jahrhundert

Aus eigener Trad. komischen Spiels (ma. Mysterienspiele, im 14. und 15. Jh. allegorische Moralitäten und Interludien, die das Farcenhafte betonen und den »*vice*« als eigenständige komische Figur – Versucher und boshafter Possenreißer in einem – entwickeln) und in direkter wie indirekter Aneignung der röm. K. bildet sich im Laufe des 16. Jh. die engl. K. als selbständige Gattung aus. Röm. K. werden in den Schulen und Univ. gelesen und aufgeführt. Die erste engl. K., *Ralph Roister Doister* von Nicholas Udall (1552), ist an Plautus (*Miles gloriosus*) und partiell an Terenz (*Eunuchus*) orientiert. Plautus ist ein wichtiger Bezugspunkt für das Komödienschaffen der nächsten Jahrzehnte (z. B. bei Lyly). In Shakespeares K. finden sich viele Motive, die aus der ant. K. bekannt sind (z. B. Geschlechtertausch, Verdopplung der Liebesaffären, verlorene Kinder). Die Figur des Narren geht auch – aber nicht nur – auf den Diener der it. und den Sklaven der röm. K. zurück. Bei Shakespeare kontrolliert er allerdings nicht mehr das Spiel, dafür ist seine Position strukturell umfassender geworden. Er macht alles zu Spiel, er hebt das Prinzip der Differenz auf, indem er diese vervielfältigt; so wird er konstitutiv für die Komödienwelt wie sein komplementäres Gegenstück, der Melancholiker, der alles als Spiel und Verstellung deutet und auf der absoluten Differenz zum »Wahren« beharrt. Über stoffliche Reminiszenzen (insbes. der röm. K.) hinaus erscheinen bei Shakespeare Wesenszüge der ant. K., die bei Aristophanes markanter entfaltet sind als bei Plautus und Terenz (u. a. Entgrenzung, Parabase, Singularisierung, Selbstreflexivität), umfassend produktiv gemacht. So bewahren diese K., als originale Schöpfungen und eigener Typus, grundlegende Errungenschaften der ant. K. und geben sie weiter. Schon die frühe Bearbeitung der *Menaechmi*, die *Comedy of Errors*, läßt dies erkennen; später zeigt z. B. die Figur des Falstaff, wie Figurentypen der röm. K. (der *miles gloriosus*, der Parasit, der lächerliche Alte) zu einer völlig eigenständigen komplexen Gestalt vereint werden, der eine hintergründige Komik eignet, jederzeit imstande, umzuschlagen in ihr Gegenteil, womit die K. eine innere Paradoxie erkennen läßt, der am ehesten Aristophanes in den *Vögeln* nahe gekommen ist.

In vorzüglicher Kenntnis der ant. Lit., darunter der lat. K., wie des Aristophanes, schrieb Ben Jonson. Die frühen K. lehnen sich stofflich z. T. eng an ant. K. (insbes. des Plautus) an, Figurentypen des Plautus versammelt *Every Man in his Humour* (1598). Wie bei Shakespeare geht die Aneignung der ant. K. über stoffliche Bezüge weit hinaus. Wesenszüge der ant. K. werden in eigenständigen Schöpfungen bewahrt und neu geformt: die *vis comica* des Aristophanes, dessen Verknüpfung von genau beobachtendem, satirischem Realismus mit Phantastik, wie auch die Sprachparodie. Von der lat. K. wird die Figur der Umkehrung neu produktiv: figural z. B. in den immer wieder im Zentrum stehenden betrogenen Betrügern (*Volpone or the foxe*, 1606, *The Alchemist*, 1610), situativ in der Adaption der Saturnalien im Jahrmarkt, der zum Paradigma komischer Weltsicht wird (*Bartholomew Fayre*, 1614). In der Konsequenz von Ben Jonsons »*humour*-Lehre« (Besserung des Menschen durch satirisches Bloßstellen charakterlicher/sittlicher Versteifungen als den *humores*) liegt allerdings eine Entfernung von der ant. und die Beförderung der reinen Verlach-K., die später die Aufklärung allein anerkennen wird.

### 7. Rezeption seit dem 18. Jahrhundert

Im Laufe des 17. Jh. ist die europ. K. in viele jeweils eigenständige Spielarten ausdifferenziert, die nun ihre eigene Wirkungsgeschichte entfalten. Die Fortwirkung der ant. K. verläuft entsprechend vermittelter. Nachfolgend werden nur noch Beispiele angeführt, in denen die Rezeption der ant. K. neue Akzente erhalten hat.

Die aufklärerische moralisch-pädagogische Funktionalisierung der K. steht dem entgrenzenden, dionysischen Moment der ant. K. (insbes. bei Aristophanes und Plautus) denkbar fern. Die Bühnenreformen (Gottscheds, Goldonis) versuchen, dieses entgrenzende und latent sinnverweigernde Moment der K. niederzuhalten. In seiner frühen Beschäftigung mit Plautus (Übers. zweier Stücke und eine Abhandlung über den Autor) argumentiert Lessing noch ganz in diesem Geist, in der Hamburgischen Dramaturgie wird er dann (wie Möser und Krüger) Gottscheds Vertreibung des Harlekin von der Bühne rügen. Mit der Selbstkritik der Aufklärung im Sturm und Drang (ebenso in der Romantik) tritt die ant. K. wieder stärker in den Blick. Hier ist v. a. J. M. R. Lenz als Übersetzer von Plautusstücken und mit seiner Komödientheorie zu nennen. An der ant. K. verifiziert Lenz seine Idee, die K. könne die »ganze« Nation, die Gebildeten wie das Volk, bewegen (Selbstrezension des *Neuen Menoza*). Weiter bringt Lenz den gemeinsamen Ursprung von Trag. und K. aus dem Dionysoskult in Erinnerung, wobei für ihn die K., die Lachen und Weinen nicht trenne, diesem »Ur-Drama« näher stehe als die Tragödie. Rückkehr zum Ursprung des Dramas wird zum Ziel des Komödienschaffens, die K. des Aristophanes und Plautus werden zum rückwärts gewandten Ideal, auch weil die komische/satirische Gattung als genuin republikanische Gattung gedeutet wird. In gleichem Geist formt Beaumarchais die dramaturgische Funktion des Sklaven in der röm. K. zur Herr-Knecht-

Dialektik in revolutionärer Perspektive um. Bei Lenz zeichnet sich schon das neue Interesse an der griech. K. ab, das in den folgenden Jahrzehnten die bes. Note der dt. Rezeption der ant. K. ausmacht. Dem nach-it. Goethe entspricht eine hohe Schätzung des Terenz. In den Straßburger, Frankfurter und frühen Weimarer J. hatte Goethe aber in seiner Hinwendung zur Farce (z.B. in *Das Jahrmarktsfest zu Plundersweilern*) der K. das entgrenzende dionysische Moment zurückgewonnen. Das aristophanische Moment der Grenzüberschreitung erscheint radikalisiert in einer Welt unbeschwerten, da folgenlosen Spiels, der moralischen Indifferenz, des fröhlich betriebenen Unsinns, des Fragmentarischen und Ordnungslosen. Spätere Umarbeitungen Goethes, die den schwerelosen turbulenten Spielen Ordnungen überzustülpen suchen, konnten nur scheitern. Generell gilt für Goethes Öffnungen für das dionysische Moment der ant. K., daß ihr stets ein Gegengewicht in Ordnungsprinzipien gegeben wird. Programmatisch stellt dies die Schrift *Das römische Carneval* vor, die das Grenzen aufhebende anarchische Wesen des Karnevals »faßt« in strenger Ordnung des Erzählens.

Eine neue Stufe der Wirkungsgeschichte der aristophanischen K. ist in der Frühromantik erreicht. Es werden nicht primär einzelne Stoffe oder Formen rezipiert, vielmehr konstitutive Momente der griech. K. im eigenen Entwurf von Poesie neu vergegenwärtigt. Bahnbrechend hierfür ist Friedrich Schlegels Schrift *Vom ästhetischen Wert der griech. Komödie* (1794). Schlegel bindet die K. wieder an ihren dionysischen Ursprung zurück: die Feier des Gottes Dionysos als »fremden und verborgenen Gott«, zugleich als Gott der unsterblichen Freude, der wunderbaren Fülle und der ewigen Befreiung. Die griech. K. wird zum Vorbild der Poesie: Sie ist ein unübertreffliches Muster schöner Fröhlichkeit, erhabener Freiheit und komischer Kraft, bei allen Fehlern. Von der »komischen Kraft« wird die Erfüllung der spezifischen Aufgabe der Kunst erwartet, den physischen und den ideellen Anteil des menschlichen Wesens zu vereinen. Entsprechend werden aus Formprinzipien der griech. K. solche der romantischen Poesie entwickelt: das Prinzip der Parabase im Sinne der Grenzübertretung im zentralen Element der Ironie (als »permanenter Parekbase«), Entgrenzung auch als Heraufsetzen des Unterdrückten, als Verwirklichung der Freiheit, weiter die Hinwendung zum großen Publikum, was auch den rohen Scherz, die Satire einbegreift, was F. Schlegel dann als »Frechheit« für die romantische Poesie reklamieren wird. Friedrich Schlegels emphatische Hinwendung zur griech. K. hat in der dt. Lit. Epoche gemacht. Tieck hat das Moment der Parabase in seinen das Spiel und die Desillusionierung des Spiels potenzierenden K. schöpferisch angeeignet. Begleitet wird die neue Rezeption von einer intensiven philol. Forsch. (F. A. Wolf, G. Welcker) und Übersetzungstätigkeit (Gesamtübers. des Aristophanes von Voß, 1821 ff.; Droysen, 1835 ff.; Seeger, 1845 ff.).

Die lat. K. erhält in Kleists Bearbeitung des *Amphitryon* (1807), die sich ausdrücklich auf Molière beruft, aber über diesen und andere Bearbeitungen (J. D. Falk) zu Plautus zurückreicht, die für die »Kunstperiode« bedeutendste und eine bis heute auf dem Theater lebendige Vergegenwärtigung. Die Frage der Identität erscheint in Kleists K. gegenüber den Vorgängern abgründig zugespitzt, indem sie nicht nur auf die Herrenebene verlagert, sondern auch auf die weibliche Figur zentriert wird, was von den frühesten Fassungen an (z. B. von Euripides, nicht überliefert) tragische Akzentuierungen befördert. Aber nicht Plautus, sondern Aristophanes ist Fluchtpunkt der Aneignung der ant. K. in der dt. »Kunstperiode«. Hegel feiert Aristophanes, nimmt aber die neue Vergegenwärtigung des entgrenzenden dionysischen Elements der griech. K. in der romantischen Poesie zurück. Aristophanes steht in Hegels Ästhetik nicht für das Aufbrechen und Übertreten von Grenzen, sondern für das in der K. sich feiernde, weltüberlegene humoristische Subjekt. Der so in eine Perspektive abgeklärten Humors gerückte Aristophanes hat im 19. Jh. in Deutschland nur epigonale lit. Rezipienten gefunden (Rückert, Platen, Bauernfeld, Glaßbrenner), einzig Nestroy kommt mit seinem Witz, seinem Freisetzen anarchischer Lust, dem Extemporieren als Wiederkehr der Parabase und dem Einbeziehen der Musik in seinen Possen mit Gesang der Wirkungskraft der aristophanischen K. nahe.

Eine neue Steigerung der fortgesetzten »Arbeit am Mythos« (Blumenberg) des Amphitryon gelingt Giraudoux in seiner K. *Amphitryon 38* (1929), die schon mit der im Titel genannten Zahl beim Publikum ein Wissen um das produktive Fortleben dieses Mythos wie der lat. K., die ihn der Nachwelt vermittelt hat, voraussetzt. Im Zentrum steht jetzt das vollkommene Paar Amphitryon-Alkmene, in dem sich die Menschen von der Willkür der Götter befreien. Das Feld, auf dem dies v. a. geleistet wird, ist ein hintersinniges Spiel der Sprache, das sich einer bes. »Dialogizität« verdankt: ein Umwenden des Wortes durch das »antwortende Du«, das alles Verborgene in die Unverborgenheit herausführt. Was F. Schlegel schon für das Konzept der romantischen Poesie unternommen hat, eine Art Mediatisierung von Wesenszügen der ant. K., wird hier für die Dichtung der klass. Moderne auf der Ebene der Sprachauffassung fortgesetzt, etwa zeitgleich mit Bachtins Arbeiten zum »dialogischen Wort«, die die sprachliche Seite dessen behandeln, was Bachtin dann als »karnevalistisches Prinzip« entwerfen wird.

Das viktorianische England steht der ant. K. fern. Eine ungemein kenntnisreiche Würdigung des Aristophanes – allerdings mit dem Tenor einer Abwertung gegenüber Euripides – hat Robert Browning in seinem Versepos *Aristophanes' Apology including a Transcript from Euripides; being the Last Adventure of Balaustion* (1875) gegeben. Zu Recht wurden George Bernard Shaws K. aufgrund ihrer satirischen Schärfe, ihres Spotts wie ihrer vielfältigen Verfahren der → Parodie mit Aristophanes in Verbindung gebracht, wobei allerdings die Fundierung dieser *vis comica* in einem appellativen rationalen

Optimismus auch eine unüberbrückbare Distanz markiert. Im Zitatenuniversum von Joyce' *Ulysses* (1922) fehlen aristophanische K. nicht. Bemerkenswert sind die ästhetischen Verfahren, die aus diesen entwickelt werden: Hinwendung zum Häßlichen/Ekelhaften (Zitat aus den *Ekklesiazusen*), das Verfahren des inneren Monologs (Zitat aus den *Wolken*). T. S. Eliot verfährt in dem Dramenfragment *Sweeney Agonistes. Fragments of an Aristophanic Melodrama* (1926/27) umgekehrt: zeitgenössische Figuren und Problemstellungen werden in Formen der aristophanischen K. gegossen.

Die poetische Mediatisierung von Wesenszügen der aristophanischen K. setzt sich in der Lit. nach 1945 fort, wobei Friedrich Dürrenmatt (*Theaterprobleme*) und Elias Canetti (*Die Fackel im Ohr*) bes. markante und wirkungsreiche Positionen einnehmen. Beide berufen sich in einer je eigenen *Poetik des Einfalls* auf Aristophanes.

Mit der gebotenen Relativierung von Typenbildungen lassen sich für die Aneignung der aristophanischen und der lat. K. seit dem 18. Jh. zwei grundlegend verschiedene, dabei erstaunlich konstant sich durchhaltende Typen erkennen: seriell in die aneignende Welt verweisend die eine, überbietend, auf die vorgegebene Figur oder Problemkonstellation neu zurückweisend die andere. Die Aneignung der aristophanischen K. geschieht so, daß poetische Wesenszüge oder ein bestimmter Stoff, ein Motiv, ein Einfall in die aneignende Konstellation eingebracht wird, wo er wie ein Katalysator bestimmte poetische Verfahren generiert, konturiert oder bekräftigt (der Fall der poetischen Mediatisierung) oder jeweils zur Debatte stehende Verhältnisse oder Problematiken (z. B. die Friedenssehnsucht oder das Evasionsbedürfnis einer Zeit, Gesellschaft, geistigen Strömung) kenntlich macht. Die Aneignung geschieht jeweils auf die aneignende Welt hin; so stehen die Adaptionen seriell nebeneinander. Die analytische Kraft der Aneignung ist dabei um so größer, je schärfer die originale Konstellation beibehalten wird. Darum wurde Peter Hacks' Adaption des *Frieden(s)* in der Inszenierung von Benno Besson (1962) zu einem der größten Theatererfolge in der Geschichte der → DDR, während Hacks' Adaption der *Vögel* (1975) wie zuvor schon Karl Kraus' Adaption *Wolkenkuckucksheim* (1923) mißlangen. Die häufigen Lysistrate-Bearbeitungen zeigen entsprechend der genannten »Regel« polit.-analytische Kraft (Fritz Kortner: *Die Sendung der Lysistrata*, 1961) oder bloße Programmatik (Rolf Hochhuth: *Lysistrate und die Nato*, 1973, Walter Jens: *Die Friedensfrau*, 1986). Die Aneignung der lat. K. geschieht so, daß der einmal eingeführte Figurentypus (der Selbstquäler/Menschenfeind, der Prahlhans, der Geizige usw.) oder die einmal gefundene Konstellation für eine Problemstellung (Amphitryon/das Problem der Identität, Menaechmi/die Verrätselung der Welt) durch jede neue Aneignung schärfer, also die früheren überbietend, herauszuarbeiten gesucht wird. Die Aneignung geschieht auf das Vorgegebene hin, die jeweils anderen Bedingungen oder Verhältnisse der Aneignung werden zur Chance,

die Fragen noch genauer oder schärfer zu stellen, die Versuchsanordnung noch komplexer anzulegen, bisher noch nicht berücksichtigte Perspektiven oder Problemhorizonte hinzuzufügen. Amphitryon ist hierfür das bekannteste Beispiel, ein anderes wären Selbstquäler-K. (z. B.: Menander *Dyskolos*, Terenz *Heautontimorumenos*, Shakespeare *Timon of Athens*, Molière *Le Misanthrope*, Nestroy *Der Zerrissene*, Hofmannsthal *Der Schwierige*).

Die überaus produktive, reiche und vielfältige Wirkungsgeschichte der ant. K., ihre Begründung der neuzeitlichen europ. K. und ihre fortgesetzte Ausstrahlung auf diese sowie ihr Fortwirken in Grundorientierungen der poetischen Theorie und Praxis allg., die ihresgleichen in den anderen Gattungen nicht hat, ist selbst eine Verwirklichung des Komischen, seiner Einheit von Grenze-Setzen (als Verlachen) und Aufheben von Grenzen (als frei setzendes Lachen) in der komischen Lust als Lust des zum anderen sich öffnenden statt eines sich in sich verschließenden Körpers.

→ AWI Dionysos; Komödie
→ Deutschland; Frankreich; Griechische Komödie; Italien; Lateinische Komödie; United Kingdom

1 N. ALTENHOFER (Hrsg.), K. und Ges. K.-Theorien des 19. Jh., 1973 2 G. ATTINGER, L'esprit de la Commedia dell'arte dans le théâtre français, 1950 3 R. BAADER (Hrsg.), Molière, 1980 4 M. BACHTIN, Die Ästhetik des Wortes, hrsg. von R. GRÜBEL, 1979 5 Ders., Lit. und Karneval. Zur Romantheorie und Lachkultur, 1990 6 K.-H. BAREISS, Comoedia. Die Entwicklung der K.-Diskussion von Aristoteles bis Ben Jonson, 1982 7 R. BAUER, Die K.-Theorie von J. M. R. Lenz, die älteren Plautuskomm. und das Problem der »dritten« Gattung, in: S. A. CORNGOLD et al. (Hrsg.), Aspekte der Goethezeit, 1977 8 Ders., »Plautinisches« bei Jakob Michael Reinhold Lenz, in: H. MAINUSCH (Hrsg.), Europ. K., 1990 9 H.-D. BLUME, Plautus und Shakespeare, in: A&A 15, 1969 10 F. S. BOAS, Shakespeare and his Predecessors, o.J. 11 R. W. BOND, Early Plays from the Italian, 1911 12 C. H. CONLEY, The First English Translators of the Classics, 1927 13 K. O. CONRADY, Zu den dt. Plautusübertragungen. Ein Überblick von Albrecht von Eyb bis zu J. M. R. Lenz, in: Euphorion 48, 1954 14 H. FLASHAR, Inszenierung der Ant. Das griech. Drama auf der Bühne der Neuzeit, 1991 15 P. FRIEDLÄNDER, Aristophanes in Deutschland. Stud. zur ant. Lit. und Kunst, 1969 16 B. GREINER, Die K. Eine theatralische Sendung (= Grundlagen und Interpretationen), 1992 17 R. L. GRISMER, The Influence of Plautus in Spain before Lope de Vega, 1944 18 M. T. HERRICK, Italian Comedy in the Ren., 1960 19 W. HINCK, Das dt. Lustspiel des 17. und 18. Jh. und der it. Commedia dell'arte und théâtre italien, 1965 20 K. HÖLZ, Die gespaltene Ordnung in Molières K. oder vom problematischen Grund des Lachens, in: Romanistische Zschr. für Literaturgesch. 4, 1980 21 H. R. JAUSS, Poetik und Problematik von Identität und Rolle in der Gesch. des Amphitryon, in: O. MARQUARD, H. STIERLE (Hrsg.), Identität, 1979 22 W. KRÖMER, Die it. Commedia dell'arte, 1976 23 E. LEFÈVRE, Röm. und europ. K., in: Ders. (Hrsg.), Die röm. K.: Plautus und Terenz, 1973 24 L. E. LORD, Aristophanes, his plays and his influence, 1925 25 V. PANDOLFI, La Commedia dell'Arte. Storia e testo,

1957–1961 **26** W. Preisendanz, R. Warning (Hrsg.), Das Komische, 1976 **27** U. Profitlich (Hrsg.), K.-Theorie. Texte und Komm. Vom Barock bis zur Gegenwart, 1998 **28** D. Radcliff-Umstead, The Birth of mod. Comedy in Ren. Italy, 1969 **29** C. v. Reinhardsstoettner, Plautus. Spätere Bearbeitung plautinischer Lustspiele, 1886 (Ndr. 1980) **30** L. Salingar, Shakespeare and the traditions of comedy, 1974 **31** I. A. Schwartz, The Commedia dell'arte and its influence on French Comedy, 1933 **32** A. Stäuble, La Commedia umanistica del Quattrocento, 1968 **33** W. Süss, Aristophanes und die Nachwelt, 1911 **34** J. M. Walton, Living Greek Theatre, 1987 **35** O. Weinreich, Zur Gesch. und zum Nachleben der griech. K., in: Aristophanes, Sämtliche K., übertragen von L. Seeger, 1968.                    BERNHARD GREINER

## Konsolationsliteratur  A. Grundzüge der Rezeption  B. Gattungen  C. Epochen und Hauptwerke

### A. Grundzüge der Rezeption

Aufgrund ihrer unmittelbaren Relevanz für die Lebenspraxis ist der K. auch und gerade in ihren auf die Ant. zurückgehenden Formen ein ungebrochenes Fortleben in MA und Neuzeit gesichert. Das Corpus zeigt im Laufe der Epochen allerdings eine zunehmende formale wie inhaltliche Auffächerung. Zudem werden die Gattungen der K. je unterschiedlich breit rezipiert. Mit dem Christentum steht der säkularen ant. K. außerdem eine theologische K. gegenüber, die, von einer entsprechenden Traktat- und Brieftrad. abgesehen, im breiten Strom der Predigtlit. zu fassen ist und eine ebenfalls kontinuierliche Geschichte aufweist. Eine weitere christl. Neuform von K. entwickelt die hochma. dt. Mystik (vgl. Meister Eckharts *Buch der göttlichen Tröstung* [7. 308 ff.] und Heinrich Seuses Trostbrief an Elsbeth Stagel, Gr. Briefbuch, Nr. 12; [1. 1050]). Seit dem Spät-MA zeigt sich die überaus fruchtbare Tendenz, traditionelle Formen und Topoi der K. in anderen Textgattungen kreativ weiterzuentwickeln.

### B. Gattungen

Die Gattungen der K. sind mit der Ant. im wesentlichen ausentwickelt. Den engeren thematischen Focus der K. bildet die *consolatio mortis*, die als Trauerrede, Trostbrief oder Trostgedicht anläßlich eines Todesfalls an eine bestimmte, meist höhergestellte Person gerichtet ist. Im Thema flexibler und ergiebiger ist die philos. *consolatio*. Sie setzt sich systematisch mit Wesen und Überwindung der Trauer auseinander. Auch hier kann ein individueller Unglücksfall, nicht selten des Autors selbst (meist Gefangenschaft oder Exil), den Anlaß geben. Die philos. *consolatio* bedient sich häufig des Dialogs. Das prägende Vorbild der ma. und neuzeitlichen Trostb. ist allerdings kein ant. Text, sondern die *Consolatio Philosophiae* des Boethius. Die zweite zentrale Gattung der philos. *consolatio* ist der Brief (mit Cicero und Seneca als den wesentlichen Vorbildern), wobei der Beitrag der K. zur Entwicklung des Kunstbriefes hoch einzuschätzen ist. Für die poetische K. (v. a. das *Epice-dium*) sind schließlich → Elegie und Epigramm (→ Epigrammatik) die wichtigsten Gattungen; ant. Vorbilder sind hier v. a. die pseudo-ovidische *Consolatio ad Liviam* und Statius' *Silvae*.

Auf eine kontinuierliche Rezeptionsgeschichte kann für den Trostbrief verwiesen werden. Die Trostb. im engeren Sinn dominieren v. a. das MA. Das Fortleben der ant. poetischen K. ist aufs engste mit den Rezeptionsphasen des ant. lyrischen Formenkanons verbunden. Alle Epochen und Gattungen hindurch präsent bleibt eine letztlich auf die Ant. zurückgehende Trosttopik [2. 90 ff.].

Was den eigentlichen Exordialtopos, den Traueranlaß betrifft, so suggeriert die K., einen individuellen Fall zu behandeln, den sie zugleich zum exemplarischen Casus stilisiert. Die scheinbare Diskrepanz kulminiert im intimen Ton der K. einerseits und in einer geradezu mustergültigen rhet. und topischen Durchorganisation des Genres andererseits. Der dialektische Schritt von Individualität zu Exemplarität, der als grundlegende lit. Strategie zu begreifen ist und den Prozeß der Identifikation verantwortet, wird damit in der K. beispielhaft vollzogen. Insofern stellt die K. ein lit. Phänomen dar, dessen poetologische Brisanz noch nicht ausreichend gewürdigt wurde. In dieser Brisanz ist wohl auch der Grund dafür zu sehen, daß zentrale Werke der europ. Literaturgeschichte ihren thematischen Ausgangspunkt in der *consolatio* finden.

### C. Epochen und Hauptwerke

#### 1. Mittelalter

Den Schwellentext der K. zwischen Ant. und MA bildet die *Consolatio Philosophiae* des Boethius (534 kurz vor seiner Hinrichtung verfaßt). Sie führt ant. konsolatorische Thematik und Topik systematisch zusammen und gelangt dabei zu einer umfassenden Lebensethik und zu einer knappen Metaphysik, die ganz der spätant. säkularen Philos. (v. a. dem Neuplatonismus) verpflichtet sind, allerdings problemlos christl. verstanden werden können. So konnte die Trostschrift zugleich zum konzisen Lehrb. ant. Philos. avancieren. Mit dem sog. Prosimetrum, der Ergänzung diskursiver Prosapartien durch *carmina*, findet sie zu einer durchschlagenden formalen Lösung. Allegorisierung, Mythendeutung und Dialog (des Autors mit der personifizierten Philos.) basieren zwar auf ant. Vorbildern, weisen zugleich aber auf zentrale hermeneutische und rhet. Verfahren des MA voraus. Dies alles erklärt den Erfolg des Textes, der zum Fortleben der ant. philos. K. wesentlich beitrug und sich in einer umfassenden Übersetzungs-, Übertragungs- und Kommentierungstrad. niederschlägt [4]. In der Nachfolge des Boethius stehen zahlreiche weitere lat. Trostb. ab dem 11. Jh. [1. 1048 f.].

Daneben existiert seit dem Früh-MA eine breite Trad. lat. (ab dem 12. Jh. auch volkssprachlicher, zuerst frz.) Trostbriefe und Trostgedichte, die auf ant. (Cicero, Seneca, Statius) oder auch patristische Vorbilder (Ambrosius, Hieronymus, Augustinus) zurückgreifen [6].

Das Hoch-MA entwickelt eine spezifische Form der K. im Rahmen des höfischen Liebesdiskurses, deren ant. Basis Ovids *Ars Amatoria* und *Remedia amoris* bilden. Ma. Beispiele geben der Briefwechsel von Abaelard und Heloïsa (um 1135?) und der Traktat *De Amore* von Andreas Capellanus (um 1185). Fälle, Mittel und Topoi dieser *consolatio amoris* durchdringen Roman, Lyrik und Liebesdidaxe. In einem Lied des dt. Minnesängers Heinrich v. Morungen (Des Minnesangs Frühling XXII; E. 12. Jh.) erscheint etwa die Geliebte in der Manier der Boethianischen Philos. dem liebesleidenden Sänger, um ihn zu trösten.

### 2. RENAISSANCE, HUMANISMUS UND BAROCK

Den Übergang zur Neuzeit markiert eine Reihe von Texten, die den engeren Rahmen der K. sprengen und auf ihre vielfältigen Entwicklungsmöglichkeiten vorausweisen. So bildet eine Mischung aus höfischer *consolatio amoris* und philos. *consolatio mortis* den thematischen Kern von Dantes *Vita Nova* (um 1290). Die *consolatio* wegen Beatrice wird zur *consolatio* durch Beatrice in der *Commedia* (1307–1321), in der Trost überhaupt eines der Leitthemen darstellt. Eine konsolatorische Schrift im engeren Sinn ist Petrarcas umfassendes allegorisches Dialogwerk *De remediis utriusque fortune* (1366; bestehend aus 122 Dialogen zw. *Ratio* und *Gaudium* und 132 Dialogen zw. *Ratio* und *Dolor*) [5]. Sein *Canzoniere* (ca. 1327–1374) vermittelt die Topik der höfischen *consolatio amoris* an die Liebeslyrik des Barock.

Für die dt. Lit. bietet der *Ackermann* des Johannes v. Tepl (um 1401) ein eigenwilliges Zeugnis früher human. K. Die *consolatio mortis* wird hier nicht in Form eines Trostdialogs, sondern einer *altercatio*, eines Streitgesprächs zw. dem um seine Frau trauernden Dichter und dem Tod, gegeben. Freilich steht der Text ebenso unter dem Einfluß genuin spätma. Todesthematik, wie sie in der *Ars moriendi* und im Totentanz greifbar ist. Neben den Beitr. von Erasmus [3. 371] findet die human. K. einen Höhepunkt in dem systematischen *Dyalogue of Comfort agaynst Tribulacion [etc.]* (mit fiktiven Sprechern), den Thomas More 1534 im Tower kurz vor seiner Hinrichtung (1535) fertiggestellt hat (schon dies weist auf die enge Beziehung zu Boethius hin). Neben traditionellen konsolatorischen Passagen, die Mores Widerstand gegen die Königsgewalt im Sinne einer philos., im Unterschied zu Boethius allerdings explizit christl. Lebensethik rechtfertigen, widmet sich die Schrift unter anderem auch Fragen der Staatstheorie.

Konsolatorische Topik durchzieht insbes. die Barocklyrik, in der dt. Lit. aufgrund der Erfahrung des Dreißigjährigen Krieges oft verbunden mit dem (christl.) Vanitastopos und nicht nur auf den individuellen Trauerfall, sondern auch auf das Geschick des Landes bezogen. Zu nennen sind A. Gryphius' Sonett *Tränen des Vaterlandes* (1636) und v. a. M. Opitz' *Trost-Gedichte in Widerwertigkeit des Krieges*, eine poetische Trostschrift in 4 B. (1621). Opitz verfaßte auch mehrere nlat. *Epicedia*, darunter *O clara divae stella* anläßlich des Todes von Sophie Elisabeth v. Anhalt-Dessau (1622).

### 3. AUFKLÄRUNG, 19. UND 20. JAHRHUNDERT

Erklärtes lebenspraktisches Ziel der ant. philos. K. ist es, Trauer als Affekt durch rationale Überlegung zu kompensieren. Daher ist *consolatio* auch ein zentrales Thema aufklärerischer Lit. und Philos., Beispiele geben unter anderem D. Diderot und I. Kant [8. 1526]. Als pointiert säkulare Auseinandersetzung mit einer tröstlichen christl. Moralphilos. und Metaphysik läßt sich Voltaires *Candide* (1759) verstehen. Ein parodistischer Katalog von K. und Trosttopik findet sich im *Tristram Shandy* von L. Sterne (5. B., 3. Kap.; 1759–1767).

Eine interessante Weiterentwicklung der poetischen K. bringen Elegie und elegische Dichtung des dt. Idealismus. Sie eröffnen die K. mit F. Schillers *Nänie* (1800) oder *Die Götter Griechenlands* (mit dem Verlust der Ant. selbst als konsolatorischem Thema; 1788/1800) eine geschichtsphilos. Perspektive, die auch in Novalis' *Hymnen an die Nacht* (unter dem Eindruck des Todes seiner Geliebten Sophie v. Kühn 1797 verfaßt) von einer *consolatio mortis* ausgeht.

Die Krise traditioneller Rhet. im Laufe des 18. Jh. bringt auch eine Krise traditioneller K., wie sie punktuell etwa in Goethes *Werther* greifbar wird. Der Prozeß mündet in einer grundsätzlichen Skepsis gegenüber einer systematisch argumentierenden K. bei A. Schopenhauer und F. Nietzsche, der immerhin (im Bonmot) eine epikureische Haltung gelten läßt (Menschliches, Allzumenschliches II.2, 7) [8. 1526]. Vom Weiterleben in trivialen Formen abgesehen markiert das 20. Jh. aufgrund histor. Erfahrungen und ästhetischer und philos. Entwicklung das E. konventioneller konsolatorischer Gattungen und Topoi, wenngleich Exil- und Holocaustlit. bedingt als Neuformen angesehen werden könnten und Trost weiterhin zentrales Thema von Philos. und Lit. (bes. der Brieflit.) sowie Anliegen von Psychotherapie und Pastoraltheologie bleibt.

→ AWI Ambrosius; Augustinus; Boethius; Brief; Cicero; Dialog; Hieronymus; Neuplatonismus; Ovidius Naso; Seneca

1 G. BERNT, L. GNÄDINGER, R. GLEISSNER, W. SCHMIDTKE, s. v. Trostb., LMA 8, 1048–1051 2 E. R. CURTIUS, Europ. Lit. und lat. MA, ¹¹1993 3 A. GRÖZINGER, s. v. Consolatio, Hist. WB der Rhet. 2, 367–373 4 M. HOENEN, L. NAUTA (Hrsg.), Boethius in the Middle Ages, Latin and Vernacular Traditions of the Consolatio Philosophiae, 1997 5 G. W. McCLURE, Sorrow and Consolation in Italian Humanism, 1991 6 P. v. MOOS, Consolatio, Stud. zur mittellat. Trostlit. über den Tod und zum Problem der christl. Trauer, 4 Bde., 1971/72 7 K. RUH, Gesch. der abendländischen Mystik, Bd. 3, 1996 8 F.-B. STAMMKÖTTER, s. v. Trost, HWdPh 10, 1524–1527.     MANFRED KERN

**Konstantinische Schenkung.** K. S. ist die geläufige Bezeichnung für eine zw. der Mitte des 8. und des 9. Jh. wahrscheinlich in Rom gefälschte Urkunde, deren Hersteller den Eindruck erweckt, es handele sich bei ihr um die Abschrift einer Vorlage aus der Zeit Konstantins d. Gr., in der der Kaiser das Imperium über die westl. Hälfte des Reiches und den Primat über alle Bistümer (*super omnes in universo orbe terrarum ecclesias Dei*) auf Papst Silvester I. und seine Nachfolger überträgt. Diese besser als *Constitutum Constantini* bezeichnete Urkunde besteht aus zwei Teilen: 1. der *Confessio*, worin der Kaiser seine Heilung vom Aussatz durch die von Silvester empfangene Taufe beschreibt, und die mit dem Glaubensbekenntnis endet; 2. der eigentlichen *Donatio*, in der von der Übertragung der Insignien weltlicher und geistlicher Macht auf den Papst und der Verleihung senatorischen Ranges an den röm. Klerus die Rede ist.

Die älteste bekannte Textfassung der K. S. ist enthalten in der aus der Mitte des 9. Jh. stammenden Sammlung der Pseudoisidorischen *Dekretalen*, doch finden sich Hinweise dafür, daß es noch ältere Texte gegeben haben muß. Die wesentlichen Teile der *Donatio* sind als *Palea* in das *Decretum Gratiani* eingegangen. In dieser Gestalt bestimmte die Urkunde im MA die Diskussion unter Theologen und Juristen.

Seit dem Investiturstreit begründeten die Päpste ihren Anspruch auf eine Suprematie gegenüber dem Kaiser auch mit der K. S. Die dadurch ausgelöste Kritik richtete sich nicht gegen die Echtheit des Textes, sondern gegen seinen Inhalt. Sie wurde sowohl von Theologen als auch von Juristen erhoben. Aus theologischer Sicht war die Berufung auf die K. S. deshalb nicht unproblematisch, weil nach ihr der Papst seine geistliche und weltliche Macht einem Geschenk des Kaisers und nicht göttlicher Einsetzung verdankte. Seit Leo IX. reagierte die Kirche auf diesen Einwand in der Weise, daß sie die K. S. als Rückgabe einer urspr. von Christus dem Papst verliehenen Machtvollkommenheit durch den Kaiser deutete. Im Wege der *translatio imperii* habe dann der Papst seinerseits wieder die weltliche Macht auf den Kaiser übertragen. Weitere Einwände waren verbunden mit dem Vorwurf, die Verleihung der Insignien weltlicher Macht an die Päpste habe diese dazu veranlaßt, ihr Petrusamt zu vernachlässigen (Bernhard v. Clairvaux). Auch von Ketzern und frühreformatorischen Bewegungen (Waldenser, Hussiten, Wyclif) wurden solche Einwände erhoben. Manche Juristen (Baldus u. a.) bezweifelten die rechtliche Gültigkeit der K. S.; v. a. der *Augustus*-Titel hätte ihrer Meinung nach Konstantin daran hindern müssen, einen Teil des Reiches zu verschenken. Letztlich verwiesen die Juristen die K. S. aber doch eher in den Bereich des Glaubens als in den des Rechts. Schon Nikolaus v. Kues hatte darauf hingewiesen, daß es sich bei der K. S. um eine Fälschung handeln müsse (*De concordantia catholica*, 1433). Größere Beachtung fand dieser Nachweis aber erst durch die Schrift Lorenzo Vallas *De falso credita et ementita Constantini donatione* (1440, erste anon. Ed. 1506). Vallas Kritik beruhte auf einer histor.-philol. Analyse des Textes. Dabei ging es ihm um die Aufdeckung der Wahrheit als Beitrag zur Kirchenreform, nicht um eine Polemik gegen den Papst. Erst die Neuausgabe der Schrift von Valla durch Ulrich v. Hutten (1518 und 1519) sorgte für ihre weite Verbreitung. Luther sah sich durch sie in seiner grundsätzlichen Kritik am Papsttum bestätigt.

QU 1 H. FUHRMANN, Constitutum Constantini, MGH, Fontes iuris Germanici antiqui X, 1968 (Einleitung und Text)

LIT 2 D. MAFFEI, La Donazione di Costantino nei giuristi medievali, 1964 3 H. FUHRMANN, K. S. und abendländisches Kaisertum, in: Dissertation Abstracts 22, 1966, 63–178 4 Ders., Pseudoisidor und das Constitutum Constantini, in: In Iure Veritas: Studies in Canon Law in Memory of Schafer Williams, STEVEN B. BOWMAN, BLANCHE E. CODY (Hrsg.), 1991, 80–84 5 J. PETERSMANN, Die kanonistische Überlieferung des Constitutum Constantini bis zum Dekret Gratians, in: Dissertation Abstracts 30, 1974, 356–446 6 W. SETZ, Lorenzo Vallas Schrift gegen die K. S., 1975 7 E.-D. HEHL, 798 – ein erstes Zitat aus der K. S., in: Dissertation Abstracts 47, 1991, 1–17.

CHRISTOPH BERGFELD

## Konstantinopel A. EINLEITUNG B. KONSTANTINOPEL IN DER POLITISCHEN PROPAGANDA C. DIE VOLKSTÜMLICHE REZEPTION KONSTANTINOPELS D. KONSTANTINOPEL MIT FREMDEN AUGEN GESEHEN E. KONSTANTINOPEL ALS KULTURELLES VORBILD F. FORSCHUNGSGESCHICHTE

### A. EINLEITUNG

Die städtische Entwicklung K. erreichte ihren Höhepunkt in der Zeit Justinians I. (527–565 n. Chr.), die Bautätigkeit wurde noch bis um 600 fortgesetzt. Die danach beginnende tiefe polit. Krise des byz. Reichs hatte für K. einschneidende Folgen: Wegen der persischen Besetzung Ägyptens endeten 618 die Getreidelieferungen, bei der Belagerung durch die Avaren 626 wurden die Wasserleitungen zerstört. Die Einwohnerzahl, die nach einem Höchststand von ca. 250–300000 im frühen 6. Jh. schon als Folge der Pest von 542 stark gesunken war, reduzierte sich auf etwa 50–70000 Menschen, die für längere Zeit gezwungen waren, sich von Feldern und Gärten in der Stadt oder ihrer unmittelbaren Umgebung zu ernähren. 674–678 und 717/18 überstand K. Belagerungen durch die Araber, 860 durch die Russen. Seit der Mitte des 8. Jh. begann die Stadt, sich langsam zu erholen, erreichte aber ihren alten Bevölkerungsstand nicht mehr. Viele Großbauten der Frühzeit waren verfallen; die Wasserleitungen wurden zwar teilweise erneuert, die großen Thermen aber nicht wieder in Betrieb genommen. Das Stadtbild wurde zunehmend von einer Vielzahl kleiner Kirchen und Klöster geprägt, die oft anstelle zerstörter älterer Bauten errichtet wurden. Mit der polit. Stabilisierung des Reichs seit dem späten 9. Jh. kamen Ausländer in größerer Zahl in die Stadt. Im 10.–12. Jh. stellten überwiegend Russen, Wikinger und Engländer die kaiserliche Leibgarde. Seit 1082 besaß Venedig in K. eine Handelsniederlassung, andere it. Städte folgten. Die wachsende Dominanz der Italiener im Handel führte gemeinsam mit der rel. Spaltung zw. Katholiken und Orthodoxen zu einer Verschlechterung des Verhältnisses zur einheimischen Bevölkerung, die sich 1183 in einem schweren Pogrom

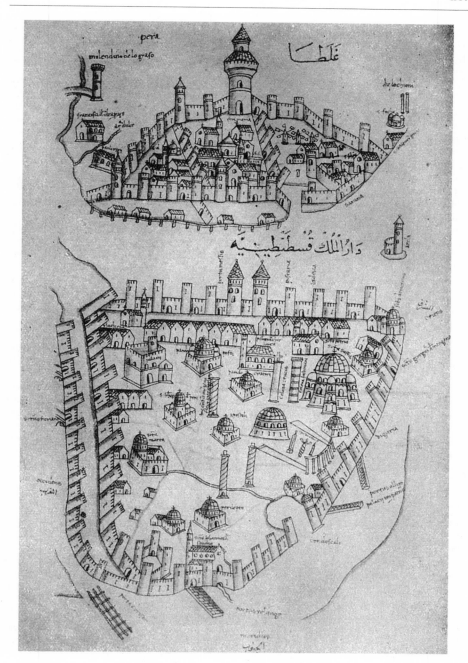

Abb. 1: Die älteste Stadtansicht Konstantinopels, von Süden aus der Vogelschau,
im Reisebericht des Christoforo Buondelmonti, Codex Par. lat. 2383.
Istituto di Studi Bizantini e Neoellenici a cura di Silvio Guiseppe Mercati, Rom

entlud. 1203 und 1204 wurde K. von den Venezianern
und den Kreuzfahrern des vierten Kreuzzugs besetzt
und dabei durch mehrere Großbrände verwüstet. Als
Hauptstadt eines »lat.« Kaiserreichs verfiel K. rasch,
Kunstschätze und Reliquien wurden in großem Umfang nach Westeuropa gebracht. Nach der Rücker-

oberung durch die Byzantiner 1261 kam es nur zu einem
vorübergehenden Aufschwung, dann verfiel K. endgültig, während die gegenüberliegende genuesische
Stadt Pera (Galata) aufblühte. K. war zuletzt nur noch
ein ummauertes Agglomerat von Dörfern inmitten von
Gärten, Feldern und Waldstücken. Etwa seit 1360 war

die Stadt durch die osmanischen Türken auf der Landseite abgeschnitten und nur noch mit dem Schiff erreichbar. 1453 wurde K. schließlich von ihnen eingenommen und zur Hauptstadt des osmanischen Reichs, doch lebte in der Stadt weiter eine große griech. Minderheit.

## B. Konstantinopel in der politischen Propaganda

K. war seit dem späten 4. Jh., bes. aber seit dem Verlust der konkurrierenden Metropolen Antiocheia und Alexandreia im 7. Jh., das unbestrittene polit. Zentrum des byz. Reichs. Die Propagierung K. als Zweites, dann als Neues Rom spielt im 4. und 5. Jh. eine bedeutende polit. Rolle; die Bezeichnung ist in der Titulatur des Patriarchen von K. bis h. erhalten [4. 43–47, 454–461]. Eine Folge der Analogie zu Rom ist die frühbyz. Einteilung der Stadt in 14 Regionen; als Sieben-Hügel-Stadt wird K. dagegen erst seit dem späten 7. Jh. in apokalyptischen Texten bezeichnet. In Lobreden wird K. als Kaiserstadt, Auge des Erdkreises oder gottbeschützte Stadt verherrlicht [6]. Im traditionellen ngriech. Sprachgebrauch wird K. schließlich zur Polis, der Stadt schlechthin. Die *Megale Idea* (»große Idee«) einer Wiederherstellung des byz. Reichs mit K. als Hauptstadt hat in der Außenpolitik des mod. Griechenland noch bis zum Zusammenbruch des osmanischen Reichs und dem folgenden Krieg gegen die republikanische Türkei 1919–1923 eine Rolle gespielt.

Ein bewußtes Anknüpfen an die byz. Trad. auf polit. Gebiet ist von dem osmanischen Eroberer Mehmet II. Fatih (1451–1481) in Ansätzen versucht worden, stand aber im Widerspruch zur islamischen Staatsreligion und wurde nach seinem Tod nicht mehr verfolgt.

## C. Die volkstümliche Rezeption Konstantinopels

Hauptquelle für die volkstümliche Rezeption K. im MA sind die sog. *Patria Konstantinupoleos* [1; 13], eine zuletzt um 990 redigierte, im Charakter zw. einer Lokalgeschichte und einem Fremdenführer stehende Sammlung von kurzen Texten zu den Monumenten K., in die auch die *Parastaseis syntomoi chronikai* aus dem frühen 9. Jh. [2] und die im Kern wohl noch auf das 6. Jh. zurückgehende legendäre Geschichte vom Bau der Hagia Sophia [16] aufgenommen sind.

Das Bedürfnis nach histor. Legitimierung der polit. Rolle als Hauptstadt führte zu einer ausgedehnten Legendenbildung über die griech. und röm. Zeit. Es entstand der Gedanke einer Dreiheit von Gründern: Byzas, dem legendären Stadtgründer des 7. Jh. v. Chr., Kaiser Septimius Severus, der Byzanz nach einem Bürgerkrieg 196 zerstören und angeblich wieder aufbauen ließ, und Konstantin dem Großen [5. 61–97]. Die Propagierung K. als Neuem Rom schlägt sich in verschiedenen volkstümlichen Trad. nieder, u. a. wird Konstantin die Besiedlung von K. mit Mitgliedern der stadtröm. Aristokratie zugeschrieben. Die Vorstellung, daß mit der Gründung der Stadt der Herrschaftsanspruch der Trojaner wieder an den Ort seines Ursprungs zurückgekehrt sei, führt zum einen zur Legende über eine gescheiterte erste Gründung Konstantins bei Troja, zum anderen über die heimliche Übertragung des Palladions aus Rom nach K.

Neben der polit. Legitimation steht die rel., die u. a. durch Auffindungen und Translationen wichtiger Reliquien nach K. bewirkt wurde. Die Worte ›Salomo, ich habe dich besiegt‹, die Kaiser Justinian nach der Legende beim ersten Betreten der Hagia Sophia sagte, haben möglicherweise einen histor. Kern darin, daß mit dem Neubau die kurz zuvor tatsächlich nach den Maßen des Jerusalemer Tempels errichtete Polyeuktoskirche in K. übertroffen werden sollte [5. 303–309]. Sie sind aber dann in der Legende die Grundlage für einen weitgehenden ideologischen Vergleich des Tempels mit der Hagia Sophia geworden. Bei der Rezeption durch den Islam und bes. die osmanischen Türken nach 1453 wird Justinian manchmal vollständig durch die Gestalt Salomos verdrängt [17. 99–153].

Die Legende vom Bau der Hagia Sophia gibt verschiedene Gegenden des Reichs und ant. Tempel als Quelle für das Baumaterial an, obwohl gerade diese Kirche als eine der letzten nicht überwiegend mit → Spolien gebaut war. Der Grund dafür ist, daß in den zahlreichen Ruinen aus der frühbyz. Zeit fast unbeschränkt Baumaterial zur Verfügung stand und daher in fast allen Bauten seit dem 7. Jh. als Spolien verwendet wurde, so daß schließlich eine andere Bauweise nicht mehr vorstellbar war. Die Märtyrerkirchen des Menas und des Mokios wurden einmal wohl wegen der Verwendung von Spolien, zum anderen wegen der Vorstellung einer Kultsubstitution in der späteren Legende als umgebaute ant. Tempel ausgegeben. Der arch. Befund zeigt, daß alte Bauglieder häufig an verdeckter Stelle im Fundament usw. eingesetzt wurden und nur selten bewußt als architektonisches Zitat. Ein Sonderfall ist der für den kaiserlichen Gebrauch reservierte Porphyr, der wegen seiner ideologischen Funktion und weil er im wesentlichen über Rom nach K. kam, von den Quellen oft »röm. Stein« genannt wird.

Viele ant. Standbilder, die als Spolien aus dem ganzen Reich nach K. gekommen waren, werden in der volkstümlichen Lit. später als Personen der lokalen Geschichte, zumeist Kaiser, umgedeutet. Ein Beispiel ist die h. in San Marco in Venedig erhaltene Tetrarchengruppe vom Eingang des Kapitols von K., die spätestens seit dem 9. Jh. als Darstellung der brüderlichen Liebe der Söhne Konstantins des Großen galt und deshalb allg. als Philadelphion bezeichnet wurde. Andererseits werden frühbyz. Kaiserstatuen später auch als biblische Gestalten gedeutet, so eine Statue von Theodosios I. auf dem Platz Tauros wegen ihrer nach Südosten erhobenen Hand als Josua, eine andere in der Basilika als neidisch auf die Hagia Sophia blickender Salomo. Der Glaube an die magische Kraft von Statuen breitet sich aus. So wird einigen Skulpturen die Kraft zugeschrieben, die dargestellten Tiere wie Störche, Mücken oder Schlangen von der Stadt fernzuhalten; Talismane dieser Art gelten zunächst als Werke des Zauberers Apollonios von Tyana, in der spätbyz. Zeit werden sie auch Kaiser Leon VI., dem »Weisen«, (886–912) zugeschrieben. Die Anwendung von Sympathiezaubern, bei denen eine durch Magie mit der Statue in Verbindung gesetzte Person geschädigt oder getötet werden soll, hat die Zerstörung einer ganzen Reihe ant. Kunstwerke zur Folge [12. 55–64]. Lat. Inschr. können durch den Verfall der Sprachkenntnisse nicht mehr gelesen werden und werden häufig als Prophezeiungen oder Zaubersprüche gedeutet, die nur Eingeweihten verständlich sind.

## D. KONSTANTINOPEL

### MIT FREMDEN AUGEN GESEHEN

Trotz des Verlusts an Wohlstand gegenüber der frühbyz. Zeit stehen der Reichtum der Stadt, das prunkvolle Hofzeremoniell und die Hippodromspiele im Mittelpunkt der Beschreibungen der Stadt – von dem anon. chinesischen Bericht aus dem 7. Jh. [13] bis hin zu den Historikern der Eroberung von 1204, Geoffrey de Villehardouin und Robert de Clari [15. 540–552]. Die Demonstration von Reichtum beim Empfang ausländischer Delegationen wurde in K. als Mittel der Politik benutzt, wie u.a. aus dem Bericht des dt. Gesandten Liudprand von Cremona (in K. 949 und 968) hervorgeht. Der Bericht des Hārūn ibn-Yaḥyā von 911 begründet eine eigene arab. Erzähltradition über K., in der die oben erwähnten Talismane, später auch die islamischen Prophezeiungen über K. als zukünftige Stadt des Islam eine bes. Rolle spielen; Vertreter sind bes. al-Harawi (E. 12. Jh.), Ibn Baṭṭūṭa (in K. um 1332) und al-Wardī (15. Jh.) [15; 17. 85–93, 99–111]. Seit dem späten 11. Jh. tritt in den Sagas der Wikinger und den Berichten der Engländer und Kreuzfahrer zunehmend die Rolle K. als Aufbewahrungsort von Reliquien in den Vordergrund. Regelrechte Pilgerreisen nach K. aus überwiegend rel. Motiven werden aber erst später, hauptsächlich von Russen, unternommen; Antonij von Novgorod besuchte die Stadt 1200, kurz bevor zahlreiche Reliquien von den Kreuzfahrern in den Westen verschleppt wurden, die übrigen russ. Pilger kamen im 14. und 15. Jh. nach K. [11].

Als Folge der ost-westl. Konfrontation zur Zeit der Kreuzzüge wird die Darstellung der Stadt K. ebenso wie die des ganzen byz. Reichs in den westl. Quellen seit dem 12. Jh. zunehmend negativer. In den Berichten von Reisenden der Spätzeit wie Ruy Gonzalez de Clavijo (1403), Cristoforo Buondelmonti (1422), Hans Schiltberger (1427), Bertrandon de la Brocquière (1433) und Pero Tafur (1438) wird übereinstimmend der Verfall der Stadt, die angebliche Sittenlosigkeit der Bewohner und ihr Haß auf die Westeuropäer beschrieben [15. 664–669]. Cristoforo Buondelmontis Schrift [7] nimmt eine Sonderstellung ein durch die beigegebene Stadtansicht, eine Vogelschau von Süden (Abb. 1). Sie ist die älteste Bildquelle über K., die für die histor. Top. von Bedeutung ist, obwohl auch hier die meisten Gebäude stark stilisiert wiedergegeben werden. Die Ansicht wird von den Hss. in zahlreichen unterschiedlich detailreichen Versionen überliefert, die gelegentlich auch noch die ersten osmanischen Bauten berücksichtigen. Buondelmontis Ansicht hat das Bild von K. in Westeuropa bis ins frühe 16. Jh. hinein geprägt, bevor sie von einer neuen, um 1480 entstandenen Ansicht verdrängt wurde, die seit etwa 1530 verbreitet war und h. unter dem Namen des Druckers Andreas Vavassore bekannt ist. Realistische Ansichten der Stadt sind seit der Mitte des 16. Jh. überliefert, als im Stadtbild bereits die großen osmanischen Moscheen dominierten.

### E. KONSTANTINOPEL ALS KULTURELLES VORBILD

Die byz. Kunst übte großen Einfluß auf die orthodox missionierten Völker des Balkans und auf Rußland, aber auch auf den westl. Mittelmeerraum aus. Bes. seit dem 11. Jh. wurden bedeutende Bauten in K. architektonisch imitiert, so der Komplex von Hagia Sophia und nahem Palasttor mit aufgesetzter Kapelle in Kiew und anderen russ. Residenzstädten, oder die kreuzförmige Apostelkirche mit ihren fünf Kuppeln in der Markuskirche von Venedig. Die Hagia Sophia selbst hat in der christl. Baukunst keine Nachfolger gefunden und erst wieder auf die osmanische Moscheenarchitektur eingewirkt.

### F. FORSCHUNGSGESCHICHTE

Die wiss. Erforschung des byz. K. beginnt mit Pierre Gilles (Petrus Gyllius), der mit einer frz. Gesandtschaft nach Istanbul kam und sich dort von 1547 bis 1550 aufhielt. In seiner postum 1561 erschienenen *Topographia Constantinopoleos* [8] verbindet Gilles genaue Beobachtungen des zeitgenössischen Zustands mit der Analyse von schriftlichen Quellen. Im 17. und 18. Jh. entsteht eine größere Zahl von Reiseberichten, die zumeist keine in die byz. Zeit zurückreichende histor. Zielsetzung haben. Eine Ausnahme ist die ausschließlich auf Quellenstudium beruhende *Constantinopolis christiana* von Ch. Du Cange 1682 [3], die für lange Zeit das Standardwerk wird. Erst mit der zunehmenden Öffnung der Türkei im 19. Jh., bes. seit der Restaurierung der Hagia Sophia durch die Schweizer Architekten Gaspare und Giuseppe Fossati 1847–1849, sind die Voraussetzungen für eine breitere wiss. Beschäftigung mit dem byz. K. gegeben, die zunächst vorwiegend von Angehörigen der griech. Minderheit wie dem Patriarchen Konstantios I. (1770–1859) und von in der Stadt lebenden Westeuropäern getragen wird.

1 A. BERGER, Unt. zu den Patria Konstantinupoleos, 1988 2 A. CAMERON, J. HERRIN (Hrsg.), Constantinople in the Eighth Century, 1984 3 CH. DU CANGE, Constantinopolis christiana, in: Historia byzantina, Paris 1682 4 G. DAGRON, Naissance d'une capitale, 1974 5 Ders., Constantinople imaginaire, 1984 6 E. FENSTER, Laudes Constantinopolitanae, 1968 7 G. GEROLA, Le vedute di Costantinopoli di Cristoforo Buondelmonti, in: Studi bizantini e neoellenici 3, 1930, 247–279 8 P. GYLLIUS, De topographia Constantinopoleos, Lyon 1561 9 R. JANIN, Constantinople byzantine, ²1964 10 Ders., La Géographie ecclésiastique de l'empire byzantin, ²1969 11 G. P. MAJESKA, Russian Travelers to Constantinople in the Fourteenth and Fifteenth Centuries, 1984 12 C. MANGO,

Antique Statuary and the Byzantine Beholder, in: Dumbarton Oaks Papers 17, 1963, 53–75 **13** P. SCHREINER, Eine chinesische Beschreibung K. aus dem 7. Jh., in: Istanbuler Mitt. 39, 1989, 493–505 **14** Scriptores originum Constantinopolitanarum, hrsg. von TH. PREGER, 1901–1907 **15** J. P. A. VAN DER VIN, Travellers to Greece and Constantinople, 1980 **16** E. VITTI, Die Erzählung vom Bau der Hagia Sophia, 1986 **17** S. YERASIMOS, Légendes d'empire. La fondation de Constantinople et de Sainte-Sophie dans les traditions turques, 1990.

ALBRECHT BERGER

## Kopenhagen A. VORBEMERKUNG
B. DIE NY CARLSBERG GLYPTOTEKET
C. DANSK NATIONAL MUSEET
D. DAS THORVALDSEN MUSEET

### A. VORBEMERKUNG

Die Stadt Kopenhagen besitzt drei Mus. mit Antikensammlungen, die nur wenige Minuten voneinander entfernt liegen. Die *Ny Carlsberg Glyptoteket* ist das öffentliche Vermächtnis eines einzelnen Sammlers, dessen Stiftung eine Einrichtung von nationaler Bed. schuf. Die Antikensammlung des Nationalmus. baut sich um eine königliche Kollektion auf, die in nationales Eigentum überstellt wurde. Das Thorvaldsen-Mus. schließlich ist ein Personen-Mus., und in dieser Kategorie ein sehr frühes Beispiel für ein Künstler-Mus., vergleichbar dem Pariser *Musée Rodin*.

### B. DIE NY CARLSBERG GLYPTOTEKET

Die *Ny Carlsberg Glyptoteket* (NCG) ist ein staatlich anerkanntes Kunstmuseum. Die Sammlungskategorien umfassen: Klass. Kunst; Ägypten; Naher Osten; Etrurien; frz. und dänische Bildkunst des 19. und 20. Jh. Die Adresse lautet: Dantes Plads 7, DK 1556 Kopenhagen, und die Glyptothek ist im Internet zu erreichen unter: http://www.kulturnet.dk/homes/ncg.

Die NCG ist eine Gründung des Bierbrauers Carl Jacobsen (1842–1914) und seiner Frau Ottilia. Diese großzügige Museumsschenkung ist in der skandinavischen Region h. eines der bedeutendsten Kunst-Museen. Museumsgeschichtlich zählt die NCG zu den bed. Stiftungstaten des Industrie-Mäzenatentums, dessen Aktivitäten in der zweiten H. des 19. Jh bes. in den USA Mus. wie → Boston, → New York oder → Philadelphia ermöglicht haben. Jacobsen selbst war einer der wichtigen Privatsammler des 19. Jh. Sein Interesse galt der Kunst des Mittelmeerraumes ebenso wie der zeitgenössischen Kunst (Rodin, Impressionisten).

Die NCG wurde 1882 auf dem Privatbesitz des Brauers eingerichtet. Im Zusammenhang mit zwei weiteren Schenkungen, 1888 und 1899 (Antiken) verpflichtete Jacobsen die Stadt Kopenhagen und den dänischen Staat, den Bau eines neuen Mus. zu unterstützen. Dieses wurde kurz darauf in Hafennähe, neben dem Tivoli Park, begonnen. 1902 sicherte Jacobsen durch die *Ny Carlsberg Foundation* (benannt nach der Carlsberg-Brauerei) die finanzielle Grundlage des Mus. Seit 1953 handelt die NCG als eigenständige Stiftung unter Aufsicht des Carlsberg Fonds, der Stadt Kopenhagen sowie des dänischen Staates. Im Museumsleben Dänemarks spielt sie neben dem Nationalmus. (s.u.) eine herausragende Rolle.

Die heutige NCG entstand in drei Phasen. Der erste, dreiflügelige Teil (1897) des heutigen Gebäudes stammt von Vilhelm Dahlerup, der es mit einer durch sieben Bögen gegliederten Außenfassade im venezianischen Renaissancestil und einem mittigen röm. »Triumphbogen«-Portal versah. Jacobsens Geschenk an die dänischen Bürger kommt ohne eine großartige »Tempelfront« aus und paßt sich mit seinen Proportionen in seine Umgebung angemessen ein. Dahlerup fügte auch den berühmten Wintergarten (1906) mit der hohen Glaskuppel hinzu, erst dadurch entstand die charakteristische, über dem Haupteingang kulminierende Silhouette. So wurde Jacobsens Vorstellung von einem an L. Klenzes Münchner Glyptothek orientierten Bau durch einen mod. Glaskuppelbau verwirklicht. Gleichzeitig mit dem Wintergarten entstand nach Entwürfen von H. Kampmann der um zwei Innenhöfe gruppierte Gebäudeteil für die Antikensammlung, womit die äußere Größe der Glyptothek seit 1906 unverändert geblieben ist. Die Aufstellung der Kunstwerke war für den Stifter von bes. Wichtigkeit, denn die Bezeichnung »Glyptothek« hatte er gewählt, um den Unterschied zu einem Mus. mit der Verpflichtung zu wiss. Ordnung klarzustellen. Es sollte ein Ort sein, ›wo Marmorbilder stehen und dich ansehen‹ [16]. Um das einer solchen Betrachtungsweise entsprechende Ambiente zu schaffen, wurde große Sorgfalt auf die Ausschmückung der Säle verwandt. Durch die ausstellungsbezogenen Architekturdekorationen im Jugendstil ist das Mus. selbst h. ein Monument geworden [13; 17; 42].

Der dritte, jüngste Teil, gebaut nach Plänen von H. Larsen, wurde 1996 eröffnet. Eingebettet in den Südost-Hof des Kampmannbaus bleibt er von außen unsichtbar und bestätigt damit die Vorausplanung vom Beginn des Jh. Die neuen eleganten Galerien für frz. Malerei und Skulpturen nutzen die Gegebenheiten und sind ein überzeugendes Beispiel der dänischen Architektur der Moderne.

Die ant. Kunst der NCG gibt einen Überblick über die Hochkulturen des östl. Mittelmeerraumes: Griechenland, It. und das Imperium Romanum von ca. 3000 v. Chr. bis gegen E. der röm. Kaiserzeit. Die Skulpturenkunst ist durch die Affinität des Stifters mit zahlreichen Beispielen von hoher Qualität in allen Bereichen repräsentiert, zumal Jacobson in seiner Auswahl u. a. von W. Helbig beraten wurde [29].

Eine Besonderheit der NCG ist, daß das Mus. seine reiche Materialsammlung auf relativ überschaubarem Raum als breite Übersicht vermittelt, zugleich aber dem Besucher Bezüge zw. verschiedenen Kulturen und Kulturstufen innerhalb des östl. Mittelmeerraumes verdeutlicht. Dazu trägt auch die bereits am Anfang des Jh. konzipierte Innendekoration bei. In größeren Mus. wie London, New York oder Paris bleibt ein solches

»Durchschauen« auf Grund der Größe und Distanz zw. den Abteilungen wesentlich schwieriger.

Griech. und röm. Porträts, darunter eine Büste des Hadrian (Abb. 1) stellen einen Sammlungshöhepunkt dar. Daneben stehen Grabreliefs, griech. wie röm, ebenso Wandmalereien, Kleinbronzen und eine reiche etruskische Sammlung. Hier sei u. a. auf die Bronze eines Negerknaben (Abb. 2) und den apulischen Voluten-Krater (Abb. 3) hingewiesen, sowie auf eine etruskische Urne (Abb. 4).

Die NCG unterhält ihr eigenes, jährlich erscheinendes Journal: *Meddelelser fra Ny Carlsberg Glyptoteket* Die dänischen Art. haben in der Regel eine engl. Zusammenfassung. Es war Absicht der Glyptothek seit ihrer Gründung, ihre Bestände durch Publikationen rasch und regelmäßig zugänglich zu machen, so daß sich eine umfangreiche Bibliographie aufgebaut hat. Zw. 1991 und 1998 ist die gesamte Sammlung in einer Serie von 35 Katalogen in Dänisch und in Englisch neu vorgelegt worden. Damit hat das Mus. seine Bestände der Öffentlichkeit zugänglich gemacht und zugleich seine dokumentarische Museumsarbeit in einer Weise verwertet,

Abb. 1: Porträt (Hadrian).
Ny Carlsberg Glyptoteket

Abb. 2: Bronze, Negerknabe.
Ny Carlsberg Glyptoteket

Abb. 3: Voluten-Krater.
Ny Carlsberg Glyptoteket

Abb. 4:
Etruskische
Urne.
Ny Carlsberg
Glyptoteket

die Wissenschaftlern und Öffentlichkeit zugleich daran teilhaben läßt. Neben den drei Bd. zum Nahen Osten und Ägypten beschäftigen sich mit der Antikensammlung der Ny Carlsberg Glyptoteket noch eine Reihe separater Publikationen [8; 11; 12; 15; 19; 20; 21; 22; 23; 26; 27; 28; 30; 31; 32; 41]. Diese geben jeweils auch eine vollständige Auflistung der älteren Kataloge, die z.T. Standard [33; 34; 35; 36; 37] geworden sind, und die durch die neue Reihe ergänzt, aber nicht völlig ersetzt werden.

C. Dansk National Museet,
The Danish National Museum

Die Adresse des Dänischen Nationalmus. lautet: National Museet, Frederiksholms Kanal 12, DK 1220 Kopenhagen K, Dänemark. Internet: http://www.natmus.dk.

Praktisch in Sichtweite der NCG liegt das Dänische Nationalmus., eine für die europ. Museengeschichte wichtige Institution [14]. Es erwuchs im Zeitalter der nationalen Bewegungen aus einer Initiative von C. Nyerup (1807), ursprünglich mit dem Ziel der musealen Erfassung der dänischen Altertümer. Nachhaltigen Einfluß übte dieses Mus. durch die Tätigkeit von J. Vedel-Simson und C.J. Thomsen aus, von denen die Theorie der drei Zeitalter der Prähistorie stammt. Als das Dänische Nationalmus. 1819 eröffnet war, hatte es mit dem Prinzip der »angehäuften Wunderkammer« gebrochen und das Prinzip der Zeitalterabfolge in seiner Ausstellung eingeführt. Somit waren die Grundlagen für ein fortlaufendes, der Besucherführung dienendes Narrativ geschaffen. Ganz bewußt konzipierte Thomsen dieses

Mus. für alle Bevölkerungsschichten, was auch einer der wichtigsten Museumsführer in der ersten H. des 19. Jh belegt [24].

Das National-Mus. sammelt drei große Hauptgebiete: so widmet es sich der dänischen Geschichte und Prähistorie, der Völkerkunde und der Antike. Außerdem verfügt es über Spezialsammlungen. Wichtige Unterabteilungen sind die dänische Vorgeschichte, die dänische Stadt- und die Bauernkultur, die ethnographischen Sammlungen Grönlands und Amerikas sowie die Asiens.

Die Antikensammlung umfaßt Kulturzeugnisse des östl. Mittelmeeres von den Anfängen bis zur byz. Zeit und ist die zahlenmäßig größte in Dänemark [25]. Neben den klass. Gebieten sind auch Ägypten und der Vordere Orient gut vertreten [6]. Antiken waren in der Hauptstadt aus verschiedenen Sammlungen bereits zusammen gekommen, u.a. ein 1687 erworbenes Parthenonmetopen-Fragment [6. 47]. Die Antikenabteilung wurde 1848 im Nationalmus. mit der Sammlung des verstorbenen Königs Christian VIII (1786–1848) als Grundstock eingerichtet und erweiterte damit die damals bereits wichtige Abteilung der dänischen Altertümer in Richtung Mittelmeer. Der König war ein begeisterter Altertumsfreund gewesen und hatte als Kronprinz in Kampanien, in Nola und Cumae Ausgrabungen veranstaltet [1; 40. 116]. Das Nationalmus. betreibt seit dem weiterhin auch aktive Forsch., sowohl in klass. Ländern als auch im Nahen Osten [7; 9]. So kamen z.B. zu Beginn des Jh. Funde aus dänischen Grabungen aus dem damals noch türk. Rhodos nach Kopenhagen [2; 3].

Die Vasen-Sammlung bildet den Kernbereich mit Beispielen aus allen Epochen, so eine rotfigurige Schale mit Poseidon [25]. Die vielen Beispiele ant. Kleinkunst mit Terrakotten und Bronzen, für die ein Merkur aus Frankreich steht [25], sowie Schmuck und Glas stellen die Sammlung in ihrem neuen Ambiente im Obergeschoß des alten Prinzenpalais konzentriert und übersichtlich vor.

Forschungsergebnisse des Nationalmus. und seiner Mitarbeiter werden regelmäßig vorgestellt [4; 5; 38; 39]; Berichte werden im *Nationalmuseets arbejdsmark Nationalmuseet* vorgelegt.

## D. THORVALDSEN MUSEET

Adresse: Porthusg 2, DK 1213 Kopenhagen K, Dänemark. Internet: http://www.thorvaldsensmuseum.dk.

Das Thorvaldsen Mus. ist ein Denkmal für Leben und Werk des Bertel Thorvaldsen (1770–1844); er war Bildhauer, Maler und Sammler. In Deutschland ist er v. a. durch seine Restaurierung der Münchner Ägineten-Skulpturen bekannt (1816). Das Mus. wurde bereits 1837 zu Lebzeiten des Bildhauers als Heimstatt für die Stiftung seiner Hinterlassenschaft begonnen und 1848, knapp vier J. nach dem Tode des Künstlers, eingeweiht. Dabei entschloß man sich, das Grab des Stifters im offenen Innenhof unterzubringen, was diesem Haus eine bes. Note verleiht. Als Heimstatt der Œuvres eines seiner großen nationalen Künstler spielt das Thorvaldsen-Mus. in Dänemark eine wichtige Rolle; außerdem war es an der Entstehung des dänischen Museumswesens maßgeblich mitbeteiligt [10].

Der dreigeschossige Museumsbau liegt direkt neben dem königlichen Schloß und in unmittelbarer Nähe des Nationalmuseums. Er wurde von M. G. Bindesbøll geplant und 1839 begonnen. Die klassizistischen Außendekorationen, z. T. mit Szenen aus Thorvaldsens Leben, sind eine spätere Zutat, ein Zeichen der Verehrung, die dieser »nationale« Künstler erfuhr, zugleich ein Beispiel für den dänischen Klassizismus der Zeit.

Die Sammlung ist über drei Geschosse verteilt [18]. Sie enthält die große Gemälde-Sammlung nebst Gipsen nach ant. Skulpturen Thorvaldsens persönlichen Besitz, Skizzenbücher und Antiken. Letztere sind bes. vielfältig in der Kleinkunst: Neben ägypt. Objekten sind es griech. und röm. Bronzen, Glas, Vasen, Gemmen sowie Mz. und ant. Skulpturen.

Die Zeitschrift *Meddelelser fra Thorvaldsen-Museet* erscheint unregelmäßig.

1 Antik-Cabinettet 1851. Udgivet I hundreeddaaret af Natinalmuseet, 1951 2 CH. BLINKENBERG, K. F. KINCH, Lindos Fouilles et recherche 1902–1914, Bd. I, 1932 3 Dies., E. DYGGVE (Hrsg.), Lindos Fouilles et recherche 1902–1914, 1952 4 N. BREITENSTEIN, Catalogue of Terracottas, Cypriote, Greek, Etrusco-Italian and Roman, Danish National Mus., Department of Oriental and Classical Antiquities, 1941 5 Ders., W. SCHWABACHER, Sylloge nummorum Graecorum. The Royal Collection of Coins and Medals, Danish National Mus., 1942 (1987)

6 M.-L. BUHL, A Hundred Masterpieces from the Ancient Near East in the National Mus. of Denmark and the History of its Ancient Near Eastern Collections, 1974 7 Ders., S. HOLM-NIELSEN SHILOH, The Danish Excavations at Tall Sail-un, Palestine, in 1926, 1929, 1932 and 1963. The Pre-Hellenistic Remains, 1969 = Serie: Publications of the National Mus. Archaeological-Historical Series 8 J. CHRISTIANSEN, Greece in the Geometric Period, 1992 9 S. DIETZ, The Argolid at the Transition to the Mycenaean Age. Stud. in the Chronology and Cultural Development in the Shaft Grave Period, Kopenhagen, National Mus. of Denmark, Department of Near Eastern and Classical Antiquities, Aarhus 1991 10 J. ERICHSEN et al., Danske museer gennem 1648–1848 (Danish Museums), Ausstellung Thorvaldsen Mus., 1974 11 T. FISCHER-HANSEN et al., Campania, South Italy and Sicily, 1992 12 M. FJELDHAGEN, Graeco-Roman Terracottas from Egypt, 1995 13 K. GLAMANN, Beer and Marble, 1995 14 K. HUDSON, Museums of Influence, Kap. 2: Antiquarians and Archaeologists, bes. S. 29–31 15 F. O. HVIDBERG-HANSEN, The Palmyrene Inscriptions, 1998 16 C. JACOBSEN, zitiert nach der Broschüre *The Dahlerup Building*, 1996 17 Ders., Ny Carlsberg Glyptoteks Tilblivse, 1906 18 B. JŒERNØS, T. MELANDER, A. S. URNE (Hrsg.), Thorvaldsen Mus. Catalogue, edited on the basis of the Catalogues in English (1961) and Danish (1975). Überarbeitete Fassung, 1995 19 F. JOHANSEN, Greek Portraits, 1992 20 Ders. et al., Greece in the Archaic Period, 1994 21 Ders., Roman Portraits I, 1994 22 Ders., Roman Portraits II, 1995 23 Ders., Roman Portraits III, 1995 24 Ledetraad til Nordisk Oldkyndighed, Kopenhagen 1836, dt. »Leitfaden zur nordischen Alterthumskunde«. Hrsg. von der Königlichen Ges. für Nordische Alterthumskunde, Kopenhagen 1837 25 J. LUND, B. BUNDGAARD RASMUSSEN, Natinalmuseets vejledninger. Antiksamlingen. Graekere, estruskere, romere, 1994 26 M. MOLTESEN et al., Greece in the Classical Period, 1995 27 Ders., C. WEBER-LEHMANN, Copies of Etruscan Tomb Paintings, 1991 28 Ders., M. Nielsen et al., Etruria and Central Italy, 199 29 Ders., W. Helbig, brygger Jacobsens agent i Rom 1887–1914, 1987 30 A. M. NIELSEN, J. STUBBE ØSTERGAARD et al., Hellenism, The Eastern Mediterranean in the Hellenistic Period, 1997 31 Ders., The Cypriote Collection, 1992 32 G. PLOUG, The Palmyrene Sculptures, 1995 33 F. POULSEN, Catalogue of Ancient Sculpture in the Ny Carlsberg Glyptotek, 1951 34 V. POULSEN, Les portraits grecs = Publications de la Glyptothèque Ny Carlsberg, No. 5, 1954 35 Ders., Catalogue des terres cuites grecques et romaines = Publications de la Glyptothèque Ny Carlsberg, No 2, 1949 36 Ders., Les portraits Romains. Bd. 1. Republique et dynastie Julienne, 1962 37 Ders., Les portraits Romains. Bd. 2. De Vespasien a la Basse-antiquité, 1974 = Ny Carlsberg glyptotek. Publications, nos. 7–8 38 O. E. RAVN, A Catalogue of Oriental Cylinder Seals and Seal Impressions in the Danish National Mus., 1960 39 H. S. ROBERTS, Corpus speculorum Etruscorum. Denmark. Bd. 1, Faszikel 1, Odense 1981 40 W. SCHIERING, Zur Gesch. der Arch., in U. Hausmann (Hrsg.), Allg. Grundlagen der Arch., HdArch, 1969 41 J. STUBBE ØSTERGAARD et al., Imperial Rome, 1996 42 D. ZANKER, Die Bauten von J. C. und C. Jacobsen, 1982.                    WOLF RUDOLPH

**Kopie** s. Abguß/Abgußsammlung

**Korenhalle** s. Stützfiguren

**Kosmologie** s. Naturwissenschaft

**Krankenhaus.** In der Spätant. war das K. ein Ort innerhalb eines rel. geprägten Umfeldes, an dem man sich um Notleidende einschließlich alter und kranker Menschen kümmerte. Im Früh-MA entstanden entlang der großen Pilgerrouten Ketten kleinerer Herbergen. Viele Benediktinerklöster verfügten über eigene Krankenstationen, die auch den Bedürfnissen einer breiteren Öffentlichkeit gedient haben mögen. Vom 11. Jh. an wurden K. unter dem erneuten Einfluß des östl. Mittelmeerraums – allerdings ohne Bindung an rel. Institutionen – in Städten errichtet. Die meisten dieser Bauten waren klein, hatten in den seltensten Fällen mehr als 20 Betten, und nur wenige konnten eigene medizinische Leistungen bieten. Doch in den größeren Städten Norditaliens, wie z. B. Florenz, Siena und Mailand, sowie später in Paris wurden nach dem Modell von Konstantinopel oder Jerusalem riesige K. errichtet, die als zentrale Anlaufstelle zur Gesundheitsversorgung der gesamten Stadtbevölkerung dienen konnten [3]. Aus solchen Einrichtungen entwickelte sich das mod. K., doch gab es im 20. Jh. bes. im Hinblick auf die Behandlung älterer Menschen oder Sterbenskranker auch eine Rückbesinnung auf das ältere Modell kleiner »Hospize«.

In den größeren Städten des byz. Reiches konnten K. enorme Größenordnungen erreichen und eine ganze Palette medizinischer Leistungen anbieten. Das K. des Hl. Sabas in Jerusalem verfügte im Jahre 550 n. Chr. über 200 Betten, das des Hl. Sampson in Konstantinopel über nahezu doppelt so viele. Auch werden Anzeichen einer wachsenden Spezialisierung erkennbar: in Krankenhäusern in Antiocheia und Konstantinopel trennte man Frauen- und Männerstationen; um 650 n. Chr. gab es im St. Sampson in Konstantinopel eine eigene Abteilung für Augenkrankheiten und vermutlich eine weitere für chirurgische Fälle [6; 8; 5]. Die Gründungsurkunde des Pantokrator-Hospitals (1087) spiegelt eine komplexe Organisationsstruktur wider, mit einer ganzen Reihe von Spezialabteilungen und einem Heilpersonal, das rund um die Uhr Bereitschaftsdienst hatte, um maximal 55 Patienten zu versorgen; inwieweit diese Urkunde im einzelnen in die Praxis umgesetzt wurde, ist strittig [6; 2; 4]. Ähnliche K. derselben Größenordnung wurden seit dem 7. Jh. von Muslimen gegründet. Sie sollten damals die kleineren christl. K. im Nahen Osten in den Schatten stellen, wenn nicht ganz und gar ersetzen, und zum Mittelpunkt des medizinischen Geschehens, der ärztlichen Ausbildung und medizinischen Spezialisierung innerhalb eines städtischen Gemeinwesens avancieren [1]. Mit der Unterstützung wohltätiger rel. Stiftungen überlebten solche medizinischen Zentren in Städten wie Damaskus, Kairo und Bagdad bis auf den heutigen Tag. Die Bekanntschaft mit K. des Nahen Ostens – ob nun solchen in Konstantinopel oder solchen in der arab. Welt, ist strittig [7] – gab den Anstoß zur Gründung der Hospitaliterorden während der Kreuzzüge und erklärt die wachsende Verbreitung von Krankenhäusern im ma. Westeuropa.

→ AWI Krankenhaus

1 M. W. DOLS, The Origin of the Islamic Hospital. Myth and Reality, in: BHM 61, 1987, 367–390 2 P. GAUTIER, Le Typikon du Christ Sauveur Pantocrator, in: REByz 32, 1974, 1–145 3 D. JETTER, Geschichte des Hospitals, Bd. 1, 1966 4 E. KISLINGER, Der Pantokrator-Xenon, ein trügerisches Ideal, in: Jb. des österreichischen byz. Instituts 37, 1987, 173–186 5 Ders., Xenon und Nosokomeion – Hospitäler in Byzanz, in: Historia Hospitalum: 1986–1988, 1–10 6 T. S. MILLER, The Birth of the Hospital in the Byzantine Empire, ²1997 7 Ders., The Knights of Saint Joan and the Hospitals of the Latin West, in: Speculum 53, 1978, 709–733 8 Ders., The Sampson Hospital of Constantinople, in: ByzF 15, 1990, 101–135. VIVIAN NUTTON/Ü: LEONIE V. REPPERT-BISMARCK

## Kretisch-Mykenische Archäologie

A. EINLEITUNG B. ERFORSCHUNG DES MYKENISCHEN GRIECHENLAND C. ERFORSCHUNG DES MINOISCHEN KRETA D. SITUATION, PROBLEME, AUFGABEN

### A. EINLEITUNG

Die Abfolge kret.-myk. ist zutreffend, seitdem man weiß, daß die nach dem mythischen König Minos benannte minoische Kultur Kretas älter ist als die Kultur, die eines ihrer wichtigsten Zentren in → Mykene hatte und deshalb myk. heißt. Weil die Verbreitung beider Kulturen weit über Kreta und Mykene hinausging, wird die Arch., die auf diesem Gebiet tätig ist, heute auch – nach dem Ägäischen Meer – Ägäische Arch. genannt. In der Geschichte der Arch. stehen die Entdeckungen des Myk. vor denen des Minoischen. Deshalb ist es auch sinnvoll, einen Überblick über die K.-M. A. mit dem Myk., d. h. mit den Ausgrabungen von Heinrich Schliemann in Mykene zu beginnen (Abb. 1).

### B. ERFORSCHUNG DES MYKENISCHEN GRIECHENLAND

Als Schliemann 1868 seine erste Griechenlandreise antrat, waren in Mykene und Tiryns nur »kyklopische« Mauern und Tore, in Mykene auch noch das monumentale Löwenrelief über dem Haupttor und das »Schatzhaus des Atreus« bekannt. Erst mit seinen Grabungen in Mykene und namentlich mit dem Bekanntwerden der Funde aus den 1876 geöffneten Schachtgräbern traten die bis heute kostbarsten Schätze einer damals noch unbekannten Kultur mit einem Male ans Licht. Auf Schliemanns Grabungen in Mykene folgten zunächst Unt. myk. Gräber in Attika (v. a. 1879 durch Gerhard Lolling in Menidi). 1880 richtete Schliemann Hoffnungen auf → Orchomenos in Böotien, wo er vom Mythos des Minyas und von einem Kuppelgrab in der Art des »Atreus-Schatzhauses« in Mykene angezogen, von der sonstigen Ausbeute aber enttäuscht wurde.

Abb. 1: Heinrich Schliemann, Porträt von S. Hodges,
London 1877.
Berliner Museum für Vor- und Frühgeschichte
(Foto: J. P. Anders)

Vier Jahre später begann er mit Ausgrabungen in Tiryns,
wobei er die Aufsicht weitgehend Wilhelm Dörpfeld
überließ, der seit 1882 als Architekt und Bauforscher
sein engster Mitarbeiter in Troja war. Unter den griech.
Archäologen tat sich im myk. Sektor zunächst Christos
Tsountas hervor. Er hat in Mykene (1880 bis 1902)
Schliemanns Nachfolge angetreten und 1888 in einem
Kuppelgrab südl. von → Sparta den spektakulären Fund
der von minoischen Künstlern gearbeiteten sog. Va-
phio-Becher (Abb. 2) gemacht. Myk. wurde früh auch
im böotischen Kopais-Becken (Gla) und in Thessalien
sowie andernorts an der griech. Ostküste, auf Inseln der
Ägäis, ja sogar in It. gefunden.

Im Hinblick auf die Auswertung myk. Funde sind
Adolf Furtwängler und Georg Loeschcke schon 1879
mit ihrer Veröffentlichung des bis dahin bekannten keramischen Materials (vgl. Abb. 3) hervorgetreten: *Mykenische Thongefässe* (Diess. 1886: *Mykenische Vasen*). Auf
ungleich breiterer Materialbasis haben erst wieder Arne
Furumarks Standardwerk *The Mycenaean Pottery* von
1941 [5] und – zuletzt – die 1999 erschienene Behandlung der *Regional Mycenaean Decorated Pottery* von Penelope Mountjoy neue Maßstäbe gesetzt. Dabei führten
die immer besser erkennbaren Eigenarten und Entwicklungen der Keramik in diesen und anderen Arbeiten zu
immer feineren Gliederungen der myk. (= späthelladi-
schen) Chronologie.

Nach Schliemanns Entdeckung der Schachtgräber
im Inneren der Burg von Mykene (1876) zeitigten Grabungen von griech. und bald auch von engl. Seite viele
wertvolle Ergebnisse zum einstigen Erscheinungsbild
und zur Geschichte von Burg und Stadt. Herausragend
war die Entdeckung eines zweiten (als B bezeichneten)
Schachtgräberrundes. Als dt. Projekt wurden die Arbeiten auf der Burg und in der Unterstadt von Tiryns ab
1905 – mit Unterbrechungen – bis in jüngste Zeit fortgesetzt. Die Ergebnisse zu myk. wie auch zu jüngeren
Themen sind in der Tiryns-Publikation veröffentlicht.
Schliemanns dritte Grabung auf myk. Feld, im böotischen Orchomenos, wurde nach der Jahrhundertwende
im Auftrag der Bayerischen Akad. der Wiss. wiederaufgenommen. Die Ergebnisse hat man gleichfalls in einer
eigenen Veröffentlichung vorgelegt und nach längeren
Unterbrechungen 1983 mit dem von P. Mountjoy bearbeiteten jüngsten Band (*Orchomenos V, Mycenaean Pottery*) abgeschlossen. Dörpfeld fand 1908 drei myk. Kup-
pelgräber bei Kakovatos (Triphylien) und wollte diesen
Platz mit Nestors Pylos in Verbindung bringen. Der
myk. Palast, der glaubwürdig mit dem homer. Nestor zu
verbinden ist, wurde aber erst 1939 bei Englianos in der
Nähe des heutigen Pylos entdeckt. Die Ausgrabungen
leitete nach dem Krieg der amerikan. Archäologe Carl
W. Blegen, der von seinen Grabungen in Griechenland
(Korakou und Zygouries im Umkreis von Korinth,
Prosymna in der Argolis) und v. a. von seinen Troja-
Kampagnen (1932–1938) die reichsten Erfahrungen für
diese Aufgabe mitgebracht hat. Neben vielen Erkenntnissen zur Geschichte, zur freskengeschmückten Bauweise und zu den Funktionen des myk. Palastes (v. a. des
Megarons: Abb. 4) trug diese unerwartet gut erh., un-
befestigte Anlage, nicht zuletzt auch durch den Fund
eines ganzen, in vieler Hinsicht aufschlußreichen Archivs von Linear B-Tontäfelchen [7], wesentlich zu einer erweiterten Sicht der myk. Arch. bei. Zu den Ver-
diensten der amerikan. Arch. um die weitere Erschließung der griech., namentlich der myk. Vorgeschichte
seien hier noch wertvolle myk. Funde aus Gräbern der
Athener Agora-Grabung und v. a. die Ausgrabungen
gezählt, die im Auftrag der Univ. von Cincinnati auf der
Insel Keos (in Hag. Irini) von dem erfahrenen Ausgräber
prähistor. Stätten John L. Caskey durchgeführt und bekannt gemacht worden sind. Zur Geschichte einer
wehrhaften Siedlung von der frühen bis zur späten
Bronzezeit haben hier aus der myk. Periode v. a. interessante Fresken und ein Heiligtum mit merkwürdig
großen weiblichen Tonfiguren beigetragen. Engl. Archäologen machten sich – wie schon gesagt – um die
weitere Erforsch. von Mykene (Burg, Unterstadt, Gräber) verdient. Abgesehen von dem frühen engl. Engagement auf Kreta und Melos oder von prähistor. Grabungen in Griechenland hat die engl. Arch. auch in jüngerer Zeit durch ergebnisreiche Siedlungsgrabungen
(J. N. Coldstream in Kastri auf Kythera, M. Popham in
Lefkandi auf Euböa und A. C. Renfrew in Phylakopi
auf Melos) entscheidend zur weiteren Erhellung der
griech. Bronzezeit geholfen. Eine gewichtige Rolle
spielte bei der Erforsch. der Vorzeit und der myk. Pe-

Abb. 2: Einer der beiden Goldbecher aus einem mykenischen Kuppelgrab bei Vaphio/Lakonien. Hirmer Photoarchiv

Abb. 3: Sog. Kriegervase. Von Schliemann in einer Hausruine hinter dem »Löwentor« von Mykene gefunden. Mykenisch, um 1200 v. Chr.

Abb. 4: Rekonstruktionsversuch des Megaron im »Palast des Nestors«, 13. Jh. v. Chr. Ministry of Culture, Athen

riode Griechenlands auch die skandinavische Arch. Neben vormyk. bewohnten Siedlungen wie Asea in Arkadien oder Malthi in Messenien erwiesen sich v. a. die von 1922 bis 1930 von O. Frödin und A. W. Persson durchgeführten schwedischen Grabungen in Asine (Argolis) als ergiebig auch für die myk. Epoche. Bekannter aber wurden durch ihre reichen Funde die später von Persson publizierten Gräber von Dendra nahe der neu-

erdings von einer schwedisch-griech. Gemeinschaftsgrabung erforschten myk. Bergstadt (Akropolis) Midea in der Argolis. Auch die skandinavischen Grabungen auf der Akropolis von Berbati und die Erforsch. in der Nähe gelegener Kuppel- und Kammergräber (zwischen Mykene und Dendra) haben die Kenntnisse um die myk. Kultur vermehrt. It. trug durch die Erschließung myk. Gräber auf Rhodos (Ialysos) und Kos zur Erwei-

terung der Kenntnis myk. Lokalstile in der Keramik und
damit auch zur Erhellung der ägäischen Handelsbeziehungen bei. Die Grabungen von Doro Levi in Iasos an
der kleinasiatischen Westküste haben ähnlich wie die
noch in Gang befindlichen dt. Grabungen in der kret.-
myk. Siedlung des nahe gelegenen Milet wichtige Befunde und aufschlußreiches Material für die geschichtliche Stellung solcher Außenposten der kret.-myk.
Macht- und Handelssphäre geliefert. Der frz. Arch.
werden durch Grabfunde aus den myk. Nekropolen
von Argos wiederum bes. keramische Beigaben verdankt, während die Grabungen in → Delphi schon zuvor durch myk. Kleinfunde (Idole etc.) zur Erhellung
der frühen Kultgeschichte des Heiligtums geführt haben. Wie wichtig die griech. Beiträge zur Erforsch. der
myk. Epoche waren, wurde schon am Beispiel von Mykene deutlich. George Mylonas hat sich dort durch die
Erschließung des Schachtgräberrundes B und durch seine Arbeiten innerhalb der Burg (Kultzentrum), im übrigen aber auch durch die Freilegung myk. Gräber in
→ Eleusis bleibende Verdienste um die myk. Arch. erworben. Im gleichen Zusammenhang ist außer mehreren Ephorinnen und Ephoren des griech. Arch. Dienstes
Spiridon Iakovidis eigens hervorzuheben, der in den
1960er Jahren die Ausgrabung der Nekropole von Perati
in Attika und diffizile Unt. zur Geschichte der myk.
Akropolis von → Athen durchgeführt hat. Derselbe
Forscher nahm sich später auch einer vorbildlichen Veröffentlichung der 1955–1961 von J. Threpsiadis unternommenen Grabungen auf der mauerbewehrten myk.
Akropolis von Gla im böotischen Kopais-Becken an,
die schon 1893 einmal das Ziel arch. Erkundungen (F.
Noack und A. de Ridder) gewesen ist. Belgische Archäologen haben in den 1960er und 70er Jahren in der
durch ihre Silberbergwerke bekannten att. Stadt Tho-
rikos außer Unt. zu einem myk. Kuppelgrab auch
Kleinfunde der betreffenden Zeit publiziert.

## C. Erforschung des minoischen Kreta

Die im letzten Viertel des 19. Jh. auf griech. Boden
gewonnenen Ergebnisse und Erfahrungen bildeten unter dem Begriff »myk.« den Grundstock für einen neuen
Zweig der Arch., auf dem die um 1900 beginnende Erforsch. des minoischen Kreta weiterbauen konnte. Auf
der größten Ägäisinsel war man sich allerdings nicht von
Anfang an sicher, daß man es hier mit einer eigenen, gar
noch älteren Kultur zu tun hatte als auf dem griech.
Festland. Der Ausgräber des Palastes von → Knossos,
Arthur Evans (Abb. 5), hielt zu Beginn seiner Grabungen die von ihm aufgedeckte Kultur begreiflicherweise
für mykenisch. Den in der Forsch. gelegentlich schon
vorher gebrauchten Begriff »minoisch« hat er erst seit
seiner zweiten Grabungskampagne benutzt. Ernst Fa-
bricius, ein dt. Altertumsforscher, schrieb 1886, nach einem Aufenthalt bei den Grabungen von Kalokairinos in
Knossos: ›daß die dort aufgefundenen Ruinen der gleichen Epoche wie der Palast von Tiryns angehören, wird
man … immerhin mit großer Wahrscheinlichkeit annehmen dürfen‹. Das zeitliche Verhältnis zw. Myk. und

Abb. 5: Sir Arthur Evans, Porträt von Sir W. B. Richmond.
Ashmolean Museum, Oxford

Minoischem hat sich in der Arch. verkehrt, sobald sich
Funde auf Kreta als älter erwiesen haben. Schon seit
1894 untersuchten it. und engl. Forscher die von den
minoischen Kretern als Kultplatz genutzte Kamareshöhle am Südabhang des Idagebirges, deren Keramik-
funde bereits zwei Jahre später veröffentlicht wurden.
Diese Kamaresvasen sind dann in großer Zahl bei den
gleichfalls im J. 1900 von Federico Halbherr begonnenen Grabungen im nahegelegenen Palast von Phaistos
und bald auch im Palast von Knossos gefunden worden.
Sie mußten älter sein nicht nur als der Palast von Tiryns,
sondern auch als Schliemanns Schachtgräberfunde aus
dem 16. Jh. v. Chr., und bald kamen auf Kreta noch
ältere Zeugnisse hinzu, die seit 1904 der griech. Archäologe Stephanos Xanthoudidis in den frühen Rund-
gräbern (Familien- bzw. Sippengräbern) der sich zu Füßen von Phaistos ausdehnenden Mesara-Ebene fand.
Evans hat durch seine Grabungen in Knossos und
deren unerwartet große Erfolge – ähnlich wie Schliemann mit seinen Ausgrabungen in Mykene – den Anstoß zu vielen weiteren arch. Aktivitäten gegeben, deren meiste in Kreta nun auf die neu entdeckte minoische
Kultur gerichtet waren. Für Andreas Rumpf, einen tra-
ditionsbewußten Vertreter der dt. → Klassischen Archäologie, hatte diese rasante Entwicklung – auch noch
1953 – geradezu verhängnisvolle Auswirkungen auf das
Fach. In seinem Göschen-Bändchen Arch. schrieb er (S.
94), nachdem er den von angelsächsischen Forschern

wie Ventris und Chadwick als »father of Mycenaean Archaeology« gewürdigten Schliemann allzu einseitig beurteilt hat: ›Als nun gar um die Jahrhundertwende noch die Funde und Forschungen von Arthur Evans in Kreta dazu kamen, war die Arch. in Gefahr, in immer steigendem Maße von ihrem eigentlichen Zweck abgelenkt zu werden. Fast zwei Menschenalter hindurch hat sie viele ihrer besten Kräfte an die Prähistorie verschwendet‹. Wir kommen zum Schluß auf diese Äußerung zurück.

Die Geschichte der Entdeckungen wird im minoisch-kret. wie im myk. Bereich den Ergebnissen der Ausgrabungen verdankt. An den kret. Grabungen zur minoischen Vergangenheit der Insel waren bzw. sind it., engl., frz., amerikan., griech., schwedische und kanadische Archäologen beteiligt. Der relativ späte Beginn wiss. Arbeiten wurde auf Kreta v. a. durch die polit. Verhältnisse vor 1900 bestimmt. Abgesehen von Grabungen, die der griech.-dorischen Epoche galten, standen nur kleinere Unternehmungen, wie die erwähnte Erforsch. der Kamareshöhle, schon vor der Wende zum 20. Jh. im Zusammenhang mit der dann minoisch genannten Kultur. Entscheidend für eine breite Hinwendung zu dieser ersten europ. Hochkultur waren erst die auf großflächige Grabungen ausgerichteten Initiativen des engl. Gelehrten Evans in Knossos und – in Phaistos wie Hagia Triada – einer zunächst auf ganz Altkreta zielenden, für die minoische Frühgeschichte von F. Halbherr, L. Pernier und R. Paribeni betreuten »Missione Archeologica Italiana a Creta«.

Später als die Paläste von Knossos und Phaistos und die palastartige Villa von Hagia Triada bei Phaistos wurden (ab 1921) der Palast und Quartiere der Stadt von Mallia durch den Franzosen Fernand Chapouthier sowie (seit 1960) Palast und Wohnviertel im ostkret. Kato Zakros durch den Griechen Nikolaos Platon freigelegt. Bei allen Palastgrabungen ergab sich ein Gesamtbild, das den Palast im Zentrum einer zugehörigen Stadt zeigt. Den Palästen selbst sind das Fehlen wehrhafter Mauern, ein großer rechteckiger Zentralhof sowie in Knossos, Phaistos und Mallia außerdem auch die Orientierung nach Norden, ein Westhof und die Lage der Magazine gemeinsam [6]. Eigenarten in Bauweise, Gliederung und Ausstattung der Wohn-, Repräsentations- und Kulträume zeigten sich annähernd gleich in den Palästen, in den sog. Villen sowie in den größeren Wohnhäusern der Städte. Die mit Hilfe der Keramik-Stratigraphie zunächst für die Geschichte des knossischen Palastes erarbeitete Chronologie mit den Hauptstufen früh-, mittel- und spätminoisch erwies sich als brauchbare Grundlage für die gesamte minoische Kultur. Mit der fortschreitenden Erforsch. und Interpretation der minoischen Paläste wuchs das Interesse an deren nächster Umgebung. So kamen in Knossos zu den in der Nachbarschaft des Palastes schon freigelegten villenartigen Anlagen der Palastzeit das von Evans übriggelassene, ab 1967 von Mervyn Popham ausgegrabene »Unexplored Mansion«, in Phaistos ein ganzer, von Doro Levi ausgegrabener

Stadtteil am Fuß des Palasthügels (Chalara) und in Mallia zu den bereits bekannten Stadtquartieren und öffentlichen Gebäuden das für die ältere Geschichte des Platzes höchst aufschlußreiche »Quartier Mu«, eine Grabung von Jean-Claude Poursat, hinzu.

Kleinere und größere minoische Städte und Hafensiedlungen ohne einen Palast mit den bekannten Standards (Zentral-, Westhof usw.) waren zum Teil auch schon lange bekannt (Hagia Triada, Gournia, Pseira, Vasiliki, Palaikastron, Amnisos), erfuhren aber im Laufe der Zeit durch Nach- und Neugrabungen (Myrtos-Pyrgos, Kommos, Chania: Abb. 6) immer mehr Interesse. Auch mit den über die ganze Insel verbreiteten sog.

Abb. 6: Siegelabdruck auf einer Tonplombe des 15. Jh. v. Chr. Gefunden in Chania. Darstellung einer Hafenstadt. Auf dem Gebäude in der Bildmitte eine riesige männliche Gestalt (Herrscher oder Gott)

Villen (Nirou Chani, Tylissos, Vathypetron usw.) und ihren administrativen, polit. und wirtschaftlichen Aufgaben (als den Palastzentren untergeordnete Institutionen?) beschäftigt sich die Forsch. immer wieder aufs neue. Außerhalb der Städte und Siedlungen gelegen, wurden die arch. nach Typen geordneten Gräber häufig in den Blick gerückt und nach ihrer histor. und gesellschaftlichen Bed. befragt [13]. Den minoischen Gipfelheiligtümern (Juktas, Vrissinas usw.) hat man überzeugend die rel. Sonderstellung, bes. für die Palaststädte, eingeräumt.

### D. SITUATION, PROBLEME, AUFGABEN

Aus verschiedenen Gründen unterscheidet sich die kret.-minoische von der myk. Archäologie. Ein Hauptgrund ist die ungleich bessere Überschaubarkeit der vergleichsweise kleinen Insel mit ihren leicht erfaßbaren geogr. Strukturen. Die Kulturgeschichte des minoischen Kreta war nach außen hin durch die Insellage und deren vielfältige Konsequenzen, im Inneren durch Gebirge, die den Lebensraum einschränkten, durch Höhlen und Berggipfel, die Kulte an sich banden, durch Täler, die ein Wegenetz bestimmten, durch wenige fruchtbare Ebenen für die Landwirtschaft und durch einzelne, von Natur geschützte, als Häfen bevorzugte Küstenplätze vorgezeichnet. Wie die Kenntnis dieser natürlichen Gegebenheiten die Auffindung der Kulturzeugnisse erleichtern half, so haben die Minoer auch selbst durch die Geschlossenheit ihrer über die ganze Insel verbreiteten Kultur, durch einheitliche Sitten (Kleidung, Feste, Kulte, Bestattung), hohe technische Standards, Organisationstalent, durch eine einsichtige Vorratshaltung, die hierarchische Verwaltung mit Schrift- und Siegelgebrauch und nicht zuletzt durch eine bald vereinheitlichte, fein ausgeklügelte Bauweise (Palast, Villa, Haus) zu den raschen Fortschritten in der arch. Erforsch. ihrer Vergangenheit beigetragen.

Viele der Aufgaben, welche die Forsch. noch lange beschäftigen werden, sind histor. Art. Sie beginnen mit der Entstehung von Palaststrukturen vor der Zeit der Alten Paläste, d.h. vor 2000 v.Chr. und werden sich auch weiterhin mit Nutzung und Verwaltung der Alten Paläste, mit deren Zerstörung durch Erdbeben (um 1700 v.Chr.) und mit den Veränderungen bei Aufbau und Einrichtung der Neuen Paläste beschäftigen. Dabei wird auch immer wieder der Verzicht auf wehrhafte Mauern (in der Palastzeit) zu diskutieren sein und damit die Frage, ob die weiträumigen Zerstörungen minoischer Paläste, Villen und Städte am Ende der ersten spätminoischen Phase (um 1450 v.Chr.) auf kriegerische Ereignisse oder auf Erdbeben zurückzuführen sind und ob gegebenenfalls kriegerische Zerstörungen von innen oder von außen (Mykene) veranlaßt wurden. Im Zusammenhang mit letzterer Frage wird das histor. Verhältnis zwischen Kreta und dem myk. Festland dank der zunehmenden arch. Erkenntnisse immer noch wichtiger werden. Sicher bleibt in der Schachtgräberzeit des 16. Jh. v.Chr. eine deutliche Abhängigkeit der myk. Welt von Kreta zumindest in kultureller und künstlerischer Hinsicht. Als sicher hat sich aber auch mehr und mehr erwiesen, daß Kreta, das im frühen 14. Jh. erneut Zerstörungen erlitt, von da an bis zur endgültigen Katastrophe des knossischen Palastes um 1200 v.Chr. in myk. Hand war. Für diesen Zeitabschnitt gilt es, noch weitere arch. Belege zu sammeln und auch den Stellenwert der Linear B-Tontäfelchen [7] endgültig zu klären.

Durch neuere und neueste Grabungen auf den Ägäischen Inseln (Thera, Melos, Samothrake) und an der kleinasiatischen Westküste (Iasos, Milet) ist die Rolle, welche die kret.-myk. Kultur im gesamten ägäischen Raum gespielt hat, erneut in den Blickpunkt der Forsch. gerückt worden. Auch der Handel mit dem Westen (Liparische Inseln, Unter-It.) und die lange bekannten Beziehungen zum Südosten (Ägypten, Vorderer Orient) werden durch neue Funde und Grabungsergebnisse ständig aktualisiert.

Der Tatsache, daß sich einerseits viele Gelehrte, oft auf oder an entsprechend ausgewiesenen Lehrstühlen in England, Amerika, Schweden, Frankreich oder Belgien

vorwiegend und international führend mit Aufgaben der K.-M.A. beschäftigt haben bzw. beschäftigen, steht – namentlich in Deutschland – der Anspruch der Klass. Arch. gegenüber, auch dieses Gebiet als Teil des ganzen Faches zu begreifen. Andreas Rumpf hat 1953 in den oben zitierten Sätzen zum Ausdruck gebracht, daß »zuviele der besten Kräfte an die Prähistorie verschwendet worden« seien. Dabei muß er an Archäologen wie A. Furtwängler, G. Loeschcke, G. Rodenwaldt, Kurt Müller, A. Frickenhaus, E. Kunze und F. Matz gedacht haben, die sich alle mit hervorragenden Leistungen sowohl dem eigentlichen Zweck des Faches (Rumpf) als auch einzelnen Aufgaben der K.-M.A. gewidmet haben. Der an der ägäischen Arch. Interessierte muß sich jedenfalls heute entscheiden, welche der beiden Möglichkeiten er vorziehen will. Selbstverständlich kann derjenige, der sich der frühen Ägäis mit möglichst vielen seiner Kräfte verschreibt, im internationalen Wettbewerb dieses Faches heute besser bestehen als der Klass. Archäologe, der die K.-M.A. als Teil der gesamten griech.-röm. Arch. begreift. Schließlich sei noch vermerkt, daß Kenntnisse der schriftlichen Überlieferung (Linear B) früher oder später zu einer umfassenden Beherrschung einer als eigene Disziplin verstandenen K.-M.A. gehören werden [7].

1 S. ALEXIOU, Minoische Kultur, 1976 2 H.-G. BUCHHOLZ, V. KARAGEORGHIS, Altägäis und Altkypros, 1971 3 O. DICKINSON, The Aegean Bronze Age, 1994 4 D. FIMMEN, Die kretisch-myk. Kultur, ²1924 5 A. FURUMARK, The Mycenaean Pottery: Analysis and Classification, 1941 6 J.W. GRAHAM, The Palaces of Crete, ²1972 7 S. HILLER, O. PANAGEL, Die frühgriech. Texte aus myk. Zeit, ²1968 8 S. HOOD, The Minoans, 1971 9 Ders., The Arts in Prehistoric Greece, 1978 10 S.A. IMMERWAHR, Aegean Painting in the Bronze Age, 1990 11 F. MATZ, Kreta, Mykene, Troja, ⁵1965 12 J.D.S. PENDLEBURY, The Archaeology of Crete, 1939 13 I. PINI, Beitr. zur minoischen Gräberkunde, 1968 14 J.C. POURSAT, Les ivoires mycéniens, 1977 15 F. SCHACHERMEYER, Die minoische Kultur des Alten Kreta, ²1980 16 J. SCHÄFER, Die Arch. der altägäischen Hochkulturen, 1998 17 W. SCHIERING, Minoische Töpferkunst, 1998 18 E. VERMEULE, Greece in the Bronze Age, 1964.

WOLFGANG SCHIERING

## Krieg A. PHÄNOMEN KRIEG UND WISSENSCHAFT
B. MITTELALTER UND ANTIKE KRIEGSTRADITION
C. HUMANISTEN UND FELDHERREN
D. KUNST E. 17. UND 18. JAHRHUNDERT
F. VERWISSENSCHAFTLICHUNG DES MILITÄRWESENS UND TRENNUNG VON GESCHICHTS- UND ALTERTUMSWISSENSCHAFTEN G. TENDENZEN DER FORSCHUNG NACH DEM 1. WELTKRIEG

### A. PHÄNOMEN KRIEG UND WISSENSCHAFT

Die wiss. Auseinandersetzung mit dem K. findet sich bereits in der ant. Historiographie. Für Tacitus (hist. 4,74) gab es eine untrennbare Verbindung zwischen K. und dem Schicksal der Völker. Bereits zuvor hatten

Thukydides und Polybios eindringlich nach den Gründen für bestimmte K. sowie den Erfolg im K. gesucht, jedoch erklärte Polybios die Welteroberung Roms wesentlich aus den Besonderheiten seiner Verfassung. Die Formen der Konfliktaustragung im Alt. sind recht unterschiedlich, abhängig von den Wechselwirkungen u. a. zwischen mil. Organisation, polit. System, außenpolit. Zielen und wirtschaftlicher Situation. Im Blick auf die Epoche als ganze und beim gleichzeitigen Vergleich mit den Veränderungen des Phänomens K. in der Neuzeit indes erscheint es kaum als berechtigt, von mil. Revolutionen – etwa durch das Aufkommen der Hopliten – zu sprechen: Kontinuitäten dominieren. Anders im 20. Jh., wo die furchtbare Entwicklung von nie dagewesenen Massenvernichtungsmitteln und zahlreichen weiteren revolutionären technischen Erfindungen, wie aber auch etwa die indirekten Methoden der Konfliktaustragung, dem K. neue Gesichter gegeben haben. Das Spektrum gewaltsamer Konfliktaustragung hat sich erweitert. Auf den bei allen Gegenanstrengungen, Konflikte ohne Gewalt auszutragen, im Grunde genommen doch viel größeren Einfluß des K. im 20. Jh. ist paradoxerweise bei manchen Kultur- und Geisteswissenschaftlern mit einer Verdrängung des K. aus ihrem Arbeitsfeld reagiert worden. Wenn in den → Geschichtswissenschaften, auch in der Alten Geschichte, jüngst eine Tendenz zu einer intensiven Auseinandersetzung mit diesem Thema feststellbar ist, so manchmal unter der Bezeichnung »New Military History«, wird man dies deshalb eigens erwähnen, wiewohl damit eigentlich nur der Anschluß zu dem wiederhergestellt ist, was man schon immer wußte und was schon ein Thukydides in seinem unterkühlten Realismus an zeitunabhängigen Beobachtungen über den langjährigen K. zwischen Sparta und Athen festgehalten hat.

B. MITTELALTER UND
ANTIKE KRIEGSTRADITION

In der mil. Kultur des westl. MA und erst recht der Ren. spielen zwei Autoren eine zentrale Rolle: Vegetius und Caesar, und zwar in dieser Reihenfolge hinsichtlich ihrer rezeptionsgeschichtlichen Bedeutung. Beide haben nicht nur durch Übersetzungen ihren Einfluß. Sie sind regelmäßig für die Gegenwart aktualisierend gelesen und von daher auch häufig falsch verstanden worden. Eine eigenständige kriegswiss. Reflexion hat sich indes kaum entwickelt, Christine de Pizan mit ihrem Le livre des fais d'armes et de chevalerie (1410) oder Honoré de Bovet mit seinem L'arbre des batailles (1386–1387) nicht ausgenommen [1]. Im byz. Osten sind die Texte der griech. und hell. Kriegsschriftsteller (sog. Taktika) in Sammlungen zusammengestellt worden [7]. Sehr wahrscheinlich sind diese Texte im Auftrag der kaiserlichen Verwaltung zustande gekommen, ja auch die Existenz eines offiziellen Corpus ist nicht unwahrscheinlich. Die byz. Kriegspraxis und -reflexion besitzen durchaus eigenständige Züge, auch dort, wo sie an ant. Erbe anknüpfen, etwa in der kanonisierenden Paraphrasierung und Nachahmung alter Vorbilder. Mit

Kaiser Leon VI. (886–912) setzte ein bemerkenswerter Aufschwung ein, doch die Epoche, in welcher zahlreiche militärwiss. Werke erschienen sind, erstreckt sich von Kaiser Maurikios (582–602) bis zu Michael Psellos (1018–1078). Diese Texte betreffen alle militärwiss. Bereiche, von der »Taktik« bis zur »Großen Strategie«, sie handeln vom Land- wie vom Seekrieg. Bis Ende des 11. Jh. sind es rund 40 Traktate, die eine beachtliche Bed. erlangen.

C. HUMANISTEN UND FELDHERREN

In der Frühen Neuzeit – die Geschichte des Weiterlebens der ant. Kriegstrad. im muslimischen Osten (um 1350 die wichtige Übers. des Aelian) kann nur gerade erwähnt werden – zeitigte im Westen die Wiederentdeckung griech. Texte ihre Folgen. Zu den Werken Caesars und des Vegetius traten diejenigen von Polybios und Aelian, aber auch etwa des byz. Kaisers Leo VI. Lat. Übers. griech. Werke sowie eine ganze Reihe lat. Autoren (so der sonst schon im MA beliebte Frontin) wurden ediert und gedruckt. Sie haben nicht nur für die Entwicklung einer Kriegswiss., sondern auch für die praktische Neukonzipierung der Armeen Bed. gehabt. Seit dem letzten Drittel des 15. Jh. stieg die Zahl der Schriften, welche sich auf ant. Texte bezogen. Hier fand man eine klare Systematik und Vorbilder für den Aufbau bei der Behandlung mil. Themen, hier gab es auch zahlreiche histor. Beispiele. Wenn die Feldherren und Militärtheoretiker des 15. und 16. Jh. die Klassiker lasen, so interessierten sie sich v. a. für Fragen der Heeresorganisation, der Infanterietaktik sowie der Ausbildung und Ausrüstung. Roberto Valturios (1405–1473) De re militari libri XII ist ein Beispiel aus dem immer einflußreicher werdenden mil. Schrifttum, in dem sich, gestützt auf ant. Autoren, mehr und mehr ein neues mil. Denken durchsetzt, das im Unterschied zu ma. Texten nicht die Beschreibung von K., christl. K.-Ethik oder die Erziehung des Ritters zu Handen von Königen und Fürsten in den Mittelpunkt stellt, sondern für einen sehr viel größeren Leserkreis den K. und die K.-Führung. Oft zeigt sich in den Biographien der Autoren sowohl human. Gelehrsamkeit wie auch praktische Erfahrung im K.: Der Gelehrte Valturio stand im Dienste Gismondo Malatestas von Rimini und war zugleich Kondottiere. Zum Durchbruch kam das neue mil. Denken mit Niccolò Machiavelli (1469–1527). Bei ihm ist das Studium der ant. Historiker und Kriegsschriftsteller offensichtlich: Immer wieder ist es Ausgangspunkt für neue Fragestellungen und Antworten, ob es nun um mil. Ausbildung, Taktik und Strategie oder Politik geht. Ebenso wichtig ist freilich die Reflexion der praktischen Erfahrung: Machiavelli war 1498 bis 1512 als Beamter in Florenz mit auswärtigen und mil. Angelegenheiten beschäftigt. Machiavellis Bed. in unserem Zusammenhang liegt v. a. im Entwurf eines neuen Bildes vom K., von der Heeresorganisation und von der Kriegskunst. Wichtig war ihm insbes. der Milizgedanke: Die Bürger des Landes sollten dienstpflichtig sein, wie sie es schon in den alten Republiken, v. a. der Röm., gewesen waren. Auch in seinen einflußreichen sieben Büchern *Dell'arte della guerra* (1519–20, publiziert 1521) tritt er für das Volksheer ein, das sich auf die Infanterie stützt, wie sie die Griechen und Römer und in seiner Zeit die Schweizer besaßen. Im Hintergrund solcher Ausführungen steht die These einer wechselseitigen Beeinflussung von Verfassung, Landeigentum und Heer. Nicht nur bei Machiavelli, sondern später auch bei Thomas Hobbes (1588–1679) oder James Harrington (1611–1677) ist diese Reflexion über Verfassung und Politik auf die Betrachtung ant., v. a. röm. und spartanischer, Institutionen gegründet. Typischer Ausdruck des sich ausbildenden Staates mit stehenden Armeen (*miles perpetuus*) ist der Neu-Stoizismus des Justus Lipsius (1547–1606) [2; 8]. Lipsius gehört mit dem Franzosen Bodin und dem Engländer Hobbes zu den großen Staatsdenkern, die gegen die polit. Machtansprüche der Konfessionen einen starken Staat begründen wollten. Lipsius nahm dabei die Stoa als Grundlage für seine von ihm für einen solchen Staat entworfene Ethik. In seinen für die Militärgeschichte und die Heeresreform der Oranier wichtigen Werken zeigt er, wie Auswahl und Disziplin der Soldaten sowohl im stehenden Berufsheer wie in der Reservearmee zu realisieren sind. Die 1595 erschienenen *De militia romana libri quinque, commentarius ad Polybium*, wo das röm. Heerwesen Vorbild für Reformen ist, war zu Beginn des 17. Jh. ein einflußreiches Buch. Ant. Militärorganisation, Taktik und Kommandosprache hat damals wiederholt Reformen angeregt. Aelians Schilderung der griech. Kontremärsche beispielsweise spielte bei der Entwicklung eines neuen Systems der Feuertaktik eine Rolle.

Die Fragen um K. und Frieden sind von den Humanisten immer wieder erörtert worden, wobei die zahlreichen Zeugnisse für Friedensliebe, ja Pazifismus mit der Entwicklung des mil. und strategischen Denkens und den jährlich stattfindenden Feldzügen zum Teil Hand in Hand gehen, zum Teil auch im Kontrast stehen. Disputationen über K. und Frieden sind seit dem 15. Jh. zahlreich. Die damit in Zusammenhang stehenden Fragen werden auch in den verschiedenen Utopien und → Fürstenspiegeln behandelt und sind im Völkerrecht wichtig, insbes. bei der Frage nach Gründen für einen gerecht begonnenen und gerecht geführten K., wo die Auseinandersetzung mit Texten aus dem Alt. (Bibel, Cicero, Augustin, Isidor) und ant. histor. Beispielen (v. a. aus der röm. Geschichte) immer wieder zentral gewesen ist [9].

### D. KUNST

Zahlreiche Kunstwerke, welche die Phänomene K., Militär oder Waffen zum Gegenstand haben, zitieren ant. Exempla und Metaphern. Janus, Mars, Trophäen und Victorien: Solches fand auch Eingang in Handbücher – z. B. der Allegorien –, aus denen sie wiederum zu neuer Verwendung kopiert wurden. Die Schrecken des K., die Seligkeiten des Friedens oder der Triumph der Sieger fanden in antikisierenden Allegorien ihre Darstellung. → Reiterstandbilder und Reiterdarstellungen orientieren sich an ant. Mustern, unter denen dasjenige Mark Aurels auf dem röm. Kapitol bes. wirkmächtig war. Die Praktiken der alten Römer bei der Feier des Triumphes sind nicht nur in den antiquarischen Werken beschrieben worden: Seit dem 15. Jh. gibt es zahlreiche Darstellungen, so von A. Mantegna (*Triumph Caesars*, um 1480–1492, Hampton Court). Erhebliche Anziehung übten Darstellungen ant. Schlachten aus. M. Feselen malte 1533 die Belagerung Alesias (Alte Pinakothek, München), und auch A. Palladio befaßte sich mit Caesar. H. Burgkmair zeigte in einem Bild von 1529 die röm. Niederlage bei Cannae gegen Hannibal, J. Breu 1530 den Sieg der Römer bei Zama (beide Alte Pinakothek, München). Beeindruckt von den zeitgenössischen Kriegen gegen die Türken betrachtete man damals zweifellos A. Altdorfers Schlacht von Issos (Abb. 1).

### E. 17. UND 18. JAHRHUNDERT

Angesichts der Veränderungen des Militärwesens durch den Ausbau der ständigen Land- und Seestreitkräfte, der Entwicklung von Festungsbau und Belagerungstechnik, v. a. aber angesichts der fast ununterbrochenen Reihe von K. blieb die Notwendigkeit der intellektuellen Beschäftigung mit der Austragung bewaffneter Konflikte auch im 17. und 18. Jh. bestehen. Dabei behielt das Studium des Alt. seine Bed. bei. Ein engl. Berufsoffizier war der erste Übersetzer Aelians in eine mod. Sprache. Der bekannte und damals vielgelesene Kriegstheoretiker, der als »Végèce français« bekannte J. Ch. Chevalier de Folard (1669–1752), betreute die weitumfassende militärtechnische Kommentierung der wichtigen Polybios-Übers. von Vincent Thuillier (Amsterdam 1729–30). Der Major des preußischen Freikorps im Siebenjährigen Kriege, K. G. Guichard (Quintus Icilius, 1724–1775), Vertrauter und Flügeladjutant Friedrichs des Großen, stützte seine vielgelesenen *Principes de l'art militaire* (1763) auf die Analyse der ant. Taktiken und verfaßte umfangreiche *Mémoires* über die ant. Kriegspraxis. Friedrich II. (1712–1786) von Preußen, einer der bedeutendsten Feldherren seiner Zeit, entwickelte seine »schiefe Schlachtordnung« (*ordre oblique*) aus dem Vorbild des Thebaners Epaminondas.

### F. VERWISSENSCHAFTLICHUNG DES MILITÄRWESENS UND TRENNUNG VON GESCHICHTS- UND ALTERTUMSWISSENSCHAFTEN

Napoleon I. sowie Napoleon III. studierten Caesar; in einem für das strategische und mil. Denken so wichtigen Buch wie *Vom Kriege* des Carl von Clausewitz (1780–1831) spielt das Alt. als fundierender Bezugspunkt indes nur so gut wie keine Rolle mehr. Zwar behielt in der Ausbildung von Offizieren die Analyse histor. Beispiele auch des Alt. ihre Bed. bis in die Gegenwart, doch im 19. Jh. rücken in der als seriös beurteilten Beschäftigung mit dem K. im Alt. mehr und mehr Spezialisten in den Vordergrund. Diese Spezialisten genießen Anerkennung in den histor. oder Altertumswiss., büßten dafür aber an über die Wiss. hinausgehender Ausstrahlung ein. Immerhin verfügten im Wilhelminischen

Abb. 1: A. Altdorfer, *Schlacht bei Issos.* 1529.
München, Alte Pinakothek

Deutschland die meisten Militärs mindestens über eine äußerliche human. Bildung. Eine Verbindung zwischen Wiss. und mil. Praxis ergab sich wiederholt dadurch, daß frühere Berufsoffiziere wie der aus Preußen stammende und nach 1848 in die Schweiz emigrierte W. Rüstow oder der k.u.k. Hauptmann G. Veith zusammen mit aus der Wiss. kommenden Kollegen grundlegende Werke zum Kriegswesen des Alt. beisteuerten. Im Falle von Alfred von Schlieffens (1833–1913) Cannaestudie (1909) wird das Auseinanderdriften der wiss. Erforsch. ant. Phänomene und der auf den Einsatz in der Gegenwart bedachten Argumentation dennoch spürbar. Schlieffen läßt sich primär von der histor. Vernichtungsschlacht Hannibals gegen die Römer inspirieren, ja er will sie in der Gegenwart wiederholen, als seien die histor. Bedingungen noch die gleichen und als gäbe es keine Unterschiede zwischen taktischer und strategischer Ebene. Gleichzeitig wirkt bei ihm aber auch das Studium von Moltkes Sichelmanöver im K. von 1870/71. Der Einbezug von altertumswiss. oder althistor. Analysen bleibt beiseite oder nebensächlich, diese gehören offenbar zu einem anderen, zu einem wiss. »Diskurs«, der freilich strukturell teilweise ähnlich unbefangen davon ausging, in der Vergangenheit hätten die gleichen militärtechnischen Bedingungen wie in der Gegenwart gegolten. Die geschichtswiss. Aufarbeitung der K. im Alt. hat auf alle Fälle in jener Zeit Konjunktur gehabt. Davon zeugen die noch immer wichtige Geschichte des griech. bzw. ant. Heerwesens von H. A. T. Köchly und W. Rüstow (1852) bzw. von H. Droysen (1888–1889) und zuletzt die grundlegenden Darstellungen von J. Kromayer und G. Veith (*Antike Schlachtfelder*, 1903–1924; *Heerwesen und Kriegführung der Griechen und Römer*, 1928). In diese Zeit gehört auch M. Jähns (1837–1900) fundamentale Geschichte der Kriegswiss. [5].

Einen Sonderweg hat Hans Delbrück (1848–1929) beschritten (zu ihm u. a. [6]), freilich um den Preis, von der damaligen Historikerzunft sowie auch von den Militärs als Außenseiter nicht durchweg anerkannt zu werden (was aber ebenso, ja noch mehr an unterschiedlichen polit. Präferenzen lag). Delbrück hat als einer der ersten die enge Verbindung zwischen mil. und gesellschaftlich-polit. Bereich herausgestellt und damit Zusammenhänge aufgezeigt, welche neue Perspektiven eröffneten, wie sie zugleich auch Otto Hintze und Max Weber zeichneten. Die letztlich fruchtlosen Debatten über technische Details der ant. Kriegsgeschichte und Schlachtentopographie finden sich zwar bei ihm auch, sind aber doch durch diese Perspektive überwunden.

G. TENDENZEN DER FORSCHUNG
NACH DEM I. WELTKRIEG

G. De Sanctis meisterhafte, im Rahmen seiner *Storia dei Romani* noch während des I. Weltkrieges 1916 erschienene Operationsgeschichte der beiden ersten pun. Kriege, W. W. Tarns noch immer grundlegenden *Lees-Knowles Lectures in Military History* 1929–30 über *Hellenistic Military & Naval Developments* und G. Veith/ J. Kromayers *Schlachten-Atlas zur antiken Kriegsgeschichte*

(Leipzig 1922–1929) weisen darauf hin, wie unverändert in der Zeit zwischen den Weltkriegen Kriegsgeschichte einen Schwerpunkt der Forsch. bildete. Umgekehrt belegt die Scipio Africanus-Biographie des bedeutenden strategischen Denkers B. H. Liddell Hart, wie umgekehrt die Militärwiss. an der Ant. interessiert blieb.

Nach dem II. Weltkrieg hat sich diese Situation geändert. Unter dem Einfluß der rasch in vielen Ländern rezipierten frz. Annales-Schule wurde die Geschichte der Schlachten geradezu verbannt. Im deutschsprachigen Raum entstanden psychologische und gesellschaftliche Barrieren, das Thema K. anzugehen. Immerhin gibt es Ausnahmen, und sodann ist v. a. darauf hinzuweisen, daß unter dem Einfluß der mod. Sozialwiss., der Ökonomie, der Religionsgeschichte und biologischen Verhaltensforschung zahlreiche Aspekte des Phänomenes »K.« unter neuen Gesichtspunkten untersucht worden sind. Insgesamt gibt es eine umfangreiche wiss. Literatur. In ihr sind einige nationale Besonderheiten auszumachen. So vergleicht E. Luttwak die »Grand Strategy« Roms mit derjenigen der USA. Im italienischsprechenden Raum spielen Anregungen von Persönlichkeiten wie P. Fraccaro, E. Gabba, V. Ilari oder G. Brizzi eine bes. Rolle, im französischsprachigen Raum von P. Ducrey, Y. Garlan, J. Harman, Y. Le Bohec, R. Lonis oder M. Launey, im englischsprachigen Raum von E. Birley, V. Hanson, oder W. K. Pritchett; angesichts der großen Zahl von Forschern fällt es gerade hier schwer, einzelnen Namen bes. hervorzuheben. Zahlreiche Publikationen wirken über die jeweiligen Sprachgrenzen hinaus. Für die beiden letzten Dekaden ist charakteristisch, daß die Publikationen zugenommen haben und auch vor der Behandlung eigentlicher Militärgeschichte nicht zurückscheuen, wie v. a. bei den englischsprachigen Publikationen auffällt. Dazu paßt, daß in letzter Zeit von Vegetius ein halbes Dutzend Ausgaben und Übers. besorgt worden sind.

→ Frieden; Schlachtorte
→ AWI Vegetius

1 P. CONTAMINE, La Guerre au moyen Âge, Nouvelle Clio 24, 1980 2 W. HAHLWEG, Die Heeresreform der Oranier und die Ant., 1941 3 Ders., Griech., röm. und byz. Erbe in den hinterlassenen Schriften des Markgrafen Georg Friedrich von Baden, in: Zschr. für die Gesch. des Oberrheins 98, 1950, 58–62 4 Ders. (Hrsg.), Klassiker der Kriegskunst, 1960 5 M. JÄHNS, Gesch. der Kriegswiss. vornehmlich in Deutschland, 3 Bde., München/Leipzig 1880–1891 6 S. LANGE, Hans Delbrück und der »Strategiestreit«, 1995 7 L. LORETO, Il generale e la biblioteca. La trattatistica militare greca da Democrito di Abdera ad Alessio Comneno, in: G. CAMBIANO, L. CANFORA, D. LANZA (Hrsg.), Lo spazio letterario della Grecia antica Bd. 2, 1995, 563–589 8 G. Oestreich, Ant. Geist und mod. Staat bei Justus Lipsius (1547–1606). Der Neustoizismus als polit. Bewegung, 1989 9 F. H. RUSSELL, The Just War in the Middle Ages, 1975. LUIGI LORETO

# Kroatien A. MITTELALTER
## B. RENAISSANCE  C. 17.–18. JAHRHUNDERT
## D. 19.–20. JAHRHUNDERT

### A. MITTELALTER

Die Provinzen Dalmatien und Pannonien galten vor dem Einfall der Goten als entwickelter Teil des röm. Imperiums. Zeugnisse dieser Epoche sind zahlreiche ant. Denkmäler auf dem Gebiet des heutigen Kroatien. Im Zuge der Spaltung des spätröm. Imperiums wurde Südosteuropa in zwei sprachliche Domänen geteilt: eine griech. und eine lat. – allerdings wurde in den adriatischen Städten, die Byzanz gehörten, bis ins 12. Jh. parallel zur lat. auch die griech. Sprache verwendet. Bald nach ihrer Ansiedlung (6.–7. Jh.) haben die Slawen im westl. Teil Südosteuropas die lat. Schriftsprache übernommen (ca. 8.–9. Jh.). Hierbei war das Wirken der Benediktiner von zentraler Bedeutung. Das älteste erhaltene lat. Dokument eines slawischen Herrschers stammt vom Fürsten Trpimir (852). In der zweiten H. des 9. Jh. wurde der lat. Sprache das Aksl. entgegengesetzt, das von den Schülern des Methodius verbreitet wurde. Im Zuge der Ausbildungsreformen der karolingischen Ren. und der zentralistischen Reformen der röm. Päpste wurde vom 9. bis zum 11. Jh. Lat. als wichtigste Schriftsprache etabliert. Die meisten Schriften des MA haben juristisch-administrativen Charakter. In zahlreichen Statuten der dalmatinischen Städte erkennt man eine starke Orientierung auf das röm. Recht.

### B. RENAISSANCE

Die Bewegung des Human. entwickelte sich in den kroatischen Ländern aufgrund der polit. Lage in mehreren kulturellen Zentren: zuerst in den Küstenstädten Zadar, Šibenik, Trogir, Split, Dubrovnik, Hvar, Korčula usw. (J. Benja, P. Cipiko, M. Resti) und später im Norden (Zagreb, Varaždin) bzw. am kroatisch-ungarischen Hof. Zahlreiche kroatische Humanisten studierten oder lehrten an den europ. Universitäten. Human. Werke sind sowohl in thematischer als auch in stilistischer Hinsicht nicht einheitlich, sondern spiegeln die Hauptströmungen und Gruppierungen dieser Epoche wider und umfassen Poesie und Prosa, wiss., philos. und theologische Schriften.

Die kroatische Lit. der Ren. ist im letzten Viertel des 15. Jh. entstanden, wobei die Lit. in der lat. Sprache drei bis vier Jahrzehnte älter ist als die Lit. in der Volkssprache. Unter dem Einfluß der ant. Lit. sind zahlreiche Epen, Elegien, Epigramme, Eklogen, Oden und Hymnen entstanden. Für rel. Epen wie *Davidas* von M. Marulić (1450–1524), *De raptu Cerberi* und *De vita et gestis Christi* von J. Bunić (1469–1534) oder *Solemais* von I. Barbula (geb. 1472) ist der Einfluß Vergils wichtig. Von den zu dieser Zeit veröffentlichten Gedichtsammlungen, in denen zahlreiche Motive der ant. Myth. thematisiert werden, sind *Elegiarum et carminum libri III* von J. Šižgorić (um 1420–1509), *De laudibus Gnesae puellae* von K. Pucić (Carolus Puteus, 1461–1522), *Carmina* von L. Paskalić (1500–1551) und *Otia* von A. Vrančić

(1504–1573) zu nennen. Der größte Teil dieser meist philos.-rel. reflektiven Dichtung ist erst in der neueren Zeit veröffentlicht worden, u.a. die Werke wichtiger Dichter wie I. Česmički (Janus Pannonius, 1434–1472), I. Crijević (Aelius Lampridius Cerva, 1463–1520), D. Benešić (1477–1539) und M. Marulić. Ant. Muster findet man auch in dem einzigen kroatischen Hirtenroman dieser Epoche, *Planine* von P. Zoranić (1508–1569), in der Dichtung D. Ranjinas (1536–1607) und M. Vetranović (ca. 1482–1576) ebenso wie bei dem wichtigsten kroatischen Komödiendichter M. Držić (ca. 1508–1567).

In histor. Schriften wird ausführlich über die Geschichte der eigenen Städte bzw. über die »dalmatinische« oder »illyrische« Geschichte geschrieben, die man von der Ant. bis in die Gegenwart als kontinuierliche Linie darstellte, so in *De situ Illyriae et civitate Sibenici* von J. Šižgorić, *Cronicon Dalmatiae et Saloniae* von Martin aus Šibenik, *Historia vel de laudibus Dalmatiae* von I. Barbula, *De Sclavinis seu Sarmatis in Dalmatia* von F. Vrančić (1551–1617), *Monumenta vetera Illyrici Dalmatiae* von S. Kožičić Benja (gest. 1532), *De origine successibusque Slavorum* von V. Priboević (Vicentius Priboevus).

Die meisten philos. Werke gehören den Strömungen der späten Scholastik an. Befreit von der ma. Latinität, schrieben den selbständigste Philosoph dieser Epoche, Franjo Petrišević (Franciscus Patricius, 1592–1597) und eine Reihe weniger origineller Autoren, die in der Ant. v.a. stilistische Vorbilder suchten. Der wichtigste Dubrovniker Philosoph, der Peripatetiker N. Gušetić (1549–1610), schrieb unter dem Einfluß des zeitgenössischen Neoplatonismus.

In der Ren. findet man auch differenzierte wiss. Arbeiten, die verschiedene Disziplinen betreffen. Man verfaßte u.a. lat. Gramm. (z.B. Šimun aus Trogir, bekannt unter dem Spitznamen Aretophylus, erste H. des 16. Jh.); Komm. zu griech. und lat. Autoren (I. Barbula); enzyklopädische Arbeiten und WB (P. Skalić, 1534–1575; I. Crijević; M. Marulić; F. Vrančić u.a.). A. Vrančić sammelte auf seinen Reisen ant. Epitaphe. Ivan Vitez aus Sredna (1400–1472), der dem sog. Corvinus-Kreis angehörte, übers. Demosthenes; I. Česmički Demosthenes und Plotin; N. Petrović-Petreius (um 1500–1568) griech. medizinische Autoren usw. Man übers. auch in die Volkssprache: D. Ranjina (1536–1607) Tibull, Catull und Martial; P. Hektorović (1487–1572) und H. Lucić (1485–1553) Ovid.

Unter dem Einfluß der Ant. wurde in dieser Epoche auch das Interesse für die Naturwiss. neu erweckt. F. Grisognono aus Zadar kommentierte in seinem *Speculum astronomicum* (1509) Euklid; der Dubrovniker M. Getaldić (1568–1626) schrieb eine Reihe von Abh. über die ant. Geom. (*Appolonius redivivus*) und Physik (*Promotus Archimedes*); Donat a Mutiis kommentierte Mitte des 16. Jh. in Dubrovnik Galen.

## C. 17.–18. Jahrhundert

Für die Entwicklung der kroatischen Kultur des späten 16. und 17. Jh. ist weniger die Reformation von Bed., die man in den kroatischen Ländern schon zu Beginn des 17. Jh. zurückdrängte, als die kulturelle, polit. und rel. Bewegung der Gegenreformation. Kennzeichnend für diese Epoche ist eine etappenweise Abkehr von der Dominanz der lat. Sprache; jedoch blieb Lat. lange noch, bis in die 2. H. des 19. Jh., die Sprache der Geistlichen, der Diplomatie und der Wissenschaft.

Bei den Dichtern des 17. und 18. Jh., von denen einige sowohl in der Volkssprache als auch in der lat. Sprache schrieben, findet man zahlreiche Reminiszenzen an die ant. Mythologie. Einer der wichtigsten Dichter dieser Epoche, I. Đurđević (1675–1737), hinterließ neben Versen in beiden Sprachen sowie naturwiss., histor. und literaturhistor. Schriften (*Antiquitates Illyricae*) auch die Abh. *Bellum Troianum*, in der er die Autorschaft Homers an der *Ilias* und der *Odyssee* in Zweifel zog, so daß man ihn als einen Vorläufer der anhaltenden Polemik um die sog. → Homerische Frage betrachten kann. J. Palmotić (1606–1657) verarbeitete in seinen Werken Episoden aus Ovid und Vergil. Der wichtigste barocke Autor, I. Gundulić (1589–1638), geht in seinen frühen Dramen ebenso von ant. Mustern aus. Der Vertreter der Aufklärung J. Bajamonti (1744–1800) schrieb neben lat. Versen auch die Abh. *Il morlaccismo d'Omero*, in der er die südslawische Volksdichtung mit dem Werk Homers verglich.

Von der späten Generation der in Dubrovnik wirkenden Dichter, die z. T. auch in der ersten H. des 19. Jh. lat. Verse schrieben, ist hier u. a. Đ. Hidža (1752–1833), der Übersetzer von Vergil, Horaz, Tibull und Ovid in die Volkssprache, zu nennen. Đ. Ferić (1739–1820) verfaßte u. a. zahlreiche Epigramme und Fabeln. R. Kunić (1719–1794) übers. die *Ilias* (*Homeri Ilias Latinis versibus expressa*, 1776), während sein Schüler B. Zamanja (Bernardus Zamagna, 1735–1820) Hesiod, die bukolische Dichtung und die *Odyssee* ins Lat. übersetzte.

Seit dem 17. Jh. wurde die Latinität auch im Norden K. immer stärker. Hier war die Arbeit des Historikers B. Krčelić (1715–1778) wichtig, und es wirkte auch M. P. Katančić (1750–1825) als Dichter (*Poemata lyrica, Fructus auctumnales*), als Philologe und Literaturtheoretiker (*De poesi Illyrica libellus ad leges aesteticae exactus*) und als Historiker.

Im Zuge der Gegenreformation wurde eine Reihe linguistischer Arbeiten verfaßt, und zwar von Jesuiten, die sich für die missionarische Arbeit auf dem slawischen Balkan vorbereiteten und in Rom ihr eigenes Seminar hatten (*Accademia linguae illyricae*). Linguistische Arbeiten wurde aus anderen Motiven auch im 18. Jh. fortgesetzt. In der Dubrovniker Akad. (*Academia otiosorum*), die die Bed. der Volkssprache stärken wollte, entstand die Idee eines großen lat.-it.-kroatischen WB, die von dem Italiener Ardelio Della Bella (1655–1737) endgültig in die Tat umgesetzt wurde (*Dizionario italiano-latino-illirico*, 1728). Mehrere WB aus dieser Epoche, die ebenso von der lat. Grundlage ausgehen, sind bis h. nur als Mss. vorhanden. Zu Beginn des 19. Jh. wurde das *Lexicon Latino-Italico-Illyricum* des Dubrovniker Franziskaners J. Stulli (1772–1828) veröffentlicht.

Im 18. Jh. findet man auch zahlreiche Arbeiten über die Denkmäler der ant. Kultur. I. J. Pavlović-Lučić (1775–1818) schrieb *Marmora Macarensia* und *Marmora Traguriensia*. Arch. Interesse findet man auch in den Arbeiten von A. Blašković (1727–1796), J. Salecić (gest. 1747), J. V. Ćolić (gest. 1764), P. A. Bogetić (gest. 1784) und M. P. Katančić. Der verdiente Dubrovniker Forscher A. Banduri (1671–1743) übers. unbekannte byz. Autoren (*Imperium Orientale*) und verfaßte eine Reihe arch. und numismatischer Arbeiten.

Im Bereich der Naturwiss. ist die zentrale Figur R. Bošković (1711–1787), der in seinem klass. Werk *Theoria philosophiae naturalis* (1758) einen wichtigen Beitr. zum mod. Verständnis der Struktur der Materie lieferte.

## D. 19. und 20. Jahrhundert

Der lange Gebrauch der lat. Sprache in K. war stark polit. motiviert. So wurde Lat. im kroatischen Landtag bis 1847 als Reaktion auf den Versuch der Einführung der ungarischen Sprache gebraucht. Man findet in der ersten H. des 19. Jh. zahlreiche lat. Werke, jedoch wurde Lat. im Laufe des 19. Jh. von der kroatischen Sprache in allen Bereichen der Kultur ganz verdrängt.

In 19. und 20. Jh. blieb die ant. Kultur weiterhin eine wichtige Inspirationsquelle in der bildenden Kunst und Literatur. Einer der wichtigsten kroatischen Bildhauer, Ivan Meštrović (1883–1962), schuf zahlreiche ant. Gestalten bzw. Werke nach ant. Mustern (*Laokoon, Psyche* usw.). Die ant. Verslehre inspirierte viele Dichter des 19. und 20. Jh., so P. Preradović (1818–1872), S. S. Kranjčević (1865–1908) und V. Nazor (1876–1949). Themen und Motive der ant. Lit. findet man in der Dramatik, wie z. B. bei M. Krleža (1893–1981) in seinem Drama *Leda*, oder in der Prosa, wie bei R. Marinković (geb. 1913) in dem Roman *Kiklop*. Hier müssen auch die bedeutungsvollen Übers. Homers und Vergils von T. Maretić (1854–1938) erwähnt werden.

In der neueren Zeit wird die Ant. immer stärker zum Gegenstand der Wissenschaft. Neben dem klass. Philologen A. Musić (1856–1938) – Hörer von Brugmann und Leskien – und seinem Schüler N. Majnarić (1885–1966) seien hier u. a. M. Kuzmić (1868–1945), D. Körbler (1873–1927), I. Kasumović (1872–1945), V. Gortan (geb. 1907) und V. Vratović erwähnt.

Seit der ersten H. des 19. Jh. wurden in K. zahlreiche arch. Ausgrabungen unternommen (so Solin, seit 1821). Das *Arch. Mus.* in Split wurde 1821 gegründet. Im Laufe des 19. und 20. Jh. wurden weitere Mus. bzw. arch. Abteilungen in mehreren kroatischen Städten eröffnet (Zagreb, Pula, Dubrovnik usw.). An der Zagreber Univ. gründete man 1896 den Lehrstuhl für Archäologie.

→ Humanismus; Renaissance

1 A. ANGYAL, Südosteurop. Spät-Ren., in: Ren. und
Human. in Mittel- und Osteuropa. Eine Slg. von
Materialien besorgt von J. Irmscher, 1962, 287–291
2 A. BARAC, Jugoslavenska književnost, Zagreb 1954 (Dt.:
Gesch. der jugoslawischen Lit., 1977) 3 M. D. BIRNBAUM,
Croatian and Hungarian Latinity in the Sixteenth Century,
Zagreb-Dubrovnik 1993 4 Enciklopedija Jugoslavije, 1–8,
Zagreb 1955–1971 5 I. FRANGEŠ, Povijest hrvatske
književnosti, 1987 (Dt.: Gesch. der
kroatischen Lit., 1995) 6 M. FRANIČEVIĆ, Povijest hrvatske
renesansne književnosti, Zagreb 1983 7 I. N.
GOLENIŠČEV-KUTUZOV, Il Rinascimento italiano e le
letterature slave dei secoli XV e XVI, Bd. 1 und 2, 1973
8 V. GORTAN, V. VRATOVIĆ, Hrvatski latinisti, I-II, Pet
stoljeća hrvatske književnosti, Bd. 2. und 3, Zagreb 1969
9 S. JOSIFOVIĆ, Jugoslawien, Griech. und röm. Philol., in: La
Filologia Greca e Latina nel secolo XX, 1989, 651–661
10 A. KADIĆ, Croatian Ren., in: Slavic Review, 21, 1961,
65–88 11 V. VRATOVIĆ, Hrvatski latinizam i rimska
književnost, Zagreb 1989.                    MIRO MAŠEK

## Krone  A. EINLEITUNG  B. MITTELALTER C. NEUZEIT  D. BRAUCHTUM

### A. EINLEITUNG

K. (lat. *corona*, griech. *stémma*) ist zunächst ein Kranz
aus verschiedenen Materialien (Blätter, Zweige, Früchte, Gras, später Metall), welcher auf dem Kopf getragen
wird, um den Träger/die Trägerin aus der Gemeinschaft
herauszuheben. Auch Sachen (Opfergaben, Schiffe)
wurden in der Ant. mit einer K. versehen. Entscheidendes und Gemeinsames der mannigfachen K. ist die ma-
gisch-rel. Symbolik des Kreises, dessen Nachbildung in
biblischer Zeit als Kopfschmuck und Rangabzeichen der
Könige und Priester auftaucht (AT, 2 Samuel 1,10; 2 Kg
11,12; Ps 89,40; Ps 132,18; Ex 29,6; Ex 39,30). Die K. ist
damit von Anfang an Zeichen für einen Auserwählten,
der jedoch nicht unbedingt Herrscher sein muß. Das belegt die Vielfalt der Kronentypen in der röm. Ant., womit insbes. Auszeichnungen unterschiedlichster Art an
der Person sichtbar gemacht wurden. Neben der vielfältig verwendeten K. steht das Diadem, eine im Nacken
verknotete Wollbinde mit Edelsteinbesatz, als Zeichen
der altpersischen Herrscherwürde. Seit der späten röm.
Kaiserzeit tritt die Strahlenkrone für den Herrscher hinzu, welche seine Gottähnlichkeit kennzeichnen soll.
Eine Fokussierung der Kronensymbolik auf das Inne-
haben von Herrschaft scheint im byz. Kaiserreich eingetreten zu sein. Dabei wurde vornehmlich an das Diadem
angeknüpft, indem es durch einen Reifen aus Metall mit
Stirnjuwel (in der Regel in Kreuzesform) und Pendilien
nachgebildet wurde. Die Kombination von Diadem und
Prunkhelm des Kaisers führte zum Kamelaukion, einer
kaiserlichen Kopfbedeckung für das Zeremoniell. Die
daraus hervorgegangene (Bügel-) K. stand dem Basileus
zu. Unter Anerkennung seiner Herrschaft konnten auch
Fürsten K. erhalten und tragen.

### B. MITTELALTER

Während des Früh-MA entstand in Weiterentwick-
lung des noch hinten offenen Diadems die kreisförmig
geschlossene K. Seit dem Früh-MA besitzen die Herr-
scher mehrere K., so daß eine singuläre authentische
Form nicht auszumachen ist. Mit der Kaiserkrönung
Karls d. Gr. 800 und ihrer späteren Verarbeitung in der
Lehre von der *translatio imperii* (→ Sacrum Imperium
Romanum) erhielt die fränkische K. als eine von vielen
K. in Europa eine bes. Bed. als Kaiser-K. (Reichs-K.).
Ihre christl.-abendländische Symbolik als Zeichen für
den Stellvertreter Christi als Weltenherrscher und seine
sakralen Funktionen als Auserwählter ist für das ganze
MA kennzeichnend. Die aus dem frühen 11. Jh. [11]
stammende Reichs-K. in der Wiener Schatzkammer
bringt auf ihren vier emaillierten Bildplatten mit Bezugnahmen auf die Könige Salomon, David, Ezichias
und Christus als Pantokrator dieses Verständnis deutlich
zum Ausdruck. Doch darf auch hier nicht Ausschließ-
lichkeit einer ganz bestimmten K. angenommen werden [9. 50–53]. Wie die Kaiser-K. mit dem (1165 heilig
gesprochenen) Karl d. Gr. werden auch andere K. mit
Heiligen in Verbindung gebracht (Stephans-K., Ungarn; Wenzels-K., Böhmen). Neben ihrer Funktion als
Symbol ist die K. auch Gebrauchsgegenstand im ›Herr-
schaftsalltag‹ [9. 59], da sie zu feststehenden Anlässen
getragen wird. Ihre Präsenz bzw. Verfügbarkeit hat für
bestimmte Rechtshandlungen konstitutive Bed. (z. B.
bei der dt. Königswahl). Neben den K. als Herrschaftszeichen, die auch als spezielle Frauen-K. erscheinen,
stehen im MA Votiv- und Grabeskronen. Mit dem Aufkommen des Wappenwesens nach den Kreuzzügen
wird die K. in verschiedenen Formen häufiger Bestandteil von Wappen. An ihr läßt sich (ausgeprägt seit dem
16. Jh.) der Rang des Wappenträgers in der Adelshier-
archie erkennen (Königs-, Großherzogs-, Herzogs-,
Fürsten-, Grafen-K.). Für Kronendarstellungen auf Siegeln u. Mz. gilt Entsprechendes.

### C. NEUZEIT

Seit dem Spät-MA tritt neben den Sinngehalt der K.
als Herrschaftszeichen die Bed. des ›von der Person des
Herrschers losgelösten Königtums‹ [8. 3]. Im konstitu-
tionellen Zeitalter steht »K.« synonym für das von der
Person ihres berechtigten Trägers getrennte Staatsver-
mögen [8. 3–5]. Vom Münzbild avanciert der Begriff
»K.« zur Währungsbezeichnung (so bis h. in Tschechien,
den skandinavischen Ländern und in Estland). In ihrer
materiellen Gestalt selbst wird die K. Teil des bes. deponierten und bewachten Staatsschatzes. Offizielle
Funktionen hat die K. heute nur noch in den wenigen
Monarchien, wo sie zu verfassungsmäßig bestimmten
bzw. protokollarischen Anlässen getragen wird.

### D. BRAUCHTUM

Zu allen Zeiten gab es eine vielfältige Verwendung
von K. im Brauchtum, die an Material und Formen der
röm. Ant. erinnern. Den Träger(inne)n maß man Jung-
fräulichkeit (Braut-K.), poetische Begabung (Dich-
ter-K.) u. ä. bei. Bis in die Gegenwart reicht die Auszeichnung des Siegers/der Siegerin eines Wettkampfes
mit einer K. bzw. einem Kranz sowie das Aufhängen
einer K. aus belaubten Zweigen bei der Errichtung eines

Gebäudes (Richt-K.) und das Zurschaustellen eines Ährengebindes nach vollbrachter Ernte (Ernte-K.). Hierbei handelt es sich unverkennbar um ein allg. Freudesymbol.

→ AWI Auszeichnungen, militärische; Basileus; Diadema; Kranz

LIT **1** K. BAUS, Der Kranz der Ant. und des Christentums, 1940 **2** H. BIEHN, Die K. Europas und ihre Schicksale, 1957 **3** C. BRÜHL, K.- und Krönungsbrauch im frühen u. hohen MA, HZ 234, 1984, 1–31 **4** W. DEÉR, Die Hl. K. Ungarns, 1966 **5** V. H. ELBEN, s. v. K., LMA 5, 1544–1547 **6** A. ERLER, Dichterkrönungen, HWB zur dt. Rechtsgesch. 1, 728–729 **7** H. FILLITZ, K., HWB zur dt. Rechtsgesch. 2, 1212–1217 **8** F. HARTUNG, Die K. als Symbol der monarchischen Herrschaft im ausgehenden MA, 1941 **9** J. PETERSOHN, Über monarchische Insignien und ihre Funktion im ma. Reich, in: HZ 266, 1998, 47–96 **10** P. E. SCHRAMM, Herrschaftszeichen und Staatssymbolik, I–III, 1954–1956 **11** M. SCHULZE-DÖRRLAMM, Die Kaiser-K. Konrads II. (1024–1039), ²1992 **12** K. SCHWARZENBERG, Die Sankt Wenzels-K., 1960.        HEINER LÜCK

**Küchenlatein.** Pejorative Bezeichnung für falsches, von »Barbarismen« und Solözismen durchsetztes Lat. Der älteste bekannte Beleg für die Herkunft des Begriffes findet sich bei Lorenzo Valla, der im Rahmen einer Kontroverse über das korrekte Lat. in seinem *Apologus* (1452/1453) Briefstellen Poggio Bracciolinis durch die Dialogteilnehmer Guarino da Verona, dessen Koch Parmeno und Stallknecht Dromo einer bissigen sprachlichen Kritik unterzieht: Poggio habe das Lat. bei seinem Koch gelernt, gebrauche *culinaria vocabula*, könne folglich als Unterkoch beginnen und zerschlage das gramm. korrekte Lat. wie ein Koch die Töpfe [2. 486–488]. Die Namen Parmeno und Dromo sind bei Plautus und Terenz, deren Komödien der erste Akt des *Apologus* nachgebildet ist, für Sklaven gebräuchlich. Unter den Sklaven stand seit der Ant. gerade das Küchenpersonal in sehr geringem Ansehen (vgl. Liv. 39,6; [6. 210 f.]), so daß für Valla eine verächtliche Verbindung von Küche und falschem Lat. – er erklärte allein das sog. klass. Lat. für verbindlich – nahelag.

Für Deutschland dürften Vermittler des Begriffs K. [8. 290] v. a. P. Luder und S. Karoch, beide ehemals Studenten in It. [6. 210], gewesen sein, die 1462 bzw. etwa 1472 von fehlerhaftem Lat. als *culinarium Latinum* und *culinaria lingua* sprechen [3. 6, 14]. 1485 läßt J. Kerckmeister in seinem *Codrus* über die Lateinkenntnisse des titelgebenden Schulmeisters mutmaßen: *In coquina, ceu sit, apud coquos forte Latinum didicit* [1. 78]. Das in extremer Form durch volkssprachliche Elemente korrumpierte, in den *Epistulae obscurorum virorum* (1515/1517) verspottete Lat. wird auch häufig als K. bezeichnet [7. 455]. Ebenfalls wird zuweilen der Begriff K. irrtümlicherweise mit dem Begriff »Mönchslat.« gleichgesetzt [5].

→ Neulatein
→ AWI Komödie

QU **1** J. KERCKMEISTER, Codrus, ed. L. MUNDT, 1969 **2** L. VALLA, Apologus, ed. S. CAMPOREALE, in: Ders., Lorenzo Valla, Umanesimo e Teologia, 1972, 469–534

LIT **3** L. BERTALOT, Human. Vorlesungsankündigungen in Deutschland im 15. Jh., in: Zschr. für Gesch. der Erziehung und des Unterrichts 5, 1915, 1–24 **4** E. R. CURTIUS, Europ. Lit. und lat. MA, ²1954, 431 ff. **5** J. und W. GRIMM, Dt. WB, Bd. 5, 2504 f. (Ausgabe von 1873) **6** P. LEHMANN, MA und Küchenlat., in: HZ 137, 1928, 197–213 **7** R. PFEIFFER, K., in: Philologus 86, 1931, 455–459 **8** E. WEISSBRODT, Nieder-dt.-lat. Glossen um 1500, in: Zschr. für dt. Wortforsch. 15, 1914, 278–310.     CHRISTOPH BRÄUNL

**Künstlerlegenden** A. GEGENSTANDSBEREICH B. SCHRIFTLICHE NACHRICHTEN ÜBER DEN KÜNSTLER VON DER ANTIKE ZUR NEUZEIT C. DIE HÄUFIGSTEN STEREOTYPEN D. DER HOFKÜNSTLER E. DAS VERKANNTE GENIE DER MODERNE F. DIE KONSTRUKTION DES KÜNSTLERS

A. GEGENSTANDSBEREICH

Anekdoten von Künstlern sind über Duris, den Tyrannen von Samos (um 300 v. Chr.) und Schüler von Theophrast, bruchstückhaft überliefert (FGrH II A Nr 76). C. Plinius Secundus der Ältere übernimmt einige davon in seinen Aufzeichnungen über Künstler in der *Naturalis historia*, die den Grundstock der K. bilden. Die Anekdoten sagen weniger aus über die tatsächliche Persönlichkeit des Künstlers als über dessen Rolle innerhalb der Gesellschaft. Allg. charakterisieren sie diesen als Verkörperung des »Menschenwitzes« (s. u.). Die K. lassen gewisse Stereotypen erkennen, die, in abgewandelter Form sich wiederholend, einzelnen Künstlerindividuen zugeschrieben werden. Die Überlieferung von K. erlebt drei geschichtliche Höhepunkte: im Hell. und der röm. Kaiserzeit, im Human. des 15. und frühen 16. Jh. sowie zwischen Romantik und klass. Moderne (19./20. Jh.). Ihre jeweilige Aktualität gewinnen sie, wenn die gesellschaftliche Stellung des Künstlers eine Veränderung erfährt.

In der Ant. beweist der geistreiche Künstler durch seinen Witz, daß sein Können die bloß technische Fertigkeit übersteigt. Der Künstler des Human. will, in Abgrenzung vom zünftigen Kunsthandwerker, sich dem fürstlichen Hof gegenüber würdig erweisen als gottähnlicher Schöpfer, der von Natur aus mit Talent begabt ist. Der mod. Künstler wirkt an der Legende vom verkannten Genie, das gegen ein banausisches Publikum im Zeitalter von Kapitalismus und Industrie an seinem Nachruhm arbeitet.

B. SCHRIFTLICHE NACHRICHTEN ÜBER DEN KÜNSTLER VON DER ANTIKE ZUR NEUZEIT

Die ant. Historiker und Philosophen nehmen von der bildenden Kunst kaum Notiz. Aristoteles und Platon weisen ihr einen Rang unterhalb von Dichtung und Musik an. Malerei und Skulptur ist keine Muse zugeordnet, denn sie entspringen handwerklicher Fertigkeit, die in einer Gesellschaft von Sklavenhaltern gering geachtet wird. Im Hell. beginnt sich die Einstellung zu ändern. Plinius berichtet, es sei dem Einfluß von Pamphilos, dem Lehrer des Apelles zu verdanken gewesen, daß Malerei zu einem Lehrfach der Freien wurde (Plin. nat. 35,77). Daß dabei ihre Ausübung durch Sklaven verboten worden sei, trifft zwar nicht zu, doch auf dieser Behauptung von Plinius fußt die human. Ansicht vom angeblich hohen Rang der bildenden Künstler in der Antike. Die Anekdoten, wonach der Künstler für seine Arbeit kein Geld nimmt, sollen Unabhängigkeit demonstrieren von der Lohnarbeit der *bánausoi*, der Handwerker. Polygnot malt den Tempel von Delphi und die Poikile von Athen umsonst (Plin. nat. 35,59). Zeuxis verteilt seine Werke mit der Bemerkung, sie seien unbezahlbar (nat. 35,62).

Wenn schriftlich belegte Nachrichten über den Künstler im MA fehlen, bedeutet das nicht, sein Werk sei gering geschätzt worden. Inschr. seit dem 11. Jh. zeugen vom Stolz über die vollendete Arbeit. Zu Beginn des 15. Jh. erfährt jedoch nicht nur das Werk, sondern auch die Person des Künstlers wieder zunehmende Beachtung. Es entwickelt sich ein Wettbewerb unter den Höfen, möglichst berühmte Meister zu halten, die durch Privilegien, Pensionen und Adelstitel beworben werden. Wie schon in der Ant., begleiten die Schriftsteller den sozialen Aufstieg der Künstler nur zögernd. Die Novellen des 14. Jh., Giovanni Boccaccios und Franco Saccettis, berichten vom spaßigen und drolligen Wesen der Künstler. Drei Verse in Dantes *Göttlicher Komödie* tragen dazu bei, die bildenden Künstler auf die Höhe der Dichtung zu heben: ›Es glaubte Cimabue in der Malerei das Feld zu beherrschen, jetzt aber genießt Giotto den Zuspruch so, daß der Ruhm des andern sich verdunkelt‹ (purg. 11,94–96). Aus Dantekommentaren zu dieser Terzine entwickeln sich im 15. Jh. die ersten selbständigen Künstlerviten. Die Lebensbeschreibungen Giorgio Vasaris, 1550 erstmals publiziert, begründen die Gattung der Künstlermonographie.

## C. DIE HÄUFIGSTEN STEREOTYPEN

### 1. AUFFÄLLIGES VERHALTEN

Nach Plinius soll Zeuxis in Olympia seinen Namen in goldenen Buchstaben auf der Kleidung getragen haben (nat. 35,62) und Parrhasios habe sich selber ›*habrodíaiton*‹, einen stutzerhaften Bonvivant, genannt (nat. 35,7). Giovannantonio von Vercelli erhielt wegen angeblich notorischen Umgangs mit Lustknaben den Spitznamen »Sodoma«, dem wegen Schabernaks bei der Ausmalung im Kloster von Monte Oliveto noch der Titel »Mattaccio«, Erznarr, hinzugefügt wurde (Vasari 4,343 ff.).

### 2. WITZ UND SCHLAGFERTIGKEIT

Der Künstler bewährt sich in rhet. und artistischen Wettkämpfen mit seinesgleichen und dem Publikum. Berühmt sind der Linienwettkampf zwischen Apelles und Protogenes in Rhodos (Plin. nat. 35,81 ff.) sowie der Täuschungswettstreit zwischen Zeuxis und Parrhasios (nat. 35,5). In der Neuzeit setzt sich der Wettstreitgedanke fort in der Paragone-Literatur über den Anspruch um Vorrang unter den Gattungen Malerei und Skulptur. Ungezählt sind die Zeugnisse von der Schlagfertigkeit des Künstlers. Apelles korrigiert eine gemalte Sandale, deren Darstellung ein Schuster bemängelt hat. Als dieser nun auch noch einen Fehler bei einem Bein bemerkt haben will, bekommt er zur Antwort, was noch heute geflügeltes Wort ist: ›Schuster bleib bei deinem Leisten!‹ (Plin. nat. 35,85).

### 3. FREUND DER FÜRSTEN

Die Ebenbürtigkeit mit den Herrschenden führten die Humanisten auf einen Ausspruch von Parrhasios zurück, der sich ›Fürst der Künste‹ genannt haben soll (Plin. nat. 30,71). Apelles genoß die Hochachtung von König Alexander, der ihn in der Werkstatt besuchte (nat. 35,85 ff.). Kaiser Karl V. fühlte sich als »Alexander« gegenüber Tizian, seinem »Apelles«, dem er nach Carlo Ridolfi (*Meraviglie*, 1648) den entfallenen Pinsel aufhob. Nach Carel van Mander (*Schilder-Boeck*, 1617) hielt Kaiser Maximilian I. dem Maler Dürer die Leiter bei dessen Arbeit.

### 4. DER »ANDERE GOTT«

Göttl. Eingebung durch die Musen bleibt während der Ant. dem Dichter vorbehalten; erst im Human. wird sie auch dem bildenden Künstler zuteil. Marsilio Ficino (*De vita triplici*, 1489) übernahm Platons Begriff des *enthousiasmós* (im *Phaidros*) des göttl. inspirierten Wahnsinns, ein Gedanke, den Giordano Bruno (*De eroici furori*, 1585) im Sinne eines neuzeitlichen Geniegedankens weiterentwickelte. Die göttl. Quelle der Schöpfungskraft wird mit der Auffassung begründet, der Künstler selbst sei »*alter deus*«, ein »Anderer Gott« (nach H. Janitscheck, L. B. Albertis kleinere kunsttheoretische Schriften, 1877, 90 f.). Dementsprechend haben große Künstler keine Lehrer, die ihr Talent gefördert hätten: der Maler Eupomp sagte, es sei die Natur selbst, die ihn zur Nachahmung angeregt habe (Plin. nat. 34,61). Diese »Naturwüchsigkeit« der Begabung betont Vasari auch einleitend in vielen seiner Biographien.

### 5. KINDHEIT UND ENTDECKUNG

Es gibt keine ant. Anekdoten zur Kindheit des Künstlers. Der Topos bildet sich zusammen mit der Auffassung vom Künstler als dem »Anderen Gott«. Dabei beerben die neuzeitlichen K. den ant. Mythos von Göttern und Helden wie Zeus, Bacchus und Herkules, die von den Eltern ausgesetzt, genährt von tierischen Ammen wie Ziegen, Wölfen und Bären, aufwachsen. Ähnlich wächst der Künstler unter ärmlichen Verhältnissen als Hirtenknabe auf wie Giotto, Domenico Beccafumi, Andrea Sansovino, Andrea del Castagno, Francisco de Goya. In seiner Gottähnlichkeit gleicht der Künstlerknabe dem jungen Christus, der auch in einem Stall geboren worden ist. Wie der zwölfjährige Jesus im Tempel muß der Künstler seine geistige Sendung durchsetzen gegen das Unverständnis der leiblichen Eltern. Nach Ascanio Condivi (*Das Leben des Michelangelo Buonarotti*, 1553, übers. von R. Diel, 1939) wird der Knabe Michelangelo von seinem Vater geschlagen aus Haß gegen den Künstlerberuf. Aber der von Natur mit Talent Begabte setzt sich, unermüdlich übend, gegen alle Schwierigkeiten durch.

## 6. WELTFREMDHEIT

Daß der Künstler über seiner Arbeit die Alltagswelt vergißt, macht ihn dem Philosophen ähnlich. Der Maler Protogenes, der zu Rhodos in seinem Gartenhaus vor der Stadtmauer lebte, soll seine Malerei während der Erstürmung der Stadt nicht unterbrochen haben (Plin. nat. 35,105). Paolo Ucello, unbekümmert über gewinnbringende Aufträge, die seine Armut hätten lindern können, brütete angeblich nächtelang über Perspektivregeln, während seine Frau ihn vergeblich zu Bett rief (Vasari 2,81 ff.). Neben der »weltfremden Schaffenswut« gibt es auch den umgekehrten Fall: Pontormo blieb tagelang untätig; Wohn- und Arbeitsraum im ersten Stock waren über eine Leiter zugänglich, die der Künstler hinter sich hochzog, um vor ungebetenen Gästen sicher zu sein (Vasari 4,234 ff.; 260).

## 7. MELANCHOLIE

Aristoteles (problemata 30,1) stellte fest, daß alle in Philos., Politik, Dichtung und bildender Kunst hervorragenden Leute melancholisch seien. Während die Theologen des MA die Melancholie als Krankheit, gar als Laster der *acedia* (»Trägheit«) geißeln, wird das gallig schwarze Temperament u. a. von Marsilio Ficino wieder nobiliert (*De vita triplici*, 1489). Der Melancholiker ist unter dem Stern Saturn geboren. Sein Charakter entspricht dem des Hundes: eines bekümmerten Grüblers, eines treuen Schnüfflers nach Wahrheit. Daß der Intellektuelle und Künstler ein Melancholiker sei, entwickelt sich zum Gemeinplatz (R. Burton, *Anatomie der Melancholie*, 1621).

## D. DER HOFKÜNSTLER

Im 17. Jh. kommen die K. aus der Mode. Der Berufsstand paßt sich der Etikette des Hofs an. Parallel zur Akademisierung der Kunst steht der Rationalismus in der Philos., wie er in René Descartes' *Discours de la méthode* (1637) zu Grunde gelegt wird. Im Zentrum der barocken Kunstlit. stehen die Regel und der Stil, nicht die Grillen des Künstlers. In Verhalten und Kleidung weist sich dieser als gebildeter Herr mit guten Umgangsformen aus. Cavaliere d'Arpino (1568–1640), ein Gründungsmitglied der röm. Akademie, erscheint in der Öffentlichkeit gegürtet mit dem Degen und hoch zu Roß. Ein Hang zum parvenühaften Gebaren setzt sich über das Dandytum des 19. Jh. bis heute fort. Das Ideal des Hofmanns vollendet sich in Peter Paul Rubens: Der Künstler, Diplomat und vielsprachig Gebildete ist zweimal glücklich verheiratet, gutaussehend und weltmännisch im Umgang mit Königen und Gelehrten – ein *uomo universale*.

## E. DAS »VERKANNTE GENIE« DER MODERNE

Die Übers. der Viten Vasaris im frühen 19. Jh. fällt zusammen mit der Wiedergeburt des Künstlers als Sonderling. Die neuzeitliche Melancholie verwandelt sich in das Fernweh der dt. Romantiker, in den »ennui« (»Langeweile«) der Pariser Dichter um Baudelaire und in die gespreizte Attitüde engl. Dandies. Der alte Topos des weltfremden Grüblers wird neu aufgeladen unter den Bedingungen des Industriezeitalters. Einmal mehr bieten die K. Bewältigungsmodi in einer Epoche gesellschaftlichen Umbruchs. Der Künstler, aus dem Bann, aber auch dem Schutz von Zunft und Hof entlassen, muß sich auf dem freien Markt bewähren. Das »verkannte Genie« setzt sich gegen den Neid der Kollegen und das Banausentum der Zeitgenossen durch. Ein ant. Vorläufermotiv ist die Anekdote von der Verleumdung des Apelles beim König Ptolemaios durch den Rivalen Antiphilus (D. Cast, *The Calumny of Apelles*, 1981). Zum Prototypen des verkannten Genies wird im Rückblick Rembrandt als einer, dessen Fähigkeit von den Zeitgenossen angeblich nicht gebührend geschätzt wurde und dessen Werk sich erst im Nachruhm entfaltet hat. Das Leiden an der herrschenden Welt ist Bedingung der Kreativität. Friedrich Nietzsches *Ecce Homo* (1908) spielt auf den gegeißelten und verspotteten Christus der Passion an. William Blake, Paul Gauguin, Marc Chagall, James Ensor, Salvador Dali und Joseph Beuys inszenieren sich als »Schmerzensmänner«, die um ihrer exponierten Kunst willen das Kreuz auf sich nehmen. Zwar läßt sich auch hier ein Topos bis ins Spät-MA zurückverfolgen: So beeinflußt etwa Thomas a Kempis' (1380–1471) Schrift der Nachfolge Christi die rel. Motivation der Maler im 15. Jh., in der Moderne jedoch wird mystische Selbstaufgabe zum artistischen Rollenspiel. Der Avantgardist ist durchdrungen von der messianischen Sendung, die Menschheit hinter sich zu scharen, um die Welt zu verändern. Der mod. Künstler als leidender Heilsbringer hat auch ant. Titanen und Halbgötter zum Vorbild: Prometheus, der den Menschen das Feuer bringt und dafür von Zeus an den Kaukasus gekettet wird; Orpheus, der in die Unterwelt hinabsteigt, um vor Hades die Geliebte Eurydike herauszulösen.

## F. DIE KONSTRUKTION DES KÜNSTLERS

In den 1960er Jahren macht die Rede vom »Tod des Autors« die Runde. Der Poststrukturalismus setzt an die Stelle des Künstlers den Betrachter, der das Bild macht. Michel Foucault (*Qu'est-ce que c'est, un auteur?* 1969) sieht im Autor die Schnittstelle einer Funktion, welche die Existenz, die Operation und die Zirkulation von Diskursen in der Gesellschaft über die Maske einer Person anschaulich macht. Die durch Jh. überlieferte Figur des Künstlers als Mann trägt zur Schwierigkeit bei, die K. weiblich zu besetzen, da nach der Trad. der Frau die Rolle der Muse zugedacht ist. Die Kunstgeschichte bleibt human. in ihrem Festhalten an der Künstlermonographie. Jede Verknüpfung von Leben und Werk ordnet die Fakten unwillkürlich nach dem Muster der K.; sie liefern das Konstruktionsprinzip dafür, was wir gewöhnlich »den Autor« nennen, jener Figur, in der wir die Ursache genialer Einfälle und von Kunstfertigkeit sehen.

→ AWI Apelles

→ Ekphrasis; Melancholie; Mimesislegenden

**1** R. M. COMANDUCCI, Buono artista della sua arte, Il concetto di artista e la pratica di lavoro nella bottega quattrocentesca, in: La grande storia dell'Artigianato, hrsg. von F. FRANCESCHI und G. FOSSI, 1999 **2** H. FLOERKE, Die

75 it. Künstlernovellen der Ren., 1913 3 M. FOUCAULT, Schriften zur Lit., aus dem Frz. von K. VON HOFER und A. BOTOND, 1974 4 E. H. GOMBRICH, Art and Illusion, 1960 5 A. JACOBS, P. WHANNEL, Artist, Critic and Teacher, 1959 6 E. KRIS, O. KURZ, Die Legende vom Künstler 7 E. NEUMANN, Künstler-Mythen, 1986 8 K. JEX-BLAKE (Übers.), The Elder Pliny's Chapters on the History of Art, with Commentary and Historical Introduction by E. SELLERS, 1968 9 O. RANK, Der Künstler, 1907 10 J. VON SCHLOSSER, Kunstlit., 1924 11 C. M. SOUSSLOFF, Absolute Artist, 1997 12 D. SPENCE, Narrative Truth and Historical Truth, 1982 13 R. STEINER, Prometheus, 1991 14 Topics of Discourse, 1978 15 G. VASARI, Leben der ausgezeichnetsten Maler, Bildhauer und Baumeister (1568), übers. von E. FÖRSTER und L. SCHORN (1832 ff.), hrsg. von J. KLIEMANN, 1988 f. 16 M. WARNKE, Hofkünstler, 1985 17 M. und R. WITTKOWER, Born under Saturn, 1963 18 E. ZINSEL, Die Entstehung des Geniebegriffs, 1926. BEAT WYSS

**Kultbild** s. AWI Bd. 6, s. v.

**Kulturanthropologie** A. BEGRIFFSVERWENDUNG
B. BEGRIFFS- UND WISSENSCHAFTSGESCHICHTE
C. ALTERTUMSWISSENSCHAFT UND
ANTHROPOLOGIE D. ZENTRALE KONZEPTE UND
FORSCHUNGSTHEMEN
E. GEGENWÄRTIGE METHODENPROBLEME

A. BEGRIFFSVERWENDUNG
1. BEGRIFFSDIVERGENZEN
Das Substantiv K., und mehr noch das ihm zugeordnete Adjektiv »kulturanthropologisch«, gehört zu den am stärksten kontextabhängigen Begriffsbildungen unter den gegenwärtigen Wissenschaftsbezeichnungen. Was jeweils unter dem Terminus zu verstehen ist, hängt ab vom jeweiligen Kontext der national verschiedenen Wissenschaftstraditionen, Disziplinen und Methoden, innerhalb derer er verwendet wird, und kann daher erheblich divergieren.

2. DISZIPLINEN UND NATIONALE
WISSENSCHAFTSTRADITIONEN
Insbesondere in den USA und in Deutschland wurde der Begriff K. unterschiedlich ausgeprägt [146; 105]. In den USA, wo der Begriff *cultural anthropology* sich seit den 20er Jahren des 20. Jh. zuerst durchsetzte, bezeichnet er eine auf F. Boas [117; 142. 42–52] zurückgehende, kulturrelativistische und antirassistische Schulrichtung der Ethnologie, die innerhalb dieser Disziplin fast das gesamte Jh. hindurch so stark dominierte, daß *cultural anthropology* sogar, zum Leidwesen von Vertretern anderer fachlicher Richtungen [129; 131], seit den 30er J. des 20. Jh. als Synonym von Ethnologie gebraucht werden konnte [92; 120; 42]. In Deutschland wurde der Begriff 1942 von E. Rothacker als philos. Terminus eingeführt [55], im Gegensatz zu seinem englischsprachigen Pendant jedoch mit ontologischen und apologetischen, ja rassistischen Implikationen [71]. Hierzulande entfaltete der Terminus nach dem II. Weltkrieg seine Wirkung zunächst bes. in den Disziplinen Philosophie, Völkerkunde und Soziologie [105. 268–

275; 138]. Rückgebunden an die US-amerikanische *cultural anthropology* sowie an vorwiegend von dt.-jüd. Gelehrten entwickelte kulturphilos. Traditionen (z. B. [15]) ist der Begriff h. zum Emblem der sich seit den 90er J. des 20. Jh. vollziehenden kulturwiss. Wende der dt. Geisteswissenschaften geworden [27; 72]. Andererseits korrespondiert mit dem Bestreben, die Ethnologie zu einer Leitwissenschaft innerhalb dieses wissenschaftspolit. Transformationsprozesses zu machen, die auch in Deutschland eingebürgerte Verwendung des Terminus K. als Synonym für Ethnologie [168; 169; 156]. In Frankreich hat sich der Ausdruck *anthropologie culturelle* bis h. nicht fachspezifisch oder institutionell etabliert [9], doch ist die anthropologische Analyse von Kultur hier gesellschaftsgeschichtlich, sozialwiss., ethnologisch und religionshistor. seit langem fest verankert [139]. Demgegenüber signalisiert in England die dort weiterhin dominierende Bevorzugung der Bezeichnung *social anthropology* eine nicht allein für die Ethnologie, sondern auch für andere Humanwissenschaften gültige, eher behavioristisch ausgerichtete Wissenschaftstradition [129; 172].

B. BEGRIFFS- UND WISSENSCHAFTSGESCHICHTE
1. KULTUR UND ANTHROPOLOGIE
Die Zusammensetzung des Wortes K. läßt seine doppelte sprachliche Herkunft aus lat. und griech. Vorprägungen erkennen. Der Terminus Anthropologie ist jedoch ein zu Beginn des 16. Jh. von it. und dt. Humanisten mit theologie-kritischen Intentionen geformtes Kunstwort [75], und der Terminus Kultur gewinnt erst während der beiden folgenden Jh. eine ideelle, der Bildung (Pufendorf) und dem Volksbegriff (Herder) zugeordnete Qualität [78]. Die enge Verbindung der Anthropologie zur Psychologie sowie zur physiologisch-biologischen Lehre von der menschlichen Natur, die seit den ältesten Begriffsverwendungen besteht, bleibt in den späteren bis in die heutige K. hinein präsent, während Anthropologie als Menschenkunde im pragmatischen, kulturtechnischen Sinne einer kosmopolit. Weltkenntnis und weisen Lebenskunst (Kant [36]) mittlerweile keine wiss. Legitimation mehr zu besitzen scheint. In Deutschland, aber auch in anderen Ländern, unterhält die Anthropologie die engsten wissenschaftsorganisatorischen Beziehungen neben der Ethnologie traditionell zu Medizin und Psychologie. Die neukantianische Abstinenz gegenüber Psychologie und Ethnologie hat jedoch dazu geführt, daß die im Deutschland des späten 19. und frühen 20. Jh. als Gegenmodelle zur Naturwiss. entwickelten wissenschaftsstrategischen Konzepte Kulturwiss. und Geisteswiss., aber auch die gleichzeitigen kulturphilos. Entwürfe (z. B. G. Simmel [57]; E. Cassirer [14]), kaum kulturanthropologische Dimensionen einbezogen. Ebenso bewirkte das wissenschaftspolit. Abseits, in dem sich die Kulturgeschichte in Deutschland bis lange nach dem II. Weltkrieg befand, eine im Vergleich zu anderen Ländern verspätete Hinwendung zu histor. Anthropologie [159]. Das von N. Elias in der Emigration auf dt. publizierte, große kul-

tursoziologische Unternehmen einer Rekonstruktion zivilisationsgenetischer Prozesse [23] wird erst seit der dt. Studentenbewegung der 60er und 70er J. des 20. Jh. rezipiert.

## 2. POSITIONEN, PERSONEN, METHODEN

Je nach wissenschaftshistor. Perspektive wurde der Beginn einer kulturtheoretischen Anthropologie in der Ant. [135; 145; 121; 98], in der frühen Neuzeit [118], in der schottischen und in der französischen Aufklärung [162; 143] lokalisiert. Unbeschadet der unterschiedlichen historiographischen Akzentuierungen wird dabei übereinstimmend betont, daß ein durch Reisen vermittelter Kontakt mit fremden Kulturen anthropologische Kulturforschung stimulierte [170], insbes. während der Zeit der griech. Klassik (Herodot) wie während der beiden neuzeitlichen »Entdeckungszeitalter«. Allerdings geschah dies zunächst ohne ein bereits über die Allgemeinbegriffe Kultur und Anthropologie verfügendes begriffliches Instrumentarium. Die entscheidende Voraussetzung für die Entstehung der mod. K. war erst gegeben, als im 19. Jh. geschichtsphilos. Fortschrittsmodelle mit kolonialistischen Legitimationszwängen und biologischer Entwicklungslehre amalgamiert wurden. In diesem Sinne kann E. B. Tylor als wichtigster theoretischer Vorläufer der K. angesehen werden [128; 142. 17–28; 127; 124. 80–98]. Tylor, ein »Lehnstuhl-Anthropologe«, der sein Material aus Berichten von Missionaren, Reisenden und Kolonialbeamten des Britischen Weltreichs bezog, geht vom Konzept einer einheitlichen menschlichen Kultur aus, die sich von »primitiven« Anfängen zu ihrem Höhepunkt, der westl. Zivilisation, entwickelt habe, wobei in letzterer allerdings »Überbleibsel« (survivals) der ersteren vorläufig wirksam bleiben [60]; konsequenterweise gebraucht er niemals den Plural »Kulturen« [171. 203]. Als Gründungsvater der K. kann jedoch erst F. Boas gelten, der aus einer dt.-jüd. Familie stammte und nach seiner Ausbildung in Deutschland und Forschungsreisen in den äußersten Norden des amerikanischen Kontinents eine Schulrichtung aufbaute, die die US-amerikanische Anthropologie anti-evolutionistisch umprägte [130. 125–151]. Obwohl er inkonsequenterweise am Begriff des »Primitiven« festhält [6], propagiert er einen Kulturrelativismus [116], der eine einheitliche und rassenunabhängige menschliche Natur zugrunde legt, zugleich aber den Wertmaßstab eines einheitlichen, gesetzmäßig verlaufenden und durch Vergleich rekonstruierten kulturellen Fortschrittsprozesses aufgibt. Das Kulturkonzept Herders wird dabei von seinen germano- und ethnozentrischen Implikationen gelöst [173]. Seit Boas und seinen Schülern ist K. die Wiss. spezifisch differenter, histor. partikularer menschlicher Kulturen, deren Eigendynamik sich am ehesten in der praktischen Feldforschung erschließt [113. 250–318]. Dies gilt auch für den zweiten Gründungsheros der K., den aus Polen stammenden B. Malinowski [129. 1–34, 197–199; 125; 142. 128–139]. Sein Feldforschungskonzept der »teilnehmenden Beobachtung« (participant observation) be-

zeichnete bis vor kurzem unangefochten die normative Praxiserfahrung innerhalb der Ethnologie [31. 73–101]. Malinowski war nicht der Boas-Schule, sondern eher der Trad. britischer Sozialanthropologie verpflichtet und adaptierte für seine Theorie auch Elemente der Psychoanalyse von S. Freud [26], der seine kulturtheoretischen Überlegungen seinerseits an die ältere engl. und frz. Sozialanthropologie anlehnte. Malinowskis funktionalistisch ausgerichtete Kulturtheorie ist von romantisierendem Utopismus unterfüttert [43; 44; 45], was sich auch in seiner Privilegierung der Termini »Eingeborener« (native) und »Wilder« (savage) gegenüber dem des »Primitiven« widerspiegelt [172. 233–297, 460–465]. Dies ist gleichermaßen kennzeichnend für den frz. Begründer der strukturalen Anthropologie [96] C. Lévi-Strauss [31. 25–48; 157. 243–295], der ebenfalls an Freud, sowie an Marx, an R. Wagner, an die Schule von E. Durkheim [22] und M. Mauss, v. a. aber an die russ. Formalisten sowie die strukturale Linguistik der Prager Schule anknüpfte und der während seiner Emigration auch von der amerikanischen Sozialforschung geprägt wurde. Sein Einfluß bewirkte nach dem II. Weltkrieg eine Umwandlung der engl. Ethnologie zum Neo-Strukturalismus [129. 135–175, 203 f.] und gab den frz. Anthropologen der Ant. um J.-P. Vernant [63; 64], M. Detienne [17] und P. Vidal-Naquet [67] wichtige Denkanstöße, die auch in anderen Ländern aufgenommen wurden. Bei Lévi-Strauss dominiert die Programmatik einer Versöhnung zwischen Kultur und Natur, die ihm zufolge ihr Vorbild in den – von den jeweiligen Menschen unabhängigen, kulturell unspezifischen – Mechanismen des »wilden Denkens« (pensée sauvage) und den sie orchestrierenden Mythologien finden kann [39; 40; 41]. Die Ablösung vom Heroenzeitalter der K. wurde seit den 70er Jahren des 20. Jh. durch seinen letzten Vertreter, C. Geertz, von den USA aus eingeleitet [29; 30; 31]. Er verband Konzepte und Methoden der Boas- und Malinowski-Schule mit kultur- und geisteswiss. Theoremen von W. Dilthey und M. Weber unter der Bezeichnung »interpretative Anthropologie« (interpretive anthropology) zu einer Kulturhermeneutik, die den Akzent von »teilnehmender Beobachtung« auf »dichte Beschreibung« (thick description) [29. 3–30], von den Erfahrungsweisen also auf die sprachlichen Darstellungsformen, verschiebt. Geertz' Kulturhermeneutik, deren Gemeinsamkeit mit der philos. Hermeneutik von H. G. Gadamer [28] in der demonstrativ fehlenden Methodenreflexion liegt, ist mittlerweile in den von manchen seiner Schüler betriebenen Auflösungsprozeß kulturanthropologischer Gegenstände und Methoden eingemündet [16; 160], dem die vom Poststrukturalismus und Dekonstruktivismus bewerkstelligte nihilistische Abkehr von überkommenen Realitäts- und Wahrheitskriterien zu Hilfe kommt [8].

### 3. Kulturanthropologie heute: Kulturkritik, Transdisziplinarität, Postkolonialismus

In den letzten Jahrzehnten des 20. Jh. hatte sich der Prozeß der Ersetzung und Ergänzung von Paradigmen, der in allen Humanwissenschaften wirksam wurde, auch innerhalb der K. rasant beschleunigt. Zu den geradezu schwindelerregenden wiss. Drehbewegungen gehörten insbesondere der *linguistic*, der *interpretive* und der *performative turn*. An der Wende zum 3. Jt. scheinen diese Tendenzen, obwohl noch keineswegs ausreichend kritisch reflektiert, ins Schattendasein überholter Moden abzusinken; neue Trends, darunter ein dem globalen Medienzeitalter womöglich eher angemessener *pictorial turn*, zeichnen sich bereits ab. Daß trotz solcher immer wieder erneuerter Konzeptualisierungsversuche die intellektuelle Krise gerade innerhalb der Anthropologie [76; 111] und am Umgang mit eminent anthropologischen Kategorien wie der Kultur bes. schmerzhaft spürbar wird, mag nicht verwunderlich sein. Denn das unvermeidlich aporetische Verhältnis von Universalismus und Partikularismus sowie die unauflösliche Spannung zwischen Identität und Fremdheit kennzeichnen die Theoriegeschichte der K. von ihren Anfängen bis jetzt [102]. Keine endgültige Lösung dieser Probleme, wohl aber die Möglichkeit eines reflektierten und nicht zwanghaften Umgangs mit ihnen verspricht eine Auffassung von Anthropologie als experimenteller Kulturkritik, die vom Austausch zwischen den Humanwissenschaften lebt [47]. Dem entspricht ein Transformationsprozeß dieser Wissenschaften, der die seit dem 19. Jh. etablierten und den damaligen gesellschaftlichen, polit., ökonomischen und kulturellen Bedürfnissen angepaßten Fächergrenzen wissenschaftshistor. analysiert, forschungspraktisch in Frage stellt und aus neuen Konstellationen von Aspekten oder Stoffen neue Forschungsperspektiven und Disziplin-Bestimmungen ableitet. So gewinnt die retrospektive Tatsache auch prospektiv an Gewicht, daß Innovationen innerhalb der K. meist gerade von Forschern ausgingen, die in anderen Disziplinen, wie Altertumskunde, Philosophie, Physik, Medizin, Psychologie, Soziologie, Rechts- und Wirtschaftswissenschaften, Geschichte, Religions-, Kunst- und Literaturwissenschaften ausgebildet waren. Das institutions- und wissenschaftssoziologische Handwerkszeug zu einem kritischen Umgang mit der Konstruiertheit von Kultur und Gesellschaft [4] sowie mit der kulturspezifischen Kontextabhängigkeit des wiss. Habitus [10] steht seit längerem zur Verfügung. Selbstverständlich ist eine Wiss. wie die K. von weltpolit. Umwälzungen wie den vom Postkolonialismus ausgelösten in bes. starkem Maße betroffen. Dieser Umstand hat die antikoloniale Kritik ins Zentrum aktueller Debatten gerückt. Aus ehemaligen Kolonialgebieten stammende, in den wiss. Institutionen der Imperialmächte, insbes. der USA, ausgebildete Anthropologen und Literaturwissenschaftler wie T. Asad [1] und E. W. Said [56] starteten in den 70er Jahren des 20. Jh. einen bis heute nicht erlahmten Generalangriff auf kolonialistische Implikationen »westl.« Theorien, wobei allerdings die Tendenz nicht zu übersehen ist, die Argumentation auf verabsolutierten, milieutheoretischen oder geogr. Kulturkonzepten aufzubauen [77] und die kritischen Implikationen traditioneller anthropologischer Kulturtheorien aus dem Blick zu verlieren [90; 153]. Der auch aus einer entgegengesetzten Perspektive beschworene »Kampf der Kulturen« [34] macht deutlich, daß kulturanthropologischer Klärungsbedarf nicht zuletzt polit. motiviert bleibt und zu Beginn des 3. Jt. noch längst nicht abgetan ist.

### C. Altertumswissenschaft und Anthropologie

#### 1. Überblicksdarstellungen

Seit Beginn des 20. Jh. wurde v. a. in englischsprachigen Publikationen die Verbindung zwischen Anthropologie und Altertumswiss. affirmativ oder kritisch und historiographisch dargestellt. Die ersten drei Veröffentlichungen tragen zwar den selben Titel (*Anthropology and the Classics*), weisen jedoch grundlegende Unterschiede auf. Während es sich bei der ältesten, von R. R. Marett herausgegebenen um eine programmatische Oxforder Vorlesungsreihe klass. Archäologen, Philologen und Historiker handelt [48], dokumentieren die beiden erst nach dem II. Weltkrieg folgenden aus den Blickwinkeln eines Ethnologen (Kluckhohn [37]) und eines Althistorikers (Finley [24]) nicht allein fachspezifische Divergenzen, sondern auch die Hinderungsgründe für eine produktive Konvergenz beider Bereiche. Dies gilt analog für einen der jüngsten, eher salopp Versuche in dieser Richtung (Redfield [52]). Weitere neuere wissenschaftsgeschichtliche Veröffentlichungen verfolgen eine auf die ant. griech. Sozial- und Wirtschaftsgeschichte [123], auf das Verhältnis von Sozialanthropologie und Alter Geschichte [148; 149], auf narrative [83] bzw. auf religionsanthropologische Aspekte der Ant. [157; 73] eingeschränkte Perspektive. Die spezielle Thematik der Kulturanthropologie behandeln die genannten Publikationen allenfalls am Rande.

#### 2. Anthropologie in der Antike

Bei allen Versuchen, der Anthropologie eine ant. Herkunft zuzuschreiben, wird bes. auf das epochemachende Unternehmen des Herodot rekurriert [147]. Tatsächlich verwendet Herodot methodische Prozeduren und heuristische Konzepte, die sich nicht allein bei Reisenden der neuzeitlichen »Entdeckungszeitalter« und bei Vorläufern der mod. Anthropologie wie Montaigne und G. Forster, sondern auch bei Ethnographen des 19. und 20. Jh. wiederfinden [114; 149]. Herodot scheint bei seiner Darstellung von Griechen und anderen Völkern von einer einheitlichen Auffassung des Menschen und von der Vorstellung in histor. Prozessen herausgebildeter, unterschiedlicher Kulturen auszugehen.

### 3. Protagonisten der modernen Anthropologie der Antike

Die Geschichte der mod. Anthropologie der Ant. war bis zur Mitte des 20. Jh. durch Sackgassen und Widerstände innerhalb der altertumswiss. Zunft gekennzeichnet. Dies betraf alle in diesen Prozeß einbezogenen Länder, also Deutschland, England und Frankreich, jedoch auf verschiedenartige Weise. Zu den Gemeinsamkeiten gehört, daß der Schwerpunkt des auf die Ant. bezogenen anthropologischen Interesses auf der Religion und hier insbes. auf dem Verhältnis zwischen Ritual und Mythos liegt [157. 307–328]. Zu den Protagonisten gehören nach der Chronologie ihrer in diesem Zusammenhang einflußreichsten und umstrittenen Publikationen, nicht nach ihren Lebensdaten, J. G. Frazer (1890 [25; 69]), E. Rohde (1890/1894 [54; 88]), J. E. Harrison (1903 [33; 157. 123–192]), H. Usener (1904 [61; 141]), K. Meuli (1946 [50; 107]), E. R. Dodds (1951 [20; 87]), J.-P. Vernant (v. a. seit 1965 [63; 18]), L. Gernet (1968 [32; 123. 76–94, 283–288]) und W. Burkert (v. a. seit 1972 [12; 110]). Mit Ausnahme von Frazer, ein als Jurist und Klassischer Philologe ausgebildeter Gelehrter, der von den Ethnologen als einer der Ihren reklamiert wird, haben alle genannten institutionell eine altertumswiss. Laufbahn absolviert. Das methodische Zentrum ihrer anthropologischen Entwürfe bildet übereinstimmend der Komparatismus, der dazu verwendet wird, das ant., v. a. griech. Material mit Dokumenten anderer kultureller Traditionen zu vergleichen. Auffällige Divergenzen zwischen ihnen bestehen bereits darin, daß, sieht man von dem Universal-Komparatisten Frazer ab, durch Rohde, Harrison, Dodds und Gernet dabei vorwiegend Vergleichsmaterial »primitiver« Gesellschaften herangezogen wird und bei Usener gerade auch volkskundliche Quellen – wie schon bei Frazer, mit Rekurs auf W. Mannhardt [46; 124. 120–142] – als Belege dienen, daß jedoch bei Meuli und Burkert paläolithische und ethologische Modelle dominieren, während bei Vernant, allen nicht zuletzt institutionellen Ansprüchen zum Trotz, der komparatistische Zugang am schwächsten ausgeprägt ist. Eine weitere Differenz hängt mit dem jeweiligen Verhältnis dieser Forscher zum Christentum zusammen. Dem radikalen Agnostizismus der engl. und dem pointiert säkularen Standpunkt der frz. Forscher steht bei den anthropologisch orientierten Altertumswissenschaftlern aus Deutschland und der Schweiz eine größere, wenngleich sich jeweils unterschiedlich äußernde Affinität zum Christentum gegenüber. Parallel dazu verlaufen die Fronten hinsichtlich des sozialwiss. Zugangs zu den Gegenständen, der bei den frz. und engl. Anthropologen der Ant. deutlich stärker ausgeprägt ist als bei den deutschen. Daß v. a. Rohde, Harrison und Dodds entscheidende Anregungen durch Nietzsche empfingen, hat die Stellung der beiden erstgenannten zu ihren Lebzeiten innerhalb der Altertumswiss. merklich beeinträchtigt. Eine aparte Position nahm der aus Ungarn stammende K. Kerényi ein, der kulturwiss. vielseitig,

religionshistor. phänomenologisch und in seinen anthropologischen Ansichten existentialistisch ausgerichtet war [136]. Als einer der ersten bemühte er sich darum, die Anerkennung der von Frazer und Harrison inaugurierten engl. anthropologischen Schule (»Cambridge Ritualists«) in Deutschland durchzusetzen, und versuchte, für die Analyse griech. Mythen und Kulte auch die tiefenpsychologische Archetypenlehre von C. G. Jung und die in der dt. Ethnologie prominente Richtung der Kulturmorphologie [174] fruchtbar zu machen. In einem entfernteren Sinne ist ebenfalls der Usener-Schüler A. Warburg (z. B. [68]) zu denjenigen zu rechnen, die sich von der Ant., v. a. von ihrer künstlerischen Rezeption, anthropologisch und kulturwiss. inspirieren ließen [103]. Gegenüber dem Rückgriff von Altertumswissenschaftlern auf die Anthropologie ist der Rekurs von Anthropologen auf die Ant. bedeutend weniger verbreitet. Außer der nur analogisierenden Verwendung etwa des Argonauten-Vorbilds bei Malinowski [43] macht v. a. Lévi-Strauss von ant. Modellen einen geradezu leitmotivischen Gebrauch [157. 268–295]. Andere Antiken-Rekurse von Ethnologen bleiben demgegenüber eher peripher [163]. Gemeinschaftsunternehmen von Ethnologen und Altertumswissenschaftlern sind bislang rar [70; 84].

### 4. Wissenschaft der antiken Kultur

Zu Beginn des 3. Jt. kann ohne Übertreibung festgestellt werden, daß sich die Altertumswiss. im internationalen Maßstab zunehmend zu einer explizit anthropologisch orientierten Wiss. von der ant. Kultur entwickelt. Im deutschsprachigen Raum zeigt sich dies am ehesten in der Alten Geschichte, der Religionsgeschichte und der Arch.; weniger jedoch in der griech. und röm. Philologie [164], was mit ihrer institutionellen Abhängigkeit von der altsprachlichen Lehrerausbildung zusammenhängen mag. Kultur und Anthropologie sind als Leitbegriffe aus der heutigen altertumswiss. Forschung nicht mehr wegzudenken, was bereits an der wachsenden Frequenz dieser Termini in Aufsatz- und Buchtiteln (z. B. [167]) abzulesen ist.

### D. Zentrale Konzepte und Forschungsthemen

#### 1. Fremdheit und Andersheit

Fremdheit hat seit einigen Jahrzehnten als kulturanthropologische Kategorie in den Humanwissenschaften, so auch in den Altertumwissenschaften, Konjunktur, anknüpfend an die Ethnologie, die als »Wiss. vom kulturell Fremden« definiert werden kann [126]. Die spezifisch griech. Auffassung des Fremden und ihre Auswirkung auf spätere okzidentale Fremdheits-Bestimmungen hat neue Aufmerksamkeit auf sich gezogen [133; 95]. Die früher als Provokation verstandene Position, auch die ant. griech. Kultur nicht etwa als etwas im Rahmen der europ. Trad. selbstverständlich Vertrautes, sondern als Fremdes zu begreifen – was bereits im frühen 19. Jh. von K. O. Müller [86] propagiert wurde [158] –, wirkt sich in den heutigen Altertumswissenschaften produktiv aus, nicht zuletzt im Anschluß an die von J.-P. Vernant entworfene Konzeptualisierung der Fremdheit im Sinne von Andersheit, die an der Maskenhaftigkeit der Gorgo Medusa und der Figur des Dionysos geradezu emblematisch illustriert wird [65; 66]. Die Altertumswiss. tendiert heute generell dazu, sich als Wiss. vom »nächsten« kulturell Fremden zu verstehen [104. 177].

### 2. RITUAL UND MYTHOS

Diese beiden religionshistor. Kategorien, die sich sprachlich und konzeptuell aus der ant. röm. und griech. Trad. herleiten, stehen im Zentrum kulturanthropologischer Bemühungen von Beginn an, innerhalb und außerhalb der Altertumswissenschaften. Der Mythos-Begriff wurde bereits seit Ende des 18. Jh. von C. G. Heyne mit Hilfe völkerkundlichen Materials zu einer religionshistor. Grundkategorie nobilitiert [108. 284–294]. Die Bed. der Rituale hat, im Anschluß an W. Robertson Smith [53], die Schule der »Cambridge Ritualists« [85] als erste umfassend gewürdigt. Während die Debatte zunächst von der Ursprungsfrage beherrscht wurde, ob das eine aus dem anderen entstanden sei, widmet sich die heutige Forschung eher der spezifischen, mit anderen Traditionen verglichenen, kulturellen Funktion von Mythen und Kulten im antiken Griechenland und Rom und bezieht dabei anthropologische Theorien zunehmend mit ein [81; 154; 176; 157; 110]. Bes. für die Analyse der röm. Religion haben die von G. Dumézil [21] am indo-europ. Material entwickelten strukturalistischen Klassifikationen anregend gewirkt [108].

### 3. GABENTAUSCH UND REZIPROZITÄT

Die Kategorie der Gabe, die von Malinowski am Tauschritual der pazifischen »Argonauten« exemplifiziert und kurz darauf, vorwiegend im Anschluß an Forschungen dt. Nationalökonomen, von M. Mauss [101], dem Neffen und Schüler von E. Durkheim und Vorgänger von Lévi-Strauss, zu einem sozialanthropologischen Zentralbegriff ausgestaltet wurde [49], hat auch in den Altertumswissenschaften bis heute eine eminente heuristische Wirkung entfaltet, nicht zuletzt dank der Weiterentwicklung dieser Kategorie und ihrer Ersetzung durch den Reziprozitäts-Begriff, die der aus Ungarn stammende Sozialökonom K. Polanyi [51; 123. 31–75, 276–283] vollzog. Die in diesen Begriffsbestimmungen zum Ausdruck kommende utopisch-nostalgische Modernitätskritik [179] ist für die Geschichte auch anderer kulturanthropologischer Grundbegriffe kennzeichnend. Neuere, umstrittene [100] Untersuchungen zeigen, wie problematisch, aber auch wie fruchtbar ein kritischer Umgang mit dem Konzept der Gabe – gerade für das Verständnis der griech. Auffassung des Fremden und des Gastes bzw. der Freundschaft [115; 155; 140] oder für die röm. Spiele [177] – und mit dem Konzept der Reziprozität – etwa für die Analyse lit. Umsetzungen [165] – sein kann.

### 4. INITIATION, »RITES DE PASSAGE«, »PERFORMANCE«

Übergangsriten und deren darstellerisch-theatralische Qualität hatten bereits J. Harrison fasziniert. Als zentrale kulturübergreifende Praktiken bilden Initiationen innerhalb und außerhalb der Ethnologie ein für den Kulturvergleich bes. geeignetes [181] und mittlerweile auch bei Literaturwissenschaftlern beliebtes Thema. Der Leitbegriff *rites de passage* wurde vor dem I. Weltkrieg durch den multinationalen Ethnologen A. Van Gennep ausgeprägt [62] und nach dem II. Weltkrieg durch den engl. Ethnologen V. Turner mittels des Begriffes der *performance* weiterentwickelt [58; 59]. Seit den bes. an Van Gennep anknüpfenden Forschungen von H. Jeanmaire [35] und A. Brelich [11] zu ant. griech. Pubertätsriten hat sich eine diesem Thema gewidmete, weiterhin produktive Forschungsrichtung etabliert, die v. a. von der Vernant-Schule in Frankreich, aber gleichermaßen in anderen Ländern vorangetrieben wird [82; 67; 144; 150]. In jüngerer Zeit ist auch *performance* zu einem altphilol. Lieblingsthema avanciert [97; 106].

### 5. GESCHLECHT UND VERWANDTSCHAFT

Zu den grundlegenden Interessengebieten der Anthropologie gehört seit dem 19. Jh. ebenso die kulturvergleichende Erforschung des regelhaften Umgangs mit Verwandtschaft. Die von L. H. Morgan angestellten Untersuchungen von Verwandtschafts- und Abstammungsregeln bei nordamerikanischen Indianern haben nicht allein die Ethnologie [130. 42–75; 142. 29–41], bes. die strukturale Anthropologie, zu einem ihrer zentralen Arbeitsgebiete angeregt, sondern auch die marxistische Staatstheorie (F. Engels) beeinflußt. Die dabei erkannte Kulturabhängigkeit – und nicht Naturnotwendigkeit – von Familienstrukturen und sexuellen Normen ist nicht zuletzt für theoretische und praktische feministische Bestrebungen zu einer wesentlichen reflexiven Antriebskraft geworden. Geschichtskonstruktionen wie die von J. J. Bachofen propagierte einer histor. Abfolge von Matriarchat und Patriarchat wurden mittlerweile als unseriös verworfen [178; 79] und haben der detailliert verfolgten Einsicht in die kulturelle Konstruiertheit der Verhältnisse zw. den Generationen und den Geschlechtern, ja des Begriffes »Geschlecht« selbst (*sex/gender*), Platz gemacht. Gerade die reproduktionsunabhängige Gestaltung von Heterosexualität und Homosexualität in der Ant. bietet hier ein dankbares Arbeitsfeld [180; 112], zumal die griech. Päderastie mit dem Initiationsmodell in Verbindung gebracht werden kann [80], v. a. aber mit dem Symposion, einer für die griech. Kultur kennzeichnenden Institution, innerhalb derer auch die wichtige gesellschaftliche Funktion der Hetäre angesiedelt ist [94]. Zur Unt. kulturspezifischer, doch weiterwirkender Formen der Misogynie eignet sich die Ant. ebenfalls in hohem Maße [134].

### 6. KULTURTRANSFER UND MOBILITÄT

In jüngster Zeit sind die unterschiedlichen Formen eines Grenzen überschreitenden, ja in Frage stellenden Kulturaustauschs mehr und mehr als ein spezifisches

Kennzeichen ant. Gesellschaft, Wirtschaft und Religion ins Blickfeld der altertumswiss. Disziplinen geraten, was den Wissenstransfer zwischen ihnen und mit anderen Fachrichtungen zusätzlich ermutigt. Schematische Modelle von »cultural areas« oder gar von »Kulturkreisen«, wie sie innerhalb der dt. Kulturmorphologie und in der angelsächsischen Ethnologie seit der Wende zum 20. Jh. entwickelt wurden, haben sich inzwischen wegen ihrer ideologischen und auch heuristisch fehlleitenden Implikationen disqualifiziert [175]. Forschungen über Ackulturation und Kulturtransfer, über kulturelle Mobilität [91] und über kulturelle Mischungsformen sind hingegen in den Altertumswissenschaften wie in der Ethnologie und anderen Disziplinen gegenwärtig ein bes. prosperierendes Arbeitsfeld. Nach der Abkehr von der Fixierung auf Athen, die zugegebenermaßen lange Zeit durch die Überlieferung vorgegeben war, konnte Mobilität als ein entscheidendes Kennzeichen ant. griech. Kultur erkannt werden [152; 122]. Die Konsequenzen, die sich daraus für die Unt. ant. Reisens ergeben, sind jedoch noch weitgehend Desiderat geblieben [161]. Die Postkolonialismus-Debatte und der im Zuge der *political correctness* damit einhergehende affirmative Ethnizitäts-Diskurs hat auch die *classics* erreicht. Die Übertragbarkeit eines mod. Begriffes wie desjenigen der Kolonisation auf die griech. Geschichte kann jedoch in Frage gestellt werden [137]. Ein identifikatorisches Ursprungsmodell wie das von M. Bernal vorgelegte [5] zeigt gegen seine Intention und trotz wissenschaftshistor. Verbrämung, daß ideologische Wunschvorstellungen und methodische Sackgassen, wie sie von Anhängern eines idealen Griechenbildes im 19. Jh. ausgeheckt wurden, auch dann nicht legitimer wirken können, wenn sie unter umgekehrten Vorzeichen fröhliche Urstände feiern [132].

### 7. WEITERE ASPEKTE

Während manche kulturanthropologische Themen, die frühere Generationen auch von Altertumswissenschaftlern aufgerüttelt hatten, wie etwa die Konzepte Tabu, Totem und Vegetationsgeist, wohl endgültig ad acta gelegt worden sind – was für den Ursprungsgedanken oder die Kulturkreislehre noch auszustehen scheint –, befinden sich andere, seit längerem kulturanthropologisch traktierte Bereiche, wie v.a. Magie, Wahnsinn und Ekstase, Tod und Begräbnis, Feste und andere kollektive Sitten, weiterhin auch auf der altertumswiss. Agenda. Last, but not least ist hier, an einem aus der Vernant-Schule erwachsenen bes. stimulierenden Beispiel [3], noch die Behandlung der ant. Bildkunst unter anthropologischen Vorzeichen hervorzuheben.

### E. GEGENWÄRTIGE METHODENPROBLEME
#### 1. KOMPARATISMUS

Das Vergleichen gehört vielleicht zu den altehrwürdigsten kulturanthropologischen Methoden, und die Debatte über das Für und Wider des Vergleichens hat in der Geschichte der Ethnologie deutliche Front-Markierungen gezeigt. Der Religionsvergleich war dabei ein bevorzugter Kampfplatz [166]. Im Rahmen der Analyse

von Mythen und Gebräuchen hat bereits im frühen 18. Jh. der Vergleich mit denjenigen der Ureinwohner Nordamerikas Vertreter des Aufklärungszeitalters wie J.-F. Lafitau [38] zu der beunruhigenden Erkenntnis geführt, daß die Griechen und die »Wilden« einander in dieser Beziehung eher ähneln als sich voneinander unterscheiden. Gegenwärtig sieht es angesichts von geharnischten Plädoyers mancher altertumswiss. Matadore für den Vergleich und für das Erklären gegen das Verstehen so aus, als ob wieder verhärtete Fronten aufgebaut werden sollen [99; 19], an deren Erkenntniswert, wie an allen Entweder-Oder-Zwängen, gezweifelt werden muß.

#### 2. ETHOLOGIE

Unbeirrt gegenüber in andere Richtungen laufenden Trends der »classics« hat der Altmeister religionsanthropologischer Verhaltensforschung, W. Burkert, einen neuen theoretischen Entwurf dazu vorgelegt [13]. Auf diesem Weg scheint man ihm jedoch nur ausnahmsweise folgen zu wollen [74].

#### 3. SEMIOTIK

Anschlußfähiger scheint gegenwärtig der Rekurs auf Semiotik zu sein, die Dechiffrierung kultureller Wirklichkeiten als anthropologisch und epochenspezifisch deutbare Zeichensysteme [151], z.B. unter Berufung auf den russ. Literaturwissenschaftler M. Bachtin [2]. Religiöse Praktiken der Ant. [109], aber auch hl. Landschaften [89] und Zeugnisse der Bildkunst [119] scheinen sich als semiotisch analysierbare »Texte« anzubieten.

#### 4. HERMENEUTIK

Die Kulturhermeneutik von C. Geertz, bes. sein umstrittener Aufsatz über den »balinesischen Hahnenkampf« [29. 412–453], hat inzwischen auch Klassische Philologen zumindest assoziativ beflügelt [93]. Es fragt sich jedoch, ob für die Interpretation und das Verständnis der ant. griech. Überlieferung, und ebenso für lit. Texte überhaupt, nicht erst eine materiale Hermeneutik auszuarbeiten wäre [7; 8], die ihren kulturellen Bedeutungen angemessen ist. Dies mag vielleicht auch für eine erst in Umrissen erkennbare materiale und kritische kulturanthropologische Interpretationsmethode zutreffen.

#### 5. HISTORISCHE ANTHROPOLOGIE

Ein Blick auf aktuelle kulturwiss. Debatten erleichtert das Fazit, denn der alte Gegensatz zwischen Anthropologie und Geschichte, zwischen K. und Historischer Anthropologie scheint nicht mehr aufrechtzuerhalten zu sein. Ohne Geschichte, inklusive der Wissenschaftsgeschichte, ohne histor. kritisches analytisches Bewußtsein, wären die Humanwissenschaften gewiß zu ephemeren Exerzitien verurteilt. Ohne anthropologische Reflexion aber würden auch die Altertumswissenschaften ihrer Aufgabe wohl kaum gerecht werden, zum vieldimensionalen Verständnis eines zeitlich und geogr. begrenzten und partikularen, aber dennoch erstaunlicherweise universal weiterwirkenden Bereichs menschlicher Kultur beizutragen.

QU  1 T. Asad (Hrsg.), Anthropology and the Colonial
Encounter, 1973  2 M. Bachtin [Bakhtin], The Dialogic
Imagination. Four Essays, 1981  3 C. Bérard et al., La cité
des images. Religion et société en Grèce ancienne, 1984
4 P. L. Berger, T. Luckmann, The Social Construction of
Reality, 1966  5 M. Bernal, Black Athena. The Afroasiatic
Roots of Classical Civilization, 2 Bde., 1987/1991
6 F. Boas, The Mind of Primitive Man, 1911  7 J. Bollack,
La Grèce de personne. Les mots sous le myhe, 1997
8 Ders., Sens contre sens. Comment lit-on?, 2000
9 P. Bonte, M. Izard (Hrsg.), Dictionnaire de l'ethnologie
et de l'anthropologie, 1991  10 P. Bourdieu, Homo
Academicus, 1984  11 A. Brelich, Paides e parthenoi, 1969
12 W. Burkert, Homo necans. Interpretationen
altgriechischer Opferriten und Mythen, 1972  13 Ders.,
Creation of the Sacred. Tracks of Biology in Early
Religions, 1996  14 E. Cassirer, Philos. der symbolischen
Formen, 2 Bde., 1923/1925  15 Ders., Zur Logik der
Kulturwissenschaften, 1942  16 J. Clifford, G. E. Marcus
(Hrsg.), Writing Culture. The Poetics and Politics of
Ethnography, 1986  17 M. Detienne, Les jardins d'Adonis.
La mythologie des aromates en Grèce, 1972  18 Ders. et al.
(Hrsg.), Poikilia. Études offertes à Jean-Pierre Vernant, 1987
19 Ders., Comparer l'incomparable, 2000  20 E. R. Dodds,
The Greeks and the Irrational, 1951  21 G. Dumézil, La
religion romaine archaïque, 1966  22 E. Durkheim, Les
formes élémentaires de la vie religieuse, 1912  23 N. Elias,
Über den Prozeß der Zivilisation. Soziogenetische und
psychogenetische Untersuchungen, 2 Bde., 1939  24 M. I.
Finley, Anthropology and the Classics, in: Ders., The Use
and Abuse of History, 1986, 102–119  25 J. G. Frazer, The
Golden Bough, 2 Bde. ¹1890  26 S. Freud, Totem und
Tabu. Einige Übereinstimmungen im Seelenleben der
Wilden und der Neurotiker, 1912/1913  27 W. Frühwald
et al., Geisteswissenschaften heute. Eine Denkschrift, 1991
28 H.-G. Gadamer, Wahrheit und Methode. Grundzüge
einer philos. Hermeneutik, 1960  29 C. Geertz, The
Interpretation of Cultures, 1973  30 Ders., Local
Knowledge. Further Essays on Interpretive Anthropology,
1983  31 Ders., Works and Lives. The Anthropologist as
Author, 1988  32 L. Gernet, Anthropologie de la Grèce
antique, 1968  33 J. E. Harrison, Prolegomena to the Study
of Greek Religion, 1903  34 S. Huntington, The Clash of
Civilizations?, in: Foreign Affairs 72/3, 1993, 22–49
35 H. Jeanmaire, Couroi et Courètes. Essai sur l'éducation
spartiate et sur les rites d'adolescence dans l'antiquité
hellénique, 1939  36 I. Kant, Anthropologie in
pragmatischer Hinsicht, 1798  37 C. Kluckhohn,
Anthropology and the Classics, 1961  38 J.-F. Lafitau,
Mœurs des sauvages amériquains comparées aux mœurs des
premiers temps, 2 Bde., 1724  39 C. Lévi-Strauss,
Anthropologie structurale, 1958  40 Ders., La pensée
sauvage, 1962  41 Ders., Mythologiques, 4 Bde., 1964–1971
42 D. Levinson, M. Ember (Hrsg.), Encyclopedia of
Cultural Anthropology, 4 Bde., 1996  43 B. Malinowski,
Argonauts of the Western Pacific. An Account of Native
Enterprise and Adventure in the Archipelagos of Melanesian
New Guinea, 1922  44 Ders., Sex and Repression in Savage
Society, 1927  45 Ders., A Scientific Theory of Culture and
Other Essays, 1944  46 W. Mannhardt, Wald- und
Feldkulte, 2 Bde., 1875/1876  47 G. E. Marcus, M. M. J.
Fischer, Anthropology as Cultural Critique. An
Experimental Moment in the Human Sciences, 1986
48 R. R. Marett (Hrsg.), Anthropology and the Classics,

1908  49 M. Mauss, Essai sur le don, 1923/1924
50 K. Meuli, Griech. Opferbräuche, in: Phyllobolia. FS
Peter Von der Mühll, 1946, 185–288  51 K. Polanyi, The
Great Transformation, 1944  52 J. Redfield, Classics and
Anthropology, in: Arion 3. Ser. 1/2, 1991, 5–23
53 W. Robertson Smith, The Religion of the Semites.
The Fundamental Institutions, 1889  54 E. Rohde, Psyche.
Seelencult und Unsterblichkeitsglaube der Griechen, 2
Bde., 1890/1894  55 E. Rothacker, Probleme der K., 1942,
²1948  56 E. W. Said, Orientalism, 1978, ²1994
57 G. Simmel, Philos. Kultur, 1911  58 V. Turner, The
Ritual Process. Structure and Anti-Structure, 1969
59 Ders., From Ritual to Theatre. The Human Seriousness
of Play, 1982  60 E. B. Tylor, Primitive Culture. Researches
into the Development of Mythology, Philosophy,
Religion, Art, and Custom, 2 Bde., 1871  61 H. Usener, Hl.
Handlung, in: ARW 7, 1904, 281–339  62 A. Van Gennep,
Les rites de passage, 1909  63 J.-P. Vernant, Mythe et
pensée chez les Grecs, 1965  64 Ders., Raisons du mythe, in:
Ders., Mythe et société en Grèce ancienne, 1974, 195–250
65 Ders., L'individu, la mort, l'amour. Soi-même et l'autre
en Grèce ancienne, 1989  66 Ders., Figures, idoles, masques,
1990  67 P. Vidal-Naquet, Le chasseur noir. Formes de
pensée et formes de société dans le monde grec, 1981
68 A. Warburg, Das Schlangenritual, 1923/1988

LIT  69 R. Ackerman, J. G. Frazer. His Life and Work, 1987
70 J.-M. Adam et al., Le discours anthropologique, 1990
71 T. W. Adorno, K., 1951, in: Ders., GS, Bd. 20.1, 1986,
135–139  72 D. Bachmann-Medick, Einleitung, in: Dies.
(Hrsg.), Kultur als Text. Die anthropologische Wende in der
Literaturwiss., 1996, 7–64  73 G. Baudy, Ant. Religion in
anthropologischer Deutung. Wandlungen des
altertumskundlichen Kult- und Mythosverständnisses im
20. Jh., in: Schwinge 1995, 229–258  74 Ders., Religion als
»szenische Ergänzung«. Paläoanthropologische Grundlagen
rel. Erfahrung, in: F. Stolz (Hrsg.), Homo naturaliter
religiosus. Gehört Religion notwendig zum Mensch-Sein?,
1997, 65–90  75 U. Benzenhöfer, M. Rotzoll, Zur
»Anthropologia« (1533) von Galeazzo Capella. Die früheste
bislang bekannte Verwendung des Begriffs Anthropologie,
in: Medizinhistor. Journal 26, 1991, 315–320  76 E. Berg,
M. Fuchs (Hrsg.), Kultur, soziale Praxis, Text. Die Krise der
ethnographischen Repräsentation, 1993  77 H. Bhabha,
The Location of Culture, 1994  78 G. Bollenbeck, Bildung
und Kultur. Glanz und Elend eines dt. Deutungsmusters
1994, ²1996  79 P. Borgeaud et al., La mythologie du
matriarcat. L'atelier de Johann Jakob Bachofen, 1999
80 J. N. Bremmer, Adolescents, Symposion, and Pederasty,
in: O. Murray (Hrsg.), Sympotica. A symposium on the
Symposion, 1990, 135–148  81 Ders., N. M. Horsfall
(Hrsg.), Roman Myth and Mythography, 1987
82 C. Calame, Les chœurs de jeunes filles en Grèce archaïque,
2 Bde., 1977  83 Ders., Du figuratif au thématique. Aspects
narratifs et interprétatifs de la description en anthropologie
de la Grèce ancienne, in: Adam 1990, 111–132  84 Ders.,
M. Kilani (Hrsg.), La fabrication de l'humain dans les
cultures et en anthropologie, 1999  85 W. M. Calder III
(Hrsg.), The Cambridge Ritualists Reconsidered, 1991
86 Ders., R. Schlesier (Hrsg.), Zwischen Rationalismus
und Romantik. Karl Otfried Müller und die ant. Kultur,
1998  87 G. Cambiano, Eric Dodds entre psychanalyse et
parapsychologie, in: RHR 208, 1991, 3–26  88 H. Cancik,
Erwin Rohde – ein Philologe der Bismarckzeit, in:
W. Doerr (Hrsg.), Semper Apertus. 600 J.

Ruprecht-Karls-Univ. Heidelberg 1386–1986, Bd. 2, 1985, 436–505 **89** Ders., Rome as Sacred Landscape. Varro and the End of Republican Religion in Rome, in: Visible Religion 4–5: Approaches to Iconology, 1985–1986, 250–265 **90** J. CLIFFORD, On Orientalism, 1980, in: Ders., The Predicament of Culture. Twentieth-Century Ethnography, Literature, and Art, 1988, 255–276 **91** Ders., Traveling Cultures, 1992, in: ders., Routes. Travel and Translation in the Late Twentieth Century, 1997, 17–46 **92** J. A. CLIFTON (Hrsg.), Introduction to Cultural Anthropology, 1968 **93** E. CSAPO, Deep Ambivalence: Notes on the Greek Cockfight, in: Phoenix 47, 1993, 1–28, 115–124 **94** J. N. DAVIDSON, Courtisans and Fishcakes. The Consuming Passions of Classical Athens, 1997 **95** A. DIHLE, Die Griechen und die Fremden, 1994 **96** F. DOSSE, Histoire du structuralisme, 2 Bde., 1991/1992 **97** C. DOUGHERTY, L. KURKE (Hrsg.), Cultural Poetics in Archaic Greece. Cult, Performance, Politics, 1993 **98** P. A. ERICKSON, A History of Anthropological Theory, 1998 **99** E. FLAIG, Verstehen und Vergleichen. Ein Plädoyer, in: O. G. OEXLE, J. RÜSEN (Hrsg.), Historismus in den Kulturwissenschaften. Geschichtskonzepte, histor. Einschätzungen, Grundlagenprobleme, 1996, 263–287 **100** Ders., Gesch. ist kein Text. »Reflexive Anthropologie« am Beispiel der symbolischen Gaben im röm. Reich, in: H. W. BLANKE et al. (Hrsg.), Dimensionen der Historik. Geschichtstheorie, Wissenschaftsgeschichte und Geschichtskultur heute, FS J. Rüsen, 1998, 345–360 **101** M. FOURNIER, Marcel Mauss, 1994 **102** M. FUCHS, Universalität der Kultur. Reflexion, Interaktion und das Identitätsdenken – eine ethnologische Perspektive, in: M. BROCKER, H. NAU (Hrsg.), Ethnozentrismus. Möglichkeiten und Grenzen des interkulturellen Dialogs, 1997, 141–152 **103** R. GALITZ, B. REIMERS (Hrsg.), Aby M. Warburg. »Ekstatische Nymphe ... trauernder Flußgott«. Portrait eines Gelehrten, 1995 **104** H.-J. GEHRKE, Zwischen Altertumswiss. und Gesch. Zur Standortbestimmung der Alten Gesch. am E. des 20. Jh., in: SCHWINGE 1995, 160–196 **105** R. GIRTLER, K. Entwicklungslinien, Paradigmata, Methoden, 1979 **106** S. GOLDHILL, R. OSBORNE (Hrsg.), Performance Culture and Athenian Democracy, 1999 **107** F. GRAF (Hrsg.), Klass. Ant. und neue Wege der Kulturwissenschaften. Symposium Karl Meuli, 1992 **108** Ders. (Hrsg.), Mythos in mythenloser Gesellschaft. Das Paradigma Roms, 1993 **109** Ders., Zeichenkonzeptionen in der Religion der griech. und röm. Ant., in: R. POSNER et al. (Hrsg.), Semiotik/Semiotics. Ein Hdb. zu den zeichentheoretischen Grundlagen von Natur und Kultur / A Handbook on the Sign-Theoretic Foundations of Nature and Culture, 1997, 939–958 **110** Ders. (Hrsg.), Ansichten griech. Rituale. Geburtstags-Symposium für Walter Burkert, 1998 **111** A. GRIMSHAW, K. HART, Anthropology and the Crisis of the Intellectuals, 1996 **112** D. M. HALPERIN, J. J. WINKLER, F. I. ZEITLIN (Hrsg.), Before Sexuality. The Construction of Erotic Experience in the Ancient Greek World, 1990 **113** M. HARRIS, The Rise of Anthropological Theory. A History of Theories of Culture, 1968 **114** F. HARTOG, Le miroir d'Hérodote. Essai sur la représentation de l'autre, 1980 **115** G. HERMAN, Ritualised Friendship and the Greek City, 1987 **116** M. J. HERSKOVITS, Cultural Relativism. Perspectives in Cultural Pluralism, 1972 **117** Ders., Franz Boas. The Science of Man in the Making, 1973 **118** M. T. HODGEN, Early Anthropology in the Sixteenth and Seventeenth Centuries, 1964

**119** T. HÖLSCHER, Röm. Bildersprache als semantisches System, 1987 **120** J. J. HONIGMANN (Hrsg.), Handbook of Social and Cultural Anthropology, 1973 **121** Ders., The Development of Anthropological Ideas, 1976 **122** P. HORDEN, N. PURCELL, The Corrupting Sea. A Study of Mediterranean History, 2000 **123** S. C. HUMPHREYS, Anthropology and the Greeks, 1978 **124** H. G. KIPPENBERG, Die Entdeckung der Religionsgesch. Religionswiss. und Moderne, 1997 **125** K.-H. KOHL, Bronislaw Kaspar Malinowski (1884–1942), in: MARSCHALL 1990, 227–247, 348–352 **126** Ders., Ethnologie – die Wiss. vom kulturell Fremden. Eine Einführung, 1993 **127** Ders., Edward Burnett Tylor (1832–1917), in: A. MICHAELS (Hrsg.), Klassiker der Religionswiss., 1997, 41–59, 364–366 **128** A. KROEBER, C. KLUCKHOHN, Culture. A Critical Review of Concepts and Definitions, 1952 **129** A. KUPER, Anthropology and Anthropologists. The Modern British School, 1973 **130** Ders., The Invention of Primitive Society. Transformations of an Illusion, 1988 **131** Ders., Culture. The Anthropologists' Account, 1999 **132** M. R. LEFKOWITZ, G. MACLEAN ROGERS (Hrsg.), Black Athena Revisited, 1996 **133** R. LONIS (Hrsg.), L'étranger dans le monde grec, 2 Bde., 1988/1992 **134** N. LORAUX, Les expériences de Tirésias. Le féminin et l'homme grec, 1989 **135** A. O. LOVEJOY, G. BOAS, Primitivism and Related Ideas in Antiquity, 1935, ²1965 **136** A. MAGRIS, Carlo Kerényi e la ricerca fenomenologica della religione, 1975 **137** I. MALKIN, The Returns of Odysseus. Colonization and Ethnicity, 1998 **138** W. MARSCHALL (Hrsg.), Klassiker der K., 1990 **139** M.-C. MAUREL, J.-C. RUANO-BORBALAN (Hrsg.), L'anthropologie aujourd'hui = Sciences Humaines, Hors-série 23, Décembre 1998/Janvier 1999 **140** L. G. MITCHELL, Greeks Bearing Gifts. The Public Use of Private Relationships in the Greek World, 435–323 BC, 1997 **141** A. MOMIGLIANO (Hrsg.), Aspetti di Hermann Usener, filologo della religione, 1982 **142** J. D. MOORE, Visions of Culture. An Introduction to Anthropological Theories and Theorists, 1997 **143** S. MORAVIA, La scienza dell'uomo nel settecento, 1970 **144** A. MOREAU (Hrsg.), L'initiation. Les rites d'adolescence et les mystères, 2 Bde., 1992 **145** W. E. MÜHLMANN, Gesch. der Anthropologie, 1948, ³1984 **146** Ders., E. W. MÜLLER (Hrsg.), K., 1966 **147** K. E. MÜLLER, Gesch. der ant. Ethnologie, 1972/1980 **148** W. NIPPEL, Sozialanthropologie und Alte Gesch., in: C. MEIER, J. RÜSEN (Hrsg.), Histor. Methode = Beiträge zur Historik 5, 1988, 300–318 **149** Ders., Griechen, Barbaren und Wilde. Alte Gesch. und Sozialanthropologie, 1990 **150** M. W. PADILLA (Hrsg.), Rites of Passage in Ancient Greece. Literature, Religion, Society, 1999 **151** R. POSNER, What is Culture? Toward a Semiotic Explication of Anthropological Concepts, in: W. A. KOCH (Hrsg.), The Nature of Culture, 1989, 240–295 **152** N. PURCELL, Mobility and the Polis, in: O. MURRAY, S. PRICE (Hrsg.), The Greek City From Homer to Alexander, 1990, 29–58 **153** M. SAHLINS, How »Natives« Think. About Captain Cook, For Example, 1995 **154** J. SCHEID, Romulus et ses frères, 1990 **155** E. SCHEID-TISSINIER, Les usages du don chez Homère. Vocabulaire et pratiques, 1994 **156** W. SCHIFFAUER, Die Angst vor der Differenz. Zu neuen Strömungen in der K., in: Zschr. für Volkskunde 92, 1996, 20–31 **157** R. SCHLESIER, Kulte, Mythen und Gelehrte. Anthropologie der Ant. seit 1800, 1994 **158** Dies., Mythos, in: C. WULF (Hrsg.) Vom Menschen. Hdb. Histor. Anthropologie, 1997, 1079–1086 **159** Dies., Anthropologie und Kulturwiss. in Deutschland vor dem Ersten Weltkrieg, in: C. KÖNIG, E. LÄMMERT (Hrsg.), Konkurrenten in der Fakultät. Kultur, Wissen und Univ. um 1900, 1999, 219–231 **160** Dies., Kultur-Interpretation. Gebrauch und Mißbrauch der Hermeneutik heute, in: I. KORNECK et al. (Hrsg.), The Contemporary Study of Culture, 1999, 157–166 **161** Dies., Menschen und Götter unterwegs. Ritual und Reise in der griech. Ant., in: T. HÖLSCHER (Hrsg.), Gegenwelten zu den Kulturen Griechenlands und Roms in der Ant., 2000 (im Druck) **162** H. SCHNEIDER, Schottische Aufklärung und ant. Ges., in: P. KNEISSL, V. LOSEMANN (Hrsg.), Alte Gesch. und Wissenschaftsgesch. FS Karl Christ, 1988, 431–464 **163** G. SCHREMPP, Magical Arrows. The Maori, the Greeks, and the Folklore of the Universe, 1992 **164** E.-R. SCHWINGE (Hrsg.), Die Wissenschaften vom Alt. am E. des 2. Jt. n. Chr., 1995 **165** R. SEAFORD, Reciprocity and Ritual. Homer and Tragedy in the Developing City-State, 1994 **166** E. J. SHARPE, Comparative Religion. A History, 1975, ²1986 **167** C. SOURVINOU-INWOOD, »Reading« Greek Culture. Texts and Images, Rituals and Myths, 1991 **168** J. STAGL, K. und Ges. Eine wissenschaftssoziologische Darstellung der Ethnologie und K., 1974, ²1981 **169** Ders., Einleitung, in: F. R. VIVELO, Hdb. der K. Eine grundlegende Einführung, 1981, 13–24 **170** Ders., A History of Curiosity. The Theory of Travel 1550–1800, 1995 **171** G. W. STOCKING Jr., Race, Culture, and Evolution. Essays in the History of Anthropology, 1968, ²1982 **172** Ders., After Tylor. British Social Anthropology 1888–1951, 1995 **173** Ders. (Hrsg.), »Volksgeist« as Method and Ethic. Essays on Boasian Ethnography and the German Anthropological Tradition = History of Anthropology 8, 1996 **174** H. STRAUBE, Leo Frobenius (1873–1938), in: MARSCHALL 1990, 151–170, 338–340 **175** B. STRECK, Kultur als Mysterium. Zum Trauma der dt. Völkerkunde, in: H. BERKING, R. FABER (Hrsg.), Kultursoziologie – Symptom des Zeitgeistes?, 1989, 89–115 **176** H. S. VERSNEL, Transition and Reversal in Myth and Ritual = Inconsistencies in Greek and Roman Religion II, 1993 **177** P. VEYNE, Le pain et le cirque. Sociologie politique d'un pluralisme politique, 1976 **178** B. WAGNER-HASEL (Hrsg.), Matriarchatstheorien der Altertumswiss., 1992 **179** Dies., Wissenschaftsmythen und Ant. Zur Funktion von Gegenbildern der Moderne am Beispiel der Gabentauschdebatte, in: A. VÖLKER-RASOR, W. SCHMALE (Hrsg.), MythenMächte – Mythen als Argument, 1998, 33–64 **180** J. J. WINKLER, The Constraints of Desire. The Anthropology of Sex and Gender in Ancient Greece, 1990 **181** F. W. YOUNG, Initiation Ceremonies. A Cross-Cultural Study of Status Dramatization, 1965. RENATE SCHLESIER

## Kunsterwerb/Kunstraub A. DEFINITION B. MOTIVE FÜR KUNSTERWERB C. ERWERB, SCHENKUNG, WEIHUNG D. GEWALTSAME ANEIGNUNG (KUNSTRAUB) IN HISTORISCHER ABFOLGE E. RECHTSFRAGEN

### A. DEFINITION

Kunsterwerb/Kunstraub ist notwendig gebunden an die Vorstellung von einem bestimmtem Objekt als Kunstwerk. Voraussetzung für Kunstbewußtsein ist erst gegeben, wenn Objekte nicht vornehmlich wegen ihres materiellen oder polit./rel. Wertes gesehen werden.

Das Griech. kennt kein Wort für »Kunstwerk« oder »Künstler« im neuzeitlichen Sinn. »Unser« Künstler ist für die Griechen ein *bánausos*, ein Lohnarbeiter in sozialer Hinsicht, ein *technítēs* im Hinblick auf seine handwerkliche Fähigkeit. Techniten sind daher auch Götter wie Athena oder Hephaistos, wenn sie etwas Kunstvolles herstellen, ebenso aber auch Schuhmacher, Gold- und Silberschmiede, Tischler, Weber oder Ärzte. Kunstvolle Arbeiten, kostbare Besitztümer sind *keimélia*, Zimelien (Hom. Il. 6,47; 9,330). Gute handwerkliche Arbeiten werden bei Homer als *kalos*, schön oder als *daidále/os*, »daedalisch«/kunstfertig, bezeichnet, gleichgültig ob es sich um Webereien, Schnallen, Spangen, Ketten, Ohrgehänge, Sitzmöbel, Kessel oder Waffen handelt (Hom. Il. 18,400–401). Als *polydaídaloi*, als »vielkunstfertige« bezeichnet Homer Schmiede aus Sidon (Hom. Il. 23,743).

Dem griech. »technites« steht der lat. »artifex«, der Kunstvolles-Machende gegenüber; er steht unserem Begriff »Künstler« näher.

### B. MOTIVE FÜR KUNSTERWERB

Als Motive kommen in erster Linie materieller oder künstlerischer Wert des Objektes, Frömmigkeit oder Machtdemonstration in Betracht.

Fromme Stiftungen machen schon früh aus Heiligtümern museumsähnliche Anlagen (in Griechenland u. a. Delphi, Olympia, in Rom u. a. Kapitol, Fortuna-Tempel).

Demonstration von Macht wird erkennbar, wenn gezielt Statuen von lokal wichtigen Gottheiten oder Gründungsheroen im Krieg entführt (Paus. 8,46,1–4) oder auch gerettet werden (Aeneas/Troja). Vor der Eroberung von Städten beschwor man die Schutzgötter, die Stadt zu verlassen (*evocatio deorum*: Plin. nat. 28,18), nach der Eroberung nahm man das Kultbild mit (Paus. 8,46,1–4). Um Machtdemonstration handelte es sich wohl auch bei der Entführung der athenischen Tyrannenmörder-Gruppe durch die Perser (Paus. 1,8,5), anders ist kaum zu erklären, daß für ihre Rückgabe nach Athen gleich mehrere Staatsmänner genannt werden: Antiochos (Paus. 1,8,5), Alexander (Plin. nat. 34,70) und Seleukos (Val. Max. 2,10,ext.1).

Erst seit hell. Zeit entstehen geplante Kunstsammlungen, zunächst in Verbindung mit Bibl. der Residenzen (Alexandria, Pergamon), dann aber auch privat (Ciceros Tusculum; Herculaneum, Villa dei Papiri; Lukian, Nigrinus 40).

In der späten Republik werden Forderungen laut, daß Kunstwerke der Öffentlichkeit gehören müssen (Agrippa: Plin. nat. 34,9; Asinius Pollio: Plin. nat. 36,33), eine Forderung, die derart konsequent erst wieder unter Napoleon gestellt wird.

Eine museumsähnliche Konzentration von öffentlich aufgestellten Kunstwerken findet sich in Theatern (Athen schon im 4. Jh. v. Chr.), auf öffentlichen Plätzen, in Portiken, Gärten und Thermen.

## C. ERWERB, SCHENKUNG, WEIHUNG

Man kann die Objekte direkt beim Hersteller beziehen, so macht es Thetis, die beim Schmiedegott Hephaistos Waffen für Achill anfertigen läßt (Hom. Il. 18,368 ff.), man kann sie privat verschenken oder in Heiligtümer stiften (Statuen nach Delphi als Zehnten von Kriegsbeute: Hdt. 8,27), sie können einem als Preis zufallen oder als Preis verteilt werden (Hom. Il. 23); dasselbe Objekt kann dabei ganz verschiedenen Zwekken dienen: ein kunstvoller Silberkessel aus Sidon diente ursprünglich als Gastgeschenk, dann als Lösegeld für einen Gefangenen, und letztlich als Preis in einem Wettkampf (Hom. Il. 23,740–749).

Neben Kauf, Geschenk und Raub (auch unter Folter: Polyb. 4,18) kommen in röm. Zeit in stärkerem Maße auch Betrug (mit betrügerischer Entleihung) und öffentliche Proskription vor, um sich Kunstwerke anzueignen. Nicht nur der berüchtigte Verres, auch Augustus bediente sich der Proskription (Suet. Aug. 70).

### D. GEWALTSAME ANEIGNUNG (KUNSTRAUB) IN HISTORISCHER ABFOLGE

Plünderung und Raub ist schon für die myth. Frühzeit belegt: Achill hat vor Troja zwölf Städte zu Schiff und elf zu Land erobert und dabei zahlreiche Kostbarkeiten (*keimélia*) geraubt. Die Beute gehört allen Griechen gemeinsam, ihre Verteilung obliegt dem Heerführer (Hom. Il. 9,328–337).

In den Perserkriegen blieb ein persischer Beutezug zur Plünderung von Delphi nur wegen eines Mirakels erfolglos (Hdt. 8,35–39), andere Orte, darunter Athen, wurden 480 v. Chr. von Persern/Griechen geplündert (Hdt. 8,53).

Respekt vor Heiligtümern und Tempeln wird von den Griechen zwar oft beschworen, aber Plünderungen kommen immer wieder vor: 382 v. Chr. plündert Dionysios I. von Syrakus im etruskischen Argylla einen Tempel voller Weihgeschenke; der Beutewert betrug 1.000, der Verkaufserlös 500 Talente (Diod. 15,14). 381/80 v. Chr. plündert Titus Quinctius Praeneste und überweist eine Jupiter-Statue nach Rom auf das Kapitol; durch eine beigefügte Inschr. wird diese Statue aber zum Zeugnis des persönlichen Triumphs (Liv. 6,29,8–9). 347 v. Chr. zerschlägt der phokische Feldherr Phayllos Statuen in Delphi, um Geld für die Bezahlung der Söldner zu gewinnen (Münzprägung?); Phalaikos und andere Feldherren graben im Apollontempel beim Herd und dem Dreifuß nach einem sagenhaften Schatz, die Grabung wird wegen eines Erdbebens abgebrochen (Diod. 16,56). Im gleichen J. erbeuten die Athener ein Schiff mit Gold-Elfenbeinstatuen, die Dionysios I. für die Heiligtümer in Delphi und Olympia bestimmt hatte. Die Anfrage des Schiffskommandanten, was mit den Statuen geschehen solle, beantworten die Athener: er habe nicht zu fragen, was den Göttern gehöre, sondern was für das Heer wichtig sei (Diod. 16,57). Bei der röm. Eroberung von Capua 211 v. Chr. wird dem Priestercollegium in Rom die Entscheidung überlassen, welche der erbeuteten Bronzestatuen heilig, welche profan seien (Liv. 26,34,12).

Der Umgang mit erbeuteten Kunstwerken ist noch sehr unterschiedlich: Bei der Eroberung von Volsinii 264 v. Chr. werden 2000 etruskische Statuen erbeutet (Plin. nat. 34,34), bei der Plünderung von Dion und Dodona 221 v. Chr. durch die Aetoler werden 2000 Statuen umgestürzt und zerstört, soweit es keine Götterbilder waren (Polyb. 5,9). Marcus Marcellus nimmt bei der Eroberung von Syrakus 212 v. Chr. der Stadt die Götter, Fabius Maximus läßt sie 209 v. Chr. der Stadt Tarent (Liv. 27,16). Nach der Eroberung Karthagos durch Scipio Africanus minor 146 v. Chr. erhalten die Soldaten, die an einer Plünderung des Apollontempels teilgenommen hatten, keinen Beuteanteil; Scipio gibt zugleich den sikelischen Städten Teile der von den Karthagern zuvor geraubten Beute zurück (App. Pun. 133).

212 v. Chr. erobert Marcus Marcellus Syrakus; zur Beute gehören außer Skulpturen auch Gemälde; erst ab jetzt habe man in Rom den Wert von (griech.) Kunstwerken erkannt; ab jetzt wird immer gezielter um der Kunst willen geraubt (Plut. Marc. 21; Liv. 25.40,1–3). Immer öfter werden nun auch Gemälde als Beute genannt: 197 v. Chr. bei Marcus Fulvius Nobilior (Polyb. 22,13), 197/194 v. Chr. bei T. Quinctius Flaminius (Liv. 32,16,17).

Mit den Triumphen des Lucius Scipio (»Asiaticus«) über den Antiochos und des Gnaeus Manlius Volso über die asiatischen Gallier kommen 189/187 v. Chr. erstmals »asiatische Luxusgüter« nach Rom: ziselierte Silbervasen, bronzene Betten, pergamenische Goldwirkereien, Teppiche, Monopodien, aufwendige Spieltische; ›mit diesem Triumph hielt der Luxus Einzug in Rom‹ (Liv. 39,6,7; Plin. nat. 37,6,12).

Die Triumphzüge werden immer aufwendiger, die Kunstbeute immer reicher; bei dem dreitägigen Triumph des Aemilius Paullus über die Makedonen Perseus 167 v. Chr. werden allein am ersten Tag Statuen und Gemälde auf 250 Wagen mitgeführt, Beute aus 77 zerstörten Städten (Plut. Aem.Paul. 32–33).

Ein neues Kapitel beginnt 146 v. Chr. mit der Zerstörung Korinths durch L. Mummius (»Achaicus«). Mummius hatte kein Kunstverständnis, füllte aber doch ganz Rom und Umgebung mit Beutestatuen (Plin. nat. 24,36; Vell. 1,13,4; Polyb. 40,7); zur Beute gehörten auch korinthische Bronzearbeiten, die seitdem in Rom teuer gehandelt wurden (Plin. nat. 34,6); ein Gemälde des Aristeides, für das Attalos 600 000 Sesterzen bezahlen wollte, stellte Mummius im Ceres-Tempel auf; es soll das erste in Rom öffentlich aufgestellte Bild eines auswärtigen Künstlers gewesen sein. Bilder (griech.) Künstler waren seitdem in Rom hoch geschätzt (Plin. nat. 34,24).

Schlimme Zerstörungen erlebte Griechenland 87/86 v. Chr. unter Sulla, der die Akropolis verwüstete und in Delphi, Olympia und Epidauros Tempelschätze requirierte (Sall. Cat. 11; Diod. 38,7,1; Plut. Sulla 12; Plin. nat. 36,45); man verübelte ihm, daß er bei seinem Triumph Bilder (Auftragsarbeiten?) vieler griech. und asiatischer Städte mitführte, aber von keiner einzigen röm. Stadt (Val. Max. 2,8,7).

Der sprichwörtlich übelste Kunsträuber war C. V. Verres, der Kilikien, die griech. Inseln, Kleinasien, Achaia und vor allem Sizilien für sich persönlich ausplünderte (73–71 v. Chr.; Cic. Verr. 2,1,49–51. 81; 2,4,1; [1. 66–75]). In dem Prozeß, der ihm 70 v. Chr. in Rom gemacht wurde, vertrat Cicero die Anklage; die Anklagereden sind das umfangreichste erhaltene Dokument über ant. Mißbrauch und Raub von Kunst.

Es hatten sich mittlerweile auch professionelle Kunsträuber herausgebildet wie der Wachsbildner Tlepolemos und der Maler Hieron, die für Verres tätig waren (Cic. Verr. 2,4,30–31), und Kunsthändler und Agenten wie Atticus, Gallus, Damasippos, Junius, die für Cicero tätig waren (Cic. Att.; Cic. fam. 7,23,1–3). Künstlernamen werden jetzt neben Wertangaben immer wichtiger.

Scaurus, der Stiefsohn des Lucullus, wendet große Summen für den Bau öffentlicher Anlagen und Kunstsammlungen auf; an der Bühnenwand eines von ihm errichteten temporären Theaters standen 3000 Statuen (Plin. nat. 34,36). Er hat eine Vorliebe für Gemälde aus Korinth, in Sikyon requiriert er aus öffentlichem Besitz Bilder für Rom (Plin. nat. 35,127). Murena und Varro lassen in Sparta Wandmalereien abschlagen und senden sie in Holzrahmen nach Rom zum Schmuck des Comitiums (Plin. nat. 35,173).

Scaurus hat als erster in Rom eine Sammlung von Gemmen, eine Dactyliothek, aufgebaut. Eine Gemmensammlung aus der Mithradatesbeute stiftet Pompeius an das Capitol, sechs Dactyliotheken schenkt Caesar dem Tempel der Venus Genetrix (Plin. nat. 37,11; 37,6). Mit dem asiatischen Triumph des Pompeius werden in Rom Perlen und Gemmen beliebte Sammelobjekte (Plin. nat. 33, 151).

Unter Caesar/Augustus erfolgt der Wiederaufbau von Korinth; dabei finden sich in Gräbern sog. Necrocorinthia (nekrós griech.: Leichnam), bemalte Tonvasen, die in Rom nun Mode werden; es beginnt eine systematische Ausplünderung der Gräber (Strab. 8,6,23).

Nach dem Sieg über Antonius bei Actium entführt Augustus aus Ägypten neben Kunstwerken auch drei Obelisken und fremdartige ägyptische Kunst nach Rom. Das Ägyptische wird schnell von der heimischen Kunst aufgenommen.

Mit Augustus ist die große Zeit der Wechselwirkung von Kunstraub und Kunsterlernung zu einem Ende gekommen. Kunst wird weiterhin geraubt, aber sie wirkt nicht mehr. Man kennt und hat alles.

Caligula läßt aus Griechenland Götterstatuen von künstlerischem oder rel. Wert entführen; auch das Goldelfenbeinbild des Zeus aus Olympia sollte nach Rom überführt werden; geraubten (Porträt-)Statuen, läßt er die Köpfe abschlagen und durch sein eigenes Bild ersetzen (Suet. Calig. 21. 57; Cass. Dio 59,28,4–5). Das macht später Schule.

Für die Ausstattung seiner Domus Aurea läßt Nero zahlreiche griech. Statuen heranschaffen (Plin. nat.

34,84). Um die Erinnerung an frühere Sieger zu tilgen, läßt Nero beim Besuch von Olympia alle (Porträt-)Statuen umstürzen und in Latrinen werfen (Suet. Nero 24).

Bei Vespasian und Titus ist es vornehmlich eine polit. Demonstration röm. Größe, wenn nach der Einnahme Jerusalems beim Triumph 71 n. Chr. Beute in reichstem Ausmaß mitgeführt wird, darunter der siebenarmige Leuchter aus dem Tempel (Jos. bellum Judaicum 7,5,132ff.).

Nachdem bislang Rom das Zentrum für geraubte Kunst war, tritt mit dem Ende des 2. Jh. n. Chr. Byzantium/Constantinopel hinzu, wohin Constantin dann 330 n. Chr. die Residenz verlegt. Für die öffentlichen Bauten, bes. das Zeuxippos-Bad und das Hippodrom, werden unter Constantin Statuen aus Athen, Rhodos, Kypros, Syrien, Ägypten, Sizilien und Griechenland herangeschafft; 60 der Statuen am Hippodrom stammen aus Rom.

Mit der Spätant. geht das Wertbewußtsein für Kunst immer mehr verloren. Bei Plünderungen steht der materielle Wert jetzt ganz im Vordergrund; viele Kunstwerke werden bewußt zerschlagen oder wegen rel. Vorbehalte gegen das Heidnische zerstört.

Bei der Christianisierung unter Justinian I. werden im 6. Jh. n. Chr. beim Wiederaufbau der Hagia Sophia 427 meist griech. Statuen aus der Kirche entfernt.

1204 wird Konstantinopel von den Kreuzfahrern erobert, und damit das letzte noch bestehende große Ensemble ant. Kunst zerstört und geplündert.

Kunstverständnis scheinen unter den Kreuzfahrern noch am ehesten die Venezianer zu haben, die außer goldenen und silbernen Zimelien und Reliquien auch ant. Statuen mit nach Venedig brachten. In Rom setzt die Sammeltätigkeit erst mit der Ren. langsam wieder ein. Kunstraub der alten Form gibt es dann erst wieder im 30-jährigen Krieg bes. auf Seiten der Schweden. Hiervon waren v. a. Deutschland und Böhmen betroffen.

Großartige Formen hat der systematisch vorbereitete Kunstraub unter Napoleon angenommen, der bis nach Italien, Spanien und Ägypten greift (1794–1814; Wescher [10]). Napoleon verfolgte dabei aber immer auch wiss. Ziele; so plante er ein großes öffentliches Zentral-Museum, das nachmalige Musée Napoléon (heute Louvre). Er hatte Beraterstäbe aus Wissenschaftlern und Künstlern, die zu entführenden Werke waren teils schon vor dem Raub durch Listen bestimmt, während der Durchführung wurde genau Buch geführt. Aus Italien nahm er außer den Kunstwerken zugleich auch den prominentesten Archäologen E. Q. Visconti mit nach Paris. Parallel zur Einrichtung des Museums wurde mit der Publikation von Katalogen begonnen.

Gegenüber Napoleons Beweggründen, daß Kunst und Wiss. zugängliches Eigentum aller sein müßten, sind die Beweggründe der nächsten systematischen Kunstplünderung unter den Nationalsozialisten vielfach durch primitive Vorstellungen und teils archaische Brutalität geprägt. V. a. Privatbesitz wird ähnlich wie in der Ant. bei Kriegsbeute oder Proskriptionen ohne gezielte

Auswahl geschlossen enteignet; viel Geraubtes kommt gar nicht erst in Staatsbesitz, sondern bleibt in den Händen einzelner Machthaber.

### E. RECHTSFRAGEN

Rechtliche Fragen im Zusammenhang mit Kunstraub sind umstritten. Immer öfter fordern Ursprungsländer Kunstwerke aus europ. Museen zurück: Pergamon-Altar (Türkei), Parthenon-Skulpturen (Griechenland), afrikanische und süd/mittelamerikanische Kunst, Schliemanns Trojafunde (Türkei und Deutschland). Die Frage nach einer Rückführung wird sich aber solange wohl kaum beantworten lassen, wie in den Ländern große Zentralmuseen den regionalen Fundstellen die dort gemachten Funde entziehen (landesinterner Kunstraub).

→ AWI Damnatio memoriae, Domitian

QU **1** J. J. POLLITT, The Art of Rome c. 735 B.C.- 337 A.D. (Sources & Documents in the History of Art Series), 1966

LIT **2** H. BECK, P.C. BOL, W. PRINZ, H.v.STEUBEN (Hrsg.), Antikenslgg. im 18. Jh., 1981 **3** C. PH. BRACKEN, Antikenjagd in Griechenland 1800–1830, 1977 **4** FR. HASKELL, N. PENNY, Taste and the Antique, 1981 **5** K.O. MÜLLER, Hdb. der Arch. der Kunst. Mit Zusätzen von Fr.G. Welcker, Breslau 1848 **6** J. OVERBECK, Die ant. Schriftquellen zur Gesch. der bildenden Künste bei den Griechen, 1868 **7** F.C. PETERSEN, Allg. Einleitung in das Studium der Arch. Aus dem Dänischen von P. Friedrichsen, Leipzig 1829 **8** W. TREUE, Der K., 1960 **9** L. VÖLKEL, Über die Wegführung der alten Kunstwerke aus den eroberten Ländern nach Rom, Leipzig 1798 **10** P. WESCHER, K. unter Napoleon, 1976 **11** W. WUNDERER, Manibiae Alexandrinae. Eine Studie zur Gesch. des röm. K., 1894.

HARTMUT G. DÖHL

**Kuppelbau** s. Pantheon

**Kynismus** A. MITTELALTER B. NEUZEIT

### A. MITTELALTER

Die Rezeption des K. im MA und in der Neuzeit ist bis auf wenige Ausnahmen eine reine Diogenes-Rezeption. Wichtigste Quelle für die Kenntnis des Diogenes im MA war die Kurzbeschreibung, die der Kirchenvater Hieronymus in seiner Schrift *Gegen Jovinianus* (2, 14) von der Lebensweise des Diogenes gibt. Was diese für ihn zum exemplum macht, faßt Hieronymus in die Formel, Diogenes sei ›mächtiger als der König Alexander und ein Sieger über die menschliche Natur‹ gewesen (›potentior rege Alexandro et naturae victor humanae‹). Angespielt ist damit zum einen auf die extreme Bedürfnislosigkeit des Diogenes und zum anderen auf die bekannte Anekdote, derzufolge Alexander d. Gr. einmal zu Diogenes kam, als dieser sich gerade in der Öffnung seines Fasses sonnte, und ihn fragte, ob er einen Wunsch habe, und Diogenes daraufhin die Bitte äußerte, Alexander möge ihm ein wenig aus der Sonne gehen (Abb. 1). Diogenesanekdoten und -apophthegmen kannte man im MA außerdem aus den Schriften heidnischer Autoren wie Cicero, Seneca und Valerius Maximus. Auf den Diogenes, den man in diesen Quellen fand, wird in moralphilos. oder jedenfalls moralisierenden Texten des MA häufig Bezug genommen, sei es in knapper Form, sei es in phantasievoller Ausgestaltung (umfangreiche Textsammlung: 6. 177–279). Zwei weitere vielbenutzte Quellen kamen später hinzu: Die Spruchsammlung der *Bocados de Oro* (Goldene Bissen), die um die Mitte des 13. Jh. aus dem Arab. ins Span. und

Abb. 1: Diogenes und Alexander, im Hintergrund das Schloß von Ofen (dt. Name der ungarischen Stadt Buda), aus Daniel Meisner, Thesaurus philopoliticus, Frankfurt 1625–31, I. Buch

dann von dorther ins Lat., Frz. und Engl. übersetzt wurde, enthält zahlreiche Aussprüche des Diogenes (Kap. 10). Und zu Beginn des 14. Jh. erschien in dem nach dem Vorbild der Philos.-Geschichte des Diogenes Laertios verfaßten, in der Überlieferung Walter Burley zugeschriebenen *Liber de vita et moribus philosophorum* die früheste Biographie des Diogenes. Dieses Werk enthält auch Biographien des Antisthenes und des Krates (Kap. 50, 33 und 19).

### B. Neuzeit

Zu Beginn der Neuzeit kamen zu den lat. Quellen, die bis dahin allein zur Verfügung gestanden hatten, griech. hinzu, wodurch sich die Basis erheblich verbreiterte: In den J. von 1472 bis 1533 wurden ein Großteil der (später als unecht erkannten) Kynikerbriefe und die Philos.-geschichte des Diogenes Laertios erstmals gedruckt, jeweils zunächst in lat. Übers., dann im Originaltext. Noch viel einflußreicher als diese ant. Texte waren allerdings Erasmus' *Apophthegmata*, die sich seit dem Erstdruck von 1531 sehr rasch über ganz Europa verbreiteten. Sie enthalten im 3. B. eine Fülle von Aussprüchen des Diogenes, die Erasmus v. a. der Philos.-Geschichte des Diogenes Laertios entnahm. Auf sie v. a. stützt sich Hans Sachs, wenn er seinen Zeitgenossen in insgesamt acht Texten aus den J. 1523–1563 in Diogenes einen Tugendlehrer vor Augen stellt, der um das Wohl seiner Mitbürger bemüht war [6. 300–337]. Auf sie stützt sich auch der anon. Autor jenes B., das 1550 in Zürich unter dem Titel *Diogenes. Ein Lustige unnd Kurtzwylige History von aller Leer unnd Läben Diogenis Cynici des Heydnischen Philosophi* erschien [6. 101–165]. In der Vorrede erläutert der Autor, warum es die Lebensgeschichte des Diogenes verdient habe, erzählt zu werden (umgesetzt in heutiges Dt.): ›Denn obgleich Diogenes viel geredet und getan hat, das wüst, grob und ungebührlich ist, so hat er doch dagegen auch viel gelehrt und selbst getan, woraus man viel Gutes lernen kann‹. Wie man die Lebensgeschichte des Diogenes zu lesen habe, habe schon der Hl. Hieronymus in seiner Schrift *Gegen Jovinian* gezeigt: ›Das Gute behalten, das Böse fahren lassen.‹ [6. 103 f.].

In der Person des Diogenes verbanden sich in unauflösbarer Weise Ernst und Spiel, Weisheit und Narretei, Abgeklärtheit und Provokation miteinander. Deshalb sah man in ihm einen ant. Zwillingsbruder des Eulenspiegel und, allgemeiner gesagt, den Archetypus des weisen Narren. Als exemplarisch galt in diesem Sinne die Anekdote, derzufolge Diogenes einst bei hellichtem Tag eine Laterne anzündete und sagte: ›Ich suche einen Menschen.‹ (Diog. Laert. 6, 41). Der Engländer Samuel Rowlands läßt diesen Diogenes 1607 in der Schrift *Diogines Lanthorne* in den Straßen Athens eine Moralpredigt halten, die sich in Wirklichkeit natürlich an die Londoner seiner Zeit richtet (Abb. 2).

Daß der Diogenes mit der Laterne in die eigene Zeit und Umgebung hineinversetzt wird, geschieht im 17. und 18. Jh. auch sonst, sowohl in Schriften als auch in bildlichen Darstellungen. Dabei wird mit der Szene

# DIOGINES
## Lanthorne.

*A thens* I feeke for honeft men;
But I fhal finde thễ God knows when.

Ile fearch the Citie, where if I can fee
One honeft man; he fhal goe with me.

Abb. 2: Frontispiz von Samuel Rowlands, *Diogines Lanthorne*, 1607

Die bösen Buben von Korinth
Sind platt gewalzt, wie Kuchen sind.

Abb. 3: Wilhelm Busch, Diogenes und die bösen Buben von Korinth

vielfach ein neuer Sinn verbunden: Diogenes' Suchen verliert den Charakter des prinzipiell Aussichtslosen und damit Paradoxen, den es in der ant. Anekdote hatte. Der in die neue Zeit verpflanzte Diogenes kann fündig werden. Ein bes. interessantes Teilstück dieser Trad. ist die Entwicklung des Diogenes zur Galionsfigur bürgerlichen Widerstandes gegen den Absolutismus in Frankreich im 17. und 18. Jh. [3]. Auf einer aus der Schlußphase dieser Entwicklung stammenden, vermutlich 1793 entstandenen Radierung begrüßt Diogenes, die Laterne in der linken Hand, mit der rechten den Revolutionshelden Marat, der aus einem Kellerloch heraussteigt. Im Hintergrund sieht man das Faß des Diogenes. Die Beischrift lautet: ›Diogenes verläßt, mit einer roten Mütze (d. h. der Mütze der Jakobiner) bedeckt, seine Tonne, um Marat die Hand zu reichen, der aus einem Keller durch das Fenster herauskommt.‹

Eine ausgeprägte Sympathie für Diogenes und die Kyniker insgesamt hegte Christoph Martin Wieland. Drei seiner Romane basieren auf kynischen Stoffen. Platon soll Diogenes einer ant. Trad. zufolge als »verrückten Sokrates« (Σωκράτης μαινόμενος) bezeichnet haben (Ail. var. 14,33. Diog. Laert. 6,54). Dieses Dictum wählte Wieland als Titel des ersten dieser Romane *ΣΩΚΡΑΤΗΣ ΜΑΙΝΟΜΕΝΟΣ oder die Dialogen des Diogenes von Sinope* (1770; späterer Titel: *Nachlaß des Diogenes von Sinope*). Später folgten die Romane *Geheime Geschichte des Philosophen Peregrinus Proteus* (1791) und *Krates und Hipparchia* (1805). Eine eigenartige Rolle spielt Diogenes im Denken Goethes. Wohl zu Beginn der Weimarer Zeit (1775/76) verfaßte dieser das kleine Gedicht ›So wälz' ich ohne Unterlaß, wie Sankt Diogenes, mein Faß [...]‹. Bezug genommen ist mit diesen V. auf die folgende Anekdote (Lukian. hist. conscr. 3): Als die Korinther einst vernahmen, daß Philipp von Makedonien mit seinem Heer gegen die Stadt vorrücke, suchten sie mit großer Geschäftigkeit ihre Stadt auf jede nur denkbare Weise zu befestigen. Diogenes sah dies und begann alsbald, sein Faß bergauf, bergab zu wälzen. Als einer seiner Freunde ihn daraufhin fragte, was er damit bezwecke, antwortete er: ›Ich wälze mein Faß, um nicht als einziger unter so vielen Tätigen untätig zu erscheinen.‹ Daß er ›wie Diogenes sein Faß wälze‹, hat Goethe seit der Zeit des Gedichtes immer wieder als Formel gebraucht, um ein Tätigsein zu bezeichnen, das sich auf sich selbst konzentriert und sich nicht um das es umgebende unruhige Treiben schert. Mit Diogenes hat sich Goethe im übrigen auch sonst gerne verglichen, v. a. im höheren Alter. Im Konzept eines Goethe-Briefes von 1815 heißt es: ›Ich mag mich sehr gerne regieren und besteuern lassen, wenn man mir nur an der Öffnung meines Fasses die Sonne läßt.‹

Wilhelm Busch hat Diogenes und sein Faß zum Gegenstand der Geschichte *Diogenes und die bösen Buben von Korinth* gemacht. In ihr erzählt er in Wort und Bild, wie zwei Jungen Diogenes damit ärgern, daß sie sein Faß zum Rollen bringen. Die Strafe für ihr böses Tun folgt, wie bei Busch nicht anders zu erwarten, auf dem Fuße: Das Faß überrollt sie, und es bleibt von ihnen nicht mehr übrig als zwei ihre Gestalten nachzeichnende Flecken auf der Erde (Abb. 3).

Seinen urspr. pessimistischen Sinn erhält das Motiv des Diogenes mit der Laterne bei Nietzsche zurück. In der Erzählung *Der tolle Mensch* ( *Die fröhliche Wissenschaft*,

3. Buch 125) ist aus dem »verrückten Sokrates«, der mit seiner Laterne einen Menschen sucht, der »tolle Mensch« geworden, der den anderen Menschen die Botschaft vom Tod Gottes verkündet und sie darüber aufklärt, daß sie selbst Gott umgebracht hätten. Doch es zeigt sich, daß er mit seiner Botschaft zu früh gekommen ist: Er stößt mit ihr nur auf Unverständnis und Befremden. Der zu früh Gekommene, Unzeitgemäße, dessen Botschaft keiner hören will, ist natürlich Nietzsche selbst. Er ist der neue Diogenes, seine Botschaft der neue »Cynismus«, und der verkündet die »Umwertung aller Werte«, verstanden als Sieg der Natur über die Moral.

Im Dt. unterscheiden wir h. zw. K. und Zynismus und meinen mit dem ersteren die Lebensform der ant. Kyniker, mit dem letzteren eine Haltung, die sich kundtut in ›höhnisch-bissigem, auch verletzendem Spott, dem nichts heilig ist‹ [1]. Diese Unterscheidung, die es der Sache nach in anderen Sprachbereichen genauso gibt, die als orthographische Unterscheidung jedoch nur in der dt. Sprache möglich ist, setzt gewissermaßen den Schlußpunkt unter eine Entwicklung, die sich bis ins 18. Jh. zurückverfolgen läßt. Schon damals zeigte der Begriff »Cynismus« – so die übliche Schreibung bis zum Beginn des 20. Jh. – eine Tendenz, sich von seiner Bindung an das ant. Substrat zu lösen und zu verselbständigen. Es begann ein Prozeß, in dessen Verlauf sich schließlich gleichsam als ein Ableger des Cynismus das herausbildete, was wir h. Zynismus nennen [7].

→ AWI Diogenes; Kynismus

1 K. DOERING, s. v. Antisthenes, Diogenes und die Kyniker, Nachwirkungen, GGPh² 2/1, 1998, 315–321
2 J. FELLESCHES, s. v. Zynismus, in: Europ. Enzyklopädie zu Philos. und Wiss., Bd. 4, 1990, 1008 3 K. HERDING, Diogenes als Bürgerheld, in: Boreas 5, 1982, 232–254 (= Ders., Im Zeichen der Aufklärung, 1989, 163–181. 219–231)
4 Ders., Diogenes als Narr, in: P. K. KLEIN (Hrsg.), Zeitenspiegelung, 1998, 151–180 5 Ders., Alexander besucht Diogenes, in: S. ANSELM, C. NEUBAUR (Hrsg.), Talismane. K. Heinrich zum 70. Geb., 1998, 363–424
6 N. LARGIER, Diogenes der Kyniker. Exempel, Erzählung, Gesch. in MA und Früher Neuzeit, 1997
7 H. NIEHUES-PRÖBSTING, Der K. des Diogenes und der Begriff des Zynismus, 1979, ²1988 8 Ders., Die Kynismus-Rezeption der Moderne. Diogenes in der Aufklärung, in: M.-O. GOULET-CAZÉ, R. GOULET (Hrsg.), Le cynisme ancien et ses prolongements, 1993, 519–555
9 ST. SCHMITT, Diogenes. Stud. zu seiner Ikonographie in der niederländischen Emblematik und Malerei des 16. und 17. Jh., 1993 10 P. SLOTERDIJK, Kritik der zynischen Vernunft, 1983. KLAUS DÖRING